LANGENSCHEIDT'S
STANDARD DICTIONARY
OF THE FRENCH AND ENGLISH LANGUAGES

First Part

French-English

by

KENNETH URWIN

Docteur de l'Université de Paris
Docteur de l'Université de Caen

HODDER AND STOUGHTON

Contents

Table des matières

Published in the British Commonwealth
by Hodder & Stoughton Limited

Preface

Like every living language, French is subject to constant change: new terms and new compounds come into being, antiquated words are replaced by new ones, regional and popular words and technical terms pass into ordinary speech.

The present dictionary has taken proper account of this. The words selected are taken primarily from the common language. Others have been taken from the language of commerce, economics, technology, sport, politics, etc. Moreover, a large number of neologisms have been included, e.g. *antirides, bibliobus, bienpensant, compte à rebours, greffe du cœur, jusqu'auboutisme, module lunaire, satellisation, télé-enseignement, train-auto.*

A series of appendices to the dictionary proper gives a list of some common proper names, of common abbreviations, tables of numerals and weights and measures, and a list of model verbs to which the user is referred by the reference number with each verb in the vocabulary. Irregular forms of verbs have been given as separate entries.

The instructions on how to use this dictionary (pages 7—13) should be read carefully: they are intended to increase its practical value.

The phonetic transcription has been given in square brackets after each catchword, using the system of the International Phonetic Association.

The editor wishes to express his deep gratitude to the staff of the English Section of Langenscheidt who corrected the entire proofs, checked the translations and suggested the addition of many neologisms. Their work was extremely valuable.

It is hoped that this new dictionary will be an instrument for better understanding between peoples.

K.U.

Préface

La langue française, comme toute langue vivante, est sujette à un changement incessant: nombre de termes nouveaux et de composés prennent naissance, les mots désuets sont remplacés par d'autres, des termes de patois et d'argot, ainsi que des termes techniques, passent dans le langage courant.

Le présent dictionnaire tient entièrement compte de cette évolution. Les mots que nous avons choisis sont tirés en premier lieu de la langue usuelle. D'autres termes sont empruntés au langage du commerce, de l'économie politique, de la technologie, du sport, de la politique, etc. En outre de nombreux néologismes ont été introduits, telles les expressions: *antirides, bibliobus, bienpensant, compte à rebours, greffe du cœur, jusqu'auboutisme, module lunaire, satellisation, télé-enseignement, train-auto.*

En complément du dictionnaire proprement dit nous donnons une liste de noms propres, une autre des abréviations les plus courantes, ainsi que des tables d'adjectifs numéraux et de poids et de mesures et une table synoptique des conjugaisons à laquelle renvoie le numéro après chaque verbe. Les formes irrégulières des verbes se trouveront dans le vocabulaire sous forme de mots-souches indépendants.

Nous recommandons aux utilisateurs de lire attentivement les indications pour l'emploi de ce dictionnaire (pages 7—13), ce qui en révélera la valeur pratique.

La prononciation figurée, placée entre crochets à la suite du mot-souche, est indiquée selon la méthode de l'Association Phonétique Internationale.

L'éditeur tient à exprimer sa très vive reconnaissance au personnel de la Section anglaise de Langenscheidt qui a revu toutes les épreuves du dictionnaire, vérifié les versions données et suggéré l'addition d'un grand nombre de néologismes. Leurs efforts ont été de la plus grande valeur.

Puisse ce dictionnaire contribuer à une meilleure compréhension entre les peuples.

K.U.

Directions for the use of this dictionary

Indications pour l'emploi de ce dictionnaire

1. **Arrangement.** The alphabetic order of the catchwords has been observed throughout. Hence you will find, in their proper alphabetic order:

a) the irregular forms of nouns, adjectives, comparatives, adverbs, and those forms of irregular verbs from which the various tenses can be derived Reflexive or pronominal verbs, however, will be found under the simple infinitive;

b) the various forms of the pronouns;

c) compound words.

2. **Homonyms** of different etymologies have been subdivided by exponents;

e.g. *mousse*[1] ship's boy ...
mousse[2] moss ...
mousse[3] blunt ...

3. **Differences in meaning.** The different senses of French words can be distinguished by:

a) explanatory additions given in italics after a translation;

e.g. *tombant* drooping (*moustache, shoulders*); sagging (*branch*); flowing (*hair*);

b) symbols and abbreviations before the particular meaning (see list on pages 10—11). If, however, the symbol or abbreviation applies to all translations alike, it is placed between the catchword and its phonetic transcription.

A semicolon is used to separate one meaning from another which is essentially different.

1. **Classement.** L'ordre alphabétique des mots-souches a été rigoureusement observé. Ainsi on trouvera dans leur ordre alphabétique:

a) les formes irregulières des noms, des adjectifs, des comparatifs, des adverbes et, des verbes irréguliers, les formes dont on peut dériver les divers temps; toutefois les verbes réfléchis ou pronominaux se trouveront après l'infinitif simple;

b) les formes diverses des pronoms;

c) les mots composés.

2. Les **Homonymes** d'étymologie différente font l'objet d'articles différents distingués par un chiffre placé en haut derrière le mot en question;

p.ex. *mousse*[1] ship's boy ...
mousse[2] moss ...
mousse[3] blunt ...

3. **Distinction de sens.** Les différents sens des mots français se reconnaissent grâce à:

a) des additions explicatives, en italique, placées à la suite des versions proposées;

p.ex. *tombant* drooping (*moustache, shoulders*); sagging (*branch*); flowing (*hair*);

b) des symboles ou des définitions en abrégé qui les précèdent (voir liste, pages 10—11). Si, cependant, les symboles ou les abréviations se rapportent à l'ensemble des traductions, ils sont intercalés entre le mot-souche et la transcription phonétique.

Le point-virgule sépare une acception donnée d'une autre essentiellement différente.

4. **The gender** of French nouns is always given. In the case of adjectives the gender is not given unless there is a danger of misunderstanding.

4. **Le genre grammatical** des noms français est toujours indiqué. Pour les adjectifs le genre est indiqué exceptionnellement pour éviter des malentendus.

5. **Letters in brackets** within a catchword indicate that the word may be spelt with or without the letter bracketed;

5. **Les lettres entre parenthèses** dans les mots-souches indiquent qu'il est permis d'écrire le même mot de deux manières différentes;

e.g. *immu(t)abilité* immutability.

p.ex. *immu(t)abilité* immutability.

6. **Conjugations of verbs.** The number given in round brackets after each French infinitive refers to the table of conjugations at the end of this volume (pages 556—584).

6. **Conjugaisons des verbes.** Les chiffres donnés entre parenthèses à la suite de chaque verbe français renvoient à la table synoptique des conjugaisons à la fin de ce dictionnaire (pages 556—584).

Key to the symbols and abbreviations
Explication des symboles et des abréviations

1. Symbols

The tilde (∼, ∼) serves as a mark of repetition. To save space, compound catchwords are often given with a tilde replacing one part.

The tilde in bold type (∼) replaces the catchword at the beginning of the entry;

e.g. **wagon** ...; **∼-poste** = wagon-poste.

The simple tilde (∼) replaces:

a) The catchword immediately preceding (which may itself contain a tilde in bold type), or in an illustrative example containing a feminine adjective, that part of the feminine adjective suppressed in the catchword;

e.g. **abattre** ...; s'∼ = s'abattre; **aéro**...; **∼statique** ...; *ballon m* ∼ = ballon aérostatique; **aphteux, -euse** *adj.*: *fièvre f* ∼*euse* = fièvre aphteuse;

b) within the phonetic transcription, the whole of the pronunciation of the preceding catchword, or of some part of it which remains unchanged;

e.g. **vénérable** [vene'rabl] ...; **vénération** [∼ra'sjɔ̃] = [venera-'sjɔ̃] ...; **vénérer** [∼'re] = [vene're].

The tilde with circle (⊙, ⊙). When the first letter changes from capital to small or vice-versa, the usual tilde is replaced by a tilde with circle (⊙, ⊙);

e.g. **saint, sainte** ...; ⊙-**Esprit** = Saint-Esprit; **croix** ...; ⊙-*Rouge* = Croix-Rouge.

The other symbols used in this dictionary are:

1. Symboles

Le tilde (∼, ∼) est le signe de la répétition. Afin de gagner de la place, souvent le mot-souche ou un de ses éléments a été remplacé par le tilde.

Le tilde en caractère gras (∼) remplace le mot-souche qui se trouve au début de l'article;

p.ex. **wagon** ...; **∼-poste** = wagon-poste.

Le tilde simple (∼) remplace:

a) le mot-souche qui précède (qui d'ailleurs peut également être formé à l'aide du tilde en caractère gras); ou dans une expression avec adjectif féminin l'élément de l'adjectif féminin supprimé dans le mot-souche;

p.ex. **abattre** ...; s'∼ = s'abattre; **aéro**...; **∼statique** ...; *ballon m* ∼ = ballon aérostatique; **aphteux, -euse** *adj.*: *fièvre f* ∼*euse* = fièvre aphteuse;

b) dans la transcription phonétique, la prononciation entière du mot-souche qui précède ou la partie qui demeure inchangée;

p.ex. **vénérable** [vene'rabl] ...; **vénération** [∼ra'sjɔ̃] = [venera-'sjɔ̃] ...; **vénérer** [∼'re] = [vene're].

Le tilde avec cercle (⊙, ⊙). Quand la première lettre se transforme de majuscule en minuscule, ou vice versa, le tilde normal est remplacé par le tilde avec cercle (⊙, ⊙);

p.ex. **saint, sainte** ...; ⊙-**Esprit** = Saint-Esprit; **croix** ...; ⊙-*Rouge* = Croix-Rouge.

Les autres symboles employés dans ce dictionnaire sont:

10

F	colloquial, familier.	🚂	railway, Am. railroad, chemin de fer.
V	vulgar, vulgaire.	✈	aviation, aviation.
†	obsolete, vieilli.	♪	music, musique.
⚘	botany, botanique.	△	architecture, architecture.
⊕	technology, technologie; mechanics, mécanique.	⚡	electricity, électricité.
⚒	mining, mines.	⚖	law, droit.
⚔	military, militaire.	A	mathematics, mathématique.
⚓	nautical, nautique; navy, marine.	✍	agriculture, agriculture.
♄	commercial, commerce; finance, finances.	🜍	chemistry, chimie.
		💊	medicine, médecine.
		▨	heraldry, blason.

2. Abbreviations — Abréviations

a.	also, aussi.	fut.	future, futur.
abbr.	abbreviation, abréviation.	geog.	geography, géographie.
adj.	adjective, adjectif.	geol.	geology, géologie.
admin.	administration, administration.	ger.	gerund, gérondif.
		gramm.	grammar, grammaire.
adv.	adverb, adverbe; adverbial phrase, locution adverbiale.	hist.	history, histoire.
		hunt.	hunting, chasse.
Am.	Americanism, américanisme.	icht.	ichthyology, ichtyologie.
anat.	anatomy, anatomie.	imper.	imperative, impératif.
approx.	approximately, approximativement.	impers.	impersonal, impersonnel.
		impf.	imparfait, imperfect.
archeol.	archeology, archéologie.	ind.	indicative, indicatif.
art.	article, article.	indef.	indefinite, indéfini.
astr.	astronomy, astronomie.	inf.	infinitive, infinitif.
attr.	attributively, attribut.	int.	interjection, interjection.
bibl.	biblical, biblique.	interr.	interrogative, interrogatif.
biol.	biology, biologie.	inv.	invariable, invariable.
box.	boxing, boxe.	Ir.	Irish, irlandais.
Br.	British, britannique.	iro.	ironically, ironiquement.
ch.sp.	childish speech, langage enfantin.	irr.	irregular, irrégulier.
		journ.	journalism, journalisme.
cin.	cinema, cinéma.	ling.	linguistics, linguistique.
cj.	conjunction, conjonction.	m	masculine, masculin.
co.	comical, comique.	metall.	metallurgy, métallurgie.
coll.	collective, collectif.	meteor.	meteorology, météorologie.
comp.	comparative, comparatif.	min.	mineralogy, minéralogie.
cond.	conditional, conditionnel.	mot.	motoring, automobilisme.
cost.	costume, costume.	mount.	mountaineering, alpinisme.
cuis.	cuisine, culinary art.	myth.	mythology, mythologie.
def.	definite, défini.	n	neuter, neutre.
dem.	demonstrative, démonstratif.	neg.	negative, négatif.
dial.	dialectal, dialectal.	npr.	nom propre, proper name.
dimin.	diminutive, diminutif.	num.	numeral, numéral.
eccl.	ecclesiastical, ecclésiastique.	oft.	often, souvent.
e.g.	exempli gratia, for example, par exemple.	opt.	optics, optique.
		orn.	ornithology, ornithologie.
esp.	especially, surtout.	o.s., o.s.	oneself, soi-même.
etc.	and so on, et cætera.	p.	person, personne.
f	feminine, féminin.	paint.	painting, peinture.
fig.	figuratively, sens figuré.	parl.	parliament, parlement.
foot.	football, football.	pej.	pejoratively, sens péjoratif.
Fr.	French, français.	pers.	personal, personnel.

phls.	*philosophy*, philosophie.	*s.th., s.th.* *something*, quelque chose.
phot.	*photography*, photographie.		
phys.	*physics*, physique.	*su.*	(= *f* + *m*) *substantif*, noun.
physiol.	*physiology*, physiologie.	*su./f*	*substantif féminin*, feminine noun.
pl.	*plural*, pluriel.		
poet.	*poetic*, poétique.	*su./m*	*substantif masculin*, masculine noun.
pol.	*politics*, politique.		
poss.	*possessive*, possessif.	*sup.*	*superlative*, superlatif.
p.p.	*participe passé*, past participle.	*surv.*	*surveying*, arpentage.
		tel.	*telegraphy*, télégraphie.
p.pr.	*participe présent*, present participle.	*teleph.*	*telephony*, téléphonie.
		telev.	*television*, télévision.
pred.	*predicative*, prédicatif.	*tex.*	*textiles*, industries textiles.
pref.	*prefix*, préfixe.	*thea.*	*theatre*, théâtre.
pres.	*present*, présent.	*typ.*	*typography*, typographie.
pron.	*pronoun*, pronom.	*univ.*	*university*, université.
prp.	*preposition*, préposition; *prepositional phrase*, locution prépositive.	*USA*	*United States of America*, États-Unis.
		usu.	*usually*, d'ordinaire.
p.s.	*passé simple*, past tense.	*v/aux.*	*verbe auxiliaire*, auxiliary verb.
psych.	*psychology*, psychologie.		
q.	*quelqu'un*, someone.	*vet.*	*veterinary*, vétérinaire.
qch.	*quelque chose*, something.	*v/i.*	*verbe intransitif*, intransitive verb.
recip.	*reciprocal*, réciproque.		
rel.	*relative*, relatif.	*v/impers.*	*verbe impersonnel*, impersonal verb.
rfl.	*reflexive*, réfléchi.		
sbj.	*subjunctive*, subjonctif.	*v/t.*	*verbe transitif*, transitive verb.
sc.	*scilicet, namely*, c'est-à-dire.		
Sc.	*Scottish*, écossais.	*vt/i.*	*verbe transitif et intransitif*, transitive and intransitive verb.
sg.	*singular*, singulier.		
sl.	*slang*, argot.		
s.o., s.o.	*someone*, quelqu'un.	*zo.*	*zoology*, zoologie.
sp.	*sports*, sport.		

The phonetic symbols of the International Phonetic Association

Signes phonétiques de l'Association Phonétique Internationale

A. Vowels

Note: In French the vowels are "pure", i.e. there is no slackening off or diphthongization at the end of the sound. Thus, the [e] of *né* [ne] has no tail as in English *nay* [nei].

[ɑ] back vowel, mouth well open, tongue lowered, as in English *father*: long in *pâte* [pɑ:t], short in *cas* [kɑ].

[ɑ̃] [ɑ]-sound, but with some of the breath passing through the nose: long in *prendre* [prɑ̃:dr], short in *banc* [bɑ̃].

[a] clear front vowel, tongue further forward than for [ɑ] and corners of the mouth drawn further back: long in *page* [pa:ʒ], short in *rat* [ra].

[e] closed vowel, tongue raised and well forward, corners of the mouth drawn back, though not as far as for [i]; purer than the vowel in English *nay*, *clay*, etc.: *été* [e'te].

[ɛ] open vowel, tongue less raised and further back than for [e], corners of the mouth drawn back but slightly less than for [e]; purer than the sound in English *bed*: long in *mère* [mɛ:r], short in *après* [a'prɛ].

[ɛ̃] [ɛ]-sound, but with some of the breath passing through the nose: long in *plaindre* [plɛ̃:dr], short in *fin* [fɛ̃].

[ə] rounded sound, something like the **a** in English *about*: *je* [ʒə], *lever* [lə've].

[i] closed vowel, tongue very high, corners of the mouth well back, rather more closed than [i] in English *sea*: long in *dire* [di:r], short in *vie* [vi].

[o] closed vowel, tongue drawn back, lips rounded; no tailing off ınto [u] or [w] as in English *below*: long in *fosse* [fo:s], short in *peau* [po].

[ɔ] open **o** but closer than in English *cot*, with tongue lower, lips more rounded, mouth more open: long in *fort* [fɔ:r], short in *cotte* [kɔt].

[ɔ̃] [ɔ]-sound, but with some of the breath passing through the nose: long in *nombre* [nɔ̃:br], short in *mon* [mɔ̃].

[ø] a rounded [e], pronounced rather like the **ir** of English *birth* but closer and with lips well rounded and forward: long in *chanteuse* [ʃɑ̃'tø:z], short in *peu* [pø].

[œ] a rounded open **e** [ɛ], a little like the **ur** of English *turn* but with the tongue higher and the lips well rounded: long in *fleur* [flœ:r], short in *œuf* [œf].

[œ̃] the same sound as [œ] but with some of the breath passing through the nose: long in humble [œ̃:bl], short in *parfum* [par'fœ̃] of English *root* but tighter and without the tailing off into the [w] sound: long in *tour* [tu:r], short in *route* [rut].

[u] closed vowel with back of the tongue raised close to the soft palate and the front drawn back and down, and lips far forward and rounded; rather like the **oo**

[y] an [i] pronounced with the lips well forward and rounded: long in *mur* [my:r], short in *vue* [vy].

B. Consonants

Note: the consonant sounds not listed below are similar to those of English, except that they are much more dry: thus the [p] is not a breathed sound and [t] and [d] are best pronounced with the tip of the tongue against the back of the top teeth, with no breath accompanying the sound.

[j] a rapidly pronounced sound like the **y** in English *yes*: *diable* [dja:bl], *dieu* [djø], *fille* [fi:j].

[l] usually more voiced than in English and does not have its 'hollow sound': *aller* [a'le].

[ɲ] the "n mouillé", an [n] followed by a rapid [j]: *cogner* [kɔ'ɲe].

[ŋ] not a true French sound; occurs in a few borrowed foreign words: *meeting* [mi'tiŋ].

[r] in some parts of France the [r] may be sounded like a slightly rolled English [r], but the uvular sound is more generally accepted. It has been described as sounding like a short and light gargle: *ronger* [rɔ̃'ʒe].

[ʃ] rather like the **sh** of English *shall*, never like the **ch** of English *cheat*: *chanter* [ʃɑ̃'te].

[ɥ] like a rapid [y], never a separate syllable: *muet* [mɥɛ].

[w] not as fully a consonant as the English [w]. It is half-way between the consonant [w] and the vowel [u]: *oui* [wi].

[ʒ] a voiced [ʃ]; it is like the second part of the sound of **di** in the English *soldier*, i.e. it does not have the [d] element: *j'ai* [ʒe]; *rouge* [ru:ʒ].

C. Use of the sign ' to mark stress

The stressed syllable is indicated by the use of ' before it. This is to some extent theoretical. Such stress as there is not very marked and the presence of the ' may be considered a reminder that the word should not normally be stressed in any other syllable, especially if the word resembles an English one which *is* stressed elsewhere. Though a stress-mark is shown for each word, all the words in one breath group will not in fact carry the stress indicated: thus, though *mauvais* may be transcribed [mɔ vɛ], in *mauvais ami* there is only one main stress, on the *-mi*.

In words of one syllable only, the stress mark is not given.

D. Use of the sign : to mark length

When the sign [:] appears after a vowel it indicates that the duration of the vowel sound is rather longer than for a vowel which appears without it. Thus the [œ] of *feuille* [fœ:j] is longer than the [œ] of *feuillet* [fœ'jɛ]. In unstressed syllables one frequently finds a semi-long vowel but this fine shade of duration has not been marked in the transcription.

A

A, a [a] *m* A, a.

a [a] *3rd p. sg. pres. of avoir* 1.

à [~] *prp. place*: at (*table, Hastings*), in (*Edinburgh*), on (*the wall*); *direction*: to, into; *distance*: at a distance of (*10 miles*); *origin*: from, of; *time*: at (*7 o'clock, this moment, his words*); in (*spring*); *sequence*: by (*twos*); for; *agent, instrument, etc.*: on (*horseback*); with; by (means of); *manner*: in; on (*condition, the occasion*); *price*: for (*two dollars*); at, by; *dative, possession*: donner qch. *à q.* give s.th. to s.o., give s.o. s.th.; *grâce à Dieu!* thank God!; *c'est à moi* this is mine; *c'est à moi de* (*inf.*) it is for me to (*inf.*); *un ami à moi* a friend of mine; *à terre* on *or* to the ground; *de la tête aux pieds* from head to foot; *prêt à* ready *or* willing to; *au secours!* help!; *à vingt pas d'ici* twenty steps *or* paces from here; *emprunter* (*arracher*) *à* borrow (tear) from; *c'est bien aimable à vous* that's very kind of you; *à l'aube* at dawn; *à la longue* at length; *au moment de* (*inf.*) on (*ger.*); *à le voir* seeing him; *à tout moment* constantly; *à demain* till tomorrow; *int.* see you tomorrow!; *à jamais* for ever; *à partir de ...* from ... (on); *mot à mot* word for word, literal(ly *adv.*); *quatre à quatre* four at a time; *peu à peu* little by little; *bateau m à vapeur* steamer, steamboat; *maison f à deux étages* two-storied house; *♪ à quatre mains* for four hands; *verre m à vin* wineglass; *fait à la main* handmade; *à voix basse* in a low voice; *à la nage* swimming; *peinture f à l'huile* painting in oil; *aux yeux bleus* blue-eyed; *à dessein* on purpose; *à regret* reluctantly; *à merveille* excellently; *à prix bas* at a low price; *à mes frais* at my expenses; *à louer* to let; *à vendre* for sale; *à la bonne heure* well done!; *fine!*

abaissement [abɛs'mã] *m* lowering, sinking; *prices, temperature, etc.*: fall; falling; dropping; *water etc.*: abatement; *ground*: dip; *fig.* abasement; **abaisser** [abɛ'se] (1b) *v/t.* lower (*a drawbridge, one's eyes, one's voice, etc.*); roll out thin (*the dough*); reduce (*the birth-rate, costs, a price*); humble, bring low; Ⓐ bring down (*a figure*), drop (*a perpendicular*), depress (*an equation*); *s'~* fall (away); subside (*ground, wind*); die down (*wind*); *fig.* humble o.s., lower o.s.

abajoue [aba'ʒu] *f zo.* cheek-pouch; F flabby cheek.

abandon [abɑ̃'dɔ̃] *m* abandonment, forsaking; desertion; neglect; destitution; *rights*: surrender; lack of restraint, absence of reserve; *sp.* withdrawal; *à l'~* completely neglected; at random; *laisser tout à l'~* leave everything in confusion; **abandonner** [~dɔ'ne] (1a) *v/t.* forsake, abandon; leave; *ⁿⁿ* surrender; renounce (*a claim, a right*); *s'~* lose heart; neglect o.s.; give way *or* vent (to, *à*); give o.s. up (to, *à*), indulge (in, *à*).

abasourdir [abazur'diːr] (2a) *v/t.* stun; *fig.* dumbfound.

abat [a'ba] *m*: *pluie f d'~* downpour; *~s pl.* offal *sg.*

abâtardir [abatar'diːr] (2a) *v/t.* impair; debase; *s'~* deteriorate, degenerate; **abâtardissement** [~dis'mã] *m* deterioration, degeneration.

abat-jour [aba'ʒuːr] *m/inv.* lampshade; sun-blind; △ skylight.

abattage [aba'taːʒ] *m* knocking down, throwing down; *tree*: felling; clearing; *animals*: slaughter; ⚒ cutting; *fig.* F wigging, carpeting; *~ urgent* forced slaughter; **abattant** [~'tã] *m* counter, table: flap; trapdoor; *~ de W.-C.* lavatory seat; **abattement** [abat'mã] *m* prostration; dejection; *~ à la base* personal allowance, *Am.* exemption; *mot. ~ des feux* *headlights*: dimming; **abatteur** [aba'tœːr] *m* feller, cutter;

slaughterer; *fig.* ~ de *quilles* braggart; **abattis** [~'ti] *m* felling, clearing; ✕ abatis; *cuis.* giblets *pl.*; slaughter; *sl.* ~ *pl.* limbs; *sl.* numéroter ses ~ take stock of o.s.; **abattoir** [~'twa:r] *m* slaughter-house; **abattre** [a'batr] (4a) *v/t.* knock down; fell; slaughter, destroy; ✗ bring *or* shoot down; *fig.* dishearten, depress; ~ de *la besogne* get through a lot of work; s'~ crash; fall; pounce (upon, *sur*); subside (*fever, wind*); *fig.* grow depressed; **abattu,e** *fig.* [aba'ty] depressed.

abat-vent [aba'vɑ̃] *m*/*inv.* chimney-cowl; ♂ wind-break, cloche.

abbatial, e, *m*/*pl.* -aux [aba'sjal, ~'sjo] abbatial; **abbaye** [abe'ji] *f* abbey; *monks:* monastery; *nuns:* convent; **abbé** [a'be] *m* abbot; priest; *hist.* abbé; **abbesse** [a'bɛs] *f* abbess.

A B C [abe'se] *m* primer; spelling-book; *fig.* rudiments *pl.*

abcès ✗ [ap'sɛ] *m* abscess.

abdication [abdika'sjo] *f* abdication; renunciation.

abdiquer [abdi'ke] (1m) *v/i.* abdicate; *v/t.* renounce (*s.th.*).

abdomen [abdɔ'mɛn] *m* abdomen.

abécédaire [abese'dɛ:r] *m* spelling-book; primer; *fig.* elements *pl.*

abeille [a'bɛ:j] *f* bee; ~ *mâle* drone; ~ *mère, reine f des* ~s queen (bee); ~ *ouvrière* worker (bee).

aberration [abera'sjo] *f* aberration.

abêtir [abe'ti:r] (2a) *v/t.* make stupid, stupefy; s'~ grow stupid.

abhorrer [abɔ're] (1a) *v/t.* loathe, detest.

abîme [a'bi:m] *m* abyss, chasm.

abîmer [abi'me] (1a) *v/t.* spoil, damage; s'~ be swallowed up; be spoilt; be plunged (in, *dans*).

abject, e [ab'ʒɛkt] contemptible, mean; abject; **abjection** [~ʒɛk'sjo] *f* baseness, abjection, meanness.

abjurer [abʒy're] (1a) *v/t.* abjure; retract, recant.

ablation ✗ [abla'sjo] *f* removal, excision.

able *icht.* [abl] *m*, **ablette** *icht.* [a'blɛt] *f* bleak.

ablution [ably'sjo] *f* ablution (*a. eccl.*).

abnégation [abnega'sjo] *f* abnegation, self-denial, self-sacrifice.

abois [a'bwa] *m*/*pl.*: *aux* ~ at bay

(*a. fig.*), hard pressed; **aboiement** [abwa'mɑ̃] *m* bark(ing), bay(ing).

abolir [abɔ'li:r] (2a) *v/t.* abolish, suppress; annul; repeal; **abolition** [~li'sjo] *f* abolition, suppression; ✝ *debt:* cancelling; annulment.

abominable [abɔmi'nabl] abominable; heinous (*crime*); **abomination** [~na'sjo] *f* abomination; **abominer** [~'ne] (1a) *v/t.* abominate, loathe.

abondamment [abɔda'mɑ̃] *adv. of* *abondant*; **abondance** [~'dɑ̃:s] *f* abundance; *en* ~ plentiful(ly *adv.*); *parler* d'~ extemporize; **abondant, e** [~'dɑ̃, ~'dɑ̃:t] plentiful, copious; abundant; abounding (in, *en*); **abonder** [~'de] (1a) *v/i.* be plentiful; abound (in, *en*).

abonné *m*, e *f* [abɔ'ne] *magazine, paper, telephone:* subscriber; *electricity, gas:* consumer; 🚋 *etc.* season-ticket holder, *Am.* commuter; **abonnement** [abɔn'mɑ̃] *m* subscription; *carte f d'*~ season-ticket, *Am.* commutation ticket; **abonner** [abɔ'ne] (1a) *v/t.:* ~ *à qch.* take out a subscription to s.th. for s.o.; s'~ *à* subscribe to; take (out) a season-ticket for.

abord [a'bɔ:r] *m* approach, access (to, *de*); manner, address; ~s *pl.* approaches, outskirts; d'~ (at) first; *de prime* ~ at first sight; *dès l'*~ from the outset; d'un ~ *facile* easy to approach; *tout* d'~ first of all; **abordable** [abɔr'dabl] accessible; ✝ reasonable (*price*); **abordage** ⚓ [~'da:ʒ] *m* boarding, grappling; coming alongside; collision; **aborder** [~'de] (1a) *v/i.* ⚓ land, berth; *v/t.* ⚓ grapple; run down (*a ship*); *fig.* approach, tackle (*a problem*); *fig.* accost (*s.o.*); s'~ meet.

aborigène [abɔri'ʒɛn] 1. *adj.* aboriginal; native; 2. *su.*/*m* aboriginal; ~s *pl.* aborigines.

aborner [abɔr'ne] (1a) *v/t.* mark out; demarcate.

abortif, -ve [abɔr'tif, ~'ti:v] 1. *adj.* abortive; ✗ abortifacient; 2. *su.*/*m* ✗ abortifacient.

abouchement [abuʃ'mɑ̃] *m* ✝ interview; ⊕ butt-joining; **aboucher** [abu'ʃe] (1a) *v/t.* join together; ⊕, *a.* ✗ connect; ⊕ join end to end; s'~ confer.

aboulie *psych.* [abu'li] *f* aboulia, loss

of will-power; **aboulique** *psych.*
[‿'lik] irresolute.
about ⊕ [a'bu] *m wood*: butt-end;
abouter ⊕ [abu'te] (1a) *v/t.* join
end to end; **aboutir** [‿'tir] (2a)
v/i. lead ([in]to, *à*), end (in, *à*); abut
(on, *à*); ⚙ come to a head, burst
(*abscess*); *fig.* succeed; **aboutissant,
e** [‿ti'sɑ̃, ‿'sɑ̃:t] bordering, abut-
ting; **aboutissement** [‿tis'mɑ̃] *m*
issue, outcome; *plan:* materializa-
tion; ⚙ *abscess:* bursting, coming
to a head.
aboyer [abwa'je] (1h) *v/i.* bark, bay;
aboyeur [‿'jœ:r] *m* yelping dog;
fig. carping critic; tout; dun.
abrasif, -ve ⊕ [abra'zif, ‿'zi:v] *adj.,
a. su./m* abrasive; **abrasion** ⚙
[‿'zjɔ̃] *f* abrasion, scraping.
abrégé [abre'ʒe] *m* summary, précis;
abréger [‿] (1g) *v/t.* shorten, ab-
breviate.
abreuver [abrœ've] (1a) *v/t.* water;
soak; s'‿ drink (*animal*); quench
one's thirst (*person*); **abreuvoir**
[‿'vwa:r] *m* horse-pond, trough,
watering place (*in a river*).
abréviation [abrevja'sjɔ̃] *f* abbreviation; *a.* ⚖ *sentence:* shortening.
abri [a'bri] *m* shelter, cover; ✕ dug-
out; air-raid shelter; ✕ ‿ *atomique*
atomic shelter; ✕ ‿ *bétonné* block-
house, *sl.* pill-box; ⛴ ‿ *de mécanicien* cab; *à l'‿ de* sheltered from;
screened from; *mettre à l'‿* shelter,
screen (from, *de*).
abricot [abri'ko] *m* apricot; **abricotier** [‿kɔ'tje] *m* apricot-tree.
abriter [abri'te] (1a) *v/t.* shelter,
screen, protect, shield (from *de,
contre*); s'‿ take shelter *or* refuge.
abrivent [abri'vɑ̃] *m* ✕ sentry-box,
shelter; 🌱 screen, matting.
abroger [abrɔ'ʒe] (1e) *v/t.* abrogate,
repeal, rescind.
abrupt, e [a'brypt] abrupt; steep,
sheer; *fig.* rugged (*style*); blunt
(*words*).
abruti *m*, **e** *f sl.* [abry'ti] fool, idiot;
abrutir [‿'ti:r] (2a) *v/t.* stupefy,
brutalize; s'‿ become sottish; **abrutissement** [‿tis'mɑ̃] *m* brutishness;
degradation.
abscisse ⩗ [ap'sis] *f* abscissa.
absence [ap'sɑ̃:s] *f* absence; lack;
‿ *d'esprit* absent-mindedness; **absent, e** [‿'sɑ̃, ‿'sɑ̃:t] absent; *fig.*
absent-minded; **absentéisme** [‿sɑ̃-

te'ism] *m* absenteeism; **absenter**
[‿sɑ̃'te] (1a) *v/t.:* s'‿ absent o.s.,
stay away; go away from home.
abside ⚠ [ap'sid] *f* apse.
absinthe [ap'sɛ̃:t] *f* absinth; 🌱
wormwood.
absolu, e [apsɔ'ly] absolute; peremptory (*voice*); 🜚 pure (*alcohol*);
phys. zéro *m* ‿ absolute zero
(−459.4° F.); **absolument** [apsɔly-
'mɑ̃] *adv.* absolutely, completely;
absolution [‿'sjɔ̃] *f* absolution
(from, *de*); **absolutisme** [‿'tism]
m absolutism; **absolutoire** [‿'twa:r]
absolving.
absorber [apsɔr'be] (1a) *v/t.* absorb, soak up; imbibe; consume;
fig. engross; s'‿ be absorbed (in,
dans); **absorption** [‿sɔrp'sjɔ̃] *f*
absorption (*a. fig.*).
absoudre [ap'sudr] (4bb) *v/t. eccl.,
a. fig.* absolve; exonerate; **absous,
-te** [‿'su, ‿'sut] *p.p. of* absoudre.
abstenir [apstə'ni:r] (2h) *v/t.:* s'‿
refrain (from, *de*); **abstention**
[‿tɑ̃'sjɔ̃] *f* abstention (from, *de*);
renunciation.
abstinence [apsti'nɑ̃:s] *f* abstinence; abstention (from, *de*); *faire*
‿ *de* abstain from (*s.th.*); **abstinent, e** [‿'nɑ̃, ‿'nɑ̃:t] 1. *adj.* abstemious, sober; 2. *su.* total abstai-
ner, teetotaller.
abstraction [apstrak'sjɔ̃] *f* abstraction; ‿*s pl.* vagueness *sg.*; ‿ *faite de
cela* leaving that aside; apart from
that; *faire* ‿ *de qch.* leave s.th. out
of account, disregard s.th.; *se perdre dans des* ‿*s* be lost in thought.
abstraire [aps'trɛ:r] (4ff) *v/t.* abstract, isolate; s'‿ become en-
grossed (in *dans*, en); **abstrait, e**
[‿'trɛ, ‿'trɛt] abstracted; abstract
(*idea*); abstruse (*problem, subject*).
abstrus, e [aps'try, ‿'try:z] abstruse; obscure; recondite.
absurde [ap'syrd] 1. *adj.* absurd;
2. *su./m: tomber dans l'‿* become
ridiculous; **absurdité** [‿syrdi'te] *f*
absurdity, nonsense.
abus [a'by] *m* abuse, misuse (of, *de*),
error; ‿ *de confiance* breach of
trust; **abuser** [aby'ze] (1a) *v/t.*
mislead; deceive; s'‿ be mistaken;
v/i.: ‿ *de* misuse; take unfair advantage of; impose upon; delude; **abusif, -ve** [‿'zif, ‿'zi:v] excessive;
gramm. contrary to usage, improper.

abyssal, e, *m/pl.* **-aux** [abi'sal, ~'so] deep-sea...; **abysse** [a'bis] *m* deep sea.

acabit F [aka'bi] *m* quality, nature; *du même* ~ tarred with the same brush.

acacia ♀ [aka'sja] *m* acacia.

académicien [akademi'sjɛ̃] *m* academician; **académie** [~'mi] *f* academy; learned society; school (*of art etc.*); *paint.* nude; *in France:* educational district; **académique** [~'mik] academic; pretentious (*style*).

acagnarder [akaɲar'de] (1a) *v/t.:* s'~ idle, laze.

acajou [aka'ʒu] *m* mahogany.

acanthe ♀ [a'kɑ̃:t] *f* acanthus (*a.* △), brank-ursine.

acariâtre [aka'rjɑ:tr] quarrelsome; peevish; shrewish; nagging.

accablant, e [aka'blɑ̃, ~'blɑ̃:t] overwhelming (*proof, emotions*); crushing, oppressive (*heat*); **accablement** [~blə'mɑ̃] *m* dejection; ⚕ prostration; ✝ pressure; **accabler** [~'ble] (1a) *v/t.* overwhelm (with, de); overpower, crush.

accalmie [akal'mi] *f* ⚓, ⚓, *a. fig.* lull; ✝ slack period.

accaparer [akapa're] (1a) *v/t.* corner, hoard; *fig.* F monopolize (*the conversation*); *fig.* seize; **accapareur** *m,* **-euse** *f* [~'rœ:r, ~'rø:z] *supplies:* buyer-up; monopolist; *fig.* F (food-)hoarder; grabber.

accéder [akse'de] (1f) *v/i.:* ~ à have access to; accede to (*a request*).

accélérateur, -trice [akselera'tœ:r, ~'tris] **1.** *adj.* accelerating; **2.** *su./m* accelerator; ~ de *particules* particle accelerator; **accélération** [~ra'sjɔ̃] *f* acceleration; *work-rhythm:* speeding up; *mot.* pédale *f* d'~ accelerator; **accélérer** [~'re] (1f) *v/i.* accelerate (*a. mot.*); *mot. sl.* step on the gas; *v/t. fig.* expedite, quicken; s'~ become faster.

accent [ak'sɑ̃] *m* accent; stress; emphasis; pronunciation; **accentuation** [aksɑ̃tɥa'sjɔ̃] *f* stress(ing); accentuation; **accentuer** [~'tɥe] (1n) *v/t.* stress; accentuate; emphasize; *fig.* strengthen.

acceptable [aksɛp'tabl] acceptable; satisfactory; **acceptation** [~ta'sjɔ̃] *f* acceptance (*a.* ✝); **accepter** [~'te] (1a) *v/t.* accept; agree to; **accep-**

teur ✝ [~'tœ:r] *m* drawee, acceptor; **acception** [~'sjɔ̃] *f* respect, regard; *gramm.* meaning, sense; *sans* ~ de *personne* without respect of persons.

accès [ak'sɛ] *m* access, approach; *anger, fever:* attack, fit; *par* ~ by fits and starts; **accessible** [akse-'sibl] accessible; approachable (*person*); **accession** [~'sjɔ̃] *f* accession; adherence; ~ du *travail* rehabilitation; **accessoire** [~'swa:r] **1.** *adj.* accessory; *occupation f* ~ subsidiary occupation, side-line; **2.** *su./m* accessory; subsidiary topic *or* matter; *thea.* ~s *pl.* properties, *sl.* props.

accident [aksi'dɑ̃] *m* accident (*a. phls.*); ♩ accidental; ~ de (*la*) *circulation* road accident; ~ de *personne* casualty; ~ de *terrain* unevenness, undulation; *par* ~ accidentally; **accidenté, e** [aksidɑ̃'te] **1.** *adj.* uneven, irregular (*ground*); chequered (*life*); **2.** *su.* injured person, casualty; **accidentel, -elle** [~'tɛl] accidental, unintentional, casual; **accidenter** [~'te] (1a) *v/t.* vary (*one's style*); make picturesque, give variety to (*a landscape*).

acclamation [aklama'sjɔ̃] *f* acclamation, applause; **acclamer** [~'me] (1a) *v/t.* acclaim, applaud, cheer.

acclimatation [aklimata'sjɔ̃] *f* acclimatization; *jardin m* d'~ Zoo; Botanical Gardens *sg.*; **acclimater** [~'te] (1a) *v/t.* acclimatize (to, à); s'~ become acclimatized.

accointance [akwɛ̃'tɑ̃:s] *f* oft. *pej.* intimacy, intercourse; *avoir des* ~s *avec* have dealings with; **accointer** [~'te] (1a) *v/t.:* s'~ de (*or avec*) q. enter into relations with s.o.

accolade [ako'lad] *f* embrace; accolade; F hug; *typ. a.* bracket, brace (⌒⌒); **accolage** ✿ [~'la:ʒ] *m* fastening to an espalier; **accoler** [~'le] (1a) *v/t.* couple; brace, bracket; tie up (*a plant*).

accommodage [akɔmɔ'da:ʒ] *m* *food:* preparation, dressing; **accommodant, e** [~'dɑ̃, ~'dɑ̃:t] accommodating, easy to deal with, good-natured; **accommodation** [~da'sjɔ̃] *f* adaptation; **accommodement** [akɔmɔd'mɑ̃] *m* compromise, arrangement; ✝ agreement; **accommoder** [~mɔ'de] (1a) *v/t.* make comfortable; fit, adapt (to, à);

prepare, dress (*food*); suit (*s.o.*); s'~ à adapt o.s. to; s'~ de make the best of.

accompagnateur *m*, **-trice** *f* [akɔ̃paɲa'tœːr, ~'tris] ♪ accompanist; escort (of a tour); **accompagnement** [~paɲ'mã] *m* attendance; accompaniment (*a.* ♪); **accompagner** [~pa'ɲe] (1a) *v/t.* accompany; escort.

accomplir [akɔ̃'pliːr] (2a) *v/t.* accomplish, achieve; complete; **accomplissement** [~plis'mã] *m* accomplishment, achievement; completion.

accord [a'kɔːr] *m* agreement; harmony; ♪ chord; pitch; *gramm.* concordance, agreement (*a. pol.*); *pol.* treaty; ~ *commercial* trade agreement; d'~ agreed!; ♪ in tune; *tomber d'*~ agree, reach an agreement; **accordable** [akɔr'dabl] reconcilable; grantable; ♪ tunable; **accordage** ♪ [~'daːʒ] *m* tuning; **accordailles** [~'daːj] *f/pl.* † betrothal *sg.*; **accordéon** ♪ [~de'ɔ̃] *m* accordion; concertina; *fig.* en ~ pleated; **accordéoniste** [~deɔ'nist] *m* accordion player; **accorder** [~'de] (1a) *v/t.* reconcile; grant; award; ♪, *a. radio:* tune; ✝ ~ *de la confiance à q.* favour s.o. (with orders); s'~ agree (*a. gramm.*); get on (with s.o., *avec q.*); correspond; ♪ tune up; ♪ be in tune; ♪ harmonize (with, *avec*); **accordeur** *m*, **-euse** *f* ♪ [~'dœːr, ~'døːz] tuner.

accort, e [a'kɔːr, ~'kɔrt] affable, compliant; gracious.

accostable [akɔs'tabl] approachable; **accostage** ⚓ [~'taːʒ] *m* boarding; drawing alongside (of, de); **accoster** [~'te] (1a) *v/t.* ⚓ berth; board; ~ *q.* accost s.o., F go up to s.o.; greet s.o.

accotement [akɔt'mã] *m* road: shoulder; side-path; **accoter** [akɔ-'te] (1a) *v/t.* prop; s'~ lean (against, *contre*); **accotoir** [~'twaːr] *m* armrest.

accouchée [aku'ʃe] *f* woman in childbed; **accouchement** [akuʃ-'mã] *m* confinement; ~ *laborieux* difficult confinement; ~ *sans douleur* painless delivery; **accoucher** [aku'ʃe] (1a) *v/i.* be delivered (of, de), give birth (to, de); *fig.* ~ *de qch.* bring s.th. forth; *v/t.* deliver

(*a woman*); **accoucheur** [~'ʃœːr] *m* obstetrician; **accoucheuse** [~'ʃøːz] *f* midwife.

accouder [aku'de] (1a) *v/t.:* s'~ lean (on one's elbows); **accoudoir** [~'dwaːr] *m* arm-rest, elbow-rest; balustrade, rail.

accouple [a'kupl] *f* leash; **accouplement** [akuplə'mã] *m* coupling (*a. radio*); pairing; ✦ connecting; ⚡ copulation; ⊕ ~ *articulé* joint coupling; ✦ *en série* series connection; **accoupler** [~'ple] (1a) *v/t.* couple (up) (*a.* ⚙); ✦ connect, group; *fig.* join; s'~ mate.

accourcir [akur'siːr] (2a) *v/t.* curtail; shorten; **accourcissement** [~sis'mã] *m* shortening.

accourir [aku'riːr] (2i) *v/i.* hasten (up), run up.

accoutrement [akutrə'mã] *m* dress; F get-up; **accoutrer** [~'tre] (1a) *v/t.* equip; rig (*s.o.*) out (in, de).

accoutumance [akuty'mãːs] *f* habit, use, usage; **accoutumé, e** [~'me] **1.** *adj.* accustomed (to, à); *à l'~e* usually; **2.** *su.* regular visitor; **accoutumer** [~'me] (1a) *v/t.* accustom (*s.o.*) (to, à).

accouvage [aku'vaːʒ] *m* artificial incubation.

accréditer [akredi'te] (1a) *v/t.* accredit (*an ambassador*); confirm (*a story*); credit; authorize; s'~ gain credence; **accréditeur** [~'tœːr] *m* guarantor; surety; **accréditif** [~'tif] *m* ✝ (letter of) credit; credential.

accroc [a'kro] *m* clothes: rent, tear; *fig.* hitch; *fig.* impediment; *sans* ~s smooth(ly *adv.*).

accrochage [akrɔ'ʃaːʒ] *m* hooking; *picture:* hanging; accumulation; *box.* clinch; *radio:* picking-up; ✗ engagement; clash (*with the police*); F squabble; **accroche-cœur** [akrɔʃ'kœːr] *m* kiss-curl; **accrochement** [~'mã] *m* hooking; *fig.* difficulty; ✖ coupling; **accrocher** [akrɔ'ʃe] (1a) *v/t.* hang (up) (on, from à); collide with (*a vehicle*); hook; catch; ⚓ grapple; ✗ engage; *radio:* pick up; *sl.* pawn (*a watch*); F buttonhole (*s.o.*); s'~ cling (to, à); get caught (on, à); *box.* clinch; ⚓ follow closely; F have a set-to.

accroire [a'krwaːr] (4n) *v/t.:* (en) faire ~ *qch. à q.* delude s.o. into believing s.th.; *s'en faire* ~ overestimate o.s.

accroissement [akrwas'mã] *m* growth; increase; ♣ *function*: increment.

accroître [a'krwaːtr] (4o) *v/t.* increase; *v/i. a.* s'~ grow.

accroupir [akru'piːr] (2a) *v/t.*: s'~ crouch (down); squat (down).

accru, e [a'kry] **1.** *p.p.* of *accroître*; **2.** *su./f* accretion, extension.

accu F [a'ky] *m* ♣ accumulator; battery; *(re)charger (or régénérer) l'*~ charge the accumulator.

accueil [a'kœːj] *m* reception, greeting; ♣ *faire (bon)* ~ *à une traite* hono(u)r a bill; *faire bon* ~ *à* welcome (*s.o.*); **accueillant, e** [akœ'jã, ~'jãːt] affable; **accueillir** [~'jiːr] (2c) *v/t.* welcome, greet, receive; ♣ hono(u)r (*a bill*).

acculer [aky'le] (1a) *v/t.* drive into a corner *or* to the wall; s'~ set one's back (*against à, contre*).

accumulateur, -trice [akymyla'tœːr, ~'tris] *su.* hoarder; *fig.* miser; *su./m* ♣ accumulator; **accumuler** [~'le] (1a) *v/t.* accumulate.

accusateur, -trice [akyza'tœːr, ~'tris] **1.** *adj.* incriminating; accusing; **2.** *su.* accuser; *su./m* 𝄞 *hist.* ~ *public* Public Prosecutor; **accusation** [~za'sjõ] *f* accusation; charge; **accusé, e** [~'ze] **1.** *adj.* accused; prominent (*feature*); **2.** *su.* accused; *su./m*: ♣ ~ *de réception* acknowledgement (of receipt); **accuser** [~'ze] (1a) *v/t.* accuse; *fig.* admit to; show; ♣ ~ *réception* acknowledge receipt (of, de); ~ *son jeu cards*: disclose one's hand; s'~ stand out; accuse o.s.

acéphale *zo.* [ase'fal] acephalous, headless.

acerbe [a'sɛrb] tart; *fig.* sharp; **acerbité** [asɛrbi'te] *f* acerbity; tartness; sharpness.

acéré, e [ase're] sharp, keen; *fig.* mordant (*criticism*); **acérer** [~] (1f) *v/t.* steel; *fig.* sharpen, give edge to.

acétate ♣ [ase'tat] *m* acetate; ~ *d'alumine* acetate of alumina; ~ *de cuivre* verdigris; **acéteux, -euse** [~'tø, ~'tøːz] acetous; **acétique** [~'tik] acetic; **acétone** [~'tɔn] *f* acetone; **acétylène** [~ti'lɛn] *m* acetylene.

achalandage [aʃalã'daːʒ] *m* custom(ers *pl.*); **achalandé, e** [~'de]: *bien* ~ with a large custom (*shop*); **achalander** [~'de] (1a) *v/t.* provide with custom.

acharné, e [aʃar'ne] keen; fierce; bitter;strenuous;relentless;**acharnement** [~nə'mã] *m* tenacity; relentlessness; fury; stubbornness; **acharner** [~'ne] (1a) *v/t. hunt.* set on, excite; *fig.* embitter; s'~ *à* be intent on; slave at; *Am.* go for; s'~ *sur (or contre)* be implacable towards.

achat [a'ʃa] *m* purchase; purchasing; ♣ *pouvoir m d'*~ purchasing power.

acheminement [aʃmin'mã] *m* progress, course (towards, vers); ♣ *etc.* routing; **acheminer** [~mi'ne] (1a) *v/t.* put on the way; train (*a horse*); ♣ *etc.* route, forward (to sur, vers); s'~ make one's way (towards vers, sur).

acheter [aʃ'te] (1d) *v/t.* buy, purchase; *fig.* bribe; ~ *cher (bon marché)* buy at a high price (cheap); **acheteur** *m*, **-euse** *f* [~'tœːr, ~'tøːz] purchaser, buyer.

achèvement [aʃɛv'mã] *m* completion, conclusion; **achever** [aʃ've] (1d) *v/t.* finish, complete; F do for; s'~ draw to a close; *v/i.*: ~ *de (inf.)* finish (*ger.*).

achillée ♀ [aki'le] *f* milfoil, yarrow.

achoppement [aʃɔp'mã] *m* stumble; knock; *pierre f d'*~ stumbling-block; **achopper** [aʃɔ'pe] (1a) *v/i. a.* s'~ stumble (against, à); *fig.* come to grief.

achromatique *opt.* [akrɔma'tik] achromatic.

acide ♣ [a'sid] **1.** *adj.* sharp, tart, acid; **2.** *su./m* acid; ~ *chlorhydrique* hydrochloric acid; ~ *sulfurique* sulphuric acid; **acidification** [asidifika'sjõ] *f* acidification; **acidimètre** [~'mɛtr] *m* acidimeter; **acidité** [~'te] *f* acidity, sourness; **acidulé** [asidy'le] acidulated; *bonbons m/pl.* ~s acid drops; **aciduler** [~] (1a) *v/t.* turn sour; acidulate.

acier [a'sje] *m* steel; *fig.* sword; ~ *au tungstène* tungsten steel; ~ *coulé (or fondu)* cast steel; ~ *doux* mild steel; ~ *laminé* rolled steel; ~ *spécial* high-grade steel; *d'*~ steel(y), of steel; **aciérage** ⊕ [asje'raːʒ] *m* steeling; *bain m d'*~ steel bath;

aciérer [~'re] (1f) *v/t.* steel, acierate; **aciérie** ⊕ [~'ri] *f* steelworks *usu. sg.*

acolyte [akɔ'lit] *m eccl.* acolyte; *fig.* associate, confederate.

acompte [a'kɔ̃:t] *m* instalment; *par* ~ by instalments.

aconit ♣ [akɔ'nit] *m* aconite, monk's-hood.

acoquiner [akɔki'ne] (1a) *v/t.* captivate, allure; *oft. pej.* s'~ à be(come) very fond of *or* attached to; be very much in love with (*a woman*).

à-côté [akɔ'te] *m remark:* aside; side-issue; ~s *pl.* purlieus.

à-coup [a'ku] *m* jolt, jerk, sudden stop; *par* ~s by fits and starts; *sans* ~s smooth(ly *adv.*).

acoustique [akus'tik] **1.** *adj.* acoustic; *appareil m* ~ hearing-aid; **2.** *su./f* acoustics *pl.*

acquéreur [ake'rœ:r] *m* purchaser, buyer; acquirer; **acquérir** [~'ri:r] (2l) *v/t.* acquire, obtain; win (*esteem, friends*); *fig.* ~ droit de cité become naturalized; *v/i.* improve; **acquerrai** [aker're] *1st p. sg. fut. of* acquérir.

acquêt ⚖ [a'kɛ] *m* acquisition; ~s *pl.* common property *sg.* (*in marriage*).

acquièrent [a'kjɛ:r] *3rd p. pl. pres. of* acquérir; **acquiers** [~] *1st p. sg. pres. of* acquérir.

acquiescement [akjɛs'mã] *m* acquiescence (in, *à*); consent; **acquiescer** [akje'se] (1k) *v/i.* acquiesce (in, *à*), agree (to, *à*).

acquis¹ [a'ki] *1st p. sg. p.s. of* acquérir.

acquis², e [a'ki, ~'ki:z] **1.** *p.p. of* acquérir; **2.** *adj.* acquired, gained; established (*fact*); **3.** *su./m* attainments *pl.*, experience; **acquisition** [akizi'sjɔ̃] *f* acquisition, acquiring; purchase; *fig.* ~s *pl.* attainments.

acquit [a'ki] *m* discharge, release; ♥ receipt (for, de); ~ de transit *Customs:* transire; *par* ~ de conscience for conscience sake; for form's sake; F *par manière d'*~ as a matter of form; ♥ *pour* ~ paid, received with thanks; ~-à-caution, *pl.* ~s-à-caution [akiakɔ'sjɔ̃] *m Customs:* permit; **acquittement** [akit'mã] *m debt:* discharge; ⚖ acquittal; **acquitter** [aki'te] (1a) *v/t.* unburden (*one's conscience*); ⚖ ac-

quit; ♥ discharge (*a debt*); ♥ receipt (*a bill, a note*); fulfil (*an obligation*); ~ q. de qch. release s.o. from s.th.; s'~ de discharge (*a debt*); perform, fulfil (*a duty*).

acre ⚯ [akr] *m* acre.

âcre [ɑ:kr] tart, sharp; *fig.* caustic (*remark*); **âcreté** [ɑkrə'te] *f* bitterness, acidity.

acrimonie [akrimɔ'ni] *f* acrimony; bitterness; **acrimonieux, -euse** [~'njø, ~'njø:z] acrimonious, bitter.

acrobate [akrɔ'bat] *su.* acrobat, tumbler; **acrobatie** [~ba'si] *f* acrobatics *pl.*; ~ (aérienne) aerobatics *pl.*

acte [akt] *m* act (*a. thea.*); deed (*a.* ⚖); ⚖ title; bill (*of sale*); ⚖ writ; ~s *pl. learned society:* transactions; records; *bibl.* ♀s *pl.* des Apôtres Acts of the Apostles; ⚖ ~ civil civil marriage; ~ de décès deathcertificate; ~ notarié notarial deed; *faire* ~ de présence put in an appearance; *prendre* ~ de take note of; **acteur** [ak'tœ:r] *m* actor.

actif, -ve [ak'tif, ~'ti:v] **1.** *adj.* active; busy; alert; **2.** *su./m* ♥ assets *pl.*, credit (side); *gramm.* active voice.   [actinotherapy.⟨

actinothérapie ⚚ [aktinɔtera'pi] *f⟩*

action [ak'sjɔ̃] *f* action, act; exploit; *water:* effect; *machine:* working; *thea.* gesture; ⚖ action, lawsuit; ✗ engagement; ♥ share(-certificate), *Am.* stock; *eccl.* ~ de grâces thanksgiving; ♥ ~ de mine miningshare; *champ m d'*~ sphere of action; **actionnaire** [aksjɔ'nɛ:r] *su.* shareholder, *Am.* stockholder; **actionner** [~'ne] (1a) *v/t.* ⚖ sue; ⊕ set in motion; operate (*a machine*); urge on; s'~ bestir o.s.

activer [akti've] (1a) *v/t.* stir up, push on; expedite; s'~ busy o.s. (with, *à*); **activité** [~vi'te] *f* activity; briskness.

actrice [ak'tris] *f* actress.

actualité [aktɥali'te] *f* actuality, reality; topical question; ~s *pl. cin.* news-reel *sg.*, F news *sg.*; *radio:* current events; *d'*~ topical.

actuel, -elle [ak'tɥɛl] current, present.

acuité [akɥi'te] *f* acuteness (*a.* ⚚); sharpness, keenness.

acutangle ⟁ [akɥ'tɑ̃:gl] acuteangled.

adage [a'da:ʒ] *m* adage, saying, saw.
adamantin, e [adamã'tɛ̃, ~'tin]
adamantine.

adaptable [adap'tabl] adaptable;
adaptateur *phot.*, *telev.* [~ta'tœ:r]
m adapter; **adaptation** [~ta'sjɔ̃] *f*
adaptation; adjustment; **adapter**
[~'te] (1a) *v/t.* adapt, adjust (s.th.
to s.th., *qch. à qch.*); *s'~ à qch.*
adapt o.s. to s.th.; fit s.th.

addition [adi'sjɔ̃] *f* addition; accretion; *restaurant*: bill, *Am. or F*
check; **additionnel, -elle** [adisjɔ-
'nɛl] additional; *impôt m* ~ surtax;
additionner [~'ne] (1a) *v/t.* add
up, tot up; dilute (with, *de*); **addi-
tionneuse** [~'nø:z] *f* adding-machine.

adénite 𝒮 [ade'nit] *f* adenitis.
adéno... [adenɔ] glandular, adeno...
adent ⊕ [a'dɑ̃] *m* dovetail, tenon.
adepte [a'dɛpt] *su.* adept; initiate.
adéquat, e [ade'kwa, ~'kwat] adequate.

adhérence [ade'rɑ̃:s] *f* adherence;
adhesion (*a. 𝒮, phys.*); **adhérent, e**
[~'rɑ̃, ~'rɑ̃:t] **1.** *adj.* adhesive; adherent (to, *à*); **2.** *su.* adherent, supporter; **adhérer** [~'re] (1f) *v/i.: ~ à*
adhere *or* cling to; hold (*an opinion*);
join, support (*a party*); *mot.* grip
(*the road*).

adhésif, -ve [ade'zif, ~'zi:v] adhesive, sticky; *emplâtre m* ~ adhesive
plaster; **adhésion** [~'zjɔ̃] *f* adhesion (*a. fig.*). [fern.]

adiante 𝒮 [a'djã:t] *m* maidenhair.
adieu [a'djø] **1.** *int.* farewell!; good-
bye!; **2.** *su./m:* ~*x pl.* farewell *sg.*,
leave-taking *sg.*; *faire ses ~x (à)*
say good-bye (to); take one's leave
(of).

adipeux, -euse [adi'pø, ~'pø:z]
adipose, fatty; **adiposité** [~pozi'te]
f adiposity, fatness.

adirer 𝚝𝚝 [adi're] (1a) *v/t.* lose,
mislay (*documents*).

adjacent, e [adʒa'sã, ~'sã:t] adjacent, contiguous (to, *à*); *être ~ à*
border on, adjoin; *rue f ~e* side-
street.

adjectif [adʒɛk'tif] *m* adjective.
adjoindre [ad'ʒwɛ̃:dr] (4m) *v/t.*
unite, associate; appoint as assistant; enrol(l); *s'~ à* join with (*s.o.*);
adjoint, e [~'ʒwɛ̃, ~'ʒwɛ̃:t] **1.** *adj.*
assistant-...; **2.** *su./m* assistant; *~ au
(or du) maire* deputy-mayor.

adjonction [adʒɔ̃k'sjɔ̃] *f* adjunction;
△ annexe; *gramm.* zeugma.

adjudant [adʒy'dã] *m* ✕ company
sergeant-major; ⚓ warrant-officer;
✕ ~*-chef* regimental sergeant-major; ⚓ ~ *de pavillon* flag-lieutenant.

adjudicataire [adʒydika'tɛ:r] *m*
highest-bidder; *auction*: purchaser;
contractor; **adjudication** [~'sjɔ̃] *f*
adjudication, award; *contract*: allocation; *auction*: knocking-down;
mettre en ~ invite tenders for; put
up for auction.

adjuger [adʒy'ʒe] (1l) *v/t.* award;
auction: knock down.

adjuration [adʒyra'sjɔ̃] *f* adjuration; imprecation; **adjurer** [~'re]
(1a) *v/t.* adjure, beseech; exorcise
(*a spirit*).

adjuvant, e 𝒮 [adʒy'vã, ~'vã:t] *adj.*,
a. su./m adjuvant.

admettre [ad'mɛtr] (4v) *v/t.* admit;
let in; permit.

administrateur [administra'tœ:r] *m*
administrator, manager; *bank*: director; **administratif, -ve** [~'tif,
~'ti:v] administrative; **administration** [~'sjɔ̃] *f* administration (*a.
eccl.*); management; governing
body; civil service; **administra-
trice** [~'tris] *f* administratrix; **ad-
ministré** *m*, **e** *f* [adminis'tre] person under one's administration *or*
jurisdiction; **administrer** [~] (1a)
v/t. administer (*a. eccl.*), conduct,
manage, govern; 𝚝𝚝 ~ *des preuves*
furnish proof.

admirable [admi'rabl] admirable,
wonderful; **admirateur, -trice**
[admira'tœ:r, ~'tris] **1.** *adj.* admiring; **2.** *su.* admirer; **admiratif, -ve**
[~'tif, ~'ti:v] admiring; **admiration**
[~'sjɔ̃] *f* admiration, wonder; **admirer** [admi're] (1a) *v/t.* admire.

admis, e [ad'mi, ~'mi:z] **1.** *p.p.* of
admettre; **2.** *adj.* admitted; accepted; conventional; **admissible**
[admi'sibl] admissible; eligible (to,
à); **admission** [~'sjɔ̃] *f* admission;
⊕ inlet; ⊕ *période f d'*~ induction
stroke.

admonestation [admɔnɛsta'sjɔ̃] *f*,
admonition [~ni'sjɔ̃] *f* admonition, reprimand; **admonester** [~-
nɛs'te] (1a) *v/t.* admonish, reprimand, censure.

adolescence [adɔlɛ'sã:s] *f* adolescence, youth; **adolescent, e** [~'sã,

~'sɑ̃:t] **1.** *adj.* adolescent; **2.** *su.*
adolescent; F teen-ager; *su./m*
youth.

adonner [adɔ'ne] (1a) *v/t.*: s'~ *à*
devote o.s. to.

adopter [adɔp'te] (1a) *v/t.* adopt
(*a child, a name, an opinion*); assume (*a name*); *parl.* pass (*a bill*);
adoptif, -ve [~'tif, ~'ti:v] adopted;
adoptive (*parent*); **adoption** [~'sjɔ̃]
f adoption; *bill:* passage; carrying;
fils m par ~ adopted son.

adorable [adɔ'rabl] adorable;
charming; **adorateur, -trice**
[~ra'tœ:r, ~'tris] **1.** *su.* adorer, worshipper; F great admirer; **2.** *adj.*
adoring; **adoration** [~ra'sjɔ̃] *f*
adoration, worship; **adorer** [~'re]
(1a) *v/t.* adore (*a. fig.*); worship
(*God*); F dote on.

adossement [ados'mɑ̃] *m* leaning
(against *à, contre*); position back
to back; **adosser** [ado'se] (1a) *v/t.*
lean; place back to back; s'~ *à* (*or
contre*) lean one's back against.

adouber [adu'be] (1a) *v/t. chess:*
adjust (*a piece*); *hist.* dub (*s.o.*) ([a]
knight).

adoucir [adu'si:r] (1a) *v/t.* sweeten;
tone down (*a colour*); mitigate;
allay (*a pain*); pacify; ⊕ polish
(*metal*), rough-polish (*glass*); s'~
soften; grow softer (*voice*); grow
milder (*weather*); grow less (*pain,
grief*); **adoucissement** [~sis'mɑ̃]
m softening; alleviation; relief;
sweetening.

adresse [a'drɛs] *f* address, destination; memorial; dexterity; shrewdness; **adresser** [adrɛ'se] (1a) *v/t.*
address, direct; refer (to, *à*); ~ *à*
des commandes à place orders with;
s'~ *à* apply to; speak to; appeal to.

adroit, e [a'drwa, ~'drwat] dexter-
ous; shrewd.

adulateur, -trice [adyla'tœ:r, ~'tris]
1. *adj.* flattering, fawning; **2.** *su.*
sycophant; **adulation** [~la'sjɔ̃] *f*
adulation, sycophancy; **aduler**
[~'le] (1a) *v/t.* fawn upon, flatter
(*s.o.*).

adulte [a'dylt] *adj., a. su.* adult,
grown-up.

adultération [adyltera'sjɔ̃] *f* adulteration; **adultère** [adyl'tɛ:r] **1.***adj.*
adulterous; **2.** *su./m* adulterer; adul-
tery; *su./f* adulteress; **adultérer**
[~te're] (1f) *v/t.* adulterate; **adul-**

térin, e [~te'rɛ̃, ~'rin] adulterine;
⚥ hybrid.

advenir [advə'ni:r] (2h) *v/i., a.
impers.* happen, occur, turn out;
advienne que pourra come what may.

adventice [advɑ̃'tis] adventitious,
casual (*a.* ⚥); **adventif, -ve** [~'tif,
~'ti:v] ⚥ growing wild, chance...;
accrued (*property*).

adverbe [ad'vɛrb] *m* adverb.

adversaire [advɛr'sɛ:r] *m* adversary,
opponent; **adverse** [~'vɛrs] adverse,
unfavo(u)rable; ⚖ opposing, other
(*party*); **fortune** *f* ~ adversity; **adversité** [~vɛrsi'te] *f* adversity, bad
luck.

aérage [ae'ra:ʒ] *m* aeration, airing;
ventilation (*a.* ⚒); **puits** *m* d'~
air-shaft; **aération** [~ra'sjɔ̃] airing,
ventilation; **aéré, e** [~'re] airy;
aérer [~'re] (1f) *v/t.* air, aerate;
ventilate; **aérien, -enne** [~'rjɛ̃,
~'rjɛn] aerial; air-...; *chemin m de fer*
~ elevated railway; **défense** *f* ~*enne*
aerial defence; *voyage m* ~ journey
by air; **aérifère** [aeri'fɛ:r] air-...;
aérifier [~'fje] (1o) *v/t.* gasify; **aéri-
forme** [~'fɔrm] gaseous.

aéro... [aerɔ] flying-..., air-...; **~bus**
[~'bys] *m* F air liner; **~drome**
[~dro:m] *m* aerodrome, *Am.* air-
drome; **~dynamique** [~dina'mik]
1. *adj.* aerodynamic; streamlined;
2. *su./f* aerodynamics *sg.*; **~gare**
[~'ga:r] *f* air terminal; **~moteur**
[~mɔ'tœ:r] *m* aero-engine; wind-
engine; **~naute** [~'no:t] *m* aeronaut,
balloonist; **~nautique** [~no'tik]
1. *adj.* aeronautical; **2.** *su./f* aeronautics *sg.*; **~plane** [~'plan] *m*
aeroplane, aircraft; **~port** [~'pɔ:r]
m airport; **~porté, e** [~pɔr'te]:
troupes f/pl. ~es airborne troops;
~postal, e, *m/pl.* **-aux** [~pɔs'tal,
~'to) air-mail. ~; **~stat** [~s'ta] *m*
airship, balloon; **~station** [~sta'sjɔ̃]
f aeronautics *sg.*; **~statique** [~sta-
'tik] **1.** *adj.*: *ballon m* ~ balloon; **2.**
su./f aerostatics *sg.*; **~transporté,
e** [~trɑ̃spɔr'te] *see* aéroporté.

affabilité [afabili'te] *f* affability,
graciousness (to *avec, envers*);
affable [a'fabl] affable, gracious.

affadir [afa'di:r] (2a) *v/t.* render
tasteless *or* uninteresting; *fig.* disgust; **affadissement** [~dis'mɑ̃] *m*
loss of flavo(u)r; growing insipid.

affaiblir [afɛ'bli:r] (2a) *v/t.* weaken;

phot. reduce (the contrasts of); s'~ grow weaker; **affaiblissement** [~blis'mã] *m* diminution; weakening; reducing; **affaiblisseur** *phot.* [~bli'sœ:r] *m* reducing agent *or* bath.

affaire [a'fɛ:r] *f* business, affair, question, matter; transaction; belongings *pl.*; ⚖ case; ~s *pl.* étrangères foreign affairs; *avoir* ~ *à (or avec)* have dealings with; *cela fait l'*~ that will do; *ce n'est pas petite* ~ it is no trifling matter; *faire son* ~ make one's fortune; *parler d'*~s talk business; *son* ~ *est faite* he is done for; *voilà l'*~ that's it!; **affairé, e** [afɛ're] busy; **affairement** [afɛr'mã] *m* hurry, bustle; **affairer** [afɛ're] (1a) *v/t.*: s'~ busy oneself, be busy.

affaissement [afɛs'mã] *m* sinking; *ground*: subsidence; *strength*: breaking up; ✠ prostration; *fig.* depression; **affaisser** [afɛ'se] (1b) *v/t.* cause to sink; weigh down; *fig.* s'~ sink; collapse (*a.* ✠).

affaler [afa'le] (1a) *v/t.* ⚓ haul down; lower; s'~ ⚓ be driven ashore; F drop.

affamé, e [afa'me] hungry, ravenous (for, *de*); **affamer** [~] (1a) *v/t.* starve.

affectation [afɛkta'sjõ] *f* affectation; pretence; ✝ appropriation; † predilection; ✗ *etc.* posting, *Am.* assignment; assignment (*to a post*); ✗ ~ *spéciale* reserved occupation; **affecter** [~'te] (1a) *v/t.* assign; set apart; pretend; assume (*a shape*); move (*s.o.*); affect; have a predilection for; ✠ burden (*the land*); ✠ affect, attack; ✗ *etc.* post, *Am.* assign; s'~ be moved (*feelings*); **affectif, -ve** [~'tif, ~'ti:v] affective; **affection** [~'sjõ] *f* affection (*a.* ✠); fondness, liking; ✠ disease, complaint; **affectionner** [~sjɔ'ne] (1a) *v/t.* be fond of, have a liking for; † s'~ *à q.* become fond of s.o.; s'~ *q.* gain s.o.'s affections; **affectueux, -euse** [~'tɥø, ~'tɥø:z] affectionate, fond, loving.

afférent, e [afe'rã, ~'rã:t] relating, relative (to, *à*); accruing.

affermer [afɛr'me] (1a) *v/t.* let; rent (*land*).

affermir [afɛr'mi:r] (2a) *v/t.* consolidate, make firm; *fig.* strengthen.

affété, e [afe'te] affected, mincing;

afféterie [~'tri] *f* affectation, mincing.

affichage [afi'ʃa:ʒ] *m* bill-posting; *fig.* F show; *panneau m d'*~ noticeboard; **affiche** [a'fiʃ] *f* poster; **afficher** [afi'ʃe] (1a) *v/t.* post up, placard; *fig.* parade, flaunt; s'~ *pour* set up for; **afficheur** [~'ʃœ:r] *m* bill-sticker.

affidé, e [afi'de] **1.** *adj.* † trusty; **2.** *su. pej.* accomplice; secret agent.

affilage ⊕ [afi'la:ʒ] *m* whetting, sharpening; **affiler** [~'le] (1a) *v/t.* sharpen, whet; ⊕ set (*a saw*); draw (*gold*).

affiliation [afilja'sjõ] *f* affiliation; **affilier** [afi'lje] (1o) *v/t.* affiliate (with, to *à*); s'~ *à* join (*a society etc.*).

affiloir [afi'lwa:r] *m* hone; *razor*: strop; *knife*: steel; whetstone.

affinage ⊕ [afi'na:ʒ] *m* refining; *fig.* improvement; *cloth*: cropping; *hemp*: hackling; *plank*: fining down; ~ *de surface* surface refinement; **affiner** [~'ne] (1a) *v/t.* refine; improve; point (*needles*); fine (*metals*); fine down (*a plank*); hackle (*hemp*); crop, shear (*cloth*); mature (*wine, cheese*).

affinité [afini'te] *f* affinity (*a.* 🜍), relationship; *fig.* resemblance.

affirmatif, -ve [afirma'tif, ~'ti:v] **1.** *adj.* affirmative; **2.** *su./f* affirmative; *dans l'*~ve in the affirmative; if so; **affirmation** [~ma'sjõ] *f* assertion; **affirmer** [~'me] (1a) *v/t.* affirm, assert (*a. one's authority*); aver.

affleurer [aflœ're] (1a) *v/t.* level; make flush; be level *or* flush with; *v/i.* be level *or* flush.

afflictif, -ve ⚖ [aflik'tif, ~'ti:v] corporal, bodily; *peine f* ~ve corporal punishment; penal servitude; **affliction** [~'sjõ] *f* affliction, sorrow, distress; **affliger** [afli'ʒe] (1l) *v/t.* afflict (with, *de*); distress, grieve; s'~ grieve, be distressed (at, *de*).

affluence [afly'ã:s] *f* flow(ing); flood; *fig.* afflux; abundance; crowd; *heures f/pl. d'*~ peak hours, rush hours; **affluent, e** [~'ã, ~'ã:t] **1.** *adj.* † affluent; **2.** *su./m* tributary; **affluer** [~'e] (1n) *v/i.* flow (*a.* 🜍); abound; *fig.* crowd, flock; **afflux** [a'fly] *m* afflux, rush.

affolement [afɔl'mã] *m* distraction; panic; *engine*: racing; **affoler**

[afɔ'le] (1a) *v/t.* infatuate; drive crazy; madden; *aiguille f affolée compass:* mad *or* spinning needle; être *affolé* become infatuated; be distracted; spin (*compass*).

affouragement [afuraȝ'mã] *m* fodder(ing); **affourager** [⁓ra'ȝe] (1l) *v/t.* fodder (*cattle*).

affourcher [afur'ʃe] (1a) *v/t.* ♒ moor across; ⊕ join by tongue and groove; *v/i. a.* s'⁓ † put out (one's anchors); be astride.

affranchi, e [afrã'ʃi] **1.** *adj.* freed; free (from, of de); **2.** *su./m* freedman; *su./f* freedwoman; **affranchir** [⁓'ʃi:r] (2a) *v/t.* free, emancipate; exempt; *post:* frank, prepay, stamp; s'⁓ de get rid of; **affranchissement** [⁓ʃis'mã] *m* emancipation; release, exemption; *post:* franking, prepayment; postage.

affres [afr] *f/pl.* pangs, terrors, throes.

affrètement ♒ [afrɛt'mã] *m* freighting; charter(ing); **affréter** ♒ [afre'te] (1f) *v/t.* freight; charter.

affreux, -euse [a'frø, ⁓'frø:z] frightful, dreadful; ghastly; hideous.

affriander [afriã'de] (1a) *v/t.* entice, allure; make attractive.

affront [a'frɔ̃] *m* affront, insult; *faire un* ⁓ *à* insult; **affronter** [afrɔ̃'te] (1a) *v/t.* confront, face; *fig.* brave; ⊕ join face to face.

affublement *pej.* [afyblə'mã] *m* getup, rig-out; **affubler** *pej.* [⁓'ble] (1a) *v/t.* rig out (in, de).

affût [a'fy] *m* hiding-place; guncarriage; *chasser à l'*⁓ stalk; être à *l'*⁓ lie in wait; be on the look-out (for, de); **affûter** ⊕ [afy'te] (1a) *v/t.* sharpen (*a.* F *fig.*); set (*a saw*); stock with tools; **affûteuse** ⊕ [⁓'tø:z] *f* grinding-machine.

afin [a'fɛ̃] **1.** *prp.:* ⁓ de (*inf.*) (in order) to (*inf.*); **2.** *cj.:* ⁓ que (*sbj.*) in order that, so that.

africain, e [afri'kɛ̃, ⁓'ken] *adj., a. su.* ♀ African.

Afrikander [afrikã'dɛ:r] *m* Afrikander.

agaçant, e [aga'sã, ⁓'sã:t] irritating; provocative; **agacer** [⁓'se] (1k) *v/t.* irritate, annoy; s'⁓ get annoyed; **agacerie** F [agas'ri] *f* provocation.

agape *eccl.* [a'gap] *f* love-feast, agape.

agate [a'gat] *f* agate.

âge [ɑ:ȝ] *m* age; period; generation; *d'*⁓ *à*, en ⁓ de of an age to; *enfant mf d'*⁓ *scolaire* child of school age; *entre deux* ⁓s middle-aged; *quel* ⁓ *avez-vous?, quel est votre* ⁓? how old are you?; *retour m d'*⁓ change of life; **âgé, e** [a'ȝe] old, aged; elderly; ⁓ de deux ans 2 years old, aged 2.

agence [a'ȝã:s] *f* agency; ⁓ de publicité advertising agency; ⁓ de voyages travel agency; ⁓ générale general agency; **agencement** [aȝãs'mã] *m* arrangement, order; ⁓s *pl.* fixtures; **agencer** [aȝã'se] (1k) *v/t.* arrange; order; fit up.

agenda [aȝɛ̃'da] *m* note-book, memorandum-book; diary.

agenouiller [aȝnu'je] (1a) *v/t.:* s'⁓ kneel (down).

agent [a'ȝã] *m* agent; middleman; medium, agency; ⁓ de brevet patent agent; ⁓ de change stock-broker, exchange-broker; ⁓ de liaison liaison officer; ⁓ de location house agent; ⁓ fiduciaire trustee; ⁓ provocateur agent provocateur.

agglomération [aglɔmera'sjɔ̃] *f* agglomeration; mass; built-up area; ⁓s *pl. urbaines* centres of population, urban districts *or* centres; **aggloméré** [⁓'re] *m* patent fuel, briquette; *geol.* conglomerate; **agglomérer** [⁓'re] (1f) *v/t.* agglomerate; bring together; s'⁓ cohere; cake.

agglutinant, e [aglyti'nã, ⁓'nã:t] **1.** *adj.* adhesive; agglutinative; binding; **2.** *su./m* bond; **agglutinatif, -ve** [⁓na'tif, ⁓'ti:v] **1.** *adj. see agglutinant 1;* **2.** *su./m* agglutinant; **agglutiner** [⁓'ne] (1a) *v/t.* agglutinate; bind; s'⁓ cake, agglutinate.

aggravant, e [agra'vã, ⁓'vã:t] aggravating; **aggravation** [⁓va'sjɔ̃] *f* worsening; *penalty:* increase; 𝄐, 𝄐 aggravation; **aggraver** [⁓'ve] (1a) *v/t.* aggravate; worsen; increase; s'⁓ worsen.

agile [a'ȝil] agile, nimble; active; **agilité** [aȝili'te] *f* agility, nimbleness.

agio [a'ȝjo] *m* ♱ agio; F jobbery; **agiotage** ♱ [aȝjɔ'ta:ȝ] *m* (stock-)jobbing; **agioter** ♱ [⁓'te] (1a) *v/i.* gamble, speculate; **agioteur** [⁓'tœ:r] *m* gambler, speculator.

agir [a'ʒiːr] (2a) *v/i.* act; do; operate, work; behave; ~ *bien* (*mal*) *envers* (*or avec*) behave well (badly) towards; 𝕩 ~ *contre* prosecute; sue; *il s'agit de savoir si* the question is whether; *s'~ de* be a question of (*s.th.*); **agissant, e** [aʒi'sɑ̃, ~'sɑ̃ːt] active; bustling; **agissements** [aʒis'mɑ̃] *m/pl.* doings; machinations; goings-on.

agitateur, -trice [aʒita'tœːr, ~'tris] *su.* agitator, ⊕ mixer; *su./m* ⚓ stirring-rod; **agitation** [~ta'sjɔ̃] *f* agitation (*a. fig.*); stir(ring); shaking, tossing; disturbance; restlessness; excitement; **agiter** [~'te] (1a) *v/t.* agitate; wave; shake, toss; stir; disturb; debate (*a question*).

agneau [a'ɲo] *m* lamb; **agneler** [aɲə'le] (1d) *v/i.* lamb; **agnelet** † [~'lɛ] *m* lambkin; **agnelin** [~'lɛ̃] *m* fur: lambskin.

agonie [agɔ'ni] *f* death agony; *être à l'~* be at the point of death; **agonir** [~'niːr] (2a) *v/t.*: ~ *q. d'injures* heap abuse on s.o.; **agoniser** [~ni'ze] (1a) *v/i.* be at the point of death, be dying.

agrafe [a'graf] *f* hook; clasp; clamp; clip; ⊕ dowel; ⊕ joint; **agrafer** [agra'fe] (1a) *v/t.* hook; clasp; fasten; clip (*papers*); ⊕ dowel; *sl.* nab (= *capture*); **agrafeuse** [~'føːz] *f* stapler.

agraire [a'grɛːr] agrarian; *réforme f* ~ agrarian reform.

agrandir [agrɑ̃'diːr] (2a) *v/t.* increase; enlarge; exalt; exaggerate; *s'~* grow larger; **agrandissement** [~dis'mɑ̃] *m* enlargement; increase; rise (in power *etc.*); **agrandisseur** *phot.* [~di'sœːr] *m* enlarger.

agrarien, -enne [agra'rjɛ̃, ~'rjɛn] *adj.*, *a. su./m* agrarian.

agréable [agre'abl] agreeable, pleasant; pleasing.

agréé [agre'e] *m commercial court*: counsel, attorney.

agréer [~] (1a) *v/t.* accept; approve; allow; *veuillez ~ l'expression de mes sentiments distingués* Yours sincerely; *s'~ à* enjoy; *v/i.* be agreeable (to, à).

agrégat [agre'ga] *m* aggregate; **agrégation** [~ga'sjɔ̃] *f* ⊕ binding; ⊕ aggregate; admission (*to a society*); *in France*: competitive State examination for appointment as

teacher in a *lycée*; **agrégé, e** [~'ʒe] **1.** *adj.* aggregate; *geol.* clastic (*rock*); **2.** *su./m* one who has passed the *agrégation*; **agréger** [~'ʒe] (1g) *v/t.* † admit, incorporate; admit to the title of *agrégé*.

agrément [agre'mɑ̃] *m* consent; approval; pleasure, amusement; charm; ~*s pl.* ornaments; trimmings; *voyage m d'~* pleasure-trip; **agrémenter** [~mɑ̃'te] (1a) *v/t.* adorn.

agrès [a'grɛ] *m/pl.* ⚓ tackle *sg.*, gear *sg.*; *sp.* apparatus *sg.*, fittings.

agresseur [agrɛ'sœːr] *m* aggressor; assailant; **agressif, -ve** [~'sif, ~'siːv] aggressive; **agression** [~'sjɔ̃] *f* aggression; attack; assault. [*couth.*]

agreste [a'grɛst] rural; rustic; un-]

agricole [agri'kɔl] agricultural (*labourer, products*); **agriculteur** [~kyl'tœːr] *m* agriculturist; husbandman; farmer; **agriculture** [~kyl'tyːr] *f* agriculture; husbandry.

agriffer [agri'fe] (1a) *v/t.* F claw; *s'~ à* claw at; clutch at.

agripper [agri'pe] (1a) *v/t.* F clutch (at); grab.

agronomie [agrɔnɔ'mi] *f* husbandry, agronomy.

agrumes [a'grym] *m/pl.* citrus fruit.

aguerrir [agɛ'riːr] (2a) *v/t.* harden, season; *s'~* grow seasoned; *s'~ à* (*or contre*) become hardened to.

aguets [a'gɛ] *m/pl.*: *aux ~* on the watch *or* look-out.

aguicher *sl.* [agi'ʃe] (1a) *v/t.* lead (*s.o.*) on; carry on with (*s.o.*); make (*s.o.*) curious.

ah! [ɑ] *int.* oh!; ah!

ahaner [aa'ne] (1a) *v/i.* pant; work hard, toil; hum and haw.

ahurir F [ay'riːr] (2a) *v/t.* bewilder.

ai [e] *1st p. sg. pres. of avoir 1.*

aide [ɛːd] *su.* assistant; *su./f* help, assistance; *pol.* ~ *économique* economic aid; *à l'~ de* to *or* with the help of; *su./m:* ~ *de camp* ⚔ aide-de-camp; ⚓ flag-lieutenant; ~-**comptable**, *pl.* ~**s-comptables** [ɛdkɔ̃'tabl] *su.* assistant-accountant; ~-**maçon**, *pl.* ~**s-maçons** [~ma'sɔ̃] *m* hodman; ~-**mémoire** [~me-'mwaːr] *m/inv.* pocket-book; manual; *pol.* aide-mémoire; memorandum; **aider** [ɛ'de] (1b) *v/t.* help, assist, aid; *s'~ de* make use of; *v/i.* contribute (to, à).

aie [ɛ] *1st p. sg. pres. sbj. of* avoir 1.
aïeul [a'jœl] *m* grandfather; **aïeule**
[⌐] *f* grandmother; **aïeuls** [⌐] *m/pl.*
grandparents; grandfathers; **aïeux**
[a'jø] *m/pl.* ancestors, forefathers.
aigle [ɛgl] *su./m* eagle; *fig.* genius;
elephant paper; lectern; *su./f* 🚩
eagle; ✕ standard.
aiglefin *icht.* [ɛglə'fɛ̃] *m* haddock.
aiglon [ɛ'glɔ̃] *m* eaglet.
aigre [ɛ:gr] 1. *adj.* sour, tart; bitter
(*wind, tone*); shrill, sharp (*voice,
sound*); crude (*colour*); crabbed
(*person*); brittle (*iron*); 2. *su./m*
sharpness; **aigre-doux, -douce**
[ɛgrə'du, ⌐'dus] bitter-sweet; *fig.*
subacid; **aigrefin** [⌐'fɛ̃] *m icht.* haddock; *fig.* sharper, swindler; **aigre-
let, -ette** [⌐'lɛ, ⌐'lɛt] sourish, tart;
aigrette [ɛ'grɛt] *f orn.* aigrette (*a.
cost.*, 🎗), egret (*a.* 🐦); tuft; 🗲 *a.*
brush; **aigreur** [ɛ'grœ:r] *f* sourness (*a. fig.*); *fig.* ranco(u)r; ⊕ *iron*:
brittleness; 🗲 *⌐s pl.* acidity *sg.* (of
the stomach); heartburn *sg.*; **aigrir**
[ɛ'gri:r] (2a) *vt/i.* turn sour; *v/t. fig.*
embitter.
aigu, -guë [e'gy] sharp, pointed; 🗡,
♪, *gramm.* acute; *fig.* intense; bitter;
piercing (*sound*).
aigue-marine, *pl.* **aigues-marines**
[ɛgma'rin] *su./f*, *a. adj./inv.* aqua-
marine.
aiguière [e'gjɛ:r] *f* ewer.
aiguillage 🚂 [egɥi'ja:ʒ] *m* switching of points; shunting; points *pl.*,
Am. switches *pl.*; **aiguille** [e'gɥi:j]
f needle (*a. pine, compass*); clock:
hand; △ king-post; *mountain*:
point; *churchtower*: spire; 🚂 point(s
pl.), *Am.* switch; **aiguillée** [egɥi'je]
f needleful; **aiguiller** [⌐'je] (1a) *v/t.*
shunt, switch; **aiguillette** [⌐'jɛt]
f aiguillette, aglet; ✕, ⚓ shoul-
der-knot; **aiguilleur** 🚂 [⌐'jœ:r] *m*
pointsman, *Am.* switchman; **aiguil-
lier** [⌐'je] *m* needle-maker; needle-
book; **aiguillon** [⌐'jɔ̃] *m* goad;
wasp: sting; *fig.* spur, stimulus;
aiguillonner [⌐jɔ'ne] (1a) *v/t.*
goad; *fig.* spur on; rouse.
aiguiser [eg(ɥ)i'ze] (1a) *v/t.* whet (*a.
fig.*), sharpen; set (*a razor, a saw*);
fig. excite, quicken.
ail *, pl.* ♀ **ails.** *cuis.* **aulx** [a:j, o] *m* ♀
allium; *cuis.* garlic.
aile [ɛl] *f* wing (*a.* ✕, *sp.*); *windmill*:
sail; blade; *eccl.* aisle; F fin, arm;

mot. wing, *Am.* fender; 🗲 *⌐ en
delta* delta wing; 🗲 *⌐ en flèche*
swept-back wing; **ailé, e** [ɛ'le]
winged; **aileron** [ɛl'rɔ̃] *m* pinion,
small wing; *shark*: fin; 🗲 aileron;
water-wheel: float(-board); △ scroll;
ailette [ɛ'lɛt] *f* △ small wing; ⊕
lug; *radiator*: gill, fin; *ventilator*:
vane; *turbine*: blade; **ailier** *sp.*
[ɛ'lje] *m* wing(er).
aillade *cuis.* [a'jad] *f* garlic sauce.
aille [aj] *1st p. sg. pres. sbj. of* aller 1.
ailleurs [a'jœ:r] *adv.* elsewhere; *d'⌐*
from somewhere else; moreover,
besides; *nulle part ⌐* nowhere else.
aimable [ɛ'mabl] agreeable, pleasant; amiable, kind; nice.
aimant¹, e [ɛ'mɑ̃, ⌐'mɑ̃:t] loving,
affectionate.
aimant² [ɛ'mɑ̃] *m* magnet (*a. fig.*);
⌐ long bar magnet; *⌐ naturel* magnetic iron ore; **aimantation** [ɛmɑ̃-
ta'sjɔ̃] *f* magnetization; **aimanter**
[⌐'te] (1a) *v/t.* magnetize; *aiguille f*
aimantée magnetic needle.
aimer [ɛ'me] (1b) *v/t.* love; like; be
fond of; be in love with; *v/i.* love;
⌐ à (*inf.*) like (*ger.*) *or* to (*inf.*);
j'aimerais I would like; *j'aimerais
mieux* I would prefer *or* rather *or*
sooner.
aine *anat.* [ɛn] *f* groin.
aîné, e [ɛ'ne] *adj., a. su.* elder; eldest; first-born; senior; *il est mon ⌐
de trois mois* he is 3 months older
than I; he is my senior by 3 months;
aînesse [ɛ'nɛs] *f* primogeniture;
seniority; *droit m d'⌐* law of primogeniture; birthright.
ainsi [ɛ̃'si] 1. *adv.* thus; so; in this
way; *⌐ soit-il!* so be it!; *eccl., a. co.*
amen; *pour ⌐ dire* so to speak; 2. *cj.*
so; *⌐ que* as well as; like.
air¹ [ɛ:r] *m* air; wind; atmosphere
(*a. fig.*); *metall. ⌐ chaud* hot blast;
⊕ *⌐ comprimé* compressed air; *⌐
conditionné* air-conditioned; *⌐ frais*
fresh air; *courant m d'⌐* draught,
Am. draft; *en plein ⌐* in the open
air; *il y a qch. dans l'⌐* there is s.th.
in the wind; *menaces f/pl. en l'⌐*
empty threats; *mettre à l'⌐* place in
the open; *fig. mettre en l'⌐* throw
into confusion; *fig. paroles f/pl. en
l'⌐* idle talk; *fig. projets m/pl. en l'⌐*
castles in the air.
air² [⌐] *m* air, look, appearance; way,
manner; *⌐ de famille* family like-

ness; *avoir l'*~ *de* look like; *avoir l'*~ *de* (*inf.*) seem to (*inf.*), look as if (*ind.*); *prendre* (*or se donner*) *des* ~s give o.s. airs.

air³ ♩ [~] *m* air, tune, melody; aria; ~ *à boire* drinking song.

aire [~] *f* surface; (threshing-)floor; △, ∡ area; *eagle*: eyrie; *meteor.* ~ *de haute* (*basse*) *pression* high (low) pressure (area); ~ *du vent* wind direction; point of the compass.

airelle ⚘ [ɛ'rɛl] *f* bilberry, whortleberry, *Am.* huckleberry.

airer [ɛ're] (1a) *v/i.* build an eyrie or a nest.

ais ⊕ [ɛ] *m* board, plank.

aisance [ɛ'zɑ̃:s] *f* ease; comfort; competency; *cabinet m d'*~s public convenience, water-closet; **aise** [ɛ:z] **1.** *adj.*: *être bien* ~ be very glad; **2.** *su./f* ease, comfort; † pleasure; *à l'*~, *à son* ~ comfortable; well-off; *adv.* comfortably; *en prendre à son* ~ take it easy; *mal à l'*~ ill at ease; **aisé, e** [ɛ'ze] easy; well-to-do.

aisseau [ɛ'so] *m* △ shingle; ⊕ adze.

aisselle [ɛ'sɛl] *f anat.* armpit; △ haunch; ⚘ axilla.

ajonc ⚘ [a'ʒɔ̃] *m* gorse, furze.

ajour [a'ʒuːr] *m* △ opening; ⊕ perforation; **ajouré, e** [aʒu're] perforated; open-work.

ajournement [aʒurnə'mɑ̃] *m* postponement; adjournment; ⚖ᵗᵗ summons; subpoena; *univ.* referring; ✕ deferment; **ajourner** [~'ne] (1a) *v/t.* postpone; adjourn; ⚖ᵗᵗ subpoena; *univ.* refer (*a candidate*); ✕ defer; *pol.* table (*a bill*).

ajouter [aʒu'te] (1a) *v/t.* add; ~ *foi à* believe (*s.th.*).

ajustage ⊕ [aʒys'ta:ʒ] *m* fitting, assembly; fit; ~ *lâche* (*serré*) loose (tight) fit; **ajustement** [~tə'mɑ̃] *m* adjusting, adjustment; *quarrel*: settlement; † attire; **ajuster** [~'te] (1a) *v/t.* adjust, fit; adapt; settle, arrange; true up; aim (*a shot, a gun*); ~ *une montre* put a watch right; ~ *fit*; agree; adapt o.s.; suit o.s.; tidy o.s. up; **ajusteur** [~'tœːr] *m* fitter.

ajutage [aʒy'ta:ʒ] *m* nozzle; jet; *water-works*: a(d)jutage.

alabandine ⚭ₘ [alabɑ̃'din] *f* alabandite.

alacrité [alakri'te] *f* alacrity; eagerness.

alaire [a'lɛ:r] alar, of the wings.

alambic [alɑ̃'bik] *m* still; alembic; *passer* (*or tirer*) *par* (*or à*) *l'*~ distil; *fig.* examine carefully; **alambiqué, e** *fig.* [~bi'ke] oversubtle, strained.

alanguir [alɑ̃'giːr] (2a) *v/t.* make languid; *s'*~ languish, flag; grow languid; **alanguissement** [~gis-'mɑ̃] *m* languor; weakness.

alarme [a'larm] *f* alarm; *donner l'*~ sound the alarm; **alarmer** [alar-'me] (1a) *v/t.* alarm, startle; give the alarm to; **alarmiste** [~'mist] *su., a. adj.* alarmist.

albâtre [al'bɑ:tr] *m* alabaster.

albatros *orn.*, ✂ [alba'trɔs] *m* albatross.

albinos [albi'noːs] *su., a. adj./inv.* albino.

Albion [al'bjɔ̃] *f* Britain; *poet.* Albion.

album [al'bɔm] *m* album; *paint.* sketch-book; picture-book.

albumine ⚗ [alby'min] *f* albumin.

alcali [alka'li] *m* alkali; ~ *minéral* soda-ash; ~ *végétal* potash; ~ *volatil* ammonia; **alcalin, e** [~'lɛ̃, ~'lin] alkaline.

alchimie [alʃi'mi] *f* alchemy.

alcool [al'kɔl] *m* alcohol; F spirit(s *pl.*); ~ *dénaturé* methylated spirits *pl.*; ~ *méthylique* methyl alcohol; **alcoolique** [alkɔ'lik] **1.** *adj.* alcoholic; **2.** *su.* alcoholic; drunkard; **alcooliser** [~li'ze] (1a) *v/t.* alcoholize; fortify (*wine*); **alcoolisme** [~'lism] *m* alcoholism; **alcoomètre** [~'mɛtr] *m* alcoholometer.

alcôve [al'ko:v] *f* alcove; (bed-) recess.

alcyon *orn.* [al'sjɔ̃] *m* kingfisher, halcyon.

aléa [ale'a] *m* risk, hazard; **aléatoire** [~a'twa:r] aleatory; risky; problematic(al).

alêne ⊕ [a'lɛn] *f* awl.

alentour [alɑ̃'tuːr] **1.** *adv.* around; **2.** *su./m*: ~s *pl.* neighbourhood *sg.*, surroundings.

alerte [a'lɛrt] **1.** *adj.* alert, quick; watchful; **2.** *int.* to arms!; look out!; **3.** *su./f* alarm; warning; *fausse* ~ false alarm; **alerter** [aler-'te] (1a) *v/t.* warn; give alarm to.

alésage ⊕ [ale'za:ʒ] *m* boring;

broaching; *rifle*: bore; **aléser** ⊕ [ˌ'ze] (1f) *v/t.* bore; broach; **alésoir** ⊕ [ˌ'zwaːr] *m* borer; broach; reamer-bit; boring machine.

alevin [al'vɛ̃] *m* fry; **alevinier** [ˌ-vi'nje] *m* breeding-pond.

alexandrin, e [alɛksɑ̃'drɛ̃, ˌ'drin] **1.** *adj.* Alexandrian; Alexandrine; **2.** *su./m prosody*: alexandrine; *su.* ♀ Alexandrian.

alezan [al'zɑ̃] *su./m, a. adj.* chestnut.

alfa ♀ [al'fa] *m* alfa(-grass), esparto (-grass).

algarade [alga'rad] *f* scene, quarrel; dressing-down; escapade; sally; ✕ † raid.

algèbre [al'ʒɛːbr] *f* algebra; **algébrique** [ˌ-ʒe'brik] algebraic.

algérien, -enne [alʒe'rjɛ̃, ˌ'rjɛn] *adj., a. su.* ♀ Algerian.

algue ♀ [alg] *f* alga; sea-weed.

alibi [ali'bi] *m* alibi; ～ *de fer* cast-iron alibi.

aliboron [alibɔ'rɔ̃] *m*: *maître m* ～ conceited ass; jackass.

aliénable 🏛 [alje'nabl] alienable; **aliénation** [ˌ-na'sjɔ̃] *f* alienation (*a.* 🏛); 🎗 mental derangement; insanity; **aliéné, e** [ˌ'ne] *su., a. adj.* lunatic; **aliéner** [ˌ'ne] (1f) *v/t.* 🏛 alienate; unhinge (*s.o.'s mind*).

alignement [aliɲ'mɑ̃] *m* alignment; building-line; ✕ dressing (*of line*); **aligner** [ali'ɲe] (1a) *v/t.* △ align; lay out in a line; mark out; ✕ dress, draw up in a line; *s'*～ fall into line; ✕ dress.

aliment [ali'mɑ̃] *m* food, nutriment; 🏛 ～*s pl.* alimony *sg.*; **alimentaire** [alimɑ̃'tɛːr] alimentary; for food; **alimentation** [ˌ-ta'sjɔ̃] *f* feeding, alimentation; food, diet; nutrition; ⊕ feed; ～ *défectueuse* malnutrition; ～ *d'essence* fuelling; *magasin m d'*～ food shop, *Am.* store; *rayon m d'*～ food department; **alimenter** [ˌ'te] (1a) *v/t.* feed (*a.* ⊕); ～ nourish (*a. fig.*); supply with food; *fig.* keep alive (*hatred, a quarrel, etc.*).

alinéa [aline'a] *m* paragraph; *typ.* *en* ～ indented.

alité, e [ali'te] confined to bed; **alitement** [alit'mɑ̃] *m* confinement to bed; **aliter** [ali'te] (1a) *v/t.* confine to bed; *s'*～ take to one's bed.

alizé [ali'ze] *m* trade wind.

allaiter [ale'te] (1b) *v/t.* suckle.

allant [a'lɑ̃] *m* initiative; energy;

F *dash; avoir de l'*～ have plenty of go.

allécher [ale'ʃe] (1f) *v/t.* entice, tempt, allure.

allé, e [a'le] **1.** *p.p. of aller* 1; **2.** *su./f* going; avenue; (tree-lined) walk; path; passage; drive; ～*es pl.* et *venues f/pl.* coming *sg.* and going *sg.*

allégation [alega'sjɔ̃] *f* allegation.

allège [al'lɛːʒ] *f* ⚓ lighter; ⚓ barge; △ breast-wall; △ balustrade.

allégement [alɛʒ'mɑ̃] *m* alleviation (of, de), relief (from, de); lightening; **alléger** [ˌle'ʒe] (1g) *v/t.* alleviate, relieve; ⊕ plane down; lighten (*a.* △).

allégorie [allegɔ'ri] *f* allegory.

allègre [al'lɛːgr] lively, brisk; cheerful; **allégrement** [ˌlegrə'mɑ̃] *adv. of allègre*; **allégresse** [ˌle'grɛs] *f* joy, cheerfulness; liveliness.

alléguer [alle'ge] (1s) *v/t.* allege; state; urge; adduce (*evidence etc.*); quote; cite; ～ *l'ignorance* plead ignorance.

alléluia [alelɥi'ja] *m* hallelujah, alleluia(h).

allemand, e [al'mɑ̃, ˌ'mɑ̃ːd] **1.** *adj.* German; **2.** *su./m ling.* German; *su.* ♀ German.

aller [a'le] **1.** (1q) *v/i.* go; depart; ～ (*inf.*) be going to (*inf.*), go and ...; *a.* = *fut. tense*; ～ *à bicyclette* go by bicycle; ～ *à cheval* ride (a horse); ～ *bien* (*mal*) be *or* be going well (badly); ～ *chercher* (go and) look for; fetch; ～ *diminuant* grow steadily less; ～ *en chemin de fer* go by train *or* rail; ～ *en voiture* drive, ride (in a car), go by car; ～ *se coucher* go to bed; ～ *sur la cinquantaine* be going *or* getting on for fifty; ～ *voir q.* call on s.o.; go and see s.o.; *allons!* let's go!; come!; nonsense!; come along!; *ce chapeau lui va bien* (*mal*) that hat suits (does not suit) him; *cela me va* that suits me; *comment allez-vous?* how are you?; *il va sans dire* it goes without saying, it is obvious; *il y va de ...* it is a matter of ...; ... is at stake; *la clef va à la serrure* the key fits the lock; *n'allez pas croire ...!* don't believe ...!; don't think ...!; F *on y va!* coming!; *s'en* ～ go away, leave, depart; *va!* agreed!; believe me ...!; **2.** *su./m* ⚓ outward journey; 🚢 single ticket; ~ *et retour* journey there and back; *ticket*: return; *à l'~* on the outward journey; *au pis ~* if the worst comes to the worst; *le pis ~* the last resort.

allergie [allɛr'ʒi] *f* 🞨, *a.* F *fig.* allergy.

alliable [a'ljabl] miscible; *fig.* compatible; **alliage** [a'lja:ʒ] *m* alloy; 🜊 alligation; **alliance** [a'ljã:s] *f* alliance; marriage; union; wedding ring; **allié, e** [a'lje] **1.** *adj.* allied; **2.** *su.* ally; relation by marriage; **allier** [~] (1o) *v/t.* ally; unite; ⊕ alloy (*metals*); blend (*colours*); *s'~* marry, be married.

allitération [alitera'sjõ] *f* alliteration.

allô! [a'lo] *int.* hullo!, hello!

allocation [allɔka'sjõ] *f* allocation; allowance; grant; *~s pl. familiales* family allowances; *~ d'assistance* subsidy; *~ de chômage* unemployment benefit; *~ vieillesse* old age relief.

allocution [allɔky'sjõ] *f* address, speech.

allonge [a'lõ:ʒ] *f* extension; eking-piece; *table*: leaf; meat-hook; *box.* reach; ♱ rider; **allongement** [alõʒ'mã] *m* lengthening; ⊕ elongation; **allonger** [alõ'ʒe] (1l) *v/t.* lengthen; delay; prolong; *sl.* aim (*a blow*) (at, *à*); *sl.* fork out (*money*); *s'~* stretch (out), grow longer.

allopathie 🞨 [allɔpa'ti] *f* allopathy.

allouable [a'lwa:bl] grantable; **allouer** [a'lwe] (1p) *v/t.* grant; allocate.

allumage [aly'ma:ʒ] *m* lighting; ⊕ ignition; *mot.* ~ *prématuré* back-fire; pinking; ~ *raté* misfire; *couper l'~* switch off the ignition; *retarder l'~* retard the spark; **allumé, e** *sl.* [~'me] worked-up; **allume-feu** [alym'fø] *m/inv.* fire-lighter; **allume-gaz** [~'gɑ:z] *m/inv.* gas-lighter; **allumer** [aly'me] (1a) *v/t.* light, kindle; inflame; *v/i.* switch on (the light); *allume!* step on it!; hurry up!; **allumette** [~'mɛt] *f* match; ~ *de sûreté* safety match; **allumettier** [~mɛ'tje] *m* match manufacturer; match-seller; **allumeur** *m*, **-euse** *f* [~'mœ:r, ~'mø:z] *person*: lighter; **allumoir** [~'mwa:r] *m apparatus*: lighter.

allure [a'ly:r] *f* walk, gait; bearing, manner; demeanour; speed; pace; appearance; ⚓ mode of sailing, sailing-trim; ♱ *business*: trend; *à toute ~* at full speed; *filer (marcher) à une ~ normale* travel (walk, go) at a normal speed; *forcer l'~* increase speed; *fig.* *prendre une bonne ~* take a promising turn; *régler l'~* set the pace.

alluvial, e, *m/pl.* **-aux** *geol.* [ally'vjal; ~'vjo] alluvial; **alluvion** [~'vjõ] *f* alluvium; alluvial (deposit).

almanach [alma'na] *m* almanac; calendar; ~ *du commerce* commercial directory; *faiseur m d'~s* weather-prophet.

aloi [a'lwa] *m* standard, quality (*a. fig.*); *fig. de bon ~* genuine; sterling; *fig. de mauvais ~* base, worthless; *monnaie f d'~* sterling money.

alors [a'lɔ:r] *adv.* then; at *or* by that time; in that case; ~ *même que* even when *or* though; ~ *que* at a time when; whereas; *d'~* of that time; *jusqu'~* until then.

alouette *orn.* [a'lwɛt] *f* lark.

alourdir [alur'di:r] (2a) *v/t.* make heavy *or* dull; weigh down; *s'~* become heavy, dull; **alourdissement** [~dis'mã] *m* heaviness.

aloyau [alwa'jo] *m* sirloin (of beef).

alpaga *zo.* [alpa'ga] *m* alpaca.

alpage [al'pa:ʒ] *m* pasture on the upper slopes; **alpe** [alp] *f* Alp, height; *geogr. les ♀s pl.* the Alps; **alpestre** [al'pɛstr] alpine.

alphabet [alfa'bɛ] *m* alphabet; spelling-book; primer; **alphabétique** [~be'tik] alphabetical.

alpin, e [al'pɛ̃, ~'pin] alpine; ⚔ *chasseur m* ~ mountain infantry-man; **alpinisme** [alpi'nism] *m* mountaineering; **alpiniste** [~'nist] *su.* mountaineer, F climber.

alsacien, -enne [alza'sjɛ̃, ~'sjɛn] **1.** *adj.* Alsatian, of Alsace; **2.** *su.* ♀ Alsatian, man (woman) of Alsace.

altérable [alte'rabl] liable to deterioration; ~ *à l'air* which deteriorates on exposure to the air; **altérant, e** [~'rã, ~'rã:t] thirst-making; **altération** [~ra'sjõ] *f* deterioration; weakening; *coinage*: debasing; *colour*: fading; *voice*: faltering; *fig.* misrepresentation.

altercation [alterka'sjõ] *f* altercation; dispute.

altéré[1], **e** [alte're] thirsty (*fig.* for, *de*).

altéré[2], **e** [∼] haggard (*face*); faded (*colour*); broken, faltering (*voice*).

altérer[1] [∼] (1f) *v/t.* change for the worse; corrupt; debase (*the currency*); taint; spoil; adulterate, tamper with; inflect (*a note*); **s'**∼ change for the worse; deteriorate; break (*voice*); weather (*rock*).

altérer[2] [∼] (1f) *v/t.* make thirsty; **s'**∼ grow thirsty.

alternance [alter'nɑ̃:s] *f* alternation (*a. ⚡*); *♪* ∼ *des cultures* crop rotation; **alternateur** *⚡* [∼na'tœːr] *m* alternator; **alternatif, -ve** [∼na'tif, ∼'tiːv] alternate; alternative; ⊕ reciprocating; *⚡ courant m* ∼ alternating current; **alternative** [∼na-'tiːv] *f* alternation; alternative; ∼s *pl.* saisonnières seasonal alternation *sg.*; **alterne** [al'tɛrn] alternate (*angle*); **alterner** [∼tɛr'ne] (1a) *v/i.* alternate, take turns; *v/t.* rotate (*the crops*); ⊕ break (*a joint*).

Altesse [al'tɛs] *f* title: Highness.

altier, -ère [al'tje, ∼'tjɛːr] haughty, proud, lofty; **altimètre** [alti'mɛtr] *m* altimeter; **altitude** [∼'tyd] *f* altitude; *✈* ∼ *d'utilisation* cruising altitude; *✈ prendre de l'*∼ climb.

alto *♪* [al'to] *m voice:* alto; viola; tenor saxophone.

altruisme [altry'ism] *m* altruism.

alumine [aly'min] *f* alumina; **aluminium** [∼mi'njɔm] *m* aluminium, *Am.* aluminum.

alun [a'lœ̃] *m* alum; **aluner** [aly'ne] (1a) *v/t.* alum; *phot.* harden (*the negative*).

alvéole [alve'ɔl] *m* alveolus; *tooth:* socket; cavity.

amabilité [amabili'te] *f* amiability; kindness; ∼s *pl.* civilities.

amadou [ama'du] *m* tinder, touchwood, *Am.* punk; **amadouer** [∼-'dwe] (1p) *v/t.* coax, wheedle; draw, attract (*customers*).

amaigrir [amɛ'griːr] (2a) *v/t.* make thin; reduce; **s'**∼ lose weight, grow thin; **amaigrissement** [∼gris'mɑ̃] *m* growing thin; slimming; emaciation; *soil:* impoverishment.

amalgamation [amalgama'sjɔ̃] *f* amalgamation; *✝* merger; **amalgame** [∼'gam] *m* amalgam; F mixture; **amalgamer** [∼ga'me] (1a) *v/t.* amalgamate.

amande [a'mɑ̃:d] *f* almond; kernel; **amandier** [∼'dje] *m* almond-tree.

amant, e [a'mɑ̃, ∼'mɑ̃:t] *su.* lover; *su./f* mistress.

amarante ♀ [ama'rɑ̃:t] *su./f, a. adj./ inv.* amaranth.

amarre ⚓ [a'maːr] *f* mooring rope; hawser; ∼s *pl.* moorings; **amarrer** [ama're] (1a) *v/t.* moor; make fast; secure; lash (*a hawser*); **s'**∼ moor, make fast.

amas [a'mɑ] *m* heap; store; crowd; ∼ *de neige* snow-drift; **amasser** [amɑ'se] (1a) *v/t.* heap up; amass; accumulate.

amateur [ama'tœːr] *m* lover (*of music, sports, etc.*); admirer; amateur.

amatir [ama'tiːr] (2a) *v/t.* mat; dull; deaden.

amazone [ama'zoːn] *f* amazon; horsewoman; (lady's) riding-habit.

ambages [ɑ̃m'baːʒ] *f/pl.* circumlocution; *sans* ∼ forthrightly.

ambassade [ɑ̃mba'sad] *f* embassy; ambassador's staff; *fig.* errand; **ambassadeur** [∼sa'dœːr] *m* ambassador; *fig.* messenger; **ambassadrice** [∼sa'dris] *f* ambassadress, *a.* ambassador's wife.

ambiance [ɑ̃'bjɑ̃:s] *f* surroundings *pl.*, environment; atmosphere; **ambiant, e** [ɑ̃'bjɑ̃, ∼'bjɑ̃:t] surrounding; *conditions f/pl.* ∼*es* circumstances; environment *sg.*

ambidextre [ɑ̃bi'dɛkstr] **1.** *adj.* ambidextrous; **2.** *su.* ambidexter.

ambigu, -guë [ɑ̃mbi'gy] **1.** *adj.* ambiguous; equivocal; **2.** *su./m* mixture, medley; cold collation; **ambiguïté** [∼gɥi'te] *f* ambiguity.

ambitieux, -euse [ɑ̃bi'sjø, ∼'sjøːz] **1.** *adj.* ambitious; *style m* ∼ affected style; **2.** *su.* ambitious person; **ambition** [∼'sjɔ̃] *f* ambition; **ambitionner** [∼sjɔ'ne] (1a) *v/t.* covet; be eager for; *pol.* ∼ *le pouvoir* aspire to power; strive for power.

amble [ɑ̃:bl] *m* amble, pace; *Am.* single-foot.

ambre [ɑ̃:br] *m* amber; ∼ *gris* ambergris; **ambrer** [ɑ̃'bre] (1a) *v/t.* scent with amber.

ambroisie [ɑ̃brwa'zi] *f* ambrosia; ♀ wormseed.

ambulance [ɑ̃by'lɑ̃:s] *f* ambulance (*a. mot.*); *✕* field hospital; **ambulancier** [∼lɑ̃'sje] *m* hospital orderly;

ambulancière [ˌlɑ̃ˈsjɛːr] *f* nurse; **ambulant, e** [ˌlɑ̃, ˌlɑ̃ːt] **1.** *adj.* itinerant, travelling; ambulant; strolling (*player*); **2.** *su. m post:* travelling sorter; **ambulatoire** [ˌlaˈtwaːr] ambulatory.

âme [ɑːm] *f* soul (*a. fig.*); *fig.* feeling; ⊕ *cable etc.*: core; *girder:* web; ⚔ *gun:* bore; *fig.* ～s *pl.* souls, inhabitants; *fig.* ～ damnée tool, F stooge; ～ en peine soul in Purgatory; rendre l'～ breathe one's last.

amélioration [ameljɔraˈsjɔ̃] *f* improvement; **améliorer** [ˌre] (1a) *v/t.* improve, ameliorate.

amen [aˈmɛn] *int., a. su./m/inv.* amen.

aménagement [amenaʒˈmɑ̃] *m* arranging; arrangement; ↗ parcelling out; equipment; fittings *pl.*; ～ des villes development; ～ intérieur interior decoration; **aménager** [ˌnaˈʒe] (1l) *v/t.* arrange; ↗ parcel out; equip, fit out; plan (*a town*).

amendable [amɑ̃ˈdabl] improvable; **amende** [aˈmɑ̃ːd] *f* fine; forfeit; apology; ～ honorable amende honorable; sous peine d'～ on pain of a fine; **amendement** [amɑ̃dˈmɑ̃] *m* improvement (*a. ↗*); ↗ manure; *parl.* amendment; **amender** [amɑ̃ˈde] (1a) *v/t.* amend; *v/i.* grow better; ↗ become more fertile.

amenée [amˈne] *f* bringing; ⊕ ～ d'air air-intake, air-inlet; **amener** [ˌ] (1d) *v/t.* lead (*to, à*); pull; bring (in, up, down, out); produce; cause; throw (*a number*); ～ pavillon strike one's flag; ～ une crise force an issue; *sl.* amène-toi! come along!; ⚔ mandat *m* d'～ order to appear.

aménité [ameniˈte] *f* amenity; charm; *usu. iro.* ～s *pl.* compliments.

amenuiser [amnɥiˈze] (1a) *v/t.* thin down; pare down.

amer, -ère [aˈmɛːr] bitter (*a. fig.*). **américain, e** [ameriˈkɛ̃, ˌˈkɛn] **1.** *adj.* American; **2.** *su.* ♀ American; **américaniser** [ˌkaniˈze] (1a) *v/t.* Americanize; s'～ become Americanized; **américaniste** [ˌkaˈnist] *su.* Americanist.

amerrir ✈ [ameˈriːr] (2a) *v/i.* land, alight (*on sea*); **amerrissage** [ˌriˈsaːʒ] *m* alighting, landing (*on sea*).

amertume [amɛrˈtym] *f* bitterness (*a. fig.*)

améthyste [ameˈtist] *f* amethyst.

ameublement [amœbləˈmɑ̃] *m* furnishing; suite of furniture; *tissu m* d'～ furnishing fabric; **ameublir** [ˌˈbliːr] (2a) *v/t.* ⚖ convert into personalty; bring (*realty*) into the communal estate; ↗ break up (*the soil*); **ameublissement** [ˌblisˈmɑ̃] *m* conversion into personalty; *realty:* inclusion in the communal estate; ↗ *soil:* breaking-up.

ameuter [amœˈte] (1a) *v/t.* form (*hounds*) into a pack; assemble; stir up, incite (*the mob*) (against, contre); s'～ collect (into a mob); riot.

ami, e [aˈmi] **1.** *su.* friend; société *f* des ～s Quakers *pl.*; **2.** *adj.* friendly; *fig.* kindly; **amiable** [aˈmjabl] amicable; friendly; à l'～ amicably; *adj.* private; vendre à l'～ sell privately.

amiante *min.* [aˈmjɑ̃ːt] *m* asbestos.

amical, e, m/pl. -aux [amiˈkal, ˌˈko] friendly; amicable.

amidon [amiˈdɔ̃] *m* starch; **amidonner** [ˌdɔˈne] (1a) *v/t.* starch.

amincir [amɛ̃ˈsiːr] (2a) *v/t.* make thinner; make (*s.o.*) look slender; *Am.* slenderize; s'～ grow thinner; **amincissant, e** [ˌsiˈsɑ̃, ˌˈsɑ̃ːt] slimming, *Am.* slenderizing.

amiral [amiˈral] *m* admiral; vaisseau *m* ～ flagship; **amirauté** [ˌroˈte] *f* admiralship; admiralty; l'2 the Admiralty.

amitié [amiˈtje] *f* friendship; affection; friendliness; ～s *pl.* compliments (= greetings); faites-lui mes ～s give him my compliments or regards; remember me to him; faites-moi l'～ de (*inf.*) do me the favo(u)r of (*ger.*).

ammoniac, -que [amɔˈnjak] *adj.:* gaz *m* ～ ammonia; sel *m* ～ sal ammoniac; **ammonisation** *biol.* [ˌnizaˈsjɔ̃] *f* ammonification.

amnésie [amneˈzi] *f* amnesia, loss of memory.

amnistie [amnisˈti] *f* amnesty; **amnistier** [ˌˈtje] (1o) *v/t.* pardon, grant an amnesty to.

amocher *sl.* [amɔˈʃe] (1a) *v/t.* knock about; hit in the face.

amoindrir [amwɛ̃ˈdriːr] (2a) *v/t.* lessen, reduce, decrease; s'～ diminish, grow less; **amoindrisse-**

ment [ˌdris'mã] *m* lessening, reduction, decrease.

amollir [amɔ'liːr] (2a) *v/t.* soften; *fig.* weaken; **amollissement** [ˌlis'mã] *m* softening (*a. fig.*); *fig.* weakening.

amonceler [amõs'le] (1c) *v/t.* pile up; accumulate; **amoncellement** [ˌsɛl'mã] *m* heap(ing); piling; accumulation; pile.

amont [a'mõ] *m*: en ~ up-stream; en ~ de above; *voyage m* en ~ up journey.

amorçage [amɔr'saːʒ] *m* pump: priming; *shell*: capping; starting; *fish*: baiting; **amorce** [a'mɔrs] *f* bait; priming; *pump, gun*: primer; *shell*: percussion cap; ⚡ fuse; *fig.* beginning; **amorcer** [amɔr'se] (1k) *v/t.* bait; prime (*a pump*); cap (*a shell*); *fig.* begin; ⊕ s'~ start (*pump etc.*); ⚡ build up (*magnetic field*); **amorçoir** ⊕ [ˌ'swaːr] *m* auger, boring-bit; centre punch.

amorphe [a'mɔrf] amorphous; *fig.* spineless.

amortir [amɔr'tiːr] (2a) *v/t.* deaden; allay (*a pain*); absorb (*a shock*); tone down (*a colour*); ✝ amortize; ✝ write off (*equipment*); △ slake (*lime*); *phys.* damp down; **amortissable** ✝ [ˌti'sabl] redeemable; **amortissement** [ˌtis'mã] *m* deadening; ✝ depreciation; ✝ redemption; *oscillations*: damping; *shock*: absorption; **amortisseur** ⊕ [ˌti-'sœːr] *m* damping device; damper; (*a.* ~ *de choc*) shock-absorber.

amour [a'muːr] *m* love; passion; affection; ♀ Cupid, Love; ~s *f/pl.* love *sg.*, delight *sg.*; amours; *l'*~ *du prochain* love of one's neighbour; *iro. pour l'*~ *de Dieu* for heaven's sake; **amouracher** [amura'ʃe] (1a) *v/t.* enamour; s'~ de fall in love with, become enamoured of; **amourette** [ˌ'rɛt] *f* love affair; F crush; ♀ quaking-grass; ♀ London pride; **amoureux, -euse** [ˌ'rø, ˌ'røːz] **1.** *adj.* loving; amorous (*look etc.*); ~ de in love with; enamoured of; **2.** *su.* sweetheart; **amour-propre**, *pl.* **amours-propres** [amur'prɔpr] *m* self-respect; *pej.* conceit.

amovible [amɔ'vibl] removable; interchangeable (*parts of machine*); *mot.* siège *m* ~ sliding seat.

ampérage ⚡ [ãpe'raːʒ] *m* amperage; **ampère** ⚡ [ã'pɛːr] *m* ampere.

amphibie [ãfi'bi] **1.** *adj* amphibious; ✕ *etc* combined (*operation*); **2.** *su./m* amphibian.

amphigouri [ãfigu'ri] *m* amphigory; rigmarole.

amphithéâtre [ãfite'ɑːtr] *m* amphitheatre, *Am.* amphitheater; *univ.* lecture-room, theatre, *Am.* theater.

amphitryon [ãfitri'jõ] *npr./m* Amphitryon; *fig.* host, entertainer.

ample [ãːpl] ample; spacious, roomy; full, complete; **ampleur** [ã'plœːr] *f* fullness; *meal*: copiousness; *style*: breadth; *appeal*: generality; ~ *du son* volume of sound; **ampliation** [ãplia'sjõ] *f* certified copy; **amplificateur** [ˌfika'tœːr] *m* sound: intensifier; *radio*: amplifier; *phot.* enlarger; ~ à *lampes radio*: valve amplifier; **amplification** [ˌfika'sjõ] *f* amplification (*a radio*); development; *phot.* enlargement; *opt.* magnification; *fig.* exaggeration; **amplifier** [ˌ'fje] (1o) *v/t.* amplify (*a.* ⚡), develop; *opt.* magnify; *fig.* exaggerate; **amplitude** [ˌ'tyd] *f* amplitude (*a. phys., astr.*); vastness.

ampoule [ã'pul] *f* 🝕 flask; ⚡ bulb (*a. thermometer*); *vacuum flask*; container; ⚕ blister; ⚕ ampoule; **ampoulé, e** [ãpu'le] blistered; *fig.* bombastic.

amputation [ãpyta'sjõ] *f limb*: amputation, cutting off; *book*: curtailment; **amputé** *m*, **e** *f* [ˌ'te] person who has lost a limb; **amputer** [ˌ'te] (1a) *v/t.* ~ amputate; *fig.* cut down.

amulette [amy'lɛt] *f* amulet, charm.

amusant, e [amy'zã, ˌ'zãːt] amusing, entertaining; funny; **amusement** [amyz'mã] *m* entertainment; amusement; pastime; **amuser** [amy'ze] (1a) *v/t.* amuse, entertain; put off, fool (*creditors*); *amusez-vous bien!* enjoy yourself!; have a good time!; s'~ de make fun of, laugh at; **amusette** [ˌ'zɛt] *f* plaything, toy; F child's play.

amygdale *anat.* [amig'dal] *f* tonsil; **amygdalite** [ˌda'lit] *f* tonsillitis.

an [ã] *m* year; *avoir dix* ~s be ten (years old); *bon* ~, *mal* ~ taking one year with another; *jour m de l'*~ New Year's day; *par* ~ a year, per annum; *tous les trois* ~s every three years.

anabaptiste [anaba'tist] *m* anabaptist.

anachorète [anakɔ'rɛt] *m* anchorite, recluse.

anachronisme [anakrɔ'nism] *m* anachronism.

anal, e, *m/pl.* **-aux** *anat.* [a'nal, ~'no] anal.

analectes [ana'lɛkt] *m/pl.* analecta, gleanings.

analgésique [analʒe'zik] *adj., a. su./m* analgesic.

analogie [analɔ'ʒi] *f* analogy; **analogue** [~'lɔg] **1.** *adj.* analogous (to, with *à*), similar (to, *à*); **2.** *su./m* analogue; parallel.

analphabète [analfa'bɛt] *adj., a. su.* illiterate; **analphabétisme** [~be'tism] *m* illiteracy.

analyse [ana'li:z] *f* analysis (*a.* ♈, ♏, *etc.*); précis, abstract; ✝ ~ *du marché* market analysis; ✠ ~ *du sang* bloodtest; ~ *du travail* time and motion study; **analyser** [~li'ze] (1a) *v/t.* analyse (*a.* ♈, ♏, *fig.*); make a précis of; **analytique** [~li-'tik] analytic(al).

ananas [ana'na] *m* pineapple, ananas.

anarchie [anar'ʃi] *f* anarchy; *fig.* state of confusion; **anarchiste** [~'ʃist] *adj., a. su.* anarchist.

anathème [ana'tɛm] *m* anathema; curse.

anatomie [anatɔ'mi] *f* anatomy; **anatomique** [~'mik] anatomical; **anatomiste** [~'mist] *m* anatomist; **anatomiser** [~mi'ze] (1a) *v/t.* anatomize.

ancêtre [ɑ̃'sɛtr] *m* ancestor, forefather.

anche ♪ [ɑ̃:ʃ] *f* reed, tongue.

anchois [ɑ̃'ʃwa] *m* anchovy.

ancien, -enne [ɑ̃'sjɛ̃, ~'sjɛn] **1.** *adj.* ancient, old; bygone, past; former, late; senior; ~(ne) *élève mf* old boy (girl); *univ. Am.* alumnus (alumna); ~ *combattant* ex-serviceman, *Am.* veteran; **2.** *su./m eccl.* elder; *les* ♀s *pl.* the Ancients (*Greeks and Romans*); **anciennement** [ɑ̃sjɛn'mɑ̃] *adv.* in days of old, formerly; **ancienneté** [~'te] *f* oldness, antiquity; length of service; *avancer à l'*~ be promoted by seniority.

ancrage [ɑ̃'kra:ʒ] *m* anchoring,

anchorage; *droit m d'*~ anchorage due; **ancre** [ɑ̃:kr] *f* ⚓ anchor; ⚓ brace; *être à l'*~ ride at anchor; **ancrer** [ɑ̃'kre] (1a) *v/t.* anchor; *fig.* fix firmly.

andalou, -ouse [ɑ̃da'lu, ~'lu:z] *adj., a. su.* ♀ Andalusian.

andouille [ɑ̃'du:j] *f* chitterlings *pl.*; *sl.* duffer, mug; andouiller *hunt.* [ɑ̃du'je] *m* tine; **andouillette** [~'jet] *f* small chitterling sausage.

andrinople ✝ [ɑ̃dri'nɔpl] *f* Turkeyred cotton.

androgyne [ɑ̃drɔ'ʒin] androgynous; **androphobe** [~'fɔb] **1.** *adj.* manhating; **2.** *su.* man-hater.

âne [ɑ:n] *m* ass; donkey (*a. fig.*); ⊕ bench-vice; *pont m aux* ~s child's play.

anéantir [aneɑ̃'ti:r] (2a) *v/t.* annihilate; destroy; reduce to nothing; *fig.* overwhelm; **anéantissement** [~tis'mɑ̃] *m* annihilation, destruction; prostration; self-abasement.

anecdote [anɛk'dɔt] *f* anecdote; **anecdotique** [~dɔ'tik] anecdotal.

anémie ✠ [ane'mi] *f* an(a)emia; **anémier** [~'mje] (1a) *v/t.* render an(a)emic; F weaken; *s'*~ become an(a)emic; **anémique** [~'mik] an(a)emic.

anémomètre [anemɔ'mɛtr] *m* anemometer, wind-ga(u)ge.

anémone ♀ [ane'mɔn] *f* anemone.

ânerie [ɑn'ri] *f* gross blunder, stupidity; F ignorance.

anéroïde [anerɔ'id] aneroid (*barometer*).

ânesse [ɑ'nɛs] *f* she-ass.

anesthésie ✠ [anɛstе'zi] *f* an(a)esthesia; **anesthésier** [~'zje] (1a) *v/t.* an(a)esthetize; **anesthésique** [~'zik] *adj., a. su./m* an(a)esthetic.

anfractuosité [ɑ̃fraktɥozi'te] *f* irregularity; ~s *pl.* winding(s *pl.*) *sg.*

ange [ɑ̃:ʒ] *m* angel; ~ *gardien* guardian angel; *fig. être aux* ~s be in the seventh heaven, be overjoyed; *faiseuse f d'*~s baby-farmer; **angélique** [ɑ̃ʒe'lik] **1.** *adj.* angelic; **2.** *su./f* ♀, *cuis.* angelica; ♀ ~ *sauvage* cowparsnip; **angélus** [~'lys] *m* angelus (*a. bell*).

angine ✠ [ɑ̃'ʒin] *f* angina; tonsillitis; ~ *de poitrine* angina pectoris; **angineux, -euse** [ɑ̃ʒi'nø, ~'nø:z] anginal, anginous.

anglais, e [ɑ̃'glɛ, ~'glɛ:z] **1.** *adj.*

English; **2.** *su./m ling.* English; ♀ Englishman; les ♀ *m/pl.* the English; *su./f* ♀ Englishwoman.

angle [ɑ̃:gl] *m* angle; ⊕ edge; ⩢ ~ *aigu (droit, obtus)* acute (right, obtuse) angle; ~ *visuel* angle of vision.

anglican, e [ɑ̃gli'kɑ̃, ~'kan] **1.** *adj.* Anglican; l'*Église f* ~e the Church of England; **2.** *su.* Anglican.

angliciser [ɑ̃glisi'ze] (1a) *v/t.* anglicize; *s'*~ become English; imitate the English; **anglicisme** [~'sism] *m* Anglicism; English idiom; **angliciste** [~'sist] *su.*, **anglicisant** *m, e f* [~si'zɑ̃, ~'zɑ̃:t] student of *or* authority on English language and literature.

anglo... [ɑ̃glɔ] Anglo...; **~manie** [~ma'ni] *f* anglomania; **~normand, e** [~nɔr'mɑ̃, ~'mɑ̃:d] *adj., a. su.* ♀ Anglo-Norman; **~phile** [~'fil] *adj., a. su.* Anglophil(e); **~phobe** [~'fɔb] **1.** *adj.* Anglophobe; **2.** *adj.* Anglophobic; **~saxon, -onne** [~sak'sɔ̃, ~'sɔn] *adj., a. su.* ♀ Anglo-Saxon.

angoisse [ɑ̃'gwas] *f* anguish, agony; ⚕ *a.* spasm; *poire f d'*~ choke-pear; **angoisser** [ɑ̃gwa'se] (1a) *v/t.* cause anguish to, distress.

anguille *icht.* [ɑ̃'gi:j] *f* eel; ~ *de mer* conger-eel; *il y a* ~ *sous roche* there's more in it than meets the eye; **anguillière** [ɑ̃gi'jɛ:r] *f* eel-pond; eel-pot; **anguillule** *zo.* [~'jyl] *f* eel-worm.

angulaire [ɑ̃gy'lɛ:r] angular; angle-...; *pierre f* ~ corner-stone; **anguleux, -euse** [~'lø, ~'lø:z] angular; rugged.

anhélation [anela'sjɔ̃] *f* shortness of breath; **anhéler** [~'le] (1f) *v/i.* gasp, pant.

anhydre ⚗ [a'nidr] anhydrous.

anicroche [ani'krɔʃ] *f* hitch, difficulty; F snag.

ânier *m*, **-ère** *f* [ɑ'nje, ~'njɛ:r] donkey-driver, ass-driver.

aniline ⚗ [ani'lin] *f* aniline; *colorant m d'*~ aniline dye.

animadversion [animadvɛr'sjɔ̃] *f* animadversion, reproof.

animal, e, *m/pl.* **-aux** [ani'mal, 'mo] **1.** *su./m* animal; *fig.* dolt; **2.** *adj.* animal, brutish; *règne m* ~ animal kingdom; **animalcule** [~mal'kyl] *m* animalcule; **animalier** [~ma'lje]

m painter *etc.* of animals; **animaliser** [animali'ze] (1a) *v/t.* animalize; *s'*~ become animalized; **animalité** [~'te] *f* animality; animal kingdom.

animateur, -trice [anima'tœ:r, ~'tris] **1.** *adj.* animating; **2.** *su.* animator; **animation** [~'sjɔ̃] *f* animation; coming *or* bringing to life; **animé, e** [ani'me] spirited, lively; ♱ brisk (*market*); *cin. dessins m/pl.* ~s animated cartoons; **animer** [~] (1a) *v/t.* animate; quicken; enliven; actuate; light up (*the features*).

animosité [animozi'te] *f* animosity, ranco(u)r, spite.

anis ♀ [a'ni] anise; aniseed; **aniser** [ani'ze] (1a) *v/t.* flavo(u)r with aniseed.

ankylose ⚕ [ɑ̃ki'lo:z] *f* anchylosis.

annal, e [an'nal] **1.** *adj.* yearly, lasting for one year; **2.** *su./f* ~es *pl.* annals, records.

anneau [a'no] *m* ring (*a.* ⊕, *sp.*); ⊕ *chain*: link; *hair*: ringlet; ~ *brisé* split ring.

année [a'ne] *f* year; ~ *bissextile* leap year; ~ *civile* natural year; ~ *scolaire* school year, academic year, session.

anneler [an'le] (1c) *v/t.* curl (*the hair*); ring (*a pig*).

annexe [an'nɛks] **1.** *su./f* annex(e), outbuilding; *document*: schedule, supplement; appendix; *letter*: enclosure; *state*: dependency; **2.** *adj.* annexed; *école f* ~ demonstration school; *lettre f* ~ covering letter; **annexer** [annɛk'se] (1a) *v/t.* annex; **annexion** [~'sjɔ̃] *f* annexation.

annihiler [annii'le] (1a) *v/t.* annihilate, destroy; ⚖ annul.

anniversaire [anivɛr'sɛ:r] **1.** *adj.* anniversary; **2.** *su./m* birthday, anniversary.

annonce [a'nɔ̃:s] *f* announcement, notice; advertisement; *cards*: call; *fig.* presage; ~s *pl.* encartées inset (advertisements) *sg.*; **annoncer** [anɔ̃'se] (1k) *v/t.* announce; foretell; advertize; *fig.* indicate; *s'*~ augur, promise (*well, ill, etc.*); **annonceur** [~'sœ:r] *m* advertizer; **annonciateur** *m*, **-trice** *f* [~sja'tœ:r, -'tris] *su.* announcer; forerunner; *su./m* indicator(-board); **Annonciation** [~sja'sjɔ̃] *f:* l'~ the Annunciation; *fête f de l'*~ Lady Day; **annoncier** [~'sje] *m* advertizing agent.

annotateur *m*, **-trice** *f* [anɔta'tœːr, ‿'tris] annotator, commentator; **annotation** [‿ta'sjɔ̃] *f* annotating; note, annotation; ✝ inventory of goods attached; **annoter** [‿'te] (1a) *v/t.* annotate.

annuaire [a'nɥɛːr] *m* year-book, annual; almanac; *teleph.* directory; ♀ *militaire* Army List; **annuel, -elle** [a'nɥɛl] annual, yearly; ♀ *plante f ‿elle* annual; **annuité** [anɥi'te] *f* annual instalment; (terminable) annuity.

annulable ♊ [any'labl] voidable; defeasible.

annulaire [any'lɛːr] **1.** *adj.* ringlike, annular; **2.** *su./m* (*a. doigt m ‿*) ring-finger.

annulation [anyla'sjɔ̃] *f* annulment; ♊ *judgment:* setting aside; *sentence:* quashing; **annuler** [‿'le] (1a) *v/t.* annul; cancel (*a cheque, a contract*); set aside (*a judgment, a will*); quash (*a sentence*).

anoblir [anɔ'bliːr] (2a) *v/t.* ennoble; raise to the peerage.

anode ⚡ [a'nɔd] *f* anode.

anodin, e [anɔ'dɛ̃, ‿'din] **1.** *adj.* anodyne; *fig.* harmless, mild; **2.** *su./m* analgesic, anodyne.

anomalie [anɔma'li] *f* anomaly.

ânon *zo.* [ɑ'nɔ̃] *m* young ass, ass's foal; F ass; **ânonner** [ɑnɔ'ne] (1a) *v/t.* stumble through; mumble through; drone through.

anonymat [anɔni'ma] *m* anonymity; **anonyme** [‿'nim] **1.** *adj.* anonymous; unnamed; *société f ‿* limited (-liability) company, *abbr.* Ltd., *Am.* Inc. Ltd.; **2.** *su./m* anonymous writer; anonymity.

anorak [anɔ'rak] *m* anorak.

anormal, e, *m/pl.* **-aux** [anɔr'mal, ‿'mo] abnormal, irregular.

anse [ɑ̃ːs] *f cup etc.:* handle; ear; *rope:* loop; *geog.* cove, small bay.

antagonisme [ɑ̃tagɔ'nism] *m* antagonism; **antagoniste** [‿'nist] **1.** *su./m* antagonist, opponent; **2.** *adj.* antagonistic, opposed.

antalgique [ɑ̃tal'ʒik] *adj., a. su./m* antalgic; anodyne.

antan [ɑ̃'tɑ̃] *adv.:* *d'‿* of yester year.

anté... [ɑ̃te] pre..., ante...

antébois ⚠ [ɑ̃te'bwa] *m* chair-rail.

antécédent, e [ɑ̃tese'dɑ̃, ‿'dɑ̃ːt] **1.** *adj.* antecedent, preceding; **2.** *su./m* ♪, ♩, *gramm.* antecedent;

‿s pl. (*past*) records, antecedents; *sans ‿s judiciaires* with a clean record, not known to the police.

antéchrist [ɑ̃te'krist] *m* Antichrist.

antédiluvien, -enne [ɑ̃tedily'vjɛ̃, ‿'vjɛn] antediluvian (*a. fig.*).

antenne [ɑ̃'tɛn] *f zo.* antenna, F feeler; ⚓ lateen yard; *radio:* aerial; *‿ à cadre* frame aerial; *‿ dirigée* directional aerial; *‿ extérieure* outdoor aerial.

antérieur, e [ɑ̃te'rjœːr] anterior, prior, previous (to, *à*).

anthère ♀ [ɑ̃'tɛːr] *f* anther.

anthologie [ɑ̃tɔlɔ'ʒi] *f* anthology.

anthracite [ɑ̃tra'sit] *m* anthracite.

anthrax ⚕ [ɑ̃'traks] *m* anthrax.

anthropo... [ɑ̃trɔpɔ] anthropo...; **‿ïde** [‿'id] *adj., a. su./m* anthropoid; **‿logie** [‿lɔ'ʒi] *f* anthropology; **‿logue** [‿lɔg] *m* anthropologist; **‿morphe** [‿'mɔrf] **1.** *adj.* anthropomorphous; **2.** *su./m zo.* anthropoid (*ape*); **‿phage** [‿'faːʒ] **1.** *su./m* cannibal; **2.** *adj.* cannibalistic.

anti... [ɑ̃ti] anti...; *ante...;* **‿aérien, -enne** [‿ae'rjɛ̃, ‿'rjɛn] anti-aircraft (*defence etc.*); **‿biotique** ⚕ [‿bjɔ'tik] *m* antibiotic; **‿brouillard** *mot.* [‿bru'jaːr] *adj., a. su./m/inv.* demister; **‿chambre** [‿'ʃɑ̃ːbr] *f* anteroom, waiting-room; *faire ‿ chez* wait on, dance attendance on; **‿char** [‿'ʃaːr] *adj.* anti-tank (*missile*); **‿chrétien, -enne** [‿kre'tjɛ̃, ‿'tjɛn] anti-christian.

anticipation [ɑ̃tisipa'sjɔ̃] *f* anticipation; encroachment (*on rights*); *par ‿* in advance; **anticiper** [‿'pe] (1a) *v/t.* anticipate; forestall; *‿ sur qch.* encroach on s.th.; anticipate s.th. (= *do s.th. in advance*).

anti...: ‿clérical, e, *m/pl.* **-aux** [ɑ̃tikleri'kal, ‿'ko] *adj.* anticlerical; **‿conceptionnel, -elle** [‿kɔ̃sɛpsjɔ'nɛl] contraceptive; **‿corps** [‿'kɔːr] *m* anti-body; **‿dater** [‿'da'te] (1a) *v/t.* antedate; **‿dérapant, e** *mot.* [‿dera'pɑ̃, ‿'pɑ̃ːt] **1.** *adj.* non-skid; **2.** *su./m* non-skid tyre; **‿détonant, e** *mot.* [‿detɔ'nɑ̃, ‿'nɑ̃ːt] anti-knock; **‿dote** ⚕ [‿'dɔt] *m* antidote (to, for, against *à, de*).

antienne [ɑ̃'tjɛn] *f* antiphon; anthem; *fig. chanter toujours la même ‿* be always harping on the same string.

anti...: **~fading** [ătifa'diŋ] *m* radio: (*a. dispositif m* ~) automatic volume control; **~gel** ⊕ [~'ʒɛl] *m* antifreeze; **~halo** *phot.* [~a'lo] **1.** *adj./inv.* non-halation..., backing; **2.** *su./m* backing.

antilope *zo.* [ăti'lɔp] *f* antelope.

anti...: **~parasite** [~para'zit] *m* radio: suppressor; **~pathie** [~pa'ti] *f* antipathy (against, to *contre*), aversion (to, *contre*); **~pathique** [~pa'tik] antipathetic (to, *à*); distasteful; **~pode** [~'pɔd] *m* antipode; *fig. the* very opposite; **~pyrine** ✚ [~pi'rin] *f* antipyrin.

antiquaille [ăti'ka:j] *f* lumber; fog(e)y; F old stuff, chunk; **antiquaire** [~'kɛːr] *m* antiquary, antique dealer; second-hand bookseller; **antique** [ă'tik] **1.** *adj.* ancient; antique; old-fashioned (*a. pej.*); **2.** *su./f* antique; **antiquité** [ătiki'te] *f* antiquity, ~s *pl.* antiques.

anti...: **~rides** [ăti'rid] **1.** *adj.* anti-wrinkle; **2.** *su./m* anti-wrinkle cream *or* lotion; **~rouille** ⊕ [~'ru:j] *m* anti-rust (composition); **~sémite** [~se'mit] *su.* anti-Semite; **~septique** ✚ [~sɛp'tik] *adj.*, *a. su./m* antiseptic; **~social, e**, *m/pl.* **-aux** [~sɔ'sjal, ~'sjo] antisocial; **~spasmodique** ✚ [~spasmɔ'dik] antispasmodic; **~tétanique** ✚ [~teta'nik] antitetanic; **~thèse** [~'tɛ:z] *f* antithesis; direct contrary; **~tuberculeux, -euse** [~tybɛrky'lø, ~'lø:z] antitubercular.

antonyme [ătɔ'nim] **1.** *adj.* antonymous; **2.** *su./m* antonym.

antre [ă:tr] *m* cave; den, lair.

anurie ✚ [any'ri] *f* anuresis.

anus *anat.* [a'nys] *m* anus.

anxiété [ăksje'te] *f* anxiety, concern; **anxieux, -euse** [~'sjø, ~'sjø:z] anxious, uneasy; eager (to, *de*).

aorte *anat.* [a'ɔrt] *f* aorta.

août [u] *m* August; **aoûté, e** [u'te] ripe.

apache [a'paʃ] *m* (*usu. in Paris*) hooligan, *Am.* tough, hoodlum.

apaisement [apɛz'mã] *m* appeasement; quieting, calming; **apaiser** [apɛ'ze] (1b) *v/t.* appease, calm, pacify; satisfy (*one's hunger*); quench (*one's thirst*); lull (*a storm*); put down (*a revolt*).

apanage [apa'na:ʒ] *m* ap(p)anage; prerogative; **apanager** [~na'ʒe] (1l) *v/t.* endow with an ap(p)anage; **apanagiste** [~na'ʒist] **1.** *adj.* having an ap(p)anage; **2.** *su.* ap(p)anagist.

aparté [apar'te] *m thea.* aside; F private conversation; **en** ~ aside, in a stage-whisper.

apathie [apa'ti] *f* apathy, listlessness; **apathique** [~'tik] apathetic, listless.

apatride [apa'trid] **1.** *su.* stateless person; **2.** *adj.* stateless.

apepsie ✚ [apɛp'si] *f* dyspepsia, indigestion.

apercevable [apɛrsə'vabl] perceivable, perceptible; **apercevoir** [~'vwa:r] (3a) *v/t.* perceive, see; become aware of; **~ de** notice, realize; **aperçu** [~'sy] *m* glimpse; general idea; ✝ rough estimate; *par* ~ at a rough guess.

apéritif, -ve [aperi'tif, ~'ti:v] **1.** *adj.* appetizing; **2.** *su./m* appetizer; aperitif; *l'heure f de l'*~ cocktail time.   [tion.]

à-peu-près [apø'prɛ] *m* approxima-]

apeuré, e [apœ're] frightened.

aphasie ✚ [afa'zi] *f* aphasia.

aphone [a'fon] voiceless.

aphorisme [afɔ'rism] *m* aphorism.

aphte ✚ [aft] *n* aphtha; **aphteux, -euse** *vet.*, ✚ [af'tø, ~'tø:z] *adj.*: *fièvre f* ~*euse* foot-and-mouth disease.

apical, e, *m/pl.* **-aux** ⚕, ♀, *gramm.* [api'kal, ~'ko] apical.

apicole [api'kɔl] apiarian; **apiculteur** [apikyl'tœːr] *m* bee-keeper, apiarist; **apiculture** [~'ty:r] *f* bee-keeping.

apitoyer [apitwa'je] (1h) *v/t.* move (to pity); *s'*~ *sur* feel pity for (*s.o.*); bewail, lament (*s.th.*).

aplanir [apla'ni:r] (2a) *v/t* flatten; level; smooth; plane; *fig.* remove, smooth (away); **aplanissement** [~nis'mã] *m* flattening *etc.*

aplatir [apla'ti:r] (2a) *v/t.* make flat, flatten; blunt; ⊕ clench (*a rivet*); *fig.* F humble; knock down.

aplomb [a'plɔ̃] *m* perpendicularity; *fig.* balance, equilibrium; steadiness; coolness; self-possession; *pej.* cheek; *d'*~ vertical(ly *adv.*), upright, plumb; steady (steadily *adv.*); F well, in good shape; ⚠ *prendre l'*~ take the plumb.

apo... [apɔ] apo...; **~calypse** [~ka-'lips] *f* apocalypse; *l'~* the Book of Revelation; **~calyptique** [~kalip-'tik] apocalyptic; *fig.* obscure *(style)*; **~cryphe** [~'krif] **1.** *adj.* apocryphal; **2.** *su./m:* **~s** *pl.* the Apocrypha. [footless; **2.** *su./m* apod.]

apode *zo.* [a'pɔd] **1.** *adj.* apodal,|

apo...: **~dictique** [apɔdik'tik] apodictic, indisputable; **~gée** [~'ʒe] *m* *astr.* apogee; *fig.* height, zenith, culminating point; **~logie** [~lɔ'ʒi] *f* apologia; vindication; **~logiste** [~lɔ'ʒist] *m* apologist; **~plexie** [~plɛk'si] *f* apoplexy; **~stasie** [~sta'zi] *f* apostasy; *pol.* F ratting; **~stasier** [~sta'zje] (1o) *v/t.* apostatize from; *v/i.* apostatize; renounce one's faith *or* principles *or* party; **~stat, e** [~s'ta, ~s'tat] *adj., a. su.* apostate, F turncoat.

aposter [apɔs'te] (1a) *v/t.* post, station.

apostille [apɔs'tij] *f* marginal recommendation; **⚓** entry *(in log)*; † apostil, foot-note, side-note.

apostolat [apɔstɔ'la] *m* apostolate, apostleship; **apostolique** [~'lik] apostolic.

apostrophe [apɔs'trɔf] *f* rhetoric, *a. gramm.* apostrophe; reprimand; insult, attack; **apostropher** [~trɔ'fe] (1a) *v/t.* apostrophize; reproach, scold, upbraid; address *(s.o.)*.

apothéose [apɔte'o:z] *f* apotheosis; *thea.* grand finale.

apothicaire [apɔti'kɛ:r] *m:* compte *m* d'~ exorbitant bill.

apôtre [a'po:tr] *m* apostle *(a. fig.)*; F bon ~ hypocrite.

apparaître [apa'rɛ:tr] (4k) *v/i.* appear; come into sight; become evident.

apparat [apa'ra] *m* pomp, show.

appareil [apa'rɛ:j] *m* apparatus *(a. fig., ⚙, ✈)*; ✚ *wound:* dressing; **△** bond; **△** *stones:* height; *phot.* camera; ⊕ machinery; ⊕ device; *teleph. etc.* instrument; *radio:* set; pomp, display; *anat.* ~ *digestif* digestive system; *phot.* ~ *de petit format* miniature camera; ~ *de projection* projector; *teleph.* qui est à l'~? who is speaking? **appareillage** [~rɛ'ja:ʒ] *m* **⚓** getting under way; installation; **△** bonding; **△** *stones:* drafting; ✦ *etc.* equipment; ⊕ fixture; ⊕ plant.

appareillement [aparɛj'mã] *m* matching; pairing.

appareiller[1] [aparɛ'je] (1a) *v/t.* match; pair.

appareiller[2] [aparɛ'je] (1a) *v/t.* install; **△** bond; **△** draft; **⚓** trim *(a sail)*; *v/i.* **⚓** get under way; **appareilleur** [~'jœ:r] *m* fitter, trimmer; **△** house carpenter; **△** foreman mason.

apparemment [apara'mã] *adv.* of *apparent;* **apparence** [~'rã:s] *f* appearance, semblance; *en* ~ outwardly; *sauver les* ~*s* save one's face; **apparent, e** [~'rã, ~'rã:t] apparent; conspicuous.

apparenter [aparã'te] (1a) *v/t.: s'~ à* marry into *(the nobility etc.)*.

apparier [apa'rje] (1o) *v/t.* pair (off); mate.

appariteur [apari'tœ:r] *m* 🎓 apparitor, usher; *univ.* laboratory assistant.

apparition [apari'sjõ] *f* appearance; spectre; vision.

apparoir 🎓 [apa'rwa:r] (3b) *v/impers.* appear (from, de; that, que).

appartement [apart'mã] *m* flat, *Am.* apartment.

appartenances 🎓 [apartə'nã:s] *f/pl.* appurtenances; **appartenant, e** [~'nã, ~'nã:t] belonging (to, à); appurtenant; **appartenir** [~'ni:r] (2h) *v/i.* belong (to, à); *il appartient à* it behoves; it rests with; *v/t.: s'~* be one's own master.

appas [a'pɑ] *m/pl.* charms.

appât [a'pɑ] *m* bait; lure; *poultry:* soft food; *mordre à l'~* take the bait; **appâter** [apɑ'te] (1a) *v/t.* bait; cram *(poultry)*.

appauvrir [apo'vri:r] (2a) *v/t.* impoverish; *s'~* become impoverished; grow poorer; **appauvrissement** [~vris'mã] *m* impoverishment; deterioration; ~ *du sang* impoverished blood.

appeau [a'po] *m* decoy(-bird); bird-call.

appel [a'pɛl] *m* appeal *(a. 🎓)*; call; ✕ roll-call, call-over, muster; ⊕ ~ *d'air* indraught, intake of air; *teleph.* ~ *local (interurbain)* local call (trunk-call); 🎓 *cour f d'~* Court of Appeal; *faire* ~ *à* have recourse to; ✕ *ordre m d'~* induction order; **appeler** [ap'le] (1c) *v/t.* call (to), send for; invoke, call on; name; 🎓

summon; ♪♫ call; arouse; ~ *l'attention de q. sur qch.* call s.o.'s attention to s.th.; *s'~* be called; *v/i.*: ~ *d'un jugement* appeal against a sentence; *en ~ à* appeal to; **appellation** [apela'sjɔ̃] *f* appellation; ✝ ~ *d'origine* indication of origin.

appendice [apɛ̃'dis] *m* appendix (*a.* ♀, *anat.*); △ annex(e); ⚡ tail; **appendicite** ♂ [~di'sit] *f* appendicitis.

appentis [apɑ̃'ti] *m* lean-to (roof); penthouse; outhouse.

appert [a'pɛːr] *3rd p. sg. pres. of* *apparoir.*

appesantir [apəzɑ̃'tiːr] (2a) *v/t.* make heavy; weigh down; dull; *s'~* become heavy; *s'~ sur* stress, dwell upon; **appesantissement** [~tis'mɑ̃] *m* increase in heaviness *or* dullness.

appétence [ape'tɑ̃ːs] *f* appetency, craving (for, of, after *pour*).

appétissant, e [apeti'sɑ̃, ~'sɑ̃ːt] appetizing, tempting (*a. fig.*); **appétit** [~'ti] *m* appetite; desire; craving; *ouvrir l'~* give an edge to the appetite.

applaudir [aplo'diːr] (2a) *v/i.* approve (s.th., *à qch.*); *v/t.* applaud; clap; *s'~ de* congratulate o.s. on; **applaudissements** [~dis'mɑ̃] *m/pl.* applause *sg.*; commendation *sg.*

applicable [apli'kabl] applicable (to, *à*); that can be applied; **application** [~ka'sjɔ̃] *f* application; *fig.* diligence; *broderie f ~* appliqué work; **applique** [a'plik] *f* inlaid work, inlaying; application; applied ornament; (wall-)bracket; **appliqué, e** [apli'ke] diligent; ⚗ *etc.* applied; **appliquer** [~] (1m) *v/t.* apply; F ~ *une gifle à q.* fetch s.o. one; *fig. s'~ à* work hard at; be bent on.

appoint [a'pwɛ̃] *m* contribution; added portion; ✝ balance; (*a. monnaie f d'~*) odd money, (right) change; **appointements** [apwɛ̃t-'mɑ̃] *m/pl.* emoluments, salary *sg.*

appointer[1] [apwɛ̃'te] (1a) *v/t.* put on a salary (basis).

appointer[2] ⊕ [~] (1a) *v/t.* sharpen.

appontement ⚓ [apɔ̃t'mɑ̃] *m* gangplank; wharf; landing-stage; **apponter** [apɔ̃'te] (1a) *v/i.* land on an aircraft carrier.

apport [a'pɔːr] *m* ♀♫ contributed

property; ✝ contribution; ✝ initial share; ✂ bringing up; ✝ *capital m d'~* initial capital; **apporter** [apɔr'te] (1a) *v/t.* bring; exercise (*care*); supply, provide; produce; ~ *du retard à* be slow in; ~ *du zèle à* show zeal in.

apposer [apo'ze] (1a) *v/t.* affix (to, *à*); put; set (*a seal*); **apposition** [~zi'sjɔ̃] *f* affixing; *gramm.* apposition.

appréciable [apre'sjabl] appreciable; **appréciation** [~sja'sjɔ̃] *f* valuation; estimate; appreciation; **apprécier** [~'sje] (1a) *v/t.* value; estimate; appreciate.

appréhender [apreɑ̃'de] (1a) *v/t.* apprehend; dread; seize; **appréhension** [~'sjɔ̃] *f* apprehension; ♂♫ arrest.

apprendre [a'prɑ̃ːdr] (4aa) *v/t.* learn; teach (s.o. s.th., *qch. à q.*); ~ *à q. à faire qch.* teach s.o. (how) to do s.th.; ~ *par cœur* learn by heart.

apprenti *m*, **e** *f* [aprɑ̃'ti] apprentice; ♂♫ *etc.* articled clerk; **apprentissage** [~ti'saːʒ] *m* apprenticeship; ♂♫ *etc.* articles *pl.*

apprêt [a'prɛ] *m* preparation; ⊕ finishing; *cuis.* dressing, seasoning; *paint.* priming, size; *fig.* affectation; **apprêtage** [aprɛ'taːʒ] *m* finishing; sizing; **apprêté, e** [~'te] affected; **apprêter** [~'te] (1a) *v/t.* prepare; ⊕ finish; size, prime; starch; *s'~* get ready; be imminent; dress; **apprêteur** *m*, **-euse** *f* [~'tœːr, ~'tøːz] finisher, dresser.

apprivoiser [aprivwa'ze] (1a) *v/t.* tame (*a. fig.*); *fig.* make sociable.

approbateur, -trice [aprɔba'tœːr, ~'tris] **1.** *adj.* approving; **2.** *su.* approver; **approbation** [~'sjɔ̃] *f* approbation, approval; ✝ certifying.

approchant, e [aprɔ'ʃɑ̃, ~'ʃɑ̃ːt] **1.** *adj.*: ~ *de* approximating to; **2.** *approchant adv.*, *a. prp.* nearly; **approche** [a'prɔʃ] *f* approach; ✂ ~*s pl.* approaches; **approcher** [aprɔ'ʃe] (1a) *v/t.* bring (*s.th.*) near; *s'~ de* draw *or* come near (to); *v/i.* approach; draw *or* come near.

approfondir [aprɔfɔ̃'diːr] (2a) *v/t.* deepen; *fig.* investigate thoroughly; **approfondissement** [~dis'mɑ̃] *m* deepening; *fig.* investigation.

appropriation [aprɔpria'sjɔ̃] *f* appropriation; adaptation (to, *à*); embezzlement; allocation; **approprier** [ˌpri'e] (1o) *v/t.* appropriate; adapt (to, *à*), *s'~ à* adapt o.s. to; fall in with.

approuver [apru've] (1a) *v/t.* approve (of); consent to; agree to; confirm (*an appointment*); authorize.

approvisionnement [aprɔvizjɔn'mã] *m* provisioning, supply(ing); stock(ing); **approvisionner** [ˌzjɔ'ne] (1a) *v/t.* supply (with, en); provision, victual; *s'~* lay in stores.

approximatif, -ve [aprɔksima'tif, ˌ'ti:v] approximate; **approximation** [ˌ'sjɔ̃] *f* approximation.

appui [a'pɥi] *m* support, prop, stay; rest; sill; rail; *à l'~* de in support of; *~(e)-livres*, *pl.* *~s-livres*, *~e-livres* [apɥi'li:vr] *m* book-rest; **appuyer** [apɥi'je] (1h) *v/t.* support; press; lean, rest (against, *contre*); *v/i.*: *~ sur a.* dwell on; bear on, rest on; *ℰ ~ sur le bouton* press the button, ring the bell; *s'~ sur* lean, rest on *or* against; *fig.* rely on.

âpre [ɑ:pr] rough, harsh; biting; keen; *~ à* eager for; ruthless at; *~ au gain* grasping.

après [a'prɛ] **1.** *prp.* *space, time:* after; behind; *idea of attack:* at, on to; *~ vous, Madame* after you, Madam; *~ quoi* after which; thereupon; *~ tout* after all; *~ Jésus-Christ* after Christ; *être toujours ~ q.* be always nagging at s.o.; *~ avoir lu ce livre* after reading this book; *d'~* according to; *~ que* after, when; **2.** *adv.* after(wards), later; next; *la semaine d'~* the following week; *une semaine ~* one week later; *~-demain* [apredə'mɛ̃] *adv.* the day after tomorrow; *~-guerre* [ˌ'gɛ:r] *m or f* post-war period; *~-midi* [ˌmi'di] *m/inv.* afternoon.

âpreté [ɑprə'te] *f* roughness; harshness; sharpness; bitterness; keenness.

à-propos [aprɔ'po] *m* aptness, suitability; opportuneness.

apte [apt] fit(ted) (to, for *à*); apt; **aptitude** [apti'tyd] *f* aptitude; fitness; ⚖ capacity, qualification; ✗ *~s pl. physiques* physique *sg.*; *mot.* *~ à conduire* fitness to drive.

apurement ✝ [apyr'mã] *m* audit (-ing); **apurer** [apy're] (1a) *v/t.* audit, pass; discharge (*a liability*).

aquafortiste [akwafɔr'tist] *su.* etcher; **aquaplane** [ˌ'plan] *m* surfboard; **aquarelle** [ˌ'rɛl] *f* aquarelle, water-colo(u)r; **aquarelliste** [ˌrɛ'list] *su.* aquarellist, water-colo(u)rist; **aquatique** [ˌ'tik] aquatic; marshy (*land*).

aqueduc [ak'dyk] *m* aqueduct (*a. anat.*); culvert; **aqueux, -euse** [a'kø, ˌ'kø:z] watery.

aquilin, e [aki'lɛ̃, ˌ'lin] aquiline; *nez m ~* Roman nose.

aquilon [aki'lɔ̃] *m* north wind.

arabe [a'rab] **1.** *adj.* Arabian; Arab; Arabic; *chiffre m ~* Arabic numeral; **2.** *su.* ♀ Arab; *su./m ling.* Arabic; *horse:* Arab; *fig.* Shylock, usurer.

arabesque [ara'bɛsk] *adj., a. su./f* arabesque.

arabique [ara'bik] Arabic; Arabian; *gomme f ~* gum arabic; *geog. le golfe* ♀ the Arabian gulf.

arable [a'rabl] arable (*land*).

arachide ♀ [ara'ʃid] *f* peanut, ground-nut.

araignée [arɛ'ɲe] *f zo.* spider; ⊕ grapnel; ⚓ clew; *vehicle:* buggy; *sl. avoir une ~ au plafond* have bats in the belfry; *fig. pattes f/pl. d'~* long thin fingers; scrawl *sg.*; ⊕ grease-channels; *toile f d'~* cobweb; spider's web.

aratoire [ara'twa:r] farming, agricultural.

arbalète [arba'lɛt] *f* cross-bow; **arbalétrier** [ˌletri'e] *m* cross-bowman; 🏛 principal rafter.

arbitrage [arbi'tra:ʒ] *m* arbitration; ✝ arbitrage; *conseil m d'~* conciliation board; **arbitraire** [ˌ'trɛ:r] arbitrary; **arbitre** [ar'bitr] *m* ✝ arbitrator; referee (*a. sp.*); *phls. libre ~* free will; **arbitrer** [ˌbi'tre] (1a) *v/t.* arbitrate; *sp.* referee.

arborer [arbɔ're] (1a) *v/t.* raise, erect, set up; ⚓ hoist (*a flag*); ⚓ step (*a mast*); ✝ sport (*a garment*); **arborescence** ♀ [ˌrɛ'sã:s] *f* arborescence; **arborescent, e** ♀ [ˌrɛ'sã, ˌ'sã:t] arborescent; **arboriculteur** ✐ [ˌrikyl'tœ:r] *m* arboriculturist, nurseryman; **arboriculture** ✐ [ˌrikyl'ty:r] *f* arboriculture.

arbre [arbr] *m* tree; ⊕ spindle, shaft, axle; ⚓ mast; arbor; ⊕ *~ à cames* cam-shaft; ⊕ *~ de transmis-*

sion propeller shaft; ~ *généalogique* genealogical tree; ~ *manivelle* crank-shaft; ⊕ ~ *primaire* driving shaft; **arbrisseau** [~bri'so] *m* sapling; shrub.

arbuste ⚲ [ar'byst] *m* bush, shrub.

arc [ark] *m* bow; ⚠ arch; ⚢, ⊕ arc; ~ en ogive ogival arch; ~ plein cintre semi-circular arch; ⚓ avoir de l'~ sag; ⚡ lampe *f* à ~ arc-lamp.

arcade [ar'kad] *f* archway; ⊕ arch; *spectacles*: bridge; ~s *pl.* arcade *sg.*

arcanes [ar'kan] *m/pl.* arcana, mysteries.

arc-boutant, *pl.* **arcs-boutant** [arbu'tã] *m* ⚠ flying buttress; ⚠, ⊕ stay (*a. fig.*), strut; **arc-bouter** [~'te] (1a) *v/t.* buttress; shore up.

arceau [ar'so] *m* hoop; arch.

arc-en-ciel, *pl.* **arcs-en-ciel** [arkã-'sjɛl] *m* rainbow.

archaïque [arka'ik] archaic; **archaïsme** [~'ism] *m* archaism.

archange [ar'kã:ʒ] *m* archangel.

arche¹ [arʃ] *f* arch; hoop.

arche² *bibl.* [~] *f* Ark; ~ d'alliance Ark of the Covenant.

archéologie [arkeɔlɔ'ʒi] *f* archaeology; **archéologue** [~'lɔg] *m* archaeologist.

archer [ar'ʃe] *m* archer; **archet** ♪, ⊕ [~'ʃɛ] *m* bow.

archétype [arke'tip] **1.** *adj.* archetypal; **2.** *su./m* archetype, prototype.

archevêché [arʃəvɛ'ʃe] *m* archbishopric, archdiocese; archbishop's palace; **archevêque** [~'vɛk] *m* archbishop.

archi... [arʃi] arch...; extremely; to the hilt; **~comble** [~'kɔ:bl] packed (full); **~diacre** [~'djakr] *m* archdeacon; **~duc** [~'dyk] *m* archduke; **~millionnaire** [~miljɔ'nɛːr] *adj., a. su.* multimillionaire.

archipel *geog.* [arʃi'pɛl] *m* archipelago.

architecte [arʃi'tɛkt] *m* architect; ~ paysagiste landscape gardener; **architecture** [~tɛk'tyːr] *f* architecture.

archives [ar'ʃiːv] *f/pl.* archives, records; **archiviste** [~ʃi'vist] *su.* archivist; ♱ filing clerk.

arçon [ar'sɔ̃] *m* saddle-bow; *vider les ~s* be unhorsed; *fig.* become embarrassed.

arctique [ark'tik] Arctic.

ardemment [arda'mã] *adv. of* ardent; **ardent, e** [~'dã, ~'dã:t] hot, burning (*a. ✱*), scorching; *fig.* ardent, fervent, eager; *fig.* être sur des charbons ~s be on tenterhooks; **ardeur** [~'dœ:r] *f* heat; *fig.* ardo(u)r; eagerness; *horse*: mettle; ✱ ~ d'estomac heartburn.

ardillon [ardi'jɔ̃] *m* buckle: tongue, catch; *typ.* pin.

ardoise [ar'dwa:z] *f* slate; **ardoisé, e** [ardwa'ze] slate-colo(u)red; **ardoisière** [~'zjɛ:r] *f* slate-quarry.

ardu, e [ar'dy] steep, abrupt; arduous; difficult.

are [a:r] *m* are.

arène [a'rɛn] *f* arena; *poet.* sand.

aréole [are'ɔl] *f* ♀, ✱, *anat.* areola; *meteor.* nimbus, halo.

arête [a'rɛt] *f icht.* (fish-)bone; ⊕, *mount., etc.* edge; *mount.* crest, ridge; ⚠, ⊕, *etc.* chamfer; beading; ♀ awn, beard; *à* ~s vives sharp-edged.

argent [ar'ʒã] *m* silver; money; ⊘ argent; ~ comptant cash; ~ de poche pocket-money; ~ en caisse cash in hand; ~ liquide ready money; *en avoir pour son* ~ have one's money's worth; être à court d'~ be short of money; **argentan** [arʒã'tã] *m* nickel *or* German silver; **argenté, e** [~'te] silver(ed); silvery; silver-plated; **argenter** [~'te] (1a) *v/t.* silver; **argenterie** [~'tri] *f* (silver-)plate.

argentin¹, e [arʒã'tɛ̃, ~'tin] silvery.

argentin², e [~] *adj., a. su.* ♀ Argentine.

argenture [arʒã'ty:r] *f mirror*: silvering; silver-plating.

argile [ar'ʒil] *f* clay; ~ réfractaire fire-clay; **argileux, -euse** [arʒi'lø, ~'lø:z] clayey; argillaceous.

argon 🜍 [ar'gɔ̃] *m* argon.

argot [ar'go] *m* slang; **argotique** [~gɔ'tik] slangy.

arguer [ar'gɥe] (1e) *v/t.* infer, deduce (from, *de*); assert; *✝* ~ un acte de faux assert that a document is spurious; *v/i.* argue; **argument** [argy'mã] *m* argument (*a. ♀, a. of a book*); plot, summary; ♀ variable; **argumentation** [~mãta'sjɔ̃] *f* argumentation; **argumenter** [~mã-'te] (1a) *v/t.* argue with; *v/i.* argue (about, *à propos de*; against, *contre*); **argutie** [~'si] *f* quibble.

aride [a'rid] arid, dry; sterile; barren; **aridité** [aridi'te] f aridity, dryness; barrenness.

arien, -enne [a'rjɛ̃, ~'rjɛn] adj., a. su. Arian.

ariette ♪ [a'riɛt] f arietta.

aristo sl. [aris'to] m swell, toff; **aristocrate** [ˌto'krat] su. aristocrat; **aristocratie** [ˌtokra'si] f aristocracy.

arithméticien m, **-enne** f [aritmeti'sjɛ̃, ~'sjɛn] arithmetician; **arithmétique** [~'tik] **1.** adj. arithmetical; **2.** su./f arithmetic.

arlequin [arlə'kɛ̃] m Harlequin; food: scraps pl.; fig. weathercock.

armateur ⚓ [arma'tœːr] m shipowner; **armature** [~'tyːr] f frame; brace; brassière: boning; ⚡ armature; ♪ key-signature; fig. structure.

arme [arm] f arm; weapon; ✕ branch of the service; ✕ ~s pl. blanches side-arms; ~ à tir rapide automatic weapon; ~ automatique light machine-gun; ~ de choc striking weapon; sp. faire des ~s fence; ✕ place f d'~s parade ground; portez ~s! shoulder arms!; **armé, e** [ar'me] adj.: béton m ~ reinforced concrete, ferro-concrete; poutre f ~e trussed beam; verre m ~ wired glass; **armée** [ar'me] f army; forces pl.; ~ de l'air air-force; ~ de métier regular army; ~ de terre land forces pl.; ♀ du Salut Salvation Army; ~ métropolitaine home forces pl.; **armement** [armə'mɑ̃] m armament, arming; equipment; ⊕ mounting, fitting; ⚓ commissioning; ⚓ manning.

arménien, -enne [arme'njɛ̃, ~'njɛn] adj., a. su. ♀ Armenian.

armer [ar'me] (1a) v/t. arm (with, de); equip; ⚓ commission; ⚓ man; cock (a pistol); ⊕ mount (a machine); ⚡ wind (a dynamo); ⚡ sheath (a cable); set (an apparatus); † ~ q. chevalier dub s.o. knight; s'~ de arm o.s. with, fig. call upon (one's courage, patience, etc.); v/i. ✕ arm; ⚓ be commissioned; ⚓ serve (on, sur).

armistice [armis'tis] m armistice.

armoire [ar'mwaːr] f cupboard; wardrobe; locker; ~ à pharmacie medicine-chest; ~ au (or à) linge linen-closet.

armoiries ▨ [armwa'ri] f/pl. (coat sg. of) arms; armorial bearings.

armoise ⚘ [ar'mwaːz] f Artemisia.

armorial, e, m/pl. **-aux** ▨ [armɔ'rjal, ~ rjo] **1.** adj. armorial; **2.** su./m armorial, book of heraldry; **armorier** ▨ [~'rje] (1o) v/t. emblazon.

armure [ar'myːr] f armo(u)r; ⊕ weave; phys. magnet: armature; ⚡ dynamo: pole-piece; **armurerie** [armyr'ri] f manufacture of arms; arms factory; gunsmith's shop; ✕ armo(u)ry; **armurier** ✕, ⚓ [~'rje] m armo(u)rer; gunsmith.

arnica ⚘ [arni'ka] f arnica.

aromate [arɔ'mat] m spice, aromatic; **aromatique** [arɔma'tik] aromatic; **aromatiser** [ˌti'ze] (1a) v/t. give aroma or flavo(u)r to; cuis. flavo(u)r; **arome** [a'roːm] m aroma; cuis. flavo(u)ring.

aronde ⊕ [a'rɔ̃ːd] f: queue f d'~ dovetail.

arpège ♪ [ar'pɛːʒ] m arpeggio.

arpent [ar'pɑ̃] m (approx.) acre; **arpentage** [arpɑ̃'taːʒ] m (land-) surveying; survey; **arpenter** [~'te] (1a) v/t. survey, measure (the land); fig. stride along; **arpenteur** [~ 'tœːr] m (land-)surveyor; orn. great plover.

arquebuse [arkə'byːz] f (h)arquebus.

arquer [ar'ke] (1m) v/t. bend; arch; camber.

arrache-clou ⊕ [araʃ'klu] m nailclaw, nail-wrench; **arrache-pied** [~'pje] adv.: d'~ at a stretch; uninterruptedly; **arracher** [ara'ʃe] (1a) v/t. tear out or away (from, à); pull out; extract; draw (a tooth); strip (paper); extort (a confession, money); **arracheur, -euse** [~'ʃœːr, ~'ʃøːz] su. puller; su./f ✒ potato-lifter.

arraisonnement ⚓ [arɛzɔn'mɑ̃] m boarding; examination (of a bill of health); **arraisonner** ⚓ [~zɔ'ne] (1a) v/t. hail; board; stop and examine.

arrangement [arɑ̃ʒ'mɑ̃] m arrangement (a. ♪); settlement, agreement; ✝ composition (with creditors); **arranger** [arɑ̃'ʒe] (1l) v/t. arrange (a. ♪); put in order; tidy, straighten; sort (cards); organize; settle (a dispute, a quarrel); suit (s.o.); cela m'arrange that suits me; F cela s'*arrangera* it'll turn out all right; s'~ manage (with, *de*); come to an agreement, ✝ compound (with, *avec*); dress; s'~ de tout be very adaptable; **arrangeur** *m*, **-euse** *f* ♩ [~'ʒœːr, ~'ʒøːz] arranger.

arrérager ✝ [arera'ʒe] (11) *v/i*. get in arrears; **arrérages** ✝ [~'raːʒ] *m/pl*. arrears; back-interest *sg*.

arrestation [aresta'sjɔ̃] *f* arrest; apprehension; ⚖ ~ *préventive* protective custody.

arrêt [a'rɛ] *m* stop (*a*. ⊕); ⊕ stoppage; stopping; halt; interruption; ⚖ judgment; ⚖ award; *admin*. decree; ⚖ seizure; ⚓ detention; ⚖ arrest; *foot*. tackle; ⊕ *lock*: tumbler; *bus, tram, train*: stop(ping-place); ⚔ ~*s pl*. arrest *sg*.; ⚖ ~ de mort death sentence; chien *m* d'~ pointer; cran *m* d'~ safety-catch; dispositif *m* d'~ arresting device; ⚖ rendre un ~ deliver judgment; ⊕ robinet *m* d'~ stop-cock; temps *m* d'~ pause, halt; **arrêté** [are'te] *m* order; decree; ordinance; by(e)-law; ✝ ~ de compte(s) settlement; **arrêter** [~] (1a) *v/t*. stop; arrest; check; fix, fasten; draw up; decide; ✝ make up, close (*an account*); fasten off (*a stitch*); ~ les mailles *knitting*: cast off; s'~ stop; halt; pause; cease (*noise*); un plan arrêté a preconcerted plan; *v/i*. stop; *hunt*. point (*dog*).

arrhes [aːr] *f/pl*. deposit *sg*.; earnest (money) *sg*.

arrière [a'rjɛːr] **1.** *adv*. (*a*. en ~) behind; backward(s); in arrears; **2.** *su*. back (part), rear; ⚓ stern; *sp*. back; **3.** *adj./inv*. back; *mot*. feu *m* (or lanterne *f*) ~ rear-light; roue *f* ~ rear-wheel, rear-wheel; vent *m* ~ leading wind; **arriéré, e** [arje're] **1.** *adj*. late; in arrears; backward (*child, country*); **2.** *su./m* arrears; ✝ faire rentrer des ~*s* recover debts.

arrière...: ~-**ban** *hist*. [arjer'bɑ̃] *m* (whole body of) vassals *pl*.; ~-**bouche** [~'buʃ] *f* back of the mouth; ~-**boutique** [~bu'tik] *f* back-shop; ~-**cour** [~'kuːr] *f* backyard; ~-**garde** ⚔ [~'gard] *f* rear-guard; ~-**goût** [~'gu] *m* after-taste; ~-**grand'père** [~grɑ̃'pɛːr] *m* great-grandfather; ~-**main** [~'mɛ̃] *f* back of the hand; *horse*: hindquarters *pl*.; back-hand stroke; ~-**neveu** [~nə-

'vø] *m* grand-nephew; ~-**pensée** [~pɑ̃'se] *f* ulterior motive; ~-**petit-fils**, *pl*. ~-**petits-fils** [~pəti'fis] *m* great-grandson; ~-**plan** [~'plɑ̃] *m* background; ~-**point** [~'pwɛ̃] *m* back-stitch.

arriérer [arje're] (1f) *v/t*. postpone; s'~ fall behind (*person*); get into arrears.

arrière...: ~-**saison** [arjerse'zɔ̃] *f* late season *or* autumn, *Am*. late fall; ~-**train** [~'trɛ̃] *m* waggon-body; trailer; *animal*: hindquarter.

arrimer ⚓ [ari'me] (1a) *v/t*. stow; trim (*a ship*); pack (*for transit*).

arrivant *m*, **e** *f* [ari'vɑ̃, ~'vɑ̃t] arrival, comer; **arrivée** [~'ve] *f* arrival, coming; ⊕ inlet, intake; *sp*. finish; **arriver** [~'ve] (1a) *v/i*. arrive (at, *à*), come; happen; succeed, be successful; ⚓ bear away; ~ *à* (*inf*.) succeed in (*ger*.), manage to (*inf*.); **arriviste** [~'vist] *su*. thruster, (social) climber; careerist.

arrogance [aro'gɑ̃ːs] *f* arrogance; haughtiness; **arrogant, e** [~'gɑ̃, ~'gɑ̃ːt] arrogant; haughty.

arroger [aro'ʒe] (1l) *v/t*.: s'~ arrogate (*s.th.*) to o.s.

arrondir [arɔ̃'diːr] (2a) *v/t*. (make) round; round off (*a. fig. a sum*); round, double; s'~ fill out; become round; **arrondissement** [~dis'mɑ̃] *m* rounding off; roundness; *admin*. district; *admin. town*: ward.

arrosage [aro'zaːʒ] *m* watering, wetting; sprinkling; *cuis*. basting; *wine*: dilution; *rain*: soaking; **arroser** [~'ze] (1a) *v/t*. water, wet (*a. fig*.); sprinkle; moisten; *cuis*. baste; dilute (*wine*); F wash down (*the food*); ✝ F compound with (*creditors*); F ça s'arrose that calls for a drink; **arroseur** [~'zœːr] *m* water-cart attendant; **arroseuse** [~'zøːz] *f* water-cart; ~-**balayeuse** combined street-watering and sweeping lorry *or* truck; **arrosoir** [~'zwaːr] *m* watering-can; sprinkler.

arsenal [arsə'nal] *m* arsenal (*a. fig*.); armo(u)ry; ⚓ dockyard.

arsenic 🜍 [arsə'nik] *m* arsenic.

art [aːr] *m* art; skill; talent; artificiality; artfulness; ~*s pl*. d'agrément accomplishments; ~*s pl*. et métiers *m/pl*. arts and crafts.

artère [ar'tɛːr] *f* artery (*a. fig*.); thoroughfare; ⚡ feeder; **artériel,**

-elle [arte'rjɛl] arterial; **artériosclérose** [ˌrjɔskle'roːz] f arteriosclerosis.

artésien, -enne [arte'zjɛ̃, ˌ'zjɛn] artesian; of Artois; *puits* m ˌ artesian well.

arthrite [ar'trit] f arthritis; gout.

artichaut [arti'ʃo] m *cuis.* artichoke; ⚔ spiked barrier.

article [ar'tikl] m article (*a.* ♀, ✝, *eccl.*, *gramm.*); thing; *treaty:* clause; item; subject, topic; ✝ ˌs *pl.* goods; ˌs *pl.* de Paris fancy goods; *journ.* ˌ de fond leader, leading article; ˌ de luxe luxury article; ˌ documentaire documentary report; *à l'*ˌ de la mort at the point of death; *faire l'*ˌ puff one's goods; **articlier** *journ.* [ˌti'klje] m copy-writer, columnist.

articulaire [artiky'lɛːr] articular, of the joints; **articulation** [ˌla'sjɔ̃] f *anat.*, *speech:* articulation; joint; ⊕ connection; ⚙ node; utterance; **articuler** [ˌ'le] (1a) *v/t.* articulate; link; pronounce distinctly; state clearly.

artifice [arti'fis] m artifice; guile; stratagem; expedient; ⚔ ˌs *pl.* flares; *feu m d'*ˌ fireworks *pl.*; *fig.* flash of wit; **artificiel, -elle** [artifi'sjɛl] artificial; **artificier** [ˌ'sje] m pyrotechnist; ⚔ artificer; **artificieux, -euse** [ˌ'sjø, ˌ'sjøːz] artful, crafty, cunning.

artillerie ⚔ [artij'ri] f artillery, ordnance; gunnery; ˌ antiaérienne (*or contre avions*) anti-aircraft artillery; ˌ d'assaut assault artillery; ˌ lourde (*or à pied*) heavy artillery; *pièce f d'*ˌ piece of ordnance; **artilleur** [ˌti'jœːr] m artilleryman, gunner.

artimon ⚓ [arti'mɔ̃] m mizzenmast.

artisan [arti'zɑ̃] m artisan; craftsman; working-man; *fig.* creator, agent; **artisanat** [ˌza'na] m handicraft; craftsmen *pl.*

artiste [ar'tist] *su.* artist; ♪, *thea.* performer; *vaudeville:* artiste; **artistique** [ˌtis'tik] artistic.

aryen, -enne [a'rjɛ̃, ˌ'rjɛn] *adj.*, *a. su.* ♀ Aryan, Indo-European.

as¹ [a] *2nd p. sg. pres. of avoir 1.*

as² [ɑːs] m ace (*a. fig.*); *sp.* crack (*player etc.*); *sl.* être plein aux ˌ have stacks of money.

asbeste [as'bɛst] m asbestos.

ascaride [aska'rid] m ascaris, thread-worm.

ascendance [asɑ̃'dɑ̃ːs] f ancestry; *astr.* ascent; **ascendant, e** [ˌ'dɑ̃, ˌ'dɑ̃ːt] **1.** *adj.* upward (*motion etc.*); **2.** *su./m* ascendant; ascendency; *fig.* influence; ˌs *pl.* ancestry *sg.*

ascenseur [asɑ̃'sœːr] m lift, *Am.* elevator; **ascension** [ˌ'sjɔ̃] f ascent; climb; rising; ⊕ *piston:* up-stroke; *eccl. l'*♀ Ascension-day; **ascensionniste** [ˌsjɔ'nist] *su.* climber, mountaineer; balloonist.

ascète [a'sɛt] *su.* ascetic; **ascétique** [ase'tik] ascetic; **ascétisme** [ˌ'tism] m asceticism.

asepsie [asɛp'si] f asepsis; **aseptique** [ˌ'tik] aseptic; **aseptiser** [ˌti'ze] (1a) *v/t.* asepticize.

asiatique [azja'tik] *adj.*, *a. su.* ♀ Asiatic; Asian.

asile [a'zil] m asylum; retreat; shelter; ✝ sanctuary; ˌ d'aliénés mental hospital.

aspect [as'pɛ] m aspect (*a. gramm.*); sight; appearance, look; *fig.* viewpoint.

asperge ♀ [as'pɛrʒ] f asparagus.

asperger [aspɛr'ʒe] (11) *v/t.* sprinkle; spray (with, de).

aspérité [asperi'te] f asperity, roughness, harshness; unevenness.

aspersion [aspɛr'sjɔ̃] f aspersion, sprinkling; spraying; **aspersoir** [ˌ'swaːr] m ⚱ *watering-can:* rose; *eccl.* aspergillum.

asphaltage [asfal'taːʒ] m asphalting; **asphalte** [ˌ'falt] m asphalt.

asphyxie [asfik'si] f asphyxia(tion), suffocation; gassing; **asphyxier** [ˌ'sje] (1o) *v/t.* asphyxiate.

aspic [as'pik] m *zo.* asp; *cuis.* aspic; ♀ aspic, French lavender; *fig. langue f d'*ˌ venomous tongue.

aspirant, e [aspi'rɑ̃, ˌ'rɑ̃ːt] **1.** *adj.* sucking; ⊕ suction-...; **2.** *su.* aspirant, candidate; *su./m* ⚔ officer candidate; ⚓ midshipman; ✈ acting pilot-officer; **aspirateur, -trice** [ˌra'tœːr, ˌ'tris] **1.** *adj.* suction-...; **2.** *su./m* ⊕ suction-conveyor; ⊕ exhaust-fan; aspirator; vacuum cleaner; **aspiration** [ˌra'sjɔ̃] f aspiration (*a. gramm.*); *fig.* longing (after, à'); ⊕ suction; ⊕ inspiration, inhaling; ⊕ intake; **aspirer** [ˌ're] (1a) *v/t.* breathe in; suck in *or* up;

gramm. aspirate; ✃ inhale; *v/i.*: ~
à (*inf.*) aspire to (*inf.*); ~ *à qch.*
aspire to s.th.; long for s.th.

aspirine ✃ [aspi'rin] *f* aspirin;
prendre un comprimé d'~ take an
aspirin.

assagir [asa'ʒi:r] (2a) *v/t.* make
wiser; steady, sober (down).

assaillant [asa'jɑ̃] *m* assailant; **assaillir** [~'ji:r] (2s) *v/t.* assail, attack;
fig. beset (with, de).

assainir [asɛ'ni:r] (2a) *v/t.* make
healthier; cleanse, purify; reorganize (*the finances etc.*); **assainissement** [~nis'mɑ̃] *m* cleansing, purifying; ✃ sanitation; *finances*: reorganization.

assaisonnement [asɛzɔn'mɑ̃] *m*
seasoning; flavo(u)ring; *salad*:
dressing; **assaisonner** [~zɔ'ne] (1a)
v/t. season (with, de); flavo(u)r
(with, de); dress (*salads*).

assassin, e [asa'sɛ̃, ~'sin] **1.** *su./m*
assassin; murderer; *à l'~!* murder!;
su./f murderess; **2.** *adj.* murderous;
fig. provocative; *fig.* deadly; **assassinat** [~si'na] *m* murder; assassina-
tion; **assassiner** [~si'ne] (1a) *v/t.*
murder (*a. fig.*); assassinate; F
pester.

assaut [a'so] *m* assault, attack; *sp.*
bout, match; *faire ~ de* bandy
(*words, wit*).

assèchement [asɛʃ'mɑ̃] *m* drying,
draining, drainage; **assécher** [asɛ-
'ʃe] (1f) *v/t.* dry; drain.

assemblage [asɑ̃'bla:ʒ] *m* gathering, collection; ⊕ assembly; ⊕
joint; ⊕ connection, coupling; **assemblée** [~'ble] *f* assembly, meeting; congregation; gathering; ~
générale general meeting; ~ *plénière* plenary assembly; **assembler**
[~'ble] (1a) *v/t.* assemble (*a.* ⊕);
gather, call together; convene (*a
committee*); ✗ muster; ✄ couple,
connect; join(t); s'~ assemble, meet.

assener [asə'ne] (1d) *v/t.* strike,
land (*a blow*).

assentiment [asɑ̃ti'mɑ̃] *m* agreement, assent, consent; *signe m d'~*
nod.

asseoir [a'swa:r] (3c) *v/t.* seat,
place; pitch (*a tent*); lay (*a stone*);
establish (*a tax*); base (*an opinion*);
on le fit ~ he was asked to take a
seat; *s'~* sit down; settle; ✗ pancake.

assermenter [asɛrmɑ̃'te] (1a) *v/t.*
swear in; administer the oath to.

assertion [asɛr'sjɔ̃] *f* assertion.

asservir [asɛr'vi:r] (2a) *v/t.* enslave
(to, à) (*a. fig.*); subdue; subject;
⊕ synchronize; **asservissement**
[~vis'mɑ̃] *m* slavery, subjection;
bondage; ⊕ control.

assesseur ⚖ [asɛ'sœ:r] *m* assessor;
assistant judge.   [asseoir.\

asseyons [asɛ'jɔ̃] *1st p. pl. pres. of*\

assez [a'se] *adv.* enough; rather;
sufficiently; fairly; ~! that's
enough!; that will do!; *j'en ai ~!*
I've had enough of it, F I'm fed
up with it.

assidu, e [asi'dy] diligent; assidu-
ous; regular; constant; attentive
(to, *auprès de*); **assiduité** [~dɥi'te]
f diligence, assiduity; ~s *pl.* constant attentions *or* care *sg.*; **assidû-
ment** [~dy'mɑ̃] *adv. of assidu.*

assieds [a'sje] *1st p. sg. pres. of asseoir.*

assiégeant, e [asje'ʒɑ̃, ~'ʒɑ̃:t] **1.** *adj.*
besieging; **2.** *su./m* besieger; **assiéger** [~'ʒe] (1g) *v/t.* besiege (*a. fig.*);
surround; beset; *fig.* mob; *fig.* dun.

assiérai [asje're] *1st p. sg. fut. of asseoir.*

assiette [a'sjɛt] *f* plate; ⚓ trim;
horse: seat; ⊕ *etc.* basis; *machine*:
support; *tax*: establishment; F *il
n'est pas dans son ~* he's out of
sorts, he's not up to the mark; **assiettée** [asje'te] *f* plate(ful).

assignation [asiɲa'sjɔ̃] *f* ✝ assignation; ⚖ summons, subpoena; †
rendezvous; **assigner** [~'ɲe] (1a)
v/t. assign, allot; appoint; fix (*a
time*); allocate; ✝ earmark (*a sum*);
⚖ summon, subpoena; ⚖ sue (for,
en).

assimilable [asimi'labl] ✃ assimilable; comparable (to, à); **assimilation** [~la'sjɔ̃] *f* assimilation; ✗,
⚓ correlation, equivalence; **assimiler** [~'le] (1a) *v/t.* assimilate;
compare; give equal status to.

assis¹ [a'si] *1st p. sg. p.s. of asseoir.*

assis², e [a'si, ~'si:z] **1.** *p.p. of asseoir*; **2.** *adj.* seated, sitting; *être ~*
be seated *or* sitting; ▥ *etc. place f
~e* seat; **3.** *su./f* △ foundation; △
bricks: course; *cement*: layer; *rider*:
seat; ~es *pl.* meetings, sessions; ⚖
assizes; ⚖ *cour f d'~es* Assize
Court.

assistance [asis'tã:s] *f* assistance, help; audience, spectators *pl.*; *eccl.* congregation; ⚕, *eccl.* attendance, presence; ~ *judiciaire* (free) legal aid; ~ *maritime* salvage; ~ *publique* public assistance, public relief; ~ *sociale* (social) welfare work; **assistant, e** [~'tã, ~'tã:t] *su.* assistant; *usu.* ~s *pl.* spectators, onlookers; audience *sg.*; *su./f:* ~e *sociale* social worker; **assister** [~'te] (1a) *v/i.*: ~ *à* attend, be present at; *v/t.* assist, help, aid (*s.o.*).

association [asɔsja'sjɔ̃] *f* association; ✝ partnership; society; union; ⚡ coupling, connection; ~ *de bienfaisance* charitable organization; ✝ ~ *en nom collectif* (ordinary) partnership; **associé m, e** *f* [asɔ'sje] partner; *learned society:* associate; ✝ ~ *commanditaire* sleeping partner; **associer** [~] (1o) *v/t.* associate, unite; join up; ⚡ connect, couple; s'~ (*à or avec*) associate o.s. (with); join (in *s.th.*); keep company with; ✝ enter into partnership with.

assoiffé, e [aswa'fe] thirsty; *fig.* eager (for, *de*).

assoirai F [aswa're] *1st p. sg. fut. of asseoir*; **assois** F [a'swa] *1st p. sg. pres. of asseoir.*

assolement ✐ [asɔl'mã] *m* (crop-) rotation; **assoler** ✐ [asɔ'le] (1a) *v/t.* rotate the crops on.

assombrir [asɔ̃'bri:r] (2a) *v/t.* darken; make gloomy (*a. fig.*); cloud (*a. fig.*); s'~ darken; become cloudy (*sky*); *fig.* become gloomy.

assommant, e [asɔ'mã, ~'mã:t] *f* boring, tiresome; **assommer** [~'me] (1a) *v/t.* fell; stun; knock on the head; *fig.* bore; *fig.* overcome; **assommoir** [~'mwa:r] *m* bludgeon; loaded cane, life-preserver, *Am.* black-jack; F bore; F low pub, *Am.* dram shop.

assomption [asɔ̃p'sjɔ̃] *f* assumption; *eccl.* l'~ the Assumption.

assonance [asɔ'nã:s] *f* assonance; **assonant, e** [~'nã, ~'nã:t] assonant.

assortiment [asɔrti'mã] *m* assortment (*a.* ✝), range, variety; matching; suitability; ⊕ set; *typ.* sorts *pl.*; **assortir** [~'ti:r] (2a) *v/t.* suit; s'~ stock varied goods (*a.* ✝); *v/i.* match, go well together.

assoupir [asu'pi:r] (2a) *v/t.* make

sleepy *or* drowsy; soothe, deaden, lull (*a pain etc.*); s'~ doze off; wear off (*pain*); **assoupissement** [~pis-'mã] *m* drowsiness; nap, doze; *fig.* sloth; ⚡ torpor.

assouplir [asu'pli:r] (2a) *v/t.* make supple; break in (*a horse*); *fig.* s'~ become more tractable.

assourdir [asur'di:r] (2a) *v/t.* deafen (*a. fig.*); *fig.* deaden, damp, muffle (*a sound*); tone down (*a light etc.*); *gramm.* unvoice (*a consonant*).

assouvir [asu'vi:r] (2a) *v/t.* satiate, appease (*one's hunger*); quench (*one's thirst*); ✝ glut (*the market*); s'~ gorge; become sated (with, de).

assoyons F [aswa'jɔ̃] *1st p. pl. pres. of asseoir.*

assujetti, e [asyʒe'ti] subject, liable (to, *à*); ~ *à l'assurance* subject to compulsory insurance; ~ *aux droits de douane* liable to duty, dutiable; **assujettir** [~'ti:r] (2a) *v/t.* subjugate, subdue; fix, fasten; secure; make liable (to, *à*); compel (to *inf.*, *à inf.*); **assujettissement** [~tis'mã] *m* subjugation; securing.

assumer [asy'me] (1a) *v/t.* assume, take (*a responsibility*) upon o.s.; take up (*duties*).

assurance [asy'rã:s] *f* assurance (*a.* ✝), self-confidence; certainty; security, pledge; safety; ✝ insurance; ~s *pl. sociales* social security *sg.*; ~ *contre l'incendie* fire-insurance; ~ *maladie* health-insurance; ~ *maritime* marine insurance; ~ *sur la vie* life-assurance; ~-*vieillesse* old-age insurance; *passer un contrat d'~* take out an insurance policy; **assuré, e** [~'re] **1.** *adj.* sure; confident; **2.** *su.* ✝ *the* insured; policyholder; **assurément** [~re'mã] *adv.* surely, certainly; **assurer** [~'re] (1a) *v/t.* assure, secure, fasten; make secure; make steady; affirm; ensure (*a result*); ✝ insure; s'~ *de* ascertain, make sure of; lay hold on; **assureur** ✝ [~'rœ:r] *m* insurer; ~ *maritime* underwriter.

aster ⚘, *biol.* [as'tɛ:r] *m* aster; **astérisque** *typ.* [~te'risk] *m* asterisk (*). **asthénie** [aste'ni] *f* debility. **asthmatique** ⚕ [asma'tik] *adj.*, *a. su.* asthmatic; **asthme** ⚕ [asm] *m* asthma.

asticot [asti'ko] *m* maggot; F *un drôle d'~* a queer cove *or* chap;

asticoter F [ˌkɔ'te] (1a) *v/t.* plague, worry.

astigmate ❀ [astig'mat] astigmatic.

astiquer [asti'ke] (1m) *v/t.* polish; smarten.   [❀, *anat.* astragalus.]

astragale [astra'gal] *m* △ astragal;|

astral, e, *m/pl.* **-aux** [as'tral, ˌ'tro] astral; **astre** [astr] *m* star (*a. fig.*).

astreindre [as'trɛ̃:dr] (4m) subject; force, compel (to, *à*); bind; **s'ˌ** *à* force o.s. to, keep to.

astringent, e ❀ [astrɛ̃'ʒɑ̃, ˌ'ʒɑ̃:t] *adj., a. su./m* astringent.

astro... [astrɔ] astro...; **ˌlogie** [ˌlɔ-'ʒi] *f* astrology; **ˌlogue** [ˌ'lɔg] *m* astrologer; **ˌnaute** [ˌ'no:t] *m* astronaut, space traveller; **ˌnautique** [ˌno'tik] *f* astronautics *sg.*, space travel; **ˌnef** [ˌ'nɛf] *m* space-ship; **ˌnome** [ˌ'nɔm] *m* astronomer; **ˌnomie** [ˌnɔ'mi] *f* astronomy; **ˌnomique** [ˌnɔ'mik] astronomical (*year, a.* F *price*); **ˌphysique** [ˌfi-'zik] **1.** *adj.* astrophysical; **2.** *su./f* astrophysics *sg.*

astuce [as'tys] *f* guile, craftiness; wile, trick; **astucieux, -euse** [ˌty-'sjø, ˌ'sjø:z] crafty, astute, artful.

asymétrique [asime'trik] asymmetrical, unsymmetrical.

asymptote ⩟ [asɛ̃p'tɔt] **1.** *adj.* asymptotic; **2.** *su./f* asymptote.

atavique [ata'vik] atavistic; *biol.* retour *m* ˌ throw-back; **atavisme** [ˌ'vism] *m* atavism.

ataxie ❀ [atak'si] *f* ataxy, ataxia.

atelier [atə'lje] *m* workshop; studio; (shop *or* workroom) staff; ⚒ working party; *pol.* work-group; ⊕ ˌ de constructions mécaniques engine works; ˌ de réparations repair-shop.

atermoiement [atɛrmwa'mɑ̃] *m* ⅍, ✝ renewal (*of a bill*); deferment of payment; F ˌs *pl.* shilly-shallying *sg.*; **atermoyer** [ˌ'je] (1h) *v/t.* put off, defer; F procrastinate; **s'ˌ** arrange for an extension of time (*with creditors*).

athée [a'te] **1.** *adj.* atheistic; **2.** *su.* atheist; **athéisme** [ate'ism] *m* atheism.

athlète [at'lɛt] *m* athlete; **athlétique** [atle'tik] athletic; **athlétisme** [ˌ-'tism] *m* athletics *pl.*

atlantique [atlɑ̃'tik] **1.** *adj.* Atlantic; **2.** *su./m* ♀ Atlantic (Ocean).

atlas [at'lɑ:s] *m* atlas; *geog., myth.* ♀ Atlas.

atmosphère [atmɔs'fɛ:r] *f* atmosphere (*a. fig.*); **atmosphérique** [ˌfe'rik] atmospheric.

atoll *geog.* [a'tɔl] *m* atoll, coral island.

atome [a'to:m] *m* atom (*a. fig.*); *fig.* speck; **atomique** [atɔ'mik] atomic; *bombe f* ˌ atom(ic) bomb; *énergie f* ˌ atomic energy; *ère f* ˌ atomic age; *pile f* ˌ atomic pile; *poids m* ˌ atomic weight.

atone [a'tɔn] *gramm.* atonic, unstressed; *fig.* dull, vacant; **atonie** ❀ [atɔ'ni] *f* atony, sluggishness.

atours [a'tu:r] *m/pl.* ✝, *a. co.* finery *sg.*

atout [a'tu] *m* trump; *fig.* blow, knock; *jouer* ˌ play trumps.

atrabilaire [atrabi'lɛ:r] atrabilious; *fig.* melancholy.

âtre [ɑ:tr] *m* hearth.

atroce [a'trɔs] atrocious, dreadful; grim; **atrocité** [atrɔsi'te] *f* atrocity; atrociousness.

atrophie ❀ [atrɔ'fi] *f* atrophy; emaciation; **atrophier** [ˌ'fje] (1o) *v/i.*, *a.* **s'ˌ** atrophy.

attabler [ata'ble] (1a) *v/t.*: **s'ˌ** sit down to table; *fig.* F own up, *usu.* Am. come clean.

attache [a'taʃ] *f* bond, tie, link; cord, strap; ⊕ brace, joint; paper clip; *chien m d'*ˌ house-dog; ✝ *pat m d'*ˌ home pat; **attaché** [ata'ʃe] *m* *pol.* attaché; **attachement** [ataʃ'mɑ̃] *m* attachment (*a. fig.*); **attacher** [ata'ʃe] (1a) *v/t.* attach; fasten (*a. fig.*); tie; *fig.* attract; **s'ˌ** *à* attach o.s. to; cling to; apply or devote o.s. to; ⚒ **s'ˌ** *au sol* hold on to the ground; **s'ˌ** *aux pas de q.* dog s.o.'s footsteps.

attaque [a'tak] *f* attack (*a.* ❀, ✗); assault; ⊕, *mot.* drive; *être d'*ˌ feel fit; **attaquer** [ata'ke] (1m) *v/t.* attack; assail; assault; ⅍ contest (*a will*), sue (*s.o.*); ⊕ operate; F begin; **s'ˌ** *à* fall upon, attack; *fig.* tackle; *v/i.* attack.

attardé, e [atar'de] **1.** *adj.* belated; backward; old-fashioned; **2.** *su.* late-comer; **attarder** [ˌ] (1a) *v/t.* make late; **s'ˌ** delay, linger (over, *sur*); **s'ˌ** *à* (*inf.*) stay (up) late (*ger.*).

atteindre [a'tɛ̃dr] (4m) *v/t.* reach, attain; overtake; hit (*a target*); strike (*a. fig.*); *fig.* affect; *v/i.*: ˌ *à* attain (to), achieve; **atteint, e** [a'tɛ̃,

~'tɛ:t] **1.** *p.p.* of atteindre; **2.** *su./f*
reach; attack (*a.* ☒), blow, stroke;
touch; harm, injury; *hors d'*~e out
of reach.

attelage [at'la:ʒ] *m* harnessing;
yoke, team; ⊕ attachment; 🚋
coupling; **atteler** [~'le] (1c) *v/t.*
harness; yoke; connect; 🚋 couple;
s'~ *à* settle *or* F get down to (*a task*);
attelle [a'tɛl] *f* ☒ splint; ~s *pl*
hames.

attenant, e [at'nɑ̃, ~'nɑ̃:t] neigh-
bo(u)ring, adjacent (to, *à*).

attendant [atɑ̃'dɑ̃]: en ~ *adv.* meanwhile; *prp.* pending; en ~ que (*sbj.*)
until, till (*ind.*); **attendre** [a'tɑ̃dr]
(4a) *v/t.* wait for, await; look forward to; expect; *attendez voir!*
wait and see!; *faire* ~ *q.* keep s.o.
waiting; s'~ *à* expect (*s.th.*).

attendrir [atɑ̃'dri:r] (2a) *v/t.* soften,
make tender; *fig.* touch, move; s'~
sur gush over; *se laisser* ~ be
moved *or* affected; **attendrisse-**
ment [~dris'mɑ̃] *m* meat: hanging;
fig. pity.

attendu, e [atɑ̃'dy] **1.** *p.p.* of attendre; **2.** *attendu prp.* considering; on
account of; ~ *que* seeing that ...;
🚋 whereas; **3.** *su./m:* ~s *pl.* 🚋 rea-
sons adduced.

attentat [atɑ̃'ta] *m* criminal attempt;
outrage; 🚋 ~ *à la pudeur* indecent
assault; 🚋 ~ *aux mœurs* indecent
behavio(u)r, *Am.* offense against
public morals.

attente [a'tɑ̃:t] *f* wait(ing); expectation; *contre toute* ~ contrary to expectations; 🚋 *salle f d'*~ waiting-
room.

attenter [atɑ̃'te] (1a) *v/i.* make an
attempt (on, *à*).

attentif, -ve [atɑ̃'tif, ~'ti:v] (*à*) attentive (to); heedful (of); careful;
mindful; **attention** [~'sjɔ̃] *f* attention, care; ~*! look out!

atténuant, e [ate'nɥɑ̃, ~'nɥɑ̃:t]
1. *adj.* 🚋 extenuating (*circumstances*); ☒, 🜔 attenuant; **2.** *su./m* ☒,
🜔 attenuant; **atténuation** [~nɥa-
'sjɔ̃] *f* 🚋 extenuation, mitigation;
☒, 🜔 attenuation; *fig.* reducing;
fig. emaciation; **atténuer** [~'nɥe]
(1n) *v/t.* extenuate (*a.* 🚋); 🚋
mitigate; attenuate (*a.* ☒); *fig.*, *a.
phot.* reduce; tone down (*a colour*).

atterrer [ate're] (1a) *v/t.* overwhelm, astound, stun.

atterrir [ate'ri:r] (2a) *v/i.* ⚓ make
a landfall; 🜁 land; **atterrissage**
[~ri'sa:ʒ] *m* ⚓ landfall; 🜁 landing;
🜁 ~ *forcé* forced landing; 🜁 ~ *sans
visibilité* instrument landing; 🜁
train m d'~ undercarriage.

atterrissement [ateris'mɑ̃] *m* alluvium.

atterrisseur 🜁 [ateri'sœ:r] *m*
undercarriage; ~ *escamotable*
retractable undercarriage.

attestation [atɛsta'sjɔ̃] *f* attestation;
testimonial; certificate; 🚋 ~ *sous
serment* affidavit; **attester** [~'te]
(1a) *v/t.* testify, certify.

attiédir [atje'di:r] (2a) *v/t.* cool (*a.
fig.*); take the chill off; s'~ (grow)
cool (*a. fig.*).

attifer [ati'fe] (1a) *v/t. usu. pej.* dress
(*s.o.*) up; s'~ get o.s. up, rig o.s. out

attique [a'tik] **1.** *adj.* Attic; **2.** *su./m*
△ attic; *su./f:* l'Ƃ Attica.

attirail [ati'ra:j] *m* outfit; gear; F
pomp; *pej.* paraphernalia *pl.*

attirance [ati'rɑ̃:s] *f* attraction; **at-**
tirant, e [~'rɑ̃, ~'rɑ̃:t] attractive;
engaging; **attirer** [~'re] (1a) *v/t.*
attract; draw; (al)lure; s'~ win
(*s.th.*).

attiser [ati'ze] (1a) *v/t.* stir up (*a.
fig.*); ⊕ stoke; *fig.* fan, feed; **atti-**
soir [~'zwa:r] *m* poker; ⊕ pricker,
fire-rake.

attitré, e [ati'tre] appointed, regular; customary.

attitude [ati'tyd] *f* attitude (towards,
envers).

attouchement [atuʃ'mɑ̃] *m* contact
(*a.* ﰀ), touch(ing).

attractif, -ve [atrak'tif, ~'ti:v] attractive; gravitational (*force*); **at-**
traction [~'sjɔ̃] *f* attraction (*a. fig.*),
pull; ~s *pl.* variety show *sg.*; cabaret
sg., *Am.* floor show *sg.*; *phys.* ~ *universelle* gravitation.

attrait [a'trɛ] *m* attractiveness,
charm; inclination (for, *pour*).

attrapade F [atra'pad] *f*, **attrapage**
F [~'pa:ʒ] *m* tiff, quarrel; blowing-
up, reprimand.

attrape [a'trap] *f* trap, snare; *fig.*
hoax, trick; ⚓ lifeline; **attrape-**
mouches [atrap'muʃ] *m/inv.* fly-
paper; ♧ catch-fly; *orn.* fly-catcher;
attrape-nigaud [~ni'go] *m* booby
trap; **attraper** [atra'pe] (1a) *v/t.*
catch (*a.* ☒); trap; *fig.* trick; F
scold; *se faire* ~ be taken in; get

hauled over the coals (for *ger.*, *pour inf.*).

attrayant, e [atrɛ'jɑ̃, ~'jɑ̃:t] attractive; engaging.

attribuer [atri'bɥe] (1n) *v/t.* attribute (to, *à*); assign; allot; s'~ appropriate; **attribut** [~'by] *m* attribute; *gramm.* predicate; emblem; ✗ badge; **attribution** [~by'sjɔ̃] *f* attribution; allocation; conferment; ~s *pl.* competence *sg.*, powers, duties.

attrister [atris'te] (1a) *v/t.* sadden; s'~ become sad; cloud over (*sky*).

attrition [atri'sjɔ̃] *f* abrasion; *eccl.* attrition (*a.* ✗).

attroupement [atrup'mɑ̃] *m* ⚖ unlawful assembly; *fig.* mob; **attrouper** [atru'pe] (1a) *v/t.* gather together; s'~ flock together; assemble, crowd.   [calling.╲

aubade [o'bad] *f* ♪ aubade; F cat-╯

aubaine [o'bɛn] *f* ⚖ right of escheat; *fig.* godsend, windfall.

aube[1] [o:b] *f* dawn; *eccl.* alb.

aube[2] [~] *f* paddle, float; blade.

aubépine ♀ [obe'pin] *f* hawthorn; whitethorn.

auberge [o'bɛrʒ] *f* inn, tavern; ~ de la jeunesse youth hostel.

aubergine ♀ [obɛr'ʒin] *f* egg-plant.

aubergiste [obɛr'ʒist] *su.* innkeeper; *su./m* landlord; *su./f* landlady.

aucun, e [o'kœ̃, ~'kyn] **1.** *adj.* any; **2.** *pron.* any(one); *with ne or on its own:* none; d'~s some (people); **aucunement** [okyn'mɑ̃] *adv.* not at all, by no means.

audace [o'das] *f* audacity (*a. fig.*); daring; boldness; F payer d'~ face the music; **audacieux, -euse** [oda'sjø, ~sjø:z] audacious, bold, daring; impertinent.

au-deçà † [odə'sa] *adv.* on this side; **au-dedans** [~'dɑ̃] *adv.* inside, within; ~ de within; **au-dehors** [~'ɔ:r] *adv.* (on the) outside; ~ de outside, beyond; **au-delà** [~'la] **1.** *adv.* beyond; ~ de beyond, on the other side of; **2.** *su./m* beyond; l'~ the next world; **au-dessous** [~'su] *adv.* below; ~ de below, under; beneath; **au-dessus** [~'sy] *adv.* above; ~ de above; *fig.* beyond; **au-devant** [~'vɑ̃] *adv.* forward, ahead; aller ~ de go to meet; anticipate; forestall; aller ~ d'un danger court danger.

audible [o'di:bl] audible; **audience** [o'djɑ̃:s] *f* sitting, session; hearing; audience; *radio etc.:* public; **audiencier** [odjɑ̃'sje] *m* ⚖ usher; F haunter of law-courts; **audio-visuel, -elle** [odjovi'zɥɛl] audio-visual; **auditeur, -trice** [odi'tœ:r, ~'tris] *su.* hearer, listener; *univ.* student who attends lectures only; *su./m* ✗, ⚖ public prosecutor; *admin.* commissioner of audits; ~s *m/pl.* audience; **auditif, -ve** [~'tif, ~'ti:v] *anat.* auditory; appareil *m* ~ hearing aid; **audition** [~'sjɔ̃] *f* hearing; recital; audition; ~s *pl. du jour radio:* today's program(me) *sg.*; **auditoire** [~'twa:r] *m* auditorium; audience; *eccl.* congregation; ⚖ court.

auge [o:ʒ] *f* trough (*a.* ⊕); manger; ⊕ *water-wheel:* bucket; *geol.* ~ glaciaire glacial valley; **auget** [o'ʒɛ] *m* small trough; ⊕ *water-wheel:* bucket.

augmentation [ogmɑ̃ta'sjɔ̃] *f* increase (*a.* ♱, ♪); *prices, wages:* rise; augmentation (*a.* ♱, ♪); faire une ~ *knitting:* make a stitch; **augmenter** [~'te] (1a) *v/t.* increase, augment; raise (*a price, the wages*); s'~ increase; *v/i.* increase, rise, grow.

augure [o'gy:r] *m* augury, omen; augur; **augurer** [ogy're] (1a) *v/t.* augur; forecast.

auguste [o'gyst] **1.** *adj.* august, majestic; **2.** *su./m circus:* the funny man.

aujourd'hui [oʒur'dɥi] today; d'~ en huit (quinze) today week (fortnight).

aumône [o'mo:n] *f* alms; charity; **aumônier** [omo'nje] *m* almoner; chaplain (*a.* ✗).

aunaie [o'nɛ] *f* plantation of alders.

aune[1] ♀ [o:n] *m* alder.

aune[2] [~] *f* † ell; F une figure longue d'une ~ a face as long as a fiddle; **auner** [o'ne] (1a) *v/t.* measure by the ell.

auparavant [opara'vɑ̃] *adv.* before(hand); d'~ preceding.

auprès [o'prɛ] *adv.* near; close by; ~ de near, beside; *admin.* attached to.

aurai [ɔ're] *1st p. sg. fut. of* avoir 1.

auréole [ɔre'ɔl] aureole, halo; *phot.* halation.

auriculaire [ɔriky'lɛːr] **1.** adj. auricular; ear-...; doigt m ~ = **2.** su./m little finger.

aurifère [ɔri'fɛːr] auriferous, gold-bearing; **aurification** [~fika'sjɔ̃] f tooth: filling or Am. stopping with gold; **aurifier** [~'fje] (1o) v/t. fill or stop with gold.

auriste ✇ [ɔ'rist] m ear-specialist, aurist.

aurore [ɔ'rɔːr] **1.** su./f dawn (a. fig.), daybreak; myth. ♀ Aurora; ~ boréale northern lights pl.; **2.** adj. golden yellow.

auscultation ✇ [ɔskylta'sjɔ̃] f auscultation, sounding (of chest); **ausculter** ✇ [~'te] (1a) v/t. auscultate, sound.

auspice [ɔs'pis] m auspice, omen; ~s pl. protection sg.; auspices.

aussi [o'si] **1.** adv. also; too; as well; so; ~ ... que as ... as; moi ~ so am (do, can) I, F me too; **2.** cj. therefore; and so; ~ bien besides, moreover; **aussitôt** [osi'to] **1.** adv. immediately, at once; ~ que as soon as; **2.** prp. immediately after.

austère [ɔs'tɛːr] austere, stern; severe; **austérité** [~teri'te] f austerity, sternness; severity.

austral, e, m/pl. -als or -aux [ɔs'tral, ~'tro] southern; **australien, -enne** [~tra'ljɛ̃, ~'ljɛn] adj., a. su. ♀ Australian.

austro... [ɔstrɔ] Austro-...

autan [o'tɑ̃] m strong south wind.

autant [~] adv. as much, as many; so much, so many; ~ dire practically, to all intents and purposes; (pour) ~ que as far as; d'~ (plus) que especially as, all the more as; en faire ~ do the same.

autel [o'tɛl] m altar; ⊕ fire-bridge.

auteur [o'tœːr] m author (a. fig.); crime: perpetrator; writer; ♪ composer; 🎼 principal; droit m d'~ copyright; droits m/pl. d'~ royalties; femme f ~ authoress.

authenticité [otɑ̃tisi'te] f authenticity, genuineness; **authentique** [~'tik] authentic, genuine.

auto F [o'to] f (motor-)car.

auto... [oto] auto-..., self-...; motor-...; ~**bus** [~'bys] m (motor) bus; ~**car** [~'kaːr] m motor coach; ~**chenille** [~ʃə'niːj] f caterpillar tractor; half-track vehicle.

autochtone [otɔk'tɔn] **1.** adj. autochthonous; aboriginal; **2.** su. autochthon.

auto... : ~**clave** [oto'klaːv] m sterilizer; cuis. pressure-cooker; ~**crate** [~'krat] m autocrat; ~**cratie** [~kra'si] f autocracy; ~**cratique** [~kra'tik] autocratic; ~**didacte** [~di'dakt] **1.** adj. self-taught; **2.** su. self-taught person; ~**drome** [~'droːm] m motor-racing track; ~**école** [~e'kɔl] f school of motoring; driving school; ~**gène** [~'ʒɛn] autogenous; ⊕ soudure f ~ autogenous or oxy-acetylene welding; ~**gire** ✇ [~'ʒiːr] m autogiro; ~**graphe** [~'graf] adj., a. su./m autograph; ~**mate** [~'mat] m automaton; ~**mation** [~ma'sjɔ̃] f automation; ~**matique** [~ma'tik] automatic, self-acting; ~**matisation** ⊕ [~matisa'sjɔ̃] f automation; ~**mitrailleuse** [~mitra'jøːz] f ⚔ light armo(u)red car, Am. combat car.

automnal, e, m/pl. **-aux** [otɔm'nal, ~'no] autumnal; **automne** [o'tɔn] m autumn, Am. fall.

auto... : ~**mobile** [otɔmɔ'bil] **1.** su./f (motor-)car, Am. automobile; **2.** adj. self-propelling; canot m ~ motor boat; ~**mobilisme** [~mɔbi'lism] m motoring; ~**mobiliste** [~mɔbi'list] su. motorist; ~**motrice** [~mɔ'tris] f rail-motor, Am. rail-car; ~**nome** [~'nɔm] autonomous; independent; ~**nomie** [~nɔ'mi] f autonomy; independence; ~**propulsé, e** [~prɔpyl'se] self-propelled.

autopsie [otɔp'si] f autopsy.

autorail 🚃 [otɔ'raːj] m rail-motor, Am. rail-car.

autorisation [otɔriza'sjɔ̃] f authorization; permission; leave; licence; ~ exceptionnelle special permission or permit; **autorisé, e** [~'ze] authorized; authoritative (source); **autoriser** [~'ze] (1a) v/t. authorize; empower; permit; s'~ de quote as one's authority; **autoritaire** [~'tɛːr] **1.** adj. authoritative; dictatorial; **2.** su./m authoritarian; **autorité** [~'te] f authority; (legal) power; control; faire ~ be an authority (on, en matière de).

auto... : ~**route** [oto'rut] f motorway, Am. speedway; ~**stop** [otos'tɔp] m hitch-hiking; faire de l'~ hitch-hike, thumb a lift; ~**strade**

[‿s'trad] *f* autostrada, motorway, *Am.* speedway.

autour[1] *orn.* [o'tu:r] goshawk.

autour[2] [‿] *adv.* round, about; ‿ de round, about (*s.th.*).

autre [o:tr] **1.** *adj.* other; different; further; ‿ chose something else; d'‿ part on the other hand; l'‿ jour the other day; nous ‿s Français we Frenchmen; tout ‿ chose quite a different matter; un ‿ moi-même my other self; **2.** *pron./indef.* (an-) other; ‿s *pl.* others; à d'‿s! nonsense!, tell that to the marines!; de temps à ‿ now and then; l'un l'‿ one another, each other; ni l'un ni l'‿ neither; tout ‿ anybody else;

autrefois [otrə'fwa] *adv.* formerly;

autrement [‿'mã] *adv.* otherwise; (or) else.

autrichien, -enne [otri'ʃjɛ̃, ‿'ʃjɛn] *adj. a. su.* ♀ Austrian.

autruche *orn.* [o'tryʃ] *f* ostrich; pratiquer la politique de l'‿ stick one's head in the sand.

autrui [o'trɥi] *pron., no pl., usu. after prp.* others, other people.

auvent [o'vã] *m* penthouse; porch-roof; △ weather-board; ⊕, ♎ hood; *mot.* dash; *mot.* ‿s *pl.* louvres.

auxiliaire [oksi'ljɛ:r] **1.** *adj.* auxiliary; bureau m ‿ sub-office; **2.** *su./m* auxiliary (*a. gramm.*).

avachir [ava'ʃi:r] (2a) *v/t.* soften; s'‿ lose shape, F become sloppy.

aval[1], *pl.* -s ✝ [a'val] *m* endorsement.

aval[2] [‿] *m* lower course of stream; en ‿ downstream; ‿ down the line; en ‿ de below; **avalage** [ava'la:ʒ] *m* going downstream; *wine:* cellaring.

avalanche [ava'lã:ʃ] *f* avalanche; *fig.* shower.

avaler [ava'le] (1a) *v/t.* swallow; gulp down; inhale (*the cigarette smoke*); *fig.* swallow, pocket; **avaleur** m, -euse *f* [‿'lœ:r, ‿'lø:z] swallower; F guzzler.

avaliser ✝ [avali'ze] (1a) *v/t.* endorse, back (*a bill*); **avaliste** ✝ [‿'list] *m* endorser.

avance [a'vã:s] *f* advance; progress; lead; ⊕ *tool:* feed movement, travel; ✝ loan, advance; *mot.* ‿ à l'allumage advance of the spark; d'‿ in advance, beforehand; être en ‿ be fast; faire des ‿s à make up to (*s.o.*); prendre de l'‿ take the lead;

avancée ⚔ [avã'se] *f* advanced post; **avancement** [avãs'mã] *m* advancement; progress; putting forward; promotion; △ projection; ⊕ *screw:* pitch; **avancer** [avã'se] (1k) *v/t.* advance (*a. ✝*); hasten (*s.th.*); put on (*a watch*); promote; s'‿ advance; progress; project; *v/i.* advance (*a. ⚔.*); be fast (*watch*); be ahead; △ project; ‿ en âge getting on (in years).

avanie [ava'ni] *f* affront, snub.

avant [a'vã] **1.** *prp.* before (*Easter, the end, his arrival*); in front of (*the church*); within, in less than (*three days*); ‿ peu before long; ‿ Jésus-Christ before Christ, *abbr.* B.C.; ‿ tout above all; first of all; ‿ de (*inf.*) before (*ger.*); ‿ que (*sbj.*) before; **2.** *adv.* beforehand; previously; forward; far; d'‿ before, previous; peu de temps ‿ shortly before; plus ‿ further, more deeply; bien ‿ dans (la nuit, la forêt) far into (the night, the wood); **3.** *cj.:* ‿ que (*sbj.*) before (*ind.*); ‿ de (*inf.*) before (*ger.*); **4.** *adj./inv.* front ...; roue *f* ‿ front wheel; **5.** *int.:* en ‿! forward!; advance!; mettre en ‿ advance (*an argument etc.*); **6.** *su./m* front; ♎ bow; *sp.* forward.

avant-... [avã] fore...

avantage [avã'ta:ʒ] *m* advantage; privilege; profit; gain; benefit; *tennis:* vantage; à l'‿ de to the benefit of; **avantager** [‿ta'ʒe] (1l) *v/t.* favo(u)r; **avantageux, -euse** [‿ta-'ʒø, ‿'ʒø:z] **1.** *adj.* advantageous, favo(u)rable; **2.** *su./m* coxcomb.

avant...: ‿-**bec** [avã'bɛk] *m* △ bridge: pier-head; ♎ forepeak; ‿-**bras** [‿'bra] *m/inv.* forearm; ‿-**centre** *sp.* [‿'sã:tr] *m* centre forward; ‿-**coureur** [‿ku'rœ:r] **1.** *su./m* forerunner; **2.** *adj.* precursory; signe m ‿ premonitory sign; ‿-**dernier, -ère** [‿dɛr'nje, ‿'njɛ:r] *adj. a. su.* last but one; ‿-**garde** [‿'gard] *f* ⚔ advance(d) guard; vanguard (*a. fig.*); ‿**guerre** [‿'gɛ:r] *m or f* pre-war period; d'‿ pre-war; ‿-**hier** [‿'tjɛ:r] the day before yesterday; ‿-**port** [‿'pɔ:r] *m* outer harbo(u)r; ‿-**poste** ⚔ [‿'pɔst] *m* outpost; ‿-**projet** [‿prɔ'ʒɛ] *m* (rough) draft; ‿-**propos** [‿prɔ'po] *m/inv.* preface, foreword; ‿-**scène** *thea.* [‿'sɛn] *f* proscenium; stage-box; ‿-**train** [‿'trɛ̃] *m* forecarriage; ✗ limber; ~-veille [~'vɛːj] f two days before.

avare [a'vaːr] **1.** *adj.* miserly; stingy; **2.** *su.* miserly person; **avarice** [ava'ris] f avarice; stinginess; **avaricieux**, **-euse** [~ri'sjø, ~'sjøːz] avaricious; stingy.

avarie [ava'ri] f ⚓ average; damage; ⊕ breakdown; deterioration; F syphilis; **avarié**, **e** [~'rje] damaged; injured; F syphilitic; **avarier** [~'rje] (1o) *v/t. a.* s'~ spoil.

avatar [ava'taːr] m avatar; ~s pl. ups and downs; vicissitudes.

avec [a'vɛk] **1.** *prp.* with; for, in spite of (*all his riches*); ~ *patience* (*véhémence etc.*) patiently (vehemently *etc.*); ~ *l'âge* with age; ~ *ça* into the bargain; et ~ *ça*, Madame? anything else, Madam?; ~ *ce temps-là* in this weather; *divorcer d'~ sa femme* divorce one's wife; *distinguer l'ami d'~ le flatteur* distinguish a friend from a flatterer; **2.** *adv.* F with it *or* them, F him, her, them.

avenant[1], **e** [av'nɑ̃, ~'nɑ̃ːt] comely; à l'~ in keeping; ... to match; appropriate.

avenant[2] ⚖ [av'nɑ̃] m codicil, rider.

avènement [aven'mɑ̃] m arrival, coming; *king:* accession; **avenir** [av'niːr] m future; à l'~ in (the) future; **avent** *eccl.* [a'vɑ̃] m Advent.

aventure [avɑ̃'tyːr] f adventure; chance, luck; love affair; à l'~ at random; *dire la bonne* ~ tell fortunes; **aventurer** [avɑ̃ty're] (1a) *v/t.* venture, risk; s'~ venture, take a risk; **aventureux**, **-euse** [~'rø, ~'røːz] adventurous; hazardous; bold (*theory*); **aventurier**, **-ère** [~'rje, ~'rjɛːr] **1.** *adj.* adventurous; **2.** *su./m* adventurer; *su./f* adventuress.

avenue [av'ny] f avenue; drive.

avérer [ave're] (1f) *v/t.* establish; ⚖ aver; s'~ prove to be true.

avers [a'vɛːr] m *coin:* obverse.

averse [a'vɛrs] f shower, downpour.

aversion [aver'sjɔ̃] f aversion (to, *pour*), dislike (of, for *pour*).

avertir [aver'tiːr] (2a) *v/t.* warn (of, de); notify; **avertissement** [~tis'mɑ̃] m warning; notification; foreword; ✝ demand note; **avertisseur** [~ti'sœːr] m warner; warning signal; *thea.* call-boy; 📢 signal;

mot. horn; ~ *d'incendie* fire-alarm.

aveu [a'vø] m consent; ⚖ admission; confession; *homme* m *sans* ~ disreputable character.

aveugle [a'vœgl] **1.** *adj.* blind; ~ *d'un œil* blind in one eye; **2.** *su.* blind person; *en* ~ blindfold; *les* ~s *pl.* the blind; **aveuglément** [avœgle'mɑ̃] *adv.* of aveugle; **aveuglement** [~glə'mɑ̃] m blindness; **aveugle-né**, **e** [~glə'ne] **1.** *adj.* blind from birth; **2.** *su.* person blind from birth; **aveugler** [~'gle] (1a) *v/t.* blind; dazzle; ⚓ stop (*a leak*); **aveuglette** [~'glet] *adv.:* à l'~ blindly; ⚔ *voler à l'~* fly blind.

aveulir [avœ'liːr] (2a) *v/t.* make indifferent; deaden.

avez [a've] *2nd p. pl. pres.* of avoir 1.

aviateur m, **-trice** f [avja'tœːr, ~'tris] aviator; **aviation** [~'sjɔ̃] f aviation; flying; air force; aircraft; ~ *civile* civil aviation; ~ *de ligne* air traffic.

aviculteur [avikyl'tœːr] m bird-fancier; poultry farmer.

avide [a'vid] greedy, eager (for, de); **avidité** [avidi'te] f greediness; eagerness.

avilir [avi'liːr] (2a) *v/t.* degrade, debase; lower; s'~ lower o.s., demean o.s.; lose value, fall (*in price etc.*); **avilissement** [~lis'mɑ̃] m debasement, degradation, depreciation, fall (*in price etc.*).

aviné [avi'ne] intoxicated, drunk. F tipsy; **aviner** [~] (1a) *v/t.* season (*a cask*); s'~ get drunk.

avion [a'vjɔ̃] m aeroplane, *Am.* airplane; F plane; ~ à *réaction* jet (plane); ~ *bimoteur* (*polymoteur*) two- (multi-)engined aircraft; ~ *de bombardement* bomber; ~ *de chasse* fighter; ~ *de combat* battle plane; ~ *d'entraînement* training plane; ~ *de ligne* air-liner; ~ *de reconnaissance* scouting *or* reconnaissance plane; ~ *de transport* transport plane; ~-*fusée* rocket-plane; ~-*taxi* charter-plane; ~ *transbordeur* air-ferry; *par* ~ by air-mail; **avionnette** [avjɔ'net] f light aeroplane, *Am.* airplane.

aviron [avi'rɔ̃] m oar; rowing.

avis [a'vi] m opinion; notice, notification; advice; warning; à *mon* ~ in my opinion; *jusqu'à nouvel* ~ until further notice; *note* f d'~ advice note; *sans ~ préalable* without notice; ✝ *suivant ~* as per advice; *un ~* a piece of advice; **avisé, e** [avi'se] shrewd; prudent; sagacious; *bien ~* well-advised; **aviser** [~] (1a) *v/t.* catch sight of; notify; inform; advise; *s'~ de* think about (*s.th.*); take it into one's head to (*inf.*); *v/i.* consider; *~ à* see about (*s.th.*).

aviso ⚓ [avi'zo] *m* dispatch-boat; sloop.

avitaminose 𝒮 [avitami'no:z] *f* avitaminosis, vitamin deficiency.

aviver [avi've] *v/t.* revive, brighten; touch up (*a colour*); ⊕ put a keen edge on, sharpen; ⊕ burnish (*metal*); 𝒮 *~ les bords de* refresh (*a wound*).

avocat ⚖ [avɔ'ka] *m* barrister, counsel; *Am.* counsellor; *Sc.* advocate (*a. fig.*); *~ général* (*approx.*) King's *or* Queen's Counsel.

avoine [a'vwan] *f* oat(s *pl.*).

avoir [a'vwa:r] (1) **1.** *v/t.* have; obtain; hold; *~ en horreur* abhor, detest; *~ faim* (*soif*) be hungry (thirsty); *~ froid* (*chaud*) be cold (hot); *~ honte* be ashamed; *~ lieu* happen, take place; *en ~ assez* be fed up; *en ~ contre* have a grudge against; *j'ai vingt ans* I am 20 (years old); *qu'avez vous?* what's the matter with you?; *v/impers.*: *il y a* there is, there are; *il y a un an* a year ago; **2.** *su./m* property; possession; ✝ credit; *~ à l'étranger* deposits *pl.* abroad; *~ en banque* credit balance; *doit et ~* debit and credit.

avoisiner [avwazi'ne] (1a) *v/t.* adjoin; border on; be near to; *être bien avoisiné* live in a good neighbo(u)rhood; have good neighbo(u)rs.

avons [a'vɔ̃] *1st p. pl. pres. of avoir* 1.

avortement [avɔrtə'mɑ̃] *m* 𝒮 miscarriage (*a. fig.*); abortion; ♀ nonformation; **avorter** [~'te] (1a) *v/i.* miscarry (*a. fig.*); abort; ♀ develop imperfectly; *faire ~* procure an abortion; **avorton** [~'tɔ̃] *m* abortion; F shrimp, *sl.* little squirt.

avouable [a'vwabl] avowable; **avoué** [a'vwe] *m* solicitor; attorney; **avouer** [~] (1p) *v/t.* admit, acknowledge, confess; *s'~ coupable* plead guilty.

avril [a'vril] *m* April; *poisson m d'~* April fool.

axe [aks] *m* axis (*a. pol.*); ⊕ axle; ✂ *~ balisé* (localizer) beam; ⊕ *~ de pompe* pump spindle; *opt. ~ optique* axis of vision.

axiome ⚗, *phls.*, *fig.* [ak'sjo:m] *m* axiom.

axonge [ak'sɔ̃:ʒ] *f* lard; ✕ rifle grease.

ayant [ɛ'jɑ̃] *p.pr. of avoir* 1; *~ cause, pl. ~s cause* ⚖ *su./m* assign; executor; trustee; *~ droit, pl. ~s droit* ⚖ *su./m* rightful claimant; beneficiary; **ayons** [ɛ'jɔ̃] *1st p. pl. pres. sbj. of avoir* 1.

azalée ♀ [aza'le] *f* azalea.

azimut [azi'myt] *m* azimuth.

azotate 𝒮 [azɔ'tat] *m* nitrate; **azote** 𝒮 [a'zɔt] *m* nitrogen; **azoté, e** [azɔ'te] nitrogenous; *engrais m/pl. ~s* nitrate fertilizers; **azotite** 𝒮 [~'tit] *m* nitrite.

aztèque [az'tɛk] **1.** *adj.* Aztec; **2.** *su.* ♀ Aztec; *su./m sl.* little shrimp of a fellow.

azur [a'zy:r] *m* azure, blue; *pierre f d'~* lapis lazuli; blue-spar; **azuré, e** [azy're] azure, (sky-)blue.

azyme [a'zim] **1.** *adj.* unleavened; **2.** *su./m* unleavened bread.

B

B, b [be] *m* B, b.

baba[1] [ba'ba] *m* baba (*sponge-cake soaked in rum syrup*).

baba[2] F [~] *adj./inv.* flabbergasted.

babeurre [ba'bœ:r] *m* buttermilk.

babil [ba'bil] *m child:* prattle; *birds:* twittering; *brook:* babble; **babillage** [babi'ja:ʒ] *m child, brook:* babbling *birds:* twittering; **babil-**

lard, e [~'ja:r, ~'jard] **1.** *adj.* talkative, garrulous; babbling (*brook*); **2.** *su.* chatterer; *su./f sl.* newspaper; *sl.* letter; **babiller** [~'je] (1a) *v/i.* prattle; babble.

babine [ba'bin] *f zo.* pendulous lip; chop; F *~s pl.* lips, chops.

babiole [ba'bjɔl] *f* knick-knack, curio; toy, bauble.

bâbord ⚓ [baˈbɔːr] *m* port (side).
babouche [baˈbuʃ] *f* Turkish slipper.

babouin [baˈbwɛ̃] *m zo.* baboon; F imp (= *naughty child*).

bac[1] [bak] *m* ferry(-boat); ⊕ tank, vat; ⚡ *accumulator*: container; *passer q. en* ~ ferry s.o. over.

bac[2] F [bak] *m see baccalauréat*.
baccalauréat [bakalɔreˈa] *m* school-leaving certificate.

bacchanale F [bakaˈnal] *f* orgy; drinking song; **bacchante** [~ˈkɑ̃ːt] *f* bacchante; *fig.* lewd woman.

bâche [baːʃ] *f* ⊕ tank, cistern; ⊕ casing; ✗ forcing frame; sheet, cover; ~ *goudronnée* tarpaulin.

bachelier *m*, **-ère** *f* [baʃəˈlje, ~ˈljeːr] holder of the school-leaving certificate.

bâcher [baˈʃe] (1a) *v/t.* cover (*with a sheet*); ⊕ case (*a turbine*).

bachique [baˈʃik] Bacchic; bacchanalian (*scene*); drinking (*song*).

bachot[1] [baˈʃo] *m* ⚓ wherry, dinghy; ⊕ sieve.

bachot[2] F [baˈʃo] *m see baccalauréat*; *boîte f à* ~ cramming-shop, crammer's; **bachotage** F [~ʃɔˈtaːʒ] *m* cramming (*for an exam*).

bacille [baˈsil] *m* bacillus; *porteur m de* ~*s* germ-carrier.

bâcle [baːkl] *f* bar; **bâcler** [baˈkle] (1a) *v/t.* bar (*a door*); ⚓ block (*a port*); F hurry over (*one's toilet*); F scamp (*a piece of work*).

bactérie [bakteˈri] *f biol.* bacterium; *zo.* bacteria.

badaud *m*, **e** *f* [baˈdo, ~ˈdoːd] stroller; gaper; *Am.* F rubber-neck.

baderne ⚓ [baˈdern] *f* fender; *vieille* ~ old fog(e)y; ✗ old dug-out.

badigeon [badiˈʒɔ̃] *m* whitewash; distemper; **badigeonnage** [~ʒɔˈnaːʒ] *m* whitewashing; distempering; ✗ painting (*with iodine*); **badigeonner** [~ʒɔˈne] (1a) *v/t.* whitewash; distemper; daub; ✗ paint.

badin[1], **e** [baˈdɛ̃, ~ˈdin] **1.** *adj.* playful; **2.** *su.* joker, banterer.

badin[2] ✗ [baˈdɛ̃] *m* air-speed indicator.

badinage [badiˈnaːʒ] *m* banter.
badine [baˈdin] *f* cane, switch.
badiner [badiˈne] (1a) *v/i.* jest; toy (with, *avec*).

bafouer [baˈfwe] (1p) *v/t.* ridicule, scoff at; **bafouillage** [bafuˈjaːʒ] *m*

stammering; **bafouiller** [~ˈje] (1a) *v/i.* stammer; *sl.* talk nonsense; *mot.* splutter.

bâfrer *sl.* [bɑˈfre] (1a) *vt/i.* guzzle.

bagage [baˈgaːʒ] *m* luggage, *Am.* baggage; ✗ kit; *fig.* stock of knowledge; ~*s pl.* non *accompagnés* luggage *sg.* in advance; *plier* ~ pack up and leave; *sl.* decamp; *sl.* die.

bagarre [baˈgaːr] *f* scuffle; brawl; **bagarrer** [~gaˈre] (1a) *v/t.: se* ~ quarrel, fight.

bagatelle [bagaˈtel] *f* trifle, bagatelle; ~! nonsense!; F *pour une* ~ for a song.

bagne ⚡ [baɲ] *m* convict prison; penal servitude.

bagnole [baˈɲɔl] *f* ramshackle car; F motor car.

bagou(t) F [baˈgu] *m* glibness; *avoir du* ~ have the gift of the gab.

bague [bag] *f* ring; *cigar*: band; ⊕ strap; ⊕ ~ *d'arrêt* set collar; **baguenauder** F [~noˈde] (1a) *v/i.* loaf; waste time; **baguette** [baˈget] *f* stick, wand, rod; stick of bread; ♪ baton; △ beading; *writing paper*: black border; *stockings*: clock; ✗ ~ *d'or* wall-flower; *passer par les* ~*s* run the gauntlet; **baguier** [baˈgje] *m* ringcase; ring size ga(u)ge.

bahut [baˈy] *m* † trunk, chest; low sideboard; *sl.* school.

bai, e [be] *adj., a. su./m* bay.
baie[1] ♀ [~] *f* berry.
baie[2] *geog.* [~] *f* bay, bight.
baie[3] △ [~] *f* bay, opening.

baignade [beˈɲad] *f* bathe, dip; **baigner** [~ˈɲe] (1b) *v/t.* bathe; bath; se ~ bathe; take a bath; *v/i.* steep; *fig. baigné de larmes* suffused with tears (*eyes*); **baigneur, -euse** [~ˈɲœːr, ~ˈɲøːz] *su.* bather; bathing attendant; *su./f* bathing-wrap, *Am.* bathrobe; **baignoire** [~ˈɲwaːr] *f* bath(-tub); *thea.* ground-floor box.

bail, *pl.* **baux** [baːj, bo] *m* lease; ~ *à ferme* farming lease; *prendre à* ~ take a lease of, lease.

bâillement [bɑjˈmɑ̃] *m* yawn(ing); gaping; **bâiller** [bɑˈje] (1a) *v/i.* yawn; gape; stand ajar (*door*).

bailleur *m*, **-eresse** *f* [baˈjœːr, baˈjres] ⚡ lessor; ✝ ~ *de fonds* sleeping *or* silent partner.

bâilleur *m*, **-euse** *f* [bɑˈjœːr, ~ˈjøːz] yawner.

bailli † [ba'ji] *m* bailiff, magistrate; **bailliage** [~'ja:ʒ] *m* bailiwick; bailiff's court.

bâillon [ba'jɔ̃] *m* gag; *horse*: muzzle; **bâillonner** [~jɔ'ne] (1a) *v/t.* gag (*a. fig.*).

bain [bɛ̃] *m* bath; bathing; *sl.* être *dans le* ~ have got one's hand in; *sortie f de* ~ bath-wrap, *Am.* bathrobe; **~-douche**, *pl.* **~s-douches** [~'duʃ] *m* shower(-bath); **~-marie**, *pl.* **~s-marie** [~ma'ri] *m* ♏ waterbath; *cuis.* double saucepan, *Am.* double boiler.

baïonnette ✗ [bajɔ'nɛt] *f* bayonet.

baisemain [bɛz'mɛ̃] *m* hand-kissing; **baiser** [bɛ'ze] 1. *su./m* kiss; 2. (1b) *v/t.*: ~ *q. à la joue* kiss s.o.'s cheek; ~ *q. should not be used for* kiss s.o.; **baisoter** F [~zɔ'te] (1c) *v/t.* peck at.

baisse [bɛs] *f* fall (*a. prices*), going down; subsidence; *sight, prices*: decline; *tide*: ebb; *en* ~ falling (*stocks*); **baisser** [bɛ'se] (1b) *v/t. usu.* lower; turn down (*the light*); drop (*a curtain*); *se* ~ bend down; *v/i.* decline; fall; abate (*flood*); ebb (*tide*); burn low (*lamp*).

bajoue [ba'ʒu] *f*: ~*s pl.* cheeks, chaps, chops.

bakélite [bake'lit] *f* bakelite.

bal, *pl.* **bals** [bal] *m* ball; dance; **balade** F [ba'lad] *f* stroll; ramble; *faire une* ~ = **balader** F [bala'de] (1a) *v/t.*: *se* ~ (take a) stroll; **baladeur, -euse** [~'dœːr, ~'døːz] 1. *adj.* F wandering; 2. *su.* wanderer, saunterer; *su./m mot.* selector rod; *su./f* trailer (*of car, of tram*); streetbarrow; hand-cart; ✦ inspection-lamp.

baladin *m*, e *f* [bala'dɛ̃, ~'din] mountebank; F clown.

balafre [ba'lafr] *f* gash, slash; scar; **balafrer** [~la'fre] (1a) *v/t.* gash, slash; scar.

balai [ba'lɛ] *m* broom; brush; *mot.* windscreen-wiper: blade; ⊕, ✦ = *de charbon* carbon-brush; ~ *mécanique* carpet-sweeper; *mot.* ~ *rotatif* distributor arm, rotor arm; *rôtir le* ~ lead a fast life.

balance [ba'lɑ̃:s] *f* balance (*a.* ♏); scales *pl.*, weighing machine; ♏ balance; † hesitation; ♏ *de(s) paiements* balance of payments; ~ *romaine* steelyard; ♏ *faire la* ~

strike the (*fig. a.*) balance; *faire pencher la* ~ turn the scales; *astr. la* ♎ Libra, the Balance; **balancer** [balɑ̃'se] (1k) *v/t.* balance (*a.* ♏, *a. fig.*); swing, sway; *sl.* swindle (*s.o.*); *sl.* throw (*s.o.*) out; fire (*s.o.*); *sl.* throw (*s.th.*); *se* ~ seesaw, *Am.* teeter; *v/i. a. se* ~ swing; **balancier** [~'sje] *m* balancing pole; *mot. crank-shaft*: balancer; *watch*: balance-wheel; *clock*: pendulum; *pump*: handle; ⊕ *beam-engine*: beam; ⊕ fly(-press); **balançoire** [~'swaːr] *f* seesaw; swing; *fig.* nonsense, humbug; *sl.* hoax.

balayer [bale'je] (1i) *v/t.* sweep out or up; *fig.* clear out; scour (*the sea*); *telev.* scan; **balayette** [~'jɛt] *f* whisk; small brush; **balayeur, -euse** [~'jœːr, ~'jøːz] *su. person*: sweeper; *su./f machine*: sweeper; **balayures** [~'jyːr] *f/pl.* sweepings.

balbutiement [balbysi'mɑ̃] *m* stuttering, stammering; **balbutier** [~'sje] (1o) *v/i.* mumble; stammer; *v/t.* stutter out, stammer out.

balcon [bal'kɔ̃] *m* 🛆 balcony, *Am.* gallery; *thea.* dress circle; **balcon net** [~kɔ'nɛ] *m* strapless brassière.

baldaquin [balda'kɛ̃] *m* canopy, baldachin.

baleine [ba'lɛn] *f* whale(bone); **baleinier** [balɛ'nje] *m* whaler (*ship, a. man*); whaling; **baleinière** [~'njɛːr] *f* whale-boat; ~ *de sauvetage* lifeboat.

balisage [bali'zaːʒ] *m* ♩ beaconing; ✗ ground-lighting; signalling; beaconage.

balise[1] ♏ [ba'liːz] *f* canna seed.

balise[2] [ba'liːz] *f* ♩ beacon; ✗ ground-light; ~ *flottante* buoy; **baliser** [~li'ze] (1a) *v/t.* ♩ beacon; ♩ buoy; ✗ provide with ground-lights.

balistique [balis'tik] 1. *adj.* ballistic; 2. *su./f* ballistics *sg.*

baliverne F [bali'vɛrn] *f* idle story; ~*s pl.* nonsense *sg.*

ballade [ba'lad] *f* ballad.

ballant, e [ba'lɑ̃, ~'lɑ̃:t] 1. *adj.* dangling; swinging; slack (*rope*); 2. *su./m* swing.

ballast [ba'last] *m* ⊕ ballast; ♩ ballast-tank; **ballastière** [~las'tjɛːr] *f* gravel-pit.

balle[1] [bal] *f* ball; bullet, shot; ♏ *cotton*: bale; *pedlar*: pack; *sl.* head;

sl. franc; ~ *de service tennis:* service-ball.

balle² [~] *f* husk, chaff; ⚜ glume.

ballerine [bal'rin] *f* ballet-dancer, ballerina; **ballet** [ba'lɛ] *m* ballet.

ballon [ba'lɔ̃] *m* balloon (*a.* ⚘); (foot)ball; ⚘ flask; ⊕ carboy; ⚓ ball-signal; *sl.* prison; *fig.* ~ *d'essai* feeler; ~-*sonde* test *or* sounding balloon; **ballonnement** [~bɔn'mã] *m* swelling; ⚕ distension; ⚕ flatulence; **ballonner** [~bɔ'ne] (1a) *vt/i.* swell; bulge.

ballot [ba'lo] *m* pack, bundle; F idiot, chump; **ballottage** [balɔ-'ta:ʒ] *m* tossing; shaking; *pol.* second ballot; **ballotter** [~'te] (1a) *v/t.* toss; *pol.* subject (*s.o.*) to a second ballot; *sl.* deceive; *v/i.* shake; toss; rattle (*door*).

bal(l)uchon F [baly'ʃɔ̃] *m* bundle.

balnéaire [balne'ɛːr] bath...; watering-...; *station f* ~ watering-place; seaside resort.

balourd, e [ba'luːr, ~'lurd] **1.** *adj.* awkward; **2.** *su.* awkward person; yokel; *su./m* ⊕ unbalance; unbalanced weight; **balourdise** [~lur-'diːz] *f* awkwardness; F bloomer, stupid mistake.

baltique [bal'tik] **1.** *adj.* Baltic; **2.** *su./f: la* (mer) ♀ *the* Baltic (Sea).

balustrade [balys'trad] *f* balustrade; banister; (hand-)rail; **balustre** [~'lystr] *m* baluster; banister.

bambin *m*, **e** *f* F [bã'bɛ̃, ~'bin] little child; kid; youngster.

bamboche [bã'bɔʃ] *f* puppet; F spree; *faire* ~ go on the spree; *il est* ~ he's a bit merry; **bambocher** F [bãbɔ'ʃe] (1a) *v/i.* go on the spree; **bambocheur** *m*, **-euse** *f* F [~'ʃœːr, ~'ʃøːz] reveller.

bambou [bã'bu] *m* bamboo(-cane).

ban [bã] *m* proclamation; drum roll; F applause; *mettre au* ~ banish; F send to Coventry; *publier les* ~*s* put up *or* publish the bans.

banal, e, *m/pl.* **-als** *fig.* [ba'nal] commonplace, banal; vulgar; **banaliser** [~nali'ze] (1a) *v/t.* popularize; vulgarize.

banane [ba'nan] *f* ♀ banana; *sl.* decoration, medal; **bananier** [~na-'nje] *m* banana-tree.

banc [bã] *m* bench (*a.* ⊕); form, seat; *eccl.* pew; *lathe, oysters, stone:*

bed; *sand, mud:* bank; *sand, coral:* shoal; (witness-)box; *fish:* school, shoal; ⊕ ~ *d'épreuve* testing stand, bench.

bancal, e, *m/pl.* **-als** [bã'kal] **1.** *adj.* bandy(-legged); unsteady, rickety; **2.** *su.* bandy-legged person; *su./m* F light cavalry sword.

bandage [bã'da:ʒ] *m* ⚕ bandaging; bandage; *mot.* tyre, *Am.* tire; ⊕ *spring:* winding up; ⚕ ~ *herniaire* truss.

bande¹ [bã:d] *f* band, strip; stripe; stretch (*of land*); ⚕ bandage; strap; ⊕ *spring:* compression; *cin.* reel; *post:* wrapper; ⚒ list; ~ *magnétique* recording tape; ~ *molletière* puttee; ⊕ ~ *transporteuse* conveyor belt; ⚓ *donner de la* ~ have *or* take a list; *sous* ~ *post:* by post.

bande² [~] *f* band, gang; party; flock; pack.

bandeau [bã'do] *m* headband; diadem; bandage; **bandelette** [bãd-'let] *f* strip; **bander** [bã'de] (1a) *v/t.* bandage, bind up; wind up, tighten; ⚙ key in; *fig.* ~ *les yeux de* blindfold (*s.o.*); *v/i.* be tight; **banderole** [~'drɔl] *f* streamer; pennant; ⚔ *rifle:* sling; *cartoon:* balloon. F ruffian.\

bandit [bã'di] *m* bandit, brigand;\

bandoulière [bãdu'ljɛːr] *f* shoulder-strap; *en* ~ slung over the shoulder.

banjo ♩ [bã'ʒo] *m* banjo.

banlieue [bã'ljø] *f* suburbs *pl.*, outskirts *pl.*; *de* ~ suburban; **banlieusard** *m*, **e** *f* F [~ljø'za:r, ~'zard] suburbanite.

banne [ban] *f* hamper; coal cart; awning; tarpaulin; ⚒ tub, skip; ⚓ *dredger:* bucket; **bannette** [ba-'net] *f* small hamper.

banni, e [ba'ni] **1.** *adj.* banished; **2.** *su.* outcast; outlaw; exile.

bannière [ba'njɛːr] *f* banner; F *être en* ~ be in shirt-tails.

bannir [ba'niːr] (2a) *v/t.* outlaw; exile (from, *de*).

banque [bã:k] *f* bank; banking; ~ *du sang* blood bank; ~ *par actions* joint-stock bank; *faire sauter la* ~ break the bank; **banqueroute** ✝ [bã'krut] *f* bankruptcy; failure; *faire* ~ go bankrupt.

banquet [bã'kɛ] *m* banquet, feast.

banquette [bã'ket] *f* bench, seat; *earth:* bank; *golf:* bunker.

banquier *m*, **-ère** *f* [bã'kje, ~'kjɛːr] banker. [ice.]

banquise [bã'kiːz] *f* ice-floe; pack-

baptême [ba'tɛːm] *m* baptism, christening; *nom m* de ~ Christian name, *Am.* given name; **baptiser** [bati'ze] (1a) *v/t.* baptize, christen; *F fig.* water (down) (*the wine*); **baptismal, e**, *m/pl.* **-aux** [batis'mal, ~'mo], **baptistaire** [~'tɛːr] baptismal; *extrait m baptistaire* certificate of baptism.

baquet [ba'kɛ] *m* tub, bucket; *mot.* bucket-seat; ⚡ cockpit.

bar[1] [baːr] *m* (public) bar; *au* ~ in the pub.

bar[2] *icht.* [~] *m* bass; perch.

bar[3] *phys.* [~] *m* bar.

baragouin F [bara'gwɛ̃] *m* gibberish; lingo; **baragouiner** F [~gwi-'ne] (1a) *vt/i.* jabber, gibber.

baraque [ba'rak] *f* hut, shed; F hovel; **baraquement** [~rak'mã] *m*: ✗ ~s *pl.* hutments; **baraquer** ✗ [~ra'ke] (1m) *vt/i.* hut.

baraterie ⚓ [bara'tri] *f* barratry.

barattage [bara'taːʒ] *m* churning; **baratte** [~'rat] *f* churn; **baratter** [~ra'te] (1a) *v/t.* churn.

barbacane [barba'kan] *f* ⊕ draining channel; weep-hole; 🏛 barbican; ✗ loop-hole.

barbare [bar'baːr] **1.** *adj.* barbaric; barbarous; uncivilized; **2.** *su./m* barbarian.

barbaresque [barba'rɛsk] *adj., a. su./m* Berber.

barbarie [barba'ri] *f* barbarism; barbarity, cruelty; **barbarisme** *gramm.* [~'rism] *m* barbarism.

barbe[1] [barb] *f* beard (*a.* ♀); whiskers (*pl.*); mould, mildew; ⊕ burr; F bore, nuisance; *se faire faire la* ~ get o.s. shaved; (*se*) *faire la* ~ shave.

barbe[2] [~] *m* barb, Barbary horse.

barbeau [bar'bo] *m icht.* barbel; ♀ cornflower; *icht.* ~ de mer red mullet; *bleu* ~ cornflower blue; **barbelé, e** [~bə'le] **1.** *adj.* barbed; *fil m de fer* ~ barbed wire; **2.** *su./m* ~s *pl.* barbed wire entanglement *sg.*

barber *sl.* [bar'be] (1a) *v/t.* bore.

barbet, -ette [bar'bɛ, ~'bɛt] *su.* water-spaniel; *su./m icht.* barbel.

barbiche [bar'biʃ] *f* goatee; short beard.

barbier [bar'bje] *m* barber; **barbifier** F [~bi'fje] (1o) *v/t.* shave; **barbon** [~'bõ] *m* greybeard.

barbotage [barbo'taːʒ] *m* paddling, splashing; ⊕ splash; *gas:* bubbling; mess, mud; bran mash; *sl.* filching; *st.* mumbling; **barboter** [~'te] (1a) *v/i.* paddle, splash (about); bubble (*gas*); *v/t.* mumble; *sl.* filch; *sl.* scrounge; **barboteur, -euse** [~-'tœːr, ~'tøːz] *su.* paddler; *sl.* scrounger; *su./m* ⊕ bubbler; ⊕ stirrer; *su./f* rompers *pl.*; washing machine.

barbouillage [barbu'jaːʒ] *m* daubing; scrawl(ing), scribble; **barbouiller** [~'je] (1a) *v/t.* daub; smear (with, *de*); sully; scribble, scrawl; *fig.* botch; *se* ~ dirty one's face; **barbouilleur** *m*, **-euse** *f* F [~'jœːr, ~'jøːz] dauber; hack.

barbu, e [bar'by] bearded (*a.* ♀); mouldy.

barbue *icht.* [~] *f* brill.

barcasse ⚓ [bar'kas] *f* launch; F old tub.

barda ✗ *sl.* [bar'da] *m* pack, kit.

bardane ♀ [bar'dan] *f* burdock.

barde[1] [bard] *m* bard.

barde[2] [~] *f* pack-saddle; *cuis.* slice of bacon, bard.

bardeau[1] [bar'do] *m* 🏛 shingle (-board), *Am.* clapboard; lath; small raft.

bardeau[2] [~] *m* hinny.

barder[1] [bar'de] (1a) *v/t.* carry away (on a hand-barrow); *v/i.* rage (*storm etc.*); *sl.* work hard; *sl. ça va* ~ it's hard *or* tough going.

barder[2] [~] (1a) *v/t.* ✗ † arm with bards; *cuis.* bard (*with bacon*).

bardot [bar'do] *m* hinny; packmule.

barème [ba'rɛm] *m* ready reckoner; scale; *taxes, prices:* schedule; graph.

barguigner F [bargi'ɲe] (1a) *v/i.* hum and haw.

baril [ba'ri] *m* cask(ful); **barillet** [~ri'jɛ] *m* keg; *revolver:* cylinder; ⊕ barrel; *anat.* middle-ear.

bariolage [barjɔ'laːʒ] *m* motley; gaudy colo(u)r scheme; **barioler** [~'le] (1a) *v/t.* variegate; paint in gaudy colo(u)rs.

barman, *pl. a.* **-men** [bar'man, ~'mɛn] *m* barman.

baromètre [barɔ'mɛtr] *m* barometer; F (weather-)glass.

baron [ba'rɔ̃] *m* baron; **baronne**
[~'rɔn] *f* baroness.

baroque [ba'rɔk] **1.** *adj.* quaint;
odd; baroque; **2.** *su./m* ⚕ *etc.*
baroque.

barque ⚓ [bark] *f* barge, boat.

barrage [ba'ra:ʒ] *m* barring, closing; dam(ming); *fig.* obstruction;
⊕ barrage (*a.* ✕), weir; ⚓ harbour:
boom; ✝ *chèque*: crossing; ✕ *tir m
de* ~ curtain-fire.

barre [ba:r] *f* bar (*a.* 𝄞); ⊕ rod;
gold: ingot; ⚓ helm; stroke (*of
the pen*); *tex.* stripe; ♪ bar(-line);
(tidal) bore; *sp.* ~*s pl.* **parallèles**
parallel bars; *sp.* ~ **fixe** horizontal
bar; *mot.* ~ *de connexion* tie-rod;
𝄞𝄞 ~ *des témoins* witness-box; ♪ ~
omnibus (*collectrice*) omnibus-bar;

barreau [ba'ro] *m* bar (*a.* 𝄞𝄞);
rail; *ladder*: rung; fire-bar; être
reçu au ~ be called to the bar, *Am.*
pass the bar.

barrer [ba're] (1a) *v/t.* bar; secure
with a bar; block (up); dam (*a
stream*); close (*a road*); cross out
(*a word*); ⚓ steer; ✝ cross (*a
chèque*); *route f barrée* no thoroughfare; *sl.* se ~ skedaddle, make off.

barrette¹ *eccl.* [ba'rɛt] *f* biretta;
cardinal's cap.

barrette² [~] *f* small bar; ♪ connecting strip; hair-slide.

barreur ⚓ [ba'rœ:r] *m* helmsman,
cox.

barricader [barika'de] (1a) *v/t.*
barricade; **barrière** [~'rjɛ:r] *f* barrier (*a.* ▦, *a. fig.*); obstacle; *castle*,
▦ level-crossing, *town*: gate; turn-
pike; *sp.* starting-post.

barrique [ba'rik] *f* hogshead, cask,
butt.

barrir [ba'ri:r] (2a) *v/i.* trumpet
(*elephant*).

bartavelle *orn.* [barta'vɛl] *f* rock
partridge.

bas, basse [ba, ba:s] **1.** *adj. usu.*
low (*a. fig.*); mean; lower; *basse
fréquence radio:* low frequency; *au
~ mot* at the lowest estimate; *à voix
basse* in a low voice; under one's
breath; *chapeau* ~ hat in hand;
chapeaux ~! hats off!; *en* ~ *âge* of
tender years; *les classes f/pl.* ~*ses*
the lower classes; *prix m* ~ low price(s
pl.); **2.** *su./m* lower part; bottom;
stocking; *fig.* low state; **3.** *bas adv.*
low (down); *ici-*~ here below; *là-*~

down there; over there; *à* ~ ...!
down with ...!; *en* ~ (down) below.

basalte *geol.* [ba'zalt] *m* basalt.

basane [ba'zan] *f* sheepskin, basil;
basaner F [~za'ne] (1a) *v/t. a.* se
~ tan.

basculant, e [basky'lɑ̃, ~'lɑ̃:t] rock-
ing, tilting; *pont m* ~ drawbridge;
siège m ~ tip-up seat; **bascule**
[~'kyl] *f* weighing machine; seesaw; *cheval m à* ~ rocking-horse;
weigh-bridge; *wagon m à* ~ tip-
waggon, *Am.* dump-cart; **basculer** [~ky'le] (1a) *vt/i.* rock; seesaw,
Am. teeter; tip (up); *fig.* fluctuate;
v/t. mot. dip (*the head-lights*); F
topple over; **basculeur** [~ky'lœ:r]
m rocker; ⊕ rocking-lever; *mot.*
dipper.

base [ba:z] *f* base (*a.* ✎, ♣); *surv.*
base(-line); bottom; ⊕ bedplate;
fig. basis, foundation; ~ *aérienne*
air-base; ~ *de lancement* rocket
launching site; ~ *d'entente* working
basis; *sans* ~ unfounded; **baser**
[ba'ze] (1a) *v/t.* base, found (on,
sur); se ~ *sur* be grounded on.

bas-fond [ba'fɔ̃] *m* low ground; *fig.*
underworld; ⚓ shallows *pl.*

basilic [bazi'lik] *m* ♣ basil; *myth.,
a. zo.* basilisk.

basique ✎ [ba'zik] basic.

basket(-ball) *sp.* [baskɛt('bɔ:l)] *m*
basket-ball.

basque¹ [bask] *f* skirt (*of a garment*).

Basque² [~] *su.: tambour m de* ~
tambourine.

basse [ba:s] *f* ♪ part, singer, voice:
bass; ⚓ sandbank, shoal; ⚓ reef;
~-**contre,** *pl.* ~**s-contre** ♪ [bas-
'kɔ̃:tr] *f* deep bass; ~-**cour,** *pl.* ~**s-
cours** [~'ku:r] *f* farm-yard; ~-**courier, -ère** [~ku'rje, ~'rjɛ:r] *su.*
farm-hand; *su./m* poultry-boy;
su./f poultry-maid; ~-**fosse,** *pl.*
~**s-fosses** [~'fo:s] *f* dungeon; **bassement** [~'mɑ̃] *adv.* basely, meanly; **bassesse** [ba'sɛs] *f* baseness;
lowness; low deed, mean action.

basset *zo.* [ba'sɛ] *m* basset hound.

basse-taille, *pl.* **basses-tailles** [bas-
'ta:j] *f voice:* bass-baritone.

bassin [ba'sɛ̃] *m* basin (*a. geog.*);
artificial lake; ⊕ tank; ⚓ dock;
anat. pelvis; *sl.* bore; ⚓ ~ *de carénage* careening basin; ~ *de radoub*
dry dock; ~ *de retenue* reservoir;
⚓ *faire entrer au* ~ dock; **bassine**

[∼'sin] *f* pan; ∼ *à confitures* preserving pan; **bassiner** [basi'ne] (1a) *v/t.* bathe (*a wound*); ✗ spray; warm (*a bed*); *sl.* bore; *sl.* annoy; **bassinoire** [∼'nwa:r] *f* warming-pan; *sl.* bore; *sl.* large watch.

basson ♪ [ba'sõ] *m* bassoon; *person*: bassoonist.

baste! [bast] *int.* enough of that!; nonsense!; ♣ hold hard!

bastille ✗ [bas'ti:j] *f* small fortress.

bastingage ♣ [bastɛ̃'ga:ʒ] *m* bulwarks *pl.*; rails *pl.*

bastion ✗, *fig.* [bas'tjõ] *m* bastion; stronghold, bulwark.

bastonnade [bastɔ'nad] *f* bastinado; † flogging.

bastringue *sl.* [bas'trɛ̃:g] *m* low dancing-hall; shindy; paraphernalia.

bas-ventre [ba'vɑ̃:tr] *m* lower part of the abdomen.

bât [ba] *m* pack-saddle; *cheval m de* ∼ pack-horse.

bataille [ba'tɑ:j] *f* battle (*a. fig.*); *ordre m de* ∼ battle formation *or* order; **batailler** [bata'je] (1a) *v/i.* (*contre*) struggle (with), fight (against); **batailleur, -euse** [∼'jœ:r, ∼'jø:z] **1.** *adj.* quarrelsome; **2.** *su.* fighter; **bataillon** ✗, *a. fig.* [bata'jõ] *m* battalion; *chef m de* ∼ major.

bâtard, e [ba'ta:r, ∼'tard] **1.** *adj.* bastard; *fig.* degenerate; **2.** *su.* bastard; *animal*: mongrel.

batardeau [batar'do] *m* ▲ batardeau; ⊕ coffer-dam.

bateau [ba'to] *m* boat, ship; *sl.* ∼*x pl.* beetle-crushers; ∼ *à vapeur* steamer; ∼ *de sauvetage* lifeboat; F *monter un* ∼ *à q.* pull s.o.'s leg; ∼**-citerne,** *pl.* ∼**x-citernes** ♣ [batosi'tern] *m* tanker; ∼**-feu,** *pl.* ∼**x-feux** ♣ [∼'fø] *m* lightship; ∼**-mouche,** *pl.* ∼**x-mouches** [∼'muʃ] *m* small passenger steamer; ∼**-phare,** *pl.* ∼**x-phares** ♣ [∼'fa:r] *m* lightship; ∼**-pilote,** *pl.* ∼**x-pilotes** ♣ [∼pi'lɔt] *m* pilot boat; ∼**-pompe,** *pl.* ∼**x-pompes** ♣ [∼'põ:p] *m* fire-boat.

batelage ♣ [ba'tla:ʒ] *m* lighterage.

bateleur *m,* **-euse** *f* [ba'tlœ:r, ∼'tlø:z] knock-about comedian; juggler.

batelier [batə'lje] *m* boatman; ferry-man; ∼ *de chaland* bargee; **batelière** [∼'lje:r] *f* boatwoman; ferry-woman; **batellerie** [batɛl'ri] *f* lighterage; inland water transport; ∼ *fluviale* river fleet.

bâter [ba'te] (1a) *v/t.* saddle (*a pack-horse etc.*); F *ç'est un âne bâté* he is a complete fool.

bath *sl.* [bat] *adj./inv.* super, posh, fab.

bâti [ba'ti] *m* ▲ frame(-work); *mot.* body; *typ. press*: bed.

batifoler F [batifɔ'le] (1a) *v/i.* frolic; cuddle (s.o., *avec q.*).

bâtiment [bati'mɑ̃] *m* building, edifice; ♣ vessel.

bâtir[1] [ba'ti:r] (2a) *v/t.* build, erect; ∼ *un terrain* build on a site; *terrain m à* ∼ building site.

bâtir[2] [∼] (2a) *v/t.* baste, tack.

bâtisse [ba'tis] *f* masonry; F house, building.

batiste *tex.* [ba'tist] *f* cambric.

bâton [ba'tõ] *m* stick; staff; truncheon; wand of office; ∼ *de rouge à lèvres* lipstick; ♀ ∼ *d'or* wallflower; ∼ *ferré* alpenstock; *à* ∼*s rompus* by fits and starts; **bâtonner** [batɔ'ne] (1a) *v/t.* beat; **bâtonnier** ⚖ *hist.* [∼'nje] *m* president of the corporation of barristers attached to a French court.

bats [ba] *1st p. sg. pres. of battre;* **battage** [ba'ta:ʒ] *m* beating; *butter*: churning; *corn*: threshing; ✗ field of fire; ⊕ ramming; *sl.* boosting; **battant, e** [∼'tã, ∼'tã:t] **1.** *adj.* banging; pelting (*rain*); *porte f* ∼*e* swing-door; folding-door; *tambour* ∼ with drums beating; **F** *tout* ∼ *neuf* brand-new; **2.** *su./m door*: leaf; *bell*: clapper; **batte** [bat] *f* beater; beating; beetle, rammer; *cricket*: bat; **battement** [∼'mã] *m* beating; clapping; palpitation; pulsation, up and down movement; **batterie** [ba'tri] *f* ✗, ✗ battery; *drum*: beat, roll; ♪ percussion; scuffle; ⊕ ∼ *de chaudières* battery of boilers; ∼ *de cuisine* kitchen utensils *pl.*; **batteur** [∼'tœ:r] *m* beater; *sp. cricket*: batsman, baseball: catcher; F ∼ *de pavé* loafer; ∼ *de pieux* pile driver; **batteuse** ✗, ⊕ [∼'tø:z] *f* thresher; **battoir** [∼'twa:r] *m* (linen) beetle; bat (*a. sp.*).

battre [batr] (4a) *v/t.* beat, strike; thrash; thresh; mint (*money*); defeat; scour (*the countryside*); shuffle (*cards*); ∼ *q. en brèche* disparage

s.o., run s.o. down; se ~ fight; v/i.
throb; clap; bang; **battu, e** [ba'ty]
1. p.p. of battre; **2.** su./f beat;
admin. round-up; ⚓ ~ en mer
scouting cruise.

baudet [bo'dɛ] m donkey; ass (a.
fig.).

bauge [bo:ʒ] f lair (of wild boar);
fig. pigsty; tex. coarse drugget; △
clay and straw mortar.

baume [bo:m] m balsam; balm
(a. fig.).

bauxite ⚒ [bok'sit] f bauxite.

bavard, e [ba'va:r, ~'vard] **1.** adj.
garrulous, talkative; **2.** su. chatterbox; gossip; F bore; **bavardage**
[bavar'da:ʒ] m gossip; chatter;
bavarder [~'de] (1a) v/i. gossip;
chatter; tell tales.

bave [ba:v] f dribble; slobber; froth,
foam; fig. venom; **baver** [ba've]
(1a) v/i. dribble, slobber; run (pen);
🐛 ooze; F talk drivel; F ~ sur cast
a slur on.

bavette [ba'vɛt] f bib; tailler une ~
avec (have a) gossip with; **baveux,
-euse** [~'vø, ~'vø:z] slobbery
(mouth); runny, wet; typ. blurred.

bavure [ba'vy:r] f ⊕ burr; ⊕ seam;
writing: smudge.

bazar [ba'za:r] m bazaar; bargain
stores; sl. tout le ~ the lot, the
whole caboodle; **bazarder** sl.
[~zar'de] (1a) v/t. sell off; get rid of.

béant, e [be'ã, ~'ã:t] gaping, yawn-
ing, wide open.

béat, e [be'a, ~'at] **1.** adj. smug,
complacent; **2.** su. smug or complacent person; **béatifier** eccl.
[beati'fje] (1o) v/t. beatify; **béatitude** [~'tyd] f bliss, beatitude;
complacency.

beatnik F [bit'nik] m beatnik.

beau (adj. before vowel or h mute
bel) m, **belle** f, m/pl. **beaux** [bo,
bɛl, bo] **1.** adj. beautiful; handsome; fair; smart, fashionable;
elegant; noble; good, fine (weather);
au ~ milieu de right in the middle
of; avoir ~ (inf.) (inf.) in vain; il
fait ~ (temps) it is fine; le ~ sexe
the fair sex; **2.** su./m hist. beau; fine
(weather); le ~ the beautiful; faire
le ~ swagger; beg (dog); su./f
beauty; sp. deciding game; cards:
rubber game; la Belle au bois dormant (the) Sleeping Beauty.

beaucoup [bo'ku] adv. much, a

great deal; many; F à ~ près by a
long chalk; de ~ by far.

beau-fils, pl. **beaux-fils** [bo'fis] m
stepson; son-in-law; **beau-frère,**
pl. **beaux-frères** [~'frɛ:r] m broth-
er-in-law; **beau-père,** pl. **beaux-
pères** [~'pɛ:r] m father-in-law;
stepfather.

beaupré ⚓ [bo'pre] m bowsprit.

beauté [bo'te] f beauty; fig. belle,
beauty.

beaux-arts [bo'za:r] m/pl. fine arts;
beaux-parents [~pa'rã] m/pl. pa-
rents-in-law.

bébé [be'be] m baby; doll.

bec [bɛk] m bird: beak, bill; ⊕ tool:
nose; ⊕ nozzle; spout; ♪ mouthpiece; pen: nib; F mouth, nose; ⊕
~ d'âne mortise-chisel; ~ de gaz
gas burner, F lamp-post.

bécane F [be'kan] f bike, bicycle.

bécarre ♪ [be'ka:r] m natural (sign).

bécasse orn. [be'kas] f woodcock.

bec-de-cane, pl. **becs-de-cane**
[bɛkdə'kan] m spring lock; slide-
bolt; lever handle; ⊕ flat-nosed
pliers pl.; **bec-de-lièvre,** pl. **becs-
de-lièvre** [~'ljɛ:vr] m harelip.

bêchage [be'ʃa:ʒ] m digging; F dis-
paragement.

béchamel cuis. [beʃa'mɛl] f becha-
mel.

bêche [bɛʃ] f spade.

bêche-de-mer, pl. **bêches-de-
mer** [bɛʃdə'mɛ:r] m bêche-de-mer;
gramm. beach-la-mar.

bêcher [be'ʃe] (1a) v/t. dig; F disparage; **bêchoir** ⚒ [~'ʃwa:r] m
broad hoe.

bécot [be'ko] m orn. small snipe; F
peck (= little kiss); **bécoter** F
[beko'te] (1a) v/t. give (s.o.) a peck.

becqueter [bɛk'te] (1c) v/t. peck
at; pick up; sl. eat; F kiss.

bedaine F [bə'dɛn] f belly; paunch.

bedeau eccl. [bə'do] m verger,
beadle.

bedon F [bə'dõ] m paunch; **bedon-
ner** F [~dɔ'ne] (1a) v/i. grow
paunchy, acquire a corporation.

bée [be] adj./f: bouche f ~ gaping,
open-mouthed.

beffroi [be'frwa] m belfry; ⊕
dredge: gantry.

bégayer [begɛ'je] (1i) v/i. stammer;
v/t. stammer out.

bègue [bɛg] **1.** adj. stuttering, stammering; **2.** su. stutterer, stammerer.

bégueter [beg'te] (1d) *v/i.* bleat (*goat*).

béguin [be'gɛ̃] *m* hood; baby's bonnet; F infatuation; *person*: love; **béguine** [ˌ'gin] *f eccl.* beguine; F very devout woman.

beige [bɛːʒ] **1.** *adj.* beige; **2.** *su./f* unbleached serge.

beigne *sl.* [bɛɲ] *f* blow; bruise.

beignet *cuis.* [bɛ'ɲɛ] *m* fritter; doughnut.

béjaune [be'ʒoːn] *m orn.* nestling; *univ.* freshman; F greenhorn, novice.

bel [bɛl] *see* beau; ~ **esprit** *m person*: wit; ~ **et bien** well and truly, genuinely; **le ~ âge** youth; **un ~ âge** a ripe old age.

bêlement [bɛl'mã] *m* bleating; **bêler** [bɛ'le] (1a) *v/i.* bleat (*sheep*).

belette *zo.* [bə'lɛt] weasel.

belge [bɛlʒ] *adj., a. su.* ♀ Belgian; **Belgique** [bɛl'ʒik] *f*: *sl.* **filer en ~ bolt** (*financier*).

bélier [be'lje] *m zo.* ram (*a.* ⊕), *Am.* buck; ✕ *hist.* battering ram; *astr.* **le** ♀ Aries, the Ram.

belinogramme [bəlinɔ'gram] *m* telephotograph.

bélître † [be'litr] *m* cad, knave.

bellâtre [bɛ'laːtr] **1.** *adj.* foppish; **2.** *su./m* fop.

belle [bɛl] *see* beau 1; **à la ~ étoile** in the open; **de plus ~** more than ever; *iro.* **en faire de ~s** be up to s. th. pretty; **l'échapper ~** have a narrow escape; **~-dame,** *pl.* **~s-dames** [ˌ'dam] *f* ♀ deadly nightshade; *zo.* painted lady; **~-fille,** *pl.* **~s-filles** [ˌ'fiːj] *f* stepdaughter; daughter-in-law; **~-mère,** *pl.* **~s-mères** [ˌ'mɛːr] stepmother; mother-in-law; **~s-lettres** [ˌ'lɛtr] *f/pl.* belles-lettres, humanities; **~-sœur,** *pl.* **~s-sœurs** [ˌ'sœːr] *f* sister-in-law.

bellicisme [bɛlli'sism] *m* warmongering; **belligérant, e** [ˌʒe'rã, ~'rãːt] *adj., a. su./m* belligerent; **belliqueux, -euse** [ˌ'kø, ~'køːz] bellicose, warlike.

bellot, -otte F [bɛ'lo, ~'lɔt] dandified; pretty(-pretty).

belote [bə'lɔt] *f cards*: sort of pinocle.

belvédère [bɛlve'dɛːr] *m* belvedere; summer-house; vantage-point.

bémol ♪ [be'mɔl] *m* flat.

bénédicité [benedisi'te] *m* grace (before a meal); **bénédiction** [ˌdik'sjɔ̃] *f* blessing.

bénéfice [bene'fis] *m* ⊹ profit, gain; benefit; *eccl.* living; **bénéficiaire** [ˌfi'sjɛːr] *m* ⊹ payee; *⚹*, *eccl., etc.* beneficiary; **bénéficier** [ˌfi'sje] (1o) *v/i.* profit, benefit (by, *de*); make a profit (on, *sur*).

benêt [bə'nɛ] **1.** *adj./m* stupid, silly; **2.** *su./m* simpleton.

bénévole [bene'vɔl] benevolent; gratuitous, unpaid; voluntary.

bénignité [beniɲi'te] *f* kindness; mildness (*a.* ✻); **bénin, -igne** [be'nɛ̃, ~'niɲ] kind, benign; mild (*a.* ✻).

bénir [be'niːr] (2a) *v/t.* bless; *eccl. a.* consecrate; **bénit, e** [ˌ'ni, ~'nit] blessed; consecrated; *eccl.* **eau** *f* **~e** holy water; **bénitier** *eccl.* [ˌni'tje] *m* holy-water basin.

benne [bɛn] *f* hamper; *dredger*: bucket; ✕ tub, skip; ✕ cage; *telpherway*: bucket seat; ⊕ **~ preneuse** (mechanical) grab; clam-shell bucket; ⊕ (*camion m à*) **~ basculante** tipping waggon.

benzine [bɛ̃'zin] *f* benzine; **benzol** ⚛ [ˌ'zɔl] *m* benzol.

béquille [be'kiːj] *f* crutch; *bicycle*: stand; ⚓ shore, prop; ✈ tail-skid; **béquiller** [ˌki'je] (1a) *v/i.* walk on crutches; *v/t.* ⚓ shore up.

bercail [bɛr'kaːj] *m/sg.* sheepfold; *eccl.* fold.

berceau [bɛr'so] *m* cradle (*a. fig., a.* △); ⊕ bed; ♪ bower, arbo(u)r; **bercer** [ˌ'se] (1k) *v/t.* rock; lull; soothe; delude (with promises, *de promesses*); **berceuse** [ˌ'søːz] *f* cradle; rocking-chair; ♪ lullaby.

béret [be'rɛ] *m* (~ *de Basque*) beret; **~ écossais** tam-o'-shanter.

berge [bɛrʒ] *f river, ditch*: bank; *mountain*: flank; ✕ rampart.

berger [bɛr'ʒe] *m* shepherd (*a. fig.*); **bergère** [ˌ'ʒɛːr] *f* shepherdess; easy chair; *orn.* wagtail; **bergerie** [ˌʒə'ri] *f* sheep-pen; *paint., prosody*: pastoral; **bergeronnette** *orn.* [ˌʒərɔ'nɛt] *f* wagtail.

berline [bɛr'lin] *f coach*: Berlin; *mot.* limousine; ✕ truck, tram.

berlue [bɛr'ly] *f* ✻ false vision; *fig.* **avoir la ~** get things all wrong.

berne ⚓ [bɛrn] *f*: **en ~** at half-mast.

berner [bɛr'ne] (1a) *v/t.* laugh at, chaff; hoax.   [doing!]

bernique[1]! *sl.* [bɛr'nik] *int.* nothing!

bernique² orn. [~] f limpet.

besace [bə'zas] f † double sack; fig. être réduit à la ~ be reduced to beggary.

bésef sl. [be'zɛf] see bezef.

besicles iro. [bə'zikl] f/pl. glasses, spectacles.

besogne [bə'zɔɲ] f work, task, job; aimer ~ faite be work-shy; **besogneux, -euse** [~zɔ'ɲø, ~'ɲø:z] needy, F hard-up.

besoin [bə'zwɛ̃] m need, want; poverty; au ~ in case of need; when required; avoir ~ de need; est-il ~? is it necessary?; faire ses ~s relieve nature.

bestial, e, m/pl. **-aux** [bɛs'tjal, ~'tjo] bestial, brutish; **bestialité** [~tja-li'te] f brutishness; bestiality; **bestiaux** [~'tjo] m/pl. livestock sg., cattle sg.

best-seller [bɛstsɛ'lœːr] m best seller.

bêta, -asse [bɛ'ta, ~'tas] 1. adj. stupid; 2. su. blockhead, ass.

bétail [be'ta:j] m/sg. livestock, cattle.

bête [bɛ:t] 1. su./f animal; beast; fool; ~s pl. féroces wild beasts; ~ à cornes horned beast; ~ de somme beast of burden; ~ de trait draught-animal; ~ fauve deer; ~ noire wild boar; fig. ma ~ noire my pet aversion; 2. adj. stupid, silly; **bêtifier** [beti'fje] (1o) v/i. play the fool; talk stupidly; **bêtise** [~'ti:z] f stupidity; blunder; nonsense; mere trifle.

béton △ [be'tɔ̃] m concrete; **bétonnière** [~tɔ'njɛːr] f concrete-mixer.

bette ♀ [bɛt] f beet; **betterave** ♀ [bɛ'tra:v] f beet(root); (a. ~ sucrière) sugar-beet.

beuglant sl. [bø'glɑ̃] m cheap café-concert; **beuglement** [~glə'mɑ̃] m lowing, mooing; **beugler** [~'gle] (1a) v/i. low; moo.

beurre [bœ:r] m butter; au ~ noir with browned butter sauce; sl. c'est un ~ it is child's play; faire son ~ feather one's nest; F un œil au ~ noir a black eye; **beurré** [bœ're] m butter-pear; **beurrée** [~'re] f slice of bread and butter; **beurrer** [~'re] (1a) v/t. butter; **beurrier, -ère** [~'rje, ~'rjɛːr] 1. su./m butter-dish; 2. adj. butter-producing.

beuverie [bø'vri] f drinking bout.

bévue [be'vy] f blunder, slip; commettre une ~ drop a brick.

bezef sl. [be'zɛf] adv.: pas ~ not much.

bi... [bi] bi..., di...

biais, e [bjɛ, bjɛ:z] 1. adj. skew, oblique; 2. su./m △ etc. skew; slant; slanting; fig. expedient; de (or en) ~ on the cross, on the slant; regarder de ~ look askance at; **biaiser** [bjɛ'ze] (1b) v/i. (be on the) slant; skew; fig. use evasions.

bibelot [bi'blo] m knick-knack, trinket.

biberon [bi'brɔ̃] m baby: feeding-bottle; invalid: feeding-cup; F tippler; **biberonner** F [~brɔ'ne] (1a) v/i. tipple.

bibi sl. [bi'bi] m I, me, myself; F (woman's) hat.

Bible [bibl] f Bible.

biblio... [biblio] biblio...; **~bus** [~'bys] m bookmobile; **~graphie** [~gra'fi] f bibliography; **~manie** [~ma'ni] f bibliomania; book collecting; **~phile** [~'fil] m bibliophile, book-lover; **~thécaire** [~te'kɛːr] m librarian; **~thèque** [~'tek] f library; bookcase; ~ de prêt lending library; fig. ~ vivante walking encyclop(a)edia.

biblique [bi'blik] Biblical.

biblorhapte ♱ [biblɔ'rapt] m office-binder, loose-leaf binder.

bicarbonate ⚗ [bikarbɔ'nat] m bicarbonate; ~ de soude bicarbonate of soda. (biceps.)

biceps anat. [bi'sɛps] m, a. adj.)

biche zo. [biʃ] f hind, doe; ma ~ my darling.

bicher sl. [bi'ʃe] (1a) v/i.: ça biche? how goes it?

bichette zo. [bi'ʃɛt] f young hind.

bichon m, **-onne** f [bi'ʃɔ̃, ~'ʃɔn] lap-dog; **bichonner** [~ʃɔ'ne] (1a) v/t. frizz (the hair); smarten (s.o.) up; titivate.

bichromie [bikrɔ'mi] f two-colo(u)r printing.

bicolore [bikɔ'lɔːr] two-colo(u)r, of two colo(u)rs.

bicoque [bi'kɔk] f shanty; F dump.

bicorne [bi'kɔrn] 1. adj. two-pointed; 2. su./m cocked hat.

bicyclette [bisi'klɛt] f (bi)cycle.

bidet [bi'de] m nag; ⊕ trestle; hygiene: bidet.

bidoche sl. [bi'dɔʃ] f meat.

bidon [bi'dɔ̃] *m* tin, can, drum; ✕ canteen, water-bottle.

bidonner *sl.* [bidɔ'ne] (1a) *vt/i.* swig; *v/t.*: se ~ split one's sides.

bidonville [bidɔ̃'vil] *m* shanty-town.

bief [bjɛf] *m* canal reach; mill-race.

bielle [bjɛl] *f* tie-rod; crank-arm; ⚠ strut; ~ motrice connecting-rod.

bien [bjɛ̃] 1. *adv. usu.* well; right(ly), proper(ly); quite, rather; really, indeed; *adjectively*: comfortable; presentable; ~ de *la peine* much trouble; ~ *des gens* many people; ~ *que* (*sbj.*) (al)though; *aller* ~ be well; *eh* ~! well!; *être* ~ be beautiful; be comfortable; be on good terms (with s.o., *avec q.*); se *porter* ~ be in good health; *tant* ~ *que mal* so so; 2. *su./m* good; welfare; possession, property, wealth, estate; goods *pl.*; ~ *public* public *or* common weal; ~**-aimé, e** [~ne'me] beloved; ~**-dire** [~'diːr] *m* fine words *pl.*, eloquence; ~**-être** [~'nɛːtr] *m* well-being, comfort; ~**faisance** [~fə-'zɑ̃ːs] *f* beneficence, charity; ~**faisant, e** [~fə'zɑ̃, ~'zɑ̃ːt] beneficent, charitable; salutary, beneficial; ~**fait** [~'fɛ] *m* benefit; service; *fig.* blessing; ~**faiteur, -trice** [~fɛ'tœːr, ~'tris] 1. *su./m* benefactor; *su./f* benefactress; 2. *adj.* beneficent; ~**fondé** [~fɔ̃'de] *m* merits *pl.* (*of claim etc.*); ~**-fonds**, *pl.* ~**s-fonds** [~'fɔ̃] *m* real estate; landed property; ~**heureux, -euse** [~nœ'rø, ~'røːz] blissful, happy; blessed; ~**-jugé** ⚖ [~ʒy'ʒe] *m* proper decision.

biennal, e, *m/pl.* **-aux** [biɛ'nal, ~'no] biennial.

bien-pensant, e [bjɛ̃pɑ̃'sɑ̃, ~'sɑ̃ːt] *adj., a. su.* traditionalist, *sl.* square.

bienséance [bjɛ̃se'ɑ̃ːs] *f* propriety, decorum; **bienséant, e** [~'ɑ̃, ~'ɑ̃ːt] seemly, decent.

bientôt [bjɛ̃'to] *adv.* soon, before long; *à* ~! so long!

bienveillance [bjɛ̃vɛ'jɑ̃ːs] *f* kindness, goodwill; benevolence; **bienveillant, e** [~'jɑ̃, ~'jɑ̃ːt] kind(ly), benevolent.

bienvenu, e [bjɛ̃və'ny] 1. *adj.* welcome (to, *à*); 2. *su.* welcome person; *soyez le* ~! welcome!; *su./f* welcome; *souhaiter la* ~*e à q.* welcome s.o.

bière¹ [bjɛːr] *f* beer; ~ *blonde* pale *or* light ale; ~ *brune* brown ale.

bière² [~] *f* coffin.

biffer [bi'fe] (1a) *v/t.* cross out (*a word*); ⚖ strike out; ~ *les indications inutiles* strike out what does not apply.

biffin ✕ *sl.* [bi'fɛ̃] *m* foot-slogger.

bifteck [bif'tɛk] *m* beefsteak; ~ *de porc* pork steak.

bifurcation [bifyrka'sjɔ̃] *f* road etc.: fork; 🚂 junction; **bifurquer** [~'ke] (1m) *v/i. a.* se ~ fork, divide; 🚂 branch off; ⚡ shunt (*current*).

bigame [bi'gam] 1. *adj.* bigamous; 2. *su.* bigamist; **bigamie** [~ga'mi] *f* bigamy.

bigarré, e [biga're] variegated; **bigarrer** [~'re] (1a) *v/t.* variegate, mottle; **bigarrure** [~'ryːr] *f* motley, variegation.

bigle [bigl] 1. *adj.* squint-eyed; 2. *su.* squint-eyed person.

bigorne [bi'gɔrn] *f* two-beaked anvil; *anvil:* beak; **bigorner** *sl.* [~gɔr-'ne] (1a) *v/t.*: se ~ fight.

bigot¹ 🌾 [bi'go] *m* mattock.

bigot², e [bi'go, ~'gɔt] 1. *adj.* bigoted; sanctimonious; 2. *su.* bigot; **bigoterie** [~gɔ'tri] *f* (religious) bigotry.

bigoudi [bigu'di] *m* curling-pin.

bigre! *sl.* [bigr] *int.* by Jove!, gosh!; **bigrement** *sl.* [~ə'mɑ̃] *adv.* jolly (well), darn (well).

bijou, *pl.* **-x** [bi'ʒu] *m* jewel, gem; **bijouterie** [biʒu'tri] *f* jewellery, *Am.* jewelry; jeweller's shop; **bijoutier** *m*, **-ère** *f* [~'tje, ~'tjeːr] jeweller.

bikini [biki'ni] *m* bikini.

bilan ✝ [bi'lɑ̃] *m* balance(-sheet); schedule; ✝ *déposer son* ~ file a petition in bankruptcy.

bilatéral, e, *m/pl.* **-aux** [bilate'ral, ~'ro] bilateral, two-sided.

bilboquet [bilbɔ'ke] *m toy:* cup-and-ball; *toy:* tumbler; *typ.* job-work.

bile [bil] bile, gall; **biler** *sl.* [bi'le] (1a) *v/t.*: *ne te bile pas!* don't worry!; take it easy!; *se* ~ get worked up; **bilieux, -euse** [~'ljø, ~'ljøːz] bilious; *fig.* testy; morose.

bilingue [bi'lɛ̃ːg] bilingual.

billard [bi'jaːr] *m* (game of) billards *pl.*; billiard-table; billiard-room; F operating-table; **bille** [biːj] *f* billiard-ball; marble; taw; ⊕ ball-bearing; *sl.* nut, head; ⊕ dial, face;

timber: billet; 🚂 sleeper; **stylo** m
à ~ ball-point pen.

billet [bi'jɛ] m note, letter; notice;
circular; ticket (a. 🚂, thea.); ✝
bill; ~ à ordre ✝ promissory note;
♣ single bill; ~ blanc lottery: blank;
~ circulaire tourist ticket; ✝ circular note; ~ de banque bank-note,
Am. a. bill; ~ de faire part intimation, notice (of death, wedding, etc.);
~ de faveur complimentary ticket;
~ doux love-letter.

billevesée [bilvə'ze] f crazy notion.

billion [bi'ljɔ̃] m one million millions, billion; Am. one thousand
billions, trillion.

billon [bi'jɔ̃] m alloy; copper or
nickel coinage; base coinage; ✐
ridge of earth; **billot** ✐ [bi'jo] m
block; tethering: clog; wheel drag.

bimbeloterie [bɛ̃blɔ'tri] f toys pl.,
knick-knacks pl.; (cheap) toy trade.

bimensuel, -elle [bimã'sɥɛl] fort-
nightly.

bimoteur [bimɔ'tœːr] adj./m twin-
engined.

binard [bi'naːr] m (stone-)lorry,
dray.

biner [bi'ne] (1a) v/t. ✐ hoe; dig
etc. for a second time; v/i. eccl.
celebrate two masses in one day;
binette ✐ [~'nɛt] f hoe; sl. face,
dial, mug.

biniou [bi'nju] m Breton pipes pl.

binocle [bi'nɔkl] m eye-glasses pl.;
pince-nez; lorgnette.

binôme ⚗ [bi'noːm] adj., a. su./m
binomial.

biochimie 🔬 [biɔʃi'mi] f biochem-
istry.

biographe [biɔ'graf] m biographer;
biographie [~gra'fi] f biography.

biophysique [biɔfi'zik] f biophysics
sg.

bipartisme pol. [bipar'tism] m coalition government.

biplace [bi'plas] adj., a. su. two-
seater.

biplan ✈ [bi'plã] m biplane.

bipolaire ⚡ [bipɔ'lɛːr] bipolar.

bique [bik] f F nanny-goat; sl. old
hag; sl. nag; **biquet** m, **-ette** f F
[bi'kɛ, ~'kɛt] kid.

biréacteur ✈ [bireak'tœːr] 1. adj./
m twin-jet; 2. su./m twin-jet plane.

bis¹, bise [bi, biːz] greyish-brown;
à ~ ou à blanc anyhow; pain m ~
brown bread.

bis² [bis] 1. adv. twice; again; encore!; no. 9 ~ 9A (house etc.);
2. su./m encore.

bisaïeul [biza'jœl] m great-grandfather; **bisaïeule** [~] f great-grand-
mother.

bisannuel, -elle [biza'nɥɛl] biennial.

bisbille F [bis'biːj] f bickering; en ~
at loggerheads (with, avec).

biscornu, e F [biskɔr'ny] mis-shap-
en; distorted; illogical; queer (idea).

biscotin [biskɔ'tɛ̃] m crisp biscuit;
ship's biscuit; **biscotte** [~'kɔt] f
rusk; **biscuit** [~'kɥi] m biscuit, Am.
a. zwieback; plain cake; ✝ ceramics:
biscuit, bisque; ~ à la cuiller sponge-
finger, Am. lady-finger; ~ de mer
ship's biscuit.

bise¹ [biːz] f north wind; poet.
winter.

bise² F [~] f kiss.

biseau ⊕ [bi'zo] m chamfer, bevel;
en ~ chamfered, bevelled; **biseauter** [~zo'te] (1a) v/t. ⊕ chamfer,
bevel; bezel(gems); fig. mark (cards).

biser¹ [bi'ze] (1a) v/t. re-dye.

biser² ✐ [~] (1a) v/i. darken.

biser³ F [~] (1a) v/t. kiss.

bismuth 🜨 [bis'myt] m bismuth.

bison zo. [bi'zɔ̃] m bison.

bisque [bisk] f cuis. shell-fish soup;
F bad temper; **bisquer** F [bis'ke]
(1m) v/i. be riled.

bissac [bi'sak] m double wallet.

bissecteur, -trice ⚗ [bisɛk'tœːr,
~'tris] bisecting; **bissection** ⚗
[~'sjɔ̃] f bisection.

bisser [bi'se] (1a) v/t. encore (a
singer, a song); repeat; **bissextile**
[bisɛks'til] adj./f: année f ~ leap
year; **bissexuel, -elle** ♀ [~sɛk'sɥɛl]
bisexual.

bistourner [bistur'ne] (1a) v/t.
wrench.

bistre [bistr] 1. su./m bistre; 2. adj./
inv. blackish-brown, swarthy.

bistrot sl. [bis'tro] m pub(lic
house); cheap café; sl. dive.

bitume [bi'tym] m bitumen; **bitu-
mer** [~ty'me] (1a) v/t. tar; asphalt.

biture sl. [bi'tyːr] f: prendre une ~
get drunk.

bivouac ⚔ [bi'vwak] m bivouac.

bizarre [bi'zaːr] odd, curious,
strange, peculiar; **bizarrerie** [~zar-
'ri] f oddness, peculiarity; whimsi-
cality.

bla-bla F [bla'bla] m/inv. bunkum,
Am. blah.

blackbouler [blakbu'le] (1a) v/t.
blackball, turn down.

blafard, e [bla'fa:r, ~'fard] wan,
pale.

blague [blag] f tobacco-pouch; F
bunkum, nonsense; ~ à part joking
apart; F sans ~? you don't say!;
really?; **blaguer** F [bla'ge] (1m) v/i.
joke; tu blagues! impossible!; v/t.
chaff.

blair sl. [blɛːr] m nose.

blaireau [blɛ'ro] m zo. badger;
shaving-brush; paint. brush.

blairer sl. [blɛ're] (1a) v/t. sniff at;
fig. stand (s.o.).

blâmable [blɑ'mabl] blameworthy;
blâme [blɑ:m] m blame; admin.
reprimand; **blâmer** [blɑ'me]
(1a) v/t. blame; censure; reprimand.

blanc, blanche [blɑ̃, blɑ̃:ʃ] 1. adj.
white, clean, pure; blank (paper,
cartridge); pale (ale); armes f/pl.
blanches side-arms; F carte f
blanche free hand; nuit f blanche
sleepless night; se battre à l'arme
blanche fight with cold steel;
2. su. white; white person; su./m
blank; vente f de ~ white sale; ~-bec,
pl. ~s-becs F [blɑ̃'bɛk] m callow
youth, Am. sucker, greenhorn;
blanchâtre [blɑ̃'ʃɑ:tr] whitish;
blanche ♪ [blɑ̃:ʃ] f minim; **blancheur** [blɑ̃'ʃœːr] f whiteness; paleness; purity; **blanchir** [~'ʃiːr] (2a)
v/t. whiten; bleach; clean; wash,
launder; v/i. turn white; blanch;
fade; **blanchissage** [~ʃi'saːʒ] m
washing; laundering; whitewashing; **blanchisserie** [~ʃis'ri] f laundering; laundry; **blanchisseur**
[~ʃi'sœːr] m laundry-man; ⊕
bleacher; **blanchisseuse** [~ʃi'søːz]
f laundress; washerwoman; **blanc-
seing**, pl. **blancs-seings** [blɑ̃'sɛ̃]
m blank signature; fig. full power(s
pl.).

blaser [blɑ'ze] (1a) v/t. blunt (the
palate); surfeit; se ~ become indifferent (to de, sur).

blason [blɑ'zõ] m coat-of-arms,
blazon; heraldry; **blasonner** [~zɔ-
'ne] (1a) v/t. blazon.

blasphémateur, -trice [blasfema-
'tœːr, ~'tris] 1. su. blasphemer;
2. adj. blasphemous; **blasphème**

[~'fɛm] m blasphemy; **blasphémer** [~fe'me] (1f) vt/i. blaspheme.

blatte [blat] f cockroach, black-
beetle.

blé [ble] m corn; wheat; ~ de Turquie maize, Am. (Indian) corn; ~
noir buckwheat.

blême [blɛːm] wan, pale; ghastly;
livid; **blêmir** [blɛ'miːr] (2a) v/i.
blanch; grow pale.

blennorragie ✂ [blɛnɔra'ʒi] f
gonorrh(o)ea.

blèse [blɛːz] lisping; être ~ = **bléser**
[ble'ze] (1f) v/i. lisp.

blessant, e [blɛ'sɑ̃, ~'sɑ̃:t] offensive
(remark); **blesser** [~'se] (1a) v/t.
wound; hurt; offend; se ~ a. take
offence; **blessure** [~'syːr] f wound,
injury.

blet, blette [blɛ, blɛt] over-ripe.

bleu, bleue, m/pl. **bleus** [blø] 1. adj.
blue; F flabbergasted; une colère f
bleue a towering rage; une peur f
bleue a blue funk; zone f bleue zone
of parking restrictions in the centre
of a town; 2. su./m blue; ⊕ blue
print; ✂ bruise; F greenhorn; ✕
F recruit; ~s pl. overalls; ~ de
Prusse Prussian blue; ~ d'outremer
ultramarine; passer du linge au
~ blue linen; **bleuâtre** [~'ɑ:tr]
bluish; **bleuir** [~'iːr] (2a) v/t. blue;
make blue; v/i. become blue.

blindage [blɛ̃'da:ʒ] m ✕, ⚓ armo(u)r-
plating; ✗ timbering; ⚡ screening;
blindé, e [~'de] 1. adj. armo(u)red;
sl. drunk; 2. su./m armo(u)red car;
blinder [~'de] (1a) v/t. ✕, ⚓ ar-
mo(u)r-plate; ✗ timber.

bloc [blɔk] m block; (memo) pad;
mass; pol. bloc; ⊕ unit; sl. prison,
clink; à ~ tight, right home; en ~
in one piece; in the lump; wholesale; **blocage** [blɔ'ka:ʒ] m blocking
(a. ⚡); △ rubble; △ cement-block
foundation; ⊕ jamming, stopping;
~ des prix freezing or pegging of
prices; **bloc-cylindres**, pl. **blocs-
cylindres** mot. [blɔksi'lɛ̃:dr] m
cylinder-block.

blockhaus [blɔ'koːs] m/inv. ✕ block-
house; ⚓ conning-tower.

bloc-notes, pl. **blocs-notes** [blɔk-
'nɔt] m (memo) pad, writing pad.

blocus [blɔ'kys] m blockade; hist.
~ continental continental system;
faire le ~ de blockade; forcer le ~
run the blockade.

blond, blonde [blɔ̃, blɔ̃:d] **1.** *adj.*
blond, fair; pale (*ale*); **2.** *su./m*
blond; *su./f* blonde.

blondin[1], e [blɔ̃'dɛ̃, ~'din] **1.** *adj.*
fair-haired; **2.** *su.* fair-haired person.

blondin[2] [blɔ̃'dɛ̃] *m* cableway.

bloquer [blɔ'ke] (1m) *v/t.* block
(up); besiege; blockade; ✝ stop
(*a cheque*); ⊕ lock; ⊕ jam on (*the
brake*); 🚋 close (*a section*); ✝ freeze
(*wages, prices*); F lock up; se ~ get
jammed.

blottir [blɔ'ti:r] (2a) *v/t.*: se ~
crouch, squat; nestle.

blouse [blu:z] *f* blouse; smock;
overall; *billiards*: pocket; **blouser**
[blu'ze] (1a) *v/t.* pocket (*the ball at
billiards*); F deceive; **blouson** [~'zɔ̃]
m lumber-jacket; *Am.* windbreaker.

bluet ♀ [bly'ɛ] *m* cornflower.

bluette [bly'ɛt] *f* trivial story.

bluff F [blœf] *m* bluff; **bluffer** F
[blœ'fe] (1a) *v/t.* bluff (*s.o.*); *v/i.*
pull a fast one, try it on.

blutage [bly'ta:ʒ] *m* bolting, sifting;
bluter [~'te] (1a) *v/t.* bolt, sift
(*flour etc.*); **blutoir** [~'twa:r] *m*
bolting-machine; sieve.

boa *zo.*, *cost.* [bɔ'a] *m* boa.

bobard *sl.* [bɔ'ba:r] *m* tall story.

bobèche [bɔ'bɛʃ] *f* candlestick:
sconce; *sl.* nut, head.

bobinage ⚡, ⊕ [bɔbi'na:ʒ] *m* winding; **bobine** [~'bin] *f* bobbin, reel,
spool; roll; ⚡ coil; ⊕ drum; *sl.*
dial, face; ⚡ ~ de réaction (*or réactance*) choking-coil, choke; **bobiner** [bɔbi'ne] (1a) *v/t.* wind, spool;
bobineuse [~'nø:z] *f woman*: winder; winding-machine; **bobinoir**
[~'nwa:r] *m tex.* bobbin-frame; *cin.*
winding-bench.

bobo F [bɔ'bo] *m* hurt; sore; *ch.sp.*
bump.

bocage [bɔ'ka:ʒ] *m* grove, copse.

bocal [bɔ'kal] *m* jar, bottle (*with
wide mouth and short neck*); globe,
fish-bowl; *chemist*: show-bottle.

bocard *metall.* [bɔ'ka:r] *m* ore-crusher; **bocarder** [~kar'de] (1a) *v/t.*
crush (*ore*).

bock [bɔk] *m* glass of beer.

bœuf [bœf, *pl.* bø] **1.** *su./m* ox; beef;
boiled beef; ~ à la mode stewed
beef; ~ conservé corned beef; **2.** *adj.*
sl. colossal, fine, *Am.* bully.

boggie 🚋 [bɔ'ʒi] *m* bogie, *Am.* truck.

bohème [bɔ'ɛm] *adj.*, *a. su.* Bohemian; **bohémien, -enne** *geog.*
[~e'mjɛ̃, ~'mjɛn] *adj.*, *a. su.* ♀ Bohemian; gypsy.

boire [bwa:r] (4b) **1.** *v/t.* drink; soak
up, imbibe; *fig.* pocket (*an insult*);
fig. drink in (*s.o.'s words*); ~ un coup
have a drink; ~ une goutte take a
sip; have a nip; *v/i.* drink; be a
drunkard; ~ comme un trou drink
like a fish; **2.** *su./m* drink(ing).

bois [bwa] *m* wood; timber; forest;
rifle: stock; ~ *pl. stag*: horns, antlers; ~ contre-plaqué plywood; ~ de
construction (*or d'œuvre*) timber; ~
de lit bedstead; ♪ *les* ~ *pl.* the woodwind *sg.*; touchez du ~ touch wood!;
boisage △ etc. [bwa'za:ʒ] *m* timbering; frame(work); saplings *pl.*;
boisé, e [~'ze] (well-)wooded;
wainscoted (*room*); **boisement**
[bwaz'mã] *m* afforestation; **boiser**
[bwa'ze] (1a) *v/t.* panel; afforest;
🪓 timber, prop; **boiserie** [bwaz'ri]
f △ panelling; wainscoting; woodwork.

boisseau [bwa'so] *m measure*: 13
litres (*approx. 1 peck*); ⊕ faucetpipe; △ drain-tile; **boisselier** [~sə-
'lje] *m* bushel-maker; cooper.

boisson [bwa'sɔ̃] *m* drink; pris de ~
drunk, intoxicated.

boîte [bwat] *f* box (*a.* ⊕); tin, *Am.*
can; ⊕ case; *sl.* poky room; F
place of work; ~ à outils tool-box;
~ aux lettres letter-box, *Am.* mailbox; ~ de conserves tin, *Am.* can;
sl. ~ de nuit night-club; *mot.* ~ de
vitesses gear-box, *Am.* transmission; ~ postale post-office box; en ~
tinned, *Am.* canned; mettre q. en ~
take s.o. off.

boiter [bwa'te] (1a) *v/i.* limp; **boiteux, -euse** [~'tø, ~'tø:z] lame;
rickety (*table etc.*).

boîtier [bwa'tje] *m* box-maker;
watch-case maker; *torch, watch, etc.*:
case.   [boire 1.)

boivent [bwa:v] *3rd p. pl. pres. of)*

bol[1] [bɔl] *m* 🪓 bole; 💊 bolus.

bol[2] [~] *m* bowl, basin; finger-bowl.

bolchevisme [bɔlʃə'vism] *m* Bolshevism; **bolcheviste** [~'vist] *adj.*,
a. su. Bolshevist.

bolide [bɔ'lid] *m* bolide; *mot.* racing-car.

bombance F [bɔ̃'bã:s] *f* feast(ing);
junket(ing); carouse.

bombardement [bɔ̃bardəˈmã] *m* shelling; bombing; bombardment (*a. phys.*); **bombarder** [ˌˈde] (1a) *v/t.* shell; bombard; pelt (with, *de*) (*stones, a. fig. questions*); F on l'a bombardé ministre he has been pitchforked into a Ministry; **bombardier** [ˌˈdje] *m* bomber.

bombe [bɔ̃b] *f* ✗ bomb(-shell); F feast; ~ à hydrogène H-bomb; ~ à retardement time-bomb; ~ incendiaire incendiary bomb; ~ nucléaire nuclear bomb; en ~ like a rocket; faire la ~ go on the spree; **bomber** [bɔ̃ˈbe] (1a) *v/t.* cause to bulge; curve, arch; camber (*a road*); *v/i.* a. se ~ bulge; swell out.

bon, bonne [bɔ̃, bɔn] **1.** adj. usu. good; nice, kind; proper, right; fit (for, à), apt; benevolent, charitable; dutiful (*son*); ✝ sound (*firm*); witty; *typ.* stet; ~ à manger eatable; ~ marché cheap(ly); ~ mot witticism; à quoi ~? what's the use? à son ~ plaisir at his own convenience; at his discretion; de bonne famille of good family; de bonne foi truthful, honest; de bonne heure early; prendre qch. en bonne part take s.th. in good part; tenir ~ stand firm; tout de ~ in earnest; really; for good; **2.** bon adv. nice, fast; **3.** su./m voucher, ticket, coupon; ✝ bond, draft; I.O.U., note of hand; ~ de caisse cash voucher; ~ de poste post: postal order; ~ du Trésor Treasury bond.

bonace [bɔˈnas] *f* lull (*before storm*).
bonasse [ˌ] good-hearted; simpleminded.
bonbon [bɔ̃ˈbɔ̃] *m* sweet, *Am.* candy.
bonbonne [bɔ̃ˈbɔn] *f* carboy.
bonbonnière [bɔ̃bɔˈnjɛːr] *f* sweet (-meat) box; *fig.* snug little dwelling.
bond [bɔ̃] *m* jump; bound; leap; ✗ rush; *fig.* faire faux ~ à leave in the lurch, let down.
bonde [bɔ̃d] *f* ⊕ plug; *barrel:* bung; bung-hole; sluice-gate; **bonder** [bɔ̃ˈde] (1a) *v/t.* pack, cram.
bondir [bɔ̃ˈdiːr] (2a) *v/i.* bound, jump; bounce; caper; **bondissement** [ˌdisˈmã] *m* bounding, leaping; frisking.
bondon ⊕ [bɔ̃ˈdɔ̃] *m* bung, plug.
bonheur [bɔˈnœːr] *m* happiness; good luck; success; par ~ luckily; porter ~ bring good luck.

bonhomie [bɔnɔˈmi] *f* simple goodheartedness; simplicity; avec ~ good-naturedly; **bonhomme**, *pl.* **bonshommes** [bɔˈnɔm, bɔ̃ˈzɔm] *m* fellow, chap; simpleminded man; ⊕ bolt; ~ de neige snowman.
boni ✝ [bɔ ni] *m* surplus; profit; **bonifier** [bɔniˈfje] (1o) *v/t.* improve; ✝ make good; ✝ allow a discount to; ✝ credit (*s.th.*); **boniment** [ˌ mã] *m advertising:* puff; *pej.* claptrap.
bonjour [bɔ̃ˈʒuːr] *m* good morning; good day
bonne [bɔn] *f* maid; servant; waitress; ~ à tout faire maid of all work, F general; ~ d'enfants nursery-maid; ~-maman, *pl.* ~s-mamans *ch.sp.* [bɔnma mã] *f* grandma, granny.
bonnement [bɔnˈmã] *adv.* tout ~ simply, plainly.
bonnet [bɔˈnɛ] *m* cap; *brassière:* cup; F avoir la tête près du ~ be quick-tempered or hot-headed; F gros ~ bigwig, *Am.* big shot; **bonneterie** [bɔnˈtri] *f* hosiery; **bonnetier** *m,* -ère *f* [ˌˈtje, ˌˈtjeːr] hosier; **bonnette** [bɔˈnɛt] *f* child's bonnet; *phot.* supplementary lens.
bon-papa, *pl.* **bons-papas** *ch.sp.* [bɔ̃paˈpa] *m* gran(d)dad, grandpa.
bonsoir [bɔ̃ˈswaːr] *m* good evening; good night.
bonté [bɔ̃ˈte] *f* goodness, kindness; ayez la ~ de (*inf.*) be so kind as to (*inf.*).
bonze [bɔ̃z] *m* bonze (*Buddhist priest*); *fig.* dotard.
borax 🜊 [bɔˈraks] *m* borax.
bord [bɔːr] *m* edge, border; side; seaside; shore; *river:* bank; tack; *hat:* brim; ✈ ~ d'attaque leading edge; ✈ ~ de fuite trailing edge; ⚓ à ~ on board; **bordage** [bɔrˈdaːʒ] *m* hem(ming), border(ing); ⊕ flanging; ⚓ planking, sheathing; **bordé** [ˌˈde] *m* edging, border; ⚓ planking; ⚓ plating; **bordée** ⚓ [ˌˈde] *f* broadside; tack; watch; courir une ~ ⚓ make a tack, *fig.* go on the spree.
bordel [bɔr dɛl] *m* brothel. [spree.]
bordelais, e [bɔrdəˈlɛ, ˌˈlɛːz] of Bordeaux.
border [bɔrˈde] (1a) *v/t.* hem, border (*a dress*); ⊕ flange; ⚓ plank; ⚓ ~ la côte keep close to the shore, hug the shore; ~ un lit tuck in the bed-clothes.

bordereau ✝ [bɔrdə'ro] *m* memorandum; statement; invoice; dispatch note; note; list.

bordure [bɔr'dy:r] *f* border(ing); frame; edge; rim; kerb, *Am.* curb.

bore ⚗ [bɔ:r] *m* boron.

boréal, e, *m/pl.* **-als** *or* **-aux** [bɔre'al, ‿'o] north(ern).

borgne [bɔrɲ] **1.** *adj.* one-eyed, blind in one eye; *fig.* suspicious; *fig.* disreputable, shady; *rue f* ‿ blind alley; **2.** *su.* one-eyed person.

borique ⚗ [bɔ'rik] boric, F boracic; **boriqué, e** ⚗ [‿ri'ke] containing boric acid.

borne [bɔrn] *f* boundary, limit; boundary-stone; landmark; ⚓ bollard; ⚡ terminal; ‿ *kilométrique* (*approx.*) milestone; **borné, e** [bɔr'ne] limited; narrow, restricted; **borner** [‿'ne] (1a) *v/t.* set limits to; limit; mark the boundary of; *se* ‿ *à* content o.s. with, restrict o.s. to; **bornoyer** [‿nwa'je] (1h) *v/t.* squint along (*an edge*); *surv.* stake off.

boscot, -otte F [bɔs'ko, ‿'kɔt] **1.** *adj.* hunchbacked; **2.** *su.* hunchback.

bosquet [bɔs'kɛ] *m* grove, thicket.

bosse [bɔs] *f* hump; bump; knob; dent; *fig. avoir la* ‿ *de* have a gift for; *en* ‿ in relief; **bosseler** [‿'le] (1c) *v/t.* ⊕ emboss; *fig.* batter; **bosser** *sl.* [bɔ'se] (1a) *v/i.* work hard, *sl.* peg away; **bossoir** ⚓ [‿'swa:r] *m* bow; davit; **bossu, e** [‿'sy] **1.** *adj.* hunchbacked; **2.** *su.* hunchback; **bossuer** [‿'sɥe] (1n) *v/t.* dent, batter.

bot, bote [bo, bɔt] *adj.*: *pied m* ‿ club-foot.

botanique [bɔta'nik] **1.** *adj.* botanical; **2.** *su./f* botany.

botte[1] [bɔt] *f* high boot; *fig.* heel; ‿*s pl. à l'écuyère* riding boots; ‿*s pl. imperméables* waders; *fig. à propos de* ‿*s* without rhyme or reason.

botte[2] [bɔt] *f* bunch; bundle, bale; *wire*: coil; **bottelage** [bɔ'tla:ʒ] *m* trussing; **botteler** [‿'tle] (1c) *v/t.* bundle; bunch; tie up.

botter [bɔ'te] (1a) *v/t.* supply (*s.o.*) with boots *or* shoes; *sp.*, *a.* F kick; *fig.* suit; *le Chat botté* Puss-in-Boots; *se* ‿ put on boots *or* shoes.

bottine [bɔ'tin] *f* (half-)boot; Wellington boot.

bouc [buk] *m* he-goat; *beard*: goatee; ‿ *émissaire* scapegoat, *Am.* fall guy.

boucan F [bu'kɑ̃] *m* shindy, hullabaloo.

boucaner [buka'ne] (1a) *v/t.* cure (*by smoke*); F sun-burn; *v/i.* hunt wild animals; be cured *or* smoke-dried; *sl.* kick up a row; **boucanier** F [‿'nje] *m* buccaneer.

bouche [buʃ] *f* mouth; opening; ⊕ nozzle; ✕ *canon*: muzzle; ✕ ‿ *à feu* piece of artillery; ‿ *d'eau* hydrant; 🚒 water-crane; ‿ *de chaleur* hot-air vent; ‿ *d'incendie* fire-hydrant, *Am.* fire-plug; ‿ *de métro* underground entrance; *sl. ta* ‿*!* shut up!; **bouché, e** [bu'ʃe] blocked; choked; F stupid, dense; **bouchée** [‿] *f* mouthful; *cuis.* patty.

boucher[1] [bu'ʃe] (1a) *v/t.* stop (up); shut up; cork (*a bottle*).

boucher[2] [bu'ʃe] *m* butcher; **bouchère** [‿'ʃɛ:r] *f* butcher's wife; **boucherie** [buʃ'ri] *f* butcher's shop; butcher's trade; slaughter (*a. fig.*).

bouche-trou [buʃ'tru] *m* stop-gap, substitute; **bouchon** [bu'ʃɔ̃] *m* cork, stopper; plug (*a. ⚡*); cask: bung; *fishing*: float; *wool*: hank; ✕ holding force; F pub; *mot.* ‿ *de circulation* bottle-neck; ‿ *de paille* wisp of straw; **bouchonner** [buʃɔ'ne] (1a) *v/t.* roll up (*linen*) into bundles; wring out (*linen*); rub down (*a horse*); **bouchonnier** [‿'nje] *m* cork maker; dealer in corks.

boucle [bukl] *f* buckle; ring; loop; circuit; ear-ring; *hair*: curl, lock; **boucler** [bu'kle] (1a) *v/t.* buckle; loop; curl (*one's hair*); F lock up; *v/i.* curl (*hair*).

bouclier [bu'klje] *m* buckler, shield (*a. fig.*).

bouder [bu'de] (1a) *v/i.* sulk; shirk; pass (*at dominoes*); *v/t.* be sulky with; be cool towards; **bouderie** [‿'dri] *f* sulkiness; **boudeur, -euse** [‿'dœ:r, ‿'dø:z] **1.** *adj.* sulky; **2.** *su.* sulky person.

boudin [bu'dɛ̃] *m* black pudding, *Am.* blood-sausage; *tobacco*: twist; ⊕ *wheel*: flange; ‿ *blanc* white pudding; ⊕ *ressort m à* ‿ spiral spring.

boudoir [bu'dwa:r] *m* boudoir, lady's private room.

boue [bu] f mud; dirt; slush; sediment.

bouée ⚓ [bu'e] f buoy.

boueur [bu'œːr] m scavenger; dustman, *Am.* garbage-collector; street cleaner; **boueux, -euse** [bu'ø, ~'øːz] muddy; dirty.

bouffant, e [bu'fɑ̃, ~'fɑ̃ːt] **1.** *adj.* puffed (*sleeve*); full (*skirt*); ample; **2.** *su./m* puff; **bouffarde** F [~'fard] f pipe.

bouffe [buf] comic.

bouffée [bu'fe] f puff, whiff; ✻ attack; ✻ ~ de *chaleur* hot flush; **bouffer** [~] (1a) *vt/i.* puff out; *v/t.* F eat (greedily); blue (*money*).

bouffi, e [bu'fi] puffed (with, de), puffy, swollen; turgid (*style*); **bouffir** [~'fiːr] (2a) *vt/i.* swell; **bouffissure** [~fi'syːr] f swelling; *fig.* bombast.

bouffon, -onne [bu'fɔ̃, ~'fɔn] **1.** *adj.* farcial; fond of buffoonery; **2.** *su./m* buffoon, clown, fool; **bouffonnerie** [~fɔn'ri] f buffoonery.

bouge [buːʒ] m den, hovel, slum; ⊕ cask: bilge; *wall*: bulge; ⚓ camber.

bougeoir [bu'ʒwaːr] m candlestick.

bouger [bu'ʒe] (1l) *v/i.* move, stir; *v/t.* F move.

bougie [bu'ʒi] f candle; taper; *phys.* candle-power; *mot.* (a. ~ d'allumage) sparking-plug, *Am.* spark plug.

bougon, -onne F [bu'gɔ̃, ~'gɔn] **1.** *adj.* grumpy; **2.** *su.* grumbler.

bougran *tex.* [bu'grɑ̃] m buckram.

bougre *sl.* [bugr] **1.** *su./m* fellow, chap; ~ d'idiot! you blooming idiot!; **2.** *int.* gosh!; **bougrement** *sl.* [bugrə'mɑ̃] *adv.* devilishly; very; **bougresse** *sl.* [~'grɛs] f jade.

boui-boui, *pl.* **bouis-bouis** F [bwi-'bwi] m low theatre *or* music-hall; low haunt, *Am.* dive.

bouif *sl.* [bwif] m cobbler.

bouillabaisse [buja'bɛs] f (*Provençal*) fish-soup.

bouillant, e [bu'jɑ̃, ~'jɑ̃ːt] boiling (*a. fig.* with, de); hot; *fig.* hot-headed.

bouille *sl.* [buːj] f face.

bouilli, e [bu'ji] **1.** *p.p.* of *bouillir*; **2.** *su./m* boiled beef; *su./f* gruel; pulp; **bouillir** [~'jiːr] (2e) *v/t.* boil; *faire* ~ l'*eau* boil the water; **bouilloire** [buj'waːr] f kettle, *Am.* tea-kettle; **bouillon** [bu'jɔ̃] m bub-

ble; broth (*a. biol.*); soup; restaurant; ✝ unsold copies *pl.*; ~ d'onze *heures* poison(ed drink); *fig.* boire un ~ suffer a loss; **bouillonner** [~jɔ'ne] (1a) *v/i.* bubble; seethe (*a. fig.* with, de); *v/t.:* ~ une *robe* gauge a dress; **bouillotte** [~'jɔt] f foot-warmer; hot-water bottle; *cards:* bouillotte; *sl.* head; kettle, *Am.* tea-kettle; **bouillotter** [~jɔ'te] (1a) *v/i.* simmer.

boulaie [bu'lɛ] f birch plantation.

boulanger [bulɑ̃'ʒe] **1.** *su./m* baker; **2.** (1l) *v/t.* make (*bread*), bake (*bread*); **boulangère** [~'ʒɛːr] f bakeress; baker's wife; farmer's market van; **boulangerie** [bŭlɑ̃ʒ-'ri] f bakery; baker's shop; baking.

boule [bul] f ball; bowl; *sl.* head; ~ de *neige* snowball.

bouleau ♀ [bu'lo] m birch; birch-wood.

bouledogue [bul'dɔg] m bulldog.

bouler F [bu'le] (1a) *v/t.* send rolling; *v/i.* roll; envoyer ~ send (*s.o.*) packing; **boulet** [~'lɛ] m bullet; shot; ✝ cannon-ball; ✝ *coal:* ovoids *pl.*; *horse:* pastern-joint; **boulette** [~'lɛt] f small ball; *cuis.* meat ball; *sl.* blunder.

boulevard [bul'vaːr] m boulevard.

bouleversement [bulvɛrsə'mɑ̃] m overthrow; confusion; **bouleverser** [~'se] (1a) *v/t.* upset (*a. fig.*); throw into confusion.

boulier [bu'lje] m *billiards:* scoring board; (*a.* ~ *compteur*) abacus.

boulimie ✻ [buli'mi] f abnormal hunger.

boulin [bu'lɛ̃] m pigeon-hole; 🏠 putlog(-hole).

bouline ⚓ [bu'lin] f bowline; **bouliner** ⚓ [~li'ne] (1a) *v/i.* sail close to the wind; *v/t.* haul (a *sail*) to windward.

boulingrin [bulɛ̃'grɛ̃] m lawn, grass-plot.

boulon ⊕ [bu'lɔ̃] m bolt, pin, **boulonner** [~lɔ'ne] (1a) *v/t.* bolt (down); *v/i. sl.* swot.

boulot, -otte [bu'lo, ~'lɔt] **1.** *adj.* dumpy; **2.** *su.* dumpy person; *su./m sl.* work; **boulotter** F [~lɔ'te] (1a) *v/t.* eat; get through (*money*); *v/i.* jog along; *ça boulotte!* things are fine!

bouquet [bu'kɛ] m bunch of flowers, nosegay; aroma; *wine:* bouquet;

c'est *le* ~*!* that takes the cake!; **bouquetière** [buk'tjɛ:r] *f* flower-girl.

bouquetin *zo.* [buk'tɛ̃] *m* ibex.

bouquin[1] [bu'kɛ̃] *m* old he-goat, F roué.

bouquin[2] [bu'kɛ̃] *m* old book; F book; **bouquiner** [buki'ne] (1a) *v/i.* collect old books; pore over old books; F read; **bouquineur** [~-'nœ:r] *m* lover *or* collector of old books; **bouquiniste** [~'nist] *m* second-hand bookseller.

bourbe [burb] *f* mud; mire; slime; **bourbeux, -euse** [bur'bø, ~'bø:z] muddy; *zo.* mud-...; **bourbier** [~'bje] *m* mire; *fig.* mess.

bourdaine ♀ [bur'dɛn] *f* black alder.

bourde F [burd] *f* fib; blunder.

bourdon[1] [bur'dõ] *m* pilgrim's staff.

bourdon[2] ♪ [bur'dõ] *m* drone (*bass*); tenor *or* great bell; *zo.* bumblebee; *typ.* out; *zo.* faux ~ drone; **bourdonner** [~dɔ'ne] (1a) *v/i.* hum, buzz; *fig.* murmur; *v/t.* hum (*a tune*); **bourdonneur, -euse** [~dɔ-'nœ:r, ~'nø:z] 1. *adj.* humming; 2. *su./m* F hummingbird.

bourg [bu:r] *m* small market-town; borough; **bourgade** [bur'gad] *f* large village; **bourgeois, e** [~'ʒwa, ~'ʒwa:z] 1. *adj.* middle-class; homely; *pej.* narrow-minded; bourgeois; 2. *su.* citizen; middle-class person; F Philistine; *en* ~ in plain clothes; **bourgeoisie** [~ʒwa'zi] *f* citizens *pl.*; freemen *pl.*; middle-class; *petite* ~ lower middle-class, small shopkeepers *pl.*, tradespeople *pl.*

bourgeon [bur'ʒõ] *m* ♀ bud; 𝒔 pimple; **bourgeonner** [~ʒɔ'ne] (1a) *v/i.* ♀ bud, shoot; 𝒔 break out into pimples.

bourgeron [burʒə'rõ] *m* overall; ✗ fatigue jacket; ⚓ jumper.

bourgmestre [burg'mɛstr] *m* burgomaster.

bourgogne [bur'gɔɲ] *m* *wine*: burgundy; **bourguignon, -onne** [~gi'ɲõ, ~'ɲɔn] *adj., a. su.* ♀ Burgundian.

bourlinguer [burlɛ̃'ge] (1m) *v/i.* ⚓ strain, make heavy weather; *fig.* knock about (*the world*).

bourrache ♀ [bu'raʃ] *f* borage.

bourrade [bu'rad] *f* blow; thrust; unkind word; *gun*: kick; **bourrage** ⊕ [~'ra:ʒ] *m* packing; charging; F ~ *de crâne* bluff, eyewash.

bourrasque [bu'rask] *f* squall; gust of wind; *fig.* gust, attack.

bourre [bu:r] *f* flock; waste; padding; stuffing; *fire-arms*: plug; ⊕ ~ *de soie* floss-silk.

bourreau [bu'ro] *m* executioner; *fig.* tormenter. [wood.]

bourrée[1] [bu're] *f* bundle of fire-]

bourrée[2] ♪ [~] *f* a dance.

bourreler [bur'le] (1c) *v/t.* torture (*a. fig.*); ⊕ fit draught-excluders to (*a door*); **bourrelet** [~'lɛ] *m* pad; wad; draught-excluder; bulge; ⊕ flange; ⚓ fender; **bourrelier** [~ə-'lje] *m* saddler; **bourrer** [bu're] (1a) *v/t.* stuff; cram; pad; ram in; *fig.* trounce.

bourriche [bu'riʃ] *f* hamper(ful).

bourricot [buri'ko] *m* donkey; *sl.* *kif-kif* ~ much of a muchness; **bourrin** *sl.* [~'rɛ̃] *m* horse, nag; **bourrique** [~'rik] *f* she-ass; *fig.* blockhead; **bourriquet** [~ri'kɛ] *m* ass' colt; ⊕ winch.

bourru, e [bu'ry] 1. *adj.* surly, churlish; 2. *su./m* curmudgeon; ~ *bienfaisant* rough diamond.

bourse [burs] *f* purse (*a. fig.*); bag; *zo.* pouch; *univ. etc.* scholarship; ♰ ♀ Stock Exchange; ♀ *du Travail* Labo(u)r Exchange; **boursicot** F [bursi'ko] *m* savings *pl.*, F nest-egg; † purse; **boursier, -ère** [~'sje, ~'sjɛ:r] *su. univ. etc.* scholarship-holder; exhibitioner; *su./m* ♰ speculator; paymaster, purse-holder.

boursoufler [bursu'fle] (1a) *v/t.* puff up; bloat; **boursouflure** [~-'fly:r] *f* swelling; *paint:* blister; *fig. style:* turgidity.

bous [bu] *1st p. sg. pres. of* **bouillir.**

bousculade [busky'lad] *f* hustle; scrimmage; **bousculer** [~'le] (1a) *v/t.* knock (*s.th.*) over; jostle (*s.o.*).

bouse [bu:z] *f* cow-dung; **bousiller** [buzi'je] (1a) *v/t.* F botch, bungle (*a piece of work*); 𝒔 crash (*a plane*); ⚓ build *or* cover with cob.

boussole [bu'sɔl] *f* compass; ⚡ galvanometer; *sl. perdre la* ~ be off one's head; be all at sea.

boustifaille F [busti'fɑ:j] *f* food, grub.

bout [bu] *m usu.* end (*a. fig.*); extremity; *cigarette*: tip, butt; *pen*: nib; bit, piece; *ground*: patch; *à ~ (d'efforts)* worn out; *à ~ de forces* at the end of one's tether; *à ~ portant* point-blank; *au ~ de* after or in (*a year*); *au ~ du compte* after all, in the end; *de ~ en ~* from beginning to end; ⚓ from stem to stern; *fig.* joindre les deux *~s* make both ends meet; *pousser à ~* try to breaking point; *venir à ~ de* manage; stamp out.

boutade [bu'tad] *f* whim; sally; outburst.

boute-en-train [butã'trɛ̃] *m/inv.* exhilarating fellow, good company; life and soul (*of a party*).

bouteille [bu'tɛːj] *f* bottle; ⊕ *~ à gaz* gas cylinder; *~ isolante (or thermos)* Thermos flask; *prendre de la ~* age.

bouter† [bu'te] (1a) *v/t.* push.

bouteroue △ [bu'tru] *f* guardstone; *bridge*: guard-rail.

boute-selle ⚔ [but'sɛl] *m/inv.* trumpet call: boot-and-saddle.

boutique [bu'tik] *f* shop; booth; ⊕ set of tools; *parler ~* talk shop; **boutiquier** *m*, **-ère** *f* [~ti'kje, ~'kjɛːr] shopkeeper.

boutoir *zo.* [bu'twaːr] *m* snout (*of boar*); *fig.* coup *m* de ~ cutting remark; hard blow.

bouton [bu'tõ] *m* button; ♀ bud; 🔹 pimple; *cost.* stud, link; *door, radio*: knob; *~ de puissance radio*: volume control; *appuyer sur le ~* press the button; *tourner le ~* switch on *or* off; *~-d'or pl. ~s-d'or* ♀ [~tõ'dɔːr] *m* butter-cup; **boutonner** [~tɔ'ne] (1a) *v/t.* button (up); *v/i.* ♀ bud; 🔹 come out in pimples; **boutonnière** [~tɔn'ri] *f* button trade *or* factory; **boutonnière** [~tɔ'njɛːr] *f* button-hole; 🔹 incision; **bouton-pression**, *pl.* **boutons-pression** [~tõprɛ'sjõ] *m* press-stud.

bouture 🌱 [bu'tyːr] *f* cutting.

bouverie [bu'vri] *f* cowshed.

bouvet ⊕ [bu'vɛ] *m* grooving-plane; tonguing-plane.

bouvier, -ère [bu'vje, ~'vjɛːr] *su.* cowherd; drover; F boor; *su./f* cowgirl.

bouvreuil *orn.* [bu'vrœːj] *m* bullfinch.

bovin, e [bɔ'vɛ̃, ~'vin] bovine; *bêtes f/pl. ~es* horned cattle.

box, *pl.* **boxes** [bɔks] *m* horse-box; *mot.* lock-up (garage); *dormitory*: cubicle; 🚇 *~ des accusés* dock.

boxe *sp.* [~] *f* boxing.

boxer[1] [bɔk'se] (1a) *v/t./i.* box.

boxer[2] [bɔk'sœːr] *m dog*: boxer.

boxeur [bɔk'sœːr] *m* boxer, prize-fighter.

boyau [bwa'jo] *m* hose-pipe; bowel, gut; ⚔ communication trench; *fig.* narrow passage.

boycottage [bɔjkɔ'taːʒ] *m* boycotting; **boycotter** [~'te] (1a) *v/t.* boycott.

bracelet [bras'lɛ] *m* bracelet; bangle; armlet; ♀ node; *~ de montre* watch-strap; **~-montre**, *pl.* **~s-montres** [~lɛ'mõːtr] *m* wristwatch.

brachial, e, *m/pl.* **-aux** *anat.* [bra-'kjal, ~'kjo] brachial.

braconnage [brakɔ'naːʒ] *m* poaching; **braconner** [~'ne] (1a) *v/i.* poach; **braconnier** [~'nje] *m* poacher.

bractée ♀ [brak'te] *f* bract.

brader [bra'de] (1a) *v/t.* sell off cheap(ly), undersell.

braguette [bra'gɛt] *f trousers*: fly, flies *pl.*

brai [brɛ] *m* tar, pitch.

braillard, e [brɑ'jaːr, ~'jard] **1.** *adj.* brawling; shouting, obstreperous; **2.** *su.* bawler; brawler; **brailler** [~'je] (1a) *v/t./i.* bawl; **brailleur, -euse** [~'jœːr, ~'jøːz] **1.** *adj.* brawling; shouting; **2.** *su.* bawler; brawler.

braire [brɛːr] (4c) *v/i.* bray (*ass*); F cry; *sl.* squeal.

braise [brɛːz] *f* glowing embers *pl.*; live charcoal; cinders *pl.*; *sl.* cash; **braiser** [brɛ'ze] (1b) *v/t. cuis.* braise; *v/i. sl.* pay; **braisière** *cuis.* [~'zjɛːr] *f* braising-pan.

brait [brɛ] *p.p.* of braire.

bramer [bra'me] (1o) *v/i.* bell (*stag*).

brancard [brã'kaːr] *m* stretcher; hand-barrow; ⊕ *carriage*: shaft; **brancardier** [~kar'dje] *m* stretcher-bearer.

branchage *pl.* [brã'ʃaːʒ] *m coll.* branches *pl.*; **branche** [brãːʃ] *f* branch (*a. fig.*, ⚡, ♀); bough; *spectacles*: side; *propeller*: blade;

compass: leg; *sl. vieille* ~ old pal;
branchement [brãʃ'mã] *m*
branching; ⚡ lead, branch-circuit;
⚡ tapping (*of main*); 🔌 ~ (*de voie*)
junction; **brancher** [brã'ʃe] (1a)
v/i. a. se ~ roost, perch; *v/t.*
branch; ⚡ plug in; tap; hang (*s.o.*).
branchies *zo.* [brã'ʃi] *f/pl.* gills.
branchu, e [brã'ʃy] branchy.
brande ♀ [brãːd] *f* heather; heath.
brandebourg *cost.* [brãd'buːr] *m*
frogs *pl.* and loops *pl.*
brandiller [brãdi'je] (1a) *vt/i.*
dangle.   [dish, wave.\
brandir [brã'diːr] (2a) *v/t.* bran-/
brandon [brã'dõ] *m* (fire-)brand;
fig. ~ de discorde troublemaker.
branlant, e [brã'lã, ~'lãːt] totter-
ing; shaky; loose (*tooth*); **branle**
[brãːl] *m* swing; shaking; impulse,
start; en ~ in action, going; **branle-
bas** [brãl'ba] *m/inv.* ⚓ clearing the
decks, pipe to quarters; *fig.* commotion; **branler** [brã'le] (1a) *vt/i.*
shake, move; swing; *v/i. a.* rock,
be unsteady; be loose (*tooth, tool,*
etc.).
braquage [bra'kaːʒ] *m car etc.*:
steering; *gun*: aiming, pointing.
braque [brak] **1.** *su./m* pointer; F
mad-cap; **2.** *adj.* F silly, *sl.* daft.
braquer [bra'ke] (1m) *v/t.* aim,
point (*a gun etc.*); *mot. etc.* change
the direction of.
bras [bra] *m* arm; ⊕ handle; ⊕ leg;
⊕ *crane*: jib; ⊕ ~ *pl.* workmen;
hands; ~ (*de pick-up*) *gramophone*:
tone-arm; ~ *dessus*, ~ *dessous* arm-
in-arm; *à* ~ *tendus* at arm's length;
à tour de ~ with might and main;
avoir le ~ *long* be very influential;
couper ~ *et jambes à* q. dishearten
s.o.; en ~ *de chemise* in shirt-sleeves.
braser ⊕ [bra'ze] (1a) *v/t.* hard-
solder.
brasero [braze'ro] *m* brazier; glowing fire; *fig.* blaze; **brasier** [~'zje]
m brazier; glowing fire; *fig.* blaze;
brasiller [~zi'je] (1a) *v/i.* sparkle
(*sea*); splutter (*meat etc. in pan*);
v/t. grill.
brassage [bra'saːʒ] *m* brewing.
brassard [bra'saːr] *m* arm-band;
armlet.
brasse [bras] *f* ⚓ fathom; *swimming*: stroke; ~ *sur le dos* (*ventre*)
back-(breast-)stroke; **brassée** [bra-
'se] *f* armful; *swimming*: stroke.

brasser[1] [bra'se] (1a) *v/t.* ⚓ brace;
⚒ swing (*the propeller*).
brasser[2] [bra'se] (1a) *v/t.* brew (*a.*
fig.); stir up; *metall.* puddle; F
handle (*an affair*); **brasserie**
[bras'ri] *f* brewery; beer-saloon;
brewing; restaurant.
brassière [bra'sjɛːr] *f* shoulder-
strap; (child's) bodice; ~ *de sauvetage* life-jacket.
brassin [bra'sɛ̃] *m* brew; mash-tub.
brasure [bra'zyːr] *f* brazed seam;
hard solder(ing).
bravache [bra'vaʃ] **1.** *su./m* bully;
swaggerer; **2.** *adj.* blustering, swaggering; **bravade** [~'vad] *f* bravado,
bluster; **brave** [braːv] brave; good,
honest; F smart; *un* ~ *homme* a
worthy man; *un homme* ~ a brave
man; F *faux* ~ *see bravache 1*; **braver** [bra've] (1a) *v/t.* defy; brave;
bravo [~'vo] **1.** *su./m* cheers *pl.*;
2. *int.* ~! bravo!; well done!; hear,
hear!; **bravoure** [~'vuːr] *f* bravery.
brayer [brɛ'je] **1.** *su./m* ⚕ truss;
2. (1i) *v/t.* ⚓ tar; ∧ sling.
brebis [brə'bi] *f* ewe; sheep; *fig.* ~
galeuse black sheep.
brèche [brɛʃ] *f* breach; gap; ⚓
hole; *blade*: notch; *fig. battre en* ~
disparage; ~**dent** [~'dã] **1.** *adj.*
gap-toothed; **2.** *su.* gap-toothed
person.
bredouille [brə'duːj] unsuccessful;
empty-handed; *se coucher* ~ go
supperless to bed; **bredouiller**
[~du'je] (1a) *vt/i.* mumble.
bref, brève [brɛf, brɛːv] **1.** *adj.*
brief, short; **2.** *su./m eccl.* (papal)
brief; **3.** *bref adv.* in short, briefly.
bréhaigne [brɛ'ɛɲ] barren (*mare*
etc.).
brelan [brə'lã] *m cards*: brelan;
cards: pair royal; gambling den.
breloque [brə'lɔk] *f* (watch-)charm;
✕ dismiss; ⚓ disperse.
brème [brɛm] *f icht.* bream; *sl.*
playing card.
brésilien, -enne [brezi'ljɛ̃, ~'ljɛn]
adj., a. su. ♀ Brazilian.
bretailler F [brəta'je] (1a) *v/i.* fight
on the slightest provocation; fence.
bretelle [brə'tɛl] *f* ✕ sling;
(shoulder-)strap; ~s *pl.* braces, *Am.*
suspenders.
breton, -onne [brə'tõ, ~'tɔn] **1.** *adj.*
Breton; **2.** *su./m ling.* Breton; *su.* ♀
Breton.

bretteur [brɛ'tœːr] *m* swashbuckler.

breuvage [brœ'vaːʒ] *m* beverage, drink; ♂ draught.

brève [brɛːv] *f* gramm. short syllable; ♪ breve; tel. dot; orn. short tail.

brevet [brə'vɛ] *m* patent; † warrant; certificate, diploma; ⚔ commission; ~ de capacité school: lower certificate; ♂ ~ de capitaine master's certificate; ⚓ ~ de pilote pilot's licence; prendre un ~ take out a patent; **breveté, e** [brəv'te] certificated (teacher etc.), commissioned (officer); **breveter** [~] (1c) v/t. patent; grant a patent to; fig. license.

bréviaire eccl. [bre'vjɛːr] *m* breviary.

bribes [brib] *f/pl.* scraps; fragments.

bric-à-brac [brika'brak] *m/inv.* odds pl. and ends pl.; curios pl.; curiosity shop.

brick ⚓ [brik] *m* brig.

bricole [bri'kɔl] *f* strap; breast-harness; rebound; F ~s pl. odds and ends, odd jobs; **bricoler** F [~kɔ'le] (1a) v/i. do odd jobs; v/t. arrange; **bricoleur** [~kɔ'lœːr] *m* handy man, Am. putterer; potterer.

bride [brid] *f* bridle; rein (a. fig.); ⊕ tie, strap; ⊕ flange; ⊕ ~ de serrage clamp(ing) piece; à ~ abattue, à toute ~ at full speed; lâcher la ~ à l'émotion give free rein to one's feelings; fig. laisser à q. la ~ sur le cou give s.o. his head; fig. tenir la ~ haute à keep a tight rein on; be high-handed with; **brider** [bri'de] (1a) v/t. bridle; curb; tie (up); ⊕ flange; cuis. truss (fowl); cost. bind (a buttonhole).

bridger [brid'ʒe] (1l) v/i. play bridge.

bridon [bri'dɔ̃] *m* snaffle.

brie [bri] *m* Brie.

brièvement [briɛv'mɑ̃] adv. briefly, succinctly; **brièveté** [~'te] *f* brevity; concision.

briffer sl. [bri'fe] (1a) vt/i. eat, gobble; v/t. a. crumple.

brigade [bri'gad] *f* ⚔ brigade; workers: gang; workers: shift; police: squad; **brigadier** [~ga'dje] *m* ⚔ corporal; ⊕ foreman; police: sergeant.

brigand [bri'gɑ̃] *m* brigand; robber; F ruffian; **brigandage** [~gɑ̃'daːʒ] *m* highway robbery; plunder.

brigue [brig] *f* intrigue; cabal; **briguer** [bri'ge] (1m) v/t. solicit (s.th.); court (favour); canvass for (votes).

brillant, e [bri'jɑ̃, ~'jɑ̃ːt] **1.** adj. shining, brilliant, bright; **2.** su./m brilliance, brightness; gloss; shine; diamond: brilliant; **briller** [~'je] (1a) v/i. shine, glisten, sparkle; F ~ par son absence be conspicuous for one's absence.

brimade [bri'mad] *f* rag(ging), Am. hazing.

brimbaler [brɛ̃ba'le] (1a) v/i. dangle; wobble; v/t. F carry about.

brimborion [brɛ̃bɔ'rjɔ̃] *m* bauble.

brimer [bri'me] (1a) v/t. rag, Am. haze; bully.

brin [brɛ̃] *m* grass: blade; tree: shoot; ♂, rope: strand; fig. bit; touch; **brindille** [~'diːj] *f* twig.

bringue F [brɛ̃ːg] *f* bit, piece; spree.

brioche [bri'ɔf] *f* brioche; bun; F blunder.

brique [brik] *f* ⚠ brick; ♥ soap: bar; ~ de parement facing brick; ~ hollandaise clinker; ~ tubulaire hollow brick; sl. bouffer des ~s not to have a bite; **briquet** [bri'kɛ] *m* cigarette-lighter; tinder-box; battre le ~ strike a light; **briqueter** [brik'te] (1c) v/t. brick; face with bricks or with imitation brickwork; **briqueterie** [~'tri] *f* brick-yard; **briquetier** [~'tje] *m* brick-maker; **briquette** [bri'kɛt] *f* briquette.

bris [bri] *m* breaking (a. ⚖); ⚓ wreckage; **brisant** [bri'zɑ̃] *m* reef; breaker.

brise ⚓ [briːz] *f* breeze.

brise-bise [briz'biːz] *m/inv.* draught-excluder.

brisées [bri'ze] *f/pl.* tracks; hunt. broken boughs; fig. aller sur les ~ de q. trespass s.o.'s preserves.

brise...: ~glace [briz'glas] *m/inv.* ice-breaker; ice-fender; **~jet** ⊕ [~'ʒɛ] *m/inv.* anti-splash nozzle; **~lames** ⚓ [~'lam] *m/inv.* break-water; groyne.

briser [bri'ze] (1a) v/t. break; shatter; fig. a. crush; v/i. break (with, avec); brisons là! let's leave it at that!; **brise-tout** F [briz'tu] su./

inv. esp. destructive child; **brisoir** *tex.* [bri'zwaːr] *m* brake.

brisque ✠ [brisk] *f* long-service stripe; F *vieille* ~ old soldier.

brisure [bri'zyːr] *f* break; *shutter*: folding-joint; ∅ brisure.

britannique [brita'nik] **1.** *adj.* British; Britannic (*majesty*); **2.** *su.*: *les* ♀s *m/pl.* the British.

broc [bro] *m* jug, pitcher.

brocanter [brɔkã'te] (1a) *v/i.* deal in second-hand goods; *v/t.* sell (to a second-hand dealer); barter; **brocanteur** *m*, **-euse** *f* [~'tœːr, ~'tøːz] second-hand dealer; broker.

brocard[1] [brɔ'kaːr] *m* lampoon.

brocard[2] *hunt.* [~] *m* yearling roe-deer.

brocart ✝ [~] *m* brocade.

broche [brɔʃ] *f* spit; skewer; ⊕ spindle; ⊕ pin; tent-peg; brooch; F knitting-needle; *zo.* boar: tusk; **brocher** [brɔ'ʃe] (1a) *v/t.* stitch; brocade; emboss; *livre broché* paper-bound book.

brochet *icht.* [brɔ'ʃɛ] *m* pike.

brochette [brɔ'ʃɛt] *f* skewer; ⊕ pin.

brocheur, -euse [brɔ'ʃœːr, ~'ʃøːz] *su.* stitcher, sewer (*of books*); *su./f* stitching-machine; stapling-machine; **brochure** [~'ʃyːr] *f* booklet, brochure; pamphlet; sewing (*of books*); *tex.* inwoven pattern.

brodequin [brɔd'kɛ̃] *m* half-boot; ✗ ammunition-boot; F *thea. chausser le* ~ take to comedy.

broder [brɔ'de] (1a) *v/t.* embroider (*a. fig.*); **broderie** [~'dri] *f* embroidery (*a. fig.*); *fig.* embellishment; **brodeur** *m*, **-euse** *f* [~'dœːr, ~'døːz] embroiderer.

broie [brwa] *f tex.* brake; ⚹ brake-harrow; **broiement** [~'mã] *m* crushing, pulverizing; *tex.* braking.

brome ⚗ [brom] *m* bromine; **bromique** ⚗ [brɔ'mik] bromic; **bromure** ⚗ [~'myːr] *m* bromide.

bronche *anat.* [brɔ̃ʃ] *f* wind-pipe; bronchus; ~s *pl.* bronchi(a).

broncher [brɔ̃'ʃe] (1a) *v/i.* stumble; trip; move; *fig.* falter, flinch; *sans* ~ without flinching.

bronchite ⚕ [brɔ̃'ʃit] *f* bronchitis.

bronze [brɔ̃ːz] *m* bronze; *fig. cœur m de* ~ heart of steel; **bronzer** [brɔ̃'ze] (1a) *v/t.* bronze; tan; *fig.* harden.

brosse [brɔs] *f* brush; paint-brush; ~s *pl.* brushwood *sg.*; *cheveux m/pl. en* ~ crew-cut *sg.*; *fig. passer la* ~ *sur* efface; **brosser** [brɔ'se] (1a) *v/t.* brush; scrub; F thrash; F *se* ~ (*le ventre*) go without; *sl.* have an empty belly; **brosserie** [brɔs'ri] *f* brush-ware; brush-trade; brush-factory; **brossier** [brɔ'sje] *m* brush-maker; dealer in brushes.

brou [bru] *m* husk; ~ *de noix* walnut stain; walnut liqueur.

brouet [bru'ɛ] *m* (thin) gruel, F skilly; ~ *noir* black broth.

brouette [bru'ɛt] *f* wheelbarrow; **brouetter** [~e'te] (1a) *v/t.* convey in a (wheel)barrow.

brouhaha [brua'a] *m* hubbub; hullabaloo; uproar.

brouillage [bru'jaːʒ] *m radio:* jamming; interference.

brouillamini F [brujami'ni] *m* muddle.

brouillard [bru'jaːr] **1.** *su./m* fog; smog; ✝ waste-book; **2.** *adj./m: papier m* ~ blotting-paper; **brouillasser** [~ja'se] (1a) *v/impers.* drizzle.

brouille F [bruːj] *f* disagreement; quarrel; *être en* ~ *avec* be at loggerheads with; **brouiller** [bru'je] (1a) *v/t.* mix up; confuse; *radio:* jam; *radio:* interfere with (*a broadcast*); shuffle (*cards*); scramble (*eggs*); *fig.* create dissension between; set at variance; ~ *du papier* scribble over paper; **brouillerie** [bruj'ri] *f* disagreement; **brouilleur** [~'jœːr] *m radio:* jammer.

brouillon[1], **-onne** [bru'jɔ̃, ~'jɔn] **1.** *adj.* unmethodical; muddle-headed (*person*); **2.** *su./m* muddler.

brouillon[2] [bru'jɔ̃] *m* draft, rough copy; scribbling paper; **brouillonner** [~jɔ'ne] (1a) *v/t.* botch (*an essay etc.*); draft, make a rough copy of.

brouir ⚹ [bru'iːr] (2a) *v/t. sun:* blight (*plants*); **brouissure** [~i'syːr] *f* blight, frost-nip.

broussailles [bru'saːj] *f/pl.* brushwood *sg.*, scrub *sg.*, bush *sg.*; *en* ~ shaggy, unkempt (*hair*); **brousse** [brus] *f the* bush (*in Australia etc.*).

brout [bru] *m* tender shoots *pl.*; browse(-wood); **brouter** [bru'te] (1a) *v/t.* browse (on), graze; *v/i.* ⊕ jump (*tool*); **broutille** [~'tiːj] *f* twig; F trifle.

broyage [brwa'ja:ʒ] *m* pounding, crushing; grinding; *tex.* braking; **broyer** [⁓'je] (1h) *v/t.* pound, crush; grind; *tex.* brake; **broyeur** *m*, **-euse** *f* [⁓'jœːr, ⁓'jøːz] pounder; grinder; *tex.* hemp-braker.

brrr! [brrr] *int.* ugh!

bru [bry] *f* daughter-in-law.

bruine [brɥin] *f* drizzle, Scotch mist; **bruinement** [⁓'mã] *m* drizzling; **bruiner** [brɥi'ne] (1a) *v/impers.* drizzle; **bruineux, -euse** [⁓'nø, ⁓'nøːz] drizzly.

bruire [brɥiːr] (4d) *v/i.* rustle; hum (*machine*); murmur (*brook etc.*); **bruissement** [brɥis'mã] *m* rumbling; rustling; humming; murmuring; **bruit** [brɥi] *m* noise; clatter, din; rumble; *metal.* clang; *gun:* report; ♪ murmur; *fig.* rumo(u)r, report; ⁓s *pl.* parasites *radio:* interference *sg.*; ⁓ de fond *radio etc.:* background noise; ⁓ sourd thud; *le* ⁓ *court que* ... rumo(u)r has it that ..., it is rumo(u)red that ...; **bruitage** *thea.*, *cin.* [brɥi'ta:ʒ] *m* sound-effects *pl.*

brûlé [bry'le] *m* smell of burning; **brûle-gueule** F [bryl'gœl] *m/inv.* nosewarmer; **brûle-pourpoint** [⁓pur'pwɛ̃] *adv.:* à ⁓ point-blank; **brûler** [bry'le] (1a) *v/t.* burn (*a. fig.*); scorch; ⚕ cauterize; overrun (*a signal*); ✗ nip; ⁓ not to stop at; *sl.* unmask, detect; *fig.* ⁓ ses vaisseaux burn one's boats; use ⁓ la cervelle blow one's brains out; *v/i.* burn (*a. fig.*), be on fire; catch (*milk*); *fig.* be consumed; F be hot, be roasting; ⁓ de (*inf.*) be eager to (*inf.*); **brûleur, -euse** [⁓'lœːr, ⁓'løːz] *su. person:* burner; *coffee:* roaster; *brandy distiller; su./m* gas etc.: burner; **brûloir** [⁓'lwaːr] *m machine:* coffee roaster; blowlamp; **brûlot** [⁓'lo] *m* ✗ flare; F *pol.* firebrand; **brûlure** [⁓'lyːr] *f* burn; scald; ✗ frost-nip; ⚕ ⁓s *pl.* d'estomac heartburn *sg.*

brume [brym] *f* thick fog; (sea-)mist; **brumeux, -euse** [bry'mø, ⁓'møːz] foggy; *fig.* hazy.

brun, brune [brœ̃, bryn] 1. *adj.* brown; dark (*complexion*); darkhaired; 2. *su./m* brown; *su./f* brunette; nightfall; **brunâtre** [bry'naːtr] brownish; **brunir** [⁓'niːr] (2a) *vt/i* brown; tan; *v/t.* ⊕ bur-

nish, polish; **brunissage** [⁓ni'sa:ʒ] *m* burnishing; polishing; (sun)tan.

brusque [brysk] blunt, brusque, abrupt; sudden; rough; sharp; **brusquer** [brys'ke] (1m) *v/t.* be blunt with (*s.o.*); hurry; hustle; precipitate (*s.th.*); **brusquerie** [⁓kə'ri] *f* abruptness, brusqueness.

brut, brute [bryt] raw; crude (*oil*); unrefined (*sugar*); uncut (*diamond*); undressed (*stone*); ✝ poids *m* ⁓ gross weight; **brutal, e,** *m/pl.* **-aux** [bry'tal, ⁓'to] brutal; savage, fierce; harsh (*colour*); brute (*force*); unfeeling, plain, unvarnished (*truth*); **brutaliser** [⁓tali'ze] (1a) *v/t.* illtreat; bully; **brute** [bryt] *f* brute (*a. fig.*); ruffian.

bruyant, e [brɥi'jã, ⁓'jã:t] noisy, loud; boisterous; *fig.* resounding (*success*).

bruyère [brɥi'jɛːr] *f* heather; heath; briar; *orn.* coq *m* de ⁓ grouse.

bu, e [by] *p.p.* of boire 1.

buanderie [bɥã'dri] *f* wash-house.

bubonique [bybo'nik] bubonic; peste *f* ⁓ bubonic plague.

buccal, e, *m/pl.* **-aux** [byk'kal, ⁓'ko] buccal, of the mouth.

bûche [byʃ] *f* log; block; *cuis.* Swiss roll; F blockhead; *ramasser une* ⁓ have a fall, come a cropper.

bûcher¹ [by'ʃe] *m* wood-shed; pile of firewood, wood-stack; pyre.

bûcher² [⁓] (1a) *v/t.* ⊕ rough-hew; *sl.* thrash; F swot at, work hard at or for, *Am.* grind; *v/i.* F work hard; swot, *Am.* grind.

bûcheron [byʃ'rɔ̃] *m* woodcutter, *Am.* lumberjack; **bûcheronne** [⁓'rɔn] *f* woodcutter's wife.

bûchette [by'ʃɛt] *f* stick.

bûcheur, -euse *f* F [by'ʃœːr, ⁓'ʃøːz] plodder; swotter, *Am.* grind.

budget [byd'ʒɛ] *m* budget; *admin.* estimates *pl.*; F *boucler son* ⁓ make ends meet; **budgétaire** [⁓ʒe'tɛːr] budgetary; financial (*year etc.*); **budgétisation** [⁓ʒetiza'sjɔ̃] *f* budgeting.

buée [bɥe] *f* steam, vapo(u)r.

buffet [by'fɛ] *m* sideboard; dresser; cupboard; buffet; 🚂 refreshment room; F *danser devant le* ⁓ have a bare cupboard; **buffetier** [byf'tje] *m* refreshment-room manager; **buffetière** [⁓'tjeːr] *f* refreshment-room manageress.

buffle [byfl] *m zo.* buffalo; buffalo-hide; ⊕ buff-stick; **buffleterie** [~ɔ'tri] *f* leather equipment.

bugle[1] ♩ [bygl] *m* saxhorn.

bugle[2] ♀ [~] *f* bugle.

buis ♀ [bɥi] *m* box-tree; box-wood;

buisson [bɥi'sɔ̃] *m* bush; spinney, thicket; **buissoneux, -euse** [bɥi-sɔ'nø, ~'nøːz] bushy; **buissonnier, ère** [~'nje, ~'njeːr] *adj.: faire l'école* ~ère play truant, *Am.* play hooky.

bulbe ♀ [bylb] *m* bulb; **bulbeux, -euse** [byl'bø, ~'bøːz] bulbous; ♀ bulbed.

bulldozer [buldɔ'zœːr] *m* bull-dozer.

bulle [byl] *f* bubble; blister; seal; *eccl.* papal bull.

bulletin [byl'tɛ̃] *m* bulletin; form; voting-paper; report; 🚂 ~ *de baggages* luggage-ticket, *Am.* baggage-check; † ~ *de commande* order-form; ~ *d'expédition* way-bill; ~ *de santé* health report.

bulleux, -euse [by'lø, ~'løːz] bubbly; ♀ bullate; ⚕, *geol.* vesicular.

bungalow [bœ̃ga'lo] *m* bungalow.

buraliste [byra'list] *su.* tax collector; tobacconist; clerk.

bure[1] *tex.* [byːr] *f* rough homespun.

bure[2] ⚒ [~] *f* shaft (*of a mine*).

bureau [by'ro] *m* writing-table, desk; bureau; office; *admin.* department; board of directors, governing body; *thea.* ~*x pl. fermés* sold out; 🚂 ~ *ambulant* travelling post office; ~ *central* head post office, G.P.O.; *teleph.* exchange; ~ *de bienfaisance* relief committee; ~ *de douane* custom-house; *thea.* ~ *de location* box-office; ~ *de placement* labo(u)r exchange; (private) employment bureau; ~ *de poste* post office; ~ *de renseignements* information bureau; ~ *de tabac* tobacconist's (shop); ~ *ministre* knee-hole desk; ✗ *deuxième* ~ Intelligence (Department); ⚓ Naval Intelligence Division; **bureaucrate** [byro'krat] *m* bureaucrat; F black-coated worker; **bureaucratie** [~kra'si] *f* bureaucracy, F red tape.

burette [by'rɛt] *f* cruet (*a. eccl.*); ⊕ oil-can, oiler; 🎺 burette.

burin ⊕ [by'rɛ̃] *m* burin, etching-needle, graver; cold chisel; engraving; **buriner** [~ri'ne] (1a) *v/t.* engrave; chisel; *v/i.* F swot.

burlesque [byr'lesk] burlesque; comical, ridiculous.

bus [by] *1st p. sg. p.s. of boire*[1].

busc [bysk] *m cost. corset:* busk; *rifle-butt:* shoulder.

buse[1] [byːz] *f orn.* buzzard; F block-head, fool.

buse[2] [~] *f* ⊕ pipe; nozzle; ✗ air-shaft; *mot.* choke(-tube).

busquer [bys'ke] (1m) *v/t.* busk (*a corset*); curve.

buste [byst] *m* bust; *en* ~ half-length.

but [by(t)] *m* target; aim; goal (*a. sp.*); purpose; *avoir pour* ~ aim at, intend; *de* ~ *en blanc* bluntly; *droit au* ~ (straight) to the point; *marquer un* ~ score a goal; **buter** [by'te] (1a) *v/i.* knock, stumble (against, *contre*); ⊕ abut; *v/t.* prop up; ⚠ buttress; *fig. se* ~ *à* come up against (*s.th.*).

butin [by'tɛ̃] *m* booty, spoils *pl.*; **butiner** [~ti'ne] (1a) *vt/i.* † plunder; *v/i.* gather honey (*bee*); *v/t.* gather honey from (*a flower*).

butoir [by'twaːr] *m* ⊕ stop; catch; 🚂 terminal buffer.

butor [by'tɔːr] *m orn.* bittern; F lout, clod.

butte [byt] *f* mound, hillock; bank; ✗ butts *pl.*; *fig. en* ~ *à* exposed to; **butter** ✓ [by'te] (1a) *v/t.* earth up; **buttoir** ✓ [~'twaːr] *m* ridging-plough, *Am.* ridging-plow.

buvable [by'vabl] drinkable; *sl.* acceptable; **buvard** [~'vaːr] *m* blotting-paper; **buvette** [~'vɛt] *f* refreshment bar; *spa:* pump-room; **buveur** *m,* **-euse** *f* [~'vœːr, ~'vøːz] drinker; toper; ~ *d'eau* teetotaller; **buvons** [~'vɔ̃] *1st p. pl. pres. of boire*[1]; **buvoter** [~vɔ'te] (1a) *v/t.* sip (*wine*); *v/i.* tipple.

byzantin, e [bizɑ̃'tɛ̃, ~'tin] Byzantine.

C

C, c [se] *m* C, c.

ça [sa] F *abbr. of* cela; c'est ~! that's right!

çà [~] **1.** *adv.* here; hither; ~ et *là* here and there; **2.** *int.* (ah) ~! now then!

cabale [ka'bal] *f* cabal; intrigue; clique, faction; **cabaler** [kaba'le] (1a) *v/i.* intrigue; **cabaleur, -euse** [~'lœːr, ~'løːz] **1.** *adj.* intriguing; **2.** *su.* intriguer.

caban [ka'bã] *m* oilskins *pl.*; dufflecoat.

cabane [ka'ban] *f* hut, shed; cabin; *rabbit*: hutch; *dog*: kennel; **cabanon** [~ba'nõ] *m* small hut; *prison*: cell; *lunatic*: padded cell.

cabaret [kaba'rɛ] *m* pub(lic house), tavern; restaurant; liqueur-stand; service (*for tea, coffee, etc.*); **cabaretier** *m*, **-ère** *f* [~barə'tje, ~'tjɛːr] innkeeper; publican.

cabas [ka'bɑ] *m* basket.

cabestan ⊕, ⚓ [kabɛs'tã] *m* capstan, winch.

cabillau(d) *icht.* [kabi'jo] *m* fresh cod.

cabine [ka'bin] *f* ⚓ cabin; telephone-box, telephone-booth; 📻 (*a.* ~ d'aiguillage) signal-box; *cin.* ~ de projection projection room; **cabinet** [~bi'nɛ] *m* small room; office; ministry; government; collection; ~(*s pl.*) (*d'aisances*) watercloset, lavatory; ~ de toilette dressing-room; ~ (*de travail*) study; *phot.* ~ noir dark room.

câble [kɑːbl] *m* cable (*a.* F = *cablegram*); ⚓ ~ de remorque hawser; ~ *métallique* wire rope; stranded wire; **câbler** [kɑ'ble] (1a) *v/t.* cable (*a message*); ✉ wire up; **câblogramme** [~blɔ'gram] *m* cablegram.

caboche [ka'bɔʃ] *f* (hob)nail; ⊕ clout-nail; F head, pate.

cabosse F [ka'bɔs] *f* ⚑ cacao-pod; 🔨 bump, bruise; **cabosser** F [~bɔ'se] (1a) *v/t.* 🔨 bump, bruise; dent.

cabotage ⚓ [kabɔ'taːʒ] *m* coasting-trade; **caboter** [~'te] (1a) *v/i.* coast; **cabotin** F [~'tɛ̃] *m* third-rate actor, *sl.* ham-actor; **cabotine** F [~'tin] *f* third-rate actress.

cabrer [kɑ'bre] (1a) *v/t.* ✈ elevate;

se ~ rear (*horse*); ✈ rear, buck; *fig.* se ~ *contre* jib at, rebel against.

cabri *zo.* [ka'bri] *m* kid; **cabriole** [kabri'ɔl] *f* caper, leap; **cabrioler** [~ɔ'le] (1a) *v/i.* caper; **cabriolet** [~'lɛ] *m mot.* cab(riolet).

cabus [ka'by] *adj./m*: chou *m* ~ headed cabbage.

cacahouète ⚑ [kaka'wɛt] *f*, **cacahuète** ⚑ [~'ɥɛt] *f* peanut.

cacao [kaka'o] *m* ⚑ cacao, ✝ cocoa; **cacaotier** [~ɔ'tje] *m*, **cacaoyer** [~ɔ'je] *m* cacao-tree.

cacarder [kakar'de] (1a) *v/i.* cackle (*goose*).

cacatoès *orn.* [kakatɔ'ɛs] *m* cockatoo; **cacatois** ⚓ [~'twa] *m* royal (-sail).

cachalot *zo.* [kaʃa'lo] *m* sperm-whale, cachalot.

cache [kaʃ] *su./f* hiding-place; *su./m phot.* mask; ⊕ panel, plate; ~-cache [~'kaʃ] *m children's game*: hide-and-seek; ~-col [~'kɔl] *m/inv.* scarf; ~-nez [~'ne] *m/inv.* muffler; ~-poussière [~pu'sjɛːr] *m/inv.* dust-coat.

cacher [ka'ʃe] (1a) *v/t.* hide, conceal; ~ *sa vie* live in retirement; *esprit m caché* reserved person; sly person; se ~ hide; **cachet** [ka'ʃɛ] *m* seal; stamp; ✝ trade-mark; mark; F fee; 💊 cachet; *courir le* ~ give private lessons; **cacheter** [kaʃ'te] (1c) *v/t.* seal; **cachette** [ka'ʃɛt] *f* hiding-place; *en* ~ secretly, by stealth; under the counter (*sale*); **cachot** [~'ʃo] *m* dungeon; ⚓ cell; F prison; **cachotter** F [kaʃɔ'te] (1a) *v/t./i.* act on the sly; **cachotterie** [~'tri] *f* mysterious ways *pl.*; **cachottier, -ère** F [~'tje, ~'tjɛːr] **1.** *adj.* secretive; **2.** *su.* sly person.

caco... [kakɔ] caco...; ~phonique [~ʃɔ'nik] cacophonous, discordant.

cactus ⚑ [kak'tys] *m*, **cactier** ⚑ [~'tje] *m* cactus.

cadastre [ka'dastr] *m* cadastral survey; (public) register of lands; survey.

cadavéreux, -euse [kadave'rø, ~'røːz] cadaverous, deathlike; deathly pale; **cadavérique** *anat.* [~'rik] cadaveric; *rigidité f* ~ rigor mortis; **cadavre** [ka'dɑːvr] *m* corpse, *Am.*

a. cadaver; *animal:* carcase; *sl.* dead man (= *empty winebottle*).

cadeau [ka'do] *m* present, gift.

cadenas [kad'nɑ] *m* padlock; clasp; ~ *à chiffres* combination-lock.

cadence [ka'dɑ̃:s] *f* cadence (*a.* ♪), rhythm; step; *march:* time; *à la* ~ *de* at the rate of, *fig.* to the tune of.

cadet, -ette [ka'de, ~'det] **1.** *adj.* younger; **2.** *su.* (the) younger, junior; *il est mon* ~ he is my junior (by 3 years, *de 3 ans*), he is younger than I; *su./m* ✗ cadet; *golf:* caddie.

cadran [ka'drɑ̃] *m* dial; *clock:* face; ~ *solaire* sun-dial; **cadre** [kɑ:dr] *m* *usu.* frame; *scene:* setting; *fig.* limits *pl.*, bounds *pl.*; trained personnel; ✗, ⊕ cadre, staff; ⚓ berth, cot; ~ (*de réception*) *radio:* frame aerial; ~ *orienté radio:* directional aerial; **cadrer** [ka'dre] (1a) *v/i.* tally, agree; fit in.

caduc, -que [ka'dyk] decrepit, decaying; feeble (*voice*); ♃♃ null, lapsed; ♃♃ time-barred; ♀ deciduous; ♣ *mal m* ~ epilepsy; **caducité** [~dysi'te] *f* dilapidated state; decrepitude; ♃♃ nullity; lapsing; ♀ caducity.

cafard[1] [ka'fa:r] *m* *zo.* cockroach; F hump; F *avoir le* ~ be bored stiff; be fed up.

cafard[2], **e** [ka'fa:r, ~'fard] **1.** *adj.* sanctimonious; **2.** *su. school:* sneak; *su./m* ✗ *sl.* spy; **cafarder** [~far-'de] (1a) *v/i. school:* sneak.

café [ka'fe] **1.** *su./m* coffee; café; ~ *complet* continental breakfast; ~ *crème* white coffee; ~ *nature* (*or noir*) black coffee; **2.** *adj./inv.* coffee-colo(u)red; ~**-concert,** *pl.* ~**s-concerts** [~ʃekɔ̃'sɛ:r] *m*, F **caf'conc'** [kaf'kɔ̃:s] *m* café with a cabaret show.

cafetier, -ère [kaf'tje, ~'tjɛ:r] *su.* café-owner; *su./f* coffee-pot; *sl.* head.

cafre [kafr] *adj., a. su.* ♀ Kaffir.

cage [ka:ʒ] *f* *bird:* cage; hen-coop; △ frame; cover, casing; F prison; ~ *de l'escalier* stair-well; *anat.* ~ *thoracique* chest.

cagne *sl.* [kaɲ] *f* *school:* class preparing to compete for entrance to the *École normale supérieure.*

cagneux, -euse [ka'nø, ~'nø:z] knock-kneed; **cagnotte** [~'nɔt] *f* pool, kitty.

cagot, e [ka'go, ~'gɔt] **1.** *adj.* sanctimonious; **2.** *su.* bigot; hypocrite; **cagoterie** [kago'tri] *f* cant; **cagotisme** [~'tism] *m* false piety.

cahier [ka'je] *m* paper-book; exercise-book; ♣ defaulters' book; ✝ ~ *des charges* specifications *pl.*

cahin-caha F [kaĕka'a] *adv.* so-so; middling.

cahot [ka'o] *m* *vehicle:* jolt, jog; **cahoter** [kao'te] (1a) *vt/i.* jolt along; toss; *vie f cahotée* life of ups and downs; **cahoteux, -euse** [~'tø, ~'tø:z] bumpy (*road*).

cahute [ka'yt] *f* hut; cabin; hovel.

caïeu ♀ [ka'jø] *m* off-set bulb.

caille *orn.* [ka:j] *f* quail.

caillé [ka'je] *m* curds *pl.*, curdled milk.

caillebotis [kajbo'ti] *m* ✗ duck-board(s *pl.*); ⚙ grating.

caillebotte [kaj'bɔt] *f* curds *pl.*; **cailler** [ka'je] *vt/i.* curdle, clot; congeal (*blood*); **cailleter** F [kaj'te] (1c) *v/i.* gossip; flirt.

caillette[1] [ka'jet] *f* *zo. ruminants:* fourth stomach; *cuis.* rennet.

caillette[2] F [~] *f* flirt; tart.

caillot [ka'jo] *m* clot.

caillou, *pl.* -**x** [ka'ju] *m* pebble; cobble; **cailloutage** [kaju'ta:ʒ] *m* △ rough-cast, pebble-dash; ⚙ gravel; road-metal; pebble paving; **caillouter** [~'te] (1a) *v/t.* ballast, metal (*a road, a railway-track*); pave with pebbles; **caillouteux, -euse** [~'tø, ~'tø:z] stony; pebbly, shingly (*beach*); **cailloutis** [~'ti] *m* gravel; road-metal; pebbled surface; cobbled pavement; rubble.

caisse [kɛs] *f* case, box; ✝ cash-box; ✝ till; (pay-)desk; *thea.* pay-box; ✝ fund; ♪, *anat.* drum; ⊕ body; ✗ *sl.* prison, cells *pl.*; ⚓ *eau* water-tank; ✝ ~ *d'amortissement* sinking-fund; depreciation; ~ *d'épargne* savings-bank; ~ *de prêts* loan bank; ~ *enregistreuse* cash-register; ⚡ *nationale de l'énergie* national grid; *argent m en* ~ cash in hand; *fig.* *battre la grosse* ~ advertize; boost a product; *faire la* ~ balance the cash; *grosse* ~ *instrument:* bass or big drum; *person:* bass drummer; *tenir la* ~ be in charge of the cash; **caissier** *m*, -**ère** *f* [kɛ'sje, ~'sjɛ:r] cashier; treasurer; **caisson** [~'sɔ̃] *m* box; ⊕ caisson; ✗ ammunition-

waggon; locker; *mot.* boot; ⚓
bunker.

cajoler [kaʒɔ'le] (1a) *v/t.* coax,
wheedle; **cajolerie** [~ʒɔl'ri] *f* coaxing, wheedling; **cajoleur, -euse**
[~ʒɔ'lœːr, ~'løːz] **1.** *adj.* wheedling;
2. *su.* wheedler.

cal, *pl.* **cals** [kal] *m* callosity; ♀, ♣
callus.

calamité [kalami'te] *f* calamity,
disaster; **calamiteux, -euse** [~'tø,
~'tøːz] calamitous.

calandre [ka'lãːdr] *f* mangle; *tex.*
calender, roller (*a. for paper*); *mot.*
shell; *mot.* radiator grill; **calandrer**
[~lã'dre] (1a) *v/t.* mangle; *tex. etc.*
calender; surface.

calcaire [kal'kɛːr] **1.** *adj.* calcareous;
chalky (*soil*); hard (*water*); **2.** *su./m*
limestone; **calcification** ♣ [~sifi-
ka'sjɔ̃] *f* calcification; **calcination**
[~sina'sjɔ̃] *f* calcination; *metall.*
oxidation; *ores:* roasting.

calcul [kal'kyl] *m* reckoning, calcula-
tion; estimate; *A* calculus; *A* arithmetic; ♣ calculus, stone; ~ *biliaire*
gall-stone; ~ *mental* mental arithmetic; **calculateur, -trice** [kal-
kyla'tœːr, ~'tris] **1.** *adj.* scheming;
2. *su. person:* calculator, reckoner;
su./m machine: reckoner; **calculer**
[~'le] (1a) *v/t.* reckon, calculate;
~ *de tête* work (*s.th.*) out in one's
head; **calculeux, -euse** ♣ [~'lø,
~'løːz] **1.** *adj.* calculous; **2.** *su.* sufferer from stone.

cale[1] ⚓ [kal] *f* hold; *quay:* slope,
slip; ~ *sèche* drydock.

cale[2] [kal] *f* ⊕ wedge; ⊕, ⚒ chock;
⊕ prop, strut; ⊕ tightening-key;
calé, e [ka'le] ⊕ jammed; F well-
informed; F *fig.* well-to-do; full up
(in, en); F difficult (*person*).

calebasse [kal'bɑːs] *f* ♀ calabash,
gourd; *metall.* small ladle; *sl.* head.

calèche [ka'lɛʃ] *f* barouche, calash.

caleçon [kal'sɔ̃] *m* drawers *pl.*, pants
pl., *Am. a. sp.* shorts *pl.*; ~ *de bain*
bathing-trunks *pl.*

calembour [kalã'buːr] *m* pun.

calembredaine F [kalãbrə'dɛn] *f*
nonsense; quibble.

calendrier [kalã'drje] *m* calendar,
almanac; ~ *à éffeuiller* tear-off calendar.

cale-pied *cycl.* [kal'pje] *m* toe-clip.

calepin [kal'pɛ̃] *m* notebook.

caler[1] [ka'le] (1a) *v/t.* ⚓ strike (*the*
sail); ⚓ house (*a mast*); *v/i.* ⚓
draw water; F climb down.

caler[2] [~] (1a) *v/t.* prop up (*a. fig.*);
wedge (up), chock (up); ⊕ jam;
mot. stall (*an engine*); ⊕, ⚒ adjust;
F *se* ~ *les joues, se les* ~ have a good
feed; *v/i. mot.* stall; F idle.

calfat ⚓ [kal'fa] *m* caulker; **calfater**
[~fa'te] (1a) *v/t.* caulk.

calfeutrer [kalfø'tre] (1a) *v/t.* stop
up the chinks of (*a window etc.*);
F *se* ~ shut o.s. up.

calibrage [kali'braːʒ] *m tube:* cali-
brating; ⊕ ga(u)ging; *phot.* trimming; **calibre** [~'libr] *m* ⚔ calibre
(*a. fig.*); bore; size; ⊕ *tool:* ga(u)ge;
template; ⊕ ~ *pour filetages* thread
ga(u)ge; *compas m de* ~ callipers
pl.; **calibrer** [~li'bre] (1a) *v/t.* ⊕
ga(u)ge; calibrate; *phot.* trim; *typ.*
cast off. [cup; ♀ calyx; *anat.* calix.]

calice [ka'lis] *m eccl.* chalice; *fig.*]

calicot [kali'ko] *m tex.* calico; *sl.*
counter-jumper, sales assistant,
Am. sales-clerk.

califourchon [kalifur'ʃɔ̃] *adv.: à* ~
astride.

câlin, e [kɑ'lɛ̃, ~'lin] **1.** *adj.* cajoling;
coaxing; caressing, winning (*ways*);
2. *su.* wheedler; **câliner** [~li'ne]
(1a) *v/t.* wheedle; caress.

calleux, -euse [ka'lø, ~'løːz] horny,
callous.

calligraphie [kaligra'fi] *f* calligra-
phy, penmanship.

callosité [kalozi'te] *f* callosity.

calmant, e [kal'mã, ~'mãːt] **1.** *adj.*
calming; soothing (*a.* ♣); **2.** *su./m*
♣ sedative.

calme[1] [kalm] *m* calm(ness); stillness; *fig.* composure.

calme[2] [kalm] calm, still, quiet;
calmer [kal'me] (1a) *v/t.* calm, still,
quiet; *fig.* soothe; *se* ~ calm down.

calomniateur, -trice [kalɔmnja-
'tœːr, ~'tris] **1.** *adj.* slanderous, libellous; **2.** *su.* slanderer, calumniator;
calomnie [~'ni] *f* calumny, slander,
libel; **calomnier** [~'nje] (1o) *v/t.*
slander, libel.

calorie *phys.* [kalɔ'ri] *f* calory, *Am.*
calorie; **calorifère** [kalɔri'fɛːr]
1. *adj.* heat-conveying; **2.** *su./m*
heating-apparatus; central heating
installation; F slow-combustion
stove; **calorifique** *phys.* [~'fik]
calorific, heating; **calorifuge**
[~'fyːʒ] **1.** *adj.* non-conducting; in-

sulating; fireproof; **2.** *su./m* heat-insulator; ⊕ non-conduction; **calorifugeage** ⊕ [~fy'ʒaːʒ] *m* heat-insulation; **calorifuger** ⊕ [~fy'ʒe] (11) *v/t.* insulate.

calot [ka'lo] *m* ✕ forage-cap; ⊕ small wedge; ⊕ *quarry*: block of stone; *sl.* eye; *ribouler des ~s* be flabbergasted; **calotin** *sl.* [~lɔ'tɛ̃] *m* ardent church-goer; sky-pilot (= *priest*); **calotte** [~'lɔt] *f* skull-cap (*a. eccl.*); ✕ undress cap; watch-case; F box on the ears; *sl.* clergy; **calotter** [~lɔ'te] (1a) *v/t.* F cuff (*s.o.*); *golf*: top (*the ball*).

calque [kalk] *m* tracing; F copy; **calquer** [kal'ke] (1m) *v/t.* trace (from, *sur*); *needlework*: transfer (*a pattern*); copy; *papier m à ~* tracing-paper; *se ~ sur q.* copy s.o., model o.s. on s.o.

calumet [kaly'mɛ] *m* ⚑ reed; pipe (*of a Red Indian*); *le ~ de paix* the pipe of peace, the calumet.

calvaire [kal'vɛːr] *m eccl.* stations *pl.* of the Cross; *eccl.* calvary; *fig.* martyrdom; *le* ♀ (Mount) Calvary.

calvinisme *eccl.* [kalvi'nism] *m* Calvinism.

calvitie [kalvi'si] *f* baldness.

camail *cost.* [ka'maːj] *m* cape (*a. eccl., a. orn.*), cloak.

camarade [kama'rad] *su.* comrade, fellow, mate, F chum; **camaraderie** [~ra'dri] *f* comradeship, friendship; clique.

camard, e [ka'maːr, ~'mard] **1.** *adj.* snub-nosed; **2.** *su./f: la ~e* Death.

cambouis [kɑ̃'bwi] *m* dirty oil; cart-grease.

cambré, e [kɑ̃'bre] bent; cambered, arched; bow-legged; **cambrement** [~brə'mɑ̃] *m* bending, cambering; **cambrer** [~'bre] (1a) *v/t.* bend; camber; arch; *se ~* throw out one's chest; warp (*wood*).

cambriolage [kɑ̃briɔ'laːʒ] *m* house-breaking; burglary; **cambrioler** [~'le] (1a) *v/t.* break into (*a house*), burgle; **cambrioleur** [~'lœːr] *m* housebreaker; burglar.

cambrure [kɑ̃'bryːr] *f* curve, camber; *foot*: arch.

cambuse [kɑ̃'byːz] *f* ⚓ store-room; canteen; *sl.* hovel; low pub(lic house); glory-hole; **cambusier** ⚓ [~by'zje] *m* store-keeper; steward's mate.

came ⊕ [kam] *f* cam; *arbre m à ~s* cam-shaft.

caméléon *zo.* [kamele'ɔ̃] *m* chameleon.

camélia ♀ [kame'lja] *m* camelia.

camelot [kam'lo] *m* street hawker; newsvendor; *~ du roi* young royalist; **camelote** [~'lɔt] *f* cheap goods *pl.*; junk, trash; *de ~* gimcrack.

caméra [kame'ra] *f* cine-camera.

camérier *eccl.* [kame'rje] *m* chamberlain.

camériste [kame'rist] *f* lady's maid; chamber-maid.

camion [ka'mjɔ̃] *m* waggon; lorry, *Am.* truck; (*a. ~ automobile*) motor lorry; **~-citerne,** *pl.* **~s-citernes** [~mjɔ̃si'tɛrn] *m* lorry: tanker; **camionnage** [kamjɔ'naːʒ] *m* cartage; carting, *Am.* trucking; **camionner** ⚑ [~'ne] (1a) *v/t.* cart, carry; truck; **camionnette** [~'nɛt] *f* small lorry, *Am.* light truck; **camionneur** [~'nœːr] *m* lorry-driver, *Am.* truck driver.

camisole [kami'sɔl] *f* sleeved vest; *woman*: dressing jacket; *~ de force* strait jacket.

camomille ♀ [kamɔ'miːj] *f* camomile.

camouflage [kamu'flaːʒ] *m* disguising; ✕, ⚓ camouflage; **camoufler** [~'fle] (1a) *v/t.* disguise; ✕, ⚓ camouflage; **camouflet** F [~'flɛ] *m* insult; snub.

camp [kɑ̃] *m* camp (*a. fig.*); party; *fig.* side; *~ de réfugiés* refugee camp; *~ de vacances* holiday camp; *~ volant* temporary shelter; F *ficher* (*or sl. fouter*) *le ~* clear out; **campagnard, e** [kɑ̃pa'ɲaːr, ~'ɲard] **1.** *adj.* country; rustic; **2.** *su.* rustic; *su./m* countryman; *su./f* countrywoman; **campagne** [~'paɲ] *f* open country; countryside; ✕, ⚓ campaign; ✕ field; ⚓ cruise; *à la ~* in the country; *en pleine ~* in the open; **campagnol** *zo.* [~pa'ɲɔl] *m* vole.

campanile ⚠ [kɑ̃pa'nil] *m* bell-tower; **campanule** ♀ [~'nyl] *f* campanula.

campement ✕ [kɑ̃p'mɑ̃] *m* camping; encampment, camp; camp party; **camper** [kɑ̃'pe] (1a) *vt/i.* encamp; *v/t.* F place; *fig.* arrange; *~ là q.* leave s.o. in the lurch; **camping** [~'piŋ] *m* camping; (holiday) camp; *faire du ~* go camping.

campos F [kă'po] *m* holiday.
camus, e [ka'my, ~'my:z] snub-nosed; pug-nosed.
canadien, -enne [kana'djɛ̃, ~'djɛn]
1. *adj.* Canadian; 2. *su.* ♀ Canadian;
su./f sheepskin jacket.
canaille F [ka'nɑːj] 1. *adj.* low
(*action*); coarse (*song*); 2. *su./f*
rabble; blackguard.
canal [ka'nal] *m* canal (*a.* ♀, *a.*
anat.); channel; ♣ passage; ⊕
pipe, conduit; ⊕ culvert; △ fluting; *anat.* duct; ⊕ *~-tunnel* under-ground canal; **canalisation** [~naliza'sjɔ̃] *f* river: canalization; ⊕
pipeline; ⊕ mains *pl.*
canapé [kana'pe] *m* couch, sofa;
~-lit, pl. ~s-lits [~pe'li] *m* bed-settee.
canard [ka'naːr] *m* duck; drake; F
hoax; F false news; sensationalist
newspaper, rag; F brandy- *or* cof-fee-soaked lump of sugar; ♪ wrong
note; **canardeau** [kanar'do] *m*
duckling; **canarder** [~'de] (1a) *v/i.*
♣ pitch; ♪ play *or* sing a wrong
note; *v/t.* F snipe at; **canardière**
[~'djeːr] *f* duck-pond; *duck-shoot-ing*: screen; *duck-gun*; ✕ loop-hole.
canari *orn.* [kana'ri] *m* canary.
cancan[1] [kɑ̃'kɑ̃] *m dance*: cancan.
cancan[2] [kɑ̃'kɑ̃] *m* piece of gossip;
~s pl. tittle-tattle *sg.*; **cancaner**
[kɑ̃ka'ne] (1a) *v/i.* gossip; talk
scandal; **cancanier, -ère** [~'nje,
~'njeːr] 1. *adj.* tale-bearing; 2. *su.*
person: gossip.
cancer [kɑ̃'sɛːr] *m* ♨ cancer; ma-lignant growth; *astr.* *le* ♀ Cancer
(*a. geog.*), the Crab; **cancéreux,
-euse** ♨ [kɑ̃se'rø, ~rø:z] 1. *adj.*
cancerous; 2. *su.* cancer patient;
cancérigène ♨ [~ri'ʒɛn] carcino-genic, carcinogenous; **cancérolo-gie** ♨ [~rɔlɔ'ʒi] *f* cancer research;
cancre [kɑ̃:kr] *m* crab; F dunce,
dud.
candeur [kɑ̃'dœːr] *f* artlessness.
candi [kɑ̃'di] 1. *adj./m* candied;
2. *su./m*: *~s pl.* crystallized fruit.
candidat *m, e f* [kɑ̃di'da, ~'dat]
candidate; **candidature** [~da'ty:r]
f candidature; *poser sa ~ à* apply
for (*a position*).
candide [kɑ̃'did] artless, ingenuous.
cane [kan] *f* (female) duck; **caner**
sl [ka'ne] (1a) *v/i.* funk it; **caneton**
[kan'tɔ̃] *m* duckling.

canette[1] [ka'net] *f orn.* duckling;
teal.
canette[2] [~] *f* ⊕ faucet; can; bottle;
tex. spool.
canevas [kan'va] *m* canvas; outline.
caniche *zo.* [ka'niʃ] *m* poodle.
caniculaire [kaniky'lɛːr] sultry;
jours m/pl. ~s dog-days; **canicule**
[~'kyl] *f* dog-days *pl.*; *astr.* dog-star.   [knife.]
canif [ka'nif] *m* penknife, pocket-)
canin, e [ka'nɛ̃, ~'nin] 1. *adj.* canine;
exposition f ~e dog-show; *avoir une
faim ~e* be as hungry as a wolf;
dent f ~e = 2. *su./f* canine (tooth).
canitie [kani'si] *f hair*: hoariness.
caniveau [kani'vo] ⊕ gutter; ⚡
cables: conduit; ⚡ main.
canne [kan] *f* ♀ cane, reed; walk-ing-stick; *~ à pêche* fishing rod;
~ à sucre sugar-cane; *sucre m de ~*
cane-sugar; **canneler** [~'le] (1c)
v/t. groove; △ flute; corrugate.
cannelle[1] [ka'nɛl] *f* ♀ cinnamon;
fig. small pieces *pl.*
cannelle[2] [~] *f* faucet.
cannelure [kan'ly:r] *f* groove, chan-nel; △ fluting; corrugation; **canner**
[ka'ne] (1a) *v/t.* cane-bottom; **can-nette** [~'net] *f see cannelle*[1]; *ca-nette*[2].
canon[1] [ka'nɔ̃] *m* ✕, ♣ gun, can-non; *coll.* artillery; *key, rifle, watch,
etc.*: barrel; measuring-glass; *sl.*
glass of wine.
canon[2] [ka'nɔ̃] *m* ♀, *eccl.* canon;
canonial, e, *m/pl.* -aux [kanɔ'njal,
~'njo] canonical; of a canon; **cano-nique** [~'nik] canonical (*book, age*);
F respectable, proper; **canoniser**
eccl. [~ni'ze] (1a) *v/t.* canonize.
canonnade ✕ [kanɔ'nad] *f* gun-fire;
cannonade; **canonner** [~'ne] (1a)
v/t. cannonade; batter (*a fortress*);
canonnier ✕ [~'nje] *m* gunner;
canonnière [~'njeːr] *f* ♣ gunboat;
△ drain-hole; *toy*: pop-gun.
canot [ka'no] *m* boat; dinghy; ♣ *~
de l'amiral* admiral's barge; ♣ *~ de
sauvetage* lifeboat; *~ glisseur* speed-boat; *~ pliable* folding boat; **cano-tage** [kanɔ'taːʒ] *m* rowing, boating,
canoeing; *faire du ~* row; **canoter**
[~'te] (1a) *v/i.* row; go in for boat-ing; **canotier** [~'tje] *m* boatman;
oarsman; *cost.* straw-hat, boater.
cantatrice [kɑ̃ta'tris] *f* (professional)
singer, vocalist.

cantharide zo. [kɑ̃taˈrid] ƒ Spanish fly; poudre ƒ de ~s cantharides pl.

cantine [kɑ̃ˈtin] ƒ✗ restaurant: canteen; soup-kitchen; equipment-case; **cantinier, -ère** [ˌtiˈnje, ~ˈnjɛːr] su. canteen-attendant; su./m canteen-manager; su./ƒ canteen-manageress.

cantique eccl. [kɑ̃ˈtik] m canticle; hymn; sacred song; bibl. le ♀ des ♀s the Song of Songs.

canton [kɑ̃ˈtɔ̃] m admin. canton, district; ⚙, road: section.

cantonade thea. [kɑ̃tɔˈnad] ƒ wings pl.; parler à la ~ speak behind the scenes.

cantonnement [kɑ̃tɔnˈmɑ̃] m ✗ quarters pl.; ✗ billeting; **cantonner** [kɑ̃tɔˈne] (1a) v/t. ✗ billet, quarter; v/i. ✗ be billeted; **cantonnier** [ˌˈnje] m district road-surveyor; roadman; ⚙ permanent-way man.

canule [kaˈnyl] ƒ⚕ nozzle; cannula; sl. bore.

caoutchouc [kauˈtʃu] m india-rubber; mackintosh, raincoat; mot. etc. tyre; ~s pl. galoshes, Am. rubber overshoes; ~ durci vulcanite; ~ mousse foam rubber; gant m de ~ rubber-glove.

cap [kap] m geog. cape, headland; ⚓, ☀ head; de pied en ~ from head to foot; mettre le ~ sur head for; ⚓, ⚓ suivre le ~ fixé be on one's course.

capable [kaˈpabl] capable, able; **capacité** [ˌpasiˈte] ƒ capacity (a. ⚡); ability; ⚡ legal competence.

cape [kap] ƒ cape, cloak; hood; cigar: outer leaf; ⚓ être à la ~ be hove to; rire sous ~ laugh up one's sleeve.

capeline [kapˈlin] ƒ sun-bonnet; hooded cape.

capillaire [kapilˈlɛːr] **1.** adj. capillary; artiste m ~ tonsorial artist; **2.** su./m ❀ maidenhair fern; **capillarité** phys. [ˌlariˈte] ƒ capillary attraction, capillarity.

capilotade cuis. [kapilɔˈtad] ƒ hash; fig. en ~ bruised; F mettre q. en ~ beat s.o. to a pulp.

capitaine [kapiˈten] m captain (a. fig.); ⚓ a. master; ✗, gang, team: leader.

capital, e, m/pl. **-aux** [kapiˈtal, ~ˈto] **1.** adj. capital; fundamental, essen-

tial; deadly (sin); peine ƒ ~e capital punishment, death penalty; **2.** su./m ✚ capital, assets pl.; ~ d'apport initial capital; ~ d'exploitation working capital; ✚ et intérêt principal and interest; su./ƒ geog. capital; typ. capital (letter); **capitaliser** [ˌtaliˈze] (1a) v/t. ✚ capitalize; v/i. save; **capitalisme** [ˌtaˈlism] m capitalism.

capitation [kapitaˈsjɔ̃] ƒ poll-tax.

capiteux, -euse [kapiˈtø, ~ˈtøːz] heady (wine); sensuous, F sexy.

capiton ✚ [kapiˈtɔ̃] m silk waste; **capitonner** [ˌtɔˈne] (1a) v/t. upholster; cost. quilt.

capitulaire [kapityˈlɛːr] capitular(y); **capitulation** [ˌlaˈsjɔ̃] ƒ capitulation, surrender; **capituler** [ˌˈle] (1a) v/i. ✗ surrender; capitulate; fig. yield; fig. compromise (with, avec) (one's conscience).

capoc ✚ [kaˈpɔk] m kapok.

capon, -onne [kaˈpɔ̃, ~ˈpɔn] **1.** adj. cowardly, afraid; **2.** su. coward; school: sneak.

caporal [kapɔˈral] m ✗ corporal; F tobacco: shag; ✗ ~ chef lance-sergeant; **caporalisme** [ˌraˈlism] m narrow militarism.

capot [kaˈpo] **1.** su./m ✗, ⚓ hooded great-coat; cloak; mot. bonnet, Am. hood; ✗ cowling; cards: capot; ⚓ companion-(hatch); ⚓ submarine: conning tower; faire ~ turn turtle; cards: take all the tricks; **2.** adj./inv. fig. nonplussed; deceived, taken in; **capotage** [ˌpɔˈtaːʒ] m mot. hooding; ✗, mot. overturning; ✗ nose-over; **capote** [ˌˈpɔt] ƒ✗ greatcoat; bonnet; mot. hood, Am. convertible top; chimney: cowl; sl. ~ anglaise French letter (= contraceptive); **capoter** [ˌpɔˈte] (1a) v/i. ✗, mot. overturn; ✗ nose over; ⚓ turn turtle.

câpre ❀ [kɑːpr] ƒ caper.

capricant, e ⚕ [kapriˈkɑ̃, ~ˈkɑ̃t] bounding; caprisant (pulse).

caprice [kaˈpris] m caprice, whim; impulse; geol. offshoot; ♪ caprice, capriccio; **capricieux, -euse** [ˌpriˈsjø, ~ˈsjøːz] capricious; whimsical; wayward (child).

capricorne [kapriˈkɔrn] m capricorn beetle; astr. le ♀ Capricorn, the Goat.

capsule [kapˈsyl] ƒ capsule; bottle:

cap, crown-cork; ✂ percussion-cap; ⚡ à ~ dished (*electrode*); **capsuler** [ˌsy'le] (1a) *v/t.* seal, cap (*a bottle*).

captage [kap'taːʒ] *m* water-catchment; collecting (*of waters*); ⚡ picking up; ⊕ recovery (*of by-products*); **captateur** *m*, **-trice** *f* 🏛 [ˌta'tœːr, ~'tris] inveigler; **captation** [ˌta'sjɔ̃] *f* 🏛 inveiglement; ⚡ collecting; collection; *tel.*, *teleph.* tapping; **capter** [ˌ'te] (1a) *v/t.* ⚡ collect; catch (*waters*); ⊕ recover (*waste*); *radio*: pick up (*a station*); *tel.*, *teleph.* tap, intercept; captivate (*s.o.*); win by insidious means; **capteur** [ˌ'tœːr] *m* ⚡ captor; ⊕ collector; **captieux, -euse** [ˌ'sjø, ~-'sjøːz] fallacious, specious.

captif, -ve [kap'tif, ~'tiːv] **1.** *adj.* captive; **2.** *su.* prisoner; **captiver** [ˌti've] (1a) *v/t.* captivate, charm; master (*one's feelings*); **captivité** [ˌtivi'te] *f* captivity.

capture [kap'tyːr] *f* capture; seizure; ⚓ *a.* prize; **capturer** [ˌty're] (1a) *v/t.* capture; ⚓ seize; arrest.

capuchon [kapy'ʃɔ̃] *m cost.* hood; *eccl.* cowl; *lamp, pen, etc.*: cap.

capucin [kapy'sɛ̃] *m* Capuchin friar; **capucinade** F [ˌsi'nad] *f* dull sermon *or* address; **capucine** [ˌ'sin] *f* Capuchin nun; ⚘ nasturtium; △ drip-stone; *vehicle*: hood; *rifle*: band.

caque [kak] *f* keg; herring-barrel; **caquer** [ka'ke] (1m) *v/t.* cure and barrel (*herrings*).

caquet [ka'kɛ] *m*, **caquetage** [kak'taːʒ] *m hens*: cackling; F gossip, chatter; *rabattre le caquet de q.* show s.o. up; make s.o. sing small; **caqueter** [ˌ'te] (1c) *v/i.* cackle (*hen*); F gossip, chatter; gabble; **caqueteur** *m*, **-euse** *f* [ˌ'tœːr, ~'tøːz] *person*: gossip.

car¹ [kaːr] *m* 🚃, *tram*: car; *police*: van; motor-coach.

car² [ˌ] *cj.* for, because.

carabe *zo.* [ka'rab] *m* carabid (*beetle*).

carabine ✖ [kara'bin] *f* rifle; carbine; **carabiné, e** [ˌbi'ne] sharp, violent; ⚓ strong; **carabinier** [ˌbi'nje] *m* † carabineer; *Italy*: soldier of the police militia, constable; *Spain*: customs officer.

caracole [kara'kɔl] *f horsemanship*:

caracole, half-turn; *fig.* caper; **caracoler** [ˌkɔ'le] (1a) *v/i.* horsemanship: caracole; *fig.* caper, gambol.

caractère [karak'tɛːr] *m* character; nature; temperament; feature, characteristic; letter; *typ.* type; *mauvais* ~ bad temper; **caractériser** [ˌteri'ze] (1a) *v/t.* characterize; *se* ~ *par* be distinguished by; **caractéristique** [ˌteris'tik] **1.** *adj.* characteristic (of, de), distinctive; typical (of, de); **2.** *su./f* characteristic.

carafe [ka'raf] *f* decanter; water-bottle; carafe; ✈ *avoir la* ~ make a forced landing; *rester en* ~ be left in the lurch; **carafon** [ˌra'fɔ̃] *m* small decanter *or* carafe; *wine*: ice-pail.

carambolage [karãbɔ'laːʒ] *m billiards*: cannon, *Am.* carom; **caramboler** [ˌbɔ'le] (1a) *v/i.* cannon, *Am.* carom; *v/t.* F jostle; **carambouilleur** [ˌbu'jœːr] *m* swindler (*who buys things on credit and sells or pawns them at once*).

caramel [kara'mɛl] *m* caramel, burnt sugar; gravy-browning; **caraméliser** [ˌmeli'ze] (1a) *v/t.* caramel(ize) (*sugar*); mix caramel with.

carapater *sl.* [karapa'te] (1a) *v/t.*: *se* ~ decamp, scram.

carat [ka'ra] *m* carat.

caravane [kara'van] *f* caravan (*a. mot.*); F conducted party; **caravanier** [ˌva'nje] *m* caravaneer; **caravansérail** [ˌvãse'ra:j] *m* caravanserai.

carbonate 🜍 [karbɔ'nat] *m* carbonate; *sl.* washing soda; **carbonater** 🜍 [ˌbɔna'te] (1a) *v/t.* carbonate; **carbone** [ˌ'bɔn] *m* 🜍 carbon; *papier m* ~ carbon paper; **carbonique** 🜍 [ˌbɔ'nik] carbonic; **carboniser** [ˌbɔni'ze] (1a) *v/t.* carbonize, char; *fig.* burn to death.

carburant [karby'rã] *m* motor fuel; **carburateur** *mot.* [ˌbyra'tœːr] *m* carburettor; **carbure** 🜍 [ˌ'by:r] *m* carbide; **carburé, e** [ˌby're] carburetted; vaporized (*fuel*).

carcan [kar'kã] *m hist.* iron collar; *sl.* gawky *or* shrewish woman; *sl. horse*: jade.

carcasse [kar'kas] *f* carcass; frame (-work); △ shell, skeleton.

carcinome 🔬 [karsi'nɔm] *m* carcinoma.

cardage 84

cardage *tex.* [kar'daːʒ] *m* wool:
carding; *cloth*: teaseling, raising.
cardamine ♀ [karda'min] *f* cardamine; ~ *des prés* mayflower.
cardan ⊕ [kar'dɑ̃] *m* universal
joint; *arbre m à* ♀ Cardan shaft.
carde [kard] *f* ♀ bur, teasel; ♀
chard; *tex.* carding-brush; ⊕ ~
métallique wire-brush; **carder** *tex.*
[kar'de] (1a) *v/t.* card, comb (*wool*);
teasel (*cloth*); **cardeuse** *tex.* [~-
'døːz] *f* carding-machine.
cardiaque ♂ [kar'djak] **1.** *adj.* car-
diac; *crise f* ~ heart attack; **2.** *su.*
sufferer from heart trouble, F heart-
case.
cardinal, e, *m/pl.* -aux [kardi'nal,
~'no] *adj.*, *a. su./m* cardinal.
carême [ka'rɛm] *m* Lent; fast;
comme mars en ~ without fail; ~-
prenant, *pl.* ~s-prenants [~rɛm-
prə'nɑ̃] *m* Shrovetide; *person*:
Shrovetide reveller; F regular guy.
carénage [kare'naːʒ] *m* ⊕ careening; careening-place; docking; ✈,
mot. stream-lining.
carence [ka'rɑ̃ːs] *f* ♂, ♀ insolvency;
defaulting; ♂ deficiency (of, in de);
maladie f par ~ deficiency disease.
carène [ka'rɛn] *f* ⊕ hull; ✈, *mot.*
stream-lined body; *pompe f de* ~
bilge-pump; **caréner** [~re'ne] (1f)
v/t. ⊕ careen; ✈, *mot.* stream-line.
caresse [ka'rɛs] *f* caress; endear-
ment; **caresser** [~re'se] (1a) *v/t.*
caress, fondle; *fig.* cherish (*hopes*).
cargaison ⊕ [kargɛ'zɔ̃] *f* cargo;
shipping (*of cargo*); **cargo**
[~'go] *m* cargo-boat, tramp; **car-
guer** ⊕ [~'ge] (1m) *v/t.* take in
(*sail*).
caricature [karika'tyːr] *f* cartoon;
fig. travesty.
carie [ka'ri] *f* ♂ caries; *trees*: blight;
✗ *corn*: stinking smut; **carier**
[~'rje] (1o) *v/t. a. se* ~ rot, decay.
carillon [kari'jɔ̃] *m* carillon, chime(s
pl.); peal; ♪ tubular bells *pl.*; F row;
carillonner [~jɔ'ne] (1a) *vt/i.*
chime; sound; *fête f carillonnée*
High Festival; **carillonneur** [~-
jɔ'nœːr] *m* carillon player; bell-
ringer; change-ringer.
carlin, e [kar'lɛ̃, ~'lin] *adj.*, *a. su.*
pug.
carlingue [kar'lɛ̃ːg] *f* ⊕ keelson;
✈ fuselage; F cockpit.
carme [karm] *m* Carmelite, White

Friar; ~ *déchaussé* discalced Carmelite; **carmélite** [karme'lit] *f*
nun: Carmelite.
carmin [kar'mɛ̃] *su./m*, *a. adj./inv.*
carmine.
carminatif, -ve ♂ [karmina'tif,
~'tiːv] *adj.*, *a. su./m* carminative.
carnage [kar'naːʒ] *m* slaughter;
raw meat (*for animals*); **carnassier, -ère** [karna'sje, ~'sjɛːr] **1.** *adj.*
carnivorous; **2.** *su./f* (*a. dent f* ~ère)
carnassial (tooth); game-bag; *su./m*
carnivore; **carnation** *paint.* [~'sjɔ̃]
f flesh tint(s *pl.*).
carnaval, *pl.* -als [karna'val] *m* carnival; King Carnival.
carne *sl.* [karn] *f* tough meat; old
horse; bad-tempered person; wastrel; slut.
carnet [kar'nɛ] *m* note-book; *dance*:
card; *mot.* ~ *de route* log-book; ~
multicopiste duplicating-book; ~-
répertoire address-book.
carnier [kar'nje] *m* game-bag.
carnivore [karni'voːr] **1.** *dj.* carnivorous; **2.** *su./m*: ~s *pl.* carnivora.
carotte [ka'rɔt] **1.** *su./f* ♀, ✗ carrot;
tobacco: plug; *sl.* trick, swindle; **2.**
adj./inv. carroty, ginger; **carotter**
[~rɔ'te] (1a) *v/i. sl.* play for trifling
stakes; *v/t.* cheat; ~ *qch. à q.* do
s.o. out of s.th.; ✗ ~ *le service*
malinger.
caroube ♀ [ka'rub] *f* carob; **caroubier** ♀ [~ru'bje] *m* carob-tree.
carpe[1] *anat.* [karp] *m* wrist.
carpe[2] *icht.* [karp] *f* carp; **carpeau**
icht. [kar'po] *m* young carp.
carpette[1] [kar'pɛt] *f* rug.
carpette[2] *icht.* [~] *f* young carp.
carquois [kar'kwa] *m* quiver.
carre [kaːr] *f* plank: thickness; *hat*:
crown; *boot*: square toe; **carré, e**
[ka're] **1.** *adj.* square, squared
(*stone*); *fig.* plain, blunt; **2.** *su./m*
square; ✗ patch; *staircase*: landing; *anat.* quadrate muscle; *cuis.*
loin; ⊕ ~ *des officiers* ward-room;
mess-room; *su./f sl.* room, digs *pl.*;
carreau [~'ro] *m* small square;
flooring: tile, flag; floor; (window-)
pane; *cards*: diamonds *sg.*; ✗ *mine*:
head; (tailor's) goose; † bolt; *à* ~x
checked (*material*); F *se garder* (*or
tenir*) *à* ~ take every precaution;
carrefour [kar'fur] *m* crossroads
pl.; intersection; square (*in town*);
carrelage [karla'ʒ] *m* tiling; **car-

reler [ˌ‿'le] (1c) *v/t.* tile, pave with tiles; square (*paper*); checker; **carrelet** [ˌ‿'le] *m* square dipping-net; ⊕ large needle; sewing-needle (*of boatmen*); **carreleur** [ˌ‿'lœːr] *m* tile-layer.

carrément [kɑrɛ'mɑ̃] *adv.* square (-ly); *fig.* bluntly; straightforwardly; **carrer** [kɑ're] (1a) *v/t.* square; se ‿ swagger; loll (*in a chair*).

carrier [kɑ'rje] *m* quarryman.

carrière¹ [kɑ'rjɛːr] *f* quarry.

carrière² [ˌ‿] *f* course; career; donner ‿ à give free rein to.

carriole [kɑ'rjɔl] *f* light cart.

carrossable [kɑrɔ'sabl] carriageable, passable (*for vehicles*); **carrosse** [ˌ‿'rɔs] *m* † coach; *fig.* rouler ‿ live in style; **carrosserie** [ˌ‿rɔs'ri] *f* coach-building; *mot.* body.

carrousel [karu'sɛl] *m* merry-goround; ✗ tattoo.

carrure [kɑ'ryːr] *f* breadth of shoulders.

cartable [kar'tabl] *m* satchel; writing-pad; cardboard portfolio.

carte [kart] *f* card; *restaurant*: menu; map, ♣ chart; ticket; ‿ blanche full powers *pl.*; *fig.* free hand; ✗ ‿ d'accès au bord boarding pass; ‿ de lecteur reader's ticket; ‿ d'identité identity card; *mot.* ‿ grise car licence; ‿ perforée punch(ed) card; ‿ postale postcard; *mot.* ‿ rose driving licence; battre les ‿s shuffle (the cards); faire les ‿s deal (the cards); jouer ‿s sur table be above-board.

cartel [kar'tɛl] *m* † ring, cartel, combine; *pol.* coalition.

carte-lettre, *pl.* **cartes-lettres** [kartə'lɛtr] *f* letter-card.

cartellisation ⊕ [kartɛliza'sjɔ̃] *f* cartelization.

carter [kar'tɛːr] *m mot.* crank-case; *bicycle*: gear-case.

cartilage [karti'laːʒ] *m anat.* cartilage, F gristle; **cartilagineux, -euse** [ˌ‿laʒi'nø, ‿'nøːz] *anat.* cartilaginous, F gristly; ♧ hard.

cartographe [kartɔ'graf] *m* map-maker, chart-maker; cartographer; **cartographie** [ˌ‿gra'fi] *f* cartography; mapping; map collection; **cartomancie** [ˌ‿mɑ̃'si] *f* cartomancy, fortune-telling (by cards).

carton [kar'tɔ̃] *m* cardboard; pasteboard; cardboard box; cardboard portfolio; *art*: cartoon; *phot.* mount; *typ.* cancel; *geog.* inset map; ‿ à chapeaux hat-box; ‿ bitumé roofing felt; ‿ ondulé corrugated cardboard; *fig.* homme m de ‿ man of straw; **cartonner** [ˌ‿tɔ'ne] (1a) *v/t.* bind in boards, case; **cartonnerie** [ˌ‿tɔn'ri] *f* cardboard manufactory; cardboard trade; **cartonnier** [ˌ‿tɔ'nje] *m* (cardboard) file; **carton-pâte**, *pl.* **cartons-pâtes** [ˌ‿tɔ̃'pɑt] *m* papier mâché.

cartothèque ✝ [kartɔ'tɛk] *f* card-index.

cartouche¹ [kar'tuʃ] *m* ⚑ scroll; tablet; F highwayman.

cartouche² [kar'tuʃ] *f* ✗ cartridge; refill (*of ball-pen*); **cartouchière** [ˌ‿tu'ʃjɛːr] *f* ✗ cartridge-pouch; ‿ d'infirmier first-aid case.

carvi ♀ [kar'vi] *m* caraway.

cas [kɑ] *m* case (a. ✗ = disease, patient; a. gramm.); instance, circumstance; affair; ‿ limite borderline case; au (or dans le) ‿ où (*cond.*) in case *or* in the event of (*ger.*); au ‿ où (*cond.*), en ‿ que (*sbj.*) in case ... should (*inf.*); dans tous les ‿, en tout ‿ in any case; en aucun ‿ in no circumstances; en ce ‿ if so; faire grand ‿ de think highly of (*s.th.*); faire peu de ‿ de set little value on; le ‿ échéant if needed; selon le ‿ as the case may be.

casanier, -ère [kaza'nje, ‿'njɛːr] *adj., a. su.* stay-at-home.

casaque [ka'zak] *f* coat, jacket; jumper (*of woman*); F tourner ‿ turn one's coat; **casaquin** [ˌ‿za'kɛ̃] *m* dressing-jacket; jumper.

cascade [kas'kad] *f* waterfall, falls *pl.*, cascade; F gay time; F piece of reckless folly; **cascader** [ˌ‿ka'de] (1a) *v/i.* cascade; F go the pace.

case [kɑːz] *f* hut, small house; compartment; pigeon-hole; *chessboard*: square; ‿ postale Post Office box, P.O. box.

caséeux, -euse [kaze'ø, ‿'øːz] cheesy, caseous.

casemate ✗ [kaz'mat] *f* casemate.

caser [kɑ'ze] (1a) *v/t.* put away; file (*papers*); marry off; F accommodate; se ‿ settle down; find a home (with, *chez*).

caserne ✗ [ka'zɛrn] *f* barracks *pl.*; **caserner** ✗ [ˌ‿zɛr'ne] (1a) *v/t.* quarter, billet; *v/i.* live in barracks.

casier [kɑ'zje] *m* pigeon-hole; filing-cabinet; rack, bin; ⚖ ~ *judiciaire* police record.

casino [kazi'no] *m* casino.

casque [kask] *m* helmet; ~s *pl.* d'écoute ear-phones; ~ *blindé* crash-helmet; **casqué, e** [kas'ke] helmeted; **casquer** F [~'ke] (1m) *v/i.* foot the bill; *v/t.* fork out (*a sum*); **casquette** [~'kɛt] *f* (peaked) cap.

cassable [kɑ'sabl] breakable; **cassant, e** [~'sɑ̃, ~'sɑ̃:t] brittle (*china etc.*); crisp (*biscuit*); curt, short (*manner, voice*); F knife-edge (*crease*); *metall.* short; **cassation** [~sa'sjɔ̃] *f* ⚖ reversing, quashing, setting aside; ✗ reduction to the ranks; ⚖ *cour f de* ~ Supreme Court of Appeal.

casse[1] [kɑːs] *f* breakage, damage; *fig.* break; F row.

casse[2] [~] *f typ.* case; ⊕ ladle; *metall.* crucible; *typ. haut* (*bas*) *de* ~ upper (lower) case.

casse[3] [~] *f* ♀ cassia; senna.

casse...: ~**cou** [kas'ku] *m/inv.* dangerous spot; ~**croûte** [~'krut] *m/inv.* snack; snack-bar; ~**noisettes** [~nwa'zɛt] *m/inv.*, ~**noix** [~'nwa] *m/inv.* nutcrackers *pl.*

casser [kɑ'se] (1a) *v/t.* break, smash; crack; F punch (s.o.'s nose, *le nez à q.*); ✗ reduce to the ranks; ⚖ set aside, quash, reverse; F ~ *sa pipe* kick the bucket (= *die*); *v/i. a. se* ~ break, give way; wear out (*person*).   [stewpan.]

casserole [kas'rɔl] *f* saucepan,]

casse-tête [kas'tɛt] *m/inv.* life-preserver (= *loaded stick*); club, truncheon; *fig.* puzzle, head-ache; *fig.* din, uproar.

cassette [ka'sɛt] *f* (jewel-)casket; case; money-box.

casseur, -euse [kɑ'sœːr, ~'søːz] **1.** *adj.* destructive, aggressive (*look etc.*); **2.** *su.* breaker; ~ *d'assiettes* truculent person.

cassis[1] ♀ [ka'sis] *m* black currant; black-currant brandy.

cassis[2] ⊕ [ka'si] *m* cross-drain.

cassonade [kasɔ'nad] *f* brown sugar.

cassure [kɑ'syːr] *f* break; fragment.

caste [kast] *f* caste; *esprit m de* ~ class consciousness.

castel † [kas'tɛl] *m* castle.

castillan, e [kasti'jɑ̃, ~'jan] *adj., a. su.* ♀ Castilian.

castor *zo.*, † [kas'tɔːr] *m* beaver.

casuel, -elle [ka'zɥɛl] **1.** *adj.* accidental, fortuitous, casual; *gramm.* case-...; ⚖ contingent; **2.** *su./m* perquisites *pl.*

casuistique [kazɥis'tik] *f* casuistry (*a. fig.*).

cataclysme [kata'klism] *m* cataclysm, disaster; **catalepsie** ⚕ [~lɛp'si] *f* catalepsy; **catalogue** [~'lɔg] *m* catalogue, list; *faire le* ~ *de* run over the list of; **cataloguer** [~lɔ'ge] (1m) *v/t.* catalogue, list; **catalyseur** ⚗ [~li'zœːr] *m* catalyst; **cataphote** *mot.* [~'fɔt] *m* road: cat's eye, *Am.* reflector; **cataplasme** ⚕ [~'plasm] *m* poultice; **cataracte** [~'rakt] *m* cataract (*a.* ⚕).

catarrhe ⚕ [ka'taːr] *m* catarrh; F ~ *nasal* cold in the head; **catarrheux, -euse** [~ta'rø, ~'røːz] catarrhous.

catastrophe [katas'trɔf] *f* catastrophe; disaster; **catastrophique** [~trɔ'fik] catastrophic.

catch *sp.* [katʃ] *m* catch-as-catch-can.

catéchiser [kateʃi'ze] (1a) *v/t. eccl.* catechize; *fig.* coach; lecture; reason with (*s.o.*).

catégorie [katego'ri] *f* category, class; **catégoriser** [~ri'ze] (1a) *v/t.* classify.

caténaire ≠ [kate'nɛːr] **1.** *adj.* catenary; **2.** *su./f* trolley-wire.

cathédrale [kate'dral] *f* cathedral.

cathode ≠ [ka'tɔd] *f* cathode; **cathodique** ≠ [~tɔ'dik] cathodic; *tube m à rayons* ~*s* cathode-ray tube.

catholique [katɔ'lik] **1.** *adj.* (Roman) Catholic; † universal; F orthodox, regular; **2.** *su.* (Roman) Catholic.

catimini F [katimi'ni] *adv.:* en ~ stealthily; on the sly.

catin F [ka'tɛ̃] *f* prostitute.

catir *tex.* [ka'tiːr] (2a) *v/t.* press, gloss.

cauchemar [koʃ'maːr] *m* nightmare; *fig.* pet aversion.

causal, e [ko'zal] causal, causative.

cause [koːz] *f* cause, motive; reason; ⚖ case, trial; *à* ~ *de* on account of; *fig.* en ~ at stake; involved; *mettre en* ~ question (*s.th.*); *pour* ~ for a good reason; ⚖ *sans* ~ briefless (*barrister*).

causer[1] [ko'ze] (1a) *v/t.* cause.

causer² [ko'ze] (1a) v/i. talk (a. fig. = blab), chat; **causerie** [koz'ri] f talk, chat; **causette** F [ko'zɛt] f little chat; **causeur, -euse** [ˌ'zœːr, ˌ-'zøːz] 1. adj. talkative, chatty; 2. su. talker; su./f settee for two.

causticité [kostisi'te] f 🔒 causticity; fig. caustic humo(u)r; biting quality (of a remark etc.); **caustique** [ˌ'tik] 1. adj. 🔒, a. fig. caustic; 2. su./m 🔒 caustic; su./f opt. caustic.

cautèle [ko'tɛl] f † wariness; eccl. à ˌ conditional (absolution); **cauteleux, -euse** [kot'lø, ˌ'løːz] cunning, crafty; wary.

cautère 🔒 [ko'tɛːr] m cautery; **cautériser** 🔒 [ˌteri'ze] (1a) v/t. cauterize.

caution [ko'sjɔ̃] f security, guarantee; ⚖ bail; † deposit; être (or se porter) ˌ go bail; † stand surety; fournir ˌ produce bail; sujet à ˌ unreliable, unconfirmed; **cautionnement** [ˌsjɔn'mã] m surety; **cautionner** [ˌsjɔ'ne] (1a) v/t. stand surety for (s.o.); ⚖ go bail for; answer for (s.th.).

cavalcade [kaval'kad] f cavalcade; procession; **cavale** poet. [ˌ'val] f mare; **cavaler** sl. [ˌva'le] (1a) v/i. run; v/t. pester (s.o.); se ˌ do a bunk (= run away); **cavalerie** [ˌval'ri] f cavalry; **cavalier, -ère** [ˌva'lje, ˌ'ljɛːr] 1. su. rider; su./m horseman; dancing: partner; chess: knight; ⚔ trooper; su./f horsewoman; 2. adj. haughty; off-hand; jaunty; Ⱥ perspective f ˌère isometric projection.

cave [kaːv] 1. su./f cellar (a. fig.); vault; ⊕ coke-oven: wharf; cards: stake(s pl.); 2. adj. hollow; anat. veine f ˌ vena cava; **caveau** [ka'vo] m cellar, vault; burial vault; **caver** [ˌ've] (1a) v/t. hollow (out), undermine; put up (money at cards); v/i. put up a sum of money; **caverne** [ˌ'vɛrn] f cave, cavern; (thieves') den; ˌ cavity; **caverneux, -euse** [ˌver'nø, ˌ'nøːz] cavernous; fig. hollow, sepulchral (voice); **caviste** [ˌ'vist] m cellarman; **cavité** [ˌvi'te] f cavity, hollow.

ce¹ [s(ə)] dem./pron./n it; this, that; these, those; ce qui (or que) what, which; c'est pourquoi therefore; c'est que the truth is that; c'est moi it is I, F it's me.

ce² (before vowel or h mute cet) m, cette f, ces pl. [sə, sɛt, se] dem./adj. this, that, pl. these, those; ce ...-ci this; ce ...-là that.

céans [se'ã] adv. F here(in); maître m de ˌ master of the house.

ceci [sə'si] dem./pron./n this; ˌ étant this being the case or so·

cécité [sesi'te] f blindness.

cédant, e †, ⚖ [se'dã, ˌ'dãːt] 1. su. assignor, grantor, transferor; 2. adj. assigning, granting, transferring; **céder** [ˌ'de] (1f) v/t/i. give up, yield; surrender; v/t. 🔒 give off; transfer; sell (a lease); ˌ le pas à give way to; ˌ le passage give way; le ˌ à q. be inferior or second to s.o. (in, en).

cédille gramm. [se'diːj] f cedilla.

cèdre [sɛːdr] m tree or wood: cedar.

cédule [se'dyl] f script, note; admin. taxes: schedule; summons sg.

cégétiste [seʒe'tist] m trade-unionist (= member of the C.G.T.).

ceindre [sɛ̃ːdr] (4m) v/t. (de, with) gird; bind; surround; wreathe.

ceinture [sɛ̃'tyːr] f belt (a. fig. of fortifications, hills, etc.); girdle; waist; waistband; enclosure, circle; ˌ de sauvetage lifebelt; mot. ˌ de sécurité seat belt; ˌ verte green belt; 🚋 ligne f de ˌ circle line; **ceinturer** [sɛ̃ty're] (1a) v/t. surround; foot. collar (s.o.) low; **ceinturon** [ˌ'rje] m belt-maker; **ceinturon** [ˌ'rɔ̃] m waist-belt, sword-belt.

cela [s(ə)la] 1. dem./pron./n that; à ˌ près with that exception; ˌ fait thereupon; c'est ˌ that's right, that's it; comment ˌ? how?; et ... avec tout ˌ? and what about ...?; 2. su./m psych. id.

céladon [sela'dɔ̃] su./m, a. adj./inv. celadon, parrot-green.

célébration [selebra'sjɔ̃] f celebration; **célèbre** [ˌ'lɛbr] famous, celebrated; **célébrer** [sele'bre] (1f) v/t. celebrate; extol; **célébrité** [ˌbri'te] f celebrity.

celer [sə'le] (1d) v/t. conceal.

céleri 🌱 [sel'ri] m celery; pied m de ˌ head of celery.

célérité [seleri'te] f speed, rapidity, swiftness.

céleste [se'lɛst] heavenly, celestial; bleu ˌ sky-blue; ♪ voix f ˌ organ: vox angelica.

célibat [seli'ba] m celibacy; **céliba-**

taire [ˌbaˈtɛːr] **1.** *adj.* single; celibate; **2.** *su./m* bachelor; *su./f* spinster.

celle [sɛl] *f see celui.*

cellier [seˈlje] *m* store-room, storecupboard.

cellulaire [selyˈlɛːr] cellular; *régime m ~* solitary confinement; *voiture f ~* police-van, F Black Maria; **cellule** [~ˈlyl] *f* cell; F den; ⚡ *~ au sélénium* selenium cell; ✈ *~ d'avion* air-frame; *telev. ~ photo-électrique* electric eye; **celluleux, -euse** [selyˈlø, ~ˈløːz] cell(at)ed; **celluloïd(e)** ⊕ [ˌlyˈlɔˈid] *m* celluloid; **cellulose** ⚕, ✝ [~ˈloːz] *f* cellulose.

celte [sɛlt] **1.** *adj.* Celtic; **2.** *su.* ♀ Celt; **celtique** [selˈtik] **1.** *adj.* Celtic; **2.** *su./m ling.* Celtic.

celui *m,* **celle** *f,* **ceux** *m/pl.,* **celles** *f/pl.* [səˈlɥi, sɛl, sø, sɛl] *dem./pron.* he *(acc.* him); she *(acc.* her); the one, that; *pl.* they *(acc.* them); those; *~ci etc.* [səlɥiˈsi *etc.*] the latter; this one; *~là etc.* [səlɥiˈla *etc.*] the former; that one.

cément *metall.* [seˈmɑ̃] *m* cement *(a.* 🛡), powdered carbon; **cémenter** [ˌmɑ̃ˈte] (1a) *v/t. metall.* caseharden *(steel);* cement *(an armourplate).*

cendre [sɑ̃ːdr] *f* cinders *pl.,* ash; *mercredi m des ♀s* Ash Wednesday; **cendré, e** [sɑ̃ˈdre] **1.** *adj.* ash-grey, ashy; **2.** *su./f sp.* cinders *pl.;* ♀ lead ashes *pl.;* **cendreux, -euse** [~ˈdrø, ~ˈdrøːz] ash-grey, ashy; gritty; *metall.* brittle *(steel);* **cendrier** [~driˈe] *m* ash-pan; 🚂 ashbox; ash-tray.

Cendrillon [sɑ̃driˈjɔ̃] *f* Cinderella *(a. fig.);fig.* stay-at-home; F drudge.

Cène [sɛn] *f the* Last Supper; *protestant service: the* Lord's Supper; *the* Holy Communion.

censé, e [sɑ̃ˈse] supposed, reputed; **censément** [ˌseˈmɑ̃] *adv.* supposedly; ostensibly; to all intents and purposes; **censeur** [~ˈsœːr] *m* censor; critic; ✝ auditor; *lycée:* vice-principal; *univ* proctor; **censurable** [ˌsyˈrabl] open to censure; **censure** [~ˈsyːr] *f* censure, blame; *cin., journ., etc.* censorship; ✝ audit; **censurer** [~syˈre] (1a) *v/t.* censure, blame; criticize; *cin. etc.* censor.

cent [sɑ̃] **1.** *adj./num.* (a or one)

hundred; **2.** *su./m (inv. when followed by another number)* hundred; *cinq pour ~* five per cent; *je vous le donne en ~* I give you a hundred guesses; *trois ~ dix* three hundred and ten; *trois ~s ans* three hundred years; **centaine** [sɑ̃ˈten] *f (about)* a hundred.

centaure *myth.* [sɑ̃ˈtɔːr] *m* centaur.

centenaire [sɑ̃tˈnɛːr] **1.** *adj.* a hundred years old; *fig.* ancient, venerable; **2.** *su./m* centenary; *su. person:* centenarian; **centésimal, e,** *m/pl.* **-aux** [sɑ̃teziˈmal, ~ˈmo] centesimal; *thermomètre m ~* centigrade thermometer.

centi... [sɑ̃ti] centi...; **centiare** [sɑ̃ˈtjaːr] *m measure:* one square metre *(approx.* 1¹⁄₅ *square yards);* **centième** [~ˈtjɛm] **1.** *adj./num., a. su., a. su./m fraction:* hundredth; **2.** *su./f thea.* hundredth performance; **centigrade** [~tiˈgrad] centigrade; **centime** [~ˈtim] *m* ¹⁄₁₀₀ *of a franc;* **centimètre** [~tiˈmɛtr] *m measure: (approx.)* ²⁄₅ inch; tape-measure.

central, e, *m/pl.* **-aux** [sɑ̃ˈtral, ~ˈtro] **1.** *adj.* central; **2.** *su./m* telephoneexchange; call-station; *su./f* ⚡ *~* power-house; power-station; ⚡ *~e hydro-électrique* hydro-electric generating station; *~e nucléaire (or atomique)* nuclear power-station; **centraliser** [ˌtraliˈze] (1a) *v/t. a. se ~* centralize; **centre** [sɑ̃ːtr] *m* centre, *Am.* center; middle; *foot. ~s pl.* insides; *meteor. ~ de dépression* storm centre; *phys. ~ de gravitation (or d'attraction)* centre of attraction; **centrer** [sɑ̃ˈtre] (1a) *v/t.* centre, *Am.* center; adjust; **centrifuge** [sɑ̃triˈfyːʒ] centrifugal; *essoreuse f ~* rotary dryer; **centripète** [~ˈpet] centripetal; **centriste** *pol.* [sɑ̃ˈtrist] *adj., a. su.* centrist.

centuple [sɑ̃ˈtypl] *su./m, a. adj.* hundredfold; **centupler** [~tyˈple] (1a) *vt/i.* increase a hundredfold.

cep 🌱 [sɛp] *m* vine-stock; vineplant.

cèpe 🍄 [~] *m* flap mushroom.

cependant [səpɑ̃ˈdɑ̃] **1.** *adv.* meanwhile; **2.** *cj.* however, nevertheless, yet.

céramique [seraˈmik] **1.** *adj.* ceramic; **2.** *su. f* ceramics *pl.,* pottery; **céramiste** [~ˈmist] *su.* potter.

cérat 💊 [seˈra] *m* cerate, ointment.

Cerbère [sɛr'bɛːr] *m myth., a. fig.* Cerberus.

cerceau [sɛr'so] *m* hoop; 🐣 cradle (*over bed*); **cercle** [sɛrkl] *m* circle (*a. fig.*), ring (*a.* ⊕); *barrel*: hoop; dial; *fig.* company, group; *fig.* sphere, range; *geog.* ~ *polaire* polar circle; *en* ~*s* in the wood (*wine*); 🐣 *quart m de* ~ quadrant; **cercler** [sɛr'kle] (1a) *v/t.* encircle, ring, hoop; put a tyre on (*a wheel*).

cercueil [sɛr'kœːj] *m* coffin; ~ *en plomb* (leaden) shell.

céréale 💈 [sere'al] *su./f, a. adj.* cereal.

cérébral, e, *m/pl.* **-aux** [sere'bral, ~'bro] cerebral, brain...; *fatigue* ~*e* brain-fag.

cérémonial, *pl.* **-als** [seremɔ'njal] *m* ceremonial; **cérémonie** [~'ni] *f* ceremony (*a. fig.*), pomp; formality; *sans* ~ informal(ly *adv.*); **cérémonieux, -euse** [~'njø, ~'njøːz] ceremonious, formal.

cerf [sɛːr] *zo.* stag, hart; *cuis.* venison.

cerfeuil 💈 [sɛr'fœːj] *m* chervil.

cerf-volant, *pl.* **cerfs-volants** [sɛr-vɔ'lɑ̃] *m zo.* stag-beetle; (paper) kite.

cerise [sə'riːz] 1. *su./f* 💈 cherry; *sl.* bad luck; 2. *adj./inv.* cherry-red; **cerisette** [səri'zɛt] *f* dried cherry; 💈 winter-cherry; **cerisier** [~'zje] *m* cherry-tree; cherry-wood.

cerne [sɛrn] *m* tree: (age-)ring; ring, circle (*round eyes, wound, etc.*); **cerneau** [sɛr'no] *m* green walnut; **cerner** [~'ne] (1a) *v/t.* encircle, surround; hem in; ring (*s.o.'s eyes etc.*); shell (*nuts*); *avoir les yeux cernés* have rings under one's eyes.

certain, e [sɛr'tɛ̃, ~'tɛn] 1. *adj.* certain, sure; positive, definite; (*before noun*) one; some; 2. *pron.* some, certain; **certes** [sɛrt] *adv.* indeed; **certificat** [sɛrtifi'ka] *m* certificate (*a.* 💈); testimonial; ~ *de bonne vie et mœurs* certificate of good character; ~ *d'origine* dog etc.: pedigree; **certification** [~fika'sjɔ̃] *f* certification; *signature*: witnessing; **certifier** [~'fje] (1o) *v/t.* certify, attest, assure; witness (*a signature*); **certitude** [~'tyd] *f* certainty.

cérumen [sery'mɛn] *m* ear-wax.

céruse 🜍 [se'ryːz] *f* white lead; **cérusite** 🜍 [~ry'zit] *f* cerusite.

cerveau [sɛr'vo] *m* brain; *fig.* mind; ~ *brûlé* hothead; *rhume m de* ~ cold in the head.

cervelas *cuis.* [sɛrvə'la] *m* saveloy.

cervelet *anat.* [sɛrvə'lɛ] *m* cerebellum; **cervelle** *anat., cuis.* [~'vɛl] *f* brains *pl.*; *brûler la* ~ *à q.* blow s.o.'s brains out; *se creuser la* ~ rack one's brains; *fig. une* ~ *de lièvre* a memory like a sieve.

ces [se] *pl. of* ce[2].

césarienne 🦯 [sesa'rjɛn] *adj./f*: *opération f* ~ Caesarean (operation).

cessation [sesa'sjɔ̃] *f* cessation, stoppage, suspension; breach (*of relations*); **cesse** [sɛs] *f* cease, ceasing; *sans* ~ unceasingly, without ceasing; constantly; **cesser** [sɛ'se] (1a) *vt/i.* cease, leave off; *v/i.*: *faire* ~ put a stop to; **cessez-le-feu** [~selə'fø] *m/inv.* cease-fire; **cessible** 🏛 [~'sibl] transferable; assignable; **cession** [~'sjɔ̃] *f* 🏛 transfer, assignment; ⊕ supply (*of power*); 🌾 *shares*: delivery; **cessionnaire** 🌾 [~sjɔ'nɛːr] *m* transferee, assignee; *bill*: holder; *cheque*: endorser.

c'est-à-dire [sɛta'diːr] *cj.* that is to say, i.e.; in other words; F ~ *que* well, actually.

cet *m,* **cette** *f* [sɛt] *see* ce[2].

cétacé, e *zo.* [seta'se] 1. *adj.* cetaceous, cetacean; 2. *su./m* cetacean.

ceux [sø] *m/pl. see* celui.

chabler [ʃa'ble] (1a) *v/t.* ⊕ hoist (*a load*); ⚓ tow (*a boat*); 🌳 beat (*a walnut-tree*).

chablis [ʃa'bli] *m* Chablis (= *white Burgundy*).

chabot *icht.* [ʃa'bo] *m* bullhead, miller's thumb; chub.

chacal, *pl.* **-als** *zo.* [ʃa'kal] *m* jackal.

chacun, e [ʃa'kœ̃, ~'kyn] *pron./indef.* each (one); everybody.

chafouin, e [ʃa'fwɛ̃, ~'fwin] 1. *adj.* sly-looking (*person*); 2. *su.* sly-looking person.

chagrin[1], e [ʃa'grɛ̃, ~'grin] 1. *su./m* grief, sorrow; trouble; annoyance; 2. *adj.* sorry; sad; troubled (at, *de*); distressed (at, *de*); peevish.

chagrin[2] [ʃa'grɛ̃] *m* (*a. peau f de* ~) *leather*: shagreen.

chagriner[1] [ʃagri'ne] (1a) *v/t.* grieve, distress; annoy; *se* ~ fret.

chagriner[2] [~] (1a) *v/t.* grain (*leather*).

chahut F [ʃa'y] *m* uproar, row; rag;
chahuter F [~y'te] (1a) *v/t.* kick up
a row; *sl.* boo; *v/t.* rag (*s.o.*); give
(*s.o.*) the bird; boo (*s.o.*).

chai [ʃɛ] *m* wine and spirit store.

chaîne [ʃɛn] *f* chain; link(s *pl.*);
fetter; necklace; *fig.* sequence, train
(*of ideas*); *tex.* warp; ⚓ chain-
boom; *geog. mountains*: range; *mot.*
~s *pl.* antidérapantes anti-skid
chains; ⊕ *travail m* à la ~ assembly
line work, work on the conveyor
belt; **chaîner** [ʃɛ'ne] (1b) *v/t.* △,
surv. chain; △ tie; **chaînette** [~'nɛt]
f small chain; ℈ catenary; *point m*
de ~ chain-stitch; **chaînon** [~'nɔ̃]
m chain: link; *geog. mountains*:
secondary range.

chair [ʃɛːr] *f* flesh; meat; *fruit*:
pulp; *fig.* ~ de poule goose-flesh.

chaire [~] *f* eccl., *a.* univ. chair;
eccl. throne; *eccl.* pulpit; rostrum;
tribune.

chaise [ʃɛːz] *f* chair, seat; *hist.* (*a.* ~ à
porteurs) sedan-chair; ~ de poste
post-chaise; ~ longue couch, chaise
longue.

chaland[1] [ʃa'lɑ̃] *m* lighter, barge.

chaland[2] *m*, **e** *f* † [ʃa'lɑ̃, ~'lɑ̃ːd]
customer (*a. fig.*), purchaser.

chalcographie [kalkɔgra'fi] *f* engraving on metal; engraving studio.

châle [ʃɑːl] *m* shawl.

chalet [ʃa'lɛ] *m* chalet; country
cottage; ~ de nécessité public convenience.

chaleur [ʃa'lœːr] *f* heat (*a. of animals*), warmth; ardo(u)r, zeal; ⊕ ~
blanche white heat; **chaleureux,
-euse** [~lœ'rø, ~'røːz] warm; *fig.*
ardent; cordial, hearty (*welcome
etc.*); glowing (*colour, terms*).

châlit [ʃa'li] *m* bedstead.

challenge *sp.* [ʃa'lɑ̃ːʒ] *m* challenge.

chaloupe ⚓ [ʃa'lup] *f* launch, long-
boat.

chalumeau [ʃaly'mo] *m* drinking-
straw; ♪, ⊕ pipe; ⊕ blow-lamp.

chalut [ʃa'ly] *m* trawl; drag-net;
chalutier ⚓ [~ly'tje] *m* person,
boat: trawler.

chamailler F [ʃama'je] (1a) *v/t.*
squabble with; se ~ squabble (with,
avec); be at loggerheads, bicker
(with, *avec*); **chamaillerie** [~maj-
'ri] *f* squabble, brawl, scuffle.

chamarrer [ʃama're] (1a) *v/t.* be-
deck; *fig.* embroider, dress up (*a*

story); **chamarrure** [~'ryːr] *f*
tawdry decoration.

chambard F [ʃɑ̃'bar] *m*, **chambar-
dement** F [~bardə'mɑ̃] *m* upheaval,
upset; **chambarder** F [~bar'de]
(1a) *v/t.* rifle (*a room*); smash up,
upset (*a. fig.*).

chambellan [ʃɑ̃bɛl'lɑ̃] *m* chamberlain.

chambranle △ [ʃɑ̃'brɑ̃ːl] *m* frame;
~ de cheminée mantelpiece.

chambre [ʃɑ̃ːbr] *f* room; chamber
(*a. pol.*, ✝, ⊕); ⚖ division; ⚓
cabin; *mot.* ~ à air inner tube; ~ à
un lit (deux lits) single (double)
room; ~ d'ami spare room; ✝ ~ de
commerce chamber of commerce;
pol. ♀ des députés House of Commons, *Am.* House of Representatives, *France*: Chamber of Depu-
ties; ⚓ ~ des machines engine-
room; *phot.* ~ noire dark room; ~
sur la cour (rue) back (front) room; ~
garder la ~ be confined to one's
room; ♪ musique *f* de ~ chamber
music; ⊕ ouvrier m en ~ home-
worker; garret-craftsman; *fig.*
stratégiste m en ~ armchair strategist; **chambrée** [ʃɑ̃'bre] *f* roomful;
✕ barrack-room; *thea.* house; *thea.*
takings *pl.*; **chambrer** [~'bre] (1a)
v/t. lock up in a room; bring (*wine*)
to room temperature; **chambrière**
[~'brjɛːr] *f* † chambermaid; long
whip; *truck etc.*: drag; ⊕ safety-
dog.

chameau [ʃa'mo] *m* zo. camel; 🚂
shunting engine; *sl.* dirty dog *m*,
bitch *f*; **chamelier** [~mə'lje] *m*
camel-driver; **chamelle** zo. [~'mɛl]
f she-camel.

chamois zo. [ʃa'mwa] *m* chamois;
chamois *or* shammy leather; *gants
m/pl.* de ~ wash-leather gloves;
chamoiser [~mwa'ze] (1a) *v/t.*
chamois, dress (*leather*).

champ [ʃɑ̃] *m* field (*a. fig.*); open
country; ground; space; *fig.* range;
⊕ side, edge; ~ d'activité scope *or*
field of activity; *sp.* ~ de courses
racecourse, race-track; ~ de repos
churchyard; ~ visuel field of vision;
à tout bout de ~ the whole time, at
every end and turn; à travers ~s
across country; ⊕ de ~ on edge,
edgewise.

champagne [ʃɑ̃'paɲ] *su./m* champagne; *su./f*: fine ~ liqueur brandy.

champart ✍ [ʃã'pa:r] *m* wheat and rye sown together.

champenois, e [ʃãpə'nwa, ~'nwa:z] of Champagne.

champêtre [ʃã'pɛ:tr] rural, rustic.

champignon [ʃãpi'ɲɔ̃] *m* ♀ mushroom; 🚂 *rail:* head; F *mot.* accelerator pedal; F *mot.* appuyer sur le ~ step on the gas; **champignonnière** [~ɲɔ'njɛ:r] *f* mushroom-bed.

champion *m*, **-onne** *f* [ʃã'pjɔ̃, ~'pjɔn] *sp., fig.* champion; *fig.* supporter; **championnat** [~pjɔ'na] *m* championship.

chançard, e [ʃã'sa:r, ~'sard] **1.** *adj.* lucky; **2.** *su.* lucky person; **chance** [ʃã:s] *f* luck, fortune; *bonne* ~! good luck; *par* ~ by good fortune.

chanceler [ʃãs'le] (1c) *v/i.* reel, stagger totter; falter.

chancelier [ʃãsə'lje] *m* chancellor; *pol. embassy:* secretary; **chancelière** [~sə'lje:r] *f* chancellor's wife; foot-muff; **chancellerie** [~sɛl'ri] *f* chancellery.

chanceux, -euse [ʃã'sø, ~'sø:z] risky; lucky.

chancir [ʃã'si:r] (2a) *v/i. a.* se ~ go mo(u)ldy; **chancissure** [~si'sy:r] *f* mo(u)ld, mildew.

chancre [ʃã:kr] *m* 🩺 ulcer; 🩺 F, *a.* ♀ canker; **chancreux, -euse** [ʃã'krø, ~'krø:z] 🩺 ulcerous; cankerous (*growth*); cankered (*organ*).

chandail [ʃã'da:j] *m* sweater.

Chandeleur *eccl.* [ʃãd'lœ:r] *f*: *la* ~ Candlemas; **chandelier** [ʃãdə'lje] *m* candlestick; *person:* chandler; ⊕ *boiler:* pedestal; **chandelle** [~'dɛl] *f* candle; *cricket, tennis:* skyer, lob; ⚠ stay, prop; *à la* ~ by candle-light; *fig.* en voir trente-six ~s see stars; **chandellerie** [~dɛl'ri] *f* candleworks *usu. sg.*

chanfrein[1] [ʃã'frɛ̃] *m* blaze (*on a horse's forehead*); *horse etc.:* forehead.

chanfrein[2] [ʃã'frɛ̃] *m* bevelled edge; **chanfreiner** ⊕ [~frɛ'ne] (1a) *v/t.* bevel, chamfer.

change [ʃã:ʒ] *m* ♈ exchange; *hunt.* wrong scent; F false scent; *fig.* donner le ~ à q. put s.o. off, side-track s.o.; **changeable** [ʃã'ʒabl] changeable; exchangeable; **changeant, e** [~'ʒã, ~'ʒã:t] changing; changeable, variable; unsettled (*weather*); **changement** [ʃãʒ'mã]

m change, alteration; *mot.* ~ de vitesse gear-change, *Am.* gearshift; 🚂 ~ de voie points *pl.*; **changer** [ʃã'ʒe] (1l) *v/t.* change (for, *contre*); alter; *v/i.* change, alter (s.th., *de* qch.); **changeur** [~'ʒœ:r] *m* money-changer.

chanoine *eccl.* [ʃa'nwan] *m* canon; **chanoinesse** *eccl.* [~nwa'nɛs] *f* canoness.

chanson [ʃã'sɔ̃] *f* song; ~s *pl.* nonsense; **chansonner** [ʃãsɔ'ne] (1a) *v/t.* write satirical songs about (*s.o.*); **chansonnette** [~'nɛt] *f* comic song; **chansonnier, -ère** [~'nje, ~'nje:r] *su.* song-writer; *su./m* songbook; small revue theatre.

chant[1] [ʃã] *m* ♪ singing; song; *eccl.* chant; canto; melody; *au* ~ *du coq* at cock-crow; ~ de Noël Christmas carol.

chant[2] ⊕ [~] *m* edge, side.

chantage [ʃã'ta:ʒ] *m* blackmail.

chantepleure [ʃãtə'plœ:r] *f* wine funnel; colander; watering-can with a long spout; *cask:* tap; ⚠ gutter: spout; **chanter** [ʃã'te] (1a) *v/t.* sing; celebrate; ~ victoire sur crow over; *iro.* que me chantez-vous là? that's a fine story!; *v/i.* sing; creak (*door*); sizzle (*butter*); crow (*cock*); faire ~ q. blackmail s.o.; F si ça vous chante if it suits you.

chanterelle[1] [ʃã'trɛl] *f* ♪ violin: E-string; decoy-bird; bird-call.

chanterelle[2] ♀ [~] *f* mushroom: cantharellus.

chanteur *m*, **-euse** *f* [ʃã'tœ:r, ~'tø:z] singer; *maître* *m* ~ *hist.* master-singer; F blackmailer.

chantier [ʃã'tje] *m* (timber- *etc.*) yard; work-yard, site; ⊕ *foundry:* floor; gantry; ⚓ boat chock; agricultural camp; F mess; *traffic sign:* men at work; *sur le* ~ in hand.

chantonner [ʃãtɔ'ne] (1a) *v/t./i.* hum.

chantourner ⊕ [ʃãtur'ne] (1a) *v/t.* jig-saw; ⊕ scie *f* à ~ bow saw, jig-saw.

chantre [ʃã:tr] *m* *eccl.* cantor; *poet.* singer, poet.

chanvre ♀, ⊕ [ʃã:vr] *m* hemp; **chanvrier, -ère** [ʃãvri'e, ~'ɛ:r] **1.** *su.* hemp-grower; **2.** *adj.* hemp-...

chaos [ka'o] *m* chaos, confusion.

chaparder F [ʃapar'de] (1a) *v/t.* scrounge, filch, lift.

chape [ʃap] f eccl. cope; covering, layer; cuis. dish cover; ⊕ D-joint; mot. tyre: tread; mot. patch (on tyre); △ bridge: coping; ⊕ roller: flange; pulley-block: strap; pulley: shell; **chapeau** [ʃa'po] m hat; △ chimney: cowl; ⊕, a. pen: cap; ♪ ~ chinois Chinese bells pl.; ~ haut de forme top hat; ~ melon bowler; F travailler du ~ talk through one's hat.

chapelain [ʃa'plɛ̃] m chaplain.

chapelet [ʃa'plɛ] m rosary; ✝ beads, onions: string; ⊕ series; ✕ bombs: stick; **chapelier, -ère** [ʃpə'lje, ~'ljɛːr] 1. adj. hat-...; 2. su. hatter, Am. milliner; ✕.f Saratoga trunk.

chapelle [ʃa'pɛl] f chapel; ⊕ case; F clique.

chapellerie [ʃapɛl'ri] f hat-trade; hat-shop; **chapelure** cuis. [ʃ'plyːr] f bread crumbs pl.

chaperon [ʃa'prɔ̃] m hood; △ wall: coping; roof: cap-stone; chaperon; le petit ♀ rouge Little Red Riding Hood; **chaperonner** [ʃprɔ'ne] (1a) v/t. hood (a falcon), chaperon (s.o.); △ put a coping on (a wall).

chapiteau [ʃapi'to] m ✝ capital; windmill etc.: cap; circus: big top.

chapitre [ʃa'pitr] m chapter (a. eccl.); heading, subject; **chapitrer** F [ʃpi-'tre] (1a) v/t. read (s.o.) a lecture, reprimand.

chapon [ʃa'pɔ̃] m capon; **chaponner** [ʃpɔ'ne] (1a) v/t. caponize.

chaque [ʃak] each, every.

char [ʃar] m waggon; ~ à bancs char-a-banc(s pl.); ✕ ~ blindé armo(u)red car; ✕ ~ d'assaut tank; ✕ ~ de combat light-armo(u)red car; ♀ de l'État Ship of State; ~ de triomphe triumphal car; ~ funèbre hearse.

charabia [ʃara'bja] m gibberish.

charade [ʃa'rad] f charade.

charançon zo. [ʃarɑ̃'sɔ̃] m weevil.

charbon [ʃar'bɔ̃] m coal; (a. ~ de bois) charcoal; ⚛ carbon; ✓ blight; anthrax; ✻ carbuncle; **charbonnage** ⚒ [ʃbɔ'naːʒ] m coal mining; colliery; bunkering; **charbonner** [ʃbɔ'ne] (1a) v/t. char, carbonize; cuis. burn; sketch or blacken with charcoal; v/i. ♦ coal ship; **charbonnerie** [ʃbɔn'ri] f coal depot; **charbonnier, -ère** [ʃbɔ'nje, ~'njɛːr] 1. adj. coal-...; charcoal-...; 2. su./m coal-man; coal-merchant;

coal-hole; ♦ collier; ~ est maître chez lui a(n English)man's home is his castle; su./f coal-scuttle; charcoal kiln; orn. great tit; ♦ coal lighter.

charcuter [ʃarky'te] (1a) v/t. cut (meat) into small pieces; F mangle; ✻ F carve, operate clumsily upon (a patient); **charcuterie** [ʃ'tri] f pork-butcher's shop or trade or meat; delicatessen; **charcutier** m, -ère f [ʃ'tje, ʃ'tjɛːr] pork-butcher; F sawbones sg. (= surgeon).

chardon [ʃar'dɔ̃] m thistle; **chardonneret** orn. [ʃdɔn'rɛ] m gold-finch.

charge [ʃarʒ] f load, burden; ♦ loading; ⊕, ⚡, ⚡, ✕ arms: charge; cost; post, office; responsibility; exaggeration, caricature, thea. over-acting; ✕ ~ payante pay load; ⊕ ~ utile useful load; à ~ de revanche on condition of reciprocity; être à la ~ de be dependent on or depending upon; femme f de ~ housekeeper; pas m de ~ marching: double time; **chargé** [ʃar'ʒe] m: pol. ~ d'affaires chargé d'affaires, ambassador's deputy; univ. ~ de cours reader, senior lecturer; **chargement** [ʃʒə'mã] m load; ♦ lading; ♦ cargo; ⚡ charging; **charger** [ʃ'ʒe] (11) v/t. load, burden (a. fig.); charge (a. ✕, ⚡, ⚡); entrust; post: register; thea. over-act; ✝ inflate (an account); ~ q. de coups drub s.o., belabo(u)r s.o.; se ~ become overcast (sky); become coated (tongue); se ~ de (inf.) undertake to (inf.), take it upon o.s. to (inf.); **chargeur** [ʃ'ʒœːr] m loader, ♦ shipper; stoker; ⚡ charg-er.

chariot [ʃa'rjo] m waggon; ⊕ truck, trolley; ♦ cradle; ⊕ crane: crab; typewriter: carriage; camera: base-board; astr. le grand ♀ Charles's Wain.

charitable [ʃari'tabl] charitable (to, towards envers); **charité** [ʃ'te] f charity, love; alms(-giving) sg.

charivari [ʃariva'ri] m tin-kettle music; fig. din.

charlatan m, e f [ʃarla'tã, ʃ'tan] charlatan, quack; **charlatanisme** [ʃta'nism] charlatanism.

charlotte cuis. [ʃar'lɔt] f apple charlotte; trifle.

charmant, e [ʃar'mã, ~'mã:t] charming, delightful.

charme[1] ⚘ [ʃarm] *m* hornbeam.

charme[2] [ʃarm] *m* charm (*a. fig.*); spell; **charmer** [ʃar'me] (1a) *v/t.* charm (*a. fig.*); delight; **charmeur, -euse** [~'mœ:r, ~'mø:z] **1.** *adj.* charming; **2.** *su.* charmer.

charmille [ʃar'mi:j] *f* hedge; arbo(u)r.

charnel, -elle [ʃar'nɛl] carnal; sensual; **charnier** [~'nje] *m* charnel-house (*a. fig.*).

charnière [ʃar'njɛ:r] *f* hinge; ⊕ ~ *universelle* univeral joint.

charnu, e [ʃar'ny] fleshy.

charogne [ʃa'rɔɲ] *f* carrion; *sl. woman*: slut; *man*: scoundrel.

charpente [ʃar'pã:t] *f* framework (*a. fig.*); timber-work, steel-work; *house, ship, etc.*: skeleton; **charpenter** [ʃarpã'te] (1a) *v/t.* frame (*a. fig.*); **charpenterie** [~'tri] *f* carpentry; carpenter's (shop); timber-yard; **charpentier** [~'tje] *m* carpenter; ~ *de navires* ship-\
charpie ⚕ [ʃar'pi] *f* lint. [wright.⌡

charretée [ʃar'te] *f* cart-load; **charretier** [~'tje] *m* carter; **charette** [ʃa'rɛt] *f* cart; **charriage** [~'rja:ʒ] *m* carriage; *sl.* swindling; exaggeration; chaffing; **charrier** [~'rje] (1o) *v/t.* cart, carry; *sl.* swindle; make fun of; *v/i.* exaggerate; *sans* ~ joking apart; **charroi** [~'rwa] *m* carriage, cartage; ✗ † ~*s pl.* transport *sg.*; **charron** [~'rɔ̃] *m* wheelwright; cartwright; **charroyeur** [~rwa'jœ:r] *m* carter, carrier.

charrue [ʃa'ry] *f* plough, *Am.* plow; *fig.* mettre la ~ devant les bœufs put the cart before the horse.

charte [ʃart] *f* charter; deed; *hist.* la Grande ♀ Magna C(h)arta; *École f des* ~*s* School of Pal(a)eography; **~partie**, *pl.* ~**s-parties** [ʃartəpar'ti] *f* charterparty.

chartreux, -euse [ʃar'trø, ~'trø:z] **1.** *adj.* Carthusian; **2.** *su.* Carthusian; *su./f* Carthusian monastery; *liqueur*: Chartreuse.

chartrier [ʃar'trje] *m* custodian *or* collection of charters; charterroom.

chas [ʃa] *m needle*: eye.

chasse [ʃas] *f* hunt(ing); (*a.* ~ *au tir*) shooting; game, bag; shooting-season; hunting-ground; ⊕ *wheels*:

play; ⊕ flush; ~ *à courre* (stag-)hunting; ~ *d'eau* *W.C.*: flush, lavatory chain.

châsse [ʃɑ:s] *f eccl.* reliquary, shrine; *spectacles*: frame; *sl.* ~*s pl.* eyes.

chasse...: ~**marée** [ʃasma're] *m/inv.* fish-cart; coasting lugger; ~**mouches** [~'muʃ] *m/inv.* fly-swatter; *horse*: fly-net; ~**neige** [~'nɛ:ʒ] *m/inv.* snow-plough, *Am.* snow-plow; *sp. ski*: stem; *virage m en* ~ stem-turn; ~**pierres** 🚂 [~'pjɛ:r] *m/inv.* cow-catcher.

chasser [ʃa'se] (1a) *v/t.* hunt, pursue; drive away *or* out; expel; drive (*a nail*); *v/i.* (*usu.* ~ *à courre*) hunt, go hunting (s.th., *à qch.*); drive; *mot.* skid; ⚓ drag; **chasseresse** *poet.* [ʃas'rɛs] *f* huntress; **chasseur** [ʃa'sœ:r] *m* hunter; *hotel*: page-boy, *Am.* bell-hop; ✗ rifleman; ⚓ chaser; ✈ fighter; ✈ jet fighter; **chasseuse** [~'sø:z] *f* huntress.

chassieux, -euse [ʃa'sjø, ~'sjø:z] bleary-eyed.

châssis [ʃa'si] *m* frame (*a. mot.*, 🚗); *mot.* chassis; window-sash; *paint.* stretcher; *trunk*: tray; ✗ slide; ✈ under-carriage; 🚜 forcing frame; *typ.* chase; *thea. scenery*: flat; *phot.* plate-holder; ✈ ~ *d'atterrissage* landing gear; ~**presse** *phot.* [~si'prɛs] *m* printing-frame.

chaste [ʃast] chaste, pure; **chasteté** [~ə'te] *f* chastity, purity.

chasuble *eccl.* [ʃa'zybl] *f* chasuble.

chat *zo.* [ʃa] *m* (tom-)cat; *le* ♀ *botté* Puss in Boots.

châtaigne [ʃa'tɛɲ] *f* ⚘ chestnut (*a. horse*); **châtaigneraie** [ʃatɛɲ-ɲɔ're] *f* chestnut grove; **châtaignier** [~'nje] *m* chestnut(-tree, -wood); **châtain, e** [ʃa'tɛ̃, ~'tɛn] *adj., a. su./m* chestnut, brown.

château [ʃa'to] *m* castle; manor; hall; palace; ~ *d'eau* water-tower, 🚂 tank; ~*x pl. en Espagne* castles in the air.

chateaubriand, châteaubriant *cuis.* [ʃatobri'ã] *m* grilled steak, *Am.* porter-house steak.

châtelain [ʃat'lɛ̃] *m* castellan; lord (*of the manor*); **châtelaine** [~'lɛn] *f* chatelaine (*a. cost.*); lady (*of the manor*).

chat-huant, *pl.* **chats-huants** *orn.* [ʃa'ɥã] *m* tawny *or* brown owl.

châtier [ʃɑ'tje] (1o) v/t. punish, chastise; fig. improve (one's style); ~ l'insolence de q. punish s.o. for his impudence.

chatière [ʃɑ'tjɛːr] f cat-hole (in a door); cat-trap; ventilation hole; fig. secret entrance.

châtiment [ʃɑti'mɑ̃] m punishment.

chatoiement [ʃatwa'mɑ̃] m sheen; sparkle; glistening.

chaton¹ [ʃa'tɔ̃] m jewel: setting; jewel (in setting).

chaton² [~] m zo. kitten; ♀ catkin.

chatouillement [ʃatuj'mɑ̃] m tickle, tickling; **chatouiller** [ʃatu'je] (1a) v/t. tickle (a. fig.); F thrash; **chatouilleux, -euse** [~'jø, ~'jøːz] ticklish; sensitive, touchy, sore (point); delicate (question).

chatoyer [ʃatwa'je] (1h) v/i. shimmer; glisten; soie f chatoyée shot silk.

châtrer [ʃa'tre] (1a) v/t. castrate, geld; ✍ prune.

chatte [ʃat] f (she-)cat; tabby; **chattemite** F [~'mit] f toady, sycophant; **chatterie** [ʃa'tri] f wheedling; ~s pl. dainties, goodies.

chatterton ⚡ [ʃater'tɔn] m insulating or adhesive tape.

chaud, e [ʃo, ʃoːd] **1.** adj. warm; hot; animated; bitter (tears); avoir ~ be hot; il fait ~ it is warm or hot; la donner ~e à fill (s.o.) with dismay; servir ~ serve up (a dish) hot; tenir ~ keep warm; **2.** chaud adv. warm etc.; **3.** su./m heat, warmth; **chaudeau** cuis. [ʃo'do] m caudle, eggnog; **chaud-froid**, pl. **chauds-froids** cuis. [ʃo'frwa] m chaud-froid; ~ de … cold jellied …; **chaudière** ⊕ [ʃo'djɛːr] f boiler; ~ auxiliaire donkey boiler; ~ à vide vacuum pan; **chaudron** [~'drɔ̃] m ca(u)ldron; F old and tinny piano; **chaudronnier** [~drɔ'nje] m brazier; coppersmith; ironmonger.

chauffage [ʃo'faːʒ] m heating, warming; ~ à distance long-distance heating; ~ au pétrole oil heating; ~ central central heating; bois m de ~ firewood; **chauffard** F [~'faːr] m road hog; **chauffe** ⊕ [ʃoːf] f heating; stoking, firing; metall. fire-chamber; ⊕ activer la ~ fire up.

chauffe...: ~**bain** [ʃof'bɛ̃] m geyser; ~**eau** [ʃo'fo] m/inv. water-heater; ~**pieds** [ʃof'pje] m/inv.

foot-warmer; ~**plats** [~'pla] m/inv. dish-warmer, chafing-dish.

chauffer [ʃo'fe] (1a) v/t. warm, heat; ⊕ stoke up (a furnace); fig. boost; fig. cram (s.o. for an examination); sl. pinch, steal; v/i. get warm or hot; ⊕ overheat (bearings etc.); ⊕ get up steam (engine); ~ au pétrole burn oil; sl. se faire ~ get pinched (= arrested); **chaufferette** [~'frɛt] f foot-warmer; dish-warmer; mot. heater; **chaufferie** [~'fri] f metall. reheating furnace; forge; ♣ stokehold; **chauffeur, -euse** [~'fœːr, ~'føːz] su. mot. driver; su./m mot. chauffeur; ⊕ stoker; sl. crammer, coach (for examination); su./f mot. chauffeuse; fireside chair; **chauffoir** [~'fwaːr] m warm-room.

chaufour [ʃo'fuːr] m lime-kiln; **chaufournier** [~fur'nje] m lime-burner.

chauler ✍ [ʃo'le] (1a) v/t. lime (the soil); lime-wash.

chaume [ʃoːm] m haulm; roof: thatch; stubble; **chaumer** [ʃo'me] (1a) v/t. stubble; **chaumière** [~'mjɛːr] f thatched cottage; **chaumine** poet. [~'min] f cot.

chausse [ʃoːs] f wine-strainer; † ~s pl. breeches; **chaussée** [ʃo'se] f roadway; road; causeway; geog. reef; **chausse-pied** [ʃos'pje] m shoe-horn; **chausser** [ʃo'se] (1a) v/t. put on (shoes etc.); put shoes on (s.o.); supply (s.o.) with footwear; fig. fit, suit; ~ du 40 take size 40 (in shoes); se ~ put on (one's) shoes; **chausse-trape** [ʃos'trap] f hunt. trap (a. fig.); fig. trick; ♀ star-thistle; **chaussette** [ʃo'sɛt] f sock; ♀ half-hose; **chausson** [~'sɔ̃] m slipper; ballet-shoe; boxing-shoe; fencing-shoe; gym shoe; box. method: savate; cuis. ~ aux pommes apple turnover; **chaussure** [~'syːr] f footwear; ~s pl. shoes, boots.

chauve [ʃoːv] **1.** adj. bald; **2.** su. bald person; ~**souris**, pl. ~**s-souris** zo. [ʃovsu'ri] f bat.

chauvin, e [ʃo'vɛ̃, ~'vin] **1.** adj. jingoistic, chauvinist(ic); **2.** su. chauvinist warmonger; **chauvinisme** [~vi'nism] m jingoism, chauvinism, F flag-waving.

chaux [ʃo] f lime; ~ éteinte slaked lime; ~ vive quicklime; blanchir à la ~ whitewash, limewash.

chavirer ⚓ [ʃavi're] (1a) *vt/i.* capsize; upset.

chef [ʃɛf] *m* head, principal; chief, chieftain; master; leader; *cuis.* (*a. ~ de cuisine*) chef (= *male head cook*); ♪ conductor; *fig.* heading; 🪖 count; *fig.* authority; ⊕ *~ d'atelier* shop foreman; *~ de bande* ringleader; ✗ *~ de bataillon* major; *~ de bureau* (*comptabilité*) chief *or* head clerk (accountant); *sp. ~ d'équipe* team leader, captain; *~ d'État* chief of State; 🚂 *~ de gare* station master; ✝ *~ de service* departmental manager *or* head; 🚂 *~ de train* guard, *Am.* conductor; *au premier ~* in the highest degree; in the first place; *de mon ~* for myself; on my own authority; *... en ~ ... in chief*; *~-d'œuvre*, *pl.* *~s-d'œuvre* [ʃɛ-'dœːvr] *m* masterpiece; *~-lieu*, *pl.* *~s-lieux* [ʃɛf'ljø] *m* chief town; county town, *Am.* county seat.

cheftaine [ʃɛf'tɛn] *f* scout-mistress.

chemin [ʃə'mɛ̃] *m* way; road; path; *eccl. ~ de croix* Way of the Cross; *~ de fer* railway, *Am.* railroad; *~ de table* (table)runner; *~ faisant* on the way; *faire son ~* make one's way; *fig.* get on well; **chemineau** [ʃəmi-'no] *m* tramp, *Am.* hobo; **cheminée** [~'ne] *f* chimney; ⚓ funnel; smoke-stack; ⊕ stack; fireplace; mantelpiece; **cheminer** [~'ne] (1a) *v/i.* tramp, plod on; **cheminot** 🚂 [~'no] *m* railwayman; platelayer.

chemise [ʃə'miːz] *f* shirt (*of men*); chemise (*of women*); *book:* wrapper; folder (*for papers*); ⊕ *boiler etc.*: jacket; ⊕ *~ d'eau* water jacket; **chemiserie** [~miz'ri] *f* shirt-making; shirt shop; shirt factory; haberdashery; **chemisette** *cost.* [ʃəmi'zɛt] *f* jumper; chemisette (*of women*); **chemisier**, **-ère** [~'zje, ~'zjɛːr] *su.* shirt-maker; shirt-seller; haberdasher; *su./m* shirt-blouse; jumper.

chênaie [ʃɛ'nɛ] *f* oak-grove.

chenal [ʃə'nal] *m* channel, fairway; ⊕ mill-race.

chenapan [ʃəna'pɑ̃] *m* scoundrel.

chêne ♣ [ʃɛːn] *m* oak.

chéneau [ʃe'no] *m* △ *eaves:* gutter; *mot.* drip-mo(u)lding.

chêne-liège, *pl.* **chênes-lièges** [ʃɛn-'ljɛːʒ] *m* cork-tree, cork-oak.

chènevière [ʃɛn'vjɛːr] *f* hemp-field; **chènevis** [~'vi] *m* hemp-seed.

chenil [ʃə'ni] *m* dog-kennel (*a. fig.*).

chenille [ʃə'niːj] *f* caterpillar; *cater-pillar tractor:* track; *tex.* chenille.

chenu, e [ʃə'ny] hoary (*hair*); snowy (*mountain*).

cheptel [ʃɛp'tɛl] *m* (live-)stock; *~ mort* implements *pl.* and buildings *pl.*

chèque ✝ [ʃɛk] *m* cheque, *Am.* check; *~ barré* crossed cheque; *~ de voyage* traveller's cheque; *~ sans provision* cheque without cover; *formulaire m de ~* blank cheque; **chéquier** [ʃe'kje] *m* cheque-book.

cher, chère [ʃeːr] **1.** *adj.* dear, beloved; expensive; *la vie f chère* high prices *pl.*; *moins ~* cheaper; *peu ~* cheap; **2.** *su./m: mon ~* my dear friend; *su./f: ma chère* my dear; **3.** *cher adv.* dear(ly); *acheter ~* buy at a high price; *coûter ~* be expensive; *payer ~* pay a high price for (*s.th.*); *fig.* smart *or* pay for; *vendre ~* sell dear.

chercher [ʃɛr'ʃe] (1a) *v/t.* look for, seek; search; try; *aller ~* fetch, get; *envoyer ~* send for; *venir ~* call for, fetch; **chercheur, -euse** [~'ʃœːr, ~'ʃøːz] **1.** *adj.* enquiring; **2.** *su.* seeker; investigator; researcher; *su./m* finder; detector; *radio:* cat's-whisker.

chère [ʃɛːr] *f.* fare, living, cheer; *aimer la bonne ~* be fond of good living.

chéri, e [ʃe'ri] **1.** *adj.* dear, cherished; **2.** *su.* darling, dear(est); **chérir** [~'riːr] (2a) *v/t.* cherish, love dearly; **cherté** [ʃɛr'te] *f* dearness; high price.

chérubin [ʃery'bɛ̃] *m* cherub.

chétif, -ve [ʃe'tif, ~'tiːv] puny, weak; paltry (*reason*); wretched, pitiful, miserable.

cheval [ʃə'val] *m* horse; *mot.* horse-power; *sp. ~ de bois* vaulting horse; *~ de course* race-horse; ✗ *~ de frise* cheval de frise; *~ entier* stallion; *chevaux pl. de bois* merry-go-round *sg.*; *aller à ~* ride, go on horseback; *être à ~ sur* straddle (*s.th.*); F be well up in; F be a stickler for (*etiquette*); **chevalement** [~val'mɑ̃] *m* ✗ pit-head frame; △ *walls:* shoring; **chevaler** [~va'le] (1a) *v/t.* △ shore up; ⊕

put (*s.th.*) on a trestle; **chevale-resque** [ʃəval'rɛsk] chivalrous; knightly; **chevalerie** [~'ri] *f* chivalry; knighthood; chivalrousness; **chevalet** [ʃəva'lɛ] *m* trestle; ♪ *violin etc.*: bridge; ⊕, *a. billiards*: rest; *paint.* easel; ⊕ saw-horse; **chevalier** [~'lje] *m* knight; *fig.* ~ *d'industrie* sharper, swindler; *faire q.* ~ knight s.o.; **chevalière** [~'ljɛːr] *f* signet-ring; **chevalin, e** [~'lɛ̃, ~'lin] equine; **cheval-vapeur**, *pl.* **chevaux-vapeur** ⊕ [ʃəvalva'pœːr, ~vova'pœːr] *m* horse-power; **chevaucher** [~vo'ʃe] (1a) *v/i.* ride on horseback; sit astride; overlap; *v/t.* ride on; sit astride; *bridge:* span (*a river*).

chevelu, e [ʃə'vly] long-haired; *cuir m* ~ scalp; **chevelure** [~'vlyːr] *f* (head of) hair; *comet:* tail.

chevet [ʃə'vɛ] *m* bed-head; bolster; △ *church:* chevet, apse; *fig.* bedside (*of a sick person*); *lampe f de* ~ bedside lamp; *livre m de* ~ bedside book, *fig.* favo(u)rite reading.

chevêtre [ʃə'vɛːtr] *m* ⚕ (jaw-)bandage; △ trimmer beam.

cheveu [ʃə'vø] *m* (single) hair; ~*x pl.* hair *sg.*; ~*x pl. à la Jeanne d'Arc* bobbed hair (with fringe); *sl. avoir mal aux* ~*x* have a hang-over; *fig. couper les* ~*x en quatre* split hairs; *de l'épaisseur d'un* ~ by a hair's breadth; *F se prendre aux* ~*x* have a real set-to; *tiré par les* ~*x* far-fetched; *voilà le* ~*!* that's the snag!

cheville [ʃə'viːj] *f* peg (*a. violin*), pin (*a.* ⊕); ⊕ bolt; *fig.* padding; *anat.* ankle; ~ *ouvrière* king-pin, *fig.* main-spring; **cheviller** [~vi'je] (1a) *v/t.* pin, peg, bolt; plug; *fig.* pad. [cheviot.\
cheviotte *tex.* [ʃə'vjɔt] *f wool, cloth:*⎰

chèvre [ʃɛːvr] *f zo.* (she-)goat; ⊕, △ derrick; ⊕ trestle; **chevreau** *zo.* [ʃə'vro] *m* kid; *de* (*or en*) *kid-...;* **chèvrefeuille** ♣ [ʃevrə'fœːj] *m* honeysuckle; **chevrette** [ʃə'vrɛt] *f zo.* kid; roe-doe; ⊕ trivet; *F* shrimp, prawn; **chevreuil** [~'vrœːj] *m* roebuck; roe-deer; *cuis.* venison; **chevrier** [~'vrje] *m* goatherd; **chevrière** [~'vrjɛːr] *f* goat-girl; **chevron** [~'vrɔ̃] *m* △ rafter; ⚔ chevron, stripe; **chevronnage** △ [ʃevrɔ'naːʒ] *m* rafters *pl.*; raftering; **chevronner** △ [~'ne]

(1a) *v/t.* rafter (*a roof*), put in the rafters of; **chevrotement** [ʃəvrɔt'mɑ̃] *m* quavering; **chevroter** [ʃə-vrɔ'te] (1a) *v/i.* quaver, quiver, tremble (*voice*); bleat (*goat*); kid (*goat*); **chevrotin** *zo.* [~'tɛ̃] *m* musk-deer; **chevrotine** [~'tin] *f* buck-shot.

chez [ʃe] *prp. direction:* to; *place:* at (*s.o.'s house or shop*); with (*my aunt*); in (*a. fig.*); *post:* care of, *abbr. c/o; fig.* among (*the English*); ~ *nous* in our country; ~ *Zola* in (the works of) Zola; *être* (*aller*) ~ *soi* be at (go) home; *être* (*aller*) ~ *le docteur* be at (go to) the doctor's; *faire comme* ~ *soi* make o.s. at home; *de* ~ *q.* from s.o.'s (house); *de* ~ *soi* from home; ~**-moi** (*etc.*) [~'mwa] *m/inv.:* mon ~ my home.

chialer *sl.* [ʃja'le] (1a) *v/i.* snivel.

chiasse [ʃjas] *f fly etc.:* dirt; *molten metal:* scum; V diarrhoea.

chic [ʃik] 1. *su./m* chic, smartness, style; *fig.* knack; 2. *adj.* smart; F first-rate; F decent (*fellow*); *des robes f/pl.* chics smart robes.

chicane [ʃi'kan] *f* quibbling; chicanery; ⊕ baffle(-plate); ⚔ zigzag trench; **chicaner** [ʃika'ne] (1a) *v/i.* quibble, cavil; *v/t.* wrangle with (*s.o.*); haggle over (*s.th.*); **chicaneur, -euse** [~'nœːr, ~'nøːz] 1. *adj.* argumentative; quibbling; 2. *su.* quibbler, haggler; litigious person; **chicanier, -ère** [~'nje, ~'njɛːr] 1. *adj.* litigious; quibbling; haggling; 2. *su.* litigious person; ⚖ barrator.

chiche [ʃiʃ] 1. *adj.* scanty; niggardly, mean (*person*); 2. *su./m* ♣ (*a. pois m* ~) chick-pea.

chichis *F* [ʃi'ʃi] *m/pl.* frills (*a. fig.*); *fig.* affected manners; *faire des* ~ put on airs; make a fuss; create difficulties.

chicorée ♣ [ʃikɔ're] *f* chicory; endive (*a. salad etc.*).

chicot [ʃi'ko] *m* tooth, tree: stump.

chicotin [ʃikɔ'tɛ̃] *m* aloes *pl.*; *amer comme* ~ as bitter as gall.

chien [ʃjɛ̃] *m* dog; *gun:* hammer, cock; ~ *de chasse* hound; *entre* ~ *et loup* in the twilight; **chiendent** ♣ [~'dɑ̃] *m* couch-grass; **chien-loup**, *pl.* **chiens-loups** *zo.* [~'lu] *m* Alsatian, wolf-hound; **chienne** [ʃjɛn] *f* (female) dog; bitch.

chier V [ʃje] (1o) v/i. shit.

chiffe [ʃif] f rag; fig. weakling; **chiffon** [ʃiˈfɔ̃] m rag; frippery; scrap; tex. chiffon; F parler ~s talk dress; **chiffonner** [ʃifɔˈne] (1a) v/t. ruffle, crumple; fig. sully; fig. irritate, provoke; ~ pick rags; rake through or comb dustbins; do some dressmaking; **chiffonnier, -ère** [~ˈnje, ~ˈnjɛːr] su. rag-picker; dustbin-raker; su./m bureau, chest of drawers.

chiffre [ʃifr] m figure, number, numeral; cipher, code; amount, total; mark; monogram; ~ d'affaires turnover; ~ repère reference number; **chiffrer** [ʃiˈfre] (1a) v/t. calculate; v/t. number; work out, express in figures; ♪ figure; write in cipher or code; **chiffreur** [~ˈfrœːr] m reckoner; cipherer.

chignole [ʃiˈnɔl] f ⊕ hand-drill; sl. bus (= old vehicle).

chignon [ʃiˈnɔ̃] m chignon, coil of hair.

chilien, -enne [ʃiˈljɛ̃, ~ˈljɛn] adj., a. su. ♀ Chilean.

chimère [ʃiˈmɛːr] f chimera; **chimérique** [~meˈrik] visionary.

chimie [ʃiˈmi] f chemistry; **chimique** [~ˈmik] chemical; **chimiste** [~ˈmist] su. chemist (not pharmacist).

chimpanzé zo. [ʃɛ̃pɑ̃ˈze] m chimpanzee.

chiner¹ tex. [ʃiˈne] (1a) v/t. shadow (a fabric).

chiner² F [~] (1a) v/t. run (s.o.) down; make fun of; beg, cadge.

chinois, e [ʃiˈnwa, ~ˈnwaːz] 1. adj. Chinese; 2. su./m ling. Chinese; ♀ Chinaman; les ♀ m/pl. the Chinese; su./f ♀ Chinese woman; **chinoiserie** [~nwazˈri] f Chinese curio; F trick; ~s pl. administratives red tape sg.

chiper sl. [ʃiˈpe] (1a) v/t. pinch; swipe; tennis: poach (a ball).

chipie F [ʃiˈpi] f sour woman; shrew.

chipoter F [ʃipɔˈte] (1a) v/i. nibble at one's food; haggle, quibble; waste time.

chique [ʃik] f zo. chigger, jigger; tobacco: quid.

chiqué sl. [ʃiˈke] m fake, pretence.

chiquenaude [ʃikˈnoːd] f snap of the fingers.

chiquer [ʃiˈke] (1m) v/t. chew (tobacco); v/i. chew (tobacco).

chiragre ♣ [kiˈragr] f gout in the hand; **chiromancie** [kirɔmɑ̃ˈsi] f palmistry; **chiromancien** m, -enne f [~ˈsjɛ̃, ~ˈsjɛn] palmist.

chirurgical, e, m/pl. -aux [ʃiryrʒiˈkal, ~ˈko] surgical; **chirurgie** [~ˈʒi] f surgery; **chirurgien** [~ˈʒjɛ̃] m surgeon.

chlorate ♠ [klɔˈrat] m chlorate; **chlore** [klɔːr] m ♠ chlorine; sl. calcium chloride; **chlorhydrique** [klɔriˈdrik] ♠ adj.: acide m ~ hydrochloric acid, F spirits pl. of salt; **chloroforme** ♠, ♣ [~rɔˈfɔrm] m chloroform; **chlorose** [~ˈroːz] f, ♀ chlorosis; ♀ a. etiolation; **chlorotique** ♣ [~rɔˈtik] chlorotic; **chlorure** ♠ [~ˈryːr] m chloride; ~ d'ammonium sal-ammoniac; ~ de chaux bleaching powder.

choc [ʃɔk] m shock; collision, crash; impact; de ~ shock-...

chocolat [ʃɔkɔˈla] 1. su./m chocolate; 2. adj./inv. chocolate; sl. être ~ be done brown; **chocolatier, -ère** [~laˈtje, ~ˈtjɛːr] 1. adj. chocolate; 2. su. chocolate-maker, chocolate-seller; su./f chocolate-pot.

chœur [kœːr] m ♠, eccl. choir, ♠ a. chancel; ♪, thea., etc. chorus.

choir [ʃwaːr] (3d) v/i. fall.

choisi, e [ʃwaˈzi] choice, select(ed); chosen, appointed (party leader etc.); **choisir** [~ˈziːr] (2a) v/t. choose, pick (from entre, parmi); sp. toss for (sides); **choix** [ʃwa] m choice, option; selection; ♥ au ~ all one price; de ~ choice, fig. picked (man); ♥ de premier ~ best quality..., prime (meat).

chômage [ʃoˈmaːʒ] m unemployment; stoppage; ⊕ shut-down; ⚡ (power) cut; F dole; en ~ out of work; en ~ partiel on part-time, on short work; **chômer** [~ˈme] (1a) v/i. take a day off; be idle; be unemployed; jour m chômé day off; **chômeur** m, -euse f [~ˈmœːr, ~ˈmøːz] unemployed worker; les ~s m/pl. the unemployed.

chope [ʃɔp] f tankard.

choper [ʃɔˈpe] (1a) v/t. pinch (= steal, a. = arrest); tennis: chop.

chopine [ʃɔˈpin] f half-litre mug; ⊕ pump: plunger; **chopiner** F [~piˈne] (1a) v/i. booze.

chopper [ʃɔ'pe] (1a) *v/i.* trip, stumble.

choquant, e [ʃɔ'kɑ̃, ~'kɑ̃:t] shocking, offensive; gross; **choquer** [~'ke] (1m) *v/t.* shock; offend; bump against; clink (*glasses*); se ~ come into collision (with, *contre*); be shocked; take offence (at, *de*).

choral, e, *m/pl.* **-als, -aux** [kɔ'ral, ~'ro] 1. *adj.* choral; 2. *su./m* chorale; *su./f* choral society.

chorégraphie [kɔregra'fi] *f* choreography.

choriste [kɔ'rist] *m eccl.* chorister; *opera*: chorus-singer; **chorus** [~'rys] *m* chorus; faire ~ chorus, echo; repeat in chorus.

chose [ʃo:z] 1. *su./f* thing; matter; affair; property; ~ *en question* case in point; ⚖ ~ *jugée* res judicata; ~ *publique* State; *autre* ~ something else; *grand-*~ much; *peu de* ~ not much, very little; *quelque* ~ something; *quelque* ~ *de bon (nouveau)* something good (new); *su./m* what's-its (his, her)-name, thingumajig; *monsieur* ♀ Mr. What's-his-name; 2. *adj./inv.* F: *tout* ~ queer, out-of-sorts.

chou, -x [ʃu] *m* cabbage; *fig.* cabbage-bow; rosette; *~x pl. de Bruxelles* Brussels sprouts; ~ *à la crème* cream puff; ~ *frisé* kale; *être bête comme* ~ be idiotic; be simplicity itself; *pej. feuille f de* ~ rag, gutter paper (= *newspaper of no standing*); *mon* ~! (my) dear!; darling!

choucas *orn.* [ʃu'kɑ] *m* jackdaw.

choucroute *cuis.* [ʃu'krut] *f* sauerkraut.

chouette [ʃwɛt] 1. *su./f orn.* owl; 2. F *adj., a. int.* fine, splendid; *Am.* swell.

chou...: *~-fleur, pl. ~x-fleurs* [ʃu-'flœ:r] *m* cauliflower; *~-navet, pl. ~x-navets* [~na've] *m* swede; *~-palmiste, pl. ~x-palmistes* [~pal-'mist] *m* palm-cabbage; *~-rave, pl. ~x-raves* [~'ra:v] *m* kohlrabi.

choyer [ʃwa'je] (1h) *v/t.* fondle, pet; *fig.* cherish.

chrétien, -enne [kre'tjɛ̃, ~'tjɛn] 1. *adj.* Christian; 2. *su.* Christian; *su./m fig.* good citizen; **chrétienté** [~tjɛ̃'te] *f* Christendom.

Christ [krist] *m* (Jesus) Christ; ♀ crucifix; **christianiser** [kristjani-'ze] (1a) *v/t.* christianize; **christianisme** [~'nism] *m* Christianity.

chrome [kro:m] *m* ♏ chromium; ✝ chrome; **chromo** F [krɔ'mo] *m* colo(u)r-print.

chromo... [krɔmo] chromo..., colo(u)r-...

chronique [krɔ'nik] 1. *adj.* ♐ chronic; 2. *su./f* chronicle; *journ.* report, news *sg.*; **chroniqueur** *m*, **-euse** *f* [~ni'kœ:r, ~'kø:z] chronicler; *journ.* reporter; par-writer, paragrapher.

chrono... [krɔnɔ] chrono...; *~graphe* [~'graf] *m* stop-watch; *phys.* chronograph; *~logie* [~lɔ'ʒi] *f* chronology; *~logique* [~lɔ'ʒik] chronological; *~mètre* [~'mɛtr] *m* chronometer; *sp.* ~ *à déclic* stop-watch; *~métrer* [~me'tre] (1f) *v/t.* time; *~métreur* [~me'trœ:r] *m sp., a.* ⊕ time-keeper; *~métrie* [~me'tri] *f* chronometry, time-measurement.

chrysalide *zo.* [kriza'lid] *f* chrysalis, pupa; **chrysanthème** ♀ [~zɑ̃'tɛːm] *m* chrysanthemum.

chuchoter [ʃyʃɔ'te] (1a) *vt/i.* whisper; **chuchoterie** [~'tri] *f* whispering.

chut! [ʃyt] *int.* ssh!; hush!

chute [~] *f* fall; spill; *fig.* downfall, overthrow, ruin; ⊕, ⚔ shoot; *geog.* falls *pl.*; ~ *d'eau* waterfall; ✝ ~ *des prix* drop in prices; *anat.* ~ *des reins* small of the back; ~ *du jour* nightfall; *faire une* ~ (have a) fall.

chuter[1] [ʃy'te] (1a) *v/t.* hush; *thea.* hiss; *v/i.* say hush.

chuter[2] [~] (1a) *v/i.* fall; *thea.* fail; ~ *de deux levées cards*: be two tricks down.

ci [si] 1. *adv.* here; *cet homme-*~ this man; 2. *dem./pron. see* ceci; *comme* ~ *comme ça* so so; *~-après* [~a'prɛ] *adv.* below.

cibiche *sl.* [si'biʃ] *f* fag (= *cigarette*).

cible [sibl] *f* target; *fig.* butt.

ciboire *eccl.* [si'bwa:r] *m* ciborium.

ciboule ♀ [si'bul] *f* Welsh onion; **ciboulette** ♀ [sibu'lɛt] *f* chive; **ciboulot** *sl.* [~'lo] *m* nut (= *head*).

cicatrice [sika'tris] *f* scar; **cicatriser** [~tri'ze] (1a) *v/t. a. se* ~ heal; scar.

ci...: *~-contre* [si'kõ:tr] *adv.* opposite; *~-dessous* [~'dsu] *adv.* below, hereunder; ⚖ hereinafter; ~-dessus [~'dsy] adv. above(-mentioned); hereinbefore; ~devant [~'dvã] 1. adv. formerly, previously; 2. su./inv. aristocrat; F old fogey.

cidre [sidr] m cider.

ciel [sjɛl] 1. su./m (pl. cieux) [sjø] sky, heaven; (pl. ciels [sjɛl]) (bed)tester; ⊕, ⚒ roof; (pl. ciels or cieux) climate, sky; 2. int. good heavens!

cierge eccl. [sjɛrʒ] m (wax) candle, taper.

cigale zo. [si'gal] f cicada.

cigare [si'gaːr] m cigar; cigarette [~ga'ret] f cigarette; cigarière [~ga'rjɛːr] f cigar-maker.

cigogne [si'gɔɲ] f orn. stork; ⊕ crank(-lever).

ciguë ⚤, ⚛ [si'gy] f hemlock.

ci-inclus, e [siɛ̃'kly, ~'klyːz], ci-joint, e [~'ʒwɛ̃, ~'ʒwɛ̃ːt] 1. adj. enclosed, sub-joined (letter, copy); 2. ci-inclus, ci-joint adv. herewith; ~ la lettre herewith the letter.

cil [sil] m (eye)lash.

cilice [si'lis] m hair-shirt.

cilié, e ⚤ [si'lje] ciliate; ciller [~'je] (1a) v/t. blink (one's eyes, les yeux).

cime [sim] f top, summit; mountain: peak.

ciment [si'mã] m cement; ~ armé reinforced concrete; cimenter [si-mã'te] (1a) v/t. cement (a. fig.); cimenterie [~'tri] f cement works usu. sg.; cimentier [~'tje] m cement-maker; cement-worker.

cimeterre [sim'tɛːr] m scimitar.

cimetière [sim'tjɛːr] m cemetery, graveyard.

cimier [si'mje] m helmet, a. ▨: crest; venison: haunch.

cinabre [si'naːbr] m cinnabar; paint. vermilion.

ciné F [si'ne] m cinema, F films pl., Am. movies pl.; cinéaste [~'ast] m cinematographer; film-producer; scenario-writer; ciné-caméra [~kame'ra] f cine-camera; ciné-club [~'klœb] m filmclub; ciné-journal [~ʒur'nal] m news-reel; cinéma [~'ma] m cinema; F films pl., pictures pl., Am. movies pl.; ~ parlant F talkie; cinémathèque [sinema-'tɛk] f film-library; cinématique phys. [~'tik] 1. adj. kinematic; 2. su./f kinematics pl.; cinématographe [~tɔ'graf] m cinematograph,

F cinema; cinématographier [~tɔgra'fje] (1o) v/t. film; cinématographique [~tɔgra'fik] cinematographic; film-...

cinéraire [sine'rɛːr] 1. adj. cinerary; 2. su./f ⚘ cineraria.

ciné-roman [sinerɔ'mã] m film story.

cinétique phys. [sine'tik] 1. adj. kinetic; 2. su./f kinetics pl.

cingalais, e [sɛ̃ga'lɛ, ~'lɛːz] adj., a. su. ⚢ Cingalese.

cinglant, e [sɛ̃'glã, ~'glãːt] lashing (rain); bitter, biting (cold, wind, etc.); fig. scathing; cinglé, e F [~'gle] not all there, nuts (= mad); cingler [~'gle] (1a) v/t. lash; ⚓ v/i. sail; scud along; steer a course.

cinq [sɛ̃ːk; before consonant sɛ̃] adj./num., a. su./m/inv. five; date, title: fifth; cinquantaine [sɛ̃kã'ten] f (about) fifty; la ~ the age of fifty, the fifties pl.; cinquante [~'kãːt] adj./num., a. su./m/inv. fifty; cinquantième [~kã'tjem] adj./num., a. su. fiftieth; cinquième [~'kjem] 1. adj./num. fifth; 2. su. fifth; su./m fraction: fifth; fifth, Am. sixth floor; su./f secondary school: (approx.) second form.

cintre [sɛ̃ːtr] m △ arch, curve, bend; coat-hanger; thea. ~s pl. flies; cintrer ⊕ [sɛ̃'tre] (1a) v/t. bend, curve; arch.

cirage [si'raːʒ] m waxing, polishing; boot, shoe, floor, etc.: polish. ~cire [~'si:r] (4e) v/t. circumcise; ring (a tree); ~cis, e [~'si, ~'siːz] p.p. of circoncire; ~cision [~si'zjɔ̃] f circumcision; there: ringing; ~férence [~fe'rãːs] f circumference; perimeter; tree: girth; ~flexe gramm. [~'flɛks] circumflex; accent m ~ circumflex (accent); ~locution [~lɔky'sjɔ̃] f circumlocution; ~scription [~s-krip'sjɔ̃] f ⚖ circumscribing; admin. division, district; ~ électorale electoral district or ward; constituency; ~scrire [~s'kriːr] (4e) v/t. ⚖ circumscribe (a. fig.); fig. limit; ⚡ locate (a fault); ~spect, e [~s-'pɛ, ~s'pɛkt] guarded, circumspect; ~spection [~spɛk'sjɔ̃] f caution, circumspection; ~stance [~s'tãːs] f circumstance; event; ~s pl. atténuantes attenuating circumstances; ⚖ ~s pl. et dépendances f/pl. appur-

circon... [sirkɔ̃] circum...;

tenances; de ~ occasional; tempo-rary; special; **~stancié, e** [~stã'sje] detailed; **~stanciel, -elle** [~stã'sjɛl] due to circumstances; *gramm.* adverbial (*complement*); **~venir** [~v'niːr] (2h) *v/t.* circumvent; outwit (*s.o.*); † impose on (*s.o.*); **~vention** † [~vã'sjɔ̃] *f* imposture, fraud; **~volution** ⚠, *anat.* [~vɔly'sjɔ̃] *f* convolution.

circuit [sir'kɥi] *m* circuit; circuitous route, roundabout way; circumference; ∮ mettre en ~ connect up; ∮ mettre en court ~ short-circuit; *ouvrir* (*fermer*) *le* ~ switch on (off).

circulaire [sirky'lɛːr] *adj., a. su./f* circular; **circulation** [~la'sjɔ̃] *f* air, bank-notes, blood, information, *etc.*: circulation; ♥, *bank-notes etc.*: currency; traffic; 🚂 running; ~ *interdite* no thoroughfare; **circuler** [~'le] (1a) *v/i.* circulate, flow; ♥ turn over; 🚂 run (*train*); *circulez!* move along!; pass along!

circumnavigation [sirkɔmnaviga'sjɔ̃] *f* circumnavigation.

cire [siːr] *f* wax; *eccl.* taper; ~ *à cacheter,* ~ *d'Espagne* sealing-wax; ~ *à parquet* floor-polish; ~ *d'abeilles* beeswax; **ciré, e** [si're] **1.** *adj.* waxed, polished; *toile f* ~e oilcloth, American cloth; **2.** *su./m* oilskins *pl.*; **cirer** [~'re] (1a) *v/t.* wax; polish; **cireur, -euse** [~'rœːr, ~'røːz] *su.* polisher; shoeblack; *su./f machine*: waxer, polisher; **cirier, -ère** [~'rje, ~'rjɛːr] **1.** *adj.* wax...; **2.** *su./m* wax-chandler; ♀ candleberry-tree, *Am.* bayberry.

ciron *zo.* [si'rɔ̃] *m* mite.

cirque [sirk] *m* circus; amphitheatre; cirque (*of mountains*).

cirrus *meteor.* [sir'rys] *m* cirrus.

cisaille [si'zaːj] *f metal*: clippings *pl.*; ⊕ shearing machine; ⊕ guillotine; ~s *pl.* shears; wire-cutter *sg.*; ~s *pl. à haies* hedge-shears, hedge-clippers; **cisailler** [~zɑ'je] (1a) *v/t.* shear (*metal*); clip (*a coin*); gof(f)er (*linen*); **ciseau** [~'zo] *m* chisel; ~x *pl.* scissors; ✂ shears; **ciseler** [siz'le] (1d) *v/t.* chisel; cut; chase (*silver*); tool (*leather*); shear (*velvet*); *cuis.* slit; **ciselet** ⊕ [~'lɛ] *m* small chisel; chasing-tool; **ciseleur** [~'lœːr] *m* chiseler; engraver; chaser; tooler; **ciselure** [~'lyːr] *f*

chiseling; chasing; tooling; **cisoires** [si'zwaːr] *f/pl.* bench-shears.

citadelle ✕ [sita'dɛl] *f* citadel, stronghold; **citadin, e** [~'dɛ̃, ~'din] *su.* citizen; *su./m* townsman; *su./f* townswoman.

citation [sita'sjɔ̃] *f* quotation; ✕ mention in dispatches; ⚖ summons *sg.*; ⚖ subpoena (*of a witness*).

cité [si'te] *f* city; (large) town; housing estate; *la* ♀ *London*: the City; *Paris*: the Cité; ~ *du Vatican* Vatican City; ~ *lacustre* lakedwelling; ~ *universitaire* students' residential blocks *pl.*; *droit m de* ~ freedom of the city; **~-jardin**, *pl.* **~s-jardins** [~tezar'dɛ̃] *f* gardencity.

citer [si'te] (1a) *v/t.* quote, cite; ✕ mention in dispatches; ⚖ summon; ⚖ subpoena (*a witness*).

citerne [si'tɛrn] *f* cistern, tank; 🚂 tank-car.

cithare ♪ [si'taːr] *f* zither; **cithariste** ♪ [~ta'rist] *su.* zither-player.

citoyen *m*, **-enne** *f* [sitwa'jɛ̃, ~'jɛn] citizen.

citrin, e [si'trɛ̃, ~'trin] lemon-yellow; **citrique** 🜊 [~'trik] citric; **citron** [~'trɔ̃] **1.** *su./m* ♀ lemon, citron, lime; F nut (= *head*); ~ *pressé* lemon squash; **2.** *adj./inv.* lemon(-colo[u]red); **citronnade** [sitrɔ'nad] *f* lemonade; **citronnier** [~'nje] *m* ♀ lemon-tree; *wood*: lemon-wood.

citrouille ♀ [si'truːj] *f* pumpkin.

civet *cuis.* [si'vɛ] *m* stew; ~ *de lièvre* jugged hare.

civette[1] *zo.* [si'vɛt] *f* civet-cat; ♣ *perfume*: civet.

civette[2] ♀ [si'vɛt] *f* chive.

civière [si'vjɛːr] *f* hand-barrow; stretcher; *coffin*: bier.

civil, e [si'vil] **1.** *su./m* ✕ civilian; *eccl.* layman; civil status *or* dress; *dans le* ~ in civil life; *en* ~ in mufti, in plain clothes; **2.** *adj.* civil; ✕ civilian; *eccl.* lay; civic; polite (to, towards *à*, *envers*); *année f* ~e calendar year; ⚖ *droit m* ~ common law; *état m* ~ civil status; register office; *mariage m* ~ civil marriage; *mort f* ~e civil death; **civilisateur, -trice** [siviliza'tœːr, ~'tris] **1.** *adj.* civilizing; **2.** *su.* civilizer; **civilisation** [~za'sjɔ̃] *f* civilization; **civiliser** [‿'ze] (1a) v/t. civilize; se ‿ become civilized; **civilité** [‿'te] f civility, courtesy; fig. ‿s pl. compliments, kind regards; faire des ‿s à be civil to.

civique [si'vik] civic; civil (rights); patriotic (song); droits m/pl. ‿s civic rights, Am. citizen rights; instruction f ‿ civics sg.; **civisme** [‿'vism] m good citizenship.

clabaud [kla'bo] m hunt. (long-eared) hound; F scandal-monger; **clabaudage** [‿bo'da:ʒ] m hunt. babbling; F spiteful gossip; **clabauder** [‿bo'de] (1a) v/i. hunt. babble; F talk scandal (about, sur).

claie [klɛ] f ⚲ hurdle; fence; ⊕ screen; ⊕ grid.

clair, e [klɛːr] 1. adj. clear; bright; obvious; thin (silk, soup, wood); 2. clair adv. clearly, plainly; thinly; 3. su./m light; garment: thin place; tirer au ‿ decant (wine); fig. clarify, bring to light; **clairet, -ette** [klɛ'rɛ, ‿'rɛt] 1. adj. pale, light; thin (voice); 2. su./m local light red wine; **claire-voie,** pl. **claires-voies** [klɛr'vwa] f open-work; ⚠ skylight; ⚓ decklight; eccl. clerestory; ✐ à ‿ thinly; **clairière** [klɛ'rjɛːr] f clearing; glade; linen: thin place; **clair-obscur,** pl. **clairs-obscurs** paint. [klɛrɔps'kyːr] m chiaroscuro.

clairon ♪ [klɛ'rɔ̃] m bugle; clarinet: upper register; person: bugler; **claironner** [‿rɔ'ne] (1a) v/i. sound the bugle; trumpet; v/t. fig. trumpet; fig. trumpet abroad.

clairsemé, e [klɛrsə'me] thinly-sown; scattered, sparse; thin (hair, beard).

clairvoyance [klɛrvwa'jãːs] f acumen, perspicacity; second sight, clairvoyance; **clairvoyant, e** [‿'jã, ‿'jãːt] shrewd, penetrating; clairvoyant.

clameau [kla'mo] m ⊕ cramp-iron; ⚠ clamp.

clamer [kla'me] (1a) v/t. protest (one's innocence etc.); F cry (s.th.) out; **clameur** [‿'mœːr] f clamo(u)r, outcry; sea, tempest: roar(ing).

clampin F [klã'pɛ̃] m slow-coach; ✗ straggler.

clan [klã] m clan; fig. clique.

clandestin, e [klãdɛs'tɛ̃, ‿'tin] clandestine, secret; ✗ underground

(forces); illicit; fig. underhand; stealthy; ⚓ passager m ‿ stowaway; **clandestinité** [‿tini'te] f secrecy; clandestineness; stealth.

clapet [kla'pɛ] m ⊕ valve; ✦ rectifier.

clapier [kla'pje] m rabbit warren, burrow; rabbit hutch; (a. lapin m de ‿) tame rabbit; **clapir** [‿'piːr] (2a) v/i. squeal; se ‿ hide in its burrow (rabbit).

clapotement [klapɔt'mã] m, **clapotis** [klapɔ'ti] m waves: lapping, plashing; **clapoter** [‿'te] (1a) v/i. lap, plash; **clapoteux, -euse** [‿'tø, ‿tøːz] choppy (sea); plashing (noise).

clapper [kla'pe] (1a) v/i. click (with one's tongue).

claque [klak] su./f smack, slap; thea. claque, hired applause; sl. death; golosh, Am. overshoe; fig. prendre ses cliques et ses ‿s depart quickly, F clear off; su./m opera-hat, crush-hat; cocked hat; sl. disorderly house; **claquedent** F [‿'dã] m starveling; **claquement** [‿'mã] m bullet, whip: smack; door: slam; hands: clapping; teeth: chattering; machine: rattle.

claquemurer [klakmy're] (1a) v/t. immure; se ‿ shut o.s. up.

claquer [kla'ke] (1m) v/i. clap; crack (whip); bang, slam (door); burn out (lamp); F kick the bucket (= die); ✦ sl. go to pieces; ‿ des doigts snap one's fingers; ‿ des mains clap; il claquait des dents his teeth were chattering; 2. v/t. slap, smack; slam, bang; fig. burst; thea. applaud; F squander; F se ‿ tire o.s. out; **claquet** [‿'kɛ] m (mill-)clapper; **claqueter** [klak'te] (1c) v/i. cluck, cackle (hen); clapper (stork); **claquette** [kla'kɛt] f eccl. clapper; F chatterbox; (danse f à) ‿s pl. tap-dance sg.; **claqueur** [‿'kœːr] m hired clapper.

clarifier [klari'fje] (1o) v/t. clarify.

clarine [kla'rin] f cattle-bell; **clarinette** ♪ [‿ri'nɛt] f clarinet; person: clarinettist.

clarté [klar'te] f light, clearness; brightness; sun: gleam; glass: transparency; fig. lucidity.

classe [klɑːs] f class (a. sociology; a. 🏛 etc.); category; rank; kind; ✗ annual contingent; primary school:

standard; *secondary school*: form, *Am.* grade; class-room; lessons *pl.*; ~ *moyenne* (*ouvrière*) middle (working) class(es *pl.*); *aller en* ~ go to school; *de première* ~ 🚃 *etc.* first-class (*ticket, compartment*); *fig.* first-rate; *faire la* ~ teach; **classement** [klɑs'mɑ̃] *m* classification; ⚕ *etc.* filing; ⚒ *etc.* grading; **classer** [klɑ'se] (1a) *v/t.* classify; ⚕ *etc.* file; catalogue, *Am.* catalog; ⚒ *etc.* grade; **classeur** ⚕ [~'sœːr] *m* file; filing-cabinet; ⊕ sorter; sizer.

classicisme [klasi'sism] *m* classicism.

classification [klasifika'sjɔ̃] *f* classification; **classifier** [~'fje] (1o) *v/t.* classify.

classique [kla'sik] **1.** *adj.* classical (*author, music, period*); classic; standard; *fig.* orthodox; **2.** *su./m* classic; classicist (*as opposed to romantic*); *les* ~*s pl.* the (*ancient, French*) classics.

clause ⚖ [kloːz] *f* clause; ~ *additionnelle* rider; additional clause.

claustral, e, *m/pl.* **-aux** [klos'tral, ~'tro] monastic.

claveau [kla'vo] *m* ⚠ arch-stone; *vet.* sheep-pox.

clavecin ♪ [klav'sɛ̃] *m* harpsichord.

clavette ⊕ [kla'vɛt] *f* pin, key, peg, cotter.

clavicule *anat.* [klavi'kyl] *f* clavicle, collar-bone.

clavier ♪ *etc.* [kla'vje] *m piano, typewriter*: keyboard; *organ*: manual; *wind-instrument*: range; † key-ring, key-chain.

clayon [klɛ'jɔ̃] *m* wicker-tray (*for cheese*); wattle enclosure; **clayonnage** [~jɔ'naːʒ] *m* wicker-work; wattle fencing; ⊕ mat; **clayonner** [~jɔ'ne] (1a) *v/t.* protect with wattle fencing; mat.

clé, clef [kle] *f* key (*a. fig.*); ⚠ keystone; ⚠ *beam*: reinforcing piece; ⊕ spanner, wrench; ⚡ switch-key; ♪ clef; ♪ key-signature; *sp. wrestling*: lock; ~ *à douilles* box-spanner; ~ *à molette* adjustable spanner; ~ *anglaise* monkey-wrench; ~ *crocodile* crocodile spanner; *mot.* ~ *pour roues* wheel-brace; *fausse* ~ skeleton key; *mettre sous* ~ lock up; *sous* ~ under lock and key.

clématite ⚘ [klema'tit] *f* clematis.

clémence [kle'mɑ̃ːs] *f* clemency (*a. of weather*), leniency; mercy; **clément, e** [~'mɑ̃, ~'mɑ̃ːt] clement, lenient; merciful; mild (*disease etc.*); *ciel m* ~ mild climate.

clenche [klɑ̃ːʃ] *f* (door-)latch.

clerc [klɛːr] *m eccl.* cleric, clergyman; ⚖ clerk; *faire un pas de* ~ blunder; **clergé** [klɛr'ʒe] *m* clergy *pl.*; **clérical, e,** *m/pl.* **-aux** *eccl., a. pol.* [kleri'kal, ~'ko] *adj., a. su./m* clerical.

clic! [klik] *int.* click!

clichage [kli'ʃaːʒ] *m typ.* stereotyping; electro-typing; ⚒ caging; **cliché** [~'ʃe] *m typ. type*: plate; *illustration*: block; *phot.* negative; *fig.* cliché, stock phrase; **clicher** [~'ʃe] (1a) *v/t. typ.* stereotype; take electrotypes of; ⚒ cage; **clicherie** *typ., journ.* [kliʃ'ri] stereotype room; stereotyping shop.

client *m*, **e** *f* [kli'ɑ̃, ~'ɑ̃ːt] client; ⚕ customer; ⚕ patient; *hotel*: guest; **clientèle** [~ɑ̃'tɛl] *f* ⚕ custom, customers *pl.*; ⚕ goodwill; ⚕ connection; ⚕, ⚖ practice; ~ *d'habitués* regular clients *pl. or* customers *pl.*; *donner sa* ~ *à* patronize.

cligner [kli'ɲe] *vt/i.* wink; blink; *v/t.* screw up (*one's eyes*); **clignotant** *mot.* [kliɲɔ'tɑ̃] *m*, **clignoteur** *mot.* [~'tœːr] *m* trafficator; blinker; **clignoter** [~'te] (1a) *v/i.* blink; flicker (*eyelids, light*); twinkle (*star*).

climat [kli'ma] *m* climate; region; *fig.* atmosphere; **climatérique** [klimate'rik] **1.** *su./f* climacteric; **2.** *adj.* climacteric; *a.* = **climatique** [~'tik] climatic (*conditions*); *station f* ~ health-resort; **climatiser** [~ti'ze] (1a) *v/t.* air-condition; **climatologie** [~tɔlɔ'ʒi] *f* climatology; **climatologique** [~tɔlɔ'ʒik] climatological.

clin [klɛ̃] *m*: ~ *d'œil* wink; *en un* ~ *d'œil* in the twinkling of an eye.

clinicien ⚕ [klini'sjɛ̃] *su./m, a. adj./m* clinician; **clinique** ⚕ [~'nik] **1.** *adj.* clinical; **2.** *su./f* clinic; nursing-home; F surgery (*of a doctor*); teaching hospital.

clinquant, e [klɛ̃'kɑ̃, ~'kɑ̃ːt] **1.** *adj.* showy, gaudy, flashy; **2.** *su./m* tinsel; ⊕ foil; *fig.* showiness.

clip [klip] *m pen etc.*: clip.

clipper ⚓, ✈ [kli'pœːr] *m* clipper.

clique F [klik] *f* set, clique; gang; ⚔ drum and bugle band; **cliquet** ⊕

etc. [kli'kɛ] *m* catch; ratchet; **cli-queter** [klik'te] (1c) *v/i.* rattle; clink (*glass*); jingle (*keys etc.*); *mot.* pink; **cliquetis** [ˏ'ti] *m metall.* clang, rattle; clatter; *glasses*: clinking; *keys etc.*: jingling; *mot.* pinking.

clisse [klis] *f bottle*: wicker covering; *cheese*: drainer; ⚕ splint; **clisser** [kli'se] (1a) *v/t.* wicker (*a bottle*); ⚕ put in splints; **bouteille** *f clissée* demijohn.

cliver [kli've] (1a) *v/t. a. se ~* split, cleave.

cloaque [klɔ'ak] *m* cesspool (*a. fig.*); *fig.* sink (*of iniquity*).

clochard F [klɔ'ʃaːr] *m* tramp, *Am.* hobo.

cloche [klɔʃ] *f* bell; ⚗ bell-jar; ✔ cloche; ⚕ cup (*for blistering*); dish-cover; cloche(-hat); *sl.* idiot; **~-pied** [ˏ'pje] *adv.: sauter à ~* hop.

clocher[1] [klɔ'ʃe] *m* belfry, bell-tower; steeple; *course f au ~* point-to-point race; steeplechase.

clocher[2] [ˏ] (1a) *v/i.* limp, hobble; be amiss *or* wrong.

clocheton [klɔʃ'tɔ̃] *m* bell-turret; **clochette** [klɔ'ʃɛt] *f* handbell; ♀ bell-flower; *~ d'hiver* snowdrop.

cloison [klwa'zɔ̃] *f* ⚠ partition; ⚓ bulkhead; *mot.* baffle-plate; **cloisonnage** [ˏzɔ'naːʒ] *m* partition (-ing); **cloisonner** [ˏzɔ'ne] (1a) *v/t.* partition.

cloître *eccl.* [klwaːtr] *m* cloister(s *pl.*); monastery; convent; **cloîtrer** [klwa'tre] (1a) *v/t.* cloister; *nonne f cloîtrée* enclosed nun.

clopin-clopant F [klɔpɛ̃klɔ'pɑ̃] *adv.* hobbling (along); **clopiner** [ˏpi'ne] (1a) *v/i.* hobble, limp.

cloporte *zo.* [klɔ'pɔrt] *m* woodlouse, *Am.* sow-bug.

cloque [klɔk] *f* ✔ lump, swelling; *corn:* rust; *tree:* blight.

clore [klɔːr] (4f) *vt/i.* close; *v/t.* enclose (*land*); **clos, close** [klo, kloːz] **1.** *p.p.* of *clore*; **2.** *adj.* closed; shut in; finished; **3.** *su./m* enclosure, close; vineyard; **closerie** [kloz'ri] *f* small estate; small holding; croft; pleasure garden; **clôt** [klo] *3rd p. sg. pres. of clore*; **clôture** [ˏ'tyːr] *f* fence, enclosure; closure, closing; end; ✔ *account:* winding up; ✔ *books:* balancing; **clôturer** [ˏty're] (1a)

v/t. enclose (*land*); ✔ close down (*a factory*); *pol.* apply the closure to (*a debate*); ✔ wind up, close.

clou [klu] *m* nail; *fig.* star-turn, hit; ⚕ boil, carbuncle; *pedestrian crossing:* stud; *sl.* pawn-shop, *Am.* hock shop; *sl.* clink, jail; *cuis. ~ de girofle* clove; **clouer** [klu'e] (1a) *v/t.* nail; pin down; rivet; *fig.* tie; *tapis m cloué* fitted carpet; **clouter** [ˏ'te] (1a) *v/t.* stud; **clouterie** [ˏ'tri] *f* nail-making; nail-works *usu. sg.*; **cloutier** [ˏ'tje] *m* nail-dealer; nailsmith.

clown [klun] *m* clown; buffoon; **clownerie** [ˏ'ri] *f* clownish trick; clownishness; *coll.* clowns *pl.*

cloyère [klwa'jɛːr] *f* oyster-basket.

club [klœb] *m* club.

cluse *geol.* [klyːz] *f* transverse valley.

coadjuteur *eccl.* [koadʒy'tœːr] *m* coadjutor; **coadjutrice** *eccl.* [ˏ'tris] *f* coadjutrix.

coagulation [koagyla'sjɔ̃] *f* coagulation, congealing; **coaguler** [ˏ'le] (1a) *v/t. a. se ~* coagulate, clot; curdle.

coaliser *pol.* [koali'ze] (1a) *v/t. a. se ~* unite; **coalition** [ˏ'sjɔ̃] *f* coalition; *fig.* combine; *ministère m de ~* coalition ministry.

coasser [koa'se] (1a) *v/i.* croak.

coassocié *m*, **e** *f* [koasɔ'sje] co-partner.

cobaye *zo., fig.* [kɔ'baːj] *m* guinea-pig.

cocagne [kɔ'kaɲ] *f: mât m de ~* greasy pole; *pays m de ~* land of plenty.

cocaïne [kɔka'in] *f* cocaine.

cocasse F [kɔ'kas] comical, droll.

coccinelle *zo.* [kɔksi'nɛl] *f* ladybird.

coccyx *anat.* [kɔk'sis] *m* coccyx.

coche[1] [kɔʃ] *m* † stage-coach; *faire la mouche du ~* buzz around; be a busy-body; F *manquer le ~* miss the boat (= *lose an opportunity*).

coche[2] [ˏ] *f* nick, notch.

coche[3] *zo.* [ˏ] *f* sow.

cocher[1] [kɔ'ʃe] (1a) *v/t.* nick, notch.

cocher[2] [kɔ'ʃe] *m* coachman, F cabby; **cochère** [ˏ'ʃɛːr] *adj./f: porte f ~* carriage-entrance; main gate.

cochon, -onne [kɔ'ʃɔ̃, ~'ʃɔn] **1.** *su./m* pig, hog, porker; *fig.* filthy swine; *~ de lait* sucking-pig;

~ d'Inde guinea-pig; **2.** adj. sl. indecent; filthy; **cochonner** [ˌʃɔ'ne] (1a) v/i. farrow; v/t. F botch (a piece of work); **cochonnerie** [ˌʃɔn'ri] f filth; rubbish; foul trick; hogwash (= bad food); **cochonnet** [ˌʃɔ'ne] m young pig; bowls: jack; tex. cylinder.

cockpit [kɔk'pit] m cockpit.

cocktail [kɔk'tɛl] m cocktail; cocktail party.

coco [kɔ'ko] su./m (a. noix f de ~) coco(a)nut; F liquorice water; sl. head; F guy; F darling; F stomach; sl. petrol; ch.sp. hen, egg; su./f F snow (= cocaine).

cocon [kɔ'kɔ̃] m cocoon.

cocorico [kɔkɔri'ko] m cock-a-doodle-doo.

cocotier [kɔkɔ'tje] m coconut palm.

cocotte[1] [kɔ'kɔt] f chuck-chuck (= hen); F darling, ducky; pej. loose woman, tart.

cocotte[2] cuis. [~] f stew-pan.

coction [kɔk'sjɔ̃] f boiling, coction; digestion.

cocu F [kɔ'ky] m cuckold, deceived husband; **cocufier** F [~ky'fje] (1o) v/t. cuckold.

code [kɔd] m code (a. tel.); ~ civil (pénal, de la route) civil (penal, highway) code; **coder** [kɔ'de] (1a) v/t. code.

codétenu m, e f [kodet'ny] fellow-prisoner.

codifier [kɔdi'fje] (1o) v/t. codify; tel. etc. code.

coéducation [koedyka'sjɔ̃] f coeducation.

coefficient [koefi'sjɑ̃] m coefficient; factor.

coéquation admin. [koekwa'sjɔ̃] f proportional assessment.

coercitif, -ve phys. [kɔɛrsi'tif, ~'tiːv] coercive.

cœur [kœːr] m heart (a. fig.); courage; feelings pl.; centre; cards: heart(s pl.); ~-poumon m artificiel heart-lung machine; à ~ joie to one's heart's content; avoir mal au ~ feel sick; homme m de ~ brave man; par ~ by heart.

coexistence [koɛgzis'tɑ̃ːs] f coexistence (a. pol.).

coffrage [kɔ'fraːʒ] m coffering, lining; shuttering (for concrete work); **coffre** [kɔfr] m chest, box;

coffer; moorings pl.; (mooring-)buoy; case; ballast-bed; mot. boot; form, box (for concrete work); navire m à ~ well-decker; **coffre-fort**, pl. **coffres-forts** [~'fɔːr] m safe; strong-box; **coffrer** [kɔ'fre] (1a) v/t. F imprison; coffer, line; **coffret** [ˌ'fre] m casket: (tool-, work-, etc.)box.

cogérance [koʒe'rɑ̃ːs] f co-administration.

cognac [kɔ'ɲak] m cognac, F brandy.

cognassier [kɔɲa'sje] m quince-tree.

cognée [kɔ'ɲe] f axe, hatchet; **cogner** [~] (1a) v/t. hammer in; drive in (a nail); knock, hit; bump against; v/i. knock (a. mot.); bump.

cohabiter [koabi'te] (1a) v/i. live together, cohabit.

cohérence [kɔe'rɑ̃ːs] f coherence; avec ~ coherently; **cohérent, e** [ˌ'rɑ̃, ~'rɑ̃ːt] coherent; **cohésion** [ˌ'zjɔ̃] f cohesion; phys. force f de ~ cohesive force.

cohue [kɔ'y] f crowd, throng, crush; mob.

coi, coite [kwa, kwat] quiet; se tenir ~ keep quiet; F lie doggo.

coiffe [kwaf] f head-dress; cap; hat: lining; cap-cover; **coiffé, e** [kwa'fe] adj.: être ~ be wearing a hat; have done one's hair; fig. be infatuated (with, de); être bien ~ have one's hair well dressed; né ~ born lucky; **coiffer** [ˌ'fe] (1a) v/t. cover (one's head); hat: suit; put on (a hat); do (one's hair); fig. be unfaithful to (one's husband); take (the objective); de combien coiffez-vous? what size in hats do you take?; ~ sainte Catherine reach the age of 25 without being married (woman); **coiffeur, -euse** [ˌ'fœːr, ~'føːz] su. hairdresser; su./f dressing-table; **coiffure** [ˌ'fyːr] f head-dress; hair-style; hairdressing; ~ à la Jeanne d'Arc bobbed hair (with fringe).

coin [kwɛ̃] m corner; nook, spot; ground: patch; coins: die; wedge, chock; fig. hallmark, stamp; ~ du feu fireside; dans tous les ~s et recoins in every corner, everywhere; **coincement** [kwɛ̃s'mɑ̃] m jamming; **coincer** [kwɛ̃'se] (1k) v/t. wedge; fig. sl. corner; arrest; v/i. a. se ~ jam, stick.

coïncidence [kɔɛ̃si'dɑ̃ːs] f coïnci-

dence; ⚡ ~ *d'oscillations* surging;
coïncider [~'de] (1a) *v/i.* coincide.
coing ♀ [kwɛ̃] *m* quince.
coït [kɔ'it] *m* coitus.
coke [kɔk] *m* coke; *petit* ~ breeze;
cokerie [kɔ'kri] *f* coking plant.
col [kɔl] *m* neck (*a. fig.*); *cost.* collar;
geog. pass, col; ~ *cassé* (*droit, rabattu*) wing (stand-up, turn-down)
collar; *à* ~ *Danton* open-necked
(*shirt*); *faux* ~ detachable *or* separate collar.
colchique ♀ [kɔl'ʃik] *m* colchicum.
coléoptère *zo.* [kɔleɔp'tɛ:r] *m* beetle;
~*s pl.* coleoptera.
colère [kɔ'lɛ:r] **1.** *su./f* anger; *en* ~
angry; *se mettre en* ~ become angry;
2. *adj.* angry; irascible (*person*);
coléreux, -euse [kɔle'rø, ~'rø:z]
hot-tempered, irascible; **colérique**
[~'rik] choleric.
colifichet [kɔlifi'ʃɛ] *m* trinket; ~*s pl.*
rubbish *sg.*; ✝ *rayon m des* ~*s* fancy
goods department.
colimaçon *zo.* [kɔlima'sɔ̃] *m* snail;
en ~ spiral (*staircase*).
colin *icht.* [kɔ'lɛ̃] *m* hake.
colin-maillard [kɔlɛ̃ma'ja:r] *m*
game: blind-man's buff.
colique ⚕ [kɔ'lik] *f* colic; F stomach-ache; *sl. avoir la* ~ have the
wind up.
colis [kɔ'li] *m* packet, parcel; luggage; *par* ~ *postal* by parcel post.
collaborateur *m*, **-trice** *f* [kɔllabora'tœ:r, ~'tris] collaborator (*a. pol.*);
associate; *review*: contributor; **collaboration** [~ra'sjɔ̃] *f* collaboration
(*a. pol.*); co-operation; *book*: joint
authorship; **collaborer** [~'re] (1a)
v/i. collaborate, co-operate; contribute (*to a journal etc.*).
collage [kɔ'la:ʒ] *m* pasting; gluing;
paper: sizing; F (*unmarried*) cohabitation, liaison; *paint.* collage;
collant, e [~'lɑ̃, ~'lɑ̃:t] **1.** *adj.* sticky,
adhesive; *cost.* tight, close-fitting;
clinging; **2.** *su./m*: ~*s pl.* tights.
collatéral, e, *m/pl.* **-aux** [kɔllate'ral,
~'ro] **1.** *adj.* collateral; *eccl.* side-
(*aisle*); **2.** *su.* relative, collateral;
su./m eccl. side-aisle.
collateur *eccl.* † [kɔlla'tœ:r] *m* patron (*of a living*); **collation** [~'sjɔ̃]
f ⚛ *etc.* granting, conferment; *eccl.*
advowson; *typ.* checking, proof-
reading; *documents*: collation; light
meal; **collationner** [~sjɔ'ne] (1a)

v/t. collate, compare; check; *v/i.*
have a light meal.
colle [kɔl] *f* paste, glue; gum; *paper
etc.*: size; *fig.* poser, difficult question; *school*: detention; ~ *forte*
glue.
collecte [kɔl'lɛkt] *f eccl.* collection;
collecting; *eccl. prayer*: collect;
faire une ~ make a collection; **collecteur** [kɔllɛk'tœ:r] *m* ⚡ collector;
⚡ commutator; ⊕ sewer; **collectif,
-ve** [~'tif, ~'ti:v] collective; **collection** [~'sjɔ̃] *f* collection; gathering;
collectionner [~sjɔ'ne] (1a) *v/t.*
collect; **collectivité** [~tivi'te] *f*
community; common ownership.
collège [kɔ'lɛ:ʒ] *m* college; *school*:
secondary grammar school; ~ *électoral* constituency; electoral body,
Am. electoral college; *sacré* ~ College of Cardinals.
collégial, e, *m/pl.* **-aux** [kɔle'ʒjal,
~'ʒjo] **1.** *adj.* collegiate; **2.** *su./f* collegiate church; **collégien, -enne**
[~'ʒjɛ̃, ~'ʒjɛn] *su./m* college-student;
su./m schoolboy; *su./f* schoolgirl.
collègue [kɔl'lɛg] *su.* colleague.
coller [kɔl'le] (1a) *v/t.* stick; paste;
glue; size (*paper*); clarify (*wine*); F
put, stick (*s.th. in a place*); F plough
(*a candidate*); *se* ~ stick; *sl.* cohabit,
live (with, *avec*); *v/i.* stick; cling;
sl. ça colle! all right!; *sl. cela ne
colle pas* it is not going properly.
collerette [kɔl'rɛt] *f cost.* collarette;
⊕ joint, pipe: flange.
collet [kɔl'lɛ] *m* ♀, ⊕, *cost.* collar;
cost. cape; *cuis.* neck, scrag; *tooth,
violin,* ⊕ *screw, chisel*: neck; ⊕
pipe, etc.: flange; snare (*for rabbits
etc.*); ~ *monté* strait-laced person; strait-laced; *fig.* hug; *se* ~ come to grips;
v/i. set snares (*for rabbits etc.*).
colleur *m*, **-euse** *f* [kɔ'lœ:r, ~'lø:z]
paster; (*bill-*)sticker; *paper*: sizer;
sl. school: stiff examiner; *sl.* liar.
collier [kɔ'lje] *m* necklace; collar
(*a.* ⊕, ⚓, *zo., order*); *coup m de* ~
fig. big effort; ⚡ sudden overload;
fig. reprendre le ~ be back in harness.
colline [kɔ'lin] *f* hill.
collision [kɔlli'zjɔ̃] *f* collision; *phys.*
~ *de neutrons* knock-on.
collocation ⚖ [kɔllɔka'sjɔ̃] *f* order
of priority of creditors.
collodion ⚗ [kɔllɔ'djɔ̃] *m* collodion.

colloque ⸢kɔl'lɔk] *m* conversation; parley

collusion 🏛 [ʌɔlly'zjɔ̃] *f* collusion; **collusoire** 🏛 [ʌ'zwa:r] collusive.

collutoire [kɔlly'twa:r] *m* mouthwash.

collyre [kɔl'li:rɪ *m* eyewash.

colmater [kɔlma'te] (1a) *v/t.* clog, choke (*a pipe, a sieve, etc.*); fill in (*pot-holes*); ✗ warp (*the soil*); ✗ consolidate

colocataire [kɔlɔka'tɛ:r] *su.* joint tenant; co-tenant.

colombe *orn.* [kɔ'lɔ̃:b] *f* pigeon; dove; **colombier** [kɔlɔ̃'bje] *m* dove-cot(e); pigeon-house; **colombin, e** [ʌ'bɛ̃, ʌ'bin] **1.** *adj.* dove-like; dove-colo(u)red; **2.** *su./m orn.* stock-dove; ✗ lead ore; *su./f* ✗ pigeon-dung.

colon [kɔ'lɔ̃] *m* small holder; settler, colonist.

côlon *anat.* [ko'lɔ̃] *m* colon.

colonel ✗ [kɔlɔ'nɛl] *m* colonel; **colonelle** F [ʌ] *f* colonel's wife.

colonial, e, *m/pl.* **-aux** [kɔlɔ'njal, ʌ'njo] **1.** *adj.* colonial; *denrées f/pl.* ʌes colonial produce *sg.*; **2.** *su./m* colonial; *su./f* ✗ colonial troops *pl.*; **colonialisme** *pol.* [ʌnja'lism] *m* colonialism; **colonie** [ʌ'ni] *f* colony, settlement; ʌ *de vacances* holiday camp; **colonisateur, -trice** [kɔlɔniza'tœ:r, ʌ'tris] **1.** *adj.* colonizing; **2.** *su./m* colonizer; **colonisation** [ʌza-'sjɔ̃] *f* colonization, settling; **coloniser** [ʌ'ze] (1a) *v/t.* colonize, settle.

colonne [kɔ'lɔn] *f* 🔺, ✗, *anat.* column; 🔺 pillar; ⚓ ʌ line ahead; ✗ en ʌ *par quatre!* form fours!

colophane [kɔlɔ'fan] *f* rosin.

colorant, e [kɔlɔ'rɑ̃, ʌ'rɑ̃:t] **1.** *adj.* colo(u)ring; **2.** *su./m* dye; colo(u)ring (matter); **colorer** [ʌ're] (1a) *v/t.* colo(u)r, stain; dye; **colorier** [ʌ'rje] (1o) *v/t.* colo(u)r; **coloris** [ʌ'ri] *m* colo(u)r(ing); hue.

colossal, e, *m/pl.* **-aux** [kɔlɔ'sal, ʌ'so] colossal, gigantic; **colosse** [ʌ'lɔs] *m* colossus; F giant.

colportage [kɔlpɔr'ta:ʒ] *m* hawking, peddling; **colporter** [ʌ'te] (1a) *v/t.* hawk, peddle; *fig.* spread (*news*); **colporteur** *m,* **-euse** *f* [ʌ'tœ:r, ʌ'tø:z] hawker, pedlar, *Am.* peddler; *fig.* newsmonger.

coltiner [kɔlti'ne] (1a) *v/t.* carry (*loads*) on one's back; **coltineur**

[ʌ'nœ:r] *m* heavy porter; ʌ *de charbon* coal-heaver.

colza ⚘ [kɔl'za] *m* rape, colza; rape-seed.

coma ✗ [kɔ'ma] *m* coma; **comateux, -euse** ✗ [ʌma'tø, ʌ'tø:z] comatose.

combat [kɔ̃'ba] *m* ✗ combat, battle, engagement; struggle (*a. fig.*); *fig.* contest; *hors de* ʌ disabled; out of action; **combatif, -ve** [kɔ̃ba'tif, ʌ'ti:v] pugnacious; **combattant** [ʌ'tɑ̃] *m* combatant, fighting man; fighter; *zo.* game-cock; *ancien* ʌ ex-service man; **combattre** [kɔ̃'batr] (4a) *vt/i.* fight.

combe [kɔ̃:b] *f* coomb, dale, dell.

combien [kɔ̃'bjɛ̃] *adv.* how (many or much); ʌ *de temps* how long; ʌ *de ... qui* (*or que*) (*sbj.*) however much ... (*inf.*); F *le* ʌ *sommes-nous?* what day of the month is it?

combinaison [kɔ̃bine'zɔ̃] *f* combination, arrangement, plan; *cost.* overalls *pl.,* boiler-suit; *cost.* combinations *pl.;* ✈ flying suit; *woman:* slip; **combinateur** ⚡ [ʌna-'tœ:r] *m:* ʌ *de couplage* controller; **combine** F [kɔ̃'bin] *f* plan, scheme; **combiner** [ʌbi'ne] (1a) *v/t.* combine; devise, concoct; *se* ʌ combine.

comble [kɔ̃:bl] **1.** *su./m* heaped measure; overmeasure; summit; height (*a. fig.*); 🔺 roof(ing); *de fond en* ʌ from top to bottom; *mettre le* ʌ *à* crown, add the finishing touch to; **2.** *adj.* heaped up; packed (*house, room*); **comblement** [kɔ̃blə'mɑ̃] *m* filling in; **combler** [ʌ'ble] (1a) *v/t.* fill (in); ✗, ✝ make good (*a deficit, casualties*); *fig.* ʌ *q. de qch.* shower s.th. on s.o.

combustibilité [kɔ̃bystibili'te] *f* inflammability; **combustible** [ʌ'tibl] **1.** *adj.* inflammable; combustible; **2.** *su./m* fuel; **combustion** [ʌ'tjɔ̃] *f* combustion, burning; ʌ *continue* slow combustion.

comédie [kɔme'di] *f* comedy; † *a.* *fig.* play; **comédien, -enne** [ʌ'djɛ̃, ʌ'djɛn] **1.** *su.* comedian; *su./m* actor; *su./f* actress; **2.** *adj.* theatrical.

comestible [kɔmes'tibl] **1.** *adj.* edible, eatable; **2.** *su./m* article of food; ʌs *pl.* provisions, victuals.

comète *astr.* [kɔ'mɛt] *f* comet.

comice [kɔ'mis] *m* show; gathering;

hist. ~s *pl.* electoral meeting *sg.*; ~
agricole agricultural show, cattle-
show.

comique [kɔ'mik] **1.** *adj.* comic (*actor, author*); comical, funny; **2.** *su.*/
m comedian, humorist; comic ac-
tor; comedy-writer; comedy.

comité [kɔmi'te] *m* committee,
board; ~ *d'arbitrage* arbitration
board; ~ *de surveillance* vigilance
committee; *petit* ~ little *or* informal meeting.

comma ♩ [kɔ'ma] *m* comma.

commandant [kɔmã'dã] *m* ✕,
commanding officer, commander;
✗ squadron-leader; ✕ ~ *de
bataillon*, ~ *d'escadron* major; ~ *en
chef* commander-in-chief; **commande** [~'mãːd] *f* ✝ order; ⊕,
✗ control; ⊕ lever; *mot.* drive; ✝
bulletin m de ~ order-form; *de* ~
feigned; *eccl.* of obligation; F essential; *sur* ~ to order; **commandement** [~mãd'mã] *m* ✕, *a. fig.* command; instruction; ⚖ summons
sg.; *eccl.* commandment; **commander** [~mã'de] (1a) *v/t.* command
(*a. fig.*), order (s.th. from s.o., *qch.
à q.*); control; dominate; ~ *à* control; *se* ~ control o.s.; lead into
each other *or* one another (*rooms*);
cela ne se commande pas it does not
depend upon our will; *v/i.* give
orders; **commandeur** [~'dœːr] *m
order of knighthood*: commander.

commanditaire ✝ [kɔmãdi'tɛːr] *m*
sleeping *or Am.* silent partner;
commandité [~'te] *m* active partner; **commanditer** ✝ [~'te] (1a)
v/t. finance (*an enterprise*); become
a sleeping partner in.

comme [kɔm] **1.** *adv.* as, like; how;
in the way of; F ~ *ci* ~ *ça* so so; F
c'est tout ~ it comes to the same
thing; ~ *il faut* proper(ly *adv.*);
2. *cj.* as, seeing that; *temporal*: just
as.

commémoratif, -ve [kɔmemɔra-
'tif, ~'tiːv] commemorative (of, *de*);
memorial (*service*); *fête f* ~*ve* festival of remembrance; **commémoration** [~ra'sjɔ̃] *f* commemoration;
commémorer [~'re] (1a) *v/t.*
commemorate.

commençant, e [kɔmã'sã, ~'sãːt]
1. *adj.* beginning, early; **2.** *su.* beginner; **commencement** [~mãs-
'mã] *m* beginning, start, outset;

commencer [~mã'se] (1k) *vt/i.*
begin; start.

commendataire *eccl.* [kɔmãda'tɛːr]
m commendator.

commensal *m*, **e** *f* [kɔmã'sal] fel-
low-boarder; messmate, table-com-
panion; regular guest.

commensurable A [kɔmãsy-
'rabl] commensurable (with, to
avec).

comment [kɔ'mã] **1.** *adv.* how;
what: **2.** *int.* what!; why!; F *et* ~*!*
and how; **3.** *su.*/*m*/*inv.* why; *les* ~
et les pourquoi the whys and the
wherefores.

commentaire [kɔmã'tɛːr] *m* commentary; *fig.* comment; **commentateur** *m*, **-trice** *f* [~ta'tœːr, ~'tris]
commentator; **commenter** [~'te]
(1a) *v/t.* comment upon (*a. fig.* =
criticise).

commérage [kɔme'raːʒ] *m* gossip.

commerçant, e [kɔmɛr'sã, ~'sãːt]
1. *adj.* commercial; business...; mercantile; *très* ~ very busy (*street*);
2. *su.*/*m* tradesman, merchant; *les*
~*s pl.* tradespeople; **commerce** [~-
'mɛrs] *m* trade, commerce; commercial world; dealings *pl.*, intercourse; (sexual) intercourse; ~ *de
détail* retail trade; ~ *d'outre-mer*
overseas trade; *registre m du* ~
Commercial Register; **commer-
cer** [kɔmɛr'se] (1k) *v/i.* (with, *avec*)
trade, deal; *fig.* have dealings;
commercial, e, *m/pl.* **-aux** [~'sjal,
~'sjo] commercial, trading, business.

commère [kɔ'mɛːr] *f eccl.* godmother; F gossip; crony.

commettant [kɔme'tã] *m* ⚖, ✝
principal; *pol.* ~*s pl.* constituents;
commettre [~'mɛtr] (4v) *v/t.*
commit.

comminatoire [kɔmina'twaːr] com-
minatory; *fig.* threatening.

commis, e [kɔ'mi, ~'miːz] **1.** *p.p. of
commettre*; **2.** *su./m* clerk; agent;
(shop-)assistant; ~ *voyageur* commercial traveller, *Am.* travelling
salesman.

commisération [kɔmizera'sjɔ̃] *f*
pity; commiseration.

commissaire [kɔmi'sɛːr] *m* commissioner; *police*: superintendent;
⚓ purser; *sp.* steward; ~ *aux
comptes* auditor; **~-priseur**, *pl.* ~*s-
priseurs* [~sɛrpri'zœːr] *m* auction-

eer; official valuer; **commissariat**
[~sa'rja] *m* commissioner's office;
central police station.

commission [kɔmi'sjɔ̃] *f* commission; *admin. a.* committee, board;
message, errand; **commissionnaire** [~sjɔ'nɛːr] *m* ✝ commission-
agent; messenger; ~ *de transport*
forwarding agent; ~ *en gros* factor;
commissionner [~sjɔ'ne] (1a) *v/t.*
commission; ✝ order.

commissure [kɔmi'syːr] *f* commissure.

commode [kɔ'mɔd] **1.** *adj.* convenient; comfortable; handy; easy-
going (*person*); good-natured; **2.** *su.*/
f chest of drawers; **commodément**
[kɔmɔde'mɑ̃] *adv. of commode 1*;
commodité [~di'te] *f* convenience;
comfort; ~*s pl.* public convenience
sg.

commotion [kɔmɔ'sjɔ̃] *f* commotion, disturbance; 🕮, ⚡ shock; ⚡
concussion.

commuer 🕮 [kɔ'mɥe] (1p) *v/t.*
commute (to, en).

commun, e [kɔ'mœ̃, ~'myn] **1.** *adj.*
common; usual; joint; vulgar; ✝
average, mean (*tare*); *chose f* ~*e*
common cause; *faire bourse* ~*e*
pool resources; *sens m* ~ common
sense; **2.** *su.*/*m* generality, common
run; common funds *pl.*; ✝ servants
pl.; ~*s pl.* outbuildings; conven-
iences; *en* ~ in common; *au su.*/*f
admin.* commune, (*approx.*) parish;
hist. ⚖e Commune (*1789, a. 1871*);
parl. Chambre f des ~*es* House of
Commons, *the* Commons *pl.*; **communal, e**, *m/pl.* -aux [kɔmy'nal,
~'no] common; communal; parish
...; **communard** *hist.* [~'naːr]
m communard (*supporter of the 1871
Paris Commune*); **communauté**
[~no'te] *f eccl., admin., a. fig.* community; 🕮 joint estate; *pol.* ⚖
French Community; ~ *de travail*
school: group activity; **communément** [~ne'mɑ̃] *adv. of commun 1*.

communiant *m*, **e** *f eccl.* [kɔmy'njɑ̃,
~'njɑ̃ːt] communicant; **communi-
cable** [kɔmyni'kabl] communicable; 🕮 transferable; communicat-
ing (*rooms*); F approachable (*person*); **communicatif, -ve** [~ka'tif,
~'tiːv] communicative; infectious
(*laughter*); **communication** [~ka-
'sjɔ̃] *f* communication, message; ⚡

connection; *teleph.* ~ *locale* (*interurbaine*) local (long-distance) call;
teleph. donner la ~ put a call
through; *teleph. mauvaise* ~ wrong
number; **communier** *eccl.* [kɔmy-
'nje] (1o) *v/i.* communicate; *v/t.*
administer Holy Communion to
⟨*s.o.*⟩; **communion** [~'njɔ̃] *f* communion ⟨*a. eccl.*⟩; **communiqué**
[kɔmyni'ke] *m* official statement,
communiqué; *radio:* news *sg.*; bulletin; **communiquer** [~] (1m) *vt/i.*
communicate; *v/i.* be in communication or connection; ⟨*a.* ~ *avec*⟩
lead into; (*faire*) ~ connect; *v/t.:* ~e
~ be expansive; talk too much;
spread (to, à).

communisant, e [kɔmyni'zɑ̃, ~-
'zɑ̃ːt] **1.** *adj.* communistic; **2.** *su.*
pol. fellow-traveller, communist
sympathizer; **communisme** [~-
nism] *m* communism; **commu-
niste** [~'nist] *su., a. adj.* communist.

commutateur ⚡ [kɔmyta'tœːr] *m*
commutator; *light:* switch; **commutation** [~ sjɔ̃] *f* commutation
⟨*a.* 🕮⟩; ⚡ changing over; *de* ~
switch-. ; **commutatrice** ⚡ [~'tris]
f rotary transformer; **commuter**
⚡ [kɔmy'te] (1a) *v/t.* change over.

compacité [kɔ̃pasi'te] *f* compact-
ness; *metal:* density; **compact, e**
[~'pakt] compact; dense.

compagne [kɔ̃'paɲ] *f* companion;
wife; *animals:* mate; **compagnie**
[kɔ̃pa'ɲi] *f* company ⟨*a.* ✈, ✕, *a.
person*⟩; ⚓ division; society; party;
fellowship; ✕ ~ *de discipline* disciplinary company; *de ou en* ~ together; **compagnon** [~ ɲɔ̃] *m* companion, comrade; mate (*a.* ⊕),
partner; ⊕ journeyman; ~ *de route*
fellow-traveller (*esp. pol.*); **com-
pagnonnage** ✝ [~ɲɔ'naːʒ] *m*
trade-guild; time of service as
journeyman.

comparable [kɔ̃pa'rabl] comparable; **comparaison** [~rɛ'zɔ̃] *f* comparison; simile.

comparaître 🕮 [kɔ̃pa'rɛːtr] (4k)
v/i. appear; *faire* ~ *devant* bring
before.

comparatif, -ve [kɔ̃para'tif, ~'tiːv]
adj., a. gramm. su./*m* comparative;
comparé, e [~'re] comparative
(*grammar, history, etc.*); **comparer**
[~'re] (1a) *v/t.* compare (to, with
à, avec).

comparse [kɔ̃'pars] *m thea.* supernumerary; F super; *fig.* confederate.

compartiment [kɔ̃parti'mɑ̃] *m* 🚢, *ship, ceiling, etc.*: compartment; partition; division; *draughts, chess, etc.*: square.

comparution 🏛 [kɔ̃pary'sjɔ̃] *f* appearance.

compas [kɔ̃'pa] *m* compasses *pl.*; ⚓ *etc.* compass; *mot. hood*: arms *pl.*; standard, scale; *surv.* ~ de relèvement azimuth compass; ⚓ ~ gyroscopique gyro-compass; **compassé, e** [kɔ̃pa'se] formal, stiff; regular; **compasser** [~] (1a) *v/t.* measure with compasses; *fig.* consider, weigh, study; ⚓ ~ la carte prick the chart.

compassion [kɔ̃pa'sjɔ̃] *f* compassion, pity.

compatible [kɔ̃pa'tibl] compatible.

compatir [kɔ̃pa'tiːr] (2a) *v/i.*: ~ à sympathize with; bear with; **compatissant, e** [~ti'sɑ̃, ~'sɑ̃ːt] (*pour*, to[wards]) compassionate, tender; sympathetic; indulgent.

compatriote [kɔ̃patri'ɔt] *su.* compatriot; *su./m* fellow-countryman; *su./f* fellow-countrywoman.

compensateur, -trice [kɔ̃pɑ̃sa-'tœːr, ~'tris] **1.** *adj.* compensating; ⚡ equalizing (*current*); *phot.* compensating (*filter, screen*); *phys.* pendule *m* ~ compensation pendulum; **2.** *su./m* compensator; ⚖ trimmer; **compensation** [~sa'sjɔ̃] *f* compensation; ⊕, ⚡ balancing; *sp.* handicapping; ✝ accord *m* de ~ barter agreement; ✝ caisse *f* de ~ equalization fund; ✝ chambre *f* de ~ clearing-house; **compenser** [~'se] (1a) *v/t.* compensate, make up for; ⊕ balance; ⚓ adjust (*a compass*); *sp.* handicap.

compère [kɔ̃'pɛːr] *m eccl.* godfather; *thea.* compère; *fig.* accomplice; F comrade, pal; *bon* ~ good fellow; **~-loriot,** *pl.* **~s-loriots** 🩺 [~pɛrb-'rjo] *m* sty.

compétence [kɔ̃pe'tɑ̃ːs] *f* competence (*a.* 🏛); skill, ability; **compétent, e** [~'tɑ̃, ~'tɑ̃ːt] competent (*a.* 🏛); **compéter** [~'te] (1f) *v/i.* 🏛 be within the jurisdiction (of, *à*); belong by right (to, *à*).

compétiteur *m,* **-trice** *f* [kɔ̃peti-'tœːr, ~'tris] competitor, candidate, rival (for, *à*); **compétitif, -ve**

[~'tif, ~'tiːv] competitive (*prices*); rival; **compétition** [~'sjɔ̃] *f* competition, rivalry.

compiler [kɔ̃pi'le] (1a) *v/t.* compile.

complainte [kɔ̃'plɛ̃ːt] *f* lament; 🏛 complaint; plaintive ballad *or* song.

complaire [kɔ̃'plɛːr] (4z) *v/i.* be pleasing; ~ à please, humo(u)r (*s.o.*); *v/t.*: *se* ~ take pleasure (in *ger., à inf.*; in *s.th., dans or en qch.*); **complaisance** [kɔ̃plɛ'zɑ̃ːs] *f* obligingness, kindness; self-satisfaction, complacency; ✝ effet *m* de ~ accomodation bill; **complaisant, e** [~'zɑ̃, ~'zɑ̃ːt] obliging; self-satisfied, complacent.

complément [kɔ̃ple'mɑ̃] *m* complement (*a.* ✖, *a.* gramm.); *gramm.* object; **complémentaire** [~mɑ̃-'tɛːr] complementary (*a.* 🔬); supplementary; further (*information*).

complet, -ète [kɔ̃'plɛ, ~'plɛt] **1.** *adj.* complete; full (*theatre etc.*); ~! full up; *café m* ~ continental breakfast; **2.** *su./m* suit; *au* ~ complete, full; *au grand* ~ F in full force; ✖ *au* full strength; **complètement** [~plɛt'mɑ̃] **1.** *su./m* completion; ✖ bringing up to strength; **2.** *adv.* completely, thoroughly, utterly; **compléter** [~ple'te] (1f) *v/t.* complete, fill up; ✖ bring up to strength; replenish (*stores*).

complexe [kɔ̃'plɛks] **1.** *adj.* complex; complicated; *gramm., a.* 🔬 compound; **2.** *su./m* complex; **complexé, e** [~plɛk'se] **1.** *adj.* suffering from a complex; **2.** *su.* person suffering from a complex.

complexion [kɔ̃plɛk'sjɔ̃] *f* constitution; temperament.

complexité [kɔ̃plɛksi'te] *f* complexity.

complication [kɔ̃plika'sjɔ̃] *f* complication (*a.* 🩺); complexity.

complice [kɔ̃'plis] *adj., a. su.* accessory (to, *de*); accomplice (of, *de*); **complicité** [~plisi'te] *f* complicity; 🏛 aiding and abetting, abetment.

compliment [kɔ̃pli'mɑ̃] *m* compliment; congratulation; flattery; ~s *pl.* kind regards; **complimenter** [~mɑ̃'te] (1a) *v/t.* compliment, congratulate (on *de, sur*).

compliqué, e [kɔ̃pli'ke] complicated, elaborate, intricate; 🩺 compound (*fracture*); **compliquer** [~] (1m) *v/t.* complicate; 🩺 la maladie s'est *compliquée* complications set in.

complot [kɔ̃'plo] *m* plot, conspiracy; *former un ~* hatch a plot; **comploter** [ˌplɔ'te] (1a) *v/t.* plot, scheme (to *inf.*, de *inf.*); *v/i.* conspire.

componction [kɔ̃pɔ̃k'sjɔ̃] *f* compunction; F *avec ~* solemnly.

comporter [kɔ̃pɔr'te] (1a) *v/t.* admit of; comprise, include; *fig.* involve; require; *se ~* behave, act.

composant, e [kɔ̃po'zɑ̃, ˌzɑ̃:t] *adj., a. su.* component; **composé, e** [ˌ'ze] **1.** *adj.* compound (*a.* ⌃m, *a. gramm.*); ♀ composite; *fig.* composed; impassive; **2.** *su./m* compound; **composer** [ˌ'ze] (1a) *v/t.* compose; arrange; *typ.* set; ♉ find the resultant of; *~ son visage* compose one's countenance; *se ~ de* consist of; *v/i.* compose music *etc.*; write a composition; come to terms (with, *avec*); **compositeur, -trice** [ˌzi'tœːr, ˌ'tris] *su.* ♪ composer; *typ.* compositor, type-setter; *su./m typ.* type-setting machine; **composition** [ˌzi'sjɔ̃] *f* composition (*a.* ♪, ✝ *with one's creditors*); composing (*a. typ.*); *typ.* type-setting; *school:* essay; examination (paper); ♉ compensation; ✝ arrangement.

compost ✎ [kɔ̃'pɔst] *m* compost; **composter** [kɔ̃pɔs'te] (1a) *v/t.* ✎ treat with compost; date (*a ticket*); **composteur** [ˌ'tœːr] *m typ.* composing-stick; dating stamp; dating and numbering machine.

compote [kɔ̃'pɔt] *f* stewed fruit; *en ~* stewed; *fig.* to *or* in a pulp; **compotier** [ˌpo'tje] *m* compote-dish; fruit-dish.

compréhensible [kɔ̃preɑ̃'sibl] comprehensible, understandable; **compréhension** [ˌ'sjɔ̃] *f* understanding; **comprendre** [kɔ̃'prɑ̃:dr] (4aa) *v/t.* understand, comprehend; include; F *je comprends!* I see!

compresse ✖ [kɔ̃'pres] *f* compress; **compresser** F [kɔ̃pre'se] (1a) *v/t.* pack; **compresseur** [ˌ'sœːr] *m* compressor; *mot.* supercharger; road-roller; **compressible** [ˌ'sibl] compressible; **compression** [ˌ'sjɔ̃] *f* compression; ⊕ crushing; repression; ✝ retrenchment, restriction.

comprimé ✖ [kɔ̃pri'me] *m* tablet; **comprimer** [ˌ] (1a) *v/t.* compress; *fig.* repress; hold in check.

compris, e [kɔ̃'pri, ˌ'priːz] **1.** *p.p.* of *comprendre;* **2.** *adj.* (*inv. before su.*): *non ~* exclusive of; *service m ~* service included; *tout ~* all in; *y ~* including.

compromettre [kɔ̃prɔ'metr] (4v) *v/t.* compromise; endanger, jeopardize; *fig.* implicate; **compromis** [ˌ'mi] *m* compromise (*a.* ⚖); arrangement (*a.* ✝).

comptabilité ✝ [kɔ̃tabili'te] *f* book-keeping, accountancy; counting-house; accountancy department; *~ en partie double* (*simple*) double (single) entry book-keeping; **comptable** [ˌ'tabl] **1.** *adj.* accountable, responsible; **2.** *su.* book-keeper, accountant; **comptant** [ˌ'tɑ̃] **1.** *adj./m* ready (*cash*); **2.** *su./m* cash, ready money; *au ~* (for) cash; **3.** *adv.* in cash, F on the nail; **compte** [kɔ̃:t] *m* account; count; reckoning; number; *fig.* profit, advantage; *~ à rebours rocket:* countdown; *~ bloqué* (*courant, ouvert*) blocked (current, open) account; *~ de chèques postaux* postal cheque account; *~ d'épargne* savings account; *~ de virement* clearing-account; *~ rendu* account, report; *book etc.:* review; *à ~* on account; *fig. à bon ~* cheap; *à ce ~* in that case; *en fin de ~* after all; *mettre qch. sur le ~ de* ascribe s.th. to; *régler un ~* settle an account; *se rendre ~ de* realize; *tenir ~ de qch.* take s.th. into account; **compte-gouttes** [kɔ̃t'gut] *m/inv.* dropper; ⊕ drip-feed lubricator; **compter** [kɔ̃'te] (1a) *v/t.* reckon, count (up); value; ✝ charge; expect; *v/i.* count, rely (on, *sur*); reckon; **compteur** [ˌ'tœːr] *m* meter; register; *person:* counter; *à gaz* gas-meter; ⚡ *~ de courant* electricity meter; *~ de Geiger* Geiger counter; *mot. ~ de stationnement* parking meter; *mot. ~ de vitesse* speedometer; **comptoir** [ˌ'twaːr] *m* ✝ counter; *public house:* bar; ✝ bank; ✝ *~ d'escompte* discount bank.

compulser [kɔ̃pyl'se] (1a) *v/t.* examine, check (*documents*).

computer [kɔ̃py'te] (1a) *v/t.* compute.

comte [kɔ̃:t] *m* earl; (non-English) count; **comté** [kɔ̃'te] *m* county; shire; **comtesse** [ˌ'tes] *f* countess.

concasser ⊕ [kɔ̃kɑ'se] (1a) *v/t.*
crush, grind, break up; **concasseur**
[‿'sœːr] *m* breaker, crushing-mill.

concave [kɔ̃'kaːv] concave. [grant.\

concéder [kɔ̃se'de] (1f) *v/t.* concede,\

concentration [kɔ̃sãtra'sjɔ̃] *f* concentration; condensation; *camp m
de* ~ concentration camp; **concentré, e** [‿'tre] **1.** *adj. fig.* reserved;
abstracted (*look*); **2.** *su./m* extract;
concentrate; **concentrer** [‿'tre]
(1a) *v/t.* concentrate (*a.* 🔍); intensify; focus (*light*); *fig.* restrain (*one's
feelings*); se ~ *sur* be centred upon;
concentrique ⅊ *etc.* [‿'trik] concentric.

concept [kɔ̃'sɛpt] *m* concept; **conceptible** [kɔ̃sɛp'tibl] conceivable;
conceptif, -ve [‿'tif, ‿'tiːv] conceptive; **conception** [‿'sjɔ̃] *f* conception (*a. fig.*); idea; ~ *du monde*
philosophy of life.

concernant [kɔ̃sɛr'nã] *prp.* concerning, regarding; **concerner**
[‿'ne] (1a) *v/t.* concern, regard.

concert [kɔ̃'sɛːr] *m* concert; *fig.*
agreement; *fig. de* ~ *avec* in concert
with; **concerter** [kɔ̃ser'te] (1a) *v/t.*
concert; plan; se ~ concert *or* work
together; **concerto** ♪ [‿'to] *m*
concerto.

concession [kɔ̃se'sjɔ̃] *f* concession,
grant; ~ *à perpétuité grave:* grant
in perpetuity; **concessionnaire**
[‿sjɔ'nɛːr] **1.** *adj.* concessionary;
2. *su./m* grantee (*of land*); ✝
licence-holder, concession-holder.

concevable [kɔ̃s'vabl] conceivable;
concevoir [‿'vwaːr] (3a) *v/t.* conceive (*a. physiol., a. fig.*); understand; imagine; word (*a message*).

conchoïde ⅊ [kɔ̃kɔ'id] *f* conchoid.

concierge [kɔ̃'sjɛrʒ] *su.* door-keeper;
caretaker; *su./m* porter; *su./f* portress; **conciergerie** [‿sjɛrʒɔ'ri] *f*
caretaker's lodge; post of caretaker;
a. hist. ♀ *a prison in Paris.*

conciliable [kɔ̃si'ljabl] reconcilable;
conciliabule [‿lja'byl] *m* secret
meeting; *eccl.* conventicle F confabulation; **concilian, e** [‿'ljã,
‿'ljãːt] conciliatory; **conciliateur**
m, **-trice** *f* [‿lja'tœːr, ‿'tris] peacemaker; **conciliation** [‿lja'sjɔ̃] *f*
conciliation; **concilier** [‿'lje] (1o)
v/t. reconcile, conciliate; se ~ gain,
win (*s.o.'s esteem etc.*); *fig.* win (*s.o.*)
(over); se ~ *avec* agree with.

concis, e [kɔ̃'si, ‿'siːz] concise, terse;
concision [‿si'sjɔ̃] *f* concision,
terseness, brevity.

concitoyen *m*, **-enne** *f* [kɔ̃sitwa'jɛ̃,
‿'jɛn] fellow-citizen.

concluant, e [kɔ̃kly'ã, ‿'ãːt] conclusive; **conclure** [‿'klyːr] (4g) *v/t.*
conclude (*a. a treaty, a. fig.*), finish;
fig. infer (from, de); ~ *à* conclude in
favo(u)r of; **conclusion** [‿kly'zjɔ̃]
f conclusion; end; inference; ⚖
finding; ⚖ ~s *pl.* pleas; case *sg.*;
⚖ déposer des ~s deliver a statement.

concombre ♀ [kɔ̃'kɔ̃:br] *m* cucumber.

concomitant, e [kɔ̃kɔmi'tã, ‿'tãːt]
concomitant.

concordance [kɔ̃kɔr'dãːs] *f* concordance (*a. bibl.*); *gramm.* agreement; **concordant, e** [‿'dã, ‿'dãːt]
harmonious; **concordat** [‿'da] *m*
eccl. concordat; ✝ bankrupt's certificate.

concorde [kɔ̃'kɔrd] *f* harmony, concord; **concorder** [‿kɔr'de] (1a) *v/i.*
concur, agree; ✝ compound with
one's creditors.

concourir [kɔ̃ku'riːr] (2i) *v/i.* converge; combine, co(-)operate (in,
à); compete (for, *pour*); **concours**
[‿'kuːr] *m* concourse, gathering;
assistance; competition; competitive examination; show (*of agricultural products, cattle, horses, etc.*);
⅊ convergence; ~ *hippique* horse
show.

concret, -ète [kɔ̃'kre, ‿'krɛt] concrete; **concréter** [kɔ̃kre'te] (1f) *v/t.*
a. se ~ solidify, congeal; **concrétion** [‿'sjɔ̃] *f* coagulation; concretion (*a.* ⚕).

concubinage [kɔ̃kybi'naːʒ] *m* concubinage.

concupiscence [kɔ̃kypi'sãːs] *f* concupiscence, lust; **concupiscent, e**
[‿'sã, ‿'sãːt] concupiscent.

concurremment [kɔ̃kyra'mã] *adv.*
jointly; ✝ in competition; ⚖ venir
~ rank equally; **concurrence** [‿
'rãːs] *f* coincidence; competition;
rivalry; ~ déloyale unfair competition; ✝ faire ~ *à* compete with; ✝
jusqu'à ~ de to the amount of; *sans*
~ unrivalled; **concurrent, e** [‿'rã,
‿'rãːt] **1.** *adj.* co(-)operating; rival,
competing; **2.** *su.* competitor; candidate (*for a post*).

concussion [kõky'sjõ] *f* misappropriation of funds; extortion; **concussionnaire** [‿sjɔ'nɛːr] **1.** *adj.* guilty of misappropriation *or* extortion; **2.** *su.* official guilty of misappropriation *or* extortion.

condamnable [kõdɑ'nabl] blameworthy; criminal; guilty; **condamnation** [‿na'sjõ] *f* condemnation; ⚖ sentence; ⚖ conviction; *fig.* blame, censure; **condamner** [‿'ne] (1a) *v/t.* condemn; ⚖ sentence; ⚖ convict; *fig.* blame, censure; ⚠ block up; board up (*a window*).

condensateur ⚡ *etc.* [kõdãsa'tœːr] *m* condenser; ‿ *à plaques* plate condenser; **condenser** [‿'se] (1a) *v/t.* condense; **condenseur** ⊕ [‿'sœːr] *m* condenser.

condescendance [kõdɛsã'dãːs] *f* condescension; *avec* ‿ condescending(ly *adv.*); **condescendre** [‿'sãːdr] (4a) *v/i.* condescend (to *inf.*, *à inf.*); comply (with, *à*).

condiment [kõdi'mã] *m* condiment; seasoning.

condisciple [kõdi'sipl] *m* schoolfellow; fellow-student.

condition [kõdi'sjõ]· *f* condition, circumstances *pl.*; rank; ‿s *pl.* terms; ‿s *pl. de travail* working conditions; ‿ *préalable* condition precedent; *à* ‿ on condition, *à* ‿ on approval; **conditionné, e** [kõdisjɔ'ne] in … condition; 🦀, *phls.* conditioned; **conditionnel, -elle** [‿'nɛl] *adj.*, *a. gramm. su./m* conditional; **conditionner** [‿'ne] (1a) *v/t.* condition (*the air, wool, etc., a. fig.*); season (*wood*).

condoléance [kõdole'ãːs] *f* condolence; *sincères* ‿s *pl.* deepest sympathy *sg.*

conductance ⚡ [kõdyk'tãːs] *f* conductivity; **conducteur, -trice** [‿'tœːr, ‿'tris] **1.** *adj.* ⚡ conducting; ⊕ driving; **2.** *su.* leader; *mot. etc.* driver; 🚂 guard, *Am.* conductor; *su./m* ⚡, *phys.* conductor; ⚡ main; **conductibilité** ⚡, *phys.* [‿tibili'te] *f* conductivity; **conductible** [‿'tibl] conductive; **conduction** [‿'sjõ] *f* conduction; **conduire** [kõ'dɥiːr] (4h) *v/t.* conduct (*a.* ♪, ⊕), guide, lead; *mot.* steer (*a.* ⚓), drive; ✈ manage, run; *mot. permis m de* ‿ driving-licence; *se* ‿ behave; **con-**

duisis [‿dɥi'zi] *1st p. sg. p.s. of conduire*; **conduisons** [‿dɥi'zõ] *1st p. pl. pres. of conduire*; **conduit, e** [‿'dɥi, ‿'dɥit] **1.** *p.p. of conduire*; **2.** *su./m* conduit, pipe, passage; *anat.* duct; ‿ *principal* main; ‿ *souterrain* culvert; drain; *su./f* guidance; *vehicle*: driving; command, management; ⊕ pipe; *fig.* behavio(u)r; *mot.* ‿ *à gauche* left-hand drive; ‿ *d'eau* water-main; channel; ‿ *de gaz* gas-piping; ‿ *d'huile* oil-duct.

cône [koːn] *m* cone; ⊕ *a.* bell; ⚓ ‿ *de charge torpedo*: war-head; *en* ‿ tapering.

confection [kõfɛk'sjõ] *f* making; manufacture; ✂ ready-made clothes *pl.*; ⚒ confection; **confectionner** [‿sjɔ'ne] (1a) *v/t.* make (up) (*a.* ✂ *a balance-sheet*); manufacture; **confectionneur** *m*, **-euse** *f* [‿sjɔ'nœːr, ‿'nøːz] manufacturer; ✂ ready-made clothier.

confédération[kõfedera'sjõ] *f* (con-)federation; **confédéré, e** [‿'re] **1.** *adj.* confederate; **2.** *su.* confederate; *su./m*: *hist. Am. les* ‿s *pl.* the Confederates; **confédérer** [‿'re] (1f) *v/t. a. se* ‿ confederate, unite.

conférence [kõfe'rãːs] *f* conference; *univ.* lecture; ‿ *avec projections* lantern lecture; ‿ *de presse* press conference; *univ.* ‿s *pl. pratiques* seminar *sg.*; *univ. maître m de* ‿s lecturer; **conférencier** *m*, **-ère** *f* [‿rã'sje, ‿'sjɛːr] member of a conference; lecturer, speaker; **conférer** [‿'re] (1f) *v/t.* compare (*texts*); confer (*a degree*); *typ.* check (*proofs*); *v/i.* confer (with, *avec*); ‿ *de* talk about (*s.th.*); talk (*s.th.*) over.

confesse *eccl.* [kõ'fɛs] *f* confession; **confesser** [kõfe'se] (1a) *v/t.* confess (*a. eccl.*); admit; *c'est le diable à* ‿ this is the dickens of a job; *eccl. se* ‿ confess, go to confession; **confesseur** *eccl.*, *a. hist.* [‿'sœːr] *m* confessor; **confession** [‿'sjõ] *f* confession (*a. eccl.*); admission; **confessionnal** *eccl.* [‿sjɔ'nal] *m* confessional(-box); **confessionnel, -elle** [‿sjɔ'nɛl] confessional, denominational.

confiance [kõ'fjãːs] *f* confidence, trust, reliance; ‿ *en soi* self-confidence; *de* ‿ confidently; *homme m* de ~ reliable man; confidential agent; **confiant, e** [~'fjɑ̃, ~'fjɑ̃:t] confident, trusting; **confidence** [~'dɑ̃:s] f confidence, secret; **confident** [~'dɑ̃] m confidant; **confidente** [~'dɑ̃:t] f confidante; **confidentiel, -elle** [~dɑ̃'sjɛl] confidential; **confier** [kõ'fje] (1o) v/t. entrust; fig. confide; se ~ à put faith in; rely on; se ~ en q. put one's trust in s.o.; confide in s.o.

configuration [kõfigyra'sjõ] f configuration (a. astr.); lie (of the land).

confiner [kõfi'ne] (1a) v/i. border (on, à); v/t. shut (s.o.) up (in, dans) (a. fig.); se ~ seclude o.s.; **confins** [~'fɛ̃] m/pl. confines (a. fig.), limits.

confire [kõ'fi:r] (4i) v/t. preserve (fruit); candy (peels); pickle (in salt or vinegar); steep (skins).

confirmatif, -ve [kõfirma'tif, ~'ti:v] corroborative; confirmative; **confirmation** [~ma'sjõ] f confirmation (a. ⚜, eccl., etc.); **confirmer** [~'me] (1a) v/t. confirm (a. eccl.); bear out, corroborate.

confis [kõ'fi] 1st p. sg. pres. and p.s. of confire.

confiscable [kõfis'kabl] liable to seizure or confiscation; **confiscation** [~ka'sjõ] f confiscation; seizure, forfeiture.

confiserie [kõfiz'ri] f confectionery; confectioner's (shop); **confiseur** m, **-euse** f [~fi'zœ:r, ~'zø:z] confectioner; **confisons** [~fi'zõ] 1st p. pl. pres. of confire.

confisquer [kõfis'ke] (1m) v/t. confiscate, seize.

confit, e [kõ'fi, ~'fit] 1. p.p. of confire; 2. adj. cuis. preserved; candied; fig. ~ dans (or en) steeped in, full of; **confiture** [~fi'ty:r] f jam, preserve; F soft soap.

conflagration [kõflagra'sjõ] f conflagration, blaze.

conflit [kõ'fli] m conflict (a. ⚜); clash.

confluent, e [kõfly'ɑ̃, ~'ɑ̃:t] 1. adj. ⚕, ⚘ confluent; 2. su./m confluence, meeting.

confondre [kõ'fõ:dr] (4a) v/t. confound (a. fig.); (inter)mingle; fig. confuse; fig. disconcert; se ~ blend; be lost; be confused.

conformation [kõfɔrma'sjõ] f conformation, structure; **conforme**

[~'fɔrm] conformable; true; consonant (with, à); identical (with, à); ⚜ pour copie ~ certified true copy; **conformément** [kõfɔrme'mɑ̃] adv. in accordance (with, à); **conformer** [~'me] (1a) v/t. shape, form; fig. conform (to, à); ✝ ~ les écritures agree the books; se ~ à conform to, comply with; **conformité** [~mi'te] f conformity (with, avec; to, à); agreement, accordance (with, avec).

confort [kõ'fɔ:r] m comfort; mot. pneu m ~ balloon tyre; **confortable** [~fɔr'tabl] comfortable.

confraternité [kõfraterni'te] f confraternity; (good) fellowship; **confrère** [~'frɛ:r] m colleague; fellow (-teacher, -doctor, etc.); **confrérie** eccl. [~fre'ri] f confraternity.

confrontation [kõfrõta'sjõ] f ⚜ confrontation; ⚜ identification; texts: comparison; **confronter** [~'te] (1a) v/t. ⚜ confront; compare (texts).

confus, e [kõ'fy, ~'fy:z] confused (a. fig.); indistinct (noise, sight); obscure (style); fig. ashamed; **confusément** [kõfyze'mɑ̃] adv. confusedly; indistinctly; F in a jumble; **confusion** [~'zjõ] f confusion, disorder; fig. embarrassment; dates, names, etc.: mistake; ⚕ (mental) aberration.

congé [kõ'ʒe] m leave (a. ⚔); holiday; dismissal, notice (to quit, of dismissal, etc.); ⚔, ⚓ discharge; admin. permit; ⚓ congé; ~ payé holidays pl. with pay; deux jours m/pl. de ~ two days off, two days' holiday; donner (son) ~ à q. give s.o. notice; prendre ~ de take leave of; **congédiable** [kõʒe'djabl] due for or liable to dismissal; **congédier** [~'dje] (1o) v/t. dismiss; ⚔, ⚓ discharge; ⚓ pay off; ⚔ disband (troops).

congelable [kõʒ'labl] freezable; **congélation** [kõʒela'sjõ] f freezing; setting; ⚕, ⚘ frost-bite; **congelé, e** [kõʒ'le] frozen; chilled (meat); **congeler** [~] (1d) v/t. a. se ~ freeze (a. ✝ credits); congeal; F solidify.

congénère [kõʒe'nɛ:r] 1. adj. biol. congeneric; anat. congenerous; 2. su./m biol. congener.

congénital, e [kõʒeni'tal], m/pl. **-aux** [~'to] congenital.

congestion ♂ [kɔ̃ʒɛs'tjɔ̃] f congestion; ~ pulmonaire pneumonia; **congestionner** [~tjɔ'ne] (1a) v/t. ♂ congest; fig. flush (s.o.'s face).

conglomérat [kɔ̃glɔme'ra] m geol. pudding-stone; △ cemented gravel; **conglomération** [~ra'sjɔ̃] f conglomeration; **conglomérer** [~'re] (1f) v/t. a. se ~ conglomerate.

conglutiner ♂ [kɔ̃glyti'ne] (1a) v/t. a. se ~ conglutinate.

congratuler [kɔ̃graty'le] (1a) v/t. congratulate.

congréganiste eccl. hist. [kɔ̃grega-'nist] su. member of the Congregation; **congrégation** eccl. [~'sjɔ̃] f community; protestantism: congregation; brotherhood; College of Cardinals: committee; hist. the Congregation.

congrès [kɔ̃'grɛ] m congress; **congressiste** [~grɛ'sist] su. member of a congress; su./m Am. Congressman.

congru, e [kɔ̃'gry] adequate; suitable; eccl. congruous; fig. portion f ~e short allowance; bare living; **congruent, e** [~gry'ã, ~'ãːt] congruent (with, à).

conicité [kɔnisi'te] f conical shape; bullet: taper; **conifère** ♀ [~'fɛːr] 1. adj. coniferous; 2. su./m: ~s pl. conifers; **conique** [kɔ'nik] 1. adj. conical; conic; ⊕ coned, tapering; ⊕ bevel (gearing, pinion); 2. su./f ⅄ (a. section f ~) conic section.

conjecture [kɔ̃ʒɛk'tyːr] f surmise, guess; **conjecturer** [~ty're] (1a) v/t. surmise, guess.

conjoint, e [kɔ̃'ʒwɛ̃, ~'ʒwɛ̃ːt] 1. adj. united, joint; ⅔ married; ⅄ règle f ~e chain-rule; 2. su./m spouse; ~s pl. husband and wife.

conjonctif, -ve [kɔ̃ʒɔ̃k'tif, ~'tiːv] conjunctive (a. gramm.); anat. connective; **conjonction** [~'sjɔ̃] f conjunction (a. gramm., astr.); union; **conjonctive** anat. [~'tiːv] f conjunctiva; **conjonctivite** ♂ [~ti'vit] f conjunctivitis; **conjoncture** [~'tyːr] f conjuncture; set of circumstances.

conjugaison [kɔ̃ʒygɛ'zɔ̃] f gramm., biol., etc. conjugation; pairing (of guns etc.). [~'go] conjugal.\
conjugal, e, m/pl. -aux [kɔ̃ʒy'gal,\
conjuguer [kɔ̃ʒy'ge] (1m) v/t. gramm. conjugate; pair (guns etc.).

conjungo F [kɔ̃ʒɔ̃'go] m marriage (formula).

conjurateur [kɔ̃ʒyra'tœːr] m magician; **conjuration** [~'sjɔ̃] f conspiracy, plot; exorcism; F ~s pl. entreaties; **conjuré** m, e f [kɔ̃ʒy're] conspirator; **conjurer** [~] (1a) v/t. conspire, plot; exorcise (spirits); entreat (s.o. to inf., q. de inf.); se ~ conspire (together).

connais [kɔ'nɛ] 1st p. sg. pres. of connaître; **connaissable** [kɔnɛ'sabl] recognizable (by, à); phls. cognizable; **connaissance** [~'sãːs] f knowledge, learning; acquaintance (a. person); ⅔ cognizance; ♂ consciousness; en ~ de cause on good grounds, advisedly; **connaissement** ⛴ [kɔnɛs'mã] m bill of lading; ~ direct through bill of lading; **connaisseur, -euse** [~nɛ-'sœːr, ~'søːz] 1. adj. (of an) expert; 2. su. connoisseur; expert; **connaissons** [~nɛ'sɔ̃] 1st p. pl. pres. of connaître; **connaître** [~'nɛːtr] (4k) v/t. know (a. bibl.); be aware of; understand; experience; se ~ en qch. know all about s.th., be an expert in s.th.; v/i.: ⅔ ~ de take cognizance of; deal with; faire ~ q. à introduce s.o. to.

connecter ⚡ [kɔnɛk'te] (1a) v/t. connect (to, with avec); **connectif, -ve** [~'tif, ~'tiːv] 1. adj. anat. connective; 2. su./m ⚘ connective.

connexe [kɔ'nɛks] connected; **connexion** [kɔnɛk'sjɔ̃] f connection (a. ⚡); ⚡ lead; ⅄ connex; ⊕ ~ directe positive drive; **connexité** [~si'te] f connexity, relationship.

connivence [kɔni'vãːs] f complicity, connivance.

conoïde ⅄ [kɔnɔ'id] adj., a. su./m conoid.

connu, e [kɔ'ny] p.p. of connaître; **connus** [~] 1st p. sg. p.s. of connaître.

conque [kɔ̃ːk] f conch; anat. external ear; △ apse; ⊕ delivery space.

conquérant, e [kɔ̃ke'rã, ~'rãːt] 1. adj. conquering; fig. swaggering; 2. su. conqueror, victor; **conquérir** [~'riːr] (2l) v/t. conquer; fig. win; **conquête** [kɔ̃'kɛːt] f conquest; **conquis, e** [~'ki, ~'kiːz] p.p. of conquérir.

consacrer [kɔ̃sa'kre] (1a) v/t. consecrate (a. fig.); devote (energies);

hallow (*the memory etc.*); **expression** *f* consacrée stock phrase, cliché.

consanguin, e [kõsã'gɛ̃, ~'gin] consanguineous; half-(*brother etc.*); inbred (*horse etc.*); **consanguinité** [~gini'te] *f* 🏛 consanguinity; inbreeding.

conscience [kõ'sjã:s] *f* consciousness; conscience; ⊕ breast-plate; **consciencieux, -euse** [~sjã'sjø, ~'sjøːz] conscientious; **conscient, e** [~'sjã, ~'sjã:t] conscious, aware (of, *de*).

conscription ✕ [kõskrip'sjõ] *f* conscription, *Am.* draft; **conscrit** [~'kri] *m* ✕ conscript, *Am.* draftee; *fig.* novice.

consécration [kõsekra'sjõ] *f* consecration.

consécutif, -ve [kõseky'tif, ~'ti:v] consecutive; ~ *à* following upon.

conseil [kõ'sɛ:j] *m* advice; committee, board; 🏛 counsel; 🕇 ~ *d'administration* board of directors; ✕, ⚓ ~ *de guerre* council of war; court-martial; ~ *d'employés* works committee; ~ *d'entreprise* works council; *pol.* ~ *de sécurité* Security Council; *pol.* ~ *des ministres* Cabinet; 🕇 ~ *de surveillance* board of trustees; *admin.* ~ *général* county council; 🏛 ~ *judiciaire* guardian; *ingénieur-*~ *m* consulting engineer; **président** *m du* ♀ Premier, Prime Minister; **conseiller** [~sɛ'je] **1.** (1a) *v/t.* advise; recommend; **2.** *su./m* adviser; *admin.* councillor; ~ *d'orientation professionnelle* careers adviser, vocational guidance counsellor; ~ *économique* economic adviser; ~ *général* county councillor; ~ *municipal* town *or* city councillor.

consentement [kõsãt'mã] *m* consent, assent; ⊕ *beam:* yielding; **consentir** [~sã'ti:r] (2b) *v/i.* consent (to, *à*), agree (with, *à*); ⊕ yield (*beam*); *v/t.* authorize; grant; accept (*an opinion*).

conséquence [kõse'kã:s] *f* consequence, result; importance; *de* ~ of importance, important; *en* ~ consequently; *en* ~ *de* in consequence of; **conséquent, e** [~'kã, ~'kã:t] **1.** *adj.* consistent; following; **2.** *su./m* ℵ, *gramm.*, *phls.* consequent; *par* ~ consequently.

conservable [kõsɛr'vabl] that will keep (*food*); **conservateur, -trice**

[~va'tœːr, ~'tris] **1.** *adj.* preservative; *pol.* Conservative; **2.** *su.* keeper, curator, guardian; *pol.* Conservative; **conservation** [~va'sjõ] *f* preservation; **conservatoire** [~va-'twa:r] **1.** *adj.* preservative, of conservation; **2.** *su./m* school, academy (*of music etc.*); conservatoire, *Am.* conservatory.

conserve¹ ⚓ [kõ'sɛrv] *f* convoy; *naviguer de* ~ sail in company.

conserve² [kõ'sɛrv] *f* preserve; tinned food; **conserver** [~sɛr've] (1a) *v/t.* preserve, keep; *fig.* maintain; *se* ~ keep (*food*).

considérable [kõside'rabl] considerable; extensive; *fig.* important; **considération** [~ra'sjõ] *f* consideration; attention; motive; esteem; **considérer** [~'re] (1f) *v/t.* consider; contemplate; regard; ponder.

consignataire [kõsiɲa'tɛ:r] *m* 🕇 consignee; 🏛 trustee; depositary; **consignateur** *m*, **-trice** *f* 🕇 [~'tœ:r, ~'tris] consignor; shipper; **consignation** [~'sjõ] *f* 🕇 consignment; deposit; 🏛 *Caisse f des dépôts et* ~*s* Deposit and Consignment Office; *stock m en* ~ goods *pl.* on consignment; **consigne** [kõ-'siɲ] *f* order, instructions *pl.*; ✕, ⚓ order-board; ✕ password; ✕, ⚓ confinement; *school:* detention; ✕ guardroom; 🚂 cloak-room, *Am.* baggage room, checkroom; **consigner** [~si'ɲe] (1a) *v/t.* deposit; 🕇 consign; ✕ confine to barracks; *school:* detain (*a pupil*); close, put out of bounds; ✕ have (*troops*) stand by; 🚂 put in the cloak-room, *Am.* check (*baggage*); ~ (*par écrit*) set down, record, register; ~ *sa porte à q.* not to be at home to s.o.

consistance [kõsis'tã:s] *f* consistency; firmness; *fig.* standing, credit; **consister** [~'te] (1a) *v/i.* consist (of *en*, *dans*).

consolant, e [kõso'lã, ~'lã:t] *see* **consolateur 1**; **consolateur, -trice** [~la'tœ:r, ~'tris] **1.** *adj.* consoling, comforting; **2.** *su.* consoler, comforter; **consolation** [~la'sjõ] *f* consolation, comfort.

console [kõ'sɔl] *f* ♪, △, *a. table:* console.

consoler [kõsɔ'le] (1a) *v/t.* console, comfort.

consolider [kɔ̃sɔli'de] (1a) *v/t.* consolidate (*a.* ♱); △ brace (*a wall*); fund (*a debt*); ⚕ unite, heal (*a fracture etc.*); se ~ grow firm; ⚕ unite, heal.

consommateur *m*, **-trice** *f* [kɔ̃sɔma'tœːr, ~'tris] consumer; *café etc.*: customer; **consommation** [~ma-'sjɔ̃] *f* consumption; ✕, ⚓ expenditure; consummation (*a. of marriage*); *café*: drink; ♱ biens *m/pl.* de ~ consumer goods; *mot. concours m* de ~ economy run; *impôt m sur la* ~, *taxe f de* ~ purchase tax; ♱ *société f coopérative de* ~ co(-)operative stores *pl.*; **consommé, e** [~'me] **1.** *adj.* consummate (*skill*); **2.** *su./m cuis.* stock; clear soup, broth; **consommer** [~'me] (1a) *v/t.* consummate (*a. marriage*); accomplish; consume, use up.

consomption [kɔ̃sɔp'sjɔ̃] *f* consumption; destruction (*by fire*); ⚕ decline.

consonance ♪, *gramm.* [kɔ̃sɔ'nãːs] *f* consonance; **consonant, e** ♪, *gramm.* [~'nã, ~'nãːt] consonant; **consonne** *gramm.* [kɔ̃'sɔn] *f* consonant.

consort [kɔ̃'sɔːr] *m* consort; ~s *pl.* associates, confederates; *prince m* ~ prince consort; **consortium** ♱ [~sɔr'sjɔm] *m* syndicate.

conspirateur, -trice [kɔ̃spira'tœːr, ~'tris] **1.** *adj.* conspiring; **2.** *su.* conspirator; **conspiration** [~ra'sjɔ̃] *f* conspiracy, plot; **conspirer** [~'re] (1a) *v/i.* conspire (*a. fig.*), plot; *fig.* tend.

conspuer [kɔ̃s'pɥe] (1a) *v/t.* decry; *thea. etc.* boo; *sp.* barrack.

constamment [kɔ̃sta'mã] *adv.* steadfastly; continually, constantly; **constance** [~'tãːs] *f* constancy, steadiness; perseverance; **constant, e** [~'tã, ~'tãːt] **1.** *adj.* constant; invariable (*a.* ♱); steadfast; patent (*fact*); **2.** *su./f* ♪, *phys.* constant.

constat [kɔ̃s'ta] *m* established fact; ♱ *d'huissier* affidavit made by process-server; **constatation** [kɔ̃stata'sjɔ̃] *f* establishment, finding (*of facts*); certified statement; proof (*of identity*); **constater** [~'te] (1a) *v/t.* establish, ascertain; record, state; certify (*s.o.'s death*); note.

constellation [kɔ̃stella'sjɔ̃] *f* constellation; **constellé, e** [~'le] spangled; studded; **consteller** [~'le] (1a) *v/t.* constellate; stud (*with jewels*).

consternation [kɔ̃sterna'sjɔ̃] *f* consternation, dismay; **consterner** [~'ne] (1a) *v/t.* (*fill with*) dismay.

constipation ⚕ [kɔ̃stipa'sjɔ̃] *f* constipation; **constiper** ⚕ [~'pe] (1a) *v/t.* constipate.

constituant, e [kɔ̃sti'tɥã, ~'tɥãːt] **1.** *adj.* constituent (*a. pol.*); component; **2.** *su.* ♱♱ constituent; ♱♱ dowry, annuity: grantor; *pol.* elector; *su./m* constituent part; *pol.* member of the Constituent Assembly (*1789*); *su./f* 2e the Constituent Assembly (*1789*); **constituer** [~-'tɥe] (1n) *v/t.* constitute; establish; appoint; settle; ♱♱ empanel (*the jury*); set up, institute (*a committee*); **constitutif, -ve** [~ty'tif, ~'tiːv] constituent; ♱♱ constitutive; **constitution** [~ty'sjɔ̃] *f* ⚕, *pol.* constitution; establishing; formation; composition (*a.* ⚗); ♱♱ briefing (*of a lawyer*).

constricteur *physiol., a. zo.* [kɔ̃strik'tœːr] *adj., a. su./m* constrictor; **constrictif, -ve** [~'tif, ~'tiːv] constrictive. [constrictor.]

constringent, e ⚕ [kɔ̃strɛ̃'ʒã, ~'ʒãːt]

constructeur [kɔ̃stryk'tœːr] *m* builder, constructor; engineer; ~ *de maisons* (master-)builder; ~ *mécanicien* manufacturing engineer; **construction** [~'sjɔ̃] *f* construction (*a.* △, ♱, *gramm.*); building; structure; *de* ~ *française* French-built; *en* ~ on the stocks (*boat*); *société f de* ~ building society; **construire** [kɔ̃s'trɥiːr] (4h) *v/t.* construct (*a.* △, ♱, *gramm., a. fig.*); build; **construisis** [~trɥi'zi] *1st p. sg. p.s. of construire;* **construisons** [~trɥi'zɔ̃] *1st p. pl. pres. of construire;* **construit, e** [~'trɥi, ~'trɥit] *p.p. of construire.*

consul [kɔ̃'syl] *m* consul; **consulaire** [kɔ̃sy'lɛːr] consular; **consulat** [~'la] *m* consulate.

consultant, e [kɔ̃syl'tã, ~'tãːt] **1.** *adj.* consulting; consultant; *avocat m* ~ chamber counsel; **2.** *su.* consulter; ⚕ consultant; **consultatif, -ve** [~ta'tif, ~'tiːv] advisory, consulting; **consultation** [~ta'sjɔ̃] *f* consultation, conference; ♱♱ opinion; **consulter** [~'te] (1a) *v/t.*

consult; se ~ consider; *v/i.*: ⚕ ~ *avec* hold a consultation with.
consumer [kɔ̃sy'me] (1a) *v/t.* consume; *fig.* se ~ waste away.
contact [kɔ̃'takt] *m* contact (*a.* ⚡ *etc.*); ⚡ ~ *à fiche* plug; ⚡ F ~ *de terre* earth; *mot.* *clef f de* ~ ignition key; *entrer en* ~ *avec* get in touch with; **contacteur** ⚡ [~tak'tœ:r] *m* circuit-maker; contact-maker.
contage ⚕ [kɔ̃'ta:ʒ] *m* contagium; **contagieux, -euse** [kɔ̃ta'ʒjø, ~'ʒjø:z] ⚕ contagious; infectious; catching; **contagion** ⚕ [~'ʒjɔ̃] *f* contagion; infection.
contaminer [kɔ̃tami'ne] (1a) *v/t.* ⚕ infect; contaminate.
conte [kɔ̃:t] *m* story, tale.
contemplatif, -ve [kɔ̃tɑ̃pla'tif, ~'ti:v] **1.** *adj.* contemplative; **2.** *su.* dreamer; **contempler** [~'ple] (1a) *v/t.* contemplate; *fig.* meditate upon; *v/i.* meditate.
contemporain, e [kɔ̃tɑ̃pɔ'rɛ̃, ~'rɛn] *adj.*, *a. su.* contemporary.
contenance [kɔ̃t'nɑ̃:s] *f* capacity; content(s *pl.*); *fig.* bearing, countenance; **contenir** [~'ni:r] (2h) *v/t.* contain, hold (*a.* ⚔); *fig.* control, restrain; se ~ control o.s., keep one's temper.
content, e [kɔ̃'tɑ̃, ~'tɑ̃:t] **1.** *adj.* content(ed); pleased, happy; **2.** *su./m* F sufficiency; *tout son* ~ to one's heart's content; **contentement** [~tɑ̃t'mɑ̃] *m* contentment, satisfaction; **contenter** [~tɑ̃'te] (1a) *v/t.* content, satisfy; se ~ make do, be content (with, *de*).
contentieux, -euse [kɔ̃tɑ̃'sjø, ~'sjø:z] **1.** *adj.* contentious; **2.** *su./m* ⚖ matters *pl.* in dispute; ✝, *admin.* legal department; **contention** [~'sjɔ̃] *f* application; ⚕ holding; † dispute.
contenu [kɔ̃t'ny] *m* content(s *pl.*).
conter [kɔ̃'te] (1a) *v/t.* tell, relate; *en* ~ *à q.* pull s.o.'s leg; *en* ~ *de belles* tell tall stories (about, *sur*).
contestable [kɔ̃tɛs'tabl] debatable, questionable; **contestation** [~ta'sjɔ̃] *f* dispute; **contester** [~'te] (1a) *vt/i.* dispute.
conteur *m*, **-euse** *f* [kɔ̃'tœ:r, ~'tø:z] narrator; story-teller; *fig.* romancer, F bit of a liar.
contexte [kɔ̃'tɛkst] *m* context; ⚖ text (*of a deed etc.*).
contigu, -guë [kɔ̃ti'gy] adjoining; adjacent (*a.* ⅍); **contiguïté** [~gɥi'te] *f* contiguity, adjacency.
continence [kɔ̃ti'nɑ̃:s] *f* continence, continency; **continent, e** [~'nɑ̃, ~'nɑ̃:t] **1.** *adj.* continent, chaste; ⚕ unintermitting (*fever*); **2.** *su./m* *geog.* continent; mainland; **continental, e,** *m/pl.* **-aux** [~nɑ̃'tal, ~'to] continental.
contingent, e [kɔ̃tɛ̃'ʒɑ̃, ~'ʒɑ̃:t] **1.** *adj.* contingent; **2.** *su./m* quota; ration, allowance; **contingentement** [~ʒɑ̃t'mɑ̃] *m* quota system; **contingenter** [~ʒɑ̃'te] (1a) *v/t.* fix quotas for.
continu, e [kɔ̃ti'ny] **1.** *adj.* continuous (*a.* ⅍ *function*), continual; uninterrupted, unbroken; ⚡ direct (*current*); ⅍ continued (*fraction*); **2.** *su./m* *phys.* continuum; **continuation** [~nɥa'sjɔ̃] *f* continuation; *weather*: long spell; *war etc.*: carrying on; **continuel, -elle** [~'nɥɛl] continual, unceasing; **continuer** [~'nɥe] (1n) *vt/i.* continue; carry on; extend; *v/i.*: ~ *à* (*inf.*) continue (*ger.*), continue to (*inf.*); *v/t.* prolong; **continuité** [~nɥi'te] *f* continuity; uninterrupted connection; **continûment** [~ny'mɑ̃] *adv.* continuously, without a break.
contorsion [kɔ̃tɔr'sjɔ̃] *f* contortion; ⚡ distortion; *faire des* ~*s* pull a wry face.
contour [kɔ̃'tu:r] *m* contour, outline; *town*: circuit; **contourner** [~tur'ne] (1a) *v/t.* outline; go round; by-pass (*a town*); distort (*one's face*); F get round (*the law*).
contractant, e [kɔ̃trak'tɑ̃, ~'tɑ̃:t] **1.** *adj.* contracting; **2.** *su.* contracting party; **contracter** [~'te] (1a) *v/t.* contract (*debt, habit, illness, marriage, etc.*); incur (*debts*); catch (*cold*); **contractile** *physiol.* [~'til] contractile; **contraction** [~'sjɔ̃] *f* contraction; *road*: narrowing.
contractuel, -elle [kɔ̃trak'tɥɛl] contractual.
contradicteur [kɔ̃tradik'tœ:r] *m* contradictor; opponent; **contradiction** [~'sjɔ̃] *f* contradiction; opposition; **contradictoire** [~'twa:r] contradictory; inconsistent; conflicting (with, *à*); *jugement m* ~ judgment given after a full hearing.
contraindre [kɔ̃'trɛ̃:dr] (4m) *v/t.*

compel, force; coerce; *fig.* restrain (*one's feelings etc.*); se ~ restrain o.s.; **contraint, e** [~'trɛ̃, ~'trɛ̃:t] **1.** *adj.* cramped (*position, style*); forced (*smile*); stiff (*manner*); **2.** *su./f* compulsion, constraint; embarrassment; *par* ~e under duress; *sans* ~e freely.

contraire [kɔ̃'trɛ:r] **1.** *adj.* contrary, opposite (to, à); averse; *en sens* ~ in the opposite direction; **2.** *su./m* contrary, opposite; *au* ~ on the contrary; **contrariant, e** [kɔ̃tra-'rjɑ̃, ~'rjɑ̃:t] provoking; tiresome; vexatious; **contrarier** [~'rje] (1o) *v/t.* thwart, oppose; annoy, vex; contrast; **contrariété** [~rie'te] *f* difficulty; annoyance, vexation; clash (*of colours, interests, etc.*).

contraste [kɔ̃'trast] *m* contrast; **contraster** [~tras'te] (1a) *vt/i.* contrast.

contrat [kɔ̃'tra] *m* contract; *marriage:* settlement; *passer un* ~ enter into an agreement.

contravention [kɔ̃travɑ̃'sjɔ̃] *f* infringement; *mot. Am.* F ticket.

contre [kɔ̃:tr] **1.** *prp.* against; contrary to; (in exchange) for; 🏫 *sp.* versus; ~ *son gré* against his will; *dix* ~ *un* ten to one; **2.** *adv.* against; near; *tout* ~ close by; **3.** *su./m* box. counter; *cards:* double; *le pour et le* ~ the pros *pl.* and the cons *pl.*; *règlement m par* ~ settlement per contra.

contre... [kɔ̃tr(ə)] counter...; anti...; contra...; back...; ~**accusation** 🏫 [kɔ̃trakyza'sjɔ̃] *f* counter-charge; ~**allée** [~a'le] *f* side-walk, side-lane; ~**amiral** ⚓ [~ami'ral] *m* rear-admiral; ~**assurance** [~asy'rɑ̃:s] *f* reinsurance; ~**attaque** ⚔ [~a'tak] *f* counter-attack; ~**balancer** [~trəbalɑ̃'se] (1k) *v/t.* counterbalance; ~**bande** [~'bɑ̃:d] *f* contraband, smuggling; smuggled goods *pl.*; *faire la* ~ smuggle; ~**bandier** [~bɑ̃-'dje] *m* smuggler; ~**bas** [~'ba] *adv.:* *en* ~ lower down (than, de); downwards; ~**basse** ♪ [~'ba:s] *f* doublebass; ~**bouter** [~bu'te], ~**buter** [~by'te] (1a) *v/t.* buttress; ~**carrer** [~ka're] (1a) *v/t.* thwart; counteract; ~**cœur** [~'kœ:r] *adv.:* *à* ~ reluctantly; ~**coup** [~'ku] *m* rebound; recoil; repercussion; *fig.* side-effects *pl.*; *par* ~ as a result

(*indirect*); ~**dire** [~'di:r] (4p) *v/t.* contradict; se ~ contradict o.s. or each other; ~**dit** [~'di] *adv.: sans* ~ unquestionably.

contrée [kɔ̃'tre] *f* region.

contre...: ~**écrou** ⊕ [kɔ̃tre'kru] *m* counter-nut; ~**épreuve** [~'prœ:v] *f* second proof; ⊕ repetition test; ~**espionnage** [~ɛspjɔ-'na:ʒ] *m* counter-espionage; ~**expertise** [~ɛksper'ti:z] *f* counter-valuation; ~**façon** [kɔ̃trəfa'sɔ̃] *f* forgery, counterfeit; counterfeiting; infringement of copyright; ~**facteur** [~fak'tœ:r] *m* forger, counterfeiter; ~**faction** [~fak'sjɔ̃] *f* forgery; counterfeiting; ~**faire** [~'fɛ:r] (4r) *v/t.* imitate; feign (*death etc.*); forge; counterfeit (*money*); *fig.* deform; ~**fenêtre** [~fə'nɛ:tr] *f* double window; ~**fiche** ⚠, ⊕ [~'fiʃ] *f* brace, strut; ~**fil** [~'fil] *m: à* ~ against the grain; ~**fort** [~'fɔ:r] *m* ⚠ buttress; *geog.* spur; *boot:* stiffening; ~**s** *pl.* foot-hills; ~**haut** [~'o] *adv.:* *en* ~ higher up; on a higher level; ~**jour** [~'ʒu:r] *m* back-lighting; *à* ~ against the light; ~**lettre** 🏫 [~'letr] *f* counter-deed; defeasance; ~**maître** [~'mɛ:tr] *m* foreman; ⚓ petty officer; first mate; ~**mesure** [~mə'zy:r] *f* counter-measure; ~**partie** [~par'ti] *f* counterpart; 🏫 other party; *fig.* compensation; ~**pied** *fig.* [~'pje] *m* opposite view; ~**plaqué** [~pla-'ke] *m* plywood; ~**poids** [~'pwa] *m* counterweight; *clock:* balance-weight; counterpoise; ~**poil** [~-'pwal] *adv.: à* ~ the wrong way; ~**point** ♪ [~'pwɛ̃] *m* counterpoint; ~**pointe** ⊕ [~'pwɛ̃:t] *f* tail-stock; ~**poison** [~pwa'zɔ̃] *m* antidote (to, de); ~**porte** [~'pɔrt] *f* ⚠ inner door, *Am.* storm-door; ⊕ *furnace:* shield.

contrer [kɔ̃'tre] (1a) *v/t.* box. counter; *cards:* double; *fig.* cross, thwart (*s.o.*).

contre...: ~**rail** 🚆 [kɔ̃trə'ra:j] *m* safety-rail; ~**sceller** [~sɛ'le] (1a) *v/t.* counter-seal; ~**seing** [~'sɛ̃] *m* counter-signature; ~**sens** [~'sɑ̃:s] *m* misinterpretation; nonsense; *à* ~ in the wrong way; ~**signataire** [~siɲa-'tɛ:r] *m* one who countersigns; ~**temps** [~'tɑ̃] *m* mishap; inconvenience; disappointment; ♪ syn-

copation; *à* ~ at the wrong moment;
♪ out of time; ♪ contra tempo;
~-**terroriste** [~terɔ'rist] *adj.*, *a. su.*
anti-terrorist; ~-**torpilleur** ⚓ [~-
tɔrpi'jœːr] *m* destroyer; light cruiser; ~-**valeur** ✝ [~va'lœːr] *f* exchange
value; ~-**vapeur** ⊕ [~va'pœːr]
f|*inv.* reversed steam; ~**venant** *m*,
e ♟ [~və'nɑ̃, ~'nɑ̃ːt] contravener;
offender; ~**venir** [~və'niːr] (2h) *v/i.*:
~ *à* contravene; ~**vent** [~'vɑ̃] *m* outside shutter; ⊕ wind-brace;
back-draught; ~**ventement** ⊕
[~vɑ̃t'mɑ̃] *m* wind-bracing; ~**vérité**
[~veri'te] *f* ironical statement; un-
truth; ~-**visite** ✖ [~vi'zit] *f* check
inspection; ~-**voie** 🚂 [~'vwa] *f*
wrong side of the train.

contribuable [kɔ̃tri'bɥabl] **1.** *su.*
taxpayer; ratepayer; **2.** *adj.* tax-
paying; ratepaying; **contribuer**
[~'bɥe] (1n) *v/i.* contribute; **contribution** [~by'sjɔ̃] *f* contribution;
admin. tax; rate; ✝ mettre à ~ draw
up (*reserves etc.*).

contrit, e [kɔ̃'tri, ~'trit] penitent,
contrite; **contrition** [~tri'sjɔ̃] *f*
penitence, contrition.

contrôle [kɔ̃'troːl] *m* control; check
(-ing), inspection; supervision; ✖
roll; *thea.* box-office; ✝ auditing;
gold, silver: hallmark(ing); *gold,
silver:* assaying; assay office; ~ *des
changes* exchange control; ✖ ~ *des
naissances* birth-control; *coupon m
de ~ ticket:* stub; **contrôler** [kɔ̃tro-
'le] (1a) *v/t.* check; verify; examine
(*a passport etc.*); stamp (*gold, silver*);
control (*s.o.*); **contrôleur** *m*, **-euse**
f [~'lœːr, ~'løːz] inspector; supervisor; ticket-collector; controller;
métro etc.: driver.

contrordre [kɔ̃'trɔrdr] *m* countermand; *sauf* ~ unless countermanded.
controuvé, e [kɔ̃tru've] forged,
spurious.

controverse [kɔ̃trɔ'vers] *f* contro-
versy; **controverser** [~ver'se] (1a)
v/t. debate (*a topic*); controvert
(*an opinion*); *v/i.* hold a discussion.
contumace ♟ [kɔ̃ty'mas] *su.*/*f* con-
tumacy; contempt of court; default; *par* ~ by default; *su.* = **con-
tumax** ♟ [~'maks] *su.* absconder.
contus, e ✖ [kɔ̃'ty, ~'tyːz] contused,
bruised; **contusion** [kɔ̃ty'zjɔ̃] *f*
contusion, bruise; **contusionner**
[~zjɔ'ne] (1a) *v/t.* contuse, bruise.

convaincant, e [kɔ̃vɛ̃'kɑ̃, ~'kɑ̃ːt]
convincing; **convaincre** [~'vɛ̃ːkr]
(4gg) *v/t.* convince; *fig.* prove (*s.o.*)
guilty (of, de).
convalescence [kɔ̃valɛ'sɑ̃ːs] *f* convalescence; *être en* ~ convalesce;
convalescent, e [~'sɑ̃, ~'sɑ̃ːt] *adj.*,
a. su. convalescent.
convenable [kɔ̃v'nabl] suitable;
decent, seemly; **convenance** [~-
'nɑ̃ːs] *f* fitness; propriety; decency;
convenience; expediency; *mariage
m de ~* marriage of convenience;
par ~ for the sake of decency; **convenir** [~'niːr] (2h) *v/i.*: ~ *à* suit,
fit; ~ *de* agree about, reach agreement about; acknowledge (*s.th.*);
c'est convenu! agreed!
convention [kɔ̃vɑ̃'sjɔ̃] *f* convention;
agreement; *pol.* assembly; ~*s pl.*
clauses; ~ *collective* collective bargaining; **conventionnel, -elle**
[~sjɔ'nɛl] **1.** *adj.* conventional.
2. *su.*/*m hist.* member of the National Convention.
conventuel, -elle [kɔ̃vɑ̃'tɥɛl] con-
ventual.
convergence [kɔ̃ver'ʒɑ̃ːs] *f* convergence; ✖, *a. fig.* concentration;
convergent, e [~'ʒɑ̃, ~'ʒɑ̃ːt] con-
verging; ✖ concentrated; **converger** [~'ʒe] (11) *v/i.* converge.
convers, e [kɔ̃'veːr, ~'vers] lay ...
conversation [kɔ̃versa'sjɔ̃] *f* conversation, talk; *teleph.* call; **con-
verser** [~'se] (1a) *v/i.* converse,
talk.
conversion [kɔ̃ver'sjɔ̃] *f* conversion
(*a.* ✝); ✖ wheel(ing), change of
front; **converti** *m*, **e** *f* [~'ti] convert;
convertible [~'tibl] convertible
(into, en); **convertir** [~'tiːr] (2a)
v/t. ✝, *eccl.*, *phls.*, *fig.* convert;
convertisseur [~ti'sœːr] *m* ⊕ converter; ⚡ transformer.
convexe [kɔ̃'veks] convex.
conviction [kɔ̃vik'sjɔ̃] *f* conviction.
convier [kɔ̃'vje] (1o) *v/t.* invite;
urge.
convive [kɔ̃'viːv] *su.* guest; table
companion.
convocation [kɔ̃vɔka'sjɔ̃] *f* convocation, summons *sg.*; notice of a
meeting *or* an appointment; ✖ call-
ing-up papers *pl.*
convoi [kɔ̃'vwa] *m* convoy; 🚂 train;
(*a.* ~ *funèbre*) funeral procession; ~
automobile motor transport column.

convoiter [kɔ̃vwa'te] (1a) v/t. covet, desire; **convoitise** [ˌ'ti:z] f covetousness; lust.

convoler iro. [kɔ̃vɔ'le] (1a) v/i. (re)marry.

convoquer [kɔ̃vɔ'ke] (1m) v/t. summon; ✕ call up; admin. summon to an interview.

convoyer ✕, ⚓ [kɔ̃vwa'je] (1h) v/t. convoy; **convoyeur** [ˌ'jœːr] m ⚓ convoy(-ship); ⚓ convoying officer; ✕ officer in charge of a convoy; ⊕ conveyor, endless belt.

convulser [kɔ̃vyl'se] (1a) v/t. physiol. convulse; F frighten into fits; **convulsif, -ve** [ˌ'sif, ˌ'si:v] convulsive; **convulsion** [ˌ'sjɔ̃] f convulsion; spasm.

coopérateur m, **-trice** f [koopera'tœːr, ˌ'tris] co(-)operator; **coopératif, -ve** [ˌ'tif, ˌ'tiːv] co(-)operative; 2. su./f co(-)operative stores pl.; ˌve immobilière building society; **coopération** [ˌ'sjɔ̃] f co(-)operation; **coopératisme** [ˌ'tism] m co(-)operative system; **coopérer** [koope're] (1f) v/i. co(-)operate.

cooptation [koopta'sjɔ̃] f co-optation; **coopter** [ˌ'te] (1a) v/t. co-opt.

coordination [koordina'sjɔ̃] f co-ordination.

coordonnées ⚓ [koordɔ'ne] f/pl. co-ordinates; **coordonner** [ˌ] (1a) v/t. coordinate (with, à); arrange.

copain F [kɔ'pɛ̃] m pal, chum, Am. buddy.

copeau [kɔ'po] m wood shaving; ⊕ ˌx pl. turnings.

copiage [kɔ'pja:ʒ] m school: copying; **copie** [ˌ'pi] f (carbon) copy, transcript; fig. imitation; phot. print; school: exercise, paper; ˌ au net fair copy; **copier** [ˌ'pje] (1o) v/t. copy; fig. imitate; school: crib (from, sur).

copieux, -euse [kɔ'pjø, ˌ'pjøːz] copious, abundant.

copilote ✈ [kopi'lɔt] m second pilot, Am. co-pilot.

copine F [kɔ'pin] f girl: pal, chum.

copiste [kɔ'pist] su. copier, copyist; fig. imitator.

copra(h) [kɔ'pra] m copra.

copreneur ⚖ [koprə'nœːr] m co-tenant, co-lessee.

copule gramm. [kɔ'pyl] f copula.

coq[1] ⚓ [kɔk] m ship's cook.

coq[2] orn. [kɔk] m cock, Am. rooster; box. (a. poids m ˌ) bantam weight; ˌ de bruyère (great) grouse; ˌ d'Inde see dindon; être comme un ˌ en pâte live like a fighting cock, be in clover; être le ˌ du village be cock of the walk; ˌ-à-l'âne [kɔka'laːn] m/inv. cock-and-bull story, nonsense.

coque [kɔk] f egg: shell; ⚓ hull, bottom; ⊕ boiler: body; œuf m à la ˌ boiled egg.

coquebin F [kɔk'bɛ̃] m greenhorn.

coquelicot ♗ [kɔkli'ko] m red poppy.

coqueluche [kɔ'klyʃ] f ♗ whooping-cough; fig. darling, favo(u)rite.

coqueriquer [kɔkri'ke] (1m) v/i. crow.

coquet, -ette [kɔ'kɛ, ˌ'kɛt] 1. adj. coquettish; smart, stylish (hat etc.); trim (garden), F tidy (sum); 2. su./f flirt; **coqueter** [kɔk'te] (1c) v/i. coquette; flirt (with, avec); fig. toy (with, avec).

coquetier [kɔk'tje] m egg-cup; egg-merchant.

coquetterie [kɔkɛ'tri] f coquetry; affectation; smartness, daintiness.

coquillage [kɔki'ja:ʒ] m shell-fish; shell; **coquille** [ˌ'ki:j] f egg, nut, oyster, snail, a. fig. shell; typ. misprint, printer's error; metall. chillmould; bank paper; size: small post; fig. sortir de sa ˌ come out of one's shell.

coquin, e [kɔ'kɛ̃, ˌ'kin] 1. adj. roguish; 2. su. rogue; rascal (a. co.); su./f hussy; **coquinerie** [ˌkin'ri] f roguery; rascality.

cor[1] [kɔːr] m hunt. tine; ♪, a. hunt. horn; ♪ horn-player ♪ ˌ d'harmonie French horn; fig. à ˌ et à cri with might and main; sonner (or donner) du ˌ sound the horn.

cor[2] ♗ [ˌ] m corn.

corail, pl. -aux [kɔ'ra:j, ˌ'ro] m coral; **corailleur** [kɔra'jœːr] m coral fisher; coral worker; coral-fishing boat; **corallin, e** [ˌ'lɛ̃, ˌ'lin] coral-red.

corbeau [kɔr'bo] m orn. crow; raven; △ corbel; F person of ill omen.

corbeille [kɔr'bɛ:j] f basket; thea. dress-circle; ⊕ valve; cage; ⚘ (round) flower-bed; **corbeillée** [ˌbɛ'je] f basketful.

corbillard [kɔrbi'ja:r] m hearse.

corbleu! [kɔrˈbløə] *int.* by Jove!; by Heavens!

cordage [kɔrˈdaːʒ] *m* rope; *racket:* stringing; cord of wood; ⚓ ‿s *pl.* gear *sg.*; **corde** [kɔrd] *f* rope, cord, line; ♪ string; ♪ chord; ✀ lift wire; hangman's rope, *fig.* gallows *sg.*; *anat.* ‿s *pl.* vocales vocal c(h)ords.

cordé, e ♀ *etc.* [kɔrˈde] cordate, heart-shaped.

cordeau [kɔrˈdo] *m* chalk-line, string; (measuring) tape; (⚓ tow-) rope; *tex.* selvedge; ♉ ✗ fuse; **cordée** [‿ˈde] *f mount.* rope (*of climbers*); ♉ cord (*of wood*); *racket:* stringing; **cordeler** [kɔrdˈle] (1c) *v/t.* twist (*hemp etc.*) into rope; **cordelette** [‿ˈlɛt] *f* small cord *or* string; en ‿s in small plaits; **cordelier** [‿ˈlje] *m* Franciscan friar; **cordelière** [‿ˈljɛːr] *f* † Franciscan nun; girdle; *typ.* ornamental border; **corder** [kɔrˈde] (1a) *v/t.* twist (*hemp etc.*) into rope; ♉ measure (*wood*) by the cord; string (*a racket*); twist (*tobacco*); cord (*a trunk etc.*); **corderie** [‿ˈdri] *f* rope-making; rope-trade.

cordial, e, *m/pl.* **-aux** [kɔrˈdjal, ‿ˈdjo] **1.** *adj.* cordial; ♉ stimulating; **2.** *su./m* cordial; **cordialité** [‿djaliˈte] *f* cordiality.

cordier [kɔrˈdje] *m* rope-maker; dealer in ropes; ♪ *violin:* tail-piece.

cordon [kɔrˈdɔ̃] *m* strand, twist (*of cable, rope*); cord, string, tape; (shoe-)lace; door-pull, bell-pull; line (*of trees etc.*); *admin.* cordon, edge; ‿, *s'il vous plaît!* (open the door, please!; **cordon-bleu,** *pl.* **cordons-bleus** F *fig.* [‿dɔ̃ˈblø] *m* first-rate cook; **cordonner** [‿dɔˈne] (1a) *v/t.* twist, cord (*hemp etc.*); edge-roll (*coins*).

cordonnerie [kɔrdɔnˈri] *f* shoe-making; shoemaker's shop.

cordonnet [kɔrdɔˈnɛ] *m* braid, cord.

cordonnier [kɔrdɔˈnje] *m* shoe-maker, F cobbler.

coréen, -enne [kɔreˈɛ̃, ‿ˈɛn] *adj., a. su.* ♀ Korean.

coriace [kɔˈrjas] tough; F hard (*person*).

coricide ♉ [kɔriˈsid] *m* corn cure.

corindon *min.* [kɔrɛ̃ˈdɔ̃] *m* corundum.

corinthien, -enne [kɔrɛ̃ˈtjɛ̃, ‿ˈtjɛn] **1.** *adj.* Corinthian; **2.** *su.* ♀ Corinthian; *su./m* △ Corinthian.

cormier ♀ [kɔrˈmje] *m* service (-tree, -wood).

cormoran *orn.* [kɔrmɔˈrɑ̃] *m* cormorant.

cornac [kɔrˈnak] *m* mahout.

corne [kɔrn] *f* horn (*a. fig.*); dog's-ear (*in a book*); ‿ à chaussures shoe-horn, shoe-lift; de ‿ horn...; *bêtes f/pl.* à ‿s horned cattle; **corné, e** [kɔrˈne] **1.** *adj.* horny; horn...; **2.** *su./f anat.* cornea; **cornéen, -enne** [‿neˈɛ̃, ‿ˈɛn] *adj.: opt.* lentilles *f/pl.* ‿ennes contact lenses.

corneille *orn.* [kɔrˈnɛːj] *f* crow, rook.

cornemuse ♪ [kɔrnəˈmyːz] *f* bagpipe(s *pl.*); **cornemuseur** [‿myˈzœːr] *m* piper.

corner¹ [kɔrˈnɛːr] *m* corner.

corner² [kɔrˈne] (1a) *v/i.* hoot; ring (*ears*); *v/t. fig.* trumpet (*news etc.*); turn down the corner of (*a page etc.*); **cornet** [‿ˈnɛ] *m* cornet; trumpet; *mot.* hooter, horn; *teleph.* receiver; *radio:* mouthpiece (*of a microphone*); *pastry:* horn; *ice-cream:* cone; ♀ F wake-robin; paper bag, screw of paper; F se mettre qch. dans le ‿ have s.th. to eat; **cornette** [‿ˈnɛt] *su./f nun:* coif; mob-cap; ✗ † standard; *su./m* † *cavalry:* cornet, ensign; **corneur** [‿ˈnœːr] *m* wheezy horse.

corniche [kɔrˈniʃ] *f rock:* ledge; coast road; △ cornice.

cornichon [kɔrniˈʃɔ̃] *m* gherkin; F noodle, *Am.* dope.

cornière [kɔrˈnjɛːr] *f* ⊕ angle(-iron, -bar).

cornouille ♀ [kɔrˈnuːj] *f* cornelberry; **cornouiller** [‿nuˈje] *m* cornel(-tree); ♉ dogwood.

cornu, e [kɔrˈny] horned; spurred (*wheat*); *fig.* absurd.

cornue [‿] *f* ♨ *etc.* retort; *metall.* steel converter.

corollaire [kɔrɔlˈlɛːr] *m* ♪ corollary; ♀ corollary tendril; **corolle** ♀ [‿ˈrɔl] *f* corolla.

coron [kɔˈrɔ̃] *m* miners' quarters *pl.*

coronaire ✗, *anat.* [kɔrɔˈnɛːr] coronary; **coronal, e,** *m/pl.* **-aux** [‿ˈnal, ‿ˈno] coronal.

corporal *eccl.* [kɔrpɔˈral] *m* corporal.

corporatif, -ve [kɔrpɔraˈtif, ‿ˈtiːv]

corporat(iv)e; **corporation** [ˌ'sjɔ̃]
f corporation; † hist. (trade-)guild.
corporel, -elle [kɔrpɔ'rɛl] corpo-
real; corporal (*punishment*); bodily.
corps [kɔːr] m body (a. 🐍); flesh;
matter; ✗ (army) corps; ⚓ (battle)
fleet; F person, figure; *fig.* profession; ⚖ corpus (*of law*); ~ à ~
hand to hand; ~ de bâtiment main
building; ~ de logis housing unit;
~ de métier g(u)ild; trade association; ⚓ ~ mort (fixed) moorings *pl.*;
à ~ perdu desperately; en ~ in a
body; faire ~ avec be an integral
part of; levée f du ~ start of the
funeral; ⚓ perdu ~ et biens lost
with all hands.
corpulence [kɔrpy'lɑ̃ːs] f stoutness,
corpulence; **corpulent, e** [ˌ'lɑ̃,
ˌ'lɑ̃ːt] stout, corpulent; portly.
corpuscule [kɔrpys'kyl] m corpus-
cle; particle.
correct, e [kɔ'rɛkt] correct, proper;
accurate; **correcteur** m, **-trice** f
[kɔrɛk'tœːr, ˌ'tris] corrector, proof-
reader; **correctif, -ve** [ˌ'tif, ˌ'tiːv]
adj., a. su./m corrective; **correction**
[ˌ'sjɔ̃] f punishment; correction;
maison f de ~ reformatory; sauf ~
subject to correction; **correctionnel, -elle** ⚖ [ˌsjɔ'nɛl] **1.** adj. cor-
rectional; délit m ~ minor offence;
tribunal m ~ = **2.** su./f court of
petty sessions, Am. police court.
corrélation [kɔrrela'sjɔ̃] f correlation.
correspondance [kɔrɛspɔ̃'dɑ̃ːs] f
correspondence; dealings *pl.* (with,
avec); 🚃 etc. connection, Am.
transfer point; 🚃 railway-omnibus,
transfer coach; cours m par ~ correspondence course; par ~ by letter,
by post; **correspondancier** m,
-ère f † [ˌdɑ̃'sje, ˌ'sjɛːr] correspondence clerk; **correspondant,
e** [ˌ'dɑ̃, ˌ'dɑ̃ːt] **1.** adj. correspond-
ing; 🚃 connecting; **2.** su. ✝, journ.
correspondent; pen-friend; school:
parents' representative; **correspondre** [kɔrɛs'pɔ̃ːdr] (4a) v/i.: ~ à
correspond with, suit; tally with;
communicate with (another room
etc.); ~ avec q. be in correspondence
with s.o.
corridor [kɔri'dɔːr] m corridor,
passage.
corrigé [kɔri'ʒe] m fair copy; key,
crib; **corriger** [ˌ'ʒe] (1l) v/t. cor-

rect; read (*proofs*); punish; rectify;
cure; **corrigible** [ˌ'ʒibl] corrigible.
corroborer [kɔrrɔbɔ're] (1a) v/t.
corroborate, confirm.
corroder [kɔrrɔ'de] (1a) v/t. corrode, eat away.
corroi [kɔ'rwa] m leather: currying;
corroierie [ˌrwa'ri] f currying;
curriery.
corrompre [kɔ'rɔ̃ːpr] (4a) v/t. corrupt; spoil (the taste); taint (meat);
⚖ suborn; se ~ become corrupt(ed)
or tainted.
corrosif, -ve [kɔrrɔ'zif, ˌ'ziːv] adj.,
a. su./m corrosive; **corrosion** [ˌ'zjɔ̃]
f corrosion; soil: erosion; ⊕ pitting.
corroyer [kɔrwa'je] (1h) v/t. curry
(leather); rough-plane (wood); weld
(iron, steel); puddle (clay); **corroyeur** [ˌ'jœːr] m currier; metall.
blacksmith.
corrupteur, -trice [kɔryp'tœːr, ˌ-
'tris] **1.** adj. corrupting; **2.** su. cor-
rupter; briber; ⚖ suborner; **corruptible** [ˌ'tibl] corruptible; open
to bribery; **corruption** [ˌ'sjɔ̃] f
corruption; bribery; Am. graft; ⚖
subornation; food: tainting; air,
water: pollution.
corsage cost. [kɔr'saːʒ] m bodice;
blouse.
corsaire [kɔr'sɛːr] m corsair, priva-
teer.
corse [kɔrs] adj., a. su. ♀ Corsican.
corsé, e [kɔr'se] strong; full-bodied
(wine); spicy (story); F substantial.
corselet zo., a. hist. [kɔrsə'lɛ] m
cors(e)let.
corser [kɔr'se] (1a) v/t. give body
or flavo(u)r to; strengthen; se ~
take a turn for the worse.
corset [kɔr'sɛ] m corset; **corsetière**
[ˌsə'tjɛːr] f corsetmaker.
cortège [kɔr'tɛːʒ] m procession; retinue, train; ~ funèbre funeral procession.
cortisone 💊 [kɔrti'zɔn] f cortisone.
corvéable ✗ [kɔrve'abl] liable to
fatigue duty; **corvée** [ˌ've] f ✗
fatigue; ⚓ duty; ✗ fatigue party;
fig. drudgery, hard work; thankless
job.
corvette ⚓ hist. [kɔr'vɛt] f corvette.
coryphée [kɔri'fe] m leader of the
ballet, principal dancer; fig. party
leader, chief.
coryza 💊 [kɔri'za] m cold in the
head.

coucher

cosmétique [kɔsme'tik] *adj.*, *a. su.*/ *m* cosmetic.

cosmique [kɔs'mik] cosmic.

cosmo... [kɔsmɔ] cosmo...; **~drome** [~'drɔːm] *m* cosmodrome; **~graphie** [~gra'fi] *f* cosmography; **~naute** [~'noːt] *su.* cosmonaut; **~polite** [~pɔ'lit] *adj.*, *a. su.* cosmopolitan.

cosse [kɔs] *f* pod, husk; shell; ⚡ eye *or* spade terminal; *sl.* laziness; **cossu, e** F [kɔ'sy] rich (*a. fig.*); well-to-do.

costal, e, m/pl. -aux *anat.* [kɔs'tal, ~'to] costal; **costaud, e** *sl.* [~'to, ~'toːd] **1.** *adj.* strapping, strong; **2.** *su./m* strapping person.

costume [kɔs'tym] *m* costume, dress; suit; ~ de *bain* bathing-costume; ~ de *golf* plus-fours *pl.*; ~ *tailleur* tailor-made suit (*for women*); coat and skirt; **costumer** [~ty'me] (1a) *v/t.* dress up; *bal m costumé* fancy-dress ball; **costumier** [~ty-'mje] *m* costumier, 👔, *univ.* outfitter; *thea.* wardrobe-keeper.

cotation ✝ [kɔta'sjɔ̃] *f* quotation, quoting; **cote** [kɔt] *f* quota; *admin.* assessment, 👔, ✝, *etc document*: identification *or* classification mark; *sp.* odds *pl.*; ⚓ classification; ✝ prices *etc.*: quotation; *school*: mark (*for an essay etc.*); F esteem; *avoir une bonne* ~ be highly thought of.

côte [koːt] *f* △, *anat.*, *cuis.* rib; ⚡ midriff; slope; hill; coast, shore; ~ *à* ~ side by side.

côté [ko'te] *m* side; direction; *à* ~ *de* beside; *de* ~ sideways, *de mon* ~ for my part, *du* ~ *de* in the direction of; *d'un* ~ on one side; *d'un* ~ ..., *de l'autre* ~ on the one hand ..., on the other hand; *la maison d'à* ~ next door [hillock.\

coteau [kɔ'to] *m* slope, hillside;∫

côtelé *e tex.* [kot'le] ribbed; **côtelette** [~'lɛt] *f* mutton, veal: cutlet; *pork*: chop; F ~s *pl.* whiskers: mutton-chops.

coter [kɔ'te] (1a) *v/t.* classify, number, letter (*a document*); ⚓ class (*a ship*); quote (*prices*); *admin.* assess.

coterie [kɔ'tri] *f* set, circle, clique.

côtier, -ère [ko'tje, ~'tjɛːr] coast (-ing); coastal; inshore (*fishing*).

cotillon [kɔti'jɔ̃] *m* ✝ petticoat; *dance*: cotill(i)on.

cotisation [kɔtiza'sjɔ̃] *f* subscription; contribution; fee; *admin.* assessment; quota; **cotiser** [~'ze] (1a) *v/t. admin.* assess; se ~ subscribe; get up a subscription.

coton [kɔ'tɔ̃] *m* cotton(-wool); ⚘ down; *sl.* trouble; *élever dans le* ~ coddle (*a baby*); **cotonnade** [kɔtɔ-'nad] *f* cotton fabric; ~s *pl.* cotton goods; **cotonner** [~'ne] (1a) *v/t.* cover with cotton; wad, pad with cotton-wool; se ~ become covered with down; become woolly (*fruit*); become fluffy (*cloth*); **cotonnerie** [kɔtɔn'ri] *f* cotton growing; cotton-plantation; cotton-mill; **cotonneux, -euse** [~tɔ'nø, ~'nøːz] sleepy (*pear*); cottony; woolly (*fruit, style*); fleecy (*cloud*); **cotonnier, -ère** [~tɔ'nje, ~'njɛːr] **1.** *adj.* cotton-...; **2.** *su./m* cotton-worker; ⚘ cotton-plant; **coton-poudre**, *pl.* **cotons-poudre** [~tɔ̃'pu:dr] *m* guncotton.

côtoyer [kotwa'je] (1h) *v/t.* hug (*the shore*); keep close to; skirt (*the forest*); border on (*a. fig.*).

cotte [kɔt] *f* workman's overalls *pl.*; petticoat; ~ de *mailles* coat of mail.

cou [ku] *m* neck.

couac ♪ [kwak] *m* squawk.

couard, e [kwaːr, kward] **1.** *adj.* coward(ly); **2.** *su.* coward; **couardise** [kwar'diːz] *f* cowardice.

couchage [ku'ʃaːʒ] *m* night's lodging; lying in bed; *clothes*: bedding; ⚡ layering; *sac m de* ~ sleeping-bag; **couchant, e** [~'ʃɑ̃, ~'ʃɑ̃ːt] **1.** *su./m* sunset, setting of the sun; west; **2.** *adj.*: *chien m* ~ setter; *fig* crawler, fawner; *soleil m* ~ setting sun; **couche** [kuʃ] *f* bed, couch; napkin, diaper (*for baby*); *geol.* stratum, layer; *clouds*: bank; (*social*) class, stratum; *paint etc.*: coat; ✂ seam; ⚡ hotbed; *tree*: ring; ~s *pl.* childbirth *sg.*; ~ *d'arrêt* barrier layer; ⊕ ~ *de roulement* running surface; *fausse* ~ miscarriage; F *il en a une* ~! what a fathead!; F *se donner une belle* ~ drink o.s. blind; **coucher** [ku'ʃe] **1.** (1a) *v/t.* put to bed; lay down; spread (*paint*); beat down; put *or* write (*s.th.*) down (on, *sur*); mention (*s.o.*) (in one's will, *sur son testament*); ~ *qch. en joue* aim s.th.; se ~ go to bed; lie down; set (*sun*); *v*/*i.* sleep; **2.** *su.*/*m* night's lodging; *sun*: setting; *fig.* decline, wane; **couchette** [ˌ'ʃɛt] *f* cot; ⚓ bunk; ᗛ, ⚓ berth; **coucheur, -euse** [ˌ'ʃœːr, ˌ'ʃøːz] *su.* bedfellow; *su.*/*m*: ne fais pas le mauvais ⸰! don't be so difficult!

couci-couça [kusiku'sa], **couci-couci** [ˌ'si] *adv.* so-so.

coucou [ku'ku] *m* cuckoo(-clock); ❀ F cowslip.

coude [kud] *m* elbow (*a. river, road*); ⊕ *shaft*: crank; *coup m de* ⸰ nudge; *jouer des* ⸰s elbow one's way; **coudée** [ku'de] *f* cubit; F *avoir ses* ⸰s *franches* have elbow-room; *fig.* have a free hand.

cou-de-pied, *pl.* **cous-de-pied** [kud'pje] *m* instep.

couder ⊕ [ku'de] (1a) *v*/*t.* crank (*a shaft*); bend (*a pipe*) into an elbow; **coudoyer** [ˌdwa'je] (1h) *v*/*t.* elbow, jostle; rub shoulders with.

coudre[1] [kudr] (4l) *v*/*t.* sew, stitch; *machine f à* ⸰ sewing-machine; *rester bouche cousue* remain silent.

coudre[2] ❀ [kudr] *m*, **coudrier** ❀ [ku'drje] *m* hazel-tree.

couenne [kwan] *f* bacon-rind; *roast pork*: crackling; ⚕ mole; **couenneux, -euse** ⚕ [kwa'nø, ˌ'nøːz] buffy (*blood*); *angine f* ⸰euse diphtheria.

couffe [kuf] *f*, **couffin** [ku'fɛ̃] *m* basket.

couillon V [ku'jõ] *m* fool; ⸰! bloody fool!

coulage [ku'la:ʒ] *m* pouring (*a. metall.*); *metall.* casting; *liquid*: leaking; ⚓ scuttling; *fig.* leakage; **coulant, e** [ˌ'lɑ̃, ˌ'lɑ̃:t] **1.** *adj.* running; flowing (*a. style*); *fig.* easy; **2.** *su.*/*m* sliding ring (*a.* ⊕); ❀ runner; ✂ case-slide.

coule[1] *sl.* [kul] *f* waste; pilferings *pl.*

coule[2] [ˌ] *adv.*: être à la ⸰ be wise, know the ropes, know all the tricks of the trade.

coulé [ku'le] *m* dancing: slide; ♪ slur; *billiards*: follow-through; ⊕ cast(ing); **coulée** [ˌ] *f* writing: running-hand; *lava, liquid*: flow; ⊕ casting; ⊕ tapping; *fig.* streak; **couler** [ˌ] (1a) *v*/*t.* pour; ⚓ sink (*a ship*); ♪ slur; *fig.* slip; F ruin; se ⸰ slide, slip; *v*/*i.* flow, run; ⚓ founder, sink; ⊕ run; slip;

leak (*pen, vat, etc.*); *fig.* slip by (*time*); *fig.* pass over (*facts*).

couleur [ku'lœːr] *f* colo(u)r (*a. fig.*); complexion; *cards*: suit; *cin.* en ⸰(s *pl.*) technicolor-...; ⚕ pâles ⸰s *pl.* chlorosis *sg.*, green-sickness *sg.*; *sous* ⸰ de under the pretence of.

couleuvre [ku'lœːvr] *f* snake; F *avaler des* ⸰s pocket an insult.

coulis [ku'li] **1.** *adj.*/*m*: vent m ⸰ insidious draught; **2.** *su.*/*m* ⚕ (liquid) filling; *cuis.* sauce; (meat) jelly.

coulisse [ku'lis] *f* ⊕ groove, slot; ⊕ slide; ⚕ wooden shoot; *thea.* wing; backstage; *fig.* background; ✝ outside market; *porte f à* ⸰ sliding door; *fig.* regard m en ⸰ sideglance; **coulisser** [kuli'se] (1a) *v*/*t.* fit with slides; *v*/*i.* slide; **coulissier** ✝ [ˌ'sje] *m* outside broker.

couloir [ku'lwaːr] *m* corridor (*a.* ᗛ, *geog.*), passage; *parl.* lobby; ⊕ shoot; *cin. film*: track; *water, mountain*: gully; *tennis*: tram-lines *pl.*; ✈ ⸰ aérien air corridor.

coup [ku] *m* blow, knock; hit; thrust; *knife*: stab; wound; ⊕, *sp.* stroke; sound; beat; *gun etc.*: shot; *wind*: gust; turn; (evil) deed; *sl.* drink, glass (*of wine*); *fig.* influence; ⚕ ⸰ de chaleur heat-stroke; F ⸰ de fil (telephone) call, ring; ⸰ de filet haul; ⸰ de grâce finishing stroke, quietus; ✗ ⸰ de grisou firedamp explosion; ⸰ de Jarnac treacherous attack; F low trick; ✗ ⸰ de main surprise attack, raid; ⸰ de maître master stroke; *foot.* ⸰ d'envoi kickoff; place-kick; ⸰ de pied kick; ⸰ de poing blow (with the fist); ⚕ ⸰ de sang apoplectic fit, F stroke; ⚕ ⸰ de soleil sunburn; ⸰ d'essai trial shot; ⸰ d'État coup d'état; ⸰ de téléphone (telephone) call; ⸰ de tête butt; *fig.* impulsive act; *fig.* ⸰ de théâtre dramatic turn; ⸰ d'œil glance; view; ⸰ franc *foot.* free kick; *hockey*: free hit; à ⸰ sûr certainly; après ⸰ after the event; as an afterthought; *sp.* donner le ⸰ d'envoi kick off; donner un ⸰ de brosse give a brush (down); donner un ⸰ de main à help; give a helping hand to; d'un (seul) ⸰ at one go; du premier ⸰ at the first attempt; entrer en ⸰ de vent burst in, rush in; être aux cent ⸰s be desperate;

F *être dans le* ~ be with it; F *monter le* ~ *à q. deceive s.o.; pour le* ~ this time; for the moment; *saluer d'un* ~ *de chapeau* raise one's hat to; *tenir le* ~ take it; keep a stiff upper lip; *tout à* ~ suddenly, all of a sudden; *tout d'un* ~ (all) at once; *traduire qch. à* ~*s de dictionnaire* translate s.th., looking up each word in the dictionary.

coupable [ku'pabl] 1. *adj.* guilty; 2. *su.* culprit; ⚖ delinquent.

coupage [ku'pa:ʒ] *m* cutting; *wine:* blending; diluting (*of wine with water*); **coupant** [~'pɑ̃] *m* (cutting) edge.

coup-de-poing, *pl.* **coups-de-poing** [kud'pwɛ̃] *m* pocket revolver; knuckleduster.

coupe[1] [kup] *f* cutting; *trees:* felling; ⊕ *wood:* cut; ✄ shift; *swimming:* stroke; (cross-)section; ~ *des cheveux* hair-cut.

coupe[2] [~] *f* (drinking) cup; *sp.* cup; *sl.* dial, mug.

coupé [ku'pe] *m* brougham; 🚋 coupé (*a. mot.*), half-compartment; **coupée** ⚓ [~] *f* gangway.

coupe...: ~-**cigares** [kupsi'ga:r] *m/inv.* cigar-cutter; ~-**circuit** ⚡ [~sir'kɥi] *m/inv.* circuit-breaker; ~-**gorge** [~'gɔrʒ] *m/inv.* death-trap; thieves' alley; ~-**jarret** [~ʒa're] *m* cut-throat; assassin; ~-**légumes** [~le'gym] *m/inv.* vegetable-cutter; ~-**papier** [~pa'pje] *m/inv.* paper-knife; letter-opener.

couper [ku'pe] (1a) *v/t.* cut (*a. tennis*); cut off (*a.* ✄); cut down (*trees*), chop (*wood*); intercept; intersect; interrupt; water down (*wine*); ⚡ switch off; *cards:* trump; *teleph.* ~ *la communication* ring off; *mot.* ~ *l'allumage* switch off the ignition; *se* ~ intersect; crack (*skin*); contradict o.s.; *v/i.: sl.* ~ *à* dodge (*s.th.*); F ~ *dans le vif* resort to extreme measures; *teleph. ne coupez pas!* hold the line!

couperet [ku'prɛ] *m* chopper; *guillotine:* blade.

couperose [ku'pro:z] *f* 🩺 blotchiness; 🜨 *verte* green (blue) vitriol; **couperosé**, e [~pro'ze] blotchy (*skin*).

coupeur, -**euse** [ku'pœ:r, ~'pø:z] *su. person:* cutter; *su./f* cutting machine; ✄ header.

couplage [ku'pla:ʒ] *m* ⚡ *etc.* coupling, connection; **couple** [kupl] *su./f* two, couple; (dog-)leash; *pheasants:* brace; ⚓ *à* ~ alongside; *su./m* pair, couple; ⊕ torque, turning moment; ⚡ *battery:* cell; **coupler** [ku'ple] (1a) *v/t.* couple; ⚡ connect; **couplet** [~'plɛ] *m* verse; ⊕ hinge.

coupoir [ku'pwa:r] *m instrument:* cutter.

coupole [ku'pɔl] *f* cupola, dome; ✕ revolving gun-turret.

coupon [ku'pɔ̃] *m bread,* dividend, *etc.:* coupon; 🎞, *thea.* ticket; *material:* remnant; ⊕ test-bar; ~-*réponse postal post:* international reply coupon; **coupure** [~'py:r] *f* cut, gash; (newspaper-)cutting, clipping; ⚡, *thea.* cut; paper money; *geol.* fault.

cour [ku:r] *f* court (*a.* ⚖); (court-)yard; ✕ square; *Northern France:* lavatory; *thea.* côté ~ O.P.; ♀ *internationale de justice* International Court of Justice (*at the Hague*); *faire la* ~ *à* court, woo.

courage [ku'ra:ʒ] *m* courage, F pluck; valo(u)r; **courageux,** -**euse** [~ra'ʒø, ~'ʒø:z] brave, courageous, F plucky; zealous.

couramment [kura'mɑ̃] *adv.* fluently; in general use, usually; **courant,** e [~'rɑ̃, ~'rɑ̃:t] 1. *adj.* running; current; ✝ floating (*debt*); ✝ standard (*make*); *chien m* ~ hound; 2. *su./m* ⚡, *water:* current; stream; *metall.* blast; present month, ✝ instant, *abbr.* inst.; *fig.* course; ⚡ ~ *alternatif* (*continu*) alternating (direct) current; ~ *d'air* draught, *Am.* draft; ⚡ ~ *triphasé* three-phase current; *au* ~ (*de*) *conversant* (with); *well informed* (of); *fin* ~ *at the end of this month;* ⚡ ... *pour tous* ~*s* A.C./D.C. ...

courbatu, e [kurba'ty] stiff, aching; **courbature** [~'ty:r] *f* stiffness, muscle soreness.

courbe [kurb] 1. *adj.* curved; 2. *su./f* curve; sweep; graph; **courber** [kur'be] (1a) *vt/i.* bend, curve; *v/t.:* se ~ bend, stoop; **courbette** [~'bɛt] *f: fig. faire des* ~*s à* kowtow to; **courbure** [~'by:r] *f* curve; *road:* camber; *earth, space:* curvature; ⊕ *beam:* sagging; ⊕ *double* ~ *pipe:* S-bend.

coureur, -euse [ku'rœːr, ~'røːz] *su.*
runner (*a. sp.*); *fig.* frequenter (*of
cafés etc.*); *fig.* hunter (*of prizes
etc.*); *su./m: sp.* ~ de fond stayer;
~ de jupons skirt-chaser; *su./f* street-
walker.

courge ⚘ [kurʒ] *f* gourd; pumpkin.

courir [ku'riːr] (2i) *v/i.* run; race;
flow (*blood, river, etc.*); *fig.* be current; ⚓ sail; *v/t.* run after; pursue;
hunt; overrun; *sp.* run (*a race*);
frequent, haunt; F ~ le cachet give
private lessons; ~ le monde travel
widely; être fort couru be much
sought after.

courlis *orn.* [kur'li] *m* curlew.

couronne [ku'rɔn] *f* crown; coro-
net; *flowers, laurel:* wreath; ⊕
wheel: rim; **couronnement** [~rɔn-
'mã] *m* crowning; coronation; **couronner** [~rɔ'ne] (1a) *v/t.* crown (*a.
fig.*); *fig.* reward.

courrai [kur're] *1st p. sg. fut. of
courir.*

courre [kuːr] *v/t.:* chasse *f* à ~
hunt(ing); **courrier** [ku'rje] *m*
courier; post, mail; letters *pl.*;
journ. (news, theatrical, *etc.*) column; *faire son* ~ deal with one's
mail; **courriériste** *journ.* [~rje'rist]
su. columnist.

courroie [ku'rwa] *f* strap; ⊕ belt.

courroucer [kuru'se] (1k) *v/t.*
anger; se ~ get angry; **courroux**
poet. [~'ru] *m* anger.

cours [kuːr] *m* course; stream; *time:*
lapse; △ *bricks:* course, layer;
money: circulation; ✝ quotation;
univ. course (*of lectures*); ~ d'eau
stream, river; ✝ ~ des changes rate
of exchange; ✝ ~ du marché mondial price on the world market; au
~ de during, in the course of.

course [kurs] *f* run(ning); race; excursion, trip; ⚓ cruise; ⊕ stroke;
errand; ~ à pied (foot-)race; *pol.* ~
aux armements armaments race; ~
de chevaux horse-race; ~ de côte
hill climb; *faire des* ~s go shopping,
run errands.

coursier [kur'sje] *m* mill-race; *poet.*
charger; steed.

court[1] [kuːr] *m* (tennis-)court.

court[2]**, courte** [kuːr, kurt] **1.** *adj.*
short, brief; à ~ (de) short (of); *sl.*
avoir la peau ~e be lazy; **2.** *court
adv.* short; couper ~ cut short; *tout*
~ simply, only.

courtage ✝ [kur'taːʒ] *m* brokerage.

courtaud, e [kur'to, ~'toːd] **1.** *adj.*
squat, dumpy; **2.** *su.* stocky person;
courtauder [~to'de] (1a) *v/t.* dock
the tail of; crop the ears of.

court...: ~**bouillon,** *pl.* ~**s-bouil-
lons** *cuis.* [kurbu'jõ] *m* wine-sauce
in which fish or meat is cooked; ~
circuit, *pl.* ~**s-circuits** ⚡ [~sir'kɥi]
m short-circuit. [terpane.]

courtepointe [kurtə'pwɛ̃ːt] *f* coun-

courtier, -ère ✝ [kur'tje, ~'tjɛːr] *su.*
broker; (electoral) agent; *su./m:* ~
marron ✝ outside broker; F bucket
shop swindler.

courtine [kur'tin] *f* ⚔ *or* † curtain;
⚔ line of trenches; △ façade.

courtisan [kurti'zã] *m* courtier;
courtisane [~'zan] *f* courtesan;
courtiser [~'ze] (1a) *v/t.* pay court
to; woo; *fig.* toady to, F suck up to.

courtois, e [kur'twa, ~'twaːz] courteous, polite (to[wards], envers);
courtoisie [~twa'zi] *f* courtesy.

couru, e [ku'ry] **1.** *p.p. of courir;*
2. *adj.* sought after; popular; ✝
accrued (*interest*); **courus** [~] *1st p.
sg. p.s. of courir.*

couseuse [ku'zøːz] *f* seamstress;
stitcher (*of books*); stitching machine; **cousis** [~'zi] *1st p. sg. p.s. of
coudre*[1]; **cousons** [~'zõ] *1st p. pl.
pres. of coudre*[1].

cousin[1] [ku'zɛ̃] *m* midge, gnat.

cousin[2] *m,* e *f* [ku'zɛ̃, ~'zin] cousin;
cousinage F [~zi'naːʒ] *m* cousin-
ship; cousinry; (poor) relations *pl.*

coussin [ku'sɛ̃] *m* cushion; pad;
bolster; pillow (*of lacemaker*);
coussinet [~si'nɛ] *m* small cushion;
⊕ bearing; ⚘ F bilberry, huckleberry; ⊕ ~ à billes ball-bearings
pl.; 🚂 ~ de rail (rail-)chair.

cousu, e [ku'zy] **1.** *p.p. of coudre*[1];
2. *adj.* sewn; *fig.* ~ d'or rolling
in money; ~-main hand-sewn.

coût [ku] *m* cost; ~s *pl.* expenses;
~ de la vie cost of living; **coûtant, e**
[ku'tã, ~'tãːt] *adj.:* prix *m* ~ cost
price.

couteau [ku'to] *m* knife; ⚡ blade;
être à ~x tirés be at daggers drawn;
coutelas [kut'la] *m* ⚡ cutlass;
cuis. broad-bladed knife; *icht.* F
sword-fish; **coutelier** [kutə'lje] *m*
cutler; **coutellerie** [~tɛl'ri] *f* cutlery; cutlery works *usu. sg.*; cutler's
shop.

coûter [ku'te] (1a) *vt/i.* cost; *v/i.*: ~ *cher (peu)* be (in)expensive; *coûte que coûte* at all costs; **coûteux, -euse** [~'tø, ~'tø:z] expensive, costly.

coutil *tex.* [ku'ti] *m* twill.

coutre [kutr] *m* ✔ plough-share; (wood-)chopper.

coutume [ku'tym] *f* custom, habit; *avoir* ~ *de* be accustomed to; *comme de* ~ as usual; **coutumier, -ère** [~ty'mje, ~'mjɛ:r] customary; *ẗ⁊* unwritten (*law*).

couture [ku'ty:r] *f* sewing; dress-making; *seam* (*a.* ⊕); F *fig.* angle, aspect; *battre q. à plate* ~ beat s.o. hollow; *haute* ~ high-class dress-making; *maison f de haute* ~ fashion house; **couturier, -ère** [~ty'rje, ~'rjɛ:r] *su.* dressmaker; *su./f: thea. répétition f des ~ères* dress rehearsal.

couvain [ku'vɛ̃] *m* nest of insect eggs; brood-comb (*for bees*); **couvaison** [~vɛ'zɔ̃] *f* brooding time; incubation; **couvée** [~'ve] *f eggs*: clutch; *chicks*: brood.

couvent [ku'vɑ̃] *m nuns*: convent; *monks*: monastery.

couver [ku've] (1a) *v/t.* sit on (*eggs*); hatch (out) (*eggs*); *⳹* be sickening for; *fig.* hatch (*a plot*); *fig.* ~ *des yeux* not to take one's eyes off (*s.o., s.th.*); gloat over (*one's victim*); *v/i.* smoulder (*fire, a. fig.*); *fig.* brew (*storm*); *fig., a. ⳹* develop, be developing.

couvercle [ku'vɛrkl] *m* lid, cover; ⊕ *a.* cap.

couvert, e [ku'vɛ:r, ~'vɛrt] **1.** *p.p. of couvrir;* **2.** *adj.* covered; hidden; obscure; wooded (*country*); wearing one's hat; *rester* ~ keep one's hat on; **3.** *su./m* table things *pl.*; *restaurant:* cover-charge; shelter, cover(ing); *être à* ~ be sheltered, *fig.* be safe; *le vivre et le* ~ board and lodging; *mettre (ôter) le* ~ lay (clear) the table; *sous le* ~ *de* under the cover or pretext of; *su./f pottery:* glaze; **couverture** [~ver-'ty:r] *f* covering; cover (*a.* ⤫, ✝); ▲ roofing; rug, blanket; ✝ security; *fig. sous* ~ *de* under cover or cloak of.

couveuse [ku'vø:z] *f* sitting hen; incubator.

couvi [ku'vi] *adj./m* addled (*egg*).

couvre [ku:vr] *1st p. sg. pres. of couvrir;* ~**chef** F [kuvrə'ʃef] *m* headgear, hat; ~**feu** [~'fø] *m* curfew; ~**joint** ⊕ [~'ʒwɛ̃] *m wood:* covering bead; *metall.* flat cover-plate; *butt-joint:* welt; ~**lit** [~'li] *m* bedspread; ~**pied(s)**, *pl.* ~**pieds** [~'pje] *m* coverlet; bedspread.

couvreur [ku'vrœ:r] *m* ▲ roofer; *freemason:* tiler; **couvrir** [~'vri:r] (2f) *v/t.* cover (*a.* ⤫, ✝); ▲ roof; *post:* refund; *se* ~ cover o.s. (*a. with honour etc.*); (put one's hat on); clothe o.s.; become overcast (*sky*).

crabe [krɑ:b] *m* crab.   [*etc.*).\

crac! [krak] *int.* crack!

crachat [kra'ʃa] *m* spit; *⳹* sputum; F *star* (*of an Order*); **craché, e** F [~'ʃe] *adj.*: *ce garçon est son père tout* ~ this boy is the dead spit of his father; **cracher** [~'ʃe] (1a) *vt/i.* spit; *v/t.* F cough up, fork out (*money*); *v/i.* splutter (*pen*); **cracheur** *m*, **-euse** *f* [~'ʃœ:r, ~'ʃø:z] spitter; **crachoir** [~'ʃwa:r] *m* spittoon; F *tenir le* ~ do all the talking, hold the floor; **crachoter** [~ʃɔ'te] (1a) *v/i.* sputter.

crack *sp.* [krak] *m* crack (horse); champion; ace.

craie [krɛ] *f* chalk; (*a. bâton m de* ~) stick of chalk.

craindre [krɛ̃:dr] (4m) *v/t.* fear, be afraid of; ~ *de* (*inf.*) be afraid of (*ger.*); ✝ *craint l'humidité inscription:* keep dry *or* in a dry place; *je crains qu'il (ne) vienne* I am afraid he is coming *or* will come; *je crains qu'il ne vienne pas* I am afraid he will not come; **craignis** [krɛ'ɲi] *1st p. sg. p.s. of craindre;* **craignons** [~'ɲɔ̃] *1st p. pl. pres. of craindre;* **crains** [krɛ̃] *1st p. sg. pres. of craindre;* **craint, e** [krɛ̃, krɛ̃:t] **1.** *p.p. of craindre;* **2.** *su./f* fear, dread; *de* ~ *que ... (ne)* (*sbj.*) lest; **craintif, -ve** [krɛ̃'tif, ~'ti:v] timid, fearful.

cramoisi, e [kramwa'zi] *adj., a. su./m* crimson.

crampe *⳹* [krɑ̃:p] *f* cramp; **crampon** [krɑ̃'pɔ̃] *m* ▲ cramp(-iron), staple; *boot sole:* stud; *horseshoe:* calk; ♀ crampon; ♀ tendril; F (clinging) bore; **cramponner** [~pɔ'ne] (1a) *v/t.* ▲ clamp; calk (*a horseshoe*); F pester; buttonhole (*s.o.*); *se* ~ *à* cling to.

cran ⊕ [krã] *m* notch; *ratchet*, *rifle*, *etc.*: catch; *wheel*: cog; *geol.*, *metall.* fault; F pluck, spirit; ⚔ *sl.* C.B. (= *confinement to barracks*); ~ *d'arrêt* stop.

crâne[1] [krɑːn] *m* cranium, skull.

crâne[2] F [krɑːn] plucky; jaunty; **crânement** F [krɑn'mã] *adv.* pluckily; jauntily; F jolly; **crânerie** [~'ri] *f* pluck; jauntiness, swagger.

crapaud [kra'po] *m* toad (*a. fig. pej.*); *zo.* grease; *tub* easy-chair; *piano*: baby-grand; F *fig.* brat, urchin; **crapaudière** [~po'djɛːr] *f* toad-hole; swampy place; **crapaudine** [~po'din] *f* toadstone; ⚭ ironwort; ⊕ grating; *bath*: waste hole; *cuis.* *à la* ~ boned and broiled, spatch-cocked.

crapule [kra'pyl] *f* debauchery; dissolute person; blackguard; *coll.* dissolute crowd; **crapuleux, -euse** [~py'lø, ~'løːz] dissolute; filthy, lewd, foul.

craque F [krak] *f* tall story; fib.

craquelé, e [kra'kle] crackled (*china, glass*).

craquelin [kra'klɛ̃] *m* *biscuit*: cracknel; *stocking*: wrinkle; *fig.* shrimp of a man.

craquelure [kra'klyːr] *f* crack; fine cracks *pl.*

craquement [krak'mã] *m* crackling; creaking; *fingers*: crack; *snow*: crunching; **craquer** [kra'ke] (1m) *v/i.* crack; crackle; crunch (*snow*); squeak (*shoes etc.*); come apart at the seams (*clothes, a. fig.*); *fig.* give way; *v/t.* strike (*a match*); **craqueter** [krak'te] (1c) *v/i.* crackle; chirp (*cricket*); clatter (*stork*); **craqueur** *m*, **-euse** *f* F [kra'kœːr, ~'køːz] teller of tall stories, fibber.

crash ✈ [kraʃ] *m* crash-landing.

crasse [kras] 1. *adj./f* crass (*ignorance*); 2. *su./f* filth, dirt; *metall.* dross; meanness; F dirty trick; **crasseux, -euse** [kra'sø, ~'søːz] dirty, filthy, F mean; **crassier** [~'sje] *m* slag-heap, tip.

cratère [kra'tɛːr] *m* crater; ⚔ shell-hole.

cravache [kra'vaʃ] *f* hunting-crop, riding-whip.

cravate [kra'vat] *f* (neck)tie; ⚓ sling; ⊕ collar; *orn.* ruff; **cravater** [~va'te] (1a) *v/t.* put a tie on; ⊕ wind round; *se* ~ put one's tie on.

crawl *sp.* [kroːl] *m* crawl(-stroke).

crayeux, -euse [krɛ'jø, ~'jøːz] chalky; *geol.* cretaceous; **crayon** [~'jõ] *m* pencil; pencil sketch; ✎ carbon-pencil; ~ *à cils* eyebrow pencil; ~ *d'ardoise* slate pencil; ~ *(de rouge) à lèvres* lipstick; ~-*lèvres* lip-pencil; **crayonnage** [~jɔ'naːʒ] *m* pencil sketch; **crayonner** [~jɔ'ne] (1a) *v/t.* sketch; make a pencil note of, jot down.

créance [kre'ãːs] *f* belief, credence; confidence; ✝ credit; *pol. lettres f/pl. de* ~ credentials; **créancier** *m*, **-ère** [~ã'sje, ~'sjeːr] creditor.

créateur, -trice [krea'tœːr, ~'tris] 1. *adj.* creative; 2. *su.* creator; inventor; ✝ issuer; **création** [~'sjõ] *f* creation (*a. bibl., cost., thea., a. fig.*); establishment; **créature** [~'tyːr] *f* creature; *fig.* tool; F person.

crécelle [kre'sɛl] *f* rattle; *fig.* chatterbox.

crèche [krɛʃ] *f* manger; crib (*a. eccl.*); crèche, day-nursery.

crédence [kre'dãːs] *f* sideboard, *eccl.* credence-table.

crédibilité [kredibili'te] *f* credibility.

crédit [kre'di] *m* credit (*a. ✝, a. fig.*); *parl.* sum (voted); prestige; *admin.* ~ *municipal* pawn-office; *à* ~ on credit; on trust; gratuitously; *faire* ~ *à* give credit to; **créditer** [~di'te] (1a) *v/t.*: ~ *q. de credit* s.o.'s account with (*a sum*); give s.o. credit for; **créditeur, -trice** [~di-'tœːr, ~'tris] 1. *su.* creditor; 2. *adj.* credit-...

credo [kre'do] *m/inv.* creed (*a. fig.*).

crédule [kre'dyl] credulous; **crédulité** [~dyli'te] *f* credulity.

créer [kre'e] (1a) *v/t.* create (*a. fig.*), ✝ make out (*a cheque*), issue (*a bill*); *admin. etc.* appoint, make (*s.o magistrate etc.*).

crémaillère [krema'jeːr] *f* pot-hook; ⊕ rack; ⛟ cog-rail; ⛟ (*a. chemin m de fer à* ~) rack-railway; F *pendre la* ~ give a house-warming (party).

crémation [krema'sjõ] *f* cremation; **crématoire** [~'twaːr] crematory; *four m* ~ crematorium.

crème [krɛm] *f* cream (*a. fig.*); *cuis. a.* custard; *fig.* the best; ~ *fouettée* whipped cream; ~ *glacée* ice-cream; **crémer** [kre'me] (1f) *v/i.* cream; **crémerie** [krɛm'ri] *f* creamery,

dairy; small restaurant; **crémeux,
-euse** [kre'mø, ~'møːz] creamy;
crémier, -ère [~'mje, ~'mjɛːr]
su. keeper of a small restaurant;
su./m dairyman; *su./f* dairymaid;
cream-jug.

crémone △ [kre'mɔn] *f* casement
bolt.

créneau [kre'no] *m* △ loop-hole;
look-out slit; **créneler** [krɛn'le]
(1c) *v/t.* crenel(l)ate (*a wall*); ⊕
cut loop-holes in (*a wall*); ⊕ tooth,
notch; mill (*a coin*); **crénelure**
[~'lyːr] *f* indentation; notches *pl.*;
& crenel(l)ing.

créner *typ.* [kre'ne] (1f) *v/t.* kern;
nick the shank of (*a type*).

créosotage △ *etc.* [kreɔzɔ'taːʒ] *m*
creosoting.

crêpage [krɛ'paːʒ] *m* crimping.

crêpe[1] [krɛp] *m tex.* crape; crêpe
(-rubber).

crêpe[2] *cuis.* [~] *f* pancake.

crêper [krɛ'pe] (1a) *v/t.* frizz, crimp;
F *se* ~ *le chignon* tear each other's
hair, fight (*women*).

crépi △ [kre'pi] *m* rough-cast.

crépine [kre'pin] *f* fringe; ⊕ *pump*:
rose, strainer; **crépins** [~'pɛ̃] *m/pl.*
shoemaker: grindery *sg.*; **crépir**
[~'piːr] (2a) *v/t.* crimp; △ rough-
cast; pebble (*leather*); **crépissure**
△ [~pi'syːr] *f* rough-cast.

crépitation [krepita'sjɔ̃] *f* crackle;
𝔰 crepitation; **crépiter** [~'te] (1a)
v/i. crackle; sputter (*butter, etc.*);
𝔰 crepitate.

crépon [kre'pɔ̃] *m tex.* crépon; hair-
pad; **crépu, e** [~'py] fuzzy (*hair*);
crinkled; **crépure** [krɛ'pyːr] *f* hair:
frizzing, crimping.

crépuscule [krepys'kyl] *m* twilight,
dusk.

cresson [krɛ'sɔ̃] *m* (water)cress; *sl.*
ne pas avoir de ~ *sur la fontaine*
have lost one's thatch (= *hair*).

crétacé, e *geol.* [kreta'se] chalky,
cretaceous.

crête [krɛːt] *f* △, *geog., zo,. anat.,*
helmet, wave: crest; *mountain*:
ridge, summit; *cock*: comb; *fig.*
head; **crêté, e** *zo.* [krɛ'te] tufted,
crested.

crétin m, e f [kre'tɛ̃, ~'tin] 𝔰 cretin;
F fool; **crétinisme** 𝔰 [~ti'nism] *m*
cretinism.

cretonne *tex.* [krə'tɔn] *f* cretonne.

creuser [krø'ze] (1a) *v/t.* hollow out;

excavate; dig; sink (*a well*); plough;
Am. plow (*a furrow*); *fig.* wrinkle;
fig. hollow; *se* ~ *la tête* (*or la cer-*
velle) rack one's brains.

creuset ⊕ [krø'ze] *m* crucible; *a. fig.*
test, trial.

creux, creuse [krø, krøːz] **1.** *adj.*
hollow, empty; sunken (*cheeks*); ⊕,
𝔰 slack (*period*); *fig.* futile; *assiette*
f creuse soup-plate; *heures f/pl.*
creuses off-peak hours; **2.** *su./m*
hollow; *stomach*: pit; *wave, graph*:
trough; F bass voice; ~ *de la main*
hollow of the hand.

crevaison [krəvɛ'zɔ̃] *f* bursting (*a.*
⊕, *mot.*); *mot.* puncture; *sl.* death.

crevant, e F [krə'vɑ̃, ~'vɑ̃ːt] boring;
killing (*work*); very funny (*story*).

crevasse [krə'vas] *f* crack; *wall*:
crevice; *glacier*: crevace; *skin*:
chap; *metal etc.*: flaw; **crevasser**
[~va'se] (1a) *v/t.* crack; chap (*the*
skin); *se* ~ crack; chap (*skin*).

crève F [krɛːv] *f* death; **~-cœur**
[krɛv'kœːr] *m/inv.* heart-ache, grief.

crever [krə've] (1d) *vt/i.* burst,
split; *v/i.* F die (*animal*); F ~ *de*
faim starve; F ~ *de rire* split one's
sides with laughter; *v/t.* work *or*
ride (*a horse*) to death; ~ *le cœur à*
q. break s.o.'s heart; F ~ *les yeux*
à q. be staring s.o. in the face, be
obvious; *se* ~ *de travail* work o.s.
to death.

crevette *zo.* [krə'vet] *f* shrimp;
prawn.

cri [kri] *m* cry; shriek (*of horror,*
pain, etc.); F fashion, style; *hinge,*
spring: creak; *bird*: chirp; *mouse*:
squeak; ~ *de guerre* war-cry; F *pol.*
etc. slogan; *à* ~ *public* by public
proclamation; ... *dernier* ~ the latest
thing in ...; *pousser un* ~ (*or des* ~s)
scream; **criailler** [~a'je] (1a) *v/i.*
bawl; whine, F grouse; ~ *contre*
scold, rail at; **criaillerie** [~aj'ri] *f*
bawling; whining; scolding; **criant,**
e [~'ɑ̃, ~'ɑ̃ːt] glaring, crying, *fig.*;
criard,
e [~'aːr, ~'ard] **1.** *adj.* crying; shrill
(*voice*); pressing (*debt*); loud
(*colour*); **2.** *su.* bawler; *su./f* shrew.

crible [kribl] *m* sieve; ⊕, ⚒ screen;
cribler [kri'ble] (1a) *v/t.* riddle;
fig. overwhelm, cover (with, *de*); *être*
criblé de dettes be over head and
ears in debt; **cribleur m, -euse f**
[~'blœːr, ~'bløːz] riddler; ⊕, ⚒
screener; ⊕ screening machine;

criblure [„'bly:r] f ⚒ screenings pl.; siftings pl.

cric[1] ⊕ [krik] m jack.

cric[2]! [„] int. crack!

cricri F [kri'kri] m cricket; chirping.

criée [kri'e] f auction; *vente f à la ~* sale by auction; **crier** [„'e] (1a) v/i. cry, call out; scream; squeak (*door, hinge, mouse, shoes*); v/t. cry, proclaim; hawk (*wares*); review (*a book*); censure; **critiqueur** m, **-euse** f [„ti'kœ:r, „'kø:z] fault-finder.

crime [krim] m crime; ⚖ felony; *~ d'État* treason; *~ d'incendie* arson; **criminaliser** [kriminali'ze] (1a) v/t. refer (*a case*) to a criminal court; **criminaliste** [„'list] su. criminologist; **criminalité** [„li'te] f criminal nature (*of an act*); ⚖ *juvénile* juvenile delinquency; **criminel, -elle** [krimi'nɛl] 1. adj. criminal (*law, action*), guilty (*person*); 2. su. criminal, felon; su./m criminal action.

crin [krɛ̃] m horsehair; coarse hair; *~ végétal* vegetable horsehair; fig. *... à tout ~ (or tous ~s)* out and out ...; F *être comme un ~* be very touchy.

crincrin F [krɛ̃'krɛ̃] m fiddle; fiddler.

crinière [kri'njɛ:r] f mane; *helmet:* (horse-)tail; F crop of hair.

crinoline [krinɔ'lin] f crinoline.

crique [krik] f creek, cove, small bay; ⊕ *metal:* flaw.

criquet [kri'kɛ] m zo. locust; zo. F cricket; F small pony; sl. *person:* shrimp.

crise ⚕, pol., fig. [kri:z] f crisis; ⚕ attack; shortage; *~ du logement* housing shortage; *~ économique* (*mondiale*) (world-wide) slump; *une ~ se prépare* things are coming to a head.

crispation [krispa'sjɔ̃] f puckering; ⚕ twitching; *pain:* wince; **crisper** [„'pe] (1a) v/t. contract, clench; jar (*s.o.'s nerves*); contort (*one's face*); *se ~ a.* pucker up (*face*).

crisser [kri'se] (1a) v/i. grate, rasp; squeak (*brakes*); *~ des dents* grind one's teeth.

cristal [kris'tal] m crystal; crystal-glass; **cristallin, e** [„ta'lɛ̃, „'lin] 1. adj. crystalline; clear as crystal;

2. su./m anat. crystalline lens; **cristalliser** [„tali'ze] (1a) vt/i. crystallize.

critère [kri'tɛ:r] m criterion, test; **critérium** sp. [„te'rjɔm] m selection match or race.

critique [kri'tik] 1. adj. critical; 2. su./m critic; su./f criticism; **critiquer** [„ti'ke] (1m) v/t. criticize, find fault with; review (*a book*); censure; **critiqueur** m, **-euse** f [„ti'kœ:r, „'kø:z] fault-finder.

croasser [krɔa'se] (1a) v/i. croak (*raven, a. fig.*); caw (*crow, rook*).

croc [kro] m hook; ⊕ pawl; zo. fang.

croc-en-jambe, pl. **crocs-en-jambe** [krɔkɑ̃'ʒɑ̃:b] m trip (up); *donner* (*or faire*) *un ~ à q.* trip s.o. up.

croche [krɔʃ] f ♪ quaver; ⊕ *~s* pl. crook-bit tongs.

crochet [krɔ'ʃɛ] m hook; crochet-hook; skeleton key; *typ.* square bracket; zo. fang; *faire un ~* swerve; **crocheter** [krɔʃ'te] (1d) v/t. crochet; pick (*a lock*); v/i. sp. swerve; **crocheteur** [„'tœ:r] m thief: picklock; porter; **crochu, e** [krɔ'ʃy] hooked; crooked (*ideas*); fig. *avoir les mains ~es* be light-fingered (*thief*); be close-fisted.

crocodile [krɔkɔ'dil] m zo. crocodile; 🚂 audible warning system.

croire [krwa:r] (4n) v/i. believe (in, à; in God, en Dieu); v/t. believe; think; *~ q. intelligent* believe s.o. to be intelligent; *à l'en ~* according to him (her); *faire ~ qch. à q.* lead s.o. to believe s.th.; *s'en ~* be conceited.

crois [krwa] *1st p. sg. pres. of croire.*

croîs [„] *1st p. sg. pres. of croître.*

croisade [krwa'zad] f crusade; **croisé, e** [„'ze] 1. adj. crossed; folded (*arms*); . double-breasted (*coat*); tex. twilled; *mots m/pl. ~s* crossword puzzle; 2. su./m crusader; tex. twill; su./f crossing; casement window; ⛪ church: transept; **croisement** [krwaz'mã] m crossing; intersection; *animals:* interbreeding; cross(-breed); **croiser** [krwa-'ze] (1a) v/t. cross (*a. ⚕, biol.*); fold (*one's arms*); cross (*s.th.*) out; tex. twill; v/i. fold over; ⚓ cruise; **croiseur** [„'zœ:r] m cruiser; **croisière** ⚓ [„'zjɛ:r] f cruise; cruising fleet; fig. journey; 🚂 intersection; **croisillon** [„zi'jɔ̃] m cross-piece; ⊕ star-handle.

croissance [krwa'sã:s] *f* growth;
croissant, e [~'sã, ~'sã:t] **1.** *adj.*
waxing (*moon*); **2.** *su./m* *moon*:
crescent; *cuis.* croissant; ♈ *lune*;
croissons [~'sɔ̃] *1st p. pl. pres. of*
croître.

croisure [krwa'zy:r] *f* *tex.* twill
weave; *cost.* cross-over.

croître [krwa:tr] (4o) *v/i.* grow; increase; wax (*moon*); lengthen (*days,
shadows*).

croix [krwa] *f* cross (*a. decoration;
fig.* = *trial, affliction*); *typ.* dagger,
obelisk; ~ de Lorraine cross of Lorraine; ☒ ♀-*Rouge* Red Cross; en ~
crosswise; *fig. avec la ~ et la bannière* with great ceremony.

croquant[1], **e** [krɔ'kã, ~'kã:t] **1.** *adj.*
crisp; **2.** *su./m* *cuis.* gristle.

croquant[2] [krɔ'kã] *m* F clodhopper;
unimportant person.

croque au sel [krɔko'sɛl] *adv.*:
manger à la ~ eat (*s.th.*) with salt
only.

croque...: **~-mitaine** F [krɔk-
mi'tɛn] *m* bog(e)y man; **~-mon-
sieur** *cuis.* [~mə'sjø] *m/inv.* toasted
ham and cheese sandwich; **~-mort**
F [~'mɔ:r] *m* undertaker's mute;
~-note F *pej.* [~'nɔt] *m* third-rate
musician.

croquer [krɔ'ke] (1m) *vt/i.* crunch;
v/t. munch; sketch; *fig.* gobble up;
♪ leave out (*notes*); ⚓ hook; F ~ *le
marmot* cool one's heels; F *joli à ~*
pretty enough to eat.

croquet[1] *sp.* [krɔ'kɛ] *m* croquet.

croquet[2] [krɔ'kɛ] *m* crisp almond-
covered biscuit; F snappy person;
croquette *cuis.* [~'kɛt] *f* croquette,
rissole.

croquis [krɔ'ki] *m* sketch.

cross-country *sp.* [krɔskœn'tri] *m*
cross-country running.

crosse [krɔs] *f* crook (*a. eccl.*); *eccl.*
crozier; *gun:* butt; ⊕ *piston:*
crosshead; *sp. golf:* club; *hockey:*
stick.

crotale [krɔ'tal] *m* *antiquity:* cro-
talum; *zo.* rattlesnake; *Am.* rattler.

crotte [krɔt] *f* mud, dirt; *animal:*
dung; *une ~ de chocolat* a chocolate; **crotter** [krɔ'te] (1a) *v/t.* dirty;
crottin [~'tɛ̃] *m* horse-dung; droppings *pl.*

croulant, e [kru'lã, ~'lã:t] **1.** *adj.*
tumble-down; ramshackle; **2.** *su./m:*
vieux ~ old fossil; *~s pl.* old people;

crouler [~'le] (1a) *v/i.* totter,
crumble; collapse.

croup ☒ [krup] *m* croup.

croupade [kru'pad] *f* horsemanship:
croupade; **croupe** [krup] *f* *animal:*
croup, rump; *hill:* crest, brow; ⚠
hip; *en ~* behind (the rider); ⚠
hipped; **croupetons** [~'tɔ̃] *adv.*:
à ~ crouching, squatting; **croupi, e**
[kru'pi] stagnant (*water*); *fig.* sunk
(in, *dans*); **croupier** ✝ [~'pje] *m*
broker's backer; *casino:* croupier;
croupière [~'pjɛ:r] *f* crupper; ⚓
en ~ by the stern; *fig. tailler des
~s à* make things difficult for; follow (*the enemy*) in close pursuit;
croupion [~'pjɔ̃] *m* *bird:* rump;
F *chicken etc.:* parson's nose; *mam-
mifers:* tail-base; *person:* coccyx;
croupir [~'pi:r] (2a) *v/i.* stagnate
(*water*); grow stale (*air*); *fig.* wallow, be sunk (*person*).

croustade *cuis.* [krus'tad] *f* pie,
pasty; **croustillant, e** [krusti'jã,
~'jã:t] crisp; short (*pastry*); crusty
(*bread etc.*); *fig.* spicy (*story*); attractive (*woman*); **croustiller** [~'je]
(1a) *v/i.* nibble crusts (*with wine*);
crunch (*food*); **croûte** [krut] *f*
crust (*a. ☒*); *cheese:* rind; ☒ scab;
F daub (= *poor picture*); *fig. pej.*
old fossil; *pej.* dunce; F *casser la ~*
have a snack; **croûter** [kru'te]
(1a) *v/i.* eat, feed; **croûteux, -euse**
☒ [~'tø, ~'tø:z] covered with scabs;
croûton [~'tɔ̃] *m* piece of crust; *sl.*
dauber (= *poor painter*); *fig. pej.*
old fossil.

croyable [krwa'jabl] believable;
trustworthy (*person*); **croyance** [~-
'jã:s] *f* belief; faith; **croyant, e**
[~'jã, ~'jã:t] **1.** *adj.* believing; **2.** *su.*
believer; *les ~s m/pl.* the faithful;
croyons [~'jɔ̃] *1st p. pl. pres. of*
croire.

cru[1], **crue** [kry] raw; uncooked;
fig. broad; *~ à l'estomac* indigestible.

cru[2] [~] *m* wine-region; ✔ vineyard; *fig.* soil; F locality; *de mon ~*
of my own (invention).

cru[3], **crue** [~] *p.p. of* croire.

crû, crue, *m/pl.* **crus** [~] *p.p. of*
croître.

cruauté [kryo'te] *f* cruelty (to, *envers*).

cruche [kryʃ] *f* jug, pitcher; *sl.*
dolt, duffer; **cruchon** [kry'ʃɔ̃] *m*
small jug; *beer:* mug; *sl.* dolt, duffer.

crucial, e, *m/pl.* **-aux** [kry'sjal, ~'sjo] crucial (*a. fig.*), cross-shaped; **crucifiement** [krysifi'mã] *m* crucifixion; **crucifier** [~'fje] (1o) *v/t.* crucify; **crucifix** [~'fi] *m* crucifix; **crucifixion** [~fik'sjõ] *f* crucifixion; **cruciforme** [~'fɔrm] cruciform, cross-shaped.

crudité [krydi'te] *f* crudity; coarseness (*of an expression*); indigestibility (*of food*); **~s** *pl.* offensive *or* gross passages *or* words; *cuis.* raw vegetables.

crue [kry] *f* water: swelling, rise; flood; en ~ in spate, in flood (*river*).

cruel, -elle [kry'ɛl] cruel (to, envers).

crûment [kry'mã] *adv.* of cru¹.

crus [kry] *1st p. sg. p.s.* of croire.

crûs [~] *1st p. s. p.s.* of croître.

crusse¹ [krys] *1st p. sg. impf. sbj.* of croire.

crusse² [~] *1st p. sg. impf. sbj.* of croître.

crustacé *zo.* [krysta'se] *m* crustacean, F shellfish.

crypte ⚠, ♀, *anat.* [kript] *f* crypt.

crypto... [kriptɔ] crypto...

cubage [ky'ba:ʒ] *m* cubic content.

cubain, e [ky'bɛ̃, ~'bɛn] *adj., a. su.* ♀ Cuban.

cube [kyb] **1.** *su./m* A cube; cubic space; **~s** *pl. toy:* building blocks, bricks; **2.** *adj.* cubic; **cuber** A [ky'be] (1a) *v/t.* cube; find the cubic contents of; have a cubic content of.

cubilot *metall.* [kybi'lo] *m* smelting cupola.

cubique [ky'bik] **1.** *adj.* cubic; A racine *f* ~ cube root; **2.** *su./f* A cubic (curve); **cubisme** *paint.* [~'bism] *m* cubism; **cubiste** *paint.* [~'bist] *su., a. adj.* cubist.

cubitus *anat.* [kybi'tys] *m* cubitus, ulna.

cueillaison [kœjɛ'zõ] *f* picking, gathering; **cueille** [kœ:j] *1st p. s. pres. of* cueillir; **cueillerai** [kœj're] *1st p. sg. fut. of* cueillir; **cueillette** [kœ'jɛt] *f* picking, gathering; **cueillir** [~'ji:r] (2c) *v/t.* gather, pick; *fig.* win; *fig.* snatch, steal (*a kiss*); *sl.* nab; **cueilloir** [kœj'wa:r] *m* fruit-basket; *tool:* fruit-picker.

cuiller, cuillère [kɥi'je:r] *f* spoon; ⊕ *tool:* spoon-drill; ⊕ scoop; *sl.* fin (= *hand*); ~ à bouche table-

spoon; ~ à café coffee-spoon; ~ à dos d'âne heaped spoon; ~ à pot ladle; **cuillerée** [kɥij're] *f* spoonful.

cuir [kɥi:r] *m* leather; *razor:* strop; *animal:* hide; F faulty liaison (*in speech*); ~ chevelu scalp; ~ de Russie Russia (leather); F faire un ~ drop a brick (= *make an incorrect liaison*); **cuirasse** [kɥi'ras] *f* breast-plate, cuirass; ⚓, *zo.* armo(u)r; **cuirassé, e** [kɥira'se] **1.** *adj.* armo(u)red, armo(u)r-plated; **2.** *su./m* battleship; **cuirasser** [~'se] (1a) *v/t.* put a cuirass on (*s.o.*); ⚓ armo(u)r; ⊕ protect; *fig.* harden; **cuirassier** ✕ [~'sje] *m* cuirassier.

cuire [kɥi:r] (4h) *v/t.* cook; bake (*bread*); fire (*bricks, pottery*); boil (*sugar*); ~ à l'eau boil; ~ au four bake, roast; *v/i.* cook; smart (*eyes etc.*); be stifling (*room*); il lui en cuira he'll be sorry for it; faire ~ cook (*s.th.*); **cuisant, e** [kɥi'zã, ~'zã:t] smarting; *fig.* bitter (*cold, disappointment*); burning (*desire*); **cuiseur** ⊕ [~'zœ:r] *m* burner.

cuisine [kɥi'zin] *f* kitchen; ✕ cookhouse; ⚓ galley; cookery; cooking; ✕ ~ roulante field-kitchen; faire la ~ do the cooking; **cuisiner** [~zi'ne] (1a) *vt/i.* cook; *v/t. fig.* F grill (*s.o.*); F cook (*accounts etc.*); **cuisinier, -ère** [~zi'nje, ~'nje:r] *su.* cook; *su./f* (gas, electric) cooker.

cuisis [kɥi'zi] *1st p. sg. p.s.* of cuire; **cuisons** [~'zõ] *1st p. pl. pres.* of cuire.

cuissard [kɥi'sa:r] *m* armour: cuisse; ⊕ (water-)leg; **cuisse** [kɥis] *f* thigh; *cuis.* chicken: leg; **cuisseau** *cuis.* [kɥi'so] *m* veal: fillet of leg.

cuisson [kɥi'sõ] *f* cooking; baking; sugar: boiling; bricks etc., *a. fig.*: burning.

cuissot [kɥi'so] *m* venison: haunch.

cuistre [kɥistr] *m* † vulgar pedant; F cad.

cuit, e [kɥi, kɥit] **1.** *p.p.* of cuire; **2.** *su./f* ~ bricks etc.: baking, firing; sugar: boiling; batch (*of baked things*); F prendre une ~ get tight (= *drunk*); **cuiter** *sl.* [kɥi'te] (1a) *v/t.:* se ~ get drunk.

cuivre [kɥi:vr] *m* copper; ~ jaune brass; ♪ **~s** *pl.* brass *sg.*; **cuivré, e** [kɥi'vre] copper-colo(u)red; bronzed (*complexion*); *fig.* metallic (*voice*);

brassy, blaring; **cuivrer** [~'vre] (1a) *v/t.* copper; bronze; ♪ blare; **cuivreux, -euse** [~'vrø, ~'vrø:z] coppery; ⊕ cupreous (*ore*); ♒ cuprous; *fig.* blaring.

cul ∨ [ky] *m* backside, ∨ arse; *animal:* haunches *pl.*; F bottom (*of an object*); *cart:* tail; **culasse** [ky'las] *f* ✗ breech; ⚡ yoke, heel-piece; *mot.* detachable cylinder-head.

culbute [kyl'byt] *f* somersault; tumble, F purler; *sl.* failure; F faire la ~ ✝ fail; *pol.* fall; F make a scoop; **culbuter** [~by'te] (1a) *v/i.* turn a somersault; topple over; tumble; F ✝ fail; F *pol.* fall; *v/t.* throw over; overthrow (*a. pol.*); upset; knock head over heels; tip; **culbuteur** [~by'tœ:r] *m* tipping device; *mot.* rocker-arm, valve-rocker; ⚡ tumbler.

cul...: **~-de-jatte,** *pl.* **~s-de-jatte** [kyd'ʒat] *m* legless cripple; **~-de-lampe,** *pl.* **~s-de-lampe** [~'lã:p] *m* △ pendant; △ bracket, corbel; *typ.* tail-piece; **~-de-sac,** *pl.* **~s-de-sac** [~'sak] *m* blind alley (*a fig.*).

culée [ky'le] *f* △ abutment; ⚓ stern-way; **culer** [~'le] (1a) *v/i.* go backwards, back; ⚓ veer astern (*wind*); ⚓ make stern-way; **culière** [~'lje:r] *f* crupper.

culinaire [kyli'ne:r] culinary.

culminant, e [kylmi'nã, ~'nã:t] *astr.* culminant; *point m* △ highest point; *glory, power:* height; *power:* zenith; **culmination** *astr.* [~na-'sjõ] *f* culmination; **culminer** [~'ne] (1a) *v/i.* culminate, reach the highest point (*a. fig.*).

culot [ky'lo] *m metall.* slag, residue; ⊕ *furnace:* baffie-plate; *cartridge:* base; *animal:* last born; last hatched chick; F baby of the family; F cheek, nerve, impudence; *tobacco-pipe:* dottle; F avoir du ~ have a lot of cheek; **culotte** [~'lɔt] *f* breeches *pl.*; trousers *pl.*, *Am.* pants *pl.*; knickers *pl.* (*for women*); *beef:* rump; ⊕ breeches pipe, Y pipe; ✗ F ~ de peau old officer who has risen from the ranks; F porter la ~ wear the breeches; F prendre une ~ *cards etc.*: lose heavily; *sl.* get tight (= *drunk*); **culotter** [kylɔ'te] (1a) *v/t.* breech (*s.o.*); season (*a pipe*); *sl.* swot at (*s.th.*); se ~ put

one's trousers on; season, mellow (*pipe*); *sl.* get tight (= *drunk*); **culottier** [~'tje] *m* breeches-maker.

culpabilité [kylpabili'te] *f* guilt.

culte [kylt] *m* worship; creed, cult; *fig.* fetish; **cultivable** [kylti'vabl] arable; **cultivateur, -trice** [~va-'tœ:r, ~'tris] **1.** *su.* cultivator; farmer; *su./m* cultivator, light plough; **2.** *adj.* farming; **cultivé, e** [~'ve] ✿ cultivated; *fig.* cultured; **cultiver** ✿ [~'ve] (1a) *v/t.* cultivate (*a. fig.*); farm, till.

culture [kyl'ty:r] *f* ✿ cultivation (*a. fig.*), farming, tilling; *fish etc.:* breeding; *fig.* culture (*a. of bacteria*); ✿ ~s *pl.* crops, cultivated land *sg.*; ~ physique physical culture; **culturel, -elle** [~ty'rɛl] cultural.

cumin ♣ [ky'mɛ̃] *m* cum(m)in.

cumul [ky'myl] *m* plurality (*of offices*); 🕮 consecutiveness (*of sentences*); **cumulard** *pej.* [kymy'la:r] *m* pluralist; **cumuler** [~'le] (1a) *v/t.* hold a plurality of (*offices*); cumulate (*proofs*); *v/i.* pluralize, hold a plurality of offices.

cupide [ky'pid] greedy, covetous; **cupidité** [~pidi'te] *f* greed, cupidity.

cuprifère [kypri'fɛ:r] copper-bearing.

curable [ky'rabl] curable; **curage** [~'ra:ʒ] *m* teeth: picking; *drain etc.:* clearing (out); ~s *pl.* dirt *sg.*; **curatelle** 🕮 [kyra'tɛl] *f* trusteeship, guardianship; **curateur, -trice** [~'tœ:r, ~'tris] *su.* 🕮 trustee; guardian (*of a minor*); committee (*of a lunatic*); *su./m* administrator; *su./f* administratrix; **curatif, -ve** [~'tif, ~'ti:v] *adj., a. su./m* curative; **cure** [ky:r] *f* care; ♣, *eccl.* cure; *eccl.* living; ~ de rajeunissement rejuvenation; ~ de repos rest cure.

curé [ky're] *m* parish priest; (Anglican) vicar, rector.

cure-dent [kyr'dã] *m* toothpick.

curée [ky're] *f hunt.* deer's entrails *pl.* given to the hounds; *fig.* ~ des places scramble for office.

cure...: **~-ongles** [kyr'rõ:gl] *m/inv.* nail-cleaner; **~-oreille** [kyrɔ're:j] *m* ear-pick; **~-pipe** [kyr'pip] *m* pipe-cleaner.

curer [ky're] (1a) *v/t.* clean (out); pick (*one's teeth etc.*); dredge (*a river*); **curetage** [kyr'ta:ʒ] *m* scraping; ❧ curetting; **cureur** [ky'rœːr] *m* cleaner.

curial, e, *m/pl.* **-aux** *eccl.* [ky'rjal, ₊'rjo] of the parish priest, curé's ...; **curie** *eccl.* [₊'ri] *f* curia.

curieux, -euse [ky'rjø, ₊'rjøːz] **1.** *adj.* curious; interested; inquisitive; odd; **2.** *su.* sight-seer; interested person; *su./m the* odd thing (about, de); **curiosité** [₊rjozi'te] *f* curiosity; ~s *pl.* sights (*of a town*).

curiste [ky'rist] *su.* patient taking a cure.

curseur ⊕ [kyr'sœːr] *m* slide; runner (*a. ⚲*).

cursif, -ve [kyr'sif, ₊'siːv] **1.** *adj.* cursive; cursory; **2.** *su./f writing*: cursive, running hand; *typ.* script.

cuscute ⚘ [kys'kyt] *f* dodder.

cuspide ⚘ [kys'pid] *f* cusp; **cuspidé, e** ⚘ [₊pi'de] cuspidate.

custode [kys'tɔd] *f eccl.* altar-curtain; pyx-cloth; custodial (*for host*); *mot.* ~ arrière rear-window.

cutané, e [kyta'ne] cutaneous; (*disease*) of the skin.

cuvage [ky'vaːʒ] *m,* **cuvaison** [₊vɛ-'zõ] *f* fermenting in vats; vat room; **cuve** [kyːv] *f* vat; ⊕ tank; cistern; *mot.* float-chamber; **cuveau** [ky'vo] *m* small vat; small tank; **cuvée** [₊'ve] *f* vatful; *wine*: growth.

cuveler [ky'vle] (1c) *v/t.* line (*a shaft etc.*).

cuver [ky've] (1a) *vt/i.* ferment, work; **cuvette** [₊'vɛt] *f* wash-basin; bowl; *geol., geog.* basin; *phot.* dish; *W.C.*: pan, bowl; *barometer*: cup; *thermometer*: bulb; *watch*: cap; ⊕ *ball-bearing*: race; ball-socket; **cuvier** [₊'vje] *m* wash-tub.

cyanose [sja'noːz] *f* ❧ cyanosis; *min.* cyanose; **cyanuration** [₊nyra'sjõ] *f* cyanidization; **cyanure** ⚗ [₊'nyːr] *m* cyanide.

cyclable [si'klabl] for cyclists; *piste f* ~ cycle-path.

cyclamen ⚘ [sikla'mɛn] *m* cyclamen.

cycle [sikl] *m* cycle (*a. fig.*); **cyclique** [si'klik] cyclic(al); **cyclisme** *sp.* [₊'klism] *m* cycling; **cycliste** [₊'klist] **1.** *su.* cyclist; **2.** *adj.* cycling.

cyclo... [siklɔ] cyclo...; **cycloïde** ⚲ [₊'id] *f* cycloid; **cyclomoteur** [₊mɔ'tœːr] *m* moped, auto-cycle; **cyclomotoriste** [₊mɔtɔ'rist] *su.* moped-rider.

cyclone *meteor.* [si'klɔn] *m* cyclone.

cyclotourisme [siklɔtu'rism] *m* cycle-touring, touring on (bi)cycles.

cyclotron *phys.* [siklɔ'trõ] *m* cyclotron.

cygne *orn.* [siɲ] *m* swan.

cylindrage [silɛ̃'draːʒ] *m* rolling (*a.* ⊕); *tex.* calendering; **cylindre** ⊕ [₊'lɛ̃ːdr] *m* cylinder; roller; **cylindrée** *mot.* [silɛ̃'dre] *f* cylinder charge; **cylindrer** [₊'dre] (1a) *v/t.* roll; *tex.* calender; **cylindrique** [₊'drik] cylindrical.

cymbale ♪ [sɛ̃'bal] *f* cymbal; **cymbalier** [₊ba'lje] *m* cymbalist.

cynique [si'nik] **1.** *adj.* cynical; *phls.* cynic; *fig.* shameless; **2.** *su./m phls.* cynic; *fig.* shameless person; **cynisme** [₊'nism] *m phls.* cynicism; *fig.* effrontery.

cynocéphale *zo.* [sinɔse'fal] *m* cynocephalus, dog-faced baboon.

cyprès ⚘ [si'prɛ] *m* cypress; **cyprière** [₊pri'ɛːr] *f* cypress-grove.

cyprin *icht.* [si'prɛ̃] *m* carp.

cystite ❧ [sis'tit] *f* cystitis.

D

D, d [de] *m* D, a.

da [da]: *oui-da!* yes indeed!

dactylo F [dakti'lo] *su. person*: typist; *su./f* typing; ~**graphe** [daktilɔ-'graf] *su.* typist; ~**graphie** [₊gra'fi] *f* typing, typewriting; ~**graphier** [₊gra'fje] (1o) *v/t.* type.

dada F [da'da] *m ch.sp.* gee-gee; *fig.* hobby(-horse), fad.

dadais F [da'dɛ] *m* simpleton.

dague [dag] *f* dagger; ⚓ dirk; ⊕

scraping-knife; *zo. deer*: first antler; *wild boar*: tusk.

daguet *hunt.* [da'gɛ] *m* brocket.

daigner [dɛ'ɲe] (1b) *v/t.* deign (to *inf.*), condescend (to *inf.*).

daim [dɛ̃] *m zo.* deer; buck; ⚜ buckskin; *en* ~ suède (*gloves*); **daine** *zo.* [dɛn] *f* doe.

dais [dɛ] *m* canopy.

dallage [da'laːʒ] *m* paving; flagging; tiled floor; **dalle** [dal] *f* paving-

stone; flagstone; floor tile; *sl.* throat;
daller [dɑ'le] (1a) *v/t.* pave; tile
(*the floor*).

daltonien, -enne 🞉 [daltɔ'njɛ̃,
‿'njɛn] **1.** *adj.* colo(u)r-blind; **2.** *su.*
colo(u)r-blind person; **daltonisme**
🞉 [‿'nism] *m* colo(u)r-blindness.

dam †, *a. co.* [dɑ̃] *m* hurt, prejudice.

damas [da'mɑ] *m* Damascus blade;
tex. damask; ♀ damson; **damas-
quiner** [‿maski'ne] (1a) *v/t.* dama-
scene; **damasser** [‿mɑ'se] (1a) *v/t.*
damask; *acier m damassé* Damascus
steel.

dame¹ [dam] *f* ⊕ *canal*: dam;
metall. dam-stone.

dame² [dam] **1.** *su./f* lady (*a.* chess);
cards, chess: queen; *draughts*: king;
⊕ (paving) beetle; rammer; ‿ de
charité lady visitor; **‿s** *pl.* Ladies
(= *toilet*); *jeu m de ‿s* draughts,
Am. checkers; **2.** *int.* indeed!; of
course!; **‿-jeanne**, *pl.* **‿s-jeannes**
[‿'ʒan] *f* demijohn; **damer** [da'me]
(1a) *v/t.* crown (*a piece at draughts*);
⊕ ram (*the earth etc.*); *fig.* ‿ *le pion
à* outdo *or* outwit (*s.o.*).

damier [da'mje] *m* draught-board,
Am. checker-board; *tex. à ‿* chequered, checked.

damnable [dɑ'nabl] *fig.* detestable;
damnable; *eccl.* deserving damnation; **damnation** [‿na'sjɔ̃] *f* damnation; **damner** [‿'ne] (1a) *v/t.*
damn; F *faire ‿ q.* drive s.o. crazy.

damoiseau [damwa'zo] *m* † squire;
F fop; **damoiselle** † [‿'zɛl] *f* dam-
sel.

dancing [dɑ̃'siŋ] *m* public dance-
hall; supper-club.

dandin [dɑ̃'dɛ̃] *m* simpleton; **dandiner** [‿di'ne] (1a) *v/t.* dandle; *se ‿*
waddle; strut.

danger [dɑ̃'ʒe] *m* danger; ‿ *de mort!*
danger of death!; *en ‿ de mort* in
danger of one's life; **dangereux,
-euse** [dɑ̃ʒ'rø, ‿'røːz] dangerous
(to, *pour*).

danois, e [da'nwa, ‿'nwaːz] **1.** *adj.*
Danish; **2.** *su./m ling.* Danish; *zo.*
great Dane; *su.* ♀ Dane; *les* ♀ *m/pl.*
the Danes.

dans [dɑ̃] *prp. usu.* in (*the street,
the house, a moment, a month, the
morning, the past*); *place*: within
(*the limits*); among (*the crowd*);
direction: into; *time*: within (*an
hour*), during; *condition*: in; with;

under (*these circumstances, the necessity*); *source, origin*: out of, from;
‿ *la ville* (with)in the town; *entrer
‿ une pièce* enter a room; ‿ *Racine*
in Racine; *mettre qch. ‿ un tiroir*
put s.th. in(to) a drawer; ‿ *le temps*
formerly; *périr ‿ un accident* be
killed in an accident; ‿ *le commerce*
in trade; ‿ *l'embarras* embarrassed;
‿ *l'intention de* (*inf.*) with the intention of (*ger.*); *faire qch. ‿ la perfection* do s.th. to perfection; *avoir foi
‿* have confidence in; *consister ‿*
consist of; *puiser* (*boire, manger*) ‿
draw (drink, eat) from; *prendre ‿*
take from *or* out of.

dansant, e [dɑ̃'sɑ̃, ‿'sɑ̃ːt] dancing;
springy (*step*); lively (*tune*); *thé m
‿* tea-dance, *thé dansant*; **danse**
[dɑ̃ːs] *f* dance; dancing; *fig.* F
battle; *sl.* thrashing; 🞉 ‿ *de Saint-
Guy* St. Vitus' dance; ‿ *macabre*
Dance of Death; *salle f de ‿* ball-
room; **danser** [dɑ̃'se] (1a) *v/t.*
dance; dandle (*a baby*); *v/i.* dance;
prance (*horse*); *faire ‿ q.* dance
with s.o.; *fig.* F lead s.o. a dance;
danseur, -euse [‿'sœːr, ‿'søːz] *su.*
dancer; (dance-)partner; ballet-
dancer; ‿ *de corde* tight-rope dancer; *su./f* ballerina; **dansotter** F
[‿sɔ'te] (1a) *v/i.* hop, skip.

danubien, -enne *geog.* [dany'bjɛ̃,
‿'bjɛn] Danubian.

dard [daːr] *m* † javelin, dart; *zo.* bee
etc.: sting (*a. fig.*); *sun*: piercing
ray; *flame*: tongue; ♀ pistil; *icht.*
dace; **darder** [dar'de] (1a) *v/t.*
hurl; shoot forth; *icht.* spear; *fig.*
shoot (*a glance*) (at, *sur*).

dare-dare F [dar'daːr] *adv.* post-
haste, at top speed.

darne *cuis.* [darn] *f fish*: slice, steak.

darse ⚓ [dars] *f Mediterranean*:
inner harbo(u)r, wet dock.

dartre [dartr] *f* 🞉 dartre; scurf;
metall. scab; **dartreux, -euse** [dar-
'trø, ‿'trøːz] 🞉, *metall.* scabby; 🞉
herpetic.

date [dat] *f* date; *de longue ‿* of long
standing; *en ‿ de... dated ...; être
le premier en ‿* come first; *faire ‿*
mark an epoch; **dater** [da'te] (1a)
v/i. date (from, de); *à ‿ de ce jour*
from today; from that day; *cela
date de loin* it goes a long way back;
v/t. date (*a letter*).

datte ♀, † [dat] *f* date; *sl. des ‿s!*

not on your life!, *Am.* no dice!;
dattier ⚥ [da'tje] *m* date-palm.
daube *cuis.* [do:b] *f* stew; en ~
stewed, braised.
dauber[1] F [do'be] (1a) *v/t.* beat
(*s.o.*); jeer at (*s.o.*); *v/i.*: ~ *sur q.* pull
s.o. to pieces behind his back.
dauber[2] *cuis.* [do'be] (1a) *v/t.* stew,
braise; **daubière** *cuis.* [~'bjɛ:r] *f*
stew-pan, braising-pan.
dauphin [do'fɛ̃] *m zo.* dolphin; *hist.*
Dauphin (= *eldest son of French
king*); △ gargoyle; **dauphine** *hist.*
[~'fin] *f* Dauphiness, wife of the
Dauphin; **dauphinelle** ⚥ [~fi'nɛl]
f delphinium.
davantage [davɑ̃'ta:ʒ] *adv.* more
(and more); longer (*space, time*).
davier [da'vje] *m* 🦷 (extraction) forceps; ⊕ cramp; ⚓ davit.
de [də] *prp. usu.* of; *material*: (made)
of (*wood*), in (*velvet*); *cause*: of
(*hunger*), from (*exhaustion*); with,
for (*pain, joy*); *origin*: from (*France,
the house*), out of; *distance*: of, from;
direction: to (*the station*); *place*: at,
in; *time*: by (*day, night*); in; for
(*ten month*); *agent, instrument*: with
(*a stick*); by (*name*); in (*a low voice*);
on; *manner*: in (*this way*); *measure,
comparison*: by; *price*: for; *partitive
article*: du pain (some) bread; ~ *la
viande* (some) meat; *des légumes*
vegetables; *un litre* ~ *vin* a litre of
wine; *une douzaine* ~ *bouteilles* a
dozen bottles; *la ville* ~ *Paris* (the
city of) Paris; *le mois* ~ *janvier*
January; *assez* ~ enough; *beaucoup*
~ much (*money*), many (*things*);
moins ~ less; *pas* ~ no; *peu* ~ few;
plus ~ more; *tant* ~ so much, so
many; *trop* ~ too much, too many;
qch. ~ *rouge* s.th. red; *genitive,
possession*: ~ *mon père* of my father,
my father's; ~ *la table* of the table;
le journal d'hier yesterday's paper;
les œuvres ~ *Molière* Molière's
works; *matériaux* ~ construction
building materials; *membre du
Parlement* Member of Parliament;
habitant des villes city-dweller;
le meilleur élève ~ *la classe* the best
pupil in the class; *souvenirs d'enfance* childhood memories; *amour
(crainte)* ~ *love (fear) of; *chapeau* ~
paille straw hat; *une robe* ~ *soie
rouge* a dress in red silk; *mourir* ~
cancer (fatigue) die of cancer (from

fatigue); ~ *haut en bas* from top to
bottom; *tirer qch.* ~ *sa poche* take
s.th. out of *or* from one's pocket;
saigner du nez bleed from the nose;
à trois milles ~ *distance* at a distance
of three miles; ~ ... *à* ... from ... to
...; *between* ... *and* ...; *prendre la
route (le train)* ~ *Bordeaux* take the
Bordeaux road (train); *près* ~ near,
close to; *d'un côté* on one side; ~ *ce
côté* on this side; ~ *nos jours* in our
times; ~ *ma vie* in my lifetime; *du
temps* ~ *Henri IV* in ᵗhe days of
Henry IV; *à 2 heures* ~ *l'après-
midi* at 2 p.m.; *avancer (retarder)*
~ *5 minutes* be 5 minutes fast (slow)
(*watch*); *vêtir (couvrir, orner)* ~
clothe (cover, decorate) with; *se
nourrir (vivre)* ~ feed (live) on; *frapper (toucher)* ~ strike (touch) with;
montrer du doigt point at; *fig.* scorn;
précédé ~ preceded by; *trois mètres
~ long (haut)* three metres long
(high); *âgé* ~ *5 ans* 5 years old *or* of
age; *plus âgé* ~ *2 ans* older by 2
years; *plus* ~ *6* more than 6; *d'un
œil curieux* with an inquiring look
or eye; *un chèque (des marchandises)* ~ *20 F.* a cheque (goods) for
20 F.; ~ *beaucoup* by far; *content* ~
content *or* pleased with; *digne* ~
...-worthy, worthy of; *fier* ~ proud
of; *paralysé d'un bras* paralyzed in
one arm; *un jour* ~ *libre* a free day;
un drôle ~ *bonhomme* an odd chap.
dé[1] [de] *m* gaming: die; *domino*:
piece; *golf*: tee; ~*s pl.* dice; *le* ~ *en
est jeté* the die is cast.
dé[2] [~] *m (a.* ~ *à coudre)* thimble.
déambuler F [deɑ̃by'le] (1a) *v/i.*
stroll about, saunter.
débâcle [de'bɑ:kl] *f ice*: breaking up;
fig. disaster; downfall, collapse; F
pol. landslide; ✝ crash; **débâcler**
[~bɑ'kle] (1a) *v/t.* ✝ unfasten (*a
door etc.*); clear (*a harbour*); *v/i.*
break up (*ice*).
déballage [deba'la:ʒ] *m* unpacking;
✝ clearance sale; F show-down;
déballer [~'le] (1a) *v/t.* unpack; F
give vent to; **déballeur** ✝ [~'lœ:r]
m hawker; *clearance sale*: salesman;
buyer-up of surplus stock(s *pl.*).
débandade [debɑ̃'dad] *f* stampede,
flight; rout; *à la* ~ in disorder; **débander** [~'de] (1a) *v/t.* relax;
remove the bandage from (*a wound,
the eyes*); ✗ disband; *se* ~ relax;

come undone; disband; disperse (*crowd*); ✗ break into a rout.

débaptiser [debati'ze] (1a) *v/t.* rename.

débarbouiller [debarbu'je] (1a) *v/t.* wash (*s.o.'s*) face; se ~ wash one's face; *fig.* get out of difficulties as best one can.

débarcadère [debarka'dɛːr] *m* ♃ landing-stage, wharf; 🚂 arrival platform.

débardage ♃ [debar'da:ʒ] *m* unloading; **debarder** [~'de] (1a) *v/t.* remove (*timber*) from the woods *or* (*stone*) from the quarry, ♃ unload, discharge; **débardeur** ♃ [~'dœːr] *m* stevedore, docker.

débarquement [debarkə'mã] *m* ♃ unloading, discharge; *passengers*: landing; 🚂 F detraining, arrival; **débarquer** [~'ke] (1m) *v/t.* ♃ unship, unload; land, disembark (*passengers*); *bus etc.*: set down; F dismiss (*s.o.*); *v/i.* ♃ land, disembark; 🚂 alight, ✗ detrain.

débarras [deba'rɑ] *m* riddance; lumber-room; **débarrasser** [~ra-'se] (1a) *v/t.* clear; relieve (of, de); se ~ de get rid of (*s.o.*, *s.th.*); get clear of (*s.th.*); extricate o.s. from.

débat [de'ba] *m* discussion; debate (*a. pol.*); dispute; ⚖ ~s *pl.* proceedings; court hearing *sg.*

debâter [deba'te] (1a) *v/t.* unsaddle.

débâtir [deba'tiːr] (2a) *v/t.* demolish; take the tacking threads out of (*a dress*).

débattre [de'batr] (4a) *v/t.* debate, discuss; *fig.* se ~ struggle; flounder about (in the water, *dans l'eau*).

débauchage ⊕ [debo'ʃa:ʒ] *m* discharging *or* laying off of workmen.

débauche [de'boːʃ] *f* debauch(ery); F fling, spree; **débauché, e** [debo'ʃe] *su./m* rake; libertine; *su./f* wanton; ⊕ knock-off time; **débaucher** [~] (1a) *v/t.* debauch; seduce (*a girl*); lead (*s.o.*) astray; entice away (*a workman*); ⊕ discharge, lay off (*workmen*); F se ~ go to the dogs; *v/i.* F knock off (work).

débile [de'bil] feeble, weak; **débilitant, e** [debili'tã, ~'tãːt] debilitating, weakening; **débilité** [~'te] *f* weakness, debility; **débiliter** [~'te] (1a) *v/t.* weaken; debilitate; 🩺 undermine (*the health*).

débinage *sl.* [debi'na:ʒ] *m* disparage-

ment, running down; **débine** *sl.* [~'bin] *f* poverty; **débiner** *sl.* [~bi'ne] (1a) *v/t.* disparage, run (*s.o.*) down; se ~ come down in the world; slip quietly away, make o.s. scarce.

débit [de'bi] *m* retail: sale; retail-shop; *logs etc.*: cutting up; ⊕ output; ⊕, *a.* speaker: delivery; ♀ debit; *river*: flow; ~ de boissons (de tabac) pub (tobacconist's [shop]); avoir un ~ facile to be glib, F have the gift of the gab; portez ... au ~ de mon compte debit me with ...; **débitant** *m*, e *f* [debi'tã, ~'tãːt] retailer, dealer; **débiter** [~'te] (1a) *v/t.* sell, retail (*a. fig. lies*); cut up (*logs etc.*); ⊕ yield; reel off (*a poem*); *usu. pej.* utter (*threats*); *usu. pej.* deliver (*a speech*); ♀ debit (*s.o.* with s.th. qch. à q., q. de qch.).

débiteur[1], **-trice** [debi'tœːr, ~'tris] 1. *su.* debtor; 2. *adj.* debit...

débiteur[2] *m*, **-euse** *f* [debi'tœːr, ~'tøːz] retailer; *usu. pej.* utterer, ...monger; ~ de calomnies scandal-monger.

déblai [de'blɛ] *m* cutting, excavation; excavated material; **déblaiement** [~blɛ'mã] *m* excavating, excavation, digging out; removal (*of excavated material*).

déblatérer [deblate're] (1f) *v/t.* talk, utter; *v/i.* rail (against, contre).

déblayer [deblɛ'je] (1h) *v/t.* clear away, remove; clear (*a. fig.*).

déblocage [deblɔ'ka:ʒ] *m* clearing; ♀ releasing; **débloquer** [~'ke] (1m) *v/t.* clear; ♀ release; ✗ relieve (*a place*); unclamp (*an instrument*).

déboire [de'bwaːr] *m* nasty after-taste; disappointment.

déboiser [debwa'ze] (1a) *v/t.* clear of trees; ⚒ untimber (*a mine*).

déboîter [debwa'te] (1a) *v/t.* ⊕ dislocate; ⊕ disconnect; *v/i. mot.* filter; haul out of the line.

débonder [debɔ̃'de] (1a) *v/t.* unbung (*a cask*); open the sluice-gates of (*a reservoir*); *fig.* ~ son cœur, se ~ pour out one's heart; *v/i. a.* se ~ burst (out).

débonnaire [debɔ'nɛːr] good-natured, easy-going; **débonnaireté** [~nɛr'te] *f* good nature; good humo(u)r.

débordé, e [debɔr'de] overflowing; *fig.* overwhelmed (with work, de *travail*); dissipated (*life, man*); **débordement** [ˌdəˈmã] *m* overflowing, flood; *fig.* outburst (*of temper etc.*); ⚓, ⚔ outflanking; ~s *pl.* dissipation *sg.*, excess(es *pl.*) *sg.*; **déborder** [ˌˈde] (1a) *vt/i.* overflow, run over; *v/t.* project beyond, stick out beyond; ⚔ outflank; ⚓ sheer off; ⊕ trim.

débotter [debɔˈte] (1a) *v/t.* take off (*s.o.'s*) boots; *v/i. a.* se ~ take off one's boots; *fig. au débotté* immediately on arrival.

débouché [debuˈʃe] *m* outlet; opening (*a. fig., a.* ♠); † *a.* market; † *créer de nouveaux* ~s open up new markets; **déboucher** [ˌˈ] (1a) *v/t.* clear; open, uncork (*a bottle*); *fig.* arouse; *v/i.* emerge; ⚔ debouch; open (on[to], *sur*).

déboucler [debuˈkle] (1a) *v/t.* unbuckle (*one's belt*); uncurl (*one's hair*); F release.

débouler [debuˈle] (1a) *v/i. hunt.* bolt; *fig.* depart; roll down; fall down (*wall*).

déboulonner [debulɔˈne] (1a) *v/t.* unrivet, unbolt; F debunk.

débourber [deburˈbe] (1a) *v/t.* clean (out); haul (*a carriage*) out of the mire; F get (*s.o.*) out of a mess.

débourrer [debuˈre] (1a) *v/t.* remove the stuffing from; break in (*a horse*); remove the wad from (*a gun*); clean out (*a pipe*); *fig.* smarten (*s.o.*) up.

débours [deˈbuːr] *m* (*usu. pl.*) disbursement; outlay; expenses *pl.*; *rentrer dans ses* ~ recover *or* recoup one's expenses; **débourser** [ˌburˈse] (1a) *v/t.* lay out, spend, disburse; *v/i.* F shell out, fork out.

debout [dəˈbu] *adv.* upright; standing (up); on its hind legs (*animal*); ~! get up!; *être* ~ be up, be out of bed; *fig. ne pas tenir* ~ not to hold water, be fantastic (*theory*); *4 places* ~ *4* standing; *se tenir* ~ stand.

débouter ⚖ [debuˈte] (1a) *v/t.* nonsuit; dismiss.

déboutonner [debutɔˈne] (1a) *v/t.* unbutton; *manger* (*rire*) *à ventre déboutonné* eat (laugh) immoderately; *fig.* se ~ unburden o.s.; F get s.th. off one's chest.

débraillé, e [debrɑˈje] untidy; slovenly (*appearance, voice*); free, rather

indecent (*conversation*); loose (*morals, life*).

débranchement [debrɑ̃ʃˈmã] *m* disconnecting; **débrancher** ⚡ [ˌbrɑ̃ˈʃe] (1a) *v/t.* disconnect.

débrayage [debreˈjaːʒ] *m mot.* declutching; F strike, *Am.* walkout; **débrayer** [ˌˈje] (1i) *v/t.* ⊕ disconnect; *v/i. mot.* declutch; F knock off work.

débrider [debriˈde] (1a) *v/t.* unbridle; halt; ⚕ incise; F open (*s.o.'s eyes*); *sans* ~ at a stretch, on end.

débris [deˈbri] *m/pl.* debris *sg.*; remains; wreckage *sg.*; fragments; rubble *sg.*; rubbish *sg.*; ⊕ metal: scraps.

débrouillard, e F [debruˈjaːr, ~ˈjard] **1.** *adj.* resourceful; **2.** *su.* resourceful *or* smart person; **débrouiller** [ˌˈje] (1a) *v/t.* disentangle; *fig.* clear up; F se ~ find a way out of difficulties.

débroussailler [debrusɑˈje] (1a) *v/t.* clear of undergrowth.

débucher *hunt.* [debyˈʃe] (1a) *v/t.* drive (*a stag*) from cover; *v/i.* break cover.

débusquer [debysˈke] (1m) *v/t.* ⚔ drive (*an enemy*) out of ambush; *fig.* oust.

début [deˈby] *m* beginning, start; first move *etc.*; *thea.* debut, first appearance; *faire ses* ~s make a first appearance; **débutant, e** [debyˈtã, ˌˈtãːt] *su.* beginner; novice; *su./m thea.* debutant; *su./f* debutante, F deb; **débuter** [ˌˈje] (1a) *v/i.* begin, start; play first (*in a game*).

déc(a)... [dek(a)] dec(a)...

deçà [dəˈsa] *adv.* on this side; ~ *delà* here and there, on all sides; *en* ~ *de* on this side of.

décacheter [dekaʃˈte] (1c) *v/t.* unseal, open (*a letter*).

décade [deˈkad] *f* decade; period of ten days *or* years.

décadence [dekaˈdãːs] *f* decadence, decline, decay; **décadent, e** [ˌ dã, ˌˈdãːt] *adj., a. su.* decadent.

décaèdre ⟁ [dekaˈɛːdr] **1.** *adj.* decahedral; **2.** *su./m* decahedron

décaféiné, e [dekafeiˈne] caffeine-free.

décagone ⟁ [dekaˈgɔn] *m* decagon.

décaisser [dekɛˈse] (1b) *v/t.* unpack, unbox; ♣ pay out; ⚘ plant out.

décaler [deka'le] (1a) v/t. unwedge; shift, alter (*the timetable*); (re)adjust; ⚡ être décalé lag.

décalogue [deka'lɔg] m the Decalogue, *the* Ten Commandments pl.

décalquage [dekal'ka:ʒ] m, **décalque** [ˌˈkalk] m transfer(ring); tracing (off); **décalquer** [ˌkal'ke] (1m) v/t. transfer; trace off.

décamper [dekã'pe] (1a) v/i. fig. decamp; F clear out, sl. vamoose.

décanat [deka'na] m deanship.

décanter [dekã'te] (1a) v/t. decant, pour off.

décapage [deka'pa:ʒ] m, **décapement** [ˌkap'mã] m scouring; *metal:* pickling; ~ au jet de sable sand-blasting; **décaper** [ˌka'pe] (1a) v/t. scour; cleanse.

décapiter [dekapi'te] (1a) v/t. behead, decapitate; cut the head off (a. ⚡).

décapotable *mot.* [dekapɔ'tabl] convertible; drop-head (*coupé*).

décapsulateur [dekapsyla'tœ:r] m (crown-cork) opener.

décarburer *metall.* [dekarby're] (1a) v/t. decarbonize.

décartellisation ⚡ [dekarteliza'sjõ] f decartel(l)ization.

décatir [deka'ti:r] (2a) v/t. tex. sponge, take the gloss off; F se ~ lose one's beauty, age.

décavé, e F [deka've] 1. adj. ruined, F broke (*person*); 2. su. ruined person; **décaver** [ˌ~] (1a) v/t. win all (s.o.'s) money (at cards etc.), F clean (s.o.) out.

décéder *admin., eccl.* [dese'de] (1f) v/i. die, decease.

déceler [desə'le] (1d) v/t. reveal, disclose.

décembre [de'sã:br] m December.

décemment [desa'mã] adv. of décent; **décence** [ˌˈsã:s] f decency, decorum.

décennal, e m/pl. -aux [dese'nal, ˌ'no] decennial.

décent, e [de'sã, ˌ'sã:t] decent; modest; seemly; peu ~ unseemly.

décentraliser admin. [desãtrali'ze] (1a) v/t. decentralize.

déception [desɛp'sjõ] f disappointment. [hoop.]

décercler [desɛr'kle] (1a) v/t. un-

décerner [desɛr'ne] (1a) v/t. award (a price) (to, à), confer (an honour) (on, à); ⚡ issue (a writ etc.).

décès [de'sɛ] m admin. etc. decease, death; ⚡ demise.

décevant, e [desə'vã, ~'vã:t] deceptive; disappointing; **décevoir** [ˌ'vwa:r] (3a) v/t. deceive; disappoint.

déchaînement [deʃɛn'mã] m unbridling; fig. outburst; **déchaîner** [ˌʃɛ'ne] (1b) v/t. let loose (a. fig.); se ~ break loose; break (storm); se ~ contre storm at.

déchanter F [deʃã'te] (1a) v/i. F change one's tune; F sing small, come down a peg.

décharge [de'ʃarʒ] f ⚡, ✕, ⚡, ⊕ discharge; ✕ output; ✕ volley; ⚡ acquittal; ⚓ discharging, unlading; ⊕ outlet; ✝ receipt (for delivery); ✝ credit; fig. relief, easing; lumber-room, F glory-hole; reservoir; ⚡ témoin m à ~ witness for the defence; **déchargeoir** ⊕ [deʃar'ʒwa:r] m outfall, outlet; waste-pipe; **décharger** [ˌˈʒe] (1l) v/t. unload (a cart, a gun); ⚓ unlade; discharge (a. ⚡, ⚓, a gun) (at sur, contre); empty (a boiler, a reservoir); admin. exempt (from, de); ⚡ acquit; fig. relieve, ease; fig. vent; se ~ go off (gun); ⚡ run down; fig. vent itself (anger); se ~ de get rid of; carry out (an order); lay down (a burden); **déchargeur** [ˌˈʒœ:r] m docker; stevedore; (coal-)heaver; ⚡ arrester.

décharné, e [deʃar'ne] lean, emaciated, fleshless; gaunt.

déchaumer ⚡ [deʃo'me] (1a) v/t. plough, Am. plow up the stubble of (a field); break (the ground).

déchausser [deʃo'se] (1a) v/t. take off (s.o.'s) shoes and stockings; lay bare (a tooth, tree roots, etc.).

dèche sl. [dɛʃ] f poverty, distress; F dans la ~ hard up, on one's beam ends.

déchéance [deʃe'ã:s] f downfall; (moral) decay; insurance: expiration; ⚡ forfeiture; lapse (of a right).

déchet [de'ʃɛ] m loss, decrease; ~s pl. waste sg. (a. phys.), refuse sg., scrap sg.; ✝ ~ de route loss in transit.

déchiffrer [deʃi'fre] (1a) v/t. decipher; decode (a message); ♪ read at sight; **déchiffreur, -euse** [ˌ~ 'frœ:r, ~'frø:z] su. decipherer; decoder; ♪ sight-reader; su./m: ~ de radar radar scanner.

déchiqueter [deʃik'te] (1c) *v/t.*
hack, slash, tear to shreds (*a. fig.*),
tear up.

déchirant, e [deʃi'rã, ~'rã:t] heart-
rending; agonizing (*cry, pain,
scene*); racking (*cough*); **déchirement** [~ʃir'mã] *m* tearing (*a. 💥*);
laceration; pang, wrench; ~ de
cœur heartbreak; **déchirer** [deʃi're]
(1a) *v/t.* tear (*a. fig.*); tear up; *fig.*
rend; **déchirure** [~'ry:r] *f* tear,
rent; 💥 laceration.

déchoir [de'ʃwa:r] (3d) *v/i.* decay,
decline, fall off.

déchristianiser [dekristjani'ze] (1a)
v/t. dechristianize.

déchu, e [de'ʃy] 1. *p.p. of* déchoir;
2. *adj.* fallen; expired (*insurance
policy*); disqualified.

déci... [desi] deci...

décidé, e [desi'de] decided, determined; resolute, confident (*manner,
person*); **décidément** [~de'mã] *adv.*
resolutely, firmly; definitely; **décider** [~'de] (1a) *v/t.* decide (*a. 🏛*),
settle; ~ q. à (*inf.*) persuade s.o. to
(*inf.*); *v/i.*: ~ de (*inf. or à inf.*) make
up one's mind to (*inf.*).

décimal, e [desi'mal, *m/pl.* -aux
~'mo] *adj., a. su./f* decimal; **décimer** [~'me] (1a) *v/t.* decimate (*a.
fig.*); *fig.* deplete; **décimo** [~'mo]
adv. tenthly.

décisif, -ve [desi'sif, ~'si:v] decisive
(*battle etc.*); conclusive (*proof*);
positive (*tones*); F cock-sure (*person*); **décision** [~'sjõ] *f* decision (*a.
🏛*); *fig.* resolution.

déclamateur, -trice [deklama'tœ:r,
~'tris] 1. *su./m* declaimer; stump
orator, F tub-thumper; bombastic
writer; 2. *adj. see* déclamatoire;
déclamation [~ma'sjõ] *f* declama-
tion; ranting; **déclamatoire** [~ma-
'twa:r] declamatory; ranting
(*speech*); turgid (*style*); **déclamer**
[~'me] (1a) *v/t.* declaim; recite
(*a poem*); *v/i.* rant; rail (against,
contre).

déclaration [deklara'sjõ] *f* declaration; announcement, proclama-
tion; ~ de revenu income-tax return;
return of income; *pol.* ~ gouverne-
mentale government declaration;
déclarer [~'re] (1a) *v/t.* declare
(*a. 🏛*); ~ coupable find guilty;
rien à ~? have you anything to
declare?; se ~ declare (for, *pour*;

against, *contre*); speak one's mind;
declare one's love; break out (*fire,
war, epidemic, etc.*).

déclasser [dekla'se] (1a) *v/t.* bring
(*s.o.*) down in the world; ✗ *etc.*
declare obsolete (*a weapon etc.*); ⚓
disrate (*a sailor*); 🚂 transfer from
one class to another; *sp.* penalize
(*a runner*).

déclencher [deklã'ʃe] (1a) *v/t.*
launch (*an attack*); unlatch (*a door*);
⊕ release (*a. phot.*), disengage, disconnect (*a. ✒*); F start; **déclencheur** [~'ʃœ:r] *m* release (*a. phot.*);
phot. ~ automatique self-timer.

déclic ⊕ [de'klik] *m* catch, pawl,
trip-dog, trip pin; nippers *pl.*;
montre *f* à ~ stop-watch.

déclin [de'klɛ̃] *m* decline, decay;
moon, talent: waning; *year:* fall;
au ~ du jour at the close of day; au
~ de sa vie in his declining years,
towards the end of his days; **déclinaison** [dekline'zõ] *f astr.* declina-
tion; ⚡ variation; *gramm.* declen-
sion; **décliner** [~'ne] (1a) *v/i.* deviate; decline; *fig.* fade, fail, wane;
v/t. decline (*a. gramm.*); refuse;
state (*one's name*). [release.\

décliqueter ⊕ [deklik'te] (1c) *v/t.\

déclive [de'kli:v] 1. *adj.* sloping;
2. *su./f* slope; **déclivité** [~klivi'te]
f slope, gradient, incline.

déclouer [deklu'e] (1a) *v/t.* unnail;
take down (*a picture*); *sl.* take out
of pawn.

décocher [dekɔ'ʃe] (1a) *v/t.* shoot,
let fly; let off (*an epigram*); discharge.

décoction [dekɔk'sjõ] *f* decoction.

décoiffer [dekwa'fe] (1a) *v/t.* remove
(*s.o.'s*) hat; take (*s.o.'s*) hair down;
ruffle (*s.o.'s*) hair.

décollage [dekɔ'la:ʒ] *m* unsticking;
✈ taking-off, take-off; **décoller**
[~'le] (1a) *v/t.* unstick; disengage;
loosen; se ~ come loose; *v/i.* ✈
take off; F budge, depart.

décolleté, e [dekɔl'te] low-necked
(*dress*); **décolleter** [~] (1c) *v/t.* cut
out the neck of (*a dress*); ⊕ cut
(*a screw*); se ~ wear a low-necked
dress.

décolorer [dekɔlɔ're] (1a) *v/t.* dis-
colo(u)r; fade; bleach; se ~ fade;
grow pale (*person*).

décombres [de'kõbr] *m/pl.* rubbish
sg.; debris *sg.*, *buildings:* rubble *sg.*

décommander [dekɔmɑ̃'de] (1a) v/t. cancel (an invitation etc.); ✝ countermand.

décomposer [dekõpo'ze] (1a) v/t. ♒︎m, ✔, phys. decompose; ♒︎m analyse; ⚗ split up; distort (the features); se ～ decay; become convulsed (features); **décomposition** [～zi'sjõ] f decomposition; rotting, decay; features: distortion; gramm. construing.

décompte [de'kõ:t] m ✝ deduction; balance due; detailed account; fig. éprouver du ～ be disappointed in, à); **décompter** [～kõ'te] (1a) v/t. deduct; calculate (the interest); reckon off.

déconcerter [dekõsɛr'te] (1a) v/t. disconcert; upset (plans); ✝ ♪ put out of tune; se ～ lose one's assurance.

déconfit, e [dekõ'fi, ～'fit] crestfallen, discomfited; **déconfiture** [～fi'ty:r] f ruin, failure; insolvency; ✝ discomfiture, rout.

déconnecter ✦ [dekɔnɛk'te] (1a) v/t. disconnect.

déconseiller [dekõsɛ'je] (1a) v/t. advise (s.o. against s.th., qch. à q.; q. de inf. s.o. against ger.).

déconsidérer [dekõside're] (1f) v/t. discredit.

décontenancer [dekõtnã'se] (1k) v/t. put out of countenance, abash; se ～ lose one's self-assurance.

décontracter [dekõtrak'te] (1a) v/t. relax.

déconvenue [dekõv'ny] f disappointment; discomfiture; fig. blow; set-back.

décor [de'kɔ:r] m house: decoration; thea. set(ting), scene; thea. ～s pl. scenery sg.; mot. sl. rentrer dans le ～ run into a wall etc.; **décorateur** m, **-trice** f [dekɔra'tœ:r, ～'tris] decorator; thea. stage-designer; **décoration** [～ra'sjõ] f decoration (a. = medal, insignia, ribbon of an order); **décorer** [～'re] (1a) v/t. decorate; confer a decoration on.

décortiquer [dekɔrti'ke] (1m) v/t. husk (rice); shell (nuts); peel (fruit).

décorum [dekɔ'rɔm] m decorum, propriety.

découcher [deku'ʃe] (1a) v/i. sleep out; stay out all night.

découdre [de'kudr] (41) v/t. unpick (a garment); rip open.

découler [deku'le] (1a) v/i. trickle; flow; fig. ～ de follow or result from.

découper [deku'pe] (1a) v/t. carve (a chicken); cut up; cut out (a newspaper article, a pattern); ⊕ stamp out, punch; fig. se ～ stand out (against, sur).

découplé, e [deku'ple] well-built, strapping; **découpler** [～] (1a) v/t. uncouple (a. ♪), unleash; radio: decouple.

découpoir ⊕ [deku'pwa:r] m cutter; **découpure** [～'py:r] f cutting-out; pinking; newspaper: cutting; geog. indentation.

découragement [dekura3'mã] m discouragement, despondency; **décourager** [～ra'3e] (1l) v/t. discourage; dissuade (from, de); se ～ lose heart.

décousu, e [deku'zy] **1.** p.p. of découdre; **2.** adj. unstitched, unsewn; fig. disconnected; disjointed; rambling; **2.** su./m disconnectedness; **décousure** [～'zy:r] f seam that has come unsewn; gash, rip (from animal's horns etc.).

découvert, e [deku've:r, ～'vert] **1.** p.p. of découvrir; **2.** adj. uncovered; ✗ exposed; ✝ overdrawn (account); **3.** su./m overdraft; ✗ open ground; admin. deficit; à ～ openly; in the open; ✝ unsecure (credit), short (sale); su./f uncovering; discovery (a. fig.); aller à la ～e explore, ✗ reconnoitre; **découvreur** [～'vrœ:r] m discoverer; **découvrir** [～'vri:r] (2f) v/t. uncover; lay bare, expose; discover; find out, detect; se ～ take off one's hat; come into sight; come to light (secret, truth); clear up (sky).

décrasser [dekra'se] (1a) v/t. clean, scrape; ⊕ scale (a boiler); draw (a furnace); decarbonize (an engine); fig. rub the rough edges off (s.o.), polish (s.o.) up.

décrépir ⚠ [dekre'pi:r] (2a) v/t. strip the plaster or rough-cast off; **décrépit, e** [～'pi, ～'pit] decrepit, senile; **décrépiter** ♒︎m [～pi'te] (1a) v/i. decrepitate; **décrépitude** [～pi-'tyd] f decrepitude; (senile) decay.

décret [de'krɛ] m decree; **décréter** [～kre'te] (1f) v/t. decree, enact; ⚖ issue a writ against; **décret-loi,** pl. **décrets-lois** [～krɛ'lwa] m order in council, Am. executive order.

décrire [de'kri:r] (4q) *v/t.* describe (*a.* ♣).

décrocher [dekrɔ'ʃe] (1a) *v/t.* unhook; *teleph.* lift (*the receiver*); uncouple; F obtain; redeem (*a pledge*); *v/i.* ✗ lose touch (*units*); *teleph.* lift the receiver; **décrochez-moi ça** *sl.* [~ʃemwa'sa] *m/inv.* reach-me-down; cheap ready-made tailor's shop.

décroissance [dekrwa'sã:s] *f*, **décroissement** [~krwas'mã] *m* decrease; decline; *moon:* wane; **décroître** [de'krwa:tr] (4o) *v/i.* decrease, diminish; wane (*moon*).

décrotter [dekrɔ'te] (1a) *v/t.* remove the mud from; clean; scrape; F *fig.* rub the rough edges off (*s.o.*); **décrotteur** [~'tœ:r] *m* shoe-black; *hotel:* **décrottoir** [~'twa:r] *m* door-scraper; wire-mat.

décru, e [de'kry] 1. *p.p. of* décroître; 2. *su./f water:* fall, subsidence; decrease.

déçu, e [de'sy] *p.p. of* décevoir.

déculotter [dekylɔ'te] (1a) *v/t.* take off (*s.o.'s*) trousers, unbreech (*s.o.*).

décuple [de'kypl] 1. *adj.* tenfold; 2. *su./m* tenfold; *le ~ de* ten times as much as; **décupler** [~ky'ple] (1a) *vt/i.* increase tenfold.

décuver [deky've] (1a) *v/t.* rack off (*wine*).

dédaigner [dedɛ'ɲe] (1b) *v/t.* scorn, disdain; **dédaigneux, -euse** [~'ɲø, ~'ɲø:z] scornful, disdainful; **dédain** [de'dɛ̃] *m* disdain, scorn (of, *de*); disregard (of, *de*; for, *pour*); contempt (for, *de*).

dédale [de'dal] *m* labyrinth (*a. fig.*).

dedans [də'dã] 1. *adv.* in, inside, within; *en ~* inside; *en ~ de* within; F *mettre q. ~* take s.o. in; 2. *su./m* inside, interior.

dédicace [dedi'kas] *f* dedication (*a. fig.*); *church:* consecration; **dédier** [~'dje] (1o) *v/t.* dedicate (*a. fig.*); *fig.* inscribe (*a book*).

dédire [de'di:r] (4p) *v/t.:* *se ~ de* go back upon, retract, take back; break (*an engagement, a promise*); **dédit** [~'di] *m* renunciation; withdrawal; *promise etc.:* breaking; ♣♣ forfeit, penalty.

dédommagement [dedɔmaʒ'mã] *m* indemnity; compensation, damages *pl.*; **dédommager** [~ma'ʒe] (1l) *v/t.* compensate (for, *de*).

dédoubler [dedu'ble] (1a) *v/t.* divide into two; undouble (*a cloth*); remove the lining of (*a coat etc.*); 🚂 run (*a train*) in two parts.

déduction [dedyk'sjõ] *f* ♣, *phls.* deduction; ♣ allowance.

déduire [de'dɥi:r] (4h) *v/t. phls.* deduce, infer; ♣ deduct, allow.

déesse [de'ɛs] *f* goddess.

défaillance [defa'jã:s] *f* failure, failing; ♣ faint, swoon; ♣♣ *witness:* default; **défaillant, e** [~'jã, ~'jã:t] 1. *adj.* failing; sinking (*heart*); faltering (*steps*); waning (*light*); ⊕, *fig.* at fault; faint (*person*); defaulting; 2. *su.* ♣♣, ♣ defaulter; **défaillir** [~'ji:r] (2t) *v/i.* fail, lose strength; falter (*courage*); *fig.* sink (*heart*); faint, swoon (*person*); ♣♣ fail to appear.

défaire [de'fɛ:r] (4r) *v/t.* undo; ✗ defeat; annul (*a treaty*); unpack; *fig.* distort (*the face*); *fig.* upset (*s.o.'s plans*); rid (s.o. of s.th., *q. de qch.*); *se ~* come undone; undo one's coat; get rid (of, *de*); **défaite** [~'fɛt] *f* defeat; *fig.* lame excuse, evasion; *fig.* failure; **défaitisme** [defɛ'tism] *m* defeatism, pessimism; **défaitiste** [~'tist] *adj.*, *a. su.* defeatist, pessimist.

défalquer [defal'ke] (1m) *v/t.* deduct; write off (*a debt*).

défausser [defo'se] (1a) *v/t.* straighten; *se ~* throw away useless cards.

défaut [de'fo] *m* defect; want, lack; fault, shortcoming; ⊕ flaw; ♣♣ default; ♣ *~ de provision* no funds; *à ~ de* for want of, in place of; *hunt.* être *en ~* be at fault (*a. fig.*); *faire ~* be lacking; be missing; be in short supply; *il nous a fait ~* we have missed him; *sans ~* faultless, flawless.

défaveur [defa'vœ:r] *m* disfavo(u)r (with,, *auprès de*); discredit; **défavorable** [~vɔ'rabl] unfavo(u)rable.

défécation [defeka'sjõ] *f* 🔴, *physiol.* defecation; clarification.

défectif, -ve [defɛk'tif, ~'ti:v] *gramm.* defective; ♣ deficient; **défection** [~'sjõ] *f* defection (from, *de*); *faire ~* fall away; **défectueux, -euse** [~'tɥø, ~'tɥø:z] faulty, defective; **défectuosité** [~tɥozi'te] *f* defect, flaw; faultiness.

défendable [defã'dabl] defensible;

tenable; **défendeur** *m*, **-eresse** *f* ⚖️ [ˌˈdœːr, ˌˈdrɛs] defendant; respondent; **défendre** [deˈfãːdr] (4a) *v/t.* defend (*a.* ⚖️, *a.* ✕); protect; support; forbid; *à son corps défendant* in self-defence; *fig.* reluctantly; *fig.* se ~ de (*inf.*) refrain from (*ger.*), F help (*ger.*).

défense [deˈfãːs] *f* defence, *Am.* defense; protection; prohibition; *elephant*: tusk; ⚖️ defence, plea; ⚓ fender; ~ *de fumer* no smoking; ⚖️ *légitime* ~ self-defence; **défenseur** [defãˈsœːr] *m* defender; *fig.* supporter; ⚖️ counsel for the defence; **défensif, -ve** [ˌˈsif, ˌˈsiːv] *adj.*, *a. su./f* defensive.

déférence [defeˈrãːs] *f* deference, regard, respect; *par* ~ *pour* in deference to, out of regard for; **déférer** [ˌˈre] (1f) *v/t.* ⚖️ submit; remove (*to the Court of Appeal*); inform against (*a criminal*); administer (*an oath*); bestow, confer (*an honour*); *v/i.* defer (to, *à*); comply (with, *à*) (*an order*).

déferler [deferˈle] (1a) *v/t.* unfurl (*a flag*); set (*sails*); *v/i.* break (*waves*); ✕ F break up (*attack*).

déferrer [defeˈre] (1a) *v/t.* remove the iron from; unshoe (*a horse*); *fig.* disconcert; ⚓ ~ *un navire* slip anchor.

défeuiller [defœˈje] (1a) *v/t.* strip (*a tree*) of its leaves; se ~ shed its leaves (*tree*).

défi [deˈfi] *m* challenge; *lancer un* ~ *à* challenge; *mettre q. au* ~ dare *or* defy s.o. (to *inf.*, de *inf.*).

défiance [deˈfjãːs] *f* suspicion, distrust; ~ *de soi-même* lack of self-confidence; *pol. vote m de* ~ vote of no confidence; **défiant, e** [ˌˈfjã, ˌˈfjãːt] distrustful, suspicious, cautious.

déficeler [defisˈle] (1c) *v/t.* untie (*a parcel etc.*).

déficient, e [defiˈsjã, ˌˈsjãːt] *adj.*, *a. su.* deficient.

déficit [defiˈsi] *m* deficit, shortage; deficiency; **déficitaire** [ˌsiˈtɛːr] ⚕ showing a deficit; 🌱 short (*harvest*).

défier [deˈfje] (1o) *v/t.* challenge; dare; *fig.* brave, defy; se ~ de distrust, be on one's guard against; se ~ de soi-même lack self-confidence.

défigurer [defigyˈre] (1a) *v/t.* dis-figure; *fig.* distort (*the sense, the truth*).

défilade F [defiˈlad] *f* procession; **défilé** [ˌˈle] *m geog.* pass, gorge; march past; parade; **défiler** [ˌˈle] (1a) *v/t.* unthread; ✕ defilade (*a fortress*); ✕ conceal (*guns, troops*); ~ *son chapelet* speak one's mind; se ~ come unstrung; ✕ take cover; *sl.* clear off, get out; *v/i.* ✕ file off; march past.

défini, e [defiˈni] definite (*a. gramm.*); defined, fixed; **définir** [ˌˈniːr] (2a) *v/t.* define; *fig.* describe; se ~ become clear; **définissable** [definiˈsabl] definable; **définitif, -ve** [ˌˈtif, ˌˈtiːv] **1.** *adj.* definitive, final; *à titre* ~ permanently; **2.** *su./f:* en ~ve in short; **définition** [ˌˈsjõ] *f* definition; *cross-words:* clue; *telev. picture:* resolution.

déflagration [deflagraˈsjõ] *f* combustion, deflagration.

déflation [deflaˈsjõ] *f* deflation.

défleuraison ⚘ [deflœreˈzõ] *f* fall(ing) of blossom; **défleurir** [ˌˈriːr] (2a) *v/t.* strip (*a plant*) of its bloom; take the bloom off (*a fruit*); *v/i. a.* se ~ lose its blossom.

déflorer [defloˈre] (1a) *v/t.* ⚘ strip (*a plant*) of its bloom; deflower (*a virgin*); *fig.* F take the freshness off.

défoncer [defõˈse] (1k) *v/t.* stave in; break up (*the ground, a road*); ✕ cut up (*an army*); *fig.* destroy, F knock the bottom out of (*an argument*); se ~ break up; collapse (*roof*).

déformation [deformaˈsjõ] *f* deformation (*a. ⚖️*); ⊕ *wood:* warping; ⚡, *phot.* distortion; **déformer** [ˌˈme] (1a) *v/t.* deform; ⊕, ⚡, *phot.*, *phys.*, *a. fig.* distort; ⊕ buckle, warp; se ~ warp (*wood*); get out of shape.

défourner [defurˈne] (1a) *v/t.* draw from the oven *or* kiln.

défraîchi, e [defrɛˈʃi] (shop-)soiled, *Am.* shop-worn; **défraîchir** [ˌˈʃiːr] (2a) *v/t.* take away the freshness of.

défrayer [defrɛˈje] (1i) *v/t.* defray (*s.o.'s*) expenses; F entertain (*company*).

défricher [defriˈʃe] (1a) *v/t.* 🌱 clear, reclaim (*land*); F *fig.* break new ground in (*a subject*).

défriser [defriˈze] (1a) *v/t.* uncurl; *fig.* disappoint.

defroisser [defrwa'se] (1a) *v/t.* smooth out.

défroncer [defrɔ̃'se] (1k) *v/t.* take out the gathers in (*a cloth*); ~ *les sourcils* cease to frown.

défroque *fig.* [de'frɔk] *f usu.* ~s *pl.* cast-off clothing *sg.*; **défroquer** [~frɔ'ke] (1m) *v/t.* unfrock (*a priest*).

défunt, e [de'fœ̃, ~'fœ̃:t] **1.** *adj.* deceased; late; **2.** *su.* deceased, *Am.* decedent.

dégagé, e [dega'ʒe] clear (*sky, road*); free, unconstrained; off-hand (*manner, tone*); **dégagement** [~gaʒ'mã] *m* ⊕, ↷, *mot.* release; *mortgage, pledge, promise*: redemption; *lungs, roads, vehicle*: clearing; disengagement; *escalier m de* ~ emergency stairs; ⊕ *tuyau m de* ~ waste pipe; **dégager** [~ga'ʒe] (1l) *v/t.* redeem (*a pledge etc.*); disengage; free; release (from a promise, *d'une promesse*); emit (*a smell etc.*); make out (*s.o.'s meaning*); clear (*the lungs, the mind, the roads, a.* ♘ *a line*); ♪ ~ *l'inconnu* isolate the unknown quantity; *v/i.*: *dégagez!* ♘ clear the way!; *bus*: gangway!

dégaine F [de'gɛ:n] *f* (awkward) gait; **dégainer** [~gɛ'ne] (1b) *v/t.* unsheathe, draw (*one's sword*); *v/i.* draw.

déganter [degã'te] (1a) *v/t.* unglove (*one's hand*); *se* ~ remove one's gloves.

dégarnir [degar'ni:r] (2a) *v/t.* strip; dismantle; unsaddle (*a horse*); ⚓ unrig; ✗ withdraw the troops from; ✿ thin out (*a tree*); *se* ~ be stripped; empty (*room*); become bald (*head*); lose its leaves (*tree*).

dégât [de'gɑ] *m food etc.*: waste; ~s *pl.* damage *sg.*; havoc *sg.*

dégauchir ⊕ [dego'ʃi:r] (2a) *v/t.* rough-plane (*wood*); dress (*a stone*); straighten, true up (*the machinery*); *fig.* knock the corners off (*s.o.*).

dégel [de'ʒɛl] *m* thaw; **dégelée** F [deʒə'le] *f* shower of blows; **dégeler** [~] (1d) *vt/i.* thaw; *v/t.*: F *se* ~ thaw (*person*).

dégénérer [deʒene're] (1f) *v/i.* degenerate (from, de; into, en); **dégénérescence** ♪ [~re'sã:s] *f* degeneration.

dégingandé, e [deʒẽgã'de] awkward, ungainly.

dégivrer ✈, *mot.* [deʒi'vre] (1a) *v/t.* de-ice; **dégivreur** ✈, *mot.* [~'vrœ:r] *m* de-icer.

déglacer [degla'se] (1k) *v/t.* thaw; defrost (*the refrigerator*); unglaze (*paper*).

dégluer [degly'e] (1a) *v/t.* remove the sticky substance from; remove the bird-lime from (*a bird*).

déglutition *physiol.* [deglyti'sjɔ̃] *f* swallowing.

dégobiller *sl.* [degɔbi'je] (1a) *v/t.* bring up (*food*); *v/i.* vomit, F spew, puke.

dégoiser F [degwa'ze] (1a) *v/t.* reel off, spout (*a speech etc.*).

dégommer [degɔ'me] (1a) *v/t.* ungum; ⊕ clean off old oil from; F dismiss (*s.o.*); F beat (*s.o.*) (*at a game*); F *se faire* ~ get the sack.

dégonflé *sl.* [degɔ̃'fle] *m* funk; **dégonfler** [~] (1a) *v/t.* deflate; ✗ reduce (*a swelling*); *fig.* debunk (*s.o.*); *fig.* ~ *son cœur* have one's say, F get it off one's chest; *se* ~ *mot.* go flat (*tyre*); F sing small.

dégorgeoir [degɔr'ʒwa:r] *m* outlet, outflow; *pump*: spout; **dégorger** [~'ʒe] (1l) *v/t.* cleanse; clear, unstop (*a pipe etc.*); disgorge (*a. fig.*); *v/i. a. se* ~ flow out; overflow; ✗ discharge (*abscess*); become free (*pipe etc.*).

dégouliner F [deguli'ne] (1a) *v/i.* roll (down); trickle.

dégourdi, e [degur'di] **1.** *adj.* lively, sharp, smart; **2.** *su.* brisk person, F live wire; **dégourdir** [~'di:r] (2a) *v/t.* revive; take the stiffness from (*one's legs etc.*); take the chill off (*a liquid*); *fig.* smarten (*s.o.*) up, F lick (*s.o.*) into shape; *se* ~ *a.* feel warmer; become more alert; F learn the ropes.

dégoût [de'gu] *m* disgust, loathing (for, *pour*); dislike, repugnance (for, *pour*); **dégoûtant, e** [degu'tã, ~'tã:t] disgusting, loathsome, repulsive; **dégoûter** [~'te] (1a) *v/t.* disgust, repel; *se* ~ *de* take a dislike to, grow sick of.

dégoutter [degu'te] (1a) *v/i.* drip, trickle (from, with de).

dégradation [degrada'sjɔ̃] *f* degradation (*a. phys.*); *rock*: weathering; *phys. energy*: dissipation; *colours etc.*: shading off; ♪ ~ *civique* loss of civil rights; **dégrader** [~'de]

(1a) v/t. degrade; ✂ demote, reduce to the ranks; shade off (colours); damage, deface (a building); se ~ debase o.s.; F go to the dogs.

dégrafer [degra'fe] (1a) v/t. unhook, unfasten.

dégraissage [degrɛ'saːʒ] m cuis. skimming; (dry-)cleaning; **dégraisser** [~'se] (1a) v/t. skim; clean, scour; ✍ impoverish (the soil); **dégraisseur** [~'sœːr] m ⊕ grease-remover; person: dry-cleaner.

degré [də'gre] m degree (a. 🜨 etc., a. of parentage); stage; step; rank; ~ centésimal degree centigrade; ~ de congélation freezing point; par ~s by degrees, progressively.

dégréer ⚓ [degre'e] (1a) v/t. unrig (a mast, a ship); dismantle (a crane).

dégrèvement [degrɛv'mɑ̃] m abatement of tax; derating; **dégrever** [~grə've] (1d) v/t. reduce (a duty, a tax); derate; reduce the assessment on; disencumber (an estate).

dégringolade F [degrɛ̃go'lad] f tumble, fall; currency: collapse; **dégringoler** F [~'le] (1a) vt/i. tumble down.

dégriser [degri'ze] (1a) v/t. sober (s.o.); fig. bring (s.o.) to his senses; se ~ sober up; fig. come to one's senses.

dégrosser ⊕ [degro'se] (1a) v/t. draw down (a wire).

dégrossir [degro'siːr] (2a) v/t. rough-hew (a stone); rough-plane (wood); rough out (a plan); F lick (s.o.) into shape.

dégrouiller sl. [degru'je] (1a) v/t.: se ~ hurry up, F get a move on.

déguenillé, e [degəni'je] 1. adj. ragged, tattered; 2. su. ragamuffin.

déguerpir [degɛr'piːr] (2a) v/t. 🜨 abandon (one's property etc.); v/i. move out; clear out, Am. beat it; faire ~ send (s.o.) packing.

déguisement [degiz'mɑ̃] m disguise; fig. concealment; fancy dress; sans ~ openly; **déguiser** [~gi'ze] (1a) v/t. disguise; conceal; se ~ a. put on fancy dress.

dégustateur m, **-trice** f [degysta-'tœːr, ~'tris] taster; **dégustation** [~ta'sjɔ̃] f tasting; **déguster** [~'te] (1a) v/t. taste; F sip; relish, enjoy.

déhanché, e [deɑ̃'ʃe] horse: hipshot; fig. ungainly, slovenly; moving with a loose gait; **déhancher** [~] (1a) v/t.: se ~ dislocate its hip (horse); fig. move with a loose gait; sway one's hips.

déharnacher [dearna'ʃe] (1a) v/t. unharness.

dehors [də'ɔːr] 1. adv. outside, out; dîner ~ dine out; en ~ outside; outwards; en ~ de outside; in addition to; en ~ de moi without my knowledge or participation; mettre q. ~ turn s.o. out; F sack s.o., Am. lay s.o. off; ⚓ toutes voiles ~ with every sail set; 2. su./m outside, exterior; ~ pl. appearances.

déifier [dei'fje] (1o) v/t. deify; fig. make a god of; **déité** [~'te] f deity.

déjà [de'ʒa] adv. already, before.

déjection [deʒɛk'sjɔ̃] f 🜨 evacuation; ~s pl. a. ejecta (of a volcano).

déjeter ⊕ [deʒə'te] (1c) v/t. a. se ~ warp (wood); buckle (metal).

déjeuner [deʒœ'ne] 1. (1a) v/i. breakfast; lunch; 2. su./m lunch; petit ~ breakfast.

déjouer [de'ʒwe] (1p) v/t. baffle, foil, outwit; v/i. play badly; take back a move (at chess).

déjucher [deʒy'ʃe] (1a) v/t. unroost (hens); F fig. make (s.o.) come off his perch; v/i. come off the roost.

déjuger [deʒy'ʒe] (1l) v/t.: se ~ reverse one's opinion.

delà [də'la] adv., a. prp. beyond.

délabré, e [dela'bre] dilapidated; ramshackle, tumble-down; impaired (health); **délabrer** [~] (1a) v/t. dilapidate, wreck; ruin (a. one's health); se ~ fall into decay (house); become impaired (health).

délacer [dela'se] (1k) v/t. unlace, undo (one's shoes).

délai [de'lɛ] m delay; respite; reprieve; à bref ~ at short notice; dans un ~ de 2 mois at a two-months' notice; ~-congé, pl. ~s-congés [~lɛkɔ̃'ʒe] m term of notice.

délaisser [delɛ'se] (1b) v/t. forsake, desert; abandon (a. 🜨 prosecution); 🜨 relinquish. [(butter).]

délaiter [delɛ'te] (1b) v/t. work]

délarder [delar'de] (1a) v/t. remove the fat from; ⊕ thin down (wood); bevel, chamfer (an edge).

délassement [delas'mɑ̃] m rest, relaxation; recreation; **délasser** [~lɑ'se] (1a) v/t. rest, refresh; se ~ relax.

délateur, -trice [dela'tœ:r, ~'tris] *su.* informer, spy; *su./m* ⊕ detector (*of a lock*); **délation** [~'sjɔ̃] *f* informing, denunciation, squealing.

délavé, e [dela've] washed out; wishy-washy; weak.

délayer [dele'je] (1i) *v/t.* dilute; *fig.* spin out (*a speech*).

délectable [delɛk'tabl] delectable; delightful; **délecter** [~'te] (1a) *v/t.*: se ~ à take delight in.

délégataire ʒʃʒ [delega'tɛ:r] *su.* delegatee; **délégateur, -trice** *f* ʒʃʒ [~'tœ:r, ~'tris] delegator; **délégation** [~'sjɔ̃] *f* delegation (*a. coll.*); ʒʃʒ assignment; **délégué, e** [dele'ge] 1. *adj.* deputy..., delegated; 2. *su.* delegate; deputy; *su./m*: ⊕ ~ syndical shop steward; ⊕ ~ du personnel union steward; **déléguer** [~] (1s) *v/t.* delegate; ✝ assign; ✕, ⚓ allot.

délester [deles'te] (1a) *v/t.* ⚓ etc. unballast; unload; *fig.* relieve (of, de); ♪ shed the load.

délétère [dele'tɛ:r] deleterious; noxious; poison(ous) (*gas, a. fig.*); *fig.* pernicious (*doctrine*); offensive (*smell*).

délibératif, -ve [delibera'tif, ~'ti:v] deliberative; *avoir voix* ~ve be entitled to speak and vote; **délibération** [~ra'sjɔ̃] *f* deliberation, debate, discussion (on, *sur*); reflection, resolution, vote; **délibéré, e** [~'re] 1. *adj.* deliberate; determined; *de propos* ~ deliberately; 2. *su./m* ʒʃʒ private sitting, consultation; **délibérer** [~'re] (1f) *v/i.* deliberate; consult together; ponder, reflect (on *de, sur*).

délicat, e [deli'ka, ~'kat] delicate; fragile; dainty; nice, difficult, tricky (*situation, question*); fastidious (*eater*); sensitive (*skin*); scrupulous; *peu* ~ unscrupulous, dishonest; *su./m*: *faire le* ~ be squeamish; **délicatesse** [~ka'tɛs] *f* delicacy; fragility; fastidiousness; tact; difficulty; *avec* ~ tactfully.

délice [de'lis] *su./m* delight; *su./f*: ~s *pl.* delight *sg.*, pleasure *sg.*; *faire les* ~s de be the delight of; *faire ses* ~s de revel in; **délicieux, -euse** [~li'sjø, ~'sjø:z] delicious; delightful.

délictueux, -euse ʒʃʒ [delik'tɥø, ~'tɥø:z] punishable, unlawful; felonious; *acte m* ~ misdemeano(u)r.

délié, e [de'lje] slim, thin, slender; glib (*tongue*); nimble (*fingers, wit*); **délier** [~] (1o) *v/t.* untie, undo; release; *eccl.* absolve; *sans bourse* ~ without spending a (half)penny.

délimiter [delimi'te] (1a) *v/t.* delimit; fix the boundaries of; define (*powers*).

délinquance ʒʃʒ [delɛ̃'kɑ̃:s] *f* delinquency; ~ *juvénile* juvenile delinquency; **délinquant** *m, e f* ʒʃʒ [~'kɑ̃, ~'kɑ̃:t] deliquent, offender; trespasser.

délirant, e [deli'rɑ̃, ~'rɑ̃:t] frantic, frenzied; rapturous; ✱ delirious, raving; **délire** [~'li:r] *m* ✱ delirium; *fig.* frenzy; **délirer** [~li're] (1a) *v/i.* be delirious; rave (*a. fig.*); **délirium tremens** ✱ [~li'rjɔm tre-'mɛ̃:s] *m* delirium tremens, F d.t.'s.

délit ʒʃʒ [de'li] *m* misdemeano(u)r, offence; *en flagrant* ~ in the act, red-handed.

délivrance [deli'vrɑ̃:s] *f* deliverance, rescue; ✱ confinement; delivery; *certificate, ticket, etc.*: issue; **délivrer** [~'vre] (1a) *v/t.* deliver (*a. ✱, a. a certificate*); rescue; release; issue (*a certificate, a ticket*); se ~ de get rid of.

déloger [delɔ'ʒe] (1l) *v/i.* remove, move house; go away; ✕ march off; *v/t.* oust, drive out; ✕ dislodge.

déloyal, e *m/pl.* -aux [delwa'jal, ~'jo] disloyal, false; ✝ unfair (*competition*); *sp.* foul; **déloyauté** [~jo-'te] *f* disloyalty, treachery.

déluge [de'ly:ʒ] *m* deluge, flood (*a. fig.*); F *rain*: downpour.

déluré, e [dely're] smart, sharp-knowing.

délustrer [delys'tre] (1a) *v/t.* tex. take the gloss off (*a cloth*); *fig.* take the shine off; se ~ lose its gloss; grow shabby; *fig.* fade.

démagogue [dema'gɔg] *m* demagogue.

démailler [dema'je] (1a) *v/t.* unshackle (*a chain*); unpick (*a knitted object*); se ~ run, ladder (*stocking*); **démailloter** [~jɔ'te] (1a) *v/t.* unswaddle (*a baby*).

demain [də'mɛ̃] *adv., a. su./m* tomorrow; à ~! good-bye till tomorrow!, F see you to-morrow!; ~ *en huit* to-morrow week.

démancher [demɑ̃'ʃe] (1a) *v/t.* un-

haft, remove the handle of (*a tool*);
⚓ F dislocate; *fig.* upset; *v/i.* ♪
shift.

demande [də'mãːd] *f* question;
enquiry; request (for, de); ✝ demand; ⚖ claim, action; ~ d'emploi
application for a job; ⚖ ~ en dommages-intérêts claim for damages;
~ en mariage proposal (of marriage);
à la ~ as required; à la ~ générale
by general request; sur ~ on application *or* request; **demander** [~mã-
'de] (1a) *v/t.* ask (for); beg, request;
wish, want; order; apply for; ~ q.
ask for s.o.; ~ qch. à q. ask s.o. for
s.th.; se ~ wonder.

demandeur[1] *m*, **-euse** [dəmã'dœːr,
~'døːz] petitioner; applicant (for,
de); demander; *cards:* declarer;
teleph. caller.

demandeur[2] *m*, **-eresse** *f* ⚖ [də-
mã'dœːr, ~'drɛs] plaintiff.

démangeaison [demãʒɛ'zõ] *f* itching; *fig.* F itch, longing; **démanger**
[~'ʒe] (1l) *v/i.*: ~ à q. itch (*arm, leg,
etc.*).

démantèlement [demãtɛl'mã] *m*
dismantling; **démanteler** [~mãt'le]
(1d) *v/t.* dismantle; demolish, raze;
break up (*a gang*).

démantibuler [demãtiby'le] (1a)
v/t. put out of joint; *fig.* put out of
order; *mot.* smash up (*a car*).

démaquillage [demaki'jaːʒ] *m*:
crème *m* de ~ cleansing cream; **dé-
maquillant** [~'jã] *m* make-up remover; **démaquiller** [~'je] (1a)
v/t.: se ~ take off one's make-up.

démarcation [demarka'sjõ] *f* de-
marcation, boundary.

démarche [de'marʃ] *f* step (*a. fig.*),
walk, gait; *faire des* ~s *pour* take
steps to.

démarquer [demar'ke] (1m) *v/t.*
remove the marks from; ✝ mark
down (*prices*); *fig.* plagiarize.

démarrage [dema'raːʒ] *m* mot., 🚲,
🏎 start; ⚓ unmooring; **démarrer**
[~'re] (1a) *vt/i.* ⚓ cast off; 🚲, 🏎
start; *v/i.: faire* ~ mot. start; 🚲, 🏎
set in motion; F ne démarrez pas
(de là)! don't move (from here)!;
démarreur ⊕, mot. [~'rœːr] *m*
starter.

démasquer [demas'ke] (1m) *v/t.*
unmask (*a.* ✕); 🔥 show (*a light*);
fig. ~ ses batteries show one's hand.

démêlé [deme'le] *m* dispute; con-

test; **démêler** [~'le] (1a) *v/t.* unravel; comb out (*one's hair*); *fig.*
make out; clear up; *avoir qch. à* ~
avec q. have a bone to pick with
s.o.; **démêloir** [~'lwaːr] *m* large-
toothed comb.

démembrer [demã'bre] (1a) *v/t.*
dismember; break up.

déménagement [demenaʒ'mã] *m*
removal, moving (house); *voiture f
de* ~ furniture van; **déménager**
[~na'ʒe] (1l) *v/t.* (re)move; move
the furniture out of (*a house*); *v/i.*
move house; *fig.* go out of one's
mind; F *sa tête déménage* he has
taken leave of his senses; **déménageur** [~na'ʒœːr] *m* furniture remover.

démence [de'mãːs] *f* insanity,
madness; 💊 dementia; ⚖ lunacy.

démener [demə'ne] (1d) *v/t.*: se ~
struggle; fling o.s. about; *fig.* strive
hard.

dément, e [de'mã, ~'mãːt] 1. *adj.*
mad; ⚖ lunatic; 2. *su.* mad person,
lunatic.

démenti [demã'ti] *m* denial, contradiction; *fig.* failure; **démentir**
[~'tiːr] (2b) *v/t.* contradict; deny
(*a fact*); belie; se ~ contradict o.s.;
fail (to keep one's word).

démérite [deme'rit] *m* demerit;
démériter [~'rite] (1a) *v/i.* act in a
blameworthy manner; ~ auprès de
q. forfeit s.o.'s esteem; ~ de break
faith with (*s.o.*); become unworthy
of (*s.th.*).

démesuré, e [deməzy're] inordi-
nate, beyond measure; excessive;
out of all proportion.

démettre [de'mɛtr] (4v) *v/t.* dislocate; ✝ deprive; ⚖ ~ q. de son
appel dismiss s.o.'s appeal.

démeubler [demœ'ble] (1a) *v/t.*
remove the furniture from.

demeurant [dəmœ'rã, ~'rãːt]
1. *adj.* ⚖ resident; 2. *su.* ⚖ resident; 3. *demeurant adv.*: au ~ after
all; **demeure** [~'mœːr] *f* dwelling,
residence; ✝ delay; à ~ fixed; ✝ to
your home; *dernière* ~ last resting
place; ✝ en ~ in arrears; *mettre q.
en* ~ *de* (*inf.*) call upon s.o. to (*inf.*);
demeurer [~mœ're] (1a) *v/i.* live,
reside; stay, stop; ~ *court* stop
short; en ~ là stop, leave off.

demi, e [də'mi] 1. *adj.* (*inv. before
su.*) half, demi-..., semi-...; *une*

demi-heure half an hour, a half-hour; *une heure et demie* an hour and a half; *dix heures et demie* half past ten; 2. *su./m* half; *sp.* half-back; ~-**cercle** [dəmi'sɛrkl] *m* semicircle; *surv.* demi-circle; ~-**fond** *sp.* [~'fɔ̃] *m* medium distance; ~-**frère** [~'frɛːr] *m* half-brother, step-brother; ~-**gros** † [~'gro] *m* wholesale dealing in small quantities; ~-**jour** [~'juːr] *m/inv.* half-light; ~-**journée** [~jur'ne] *f* part-time work; half-day.

démilitariser [demilitari'ze] (1a) *v/t.* demilitarize.

demi…: ~-**monde** [dəmi'mɔ̃ːd] *m* demi-monde; ~-**mot** [~'mo] *adv.*: *à* ~ as a hint, by way of hint; ~-**pension** [~pɑ̃'sjɔ̃] *f* part board; ~-**reliure** [~rə'ljyːr] *f* quarter-binding; ~-**saison** [~sɛ'zɔ̃] *f* between-season, mid-season; ~-**sec** [~'sɛk] *adj./m* medium dry (*wine*); ~-**sœur** [~'sœːr] *f* half-sister, step-sister; ~-**solde** ✗ [~'sɔld] *f* half pay; ~-**sommeil** [~sɔ-'mɛːj] *m* somnolence; ~-**soupir** ♪ [~su'piːr] *m* quaver rest.

démission [demi'sjɔ̃] *f* resignation; **démissionnaire** [~sjɔ'nɛːr] 1. *adj.* resigning; 2. *su.* resigner; **démissionner** [~sjɔ'ne] (1a) *v/i.* resign.

demi…: ~-**teinte** *paint., phot.* [də-mi'tɛ̃ːt] *f* half-tone, half-tint; ~-**ton** ♪ [~'tɔ̃] *m* semitone; ~-**tour** [~'tuːr] *m* half-turn; ✗ about turn; ✗ ~ *à droite!* (right-)about turn!; *faire* ~ turn back; turn about; ✗ about-turn; ⚓ turn a half-circle.

démobiliser ✗ [demɔbili'ze] (1a) *v/t.* demobilize.

démocrate [demɔ'krat] 1. *adj.* democratic; 2. *su.* democrat; **démocratie** [~kra'si] *f* democracy.

démodé, e [demɔ'de] old-fashioned, out of date; **démoder** [~] (1a) *v/t.*: *se* ~ go out of fashion.

démographe [demɔ'graf] *m* demographer; **démographie** [~gra-'fi] *f* demography.

demoiselle [dəmwa'zɛl] *f* young lady; spinster; ⊕ paving-beetle; *zo.* dragon-fly; ⚓ rowlock; ~ (*de magasin*) shop-girl; ~ *d'honneur* bridesmaid; maid of hono(u)r.

démolir [demɔ'liːr] (2a) *v/t.* demolish (*a. fig. an argument*), pull down; *fig.* overthrow; *fig.* ruin; F give a good thrashing to (*s.o.*); **démolis-**

seur [~li'sœːr] *m* house-breaker; ⚓ ship-breaker; *fig.* demolisher; **démolition** [~li'sjɔ̃] *f* demolition; ~**s** *pl.* rubbish *sg.*; rubble *sg.* (*from demolished building*).

démon [de'mɔ̃] *m* demon, devil, fiend; *fig.* imp.

démonétiser [demɔneti'ze] (1a) *v/t.* demonetize (*metal*); *fig.* discredit (*s.o.*).

démoniaque [demɔ'njak] *adj., a. su.* demoniac.

démonstratif, -ve [demɔ̃stra'tif, ~'tiːv] 1. *adj.* demonstrative (*a. gramm.*); *peu* ~ undemonstrative, dour; 2. *su./m gramm.* demonstrative; **démonstration** [~'sjɔ̃] *f* demonstration; ✗ show of force.

démontable ⊕ [demɔ̃'tabl] that can be taken to pieces; collapsible (*boat*); **démontage** [~'taːʒ] *m* dismantling; *tyre:* removal; **démonter** [~'te] (1a) *v/t.* unseat (*a rider*); ⊕ dismantle, take down; *fig.* upset, abash.

démontrer [demɔ̃'tre] (1a) *v/t.* demonstrate, show.

démoraliser [demɔrali'ze] (1a) *v/t.* demoralize; *fig.* dishearten; ✗ destroy *or* undermine the morale of (*troops etc.*).

démordre [de'mɔrdr] (4a) *v/i.* let go; *fig.* give in; *fig. ne pas* ~ *de* stick to.

démunir [demy'niːr] (2a) *v/t.* deprive (of, *de*); *se* ~ *de* part with; † run short of.

démuseler [demyz'le] (1c) *v/t.* unmuzzle (*a dog*).

dénatalité [denatali'te] *f* fall in the birth-rate.

dénationaliser [denasjɔnali'ze] (1a) *v/t.* denationalize; *se* ~ lose one's nationality.

dénaturaliser [denatyrali'ze] (1a) *v/t.* denaturalize.

dénaturé, e [denaty're] unnatural; 🔥 *alcool m* ~ methylated spirit; **dénaturer** [~] (1a) *v/t.* adulterate; *fig.* misrepresent, distort; pervert.

dénégation [denega'sjɔ̃] *f* denial; ⚖ traverse.

déni ⚖ [de'ni] denial, refusal.

déniaiser F [denjɛ'ze] (1a) *v/t.* educate (*s.o.*) in the ways of the world; smarten (*s.o.'s*) wits; *fig.* initiate (*s.o.*) sexually.

dénicher [deni'ʃe] (1a) *v/t.* take

from the nest; ✕ dislodge; *fig.* unearth, root out; discover; *v/i.* fly
away; F *fig.* clear out, depart.

denier [dɔ'nje] *m* small coin; penny;
cent; money; *stockings:* denier; *les*
~s *pl. publics* public funds; *le* ~ *de
Saint-Pierre* Peter's pence.

dénier [de'nje] (1o) *v/t.* deny; disclaim; refuse.

dénigrer [deni'gre] (1a) *v/t.* disparage, run (*s.o.*) down.

déniveler [deni'vle] (1c) *v/t.* make
uneven (*the surface*); *surv.* determine differences in level.

dénombrement [denɔ̃brə'mɑ̃] *m*
counting; *population:* census; **dénombrer** [~'bre] (1a) *v/t.* count;
take a census of (*the population*).

dénominateur Å [denɔmina'tœ:r]
m denominator; **dénominatif, -ve**
[~'tif, ~'ti:v] denominative; **dénomination** [~'sjɔ̃] *f* name, denomi-
nation; **dénommer** [denɔ'me] (1a)
v/t. denominate, call, designate.

dénoncer [denɔ̃'se] (1k) *v/t.* denounce (*a. a treaty*); betray; expose;
dénonciateur, -trice [~sja'tœ:r,
~'tris] 1. *su.* informer; F stool-
pigeon; 2. *adj.* tell-tale, revealing;
laying information (*letter*); **dénonciation** [~sja'sjɔ̃] *f* denunciation;
information (against, *de*); notice of
termination (*of treaty etc.*).

dénoter [denɔ'te] (1a) *v/t.* denote,
show, mark.

dénouement [denu'mɑ̃] *m* untying;
result, outcome; *difficulty:* solution; *thea. etc.* dénouement; **dénouer** [~'nwe] (1p) *v/t.* untie, unravel, undo; *fig.* clear up; loosen
(*limbs, the tongue*); se ~ come undone; end (*story*); loosen (*tongue*).

denrée [dɑ̃'re] *f usu.* ~s *pl.* commodity *sg.*; *produce sg.*; ~s *pl.
alimentaires* food-stuffs; ~s *pl.
coloniales* colonial produce *sg.*

dense [dɑ̃:s] dense (*a. phys.*); thick;
peu ~ thin; sparse; **densimètre**
phys. [dɑ̃si'metr] *m* densimeter,
hydrometer; **densité** [~'te] *f* density (*a. phys., a. of population*); *phys.*
specific weight.

dent [dɑ̃] *f* tooth (*a.* ⊕); *elephant:*
tusk; *geog.* jagged peak; ⊕ cog;
fork: prong; ~ *de lait* (*de sagesse*)
milk tooth (wisdom tooth); ~s *pl.
artificielles* denture *sg.*; *sl.* avoir la ~
be hungry; *avoir une* ~ *contre* have

a grudge against; *être sur les* ~s be
worn out; *mal m aux* ~s toothache;
sans ~s toothless; **dentaire** *anat.*
[dɑ̃'tɛ:r] dental (*art, pulp*); **dental,
e**, *m/pl.* -aux [~'tal, ~'to] 1. *adj.*
dental (*nerve, consonant*); 2. *su./f
gramm.* dental (consonant); **dent-
de-lion**, *pl.* **dents-de-lion** ⚘ [dɑ̃d-
'ljɔ̃] *f* dandelion; **denté, e** [dɑ̃'te]
toothed; ⊕ *roue f* ~e cogwheel; **dentelé, e** [dɑ̃t'le] jagged, notched;
serrated (*a. leaf*); **denteler** [~] (1c)
v/t. notch; indent (*a. fig.*); **dentelle**
[dɑ̃'tɛl] *f* lace; wrought ironwork;
dentelure [dɑ̃t'ly:r] *f* indentation;
post: perforation (*of stamps*); **den-
ter** [dɑ̃'te] (1a) *v/t.* ⊕ tooth, cog
(*a wheel*); **denticulé, e** [~tiky'le] ⚘
denticulate; △ denticular; **dentier** [~'tje] *m* denture, F plate; set
of false teeth; **dentifrice** [~ti'fris]
1. *su./m* dentifrice, tooth-paste;
2. *adj.:* eau *f* ~ mouth-wash; **dentine** *anat.* [~'tin] *f* dentine; **dentiste** [~'tist] *m* dentist; **dentition**
[~ti'sjɔ̃] *f* dentition; *baby:* teething;
denture [~'ty:r] *f* set of (*natural*)
teeth; ⊕ teeth *pl.*, cogs *pl.*, gear
teeth *pl.*

dénucléarisé, e [denykleari'ze]
atom-free (*zone*).

dénuder [deny'de] (1a) *v/t.* lay bare;
strip; **dénuement** [~ny'mɑ̃] *m*
destitution; poverty (*a. fig.*); *room:*
bareness; **dénuer** [~'nɥe] (1n) *v/t.*
strip (of, *de*); *dénué de* devoid of,
lacking, ...less.

dépannage *mot.* [depa'na:ʒ] *m* (road)
repairs *pl.*; (*a. service m de* ~) break-
down service, *Am.* wrecking gang;
dépanner *mot.* [~'ne] (1a) *v/t.*
repair; *fig.* help, tide over; **dépanneur** *mot.* [~'nœ:r] *m* break-down
mechanic; **dépanneuse** *mot.* [~-
'nø:z] *f* break-down lorry, *Am.*
wrecking truck.

dépaqueter [depak'te] (1c) *v/t.* unpack.

dépareillé, e [deparɛ'je] odd (=
unpaired); ✝ *articles m/pl.* ~s job
lot *sg.*, oddments.

déparer [depa're] (1a) *v/t.* strip (*of
ornaments*); divest (*of medals etc.*);
fig. spoil, mar.

déparier [depa'rje] (1o) *v/t.* remove
one of a pair of; separate (*a pair*);
gant m déparié odd glove.

départ[1] [de'pa:r] *m* departure,

start; ♣ sailing; *sp.* ~ *lancé* flying start; *point m de* ~ starting point (*a. fig.*).

départ² [~] *m* division, separation.

départager [departa'ʒe] (1l) *v/t.* decide between; ~ *les voix* give the casting vote.

département [depart'mã] *m* department (*a. pol. Am.*); *pol.* Ministry; *admin.* department; *fig.* province.

départir [depar'ti:r] (2b) *v/t.* divide; distribute, deal out; ⚗, *metall.* separate, part; *se* ~ *de* part with.

dépassement [depas'mã] *m* overstepping, going beyond; *credit etc.*: exceeding; **dépasser** [~pɑ'se] (1a) *v/t.* pass, go beyond; exceed (*a. a speed*); overtake (*a car, a person,* etc.); project beyond; *fig.* outshine; *fig.* be beyond (*s.o.'s means etc.*); F *cela me dépasse* it is beyond my comprehension, F it's beyond me; *sp.* ~ *à la course* outrun.

dépaver [depa've] (1a) *v/t.* take up the pavement of (*a street*).

dépayser [depei'ze] (1a) *v/t.* take (*s.o.*) out of his element; mislead; *fig.* bewilder.

dépecer [depə'se] (1d *a.* 1k) *v/t.* cut up; dismember; break up (*an estate, a ship*).

dépêche [de'pɛ:ʃ] *f* dispatch; telegram, F wire; **dépêcher** [depɛ'ʃe] (1a) *v/t.* hasten; expedite; dispatch; *se* ~ hurry up, make haste (*to inf., de inf.*).

dépeigner [depɛ'ɲe] (1a) *v/t.* ruffle.

dépeindre [de'pɛ̃:dr] (4m) *v/t.* depict; describe.

dépenaillé, e [depəna'je] tattered, ragged.

dépendance [depã'dã:s] *f* dependence; dependency (*of a country*); *fig.* subjection, domination; ~*s pl.* outbuildings, annexes.

dépendre¹ [de'pã:dr] (4a) *v/i.* depend (on, *de*); *cela dépend* that depends; *il dépend de vous de* (*inf.*) it lies with you to (*inf.*).

dépendre² [~] (4a) *v/t.* take down, unhang.

dépens [de'pã] *m/pl.* cost *sg.*, expense *sg.*; ⚖ costs.

dépense [de'pã:s] *f* expenditure, outlay, expense; *gas, steam, etc.*: consumption; pantry; **dépenser** [depã'se] (1a) *v/t.* spend; consume

(*coal etc.*); **dépensier, -ère** [~'sje, ~'sjɛ:r] **1.** *su.* storekeeper; *hospital*: dispenser; spendthrift; **2.** *adj.* extravagant, spendthrift.

déperdition [deperdi'sjɔ̃] *f* waste; loss; *gas*: escape.

dépérir [depe'ri:r] (2a) *v/i.* decline, pine (away), dwindle; **dépérissement** [~ris'mã] *m* declining, pining, dwindling; decay(ing); deterioration.

dépêtrer [depɛ'tre] (1a) *v/t.* extricate, free; *se* ~ *de* get o.s. out of (*s.th.*); F *se* ~ *de q.* shake s.o. off.

dépeupler [depœ'ple] (1a) *v/t.* depopulate; thin (*a forest*).

dépiauter F [depjo'te] (1a) *v/t.* skin; *fig.* dissect (*a book*).

dépilation [depila'sjɔ̃] *f* depilation; removal of hair; **dépilatoire** [~la-'twa:r] **1.** *adj.* depilatory; *pâte f* ~ hair-removing cream; **2.** *su./m* depilatory, hair-remover; **dépiler** [~'le] (1a) *v/t.* remove the hair from.

dépister [depis'te] (1a) *v/t. hunt.* run to earth (*a.* F *fig. s.o.*); put off the scent; *fig.* baffle.

dépit [de'pi] *m* spite, resentment, grudge; *en* ~ *de* in spite of; **dépiter** [~pi'te] (1a) *v/t.* annoy; spite; *se* ~ be annoyed *or* vexed (at, *de*).

déplacé, e [depla'se] out of place; displaced; *fig.* misplaced; improper; **déplacement** [~plas'mã] *m* displacement (*a.* ♣); removal; travelling; movement (*of ships*); ~ *disciplinaire* disciplinary transfer; *frais m/pl. de* ~ travelling expenses; **déplacer** [~pla'se] (1k) *v/t.* displace, shift, move; dislodge; ♣ have a displacement of; *fig.* transfer (*s.o.*).

déplaire [de'plɛ:r] (4z) *v/i.*: ~ *à* displease; *v/t.*: *se* ~ *à* dislike; **déplaisant, e** [deplɛ'zã, ~'zã:t] unpleasant, disagreeable; **déplaisir** [~'zi:r] *m* displeasure; annoyance.

déplanter ✔ [deplã'te] (1a) *v/t.* displant; take up (*a plant*); transplant.

dépliant [depli'ã] *m* folding album; folder; **déplier** [~'e] (1a) *v/t.* unfold.

déplisser [depli'se] (1a) *v/t.* unpleat, take the pleats out of; *se* ~ come out of pleats.

déploiement [deplwa'mã] *m* unfolding; *goods, courage, etc.*: display; ✕, ⚓, *troops, etc.*: deployment.

déplomber [deplɔ̃'be] (1a) *v/t.* unseal; ✄ unstop, *Am.* remove the filling from (*a tooth*).

déplorable [deplɔ'rabl] deplorable, lamentable; wretched; **déplorer** [~'re] (1a) *v/t.* deplore; lament, mourn.

déployer [deplwa'je] (1h) *v/t.* unfold; display (*a flag, goods, patience, etc.*); ✕ deploy (*troops*); ⚓ unfurl (*the sail*).

déplumer [deply'me] (1a) *v/t.* pluck; se ~ moult; F grow bald.

dépolir ⊕ [depɔ'liːr] (2a) *v/t.* remove the polish from; grind, frost (*glass*); se ~ grow dull; verre *m* dépoli ground *or* frosted glass.

dépopulation [depɔpyla'sjɔ̃] *f* depopulation; falling population.

déport ✝ [de'pɔːr] *m* backwardation.

déportation [depɔrta'sjɔ̃] *f* ⚖ transportation; *pol.* deportation; **déportements** [depɔrta'mɑ̃] *m/pl.* misconduct *sg.*; dissolute life *sg.*; **déporter** [~'te] (1a) *v/t.* deport (*s.o.*); carry away; ⊕ off-set (*a part*); *v/i.* ⚡ drift.

déposant *m*, e *f* [depo'zɑ̃, ~'zɑ̃ːt] ✝ depositor; ⚖ bailor; ⚖ deponent, witness; **déposer** [~'ze] (1a) *v/t.* deposit (*s.th., money, required documents,* ◠ *a sediment, etc.*); lay down; leave; depose (*a king etc.*); *parl.* introduce, table (*a bill*); ⚖ file (*a petition*), prefer (*a charge*), lodge (*a complaint*); ✝ register (*a trade-mark*); *v/i.* settle (*wine*); ⚖ give evidence (against, *contre*); depose (that, *que*); **dépositaire** [~zi'teːr] *su.* trustee; ⚖ bailee; ✝ agent (for, de); **déposition** [~zi'sjɔ̃] *f* ⚖, *a.* king: deposition; ⚖ evidence; ⚖ ~ sous serment affidavit.

déposséder [depɔse'de] (1f) *v/t.* (de) dispossess (from), deprive (of); **dépossession** [~sɛ'sjɔ̃] *f* dispossession.

dépôt [de'po] *m* deposit; ⚖ bailment; *telegram:* handing in; ✝ store; depot (*a.* ✕); ✝ warehouse; *Customs:* bond; sediment (*in liquid*); ◠ depositing; 🚂 *engine:* shed; police station; ✄ accumulation of matter; ✝ *trade-mark:* registration;

⚖ ~ de *bagages* left-luggage office; ⚖ ~ de *marchandises* goods depot; ~ de *mendicité* workhouse; ~ *mortuaire* mortuary; caisse *f* de ~s et consignations Deposit and Consignment Office; en ~ on sale; in stock; on trust.

dépoter [depɔ'te] (1a) *v/t.* ✎ plant out (*seedlings*); unpot (*a plant*); decant (*wine etc.*).

dépouille [de'puːj] *f* animal: skin; serpent: slough; ⊕ rake, clearance; metall. draw; ~s *pl.* spoils, booty *sg.*: effects; ~ *mortelle* mortal remains *pl.*; **dépouillement** [~puj'mɑ̃] *m* despoiling; scrutiny, examination; votes: count; **dépouiller** [~pu'je] (1a) *v/t.* skin; strip; plunder; rob; examine; open (*letters*); count (*votes*); ⊕ give clearance to; se ~ shed its leaves (*tree*); cast its skin (*serpent*); divest o.s., get rid (of, de).

dépourvoir [depur'vwaːr] (3m) *v/t.* deprive (of s.th., de qch.); **dépourvu, e** [~'vy] 1. *adj.*: ~ de lacking, short of, devoid of; 2. **dépourvu** *adv.*: au ~ unawares.

dépoussiérage [depusje'raːʒ] *m* dusting; ⊕ dust extraction; air: filtering.

dépravation [deprava'sjɔ̃] *f* taste etc.: depravation; morals: depravity; **dépraver** [~'ve] (1a) *v/t.* deprave, corrupt.

dépréciation [depresja'sjɔ̃] *f* depreciation; wear and tear; **déprécier** [~'sje] (1o) *v/t.* depreciate (*a.* ✝), undervalue; belittle, F run down; devalue (*coinage*); se ~ ✝ depreciate; *fig.* belittle o.s.

déprédateur, -trice [depreda'tœːr, ~'tris] 1. *su.* depredator; embezzler; 2. *adj.* depredatory; **déprédation** [~'sjɔ̃] *f* depredation, pillaging; peculation.

déprendre [de'prɑ̃ːr] (4q) *v/t.* separate; dissolve, melt.

dépressif, -ve [depre'sif, ~'siːv] bearing down; *fig.* depressing; **dépression** [~'sjɔ̃] *f* depression (*a.* ✝, *a.* meteor., *a.* fig.); fall (*in value*); barometer: fall in pressure; **déprimer** [depri'me] (1a) *v/t.* depress; *fig.* lower; se ~ become depressed.

depuis [də'pɥi] 1. *prp.* since, for; from; ~ *quand?* since when? je suis ici ~ *cinq jours* I have been here for five days; ~ ... *jusqu'à* from ...

(down) to; **2.** *adv.* since (then); afterwards; **3.** *cj.*: ~ que since.

dépuratif, -ve [depyra'tif, ~'ti:v] *adj., a. su./m* depurative; **dépurer** [~'re] (1a) *v/t.* depurate, cleanse (*the blood*); purify (*water, metal*).

députation [depyta'sjɔ̃] *f* deputation; membership of Parliament; *se présenter à la* ~ stand for Parliament, *Am.* run for Congress; **député** [~'te] *m* deputy, M.P., *Am.* Congressman; **députer** [~'te] (1a) *v/t.* depute; delegate (to *à, vers*).

déraciner [derasi'ne] (1a) *v/t.* uproot; *fig.* eradicate.

déraidir [dere'di:r] (2a) *v/t.* take the stiffness out of; *fig.* relax.

dérailler [dera'je] (1a) *v/i.* ⚙ etc. go off the rails; be derailed, leave the track; *fig.* go astray; **dérailleur** [~'jœ:r] *m* ⚙ shifting track; *bicycle*: gearshift.

déraison [dere'zɔ̃] *f* unreasonableness; unwisdom; **déraisonnable** [~zɔ'nabl] unreasonable, irrational; unwise; foolish; **déraisonner** [~zɔ'ne] (1a) *v/i.* talk nonsense; rave (*sick man*).

dérangement [derɑ̃ʒ'mɑ̃] *m* derangement; disturbance, disorder; trouble; upset; ⚡, ⊕ fault; **déranger** [~rɑ̃'ʒe] (1l) *v/t.* derange; bother; disturb; upset (*a. fig.*); ⊕ put out of order; *se* ~ move; take trouble (to *inf., pour inf.*); lead a wild life; ⊕ get out of order; get upset.

dérapage [dera'pa:ʒ] *m mot.* skid (-ding); ⚓ dragging; **déraper** [~'pe] (1a) *v/t.* ⚓ trip, weigh (*the anchor*); *v/i.* ⚓ drag; drag its anchor (*ship*); *mot.* skid.

dératé, e F [dera'te] **1.** *adj.* scatter-brained, harum-scarum; **2.** *su./m*: *courir comme un* ~ run like a hare.

derby *sp.* [der'bi] *m* derby, horserace; contest. [more.\

derechef [dərə'ʃɛf] *adv.* again, once\

déréglé [dere'gle] ⊕ out of order; *fig.* immoderate; dissolute (*life*); **dérèglement** [~reglə'mɑ̃] *m* disorder; *pulse*: irregularity; profligacy; dissolute life; **dérégler** [~re'gle] (1f) *v/t.* upset, disarrange; unsettle; ⊕ put out of order; *se* ~ get out of order; *fig.* get into evil ways.

dérider [deri'de] (1a) *v/t.* smooth; unwrinkle; *fig.* cheer (*s.o.*) up.

dérision [deri'zjɔ̃] *f* derision, ridicule; *tourner en* ~ hold up to ridicule; **dérisoire** [~'zwa:r] ridiculous, laughable; *prix m* ~ ridiculously low price.

dérivatif, -ve [deriva'tif, ~'ti:v] *adj., a. su./m* derivative; **dérivation** [~'sjɔ̃] *f* ⚡, *gramm.* derivation; *watercourse*: diversion; ⚙ loop-(-line); ⚡ shunt(ing); *teleph.* branch-circuit; ⚡ differentiation; ⚓ drift; **dérive** [de'ri:v] *f* ⚓ leeway; *aller à la* ~ drift; **dérivé** ⚡ₘ, *gramm.* [deri've] *m* derivative; **dérivée** ⚡ [~] *f* differential coefficient.

dériver[1] [deri've] (1a) *v/i.* drift.

dériver[2] [~] (1a) *v/t.* deflect; ⚙, ⚡ shunt; ⊹ free from the board; ⚡, ⚡, *gramm.* derive; *v/i.* be diverted or derived (from, *de*); spring (from, *de*).

dériver[3] ⊕ [~] (1a) *v/t.* unrivet; unhead (*a rivet*).

dernier, -ère [der'nje, ~'nje:r] **1.** *adj.* last, latest; highest, utmost (*importance etc.*); ⊹ closing (*price*); least (*trouble, worry*); vilest (*of men*); *le jugement* ~ judgment-day, the last judgment; *mettre la* ~ère *main à* give the finishing touch to; **2.** *su.* last, latest; **dernièrement** [~njer'mɑ̃] *adv.* lately, not long ago, recently.

dérobade [derɔ'bad] *f* escape; *horse*: balking; **dérobé, e** [~'be] hidden, concealed; **dérobée** [~'be] *adv.*: *à la* ~ secretly, on the sly; **dérober** [~'be] (1a) *v/t.* steal; hide; *cuis.* skin (*beans*), blanch (*almonds*); *se* ~ steal away; hide; escape (from, *à*).

dérogation [derɔga'sjɔ̃] *f* derogation (of, *à*); *faire* ~ *à* deviate from; **déroger** [~'ʒe] (1l) *v/i.* derogate (from, *à*); deviate (from, *à*); *fig.* lower o.s., stoop (to *inf., jusqu'à inf.*).

dérouiller [deru'je] (1a) *v/t.* remove the rust from; *fig.* polish up.

dérouler [deru'le] (1a) *v/t.* unroll; unreel (*a cable, a wire*); *fig.* unfold (*one's plan*); *se* ~ unroll; come unwound; *fig.* unfold (*scene*); ⊕ occur, develop.

déroute [de'rut] *f* rout; *fig.* ruin; *mettre en* ~ rout; **dérouter** [~ru'te] (1a) *v/t.* † lead astray; *fig.* bewilder, baffle.

derrick [dɛˈrik] *m oil-well*: derrick.

derrière [deˈrjɛːr] **1.** *adv.* behind, at the back, in the rear; ⚓ astern; ⚓ aft; *par ~ from the rear;* **2.** *prp.* behind, at the back of, in the rear of, *Am.* back of; ⚓ astern of; ⚓ abaft; être ~ q. back s.o. up; **3.** *su./m* back, rear; F backside, behind, bottom, rump; ✂ *~s pl.* rear *sg.*; *de ~ rear..., hind...*

derviche [dɛrˈviʃ] *m,* **dervis** [ˌˈvi] *m* dervish.

dès [dɛ] *prp.* from, since; upon (*arrival, entry*); as early as; *~ demain from tomorrow; ~ lors from then on; ~ que as soon as.*

désabonner [dezabɔˈne] (1a) *v/t.*: se *~ cancel one's subscription* (to, à).

désabuser [dezabyˈze] (1a) *v/t.* disabuse, disillusion; se *~ have one's eyes opened.*

désaccord [dezaˈkɔːr] *m* discord (♪, *a. fig.*); disagreement; discrepancy; *fig.* en *~ at variance;* **désaccorder** [ˌkɔrˈde] (1a) *v/t.* ♪ untune; *radio:* detune; *fig.* set at variance; ♪ se *~ get out of tune.*

désaccoupler [dezakuˈple] (1a) *v/t.* unpair; unleash (*hounds*).

désaccoutumer [dezakutyˈme] (1a) *v/t.*: *~ q. de (inf.)* break s.o. of the habit of (*ger.*).

désachalander † [dezaʃalɑ̃ˈde] (1a) *v/t.* take away the custom of.

désaffectionner [dezafɛksjɔˈne] (1a) *v/t.* alienate (*s.o.'s*) affections; disaffect (*partisans etc.*).

désagréable [dezagreˈabl] disagreeable, unpleasant, nasty.

désagréger [dezagreˈʒe] (1a) *v/t.* disaggregate, disintegrate; *geol.* weather (*rock*).

désagrément [dezagreˈmɑ̃] *m* unpleasantness; nuisance, inconvenience; discomfort.

désajuster [dezaʒysˈte] (1a) *v/t.* disarrange; ⊕ throw out of adjustment.

désaltérant, e [dezalteˈrɑ̃, ˌˈrɑ̃ːt] thirst-quenching; **désaltérer** [ˌˈre] (1f) *v/t.* quench (*s.o.'s*) thirst; refresh, water (*a plant*).

désamarrer ⚓ [dezamaˈre] (1a) *v/t.* unmoor.

désamorcer [dezamɔrˈse] (1k) *v/t.* unprime, uncap; se *~ run dry* (*pump etc.*).

désappointement [dezapwɛtˈmɑ̃] *m* disappointment; **désappointer** [ˌpwɛˈte] (1a) *v/t.* disappoint.

désapprendre [dezaˈprɑ̃ːdr] (4aa) *v/t.* unlearn; forget (*a subject, a skill*).

désapprobateur, -trice [dezaproباˈtœːr, ˌˈtris] **1.** *su.* disapprover; **2.** *adj.* disapproving; **désapprouver** [ˌpruˈve] (1a) *v/t.* disapprove (of), object to.

désarçonner [dezarsɔˈne] (1a) *v/t.* unseat (*a rider*); *fig.* dumbfound.

désarmement [dezarmaˈmɑ̃] *m* disarmament; **désarmer** [ˌˈme] (1a) *v/t.* disarm (*a. fig.*); ⚓ lay up (*a ship*); unship (*oars*); ✂ unload (*a gun*); uncock (*a rifle*); *v/i.* disarm; ⚓ be laid up (*ship*).

désarrimer ⚓ [dezariˈme] (1a) *v/t.* unstow (*the cargo*); put (*a ship*) out of trim; se *~ shift.*

désarroi [dezaˈrwa] *m* confusion, disorder.

désarticuler [dezartikyˈle] (1a) *v/t.* dislocate; ✚ disarticulate.

désassembler [dezasɑ̃ˈble] (1a) *v/t.* take (*s.th.*) to pieces; disassemble; disconnect (*joints, couplings*).

désastre [deˈzastr] *m* disaster; **désastreux, -euse** [ˌzasˈtrø, ˌˈtrøːz] disastrous, calamitous.

désavantage [dezavɑ̃ˈtaːʒ] *m* disadvantage; drawback; **désavantager** [ˌtaˈʒe] (1l) *v/t.* (put at a) disadvantage; handicap; **désavantageux, -euse** [ˌtaˈʒø, ˌˈʒøːz] unfavo(u)rable.

désaveu [dezaˈvø] *m* disavowal, denial; repudiation; disclaimer; **désavouer** [ˌˈvwe] (1p) *v/t.* disown; disavow; repudiate; disclaim.

désaxé, e [dezakˈse] ⊕ out of true (*wheel*); offset (*cylinder*); eccentric (*cam*); *fig.* F unbalanced.

desceller [desɛˈle] (1a) *v/t.* unseal, break the seal of; ⊕ loosen; force (*a safe*).

descendance [desɑ̃ˈdɑ̃ːs] *f* descent; *coll.* descendants *pl.*; **descendant, e** [ˌˈdɑ̃, ˌˈdɑ̃ːt] **1.** *adj.* descending, downward; ⅄ decreasing (*series*); ⚏ up-... (*platform, train*); **2.** *su.* descendant; **descendre** [deˈsɑ̃ːdr] (4a) *v/i.* descend (*a. fig.*), go or come down(stairs); fall (*temperature*); alight; get out (*a bus etc.*); dismount (*from a horse*); put up, stay (*at a hotel*); be descended (*from* *a family etc.*); ~ *chez q.* stay with s.o.; ⚑ ~ *dans* (*or chez*) raid; ✈ ~ *en piqué* nose-dive; ⚑ ~ *sur les lieux* visit the scene (*of the accident, crime, etc.*); *v/t.* go *or* come down; bring (*s.th.*) down; take (*s.th.*) down (*from a shelf etc.*); lower (*by rope etc., a.* ♪); bring *or* shoot down; set (*s.o.*) down, F drop (*s.o.*) (*at an address*); **descente** [~'sã:t] *f* descent; slope; *police*: raid; 🚂 alighting from (*a train*); ⚓ landing; 🏥 prolapse; lowering (*by rope etc.*); taking down (*from the wall etc.*); ⊕ *piston*: downstroke; ⚡ downpipe; *radio*: down-lead; ↑ run (on a bank); ~ *à pic ski*: straight (downhill) run; *paint. etc.* ~ *de croix* descent from the cross; ~ *de lit* (bed-side) rug; ✈ ~ *piquée* nosedive.

descriptif, -ve [deskrip'tif, ~'ti:v] descriptive; **description** [~'sjõ] *f* description.

déséchouer ⚓ [deze'ʃwe] (1p) *v/t.* refloat.

déségrégation *pol.* [desegrega'sjõ] *f* desegregation.

désemparer [dezãpa're] (1a) *v/i.* leave; ✈ être *désemparé* be out of control; *sans* ~ without stop(ping), on end; *v/t.* ⚓ disable; undo.

désemplir [dezã'pli:r] (2a) *v/t.* half-empty; *v/i.*: ne pas ~ be always full.

désenchaîner [dezãʃɛ'ne] (1b) *v/t.* unchain, unfetter.

désenchanter [dezãʃã'te] (1a) *v/t.* disenchant; *fig.* disillusion.

désenfler [dezã'fle] (1a) *v/t.* reduce the swelling of (*the ankle*); deflate (*a tyre etc.*); *v/i. a.* se ~ go down, become less swollen.

désengager [dezãga'ʒe] (1l) *v/t.* free from an engagement; ⊕ disengage, ungear.

désengorger ⊕ [dezãgɔr'ʒe] (1l) *v/t.* unstop (*a pipe*).

désenivrer [dezãni'vre] (1a) *v/t.* sober (*s.o.*) (up).

désennuyer [dezãnɥi'je] (1h) *v/t.* amuse (*s.o.*); divert (*s.o.*); se ~ seek diversion (in *ger., à inf.*; from, de).

désenrayer [dezãre'je] (1i) *v/t.* release (*a brake etc.*).

désenvenimer 🎖 [dezãvəni'me] (1a) *v/t.* cleanse (*a wound*).

déséquilibre [dezeki'libr] *m* lack

of balance; unbalance; **déséquilibré, e** [dezekili'bre] unbalanced (*a. mind*); out of balance; **déséquilibrer** [~] (1a) *v/t.* throw (*s.th.*) off balance; unbalance.

désert, e [de'zɛ:r, ~'zɛrt] **1.** *adj.* deserted; desert (*island, country*); wild (*country*); lonely (*spot*); **2.** *su./m* desert, wilderness; **déserter** [dezɛr'te] (1a) *v/t.* desert (*a.* ✕), forsake, abandon; *v/i.* ✕ desert; **déserteur** [~'tœ:r] *m* deserter; **désertion** [~'sjõ] *f* desertion.

désespérant, e [dezespe'rã, ~'rã:t] heart-breaking; disheartening; **désespéré, e** [~'re] desperate (*a.* ✕); hopeless (*a.* ✏); être *dans un état* ~ be past recovery; **désespérément** [~re'mã] *adv.* desperately; **désespérer** [~'re] (1f) *v/i.* despair (of, de); lose hope; lose heart; *v/t.* drive (*s.o.*) to despair; **désespoir** [dezes'pwa:r] *m* despair; desperation; *en* ~ *de cause* as a last resource.

déshabillé [dezabi'je] *m* undress; *en* ~ in dishabille; in undress; **déshabiller** [~] (1a) *v/t.* undress, disrobe; strip (*a.* ⚓).

déshabituer [dezabi'tɥe] (1n) *v/t.* ~ *q. de* (*inf.*) break s.o. of the habit of (*ger.*); se ~ grow unused (to, de); break o.s. of the habit (of *ger., de inf.*).

déshériter [dezeri'te] (1a) *v/t.* disinherit.

déshonnête [dezɔ'nɛt] improper, immodest; **déshonneur** [~'nœ:r] *m* dishono(u)r, disgrace; **déshonorer** [~nɔ're] (1a) *v/t.* dishono(u)r, disgrace; disfigure (*a picture etc.*).

déshydrater 🜨 [dezidra'te] (1a) *v/t.* dehydrate.

désignation [deziɲa'sjõ] *f* designation; appointment (as, *au poste de*); **désigner** [~'ɲe] (1a) *v/t.* designate, indicate; appoint.

désillusionner [dezillyzjɔ'ne] (1a) *v/t.* disillusion, undeceive.

désinence *gramm.* [dezi'nã:s] *f* ending.

désinfecter [dezɛ̃fɛk'te] (1a) *v/t.* disinfect; decontaminate.

désintégration [dezɛ̃tegra'sjõ] *f* disintegration; *atom*: splitting; *rock*: weathering.

désintéressé, e [dezɛ̃terɛ'se] unselfish; disinterested, unbiased; **désintéressement** [~rɛs'mã] *m*

impartiality; unselfishness; ✝ *partner*: buying out; ✝ *creditor*: paying
off; **désintéresser** [ˌ~rɛˈse] (1a) *v/t.*
✝ buy out (*a partner*); ✝ pay off
(*a creditor*); reimburse (*s.o.*); se ~
de dissociate o.s. from; take no
part in; take no further interest in.
désinvolte [dezɛ̃ˈvɔlt] free, easy
(*bearing, gait*); off-hand, airy (*manner*); rakish; F cheeky (*reply*); **désinvolture** [ˌ~vɔlˈtyːr] *f* ease, freedom (*of bearing*); off-handedness;
F cheek.
désir [deˈziːr] *m* desire, wish; **désirable** [deziˈrabl] desirable; *peu* ~
undesirable; **désirer** [ˌ~ˈre] (1a) *v/t.*
desire, wish, want; *laisser à* ~ leave
much to be desired; **désireux,
-euse** [ˌ~ˈrø, ˌ~ˈrøːz] (*de*) desirous
(of); eager (to).
désister [dezisˈte] (1a) *v/t.*: se ~ de
withdraw; desist from; renounce.
désobéir [dezɔbeˈiːr] (2a) *v/i.*: ~ à
disobey; **désobéissance** [ˌ~iˈsɑ̃ːs] *f*
disobedience (to, à); **désobéissant, e** [ˌ~iˈsɑ̃, ˌ~ˈsɑ̃ːt] disobedient.
désobligeant, e [dezɔbliˈʒɑ̃, ˌ~ˈʒɑ̃ːt]
disobliging, unfriendly; **désobliger** [ˌ~ˈʒe] (1l) *v/t.* disoblige (*s.o.*);
offend (*s.o.*).
désobstruer [dezɔpstryˈe] (1a) *v/t.*
free (*s.th.*) of obstructions; ⊕ clear
(*a pipe*).
désodorisant [dezɔdɔriˈzɑ̃] *m*
deodorant.
désœuvré, e [dezœˈvre] **1.** *adj.* idle,
unoccupied; at a loose end; **2.** *su.*
idler; **désœuvrement** [ˌ~vrəˈmɑ̃]
m idleness; leisure.
désolant, e [dezɔˈlɑ̃, ˌ~ˈlɑ̃ːt] sad,
distressing; troublesome; **désolation** [ˌ~laˈsjɔ̃] *f* desolation; grief;
désolé, e [ˌ~ˈle] desolate; very
sorry; **désoler** [ˌ~ˈle] (1a) *v/t.* desolate; lay waste; distress, grieve
(*s.o.*).
désopilant, e F [dezɔpiˈlɑ̃, ˌ~ˈlɑ̃ːt],
side-splitting, screaming; **désopi-
ler** *fig.* [ˌ~ˈle] (1a) *v/t.*: se ~ shake
with laughter.
désordonné, e [dezɔrdɔˈne] disorderly; untidy; excessive (*pride,
appetite*); immoderate (*appetite*);
dissolute (*life, man, etc.*); **désordre**
[ˌ~ˈzɔrdr] *m* disorder (*a.* ⚔), confusion; *fig.* dissoluteness; ~s *pl.* dis-
turbances, riots; *vivre dans le* ~ lead
a wild life.

désorganisation [dezɔrganizaˈsjɔ̃] *f*
disorganization.
désorienter [dezɔrjɑ̃ˈte] (1a) *v/t.*
mislead; ⊕ throw out of adjustment; *fig.* bewilder; *fig. tout désorienté* at a loss, all at sea.
désormais [dezɔrˈmɛ] *adv.* from
now on, henceforth.
désossé, e [dezɔˈse] boned(*fish etc.*);
F boneless, flabby (*person*); **désosser** [ˌ~] (1a) *v/t. cuis.* bone (*a fish
etc.*); *fig.* take to pieces, dissect (*a
book etc.*).
despote [desˈpɔt] *m* despot; **despotique** [ˌ~pɔˈtik] despotic; **despotisme** [ˌ~pɔˈtism] *m* despotism.
dessaisir [deseˈziːr] (2a) *v/t.* 🏛
dispossess; se ~ de part with, give
up.
dessalé, e *fig.* [desaˈle] knowing,
sharp (*person*); **dessaler** [ˌ~] (1a)
v/t. cuis. soak (*fish*); F sharpen
(*s.o.'s*) wits.
dessécher [deseˈʃe] (1f) *v/t.* dry
(up); wither (*a plant, a limb*); drain
(*a swamp*); parch (*one's mouth*);
sear (*the heart*); se ~ dry up; wither.
dessein [deˈsɛ̃] *m* design; scheme,
plan; intention; *à* ~ intentionally,
on purpose.
desseller [deseˈle] (1a) *v/t.* unsaddle.
desserre F [deˈsɛːr] *f*: être dur à la
~ be close-fisted; **desserrer** [ˌ~sɛˈre]
(1a) *v/t.* loosen (*the belt, a screw*);
unclamp; unscrew (*a nut*); release
(*the brake*); unclench (*one's fist,
one's teeth*).
dessert [deˈsɛːr] *m* dessert; **des-
serte** [ˌ~ˈsɛrt] *f* dumb-waiter, sideboard; *eccl.* (pastoral) duties *pl.*;
desservant *eccl.* [ˌ~sɛrˈvɑ̃] *m* priest-
in-charge; curate-in-charge.
desservir[1] [desɛrˈviːr] (2b) *v/t.*
clear (*the table*); do (*s.o.*) an ill
turn; *v/i.* clear away.
desservir[2] [ˌ~] (2b) *v/t. eccl.* minister
to (*a parish*); 🚂 *etc.* serve; call at
(*a port,* 🚂 *a station*); supply (*with
gas, electricity, etc.*).
dessiccatif, -ve [desikaˈtif, ˌ~ˈtiːv]
drying.
dessiller [desiˈje] *v/t.*: F ~ *les yeux
à* (*or de*) *q.* open s.o.'s eyes (*to the
truth*).
dessin [deˈsɛ̃] *m* drawing, sketch;
△ *etc.* plan; ⊕ draughtsmanship;
pattern, design; ~ *à main levée*

free-hand drawing; *cin.* ~ *animé* (animated) cartoon; **dessinateur, -trice** [desina'tœːr, ~'tris] *su.* drawer, sketcher; designer; cartoonist; *su./m* ⊕ draughtsman; *su./f* ⊕ draughtswoman; **dessiner** [~'ne] (1a) *v/t.* draw, sketch; design (*material etc.*); lay out (*a garden*); outline; *se* ~ stand out, be outlined; appear; *fig.* take shape.

dessouder ⊕ [desu'de] (1a) *v/t.* unsolder; reopen (*a welded seam etc.*).

dessouler [desu'le] (1a) *v/t.* sober; *v/i. a. se* ~ sober up.

dessous [də'su] **1.** *adv.* under(neath), beneath, below; *de* ~ underneath; *en* ~ underneath; *fig.* in an underhand way; **2.** *prp.*: *de* ~ from under; **3.** *su./m* underside, lower part; ~ *pl.* (*women's*) underclothing *sg.*, F undies; *fig.* seamy *or* shady side *sg.*; F *avoir le* ~ be defeated, get the worst of it; **~-de-bras** *cost.* [də-sudə'bra] *m/inv.* dress-shield.

dessus [də'sy] **1.** *adv.* above, over; on (it, them, *etc.*); *en* ~ at the top, above; *sens* ~ *dessous* in confusion, topsy-turvy; ⊕ *avoir le vent* ~ be aback; *fig. mettre le doigt* ~ hit the nail on the head; **2.** *prp.* † on, upon; *de* ~ from, (from) off; **3.** *su./m* top, upper side; ♪ treble; *thea.* ~ *pl.* flies; *avoir (prendre) le* ~ have (get) the upper hand, have (get) the best of it; ~ *de cheminée* mantelpiece; *fig. le* ~ *du panier* le pick of the basket; **~-de-lit** [dəsyd-'li] *m/inv.* bedspread, coverlet.

destin [des'tɛ̃] *m* fate, destiny; **destinataire** [destina'tɛːr] *su.* addressee; † *money order:* payee; *goods:* consignee; **destination** [~na'sjɔ̃] *f* destination; *à* ~ *de* 🚢 for, to; ⊕ bound for; *post:* addressed to; **destinée** [~'ne] *f* destiny; **destiner** [~'ne] (1a) *v/t.* destine; intend (for, *à*); *se* ~ *à* intend to take up, enter (*a profession*).

destituer [desti'tɥe] (1n) *v/t.* dismiss, discharge; **destitution** [~ty-'sjɔ̃] *f* dismissal; removal.

destrier *poet.* [dɛstri'e] *m* charger, steed.

destroyer ⊕ [dɛstrwa'jœːr] *m* destroyer.

destructeur, -trice [dɛstryk'tœːr, ~'tris] **1.** *adj.* destructive; destroy-

ing; **2.** *su.* destroyer; **destructif, -ve** [~'tif, ~'tiːv] destructive (of, *de*); **destruction** [~'sjɔ̃] *f* destruction; demolition.

désuet, -ète [de'sɥe, ~'sɥɛt] obsolete (*a. gramm.*), out-of-date; **désuétude** [~sɥe'tyd] *f* disuse; *tomber en* ~ fall into disuse; 🖈 fall into abeyance (*law*), lapse (*right*).

désunion [dezy'njɔ̃] *f* disunion; *parts:* separation; *fig.* dissension; **désunir** [~'niːr] (2a) *v/t.* disunite, divide; take apart; *fig.* set at variance.

détachement [detaʃ'mɑ̃] *m* loosening; detachment (*a.* ✕); *fig.* indifference (to, *de*), unconcern.

détacher[1] [deta'ʃe] (1a) *v/t.* detach (*a.* ♪); undo, unfasten; separate; ✕ detail (*a company*); 🖿 uncouple; *fig.* estrange; *se* ~ come loose; part; stand out (against, *sur*).

détacher[2] [~] (1a) *v/t.* clean, remove stains from.

détail [de'taj] *m* detail; particular; *fig.* trifle; † retail; *marchand m en* ~ retailer; *vendre au* ~ retail; **détaillant** *m*, **e** *f* [deta'jɑ̃, ~'jɑ̃ːt] retailer; **détailler** [~'je] (1a) *v/t.* enumerate; itemize (*an account*); relate in detail; cut up; † (sell) retail.

détaler F [deta'le] (1a) *v/i.* decamp, clear out.

détecteur 𝄞 [detɛk'tœːr] *m radio:* detector; 𝄞 ~ *de fuites* fault-finder.

détective [detɛk'tiːv] *m* detective; *phot.* box-camera.

déteindre [de'tɛ̃ːdr] (4m) *v/t.* remove the colo(u)r from; *v/i. a. se* ~ fade, lose colo(u)r; run, bleed (*colour*).

dételer [det'le] (1c) *v/t.* unharness; 🖿 uncouple.

détendre [de'tɑ̃ːdr] (4a) *v/t.* loosen, slacken; *fig.* relax (*the mind*); steady (*one's nerves*); calm, reduce (*one's anger*); ⊕ expand (*steam*); *se* ~ slacken; relax.

détenir [det'niːr] (2h) *v/t.* hold, detain (*goods, s.o., a.* 🖈).

détente [de'tɑ̃ːt] *f* relaxation; slackening; *gun:* trigger; *pol.* détente; *fig.* improvement (*of relations*); ⊕ *steam:* expansion; *mot.* power stroke; *fig. dur à la* ~ close-fisted; *appuyer sur la* ~ press the trigger.

détenteur *m*, **-trice** *f* [detɑ̃'tœːr,

~'tris] holder (*a. sp.*); detainer (*of goods, property*); **détention** [~'sjɔ̃] *f* detention, imprisonment; ✝ holding; possession; withholding; ⚖ ~ préventive holding *or* remand in custody; ⚖ maison *f* de ~ remand home; house of detention; **détenu, e** [det'ny] **1.** *p.p. of* détenir; **2.** *su.* prisoner.

déterger [deter'ʒe] (1l) *v/t.* cleanse.

détériorer [deterjɔ're] (1a) *v/t.* make worse; spoil; impair, damage; se ~ deteriorate; spoil.

déterminant ✗ [determi'nɑ̃] *m* determinant; **détermination** [~na-'sjɔ̃] *f* determination; *fig. a.* resolution; **déterminé, e** [~'ne] determined; definite, specific; *fig.* resolute; **déterminer** [~'ne] (1a) *v/t.* determine, settle; ascertain; induce; bring about; ~ q. à lead *or* induce s.o. to; ~ de (*inf.*) resolve to (*inf.*); se ~ make up one's mind (to *inf.*, à *inf.*); resolve (upon s.th., à qch.).

déterrer [dete're] (1a) *v/t.* unearth (*a. fig.*); dig up; exhume (*a corpse*).

détersif, -ve [deter'sif, ~'si:v] *m* detergent; cleansing product.

détestable [detes'tabl] detestable, hateful; **détester** [~'te] (1a) *v/t.* detest, hate.

détonateur [detɔna'tœ:r] *m* ✗ etc. detonator; 🚢 fog-signal; **détonation** [~na'sjɔ̃] *f* detonation; *gun:* report; **détoner** [~'ne] (1a) *v/i.* detonate, explode; *faire* ~ detonate; *mélange m* détonant detonating mixture.

détonner [detɔ'ne] (1a) *v/i.* ♪ sing *or* play out of tune; *fig.* clash (*colours*).

détordre [de'tɔrdr] (4a) *v/t.* untwist, unravel; unlay (*a rope*); **détors, e** [~'tɔːr, ~'tɔrs] untwisted; unlaid (*rope*); **détortiller** [~tɔrti'je] (1a) *v/t.* untwist; disentangle.

détour [de'tuːr] *m* detour, roundabout way; ~s *pl.* curves, turns; *sans* ~ straightforward(ly *adv.*); *tours et* ~s ins and outs (*a. fig.*), nooks and corners.

détourné, e [detur'ne] roundabout (*way*); out-of-the-way (*spot*); *sentier m* ~ by-path; **détournement** [~nə'mɑ̃] *m* diversion; *money:* embezzlement; *funds:* misappropriation; ⚖ abduction (*of a minor*);

détourner [~'ne] (1a) *v/t.* divert (*a river, the traffic*); avert (*s.o.'s anger, a blow, one's eyes, etc.*); change (*the conversation*); distort (*the meaning*); embezzle (*money*); misappropriate (*funds*); entice (*a wife from her husband, s.o. from his duty*); abduct (*a minor*); untwist; se ~ de turn aside from.

détracteur *m*, **-trice** *f* [detrak'tœ:r, ~'tris] detractor, maligner; slanderer.

détraqué, e [detra'ke] out of order; deranged (*mind*); shattered (*health*); *F il est* ~ he is out of his mind; **détraquer** [~] (1m) *v/t.* put out of order; throw (*a machine*) out of gear; *fig.* upset; se ~ break down; *F* go all to pieces (*person*).

détrempe [de'trɑ̃:p] *f* distemper; *metall.* annealing; **détremper** [~trɑ̃'pe] (1a) *v/t.* soak; dilute; *metall.* anneal.

détresse [de'tres] *f* distress.

détriment [detri'mɑ̃] *m* detriment, injury; *au* ~ de to the prejudice of.

détritus [detri'tys] *m* detritus, debris; refuse, rubbish.

détroit *geog.* [de'trwa] *m* strait(s *pl.*).

détromper [detrɔ̃'pe] (1a) *v/t.* undeceive, enlighten; *F détrompez-vous!* don't you believe it!; se ~ recognize one's error.

détrôner [detro'ne] (1a) *v/t.* dethrone; *fig.* replace, supersede.

détrousser [detru'se] (1a) *v/t.* rob (*s.o.*); **détrousseur** [~'sœ:r] *m* highwayman, footpad.

détruire [de'trɥi:r] (4h) *v/t.* destroy (*a. fig.*); demolish (*buildings, a. arguments*).

dette [dɛt] *f* debt (*a. fig.*); ♀ publique National Debt; ~s *pl. actives* assets; ~s *pl. passives* liabilities.

deuil [dœ:j] *m* mourning (*a. clothes, a. time*); bereavement; funeral procession.

deux [dø] *adj./num., a. su./m/inv.* two; *date, title:* second; ~ *fois* twice; ~ *p* double p (*in spelling*); *à nous* ~ between us; *de* ~ *jours l'un, tous les* ~ *jours* every other day, on alternate days; *diviser en* ~ halve; *en* ~ in two (*pieces*); *Georges* ♀ George the Second; *le* ~ *mai* the second of May; *nous* ~ the two of us; *tous* (*les*) ~ both; **deuxième** [dø'zjɛm] **1.** *adj./num.* second; **2.**

su. second; *su./m* second, *Am.* third floor; *su./f* secondary school: (*approx.*) fifth form.

deux...: ~-**pièces** [dø'pjɛs] *m* (woman's) two-piece suit; ~-**points** [~'pwɛ̃] *m/inv.* colon.

dévaler [deva'le] (1a) *vt/i.* run or rush down.

dévaliser [devali'ze] (1a) *v/t.* rob; rifle, burgle (*a house*).

dévalorisation [devalɔriza'sjɔ̃] *f* currency: devaluation; depreciation, fall in value; **dévaloriser** † [~'ze] (1a) *v/t.* devaluate (*the currency*).

dévaluation † [devalɥa'sjɔ̃] *f* devaluation; **dévaluer** † [~'lɥe] (1n) *v/t.* devaluate.

devancer [dəvɑ̃'se] (1k) *v/t.* precede; outstrip, leave (*s.o.*) behind; *fig.* forestall; **devancier** *m*, **-ère** *f* [~'sje, ~'sjɛːr] precursor; predecessor; **devant** [də'vɑ̃] **1.** *adv.* in front, ahead, before; **2.** *prp.* in front of, before; ahead of; in the presence of (*s.o.*); *fig.* in the eyes of (*the law*); **3.** *su./m* front, forepart; *gagner les* ~*s* take the lead; *zo.* patte *f* de ~ foreleg; *prendre les* ~*s* go on ahead; make the first move; *prendre les* ~*s sur q.* forestall *s.o.*; **devanture** [~vɑ̃'tyːr] *f* front; shop-window.

dévaster [devas'te] (1a) *v/t.* devastate, lay waste, ravage, wreck.

déveinard F [devɛ'naːr] *m* a man whose luck is out; **déveine** F [~'vɛn] *f* (run of) ill-luck, bad luck.

développement [devlɔp'mɑ̃] *m* development (*a. phot., a.* ♪); road: extent; *tree*: spread; ♉ *curve*: evolution; ♉ *algebra*: expansion; *mot., bicycle*: gear; **développer** [~lɔ'pe] (1a) *v/t.* develop; ♉ *algebra*: expand; spread out; *fig.* amplify, unfold (*a plan*); *fig.* unravel (*a complication*); se ~ develop, expand; spread out.

devenir [dəv'niːr] (2h) *v/i.* become; grow (*tall, sad, etc.*).

dévergondé, e [devergɔ̃'de] **1.** *adj.* profligate; shameless; F extravagant (*style etc.*); **2.** *su.* profligate.

déverrouiller [deveru'je] (1a) *v/t.* unbolt.

dévers [de'vɛːr] *m* slope, cant; ♉ *wood*: warp; ⚒ cant, vertical slant. **déversement**¹ [deversə'mɑ̃] *m* sloping; ♉ warp.

déversement² [~] *m* water etc.: discharge; *cart*: tilting; *refuse*: dumping.

déverser¹ [devɛr'se] (1a) *v/t.* incline, slant; ♉ warp (*wood*); *v/i. a.* se ~ lean, incline; ♉ warp (*wood*).

déverser² [devɛr'se] (1a) *v/t.* pour off (*water etc.*); dump (*refuse etc.*); *fig.* discharge, empty; se ~ pour, empty; **déversoir** [~'swaːr] *m* overflow; overfall, waste-weir; *fig.* outlet.

dévêtir [devɛ'tiːr] (2g) *v/t.* undress; take off (*one's coat etc.*); *metall.* open up (*a mould*); se ~ de qch. divest o.s. of s.th.

déviation [devja'sjɔ̃] *f* road: deviation, diversion; *compass*: variation; ♉ *tool*: deflection; *fig.* divergence.

dévider [devi'de] (1a) *v/t. tex.* unwind; reel; *fig.* reel off; **dévideur** *m*, **-euse** *f* tex. [~'dœːr, ~'døːz] reeler; **dévidoir** [~'dwaːr] *m* tex. winder; ⚡ (cable-)drum.

dévier [de'vje] (1o) *v/i.* deviate, swerve; *faire* ~ deflect (*s.th.*); *fig.* divert (*the conversation*); *v/t.* deflect; turn aside (*a blow*); se ~ become crooked; warp (*wood*).

devin [də'vɛ̃] *m* soothsayer; *zo.* boa constrictor; **deviner** [~vi'ne] (1a) *v/t.* divine; guess; predict (*the future*); **devineresse** [~vin'rɛs] *f* fortune-teller; **devinette** [dəvi'nɛt] *f* riddle, conundrum; **devineur** *m*, **-euse** *f* [~'nœːr, ~'nøːz] guesser.

devis [də'vi] *m* estimate; tender.

dévisager [deviza'ʒe] (11) *v/t.* stare at (*s.o.*).

devise [də'viːz] *f* motto; ⚐ device; † currency; **deviser** [~vi'ze] (1a) *v/i.* chat.

dévisser [devi'se] (1a) *v/t.* unscrew; *sl.* ~ son billard die, *sl.* peg out.

dévoiement [devwa'mɑ̃] *m* ♉, ⚠ cant(ing); ⚕ diarrhoea.

dévoiler [devwa'le] (1a) *v/t.* unveil; reveal (*a. fig.*).

devoir [də'vwaːr] **1.** (3a) *v/t.* owe; *v/aux.* have to, must; should; ought to, be to; *j'aurais dû le faire* I should have done it; *je devrais le faire* I ought to do it; **2.** *su./m* duty; *schoolboy*: home-work; exercise; † debit; ~*s pl.* respects; *rendre ses* ~*s à* pay one's respects to (*s.o.*).

dévolu, e [devɔ'ly] **1.** *adj.* (*à*) devolved (upon); *eccl.* lapsing (to); **2.** *su./m*: jeter son ~ sur have designs on; lay claim to; choose (*s.th.*).

dévorant, e [devɔ'rɑ̃, ~'rɑ̃:t] ravenous (*animal*, *a. fig. hunger*); consuming (*fire*, *a. fig. passion*); **dévorer** [~'re] (1a) *v/t.* devour; consume; squander (*a fortune*); F *mot.* ~ *l'espace* eat up the miles.

dévot, e [de'vo, ~'vɔt] **1.** *adj.* devout, pious; *pej.* sanctimonious; **2.** *su.* devout person; *pej.* sanctimonious person; *faux* ~ hypocrite; **dévotion** [~vo'sjɔ̃] *f* devotion; piety; **dévoué, e** [~'vwe] devoted; *votre tout* ~ yours faithfully *or* sincerely; **dévouement** [~vu'mɑ̃] *m* devotion (to, *à*), self-abnegation; **dévouer** [~'vwe] (1p) *v/t.* devote; dedicate.

dévoyer [devwa'je] (1h) *v/t.* lead (*s.o.*) astray; ⊕ give a cant to; ⚕ give (*s.o.*) diarrhoea; se ~ go astray.

devrai [də'vre] *1st p. sg. fut. of devoir 1.*

dextérité [deksteri'te] *f* dexterity, ability, skill.

dextrose [deks'tro:z] *m* dextrose.

diabète ⚕ [dja'bɛt] *m* diabetes; **diabétique** ⚕ [~be'tik] *adj., a. su.* diabetic.

diable [djɑ:bl] *m* devil; ⊕ (stone-)lorry; trolley; porter's barrow, *Am.* porter's dolly; *comment* (*où, pourquoi*) ~ how (where, why) the devil; *au* ~ *vauvert* at the back of beyond; *bon* ~ not a bad fellow; *tirer le* ~ *par la queue* be hard up; **diablement** F [djablə'mɑ̃] *adv.* devilish; **diablerie** [~blə'ri] *f* devilry; F fun; mischievousness; **diablesse** F [~'blɛs] *f* she-devil; virago, shrew; **diablotin** [~blɔ'tɛ̃] *m* imp (*a.* F = *mischievous child*); cracker; **diabolique** [~bɔ'lik] fiendish, diabolic(al), devilish.

diacre *eccl.* [djakr] *m* deacon.

diadème [dja'dɛm] *m* diadem.

diagnose [djag'no:z] *f* ⚕ diagnosis; ⚕ diagnostics *sg.*; **diagnostic** ⚕ [djagnɔs'tik] *m* diagnosis (*of disease*); *faire le* ~ *de* diagnose; **diagnostique** ⚕ [~'tik] diagnostic; **diagnostiquer** [~ti'ke] (1m) *v/t.* diagnose.

diagonal, e [djagɔ'nal, ~'no] *m/pl.* **-aux** *adj., a.* ⚪ *su./f* diagonal.

diagramme [dja'gram] *m* diagram.

dialecte [dja'lɛkt] *m* dialect.

dialectique [djalɛk'tik] *f* dialectics *pl.*

dialogue [dja'lɔg] *m* dialog(ue); **dialoguer** [~lɔ'ge] (1m) *v/i.* converse, talk; *v/t.* write (*s.th.*) in dialog(ue) form.

diamant [dja'mɑ̃] *m* diamond; **diamanter** [~mɑ̃'te] (1a) *v/t.* set with diamonds; ⊕ diamondize; **diamantin, e** [~mɑ̃'tɛ̃, ~'tin] diamond-like.

diamètre ⚪ [dja'mɛtr] *m* diameter.

diane [djan] *f* ⚔ reveille; ⚓ morning watch.

diantre! [djɑ̃:tr] *int.* deuce!; *sl.* hell!

diapason ♪ [djapa'zɔ̃] *m* diapason, pitch; tuning-fork; *voice*: range.

diaphane [dja'fan] diaphanous; F transparent.

diaphragme [dja'fragm] *m* ⊕, *anat.* diaphragm; *phot.* diaphragm stop; *gramophone*: sound-box; **diaphragmer** [~frag'me] (1a) *v/t.* provide with a diaphragm; *phot.* stop down (*the lens*).

diapositive *phot.* [djapozi'ti:v] *f* transparency.

diapré, e [dja'pre] variegated, mottled.

diarrhée ⚕ [dja're] *f* diarrhoea.

diatomique ⚕ [djatɔ'mik] diatomic.

diatribe [dja'trib] *f* diatribe; harangue.

dictaphone [dikta'fɔn] *m* dictaphone.

dictature [dikta'ty:r] *f* dictatorship; **dictée** [~'te] *f* dictation; *sous la* ~ *de* at (*s.o.'s*) dictation; **dicter** [~'te] (1a) *v/t.* dictate (*a. fig.*); **diction** [~'sjɔ̃] *f* diction; delivery; style; **dictionnaire** [~sjɔ'nɛ:r] *m* dictionary; lexicon; ~ *ambulant* walking dictionary; **dicton** [~'tɔ̃] *m* saying; proverb.

dièse ♪ [djɛ:z] *m* sharp.

diesel ⊕ [di'zɛl] *m* diesel engine; *équiper de moteurs* ~s dieselize.

diéser ♪ [dje'ze] (1f) *v/t.* sharp(en) (*a note*).

diète ⚕ [djɛt] *f* diet (*a. pol.*), regimen; ~ *absolue* starvation diet.

dieu [djø] *m* god; ♀ God; ♀ *merci* thank God; F thank heaven; *à* ♀ *ne plaise* God forbid; *grâce à* ♀ thanks be to God; by God's grace; *mon* ♀! good heavens!; dear me!

diffamant, e ẕ̶ẕ̶ [difa'mã, ‿'mã:t] defamatory; libellous; slanderous; **diffamateur** m, **-trice** f ẕ̶ẕ̶ [difama'tœ:r, ‿'tris] defamer; libeller; slanderer; **diffamation** ẕ̶ẕ̶ [‿'sjõ] f defamation; ‿ écrite libel; ‿ orale slander; **diffamatoire** [‿'twa:r] defamatory; libellous; slanderous; **diffamer** [difa'me] (1a) v/t. defame; slander; libel.

différemment [difera'mã] adv. of *différent*; **différence** [‿'rã:s] f difference; à la ‿ de unlike; **différencier** [‿rã'sje] (1o) v/t. differentiate (a. ⚥) (from *de, d'avec*); distinguish (between, *entre*); **différend** [‿'rã] m dispute; quarrel; difference; **différent, e** [‿'rã, ‿'rã:t] different; distinct (from, *de*); **différentiel, -elle** [‿rã'sjɛl] adj., a. mot. su./m, a. ⚥ su./f differential; **différer** [‿'re] (1f) v/t. defer, postpone; v/i. differ (from, *de*); ‿ entre eux differ from one another.

difficile [difi'sil] **1.** adj. difficult (a. fig.); fig. hard to please; **2.** su./m: faire le ‿ be hard to please; be squeamish; **difficulté** [‿kyl'te] f difficulty; faire des ‿s create obstacles, make difficulties, raise objections; **difficultueux, -euse** [‿kyl'tɥø, ‿'tɥø:z] over-particular, fussy; squeamish; fig. thorny (*business, enterprise*).

difforme [di'fɔrm] deformed; misshapen; **difformité** [‿fɔrmi'te] f deformity, malformation.

diffracter opt. [difrak'te] (1a) v/t. diffract.

diffus, e [di'fy, ‿'fy:z] diffused (*light*); fig. diffuse (*style etc.*); éclairs m/pl. ‿ sheet lightning sg.; **diffuser** [dify'ze] (1a) v/t. diffuse (*heat, light*); radio, rumour: broadcast; **diffuseur** [‿'zœ:r] m ⊕ spray nozzle; radio: broadcaster (*person*); radio: cone loud-speaker; **diffusion** [‿'zjõ] f heat, light, news, germs: diffusion; news: spreading; radio: broadcasting; disease, germs: spread; fig. style: prolixity, diffuseness.

digérer [diʒe're] (1f) v/t. digest (*food, news*); fig. swallow (*an insult*); **digestif, -ve** [diʒɛs'tif, ‿'ti:v] adj., a. su./m digestive; **digestion** [‿'tjõ] f digestion.

digital, e, m/pl. **-aux** [diʒi'tal, ‿'to] **1.** adj. digital; empreinte f ‿e fingerprint; **2.** su./f ♀ digitalis, foxglove.

digne [diɲ] worthy, deserving; dignified (*air*); ‿ d'éloges praiseworthy; **dignitaire** [diɲi'tɛ:r] m dignitary; **dignité** [‿'te] f dignity.

digression [digrɛ'sjõ] f digression (a. astr.).

digue [dig] f dike, dam, embankment; jetty; sea-wall; breakwater; fig. barrier.

dilapider [dilapi'de] (1a) v/t. squander (*a fortune, money*); misappropriate (*trust funds*).

dilatation [dilata'sjõ] f eye: dilation; expansion (a. △, ⌒̃, ⊕ truck); stomach: distension; **dilater** [‿'te] (1a) v/t. dilate, expand; distend (*the stomach*); fig. ‿ le cœur gladden the heart; se ‿ dilate, expand; become distended; **dilatoire** ẕ̶ẕ̶ [‿'twa:r] dilatory.

dilection [dilɛk'sjõ] f dilection; loving-kindness.

dilemme [di'lɛm] m dilemma.

dilettante [dilɛt'tã:t] su. dilettante, amateur.

diligence [dili'ʒã:s] f diligence, industry; speed, haste; stage-coach; ẕ̶ẕ̶ à la ‿ de at the suit of; **diligent, e** [‿'ʒã, ‿'ʒã:t] diligent, industrious; speedy.

diluer [di'lɥe] (1n) v/t. dilute (with, *de*); water down; **dilution** [‿ly'sjõ] f dilution.

diluvien, -enne [dily'vjɛ̃, ‿'vjɛn] diluvial (*clay, deposit*); diluvian (*fossil*); fig. torrential (*rain*).

dimanche [di'mã:ʃ] m Sunday.

dîme [dim] f tithe.

dimension [dimã'sjõ] f dimension, size; fig. prendre les ‿s de measure out.

dîmer [di'me] (1a) v/i. levy tithes.

diminuer [dimi'nɥe] (1n) v/t./i. lessen, diminish; reduce; v/i. ♦ go down; abate (*fever, flood*); ♣ ‿ de toile shorten sail; **diminution** [‿ny'sjõ] f diminution; reduction (a. price); ♦ rebate (*on account*); dress: shortening; abatement.

dinanderie [dinã'dri] f brass-ware, copper-ware.

dinde [dɛ̃:d] f turkey-hen; cuis. turkey; fig. stupid woman; **dindon** [dɛ̃'dõ] m turkey-cock; fig. fool; **dindonneau** [dɛ̃dɔ'no] m young

turkey; **dindonnier** m, **-ère** f
[~'nje, ~'njɛːr] turkey-keeper.
dîner [di'ne] **1.** (1a) v/i. dine, have
dinner; **2.** su./m dinner(-party);
dînette [~'nɛt] f snack (meal);
dîneur, -euse [~'nœːr, ~'nøːz]
su. diner; su./m: F un beau ~ a good
trencherman.
dingo [dɛ̃'go] **1.** su./m zo. dingo;
2. adj. sl. crazy; sl. nuts.
diocèse eccl. [djɔ'sɛːz] m diocese.
dioptrie phys., opt. [djɔp'tri] f di-
opter.
diphtérie ✚ [difte'ri] f diphtheria.
diphtongue gramm. [dif'tɔ̃ːg] f
diphthong.
diplomate [diplɔ'mat] m diplomat
(a. fig.); **diplomatie** [~ma'si] f
diplomacy (a. fig.); diplomatic
service; **diplomatique** [~ma'tik]
1. adj. diplomatic; **2.** su./f diplo-
matics pl.; pal(a)eography.
diplôme [di'plo:m] m diploma; certificate; **diplômé, e** [~plo'me]
1. adj. certificated; ingénieur m ~
qualified engineer; **2.** su. (approx.)
graduate.
dire [diːr] **1.** v/t. (4p) say; tell;
recite (a poem); show, reveal; ~ à q.
de (inf.) tell s.o. to (inf.); ~ du mal
de speak ill of; ~ que oui (non) say
yes (no); F à qui le dites-vous?
don't I know it!; sl. you're telling
me!; à vrai ~ to tell the truth; cela
ne me dit rien that conveys nothing
to me; it doesn't appeal to me; cela
va sans ~ it goes without saying;
c'est-à-~ that is to say, i.e.; in other
words; c'est tout ~ I need say no
more; dites donc! I say!; on dirait
que one (you) would think that;
on le dit riche he is said to be rich;
on dit people say; it is said; pour
tout ~ in a word; qu'en dites-vous?
what is your opinion?; sans mot ~
without a word; se ~ claim to be;
be used (word); vouloir ~ mean;
vous l'avez dit exactly; Am. F you
said it; **2.** su./m statement; ✚ allegation; au ~ de according to.
direct, e [di'rɛkt] **1.** adj. direct;
straight; 🚋 through (train, ticket);
émission f en ~ radio: live broadcast; **2.** su./m: box. ~ du droit
straight right.
directeur, -trice [dirɛk'tœːr, ~'tris]
1. su./m director, manager; school:
headmaster; principal; prison:

warden; journ. editor; eccl. ~ de
conscience confessor; ✝ ~ gérant
managing director; su./f Directress;
manageress; school: headmistress;
2. adj. directing, controlling; guiding (principle); ⊕ driving; mot.
steering (wheel); **direction** [~'sjɔ̃] f
direction; enterprise, war: conduct;
✝ management; ✝ manager's office; ✝ board of directors; school:
headship; ⊕ driving; ⚓, mot.
steering; course, route; ~s pl. instructions, directions; train m en ~
de train for; **directive** ✕ etc. [~'tiːv]
f directive; **directoire** [~'twaːr] m
eccl. directory; hist. ♀ Directory;
directrice [~'tris] f see directeur.
dirigeable [diri'ʒabl] **1.** adj. dirigible; antenne f ~ directional aerial;
2. su./m airship; **dirigeant** [~'ʒã]
m ruler, leader; **diriger** [~'ʒe] (1l)
v/t. direct; ✝ etc. manage, F run;
mot. drive; ⚓, mot. steer; ⚓ sail;
♪ conduct; aim (a gun, a. fig. remarks); journ. edit; se ~ vers make
one's way towards, make for; **diri-
gisme** pol. [~'ʒism] m planning,
planned economy.
dis [di] 1st p. sg. pres. and p.s. of dire 1.
discernement [disɛrnə'mã] m dis-
cernment; discrimination (between…and, de…et de); **discerner**
[~'ne] (1a) v/t. discern, make out;
distinguish, discriminate (between
s.th. and s.th., qch. de qch.).
disciple [di'sipl] m disciple, follower; **discipline** [disi'plin] f discipline; eccl. scourge; ✕ compagnie
f de ~ disciplinary company; **discipliner** [~pli'ne] (1a) v/t. discipline; school; bring under control.
discobole sp. [diskɔ'bɔl] m discobo-
lus.
discontinu, e [diskɔ̃ti'ny] discon-
tinuous; **discontinuer** [~'nɥe] (1n)
vt/i. discontinue, stop; v/i.: ~ de
(inf.) stop (ger.).
disconvenance [diskɔ̃v'nãːs] f un-
suitability; disparity; **disconvenir**
[~'niːr] (2h) v/i.: ~ de deny; ~ que
(sbj.) deny that (ind.).
discophile [diskɔ'fil] su. (gramophone) record fan.
discordance [diskɔr'dãːs] f sounds:
discordance; opinions etc.: disagreement, conflict; **discordant, e**
[~'dã, ~'dãːt] discordant (sounds);

conflicting (*opinions etc.*); ♪ out of tune (*instrument*); *geol.* unconformable; **discorde** [dis'kɔrd] *f* discord, dissension; **discorder** [ˌkɔr-'de] (1a) *v/i.* ♪ be discordant; clash (*colours*); disagree (*persons*).

discothèque [diskɔ'tɛk] *f* record library.

discoureur *m*, **-euse** *f* [disku'rœːr, ˌ'røːz] speechifier; talkative person; **discourir** [ˌ'riːr] (2i) *v/i.* discourse; **discours** [dis'kuːr] *m* speech (*a. gramm.*); discourse; talk; language; ~ *improvisé* extempore speech; ~ *inaugural* inaugural address, *Am.* inaugural; *faire un* ~ make a speech; *gramm. partie f du* ~ part of speech.

discourtois, e [diskur'twa, ˌ'twaːz] discourteous, rude, unmannerly.

discrédit [diskre'di] *m* discredit, disrepute; **discréditer** [ˌdi'te] (1a) *v/t.* bring into discredit; disparage.

discret, -ète [dis'krɛ, ˌ'krɛt] discreet, ♣, ⅄ discrete; cautious; tactful; quiet (*dress, taste, village, etc.*); modest (*request*); *sous pli* ~ under plain cover; **discrétion** [diskre'sjɔ̃] *f* discretion; prudence; tact; *à* ~ *at will*; unlimited; ⚔ unconditional (*surrender*); *être à la* ~ *de* be at the disposal of; be at the mercy of; **discrétionnaire** ⚖ [ˌsjɔ'nɛːr] discretionary.

discrimination [diskrimina'sjɔ̃] *f* discrimination, differentiation; ~ *raciale* racial discrimination.

disculper [diskyl'pe] (1a) *v/t.* clear (*s.o. of s.th., q. de qch.*).

discussion [disky'sjɔ̃] *f* discussion, debate; argument; **discuter** [ˌ'te] (1a) *v/t.* discuss, debate; question; ⚖ sell up (*a debtor*).

disert, e [di'zɛːr, ˌ'zɛrt] eloquent.

disette [di'zɛt] *f* scarcity, dearth; shortage (*of, de*).

diseur, -euse [di'zœːr, ˌ'zøːz] *su.* speaker, reciter; talker; *su./f thea.* diseuse; ~*euse de bonne aventure* fortune-teller.

disgrâce [dis'grɑːs] *f* disgrace, disfavo(u)r; misfortune; **disgracié, e** [disgrɑ'sje] out of favo(u)r; **disgracier** [ˌ'sje] (1o) *v/t.* dismiss from favo(u)r; disgrace; **disgracieux, -euse** [ˌ'sjø, ˌ'sjøːz] uncouth, awkward; ungracious (*reply*).

disjoindre [dis'ʒwɛ̃ːdr] (4m) *v/t.*

sever, separate; *se* ~ come apart; break up; **disjoncteur** ⚡ [disʒɔ̃k-'tœːr] *m* circuit-breaker; switch (-board); **disjonctif, -ve** *gramm.* [ˌ'tif, ˌ'tiːv] disjunctive; **disjonction** [ˌ'sjɔ̃] *f* sundering, separation; ⚖ severance.

dislocation [dislɔka'sjɔ̃] *f* ⊕ taking down; ✗ breaking up (*of troops*); ⚕ dislocation; *fig.* dismemberment; *geol.* fault; **disloquer** [ˌ'ke] (1m) *v/t.* ✗ break up; ⚕ dislocate; *fig.* dismember; disperse; *geol.* fault.

disons [di'zɔ̃] *1st p. pl. pres. of dire 1.*

disparaître [dispa'rɛːtr] (4k) *v/i.* disappear; vanish.

disparate [dispa'rat] **1.** *adj.* ill-assorted, ill-matched; dissimilar; **2.** *su./f* disparity; *colours:* clash; incongruity; **disparité** [ˌri'te] *f* disparity.

disparition [dispari'sjɔ̃] *f* disappearance.

dispendieux, -euse [dispɑ̃'djø, ˌ'djøːz] expensive.

dispensaire ⚕ [dispɑ̃'sɛːr] *m* (*public*) dispensary; *hospital:* surgery; out-patients' department; welfare centre; **dispensateur** *m*, **-trice** *f* [ˌpɑ̃sa'tœːr, ˌ'tris] distributor; **dispense** [ˌ'pɑ̃ːs] *f* exemption; certificate of exemption; *eccl.* dispensation; **dispenser** [ˌpɑ̃'se] (1a) *v/t.* dispense (*a. ⚕*), exempt, excuse (*from, de*); distribute.

disperser [dispɛr'se] (1a) *v/t.* disperse, scatter; **dispersion** [ˌ'sjɔ̃] *f* dispersion; breaking up; ⚡ dissipation; ✗ rout; *phys. light:* scattering.

disponibilité [dispɔnibili'te] *f* availability; disposal; release; ~*s pl.* available funds *or* means *or* time *sg.*; *en* ~ unattached; **disponible** [ˌ'nibl] ⚖ disposable; available; spare (*time*); ✗ unattached.

dispos, e [dis'po, ˌ'poːz] fit, in good form; all right; alert (*mind*).

disposer [dispo'ze] (1a) *v/t.* dispose, arrange, lay out; *se* ~ (*à*) prepare (*for s.th.; to inf.*); *v/i.:* ~ *de* dispose of; have at one's disposal; ~ *pour* apply to; *vous pouvez* ~ you may go; **dispositif** [ˌzi'tif] *m parl.* enacting terms *pl.*; ⚖ decision; ⊕ device, appliance; ✗ disposition; ~ *de protection* safety device; **disposition** [ˌzi'sjɔ̃] *f* disposition; arrangement; disposal (*a.* 🕮); state (*of mind*), frame of mind; tendency (to, *à*); ~*s pl.* talent *sg*; *à votre entière* ~ entirely at your service.

disproportion [disprɔpɔr'sjɔ̃] *f* disproportion; **disproportionné, e** [~sjɔ'ne] disproportionate.

dispute [dis'pyt] *f* dispute, quarrel; *chercher* ~ *à* pick a quarrel with; **disputer** [~py'te] (1a) *vt/i.* dispute; contend; *v/i.* argue, quarrel; *v/t.*: ~ *qch. à q.* contend with s.o. for s.th.; **disputeur, -euse** [~py'tœ:r, ~'tø:z] **1.** *adj.* contentious, quarrelsome; **2.** *su.* arguer, wrangler.

disquaire [dis'kɛ:r] *m* record dealer *or* seller.

disqualifier *sp.* [diskali'fje] (1o) *v/t.* disqualify.

disque [disk] *m* disk; *sp.* discus; 🚉 signal; ⊕ plate; (gramophone) record, *Am.*, *a.* F disk; ~*s pl. des auditeurs radio:* listener's requests; *teleph.* ~ *d'appel* dial; ~ *de longue durée*, ~ *microsillon* long-playing record, F long-player; *changeur m de* ~*s* record changer.

dissection [disɛk'sjɔ̃] *f* dissection.

dissemblable [disɑ̃'blabl] *adj.*: ~ *à* (*or de*) dissimilar to (*s.th.*), unlike (*s.th.*); **dissemblance** [~'blɑ̃:s] *f* dissimilarity.

disséminer [disemi'ne] (1a) *v/t.* 🗲 sow; spread (*germs, ideas*); *fig.* disseminate.

dissension [disɑ̃'sjɔ̃] *f* discord, dissension; **dissentiment** [~ti'mɑ̃] *m* disagreement, dissent.

disséquer [dise'ke] (1s) *v/t.* dissect.

dissertation [disɛrta'sjɔ̃] *f* dissertation; essay; **disserter** [~'te] (1a) *v/i.* discourse (on, *sur*), F hold forth.

dissidence *eccl. etc.* [disi'dɑ̃:s] *f* dissidence, dissent; **dissident, e** *eccl.*, *pol.* [~'dɑ̃, ~'dɑ̃:t] **1.** *adj.* dissident; dissenting; **2.** *su.* dissentient; *eccl.* nonconformist, dissenter.

dissimilitude [disimili'tyd] *f* dissimilarity.

dissimulation [disimyla'sjɔ̃] *f* dissembling, deceit; 🕮 concealment; **dissimulé, e** [~'le] secretive, double-dealing, dissembling; 🗲 latent; **dissimuler** [~'le] (1a) *v/t.* conceal, hide; cover up; *se* ~ hide; *vt/i.* dissemble.

dissipateur, -trice [disipa'tœ:r,

~'tris] **1.** *su.* spendthrift; **2.** *adj.* wasteful; **dissipation** [~pa'sjɔ̃] *f* dissipation (*a. fig.*); waste; inattention; *school:* fooling; **dissiper** [~'pe] (1a) *v/t.* dissipate; waste (*money, time*); disperse, dispel (*clouds, fear, a suspicion*); clear up (*a misunderstanding*); divert; *se* ~ disappear; amuse o.s.; *fig.* become dissipated; be inattentive (*pupil*).

dissocier [disɔ'sje] (1o) *v/t.* dissociate.

dissolu, e [disɔ'ly] dissolute; **dissoluble** [~'lybl] 🔬 soluble; 🕮 dissolvable; **dissolution** [~ly'sjɔ̃] *f* 🔬 dissolving; 🔬 solution; 🕮, *a. parl.* dissolution; disintegration, dissoluteness; **dissolvant, e** [disɔl-'vɑ̃, ~'vɑ̃:t] **1.** *adj.* solvent; **2.** *su./m* solvent; ~ *de vernis à ongles* nail-varnish remover.

dissonance [disɔ'nɑ̃:s] *f* dissonance; ♪ discord; **dissonant, e** [~'nɑ̃, ~'nɑ̃:t] discordant; jarring.

dissoudre [di'sudr] (4bb) *v/t.* dissolve; 🕮 annul (*a marriage*); **dissous, -te** [~'su, ~'sut] *p.p. of dissoudre.*

dissuader [disɥa'de] (1a) *v/t.* dissuade (from [doing] s.th., *de* [*faire*] *qch.*); **dissuasion** [~'zjɔ̃] *f* dissuasion; ⚔ *arme f de* ~ deterrent weapon.

distance [dis'tɑ̃:s] *f* distance; *time:* interval; *mot.* ~ *d'arrêt* braking distance; ⚔ ~ *de tir* range; *opt.* ~ *focale* focal length; ⊕ *commande f à* ~ remote control; *tenir à* ~ keep (*s.o.*) at arm's length; **distancer** [~tɑ̃'se] (1k) *v/t.* outrun, outstrip; *fig.* se *laisser* ~ lag behind; **distant, e** [~'tɑ̃, ~'tɑ̃:t] distant; *fig. a.* aloof.

distendre 🩺 [dis'tɑ̃:dr] (4a) *v/t.* distend; pull, strain (*a muscle*); **distension** 🩺 [~tɑ̃'sjɔ̃] *f* distension; *muscle:* straining.

distiller [disti'le] (1a) *v/t.* 🔬, ⊕ distil; ⊕ condense (*water*); *fig.* exude; **distillerie** [~til'ri] *f* distillery; *trade:* distilling.

distinct, e [dis'tɛ̃(:kt), ~'tɛ̃:kt] distinct; separate; clear; **distinctif, -ve** [~tɛk'tif, ~'ti:v] distinctive; characteristic; **distinction** [~tɛk-'sjɔ̃] *f* distinction; difference; discrimination; refinement; polished manner.

distingué, e [distɛ̃'ge] distinguished;

eminent; refined; smart (*appearance, dress*); sentiments *m/pl.* ~s yours truly‚ **distinguer** [~] (1m) *v/t.* distinguish; make out; single out; hono(u)r; se ~ distinguish o.s.; *fig.* stand out.

distique [dis'tik] *m* Greek or Latin: distich; *French verse*: couplet.

distordre [dis'tɔrdr] (4a) *v/t.* distort; twist (*the ankle etc.*); **distors, e** [~'tɔːr, ~'tɔrs] distorted (*limb*); **distorsion** [~tɔr'sjɔ̃] *f* distortion.

distraction [distrak'sjɔ̃] *f* absent-mindedness; inattention, distraction; amusement, recreation; ♱ appropriation; ⚖ misappropriation (*of funds*).

distraire [dis'trɛːr] (4ff) *v/t.* separate; ♱ set aside, appropriate; ⚖ misappropriate (*funds etc.*); amuse, entertain; distract (*s.o.'s attention*); **distrait, e** [~'trɛ, ~'trɛt] inattentive; absent-minded; piéton *m* ~ jay-walker.

distribuer [distri'bɥe] (1n) *v/t.* distribute; issue; deal out; *post*: deliver (*letters*); deal (*cards*); **distributeur, -trice** [~by'tœːr, ~'tris] *su.* distributor; *su./m* ⊕ distributor; booking-clerk, *Am.* ticket-agent, ticket clerk; ~ automatique slot-machine; ~ d'essence petrol, *Am.* gasoline pump; **distribution** [~by-'sjɔ̃] *f* distribution; issue; *post*: delivery; *thea.* cast; ♱ handling.

district [dis'trik(t)] *m* district, region; *fig.* province.

dit, dite [di, dit] 1. *p.p.* of dire 1; 2. *adj.* so-called; autrement ~ in other words; **dites** [dit] *2nd p. pl. pres.* of dire 1.

diurétique ⚕ [diyre'tik] *adj.*, *a. su./m* diuretic.

diurne [djyrn] diurnal; day-(*bird*).

divagation [divaga'sjɔ̃] *f* wandering; *fig.* digression; **divaguer** [~'ge] (1m) *v/i.* wander; *fig.* digress; F ramble, rave.

divergence [divɛr'ʒãːs] *f* divergence (*a.* ⚗, ✥); *fig.* difference; **diverger** [~'ʒe] (1l) *v/i.* diverge, branch off; *fig.* differ.

divers, e [di'vɛːr, ~'vɛrs] diverse, miscellaneous; various; sundry; **diversifier** [diversi'fje] (1o) *v/t.* diversify, vary; **diversion** [~'sjɔ̃] *f* diversion (*a.* ⚔); change; **diversité** [~si'te] *f* diversity; variety.

divertir [divɛr'tiːr] (2a) *v/t.* divert; amuse; entertain; ♱ misappropriate (*funds*); **divertissement** [~tis-'mã] *m* entertainment, amusement; pastime; ♱ *funds:* misappropriation; *thea.* divertissement.

divette [di'vɛt] *f* light opera, music hall: star.

dividende ♱, ⚗ [divi'dãːd] *m* dividend.

divin, e [di'vɛ̃, ~'vin] divine (*a. fig.*); holy; godlike; **divinateur, -trice** [divina'tœːr, ~'tris] 1. *su.* soothsayer; diviner; 2. *adj.* prophetic; **divination** [~'sjɔ̃] *f* divination (*a. fig.*), soothsaying; **divinatoire** [~'twaːr] divining-; baguette *f* ~ dowsing-rod; **diviniser** [divini'ze] (1a) *v/t.* deify; *fig.* glorify; **divinité** [~'te] *f* divinity; deity.

diviser [divi'ze] (1a) *v/t.* divide (*a.* ⚗); separate (from, *d'avec*); **diviseur** [~'zœːr] *m* ⚡ etc. divider; ⚗ divisor; ⚗ commun ~ common factor; **divisible** [~'zibl] divisible; **division** [~'zjɔ̃] *f* division (*a.* ⚗, ✕, ⚓, *school*); section; *admin.* department; *fig.* dissension, discord; ♩ double bar; *typ.* hyphen; ~ du travail division of labo(u)r.

divorce [di'vɔrs] *m* divorce (*a. fig.*); *fig.* disagreement; ⚖ former une demande en ~ seek a divorce; **divorcer** ⚖ [divɔr'se] (1k) *v/i.* divorce (s.o., *d'avec q.*); *fig.* break (with, [*d'*]*avec*).

divulgation [divylga'sjɔ̃] *f* divulgence, disclosure; **divulguer** [~'ge] (1m) *v/t.* divulge, disclose, reveal.

dix [dis; *before consonant* di; *before vowel and h mute* diz] *adj./num., a. su./m/inv.* ten; *date, title:* tenth; **~-huit** [di'zɥit; *before consonant* ~'zɥi] *adj./num., a. su./m/inv.* eighteen; *date, title:* eighteenth; **dix-huitième** [~zɥi'tjɛm] *adj./num., a. su.* eighteenth; **dixième** [~'zjɛm] 1. *adj./num., a. su./m* fraction: tenth; **dix-neuf** [diz'nœf; *before vowel and h mute* ~'nœv] *adj./num., a. su./m/inv.* nineteen; *date, title:* nineteenth; **dix-neuvième** [~nœ'vjɛm] *adj./num., a. su.* nineteenth; **dix-sept** [dis'sɛt] *adj./num., a. su./m/inv.* seventeen; *date, title:* seventeenth; **dix-septième** [~sɛ-'tjɛm] *adj./num., a. su.* seventeenth.

dizain [di'zɛ̃] *m* ten-line stanza;

rosary: decade; **dizaine** [~'zɛn] *f* (about) ten, half a score; *dans la* ~ within ten days.
do ♪ [do] *m/inv.* do, *note*: C.
docile [dɔ'sil] docile; amenable; submissive; **docilité** [~sili'te] *f* docility; obedience; meekness.
dock [dɔk] *m* ⚓ dock(yard); ✝ warehouse; **docker** [dɔ'kɛːr] *m* docker.
docte [dɔkt] learned (*a. iro.*).
docteur [dɔk'tœːr] *m* doctor; physician; **doctoral, e,** *m/pl.* **-aux** [dɔktɔ'ral, ~'ro] doctoral; *fig.* pedantic; **doctorat** [~'ra] *m* doctorate, Doctor's degree; **doctoresse** [~'rɛs] *f* (lady) doctor.
doctrine [dɔk'trin] *f* doctrine, tenet.
document [dɔky'mɑ̃] *m* document; **documentaire** [~mɑ̃'tɛːr] *adj., a. su./m* documentary; **documenter** [~mɑ̃'te] (1a) *v/t.* document.
dodeliner [dɔdli'ne] (1a) *v/t.* dandle, coddle (*a child*); wag (*one's head*); ⊕ rock (*a sifting-machine*).
dodo *ch.sp.* [do'do] *m* bye-bye; sleep; bed; *faire* ~ (go to) sleep.
dodu, e [dɔ'dy] plump, chubby.
dogme [dɔgm] *m* dogma, tenet.
dogue *zo.* [dɔg] *m*: ~ *anglais* mastiff; **doguin** [dɔ'gɛ̃] *m zo.* pug; ⊕ (lathe-)dog.
doigt [dwa] *m* finger; *zo., anat.* digit; ~ *de pied* toe; *à deux* ~*s de* on the verge of, within an ace of; *montrer du* ~ point at; **doigté** [dwa'te] *m* ♪ fingering; *fig.* skill; *fig.* tact; **doigter** ♪ [~'te] (1a) *v/t.* finger (*a piece of music*); **doigtier** [~'tje] *m* finger-stall.
dois [dwa] *1st p. sg. pres. of devoir 1*; **doit** ✝ [~] *m* debit, liability; **doivent** [dwaːv] *3rd p. pl. pres. of devoir 1.*
dol ⚖ [dɔl] *m* fraud.
doléances [dɔle'ɑ̃ːs] *f/pl.* complaints; grievances; **dolent, e** [~'lɑ̃, ~'lɑ̃ːt] painful (*limb*); plaintive, doleful (*person, voice, etc.*).
doler [dɔ'le] (1a) *v/t.* pare (*wood, skins*); shave (*wood*).
dollar [dɔ'laːr] *m coinage*: dollar.
doloire ⊕ [dɔ'lwaːr] *f* broad-axe; (cooper's) adze.
dolomie [dɔlɔ'mi] *f*, **dolomite** [~'mit] *f* dolomite.
domaine [dɔ'mɛn] *m* domain; realm; estate, property; *fig.* sphere, field; ~ *public* public property.
dôme [doːm] *m* dome; *fig.* canopy; vault (*of heaven*).
domesticité [dɔmɛstisi'te] *f* menial condition; domestic service; *animal*: domesticity; *coll.* staff (of servants); **domestique** [~'tik] **1.** *adj.* domestic; menial; **2.** *su.* servant; domestic; ~*s pl.* staff *sg.* (of servants), household *sg.*; **domestiquer** [~ti'ke] (1m) *v/t.* domesticate; tame; se ~ become domesticated.
domicile [dɔmi'sil] *m* residence; ⚖ domicile; *travail m à* ~ home-work; **domiciliaire** [dɔmisi'ljɛːr] domiciliary; **domicilié, e** [~'lje] domiciled, resident; **domicilier** [~'lje] (1o) *v/t.* domicile; se ~ *à* take up residence at.
dominant, e [dɔmi'nɑ̃, ~'nɑ̃ːt] **1.** *adj.* dominant, ruling; prevailing, predominating; **2.** *su./f* ♪ dominant; **dominateur, -trice** [~na'tœːr, ~'tris] **1.** *adj.* dominant, ruling; domineering (*attitude, person*); **2.** *su.* ruler; **domination** [~na'sjɔ̃] *f* domination, rule; **dominer** [~'ne] (1a) *v/t.* dominate; master, rule; overlook; *v/i.* rule; predominate; prevail (*opinion*); ~ *sur* rule over; domineer.
dominical, e, *m/pl.* **-aux** [dɔmini'kal, ~'ko] dominical; Sunday-...; *oraison f* ~ Lord's Prayer.
domino [dɔmi'no] *m cost., game*: domino.
dommage [dɔ'maːʒ] *m* damage, injury; ~*s pl.* damage *sg.* (*to property*); ~*s pl. de guerre* war damage (compensation) *sg.*; ⚖ ~*s pl. et intérêts m/pl.* damages; *quel* ~*!* what a pity!; **dommageable** [dɔma'ʒabl] ✝ damageable; ⚖ prejudicial; ⚖ *acte m* ~ tort.
domptable [dɔ̃'tabl] tamable; **dompter** [~'te] (1a) *v/t.* tame; break in (*a horse*); *fig.* subdue (*feelings*); *fig.* reduce (*s.o.*) to obedience; **dompteur** *m*, **-euse** *f* [~'tœːr, ~'tøːz] tamer (*of animals*); subduer, vanquisher.
don [dɔ̃] *m* gift (*a. fig.*) (for, *de*), present; ⚖ donation; *fig.* talent (for, *de*); *faire* ~ *à q. de qch.* make a present of s.th. to s.o.; **donataire** ⚖ [dɔna'tɛːr] *su.* donee, *Sc.* donatary; **donateur, -trice** [~'tœːr, ~'tris] *su.* giver; *su./m* ⚖

donor; *su./f* ⚥ donatrix; **donation** [~'sjɔ̃] *f* donation, gift.

donc [dɔ̃k; dɔ̃] **1.** *adv.* then; just ...; *allons* ~! come along!; come, come!, nonsense!; *pourquoi* ~? (but) why?; *viens* ~! come along!; **2.** *cj.* therefore, so, consequently; then; hence.

donjon [dɔ̃'ʒɔ̃] *m castle:* keep.

donnant, e [dɔ'nɑ̃, ~'nɑ̃:t] generous; ~ ~ tit for tat; **donne** [dɔn] *f cards:* deal; *à qui la* ~? whose deal is it?; *fausse* ~ misdeal; **donnée** [dɔ'ne] *f* datum; theme; fundamental idea; ~s *pl.* admitted facts; **donner** [~'ne] (1a) *v/t.* give (*a. advice, orders, an example*), present, bestow; yield (*a. a profit, a harvest, fig. a result*); deal (*cards, a blow*); set (*a problem, a price*); ✠ donate (*blood*); *sl.* give away (*an accomplice*); ~ *à* assign to; confer (*a title*) upon; ✝ ~ *avis* (*quittance*) give notice (a receipt); ~ *de la peine* give trouble; ~ *en mariage* give in marriage; *teleph.* ~ *à q. la communication avec* put s.o. through to; ~ *le bonjour à* a wish (*s.o.*) good day; ~ *lieu à* give rise to, cause; ~ *q. pour perdu* give s.o. up for lost; *elle lui donna un enfant* she bore him a child; *se* ~ *à abandon* o.s. to; *se* ~ *de la peine* take pains; *se* ~ *pour* give o.s. out as; *v/i.* give, sag; ⚔ engage; *cards:* deal; ~ *à entendre* give to understand; ~ *contre* run against; ~ *dans* run into; *sun:* shine into (*a room*); *fig.* have a taste for; ~ *sur* overlook, look out on; lead to; **donneur** *m,* **-euse** *f* [~'nœːr, ~'nøːz] giver, donor; *cards:* dealer; ✝ seller; ~ *de sang* blood donor; ✝ ~ *d'ordre* principal.

dont [dɔ̃] *pron.* whose, of whom (which); by *or* from *or* among *or* about whom (which).

donzelle F [dɔ̃'zɛl] *f* wench, hussy.

doper *sp.* [dɔ'pe] (1a) *v/t.* dope; **doping** *sp.* [dɔ'piŋ] *m action:* doping; *drug:* dope.

doré, e [dɔ're] gilt, gilded; browned (*meat*); glazed (*cake*).

dorénavant [dɔrena'vɑ̃] *adv.* henceforth.

dorer [dɔ're] (1a) *v/t.* gild; brown (*meat*); glaze (*a cake*); F ~ *la pilule* gild the pill; **doreur** *m,* **-euse** *f* [dɔ'rœːr, ~'røːz] gilder.

dorloter [dɔrlɔ'te] (1a) *v/t.* fondle; pamper; make a fuss of.

dormant, e [dɔr'mɑ̃, ~'mɑ̃:t] **1.** *adj.* sleeping; ✝, ♧, *geol.* dormant; stagnant (*water*); ⊕ dead (*lock*); **2.** *su./m* sleeper; ~ *de croisée* (*de porte*) window- (door-)frame; **dormeur, -euse** [~'mœːr, ~'møːz] *su.* sleeper; *fig.* sluggard; *su./f* lounge chair; (*sort of*) stud ear-ring; **dormir** [~'miːr] (2b) *v/i.* sleep, be asleep; ♧ close (*flower*); ✝ lie idle; *fig.* be still *or* latent; ~ *comme un sabot* (*or un loir*) sleep like a log; ~ *sur les deux oreilles* be absolutely confident; ~ *trop longtemps* oversleep; *histoire f à* ~ *debout* incredible story; **dormitif, -ve** ⚕ [~mi'tif, ~'tiːv] **1.** *adj.* soporific; **2.** *su./m* sleeping-draught. [dorsal.\
dorsal, e, *m/pl.* **-aux** [dɔr'sal, ~'so]\
dortoir [dɔr'twaːr] *m* dormitory; sleeping-quarters *usu. pl.*

dorure [dɔ'ryːr] *f* gilding; gold-braid; *meat:* browning; *cake:* glazing.

doryphore *zo.* [dɔri'fɔːr] *m* Colorado beetle.

dos [do] *m* back (*a. of chair, page, etc.*); *nose:* bridge; *geog.* ridge; *en* ~ *d'âne* ridged, high-crowned (*road*); ⚠ ogee; hump-back (*bridge*); *en avoir plein le* ~ be fed up with it; *faire le gros* ~ arch its back (*cat*); *voir au* ~ turn over!; see overleaf.

dosage [do'zaːʒ] *m* ⚕ dosage; 🜍 titration, quantity determination; **dose** [doːz] *f* ⚕ dose; 🜍 amount, proportion; *fig.* share; **doser** [do'ze] (1a) *v/t.* ⚕ determine the dose of; 🜍 titrate; *fig.* measure out.

dossier [do'sje] *m chair etc.:* back; ⚥ (*prisoner's*) record; ⚥ (*barrister's*) brief; file, papers *pl.*, documents *pl.*; ⚥ case history.

dot [dɔt] *f* dowry; **dotal, e,** *m/pl.* **-aux** [do'tal, ~'to] dotal; ⚥ *régime m* ~ marriage settlement; **dotation** [~ta'sjɔ̃] *f* endowment; ⊕ *etc* equipment; **doter** [~'te] (1a) *v/t* give a dowry to (*a bride*); endow (*a hospital etc., a. fig.*) (with, de).

douaire [dwɛːr] *m* (*widow's*) dower; (*wife's*) jointure; **douairière** [dwɛ-'rjɛːr] *su./f, a. adj.* dowager.

douane *admin.* [dwan] *f* customs *pl.*; **douanier, -ère** [dwa'nje, ~'njɛːr]

1. *adj.* customs-...; **2.** *su./m* customs officer.

doublage [du'bla:ʒ] *m cost.* lining; ⊕ plating; *cin.* dubbing; **double** [dubl] **1.** *adj.* double, twofold; *à ~ face* two-faced (*person*); *à ~ sens* ambiguous; ✝ *en partie ~* by double-entry; *sp. partie f ~ golf*: foursome; **2.** *su./m* double; duplicate; ✝ *en ~* in duplicate; *plier en ~* fold in half *or* in two; *~s pl.* messieurs tennis: men's doubles; **doublé** [du'ble] *m billiards*: stroke off the cushion; rolled gold; plated ware; **doubler** [~'ble] (1a) *v/t.* double (*a.* ⚓ *a cape*); fold in half *or* in two; *cost.* line; ⊕ *metal*: plate; *cin.* dub; pass, overtake; *thea.* understudy (*a role*); *mot.* défense de *~* no overtaking; *mot. ~ à gauche* overtake *or* pass on the left; *~ une classe* repeat a class; *v/i.* double; **doublet** [~'ble] *m* doublet; **doublure** [~'bly:r] *f cost.* lining; *thea.* understudy; *mot.* overtaking.

douce-amère, *pl.* **douces-amères** ⚘ [dusa'mɛ:r] *f* bitter-sweet, woody nightshade; **douceâtre** [~-'sa:tr] sweetish; sickly; **douceureux, -euse** [dus'rø, ~'rø:z] sweetish, sickly, cloying; *fig.* smooth-tongued, sugary; **doucet, -ette** [du'sɛ, ~'sɛt] **1.** *adj.* meek; mild; **2.** *su./f* ⚘ lamb's lettuce, corn-salad; **douceur** [~'sœ:r] *f* sweetness; softness; gentleness; *weather*: mildness; *~s pl.* sweets, *Am.* candies; *fig.* sweet nothings.

douche [duʃ] *f* shower(-bath); 💦 douche; **doucher** [du'ʃe] (1a) *v/t.* give (*s.o.*) a shower-bath; F dowse (*s.o.*); 💦 douche.

doucir [du'si:r] (2a) *v/t.* grind down (*glass or metal*).

douer [dwe] (1p) *v/t.* endow (with, de) (*a. fig.*); *être doué pour* have a natural gift for.

douille [du:j] *f* ⊕, ⚡ socket; ⚡ (bulb-)holder; cartridge case; ⊕ wheel: sleeve.

douillet, -ette [du'jɛ, ~'jɛt] soft (*cushion etc., a. person*); *pej.* effeminate, over-delicate.

douleur [du'lœ:r] *f* pain; suffering; grief; **douloureux, -euse** [~lu'rø, ~'rø:z] painful; aching; *fig.* sad; *fig.* sorrowful (*look*); *fig.* grievous (*cry, event, loss*).

doute [dut] *m* doubt, misgiving; suspicion; *mettre (or révoquer) en ~* (call in) question (whether, *que*); *sans ~* no doubt; probably; **douter** [du'te] (1a) *v/i.* (*a. ~ de*) doubt, question; mistrust; *se ~ de* suspect, think; **douteur, -euse** [~'tœ:r, ~'tø:z] **1.** *su.* doubter; **2.** *adj.* doubting; **douteux, -euse** [~'tø, ~'tø:z] doubtful, dubious; questionable; uncertain.

douve [du:v] *f* ⚠ moat; ⚔ trench; *sp.* water-jump; *tub*: stave.

doux, douce [du, dus] **1.** *adj.* soft (*a. iron; a. gramm. consonant*); sweet; mild (*a. steel*); gentle; smooth; pleasant (*memories, news*); *billet m ~* love-letter; *eau f douce* fresh *or* soft water; *vin m ~* must; **2.** *adv.*: F *filer doux* sing small; submit; *tout doux!* take it easy!; *sl. en douce* on the quiet.

douzaine [du'zɛn] *f* dozen; *à la ~* by the dozen; *une ~ de fleurs* a dozen flowers; **douze** [du:z] *adj./num.*, *a. su./m/inv.* twelve; date, *title*: twelfth; **douzième** [du'zjɛm] *adj./num.*, *a. su.* twelfth.

doyen *m*, **-enne** *f* [dwa'jɛ̃, ~'jɛn] *eccl., univ.* dean; *diplomat:* doyen; *fig.* (*a. ~ d'âge*) senior; **doyenné** [~jɛ'ne] *m* deanery; ⚘ *pear:* doyenne.

draconien, -enne [drakɔ'njɛ̃, ~'njɛn] draconian; F harsh.

dragage ⊕ [dra'ga:ʒ] *m* dredging; dragging (*for body*); (mine-)sweeping.

dragée [dra'ʒe] *f* sugared almond; sweet; 💊 dragee; ✗ *sl.* bullet; *fig.* pill; *hunt.* small shot; *tenir la ~ haute à* make (*s.o.*) pay dearly; **drageoir** [~'ʒwa:r] *m* watch-glass: bezel; comfit-box, comfit-dish.

drageon ⚘ [dra'ʒɔ̃] *m* sucker.

dragon [dra'gɔ̃] *m myth.* dragon (*a. fig.*); *zo.* flying lizard; ✗, *orn.* dragoon; **dragonne** [~'gɔn] *f* sword-knot; *umbrella:* tassel.

drague [drag] *f* ⊕ dredger; grappling-hook; *fishing:* drag-net, dredge; **draguer** [dra'ge] (1m) *v/t* ⊕ dredge; drag (*a pond*); dredge for (*oysters*); ⚓ sweep for (*mines*); **dragueur** [~'gœ:r] *m* ⊕ dredger-man; *fishing:* dragman; (*a. bateau m ~*) dredger; ⚓ *~ de mines* minesweeper.

drain [drɛ̃] *m* drain(ing); drain-pipe; 🦶 drainage tube; ⚒ watercourse; **drainage** ⚓, 🦶 [drɛ'naːʒ] *m* drainage, draining; ✝ drain; **drainer** ⚓, 🦶 [ˌ~'ne] (1a) *v/t.* drain.

dramatique [drama'tik] **1.** *adj.* dramatic (*a. fig.*); *auteur m ~* playwright; **2.** *su./m* drama (*a. fig.*); **dramatiser** [ˌ~ti'ze] (1a) *v/t.* dramatize (*a. fig.*); adapt (*a novel*) for the stage; **dramaturge** [ˌ~'tyrʒ] *m* playwright; **drame** [dram] *m* drama (*a. fig.*); play.

drap [dra] *m* cloth; ~ (*de lit*) sheet; ~ *mortuaire* pall; F *être dans de beaux ~s* be in a pretty mess; **drapeau** [dra'po] *m* flag; *telev.* irregular synchronism; ⚔ colo(u)rs *pl.*; *sous les ~x* ⚔ in the services; F *fig.* on the side (of, *de*); **draper** [ˌ~'pe] (1a) *v/t.* drape; cover with cloth (*buttons etc.*); *se ~* drape o.s. (in, *dans*) (*a. fig.*); **draperie** [ˌ~'pri] *f* drapery; curtains *pl.*; ⚔ bunting; **drapier** [ˌ~'pje] *m* draper; cloth merchant *or* manufacturer.

drastique 🦶 [dras'tik] *adj., a. su./m* drastic.

drawback ✝ [dro'bak] *m* drawback.

drêche [drɛʃ] *f* draff.

drelin [drə'lɛ̃] *m* tinkle, ting-a-ling.

dressage [drɛ'saːʒ] *m* preparation; *monument:* erection; ⊕ *stone, wood:* dressing; ⊕ facing; training (*a.* ⚔); *horse:* breaking in; **dressement** [drɛs'mã] *m* preparation, drawing up; **dresser** [drɛ'se] (1a) *v/t.* erect (*a monument etc.*); fix up (*a bed*); raise (*one's head*); prick up (*one's ears*); lay, set (*an ambush, the table, a trap*); draw up (*a contract, an inventory, a list, a report*); pitch (*a tent*); ⚔ lay out (*a camp*); ⚔ establish (*a battery*); ⚖ lodge (*a complaint*); ✝ make out (*a cheque*); dish up (*food*); train (*an animal, a person*); break in (*a horse*); ⚔ drill (*recruits*); ⊕ line up (*an engine, a machine*); trim (*a hedge*); dress (*wood, a stone*); ⊕ straighten out (*a wire*); ~ *un procès-verbal contre* (*or à*) *q.* take down the particulars of a minor offence, F take s.o.'s name and address; *se ~* rise, get to one's feet; stand on end (*hair*); stand (*monument etc.*); rise on its hind legs (*horse*); **dresseur** *m*, **-euse** *f* [ˌ~'sœːr, ˌ~'søːz] trainer (of

animals); adjuster; **dressoir** [ˌ~'swaːr] *m* dresser, sideboard.

dribbler *sp.* [dri'ble] (1a) *vt./i.* dribble.

drille[1] [driːj] *m:* F *bon ~* grand chap; F *pauvre ~* poor devil.

drille[2] ⊕ [ˌ~] *f* hand-drill, drill-brace.

drisse ⚓ [dris] *f* halyard, yard-rope.

drogue [drɔg] *f* drug; ✝, ⊕ chemical; *fig.* trash, *sl.* muck; **droguer** [drɔ'ge] (1m) *v/t.* drug, give medicine to; dope (*a horse*); *fig.* doctor (*a drink etc.*); *v/i.* F cool one's heels; **droguerie** [ˌ~'gri] *f* drugs *pl.*; **droguiste** [ˌ~'gist] *su.* drysalter.

droit, droite [drwa, drwat] **1.** *adj.* straight (*a. line*); right (*angle, hand, side*); upright (*a. fig.*); vertical; stand-up (*collar*); *fig.* honest; *~ de* at right angles with; ⚒ *section f ~e* cross-section; **2.** *droit adv.* straight; *fig.* honestly; **3.** *su./m* right; privilege; law; fee, charge; *~s pl. d'auteur* royalties; *~s pl. civiques* civil rights; ✝ *~s pl. de magasinage* storage *sg.* (charges); warehouse dues; *~ de douane* (customs) duty; *~ des gens* law of nations; *~ du plus fort* right of the strongest; *à qui de ~* to the proper person *or* quarter; *de* (*bon*) *~* by right; *être en ~ de* (*inf.*) have a right to (*inf.*), be entitled to (*inf.*); *faire son ~* study law; *su./f* right hand; straight line; *à ~e* on the right; *tenir la ~e* keep to the right; *pol. la* ⚖*e* the Right, the Conservatives *pl.*; **droitier, -ère** [drwa'tje, ˌ~'tjɛːr] **1.** *adj.* right-handed; *pol.* right-wing; **2.** *su.* right-handed person; *pol.* Rightist, Conservative; **droiture** [ˌ~'tyːr] *f* uprightness; integrity; honesty.

drolatique [drɔla'tik] comic, humorous; spicy; **drôle** [droːl] **1.** *adj.* funny; odd, queer; F *la ~ de guerre* the phoney war; *un(e) ~ de* a funny, an odd; **2.** *su./m* rascal, knave; straight line; *Am.* gag; **drôlerie** [drol'ri] *f* jesting, fun; joke, jest, *Am.* gag; **drôlesse** ✝ [dro'lɛs] *f* hussy.

dromadaire *zo.* [drɔma'dɛːr] *m* dromedary.

drosser ⚓, ⚔ [drɔ'se] (1a) *v/t.* drive *or* carry off course.

dru, drue [dry] **1.** *adj.* thick, strong; dense; vigorous; **2.** *dru adv.*

thickly; ~ et menu in a steady drizzle (rain); (walk) with quick, short steps; tomber ~ fall thick and
druide [drɥid] m druid.   [fast.
drupe ♀ [dryp] f drupe, stone-fruit.
dû, due, m/pl. **dus** [dy] 1. p.p. of devoir 1; 2. adj. due; owing; 3. su./m due.
dubitatif, -ve [dybita'tif, ~'ti:v] dubitative.
duc [dyk] m duke; orn. horned owl; **ducal, e,** m/pl. **-aux** [dy'kal, ~'ko] ducal; ... of a or the duke.
ducat † [dy'ka] m ducat.
duché [dy'ʃe] m duchy, dukedom; **duchesse** [~'ʃes] f duchess; tex. duchesse lace or satin; ♀ duchess pear.
ductile [dyk'til] ductile, malleable (a. fig.); fig. pliable; **ductilité** [~tili'te] f malleability; fig. docility.
duel¹ gramm. [dɥel] m dual.
duel² [dɥel] m duel; **duelliste** [dɥe'list] m duellist.
dulcifier [dylsi'fje] (1o) v/t. sweeten.
dum-dum [dum'dum] f dum-dum (bullet).
dûment [dy'mã] adv. duly, in due form, properly.
dumping ✝ [dœm'piŋ] m dumping; faire du ~ dump.
dune [dyn] f dune; ~s pl. downs.
dunette ⚓ [dy'net] f poop-deck.
duo ♪ [dɥo] m duet.
duodénum anat. [dɥɔde'nɔm] m duodenum.
dupe [dyp] f dupe; F gull; être ~ de be taken in by; prendre q. pour sa ~ make a cat's-paw of s.o.; **duper** [dy'pe] (1a) v/t. dupe, fool; take (s.o.) in; **duperie** [~'pri] f deception, trickery; take-in; **dupeur** [~'pœːr] m cheat, swindler, Am. sharper; hoaxer.
duplex ⊕ [dy'plɛks] adj., a. su./m duplex; duplicata [dyplika'ta] m/ inv. copy: duplicate; **duplicateur** [~ka'tœːr] m duplicator; ≠ doubler; **duplicatif, -ve** [~ka'tif, ~'ti:v] duplicative; **duplicité** [~si'te] f duplicity, double-dealing.
dur, dure [dyːr] 1. adj. hard (a. fig.); stiff; tough (meat, wood); fig. harsh; unfeeling; hardened; avoir le som-

meil ~ be a heavy sleeper; être ~ d'oreille be hard of hearing; 2. dur adv. hard; entendre ~ be hard of hearing; dormir ~ be a heavy sleeper; 3. su./m △ concrete; su./f: coucher sur la dure sleep on the bare ground or on bare boards.
durabilité [dyrabili'te] f durability; **durable** [~'rabl] durable, lasting; solid.
durant [dy'rã] prp. during; ~ des années for many years; sa vie ~ his whole life long.
durcir [dyr'siːr] (2a) v/t. harden; hard-boil (an egg); metall. chill; v/i. a. se ~ harden; set (concrete); **durcissement** [~sis'mã] m hardening, toughening; stiffening; metall. chilling.
durée [dy're] f duration; machine, building, etc.: wear, life; de courte ~ short-lived; **durer** [~] (1a) v/i. last, endure; wear (well) (goods); hold out, bear, F stick (it) (person); le temps me dure time hangs heavily on my hands, I find life dull.
duret, -ette F [dy're, ~'rɛt] rather hard; rather tough (meat); **dureté** [dyr'te] f hardness (a. fig.); meat: toughness; fig. harshness, austerity; ~ d'oreille hardness of hearing.
durillon [dyri'jõ] m foot: corn; hand: callosity.
durit ⚙, mot. [dy'rit] f radiator hose.
dus [dy] 1st p. sg. p.s. of devoir 1.
duvet [dy've] m down; tex. fluff, nap; F down quilt; **duveté, e** [dyv'te], a. **duveteux, -euse** [~'tø, ~'tø:z] downy, fluffy.
dynamique [dina'mik] 1. adj. dynamic; 2. su./f dynamics sg.; **dynamite** ≠ [~'mit] f dynamite; **dynamo** ≠, ⊕ [~'mo] f dynamo; ~ lumière (or d'éclairage) lighting generator; **dynamomètre** ⊕ [~mɔ'mɛtr] m dynamometer.
dynastie [dinas'ti] f dynasty.
dysenterie ✚ [disã'tri] f dysentery.
dyspepsie ✚ [dispɛp'si] f dyspepsia, indigestion; **dyspepsique** [~pɛp'sik] adj., a. su. dyspeptic.
dytique zo. [di'tik] m water-beetle, dytiscus.

E

E, e [œ] *m* E, e.
eau [o] *f* water; rain; *fruit:* juice; perspiration; *eccl.* ~ **bénite** holy water; ~ **blanche** bran mash; ~ **de toilette** lotion; ⚓ ~ **lourde** heavy water; ⚗ ~ **oxygénée** hydrogen peroxide; ~ **potable** drinking water; ~ **vive** spring water, running water; **aller aux ~x** go to a watering-place; ⚓ **faire** ~ (spring a) leak; **faire de l'~** ⚓, 🚂 (take in) water; ⚗ make water; **grandes ~x** *pl.*, **jeux** *m/pl.* **d'~x** ornamental fountains; *river:* high water *sg.*; **nager entre deux ~x** swim under water; **prendre les ~x** take the waters (*at a spa*); **ville f d'~** watering-place, spa; ~**-de-vie**, *pl.* ~**x-de-vie** [od'vi] *f* brandy; spirits *pl.*; ~**-forte**, *pl.* ~**x-fortes** ⚗ [o'fɔrt] *f* nitric acid; etching; ~**x-vannes** [o'van] *f/pl.* liquid manure *sg.*, sewage *sg.*
ébahir [eba'iːr] (2a) *v/t.* amaze, astound; take (*s.o.'s*) breath away; **s'~** be astounded, wonder (at, de); **ébahissement** [~is'mã] *m* amazement, wonder.
ébarber [ebar'be] (1a) *v/t.* trim (*a.* ✒); ✒ clip; ⊕ dress.
ébats [e'ba] *m/pl.* frolics, gambols; **prendre ses** ~ frolic, gambol; **ébattre** [e'batr] (4a): *v/t.*: **s'~** frolic, gambol, frisk about.
ébaubi, e [ebo'bi] amazed, astounded.
ébauchage [ebo'ʃaːʒ] *m* roughing out (*of s.th.*); **ébauche** [e'boːʃ] *f* outline (*a. fig.*); sketch (*a. fig.*); rough draft; *fig.* ghost (*of a smile*); **ébaucher** [ebo'ʃe] (1a) *v/t.* rough out, sketch; ⊕ rough-turn; rough-hew (*a stone etc.*); *fig.* attempt (*a smile*); **ébauchoir** ⊕ [~'ʃwaːr] *m* roughing-chisel; boring-bit; *wood:* paring-chisel.
ébène [e'bɛn] *f* ebony; *fig.* d'~ jet-black; **ébénier** 🌿 [ebe'nje] *m* ebony-tree; **ébéniste** [~'nist] *m* cabinet-maker; **ébénisterie** [~nis-'tri] *f* cabinet-work; cabinet-making.
éberlué, e [eberlɥ'e] flabbergasted.
éblouir [eblu'iːr] (2a) *v/t.* dazzle (*a. fig.*); **éblouissement** [~is'mã] *m* dazzle; glare; dizziness.

ébonite [ebɔ'nit] *f* ebonite, vulcanite.
éborgner [ebɔr'ɲe] (1a) *v/t.* blind in one eye, put (*s.o.'s*) eye out; ✒ disbud.
ébouillanter [ebujã'te] (1a) *v/t.* scald.
éboulement [ebul'mã] *m* caving in, collapsing; fall of stone; landslide; **ébouler** [ebu'le] (1a) *v/t.* bring down; **s'~** cave in, collapse; slip (*cliff, land*); **éboulis** [~'li] *m* 🜨 debris; fallen earth; scree.
ébouriffant, e F [eburi'fã, ~'fãːt] amazing, startling; fantastic (*story*); **ébouriffer** [~'fe] (1a) *v/t.* ruffle (*a. fig.*), dishevel (*s.o.'s hair*); *fig.* amaze.
ébrancher ✒ [ebrã'ʃe] (1a) *v/t.* lop off the branches of (*a tree*); prune, trim; **ébranchoir** ✒ [~'ʃwaːr] *m* (long-hafted) billhook.
ébranlement [ebrãl'mã] *m* shaking, shock; *fig.* agitation, commotion; *fig.* disturbance (*a. of the mind*); **ébranler** [ebrã'le] (1a) *v/t.* shake (*a. fig.*); loosen (*a tooth*); set in motion; disturb; **s'~** shake; ring (*bells*); start, set off; ✗ move off.
ébrécher [ebre'ʃe] (1f) *v/t.* notch; chip (*a plate etc.*); jag (*a knife*); *fig.* make a hole in (*one's fortune*); *fig.* damage (*s.o.'s. reputation*).
ébriété [ebrie'te] *f* drunkenness, intoxication.
ébrouement [ebru'mã] *m* snort (-ing); **ébrouer** [~'e] (1a) *v/t.*: **s'~** snort; take a (*dust-*)bath (*bird*).
ébruiter [ebrɥi'te] (1a) *v/t.* noise abroad, make known; divulge (*a secret*); **s'~** become known.
ébullition [ebyli'sjõ] *f* boiling; effervescence; *fig.* turmoil; **point m d'~** boiling point.
éburné, e [ebyr'ne] eburnean, like ivory; *anat. substance f ~e* dentine.
écaille [e'kaːj] *f* ⚗, 🐚, *metall., fig., fish:* scale; *paint:* flake; *wood:* splinter; *tortoise etc.:* shell; 🜊 tortoise-shell.
écailler[1] [eka'je] (1a) *v/t.* scale (*fish, a. metall.*); open (*oysters*); **s'~** scale or flake off, peel off.
écailler[2], **-ère** [eka'je, ~'jɛːr] *su.* oyster-seller; *su./f* oyster-knife.

écailleux, -euse [ekɑ'jø, ∼'jøːz] scaly; flaky (*paint*).

écale [e'kal] *f pea*: pod; *nut*: husk; **écaler** [eka'le] (1a) *v/t.* shell (*peas*); hull (*walnuts*); shuck (*chestnuts*).

écanguer *tex.* [ekɑ̃'ge] (1m) *v/t.* scutch, swingle.

écarlate [ekar'lat] *adj., a. su./f* scarlet.

écarquiller [ekarki'je] (1a) *v/t.* open wide (*one's eyes*).

écart [e'kaːr] *m* gap; divergence; difference; separation; *cards*: discard(ing); ✂ *range*: error (*a. fig.*); ✝ margin (*of prices*); ⊕ deviation; ⊕ variation; swerve; *fig.* digression; *fig. fancy*: flight; *à l'*∼ on one side, apart; aloof; out of the way; *faire un* ∼ swerve; shy (*horse*); *grand* ∼ wide range; *gymn.* splits *pl.*; *se tenir à l'*∼ stand aside *or* aloof; **écarté, e** [ekar'te] remote; isolated. **écarteler** ⊘, *a.* ⚔ [ekartə'le] (1d) *v/t.* quarter.

écartement [ekartə'mɑ̃] gap, space (between, de); ⚙ *track*: gauge; *mot.* wheelbase; ⊕ deflection; **écarter** [∼'te] (1a) *v/t.* separate; spread; remove; avert; push aside (*a. proposals*); divert (*suspicion etc.*); *s'*∼ move aside; diverge; stray, deviate (from, de).

Ecclésiaste [ɛkle'zjast] *m*: *livre m de l'*∼ Ecclesiastes; **ecclésiastique** [∼zjas'tik] **1.** *adj.* ecclesiastical; clerical (*hat etc.*); **2.** *su./m* clergyman, ecclesiastic; *l'*♑ Ecclesiasticus.

écervelé, e [esɛrvə'le] **1.** *adj.* scatterbrained, wild, flighty; **2.** *su.* scatterbrain, harum-scarum, madcap.

échafaud [eʃa'fo] *m* scaffolding; *sp. etc.* stand; ⚔ scaffold, gallows *pl.*; **échafaudage** [∼fo'daːʒ] *m* ⚠ scaffolding; *fig.* structure; *fig. fortune*: piling up; **échafauder** [∼fo'de] (1a) *v/i.* erect a scaffolding; *v/t.* pile up; *fig.* build up; construct.

échalas [eʃa'la] *m* ♂ vine-prop; hop-pole; *fig.* spindle-shanks (= *lanky person*); **échalasser** [∼la'se] (1a) *v/t.* prop (*the vine etc.*).

échalier [eʃa'lje] *m* fence; stile.

échalote ♀ [eʃa'lɔt] *f* shallot.

échancrer [eʃɑ̃'kre] (1a) *v/t.* indent, notch; scallop (*a handkerchief*); cut out (the neck of) (*a dress*); **échancrure** [∼'kryːr] *f* indentation; cut; *dress*: neckline; notch.

échange [e'ʃɑ̃ːʒ] *m* exchange (*a.* ✝); ✝ barter; *libre* ∼ free trade; *en* ∼ *de* in exchange *or* return for; **échanger** [eʃɑ̃'ʒe] (11) *v/t.* exchange (for pour, contre) (*a.* ✝); ✝ barter; **échangiste** ✝ [∼'ʒist] *m* exchanger.

échanson [eʃɑ̃'sɔ̃] *m* † cup-bearer; butler.

échantillon [eʃɑ̃ti'jɔ̃] *m* sample (*a. fig.*); specimen; pattern; ⊕ template; ∼ *représentatif* adequate sample; **échantillonner** ✝ [∼jɔ'ne] (1a) *v/t.* prepare samples *or* patterns of; sample (*wine*); verify by the samples; ⊕ gauge (by the template).

échappatoire [eʃapa'twaːr] *f* evasion, way out, loop-hole; **échappé, e** [∼'pe] **1.** *adj.* fugitive, runaway; **2.** *su.* fugitive, runaway; *su./f* escape (free) space; *sp.* spurt; ∼ (*de vue*) vista; ∼ *de lumière* burst of light; *par* ∼*s* by fits and starts; **échappement** [eʃap'mɑ̃] *m* gas *etc.*: escape; ⊕, *mot.* exhaust; ⊕ outlet; *clock*: escapement; *mot.* *tuyau m* (*pot m*) *d'*∼ exhaust-pipe (silencer); **échapper** [eʃa'pe] (1a) *v/i.* escape; avoid, dodge; defy; *laisser* ∼ let slip; set free; *le mot m'a échappé* the word has slipped my memory; *v/t.: fig. l'*∼ *belle* have a narrow escape *or* F a close shave; *s'*∼ escape (from, de); slip out; disappear.

écharde [e'ʃard] *f* splinter.

écharner ⊕ [eʃar'ne] (1a) *v/t.* flesh (*hides*); **écharnoir** [∼'nwaːr] *m* fleshing knife.

écharpe [e'ʃarp] *f* (shoulder) sash; *cost.* stole, scarf; ⚕ *arm*: sling; *en* ∼ diagonally, slantwise; **écharper** [eʃar'pe] (1a) *v/t.* slash; cut to pieces (*a.* ✂); *tex.* card (*wool*).

échasse [e'ʃaːs] *f* stilt; *scaffold*: pole; *fig. monté sur des* ∼*s* on one's high horse; **échassier** [eʃa'sje] *m* *orn.* wader; *fig.* spindle-shanks.

échaudé *cuis.* [eʃo'de] *m* canarybread; **échauder** [∼'de] (1a) *v/t.* scald; *tex.* scour; F fleece (*s.o.*); *fig. se faire* ∼ burn one's fingers; **échaudoir** [∼'dwaːr] *m* scaldingroom; scalding-tub; *tex.* scouringvat; **échaudure** [∼'dyːr] *f* scald.

échauffant, e [eʃo'fɑ̃, ∼'fɑ̃ːt] ⚕ heating; ⚕ constipating; *fig.* exciting; **échauffement** [eʃof'mɑ̃] *m*

⊕ heating; ⚙ overheating; ⚙ constipation; *fig.* over-excitement; **échauffer** [eʃo'fe] (1a) *v/t.* overheat (⚙, *a.* a room); ⚙ constipate; ⊕ heat; *fig.* warm; *fig.* inflame; s'~ become overheated; warm up; ⊕ get or run hot.

échauffourée [eʃofu're] *f* brawl; scuffle; clash; ✕ skirmish, affray.

échéance † [eʃe'ãːs] *f bill*: falling due, term; maturity; date; *tenancy*: expiration; *à longue* ~ longdated; long-term; **échéant**, e [~'ã,~'ãːt] † falling due; *le cas* ~ if necessary; should the occasion arise.

échec [e'ʃek] *m chess*: check (*a. fig.*); ⊕, *a. fig.* failure; ~s *pl.* chess *sg.*; chessmen; chessboard *sg.*; *voué à l'*~ doomed to failure.

échelette [eʃ'lɛt] *f cart etc.*: rack; **échelle** [e'ʃɛl] *f* ladder (*a. fig.*); ⚓ landing; *colours, drawing, map, prices*: scale; *stocking*: ladder, run; ~ *double* pair of steps; ~ *mobile* (*des salaires*) sliding scale (of wages); ~ *sociale* social scale; *faire la courte* ~ *à q.* give s.o. a helping hand; *sur une grande* ~ on a large scale; **échelon** [eʃ'lɔ̃] *m ladder*: rung; *admin.* grade; *fig.* step; ✕ echelon; ♪ degree; *pol. etc. à l'*~ *le plus élevé* at the highest level; ⊕ *en* ~ stepped (*gearing*); **échelonnement** [eʃlɔn-'mã] *m* ✕ echeloning; ⊕ placing at intervals; † spreading (*over a period*); ♪ brushes, *a. fig.* holidays: staggering; **échelonner** [eʃlɔ'ne] (1a) *v/t.* ✕ (draw up in) echelon; space out; ⊕ place at intervals; ⊕ step (*gears*); † spread (*payments over a period*); ♪ stagger (*a. fig.* holidays); ⚙ grade.

écheniller ⚐ [eʃni'je] (1a) *v/t.* clear of caterpillars; **échenilloir** ⚐ [~nij'waːr] *m* tree-pruner; branchlopper.

écheveau [eʃ'vo] *m* skein, hank; *fig.* maze, jumble; **échevelé**, e [eʃə'vle] dishevelled; tousled; *fig.* wild; **écheveler** [~] (1c) *v/t.* dishevel, rumple (*s.o.'s hair*).

échine *anat.* [e'ʃin] *f* backbone, spine; **échiner** [eʃi'ne] (1a) *v/t.* break (*s.o.'s*) back; *fig.* tire (*s.o.*) out; *fig.* thrash (*s.o.*) within an inch of his life; *sl.* ruin; *fig.* s'~ tire o.s. out.

échiquier [eʃi'kje] *m* chess-board; checker pattern; *pol. Br.* ♀ Exchequer.

écho [e'ko] *m* echo; *faire* ~ echo.

échoir [e'ʃwaːr] (3d) *v/i.* † fall due; expire (*tenancy*); fall (*to s.o.'s lot*); *fig.* befall.

échoppe[1] [e'ʃɔp] *f* (*covered*) stall, booth.

échoppe[2] ⊕ [~] *f* burin; graver.

échotier *journ.* [eko'tje] *m* gossipwriter, paragraphist; columnist.

échouer [e'ʃwe] (1p) *v/i.* ⚓ run aground; *fig.* come to grief, fail; *v/t.* ⚓ run (*a ship*) aground; beach.

écimer ⚐ [esi'me] (1a) *v/t.* pollard, top.

éclabousser [eklabu'se] (1a) *v/t.* splash, bespatter (with, *de*); **éclaboussure** [~'syːr] *f* splash.

éclair [e'klɛːr] *m* flash of lightning; flash (*a. fig.*); *cuis.* éclair; ~s *pl. de chaleur* heat lightning *sg.*; ✕ *guerre f* ~ blitzkrieg; **éclairage** [ekle'raːʒ] *m* light(ing); ✕, ⚓ scouting; ~ *par projecteurs* flood-lighting; ⚡ *circuit m d'*~ light(ing) circuit; **éclairagiste** [~ra'ʒist] *m* lighting engineer; **éclaircie** [ekler'si] *f* fair period; break (*of clouds*); clearing (*in a forest*); *fig.* bright period (*in life*); **éclaircir** [~'siːr] (2a) *v/t.* clear (up); brighten; thin (*a forest*); clarify (*a liquid*); thin out (*a sauce*); *fig.* solve, explain, elucidate; **éclairer** [ekle're] (1b) *v/t.* light, illuminate; *fig.* enlighten; ✕ reconnoitre; ~ *au néon* light by neon; *v/i.* give light, shine; *sl.* fork out, foot the bill; *il éclaire* it is lightening, it is getting brighter; **éclaireur** [~'rœːr] *m* ✕, ⚓, *etc.* scout; boy scout; *mot.* ~ *de tablier* dashboard light; **éclaireuse** [~'røːz] *f* girl-guide.

éclat [e'kla] *m* splinter, chip; burst (*of laughter, of thunder*); explosion; flash (*of gun, light*); brightness, radiance, brilliance (*a. fig.*); *fig.* splendo(u)r; *fig.* glamo(u)r; ~ *de rire* burst of laughter; *faire* ~ create a stir; *faux* ~ tawdriness; *rire aux* ~s roar with laughter; **éclatant**, e [ekla'tã, ~'tãːt] brilliant, sparkling, glittering; magnificent; loud (*noise*); *fig.* obvious; **éclater** [~'te] (1a) *v/i.* burst, explode; shatter; flash (*a. fig.*); clap (*thunder*); break out (*fire, laughter, war*); ~ *de rire* burst out laughing; **éclateur** ⚡ [ˌˈtœːr] m spark-gap; spark-arrester; ～ à boule discharger.

éclipse [eˈklips] f eclipse; fig. disappearance; **éclipser** [eklipˈse] (1a) v/t. eclipse (a. fig.); obscure (a beam); s'～ vanish.

éclisse [eˈklis] f wedge; 🌿 splint; ⊕ butt-strap; 🚋 fish-plate; **éclisser** [ekliˈse] (1a) v/t. 🌿 splint; 🚋 fish.

éclopé, e [ekloˈpe] 1. adj. lame, footsore; 2. su. cripple; lame person.

éclore [eˈklɔːr] (4f) v/i. hatch (bird); ♀ open; ♀ bloom; fig. develop, come to light; **éclosion** [ekloˈzjõ] f eggs: hatching; ♀ opening; ♀ blooming; fig. birth, dawning.

écluse [eˈklyːz] f lock; sluice; floodgate; **éclusée** [eklyˈze] f lockful; sluicing-water; **écluser** [ˌˈze] (1a) v/t. provide (a canal) with locks; pass (a barge) through a lock; **éclusier, -ère** [ˌˈzje, ˌˈzjɛːr] 1. su. lockkeeper; 2. adj. lock-…

écœurer [ekœˈre] (1a) v/t. disgust, sicken, nauseate; fig. dishearten.

école [eˈkɔl] f school (a. fig.); ✗, ⚓ drill; ～ confessionnelle denominational school; ～ de commerce commercial school; ～ des arts et métiers industrial school; engineering college; technical school or institute; ～ des hautes études commerciales commercial college (of university standing); ～ laïque undenominational school; ～ libre private school; ～ maternelle infant school; kindergarten; ～ mixte mixed school, Am. co-educational school; ～ moyenne intermediate school; ～ primaire supérieure central school; ～ professionnelle training school; ～ secondaire secondary school; ～ supérieure college, academy; faire ～ found a school; F set a fashion; attract followers; faire l'～ (à) teach; faire l'～ buissonnière play truant; **écolier, -ère** [ekoˈlje, ˌˈljɛːr] su. pupil; su./m schoolboy; su./f schoolgirl.

éconduire [ekõˈdɥiːr] (4h) v/t. show out; get rid of; reject (a suitor); être éconduit meet with a polite refusal.

économat [ekonoˈma] m stewardship; school, univ.: bursarship; society: treasurership; steward's (etc.) office; **économe** [ˌˈnɔm] 1. adj. economical, thrifty; sparing; 2. su.

steward, housekeeper; treasurer; bursar; **économie** [ekonoˈmi] f economy, saving; thrift; management; ～s pl. savings; ～ dirigée controlled economy; ～ domestique domestic economy; housekeeping; ～ politique political economy; economics sg.; faire des ～s save (up); **économique** [ˌˈmik] 1. adj. economic (doctrine, problem, system); inexpensive, economical, cheap; 2. su./f economics sg.; **économiser** [ˌmiˈze] (1a) v/t. economize, save (on, sur); **économiste** [ˌˈmist] m (political) economist.

écope [eˈkɔp] f ladle (a. cuis.); ⚓ scoop; **écoper** [ekoˈpe] (1a) v/t. bail out; v/i. sl. be hit; cop it; get the blame.

écorce [eˈkɔrs] f tree: bark; fruit: rind, peel; fig. outside, crust; **écorcer** [ekɔrˈse] (1k) v/t. bark; peel (a fruit).

écorcher [ekɔrˈʃe] (1a) v/t. skin, flay; graze, chafe (the skin); scrape, scratch; fig. murder (a language); fig. grate on (the ear); fig. burn (one's throat); fig. fleece (a client); **écorcheur** [ˌˈʃœːr] m flayer; fig. fleecer; **écorchure** ﹩ [ˌˈʃyːr] f abrasion, F graze, scratch.

écorner [ekɔrˈne] (1a) v/t. remove or break the horns of; dog-ear (a book); fig. cut, curtail; **écornifler** F [ˌniˈfle] (1a) v/t. scrounge; sponge; **écornifleur** m, -euse f F [ˌniˈflœːr, ～ˈfløːz] cadger, scrounger; sponger; **écornure** [ˌˈnyːr] f chip (off wood, stone, etc.).

écossais, e [ekoˈsɛ, ～ˈsɛːz] 1. adj. Scottish; étoffe f ～e tartan, plaid; 2. su./m ling. Scots; ♀ Scot, Scotsman; les ♀ m/pl. the Scots; su./f ♀ Scot, Scotswoman.

écosser [ekoˈse] (1a) v/t. shell, hull.

écot[1] [eˈko] m share, quota; reckoning; payer chacun son ～ go Dutch treat, Am. go Dutch.

écot[2] [ˌ] m lopped tree or branch; faggot-wood.

écoulement [ekulˈmɑ̃] m outflow, flow (a. ﹩); (nasal) discharge; bath etc.: waste-pipe; crowd: dispersal; ♥ sale, disposal; ♥ ～ facile ready sale; **écouler** [ekuˈle] (1a) v/t. ♥ sell off, dispose of; s'～ flow out; pass, elapse (time); ♥ sell.

écourter [ekurˈte] (1a) v/t. shorten,

F cut short; dock (*a horse*); crop (*dog's ears*); *fig.* clip (*words*).

écoute[1] [e'kut] *f* listening-place; ✕ listening-post; *radio:* reception, listening-in; *aux* ~s eavesdropping; *ne quittez pas l'*~ *radio:* don't switch off; *se mettre à l'*~ listen in; *station f d'*~ monitoring station.

écoute[2] ⚓ [~] *f* sail: sheet.

écouter [eku'te] (1a) *v/t.* listen to; pay attention to; *v/i.* listen (in).

écouteur, -euse [~'tœ:r, ~'tø:z] *su.* person, *a. radio:* listener; *su./m teleph.* receiver; *radio:* head-phone, ear-phone.

écoutille ⚓ [eku'ti:j] *f* hatchway.

écran [e'krɑ̃] *m* screen; *phot.* filter; ⊕ baffle-plate; *radio:* baffle; *phot.* ~s *pl.* trichromes three-colo(u)r filters; ~ *de radar* radar screen; *cin.* porter à l'~ film (*a novel, a play*).

écraser [ekrɑ'ze] (1a) '*v/t.* crush; *mot.* run over; ♱ F glut (*the market*); *fig.* overwhelm; *fig.* ruin; kill (*a ball at tennis*); s'~ collapse; break; ✈, *mot.* crash (into, *contre*).

écrémer [ekre'me] (1f) *v/t.* cream (*milk, a. fig.*); skim (*milk, molten glass*); *metall.* dross; *lait m non écrémé* whole milk; **écrémeuse** [~'mø:z] *f* separator; creamer; *metall., a. glass-making:* skimmer; **écrémoir** [~'mwa:r] *m* skimmer.

écrevisse *zo.* [ekrə'vis] *f* crayfish, *Am.* crawfish.

écrier [ekri'e] (1a) *v/t.*: s'~ cry (out), shout (out); exclaim.

écrin [e'krɛ̃] *m* (jewel-)case.

écrire [e'kri:r] (4q) *v/t.* write (down); spell (*a word*); **écrivis** [ekri'vi] *1st p. sg. p.s. of* écrire; **écrivons** [~'vɔ̃] *1st p. pl. pres. of* écrire; **écrit, e** [e'kri, ~'krit] **1.** *p.p. of* écrire; **2.** *su./m* writing; document; *univ. etc.* written examination; *par* ~ in writing; **écriteau** [ekri'to] *m* bill, poster, placard; notice, notice-board; **écritoire** [~'twa:r] *m* inkstand; *eccl.* scriptorium; **écriture** [~'ty:r] *f* (hand)writing; script; ♱ entry, item; ♱ ~ *en partie double* double entry; ♀ *sainte* Holy Scripture; ⚖, ♱ ~s *pl.* paper *sg.*, documents; books; **écrivailler** F [~va'je] (1a) *v/i.* scribble; be a hack-writer of the poorest kind; **écrivain** [~'vɛ̃] *m* writer, author; *femme f* ~ authoress; woman writer; **écri-**

vassier F [~va'sje] *m* hack-writer, penny-a-liner.

écrou[1] [e'kru] *m* ⊕ nut, female screw.

écrou[2] ♱ [~] *m* entry (*on calendar*) of receipt of prisoner into custody; committal to gaol.

écrouelles ✚ [ekru'ɛl] *f/pl.* scrofula *sg.*

écrouer ♱ [ekru'e] (1a) *v/t.* imprison; send to prison.

écrouir *metall.* [ekru'i:r] (2a) *v/t.* cold-hammer; cold-draw; cold-harden; cold-roll.

écroulement [ekrul'mɑ̃] *m* collapse, falling-in; crumbling; fall (*a. fig.*), *fig.* ruin; **écrouler** [ekru'le] (1a) *v/t.:* s'~ collapse (*a. fig.*); fall (down); crumble; break up; give way; come to nothing.

écroûter [ekru'te] (1a) *v/t.* cut the crust off; ↙ scarify (*land*).

écru, e [e'kry] unbleached, ecru; *soie f* ~e raw silk; *toile f* ~e holland.

écu [e'ky] *m* shield; ▨ coat of arms; ~s *pl.* plenty *sg.* of money.

écubier ⚓ [eky'bje] *m* hawse-pipe, hawse-hole.

écueil [e'kœ:j] *m* reef; rock (*a. fig.*); shelf; *fig.* danger.

écuelle [e'kɥɛl] *f* bowl, basin; ✕ pan; **écuellée** [ekɥe'le] *f* bowlful.

éculer [eky'le] (1a) *v/t.* wear (*one's shoes*) down at the heel.

écume [e'kym] *f* froth; *waves:* foam; *jam, metal, a. fig.:* lather; scum; ~ *de mer* meerschaum; **écumer** [eky'me] (1a) *v/t.* skim; *fig.* scour (*the sea[s], les mers*); *v/i.* foam, froth (*a. metal, a. fig.*); **écumeur** [~'mœ:r] *m:* F ~ *de marmites* sponger, parasite; ~ *de mer* pirate; **écumeux, -euse** [~'mø, ~'mø:z] foamy, frothy; scummy; **écumoire** [~'mwa:r] *f* skimmer.

écurage [eky'ra:ʒ] *m* cleansing; cleaning (out); **écurer** [~'re] (1a) *v/t.* cleanse, scour; clean (out); pick (*one's teeth*).

écureuil *zo.* [eky'rœ:j] *m* squirrel.

écureur m, -euse f [eky'rœ:r, ~'rø:z] cleanser, cleaner; scourer.

écurie [eky'ri] *f* stable.

écusson [eky'sɔ̃] *m* ▨ shield, escutcheon; ⊕ key-plate; sheave; *zo.* scutellum; ✕ badge; ✕ tab; ↙ shield-bud; **écussonner** ↙ [~sɔ'ne] (1a) *v/t.* graft a shield-bud on.

effluve

écuyer, -ère [ekɥi'je, ~'jɛːr] *su.* rider; *su./m* horseman; riding-master; △ *staircase*: hand-rail; ✗ *tree*: prop; *hist.* (e)squire; † equerry; *su./f* horsewoman; *bottes f/pl.* à l'~ère riding-boots.

eczéma ✗ [ɛgze'ma] *m* eczema.

édénien, -enne [ede'njɛ̃, ~'njɛn] paradisaic.

édenté, e [edɑ̃'te] toothless; *zo.* edentate; **édenter** [~] (1a) *v/t.* break the teeth of; s'~ lose one's teeth.

édicter ✗ *etc.* [edik'te] (1a) *v/t.* decree; enact (*a law*).

édifiant, e [edi'fjɑ̃, ~'fjɑ̃ːt] edifying; **édificateur** [edifika'tœːr] *m* builder; **édification** [~'sjɔ̃] *f* erection, building; (moral) edification; *fig.* F information; **édifice** [edi'fis] *m* building, edifice; structure (*a. fig.*); **édifier** [~'fje] (1o) *v/t.* build, erect; edify (morally); *fig.* F enlighten.

édit [e'di] *m* edict.

éditer [edi'te] (1a) *v/t.* edit; publish (*a book etc.*); **éditeur** [~'tœːr] *m* *text*: editor; *book etc.*: publisher; **édition** [~'sjɔ̃] *f* edition; publishing (trade); **éditorial, e, m/pl.** **-aux** [~tɔ'rjal, ~'rjo] **1.** *adj.* editorial; leading (*article*); **2.** *su./m* leader; editorial.

édredon [edrə'dɔ̃] *m* eider-down (pillow).

éducable [edy'kabl] educable; trainable (*animal*); **éducatif, -ve** [~ka-'tif, ~'tiːv] educational; educative; **éducation** [~ka'sjɔ̃] *f* education, schooling; rearing; training (*a. animals*); ~ *physique* physical training.

édulcorer [edylkɔ're] (1a) *v/t.* sweeten; ♫ edulcorate.

éduquer [edy'ke] (1m) *v/t.* educate; bring up (*a child*); train (*an animal, a faculty*); *mal éduqué* ill-bred.

éfaufiler [efofi'le] (1a) *v/t.* unravel.

effacer [efa'se] (1k) *v/t.* efface, blot out, erase; *fig.* outshine, throw into the shade; s'~ wear away; fade away; stand aside; keep in the background, F take a back seat.

effarement [efar'mɑ̃] *m* alarm; dismay; **effarer** [efa're] (1a) *v/t.* frighten, scare; startle; dismay; s'~ be scared (at, by *de*); take fright (at, *de*).

effaroucher [efaru'ʃe] (1a) *v/t.* startle; scare away; alarm; *fig.* shock (*the modesty*).

effectif, -ve [efɛk'tif, ~'tiːv] **1.** *adj.* effective; ✠ active, real; **2.** *su./m* manpower; ✗ total strength; ♣ complement; ⊕ stock; **effectuer** [~'tɥe] (1n) *v/t.* effect, carry out, execute; accomplish; go into (*training*).

efféminer [efemi'ne] (1a) *v/t.* render effeminate; mollycoddle (*a child*).

effervescence [efɛrve'sɑ̃ːs] *f* effervescence; *fig.* agitation, excitement; restiveness; **effervescent, e** [~'sɑ̃, ~'sɑ̃ːt] effervescent (*liquid*); *fig.* in a turmoil.

effet [ɛ'fɛ] *m* effect, result; operation, action; impression; ✠ bill; ✠ commencement (*of policy*); ~s *pl.* possessions; effects; ✠ stocks; ✠ bonds; ✠ ~s *pl. à payer* (*à recevoir*) bills payable (receivable); ✠ ~s *pl. publics* government stock *sg.* or securities; ✠ ~ *à court terme* short-dated bill; *à cet* ~ with this end in view, for this purpose; *en* ~ indeed; *mettre à l'*~ put (*s.th.*) into operation; *prendre* ~ become operative; *produire son* ~ operate, act; *sans* ~ ineffective.

effeuiller [efœ'je] (1a) *v/t.* pluck the petals off (*a flower*); thin out the leaves of (*a fruit-tree*); *fig.* destroy bit by bit; s'~ lose its petals (*flower*) or leaves (*tree*).

efficace [efi'kas] effective; efficient (*a.* ⊕); **efficacité** [~kasi'te] *f* efficacy; efficiency (*a.* ⊕).

effigie [efi'ʒi] *f* effigy.

effilé, e [efi'le] tapering; slender; *tex.* frayed, fringed; *mot.* streamlined; **effiler** [~'le] (1a) *v/t.* *tex.* fray, unravel; taper; *cuis.* string (*beans*); **effilocher** *tex.* [~lɔ'ʃe] *v/t.* ravel out; fray; break (*cotton waste etc.*).

efflanqué, e [eflɑ̃'ke] lean, F skinny, lanky; *fig.* inadequate (*style*).

effleurer [eflœ're] (1a) *v/t.* graze, touch lightly; brush; skim (*the water*); ✗ plough lightly; *fig.* touch lightly upon (*a subject*).

efflorescence [eflɔre'sɑ̃ːs] *f* ♀ flowering; ♫ efflorescence; ✗ rash, eruption.

effluent, e [efly'ɑ̃, ~'ɑ̃ːt] *adj., a. su./m* effluent; **effluve** [e'flyːv] *m* effluvium; exhalation; *fig.* breath; ⚡ ~ *électrique* glow discharge.

effondrement [ɛfɔ̃drə'mɑ̃] *m* collapse (*a.* ✝, *a. fig.*); caving in; ✝ *prices*: slump; ⚯ trenching; **effondrer** [~'dre] (1a) *v/t.* break (*s.th.*) open; *cuis.* draw (*a chicken*), gut (*a fish*); ⚯ trench; *fig.* plough up; s'~ cave in; collapse; slump(*prices*); **effondrilles** [~'dri:j] *f/pl.* sediment *sg.*

efforcer [ɛfɔr'se] (1k) *v/t.*: s'~ de or à (*inf.*) do one's best to (*inf.*); strive to (*inf.*).

effort [ɛ'fɔ:r] *m* effort, exertion; pressure; ⊕ stress; ⊕, ⚶ strain; *sp. ball*: spin.

effraction ⚥ [ɛfrak'sjɔ̃] *f* breaking open; *vol m avec* ~ house-breaking (*by day*), burglary (*by night*).

effraie *orn.* [ɛ'frɛ] *f* screech-owl.

effrayant, e [ɛfrɛ'jɑ̃, ~'jɑ̃:t] terrifying, dreadful, appalling; *fig.* awful; **effrayer** [~'je] (1i) *v/t.* frighten, scare, terrify; s'~ take fright, be frightened (at, de).

effréné, e [ɛfre'ne] unbridled, unrestrained.

effriter [ɛfri'te] (1a) *v/t.* cause to crumble; ⚯ exhaust; s'~ crumble; weather (*rock*).

effroi [ɛ'frwa] *m* terror, fear, fright; dread.

effronté, e [ɛfrɔ̃'te] brazen-faced, impudent; saucy (*child*); **effronterie** [~'tri] *f* effrontery, impudence, impertinence.

effroyable [ɛfrwa'jabl] frightful (*a. fig.*).

effusion [ɛfy'zjɔ̃] *f* effusion (*a. fig.*); outpouring; ~ *de sang* bloodshed; ⚶ haemorrhage; *avec* ~ effusively.

égailler [ega'je] (1a) *v/t. a.* s'~ scatter (*birds*).

égal, e, *m/pl.* **-aux** [e'gal, ~'go] **1.** *adj.* equal; level, smooth; even (*a. fig.*), regular; steady (*pace*); *cela m'est* ~ it is all the same to me, I don't mind; F *c'est* ~ all the same; **2.** *su.* equal, peer; *su./m*: *à l'*~ *de* as much as; **égaler** [ega'le] (1a) *v/t.* regard as equal; be equal to, equal; *fig.* compare with, F touch; **égaliser** [egali'ze] (1a) *v/t.* equalize (*a. sp.*); level; make even; ⚼ equate; **égalitaire** [~'tɛ:r] *adj., a. su.* egalitarian; **égalité** [~'te] *f* equality; evenness (*a. fig., a.* ♩); *sp. à* ~ equal on points.

égard [e'ga:r] *m* regard, considera-

tion, respect; ~s *pl.* respect *sg.*; attentions (to, *pour*); *à cet* ~ in this respect; *à l'*~ *de* with respect to; as regards; *à mon* ~ concerning me; *à tous* ~s in every respect; *eu* ~ *à* considering; *manque m d'*~ lack of consideration; slight; *par* ~ *pour* out of respect for; *sans* ~ *pour* without regard for.

égarement [egar'mɑ̃] *m* mislaying; error; *fig.* (*mental*) aberration; *feelings*: frenzy; *conduct, expression*: wildness; bewilderment; **égarer** [ega're] (1a) *v/t.* mislay; lead astray; mislead; let (*one's eyes*) wander; bewilder; *fig. avoir l'air égaré* look distraught; s'~ lose one's way; go astray; become unhinged (*mind*).

égayer [ege'je] (1i) *v/t.* cheer up; enliven; s'~ amuse o.s.; cheer up; make merry (about, de).

églantier ♀ [eglɑ̃'tje] *m* wild rose (-bush); ~ *odorant* sweet briar; **églantine** ♀ [~'tin] *f flower*: wild rose; ~ *odorante flower*: sweet briar.

église [e'gli:z] *f* church.

églogue [e'glɔg] *f* eclogue.

égoïne ⊕ [egɔ'in] *f* compass saw.

égoïsme [egɔ'ism] *m* egoism; selfishness; **égoïste** [~'ist] **1.** *su.* egoist; **2.** *adj.* egoistic; selfish.

égorger [egɔr'ʒe] (1l) *v/t.* cut the throat of; F stick (*a pig*); slaughter, massacre (*people*); *fig.* fleece; **égorgeur** *m*, **-euse** *f* [~'ʒœ:r, ~'ʒø:z] cutthroat; (*pig-*)sticker.

égosiller [egozi'je] (1a) *v/t.*: s'~ bawl; shout; make o.s. hoarse.

égout [e'gu] *m* draining; ⊕ sewer; ⊕ drain; △ eaves *pl.*; *fig.* cesspool; **égoutter** [egu'te] (1a) *v/t.* drain (*a.* ⚯); strain (*vegetables*); s'~ drain, drip; **égouttoir** [~'twa:r] *m* drainer; *cuis.* plate-rack.

égrapper [egra'pe] (1a) *v/t.* pick off (*grapes etc.*).

égratigner [egrati'ɲe] (1a) *v/t.* scratch (*a.* ⚯); *fig.* gibe at, F have a dig at; **égratignure** [~'ɲy:r] *f* scratch; *fig.* gibe, F dig.

égrener [egrə'ne] (1d) *v/t.* pick off (*grapes*); shell (*peas, corn*); gin (*cotton*); ripple (*flax*); *tree*: shed (*the leaves*) one by one; *fig.* deal with one by one; s'~ drop (away), scatter.

égrillard, e [egri'ja:r, ~'jard] ribald, lewd, F dirty.

égrisée [egri'ze] *f* diamond-powder;

égriser [~] (1a) v/t. grind (glass etc.).

égrugeoir [egry'ʒwaːr] m mortar; tex. ripple, flax-comb; **égruger** [~'ʒe] (1l) v/t. pound; grind; bruise (grain); seed (grapes); ripple (flax).

eh! [e] int. hey!; hi!; ~ bien! well!; now then!

éhonté, e [eõ'te] shameless.

éjaculer [eʒaky'le] (1a) v/t. ejaculate.

éjection [eʒɛk'sjõ] f ejection.

élaborer [elabɔ're] (1a) v/t. elaborate, work out (a. fig.).

élaguer [ela'ge] (1m) v/t. ✔ prune; lop off; fig. cut out or down.

élan[1] [e'lã] m spring, dash, bound; impetus; fig. impulse; fig. outburst (of temper etc.).

élan[2] zo. [~] m elk, moose.

élancé, e [elã'se] (tall and) slim, slender; **élancement** [elãs'mã] m spring; fig. yearning (towards, vers); ⚕ twinge, shooting pain; **élancer** [elã'se] (1k) v/i. twinge, throb; v/t.: s'~ shoot; rush; ⚕ shoot up.

élargir [elar'ʒiːr] (2a) v/t. enlarge; widen; broaden (a. fig.); fig., a. ⚖ release; **élargissement** [~ʒis'mã] m enlarging; widening, broadening; fig., a. ⚖ release.

élasticité [elastisi'te] f elasticity; fig. springiness; **élastique** [~'tik] 1. adj. elastic; fig. flexible; gomme f ~ (india-)rubber; 2. su./m (india-)rubber; cost. elastic; rubber band.

électeur [elɛk'tœːr] m pol. elector (a. hist.), voter; **électif, -ve** [~'tif, ~'tiːv] elective; **élection** [~'sjõ] f election (a. fig.); fig. choice; ~s pl. partielles by-election sg.; **électoral, e**, m/pl. **-aux** [~tɔ'ral, ~'ro] electoral, election ...; **électorat** [~tɔ'ra] m coll., a. hist. electorate; franchise; **électrice** [~'tris] f pol. electress (a. hist.), voter.

électricien [elɛktri'sjɛ̃] m electrician; **électricité** [~si'te] f electricity; **électrifier** [~'fje] (1o) v/t. electrify; **électrique** [elɛk'trik] electric; electrical (unit); **électriser** [~tri'ze] (1a) v/t. electrify (a. fig.); fig. thrill; fil m électrisé live wire.

électro... [elɛktrɔ] electro...; **~aimant** [~ɛ'mã] m electro-magnet; **~cardiogramme** ⚕ [~kardjɔ'gram] m electrocardiogram; **~choc** ⚕ [~'ʃɔk] m treatment: electric shock; **~cuter** [~ky'te] (1a) v/t. electrocute; **~cution** [~ky'sjõ] f electrocution; **~magnétique** [~maɲe'tik] electromagnetic; **~ménager** [~mena'ʒe] adj./m: appareils m/pl. ~s domestic electrical equipment sg.

électron phys. [elɛk'trõ] m electron; **électronique** [~trɔ'nik] 1. adj. electronic; 2. su./f electronics sg.

électrothérapie ⚕ [elɛktrɔtera'pi] f electro-therapy.

électuaire [elɛk'tɥɛːr] m electuary.

élégamment [elega'mã] adv. elegantly; **élégance** [~'gãːs] f elegance; **élégant, e** [~'gã, ~'gãːt] 1. adj. elegant, stylish; smart; 2. su./m man of fashion; su./f woman of fashion.

élément [ele'mã] m element; ⚗ ingredient; ⚡ cell; ~s pl. rudiments, first principles; **élémentaire** [~mã'tɛːr] elementary; rudimentary; fundamental, basic.

éléphant zo. [ele'fã] m elephant; ~ femelle cow-elephant.

élevage [el'vaːʒ] m breeding, rearing; ranch; **élévateur, -trice** [eleva'tœːr, ~'tris] 1. adj. lifting; anat. elevator (muscle); 2. su./m elevator (a. anat.); lift; **élévation** [~'sjõ] f elevation (a. ⚖, △); lifting; raising; rise, increase; height; altitude (a. astr.); **élévatoire** [~'twaːr] hoisting.

élève [e'lɛːv] su. pupil; univ. student; apprentice; su./f young rearing animal; cattle etc.: breeding; ✔ seedling.

élevé, e [el've] high; fig. lofty, bred, brought-up; mal ~ ill-bred; **élever** [~'ve] (1d) v/t. raise (a. ⚖), lift; △ erect, set up; breed (cattle etc.); keep (bees, hens); bring up (a child); ⚖ ~ au carré (au cube) square (cube); s'~ rise; get up; amount (to, à); protest, take a stand (against, contre); **éleveur** [~'vœːr] m breeder (of horses, cattle); ~ de chiens dog-fancier; **élevure** ⚕ [~'vyːr] f pimple, pustule.

élider gramm. [eli'de] (1a) v/t. elide.

éligible [eli'ʒibl] eligible.

élimer [eli'me] (1a) v/t. a. s'~ wear threadbare.

éliminer [elimi'ne] (1a) v/t. eliminate (a. ⚖); get rid of; ⚖ s'~ cancel out.

élire [e'liːr] (4t) *v/t.* elect, choose; *parl.* return (*a member*).

élision *gramm.* [eli'zjɔ̃] *f* elision.

élite [e'lit] *f* elite, pick, choice, best; d'~ picked; crack (*regiment*).

élixir [elik'siːr] *m* elixir.

elle [ɛl] *pron./pers./f subject*: she, it; ~s *pl.* they; *object*: her, it; (to) her, (to) it; ~s *pl.* them; (to) them; à ~ to her, to it; hers, its; à ~s *pl.* to them; theirs; c'est ~ it is she, F it's her; ce sont ~s *pl.*, F c'est ~s *pl.* it is they, F it's them.

ellébore ♀ [elle'bɔːr] *m* hellebore; ~ noir Christmas rose.

elle-même [ɛl'mɛːm] *pron./rfl.* herself; elles-mêmes *pl.* themselves.

ellipse [ɛ'lips] *f gramm.* ellipsis; ♉ ellipse; **elliptique** [ɛlip'tik] elliptic(al).

élocution [elɔky'sjɔ̃] *f* elocution.

éloge [e'lɔːʒ] *m* praise; eulogy, panegyric.

éloigné, e [elwa'ɲe] remote, distant, far; absent; **éloignement** [elwaɲ-'mɑ̃] *m* distance; remoteness; removal; absence; dislike (for, *pour*); antipathy (to[wards], *pour*); **éloigner** [elwa'ɲe] (1a) *v/t.* remove; move (*s.th.*) away; dismiss (*a thought*); avert (*a suspicion, a danger*); postpone; estrange (*s.o.*), F put (*s.o.*) off; s'~ retire; go away; differ; digress.

éloquence [elɔ'kɑ̃ːs] *f* eloquence; **éloquent, e** [~'kɑ̃, ~'kɑ̃ːt] eloquent.

élucider [elysi'de] (1a) *v/t.* elucidate, clear up.

élucubration [elykybra'sjɔ̃] *f usu. pej.* lucubration; **élucubrer** F [~'bre] (1a) *v/i.* lucubrate.

éluder [ely'de] (1a) *v/t. fig.* evade; shirk (*work*).

Élysée [eli'ze] **1.** *su./m myth.* Elysium; *pol.* Élysée (= *Paris residence of the President of the French Republic*); **2.** *adj. myth.* Elysian (*Fields*).

émacier [ema'sje] (1o) *v/t.* s'~ waste away, become emaciated.

émail, *pl.* **-aux** [e'maːj, ~'mo] *m* enamel (*a. of teeth*); enamelling material; *phot.* glaze; **émailler** [ema-'je] (1a) *v/t.* enamel; glaze (*porcelain, a. phot.*); *fig.* sprinkle, spangle (with, *de*).

émanation [emana'sjɔ̃] *f* emanation, efflux.

émancipation [emɑ̃sipa'sjɔ̃] *f* eman-

cipation; **émancipé, e** *fig.* [~'pe] free, forward; **émanciper** [~'pe] (1a) *v/t.* emancipate.

émaner [ema'ne] (1a) *v/i.* emanate, issue, originate.

émarger [emar'ʒe] (1l) *v/t.* make marginal notes in, write in the margin of; ✝ initial, receipt; *v/i. admin.* draw a salary (from, à).

émasculation [emaskyla'sjɔ̃] *f* emasculation (*a. fig.*).

embâcle [ɑ̃'baːkl] *m* obstruction; ice-jam (*in water-way*).

emballage [ɑ̃ba'laːʒ] *m* packing; *sp.* spurt, burst of speed; F blowing-up; **emballer** [~'le] (1a) *v/t.* pack (up); wrap up; *mot.* race (*the engine*); F thrill; F pack (*s.o.*) off; F tell (*s.o.*) off; *sl.* arrest; *sl.* (*s.o.*) round; s'~ bolt (*horse*); race (*engine*); F get excited; F fly into a temper; *v/i. sp.* spurt; **emballeur** *m*, **-euse** *f* [~'lœːr, ~'løːz] packer; *sl.* cajoler.

embarbouiller F [ɑ̃barbu'je] (1a) *v/t.* dirty; *fig.* muddle (*s.o.*); s'~ get muddled.

embarcadère [ɑ̃barka'dɛːr] *m* ⚓ landing-stage; wharf, quay; 🚂 (departure) platform; **embarcation** [~'sjɔ̃] *f* craft; ship's boat.

embardée [ɑ̃bar'de] *f* ⚓ yaw, lurch; *mot.* swerve, skid.

embargo ⚓, *pol.* [ɑ̃bar'go] *m* embargo.

embarquement [ɑ̃barkə'mɑ̃] *m* ⚓ embarkation; *goods*: shipment; **embarquer** [~'ke] (1m) *v/t.* ⚓ embark; ship (*goods*, F *a. water*); take on board; *v/i. a.* s'~ embark (*a. fig.* upon, *dans*), go aboard.

embarras [ɑ̃ba'ra] *m* obstruction; impediment (*of speech*); difficulty, trouble; embarrassment; ~ *pl.* d'argent money difficulties; ~ de voitures traffic jam; 🩺 ~ gastrique upset stomach; F faire des ~ make a fuss; **embarrasser** [~ra'se] (1a) *v/t.* embarrass; hinder, encumber, trouble; *fig.* perplex, puzzle; 🩺 clog (*the digestion*); s'~ get entangled; be at a loss; s'~ de burden o.s. with.

embasement △ [ɑ̃baz'mɑ̃] *m* base; ground-table.

embauchage [ɑ̃bo'ʃaːʒ] *m*, **embauche** [ɑ̃'boːʃ] *f* taking on (*of workmen*); hiring; **embaucher** [ɑ̃bo'ʃe] (1a) *v/t.* take on, hire; ⚒

entice to desert; **embauchoir** [ˌ-
ˈʃwaːr] *m* boot-tree.

embaumé, e [ãboˈme] balmy (*air*);
embaumer [ˌ] (1a) *v/t.* embalm
(*a corpse, a. the garden*); scent, perfume; smell of; *v/i.* smell sweet.

embecquer [ãbɛˈke] (1m) *v/t.* feed
(*a bird*); bait (*the hook*).

embéguiner [ãbegiˈne] (1a) *v/t.*
wrap up (*s.o.'s*) head (in, de); *fig.*
infatuate; *s'ˌ* de become infatuated
with (*s.o.*).

embellie [ãbeˈli] *f* ♓ lull; fair
period; **embellir** [ˌˈliːr] (2a) *v/t.*
embellish (*a. fig.*); beautify; *v/i.*
become better-looking; **embellissement** [ˌlisˈmã] *m* embellishment; improvement in looks.

emberlificoter *sl.* [ãbɛrlifikɔˈte]
(1a) *v/t.* entangle; get round,
cajole.

embêtant, e F [ãbɛˈtã, ˌˈtãːt] annoying, irritating, tiresome; **em-
bêtement** [ãbɛtˈmã] *m* nuisance;
worry; annoyance; F bother; **embêter** F [ãbeˈte] (1a) *v/t.* annoy,
bore; get on (*s.o.'s*) nerves.

emblave ⚷ [ãˈblaːv] *f* land sown
with corn; *corn:* sown seed; **em-
blaver** ⚷ [ãblaˈve] (1a) *v/t.* sow
with corn.

emblée [ãˈble] *adv.:* d'ˌ right away,
then and there, at the first attempt.

emblème [ãˈblɛːm] *m* emblem;
symbol; badge.

embob(el)iner F [ãbɔb(l)iˈne] (1a)
v/t. get round, coax.

emboîter [ãbwaˈte] (1a) *v/t.* encase;
nest (*boats, boxes, tubes*); pack in
boxes; ⊕ joint; F hiss, hoot; ˌ le
pas à q. dog s.o.'s footsteps; ✗ fall
into step with s.o.; *fig.* model o.s.
on s.o.; **emboîture** [ˌˈtyːr] *f* fit;
⊕ socket; ⊕ joint; ⊕ juncture.

embolie ⚕ [ãbɔˈli] *f* embolism.

embonpoint [ãbɔ̃ˈpwɛ̃] *m* stoutness;
plumpness.

emboucher [ãbuˈʃe] (1a) *v/t.* ♪ put
to one's mouth; ♓ enter the mouth
of; *s'ˌ* (*dans*) empty (into); **em-
bouchoir** ♪ [ˌˈʃwaːr] *m* mouthpiece; **embouchure** [ˌˈʃyːr] *f river:*
mouth; ♪ mouthpiece; opening.

embouquer ♓ [ãbuˈke] (1m) *v/t.*
enter the mouth of.

embourber [ãburˈbe] (1a) *v/t.* bog;
fig. implicate; *s'ˌ* get stuck in the
mud (*etc.*); *fig.* get tied up.

embourgeoiser [ãburʒwaˈze] (1a)
v/t.: s'ˌ become conventional.

embout [ãˈbu] *m stick, umbrella:*
ferrule.

embouteillage [ãbuteˈjaːʒ] *m* bottling; ♓ bottling up; *fig.* traffic jam;
♱ bottleneck; **embouteiller** [ˌˈje]
(1a) *v/t.* bottle; ♓ bottle up, block
up; *fig.* hold up (*the traffic*); block
(*the road*).

embouter [ãbuˈte] (1a) *v/t.* tip, put
a ferrule on.

emboutir [ãbuˈtiːr] (2a) *v/t.* ⊕
stamp, press (*metal*); emboss; tip,
put a ferrule on; *mot.* s'ˌ crash
(into, *contre*).

embranchement [ãbrãʃˈmã] *m* ⚷
branching; *a. fig.* branch; 🚂
branch-line; 🚂 siding; road-junc-
tion; fork (*of a road*); branch-road;
geog. spur; **embrancher** [ãbrãˈʃe]
(1a) *v/t.* join up; *s'ˌ* form a junction
(*roads*); branch off (from, *sur*).

embrasement [ãbrazˈmã] *m* conflagration; *fig.* fire; *fig.* burning passion; *pol., fig.* conflagration; **em-
braser** [ãbraˈze] (1a) *v/t.* set on
fire; *fig.* fire; *fig.* set aglow.

embrassade [ãbraˈsad] *f* embrace,
hug; kissing; **embrasser** [ˌˈse]
(1a) *v/t.* embrace (*a. fig.*); hug; *fig.*
take up (*a career, a cause*); *fig.* encircle; kiss; include, take in.

embrasure [ãbraˈzyːr] *f* embrasure; window-recess; ⊕ gun-port.

embrayage [ãbrɛˈjaːʒ] *m* ⊕ connecting, coupling; *mot. clutch:* engaging; putting (*the engine*) into
gear; *mot.* clutch; *mot.* ˌ à cône cone
clutch; *mot.* ˌ à disques multi-disc
clutch; **embrayer** [ˌˈje] (1i) *v/t.*
connect, couple; throw into gear;
mot. let in the clutch.

embrigader [ãbrigaˈde] (1a) *v/t.* ✗
brigade; *fig.* enrol; F organize.

embrocher [ãbrɔˈʃe] (1a) *v/t. cuis.*
(put on the) spit; ⚡ wire on to a
circuit; F run (*s.o.*) through.

embrouiller [ãbruˈje] (1a) *v/t.*
tangle; embroil; muddle (up); *fig.*
confuse (*an issue*); *s'ˌ* get into a
tangle; *fig.* get into a muddle.

embroussaillé, e [ãbrusaˈje] covered with bushes; *fig.* tousled; F
complicated.

embruiné, e [ãbrɥiˈne] ⚷ blighted
with cold drizzle; lost in a haze of
rain.

embrumer [ăbry'me] (1a) *v/t.*
shroud with mist *or* haze *or* fog;
fig. cloud.

embrun ⚓ [ă'brœ̃] *m* spray, spindrift; fog.

embrunir [ăbry'niːr] (2a) *v/t.*
darken.

embryon [ăbri'jɔ̃] *m* embryo (*a.
fig.*); F insignificant little man.

embûche [ă'byːʃ] *f* trap; † ambush.

embuer [ă'bɥe] (1n) *v/t.* steam up;
dim (*a. fig.*).

embuscade [ăbys'kad] *f* ambush;
embusqué [∼'ke] *m* man in ambush; man under cover; F ∼
shirker, dodger; **embusquer** ✕
etc. [∼'ke] (1m) *v/t.* place in ambush
or in wait; s'∼ lie in wait; take
cover; F ✕ shirk.

éméché, e F [eme'ʃe] slightly the
worse for drink *or* F for wear.

émeraude [em'roːd] *su./f, a.
adj./inv.* emerald.

émerger [emɛr'ʒe] (1l) *v/i.* emerge;
come into view, appear.

émeri [em'ri] *m* emery(-powder).

émerillonné, e [emrijɔ'ne] roguish,
mischievous; bright.

émérite [eme'rit] emeritus (*professor*); experienced, practised.

émersion [emɛr'sjɔ̃] *f* emergence
(*a. opt.*); *astr.* emersion.

émerveiller [emɛrvɛ'je] (1a) *v/t.*
amaze, fill with wonder; s'∼ marvel,
be amazed (at, de).

émétique ✚ [eme'tik] *adj., a. su./m*
emetic.

émetteur, -trice [eme'tœːr, ∼'tris]
1. *adj.* issuing; *radio:* transmitting,
broadcasting; **2.** *su./m* ✚ issuer;
radio: transmitter; ∼ *à modulation
de fréquence* V.H.F. transmitter; ∼
à ondes courtes short wave transmitter; ∼ *de télévision* television
transmitter; ∼*-récepteur radio:*
transmitter-receiver, F walkie-
talkie; **émettre** [e'mɛtr] (4v) *v/t.*
emit, send out; ✚ issue; utter (*a
sound, a. counterfeit coins*); express
(*an opinion*); *radio:* transmit, broadcast; put forward (*a claim*).

émeute [e'møːt] *f* riot, disturbance;
émeutier [emø'tje] *m* rioter.

émietter [emje'te] (1a) *v/t.* crumble;
fig. waste.

émigration [emigra'sjɔ̃] *f* birds,
fish, *a.* ✚: migration; *people:* emi-
gration; **émigrer** [∼'gre] (1a) *v/i.*

migrate (*birds*); emigrate (*people*);
pol. fly the country.

émincé *cuis.* [emɛ̃'se] *m* sliced meat;
émincer [∼] (1k) *v/t.* mince, slice
(up) (*meat*).

éminemment [emina'mɑ̃] *adv.* to
a high degree; **éminence** [∼'nɑ̃ːs] *f*
eminence (*a. fig., a. title*); **éminent, e** [∼'nɑ̃, ∼'nɑ̃ːt] eminent;
high, elevated; *fig.* distinguished.

émissaire [emi'sɛːr] **1.** *su./m* emissary (*a.* ⊕), messenger; ⊕ outlet;
anat. emissary vein; **2.** *adj.: bouc
m* ∼ scapegoat; **émission** [∼'sjɔ̃] *f*
emission; ✚ issue, issuing; uttering
(*of sound, a. of counterfeit coins*);
heat: radiation; *radio:* transmission,
broadcast(ing); ∼ *de télévision* television transmission.

emmagasiner [ămagazi'ne] (1a)
v/t. ✚ store, warehouse; ⚡, *phys.,
a. fig.* store up.

emmailloter [ămajɔ'te] (1a) *v/t.*
swaddle (*a baby*); swathe (*one's leg
etc.*).

emmancher [ămɑ̃'ʃe] (1a) *v/t.* fix
a handle to, haft; ⊕ joint (*pipes*);
fig. start (*an affair*).

emmanchure [ămɑ̃'ʃyːr] *f* arm-
hole.

emmêler [ămɛ'le] (1a) *v/t.* tangle;
fig. mix up, get in a tangle *or*
muddle.

emménager [ămena'ʒe] (1l) *v/i.*
move in; *v/t.* move (*s.o., s.th.*) in,
install.

emmener [ăm'ne] (1d) *v/t.* take
(*s.o.*) away, lead (*s.o.*) away *or* out.

emmerdant, e V [ămɛr'dɑ̃, ∼'dɑ̃ːt]
irritating, annoying.

emmieller [ămje'le] (1a) *v/t.*
sweeten with honey; *fig.* sugar
(*one's words*); V irritate.

emmitoufler [ămitu'fle] (1a) *v/t.*
muffle up (in *dans, de*).

émoi [e'mwa] *m* emotion, agitation;
excitement; commotion; anxiety.

émollient, e ✚ [emɔ'ljɑ̃, ∼'ljɑ̃ːt]
adj., a. su./m emollient, counter-
irritant.

émoluments [emɔly'mɑ̃] *m/pl.*
emoluments, pay *sg.*, salary *sg.*

émonder [emɔ̃'de] (1a) *v/t.* ✚
prune (*a. fig. a book*), trim; *fig.*
clean.

émotion [emo'sjɔ̃] *f* emotion; *fig.*
agitation, disturbance; ✚ quicken-
ing (*of pulse*); **émotionnable** [∼

sjɔ'nabl] emotional; excitable; **émotionner** F [ˌsjɔ'ne] (1a) *v/t.* affect; thrill.

émotivité [emɔtivi'te] *f* emotivity.

émoucher [emu'ʃe] (1a) *v/t.* drive the flies from *or* off; **émouchette** [ˌʃɛt] *f* fly-net (*for horses*); **émouchoir** [ˌ'ʃwaːr] *m* fly-whisk; fly-net (*for horses*).

émoudre ⊕ [e'mudr] (4w) *v/t.* grind, sharpen, whet; **émoulu, e** [emu'ly] sharp(ened); *fig. frais* ~ *de* fresh from (*school etc.*).

émousser [emu'se] (1a) *v/t.* ⊕ blunt, take the edge off (*a. fig.*); 🖉 remove the moss from; ⊕ s'~ become blunt(ed) (*a. fig.*); lose its edge *or* point.

émoustiller F [emusti'je] (1a) *v/t.* exhilarate, F ginger up; put on one's mettle; s'~ get jolly; cheer up.

émouvant, e [emu'vɑ̃, ˌ'vɑ̃ːt] moving, touching; **émouvoir** [ˌ'vwaːr] (3f) *v/t.* move; affect, touch; stir up, rouse (*the audience, a crowd*).

empailler [ɑ̃pɑ'je] (1a) *v/t.* pack (*s.th.*) in straw; stuff (*a dead animal*); 🖉 cover up with straw.

empaler [ɑ̃pɑ'le] (1a) *v/t.* impale.

empan [ɑ̃'pɑ̃] *m* span.

empaqueter [ɑ̃pak'te] (1c) *v/t.* pack up; wrap up; do up (*a parcel*).

emparer [ɑ̃pɑ're] (1a) *v/t.*: s'~ *de* seize, lay hands on; take possession of.

empâté, e [ɑ̃pɑ'te] 🖉 coated (*tongue*); *fig.* thick (*voice*); bloated (*face*); **empâter** [ˌ] (1a) *v/t.* paste (*a.* 🖉); fatten up, cram (*poultry*); ⊕ clog (*a file*); s'~ put on flesh.

empattement [ɑ̃pat'mɑ̃] *m mot.* wheel base; 🛆 foundation; 🛆 *wall:* footing; **empatter** [ɑ̃pa'te] (1a) *v/t.* 🛆 fix on a foundation; 🛆 give footing to (*a wall*); ⊕ joint (*timbers*).

empaumer [ɑ̃po'me] (1a) *v/t.* catch in *or* strike with the palm (*a ball*); *fig.* catch hold of; dominate (*s.o.*); *sl.* take (*s.o.*) in.

empêchement [ɑ̃pɛʃ'mɑ̃] *m* obstacle, hindrance; prevention; impediment (*of speech*); *sans* ~ without let or hindrance; **empêcher** [ɑ̃pɛ'ʃe] (1a) *v/t.* prevent (from ger., *de inf.*); impede, hinder; s'~ *de* refrain from.

empeigne [ɑ̃'pɛɲ] *f shoe:* vamp.

empennage 🛪 [ɑ̃pɛ'naːʒ] *m* tail

unit; stabilizer(s *pl.*); *bomb:* fin assembly.

empereur [ɑ̃'prœːr] *m* emperor.

empesé, e F [ɑ̃pə'ze] stiff, starchy (*manner etc.*); **empeser** [ˌ] (1d) *v/t.* starch (*linen etc.*); stiffen.

empester [ɑ̃pɛs'te] (1a) *v/t.* infect; reek of.

empêtrer [ɑ̃pɛ'tre] (1a) *v/t.* hobble (*an animal*); entangle; *fig.* involve (in, *dans*); *fig.* embarrass (*s.o.*).

emphase [ɑ̃'faːz] *f* bombast, pomposity; *gramm.* emphasis; **emphatique** [ɑ̃fa'tik] bombastic, pompous; grandiloquent; *gramm.* emphatic.

empierrer [ɑ̃pjɛ're] (1a) *v/t.* metal (*a road*); pave; 🛤 ballast (*a track*).

empiéter [ɑ̃pje'te] (1f) *v/i.* trespass, encroach (upon, *sur*) (*a. fig.*); *v/t.* appropriate (from, *sur*).

empiffrer F [ɑ̃pi'fre] (1a) *v/t.* cram, stuff (with, *de*); make (*s.o.*) fat; s'~ *de gorge on*, stuff o.s. with.

empiler [ɑ̃pi'le] (1a) *v/t.* pile (up); F rob, cheat (out of, *de*); *fig.* F s'~ *dans* pile into.

empire [ɑ̃'piːr] *m* empire; dominion; sway; control; influence; ~ *sur soi-même* self-control.

empirer [ɑ̃pi're] (1a) *v/t.* make (*s.th.*) worse; *v/i.* become *or* grow worse.

empirique [ɑ̃pi'rik] **1.** *adj.* empirical, rule-of-thumb; **2.** *su./m* empiricist; **empirisme** [ˌ'rism] *m* empiricism; *fig.* guess-work.

emplacement [ɑ̃plas'mɑ̃] *m* buildings etc.: site; place, spot; ⚓ berth (*of a ship*); ✕ *gun:* emplacement; ✕(dis)position (*of troops for battle*), station (*of peace-time troops*).

emplâtre [ɑ̃'plɑːtr] *m* 🖉 plaster; *mot. etc.* patch.

emplette [ɑ̃'plɛt] *f* purchase, shopping.

emplir [ɑ̃'pliːr] (2a) *v/t. a.* s'~ fill (up).

emploi [ɑ̃'plwa] *m* employment, use; post, job, situation; *mode m d'*~ directions *pl.* for use; *plein* ~ full employment; **employé** *m, e f* [ɑ̃plwa'je] employee; clerk; *shop:* assistant; **employer** [ˌ'je] (1h) *v/t.* employ, use; spend (*time*); lay out (*money*); exert (*one's force etc.*); s'~ occupy o.s. ([in] *ger.*, *à inf.*; on behalf of, *pour*); exert o.s.; **em-**

ployeur *m*, **-euse** *f* [~'jœːr, ~'jøːz] employer.

empocher [ãpɔ'ʃe] (1a) *v/t.* pocket (*a. fig.*); *fig.* receive, F get.

empoigner [ãpwa'ɲe] (1a) *v/t.* grip (*a. fig.*); grasp, seize; catch, arrest.

empois [ã'pwa] *m* starch; *tex.* dressing.

empoisonnant, e F [ãpwazɔ'nã, ~'nãːt] irritating, annoying; *fig.* poisonous; **empoisonner** [~'ne] (1a) *v/t.* poison; *fig.* corrupt; *fig.* bore (*s.o.*) to death; reek of; **empoisonneur, -euse** [~'nœːr, ~'nøːz] 1. *su.* poisoner; 2. *adj.* poisonous.

empoissonner [ãpwasɔ'ne] (1a) *v/t.* stock (*a lake etc.*) with fish.

emporté, e [ãpɔr'te] 1. *adj.* hot-headed, hasty; quick-tempered; 2. *su.* hot-headed *or* quick-tempered person; **emportement** [~tə'mã] *m* transport, outburst; anger; *avec* ~ angrily; **emporte-pièce** [~tə'pjɛs] *m/inv.* punch; *fig.* *à l'*~ cutting, sarcastic; **emporter** [~'te] (1a) *v/t.* carry away, take away; remove; ✗ *etc.* capture; *l'*~ *sur* get the better of; *fig.* surpass, triumph over; *s'*~ lose one's temper, flare up; bolt (*horse*).

empoté, e [ãpɔ'te] 1. *adj.* awkward, clumsy; 2. *su.* awkward *or* clumsy person; **empoter** [~] (1a) *v/t.* pot (*jam etc., a.* ✍).

empourprer [ãpur'pre] (1a) *v/t.* tinge with crimson *or* with purple (*grapes*); *s'*~ flush (*person*); turn red.

empreindre [ã'prɛ̃ːdr] (4m) *v/t.* imprint, stamp, impress; **empreinte** [ã'prɛ̃ːt] *f* impress, (im-)print, stamp, impression; ~ *digitale* finger-print.

empressé, e [ãprɛ'se] eager; earnest, fervent; willing; fussy; **empressement** [ãprɛs'mã] *m* eagerness, promptness, readiness; hurry; *avec* ~ readily; *peu d'*~ reluctance; **empresser** [ãprɛ'se] (1a) *v/t.*: *s'*~ *à* (*inf.*) be eager to (*inf.*), show zeal in (*ger.*); *s'*~ *de* (*inf.*) hasten to (*inf.*).

emprise [ã'priːz] *f* hold (on, *sur*); mastery.

emprisonner [ãprizɔ'ne] (1a) *v/t.* imprison; confine (*s.o. to his room*).

emprunt [ã'prœ̃] *m* loan; borrowing; *gramm.* loanword; *nom m d'*~ assumed name; ✝ *souscrire à un* ~

subscribe to a loan; **emprunté, e** [ãprœ̃'te] assumed; sham; borrowed; derived; stiff, awkward (*manner etc.*); **emprunter** [~'te] (1a) *v/t.* borrow (from, of *à*); assume (*a name*); take (*a road, a track*); **emprunteur** *m*, **-euse** *f* [~'tœːr, ~'tøːz] borrower; ♣♣ bailee.

empuantir [ãpɥã'tiːr] (2a) *v/t.* make (*s.th.*) stink; infect (*the air*); *s'*~ become foul.

ému, e [e'my] *p.p. of* émouvoir.

émulateur, -trice [emyla'tœːr, ~-'tris] emulative, rival; **émulation** [~'sjɔ̃] *f* emulation, rivalry, competition; **émule** [e'myl] *su.* emulator, rival, competitor. [emulsive.]

émulsif, -ve ⚕ [emyl'sif, ~'siːv]]

en¹ [ã] *prp.* place: in (*France*); at; direction: into (*town*); to (*France, town*); time: in (*summer*); (with)in (*an hour, two days*); state: in (*good health, mourning, prayer, English*); on (*leave, strike, sale*); at (*war, peace*); as, like (*some character*); change: into (*decay, oblivion, English*); to (*dust, ashes, pieces*); material: of; *ger.*: ~ *dansant* (while) dancing; ~ *attendant* in the meantime; *partir* ~ *courant* run away; ~ *ne pas* (*ger.*) by not (*ger.*); ~ *ville* in town, *Am.* downtown; ~ *tête* at the head (of, de); *aller* ~ *ville* go to town; ~ *voiture* in a *or* by car; 🚂 ~ *voiture!* all aboard!; ~ *avion* by air; ~ *arrière* (de) behind; direction: ~ *arrière* backward; ~ *avant* in front; direction: forward, on; *de* ... ~ ... from ... to ...; ~ (*l'an*) *1789* in 1789; ~ *colère* in anger, angry; ~ *défaut* at fault; ~ *fait* in fact; ~ *hâte* in a hurry; ~ *honnête homme* (*ami*) as *or* like an honest man (a friend); *mettre* ~ *vente* put up for sale; ~ *vérité* really, actually; ~ *vie* alive, living; *changer des livres* ~ *francs* change pounds into francs; *briser* ~ *morceaux* break to pieces *or* into bits; ... ~ *bois* (or) wooden (gold) ...; *escalier m* ~ *spirale* spiral staircase; *fertile* (*riche*) ~ fertile (rich) in; ~ *l'honneur de* in hono(u)r of; ~ *punition de* as a punishment for; *docteur m* ~ *droit* Doctor of Laws; *admirer qch.* ~ *q.* admire s.th. about s.o.; *de mal* ~ *pis* from bad to worse; *de plus* ~ *plus* more and more.

en² [.] **1.** *adv.* from there; on that
account, for it; ~ *être plus riche* be
the richer for it; *j'~ viens* I have
just come from here; **2.** *pron.* genitive: of *or* about *or* by *or* from *or*
with him (her, it, them); *quantity
or inanimate possessor:* of it *or* them;
partitive use: some, any, *negative:*
not any, none; *sometimes untrans-
lated: qu'~ pensez-vous?* what do
you think (about it)?, what is your
opinion?; *qu'~ dira-t-on?* what
will people say (about it)?; *il ~
mourut* he died of it; *il s'~ soucie*
he worries about it; *j'~ ai cinq* I
have five (of them); *je vous ~ offre
la moitié* I offer you a half *or* half
of it; *j'~ connais qui ...* I know
some people who ...; *je connais cet
auteur et j'~ ai lu tous les livres* I
know this author and have read all
his books; *j'~ ai besoin* I need it *or*
some; *je n'~ ai pas* I have none, I
haven't any; *prenez-~* take some;
c'~ est fait the worst has happened;
c'~ est fait de moi I am done for;
je vous ~ félicite! congratulations!;
s'~ aller go away.

enamourer [ãnamu're] (1a) *v/t.:
s'~* fall in love (with, *de*).

encablure ⚓ [ãka'bly:r] *f* cable('s-
length).

encadrement [ãkadrə'mã] *m* framing; frame(work); setting; **encadrer** [~'dre] (1a) *v/t.* frame; enclose, surround; ✗ officer (*a battalion*); ✗ enrol (*recruits*); ✗ straddle (*an objective*).

encager [ãka'ʒe] (1l) *v/t.* put in a
cage; 🐾 cage.

encaisse [ã'kɛs] *f* 🕈 cash (in hand);
box. punishment; **encaissé, e**
[ãkɛ'se] encased; deep (*valley*);
sunken (*road*); **encaisser** [.] (1b)
v/t. 🕈 box, encase; 🌱 plant in
tubs; 🕈 collect; (en)cash (*a bill,
money*); ⊕ embank (*a river*); ballast (*a road*); *fig.* swallow (*an insult*); *fig.* stand, bear; F *~ une gifle*
get one's ears boxed.

encan [ãkã] *m* (public) auction;
mettre à l'~ put (*s.th.*) up for auction.

encanailler [ãkana'je] (1a) *v/t.* degrade; fill (*the house*) with low
company; *s'~* lower o.s.; keep low
company; *fig.* have one's fling.

encapuchonner [ãkapyʃɔ'ne] (1a)

v/t. put a cowl on; ⊕ cover, hood;
s'~ put a cowl *or* hood on; *fig.* become a monk.

encaquer [ãka'ke] (1m) *v/t.* 🕈
barrel; *fig.* pack (*people*) like sar-
dines.

encartage [ãkar'ta:ʒ] *m* insetting;
inset; 🕈 card(ing) (*of pins*); **encar-
ter** [~'te] (1a) *v/t.* inset; insert (*a
loose leaflet*); card (*pins*).

en-cas [ã'ka] *m/inv.* emergency
supply; stand-by, thing kept for
emergencies; dumpy umbrella.

encastrement ⊕ [ãkastrə'mã] *m*
fixing; embedding; bed, recess;
casing, frame; rigid fixing; **encastrer** ⊕ [~'tre] (1a) *v/t.* fix in;
embed; recess (*a rivet head*).

encaustique [ãkos'tik] *f* encaustic;
floor, furniture: wax polish; **en-
caustiquer** [~ti'ke] (1m) *v/t.* wax,
polish.

encaver [ãka've] (1a) *v/t.* cellar.

enceindre [ã'sɛ̃:dr] (4m) *v/t.* surround, gird, enclose.

enceinte¹ [ã'sɛ̃:t] *f* enclosure; precincts *pl.*; *box.* ring; surrounding
wall(s *pl.*).

enceinte² [.] *adj./f* pregnant.

encens [ã'sã] *m* incense; *fig.* flattery; **encenser** [ãsã'se] (1a) *v/t.
eccl.* cense; burn incense to; *fig.*
flatter; **encenseur** [~'sœ:r] *m eccl.*
thurifer; *fig.* flatterer; **encensoir**
[~'swa:r] *m* thurible, censer; *fig.*
flattery, fulsome praise.

encéphale ⚕ [ãse'fal] *m* encephalon,
brain; **encéphalite** ⚕ [~fa'lit] *f*
encephalitis.

encerclement [ãsɛrklə'mã] *m* en-
circling; **encercler** [~'kle] (1a) *v/t.*
encircle, shut in.

enchaînement [ãʃɛn'mã] chain,
series, linking; *dog etc.:* chaining
(up); *fig.* sequence; **enchaîner**
[ãʃe'ne] (1b) *v/t.* chain (*a dog, a
prisoner*); connect, link up (*a. fig.
ideas*); *fig.* captivate; *fig.* curb, en-
chain.

enchanté, e [ãʃã'te] enchanted;
delightful (*place*); *fig.* delighted (at,
with *de*; to *inf.*, *de inf.*); ~ *de vous
voir* pleased to meet you; **enchantement** [ãʃãt'mã] *m* magic; spell;
fig. charm; *fig.* delight; **enchanter**
[ãʃã'te] (1a) *v/t.* bewitch; delight;
enchanteur, -eresse [~'tœ:r,
~'trɛs] **1.** *su. fig.* charmer; *su./m*

enchanter; *su./f* enchantress; **2.** *adj.* entrancing; enchanting; delightful, charming.

enchâsser [ãʃɑ'se] (1a) *v/t.* mount, set (*jewels, a.* ⊕); ⊕, *a. fig.* frame, house; *eccl.* enshrine; **enchâssure** [~'syːr] *f* *jewel etc.*: setting; ⊕ *axle:* housing.

enchausser ⚲ [ãʃo'se] (1a) *v/t.* earth up.

enchère [ã'ʃɛːr] *f* bidding, bid; *dernière (folle)* ~ highest (irresponsible) bid; *mettre (or vendre) aux* ~*s* put up for auction; *vente f aux* ~*s* auction sale.

enchérir [ãʃe'riːr] (2a) *v/t.* ✝ raise the price of; *v/i.* ✝ grow dearer, go up (*in price*); make a higher bid, go higher; ~ *sur* outbid (*s.o.*); *fig.* outdo (*s.o.*); ✝ improve on (*s.th.*); **enchérissement** ✝ [~ris'mã] *m* rise (in price); **enchérisseur** [~ri-'sœːr] *m* bidder; *dernier* ~ highest bidder.

enchevêtrer [ãʃve'tre] (1a) *v/t.* halter (*a horse*); *fig.* entangle, confuse; △ join (*joists*).

enchifrené, e [ãʃifrə'ne] blocked, stuffed-up (*nose*); **enchifrènement** ✶ [~frɛn'mã] *m* blocked *or* stuffed-up nose.

enclave *pol.* [ã'klaːv] *f* enclave; **enclaver** [ãkla've] (1a) *v/t. pol.* enclave (*a territory*); *fig.* hem in, enclose.

enclenche ⊕ [ã'klãːʃ] *f* gab; **enclencher** [ãklã'ʃe] (1a) *v/t.* ⊕ engage; throw into gear; ⚡ switch on; *fig.* set going.

enclin, e [ã'klɛ̃, ~'klin] inclined, prone (to, à).

encliquetage ⊕ [ãklik'taːʒ] *m* (pawl-and-)ratchet; *clock:* click-and-ratchet work.

enclore [ã'kloːr] (4f) *v/t.* enclose; wall in, fence in; **enclos** [ã'klo] *m* enclosure; paddock; sheep-fold; (enclosing) wall.

enclouer [ãklu'e] (1a) *v/t.* prick (*a horse*); spike (*a gun*); *fig. s'*~ get into a fix.

enclume [ã'klym] *f* anvil (*a. anat.*).

encoche [ã'kɔʃ] *f* notch, nick; slot; ⊕ gab; *avec* ~*s* thumb-indexed; **encocher** [ãkɔ'ʃe] (1a) *v/t.* notch, nick; slot; drive home (*a pin etc.*).

encoffrer [ãkɔ'fre] (1a) *v/t.* lock up (*a. fig.*); *fig.* hoard (*money*).

encoignure [ãkɔ'ɲyːr] *f* corner; corner-cupboard.

encoller [ãkɔ'le] (1a) *v/t.* glue; paste, gum (*paper*); size (*cloth*).

encolure [ãkɔ'lyːr] *f* neck (*a. of horse*); size in collars; neck-line.

encombrant, e [ãkõ'brã, ~'brãːt] cumbersome; bulky (*goods, luggage*); **encombre** [ã'kõːbr] *m: sans* ~ without difficulty; **encombrement** [ãkõbrə'mã] *m* obstruction; litter; *traffic:* congestion; ✝ glut; *people:* overcrowding; *article:* bulk (-iness); **encombrer** [~'bre] (1a) *v/t.* encumber; obstruct, block up; clutter up; ✝ glut (*the market*); *fig.* saddle with.

encontre [ã'kõːtr] *prp.: à l'*~ *de* against; *aller à l'*~ *de* run counter to.

encorbellement [ãkɔrbɛl'mã] *m* △, ⊕ cantilever; △ corbel-table.

encorder *mount.* [ãkɔr'de] (1a) *v/t.* rope (*climbers*) together.

encore [ã'kɔːr] **1.** *adv.* still; yet; too, besides; more; ~ *un* another one; ~ *une fois* once again *or* more; *en voulez-vous* ~? do you want some more?; *non seulement ... mais* ~ not only ... but also; *pas* ~ not yet; *quoi* ~? what else?; **2.** *cj.:* ~ *que* (*sbj. or cond.*) although (*ind.*).

encorner [ãkɔr'ne] (1a) *v/t.* provide with horns; *fig.* cuckold; *bull:* gore, toss.

encourager [ãkura'ʒe] (1l) *v/t.* encourage; cheer up.

encourir [ãku'riːr] (2i) *v/t.* incur; take (*a risk*).

encrasser [ãkra'se] (1a) *v/t.* dirty, soil, grease; ⊕ clog, choke (*a machine*); *mot.* soot up (*a plug*); foul (*a gun*).

encre [ãːkr] *f* ink; ~ *de Chine* Indian ink; ~ *d'imprimerie* printer's ink; ~ *sympathique* invisible ink; **encrer** *typ.* [ã'kre] (1a) *v/t.* ink; **encrier** [ãkri'e] *m* ink-pot, ink-well; *typ.* ink-trough.

encroûter [ãkru'te] (1a) *v/t.* crust, encrust; cake with mud *etc.*; △ rough-cast; *fig. s'*~ get into a rut.

encuver [ãky've] (1a) *v/t.* vat.

encyclopédie [ãsiklɔpe'di] *f* encyclop(a)edia.

endauber *cuis.* [ãdo'be] (1a) *v/t.* stew; tin, can.

endémique ✶ [ãde'mik] endemic.

endenter [ãdã'te] (1a) *v/t.* tooth,

cog (a wheel); mesh (wheels); indent (timber).

endetter [ădɛ'te] (1a) v/t. a. s'~ get into debt.

endeuiller [ădœ'je] (1a) v/t. plunge into mourning; fig. shroud in gloom.   [drive mad.]

endêver F [ădɛ've] (1a) v/i.: faire ~↓

endiablé, e [ădja'ble] possessed; fig. wild; reckless; fig. mischievous.

endiguer [ădi'ge] (1m) v/t. dam up (a river); dike (land); fig. stem.

endimanché, e [ădimă'ʃe] in one's Sunday best.

endive & [ă'di:v] f endive.

endoctriner [ădɔktri'ne] (1a) v/t. indoctrinate, instruct; F win over (to one's cause).

endolori, e [ădɔlɔ'ri] sore; tender.

endommager [ădɔma'ʒe] (1l) v/t. damage; injure.

endormeur m, **-euse** f [ădɔr'mœːr, ~'møːz] (1a) f.p. humbug, cajoler; swindler; bore; **endormi, e** [~'mi] 1. adj. asleep; sleepy, drowsy; numb (leg etc.); dormant (passion); 2. su. sleeper; fig. sleepyhead; **endormir** [~'miːr] (2b) v/t. send to sleep; make (s.o.) sleep; numb (the leg etc.); deaden (a pain); fig. bore; fig. allay (a suspicion); fig. hoodwink (s.o.); s'~ go to sleep (a. fig.); fall asleep.

endos † [ă'do] m, **endossement** † [ădos'mã] m endorsement; **endossataire** † [ădosa'tɛːr] su. endorsee; **endosser** [~'se] (1a) v/t. † endorse; † back; put on (clothes); fig. assume; ~ qch. à q. saddle s.o. with s.th.; **endosseur** [~'sœːr] m endorser.

endroit [ă'drwa] m place, spot; site; side; tex. right side; à l'~ de as regards; par ~s in places.

enduire [ă'dɥiːr] (4h) v/t. ⚠ coat, plaster (with, de) (a. fig.); smear (with, de); **enduit** [ă'dɥi] m paint, tar, etc.: coat, coating; ⚠ coat of plaster, plastering; tex. proofing.

endurance [ădy'rãːs] f endurance; fig. patience; **endurant, e** [~'rã, ~'rãːt] patient, long-suffering.

endurcir [ădyr'siːr] (2a) v/t. harden (a. fig. the heart); fig. inure (to, à); s'~ harden (a. fig.); become fit or tough.

endurer [ădy're] (1a) v/t. endure, bear, tolerate.

énergétique [enɛrʒe'tik] ⚙ energizing; ⊕ of energy; **énergie** [~'ʒi] f energy; ⊕ fuel and power; ~ atomique (or nucléaire) atomic or nuclear energy; ⊕ ~ consommée power consumption; **énergique** [~'ʒik] energetic; drastic (measures, steps, remedy); emphatic.

énergumène [enɛrgy'mɛn] su. energumen; fig. ranter, tub-thumper.

énervement [enɛrvə'mã] m exasperation; F state of nerves; **énerver** [~'ve] (1a) v/t. enervate (the body, the will); irritate, annoy; F get on (s.o.'s) nerves.

enfance [ă'fãːs] f childhood; fig. infancy; childishness; dotage; **enfant** [ă'fã] su. child, baby; 🕱 infant; ~ gâté spoilt child; fig. pet; ~ terrible (little) terror; ~ trouvé foundling; d'~ childlike; childish; mes ~s! boys (and girls)!; ⚔ men!; lads!; su./m boy; su./f girl; **enfanter** [ăfã'te] (1a) v/t. give birth to, bear; fig. beget; father (an idea); **enfantillage** [~ti'ja:ʒ] m childishness; fig. ~s pl. baby tricks; **enfantin, e** [~'tɛ̃, ~'tin] childish; infantile.

enfariner [ăfari'ne] (1a) v/t. cuis. flour, cover with flour; fig. être enfariné de have a smattering of.

enfer [ă'fɛːr] m hell; ~s pl. the underworld sg.; aller un train d'~ go at top speed.

enfermer [ăfɛr'me] (1a) v/t. shut up; lock up; shut in, enclose.

enferrer [ăfɛ're] (1a) v/t. pierce; fig. F s'~ be hoist with one's own petard.

enfiévrer [ăfje'vre] (1f) v/t. make (s.o.) feverish; fig. excite, stir up; s'~ grow feverish; fig. get excited.

enfilade [ăfi'lad] f series; rooms: suite; houses: row; ⚔ enfilade; fig. string; **enfiler** [~'le] (1a) v/t. thread (a needle); string (pearls etc.); run (s.o.) through; slip on (clothes); ⚔ rake; fig. swindle, dupe; sl. eat, get through.

enfin [ă'fɛ̃] 1. adv. at last, finally; in short, that is to say; 2. int. at last!; still!

enflammer [ăfla'me] (1a) v/t. inflame; set on fire; strike (a match); fig. stir up; s'~ catch fire; fig. flare up; ⚙ inflame.

enfler [ă'fle] (1a) v/t. swell (a. fig.);

bloat; puff out (*one's cheeks*); *fig.* inflate (*one's style*); *fig.* puff (*s.o.*) up; *v/i. a.* s'~ swell; **enflure** [ă'fly:r] *f* ⚓ swelling; *fig. style*: turgidity.

enfoncement [ăfōs'mă] *m door*: breaking open; *nail*: driving in; sinking (*a.* ⊕ *of a pile*); *ground*: hollow; △ recess; ⚓ bay; **enfoncer** [ăfō'se] (1k) *v/t.* break in *or* open; drive in; thrust; ⚔ *etc.* break through; F get the better of; F down (*s.o.*); s'~ plunge; sink, go down; subside; go in; *v/i.* sink; **enfonçure** [~'sy:r] *f ground*: hollow; *rock*: cavity; *cask*: bottom.   [hide.\

enfouir [ă'fwi:r] (2a) *v/t.* bury;\

enfourchement [ăfurʃə'mă] *m* ⊕ fork link; *wood*: open mortise-joint, slit-and-tongue joint; **enfourcher** [~'ʃe] (1a) *v/t.* sit astride, mount (*a bicycle, a horse*); **enfourchure** [~'ʃy:r] *f tree*: fork.

enfourner [ăfur'ne] (1a) *v/t.* put in the oven; put in a kiln (*bricks, pottery*); *sl.* gobble (*one's food*).

enfreindre [ă'frɛ̃:dr] (4m) *v/t.* infringe, break, transgress (*the law*); violate (*a treaty*).

enfuir [ă'fɥi:r] (2d) *v/t.*: s'~ flee, run away; escape (from, *de*); leak (*liquid*).

enfumer [ăfy'me] (1a) *v/t.* fill with smoke; blacken with smoke; smoke out (*bees, animals*).

enfutailler [ăfyta'je] (1a) *v/t.* cask (*wine*).

engagé [ăga'ʒe] **1.** *adj.* ⚔ enlisted; *fig.* committed (*literature*); **2.** *su./m* ⚔ volunteer; *sp.* entry; **engagement** [ăgaʒ'mă] *m* engagement; promise; bond; pawning; appointment; ⚔ enlistment; ⚔ skirmish; *sp.* entry; ~s *pl.* liabilities; † sans ~ without obligation; **engager** [ăga'ʒe] (1l) *v/t.* engage (*a.* ⊕ *machinery*); employ; ⚔ enlist; ⊕ take on (*hands*); pawn (*a watch etc.*); pledge (*one's word*); 🜪 institute (*proceedings*); ⊕ put in gear; *fig.* begin, open, ⚔ join (*battle*); ⚓ foul (*the anchor etc.*); jam (*a machine*); s'~ undertake, promise (to *inf.*; à *inf.*); commit o.s. (to *inf.*, à *inf.*); take service (with, *chez*); ⚓ foul; jam (*machine*); ⚓ get out of control; *fig.* enter; *fig.* begin (*battle, discussion*); ⚔ enlist; *v/i.* ⊕ (come into) gear.

engainer [ăgɛ'ne] (1b) *v/t.* sheathe; ⚓ ensheathe.

engazonner [ăgazɔ'ne] (1a) *v/t.* turf; sow with grass-seed.

engeance *fig.* [ă'ʒɑ̃:s] *f* brood.

engelure ⚕ [ăʒ'ly:r] *f* chilblain.

engendrer [ăʒă'dre] (1a) *v/t.* beget; *fig.* engender; produce; generate (*heat*); *fig.* breed (*a disease, contempt*).

engin [ă'ʒɛ̃] *m* machine, engine; tool; device; ⚔ ballistic missile; ~s *pl. fishing*: tackle *sg.*

englober [ăglɔ'be] (1a) *v/t.* include, take in; unite, merge.

engloutir [ăglu'ti:r] (2a) *v/t.* swallow; gulp; *fig.* swallow up; *fig.* sink (*money in s.th.*).

engluer [ăgly'e] (1a) *v/t.* lime (*a bird, twigs*); *fig.* trap, ensnare (*s.o.*).

engorger [ăgɔr'ʒe] (1l) *v/t.* block, choke up; ⊕ obstruct; ⚕ congest.

engouement [ăgu'mă] *m* ⚕ obstruction; *fig.* infatuation (with, *pour*); **engouer** [~'e] (1a) *v/t.* ⚕ obstruct; s'~ ⚕ become obstructed; *fig.* become infatuated (with, *de*).

engouffrer [ăgu'fre] (1a) *v/t.* engulf; F devour (*food*); *fig.* swallow up; s'~ be swallowed up, rush (*wind*); F dive (into, *dans*).

engoulevent *orn.* [ăgul'vă] *m* nightjar, goatsucker.

engourdir [ăgur'di:r] (2a) *v/t.* (be)numb; *fig.* dull (*the mind*); s'~ grow numb, F go to sleep; *fig.* become sluggish; **engourdissement** [~dis'mă] *m* numbness; *fig.* dullness; † *market*: slackness.

engrais ⚘ [ă'grɛ] *m* manure; fattening pasture *or* food; ~ *pl.* azotés nitrate fertilizers, F nitrates; ~ vert manure crop; **engraisser** [ăgrɛ'se] (1a) *v/t.* fatten (*animals*), cram (*poultry*); make (*s.o.*) fat; ⚘ manure, fertilize; *v/i.* grow fat; thrive (*cattle*); **engraisseur** [~'sœːr] *m* fattener; *poultry*: crammer.

engranger ⚘ [ăgrɑ̃'ʒe] (1l) *v/t.* garner, get in (*the corn*).

engraver [ăgra've] (1a) *v/t.* ⚓ strand (*a ship*); cover (*ground*) with sand *or* gravel; ⚓ s'~ ground; run on to the sand; silt up (*harbour*).

engrenage [ăgrə'na:ʒ] *m* ⊕ gearing; (toothed) gear; throwing *or* coming into gear; *fig.* network, mesh; **engrener** [~'ne] (1d) *v/t.* feed corn into (*a threshing-machine*); feed (*animals*) on corn; ⊕ (put into) gear, engage (*wheels*); *fig.* start (*s.th.*) off, set (*s.th.*) going; s'~ engage, cog, mesh with one another; *v/i.* be in mesh; **engrenure** ⊕ [~'ny:r] *f* gear ratio; engaging.

engrumeler [ăgrym'le] (1c) *v/t.*: s'~ clot, curdle.

engueuler *sl.* [ăgœ'le] (1a) *v/t.* tell (*s.o.*) off, blow (*s.o.*) up, go for (*s.o.*).

enguirlander [ăgirlă'de] (1a) *v/t.* garland; wreathe (with, de); F tell (*s.o.*) off, go for (*s.o.*).

enhardir [ăar'di:r] (2a) *v/t.* embolden; *fig.* encourage (to *inf.*, *à inf.*); s'~ grow bold, take courage; make bold (to, *à*).

enherber ✔ [ăner'be] (1a) *v/t.* put (*land*) under grass.

énigmatique [enigma'tik] enigmatic; **énigme** [e'nigm] *f* enigma; *parler par* ~s speak in riddles.

enivrement [ănivrə'mă] *m* intoxication; *fig.* elation; **enivrer** [~'vre] (1a) *v/t.* intoxicate; make (*s.o.*) drunk; *fig.* elate, go to (*s.o.'s*) head; s'~ get drunk.

enjambée [ăʒă'be] *f* stride; **enjambement** [ăʒăb'mă] *m prosody*: run-on line; enjambment; **enjamber** [ăʒă'be] (1a) *v/t.* bestride (*a horse, a. fig.*); stride over (*an object*); span; *v/i.* stride; *prosody*: run on (*line*).

enjaveler ✔ [ăʒav'le] (1c) *v/t.* gather into sheaves.

enjeu [ă'ʒø] *m gambling, a. fig.*: stake.

enjoindre [ă'ʒwɛ̃:dr] (4m) *v/t.* enjoin, order, direct; call upon.

enjôler [ăʒo'le] (1a) *v/t.* wheedle, coax; cajole; **enjôleur, -euse** [~'lœ:r, ~'lø:z] **1.** *su.* coaxer, wheedler; cajoler; **2.** *adj.* wheedling, coaxing; cajoling.

enjoliver [ăʒoli've] (1a) *v/t.* beautify, embellish; *fig.* embroider (*a story*); **enjoliveur** *mot.* [~'vœ:r] *m* hub cap.

enjoué, e [ă'ʒwe] jaunty, sprightly; playful, lively; **enjouement** [ăʒu'mă] *m* sprightliness; playfulness.

enlacer [ăla'se] (1k) *v/t.* entwine; interlace; embrace, clasp; ⊕ dowel.

enlaidir [ăle'di:r] (2a) *v/t.* disfigure; make (*s.o.*) ugly; *v/i.* grow ugly.

enlevé, e [ăl've] *paint.* dashed off;

♪ (*played*) con brio; **enlèvement** [ălev'mă] *m* removal; carrying off; kidnapping; abduction; ✗ storming; ♱ snapping up (*of goods*); **enlever** [ăl've] (1d) *v/t.* remove; take away *or* off; lift up; carry off (*a. fig. a prize*); kidnap; abduct; deprive (s.o. of s.th., *qch. à q.*); *fig.* urge on; ✗ storm; *fig.* do (*s.th.*) brilliantly; ~ en arrachant (*grattant*) snatch (rub) away; s'~ take off (*balloon etc.*); peel off (*bark, paint, skin, etc.*); boil over (*milk*); *fig.* flare up (*person*); se faire ~ par elope with.

enlier △ [ă'lje] (1o) *v/t.* bond.

enliser [ăli'ze] (1a) *v/t.*: s'~ sink (*in a quicksand*); *mot.* get bogged.

enluminer [ălymi'ne] (1a) *v/t.* illuminate; colo(u)r (*a map etc.*); *fig.* flush, redden; **enluminure** [~'ny:r] *f* illumination; *maps etc.*: colo(u)ring; *fig.* redness, high colo(u)r.

enneigé, e [ăne'ʒe] snow-covered, snow-clad; **enneigement** [ăneʒ'mă] *m* condition of the snow; *bulletin m d'~* snow report.

ennemi, e [en'mi] **1.** *adj.* enemy...; hostile (to, de); opposing; **2.** *su.* enemy; ♱ foe; adversary.

ennoblir [ăno'bli:r] (2a) *v/t.* ennoble (*a. fig.*).

ennui [ă'nɥi] *m* nuisance, annoyance; boredom, tediousness; *fig.* bore; trouble; ~s *pl.* worries; **ennuyer** [ănɥi'je] (1h) *v/t.* bore, weary, worry, annoy; s'~ be bored (with, de); long (for, de); *fig.* s'~ mortellement be bored to death, *sl.* be bored stiff; **ennuyeux, -euse** [~'jø, ~'jø:z] boring, tedious, annoying, vexing.

énoncé [enõ'se] *m* statement; wording; **énoncer** [~'se] (1k) *v/t.* state, set forth; express; **énonciation** [~sja'sjõ] *f* stating, declaring; expressing.

énorgueillir [ănɔrgœ'ji:r] (2a) *v/t.* make (*s.o.*) proud; s'~ de glory in; pride o.s. on.

énorme [e'nɔrm] enormous, tremendous, huge; *pej.* outrageous, shocking; **énormément** [enɔrme'mă] *adv.* enormously; *fig.* extremely, very; ~ de a great many; **énormité** [~mi'te] *f* vastness, hugeness; *fig.* enormity; gross blunder; *fig.* shocking thing.

enquérir [ăke'ri:r] (2l) *v/t.*: s'~ de

inquire *or* ask about; **enquête** [ã'kɛːt] *f* inquiry, investigation (*a.* 社); ~ *par sondage* sample survey; **enquêter** [ãkɛ'te] (1a) *v/i.* make an investigation, hold an inquiry.

enracinement [ãrasin'mã] *m* taking root; *fig.* deep-rootedness; **enraciner** [~si'ne] (1a) *v/t.* ✗ root; ✗, △ dig in; *fig.* implant; s'~ take root; *fig.* become rooted.

enragé, e [ãra'ʒe] **1.** *adj.* mad; rabid (*dog, a. fig.* opinions); *fig.* keen, enthusiastic; wild (*life*); **2.** *su.* enthusiast; **enrager** [~] (1l) *v/i.* be mad (*a. fig.*); fume; *faire* ~ *q.* tease s.o.; drive s.o. wild.

enrayer[1] [ãrɛ'je] (1i) *v/t.* fit (*a wheel*) with spokes; put the brake on; lock (*a wheel*); ✗, ✗, *a. fig.* check, stem; ⊕ jam; s'~ ⊕ jam; ✗, *a. fig.* abate.

enrayer[2] ✗ [~] (1i) *v/t.* ridge.

enrégimenter [ãreʒimã'te] (1a) *v/t.* ✗ form into regiments; *fig.* enrol (*assistants*).

enregistrement [ãrəʒistrə'mã] *m* registration; record(ing); entry; registry (*a.* admin.); cin., radio, gramophone: recording; admin. register office; **enregistrer** [~'tre] (1a) *v/t.* register (*a.* 🎵); record (*a.* cin., radio, music); sp. score (*a goal*); **enregistreur, -euse** [~'trœːr, ~'trøːz] **1.** *adj.* recording; registering; **2.** *su./m* (tape- etc.)recorder.

enrhumer [ãry'me] (1a) *v/t.* give (s.o.) a cold; s'~ catch (a) cold.

enrichi, e [ãri'ʃi] *adj., a. su.* new-rich, parvenu, upstart; **enrichir** [~'ʃiːr] (2a) *v/t.* enrich (*a. fig.*); make (s.o.) wealthy; s'~ grow rich.

enrober [ãrɔ'be] (1a) *v/t.* coat (with, *de*); imbed (in, *de*).

enrôler [ãro'le] (1a) *v/t.* enrol(l), recruit; ✗ enlist; *s'~* enrol(l) (in, *dans*); ✗ enlist.

enroué, e [ã'rwe] hoarse, husky; **enrouement** [ãru'mã] *m* hoarseness, huskiness; **enrouer** [ã'rwe] (1p) *v/t.* make hoarse *or* husky; s'~ become hoarse.

enrouiller [ãru'je] (1a) *v/t.* cover with rust.

enroulement [ãrul'mã] *m* rolling up; ⊕, ✗, ✗, *etc.* winding; wrapping up (in, *dans*); **enrouler** [ãru'le] (1a) *v/t.* roll up; ⊕, ✗, ✗, *etc.* wind; wrap up (in, *dans*).

enroutiné, e [ãruti'ne] routine-minded; stick-in-the-mud.

enrubanner [ãryba'ne] (1a) *v/t.* decorate with ribbons.

ensabler [ãsa'ble] (1a) *v/t.* 🚢 run (*a ship*) aground; strand; cover (*the soil*) with sand; silt up (*a harbour*); s'~ 🚢 settle in the sand; silt up.

ensacher [ãsa'ʃe] (1a) *v/t.* put into sacks; bag.

ensanglanter [ãsãglã'te] (1a) *v/t.* stain *or* cover with blood.

enseigne [ã'sɛɲ] *su./f* sign (*a. fig.*); sign-board; flag, ensign, standard; *su./m* ✗ † standard-bearer; 🚢 sub-lieutenant, *Am.* ensign.

enseignement [ãsɛɲ'mã] *m* teaching; tuition; education, instruction; *fig.* lesson; ~ *par correspondance* postal tuition; ~ *primaire* (*secondaire, supérieur*) primary (secondary, higher) education; **enseigner** [ãsɛ'ɲe] (1a) *v/t.* teach; *fig.* point out; ~ *qch. à q.* teach s.o. s.th.

ensemble [ã'sãːbl] **1.** *adv.* together; at the same time; *agir d'~* act as a body; **2.** *su./m* whole; unity; cost. ensemble; ⊕ set (*of tools*); ⊕ assembly unit; △ block (*of buildings*); *dans l'~* on the whole; *d'~* comprehensive; ✗ combined; *vue f d'~* general view; **ensemblier** [ãsãbli'e] *m* (interior) decorator.

ensemencer ✗ [ãsmã'se] (1k) *v/t.* sow (with, *en*).

enserrer[1] [ãsɛ're] (1a) *v/t.* enclose, encompass, encircle; embrace; ✗ hem in; *bear, boa:* crush.

enserrer[2] ✗ [~] (1a) *v/t.* put (s.th.) in a hot-house.

ensevelir [ãsəv'liːr] (2a) *v/t.* bury (*a. fig.*); shroud (*a corpse*).

ensiler ✗ [ãsi'le] (1a) *v/t.* silo, silage.

ensoleillé, e [ãsɔlɛ'je] sunny, sunlit.

ensommeillé, e [ãsɔmɛ'je] sleepy, drowsy.

ensorceler [ãsɔrsə'le] (1c) *v/t.* put a spell on; bewitch (*a. fig.*); **ensorceleur, -euse** [~sə'lœːr, ~'løːz] **1.** *su. fig.* charmer; *su./m* sorcerer; *su./f* sorceress; **2.** *adj.* bewitching (*a. fig.*); **ensorcellement** [~sɛl'mã] *m* sorcery, witchcraft; spell.

ensoufrer [ãsu'fre] (1a) *v/t.* sulphurate; impregnate with sulphur.

ensuite [ã'sɥit] *adv.* then, after(-wards), next; *et* ~? what then?

ensuivre [ãˈsɥiːvr] (4ee) v/t.: s'~
follow, ensue, result (from, de).
entablement △ [ãtabləˈmã] m coping; entablature (a. ⊕).
entacher [ãtaˈʃe] (1a) v/t. sully;
taint (with, de); ₸ vitiate; en-
taché de nullité void for want of
form.
entaille [ãtaːj] f wood etc.: notch,
nick; groove; chin etc.: gash, cut;
entailler [ˌtaˈje] (1a) v/t. notch,
nick (wood); groove; gash, cut (s.o.'s
chin etc.).
entame [ãˈtam] f loaf, meat: outside slice; **entamer** [ãtaˈme] (1a)
v/t. cut into (a loaf); open (a bottle,
a jar of jam, etc., a. fig.); fig. smear
(s.o.'s reputation); begin, start (a
discussion, a quarrel, etc.); broach
(a cask, a. fig. a subject); ₸ institute
(proceedings); ✕ commence (oper-
ations).
entasser [ãtaˈse] (1a) v/t. a. s'~ pile
up; accumulate; crowd together
(people, animals).
ente [ãːt] f ✿ graft, scion; ⊕ paint-
brush: handle.
entendement [ãtãdˈmã] m understanding; **entendre** [ãˈtãːdr] (4a)
v/t. hear (a. ₸); understand; intend, mean; attend (a lecture); ~
dire que hear that; ~ parler de hear
of; ~ raison listen to reason; laisser
~ hint; s'~ agree; be understood;
be heard; s'~ à be an expert at;
know all about; **entendu**, e [ãtãˈdy]
1. adj. capable; efficient; shrewd;
2. int. all right; F O.K.; bien ~! of
course!; **entente** [ãˈtãːt] f understanding; skill (in, de); agreement;
meaning; ✝ ~ industrielle combine.
enter [ãˈte] (1a) v/t. ✿ graft (a. ⊕);
⊕ scarf (timbers).
entériner ₸ [ãteriˈne] (1a) v/t.
ratify, confirm.
entérique anat. [ãteˈrik] enteric;
entérite [ˌˈrit] f enteritis.
enterrement [ãtɛrˈmã] m burial,
interment; funeral; **enterrer** [ãtɛ-
ˈre] (1a) v/t. bury, inter; fig. outlive; fig. shelve (a question).
en-tête [ãˈtɛːt] m heading; ✝ (bill-)
head; typ. headline, Am. caption;
entêté, e [ãtɛˈte] obstinate, stubborn, F pig-headed; **entêtement**
[ãtɛtˈmã] m fig. obstinacy, stubbornness, F pig-headedness; **en-
têter** [ãtɛˈte] (1a) v/t. odour: give

(s.o.) a headache; make (s.o.) giddy;
fig. go to (s.o.'s) head; ⊕ head
(pins); s'~ be obstinate; s'~ à (inf.)
persist in (ger.).
enthousiasme [ãtuˈzjasm] m enthusiasm; avec (sans) ~ (un)en-
thusiastically; **enthousiasmer** [ˌ-
zjasˈme] (1a) v/t. fill with enthusiasm; fig. carry (s.o.) away; s'~
enthuse (over, pour); **enthousiaste** [ˌˈzjast] 1. adj. enthusiastic;
2. su. enthusiast (for, de).
entichement [ãtiʃˈmã] m infatuation (for de, pour); keenness (on,
pour); **enticher** [ãtiˈʃe] (1a) v/t.:
s'~ de become infatuated with.
entier, -ère [ãˈtje, ~ˈtjɛːr] 1. adj.
whole (a. number); entire, complete; total; full (authority, control,
fare, etc.); fig. headstrong; cheval
m ~ stallion; 2. su./m entirety; en ~
in full; completely.
entité phls. [ãtiˈte] f entity.
entoiler [ãtwaˈle] (1a) v/t. mount on
linen or canvas; ✂ etc. cover with
canvas.
entôler sl. [ãtoˈle] (1a) v/t. rob;
fleece.
entomologie [ãtɔmɔlɔˈʒi] f ento-
mology.
entonner[1] [ãtɔˈne] (1a) v/t. barrel
(wine).
entonner[2] ♪ [ˌ] (1a) v/t. begin to
sing (a song); strike up (a tune);
eccl. intone; fig. sing (s.o.'s praises).
entonnoir [ãtɔˈnwaːr] m funnel; ✕
crater; geog. hollow; geol. sink-hole.
entorse ✿ [ãˈtɔrs] f sprain, wrench;
se donner une ~ sprain one's ankle.
entortiller [ãtɔrtiˈje] (1a) v/t.
twist, wind; wrap up; entangle;
fig. wheedle, get (s.o.) round; F
express (views etc.) in an obscure
fashion; s'~ twine; fig. get entangled.
entourage [ãtuˈraːʒ] m surroundings pl.; setting, frame(work);
circle (of associates, friends, etc.);
attendants pl.; ⊕ machinery: casing; **entourer** [ˌˈre] (1a) v/t. surround (with, de); encircle (a. ✕).
entournure cost. [ãturˈnyːr] f arm-
hole.
entracte [ãˈtrakt] m thea., cin. interval, Am. intermission; ♪ interlude.
entraide [ãˈtrɛːd] f mutual aid;
entraider [ãtrɛˈde] (1b) v/t.: s'~
help one another.

entrailles [ɑ̃'traːj] *f/pl.* intestines, entrails, bowels; *fig.* pity *sg.*; compassion *sg.*; ~ *de la terre* bowels of the earth.

entrain [ɑ̃'trɛ̃] *m* liveliness; spirit, go, mettle.

entraînement [ɑ̃trɛn'mɑ̃] *m* carrying away; attraction; allurement; *fig.* temptation; *fig.* impulse; ⊕ machine: drive; *sp. etc.* training; **entraîner** [ɑ̃trɛ'ne] (1a) *v/t.* carry away; drag along; *fig.* lead (*s.o.*), incite (*s.o.*); ⊕ drive; *fig.* involve; *fig.* give rise to, bring about; *sp.* train; *sp.* coach (*a team*); **entraîneur** [~'nœːr] *m sp.* trainer; *team:* coach; pace-maker; ⊕ driving device; **entraîneuse** [~'nøːz] dance hostess.

entrave [ɑ̃'traːv] *f* fetter; shackle; *fig.* hindrance, obstacle; **entraver** [ɑ̃tra've] (1a) *v/t.* fetter, shackle; *fig.* impede, hamper.

entre [ɑ̃ːtr] *prp.* between (*two points in space or time*); in (*s.o.'s hands etc.*); among (*others, other things, my brothers*); out of (*a number*); ~ *eux* one another, each other; between themselves; *soit dit* ~ *nous* between ourselves, between you and me and the lamp-post; ~ *amis* among friends; ~ *quatre yeux* in private; ~ *deux ages* middle-aged (*woman*); ~ *la vie et la mort* between life and death; *moi* ~ *autres* I for one; *d'*~ (out) of, (from) among; *l'un* (*ceux*) *d'*~ *eux* one (these) of them; *see* nager.

entre...: **~bâiller** [ɑ̃trəbɑ'je] (1a) *v/t.* half-open; **~chats** *fig.* [~'ʃa] *m/pl.* capers; **~choquer** [~ʃɔ'ke] (1m) *v/t.* clink (*glasses*); *s'*~ collide; clash (*a. fig.*); knock against one another (*bottles etc.*); **~côte** *cuis.* [~'koːt] *f* entrecôte, rib of beef; **~couper** [~ku'pe] (1a) *v/t.* intersect; *fig.* interrupt; *s'*~ *la gorge* cut one another's throats; **~croiser** [~krwa'ze] (1a) *v/t. a. s'*~ intersect, cross; interlock; **~deux** [~'dø] *m/inv.* space between, interspace; ⚼ partition; *basket-ball:* center jump; *cost.* insertion; *waves:* trough; ⚓ *ship:* waist; **~deux-guerres** [~dø'gɛːr] *f or m/inv.* the inter-war years *pl.* (*between World War I and II*).

entrée [ɑ̃'tre] *f* entry; entrance; admission (*a.* ⊕), access; price of entry; import (duty); *cuis.* entrée; ⊕ inlet, intake; *fig.* start, beginning; ✝ receipt; ⚓ arrival (*of ship*); *cave, harbour:* mouth; ~ *en vacances school:* breaking up; ~ *gratuite* free admission; ~ *latérale* side-entrance; *d'*~ from the very first.

entre...: **~faites** [ɑ̃trə'fɛt] *f/pl.*: *sur ces* ~ meanwhile, meantime; **~fer** ⚡ [~'fɛr] *m* air-gap; **~filet** [~fi'lɛ] *m newspaper:* paragraph; **~gent** [~'ʒɑ̃] *m* tact; worldly wisdom; **~lacer** [~la'se] (1k) *v/t.* interlace; intertwine; **~lacs** [~'la] *m* ⚼ knotwork; ⚼ tracery; *fig.* tangle; **~lardé, e** [~lar'de] streaky; **~larder** [~lar'de] (1a) *v/t. cuis.* lard; *fig.* interlard (*a speech*) (with, *de*); **~ligne** [~'liɲ] *m* space between lines; interlineation; **~mêler** [~mɛ'le] (1a) *v/t.* intermingle; intersperse; mix; blend; *fig.* intersperse (*a speech*) (with, *de*); *s'*~ mingle; *fig. s'*~ *dans* meddle with; **~mets** *cuis.* [~'mɛ] *m* sweet; **~metteur, -euse** [~mɛ'tœːr, ~'tøːz] *su.* go-between; *su./m* ✝ middleman; *procurer*; *su./f* procuress; **~mettre** [~'mɛtr] (4v) *v/t.*: *s'*~ intervene; act as go-between; **~mise** [~'miːz] *f* intervention; mediation; **~pont** ⚓ [~'pɔ̃] *m* between-decks; *d'*~ steerage (*passenger*); **~poser** ✝ [~po'ze] (1a) *v/t.* warehouse, store; put in bond (*at the customs*); **~poseur** ✝ [~po'zœːr] *m* warehouseman; *customs:* officer in charge of a bonded store; **~positaire** ✝ [~pozi'tɛːr] *m* warehouseman; *customs:* bonder, **~pôt** [~'po] *m* ✝ warehouse, store, repository; *customs:* bonded warehouse; ✂ ammunition: depot; ❄ frigorifique cold store; *en* ~ in bond; **~prenant, e** [~prə'nɑ̃, ~'nɑ̃ːt] enterprising; **~prendre** [~'prɑ̃ːdr] (4aa) *v/t.* undertake, embark (up)on; contract for (*work*); *fig.* worry; F *fig.* besiege (*s.o.*); **~preneur** [~prə'nœːr] *m* contractor; ~ *de pompes funèbres* undertaker, *Am.* mortician; **~prise** [~'priːz] *f* undertaking; concern; ✝ contract; attempt; ~ *de transport* carriers *pl.*

entrer [ɑ̃'tre] (1a) *v/i.* enter, go *or* come in; take part, be concerned; be included; ~ *dans* enter; ~ *dans une famille* marry into a family; ~

en enter upon (*s.th.*) *or* into (*competition*); *fig.* ~ en jeu come into play; ~ *pour beaucoup dans* play an important role *or* part in; *faire* ~ show (*s.o.*) in(to the room); drive (*s.th. into s.th.*); *v/t.* bring in, introduce.

entre...: ~**rail** 🚂 [ãtrə'raːj] *m* ga(u)ge; ~**sol** △ [~'sɔl] *m floor:* mezzanine; ~**temps** [~'tã] **1.** *m/inv.* interval; *dans l'*~ meanwhile; **2.** *adv.* meanwhile; ~**teneur** [~tə'nœːr] *m* maintainer; ~**tenir** [~tə'niːr] (2h) *v/t.* maintain; keep up; support; talk to (*s.o.*) (about, *de*); entertain (*suspicions, doubts*); *s'*~ support o.s.; converse, talk (with, *avec*); *sp.* keep o.s. fit; ~**tien** [~'tjɛ̃] *m* maintenance; upkeep; conversation; ~**toise** △ [~'twaːz] *f* strut, (cross-)brace, cross-piece, tie; ~**toisement** △ [~twaz'mã] *m* (counter)bracing; strutting, staying; ~**voir** [~'vwaːr] (3m) *v/t.* catch a glimpse of; *fig.* foresee, have an inkling of; *laisser* ~ disclose, give to understand; ~**vue** [~'vy] *f* interview.

entrouvrir [ãtru'vriːr] (2f) *v/t.* half-open; open (*curtains*) a little; *fig.* s'~ yawn (*chasm*).

énumération [enymera'sjõ] *f* enumeration; *votes:* counting; *facts:* recital; **énumérer** [~'re] (1f) *v/t.* enumerate; count (*votes*); recite (*facts*).

envahir [ãva'iːr] (2a) *v/t.* overrun; invade; encroach upon; *fig. feeling:* steal *or* come over (*s.o.*); **envahisseur** [~i'sœːr] *m* invader.

envaser [ãva'ze] (1a) *v/t.* silt up; choke with mud; ⚓ run on the mud; *s'*~ silt up; ⚓ stick in the mud.

enveloppe [ã'vlɔp] *f post,* a. 🅰: envelope; *parcel:* wrapping; ⊕ casing, jacket, lagging; *mot. tyre:* outer cover, casing; *fig.* exterior; 🔌 *cable:* sheathing; ~ *à fenêtre* window envelope; **enveloppement** [ãvlɔp'mã] *m* wrapping; 💊 ~ humide wet pack; **envelopper** [ãvlɔ-'pe] (1a) *v/t.* envelop; wrap (up); cover; ✗ encircle (*the enemy*); ⊕ lag; *fig.* involve; *fig.* wrap, shroud (in, *de*).

envenimer [ãvəni'me] (1a) *v/t.* poison; aggravate (*a. fig.*); *fig.* em-

bitter (*s.o.*); *s'*~ 💊 fester; *fig.* grow bitter.

enverguer ⚓ [ãver'ge] (1m) *v/t.* bend (*the sail*); **envergure** [~'gyːr] *f* ⚓ spread of sail; 🦅, *orn., etc.* (wing-)span; spread, breadth; *fig.* scope, scale.

enverrai [ãve're] *1st p. sg. fut. of* envoyer.

envers¹ [ã'vɛːr] *prp.* to(wards).

envers² [~] *m tex.* reverse (*a. fig., a. of medal*), wrong side, back; *fig.* seamy side; *à l'*~ inside out; *fig.* topsy-turvy.

envi [ã'vi] *adv.*: *à l'*~ vying with each other; in emulation.

enviable [ã'vjabl] enviable; **envie** [ã'vi] *f* envy; longing, desire, fancy; 💊 agnail, F hangnail; 💊 birthmark; *avoir* ~ *de* be in the mood for, have a mind to; *faire* ~ *à q.* make s.o. envious; *porter* ~ *à q.* envy s.o.; **envier** [ã'vje] (1o) *v/t.* envy; long for; covet; begrudge (*s.o. s.th., qch. à q.*); **envieux, -euse** [ã'vjø, ~'vjøːz] envious.

environ [ãvi'rõ] *adv.* about, approximately; **environs** [~'rõ] *m/pl.* vicinity *sg.*; neighbo(u)rhood *sg.*, surroundings; *aux* ~ *de* about (*fifty*), towards (*Christmas*); **environnement** [~rɔn'mã] *m* surroundings *pl.*; environment; **environner** [~rɔ'ne] (1a) *v/t.* surround; encompass (*a. fig.*).

envisager [ãviza'ʒe] (1l) *v/t.* envisage; consider; look in the face; ~ *de* (*inf.*) think of (*ger.*).

envoi [ã'vwa] *m* sending, dispatch (*a.* ✗); consignment, parcel; *post:* delivery; ~ *par bateau* shipment; *foot.* coup *m* d'~ kick-off; ✝ *lettre f* d'~ letter of advice.

envol [ã'vɔl] *m orn.* (taking) flight; 🦅 taking off, take-off; **envoler** [ãvɔ'le] (1a) *v/t.*: *s'*~ fly away; 🦅 take off; *fig.* fly (*time*).

envoûter [ãvu'te] (1a) *v/t. fig.* put under a spell, bewitch.

envoyé, e [ãvwa'je] **1.** *p.p. of* envoyer; **2.** *su.* envoy, messenger; *su./m: journ.* ~ *spécial* special correspondent; **envoyer** [~] (1r) *v/t.* send, dispatch, forward; ⚓ hoist (*the colours*); shoot, fire; ~ *chercher* send for; ~ *coucher* (*or promener*) pack (*s.o.*) off, send (*s.o.*) about his business; F *ne pas l'*~

dire tell s.o. to his face; *sl.* s'~ gulp down (*wine*), get outside (*a meal*).

éolien, -enne [eɔ'ljɛ̃, ~'ljɛn] **1.** *adj.* Aeolian (*harp etc.*); **2.** *su./f* windmill (*for pumping*); air-motor.

épagneul *m, e f* [epa'nœl] spaniel.

épais, e [e'pɛ, ~'pɛːs] thick; dense (*a. fig. mind*); *fig.* dull (*person*); stout (*glass*); **épaisseur** [epɛ'sœːr] *f* thickness; depth; density; *fig.* denseness; **épaissir** [~'siːr] (2a) *v/t.* thicken; *v/i. a.* s'~ thicken, become thick; grow stout (*person*).

épamprer ✗ [epã'pre] (1a) *v/t.* thin out the leaves of (*the vine*).

épanchement [epãʃ'mã] *blood:* effusion (*a. fig.*); *liquid:* discharge; *fig.* outpouring; **épancher** [epã'ʃe] (1a) *v/t.* pour out (*a liquid, a. fig.*); shed (*blood*); s'~ pour out, overflow (*a. fig.*); *fig.* unbosom o.s.

épandage ✗ [epã'daːʒ] *m* manuring; *champs m/pl. d'~* sewage farm *sg.;* **épandre** [e'pãːdr] (4a) *v/t.* spread (*manure*); shed (*light*); pour out (*a liquid*); s'~ spread.

épanoui, e [epa'nwi] ✿ in full bloom; *fig.* beaming, cheerful; **épanouir** [~'nwiːr] (2a) *v/t. a.* s'~ ✿ open (out); *fig.* light up.

épargne [e'parɲ] *f* economy, thrift; saving; ✝ *caisse f d'~* savings bank; *la petite ~* small investors *pl.;* **épargner** [epar'ɲe] (1a) *v/t.* save (up), economize (on); be sparing with; *fig.* spare (*s.o.*).

éparpiller [eparpi'je] (1a) *v/t. a.* s'~ scatter, disperse.

épars, e [e'paːr, ~'pars] scattered; sparse (*population*); dishevelled (*hair*).

épatant, e F [epa'tã, ~'tãːt] stunning, wonderful, marvellous, first-rate, *Am.* swell, great; **épater** [~'te] (1a) *v/t.* break off the foot of (*a wineglass*); F amaze, flabbergast; *nez m* épaté flat *or* squat nose; F ~ *le bourgeois* shock conventional people; **épateur** *m,* -euse *f* F [~'tœːr, ~'tøːz] swanker; bluffer.

épaule [e'poːl] *f* anat., *a. cuis.* shoulder; ⚓ *bows:* luff; *un coup d'~* a shove; *fig.* a leg-up; *par-dessus l'~* disdainfully; **épaulée** [epo'le] *f* push with the shoulder; *cuis.* target; **épaulement** [epol'mã] *m geog., a.* ⊕ shoulder; ⚔ revetment wall; ✗ epaulement; ⚓ bows *pl.;*

épauler [epo'le] (1a) *v/t.* splay (*a horse*); ✗ bring (*a gun*) to the shoulder; ✗ cover (*troops*); ⊕ shoulder (*a beam*); F help; F back (*s.o.*) up; **épaulette** [~'let] *f* ✗ epaulette (*a. = commission*); *cost.* shoulder-strap.

épave [e'paːv] *f* ⚖ unclaimed object; waif, stray; ⚓ wreck (*a. fig.*), flotsam.

épée [e'pe] *f* sword (*a. tex.*); rapier; swordsman; *coup m d'~ dans l'eau* wasted effort.

épeler [e'ple] (1c) *v/t.* spell (*a word*); spell out (*a message*); **épellation** [epella'sjɔ̃] *f* spelling.

éperdu, e [eper'dy] distracted; desperate; *éperdument amoureux* head over heels in love.

éperlan *icht.* [eper'lã] *m* smelt.

éperon [e'prɔ̃] *m* spur (*on rider's heel, a. zo.,* ✿, *geog.*); ⚓ *warship:* ram; *bridge:* cutwater; ⚔ *wall:* buttress; *fig. eyes:* crow's-foot; **éperonné, e** [eprɔ'ne] spurred; ✿ calcarate; crow-footed (*eyes*); **éperonner** [~] (1a) *v/t.* spur (*a. fig.*); ⚓ ram.

épervier [eper'vje] *m orn.* sparrowhawk; *fishing:* cast-net.

éphémère [efe'mɛːr] **1.** *adj.* ephemeral; *fig.* transitory, fleeting; **2.** *su./m zo.* day-fly.

éphéméride [efeme'rid] *f* tear-off calendar, block-calendar.

épi [e'pi] *m corn, grain:* ear; ✿ spike; *fig.* cluster; ⊕ wharf; 🚂 marshalling tracks *pl.*

épice [e'pis] *f* spice; *pain m d'~* gingerbread; *quatre ~s pl.* allspice *sg.;* **épicé, e** [epi'se] highly spiced; hot; *fig.* spicy (*story*); **épicer** [~] (1k) *v/t.* spice (*a. fig. a story*); **épicerie** ✝ [epis'ri] *f* groceries *pl.;* grocer's (shop), *Am.* grocery; **épicier** *m,* -ère *f* [epi'sje, ~'sjɛːr] grocer; *fig.* philistine.

épidémie ✗ [epide'mi] *f* epidemic (*a. fig.*).

épiderme [epi'dɛrm] *m* epidermis.

épier[1] [e'pje] (1o) *v/t.* watch (*s.o.*); spy upon, *Am.* snoop upon; watch *or* look out for.

épier[2] [~] (1o) *v/i.* ear (*corn*).

épierrer ✗ [epjɛ're] (1a) *v/t.* clear of stones.

épieu [e'pjø] *m* boar-spear.

épigastre anat. [epi'gastr] *m* pit of the stomach, epigastrium.

épiglotte anat. [epi'glɔt] *f* epiglottis.

épigraphe [epi'graf] *f* epigraph, motto.

épilation [epila'sjɔ̃] *f* depilation; removal of superfluous hairs; *eyebrows*: plucking; **épilatoire** [~'twa:r] *adj.*, *a. su./m* depilatory.

épilepsie 𝓈 [epilep'si] *f* epilepsy.

épiler [epi'le] (1a) *v/t.* depilate; remove hairs; pluck (*one's eyebrows*).

épilogue [epi'lɔg] *m* epilogue; **épiloguer** [~lɔ'ge] (1m) (*sur*) carp (at), find fault (with).

épiloir [epi'lwa:r] *m* eyebrow etc.: tweezers *pl.*

épinaie [epi'nɛ] *f* thicket.

épinard ⚘ [epi'na:r] *m* (*a. cuis.* ~*s pl.*) spinach.

épine [e'pin] *f* ⚘ thorn (*a. fig.*), prickle; ⚘ thorn-bush; anat. ~ dorsale backbone, spine.

épinette [epi'nɛt] *f* ♪ spinet; ♪ (hen-)coop; ⚘ spruce.

épineux, -euse [epi'nø, ~'nø:z] thorny (*a. fig.*); prickly (*a. fig. person*); *fig.* knotty (*problem*).

épingle [e'pɛ̃gl] *f* pin; † ~*s pl.* pinmoney *sg.*; ~ à chapeau hatpin; ~ à cheveux hairpin; ~ à linge clothespeg; ~ de cravate tie-pin, Am. stick-pin; ~ de nourrice safety-pin; *fig.* coup *m* d'~ pin-prick; tiré à quatre ~*s* dapper, spruce, spick and span; *mot.* virage *m* en ~ à cheveux hairpin bend; **épinglé** [epɛ̃'gle] *m* (*a. velours m ~*) uncut velvet; **épingler** [~'gle] (1a) *v/t.* pin; pin up; *metall.* pierce (*a mould etc.*); F pin (*s.o.*) down; **épinglerie** ⊕ [~glə'ri] *f* pin-factory; **épinglette** [~'glɛt] *f* ✗ priming-needle; ⚒ boring-tool; **épinglier** [~gli'e] *m* pin-tray.

épinière [epi'njɛ:r] *adj./f:* moelle *f* ~ spinal cord.

épinoche icht. [epi'nɔʃ] *f* stickleback.

épique [e'pik] epic.

épiscopal, e, *m/pl.* **-aux** [episkɔ'pal, ~'po] episcopal; cathedral (*city*); **épiscopat** [~'pa] *m* episcopate; *coll.* the bishops *pl.*

épisode [epi'zɔd] *m* episode; cin. film *m* à ~*s* serial film.

épistolaire [episto'lɛ:r] epistolary.

épitaphe [epi'taf] *f* epitaph.

épithalame [epita'lam] *m* epithalamium.

épithète [epi'tɛt] *f* epithet; gramm. attributive adjective.

épître [e'pi:tr] *f* epistle; *fig.* (long) letter.

éploré, e [eplɔ're] tearful, in tears.

éployée ▨ [eplwa'je] *adj./f* spread (*eagle*).

éplucher [eply'ʃe] (1a) *v/t.* pick (*a. tex. wool, a. salad*); pare, peel (*a fruit*); prune (*a fruit-tree*); clean (*a. plumage, salad*); preen (*feathers*); ✗ weed (*a field*); *fig.* pick holes in; **éplucheur** *m,* **-euse** *f* [~'ʃœ:r, ~'ʃø:z] cleaner; (*wool-*)picker; (*potato-*)peeler; ✗ weeder; F *fig.* faultfinder; **épluchoir** [~'ʃwa:r] *m* paring-knife; *cuis.* potato-knife; **épluchures** [~'ʃy:r] *f/pl.* potatoes etc.: peelings; *fig.* refuse ~*s*; waste *sg.*

épointé, e [epwɛ̃'te] blunt (*pencil etc.*); hipshot (*horse*); **épointer** [~] (1a) *v/t.* break the point of; blunt (*s.th.*); s'~ lose its point (*pencil etc.*).

éponge [e'pɔ̃:ʒ] *f* sponge; *fig.* passer l'~ sur say no more about (*s.th.*); **éponger** [epɔ̃'ʒe] (1l) *v/t.* sponge; mop (*the surface, one's brow*); mop up (*a liquid*); sponge down (*a horse*); dab (*one's eyes*).

épopée [epɔ'pe] *f* epic (poem).

époque [e'pɔk] *f* epoch, age, era; period; time; la Belle ♀ that up to 1914; faire ~ mark an epoch; qui fait ~ epoch-making.

épouiller [epu'je] (1a) *v/t.* delouse.

époumoner [epumɔ'ne] (1a) *v/t.* put (*s.o.*) out of breath; s'~ shout o.s. out of breath.

épousailles [epu'za:j] *f/pl.* nuptials, wedding *sg.*; **épouse** [e'pu:z] *f* wife, spouse; **épousée** [epu'ze] *f* bride; **épouser** [~'ze] (1a) *v/t.* marry, wed; *fig.* take up, espouse (*a cause*); *fig.* ~ la forme de take the exact form of; **épouseur** [~'zœ:r] *m* suitor, eligible man.

épousseter [epus'te] (1c) *v/t.* dust; beat (*a carpet etc.*); rub down (*a horse*); **époussette** [epu'sɛt] *f* feather-duster; rag (*for rubbing down a horse*).

épouvantable [epuvã'tabl] horrible, dreadful, terrible; appalling; **épou-**

vantail [ˌvãˈtaːj] *m* scarecrow; *fig.*
bogy, bugbear; *fig. person*: fright;
épouvante [ˌˈvãːt] *f* terror, fright;
épouvanter [ˌvãˈte] (1a) *v/t.*
scare; appal.

époux [eˈpu] *m* husband; 🚂 *a.*
spouse; *les* ~ *pl.* ... the ... couple *sg.*

éprendre [eˈprãːdr] (4aa) *v/t.*: *s*~
de become enamo(u)red of; fall in
love with (*s.o.*); take a fancy to
(*s.th.*).

épreuve [eˈprœːv] *f* test (*a.* ⊕, *a.*
school examination); proof (*a. typ.*);
phot. print; *fig.* ordeal, trial; *sp.*
event; *à l'*~ *de* proof against (*s.th.*);
à toute ~ never-failing; ⊕ fool-
proof; *mettre à l'*~ put to the
test.

épris, e [eˈpri, ˌˈpriːz] **1.** *p.p.* of
éprendre; **2.** *adj.* in love (with, de).

éprouver [epruˈve] (1a) *v/t.* try (*a.*
fig.); test; put (*s.o.*) to the test; *fig.*
feel (*sympathy etc.*), experience
(*pain etc., a. fig. a difficulty*); **éprou-**
vette [ˌˈvɛt] *f* 🜍 test-tube; probe;
metall. test-piece.

épucer [epyˈse] (1k) *v/t.* clean (*a*
dog etc.) of fleas.

épuisé, e [epɥiˈze] exhausted (*a.* ♀,
♂); *typ.* out of print; **épuisement**
[epɥizˈmã] *m* exhaustion (⊕, ♀, *a.*
fig.); *cistern, a. fig. finances*: draining; *resources*: depletion; **épuiser**
[epɥiˈze] (1a) *v/t.* exhaust (*a.* ♀),
consume, use up; deplete; drain;
fig. wear (*s.o.*) out; **épuisette** [ˌˈzɛt]
f 🛥 scoop, bailer; *fisherman*: land-
ing-net.

épuration [epyraˈsjɔ̃] *f* purifying;
oil, metal: refining; *gas*: filtering;
pol. purge; *morals*: purging; **épu-**
ratoire ⊕ [ˌˈtwaːr] purifying.

épure [eˈpyːr] *f* working drawing;
diagram (*a.* ⊕).

épurer [epyˈre] (1a) *v/t.* purify; refine; filter; *pol.* purge; *fig.* expur-
gate (*a novel*).

équarrir [ekaˈriːr] (2a) *v/t.* ⊕
square; cut up *or* quarter the carcass of (*a horse*); △ *bois m équarri*
squared timber; **équarrisseur**
[ˌriˈsœːr] *m* knacker.

équateur [ekwaˈtœːr] *m* equator.

équation [♀, 🜍, *astr., fig.* [ekwaˈsjɔ̃]
f equation.

équerre [eˈkɛːr] *f* square; △ *right*
angle; ⊕ angle-iron; ~ *à coulisses*
sliding callipers *pl.*; ~ *de dessinateur*

set square; ~ *en T* T-square; *d'*~
square; *en* ~ square.

équestre [eˈkɛstr] equestrian.

équilibre [ekiˈlibr] *m* balance (*a.*
fig.); equilibrium; *fig.* poise; *pol.* ~
politique balance of power; **équi-**
librer [ekiliˈbre] (1a) *v/t.* balance
(*a.* ♠ *the budget*); ♣ trim; **équili-**
breur [ˌˈbrœːr] *m see stabilisateur;*
équilibriste [ˌˈbrist] *su.* equili-
brist.

équinoxe [ekiˈnɔks] *m* equinox.

équipage [ekiˈpaːʒ] *m* retinue, suite;
♣, ✈ crew; ✗ train, equipment;
cost. attire, F get-up; *fig.* state,
plight; ⊕ gear, outfit; ⊕ *factory*:
plant; *hunt.* pack of hounds; carriage and horses; **équipe** [eˈkip] *f*
⊕ *workmen*: gang; ⊕ shift; ✗
working party; *sp.* team; ♣ crew;
~ *de nuit* night shift; *esprit m d'*~
team spirit; 🚬 *homme m d'*~ yard-
man.

équipée [ekiˈpe] *f* escapade.

équipement [ekipˈmã] *m* ✗, ♣, *sp.,*
etc. equipment; gear; outfit (*a.* ⊕).

équiper [ekiˈpe] (1a) *v/t.* equip
(*a.* ✗); fit out; ♣ man (*a vessel*).

équitable [ekiˈtabl] equitable, fair,
just.

équitation [ekitaˈsjɔ̃] *f* horsemanship; *école f d'*~ riding-school.

équité [ekiˈte] *f* equity (*a.* 🜍), fairness, fair dealing.

équivalent, e [ekivaˈlã, ˌˈlãːt] *adj.,*
a. su./m equivalent; **équivaloir**
[ˌˈlwaːr] (3l) *v/i.* be equivalent *or*
tantamount (to, à).

équivoque [ekiˈvɔk] **1.** *adj.* equivocal; *fig.* dubious; **2.** *su./f* ambiguity;
quibble; **équivoquer** [ˌvɔˈke] (1m)
v/i. quibble, equivocate.

érable ♀ [eˈrabl] *m tree, a. wood*:
maple.

érafler [eraˈfle] (1a) *v/t.* graze,
scratch; **éraflure** [ˌˈflyːr] *f* graze,
abrasion, scratch.

érailler [eraˈje] (1a) *v/t. tex.* unravel, fray, fret (*a rope*); roughen
(*the voice*); graze, chafe (*the skin*);
s'~ become unravelled; fray (*cloth*).

ère [ɛːr] *f* era, epoch.

érection [erɛkˈsjɔ̃] *f statue etc.*: erection (*a. biol.*); *position*: establishment.

éreintement F [erɛ̃tˈmã] *m* exhaustion; slating (= *harsh criticism*);
éreinter [erɛ̃ˈte] (1a) *v/t.* break the

back of (*a horse*); F exhaust; *fig.*
slash, cut to pieces.

ergot [ɛr'go] *m zo.* cock: spur; ✔
stub; ♣, ♂ ergot; ⊕ catch,
lug; *electric bulb*: pin; **ergotage** F
[ɛrgɔ'taːʒ] *m* quibbling; **ergoté, e**
[ˌ'te] *m* spurred (*cock, rye*); ergoted
(*corn*); **ergoter** F [ˌ'te] (1a) *v/i.*
quibble (about, *sur*); split hairs;
ergoteur, -euse [ˌ'tœːr, ˌ'tøːz]
1. *adj.* quibbling, pettifogging;
2. *su.* quibbler, pettifogger.

ériger [eri'ʒe] (1l) *v/t.* erect (*a
statue etc.*); establish, found (*an office, a position*); *fig.* exalt, raise (to,
en); **~** qch. en principe lay s.th.
down as a principle; s'**~** en set o.s.
up as, pose as.

ermitage [ɛrmi'taːʒ] *m* hermitage;
ermite [ˌ'mit] *m* hermit; recluse.

éroder *geol.* [erɔ'de] (1a) *v/t.* erode;
wear away; **érosif, -ve** [ˌ'zif, ˌ'ziːv]
erosive; **érosion** [ˌ'zjɔ̃] *f* erosion;
eating away (*of metal, rock*).

érotique [erɔ'tik] erotic; **érotisme**
[ˌ'tism] *m* eroticism; ♂ erotism.

errant, e [ɛ'rɑ̃, ˌ'rɑ̃ːt] rambling,
roving, wandering; *chevalier m* **~**
knight-errant.

errata *typ.* [ɛra'ta] *m/inv.* errata
slip; **erratum**, *pl.* **-ta** [ɛra'tɔm,
ˌ'ta] *m* erratum.

errements [ɛr'mɑ̃] *m/pl.* ways,
methods; *pej.* bad habits; *anciens* **~**
bad old ways; **errer** [ɛ're] (1b) *v/i.*
ramble, roam, wander; stroll
(about); *fig.* err, make a mistake;
erreur [ɛ'rœːr] *f* error; mistake,
slip; delusion, fallacy; folly; **~** *de
traduction* mistranslation; *revenir
de ses* **~***s* turn over a new leaf.

erroné, e [ɛrɔ'ne] erroneous, mistaken, wrong.

éructation [erykta'sjɔ̃] *f* eructation,
F belch(ing).

érudit, e [ery'di, ˌ'dit] **1.** *adj.* erudite, scholarly, learned; **2.** *su.*
scholar; **érudition** [ˌdi'sjɔ̃] *f* erudition, learning, scholarship.

éruptif, -ve ♂ [eryp'tif, ˌ'tiːv]
eruptive; **éruption** [ˌ'sjɔ̃] *f* eruption, ♂ *a.* rash; cutting (*of teeth*).

érysipèle ♂ [erizi'pɛl] *m* erysipelas.

es [ɛ] *2nd p. sg. pres. of être 1.*

ès [ɛs] *prp.*: *docteur m* **~** *sciences*
doctor of science.

esbroufe *sl.* [ɛs'bruf] *f* swank, show-

ing off; *faire de l'*~ swank; ⚜ *à l'*~
snatch-and-grab (*theft*); **esbrou-
feur** *m*, **-euse** *f* [ˌbru'fœːr, ˌ'føːz]
swanker; hustler; ⚜ snatch-and-
grab thief.

escabeau [ɛska'bo] *m* stool; pair of
steps, step-ladder; **escabelle** [ˌ-
'bɛl] *f* stool.

escadre [ɛs'kadr] *f* ⚓ squadron; ✈
wing; **escadrille** [ɛska'driːj] *f* ⚓
flotilla; ✈ squadron; **escadron**
✕ [ˌ'drɔ̃] *m* squadron; *chef m* d'**~**
major.

escalade [ɛska'lad] *f cliff, wall:*
climbing, scaling; climb; ✕ escalade; ⚜ housebreaking; **escalader**
[ˌla'de] (1a) *v/t.* scale, climb; ✕
escalade.

escalator [ɛskala'tɔːr] *m* escalator.

escale [ɛs'kal] *f* ⚓ port of call; ✈
stop; call; *faire* **~** *à* call at; ✈ *sans*
~ non-stop (*flight*).

escalier [ɛska'lje] *m* staircase; stairs
pl.; **~** *roulant* escalator; **~** *tournant*
(*or en colimaçon or à vis*) spiral
staircase.

escalope *cuis.* [ɛska'lɔp] *f meat:*
collop, scallop; *fish:* steak.

escamotable [ɛskamɔ'tabl] disap-
pearing, F pull-down (*arm-rest*);
✈ retractable (*undercarriage*); **escamoter** [ˌ'te] (1a) *v/t.* conjure
away; ✈ retract (*the undercarriage*); *fig.* dodge; *fig.* hush up;
sneak, pinch; **escamoteur** [ˌ-
'tœːr] *m* conjuror; sharper.

escampette F [ɛskɑ̃'pɛt] *f: prendre
la poudre d'*~ skedaddle, vamoose,
Am. sl. take a powder.

escapade [ɛska'pad] *f* escapade;
prank.

escarbille [ɛskar'biːj] *f* cinder; **~***s*
pl. clinkers.

escarbot *zo.* [ɛskar'bo] *m* beetle.

escarboucle [ɛskar'bukl] *f* carbuncle.

escargot [ɛskar'go] *m* snail.

escarmouche ✕ [ɛskar'muʃ] *f*
skirmish, brush.

escarole ♣ [ɛska'rɔl] *f* endive.

escarpe[1] ✕ [ɛs'karp] *f* scarp.

escarpe[2] F [ˌ] *m* cut-throat.

escarpé, e [ɛskar'pe] sheer (*rock*),
steep; **escarpement** [ˌpə'mɑ̃] *m*
steepness; ✕, *geol.* escarpment;
abrupt descent; *mountain:* slope.

escarpin [ɛskar'pɛ̃] *m* pump, danc-
ing-shoe.

escarpolette [ɛskarpɔ'lɛt] *f* swing.
escarre ❦ [ɛs'kaːr] *f* scab; bed-sore; **escarrifier** ❦ [ˌkari'fje] (1o) *v/t.* produce a scab on.
escient [ɛ'sjɑ̃] *m*: à bon ~ wittingly; à son ~ to his knowledge.
esclaffer [ɛskla'fe] (1a) *v/t.*: s'~ burst out laughing, guffaw.
esclandre [ɛs'klɑ̃ːdr] *m* scandal; scene.
esclavage [ɛskla'vaːʒ] *m* slavery; *fig.* drudgery; **esclave** [ˌ'klaːv] *su.* slave; *fig.* drudge; être ~ de sa parole stick to one's promise.
escoffier *sl.* [ɛskɔ'fje] (1o) *v/t.* kill.
escompte † [ɛs'kɔ̃ːt] *m* discount, rebate; à ~ at a discount; **escompter** [ˌkɔ̃'te] (1a) *v/t.* † discount; *fig.* anticipate; *fig.* reckon on, bank on.
escorte [ɛs'kɔrt] *f* ✗ *etc.* escort; ⚓ convoy; **escorter** [ˌkɔr'te] (1a) *v/t.* escort; ⚓ *a.* convoy.
escouade ✗ [ɛs'kwad] *f* gang, squad.
escourgeon ♦ [ɛskur'ʒɔ̃] *m* winter barley.
escrime [ɛs'krim] *f* fencing; *faire de l'~* fence; **escrimer** F [ɛskri'me] (1a) *v/t.*: s'~ fight (with, contre); s'~ à work hard at; try hard to (*inf.*); **escrimeur** [ˌ'mœːr] *m* fencer, swordsman.
escroc [ɛs'kro] *m* crook; swindler; **escroquer** [ˌkrɔ'ke] (1m) *v/t.* swindle (*s.o.*); ~ qch. à q. cheat s.o. out of s.th.; **escroquerie** [ˌkrɔ'kri] *f* fraud; swindling; false pretences *pl.*
ésotérique [ezɔte'rik] esoteric.
espace [ɛs'paːs] *su./m* space (*a.* ♪); *space, a. time:* interval; room; ⊕ clearance; *dans l'~ d'un an* within a year; *su./f typ.* space; **espacement** [ˌpas'mɑ̃] *m objects, typ.:* spacing; **espacer** [ˌpa'se] (1k) *v/t.* space; leave a space between; *typ., a. fig.* space out; s'~ become less frequent (*space, a. time*).
espadon [ɛspa'dɔ̃] *m* † two-handled sword; *icht.* sword-fish.
espadrille [ɛspa'driːj] *f* rope-soled canvas shoe.
espagnol, e [ɛspa'nɔl] 1. *adj.* Spanish; 2. *su./m ling.* Spanish; *su.* ♀ Spaniard; **espagnolette** [ˌnɔ'lɛt] *f* espagnolette.
espalier ✗ [ɛspa'lje] *m* espalier.
espèce [ɛs'pɛs] *f* kind, sort; ♊ *case*

(in question); ♀, *zo.*, *eccl.* species; ~s *pl.* cash *sg.*, specie *sg.*; ~ de ...! silly ...!; ~ humaine mankind; en ~s in hard cash; en l'~ in the present case (*a.* ♊).
espérance [ɛspe'rɑ̃ːs] *f* hope; expectation; *fig.* promise; ♊ ~s *pl.* expectations; **espérer** [ˌ're] (1f) *v/t.* hope for; expect; ~ quand même hope against hope; *v/i.* hope, trust (in, en).
espiègle [ɛs'pjɛgl] 1. *adj.* mischievous, roguish; 2. *su.* imp; **espièglerie** [ˌpjɛglə'ri] *f* mischief; prank; *par* ~ out of mischief.
espion, -onne [ɛs'pjɔ̃, ˌ'pjɔn] *su.* spy; secret agent; *su./m* concealed microphone; window-mirror; **espionnage** [ɛspjɔ'naːʒ] *m* espionage, spying; **espionner** [ˌ'ne] (1a) *v/t.* spy (upon).
esplanade [ɛspla'nad] *f* esplanade, promenade.
espoir [ɛs'pwaːr] *m* hope; expectation.
esprit [ɛs'pri] *m* spirit; mind, intellect; sense; wit; disposition; talent; meaning; soul; ~-de-vin spirit(s *pl.*) of wine; ~ fort free-thinker; *le Saint-♀* the Holy Ghost *or* Spirit; *plein d'~* witty; *présence f d'~* presence of mind; *rendre l'~* give up the ghost; *venir à (sortir de) l'~ de q.* cross (slip) s.o.'s mind.
esquif ⚓ *poet.* [ɛs'kif] *m* small boat, skiff.
esquille ❦ [ɛs'kiːj] *f* bone: splinter.
esquimau [ɛski'mo] 1. *adj.* Esquimo; 2. *su.* ♀ Esquimo; *su./m cuis.* choc-ice; *cost.* child's rompers *pl.*
esquinter F [ɛskɛ̃'te] (1a) *v/t.* exhaust; tire (*s.o.*) out; *fig.* ruin; run (*s.o.*) down.
esquisse [ɛs'kis] *f* sketch; outline; draft; **esquisser** [ˌki'se] (1a) *v/t.* sketch, outline.
esquiver [ɛski've] (1a) *v/t.* avoid, evade; dodge; *fig.* s'~ slip *or* steal away, F make o.s. scarce.
essai [ɛ'sɛ] *m* ⊕, ♒ trial, essay; test; *sp.* try; attempt (to, *pour*); ~ nucléaire atomic test; *mot.* ~ sur route trial run; à l'~ on trial; *coup m d'~* first attempt; *faire l'~ de* try (*s.th.*); ✈ *pilote m d'~* test pilot.
essaim [ɛ'sɛ̃] *m* swarm (*a. fig.*); **essaimer** [ɛsɛ'me] (1a) *v/i.* swarm.
essarter ✗ [ɛsar'te] (1a) *v/t.* clear

(*the ground*); grub up (*roots etc.*);
essarts ⚹ [ɛ'saːr] *m/pl.* freshly
cleared ground *sg.*

essayage [ɛsɛ'jaːʒ] *m* testing; *cost.*
trying on, fitting; **essayer** [ˌ〜'je]
(1i) *v/t.* try (to *inf.*, de *inf.*), attempt; ℛ test; *metall.* assay; *cost.*
try on; taste; *s'〜 à* try one's hand
at; **essayeur** *m*, **-euse** *f* [ˌ〜'jœːr,
ˌ〜'jøːz] ⊕ tester; analyst; *metall.*
assayer; *cost.* fitter; **essayiste** [ˌ〜-
'jist] *su.* essayist.

esse [ɛs] *f* ⊕ S-hook; S-shaped link
or hook *etc.*; ♪ *violin:* sound-hole.

essence [ɛ'sãːs] *f* essence; *trees:*
species; ℛ, ⚘, *etc.* oil; petrol, *Am.*
gasoline; extract (*of beef etc.*); *fig.*
pith; *poste m d'〜* filling-station, *Am.*
service station; **essentiel, -elle**
[ɛsã'sjɛl] **1.** *adj.* essential; **2.** *su./m*
main thing.

essieu [ɛ'sjø] *m* axle.

essor [ɛ'sɔːr] *m* flight, soaring; *fig.*
scope; *fig.* progress; **essorer** [ɛsɔ-
're] (1a) *v/t.* dry; wring (*linen*);
essoreuse [ˌ〜'røːz] *f* ⊕ drainer;
laundry: wringer, mangle.

essoufflé, e [ɛsu'fle] out of breath;
breathless; **essouffler** [ˌ〜] (1a) *v/t.*
wind; make (*s.o.*) breathless; *s'〜*
get out of breath, be winded.

essuie...: **〜-glace** *mot.* [ɛsɥi-
'glas] *m* windscreen wiper, *Am.*
windshield wiper; **〜-mains** [ˌ〜'mɛ̃]
m/inv. (hand-)towel; **〜-pieds** [ˌ〜'pje]
m/inv. door-mat; **〜-plume** [ˌ〜'plym]
m penwiper.

essuyer [ɛsɥi'je] (1h) *v/t.* wipe; dry;
mop up; dust; *fig.* suffer (*defeat
etc.*); *fig.* meet with (*a refusal*); F 〜
les *plâtres* be the first occupant of
a new house.

est¹ [ɛst] **1.** *su./m* east; de l'〜 east
(-ern); d'〜 easterly (*wind*); l'〜 ⚥ the
east (*of a country*); vers l'〜 east-
ward(s), to the east; **2.** *adj./inv.*
east(ern); easterly (*wind*).

est² [ɛ] *3rd p. sg. pres.* of être **1.**

estacade [ɛsta'kad] *f* ⚓ stockade;
⚓ breakwater; pier; 🏭 coalpit.

estafette [ɛsta'fɛt] *f* courier; ⚔ dis-
patch-rider.

estafilade [ɛstafi'lad] *f* gash; slash.

estagnon [ɛsta'ɲɔ̃] *m* oil-can; (oil-)
drum.

estaminet [ɛstami'nɛ] *m* tavern; F
pub; bar.

estampe [ɛs'tãːp] *f* print, engrav-

ing; ⊕ stamp, punch, die; **estamper** [ɛstã'pe] (1a) *v/t.* stamp, emboss; ⊕ punch; *fig.* fleece (*s.o.*),
rook (*s.o.*); **estampille** [ˌ〜'piːj] *f*
stamp; brand; ☩ trade-mark; **estampiller** [ˌ〜pi'je] (1a) *v/t.* stamp;
brand; ☩ mark (*goods*).

ester ⚖ [ɛs'te] *v/i.* occurs only in
inf. bring an action.

esthète [ɛs'tɛt] *su.* (a)esthete; **esthé-
ticien, -enne** [ɛsteti'sjɛ̃, ˌ〜'sjɛn]
1. *adj.* (a)esthetician; **2.** *su./f* beauty
specialist, *Am.* beautician; **esthéti-
que** [ˌ〜'tik] **1.** *adj.* (a)esthetic; **2.** *su./f*
(a)esthetics *pl.*

estimable [ɛsti'mabl] estimable;
worthy; quite good; **estimateur**
[ɛstima'tœːr] *m* estimator; ☩ valuer,
appraiser; **estimatif, -ve** [ˌ〜'tif,
ˌ〜'tiːv] estimated (*cost etc.*); estima-
tive (*faculty*); *devis m* 〜 estimate;
estimation [ˌ〜'sjɔ̃] *f* estimation;
valuation; assessment; ⚓ reckoning; **estime** [ɛs'tim] *f* esteem, respect; estimation, opinion; estimate; ⚓ dead reckoning; *à l'〜* by
guesswork; ⚓ by dead reckoning;
tenir q. en haute (petite) 〜 hold s.o.
in high (low) esteem; **estimer**
[ˌ〜ti'me] (1a) *v/t.* esteem; value,
estimate; consider, deem, think;
calculate; ⚓ reckon.

estival, e *m/pl.* **-aux** [ɛsti'val, ˌ〜'vo]
summer...; ♃ *etc.* estival; **estivant**
m, **e** *f* [ˌ〜'vã, ˌ〜'vãːt] summer visitor;
estivation ♃, *zo.* [ˌ〜va'sjɔ̃] *f* estivation.

estiver¹ [ɛsti've] (1a) *v/i.* summer
(*cattle etc.*).

estiver² ⚓ [ˌ〜] (1a) *v/t.* steeve (*a
cargo*).

estoc [ɛs'tɔk] *m tree:* trunk, stock;
coup m d'〜 fencing: thrust; *fig. d'〜
et de taille* with might and main.

estocade [ɛstɔ'kad] *f fencing:*
thrust; *fig.* sudden onset.

estomac [ɛstɔ'ma] *m* stomach; 〜
dérangé upset stomach; *avoir l'〜
dans les talons* be faint with hunger;
mal m d'〜 stomach-ache; **estoma-
quer** F [ˌ〜ma'ke] (1m) *v/t.* take
(*s.o.'s*) breath away, stagger (*s.o.*).

estompe [ɛs'tɔ̃ːp] *f* stump; stump
drawing; **estomper** [ˌ〜tɔ̃'pe] (1a)
v/t. stump, shade off; *fig.* blur; *fig.*
tone down (*crudities*); *fig. s'〜* grow
blurred; loom up.

estrade [ɛs'trad] *f* platform, stage.

estragon ♀, *cuis.* [ɛstra'gɔ̃] *m* tarragon.

estrapade ⚖ † [ɛstra'pad] *f* strappado.

estropié, e [ɛstrɔ'pje] **1.** *adj.* crippled; ✕ disabled; lame; **2.** *su.* cripple; **estropier** [~] (1o) *v/t.* cripple, lame, maim; ✕ disable; *fig.* mangle (*a quotation, a word*), murder (*music, a language*).

estuaire [ɛs'tɥɛːr] *m* estuary, *Sc.* firth.

estudiantin, e [ɛstydjã'tɛ̃, ~'tin] student...

esturgeon *icht.* [ɛstyr'ʒɔ̃] *m* sturgeon.

et [e] and; *et ... et* both ... and.

étable [e'tabl] *f* cattle-shed, cowshed; pigsty (*a. fig.*); **établer** [eta-'ble] (1a) *v/t.* stall (*cattle*); stable (*horses*).

établi¹ [eta'bli] *m* work-bench.

établi², e [eta'bli] established (*fact*); determined (*limit*); **établir** [~'bliːr] (2a) *v/t.* establish (*a. ⚖*); set up (*a business, a statue, sp. a record*); construct, erect; ascertain (*facts*); prove (*a charge*); draw up (*an account, a budget, a plan*); institute (*a rule, a tax, a post*); ⚡ *~ le contact* make contact; *s'~* become established; establish (o.s.); settle (*in a place*); **établissement** [~blis'mã] *m* establishment; institution; settlement; ✝ concern, business, firm; ⊕ factory, plant; ✝ *~s accounts*: drawing up; ✝ *~ balance*: striking.

étage [e'taːʒ] *m* stor(e)y, floor; *fig.* degree, rank; ⊕, *geol.* stage (*a. of rocket*); *geol.* stratum, layer; ⚒ level; *fig. de bas ~* of the lower classes (*people*); low; *deuxième ~* second floor, *Am.* third floor; **étager** [eta'ʒe] (1l) *v/t.* range in tiers; terrace (*the ground*); perform (*an operation*) in stages; **étagère** [~'ʒɛːr] *f* whatnot; shelves *pl.*; shelf.

étai [e'tɛ] *m* ⚓ stay (*a. ♠*), prop (*a. fig.*), strut; ⚒ pit-prop; **étaiement** ⚓, ⊕ [ete'mã] *m see étayage.*

étain [e'tɛ̃] *m* tin; pewter; *papier m d'~* tinfoil; *~ de soudure* plumber's solder.

étal, *pl. a.* **étals** [e'tal] *m* butcher's stall; **étalage** [eta'la:ʒ] *m* ✝ display, show; shop-window; *fig.* parade, show; *art m d'~* window-dressing; **étalagiste** ✝ [~la'ʒist] *m* stall-holder;

window-dresser; **étaler** [~'le] (1a) *v/t.* ✝ display (*a. fig.*), expose for sale; *fig.* show off; ⚓ weather (*a storm*); stagger (*holidays*); spread (out); *s'~* sprawl; F spread o.s.; stretch o.s. out.

étalon¹ [eta'lɔ̃] *m* stallion.

étalon² [eta'lɔ̃] *m* standard; *~-or* gold standard; *poids-~* troy weight; **étalonnage** [~lɔ'na:ʒ] *m* standardization; *tubes etc.*: calibration; ga(u)ging; *radio*: logging; *phot.* grading; **étalonner** [~lɔ'ne] (1a) *v/t.* standardize; calibrate; ga(u)ge; *radio*: log (*stations*); *phot.* grade; stamp (*weights*).

étamer ⊕ [eta'me] (1a) *v/t.* tin; galvanize; silver (*a mirror*); **étameur** [~'mœːr] *m* tinsmith; *mirrors*: silverer.

étamine¹ [eta'min] *f* butter-muslin; bolting-cloth; *passer qch. par l'~* sift s.th. (*a. fig.*).

étamine² ♀ [~] *f* stamen.

étampe ⊕ [e'tã:p] *f* stamp, die; punch; swage. [(-metal).]

étamure ⊕ [eta'my:r] *f* tinning]

étanche [e'tã:ʃ] (*water-, air*)tight; impervious; ⚡ insulated; *~ à l'eau* watertight; **étanchéité** [etãʃei'te] *f* watertightness; airtightness; *d'~* insulating; **étancher** [~'ʃe] (1a) *v/t.* sta(u)nch (*blood*); stem (*aliquid*); quench (*one's thirst*); stop (*a leak*); make watertight *or* airtight.

étang [e'tã] *m* pond, pool.

étant [e'tã] *p. pr. of être 1.*

étape [e'tap] *f* ✕, *a. fig.* stage; halting-place; *fig.* step (towards, *vers*); *par petites ~s* by easy stages.

état [e'ta] *m* state (*a. pol., a. fig.*), condition; *fig.* position; statement, report; *admin.* return; *⚖* status; profession, trade; *hist. ~s pl. the estates; ~ civil* civil status; *bureau m de l'~ civil* register office; *⚖ en ~ de légitime défense* able to plead self-defence; *~ d'esprit* frame of mind; *en tout ~ de cause* in any case; *~ transitoire* transition stage; *réduit à l'~ de* reduced to; *coup m d'♀* coup d'état; F *dans tous ses ~s* all of a dither; *~ de vol* in flying condition (*airplane*); *être en ~ de* (*inf.*) be ready to (*inf.*); *faire ~ de qch.* take s.th. into account; rely on s.th.; *homme m d'♀* statesman; *hors d'~* useless; *remettre en ~* put

in order; **étatisation** [etatiza'sjɔ̃] *f*
nationalisation (*of industries*); **éta-
tisme** [ʌ'tism] *m* state control;
état-major, *pl.* **états-majors**
[ʌma'ʒɔːr] *m* ✕ (general) staff;
head-quarters *pl.*; *fig.* management.
étau ⊕ [e'to] *m* vice, *Am.* vise; ~
à main hand-vice; ~*-limeur* shap-
ing-machine.
étayage ⚒, ⊕ [ete'jaːʒ] *m* shoring,
staying, propping (up); buttress-
ing; **étayer** [ʌ'je] (1i) *v/t.* prop
(up), shore, stay; support (*a. fig.*).
été¹ [e'te] *p.p. of* être 1.
été² [ʌ] *m* summer; F ~ *de la Saint-
Martin* Indian summer.
éteignoir [ete'ɲwaːr] *m* candle: extinguisher; **éteindre** [e'tɛ̃ːdr] (4m)
v/t. extinguish (*the light, a race, etc.*);
put out; ⚡ switch off (*the light*);
quench (*one's thirst, a.* ⊕ *red-hot
iron*); pay off (*a debt*); abolish (*a
right*); *fig.* put an end to (*s.o.'s ambition, hope*); *fig.* soften, dim (*the
colour, the light*); deaden (*a sound*);
allay (*passions*); slake (*lime*); s'~
die out; go out (*light etc.*); fade,
grow dim; die down (*passions*); die,
pass away (*person*).
étendage [etɑ̃'daːʒ] *m* clothes lines
pl.; drying-yard; **étendard** [ʌ'daːr]
m standard, flag; **étendoir** [ʌ-
'dwaːr] *m* clothes line; **étendre**
[e'tɑ̃ːdr] (4a) *v/t.* extend; stretch;
spread (*out*); lay (*a tablecloth*); expand (*the wings*); dilute (with, de);
lay (*s.o.*) down; hang (*linen*) out;
cuis. roll out (*pastry*); *fig.* widen,
enlarge; s'~ *a.* run (*colours*); s'~ *sur*
dwell (at length) upon; **étendu, e**
[etɑ̃'dy] 1. *adj.* extensive; outspread
(*wings*); outstretched (*hands*); widespread (*influence*); 2. *su./f* extent;
expanse; *voice, knowledge:* range;
capacity; *speech etc.*: length.
éternel, -elle [etɛr'nɛl] eternal;
everlasting, unending; **éterniser**
[eterni'ze] (1a) *v/t.* perpetuate;
eternalize; s'~ last for ever; **éternité** [ʌ'te] *f* eternity; *fig.* ages *pl.*
éternuer [etɛr'nɥe] (1n) *v/i.* sneeze.
êtes [ɛt] *2nd p. pl. pres. of* être 1.
éteule [e'tœl] *f* stubble.
éther [e'tɛːr] *m* ether; **éthéré, e**
[ete're] etherial (*a.* ♋); **éthériser**
♒ [ʌri'ze] (1a) *v/t.* etherize.
éthique [e'tik] 1. *adj.* ethical; 2. *su./f*
ethics *pl.*; moral philosophy.

ethnique [ɛt'nik] ethnic(al).
ethno... [ɛtnɔ] ethno...
éthylène ♋ [eti'lɛːn] *m* ethylene.
étiage [e'tjaːʒ] *m* low water mark;
fig. level.
étinceler [etɛ̃s'le] (1c) *v/i.* sparkle
(*a. fig. conversation*); gleam (*anger*);
twinkle (*star*); **étincelle** [etɛ̃'sɛl] *f*
spark; *mot.* ~ *d'allumage* ignition
spark; **étincellement** [ʌsɛl'mɑ̃] *m*
sparkling; twinkling (*of the stars*).
étioler [etjɔ'le] (1a) *v/t.:* s'~ blanch;
droop, wilt (*plant*); waste away.
étique [e'tik] emaciated.
étiqueter [etik'te] (1c) *v/t.* label;
étiquette [eti'kɛt] *f* label, ticket,
tag; etiquette, ceremony.
étirer [eti're] (1a) *v/t.* stretch; pull
out, draw out; ⊕ draw (*metals*).
étoffe [e'tɔf] *f* stuff (*a. fig.*), material, cloth; *fig.* quality; *avoir l'*~ *de*
have the makings of; **étoffer** [etɔ-
'fe] (1a) *v/t.* stuff; *fig.* fill out; *cost.*
give fulness to.
étoile [e'twal] *f* star (*a. film*); *typ.*
asterisk; blaze (*on horse*); ~ *filante*
shooting *or* falling star; *à la belle* ~
out of doors, in the open; **étoiler**
[etwa'le] (1a) *v/t.* stud with stars;
star (*glass etc.*); s'~ star (*glass etc.*);
glow with stars (*sky*).
étole *cost., eccl.* [e'tɔl] *f* stole.
étonnant, e [etɔ'nɑ̃, ~'nɑ̃ːt] astonishing, surprising; **étonnement**
[etɔn'mɑ̃] *m* astonishment, surprise, amazement; **étonner** [etɔ'ne]
(1a) *v/t.* astonish, amaze; s'~ be
surprised (at s.th., de qch; at ger.,
de *inf.*).
étouffant, e *fig.* [etu'fɑ̃, ~'fɑ̃ːt] stifling; **étouffée** *cuis.* [ʌ'fe] *f: cuire
à l'*~ braise; **étouffement** [etuf'mɑ̃]
m stifling; suffocation; *scandal:*
hushing up; choking sensation;
étouffer [etu'fe] (1a) *vt/i. a.* s'~
suffocate, choke; stifle; *v/t. a.*
damp (*a sound*); ⚡ quench (*a
spark*); hush up (*an affair*); **étouffoir** [ʌ'fwaːr] *m* charcoal extinguisher; ♪ damper; *fig.* stuffy room.
étoupe [e'tup] *f* tow; oakum; ⊕
packing; **étouper** [etu'pe] (1a) *v/t.*
stop; ⊕ pack; ⚓ caulk; **étoupille**
[ʌ'piːj] *f* ✕ friction-tube; ✕ fuse.
étourderie [eturdə'ri] *f* inadvertence; blunder, careless mistake;
oversight; **étourdi, e** [ʌ'di] 1. *adj.*
thoughtless, scatter-brained; fool-

ish (*reply etc.*); **2.** *su.* scatter-brain;
étourdir [~'di:r] (2a) *v/t.* stun,
daze; make dizzy; soothe (*a pain
etc.*); appease (*one's hunger*); **étourdissement** [~dis'mɑ̃] *m* dizziness,
giddiness; *mind:* dazing; *pain etc.:*
deadening; *fig.* shock, bewilderment.

étourneau [etur'no] *m orn.* starling;
F feather-brain.

étrange [e'trɑ̃:ʒ] strange, odd, peculiar; **étranger, -ère** [etrɑ̃'ʒe,
~'ʒɛːr] **1.** *adj. pol.* foreign (*a. fig.*);
pej. alien; strange, unknown; irrelevant (to, à); ~ à unacquainted with
(*an affair*); a stranger in (*a place*);
2. *su.* foreigner; stranger; *su./m*
foreign parts *pl.*; à l'~ abroad;
étrangeté [etrɑ̃ʒ'te] *f* strangeness,
oddness.

étranglement [etrɑ̃glə'mɑ̃] *m*
strangulation (*a. ✖ hernia*); ⊕
throttling; *pipe, tube:* neck; *fig.*
narrow passage; **étrangler** [~'gle]
(1a) *v/t.* strangle, choke, throttle
(*a.* ⊕), stifle; ✖ strangulate; *fig.*
constrict; ⊕ throttle down (*the
engine*); *v/i.:* ~ de colère choke with
rage; ~ de soif be parched.

étrave ⚓ [e'tra:v] *f* stem(-post).

être [eːtr] **1.** (1) *v/i.* be, exist; belong (to, à); lie, stand; F go; *passive voice:* be (*seen*); ~ malade be
or feel sick; *si cela est* if so; *ça y
est* it is done; *c'est ça* that's it;
c'est moi it is me; *c'en est assez!*
enough (of it)!; *lequel sommes-
nous?* what is the date today?;
à qui est cela? whose is it?; *c'est
à lui de* (*inf.*) it is his turn to (*inf.*);
it rests with him to (*inf.*); ~ de
come or be from (*a town*); ~ assis
sit; ~ debout stand; *j'ai été voir ce
film* I have seen this film; *elle s'est
blessée* she has hurt herself; *elle
s'est blessé le doigt* she has hurt
her finger; en ~ à (*inf.*) be reduced
to (*ger.*); *en êtes-vous?* will you
join us?; *où en sommes-nous?* how
far have we got?; *quoi qu'il en soit*
however that may be; en ~ pour
have spent (*s.th.*) to no purpose; *y
~ pour* have a hand in (*s.th.*); *vous
y êtes?* do you follow or F get it?;
il est il is (*2 o'clock*); there is or
are; *il était une fois* once upon a
time there was; *est-ce qu'il travaille?* does he work?, is he work-

ing?; *elle est venue, n'est-ce pas?*
she has come, hasn't she?; *n'était*
but for; **2.** *su./m* being, creature;
existence.

étreindre [e'trɛ̃:dr] (4m) *v/t.* clasp;
grasp; embrace, hug; *fig.* grip;
étreinte [e'trɛ̃:t] *f* embrace; grasp;
grip.

étrenne [e'trɛn] *f:* ~s *pl.* New Year's
gift *sg.*; **étrenner** [etrɛ'ne] (1a) *v/t.*
✝ be the first customer of; wear (*a
garment*) for the first time; F
christen (*an object*); *v/i.* ✝ make
the first sale of the day; F get into
trouble.

êtres [eːtr] *m/pl.* ins and outs of a
house.

étrier [etri'e] *m* stirrup (*a. anat.*);
⊕ stirrup-piece, loop; *tenir l'~ à*
help (*s.o.*) into the saddle; *fig.* help
(*s.o.*).

étrille [e'tri:j] *f* curry-comb; **étriller** [etri'je] (1a) *v/t.* curry (*a horse*);
F thrash, trounce.

étriper [etri'pe] (1a) *v/t.* disembowel
(*a horse*); draw (*a chicken*); gut (*a
fish*).

étriquer [etri'ke] (1m) *v/t.* make
too narrow or tight; *fig.* curtail (*a
speech*); *habit m étriqué* skimped
coat.

étrivière [etri'vjɛːr] *f* stirrup-
leather; ~s *pl. a.* leathering *sg.*

étroit, e [e'trwa, ~'trwat] narrow
(*a. fig. mind*); tight; confined; limited; *fig.* strict (*sense of a word*); à
l'~ cramped for room; (*live*) economically; **étroitesse** [etrwa'tes] *f*
narrowness; tightness; ~ d'esprit
narrow-mindedness.

étron [e'trɔ̃] *m* turd.

étronçonner [etrɔ̃sɔ'ne] (1a) *v/t.*
cut off the lower branches of (*a
tree*).

étude [e'tyd] *f* study (*a. ♪*); office;
(*barrister's*) chambers *pl.*; prep-
room; research; preparation; (*lawyer's*) practice; ✝ ~ du marché (*de
motivation*) marketing (motivation)
research; à l'~ under consideration;
thea. under rehearsal; *faire ses* ~s
study; **étudiant** *m*, e *f* [ety'djɑ̃,
~'djɑ̃:t] student; undergraduate;
étudier [~'dje] (1o) *v/t.* study;
prepare (*a lesson*); investigate; design; *s'~ à* (*inf.*) make a point of
(*ger.*); be very careful to (*inf.*).

étui [e'tɥi] *m* case, cover; *book, hat:*

box; ✂ ~ de cartouche cartridge case.

étuve [e'ty:v] f 🔥, ⊕, baths: sweating-room; sterilizer; drying cupboard; F oven; **étuvée** cuis. [ety've] f: cuire à l'~ steam; **étuver** [~] (1a) v/t. cuis. stew (meat); steam (vegetables); ⊕ dry; sterilize.

étymologie [etimɔlɔ'ʒi] f etymology.

eu, e [y] p.p. of avoir 1.

eucalyptus 🌿, a. 🦋 [økalip'tys] m eucalyptus.

eucharistie eccl. [økaris'ti] f Eucharist; Lord's Supper.

eunuque [ø'nyk] m eunuch.

euphémique [øfe'mik] euphemistic; **euphémisme** [~'mism] m euphemism.

euphonie [øfɔ'ni] f euphony.

euphorbe 🌿 [ø'fɔrb] f euphorbia, spurge.

euphorie [øfɔ'ri] f euphoria.

européen, -enne [ørɔpe'ɛ̃, ~'ɛn] adj., a. su. ♀ European.

eus [y] 1st p. sg. p.s. of avoir 1.

euthanasie [øtana'zi] f euthanasia, F mercy-killing.

eux [ø] pron./pers. m/pl. subject: they; object: them; à ~ to them; theirs; ce sont ~, F c'est ~ it is they, F it's them; **~-mêmes** [~'mɛːm] pron./rfl. themselves.

évacuation [evakɥa'sjɔ̃] f evacuation (a. 🦷, ✂); water: drainage; **évacué** m, e f [eva'kɥe] evacuee; **évacuer** [~] (1n) v/t. ✂, 🦷 evacuate; ⊕ exhaust (steam); drain (water).

évadé, e [eva'de] adj., a. su. fugitive; **évader** [~] (1a) v/t.: s'~ escape, run away.

évaluation [evalɥa'sjɔ̃] f valuation; estimate; assessment; **évaluer** [~'lɥe] (1n) v/t. value; estimate; assess.

évangélique [evãʒe'lik] evangelical; **Évangile** [~'ʒil] m Gospel.

évanouir [eva'nwiːr] (2a) v/t.: s'~ 🦷 faint, swoon; fig. vanish, fade away; radio: fade; **évanouissement** [~nwis'mã] m 🦷 faint, swoon; fig. disappearance; radio: fading; 🦷 revenir de son ~ come to.

évaporation [evapɔra'sjɔ̃] f evaporation; **évaporé, e** [~'re] 1. adj. feather-brained; flighty; irresponsible; 2. su. flighty person; **évaporer** [~'re] (1a) v/t. fig. give vent to (one's spleen); s'~ evaporate; fig. vanish; fig. grow flighty (person).

évasé, e [eva'ze] bell-mouthed; flared (skirt); △ splayed; **évaser** [~'ze] (1a) v/t. widen the opening of; open out; flare (a skirt); △ splay; s'~ widen at the mouth; flare (skirt); **évasif, -ve** [~'zif, ~'zi:v] evasive; **évasion** [~'zjɔ̃] f escape, flight; evasion, quibble; literature: escapism; d'~ escapist (novel etc.); ✝ ~ des capitaux exodus of capital.

évêché [eve'ʃe] m bishopric, see; diocese; bishop's palace.

éveil [e'vɛːj] m awakening; alertness; fig. dawn; en ~ on the alert; **éveillé, e** [eve'je] awake; wide-awake; alert, bright; **éveiller** [~] (1a) v/t. awaken; fig. arouse; s'~ wake up; fig. awaken.

événement [even'mã] m event; occurrence; incident; emergency.

évent [e'vã] m open air; ⊕ vent (-hole); zo. whale: blowhole; beverage: flatness; sentir l'~ smell musty; F tête f à l'~ feather-brain.

éventail [evã'ta:j] m fan; fig. salaries: range; en ~ fan-wise.

éventaire [evã'tɛːr] m (hawker's) tray; street stall.

éventé, e [evã'te] stale, musty; flat (beer etc.); fig. hare-brained; divulged (secret); **éventer** [~] (1a) v/t. air; fan; hunt. scent, fig. get wind of; fig. divulge; let (beer etc.) grow flat; F fig. ~ la mèche uncover a plot; s'~ go flat or stale; spoil.

éventrer [evã'tre] (1a) v/t. disembowel; fig. break or rip open; gut (a fish); mot. rip (a tyre).

éventualité [evãtɥali'te] f possibility, contingency; **éventuel, -elle** [~'tɥɛl] possible, contingent; eventual.

évêque [e'vɛ:k] m bishop.

évertuer [ever'tɥe] (1n) v/t.: s'~ strive, do one's utmost (to inf., à inf.).

évidemment [evida'mã] adv. obviously, clearly; of course; **évidence** [~'dã:s] f obviousness, manifestness; prominence; être de toute ~ be obvious; être en ~ be in evidence; be conspicuous; mettre en ~ place (s.th.) in a prominent position; se mettre en ~ push o.s. forward; **évident, e** [~'dã, ~'dã:t] evident, obvious; conspicuous.

évider [evi'de] (1a) *v/t.* hollow out; groove; pink (*cloth, leather*); cut away.

évier [e'vje] *m scullery*: sink.

évincer [evɛ̃'se] (1k) *v/t.* 🏛 evict, eject, dispossess; *fig.* oust (*s.o.*), supplant (*s.o.*).

évitable [evi'tabl] avoidable; **évitement** [evit'mɑ̃] *m* avoidance, shunning; 🚂 shunting; *route f d'~* by-pass (road); *voie f d'~* siding; **éviter** [evi'te] (1a) *v/t.* avoid, shun; *fig.* spare (*trouble*); *v/i.* ⚓ ride, swing; *~ de* (*inf.*) avoid (*ger.*).

évocateur, -trice [evɔka'tœːr, ~'tris] evocative (of, de); **évocation** [~'sjɔ̃] *f* evocation (🏛, *a. spirits, a. past*); *past, spirits*: conjuring up.

évoluer [evɔ'lɥe] (1n) *v/i.* develop, evolve; ✕, ⚓ manœuvre; ⊕ revolve (*wheels etc.*); **évolution** [~ly-'sjɔ̃] *f* ✕, ⚓ manœuvre; *biol. etc.* evolution; *fig.* development.

évoquer [evɔ'ke] (1m) *v/t.* evoke (*a.* 🏛), bring to mind; conjure up (*a. spirits*).

ex... [ɛks] former; ex-...; late; *~ministre* former minister.

exact, e [ɛg'zakt] exact (*a. science*), correct, right; true; punctual (*time*).

exacteur [ɛgzak'tœːr] *m* exactor; extortioner; **exaction** [~'sjɔ̃] *f* extortion; *tax*: exaction.

exactitude [ɛgzakti'tyd] *f* exactitude, exactness; accuracy; *time*: punctuality.

exagération [ɛgzaʒera'sjɔ̃] *f* exaggeration; overstatement; **exagérer** [~ʒe're] (1f) *v/t.* exaggerate; overstate; overestimate; *v/i. fig.* go too far.

exaltation [ɛgzalta'sjɔ̃] *f eccl., a. emotion*: exaltation; excitement; over-excitement; **exalté, e** [~'te] **1.** *adj.* heated; excited; overstrung (*person*); **2.** *su.* hot-head; fanatic; **exalter** [~'te] (1a) *v/t.* exalt, praise; excite, rouse (*emotions*); *s'~* grow excited; enthuse.

examen [ɛgza'mɛ̃] *m* examination; ⊕ test; ⊕ *machine*: overhaul; survey; investigation; ✝ *accounts*: inspection; *à l'~* under consideration (*question*); *~ d'entrée* entrance examination; *~ de passage* end-of-year examination; *mot. ~ pour le permis de conduire* driving test; **exami-**

nateur *m*, **-trice** *f* [~mina'tœːr, ~'tris] examiner; ⊕ inspector; **examiner** [~mi'ne] (1a) *v/t.* examine (*a.* 🐕); scrutinize; look into, investigate; ⊕ overhaul (*a machine*); *fig.* scan; ✝ inspect (*accounts*).

exanthème 🐕 [ɛgzɑ̃'tɛm] *m* rash.

exaspération [ɛgzaspera'sjɔ̃] *f disease, pain, a.* F *fig.*: aggravation; *fig.* exasperation, irritation; **exaspérer** [~'re] (1f) *v/t.* exasperate, irritate, aggravate.

exaucer [ɛgzo'se] (1k) *v/t.* grant, fulfill (*a wish*); hear (*a prayer*).

excavateur, **-trice** *f* ⊕ [ɛkskava-'tœːr, ~'tris] excavator, grub; **excavation** [~'sjɔ̃] *f* excavation; hole.

excédant, e [ɛkse'dɑ̃, ~'dɑ̃ːt] surplus; excess (*luggage*); F tiresome (*person*); **excédent** [~'dɑ̃] *m* excess, surplus; *~ de poids* excess weight; **excéder** [~'de] (1f) *v/t.* exceed; *fig.* tire, weary (*s.o.*); irritate.

excellence [ɛkse'lɑ̃ːs] *f* excellence; ♀ *title*: Excellency; *par ~* particularly; pre-eminently; **excellent, e** [~'lɑ̃, ~'lɑ̃ːt] excellent, F first-rate, capital; delicious (*meal etc.*); **exceller** [~'le] (1a) *v/i.* excel (in, en; in *ger., à inf.*).

excentrer ⊕ [ɛksɑ̃'tre] (2a) *v/t.* throw off centre; **excentrique** [~'trik] **1.** *adj.* ⊕ eccentric (*a. person*); *fig.* odd (*person*); remote (*quarter of a town*); **2.** *su./m* ⊕ eccentric; cam; *lathe*: eccentric chuck; *su.* eccentric, crank.

excepté [ɛksɛp'te] *prp.* except(ing), save; **excepter** [~'te] (1a) *v/t.* except, exclude (from, de); **exception** [~'sjɔ̃] *f* exception (*a.* 🏛); *~ faite de, à l'~ de* with the exception of; *pol. état m d'~* state of emergency; *sauf ~* with certain exceptions; **exceptionnel, -elle** [~sjɔ'nɛl] exceptional, uncommon; ✝ *prix m ~* bargain.

excès [ɛk'sɛ] *m* excess; *powers, mot. speed limit*: exceeding; *à l'~* overmuch; **excessif, -ve** [~sɛ'sif, ~'siːv] excessive, extreme; unreasonable; exorbitant (*price*).

exciser 🐕 [ɛksi'ze] (1a) *v/t.* excise.

excitable [ɛksi'tabl] excitable; **excitant** 🐕 [~'tɑ̃] *m* stimulant; **excitateur, -trice** [~ta'tœːr, ~'tris] **1.** *adj.* exciting; provocative (of, de); **2.** *su.* instigator (of, à); *su./m*

⚡ discharger, (*static*) exciter; *su./f*
⚡ exciting dynamo, exciter; **exci-**
ter [~'te] (1a) *v/t.* excite (*a. fig.*);
arouse (*emotions*); incite (*s.o., a re-*
bellion, etc.); cause; s'~ get worked
up.

exclamation [ɛksklama'sjɔ̃] *f* exclamation; *point m* d'~ exclamation
mark; **exclamer** [~'me] (1a) *v/t.*:
s'~ exclaim; protest; make an outcry.

exclure [ɛks'klyːr] (4g) *v/t.* exclude
(from, *de*); *fig.* preclude, prevent;
exclusif, -ve [ɛkskly'zif, ~'ziːv] exclusive; sole (*agent, right*); **exclu-**
sion [~'zjɔ̃] *f* exclusion; *pupil:* expulsion; *à l'*~ *de* excluding; **exclu-**
sivité [~zivi'te] *f* esclusiveness;
sole right (in, *de*); ... *en* ~ exclusive ...

excommunier *eccl.* [ɛkskɔmy'nje]
(1o) *v/t.* excommunicate.

excorier [ɛkskɔ'rje] (1o) *v/t. a.* s'~
excoriate; peel off.

excrément [ɛkskre'mã] *m physiol.*
excrement; *fig.* scum; **excréter**
physiol. [~'te] (1f) *v/t.* excrete.

excroissance [ɛkskrwa'sãːs] *f* excrescence.

excursion [ɛkskyr'sjɔ̃] *f* excursion
(*a.* 🚂 *etc.*), tour, trip; *fig.* digression; ✕ raid; ✕ inroad (on, *dans*);
excursionniste [~sjɔ'nist] *su.*
tourist, tripper.

excuse [ɛks'kyːz] *f* excuse; ~s *pl.*
apology *sg.*, apologies; **excuser** [~-
ky'ze] (1a) *v/t.* excuse, pardon;
extenuate; s'~ apologize, excuse
o.s.; decline an invitation; s'~ *sur*
q. shift the blame on to s.o. else.

exécrable [ɛgze'krabl] abominable;
horrible; disgraceful; **exécration**
[~kra'sjɔ̃] *f* detestation, execration;
fig. disgrace; **exécrer** [~'kre] (1f)
v/t. loathe, detest.

exécutant *m*, e *f* 🎵 [ɛgzeky'tã, ~-
'tãːt] performer; executant; **exé-**
cuter [~'te] (1a) *v/t.* execute (*a.* ✝,
a. 🎵 *a murderer, etc.*), perform (*a.*
🎵), carry out (*a. a plan, an order,*
etc.); 🎵 distrain on (*a debtor*); ✝
hammer (*a defaulter*); *fig.* slash
(*s.o.*); s'~ comply; yield; *fig.* pay
up; **exécuteur -trice** [~'tœːr, ~'tris]
su. promise etc.: performer; 🎵 ~
testamentaire executor; *su./m* ✝ executioner; **exécutif, -ve** [~'tif, ~'tiːv]
adj., a. su./m executive; **exécution**

[~'sjɔ̃] *f* execution (*a.* ✝, *a.* 🎵 *of*
a murderer), performance (*a.* 🎵);
promise: fulfilment; ~ *forcée* 🎵
debtor: distraint; ✝ *defaulter:*
hammering; 🎵 *law:* enforcement;
mettre à ~ carry out.

exemplaire [ɛgzã'plɛːr] **1.** *adj.*
exemplary; **2.** *su./m* sample, specimen; model, pattern; *book:* copy;
en double ~ in duplicate; **exemple**
[~'zãːpl] *m* example; *par* ~ for
instance; *par* ~! well I never!; *ah*
ça par ~! well really!; *ah non, par* ~!
no indeed!

exempt[1], e [ɛg'zã, ~'zãːt] *adj.* exempt (from, *de*); free; immune; ✝
~ *de défauts* perfect; ~ *d'impôts* tax-
free.

exempt[2] ✝ [ɛg'zã] *m* officer of the
watch.

exempter [ɛgzã'te] (1a) *v/t.* exempt; exonerate; **exemption** [~'sjɔ̃]
f exemption; *fig.* freedom.

exercer [ɛgzɛr'se] (1k) *v/t.* exercise;
✕ *etc.* train, drill; use, exert (*one's*
influence, one's power); practise (*a*
profession, a trade); s'~ practise
(s.th., *à qch.*); drill; be exerted; *fig.*
operate; **exercice** [~'sis] *m* exercise; ✕ drill, training; *influence,*
power: use; practice; ✝ ~ *fiscal*
financial year; (*month's, year's*)
trading; *sp.* ~s *pl. aux agrès ap-*
paratus work; *sp.* ~s *pl. libres* light
gymnastics *sg.*

exhalaison [ɛgzalɛ'zɔ̃] *f* exhalation;
~s *pl.* fumes; **exhalation** [~la'sjɔ̃] *f*
exhaling, exhalation; **exhaler** [~'le]
(1a) *v/t.* exhale, give out, emit; *fig.*
give vent to (*one's anger*); *fig.*
breathe (*a sigh*).

exhausser [ɛgzo'se] (1a) *v/t.* raise
(by, *de*), heighten.

exhausteur *mot.* [ɛgzos'tœːr] *m*
suction-pipe; vacuum-feed tank.

exhérédation 🎵 [ɛgzereda'sjɔ̃] *f*
disinheritance; **exhéréder** 🎵 [~'de]
(1f) *v/t.* disinherit.

exhiber [ɛgzi'be] (1a) *v/t.* 🎵 produce; show (*animals, the ticket,*
etc.); *pej.* flaunt, show off; *pej.* s'~
make an exhibition of o.s.; **exhibi-**
tion [~bi'sjɔ̃] *f* 🎵 production;
showing, display, exhibition; (*cattle-*
etc.) show.

exhorter [ɛgzɔr'te] (1a) *v/t.* exhort,
urge, encourage.

exhumer [ɛgzy'me] (1a) *v/t.* exhume, disinter; *fig.* unearth, bring to light.

exigeant, e [ɛgzi'ʒã, ~'ʒãːt] exacting, hard to please; **exigence** [~'ʒãːs] *f* exigency; ~**s** *pl.* excessive demands; *fig.* requirements; **exiger** [~'ʒe] (1l) *v/t.* exact, insist on; demand, require; **exigible** [~'ʒibl] due (*payment*); demandable.

exigu, -guë [ɛgzi'gy] exiguous; scanty; slender (*income, means*); **exiguité** [~gɥi'te] *f* tininess, smallness; slenderness.

exil [ɛg'zil] *m* exile, banishment; **exilé** *m, e f* [ɛgzi'le] exile; **exiler** [~] (1a) *v/t.* exile, banish.

existence [ɛgzis'tãːs] *f* existence; life; ✝ ~**s** *pl.* stock *sg.*; **moyens** *m/pl.* d'~ means of subsistence; **existentialisme** *phls.* [~tãsja'lism] *m* existentialism; **existentialiste** *phls.* [~tãsja'list] *adj., a. su.* existentialist; **exister** [~'te] (1a) *v/i.* exist, be; be extant.

exode [ɛg'zɔd] *m* exodus (a. *fig.*); *bibl.* ♀ Exodus; ~ **rural** sociology: drift to the towns, urban drift.

exonérer [ɛgzɔne're] (1f) *v/t.* exempt; free; exonerate; remit (*s.o.'s*) fees.

exorbitant, e [ɛgzɔrbi'tã, ~'tãːt] exorbitant, excessive.

exorciser *eccl.* [ɛgzɔrsi'ze] (1a) *v/t.* exorcize; lay (a *ghost*).

exotique [ɛgzɔ'tik] exotic; *fig.* foreign.

expansibilité [ɛkspãsibili'te] *f phys.* expansibility; *fig.* expansiveness; **expansible** *phys.* [~'sibl] expansible; **expansif, -ve** [~'sif, ~'siːv] *phys., a. fig.* expansive; *fig.* effusive; **expansion** [~'sjɔ̃] *f phys., a.* ⊕ expansion; *fig.* expansiveness; *culture:* spread; **expansionnisme** [~sjɔ'nism] *m* expansionism.

expatrié, e [ɛkspatri'e] exile, expatriate; **expatrier** [~] (1a) *v/t.* expatriate; exile, banish; s'~ leave one's own country.

expectant, e [ɛkspɛk'tã, ~'tãːt] expectant; **expectative** [~ta'tiːv] *f* expectancy; **dans l'~ de** waiting for.

expectoration ⚕ *etc.* [ɛkspɛktɔra'sjɔ̃] *f* expectoration; sputum; **expectorer** [~'re] (1a) *v/t.* expectorate.

expédient, e [ɛkspe'djã, ~'djãːt] **1.** *adj.* expedient, advisable, proper

(to, de); **2.** *su./m* expedient, shift; **vivre d'~s** live by one's wits.

expédier [ɛkspe'dje] (1o) *v/t.* dispatch; get rid of; dispose of (*s.th.*) quickly, hurry through; send (off), forward (*mail etc.*), clear (the *customs*); ⚖ draw up (a *contract*); ~ **qch. par bateau** ship *s.th.*; **expéditeur** *m,* **-trice** *f* [ɛkspedi'tœːr, ~'tris] sender; ✝ consigner, shipper; forwarding agent; **expéditif, -ve** [~'tif, ~'tiːv] expeditious, prompt; **expédition** [~'sjɔ̃] *f* expedition (a. *geog.*), dispatch (a. ✝); ✝ sending; ✝ consignment; ✝ shipping; copy; **expéditionnaire** [~sjɔ'nɛːr] *m* ✝ sender; ✝ forwarding agent; shipper, consigner; ⚖ copying clerk.

expérience [ɛkspe'rjãːs] *f* experience; ⚗ *etc.* experiment, test; **par ~** from experience.

expérimenté, e [ɛksperimã'te] experienced; skilled (*workman*); **expérimenter** [~] (1a) *v/t.* test, try; *v/i.* experiment (on, sur).

expert, e [ɛks'pɛːr, ~'pɛrt] **1.** *adj.* expert, skilled (in en, dans); able; **2.** *su./m* expert (in, at en) (a. ⚖); ✝ valuer; *fig.* connoisseur; ✝ ~ **comptable** chartered accountant; **expertise** [ɛkspɛr'tiːz] *f* ✝ expert appraisal or valuation; ♎ survey; expert evidence; expert opinion; **expertiser** [~ti'ze] (1a) *v/t.* ✝ value, appraise; ♎ survey.

expiable [ɛks'pjabl] expiable; **expiation** [~pja'sjɔ̃] *f* expiation; *eccl.* atonement (for, de); **expiatoire** [~pja'twaːr] expiatory; **expier** [~'pje] (1o) *v/t.* expiate, atone for, F pay for.

expiration [ɛkspira'sjɔ̃] *f* expiration, breathing out; termination, expiry; ⊕ *steam:* discharge; **expirer** [~'re] (1a) *v/t.* breathe out; *v/i.* expire (a. ⚖), die.

explétif, -ve [ɛksple'tif, ~'tiːv] *adj., a. su./m* expletive.

explicable [ɛkspli'kabl] explicable, explainable; **explicatif, -ve** [~ka'tif, ~'tiːv] explanatory; **explication** [~ka'sjɔ̃] *f* explanation; ~ **de texte** textual commentary.

explicite [ɛkspli'sit] explicit, plain.

expliquer [ɛkspli'ke] (1m) *v/t.* explain; comment upon (a *text*); account for; s'~ explain o.s.; be ex-

plained; s'~ *avec* have it out with;
je m'explique what I mean is this.
exploit [ɛks'plwa] *m* exploit, deed,
feat; ⚖ writ, summons *sg.*; ⚖
signifier un ~ à serve a writ on; **exploitable** [ɛksplwa'tabl] workable
(*quarry*); ⚒ gettable (*coal*); exploitable (*person*); ⚖ distrainable;
exploitation (*a. fig.*); ⚖ exploitation (*a. fig.*); 🜛 management; ⚒,
🜚, *quarry*: working; farming; *trees*:
felling; *fig.* swindling; mine, work-
ings *pl.*; **exploiter** [~'te] (1a) *v/t.*
exploit (*a. fig.*); ⚒ work; ⚘ cultivate; 🜛 manage; *fig.* take advantage of; *fig.* swindle; *v/i.* ⚖ serve a
writ.
explorateur, -trice [ɛksplɔra'tœːr,
~'tris] **1.** *adj.* exploratory; **2.** *su.*
explorer; **exploration** [~ra'sjɔ̃] *f*
exploration; ⚔ reconnaissance;
telev. scanning; **explorer** [~'re] (1a)
v/t. explore; 💣 probe; ⚔ reconnoitre; *telev.*, *cin.* scan.
exploser [ɛksplo'ze] (1a) *v/i.* ⊕, ⚔,
a. fig. explode; *faire* ~ blow up;
explosible [~'zibl] explosive; det-
onable; **explosif, -ve** [~'zif, ~'ziːv]
adj., *a. su./m* explosive; **explosion**
[~'zjɔ̃] *f* explosion; ⊕ bursting;
moteur m à ~ internal combustion
engine.
exportation 🜛 [ɛkspɔrta'sjɔ̃] *f* exportation; export trade; ~s *pl.*
exports.
exposant, e [ɛkspo'zɑ̃, ~'zɑ̃ːt] *su.* ⚖
petitioner; *paint. etc.* exhibitor;
su./m 🜛 exponent; index; **exposé**
[~'ze] *m* report; outline; account;
statement; **exposer** [~'ze] (1a) *v/t.*
expose; disclose (*plans*); set forth;
state; *paint.* exhibit; jeopardize;
s'~ take risks; **exposition** [~zi'sjɔ̃] *f*
exhibition; *eccl.* exposition; exposure (*to cold, to danger; of a baby;
of a house*); *facts etc.*: statement,
exposition.
exprès, expresse [ɛks'prɛ, ~'prɛs]
1. *adj.* explicit, express, definite;
2. *exprès adv.* deliberately, on purpose; **3.** *su./m* express messenger;
lettre f exprès express letter.
express 🜚 [ɛks'prɛs] *m* express.
expressément [ɛksprɛse'mɑ̃] *adv.*
of *exprès.*
expressif, -ve [ɛksprɛ'sif, ~'siːv] ex-
pressive; **expression** [~'sjɔ̃] *f*
squeezing, pressing; ♪, 🜛, *paint.*,

a. fig. expression; 🜛 *réduire à la
plus simple* ~ reduce to the sim-
plest terms.
exprimer [ɛkspri'me] (1a) *v/t.* express; put into words, voice; show
(*an emotion*); squeeze out (*juice*);
si l'on peut s'~ ainsi if one may put
it that way.
expropriation ⚖ [ɛksprɔpria'sjɔ̃] *f*
expropriation; compulsory purchase; **exproprier** ⚖ [~'e] (1a) *v/t.*
expropriate.
expulser [ɛkspyl'se] (1a) *v/t.* expel
(*a. an electron, a. a pupil*); eject
(*s.o.*); ⚖ evict (*a tenant*); *univ.* send
(*a student*) down; ⊕ discharge.
expurger [ɛkspyr'ʒe] (1l) *v/t.* ex-
purgate, bowdlerize (*a book*).
exquis, e [ɛks'ki, ~'kiːz] exquisite;
exquisément [~kize'mɑ̃] *adv.* of
exquis.
exsangue [ɛk'sɑ̃ːg] an(a)emic, blood-
less.
exsuder [ɛksy'de] (1a) *vt/i.* exude.
extase [ɛks'tɑːz] *f* ecstasy; *fig.* rapture; 🜚 trance; **extasier** [~ta'zje]
(10) *v/t.*: *s'~* go into ecstasies (over,
devant).
extenseur [ɛkstɑ̃'sœːr] **1.** *adj./m anat.*
extensor; **2.** *su./m anat. muscle*:
extensor; *sp.* chest-expander; *trousers*: stretcher; 🜛 shock-absorber;
extensible [~'sibl] extensible; *metall.* tensile; **extension** [~'sjɔ̃] *f*
extent; extension (*a.* 🜛); spreading; stretching; ⊕ *etc.* tension;
gramm. par ~ in a wider sense.
exténuer [ɛkste'nɥe] (1n) *v/t.* extenuate, soften; emaciate (*the body*);
fig. exhaust, tire out.
extérieur, e [ɛkste'rjœːr] **1.** *adj.* exterior, external, outer; *pol.* foreign;
affaires f/pl. ~es foreign affairs;
2. *su./m* exterior (*a. cin.*); outside;
fig. appearance; *pol.* foreign coun-
tries *pl.*
exterminateur, -trice [ɛkstɛrmina-
'tœːr, ~'tris] **1.** *adj.* exterminating,
destroying; **2.** *su.* exterminator,
destroyer; **exterminer** [~'ne] (1a)
v/t. exterminate, destroy, wipe out.
externat [ɛkstɛr'na] *m* day-school;
⚕ non-resident studentship; **externe** [~'tɛrn] **1.** *adj.* external, outer, ⚕ out-(*patient*); ⚕ *usage m* ~
external application; **2.** *su.* day-
pupil; ⚕ non-resident medical
student.

extincteur, -trice [ɛkstɛ̃k'tœːr, ~'tris] **1.** *adj.* extinguishing; **2.** *su./m* fire-extinguisher; ~ *à mousse* foam extinguisher; **extinction** [~'sjɔ̃] *f* extinction; *fire, light*: extinguishing; suppression; termination; *race etc.*: dying out; *voice*: loss; ⚔ ~ *des feux* lights out, *Am.* taps.

extirper [ɛkstir'pe] (1a) *v/t.* eradicate (*a. fig.*).

extorquer [ɛkstɔr'ke] (1m) *v/t.* extort (from, out of *à*); **extorsion** [~tɔr'sjɔ̃] *f* extortion; blackmail.

extra [ɛks'tra] **1.** *su./m/inv.* extra; hired waiter; temporary job; **2.** *adj./inv.* extra-special; **3.** *adv.* extra-...

extraction [ɛkstrak'sjɔ̃] *f* extraction (*a.* ⚕, ⚙, *a. fig.*); *stone*: quarrying; *gold*: winning; *fig.* origin, descent.

extradition ⚖ [ɛkstradi'sjɔ̃] *f* extradition.

extraire [ɛks'trɛːr] (4ff) *v/t.* extract (*a.* ⚖); pull (*a tooth*); quarry (*stone*); win (*gold*); copy out (*a passage*); *fig.* rescue; **extrait** [~'trɛ] *m* extract; *admin.* (*birth- etc.*) certificate; abstract; ✝ ~ *de compte* statement of account.

extraordinaire [ɛkstraɔrdi'nɛːr] **1.** *adj.* extraordinary; uncommon; special; wonderful; queer; **2.** *su./m* extraordinary thing; *the* unusual.

extravagance [ɛkstrava'gɑ̃ːs] *f* extravagance; absurdity; *fig.* ~s *pl.* nonsense *sg.*; **extravagant, e** [~'gɑ̃, ~'gɑ̃ːt] extravagant; absurd; exorbitant, prohibitive (*price*); **extravaguer** [~'ge] (1m) *v/i.* ☀ rave; *fig.* talk nonsense; act wildly.

extrême [ɛks'trɛːm] **1.** *adj.* extreme; utmost, furthest; drastic (*measures*); intense (*cold, emotions, etc.*); **2.** *su./m* extreme; *à l'*~ in the extreme; ~**onction** *eccl.* [ɛkstremɔ̃k'sjɔ̃] *f* extreme unction; ⚚**-Orient** *geog.* [~mɔ'rjɑ̃] *m* the Far East; **extrémiste** *pol. etc.* [ɛkstre'mist] *adj., a. su.* extremist; **extrémité** [~mi'te] *f* extremity; very end, tip; *extreme; need*: urgency; last moment; point of death; ~s *pl.* extreme measures; *pousser à des* ~s *pl.* carry to extremes.

extrinsèque [ɛkstrɛ̃'sɛk] extrinsic.

exubérance [ɛgzybe'rɑ̃ːs] *f* exuberance, luxuriance, superabundance; **exubérant, e** [~'rɑ̃, ~'rɑ̃ːt] exuberant, luxuriant, superabundant; immoderate (*laughter*).

exultation [ɛgzylta'sjɔ̃] *f* exultation, rejoicing; *avec* ~ exultantly; **exulter** [~'te] (1a) *v/i.* exult, rejoice.

ex-voto [ɛksvɔ'to] *m/inv.* votive offering; ex-voto.

F

F, f [ɛf] *m* F, f.

fa ♪ [fa] *m/inv.* fa, *note*: F; ~ *dièse* F sharp; *clef f de* ~ F-clef.

fable [fɑːbl] *f* fable; story; *fig.* falsehood; *fig.* talk, laughing-stock (*of the town*); **fabliau** [fɑbli'o] *m Old French literature*: fabliau; **fablier** [~'e] *m* book of fables.

fabricant [fabri'kɑ̃] *m* manufacturer; mill-owner; maker; **fabrication** [~ka'sjɔ̃] *f* manufacture; production; *document*: forging; *fig.* fabrication; ~ *en série* mass production; **fabrique** [fa'brik] *f* manufacture; factory, works *usu. sg.*; *paper, cloth*: mill; make; *eccl.* fabric (*of a church*); *eccl.* church council; **fabriquer** [~bri'ke] (1m) *v/t.* ⊕ manufacture; *fig.* make, do; *fig.* fabricate (*a charge, lies, a document*); coin (*a word*); *sl.* cheat, pinch.

fabuleux, -euse [faby'lø, ~'løːz] fabulous (*a. fig.*).

façade [fa'sad] *f* façade; frontage; street front; F window-dressing.

face [fas] *f* face; countenance; aspect; front; ⚕, *a.* ♪ *record*: side; surface; *de* ~ full-face (*photo*); *d'en* ~ opposite; *en* ~ *de* in front of; in the presence of; opposite; *faire* ~ *à* face; *fig.* meet; cope with; *pile ou* ~ heads or tails; ~**-à-main**, *pl.* ~**s-à-main** [~a'mɛ̃] *m* lorgnette.

facétie [fase'si] *f* facetious remark; joke; **facétieux, -euse** [~'sjø, ~'sjøːz] facetious, waggish.

facette [fa'sɛt] *f* facet (*a. zo.*).

fâché, e [fa'ʃe] sorry; angry; annoyed, cross; offended; **fâcher** [~] (1a) *v/t.* anger, make angry; offend; grieve, pain; *se* ~ get angry; get annoyed (with, *contre*; over, *pour*);

faïencier

fall out (with, *avec*); **fâcherie** [faʃ'ri] *f* tiff, quarrel; bad feeling; **fâcheux, -euse** [fɑ'ʃø, ˷'ʃøːz] tiresome, irritating; annoying; sad; harmful.

facial, e, *m/pl.* **-aux** [fa'sjal, ˷'sjo] facial, face-...

faciès ♂, ♀, *zo.* [fa'sjɛːs] *m* facies, appearance.

facile [fa'sil] easy; simple; facile; *fig.* pliable; fluent (*tongue*); **facilité** [fasili'te] *f* easiness; ease; readiness; facility (*a.* ♱), aptitude; complaisance; ♱ ˷s *pl.* de *paiement* easy terms; **faciliter** [˷] (1a) *v/t.* facilitate, make easy *or* easier (for s.o., *à q.*).

façon [fa'sɔ̃] *f* make; fashioning; workmanship; manner, way, mode; sort; ✗ dressing; ˷s *pl.* ceremony *sg.*, fuss *sg.*; affectation *sg.*; ⚓ *ship*: sweep *sg.*; de ˷ *à* so as to; de ˷ *que* so that; de la bonne ˷ properly; in fine style; de ma ˷ of my own composition; de toute ˷ in any case; *faire des* ˷s stand on ceremony; *cost.* on travaille à ˷ customers' own materials made up; sans ˷ offhanded(ly *adv.*); unceremonious (-ly *adv.*).

faconde [fa'kɔ̃ːd] *f* fluency, flow of language.

façonner [fasɔ'ne] (1a) *v/t.* shape; form, fashion; make (*a dress etc.*); train; ✗ dress (*the soil*); *fig.* mould (*s.o.*); **façonnier, -ère** [˷'nje, ˷'njɛːr] 1. *adj.* fussy; bespoke (*worker*); 2. *su.* home-worker.

fac-similé [faksimi'le] *m* facsimile, exact copy.

factage ♱ [fak'taːʒ] *m* carriage; transport; porterage; *post:* delivery.

facteur [fak'tœːr] *m* ♱ carrier; ♱ carman; ⚙ porter; *post:* postman; ♪ instrument maker; Ã, *a. fig.* factor.

factice [fak'tis] artificial, factitious.

factieux, -euse [fak'sjø, ˷'sjøːz] 1. *adj.* factious, seditious; 2. *su.* sedition-monger; **faction** [˷'sjɔ̃] *f* ✗ sentry-duty, guard, watch; *fig.* faction; *être de* ˷ be on sentry-go *or* on guard; **factionnaire** [˷sjɔ-'nɛːr] *m* sentry; sentinel.

factorerie ♱ [faktɔr'ri] *f* foreign trading station; factory.

factotum [faktɔ'tɔm] *m* factotum; man-of-all-work.

factum 🏛 [fak'tɔm] *m* statement of the facts.

facture [fak'tyːr] *f* ♱ workmanship, make (*of an article*); ♱ bill, invoice; ♪ *instruments:* manufacturing; *organ pipes:* scale; **facturer** ♱ [˷ty're] (1a) *v/t.* invoice; **facturier** ♱ [˷ty'rje] *m* invoice clerk; salesbook.

facultatif, -ve [fakylta'tif, ˷'tiːv] optional; 🏛 permissive; *arrêt m* ˷ request stop; **faculté** [˷'te] *f* faculty (*a.* univ, *a. fig.*); option; power, ability; ˷s *pl.* means, resources.

fada F [fa'da] *m* fool; **fadaise** [fa'dɛːz] *f* nonsense, *Am. sl.* baloney.

fadasse [fa'das] sickly (*taste*); pale (*colour*).

fade [fad] insipid, tasteless; washed-out (*colour*); **fadeur** [fa'dœːr] *f* insipidity; *smell:* sickliness; *fig.* pointlessness; *fig.* ˷s *pl.* insipid talk *sg.* *or* compliments.

fading [fe'diŋ] *m radio:* fading.

fafiot *sl.* [fa'fjo] *m* bank-note.

fagot [fa'go] *m* faggot, bundle of firewood; *fig.* sentir le ˷ smack of heresy; **fagotage** [fagɔ'taːʒ] *m* faggoting; *firewood:* bundling; F *work:* botching; botched work; **fagoter** [˷'te] (1a) *v/t.* faggot; bundle (*firewood*); botch (*one's work*); *sl.* dress (s.o.) badly; **fagoteur** [˷'tœːr] *m* faggot-maker; faggottier; † botcher.

fagotin[1] [fagɔ'tɛ̃] *m* bundle of firewood, kindling.

fagotin[2] [˷] *m* (organ-grinder's) monkey.

faible [fɛbl] 1. *adj.* weak; feeble (*a. fig.*); faint (*smell, sound, voice*); slight (*difference, hope, pain*); gentle (*slope*); slender (*means*); 2. *su./m* weakness, foible; *person:* weakling; *les économiquement* ˷s *pl.* the lower income groups; **faiblesse** [fɛ'blɛs] *f* weakness, feebleness; frailty; ✗ fainting fit; *fig.* weak point; *amount, number:* smallness; **faiblir** [˷'bliːr] (2a) *v/i.* weaken; ⊕ lose power.

faïence [fa'jɑ̃ːs] *f* earthenware, crockery; **faïencerie** [˷jɑ̃s'ri] *f* trade, *a. works:* pottery; crockery-shop; earthenware, crockery; **faïencier** *m,* **-ère** *f* [˷jɑ̃'sje, ˷-'sjɛːr] crockery- *or* earthenware-maker *or* dealer.

faille[1] [faj] *3rd p. sg. pres. sbj. of falloir.*

faille[2] [faːj] *f* ⚒, geol. fault; *tex.* coarse-grained silk material.

failli *m, e f* 🔨 [faˈji] bankrupt; **faillible** [ˌˈjibl] fallible; **faillir** [ˌˈjiːr] (2t) *v/i.* fail; err; just miss; ✝ go bankrupt; *fig.* ∼ *à un devoir* fail in a duty; *j'ai failli tomber* I nearly fell; **faillite** ✝ [ˌˈjit] *f* failure, bankruptcy; *faire* ∼ go bankrupt; *mettre q. en* ∼ declare s.o. bankrupt.

faim [fɛ̃] *f* hunger; *fig.* thirst (for glory, *de gloire*); *avoir une* ∼ *canine* (*or de loup*) be ravenous; *mourir de* ∼ die of starvation; F be famished.

faine 🔨 [fɛːn] *f* beechnut.

fainéant, e [fɛneˈɑ̃, ∼ˈɑ̃ːt] **1.** *adj.* idle, lazy; slothful; **2.** *su.* idler; sluggard; **fainéanter** [∼ɑ̃ˈte] (1a) *v/i.* idle, loaf; **fainéantise** [∼ɑ̃ˈtiːz] *f* idleness, laziness.

faire [fɛːr] (4r) **1.** *v/t.* make (*bread, a voyage, a declaration, one's bed, a profit*), do; create; form; beget (*a child*); make out (*a list, ✝ a cheque*); pay (*attention, a visit*); clean (*one's shoes*), do (*a room*); pack (*a trunk*); cover (*a distance*), travel; carry out, perform (*a.* 🎖 *an operation*); work (*miracles*); play (*a.* ♪), feign; see to it (that *ind., que sbj.*); deal (*cards*); matter; 🎖 run (*a temperature*); ✝ place (*an order*); *thea.* act (*a part*); F look; *followed by an inf.:* make, cause, have; ∼ *attention* take care; ∼ *de la peine à* hurt (s.o.'s) feelings; ∼ *de la peinture* paint; ∼ *de q. son héritier* make s.o. one's heir; ∼ *du bien à* do (s.o.) good; *mot.* ∼ *du 150 kilomètres à l'heure* do 150 kilometres per hour; ∼ *du ski* ski; ∼ *du sport* go in for sports; *thea.* ∼ *du théâtre* be on the stage (*professional*); ∼ *école* set a fashion; ∼ *entrer* show (s.o.) in; ∼ *faire* have (s.th.) done *or* made (by s.o., *à q.*); ∼ *fortune* make a fortune; ∼ *la cuisine* do the cooking; ∼ *la vaisselle* wash up the dishes; ✝ ∼ *le commerce de* deal in; *mot.* ∼ *le plein* fill up (with, *de*); ∼ *mention de* mention; ∼ *partie de* form part of; ∼ *pendre* get (s.o.) hanged; ∼ *sa philosophie* read philosophy; ∼ *savoir* inform (s.o. of s.th., *qch. à q.*); ∼ *un sourire à* give (s.o.) a

smile; ∼ *venir* send for; *ça ne fait rien* it does not matter; *en* ∼ *trop* overdo; *faites-lui mes amitiés* give him my kindest regards; *ne* ∼ *que* (*inf.*) do nothing but (*inf.*); *qu'est-ce que ça peut nous* ∼? what is that to us!; *trois et six font neuf* three and six are *or* make nine; *se* ∼ be done; become; happen; get used to; *cela ne se fait pas* that is not done; *comment se fait-il que?* how does it happen that?, how is it that?; *il peut se* ∼ *que* it may happen that; *ne vous en faites pas!* don't worry!; don't bother!; *se* ∼ *entendre* make o.s. heard; be heard; **2.** *v/i.* do, act; manage; make (with, *de*); look; last; *cards:* deal; fit; say, remark; ∼ *bien de* (*inf.*) do well *or* right to (*inf.*); ∼ *bien sur* dress: look well on (s.o.); ∼ *de son mieux* do one's best to (*inf., pour inf.*); *elle fait très jeune* she looks quite young; *fit-il* he said, said he; *je ne peux* ∼ *autrement que* (*inf.*) I cannot but (*inf.*); *laisser* ∼ *q.* let s.o. alone; *qu'y* ∼? what can be done about it?; **3.** *v/impers.* be; *il fait chaud* (*beau, nuit*) it is hot (fine, dark); *il fait bon* (*inf.*) it is nice to (*inf.*); **∼-part** [fɛrˈpaːr] *m/inv.* notice, announcement.

faisable [fəˈzabl] feasible, practicable.

faisan [fəˈzɑ̃] *m* pheasant; **faisan(d)e** [∼ˈzan, ∼ˈzɑ̃ːd] *f* (*a.* *poule f* ∼) hen-pheasant; **faisandé, e** [fəzɑ̃ˈde] high; gamy; *fig.* spicy (*story*); **faisandeau** [∼ˈdo] *m* young pheasant; **faisander** *cuis.* [∼ˈde] (1a) *v/t.* hang (*game etc.*); *se* ∼ get high; **faisanderie** [∼ˈdri] *f* pheasantry; **faisandier** [∼ˈdje] *m* pheasant breeder.

faisceau [fɛˈso] *m* bundle; cluster; *rays:* pencil; beam; 🚂 *sidings:* group; ∼*x pl.* fasces; ✖ ∼ *d'armes* pile *or* stack of arms; *former* (*rompre*) *les* ∼*x* (un)pile arms.

faiseur *m,* **-euse** *f* [fəˈzœːr, ∼ˈzøːz] maker, doer; *fig.* bluffer; **faisons** [fəˈzɔ̃] *1st p. pl. pres. of faire;* **fait, e** [fɛ, fɛt] **1.** *p.p. of faire; c'en est* ∼ *de* it's all up with; **2.** *su./m* fact; deed; act; feat, achievement; happening; development; case; matter, point; *au* ∼ after all; *de* (*or en*) ∼ as a matter of fact; ∼*s pl.*

divers news items; news in brief; en ~ de as regards; être au ~ de qch. be informed of s.th., know how s.th. stands; il est de ~ que it is a fact that; *mettre q. au ~ de qch.* acquaint s.o. with s.th.; give s.o. full information about s.th.; *see* voie.

faîtage △ [fɛ'ta:ʒ] *m* ridge-piece; roof-tree; ridge tiling; roof timbers *pl.*; **faîte** [fɛ:t] *m* top, summit; △ ridge; *geog.* crest.

faites [fɛt] *2nd p. pl. pres. of* faire.

faix [fɛ] *m* burden, load.

fakir [fa'ki:r] *m* fakir.

falaise [fa'lɛ:z] *f* cliff.

fallacieux, -euse [fala'sjø, ~'sjø:z] fallacious, misleading.

falloir [fa'lwa:r] (3e) *v/impers.* be necessary, be lacking; *il faut que je* (*sbj.*) I must (*inf.*); *il est de ~ que* (*sbj.*) I must (*inf.*); *il me faut* (*inf.*) I must (*inf.*); *il me faut qch.* I want s.th.; I need s.th.; *comme il faut* proper(ly far adv.); *il s'en faut de beaucoup* far from it; *peu s'en faut* very nearly; *tant s'en faut* not by a long way; **fallu** [~'ly] *p.p. of* falloir; **fallut** [~'ly] *3rd p. sg. p.s. of* falloir.

falot[1] [fa'lo] *m* (hand) lantern; (stable) lamp.

falot[2], e [fa'lo, ~'lɔt] odd, curious; quaint; wan (*light*); *fig.* dull.

falourde [fa'lurd] *f* large faggot.

falsificateur *m*, **-trice** *f* [falsifika-'tœ:r, ~'tris] forger (*of papers*); adulterer (*of food, milk, etc.*); **falsification** [~'sjɔ̃] *f* forgery, forging; adulteration; **falsifier** [falsi'fje] (1o) *v/t.* falsify; forge; adulterate (*food etc.*).

famé, e [fa'me] *adj.*: *bien* (*mal*) ~ of good (evil) repute.

famélique [fame'lik] **1.** *adj.* starving, famished; **2.** *su.* starveling.

fameux, -euse [fa'mø, ~'mø:z] famous, renowned, celebrated; F first-class, magnificient, capital, *Am.* swell.

familial, e, *m/pl.* **-aux** [fami'ljal, ~'ljo] family...; domestic; **familiariser** [familjari'ze] (1a) *v/t.* familiarize; *se ~ avec* make o.s. familiar with; **familiarité** [~'te] *f* familiarity; *fig.* ~*s pl.* liberties; **familier, -ère** [fami'lje, ~'lje:r] **1.** *adj.* family..., domestic; familiar, well-known; intimate; colloquial;

expression f ~*ère* colloquialism; **2.** *su.* intimate; regular visitor; **famille** [~'mi:j] *f* family; household.

famine [fa'min] *f* famine, starvation.

fanage ✗ [fa'na:ʒ] *m* hay: tedding.

fanal [fa'nal] *m* lantern; beacon; ⚓ navigation light; 🚂 headlight.

fanatique [fana'tik] **1.** *adj.* fanatical; enthusiastic; **2.** *su.* fanatic; enthusiast; **fanatisme** [~'tism] *m* fanaticism.

fanchon [fã'ʃɔ̃] *f* kerchief.

fane [fan] *f potatoes:* haulm; *carrots:* top; dead leaves *pl.*; **faner** [fa'ne] (1a) *v/t.* ted, toss (*the hay*); *fig.* cause (*colour etc.*) to fade; *se ~* fade (*colour*); wither, droop (*flower*); *v/i.* make hay; **faneur, -euse** [~'nœ:r, ~'nø:z] *su.* haymaker; *su./f* tedder, tedding machine.

fanfare [fã'fa:r] *f trumpets:* flourish; *hunt. etc.* fanfare; brass band; ✗ bugle band; **fanfaron, -onne** [fãfa'rɔ̃, ~'rɔn] **1.** *adj.* boastful, bragging, swaggering; **2.** *su.* swaggerer, braggart, boaster; *su./m: faire le ~* bluster; brag; **fanfaronnade** [~rɔ'nad] *f* swagger, boasting; bluster.

fanfreluche [fãfrə'lyʃ] *f* bauble; *cost.* ~*s pl.* fal-lals.

fange [fã:ʒ] *f* mud; filth, F muck; **fangeux, -euse** [fã'ʒø, ~'ʒø:z] muddy; dirty, filthy.

fanion ✗ [fa'njɔ̃] *m* flag; pennon.

fanon [fa'nɔ̃] *m eccl.* maniple; *ox:* dewlap; *horse:* fetlock; whalebone.

fantaisie [fɑ̃tɛ'zi] *f* imagination; fancy (*a. fig.*); *fig.* whim; ♪ fantasia; *à ma ~* as the fancy takes (took) me; ✝ *articles m/pl. de ~* fancy goods; *de ~* imaginary; ✝ fancy-...; **fantaisiste** [~'zist] **1.** *adj.* fantastic, freakish; **2.** *su.* fanciful person.

fantasmagorie [fɑ̃tasmagɔ'ri] *f* phantasmagoria; *fig.* weird spectacle.

fantasque [fã'task] odd; whimsical, queer (*person*).

fantassin [fãta'sɛ̃] *m* infantryman, foot-soldier.

fantastique [fãtas'tik] fantastic; weird; *fig.* incredible.

fantoche [fã'tɔʃ] *m* puppet (*a. fig.*), marionette.

fantôme [fɑ̃'to:m] *m* phantom,

ghost, spectre; illusion; *le vaisseau* ~ the Flying Dutchman.

faon [fã] *m* fawn; roe calf.

faquin [fa'kɛ̃] *m* cad, scoundrel; low fellow.

faraud, e F [fa'ro, ~'ro:d] **1.** *adj.* vain, affected; F dressed to kill; **2.** *su.* swanker.

farce [fars] **1.** *su./f* practical joke, trick; *thea.* farce; *cuis.* stuffing, forcemeat; **2.** *adj. sl.* funny, comical; **farceur** *m*, **-euse** *f* [far'sœ:r, ~'sø:z] practical joker; wag, humorist.

farcin *vet.* [far'sɛ̃] *m* farcy.

farcir *cuis., a. fig.* [far'si:r] (2a) *v/t.* stuff.

fard [fa:r] *m* make-up; rouge; *fig.* artifice, camouflage; *parler sans* ~ speak plainly *or* candidly; *sl.* piquer *un* ~ blush.

fardeau [far'do] *m* burden (*a.* ⚖⚖), load.

farder[1] [far'de] (1a) *v/t.* make (*s.o.*) up; paint; *fig.* disguise, camouflage; se ~ make up.

farder[2] [~] (1a) *v/i.* sink (*wall*); ⚓ set; weigh heavy.

fardier [far'dje] *m* trolley; truck, lorry.

farfadet [farfa'dɛ] *m* goblin; elf.

farfelu F [farfə'ly] *m* whippersnapper.

farfouiller [farfu'je] (1a) *v/i.* rummage (in, among *dans*); *v/t.* explore.

faribole [fari'bɔl] *f* (stuff and) nonsense.

farinacé, e [farina'se] farinaceous; **farine** [fa'rin] *f* flour, meal; *fig.* type, sort; ~ *de riz* ground rice; **fariner** *cuis.* [fari'ne] (1a) *v/t.* dust with flour; **farineux, -euse** [~'nø, ~'nø:z] **1.** *adj.* farinaceous; floury; flour-covered; **2.** *su./m* farinaceous food.

farouche [fa'ruʃ] wild, fierce; cruel; timid, shy; unsociable, unapproachable.

farrago [fara'go] *m* mixed corn; *fig.* farrago; hodge-podge.

fart [fa:r] *m* ski wax; **farter** [far'te] (1a) *v/t.* wax (*one's skis*).

fasce [fas] *f* ⚑ fascia; ⍉ fesse.

fascicule [fasi'kyl] *m* encyclopaedia *etc.*: part, section; ⚘, *zo.* bunch; ⚘, *zo.* fascic(u)le.

fascié, e [fa'sje] striped; ⚘, *zo.* fasciated; **fascinage** ⚒ [fasi'na:ʒ]

m fascine work; protection with fascines.

fascinateur, -trice [fasina'tœ:r, ~'tris] fascinating; **fascination** [~-'sjɔ̃] *f* fascination, charm.

fascine ⚒ [fa'sin] *f* fascine.

fasciner[1] [fasi'ne] (1a) *v/t.* fascinate; *fig.* entrance.

fasciner[2] [~] (1a) *v/t.* fascine; *Am.* corduroy (*a road*).

fascisme *pol.* [fa'ʃism] *m* fascism; **fasciste** *pol.* [~'ʃist] *su., a. adj.* fascist.

fasse [fas] *1st p. sg. pres. sbj. of faire.*

faste [fast] *m* pomp, display.

fastes [~] *m/pl. hist.* fasti; F records.

fastidieux, -euse [fasti'djø, ~'djø:z] tedious, dull; irksome, tiresome.

fastueux, -euse [fas'tɥø, ~'tɥø:z] ostentatious, showy; sumptuous.

fat [fat] **1.** *adj./m* foppish, conceited; **2.** *su./m* fop; conceited idiot.

fatal, e, *m/pl.* **-als** [fa'tal] fatal; *fig.* inevitable; *femme f* ~e vamp; **fatalisme** [fata'lism] *m* fatalism; **fataliste** [~'list] **1.** *adj.* fatalistic; **2.** *su.* fatalist; **fatalité** [~li'te] *f* fatality.

fatidique [fati'dik] prophetic (*utterance*); fateful.

fatigant, e [fati'gã, ~'gã:t] tiring; tiresome, tedious; **fatigue** [fa'tig] *f* fatigue (*a.* ⊕, *metall.*); tiredness, weariness; hard work; *fig.* wear (and tear); *brisé* (*or mort*) *de* ~ dog-tired; *de* ~ strong (*shoes*); working (*clothes*); F *tomber de* ~ be worn out; **fatigué, e** [fati'ge] tired, weary; **fatiguer** [~] (1m) *v/t.* tire, make (*s.o.*) tired; overwork; overstrain; *cuis.* mix (*salad*) thoroughly; *fig.* bore (*s.o.*); *v/i.* labo(u)r (*person*); ⊕, ⚑ be overloaded.

fatras [fa'tra] *m* hotchpotch, jumble; lumber.

fatuité [fatɥi'te] *f* conceit, self-satisfaction.

faubourg [fo'bu:r] *m* suburb; outskirts *pl.*; *fig.* ~s *pl.* working classes; **faubourien, -enne** [~bu'rjɛ̃, ~-'rjɛn] **1.** *adj.* suburban; *fig.* common (*accent*); **2.** *su.* suburbanite; *fig.* common person.

fauchage [fo'ʃa:ʒ] *m*, **fauchaison** [~ʃɛ'zɔ̃] *f*, **fauche** [fo'ʃ] *f* mowing, cutting; reaping (time); **fauché, e** [fo'ʃe] **1.** *adj.* F broke; **2.** *su./f* (one) day's mowing *or* cutting; swath;

faucher [~'ʃe] (1a) v/t. mow, cut; reap (corn); ✕ mow down (troops); ✕ sweep by fire; sl. pinch, steal; **fauchet** ✗ [~'ʃe] m hay-rake; bill-hook; **fauchette** ✗ [~'ʃɛt] f bill-hook; **faucheur, -euse** [~-'ʃœːr, ~'ʃøːz] m su. person: reaper; su./m zo. harvest-spider, Am. daddy-longlegs; su./f machine: reaper; **faucheux** zo. [~'ʃø] m harvest-spider, Am. daddy-long-legs.

faucille ✗ [fo'siːj] f sickle.

faucon orn. [fo'kɔ̃] m falcon, hawk.

faudra [fo'dra] 3rd p. sg. fut. of falloir.

faufil [fo'fil] m tacking or basting thread; **faufiler** [fofi'le] (1a) v/t. tack, baste; slip (s.th., s.o.) in; introduce stealthily; se ~ creep in, slip in; insinuate (o.s.) (into, dans); **faufilure** [~'lyːr] f tacked seam; tacking, basting.

faune [foːn] su./m myth. faun; su./f zo. fauna.

faussaire [fo'sɛːr] forger; fig. falsifier; **fausser** [~'se] (1a) v/t. falsify; distort (facts, ideas, words); ⊕ force (a lock etc.); ⊕ warp, strain; ⊕ put (s.th.) out of true; ♪ put (s.th.) out of tune; F ~ compagnie à q. give s.o. the slip; ~ parole à q. break one's promise to s.o.

fausset[1] ♪ [fo'sɛ] m falsetto.

fausset[2] ⊕ [~] m spigot, vent-plug.

fausseté [fos'te] f falseness, falsity; falsehood; fig. treachery, duplicity.

faut [fo] 3rd p. sg. pres. of falloir.

faute [foːt] f fault (a. tennis); error, mistake; foot. etc. foul; want, lack; ~ de for want of, lacking; faire ~ be lacking; sans ~ without fail; **fauter** F [fo'te] (1a) v/i. go wrong.

fauteuil [fo'tœːj] m arm-chair, easy chair; meeting: chair; thea. stall; Académie française: seat; ~ à bascule see rocking-chair; ~ club club chair; ⚡ ~ électrique electric chair; ~ roulant wheel chair; Bath chair.

fauteur m, **-trice** f [fo'tœːr, ~'tris] instigator; ⚡ abettor.

fautif, -ve [fo'tif, ~'tiːv] faulty, wrong, incorrect; offending.

fauve [foːv] 1. adj. tawny; musky (smell); lurid (sky); 2. su./m fawn; coll. deer pl.; ~s pl. wild beasts; deer pl.; **fauvette** orn. [fo'vɛt] f warbler.

faux[1] ✗ [fo] f scythe.

faux[2], **fausse** [fo, foːs] 1. adj. false; untrue, wrong; imitation...; fraudulent; forged (document); ♪ out of tune; ~ col m detachable or loose collar; ~ frais m/pl. incidental expenses; teleph. ~ numéro m wrong number; fig. ~ pas m blunder; fausse clef f skeleton key; ⚡ fausse couche f miscarriage; fausse monnaie f counterfeit coin(s pl.); faire fausse route take the wrong road; 2. faux adv. falsely; ♪ out of tune; 3. su./m falsehood; the untrue; ⚡ forgery; ⚡ s'inscrire en ~ contre deny (s.th.); **~-bourdon** ♪ [fobur-'dɔ̃] m faux-bourdon; **~-fuyant** fig. [~fɥi'jɑ̃] m subterfuge, evasion; **~-monnayeur** [~mɔnɛ'jœːr] m counterfeiter.

faveur [fa'vœːr] f favo(u)r; à la ~ de by the help of; under cover of (darkness etc.); de ~ complimentary (ticket); preferential, special (treatment, price); en ~ in favo(u)r (of, de); mois m de ~ month's grace; **favorable** [favo'rabl] favo(u)rable; advantageous (price etc.); propitious; **favori, -te** [~'ri, ~'rit] 1. adj. favo(u)rite; 2. su./m favo(u)rite; su./m ~s pl. (side-)whiskers; **favoriser** [~ri'ze] (1a) v/t. favo(u)r; promote; **favoritisme** [~ri'tism] m favo(u)ritism.

fayot sl. [fa'jo] m ⚓ kidney-bean; ✕ re-engaged man; school: swot.

fébrifuge ⚡ [febri'fyːʒ] adj., a. su./m febrifuge; **fébrile** [~'bril] feverish (a. fig.).

fécal, e, m/pl. **-aux** ⚡, physiol. [fe'kal, ~'ko] f(a)ecal; matières f/pl. ~es = fèces [fɛs] f/pl. physiol., a. ⚡ f(a)eces; ⚡ précipitate sg.; ⚡ stool sg.

fécond, e [fe'kɔ̃, ~'kɔ̃ːd] fruitful, fertile; productive (of, en); prolific; **féconder** [fekɔ̃'de] (1a) v/t. fecundate; fertilize; **fécondité** [~di'te] f fertility; fecundity; fruitfulness.

fécule [fe'kyl] f starch, fecula; **féculent, e** [~ky'lɑ̃, ~'lɑ̃ːt] 1. adj. starchy; ⚡ thick; 2. su./m starchy food; **féculerie** [~kyl'ri] f potato-starch works usu. sg.

fédéral, e, m/pl. **-aux** [fede'ral, ~'ro] adj., a. su./m federal; **fédéraliser** [~rali'ze] (1a) v/t. federalize;

fédératif, -ve [~ra'tif, ~'ti:v]
federative; **fédération** [~ra'sjɔ̃] f
federation; ~ *syndicale ouvrière*
trade union; **fédéré, e** [~'re] *adj.,
a. su./m* federate; **fédérer** [~'re]
(1f) *v/t. a. se ~* federate.

fée [fe] f fairy; *conte m de ~s* fairy-
tale; **fée** *pays m des ~s* fairyland; F
vieille ~ old hag; **féerie** [~'ri] f
fairyland; fairy scene; *fig.* enchant-
ment; *thea.* pantomime; fairy-play;
féerique [~'rik] fairy, magic; *fig.*
enchanting.

feindre [fɛ̃:dr] (4m) *v/t.* feign, sham,
pretend (to *inf.*, *de inf.*); *v/i.* limp
slightly (*horse*); **feinte** [fɛ̃:t] f
pretence, sham; make-believe;
bluff; *box. etc.* feint; *horse:* slight
limp.

fêlé, e [fɛ'le] cracked (*a. sl. fig.*);
fêler [~] (1a) *v/t.* crack (*a glass
etc.*); se ~ crack (*glass*).

félicitation [felisita'sjɔ̃] f congratulation; *faire des ~s à q.* congratulate s.o.; **félicité** [~'te] f bliss,
joy; **féliciter** [~'te] (1a) *v/t.:* ~ *q.
de* congratulate s.o. on; *se ~ de* be
pleased with; be thankful for.

félin, e [fe'lɛ̃, ~'lin] **1.** *adj.* zo. feline,
cat-...; *fig.* cat-like; **2.** *su./m* zo.
feline, cat.

félon, -onne *hist.* [fe'lɔ̃, ~'lɔn] **1.** *adj.*
disloyal, felon; **2.** *su./m* felon,
caitiff; **félonie** *hist.* [~lɔ'ni] f disloyalty; *feudality:* felony.

fêlure [fɛ'ly:r] f crack; split; ⚕
skull: fracture; F *avoir une ~* be a
bit cracked (= *crazy*).

femelle zo. [fə'mɛl] *adj., a. su./f*
female.

féminin, e [femi'nɛ̃, ~'nin] **1.** *adj.*
feminine; female (*sex*); woman's ...;
womanly; **2.** *su./m gramm.* feminine
(gender); **féminiser** [~ni'ze] (1a)
v/t. make feminine (*a. gramm.*);
give a feminine appearance to;
féminisme [~'nism] *m* feminism;
féministe [~'nist] *su., a. adj.*
feminist.

femme [fam] f woman; wife;
woman ...; ~ *de chambre* housemaid; ~ *de charge* housekeeper; ~
de ménage charwoman, cleaner;
housekeeper; **femmelette** F [~'lɛt]
f little *or* weak woman; *man:*
weakling.

fémur *anat.* [fe'my:r] *m* femur,
thigh-bone.

fenaison [fənɛ'zɔ̃] f haymaking.

fenderie ⊕ [fɑ̃'dri] f *metal, wood:*
splitting into rods; splitting-mill;
splitting-machine; cutting shop;
fendeur [~'dœ:r] *m* splitter; cleav-
er; F woodcutter; **fendiller** [~di'je]
(1a) *v/t. a.* se ~ crack (*wood, a.
paint.*); crackle (*china, glaze*); craze
(*china, concrete, glaze*); **fendre**
[fɑ̃:dr] (4a) *v/t.* split, cleave; slit;
crack; rend (*the air*); break through
(*a crowd*); se ~ split, crack.

fenêtrage [fənɛ'tra:ʒ] *m* windows
pl.; **fenêtre** [~'nɛ:tr] f window; ~ *à
bascule* balance *or* pivoted window;
~ *à coulisse* (*or* guillotine) sash-
window; *jeter l'argent par la* ~
throw money down the drain;
fenêtrer ⚠ [~nɛ'tre] (1a) *v/t.* put
windows in.

fenil [fə'ni] *m* hayloft.

fenouil ♣ [fə'nu:j] *m* fennel.

fente [fɑ̃:t] f crack, fissure, split;
slit; chink; gap; crevice; opening;
⊕ slot.

féodal, e, *m/pl.* -aux [feɔ'dal, ~'do]
feudal; **féodalité** [~dali'te] f
feudality; feudal system.

fer [fɛ:r] *m* iron; *fig.* sword; (horse-)
shoe; ~s *pl.* fetters, chains; ~ *à
repasser* (flat-)iron; ⊕ ~ *à souder*
soldering-iron; ~ *à* T T-iron; ~
électrique electric iron; ~ *en barres*
bar *or* strip iron; ⚠ *construction f
en* ~ ironwork; *de* ~ iron; *donner un
coup de* ~ *à* press, iron; *fil m de* ~
wire.

ferai [fə're] *1st p. sg. fut. of faire.*

fer-blanc, *pl.* **fers-blancs** [fɛr-
'blɑ̃] *m* tin(-plate); **ferblanterie**
[fɛrblɑ̃'tri] f tin-plate; tin goods
pl., tinware; ⊕ tin-shop; **ferblantier** [~'tje] *m* tinsmith.

férié [fe'rje] *adj./m: jour m* ~ public
holiday; *eccl.* holy day.

férir † [fe'ri:r] (2u) *v/t.* strike; *sans
coup* ~ without striking a blow.

fermage [fɛr'ma:ʒ] *m* (farm-)
rent; tenant farming.

ferme¹ [fɛrm] **1.** *adj.* firm, steady
(*a.* ⚓); rigid; fixed, fast; resolute;
vente f ~ definite sale; **2.** *adv.* firmly; *~!* steady!; *frapper* ~ hit hard;
tenir ~ stand firm.

ferme² [~] f farm; farming lease;
à ~ on lease.

ferme³ ⚠ [~] f truss(ed girder).

ferment [fɛr'mɑ̃] *m* ferment (*a.*

fig.); *bread*: leaven; **fermentation** [~mɑ̃ta'sjõ] *f* fermentation; *dough*: rising; *fig.* unrest, ferment; **fermenter** [~'te] (1a) *v/i.* ferment; rise (*dough*); *fig.* be in a ferment.

fermer [fɛr'me] (1a) *vt/i.* close, shut; *v/t.* fasten; turn off (*the electricity, the gas, the light*); clench (*one's fist*); block (*a game, a.* ♟); ~ **à clef** lock; ~ **au verrou** bolt; ~ **à vis** screw (*s.th.*) down; *sl.* **ferme ça!, la ferme!** shut up!; *v/i.* close (down) (*firm etc.*); wrap round (*clothes*).

fermeté [fɛrmə'te] *f* firmness; steadiness (*a. of purpose*); constancy; *fig.* strength (*of mind*).

fermeture [fɛrmə'ty:r] *f* shutting, closing; fastening; ~ **éclair** (or à **glissière**) zip fastener, F zip.

fermier, -ère [fɛr'mje, ~'mjɛ:r] *su.* farmer; tenant farmer; *su./f a.* farmer's wife.

fermoir [fɛr'mwa:r] *m* snap; clasp, fastener, catch; ⊕ firmer (= *sort of chisel*).

féroce [fe'rɔs] ferocious (*a. fig.*), fierce, savage, wild; **férocité** [~rɔsi'te] *f* fierceness; ferocity.

ferrage [fɛ'ra:ʒ] *m horse*: shoeing; **ferraille** [~'ra:j] *f* old iron, scrapiron; scrap-heap; junk; **ferrailler** F [~ra'je] (1a) *v/i.* clash swords; fence clumsily; **ferrailleur** [~ra-'jœ:r] *m* scrap-iron dealer; junkdealer; F swashbuckler; F poor fencer; **ferrant** [~'rɑ̃] *adj./m:* **maréchal-~** *m* farrier; **ferré, e** [~'re] fitted with iron; iron-tipped; shod (*horse*); studded (*boots, tyres*); F well up (in, **en**); ~ **à glace** roughshod (*horse*); **ferret** [~'rɛ] *m* tag, tab; *min. stone*: core; **ferreur** [~'rœ:r] *m* fitter (*of s.th.*) with iron; ~ **de chevaux** shoeing-smith; **ferronnerie** [~rɔn'ri] *f* iron foundry, ironworks *usu. sg.*; ironmongery; **ferronnier** [~rɔ'nje] *m* blacksmith; ironworker; ironmonger; **ferronnière** [~rɔ'njɛ:r] *f* frontlet.

ferroviaire [fɛrɔ'vjɛ:r] railway-...

ferrugineux, -euse ⚕ [feryʒi'nø, ~'nø:z] ferruginous, iron-...

ferrure [fɛ'ry:r] *f* iron-fitting; ironwork.

ferry-boat [fɛri'bo:t] *m* train ferry.

fertile [fɛr'til] fertile, fruitful, rich (in, **en**); **fertiliser** [fɛrtili'ze] (1a)

v/t. fertilize; **se** ~ become fertile; **fertilité** [~'te] *f* fertility; richness; abundance.

féru, e [fe'ry] **1.** *p.p. of férir*; **2.** *adj.* ~ **de** smitten with; set on (*an idea*).

férule [fe'ryl] *f* ⚘ giant fennel; *school*: cane; *fig.* rule.

fervent, e [fɛr'vɑ̃, ~'vɑ̃:t] **1.** *adj.* fervent, earnest, ardent; **2.** *su.* enthusiast; devotee, ... fan; **ferveur** [~'vœ:r] *f* fervo(u)r, earnestness.

fesse [fɛs] *f* buttock; ~**s** *pl.* buttocks, bottom *sg.*; **fessée** [fɛ'se] *f* spanking; **fesse-mathieu** [fɛsma'tjø] *m* skinflint; **fesser** [fɛ'se] (1a) *v/t.* spank.

festin [fɛs'tɛ̃] *m* feast, banquet; **festiner** [~ti'ne] (1a) *v/i.* feast.

festival, pl. -als [fɛsti'val] *m* festival; **festivité** [~vi'te] *f* festivity.

feston [fɛs'tõ] *m* festoon; *needlework*: scallop; **point** *m* **de** ~ buttonhole stitch; **festonner** [~tɔ'ne] (1a) *v/t.* festoon; scallop (*a hem*); *v/i. sl.* stagger about.

festoyer [fɛstwa'je] (1h) *vt/i.* feast.

fêtard *m*, **e** *f* F [fɛ'ta:r, ~'tard] reveller, roisterer; **fête** [fɛ:t] *f* feast, festival; holiday; birthday; festivity; **faire** ~ **à** welcome; **fête-Dieu**, *pl.* **fêtes-Dieu** *eccl.* [fɛt'djø] *f* Corpus Christi; **fêter** [fɛ'te] (1a) *v/t.* keep (*a feast, a holiday*); feast, entertain (*s.o.*); celebrate (*a birthday, an event*).

fétiche [fe'tiʃ] *m* fetish; *mot.* mascot.

fétide [fe'tid] fetid, stinking, rank; **fétidité** [~tidi'te] *f* fetidness, foulness.

fétu [fe'ty] *m* straw; F *fig.* rap.

feu[1] [fø] *m* fire (*a. of a gun or rifle*); flame; fireplace; *fig.* ardo(u)r; heat; *stove*: burner; *mot. etc.* light; *mot.* ~ **arrière** rearlight; ~ **d'artifice** firework(s *pl.*); ~ **de joie** bonfire; ~ **follet** will-o'-the-wisp; *mot.* ~ **vert** (**rouge**) green (red) light (*a. fig.*); ✗ **aller au** ~ go into action; **à petit** ~ on or over a slow fire; *fig.* by inches; **arme** *f* **à** ~ fire-arm; **au** ~! fire!; **au coin du** ~ by the fireside; **coup** *m* **de** ~ shot; **donner du** ~ **à q.** give s.o. a light; *fig.* **entrer dans le** ~ **pour q.** go through fire and water for s.o.; **faire** ~ fire (at, **sur**); *fig.* **faire long** ~ hang fire; **mettre le** ~ **à qch.** set fire to s.th.; set s.th. on fire; **par le fer et le** ~ by

fire and sword; *prendre* ~ catch fire; *fig.* flare up, fly into a temper.
feu², feue [fø] *adj.* (*inv. before article and poss. adj.*) late, deceased; *la feue reine, feu la reine* the late queen.

feudataire [føda'tɛːr] *m* feudatory; vassal.

feuillage [fœ'jaːʒ] *m* leaves *pl.*, foliage; **feuillaison** ? [~jɛ'zɔ̃] *f* foliation; springtime; **feuillard** [~'jaːr] *m* hoop-wood; hoop-iron; ⊕ metallic ribbon; **feuille** [fœːj] *f* ? leaf; *paper:* sheet; *admin.* form; ⚓ chart; 👥 list; F *journ.* ~ *de chou* rag; ~ *de paie* wage-sheet; ~ *de présence* attendance list; ~ *de route* ✈ way-bill; ✈ marching orders *pl.*; ✕ travel warrant; ~ *volante* fly-sheet; **feuillée** [fœ'je] *f* arbo(u)r; foliage; ✕ ~s *pl.* latrines; **feuille-morte** [fœj'mɔrt] *adj./inv.* dead-leaf (*colour*); oak-leaf brown; russet; **feuillet** [fœ'jɛ] *m book:* leaf; *admin.* form; sheet; ⊕ thin sheet, plate; **feuilletage** *cuis.* [fœj'taːʒ] *m*, **feuilleté** *cuis.* [~'te] *m* puff paste; **feuilleter** [~'te] (1c) *v/t.* skim through, thumb through, turn over the pages of (*a book*); *cuis.* roll and fold; ⊕ divide into sheets; **feuilleton** [~'tɔ̃] *m journ.* feuilleton; serial (*story*).

feuillette [fœ'jɛt] *f* (*approx.*) half-hogshead.

feuillu, e [fœ'jy] leafy; deciduous (*forest*).

feutre [føːtr] *m* felt; felt hat; *saddle:* stuffing; **feutrer** [fø'tre] (1a) *v/t.* felt; stuff, pad (*a saddle etc.*); *à pas feutrés* noiselessly; **feutrier** [~tri'e] *m* felt-maker.

fève ? [fɛːv] *f* bean; **fèverole** ? [fɛ'vrɔl] *f* field-bean.

février [fevri'e] *m* February.

fi! [fi] *int.* fie!; for shame!; ~ *de ...!* a fig for ...!; *faire* ~ *de* scorn, turn up one's nose at.

fiacre [fjakr] *m* cab, hackney carriage.

fiançailles [fjɑ̃'saːj] *f/pl.* engagement *sg.*, betrothal *sg.* (to, *avec*); **fiancé** [~'se] *m* fiancé; **fiancée** [~'se] *f* fiancée; **fiancer** [~'se] (1k) *v/t.* betroth; *se* ~ become engaged (to, *à*).

fibranne *tex.* [fi'bran] *f* staple fibre.

fibre [fibr] *f* fibre; *wood:* grain; *fig.*

feeling; ~ *de bois packing:* wood-wool, *Am.* excelsior; ~ *de verre* glass-wool; (*la*) ~ *de la poésie* (a) soul for poetry; *avoir la* ~ *sensible* be impressionable; **fibreux, -euse** [fi'brø, ~'brøːz] fibrous, stringy; **fibrille** *physiol.* [~'briːj] *f* fibril.

ficeler [fis'le] (1c) *v/t.* tie up, do up; *sl.* dress (*s.o.*) badly; **ficelle** [fi'sɛl] **1.** *su./f* string (*a. fig.*); twine; *sl.* tricks *pl.*; *sl. connaître toutes les* ~*s* know the ropes; **2.** *adj.* wily, cunning.

fiche [fiʃ] *f iron, wood:* peg, pin; *paper:* form, voucher; label; index card; *games:* counter; ✦ plug; *fig.* scrap; ⚡ ~ *femelle* jack; *mettre qch. sur* ~*s* card-(index) s.th.; **ficher** [fi'ʃe] (1a) *v/t.* stick in, drive in; △ point (*a wall*); *sl.* do; *sl.* put; *sl.* give; *sl.* ~ *q. à la porte* throw *s.o.* out; *sl. fichez-moi la paix!* shut up!; *sl. fichez-moi le camp!* clear off!; clear out!; *se* ~ *de* make fun of; not to care (a hang) about; **fichier** ⊕ [~'ʃje] *m* card-index; card-index cabinet.

fichoir [fi'ʃwaːr] *m* clothes-peg.

fichtre *sl.* [fiʃtr] *int.* my word!; indeed!; hang it!

fichu¹ [fi'ʃy] *m* neck scarf; small shawl.

fichu², e *sl.* [~] **1.** *p.p.* of *ficher*; **2.** *adj.* lost, done for; rotten; *se* ~ ... this confounded ...; *mal* ~ wretched, out of sorts.

fictif, -ve [fik'tif, ~'tiːv] fictitious; sham; ✝ *facture f* ~*ve* pro forma invoice; **fiction** [~'sjɔ̃] *f* fiction, invention, fabrication.

fidèle [fi'dɛl] **1.** *adj.* faithful, true, staunch; exact (*copy*); **2.** *su. eccl.* *les* ~*s pl.* the congregation *sg.*; the faithful; **fidélité** [~deli'te] *f* fidelity; integrity; *de haute* ~ high fidelity, F hi-fi (*record etc.*).

fiduciaire [fidy'sjɛːr] fiduciary; trust ...; *monnaie f* ~ paper money.

fief *hist.* [fjɛf] *m* fief; fee; *Sc.* feu; **fieffé, e** [fjɛ'fe] *hist.* enfeoffed; given in fee (*land*); F *pej.* out and out, arrant, thorough-paced; **fieffer** *hist.* [~] (1a) *v/t.* enfeoff (*s.o.*); give (*land*) in feoff.

fiel [fjɛl] *m animal:* gall; *person:* bile; *fig.* spleen; *fig.* bitterness; *sans* ~ without malice.

fiente [fjɑ̃ːt] *f* dung; *birds:* droppings *pl.*; **fienter** [fjã'te] (1a) *v/i.* dung; mute (*birds*).

fier[1] [fje] (1o) *v/t.*: se ~ à trust (*s.o.*), rely on; *fiez-vous à moi!* leave it to me!; *ne vous y fiez pas!* don't count on it!

fier[2], **fière** [fje:r] proud; haughty; *fig.* magnificent.

fier-à-bras, *pl.* **fier(s)-à-bras** [fjɛra'bra] *m* swaggerer, bully.

fierté [fjɛr'te] *f* pride; haughtiness; vanity.

fièvre ⚕ [fjɛ:vr] *f* fever; **fiévreux, -euse** [fje'vrø, ~'vrø:z] **1.** *adj.* feverish; fever-ridden; *fig.* excited; **2.** *su.* fever patient.

fifre ♪ [fifr] *m* fife (*a. player*).

figer [fi'ʒe] (1l) *v/t. a.* se ~ congeal, coagulate; se ~ *a.* set (*face*); *fig.* freeze (*smile*).

fignoler F [fiɲɔ'le] (1a) *v/i.* finick, be finicky; *v/t.* fiddle over (*s.th.*) with extreme care; se ~ titivate o.s.

figue ♀ [fig] *f* fig; F *mi-~, mi-raisin* wavering; so-so; middling; **figuier** ♀ [fi'gje] *m* fig-tree.

figurant, e *m, e f* [figy'rã, ~'rã:t] *thea.* supernumerary, F super; extra; walker-on; **figuratif, -ve** [~ra'tif, ~'ti:v] figurative; **figuration** [~ra'sjõ] *f* figuration, representation; *thea.* extras *pl.*; **figure** [fi'gy:r] *f* ♪, *person*: figure; shape, form; face; appearance; court-card; **figuré, e** [figy're] **1.** *adj.* figured (*cloth etc.*); *fig.* figurative; **2.** *su./m*: au ~ figuratively; **figurer** [~'re] (1a) *v/t.* represent; *thea.* act, play the part of; se ~ imagine, fancy; *v/i.* figure, appear; *thea.~ sur la scène* walk on; **figurine** [~'rin] *f* statuette; ♂ (wax-)model.

fil [fil] *m* thread (*a. fig.*); wire; ⚡ filament; *blade*: edge; *meat, wood*: grain; *wool*: ply; △ ~ à plomb plumb-line; ~ d'archal brass wire, binding wire; ~ de fer barbelé barbed wire; ~ de la Vierge gossamer; au bout du ~ on the phone; *coup m de* ~ ring, call; *donner du* ~ à retordre à give a lot of trouble to; ⚡ sans ~ wireless; **filage** [fi'la:ʒ] *m* spinning; yarn; *metall.* drawing; **filament** [~la'mã] *m* ♀, ⚡ filament; *silk*: thread; **filamenteux, -euse** [~lamã'tø, ~'tø:z] fibrous; *fig.* stringy; **filandière** † [~lã'dje:r] *f* spinner; *'es sœurs ~s pl.* the Fates; **filandre** [~'lã:dr] *f* fibre; ~s *pl.* meat etc.: stringy parts; gossamer *sg.*; **filandreux, -euse** [~lã'drø, ~'drø:z] stringy, tough (*meat*); streaked (*marble etc.*); *fig.* involved, complicated; **filant, e** [~'lã, ~'lã:t] flowing; shooting (*star*); ropy (*wine*); **filasse** [~'las] *f* tow; oakum; *sl.* stringy meat; **filateur** *m*, **-trice** *f* [~la'tœ:r, ~'tris] *tex.* spinner; (spinning-)mill owner; informer, shadower; **filature** [~la'ty:r] *f* spinning-mill, cotton-mill; spinning; shadowing.

file ⚔, ⚓ [fil] *f* file; line; à la ~ in file; *fig.* on end, without break; *chef m de* ~ leader; *en* ~ *indienne* in single file; ⚓ *en ligne de* ~ (single) line ahead; **filer** [fi'le] (1a) *v/t. tex.* spin; draw (*metal*); play out (*cards*); ⚓ run out (*a cable*); ⚓ heave (*the lead*); ⚓ slip (*the moorings*); *fig.* prolong; shadow (*s.o.*); *v/i.* flow smoothly; run (*oil*); smoke (*lamp*); *fig.* slip by, go by; F travel; F clear out; ~ *doux* sing small; *filez!* clear out!; go away!; **filerie** [fil'ri] *f* hemp-spinning mill; *metall.* wire-drawing.

filet [fi'le] *m* thin or small thread (*a. ⊕ screw*); ⊕ *screw*: worm; *beef, fish, book, column, screw, a.* ⬚: fillet; *water*: trickle; dash (*of lemon*); snare; net; ⛓ *etc.* luggage-rack; ~ à provisions string-bag; ~ de voix thin voice; *coup m de* ~ *fish*: catch, haul; **filetage** [fil'ta:ʒ] *m* ⊕ *metal, wire*: drawing; screw-cutting; *screw*: thread; *fish*: netting; **fileter** [~'te] (1d) *v/t.* ⊕ draw (*metal, a. wire*); thread, screw (*a bolt*); poach (*fish with nets*); **fileur** *m*, **-euse** *f* *tex.* [~'lœ:r, ~'lø:z] spinner.

filial, e, m/pl. -aux [fi'ljal, ~'ljo] **1.** *adj.* filial; **2.** *su./f* ✝ subsidiary company; ✝, *a. association*: branch; **filiation** [~lja'sjõ] *f* filiation; descendants *pl.*; *fig.* relationship; *en* ~ directe in direct line.

filière [fi'lje:r] *f* ⊕ die; ⊕ draw-plate; ⚓ man-rope; *fig.* usual channels *pl.*; *fig. passer par la* ~ work one's way up from the bottom; **filiforme** [fili'fɔrm] thread-like.

filigrane [fili'gran] *m* filigree (work); *paper, banknotes*: water-mark.

fille [fiːj] *f* daughter; maid; *eccl.* sister, nun; spinster; F prostitute; *with adj.:* girl; ~ de salle *hotel etc.:* waitress; *jeune* ~ girl; young woman; *vieille* ~ old maid; ~-**mère**, *pl.* ~**s-mères** [fij'mɛːr] *f* unmarried mother; **fillette** [fi'jɛt] *f* little girl; F lass; **filleul, e** [~'jœl] *su.* godchild; *su./m* godson; *su./f* goddaughter.

film [film] *m* film (*a. cin.*); *cin.* F picture, *Am.* movie; ~ *documentaire* documentary (film); ~ *en couleurs* colo(u)r film; ~ *muet* silent film; ~ *parlant* talking picture, F talkie; ~ *policier* detective film; ~ *sonore* sound-film; ~ *truqué* trick film; *tourner un* ~ make a film; F act in a film (*person*); **filmer** [fil'me] (1a) *v/t.* film.

filon [fi'lɔ̃] *m* ⚒ vein, seam, lode; *sl.* good fortune; *sl.* cushy job.

filoselle [filɔ'zɛl] *f* floss-silk.

filou [fi'lu] *m* pickpocket, thief; (*card-*)sharper; F swindler; **filouter** [filu'te] (1a) *v/t.* swindle (s.o. out of s.th., *q. de* qch.); rob (s.o. of s.th., *qch. à q.*); **filouterie** [~'tri] *f* swindle, fraud; picking pockets, stealing; cheating.

fils [fis] *m* son; F lad, boy; ~ *à papa* rich man's son, playboy.

filtrage [fil'traːʒ] *m liquid:* filtering; ~ *interférences radio:* interference elimination; **filtre** [filtr] *m* filter; *coffee:* percolator; *radio:* by-pass, filter; *bout m à ~* cigarette: filter-tip; **filtrer** [fil'tre] (1a) *v/i. a.* se ~ filter; *v/t.* filter; by-pass (*a radio-station*).

fin¹ [fɛ̃] *f* end, termination, close, conclusion; aim, object; ~ *d'alerte* all clear; ✝ ~ *de mois* monthly statement; *à la* ~ in the long run; at last; *à toutes* ~s for all purposes; *en* ~ *de compte*, F *à la* ~ *des* ~s when all is said and done; *mettre* ~ *à* put an end to; *prendre* ~ come to an end; *tirer à sa* ~ be drawing to a close.

fin², **fine** [fɛ̃, fin] fine; pure; choice; slender (*waist etc.*); artful, sly; small; subtle; keen (*ear*).

final, e, *m/pl.* **-als** [fi'nal] **1.** *adj.* final (*a. gramm.*); last; eventual; **2.** *su./f gramm.* end syllable; ♪ keynote; ♪ *plainsong:* final; *sp.* finals *pl.*

final(e) ♪ [~] *m* finale.

finance [fi'nãːs] *f* finance; financial world; ready money; ~s *pl.* resources; *ministère m des* ~s Exchequer, Treasury (*a. Am.*); **financer** [finã'se] (1k) *v/t.* finance; **financier, -ère** [~'sje, ~'sjɛːr] **1.** *adj.* financial; stock (*market*); **2.** *su./m* financier.

finasser F [fina'se] (1a) *v/i.* finesse; use subterfuges; **finasserie** [~nas'ri] *f* trickery; (piece of) cunning; ~s *pl.* wiles; **finasseur, -euse** [~fina'sœːr, ~'søːz], **finassier, -ère** [~'sje, ~'sjɛːr] **1.** *adj.* cunning, wily; **2.** *su.* wily person.

finaud, e [fi'no, ~'noːd] **1.** *adj.* cunning, wily; **2.** *su.* wily person.

fine [fin] *f* liqueur brandy.

finesse [fi'nɛs] *f* fineness; *waist:* slenderness; cunning; shrewdness; *opt., radio, telev.:* sharpness; **finette** *tex.* [~'nɛt] *f* flannelette.

fini, e [fi'ni] **1.** *adj.* finished (*a. fig.*), ended, over; ⚛, *gramm., etc.* finite; *fig. pej.* complete; **2.** *su./m* finish; *phls. etc.* finite; **finir** [~'niːr] (2a) *vt/i.* finish, end; *v/i. a.* die; ~ *par* (*inf.*) end by (*ger.*); **finition** ⊕ [~ni'sjɔ̃] *f atelier m de* ~ finishing shop.

finlandais, e [fɛ̃lɑ̃'dɛ, ~'dɛːz] **1.** *adj.* Finnish. **2.** *su.* ♀ Finn, Finlander; **finnois, e** [fi'nwa, ~'nwaːz] **1.** *adj.* Finnish. **2.** *su./m ling.* Finnish; *su.* ♀ Finn.

fiole [fjɔl] *f* small bottle; flask; *sl.* head.

fioritures [fjɔri'tyːr] *f/pl.* handwriting, style: flourishes; ♪ gracenotes.

firmament [firma'mã] *m* firmament, sky, heavens *pl.*

firme ✝ [firm] *f* firm; *book:* imprint.

fis [fi] *1st p. sg. p.s. of faire.*

fisc [fisk] *m* Exchequer, Treasury; Inland Revenue, taxes *pl.*

fissile [fi'sil] fissile; **fission** [~'sjɔ̃] *f* (*esp. phys.* nuclear) fission; **fissure** [~'syːr] *f* fissure (*a.* ⚕), crack, split, crevice; **fissurer** [~sy're] (1a) *v/t. a.* se ~ crack, fissure.

fiston *sl.* [fis'tɔ̃] *m* son, youngster.

fistule ⚕ [fis'tyl] *f* fistula.

fixage [fik'saːʒ] *m* fixing; **fixateur** [~sa'tœːr] *m* fixer; **fixation** [~sa'sjɔ̃] *f* fixing; *admin.* assessment;

⌢ fixation; attachment; **fixe** [fiks] **1.** *adj.* fixed; steady; firm, fast; stationary; regular (*price*); *arrêt m* ~ regular stop; *traffic sign:* all buses *etc.* stop here; *étoile f* ~ fixed star; **2.** *su./m* fixed salary; **fixe-chaussettes** [~ʃo'sɛt] *m* suspender, *Am.* sock-suspender, garter; **fixer** [fik'se] (1a) *v/t.* fix (*a. phot.*, ⌢, ⊤, *value, time*), fasten; settle, appoint; hold (*s.o.'s attention*); decide, determine; keep one's eye on (*s.th.*), stare at; ✕ fix, hold; ⚖ assess (*damages*); ~ *les yeux sur* stare at, look hard at; *se* ~ settle (down); **fixité** [~si'te] *f* fixity.

flac! [flak] *int.* slap!; crack!; plop! (*into water*); *faire* ~ plop.

flacon [fla'kõ] *m* bottle; flask.

flageller [flaʒɛl'le] (1a) *v/t.* scourge, lash.

flageoler [flaʒɔ'le] (1o) *v/i.* tremble, shake.

flageolet¹ [flaʒɔ'le] *m* flageolet.

flageolet² *cuis.* [~] *m* (small) kidney bean, flageolet.

flagorner [flagɔr'ne] (1a) *v/t.* flatter; toady to; fawn upon; **flagornerie** [~nə'ri] *f* flattery, F soft soap; toadying.

flagrant, e [fla'grɑ̃, ~'grɑ̃:t] flagrant; striking; *en* ~ *délit* red-handed, in the very act.

flair [flɛːr] *m dog:* scent; *fig.* nose; *fig. person:* flair; *avoir du* ~ *pour* have a flair for; **flairer** [flɛ're] (1b) *v/t.* scent (*a. fig.*); smell; *fig.* suspect; *sl.* smell of.

flamand, e [fla'mɑ̃, ~'mɑ̃:d] **1.** *adj.* Flemish; **2.** *su./m ling.* Flemish; *su.* ♀ Fleming.

flamant *orn.* [fla'mɑ̃] *m* flamingo.

flambant, e [flɑ̃'bɑ̃, ~'bɑ̃:t] **1.** *adj.* blazing; *fig.* brilliant; **2.** *flambant adv.:* tout ~ *neuf* brandnew; **flambeau** [~'bo] *m* torch; candlestick; candelabra; **flambée** [~'be] *f* blaze, blazing fire; **flamber** [~'be] (1a) *v/i.* flame, blaze; burn; ⊕ buckle (*metal rod*); *v/t.* singe; ✇ sterilize (*a needle in flame*); *fig. sl. être flambé* be done for; **flamboyer** [~bwa'je] (1h) *v/i.* blaze (*fire, a. fig.*).

flamme [flɑ:m] *f* flame; *fig.* love, passion; ✕, ⚓ pennon, pennant.

flammèche [fla'mɛʃ] *f* spark.

flan [flɑ̃] *m cuis.* baked-custard tart; ⊕ *etc.* blank; *sl. à la* ~ happy-go-lucky; *sl. du* ~! nothing doing!

flanc [flɑ̃] *m* flank, side; ~ *de coteau* hillside; F *sur le* ~ laid up; exhausted; *sl. tirer au* ~ malinger, F swing the lead.

flancher *sl.* [flɑ̃'ʃe] (1a) *v/i.* flinch; give in; *mot.* break down.

flandrin F [flɑ̃'drɛ̃] *m* lanky fellow.

flanelle *tex.* [fla'nɛl] *f* flannel.

flâner [flɑ'ne] *v/i.* stroll; lounge about; loaf; saunter; **flâneur** *m*, **-euse** *f* [~'nœːr, ~'nøːz] stroller; lounger, loafer.

flanquer¹ F [flɑ̃'ke] (1m) *v/t.* throw, chuck; deal, land (*a blow*).

flanquer² [flɑ̃'ke] (1m) *v/t.* ✕, ⚑, *etc.* flank; **flanqueur** ✕ [~'kœːr] *m* flanker.

flapi, e F [fla'pi] tired out, fagged out.

flaque [flak] *f* puddle, pool.

flash, *pl.* **flashes** *phot.* [flaʃ] *m* flash-light.

flasque¹ [flask] flabby, limp.

flasque² [~] *f* ⊤ flask; † powder-horn.

flasque³ [~] *m* ⊕ *lathe etc.*: cheek; support (*of dynamo*); *mot.* wheel-disk.

flatter [fla'te] (1a) *v/t.* flatter (*s.o. on s.th., q. sur qch.; s.o. by or in ger., q. de inf.*); humo(u)r (*s.o.*); caress, stroke; **flatterie** [~'tri] *f* flattery; **flatteur, -euse** [~'tœːr, ~'tøːz] **1.** *adj.* flattering; pleasing; **2.** *su.* flatterer; sycophant.

flatulence ✇ [flaty'lɑ̃:s] *f* flatulence, F wind; **flatulent, e** [~ty'lɑ̃, ~'lɑ̃:t] flatulent, caused by flatulence; **flatuosité** ✇ [~tɥozi'te] *f* flatus, F wind.

fléau [fle'o] *m* flail; *balance:* beam; *fig.* scourge, pest, curse.

flèche¹ [flɛ:ʃ] *f* arrow; *balance etc.:* pointer; *church:* spire; ⚓ pole; ⊕ *crane:* jib; sag; *mot.* ~ *de direction* (semaphore-type) direction-indicator; ⚡ *en* ~ swept-back; *faire* ~ sag, dip; *fig. faire* ~ *de tout bois* use all means.

flèche² [~] *f bacon:* flitch.

fléchir [fle'ʃiːr] (2a) *v/t.* bend; *fig.* move, touch (*s.o.*); *anat.* flex; *v/i.* bend; give way (*a.* ✕); sag (*cable, wire, a.* ⊤); weaken; *fig.* flag, fall off; ⊤ go down (*prices*); **fléchissement** [~ʃis'mɑ̃] *m* bending *etc.*;

see fléchir; **fléchisseur** *anat.* [~ʃi-'sœ:r] *adj./m, a. su./m* flexor.

flegme [flɛgm] *m* 🡒 phlegm; *fig.* imperturbability, coolness.

flemmard, e *sl.* [flɛ'ma:r, ~'mard] **1.** *adj.* lazy; **2.** *su.* slacker; **flemme** *sl.* [flɛm] *f* laziness; *avoir la* ~ not to feel like work, feel lazy; *tirer sa* ~ idle one's time away.

flet *icht.* [flɛ] *m* flounder.

flétrir[1] [fle'tri:r] (2a) *v/t.* fade; wilt; wither; *fig.* blight (*s.o.'s hopes*); *se* ~ fade; wilt; wither (*flowers*).

flétrir[2] [~] (2a) *v/t.* brand (*a convict, a. fig.*); *fig.* stain.

flétrissure[1] [fletri'sy:r] *f* fading; withering.

flétrissure[2] [~] *f* brand; *fig.* stigma.

fleur [flœ:r] *f* flower (*a. fig.*); blossom; bloom (*a. on fruit*); *fig.* prime; ~ *de farine* pure wheaten flour; *à* ~ *de* level with; *à* ~ *de peau* skin-deep; *en* ~ in bloom; **fleuraison** [flœrɛ-'zɔ̃] *f* flowering, blooming.

fleurer [flœ're] (1a) *v/t.* smell of; *v/i.* smell.

fleuret [flœ'rɛ] *m* fencing: foil; *tex.* floss silk; 🡒 drill, borer; *tex.* ~ *de ...* first-quality ...; **fleurette** [~'rɛt] *f* small flower; *conter* ~ *à* say sweet nothings to; **fleurir** [~'ri:r] (2o) *v/i.* flower, bloom; *fig.* flourish, thrive; *v/t.* decorate with flowers; *fig.* make florid; **fleuriste** [~'rist] *adj., a. su.* florist; **fleuron** [~'rɔ̃] *m* 🡒 floret; rosette; 🡒 finial; *typ.* fleuron; *fig. un* ~ *à sa couronne* a feather in one's cap.

fleuve [flœ:v] *m* river.

flexible [flɛk'sibl] **1.** *adj.* flexible; **2.** *su./m* 🡒 flex; **flexion** [~'sjɔ̃] *f* ⊕, *a. sp.* bending; ⊕ flexion, sagging; *gramm.* inflexion; **flexueux, -euse** [~'sɥø, ~'sɥø:z] winding; 🡒 flexuose.

flibuster [flibys'te] (1a) *v/i.* buccaneer; *v/t. sl.* steal, pinch.

flic *sl.* [flik] *m* policeman, copper, *Am.* cop; detective.

flic flac [flik'flak] *int.* crack.

flingot *sl.* [flɛ̃'go] *m* rifle.

flirt [flœrt] *m* flirt(ation); **flirter** [flœr'te] (1a) *v/i.* flirt.

floche [flɔʃ] soft, flabby; floss (*silk*).

flocon [flɔ'kɔ̃] *m* snow: flake; *wool:* flock; **floconneux, -euse** [~kɔ'nø, ~'nø:z] fleecy; 🡒 flocculent.

flonflon [flɔ̃'flɔ̃] *m* fol-de-rol, tra-la-la; pom-pom-pom (*of a band with drum*).

floraison [flɔrɛ'zɔ̃] *f* flowering, blooming; **floral, e,** *m/pl.* -aux [~'ral, ~'ro] floral.

flore [flɔ:r] *f* ♀ flora; *myth.* ♀ Flora.

florès F [flɔ're:s] *m: faire* ~ prosper; be a success.

floriculture [flɔrikyl'ty:r] *f* flower growing; **florilège** [~'lɛ:ʒ] *m* (verse) anthology.

florin [flɔ'rɛ̃] *m* florin.

florissant, e *fig.* [flɔri'sɑ̃, ~'sɑ̃:t] flourishing.

flot [flo] *m* wave; stream; crowd; *fig.* flood; *à* ~ afloat; 🡒 *mettre qch. à* ~ (re)float s.th.; launch s.th.

flottaison 🡒 [flɔtɛ'zɔ̃] *f* floating; *ligne f de* ~ ship: water-line; **flottant, e** [~'tɑ̃, ~'tɑ̃:t] floating (*a.* 🡒); flowing (*hair*); loose (*garment*); *fig.* irresolute; *fig.* elusive (*personality*).

flotte[1] [flɔt] *f* 🡒 fleet; F *the* navy; F water, rain.

flotte[2] [~] *f* fishing: float.

flotter [flɔ'te] (1a) *v/i.* float; flow (*hair*); *fig.* waver (*a.* 🡒); be irresolute; **flotteur** [~'tœ:r] *m* raftsman; ⊕, *a. fishing:* float; 🡒 anchor buoy.

flottille 🡒 [flɔ'ti:j] *f* flotilla; ~ *de pêche* fishing fleet.

flou, floue [flu] **1.** *adj.* blurred; soft (*hair*); loose-fitting (*garment*); **2.** *su./m* haziness; *phot.* blurring.

flouer *sl.* [flu'e] (1a) *v/t.* swindle; do (*s.o.*).

fluctuation [flyktɥa'sjɔ̃] *f* fluctuation (*a.* 🡒); ⊕ ~ *de charge* variation of load; **fluctuer** [~'tɥe] (1n) *v/i.* fluctuate. [*voice*], slender.]

fluet, -ette [fly'ɛ, ~'ɛt] thin (*a.*|

fluide [flɥid] **1.** *adj.* fluid; *style m* ~ flowing style; **2.** *su./m* fluid; **fluidifier** [flɥidi'fje] (1o) *v/t.* fluidify; **fluidité** [~'te] *f* fluidity.

flûte [fly:t] *f* ♪ flute; tall champagne (*etc.*) glass; long thin roll (*of bread*); *tex.* shuttle; F ~*s* *pl.* (long, thin) legs; *sl.* ~! dash it!; bother!; *sl.* jouer des ~*s* take to one's heels; **flûter** [fly'te] (1a) *v/i.* ♪ play the flute; *sl.* drink; F *envoyer* ~ q. tell s.o. to go to blazes; *voix f flûtée* melodious voice; piping voice; **flûtiste** ♪ [~'tist] *m* fl(a)utist.

fluvial, e, *m/pl.* -aux [fly'vjal, ~'vjo] river...; water...

flux [fly] *m* flow; *cards, face*: flush; ⚓, ⚡, ♒︎, *metall.* flux; le ~ et le *reflux* the ebb and flow; **fluxion** ⚡, *a.* † 🜪 [flyk'sjɔ̃] *f* fluxion; ~ à la joue gumboil; † ~ de poitrine pneumonia.

foc ⚓ [fɔk] *m* jib; *grand* (*petit*) ~ outer (inner) jib.

focal, e, *m/pl.* -**aux** *phot.*, *opt.*, 🜪 [fɔ'kal, ~'ko] focal; **focalisation** *phot.*, *opt.* [~kaliza'sjɔ̃] *f* focussing.

foëne [fwɛn] *f* pronged harpoon.

foi [fwa] *f* faith; belief; trust, confidence; *ajouter* ~ à believe (in); *de bonne* (*mauvaise*) ~ *adv.* in good (bad) faith; *adj.* honest (dishonest); *digne de* ~ reliable; *faire* ~ be a proof; be authentic (of, de); attest (that, que); *ma* ~! upon my word!; *mauvaise* ~ insincerity; unfairness; *sous la* ~ *du serment* on oath.

foie [~] *m* liver; *sl. avoir les* ~s be in a funk.

foin[1] [fwɛ̃] **1.** *su./m* hay; *sl.* row; F *avoir du* ~ *dans ses bottes* have feathered one's nest; *faire du* ~ kick up a row.

foin[2]! [~] *int.* bah!

foire[1] [fwaːr] *f* fair.

foire[2] *sl.* [~] *f* diarrhoea.

fois [fwa] *f* time, occasion; *une* ~ once; *deux* ~ twice; *trois* ~ three times; *à la* ~ at once; at the same time; *encore une* ~ once more; *une* ~ *que* when.

foison [fwa'zɔ̃] *f* abundance, plenty; *à* ~ in abundance; galore; **foisonner** [~zɔ'ne] (1a) *v/i.* abound (in, with de), teem (with, de); swell (*earth, lime*); ⊕ buckle (*metal*).

fol [fɔl] *see* fou.

folâtre [fɔ'laːtr] playful, frisky; **folâtrer** [~la'tre] (1a) *v/i.* frolic, frisk; gambol; F act the fool; **folâtrerie** [~lɑtrə'ri] *f* playfulness; sportiveness; frolic; **folichon, -onne** F [~li'ʃɔ̃, ~'ʃɔn] playful, frolicsome; wanton; **folie** [~'li] *f* madness; folly; mania; ~ *des grandeurs* megalomania; *aimer q. à la* ~ love s.o. to distraction.

folié, e 🜪 [fɔ'lje] foliate(d); **folio** *typ. etc.* [~'ljo] *m* folio; **folioter** [~ljo'te] (1a) *v/t.* folio, paginate.

folklore [fɔl'klɔːr] *m* folklore.

folle [fɔl] *see* fou; ~ *farine* flourdust; **follet, -ette** [fɔ'lɛ, ~'lɛt] merry, lively; *esprit m* ~ goblin; *poil m* ~ down; *see* feu.

folliculaire F [fɔliky'lɛːr] *m* hack writer; **follicule** ♀, *anat.* [~'kyl] *m* follic(u)le.

fomentateur *m*, -**trice** *f* [fɔmɑ̃ta'tœːr, ~'tris] fomenter; **fomentation** 🜪, *a. fig.* [~ta'sjɔ̃] *f* fomentation; **fomenter** [~'te] (1a) *v/t.* 🜪 foment (*a. fig.*); *fig.* stir up.

fonçage [fɔ̃'saːʒ] *m* ⊕ *pile*: driving; ⊕, ⚒ *well shaft*: sinking; **fonçailles** [~'saːj] *f/pl.* cask: head *sg.*; **foncé, e** [~'se] dark, deep (*colour*); **foncer** [~'se] (1k) *v/t.* ⊕ sink (*a.* ⚒), drive (in); darken, deepen (*a colour*); bottom (*a cask*); se ~ darken, grow darker; *v/i.* strike; F rush, dash (at, sur).

foncier, -ère [fɔ̃'sje, ~'sjɛːr] landed, real (*property*); ground (*landlord, rent*); *fig.* thorough, fundamental.

fonction [fɔ̃k'sjɔ̃] *f* function (*a.* 🜪, *a.* 🜪); *fig.* en ~ de in step with, hand in hand with; *faire* ~ de act as; **fonctionnaire** [fɔ̃ksjɔ'nɛːr] *m* official; civil servant; **fonctionnel, -elle** [~'nɛl] functional; **fonctionner** [~'ne] (1a) *v/i.* function (*a.* 🜪); ⊕ work (*brake, machine, etc.*).

fond [fɔ̃] *m* bottom; *sea*: bed; △, *a. fig.* foundation, *fig.* basis; *paint.* background; back, far end; *fig.* gist, essence; *à* ~ thoroughly; *à* ~ *de train* at top speed; *article m de* ~ leading article, leader; *au* ~ after all; at bottom; *de* ~ *en comble* from top to bottom; **fondamental, e**, *m/pl.* -**aux** [fɔ̃damɑ̃'tal, ~'to] fundamental; radical; essential.

fondant, e [fɔ̃'dɑ̃, ~'dɑ̃ːt] **1.** *adj.* melting; juicy (*fruit*); **2.** *su./m* fondant; *metall.* flux.

fondateur *m*, -**trice** *f* [fɔ̃da'tœːr, ~'tris] founder; **fondation** (*a.* △); institution; **fondé, e** [fɔ̃'de] **1.** *adj.* founded, justified; authorized; ~ funded (*debt*); être ~ à (*inf.*) be entitled to (*inf.*), have reason to (*inf.*); **2.** *su./m*: ~ *de pouvoir* 🜪 proxy, holder of a power of attorney; ♰ managing director; ♰ chief clerk; **fondement** [fɔ̃d'mɑ̃] *m* base, foundation; F behind; bottom; *sans* ~ groundless, unfounded; **fonder** [fɔ̃'de] (1a) *v/t.* found (*a.* ♰, *a. fig.*); ♰ start (*a firm, a paper*); ♰ fund (*a debt*); *fig.* base, justify.

fonderie ⊕, *metall.* [fõ'dri] *f*
foundry; smelting works *usu. sg.*;
founding; **fondeur** [‿'dœ:r] *m*
founder; smelter; *typ.* ~ en caractères type-founder; **fondre** [fõ:dr]
(4a) *v/t. metall.* smelt; *metall.* cast
(*a bell, a statue*); melt; dissolve;
thaw (*snow*); blend (*colours*); ⊕
amalgamate; *v/i.* melt (*a. fig.*); *fig.*
grow thinner; dissolve (*fig.* in, en);
⚡ blow (*fuse*); ~ sur swoop upon,
pounce upon; *fig.* bear down upon
(*s.o.*).
fondrière [fõdri'ɛ:r] *f* bog, quag-
mire; hollow (*in the ground*).
fonds [fõ] *m* land, estate; ✝ stock-
in-trade; fund; ~ *pl.* cash *sg.*, capital *sg.*, means; ✝ public funds;
✝ ~ de commerce business, goodwill; ✝ ~ *pl.* de roulement working
capital *sg.*, cash reserve *sg.*; ~ perdu
life annuity; F à ~ perdu without
security.
fondue *cuis.* [fõ'dy] *f* fondue,
melted cheese.
fongosité 🌿 [fõgozi'te] *f* fungosity;
fongueux, -euse 🌿 [‿'gø, ‿'gø:z]
fungous.
font [fõ] *3rd p. pl. pres. of faire.*
fontaine [fõ'tɛn] *f* fountain; spring;
eau *f* de ~ spring water; F ouvrir
la ~ turn on the waterworks (=
start to cry); **fontainier** [‿tɛ'nje] *m*
fountain-maker; filter-maker; well-
sinker; *admin.* turncock.
fonte [fõ:t] *f* melting; *ore:* smelting;
metal: casting; *snow:* thawing; *typ.*
fount; cast iron.
fonts *eccl.* [fõ] *m/pl.* (*a.* ~ *bapti-
maux*) font *sg.*
football *sp.* [fut'bɔl] *m* (Association)
football, F soccer; **footballeur** [‿-
bɔ'lœ:r] *m* footballer.
for [fɔ:r] *m:* ~ intérieur conscience;
dans (*or* en) mon ~ intérieur in my
heart of hearts.
forage ⊕, ⚒ [fɔ'ra:ʒ] *m* boring,
drilling; bore-hole.
forain, e [fɔ'rɛ̃, ‿'rɛn] 1. *adj.* ✝ alien,
foreign; itinerant; fête *f* ~e fun
fair; 2. *su.* strolling player; hawker.
forban [fɔr'bã] *m* buccaneer, pirate.
forçat [fɔr'sa] *m* convict; ✝ galley-
slave.
force [fɔrs] 1. *su./f* strength; might;
force (*a.* ⚔, *a.* ⊕); power (*a.* ⊕);
authority; ~ aérienne (*tactique*)
(tactical) air force; ⚔ ~ de frappe

nucléaire nuclear striking force; ⚡
~ majeure overpowering circumstances *pl.*; ~ motrice ⊕ horse-
power; *fig.* motive power; *phys.* ~
vive kinetic energy; momentum; ⊕
~ de by dint of, by means of; à
toute ~ despite opposition, at all
costs; de première ~ first-class ...;
de vive ~ by sheer force; un cas de
~ majeure an act of God; 2. *adv.*
many, plenty of; **forcément** [fɔrse-
'mã] *adv.* necessarily, inevitably;
under compulsion.
forcené, e [fɔrsə'ne] 1. *adj.* mad,
frantic, frenzied; 2. *su./m* madman;
su./f madwoman.
forcer [fɔr'se] (1k) *v/t.* force; compel, oblige; ⚔ take by storm; run
(*a blockade*); break open; pick (*a
lock*); ⚒, ⊕ strain; ⊕ buckle (*a
plate*); increase (*one's pace, speed*);
être forcé de (*inf.*) be obliged to
(*inf.*); **forcerie** 🌱 [‿sə'ri] *f* forcing
house; forcing bed.
forces ⊕ [fɔrs] *f/pl.* spring shears.
forer ⊕ [fɔ're] (1a) *v/t.* bore, drill.
forestier, -ère [fɔrɛs'tje, ‿'tjɛ:r]
1. *adj.* forest-...; forest-clad; forester's ...; 2. *su./m* forester.
foret ⊕ [fɔ'rɛ] *m* drill; bit; gimlet.
forêt [‿] *f* forest (*a. fig.*); *fig.* hair:
shock; ~ vierge virgin forest.
foreur ⊕ [fɔ'rœ:r] *m* borer, driller;
foreuse [‿'rø:z] *f* ⊕ *machine:* drill;
⚒ rock-drill.
forfaire [fɔr'fɛ:r] (4r) *v/i.* be false
(to, à); ~ à fail in (*one's duty*).
forfait[1] [fɔr'fɛ] *m* heinous crime.
forfait[2] [‿] *m* forfeit, fine.
forfait[3] [fɔr'fɛ] *m* contract; *à* ~ by
contract; job-(*work*); (*buy, sell*) as
a job lot; travail *m* à ~ contract
work; **forfaitaire** [‿fɛ'tɛ:r] out-
right; lump (*sum*); **forfaiture** [‿fɛ-
'ty:r] *f* abuse (*of authority*); breach
(*of duty, honour, etc.*).
forfanterie [fɔrfã'tri] *f* bragging,
boasting.
forge [fɔrʒ] *f* forge, smithy; ~s *pl.*
ironworks *usu. sg.*; **forgeable** [fɔr-
'ʒabl] forgeable; **forger** [‿'ʒe] (1l)
v/t. forge; *fig.* invent; **forgeron**
[‿ʒə'rõ] *m* (black)smith; iron-
smith; **forgeur** [‿'ʒœ:r] *m* forger.
formaliser [fɔrmali'ze] (1a) *v/t.:*
se ~ take offence (at, de); **formaliste** [‿'list] 1. *adj.* formal, stiff;
2. *su.* formalist (*a. phls.*); stickler

for formalities; **formalité** [ˌli'te] *f* form(ality); ceremony; *une simple* ~ a pure formality; **format** [fɔr'ma] *m* size (*a. phot.*); *book*: format; **formateur, -trice** [ˌma'tœːr, ~'tris] 1. *adj.* formative; 2. *su.* former, maker; **formation** [ˌma'sjɔ̃] *f* formation (*a.* ✂️, ✝️); education; ~ *professionnelle* vocational training; **forme** [fɔrm] *f* form (*a.* 👣, *sp., fig., typ., a.* = *hare's lair*); shape; pattern; mo(u)ld; formality; ⚓ dock; ~*s pl.* manners; *en* ~ fit, up to the mark *or* to scratch; *par* ~ *d'avertissement* by way of warning; *pour la* ~ for the sake of appearances; *sous* (*la*) ~ *de* in the form of; **formel, -elle** [fɔr'mɛl] formal; strict; categorical; **former** [ˌ'me] (1a) *v/t.* form; fashion, shape; *fig.* constitute; mo(u)ld; *fig.* train (*s.o.*).

formidable [fɔrmi'dabl] formidable, dreadful; F terrific, *sl.* smashing, *Am.* swell.

formique 🜍 [fɔr'mik] formic (*acid etc.*).

formulaire [fɔrmy'lɛːr] *m* formulary; pharmacopoeia; *admin.* form; **formule** [ˌ'myl] *f* 🝆, 🜍, *a. fig.* formula; 💊 recipe; *admin.*, ✝️, *post:* form; **formuler** [ˌmy'le] (1a) *v/t.* formulate, draw up; lodge (*a complaint*); state precisely; *fig.* put into words; 💊 ~ *une ordonnance* write out a prescription.

fornication [fɔrnika'sjɔ̃] *f* fornication.

fors † [fɔːr] *prp.* except.

fort, forte [fɔːr, fɔrt] 1. *adj.* strong; robust; clever (at, en); good (at, en); large (*sum*); *fig.* big; ample (*resources*); thick, stout (*person*); heavy (*beard, rain, sea, soil*); steep (*slope*); high (*fever, wind*); *fig.* difficult; *fig.* severe; *à plus* ~*e raison* all the more; *esprit m* ~ free-thinker; *se faire* ~ *de* undertake to; 2. *fort adv.* very; strongly; loud(ly); 3. *su./m* strong part; strong man; *fig.* strong point; *fig.* height (*of debate, fever, season*); ✗ fort, stronghold; ~ *de la Halle* market porter.

forteresse ✗ [fɔrtə'rɛs] *f* fortress; stronghold (*a. fig.*).

fortifiant, e [fɔrti'fjɑ̃, ~'fjɑ̃ːt] 1. *adj.* strengthening; invigorating; 2. *su./m* tonic; **fortification** [ˌfika'sjɔ̃] *f*

fortification; **fortifier** [ˌ'fje] (1o) *v/t.* ✗, *fig.* fortify; strengthen (*a. fig.*); invigorate; *se* ~ grow stronger.

fortin ✗ [fɔr'tɛ̃] *m* small fort.

fortuit, e [fɔr'tɥi, ~'tɥit] chance..., accidental.

fortune [fɔr'tyn] *f* fortune, luck; chance; wealth; *bonne* (*mauvaise*) ~ good (bad) luck; *dîner à la* ~ *du pot* take pot-luck; ⚓ *mât m de* ~ jurymast; *sans* ~ poor; *tenter* ~ try one's luck; **fortuné, e** [fɔrty'ne] fortunate; well-off, rich.

forure ⊕ [fɔ'ryːr] *f* bore(-hole).

fosse [foːs] *f* pit, hole; trench; grave; *lions:* den; *mot.* inspection pit; **fossé** [fo'se] *m* ditch, trench; *castle:* moat; **fossette** [ˌ'sɛt] *f* dimple.

fossile [fɔ'sil] 1. *adj.* fossilized (*a. fig.*); 2. *su./m* fossil (*a. fig.*).

fossoyer 🌱 [foswa'je] (1h) *v/t.* trench, drain; **fossoyeur** [ˌ'jœːr] *m* grave-digger.

fou (*adj. before vowel or h mute* **fol**) *m*, **folle** *f*, *m/pl.* **fous** [fu, fɔl, fu] 1. *adj.* mad, insane, crazy; *fig.* enormous, tremendous; silly, foolish; *devenir* (*rendre q.*) ~ go (drive s.o.) mad; 2. *su.* lunatic; *su./m* fool; madman; *chess:* bishop; ~*s pl. du volant* reckless drivers; *su./f* madwoman.

fouace *cuis.* [fwas] *f* (*sort of*) flat cake, *Am.* ash-cake.

fouailler F [fwa'je] (1a) *v/t.* flog; beat.

foudre[1] [fudr] *m* tun.

foudre[2] [fudr] *f* thunderbolt; lightning; *coup m de* ~ thunderbolt (*a. fig.*); *fig.* love at first sight; *fig.* bolt from the blue; *la* ~ *est tombée* lightning struck (at, à); **foudroyer** [fudrwa'je] (1h) *v/t.* strike (by lightning); *fig.* strike down; *fig.* dumbfound, crush.

fouëne [fwen] *f see* **foëne**.

fouet [fwɛ] *m* whip; whipcord; birch(-rod); (egg-)whisk; **fouetter** [fwɛ'te] (1a) *v/t.* whip; birch; flog (*a child*); whisk (*eggs*); *rain:* lash against (*a window*); *v/i.* lash (*rain*).

fougasse ✗ [fu'gas] *f* small mine.

fougère 🌿 [fu'ʒɛːr] *f* fern.

fougue [fug] *f* fire, spirit, dash; (*youthful*) enthusiasm; **fougueux, -euse** [fu'gø, ~'gøːz] fiery, mettlesome, spirited (*horse*); impetuous.

fouille [fu:j] *f* excavation; *fig.*
search; **fouiller** [fu'je] (1a) *v/t.*
dig, excavate; search (*s.o.*); *v/i.*
search, forage, pry; **fouillis** [~'ji]
m jumble, mess.

fouinard, e F [fwi'naːr, ~'nard] inquisitive; sneaking.

fouine[1] *zo.* [fwin] *f* stone-marten.

fouine[2] [~] *f* ⚓ long pitchfork;
fishing: pronged harpoon.

fouir [fwiːr] (2a) *v/t.* dig; **fouisseur,
-euse** [fwi'sœːr, ~'søːz] **1.** *adj.*
burrowing (*animal*); **2.** *su./m* bur-
rower, burrowing animal.

foulage [fu'la:ʒ] *m* pressing; ⊕
cloth, leather: fulling; *metall.* ramming; *typ.* impression.

foulard [fu'laːr] *m* silk neckerchief
or handkerchief; *tex.* foulard.

foule [ful] *f* crowd, multitude,
throng; mob; heaps *pl.*; *tex., cloth,
leather*: fulling; **fouler** [fu'le] (1a)
v/t. tread; trample down; press,
crush; ⚔ strain, wrench; *tex.* full;
metall. ram; *fig.* ~ aux pieds ride
rough-shod over; **foulerie** [ful'ri] *f*
fulling-mill; **fouleur** *tex.* [fu'lœːr]
m fuller; **fouloir** [~'lwaːr] *m tex.*
fulling-stock; fulling-mill; *metall.*
rammer; **foulon** *tex.* [~'lɔ̃] *m* person: fuller; *terre f* à ~ fuller's earth;
foulure ⚔ [~'lyːr] *f* sprain, wrench.

four [fuːr] *m* oven; cooker; ⊕ furnace, kiln; *thea.*, *a.* F failure, F
flop; ~ à chaux lime-kiln; *faire* ~
be a failure *or* F a flop; *petits* ~s
pl. small fancy cakes.

fourbe [furb] **1.** *adj.* rascally;
double-dealing; **2.** *su.* cheat; **fourberie** [furbə'ri] *f* swindle; deceit,
trickery; *Am.* skulduggery.

fourbi F [fur'bi] *m* equipment, ⚔
kit; thingumajig; **fourbir** [~'biːr]
(2a) *v/t* furbish, polish up.

fourbu, e [fur'by] *vet.* foundered
(*horse*); *fig.* tired out, exhausted;
fourbure *vet.* [~'byːr] *f* founder.

fourche [furʃ] *f* fork; *en* ~ forked;
fourcher [fur'ʃe] (1a) *v/i.* fork,
branch; *fig. la langue m'a fourché*
I made a slip of the tongue; **four-
chet** [~'ʃe] *m* fork; *vet.* foot-rot;
fourchette [~'ʃɛt] *f* (table-)fork;
wish-bone; *fig.* trencherman (= *big
eater*); **fourchon** [~'ʃɔ̃] *m* fork:
prong; *bough*: fork; **fourchu, e**
[~'ʃy] forked; cloven (*hoof*).

fourgon[1] [fur'gɔ̃] *m* van, waggon;

🚃 luggage van, *Am.* baggage *or*
freight car.

fourgon[2] [fur'gɔ̃] *m* poker, fire-
rake; **fourgonner** [~gɔ'ne] (1a)
v/t. poke (*the fire*); *v/i.* poke (the
fire); *fig.* poke about (in, *dans*).

fourgonnette *mot.* [furgɔ'nɛt] *f*
light van.

fourmi *zo.* [fur'mi] *f* ant; ~ *blanche*
termite; *fig. avoir des* ~s have pins
and needles; **fourmilier** *zo.* [fur-
mi'lje] *m* ant-eater; **fourmilière**
[~'ljɛːr] *f* ant-hill, ants' nest; *fig.*
swarm, nest; **fourmi(-)lion,** *pl.*
fourmis(-)lions *zo.* [~'ljɔ̃] *m* ant-
lion; **fourmiller** [~'je] (1a) *v/i.*
swarm, teem with; *fig.* tingle.

fournaise *poet.*, *a. fig.* [fur'nɛːz] *f*
furnace; **fourneau** [~'no] *m* ⊕ furnace; cooker, stove; ♗, ⚒ *mine*:
chamber; *pipe*: bowl; *sl.* fool, idiot;
metall. *haut* ~ blast-furnace; **fournée** [~'ne] *f* ovenful; ⊕, *metall.*
charge; ⊕ *bricks*: baking; *loaves,
a. fig.*: batch.

fourni, e [fur'ni] supplied; thick,
abundant; bushy (*beard*).

fournier [fur'nje] *m* baker; oven-
man; **fournil** [~'ni] *m* bakehouse.

fourniment ⚔ [furni'mã] *m* kit,
equipment; **fournir** [~'niːr] (2a)
v/t. furnish, supply, equip (with,
de); provide; ✝ stock (*a shop*); **fournisseur** ✝ [~ni'sœːr] *m* supplier,
caterer; tradesman; **fourniture**
[~'tyːr] *f* supplying; ~s *pl.* supplies;
equipment ⚔.

fourrage [fu'ra:ʒ] *m* forage, fodder;
⚔ foraging; **fourrager** [fura'ʒe]
(1l) *v/i.* forage; *fig.* rummage,
search; *v/t. fig.* ravage; **fourra-
gère** ⚔ [~'ʒɛːr] **1.** *su./f* forage
waggon; lanyard; shoulder-braid;
2. *adj./f*: *plante f* ~ fodder plant.

fourré, e [fu're] wooded; thick;
fur-lined; furry; lined; filled (with,
de); *paix f* ~e sham peace.

fourreau [fu'ro] *m* ⚔ sheath (*a. cost.,
a. fig.*); case; ⊕ sleeve; ⊕ *cylinder*:
liner.

fourrer [fu're] (1a) *v/t.* line with
fur; stuff, thrust, cram; F stick,
poke; ⊕ pack (*a joint*); *se* ~ wrap
o.s. up; hide o.s.; thrust o.s.; **four-
reur** [~'rœːr] *m* furrier.

fourrier ⚔ [fu'rje] *m* quartermaster-
sergeant; **fourrière** [~'rjɛːr] *f*
pound.

fourrure [fu'ry:r] *f* fur; skin; lining
(*a. mot. brake*); ⊕ *joint*: packing;
△ filler-block.

fourvoyer [furvwa'je] (1h) *v/t.* lead
astray, mislead; *se* ~ go astray; be
mistaken.

foutaise F [fu'tɛ:z] *f* nonsense,
bunkum.

foutre V [futr] **1.** (4a) *v/t.* throw;
give; do; ~ *la paix à q.* leave s.o.
alone; shut up; ~ *le camp* clear out,
go; ~ *q. dedans* do or cheat s.o.; *je
m'en fous* I don't care, I don't give
a damn; *se* ~ not to care a hang
or sl. a damn about; **2.** *int.* gosh!;
damn it!; **foutu, e** F [fu'ty] blooming, damned; done for, finished.

fox *zo.* [fɔks] *m* (*a.* fox-terrier) fox-
terrier; ~-**trot** [~'trɔt] *m/inv.* fox-
trot.

foyer [fwa'je] *m* hearth, fire(-place);
fig. home; ⊕ fire-box, combustion
chamber; *boiler*: furnace; ⚗, ⚕,
phot., phys. focus; *hotel*: lounge;
fig. seat, centre; *thea.* ~ *des artistes*
green-room; ~ *des étudiants* (university) hall of residence; *building*:
Students' Union.

frac [frak] *m* dress-coat.

fracas [fra'ka] *m* crash; din, shindy;
fracasser [~ka'se] (1a) *v/t.* shatter;
smash to pieces.

fraction [frak'sjɔ̃] *f* fraction (*a.* ⚗),
portion; *pol.* group; ⚕ ~ *continue*
continued fraction; **fractionnaire**
[fraksjɔ'nɛ:r] fractional; *nombre m*
~ mixed number; improper fraction; **fractionner** [~'ne] (1a) *v/t.*
split up; ⊕, 🜛 fractionate; crack
(*mineral oils*); ⚕ fractionize.

fracture [frak'ty:r] *f* breaking open;
lock: forcing; ⚕, *geol.* fracture;
fracturer [~ty're] (1a) *v/t.* break
open; force (*a lock*); ⚕ fracture,
break; *se* ~ *un bras* fracture *or*
break one's arm.

fragile [fra'ʒil] fragile; brittle; *fig.*
weak; ✝ *inscription*: with care;
fragilité [~ʒili'te] *f* fragility; brittleness; *fig.* weakness, frailty.

fragment [frag'mã] *m* fragment,
bit; snatch (*of a song*); **fragmentaire** [~mã'tɛ:r] fragmentary; in
fragments.

frai¹ [frɛ] *m* spawning (season);
spawn; fry.

frai² [~] *m coins*: wear.

fraîcheur [frɛ'ʃœ:r] *f* freshness (*a.*

fig.); coolness; *fig.* bloom (*a. of
flowers*); **fraîchir** [~'ʃi:r] (2a) *v/i.*
grow colder; freshen (*wind*).

frais¹, fraîche [frɛ, frɛʃ] **1.** *adj.*
fresh; cool; recent; new (*bread*);
wet (*paint*); new-laid (*egg*); **2.** *adv.*:
frais arrivé just arrived; *fleur f
fraîche cueillie* freshly gathered
or picked flower; **3.** *su./m* cool;
coolness; *au* ~ in a cool place; *de* ~
freshly.

frais² [frɛ] *m/pl.* cost *sg.*, expenses;
outlay *sg.*; fees; ⚖ costs; ~ *d'entretien* upkeep *sg.*; ✝ ~ *de port en
plus* carriage *sg.* extra; ~ *de transport* freight charges; carriage *sg.*;
aux ~ *de* at the expense of; *faire
les* ~ *de* bear the cost of; *fig.* provide the topic(s) of (*a conversation*);
peu de ~ small cost *sg.*; ... *pour* ~
d'envoi postage and packing ...

fraise¹ [frɛ:z] *f* ⚘ strawberry; ⚕
strawberry mark, n(a)evus.

fraise² [~] *f cuis.* calf, *lamb*: crow;
turkey: wattle; *collar*: ruff.

fraise³ ⊕ [frɛ:z] *f* countersink (bit);
mill; ⊕ ~ *champignon* (*or conique*)
rose bit.

fraiser¹ [frɛ'ze] (1a) *v/t.* frill.

fraiser² ⊕ [~] (1a) *v/t.* mill; countersink.

fraiser³ *cuis.* [~] (1a) *v/t.* knead
(*dough*). [machine.]

fraiseuse ⊕ [frɛ'zø:z] *f* milling]

fraisier ⚘ [frɛ'zje] *m* strawberry
plant.

framboise [frã'bwa:z] *f* raspberry;
framboiser [frãbwa'ze] (1a) *v/t.*
flavo(u)r with raspberry; **framboi-
sier** ⚘ [~'zje] *m* raspberry-bush.

franc¹, franche [frã, frã:ʃ] **1.** *adj.*
frank; free; open, candid; straightforward; fair (*play*); *fig.* real, pure;
~ *de port* carriage paid; post-free;
foot. *coup m* ~ free kick; **2.** *franc
adv.* frankly; candidly; *pour parler*
~ to be frank.

franc² [frã] *m coin*: franc; *pour un* ~
de a franc's worth of.

franc³, franque [frã, frã:k] **1.** *adj.*
Frankish; **2.** *su.* ♀ Frank; *in Levant*:
European.

français, e [frã'sɛ, ~'sɛ:z] **1.** *adj.*
French; **2.** *su./m ling.* French; ♀
Frenchman; *les* ♀ *m/pl.* the French;
su./f ♀ Frenchwoman.

franchement [frãʃ'mã] *adv.* frankly; openly; F really.

franchir [frã'ʃiːr] (2a) v/t. jump over, clear; cross; pass through; ♱ weather (a headland); fig. overcome; **franchise** [~'ʃiːz] f frankness, openness; city: freedom; admin. exemption; en ~ duty-free; **franchissable** [~ʃi'sabl] passable (river); negotiable (hill).

franciser [frãsi'ze] (1a) v/t. gallicize; **franciste** [~'sist] su. French scholar or specialist.

franc-maçon, pl. **francs-maçons** [frãma'sõ] m freemason; **franc-maçonnerie** [~sɔn'ri] f freemasonry.

franco † [frã'ko] adv. free (of charge).

franc-tireur, pl. **francs-tireurs** [frãti'rœːr] m ✕ sniper; fig. free lance.

frange [frãːʒ] f fringe; **franger** [frã'ʒe] (1l) v/t. fringe.

frangin sl. [frã'ʒɛ̃] m brother; **frangine** [~'ʒin] f sister.

franquette f [frã'kɛt] adv.: à la bonne ~ without ceremony.

frappage ⊕ [fra'paːʒ] m stamping; striking; coins: minting; **frappe** [frap] f minting; striking; stamp; **frappé, e** [fra'pe] iced; **frapper** [~'pe] (1a) v/t. strike (a. fig.), hit; mint (money); ice (a drink); type (a letter); punch (out) (a design); F se ~ get alarmed; v/i. strike; knock (at the door, à la porte); ~ du pied stamp one's foot; ~ juste strike home; **frappeur** [~'pœːr] 1. su./m ⊕ etc. striker; tel. tapper; ⊕ stamper; puncher; 2. adj./m: esprit m ~ rapping spirit.

frasque [frask] f escapade.

fraternel, -elle [fratɛr'nɛl] fraternal, brotherly; **fraterniser** [~ni'ze] (1a) v/i. fraternize (with, avec); **fraternité** [~ni'te] f fraternity, brotherhood.

fratricide [fratri'sid] 1. su. person: fratricide; su./m crime: fratricide; 2. adj. fratricidal.

fraude [froːd] f fraud, deception; ~ fiscale tax-evasion; faire entrer en ~ smuggle in; **frauder** [fro'de] (1a) v/i. cheat; v/t. defraud, cheat, swindle; **fraudeur, -euse** [~'dœːr, ~'døːz] fraudulent; bogus, Am. phony.

frayer [frɛ'je] (1i) v/t. rub; clear (a path, a way); se ~ un chemin

make a way for o.s.; v/i. spawn (fish); ~ avec associate with.

frayeur [frɛ'jœːr] f fright, terror.

fredaine [frə'dɛn] f escapade; faire des ~s sow one's wild oats.

fredonner [frədɔ'ne] (1a) v/t. hum (a tune). [frigate-bird.｜

frégate [fre'gat] f ♱ frigate; orn.｜

frein [frɛ̃] m bit; bridle (a. fig.); mot. etc. brake; fig. curb, restraint; ~ à air comprimé air-brake; ~ à rétropédalage back-pedalling brake; 🚲 ~ de secours emergency-brake; ~s pl. à disque disc brakes; ~ sur jante rim-brake; mettre un ~ à curb, bridle; ronger son ~ champ the bit; **freiner** [frɛ'ne] (1a) vt/i. mot. brake; v/i. mot. apply the brakes; v/t. mot. apply the brakes to; fig. restrain, curb.

frelater [frəla'te] (1a) v/t. adulterate (food, wine).

frêle [frɛl] frail, weak.

frelon zo. [frə'lõ] m hornet.

freluquet f [frəly'kɛ] m whippersnapper.

frémir [fre'miːr] (2a) v/i. tremble, shudder; rustle (leaves); quiver (a. fig. with, de); **frémissement** [~mis'mã] m quiver(ing); shudder(ing); leaves: rustle; wind: sighing.

frêne ♀ [frɛːn] m ash(-tree).

frénésie [frene'zi] f frenzy, madness; **frénétique** [~'tik] frantic; frenzied (a. fig.).

fréquemment [freka'mã] adv. of fréquent; **fréquence** [fre'kãːs] f 📡, ⚡, etc. frequency; **fréquent, e** [~'kã, ~'kãːt] frequent; 𝕁 rapid (pulse); **fréquentation** [~kãta'sjõ] f frequenting; association (with, de); regular attendance (at, de); **fréquenter** [~kã'te] (1a) v/t. frequent; visit; consort with; attend (s.th.) frequently.

frère [frɛːr] m brother; eccl. monk; friar; faux ~ traitor, double-crosser.

frérot F [fre'ro] m little brother.

fresque [fresk] f fresco.

fret ♱ [frɛ] m freight; cargo; prendre à ~ charter; **frètement** ♱ [frɛt'mã] m chartering; **fréter** [fre'te] (1f) v/t. freight; charter; fit out (a ship); F hire (a car etc.); **fréteur** [~'tœːr] m shipowner; charterer.

frétiller [freti'je] (1a) v/i. wriggle, wag (tail); fig. fidget.

fretin [frə'tɛ̃] *m* fry; *fig.* rubbish, odds *pl.* and ends *pl.*

friable [fri'abl] crumbly.

friand, e [fri'ɑ̃, ~'ɑ̃:d] dainty; ~ de partial to; **friandise** [~ɑ̃'di:z] *f* titbit, delicacy; epicurism.

fric *sl.* [frik] *m* dough (= *money*).

fricandeau *cuis.* [frikɑ̃'do] *m* stewed larded veal; **fricassée** *cuis.* [frika-'se] *f* fricassee, hash; **fricasser** [~'se] (1a) *v/t. cuis.* fricassee; *fig.* squander; **fricasseur** *m*, **-euse** *f* F [~'sœːr, ~'søːz] poor cook; *fig.* squanderer; *journ.* ~ d'articles pot-boiler.   [glary.⟩

fric-frac *sl.* [frik'frak] *m/inv.* bur-⟩

friche ✍ [friʃ] *f* fallow land; waste land; en ~ fallow; *fig.* undeveloped.

fricoter F [friko'te] (1a) *vt/i.* stew; cook (*a. fig.*); *v/i. fig.* act on the sly; *fig.* make on the side; ✗ *sl.* skrimshank; **fricoteur** *m*, **-euse** *f* F [~'tœːr, ~'tøːz] schemer; pilferer; ✗ *sl.* skrimshanker; ✗ marauder.

friction [frik'sjɔ̃] *f* ⊕ friction; *scalp*: massage; ✄ rubbing; *sp.* rub-down; **frictionner** [~sjo'ne] (1a) *v/t.* rub; give (*s.o.*) a rub-down; massage (*s.o.'s scalp*); give (*s.o.*) a dry shampoo.

frigidité ✄ [friʒidi'te] *f* frigidity.

frigo F [fri'go] *m* frozen meat; refrigerator; **frigorifier** [frigori'fje] (1o) *v/t.* refrigerate; *viande f* frigo-rifiée frozen meat; **frigorifique** [~'fik] refrigerating, chilling.

frileux, -euse [fri'lø, ~'løːz] chilly.

frimas [fri'mɑ] *m* hoar-frost.

frime F [frim] *f* sham; *pour la* ~ for the sake of appearances.

frimousse F [fri'mus] *f* little face.

fringale F [frɛ̃'gal] *f* keen appetite.

fringant, e [frɛ̃'gɑ̃, ~'gɑ̃:t] frisky, lively; *fig.* dashing (*person*).

fringues F [frɛ̃:g] *f/pl.* togs.

friper F [fri'pe] (1a) *v/t.* crease; crumple; se ~ get crumpled; **friperie** [~'pri] *f* old clothes *pl.*; second-hand goods *pl.* or business; old-clothes shop *or* business; *fig.* rubbish; **fripier** *m*, **-ère** *f* [~'pje, ~'pjɛːr] dealer in old clothes; second-hand dealer.

fripon, -onne [fri'pɔ̃, ~'pɔn] **1.** *adj.* roguish; **2.** *su.* rogue, rascal; **fri-ponnerie** [~pɔn'ri] *f* (piece of) roguery.

fripouille F [fri'pu:j] *f* bad lot, cad.

friquet F *orn.* [fri'kɛ] *m* tree-spar-row.

frire [fri:r] (4s) *vt/i.* fry; *fig. rien à* ~ nothing to be gained.

frise¹]fri:z] *f* △ frieze; *thea.* ~s *pl.* borders.

frise² *tex.* [~] *f* frieze; *see cheval.*

friselis [friz'li] *m* rustle.

friser [fri'ze] (1a) *v/t.* curl; wave; crimp (*cloth*); skim, graze; *fig.* verge on, border on; *v/i.* curl (*hair*); **frisoir** [~'zwaːr] *m* (hair-)curler; curling-tongs *pl.*

frison¹ [fri'zɔ̃] *m* curl; floss-silk.

frison², -onne [fri'zɔ̃, ~'zɔn] *adj.*, *a. su.* ♀ Frisian.

frisquet, -ette F [fris'kɛ, ~'kɛt] chilly, *sl.* parky.

frisson [fri'sɔ̃] *m* shiver, shudder; *pleasure*: thrill; **frissonner** [~so'ne] (1a) *v/i.* (with, de) shiver, shudder; quiver; be thrilled.

frit, e [fri, frit] *p. p. of frire*; **friterie** [fri'tri] *f* fried-fish shop *or* stall; **frites** F [frit] *f/pl.* chipped potatoes, F chips; **frittage** ⊕ [fri'taːʒ] *m* sintering; roasting; **fritter** ⊕ [~'te] (1a) *v/t.* roast; sinter; **friture** [~-'tyːr] *f* frying; frying fat; fried fish; *radio, teleph.*: crackling.

frivole [fri'vɔl] frivolous; *fig.* tri-fling; **frivolité** [~vɔli'te] *f* frivolity; *fig.* trifle; *lace*: tatting.

froc *eccl.* [frɔk] *m* cowl; frock; **fro-card** *sl.* [frɔ'kaːr] *m* monk.

froid, froide [frwa, frwad] **1.** *adj.* cold (*a. fig.* smile, reception); chilly (*a. fig. manner*); frigid (*style*); à ~ in the cold state; when cold (*a. cuis.*); avoir ~ be cold (*person*); bat-tre ~ à cold-shoulder (*s.o.*); en ~ avec on chilly terms with, cool to-wards; faire ~ be cold (*weather*); prendre ~ catch a chill; **2.** *su./m* cold; *fig.* coldness; ✝ *industrie f du* ~ refrigeration industry; **froideur** [frwa'dœːr] *f* coldness; chilliness; indifference; *fig.* chill; ✄ frigidity.

froissement [frwas'mɑ̃] *m* crum-pling; rustle; bruising; *fig.* con-flict; giving *or* taking offence; **froisser** [frwa'se] (1a) *v/t.* crumple; rustle; bruise; offend, hurt; ruffle (*s.o.*); se ~ take offence (at, de); **froissure** [~'syːr] *f* slight bruise; *cloth, paper*: crumple.

frôlement [frol'mɑ̃] *m* light brush-

ing; light touch; **frôler** [fro'le] (1a)
v/t. graze; brush against or past;
fig. come near to.

fromage [frɔ'maːʒ] m cheese; fig.
soft job, F cushy job, Am. snap; ~
d'Italie liver-cheese; **fromager**,
-ère [⁓ma'ʒe, ⁓'ʒɛːr] 1. adj. cheese-
…; 2. su. cheesemonger; cheese-
maker; su./m cheese-basket; **fro-
magerie** [⁓maʒ'ri] f cheesemonger's (shop); cheese-dairy.

froment ✎ [frɔ'mã] m wheat.

fronce [frɔ̃ːs] f crease; dress etc.:
gather; **froncement** [frɔ̃s'mã] m
puckering; ~ des sourcils frown;
froncer [frɔ̃'se] (1k) v/t. pucker,
wrinkle; gather (one's skirt etc.); ~
les sourcils frown; scowl; **froncis**
[⁓'si] m skirt, dress: gathering.

frondaison [frɔ̃de'zɔ̃] f foliage,
leaves pl.; foliation.

fronde [frɔ̃ːd] f sling; (toy) catapult;
hist. la ♀ the Fronde (1648 - 1653);
fronder [frɔ̃'de] (1a) v/t. sling, catapult (a stone); hit with a sling; (a.
~ contre) scoff at; **frondeur** m,
-euse f [⁓'dœːr, ⁓'døːz] 1. su.
slinger; hist. member of the Fronde;
fig. scoffer; F grouser; 2. adj. bantering; irreverent.

front [frɔ̃] m front (a. ⚔); forehead,
brow; face; fig. impudence, cheek;
pol. ♀ populaire Popular Front; de
~ abreast; front-…; head-on (collision); faire ~ à face (s.th.); **frontal**, **e**, m/pl. **-aux** [frɔ̃'tal, ⁓'to]
1. adj. frontal, front-…; 2. su./m
horse: headband; anat. frontal
(bone); **fronteau** [⁓'to] m horse:
headband; △ frontal; eccl. frontlet;
frontière [⁓'tjɛːr] 1. su./f frontier;
border; boundary; 2. adj./f: ville ♀
~ frontier town; **frontispice** [⁓tis-
'pis] m frontispiece (a. △); title-
page. [façade.\
fronton [frɔ̃'tɔ̃] m △ fronton; F|
frottage [frɔ'taːʒ] m polishing; rubbing; flesh: chafing; metal: scouring; **frottée** F [⁓'te] f thrashing;
frottement [frɔt'mã] m rubbing;
chafing; ⊕ friction; **frotter** [frɔ'te]
(1a) v/t. rub; chafe (one's leg);
polish; scour (metal); strike (a
match); F thrash; paint. scumble;
fig. se ~ à q. associate with s.o.; come
up against s.o.; v/i. rub; **frottoir**
[⁓'twaːr] m polishing cloth, polisher;
⊕ friction-plate; ♪ brush.

frou(-)frou [fru'fru] m gown: rustle,
swish; F orn. humming-bird; F
faire du ~ put on a display, show off.

froussard, **e** sl. [fru'saːr, ⁓'sard]
1. adj. cowardly; 2. su. coward;
frousse sl. [frus] f fear, F funk;
avoir la ~ be scared.

fructifier [frykti'fje] (1o) v/i.
bear fruit; **fructueux**, **-euse** [⁓-
'tɥø, ⁓'tɥøːz] fruitful, profitable.

frugal, **e**, m/pl. **-aux** [fry'gal, ⁓'go]
frugal; **frugalité** [⁓gali'te] f fru-
gality.

fruit [frɥi] m fruit; fig. advantage,
profit; fig. result; ⚖ profit, revenue;
zo. ~s pl. de mer fish and shellfish,
Am. sea-food sg.; ~ sec dried fruit;
fig. person: failure; **fruité**, **e** [frɥi-
'te] fruity (wine, olives); **fruiterie**
[⁓'tri] f store-room for fruit; fruiterer's (shop); greengrocery; **fruitier**, **-ère** [⁓'tje, ⁓'tjɛːr] 1. adj.
fruit-bearing; fruit(-tree); 2. su.
fruiterer, greengrocer; su./m store-
room for fruit.

fruste [fryst] worn; fig. rough.

frustrer [frys'tre] (1a) v/t. frus-
trate; ~ q. de qch. deprive s.o. of
s.th.; cheat s.o. out of s.th.

fuel(-oil) [fjul, fju'lɔjl] m fuel-oil.

fugace [fy'gas] fleeting, passing,
transient.

fugitif, **-ve** [fyʒi'tif, ⁓'tiːv] 1. adj.
fugitive; fig. fleeting, passing, transient; 2. su. fugitive. [escapade.\
fugue [fyg] f ♪ fugue; F flight, F|
fuir [fɥiːr] (2d) v/i. flee, run away;
leak (barrel); recede (forehead, landscape); v/t. avoid, shun; **fuis** [fɥi]
1st p. sg. pres. and p.s. of fuir; **fuite**
[fɥit] f flight; escape; gas, liquid,
a. fig. secrets: leak, leakage; shunning; ~ de cerveaux brain drain;
mettre en ~ put to flight; prendre
la ~ take to flight.

fulgurant, **e** [fylgy'rã, ⁓'rãːt] flashing; fulgurating (pain); **fulgura-
tion** [⁓ra'sjɔ̃] f flashing; ⚕ fulgura-
tion; **fulgurer** [⁓'re] (1a) v/i. flash,
fulgurate. [smoky, sooty; murky.\
fuligineux, **-euse** [fyliʒi'nø, ⁓'nøːz]|
fulmicoton [fylmiko'tɔ̃] m see coton-
poudre; **fulmination** eccl., ⚗ [⁓na-
'sjɔ̃] f fulmination; **fulminer** [⁓'ne]
(1a) vt/i. fulminate; v/i.: fig. ~
contre fulminate against.

fumage[1] ✎ [fy'maːʒ] m dunging,
dressing; manure.

fumage² [ˌ] *fish, meat*: smoking.
fume-cigare(tte) [fymsi'gaːr, ˌga-'ret] *m/inv.* cigar(ette)-holder.
fumée [fy'me] *f* smoke; *soup*: steam; fumes *pl.*; *fig.* vanity.
fumer¹ [ˌ] *v/t.* smoke (*cigars, fish, meat*); *v/i.* smoke; steam; *fig.* ~ de colère fume.
fumer² ⚹ [ˌ] (1a) *v/t.* manure, dung (*the soil*).
fumerie [fym'ri] *f* † *tobacco etc.*: smoking; *opium*: den; **fumeron** [ˌ'rɔ̃] *m* smoky charcoal; **fumet** [fy'mɛ] *m cooking*: aroma; *wine*: bouquet; *cuis.* concentrate; *hunt.* scent; **fumeur** *m*, -euse *f* [ˌ'mœːr, ˌ'møːz] smoker; *su./m* 🚭 F smoker, smoking compartment; **fumeux, -euse** [ˌ'mø, ˌ'møːz] smoky; heady (*wine*); *fig.* hazy.
fumier [fy'mje] *m* manure, dung; dunghill; *fig. mourir sur le ~ die in squalor.
fumiste [fy'mist] *m* stove-setter; F humbug; F practical joker; **fumisterie** [ˌmis'tri] *f* stove-setting; F practical joke; *sl.* monkey business; **fumivore** ⊕ [ˌmi'vɔːr] *m* smoke-consumer; **fumoir** [ˌ'mwaːr] *m* smoking-room; smokehouse (*for curing of fish, meat*).
fumure ⚹ [fy'myːr] *f* manuring; manure.
funèbre [fy'nɛbr] funeral; gloomy, funereal; **funérailles** [fyne'raːj] *f/pl.* funeral *sg.*; obsequies; **funéraire** [ˌ'rɛːr] funeral; tomb(*stone*).
funeste [fy'nɛst] fatal, deadly.
funiculaire [fyniky'lɛːr] **1.** *adj.* funicular; **2.** *su./m* funicular railway.
fur [fyːr] *m*: *au ~ et à mesure* progressively, gradually; *as the work proceeds, as things happen.*
furet [fy'rɛ] *m zo.* ferret; *fig.* Nosey Parker, Paul Pry; **fureter** [fyr-'te] (1d) *v/i.* ferret (*a. fig.*); *fig.* rummage, nose about; **fureteur, -euse** [ˌ'tœːr, ˌ'tøːz] **1.** *adj.* prying; **2.** *su.* ferreter; *fig.* rummager; Nosey Parker.
fureur [fy'rœːr] *f* fury, rage; passion; *aimer avec* (*or à la*) ~ be passionately fond of; *fig. faire ~ be all the rage; **furibond, e** [ˌri'bɔ̃, ˌ-'bɔːd] **1.** *adj.* furious; **2.** *su.* furious person; **furie** [ˌ'ri] *f* fury, rage; *fig. avec* ~ frantically, wildly; *entrer en* ~ become furious; **furieux,

-euse** [ˌ'rjø, ˌ'rjøːz] furious, mad, raging.
furole [fy'rɔl] *f* will-o'-the-wisp.
furoncle ⚕ [fy'rɔ̃kl] *m* furuncle; F boil. [stealthy.]
furtif, -ve [fyr'tif, ˌ'tiːv] furtive,)
fus [fy] *1st p. sg. p.s. of être 1.*
fusain [fy'zɛ̃] *m* ♀ spindle-tree; (drawing-)charcoal; charcoal sketch;
fuseau [ˌ'zo] *m tex.* spindle; ♈ spherical lune; ⊕ *roller-chain*: link-pin; ⊕ *trundle*: stave; *biol.* nucleus spindle; *cost.* tapering *or* peg-top trousers *pl.*; F *fig. jambes f/pl. en* ~ spindle-shanks.
fusée¹ [fy'ze] *f tex.* spindleful; ⊕ spindle.
fusée² [ˌ] *f* ✗ *bomb etc.*: fuse; ✗, *phys.* rocket; ~ *éclairante* flare; ~ *engin booster*, carrier vehicle; *avion m* ~ rocket-propelled aircraft; *lancer une* ~ send up a flare.
fuselage ✈ [fyz'laːʒ] *m* fuselage;
fuselé, e [ˌ'le] spindle-shaped; tapering; *mot.* stream-lined; **fuseler** [ˌ'le] (1c) *v/t.* taper; *mot.* streamline.
fuser [fy'ze] (1a) *v/i.* run, spread (*colours*); fuse, melt; *fig.* burst out (*laughter*); 🔥 crackle, F fizz; slake (*lime*); burn slowly (*fuse*); **fusible** [ˌ'zibl] **1.** *adj.* fusible; **2.** *su./m* ⚡ fuse(-wire).
fusil [fy'zi] *m* rifle, gun; *tinder-box, a. sharpening*: steel; whetstone; *sl.* belly; ~ *de chasse* shot-gun; ~ *mitrailleur* Lewis gun; ~ *mitrailleur automatique* automatic gun; *à portée de* ~ within gunshot; *coup m de* ~ shot; *fig. sl.* gross overcharging; **fusilier** ✗ [fyzi'lje] *m* fusilier; **fusillade** [ˌ'jad] *f* rifle-fire, fusillade; (execution by) shooting; **fusiller** [ˌ'je] (1a) *v/t.* shoot; sharpen on a steel; *fig. sl.* spoil.
fusion [fy'zjɔ̃] *f* fusion (*a. fig.*), melting; 🔀 merger; **fusionner** [ˌzjɔ'ne] (1a) *vt/i. a. se* ~ amalgamate, merge.
fustiger [fysti'ʒe] (1l) *v/t.* thrash.
fût [fy] *m gun*: stock; *tools etc.*: handle; 🏛 *chimney, column, etc.*: shaft; barrel, cask; *box, drum*: body; *beer*: wood; ♀ *tree*: bole.
futaie [fy'tɛ] *f* forest; *arbre m de haute* ~ full-grown tree, timber-tree; **futaille** [ˌ'taːj] *f* cask, tun.
futaine *tex.* [fy'tɛn] *f* fustian.

futé, e F [fy'te] sharp, cunning.
futile [fy'til] *f* futile; trifling, F footling; **futilité** [‿tili'te] *f* futility; ‿s *pl.* trifles.
futur, e [fy'ty:r] **1.** *adj.* future; **2.** *su./m* intended (husband); *gramm.* future; *su./f* intended (wife); **futurisme** *paint.* [‿ty'rism]
m futurism; **futuriste** *paint.* [‿ty-'rist] *su.* futurist.
fuyant, e [fɥi'jã, ‿'jã:t] fleeing; fleeting (*moment*); shifty (*eyes*); *fig.* receding (*forehead, a. paint. etc. line*); **fuyard, e** [‿'ja:r, ‿'jard] **1.** *su.* fugitive; **2.** *adj.* timid; **fuyons** [‿'jõ] *1st p. pl. pres. of* fuir.

G

G, g [ʒe] *m* G, g.
gabare ⚓ [ga'ba:r] *f* lighter; transport-vessel; drag-net; **gabarier** [‿ba'rje] *m barge*: skipper; bargee, lighterman.
gabarit [gaba'ri] *m* mo(u)ld; *ships*: model; ⊕ template; ⊕ clearance; ⚒, ⊕ ga(u)ge; △ outline.
gabelle† [ga'bɛl] *f* salt-tax; **gabelou** *pej.* [‿'blu] *m* customs officer.
gabier ⚓ [ga'bje] *m* topman.
gâche[1] ⊕ [gɑ:ʃ] *f* staple; wall-hook; catch; *pawl*: notch.
gâche[2] [gɑ:ʃ] *f* ⊕ trowel; *cuis.* spatula; **gâcher** [gɑ'ʃe] (1a) *v/t.* mix (*mortar*); slack, slake (*lime*); *fig.* waste; spoil; bungle (*work*).
gâchette [gɑ'ʃɛt] *f lock*: spring-catch; ⊕ pawl; *gun-lock*: tumbler; F *gun*: trigger.
gâcheur, -euse [gɑ'ʃœ:r, ‿'ʃø:z] *su.* bungler; *su./m* △ builder's labo(u)rer; **gâchis** [‿'ʃi] *m* △ wet mortar; mud; F *fig.* mess.
gaélique [gae'lik] *adj., a. su./m ling.* Gaelic.
gaffe [gaf] *f* boat-hook; *fishing*: gaff; F *fig.* blunder, bloomer; F *faire une* ‿ put one's foot in it, drop a brick; ✕ *sl. faire la* ‿ be on sentry-go; *sl. avaler sa* ‿ die; **gaffer** [ga'fe] (1a) *v/t.* hook; gaff (*a fish*); *v/i.* F blunder, drop a brick; **gaffeur** *m*, **-euse** *f* F [‿'fœ:r, ‿'fø:z] *m* blunderer.
gaga *sl.* [ga'ga] **1.** *su./m* dodderer; **2.** *adj.* doddering, senile.
gage [ga:ʒ] *m* † pledge, pawn; *gambling*: stake; *fig.* token; forfeit; ‿s *pl.* wages, pay *sg.*; *mettre en* ‿ pawn; **gager** [ga'ʒe] (1l) *v/t.* pay wages to (*s.o.*); hire (*a servant*); ⚖ place (*furniture etc.*) under distraint; F bet; **gageur** *m*, **-euse** *f* [‿'ʒœ:r, ‿'ʒø:z] better, wagerer; **gageure** [‿'ʒy:r] *f* wager, bet;

gagiste [‿'ʒist] *m* actor *etc.*: supernumerary; *pej.* wage-earner; ⚖ (*a. créancier m* ‿) pledgee.
gagnage [ga'ɲa:ʒ] *m* pasturage; browsing land.
gagne-pain [gaɲ'pɛ̃] *m/inv.* livelihood; bread-winner; **gagne-petit** [‿pə'ti] *m/inv.* (itinerant) knife-grinder; cheap-jack; **gagner** [ga'ɲe] (1a) *v/t.* win (*a. fig.*); gain; earn (*a salary etc.*); reach, arrive at; overtake; *v/i.* gain profit (by, à); spread (*disease, fire*); **gagneur** *m*, **-euse** *f* [‿'ɲœ:r, ‿'ɲø:z] earner; gainer; winner.
gai, gaie [ge] gay, merry, jolly, cheerful, lively, bright; ⊕ easy (*bolt, tenon*); F *un peu* ‿ a bit merry (= *tipsy*); **gaieté** [‿'te] *f* cheerfulness; mirth; ‿s *pl.* frolics; escapades; broad jokes; *de* ‿ *de cœur* out of sheer wantonness.
gaillard, e [ga'ja:r, ‿'jard] **1.** *adj.* jolly, merry; strong, well (*health etc.*); broad, spicy, risky (*song, story*); **2.** *su./m* fellow, chap; *su./f* wench; bold young woman; **gaillardise** [‿jar'di:z] *f* jollity; ‿s *pl.* broad jokes, risky stories.
gain [gɛ̃] *m* gain, profit; earning; *cards etc.*: winnings *pl.*
gaine [gɛ:n] *f* ⚘, *anat., a. knife*: sheath; case, casing; corset, girdle; △, ✕ shaft; *geol.* matrix; **gainer** [gɛ'ne] (1b) *v/t.* sheathe.
gala [ga'la] *m* gala, fête; *en grand* ‿ in state; *habits m/pl. de* ‿ full dress *sg.*; *fig.* one's Sunday best.
galactomètre [galakto'mɛtr] *m* lactometer.
galalithe ⊕ [gala'lit] *f* galalith.
galamment [gala'mã] *adv. of* galant **1**; **galant, e** [ga'lã, ‿'lã:t] **1.** *adj.* elegant, gay; courteous, gallant; *homme* man of hono(u)r, gentle-

man; *aventure f* ~e (love-)affair;
2. *su./m* ladies' man; lover; **galan-
terie** [ˌlãˈtri] *f* politeness, atten-
tiveness; love-affair; pretty speech;
~s *pl.* compliments (*to a woman*);
galantin [ˌlãˈtɛ̃] *m* dandy.

galaxie *astr.* [galakˈsi] *f* galaxy; *the*
Milky Way.

galbe [galb] *m* curve; contour;
line(s *pl.*) (*of a car*); shapeliness;
galber ⊕ [galˈbe] (1a) *v/t.* shape.

gale [gal] *f* 🌿 scabies, *the* itch;
hunt. mange; *fig.* defect (*in material*); *fig. sl.* woman: shrew.

galène *min.* [gaˈlɛn] *f* galena; ~ *de
fer* wolfram; *poste m à ~ radio*:
crystal set.

galère [gaˈlɛːr] *f* galley; ⊕ barrow;
qu'allait-il faire dans cette ~? what
was he doing there?; F *vogue la* ~!
let's risk it!

galerie [galˈri] *f* 🌿, ⚒, *thea.*,
museum: gallery; ⚒ drift, level;
arcade; *mot.* roof rack; 🌿 ~ *de
roulage* drawing-road.

galérien [galeˈrjɛ̃] *m* † galley-slave;
† convict; *fig.* drudge.

galet [gaˈle] *m* pebble; ⊕ roller;
⊕ pulley; ~s *pl.* shingle *sg.*

galetas [galˈta] *m* garret; hovel.

galette [gaˈlet] *f* tart; girdle-cake;
⚓ ship's biscuit; hard, thin mattress, *sl.* biscuit; *sl.* money.

galeux, -euse [gaˈlø, ~ˈløːz] mangy
(*dog*); 🌿 scurfy (*tree*); with the itch
(*person*); F *fig. brebis f* ~euse black
sheep.

galimatias [galimaˈtja] *m* farrago;
gibberish.

galle 🌿 [gal] *f* gall(-nut); *noix f de* ~
nut-gall.

gallicanisme *eccl.* [galikaˈnism] *m*
Gallicanism.

gallicisme [galiˈsism] *m* gallicism,
French turn of phrase.

gallinacé, e *orn.* [galinaˈse] **1.** *adj.*
gallinaceous; **2.** *su./m:* ~s *pl.* gal-
linaceae.

gallois, e [gaˈlwa, ~ˈlwaːz] **1.** *adj.*
Welsh; **2.** *su./m ling.* Welsh; ♂
Welshman; *les* ♀ *m/pl.* the Welsh;
su./f ♀ Welshwoman.

galoche [gaˈlɔʃ] *f* clog; galosh, *Am.*
rubber.

galon [gaˈlõ] *m* braid; ⚒, ⚓ stripe;
galonner [ˌlɔˈne] (1a) *v/t.* trim
with braid or lace; braid.

galop [gaˈlo] *m* gallop; *sl.* scolding;

au grand ~ at full gallop; *au petit* ~
at a canter; **galoper** [galɔˈpe] (1a)
v/i. gallop; **galopin** [ˌlɔˈpɛ̃] *m* errand-boy; urchin; ⊕ loose pulley.

galvaniser [galvaniˈze] (1a) *v/t.* ⊕
galvanize; (electro)plate; *fig.* stimulate; **galvanoplastie** ⊕ [ˌnɔ-
plasˈti] *f* electroplating.

galvauder F [galvoˈde] (1a) *v/t.*
botch (*a work*); sully; *se* ~ sully
one's reputation; go to the bad, F
go to the dogs.

gambade [gãˈbad] *f* gambol, caper;
gambader [ˌbaˈde] (1a) *v/i.* gambol, caper; frisk; **gambiller** [ˌbi-
ˈje] (1a) *v/i.* F dance; F fidget.

gamelle [gaˈmɛl] *f* bowl, can; ⚔
pan; ⚒, ⚓ mess-tin, dixie.

gamin, e [gaˈmɛ̃, ~ˈmin] *su.* urchin;
street-arab; *su./m* little boy; *su./f*
little girl; **gaminerie** [ˌminˈri] *f*
child's trick.

gamma *phys.* [gaˈma] *m: rayons
m/pl.* ~ gamma rays.

gamme [gam] *f* ♪ scale (*a. paint.*),
gamut; range; *fig. changer de* ~
change one's tune.

gammé, e [gaˈme] *adj.: croix f* ~e
swastika.

gang [gãːg] *m* gang.

ganglion *anat.* [gãgliˈõ] *m* ganglion.

gangrène [gãˈgrɛn] *f* 🌿 gangrene;
🌿, *a. fig.* canker; *fig.* corruption;
gangrener [gãgrəˈne] (1d) *v/t.* 🌿
gangrene, cause mortification in;
fig. corrupt; **gangreneux, -euse**
[ˌnø, ˌnøːz] *adj.* 🌿 gangrenous; 🌿
cankerous.   [hooligan.\

gangster [gãgsˈtɛːr] *m* gangster,\

ganse [gãːs] *f* braid; piping; loop.

gant [gã] *m* glove; ~ *de boxe* boxing-
glove; ~ *de toilette* washing-glove;
jeter (relever) le ~ throw down
(take up) the gauntlet; **gantelet**
[gãtˈle] *m* gauntlet; **ganter** [gãˈte]
(1a) *v/t.* glove; *fig.* suit (*s.o.*); *se* ~
put one's gloves on; buy gloves;
ganterie [ˌˈtri] *f* glove-making,
glove-trade; glove-shop, glove-
counter; glove-factory; ✝ *coll.*
gloves *pl.*; **gantier** *m*, **-ère** *f* [ˌˈtje,
ˌˈtjɛːr] glover.

garage [gaˈraːʒ] *m mot.* garage; *mot.*
car-park; 🚂 shunting; ⚓ dock
(-ing); 🚃 *voie f de* ~ siding; **gara-
giste** *mot.* [ˌraˈʒist] *m* garage
owner; garage mechanic.

garance [gaˈrãːs] *f* **1.** *su./f* 🌿 madder(-wort); *dye*: madder; (madder-) red; 2. *adj./inv.* (madder-)red.

garant, e [ga'rã, ~'rã:t] *su.* surety, bail; security; *se porter* ~ vouch (for, *de*); *su./m* guarantee, authority; **garantie** [garã'ti] *f* safeguard; guarantee (*a.* ✝); ✝ warranty; pledge; **garantir** [~'ti:r] (2a) *v/t.* guarantee (*a.* ✝); ✝ underwrite; vouch for; *fig.* protect.

garce *sl.* [gars] *f* bitch, strumpet.

garçon [gar'sõ] *m* boy, lad; young man; (*a. vieux* ~) bachelor; *café etc.*: waiter; ~ *de bureau* office-messenger; ~ *d'honneur* best man; F *brave* ~ nice fellow; **garçonne** [~'son] *f* bachelor girl; *cheveux m/pl.* (*or coiffure f*) *à la* ~ Eton crop *sg.*; **garçonnet** [~sɔ'nɛ] *m* little boy; **garçonnière** [~sɔ'njɛ:r] *f* bachelor apartment *or* rooms *pl.*

garde [gard] *su./f* watch, guard; care, protection; custody, keeping; nurse; *book*: fly-leaf; *book*: end-paper; ~ *à vous!* look out!; ✕ attention!, 'shun!; ✕ *de* ~ on guard, on duty; *faire la* ~ keep watch; *monter la* ~ mount guard; *prendre* ~ beware, be careful; *être sur ses* ~s be on one's guard; *su./m* guardian, watchman; keeper; warden; ~ *champêtre* rural constable; ♀ *des Sceaux* (French) Minister of Justice; **~-barrière**, *pl.* **~s-barrière(s)** 🚂 [gardəba'rjɛ:r] gate-keeper; **~-boue** *mot.* [~'bu] *m/inv.* mud-guard, *Am.* fender; **~-chasse**, *pl.* **~s-chasse(s)** [~'ʃas] *m* gamekeeper; **~-corps** [~'kɔ:r] *m/inv.* life-line; **~-côte** [~'ko:t] *m* coastguard vessel; **~-feu** [~'fø] *m/inv.* fender; **~-fou** [~'fu] *m* parapet; railing, handrail; **~-frein**, *pl.* **~s-frein(s)** 🚂 [~'frɛ̃] *m* brakesman; **~-malade**, *pl.* **~s-malades** [~ma'lad] *su./m* male nurse; *su./f* nurse; **~-manger** [~mã'ʒe] *m/inv.* larder, pantry; meat-safe; **~-nappe**, *pl.* **~s-nappe(s)** [~'nap] *m* table-mat.

garder [gar'de] (1a) *v/t.* keep; pre-serve; retain; protect, defend, guard; *se* ~ protect o.s.; refrain (*from ger.*, *de inf.*); take care (not to *inf.*, *de inf.*); beware (of, *de*); **garderie** [~'dri] *f* day nursery; **garde-robe** [~də'rɔb] *f furniture*, *clothes*: wardrobe; toilet, water-closet; **gardeur** *m*, **-euse** *f* [~'dœ:r,

~'dø:z] keeper, minder; preserver; **garde-voie**, *pl.* **~s-voie(s)** 🚂 [~də'vwa] *m* track-watchman; **garde-vue** [~də'vy] *m/inv.* eye-shade; lampshade; **gardien, -enne** [~'djɛ̃, ~'djɛn] 1. *su.* guardian; keeper; attendant; *prison*: warder, guard; *foot.* ~ *de but* goalkeeper; ~ *de la paix* policeman; 2. *adj.*: *ange m* ~ guardian angel.

gare¹ [ga:r] siding (✕, *a. canal*, *river*, *a.* 🚢); 🚂 (railway) station; ✕ ~ *aérienne* airport; 🚂 ~ *de triage* marshalling yard; ⚓ ~ *maritime* harbo(u)r-station; ~ *routière* bus station; 🚂 *chef m de* ~ station-master.

gare²! [~] *int.* look out!; ~ *à vous!* woe betide you!; *sans crier* ~ with-out warning.

garenne [ga'rɛn] *su./f* (rabbit-)war-ren; fishing preserve; *su./m* wild rabbit.

garer [ga're] (1a) *v/t.* 🚂 shunt; *mot.* garage; *mot.* park; dock (*a vessel*); gather in (*the harvest*); *se* ~ 🚂 shunt; *mot. etc.* pull to one side; move out of the way; take cover (from, *de*).

gargariser [gargari'ze] (1a) *v/t.*: *se* ~ gargle; F revel (in, *de*); **gargarisme** [~'rism] *m* gargle; gar-gling.

gargote [gar'gɔt] *f* (third-rate) eat-ing house; cook-shop; **gargotier** *m*, **-ère** *f* [~gɔ'tje, ~'tjɛ:r] cook-shop owner.

gargouille ⚠ [gar'gu:j] *f* gargoyle; water-spout; culvert; **gargouiller** [~gu'je] (1a) *v/i.* gurgle; rumble (*bowels*); F paddle (in the gutter); **gargouillis** [~gu'ji] *m* gurgling.

garnement F [garnə'mã] *m* good-for-nothing, rogue.

garni [gar'ni] *m* furnished room(s *pl.*), F digs *pl.*; **garnir** [~'ni:r] (2a) *v/t.* furnish, provide, fit up (with, *de*); ✕ occupy, garrison, line (with, *de*); trim; ⊕ lag (*pipes*); ✝ stock (*a shop*); **garnison** ✕ [~ni'zõ] *f* garrison; **garniture** [~ni'ty:r] *f* fittings *pl.*; *cost.*, *cuis.* trimming(s *pl.*); ⊕ lagging; ⊕ packing; *mot.* brakes, clutch: lining; *buttons*, ⊕ *pulleys*, *toilet*, *etc.*: set.

garrot [ga'ro] *m* ⊕ tongue (*of saw*); 🩺 tourniquet; **garrotter** [~rɔ'te] (1a) *v/t.* pinion; bind down; ✝ gar(r)otte.

gars F [gɑ] *m* lad, young fellow, boy
gascon *m*, **-onne** *f* [gas'kɔ̃, ~'kɔn]
1. *adj.* Gascon; 2. *su./m ling.* Gascon; F *faire le* ~ brag, boast; *su.* ♀
Gascon; **gasconnade** [~kɔ'nad] *f*
boast(ing), bragging; tall story·
gasconner [~kɔ'ne] (1a) *v/i.* speak
with a Gascon accent; F brag, boast.
gas(-)oil [ga'zɔjl] *m* fuel *or* diesel oil.
gaspiller [gaspi'je] (1a) *v/t.* waste,
squander; dissipate; *se* ~ be wasted.
gastrite ⚕ [gas'trit] *f* gastritis.
gastro... [gastrɔ] gastro...; **gastronome** [~'nɔm] *m* gastronome(r).
gâteau [gɑ'to] *m* cake; (open) tart;
pudding (*usu.* cold); *fig.* profit; ~
des Rois Twelfth-night cake; *fig.*
partager le ~ go shares, split the
profit.
gâter [gɑ'te] (1a) *v/t.* spoil (*a. fig.*);
fig. pamper (*a child*); damage; taint
(*the meat*); *se* ~ deteriorate; **gâterie**
[~'tri] *f* spoiling (*of a child*); over-
indulgence; ~*s pl.* goodies; **gâteux,
-euse** [~'tø, ~'tø:z] 1. *su.* old dotard;
2. *adj.* senile, doddering; **gâtisme**
⚕ [~'tism] *m* senile decay.
gauche [goːʃ] 1. *adj.* left;
crooked; awkward, clumsy; *à* ~ on
or to the left; *tourner à* ~ turn left;
2. *su./f* left hand; left-hand side;
tenir sa ~ keep to the left; **gaucher,
-ère** [go'ʃe, ~'ʃɛːr] 1. *adj.* left-
handed; 2. *su.* left-hander; **gaucherie** [goʃ'ri] *f* awkwardness,
clumsiness; **gauchir** [go'ʃiːr] (2a)
v/i. a. se ~ warp (*wood*); buckle
(*metal*); *v/t.* give camber to (*s.th.*);
⚒ bank (*the wing*); **gauchisme**
pol. [~'ʃism] *m* extreme leftism;
gauchissement [~ʃis'mɑ̃] *m* warping (*a.* ⚒ *aileron*); buckling; ⚒
banking; **gauchiste** *pol.* [~'ʃist] *of*
the extreme left.
gaudriole F [godri'ɔl] *f* broad joke(s
pl.).
gaufre *cuis.* [goːfr] *f* waffle; ~ *de
miel* honeycomb; **gaufrer** [go'fre]
(1a) *v/t.* ⊕ emboss (*leather etc.*);
crimp (*linen*); corrugate (*iron,
paper*); *tex.* diaper; **gaufrette** *cuis.*
[~'fret] *f* wafer biscuit; **gaufrier**
cuis. [~fri'e] *m* waffle-iron.
gaule [goːl] *f* long pole; riding-
switch; (one-piece) fishing-rod;
gauler [go'le] (1a) *v/t.* knock down
(*fruit etc. from a tree*).
gaulois, e [go'lwa, ~'lwaːz] 1. *adj.*

of Gaul; Gallic; *fig.* spicy, broad;
2. *su./m ling.* Gaulish; *su.* ♀ Gaul;
gauloiserie [~lwaz'ri] *f* broad joke
or story.
gausser [go'se] (1a) *v/t.*: *se* ~ *de*
make fun of.
gave [gaːv] *m* mountain-torrent (*in
the Pyrenees*).
gaver [ga've] (1a) *v/t.* cram (*a. fig.
a pupil*); ⚕ feed forcibly; *se* ~ stuff
o.s. (with, de); gorge.
gavroche [ga'vrɔʃ] *su. Paris:* street
arab, ragamuffin.
gaz [gɑːz] *m* gas; gas works *usu. sg.*; ⚒
wind; ~ *d'échappement* exhaust gas;
~ *d'éclairage* (*or de ville*) illuminating gas; ⚕ ~ *hilarant* laughing-gas;
⚕ ~ *pl. rares* rare gases; *mot. couper
les* ~ throttle back; *mot. ouvrir les* ~
open the throttle, F step on the gas;
mot. pédale f de ~ accelerator.
gaze [~] *f* gauze; *fig. sans* ~ without
reticence.
gazéifier [gazei'fje] (1o) *v/t.* gasify;
aerate (*mineral waters etc.*); **gazéi-
forme** ⚕ [~'fɔrm] gasiform.
gazer¹ [ga'ze] (1a) *v/t.* ✗, *tex.* gas;
v/i. mot. sl. move, go smoothly; F
ça gaze it's going strong.
gazer² [~] (1a) *v/t.* cover with gauze;
fig. draw a veil (of reticence) over.
gazetier † [gaz̆'tje] *m* journalist; *fig.*
newsmonger; **gazette** [~'zɛt] *f*
gazette; *person:* gossip(er).
gazeux, -euse [ga'zø, ~'zøːz] gaseous; ✿ aerated, fizzy; **gazier** [~'zje]
m gas-worker; gas-fitter; **gazogène**
[~zɔ'ʒɛn] *m* gas-producer, generator; gasogene; **gazomètre** [~zɔ-
'mɛtr] *m* gasometer, gas-holder.
gazon [ga'zɔ̃] *m* grass; turf; lawn;
gazonner [~zɔ'ne] (1a) *v/t.* turf;
v/i. sward.
gazouillement [gazuj'mɑ̃] *m* warbling, chirping, *birds:* twittering;
brook etc.: babbling; *fig.* prattle;
gazouiller [gazu'je] (1a) *v/i.*
warble, chirp, twitter (*birds*);
babble (*brook*); *fig.* prattle; *sl.*
stink; **gazouillis** [~'ji] *m see gazouillement*.
geai *orn.* [ʒɛ] *m* jay.
géant, e [ʒe'ɑ̃, ~'ɑ̃ːt] 1. *su./m* giant;
su./f giantess; 2. *adj.* gigantic.
géhenne [ʒe'ɛn] *f* gehenna, hell (*a.
fig.*).
geindre [ʒɛ̃ːdr] (4m) *v/i.* whine;
moan; whimper; complain.

gel [ʒɛl] *m* frost; freezing; ⚒ gel.

gélatine [ʒela'tin] *f* gelatine; **géla-tineux, -euse** [‿ti'nø, ‿'nø:z] gelatinous.

gelée [ʒə'le] *f* frost; *cuis.* jelly; ~ blanche hoar-frost; ground frost; ~ nocturne night frost; **geler** [‿] (1d) *v/t.* freeze (*a.* ✝ *credits*); ✍, 🌡 frostbite; *v/i.* freeze, become frozen; *avoir gelé* be frozen (*river*); *il gèle blanc* there is a white frost; *on gèle ici* it is freezing (in) here.

gelinotte *orn.* [ʒəli'nɔt] *f* hazel-grouse; fat(tened) pullet.

gélivure [ʒeli'vy:r] *f* frost-crack.

Gémeaux *astr.* [ʒe'mo] *m/pl.:* les ~ Gemini; the Twins; **géminé, e** [‿mi'ne] ⚼, *biol.* twin; *biol.* geminate; mixed, co-educational (*school*).

gémir [ʒe'mi:r] (2a) *v/i.* groan, moan; lament, bewail; **gémisse-ment** [‿mis'mã] *m* groan(ing), moan(ing).

gemme [ʒɛm] *f min.* gem; precious stone; ⚼ (leaf-)bud; resin; *biol.* gemma; *sel m* ~ rock-salt.

gênant, e [ʒe'nã, ‿'nã:t] inconvenient, in the way; *fig.* awkward (*silence etc.*).

gencive *anat.* [ʒã'si:v] *f* gum.

gendarme [ʒã'darm] *m police militia:* gendarme, constable; F virago; *sl.* red herring; **gendarmer** [ʒã-dar'me] (1a) *v/t.: se* ~ flare up, be up in arms; **gendarmerie** [‿mə'ri] *f* constabulary; barracks *pl. or* headquarters *pl.* of the gendarmes.

gendre [ʒã:dr] *m* son-in-law.

gêne [ʒɛn] *f* embarrassment, uneasiness; difficulty, trouble; want, financial straits *pl.*; *mettre q. à la* ~ torture s.o. (*a. fig.*); *sans* ~ free and easy; familiar; **gêner** [ʒe'ne] (1a) *v/t.* cramp, constrict; *fig.* embarrass; inconvenience; hamper, hinder; trouble; *cela vous gêne-t-il?* is that in your way?; is that troubling you?; *la robe me gêne* the dress is too tight for me; *fig. se* ~ trouble *or* inconvenience o.s. (to, *pour*); *sourire m gêné* embarrassed smile.

général, e [ʒene'ral, ‿'ro] **1.** *adj.* general; *d'une façon* ~e broadly speaking; *en* ~ generally; **2.** *su./m* ✖ general (*a. eccl.* of an order); ~ *de brigade* ✖ brigadier, *Am.* brigadier general (*a.* ✈); ✖ *Br.*

Air Commodore; *su./f* ✖ general's wife; ✖ alarm; *eccl.* general (*of order of nuns*); *thea.* dress-rehearsal; **généraliser** [‿rali'ze] (1a) *v/t.* generalize; **généralité** [‿rali'te] *f* generality.

générateur, -trice [ʒenera'tœ:r, ‿'tris] **1.** *adj.* generating; productive; **2.** *su./f* generator; dynamo; *su./ m* ⊕ boiler; ~ *à gaz* gas-producer; **génération** [‿'sjɔ̃] *f* generation.

généreux, -euse [ʒene'rø, ‿'rø:z] generous (*person, fig.* heart, *help, wine*); liberal; abundant; ⚘ fertile (*soil*); **générosité** [‿rozi'te] *f* generosity; liberality; *wine:* body.

genèse [ʒə'nɛ:z] *f* genesis, origin; *bibl. la* ♀ Genesis.

genêt ⚘ [ʒə'nɛ] *m* broom; ~ *épineux* gorse, furze.

génétique [ʒene'tik] **1.** *adj.* genetic; **2.** *su./f* genetics *pl.*

gêneur *m*, **-euse** *f* [ʒe'nœ:r, ‿'nø:z] intruder; nuisance; spoil-sport.

genevois, e [ʒən'vwa, ‿'vwa:z] *adj., a. su.* ♀ Genevese.

genévrier ⚘ [ʒenevri'e] *m* juniper (-tree).

génial, e, *m/pl.* **-aux** [ʒe'njal, ‿'njo] inspired, of genius; **génie** [‿'ni] *m spirit, a. person:* genius; spirit, characteristic; ✖ engineers *pl.*; ~ *civil* civil engineering; *coll.* civil engineers *pl.*; *mauvais* (*bon*) ~ bad (good) genius.

genièvre [ʒə'njɛ:vr] *m* ⚘ juniper-berry; juniper(-tree); gin.

génisse [ʒe'nis] *f* heifer.

génital, e, *m/pl.* **-aux** [ʒeni'tal, ‿'to] genital; *anat. organes m/pl.* ‿*aux* genitals.

génois, e [ʒe'nwa, ‿'nwa:z] *adj., a. su.* ♀ Genoese.

genou, *pl.* **-x** [ʒə'nu] *m* knee; ⊕ *pipe:* elbow-joint; ⊕ (*a. joint m à* ~) ball-and-socket joint; *se mettre à* ‿*x* kneel down; **genouillère** [‿nu-'jɛ:r] *f* knee(-pad); *armour, a. horse:* knee-cap; ⊕ *articulation f à* ~ ball-and-socket joint.

genre [ʒã:r] *m* genus, family; kind; *gramm.* gender; *art:* style; fashion; taste, form; *se donner du* ~ put on airs; *le* ~ *humain* mankind.

gens [ʒã] *m/pl.* (*an adj. or participle immediately preceding it is made feminine; if, however, both masculine and feminine forms end in a mute e, the*

adj. is made masculine) people, folk
sg.; servants; nations; les jeunes ~
the young folks; tous les ~ intéressés
all people interested; petites ~ small
fry; vieilles ~ old folks; ~ de bien
honest folk; ~ d'église clergy pl.;
church people; ~ de lettres men of
letters; ~ de mer sailors; ~ de robe
lawyers; ⚕⚕ droit m des ~ law of
nations.

gent †, a. co. [~] f race, tribe.

gentiane [ʒã'sjan] f ♀ gentian;
gentian-bitters pl.

gentil[1] hist. [ʒã'ti] m Gentile.

gentil[2], -ille [ʒã'ti, ~'ti:j] nice;
kind; pretty, pleasing; sois ~! be
good!; **gentilhomme**, pl. **gentilshommes** [ʒãti'jɔm, ~ti'zɔm] m
nobleman; gentleman (= man of
gentle birth); **gentillesse** [~'jɛs] f
graciousness; politeness; avoir la ~
de (inf.) be so kind as to (inf.);
gentiment [~'mã] adv. of gentil[2].

génuflexion eccl. [ʒenyflɛk'sjɔ̃] f
genuflexion; faire une ~ genuflect.

géodésie [ʒeɔde'zi] f surveying, ge-
odesy; **géodésique** [~'zik] geo-
detic, geodesic; surt. point m ~
triangulation point.

géographe [ʒeɔ'graf] m geographer;
géographie [~gra'fi] f geography;
géographique [~gra'fik] geo-
graphic(al).

geôle [ʒo:l] f gaoler's lodge; † gaol,
prison; **geôlier** [ʒo'lje] m gaoler,
jailer.

géologie [ʒeɔlɔ'ʒi] m geology.

géométrie ℟ [ʒeɔme'tri] f geometry.

gérance [ʒe'rã:s] f direction, management; managership; board of
directors or governors; **gérant**, e
[~'rã, ~'rã:t] su./m director; company: managing director; manager;
journ. rédacteur-~ managing editor;
su./f manageress.

gerbage [ʒɛr'ba:ʒ] m sheaves: binding; bales etc.: stacking; **gerbe**
[ʒɛrb] f corn: sheaf; flowers, water:
spray; sparks: shower; ✕ cone of
fire; **gerber** [ʒɛr'be] (1a) v/t. bind
(corn-sheaves); stack, pile; ✕ bombard; **gerbier** [~'bje] m corn:
stack; barn; **gerbière** [~'bjɛ:r] f
harvest wain.

gerboise zo. [ʒɛr'bwa:z] f jerboa.

gercer [ʒɛr'se] (1k) vt/i. a. se ~
crack (wood, skin, soil); chap

(hands); **gerçure** [~'sy:r] f crack,
fissure; hands: chap; ⊕ flaw (in
wood), hair-crack (in metal).

gérer [ʒe're] (1f) v/t. manage, administer; mal ~ mismanage.

germain[1], e [ʒɛr'mɛ̃, ~'mɛn] full,
own (brother, sister); first (cousin).

germain[2], e hist. [ʒɛr'mɛ̃, ~'mɛn]
1. adj. Germanic, Teutonic; 2. su.
♀ German, Teuton; **germanique**
[~ma'nik] adj., a. su./m ling. Germanic; **germanisme** [~ma'nism]
m Germanism; German turn of
phrase.

germe [ʒɛrm] m biol. germ (a. fig.);
potato: eye; fig. seed, origin; **germer** [ʒɛr'me] (1a) v/i. germinate;
sprout, shoot; fig. spring up, dawn
(idea); **germination** biol. [~mina-
'sjɔ̃] f germination; **germoir** [~-
'mwa:r] m ↗ seed-bed, hot-bed;
brewing: malt-house.

gérondif gramm. [ʒerɔ̃'dif] m ge-
rund.

gerzeau ♀ [ʒɛr'zo] m corn-cockle.

gésier zo. [ʒe'zje] m gizzard.

gésir [ʒe'zi:r] (2q) v/i. lie; ci-gît
here lies.

gestation physiol. [ʒɛsta'sjɔ̃] f (period of) gestation, pregnancy.

geste[1] [ʒɛst] f (a. chanson f de ~)
medieval verse chronicle; faits m/pl.
et ~s pl. exploits; fig. behavio(u)r sg.

geste[2] [ʒɛst] m gesture, motion,
sign; **gesticulation** [ʒɛstikyla'sjɔ̃] f
gesticulation.

gestion [ʒɛs'tjɔ̃] f administration,
management.

gibbeux, -euse [ʒi'bø, ~'bø:z] gib-
bous; humped; **gibbosité** [~bozi-
'te] f gibbosity; hump.

gibecière [ʒib'sjɛ:r] f game-bag;
school: satchel.

gibelotte cuis. [ʒi'blɔt] f fricassee
of rabbit or hare in white wine.

giberne [ʒi'bɛrn] f cartridge-pouch.

gibet [ʒi'bɛ] m gibbet, gallows usu.}
gibier [ʒi'bje] m game.   [sg.}

giboulée [ʒibu'le] f sudden shower;
F fig. shower of blows.

giboyer [ʒibwa'je] (1h) v/i. go
shooting; **giboyeux**, -euse [~'jø,
~'jø:z] abounding in game; pays m ~
good game country.

gibus [ʒi'bys] m opera-hat.

gicler [ʒi'kle] (1a) v/i. squirt, spurt;
splash; **gicleur** mot. [~'klœ:r] m
jet; (spray) nozzle.

gifle [ʒifl] *f* slap in the face; box on the ear; **gifler** [ʒiˈfle] (1a) *v/t.*: ~ q. slap s.o.'s face; box s.o.'s ears.

gigantesque [ʒigɑ̃ˈtɛsk] gigantic; **gigantisme** ⚕ [ˌˈtism] *m* gigantism.

gigogne [ʒiˈɡɔɲ] **1.** *su./f*: la mère ♀ (approx.) the Old Woman who lived in a shoe; **2.** *adj.*: table *f* ~ nest of tables; ⚓ vaisseau *m* ~ mother ship.

gigot [ʒiˈɡo] *m cuis.* leg of mutton; *cost.* manches *f/pl.* à ~ leg-of-mutton sleeves; **gigoter** F [ˌˈɡɔˈte] (1a) *v/i.* kick; jig.

gigue[1] [ʒig] *f* haunch of venison; gawky girl; F ~s *pl.* legs.

gigue[2] ♪ [ˌˈ] *f* jig.

gilet [ʒiˈlɛ] *m* waistcoat, vest; *knitwear*: cardigan; ~ de sauvetage life-jacket.

gimblette *cuis.* [ʒɛ̃ˈblɛt] *f* jumbal.

gin [dʒin] *m* gin.

gingembre ⚕ [ʒɛ̃ˈʒɑ̃:br] *m* ginger.

gingivite ⚕ [ʒɛ̃ʒiˈvit] *f* gingivitis.

girafe *zo.* [ʒiˈraf] *f* giraffe.

girandole [ʒirɑ̃ˈdɔl] *f* chandelier, *jewels*: girandole; *flowers*: cluster.

giratoire [ʒiraˈtwa:r] gyratory (*traffic*); sens *m* ~ roundabout.

girofle ♀ [ʒiˈrɔfl] *m* clove; *cuis.* clou *m* de ~ clove; **giroflée** [ʒirɔ-ˈfle] *f* stock; wallflower; **giroflier** ♀ [ˌfliˈe] *m* clove-tree.

girolle ♀ [ʒiˈrɔl] *f* mushroom, *usu.* chanterelle.

giron [ʒiˈrɔ̃] *m* lap; ⊕ loose handle; △ tread; *fig.* bosom (*of the Church*).

girouette [ʒiˈrwɛt] *f* weathercock (*a. fig.*), vane.

gisant [ʒiˈzɑ̃] *m arts*: recumbent effigy; **gisement** [ʒizˈmɑ̃] *m geol.* bed, layer, stratum; ⚓ bearing; ⚒ lode, vein; ~s *pl.* houillers coal measures; **gisons** [ʒiˈzɔ̃] *1st p. pl. pres. of gésir*; **gît** [ʒi] *3rd p. sg. pres. of gésir.*

gitan, e *f* [ʒiˈtɑ̃, ˌˈtan] gipsy.

gîte [ʒit] *su./m* resting-place, lodging; *hare*: form; *animal*: lair; *geol.* bed, stratum; ⚒ vein; △ joist; *su./f* ⚓ list; **gîter** [ʒiˈte] (1a) *v/i.* lodge; lie; sleep; ⚓ list; ⚓ run aground.

givrage ✈ [ʒiˈvra:ʒ] *m* icing; **givre** [ʒi:vr] *m* hoar-frost; **givré, e** [ʒi-ˈvre] rimy; frosted; ✈ iced-up; **givrer** [ˌˈ] (1a) *v/t.* cover with hoarfrost, frost (*s.th.*) over; frost (*a cake*); ✈ ice up.

glabre [glɑ:br] smooth, hairless; *fig.* clean-shaven (*face*).

glaçage [glaˈsa:ʒ] *m* glazing; *cuis.* icing, frosting; **glace** [glas] *f* ice; ice-cream; *cuis.* icing; *fig.* chill; mirror; (*plate-*)glass; *mot. etc.* window; ⊕ flaw; ⚓ pris dans les ~s ice-bound; **glacé, e** [glaˈse] **1.** *adj.* icy (*a. fig.* stare, politeness), freezing; iced (*drink*); chilled (*wine*); frozen; glazed (*paper etc.*); glacé, kid ...; **2.** *su./m* glaze; **glacer** [ˌˈ] (1k) *v/t.* freeze; glaze; *fig.* chill (*the wine*); surface (*paper etc.*); *cuis.* frost, ice (*a cake*); 🍚 polish (*the rice*); se ~ freeze; *fig.* run cold; **glacerie** [glasˈri] *f* ice-cream trade; glass-works *usu sg.*; **glaceur** ⊕ [glaˈsœ:r] *m* paper, material: glazer; rolling-machine; glazing-pad; **glaciaire** *geol.* [ˌˈsjɛːr] glacial; ice-(age) ...; **glacial, e,** *m/pl.* -als [ˌˈsjal] icy (*temperature, a. fig.*); frosty (*air*); ice-...; frigid (*style, manner, politeness, zone*); **glacier** [ˌˈsje] *m geol.* glacier; ice-cream man; maker of mirrors *or* plate-glass; **glacière** [ˌˈsjɛːr] *f* ice-house; ice-box; refrigerator; ➡ refrigerator van; **glacis** [ˌˈsi] *m* slope; ⚓ ramp; ⚔ *hist.* glacis; *paint.* glaze, scumble; **glaçon** [ˌˈsɔ̃] *m* icicle (*a. fig.* person); ice-floe; block of ice; **glaçure** [ˌˈsy:r] *f* pottery etc.: glaze, glazing.

glaïeul ♀ [glaˈjœl] *m* gladiolus.

glaire [glɛ:r] *f* white of egg; mucus; phlegm; flaw (*in precious stone*); **glaireux, -euse** [glɛˈrø, ˌˈrø:z] glaireous; full of phlegm (*throat*).

glaise [glɛ:z] *f* clay, loam; **glaiser** [glɛˈze] (1b) *v/t.* line with clay; ⚒ coffer; 🌱 dress (*the soil*) with clay; ⊕ puddle (*a reservoir*); **glaisière** [ˌˈzjɛːr] *f* clay-pit.

glaive [glɛːv] *m* sword.

glanage 🌱 [glaˈna:ʒ] *m* gleaning.

gland [glɑ̃] *m* ♀ acorn; *curtain*: tassel; **glandage** [glɑ̃ˈda:ʒ] *m* pannage.

glande ♀, *anat.* [glɑ̃:d] *f* gland.

glandée [glɑ̃ˈde] *f* mast, pannage; acorn-harvest.

glane [glan] *f* gleaning; *pears*: cluster; *onions*: rope; F ~s *pl.* pickings; **glaner** [glaˈne] (1a) *v/t.* glean (*a. fig.*); **glaneur** *m*, **-euse** *f* [ˌˈnœːr,

~'nø:z] gleaner; **glanure** [~'ny:r] f gleanings pl. (a. fig.).

glapir [gla'pi:r] (2a) v/i. yelp; bark (fox); **glapissement** [~pis'mã] m yelping, yapping; fox: barking.

glas [glɑ] m knell; ✕ etc. salvo of guns (at funeral).

glauque [glo:k] sea-green; bluish green.

glèbe [glɛb] f earth: sod; † land; hist. feudal land; attaché à la ~ bound to the soil.

glissade [gli'sad] f slip; sliding; slide (on snow etc.); dancing: glide; geol. ~ de terre landslide; ✕ ~ sur l'aile side-slip; ✕ ~ sur la queue tail-dive; mount. faire une descente en ~ glissade; **glissant, e** [~'sã, ~'sã:t] sliding (a. ⊕ joint); slippery (a. fig.); **glissement** [glis'mã] m sliding, slipping; gliding; geol. landslide; ⊕ belt: creeping; **glisser** [gli'se] (1a) v/i. slip; slide (on ice etc.); glide; mot. skid (wheel); ⊕ creep (belt); ~ sur qch. glance off s.th.; fig. not to dwell upon; let pass; ✕ ~ sur l'aile side-slip; v/t. slip (s.th. into s.th., a stitch, etc.); se ~ creep (a. fig.); **glisseur, -euse** [~'sœ:r, ~'sø:z] su. slider; su./m glider; ⊕ slide-block; **glissière** [~'sjɛ:r] f slide; (coal-)shoot; ⊕ slide-bar; **glissoir** [gli'swa:r] m ⊕ slide; chute; **glissoire** [~] f slide (on ice etc.).

global, e, m/pl. **-aux** [glɔ'bal, ~'bo] total, gross, inclusive; **globe** [glɔb] m globe (a. ⚡), sphere; sun: orb; anat. (eye-)ball; ~ terrestre terrestrial globe; **globulaire** [glɔby-'lɛ:r] **1.** adj. globular; **2.** su./f ♀ globularia; **globule** [~'byl] m globule (a. ⚕); water: drop; ⊕ metals: air-hole; ✸ small pill; **globuleux, -euse** [~by'lø, ~'lø:z] globular.

gloire [glwa:r] f glory; fame; pride; halo; se faire ~ de glory in; **gloria** [glɔ'rja] m eccl. gloria; F coffee with brandy; **gloriette** [~'rjɛt] f summer-house, arbo(u)r; **glorieux, -euse** [~'rjø, ~'rjø:z] **1.** adj. glorious; vain, conceited (about, de); eccl. glorified; **2.** su./m braggart; **glorification** [~rifika'sjõ] f glorification; **glorifier** [~ri'fje] (1o) v/t. glorify; praise; se ~ boast (of, de); glory (in ger., de inf.); **gloriole** [~'rjɔl] f vainglory, F swank.

glose [glo:z] f gloss, commentary; fig. criticism; **gloser** [glo'ze] (1a) v/t. gloss; v/i.: ~ sur find fault with; criticize; gossip about.

glossaire [glɔ'sɛ:r] m glossary; vocabulary. [tator.⟩

glossateur [glɔsa'tœ:r] m commen-⟩

glotte anat. [glɔt] f glottis.

glouglou [glu'glu] m gurgle; turkey: gobble; **glouglouter** [~glu'te] (1a) v/i. cluck (hen); gobble (turkey); chuckle (person).

glouteron ♀ [glu'trõ] m burdock.

glouton, -onne [glu'tõ, ~'tɔn] **1.** adj. greedy; **2.** su. glutton; su./m zo. wolverine; **gloutonnerie** [~tɔn-'ri] f gluttony.

glu [gly] f bird-lime; glue; **gluant, e** [~'ã, ~'ã:t] sticky, gluey; sl. il est ~ he's a sticker; **gluau** [~'o] m lime-twig; snare.

glucose ⚕ [gly'ko:z] m glucose.

gluer [gly'e] (1a) v/t. lime (twigs); fig. make sticky.

glume [glym] f chaff; ♀ glume.

glutineux, -euse [glyti'nø, ~'nø:z] glutinous.

glycérine [glise'rin] f glycerine.

glycine [gli'sin] f ♀ wistaria, wisteria; phot. glycin(e).

glyphe △ [glif] m glyph, groove.

glyptique [glip'tik] f glyptics sg.

gnangnan [nã'nã] **1.** adj./inv. peevish; **2.** su. peevish person.

gn(i)ole, gnôle, a. **gnaule** sl. [nɔl] f brandy.

gnome [gno:m] m gnome.

go F [go] adv.: tout de ~ immediately, straight away.

goal sp. [gol] m goal; goalkeeper.

gobelet [gɔ'blɛ] m goblet; cup; mug; **gobeleterie** [gɔblɛ'tri] f hollow-glass factory or trade or ware; **gobeletier** [~'tje] m manufacturer of or dealer in glass-ware.

gobe-mouches [gɔb'muʃ] m/inv. orn. fly-catcher; ♀ fly-trap; F simpleton.

gober [gɔ'be] (1a) v/t. swallow (a. F fig. = believe blindly); F fig. like (s.o.) very much; F se ~ be conceited; F fancy o.s.

goberger [gɔbɛr'ʒe] (1l) v/t.: se ~ lounge; feed well, F have a good tuck-in.

gobeur m, **-euse** f [gɔ'bœ:r, ~'bø:z] swallower; F simpleton, credulous person.

godaille *sl.* [gɔ'daːj] *f* feast, guzzle; **godailler** F [ˌda'je] (1a) *v/i.* feast, guzzle; pub-crawl.

godasses *sl.* [gɔ'das] *f/pl.* boots.

godelureau F [gɔdly'ro] *m* coxcomb.

goder [gɔ'de] (1a) *v/i.* crease, pucker; bag (*trousers*); **godet** [ˌ'de] *m* mug; cup (*a.* ♀); bowl (*a.* of pipe); ⊕ *dredger*: bucket; *cost.* flare; pucker (*in cloth*).

godiche F [gɔ'diʃ], **godichon, -onne** [ˌdi'ʃɔ̃, ˌ'ʃɔn] **1.** *adj.* awkward, stupid; **2.** *su.* simpleton; gawk; lout.

godille ♣ [gɔ'diːj] *f* stern-oar.

godillot [gɔdi'jo] *m* (military) shoe; F hobnailed boot.

goéland *orn.* [gɔe'lɑ̃] *m* (sea-)gull; **goélette** [ˌ'lɛt] *f* ♣ schooner; ♣ trysail; *orn.* sea-swallow.

goémon [gɔe'mɔ̃] *m* seaweed; wrack.

gogo F [gɔ'go] *m* dupe, *sl.* mug; *fig. à* ∼ in abundance; galore; (*money*) to burn.

goguenard, e [gɔg'naːr, ˌ'nard] **1.** *adj.* bantering; **2.** *su.* mocker, chaffer; **goguette** F [gɔ'gɛt] *f: en* ∼ on the spree .

goinfre [gwɛ̃:fr] *m* glutton, guzzler; **goinfrer** [gwɛ̃'fre] (1a) *v/i.* gorge, guzzle; **goinfrerie** [ˌfrɔ'ri] *f* gluttony.

goitre ♣ [gwa:tr] *m* goitre; **goitreux, -euse** [gwa'trø, ˌ'trø:z] **1.** *adj.* goitrous; **2.** *su.* goitrous person.

golf *sp.* [gɔlf] *m* golf; F golf-links; *joueur m de* ∼ golfer. [sinus.]

golfe *geog.* [ˌ] *m* gulf, bay; *anat.*)

gomme [gɔm] *f* gum; india-rubber; **gommer** [gɔ'me] (1a) *v/t.* gum; mix with gum; rub (*s.th.*) out, erase; *v/i.* ⊕ jam, stick; **gommeux, -euse** [ˌ'mø, ˌ'mø:z] **1.** *adj.* gummy, sticky; **2.** *su./m* F toff, swell, *Am.* dude.

gond [gɔ̃] *m* (*door-*)hinge; F *sortir de ses* ∼*s* fly into a rage *or* off the handle.

gondole [gɔ̃'dɔl] *f* gondola; ✈ *dirigible balloon*: nacelle; ✻ eyebath; **gondoler** [ˌdɔ'le] (1a) *v/i. a. se* ∼ warp (*wood*); buckle (*metal*); blister (*paint*); *v/t.: sl. se* ∼ split one's sides with laughter.

gonfalon † [gɔ̃fa'lɔ̃] *m*, **gonfanon** † [ˌ'nɔ̃] *m* gonfalon, banner.

gonflage [gɔ̃'fla:ʒ] *m* inflation; *mot.* blowing-up; **gonflement** [ˌfla'mɑ̃] *m* inflation, inflating; swelling; bulging; ♣ distension; **gonfler** [ˌ'fle] (1a) *v/t.* swell; inflate; blow up; F fill (*the tyres*); ♣ distend (*the stomach*); *v/i. a. se* ∼ swell (up); become inflated *or* distended; **gonfleur** *mot.* [ˌ'flœːr] *m* air-pump.

gonio ♣, ✻ [gɔ'njo] *m* direction-finder; ∼**mètre** [ˌnjo'mɛtr] *m* goniometer.

gordien [gɔr'djɛ̃] *adj./m: nœud m* ∼ Gordian knot.

goret [gɔ'rɛ] *m* little pig, piglet; F *fig.* dirty pig.

gorge [gɔrʒ] *f* throat, neck; *woman*: breast, bosom; *geog., a. hunt.* gorge; *geog.* pass, defile; ⊕ *etc.* groove; *axle*: neck; *lock*: tumbler; *à pleine* ∼ at the top of one's voice; *mal m à la* ∼ sore throat; F *fig. rendre* ∼ make restitution; **gorgée** [gɔr'ʒe] *f* draught; gulp; *petite* ∼ sip; **gorger** [ˌ'ʒe] (11) *v/t.* gorge; cram (*fowls, a. fig.*); **gorgerette** [ˌʒə'rɛt] *f orn.* blackcap; *cost.* gorget; **gorget** ⊕ [ˌ'ʒe] *m* mo(u)lding plane.

gorille *zo.* [gɔ'ri:j] *m* gorilla.

gosier [go'zje] *m* throat; gullet; *à plein* ∼ loudly; *avoir le* ∼ *pavé* have a cast-iron throat.

gosse F [gɔs] *su.* kid, youngster.

gothique [gɔ'tik] **1.** *adj.* Gothic; **2.** *su./m* ♣, *ling., art*: Gothic; *su./f typ.* Old English.

goton † [gɔ'tɔ̃] *f* country wench; *sl.* trollop.

gouache *paint.* [gwaʃ] *f* gouache.

gouailler [gwa'je] (1a) *v/t/i.* chaff; **gouaillerie** [gwaj'ri] *f* banter, chaff; **gouailleur, -euse** [gwa-'jœːr, ˌ'jøːz] **1.** *adj.* mocking (*tone*); waggish (*humour*); **2.** *su.* banterer.

gouape F [gwap] *f* blackguard, hooligan.

goudron [gu'drɔ̃] *m* tar; ♣ *a.* pitch; **goudronnage** [ˌdrɔ'na:ʒ] *m* tarring; **goudronner** [ˌdrɔ'ne] (1a) *v/t.* tar; **goudronnerie** [ˌdrɔn'ri] *f* tar-works *usu. sg.*; tar-shed; **goudronneux, -euse** [ˌdrɔ'nø, ˌ'nøːz] tarry; gummy (*oil*).

gouffre [gufr] *m* gulf, pit, abyss.

gouge [gu:ʒ] *f* ⊕ gouge, hollow chisel; ⊕ barrel plane.

goujat [gu'ʒa] *m* ♣ hodman; farmhand; *fig.* boor, cad.

goujon[1] *icht.* [gu'ʒɔ̃] *m* gudgeon.

goujon[2] [gu'ʒɔ̃] *m* ⚓ gudgeon (*a.* ⊕ *of a shaft*); ⚒ stud; ⊕ tenon; bolt; ⊕ coak; ⊕ *hinge*: pin(tle); **goujonner** [ˌʒɔ'ne] (1a) *v/t.* ⊕ coak, dowel; ⊕ pin, bolt; ⚒ joggle.

goule [gul] *f* ghoul.

goulée [gu'le] *f metall.* channel; F mouthful; **goulet** [ˌ'le] *m* neck; ⚓ narrows *pl.*; ⚒ neck-gutter; **goulot** [ˌ'lo] *m bottle*: neck; spout; *sl.* mouth; **goulotte** [ˌ'lɔt], **goulette** [ˌ'let] *f* shoot; water-channel; **goulu, e** [ˌ'ly] greedy, gluttonous.

goupille ⊕ [gu'pi:j] *f* pin; (*stop-*) bolt; gudgeon; cotter; **goupiller** [ˌpi'je] (1a) *v/t.* ⊕ pin, key; *sl.* wangle, arrange.

goupillon [gupi'jɔ̃] *m eccl.* aspergillum; *bottle, gun, lamp*: brush.

gourbi [gur'bi] *m* (Arab) hut; shack; F funk-hole.

gourd, gourde [guːr, gurd] benumbed; stiff.

gourde [gurd] *f* ♀ gourd, calabash; water-vessel; (*brandy-*)flask; *sl.* fool.

gourdin [gur'dɛ̃] *m* cudgel, club, bludgeon.

gourgandine [gurgɑ̃'din] *f hist.* low-necked bodice; F whore.

gourmand, e [gur'mɑ̃, ˌ'mɑ̃:d] **1.** *adj.* greedy, gluttonous; F *fig.* sweet-toothed; **2.** *su.* gourmand, glutton; epicure; **gourmander** [ˌmɑ̃'de] (1a) *v/t.* scold, rebuke; *fig.* treat roughly; **gourmandise** [ˌmɑ̃'di:z] *f* greediness, gluttony; ~s *pl.* sweetmeats.

gourme [gurm] *f hunt.* strangles *pl.*; 🌡 impetigo; 🌡 teething rash; *jeter sa* ~ run at the nose (*horse*); F *fig.* blow off steam; F sow one's wild oats; **gourmé, e** [gur'me] stiff, formal (*manners*); aloof (*person*).

gourmet [gur'mɛ] *m* gourmet, epicure.

gourmette [gur'mɛt] *f horse*: curb; curb-bracelet; curb watch-chain; ⊕ polishing-chain.

gousse [gus] *f* pod, shell; *garlic*: clove; **gousset** [gu'sɛ] *m cost.*, *a.* ⊕ gusset; *cost.* fob, waistcoat pocket; ⊕ bracket; ⚒ stayplate.

goût [gu] *m* taste (*a. fig.*); flavo(u)r; smell; liking, fancy; style, manner; *avoir bon* ~ taste nice; *mauvais* ~

bad taste; **goûter** [gu'te] **1.** (1a) *v/t.* taste; *fig.* enjoy, appreciate; *v/i.* take a snack; picnic; ~ *à* try, sample (*s.th.*); ~ *de* taste (*s.th.*) (for the first time); **2.** *su./m* snack; *Am.* lunch; *meal*: tea.

goutte[1] 🌡 [gut] *f* gout.

goutte[2] [gut] *f* drop; speck, *colour*: spot; F sip, drop; *sl.* spot of brandy *etc.*; ~ *à* ~ drop by drop; *ne* ... ~ not ... in the least, not ... at all; **gouttelette** [ˌ'let] *f* droplet; **goutter** [gu'te] (1a) *v/i.* drip.

goutteux, -euse 🌡 [gu'tø, ˌ'tø:z] **1.** *adj.* gouty; **2.** *su.* sufferer from gout.

gouttière [gu'tjɛːr] *f* ⚓ gutter(ing); spout; shoot; 🌡 cradle; ⚒ ~s *pl.* eaves.

gouvernail [guver'naːj] *m* ⚓ rudder (*a.* ✈), helm; ✈ ~ *de direction* vertical rudder; ✈ ~ *de profondeur* elevator; **gouvernant, e** [ˌ'nɑ̃, ˌ'nɑ̃:t] **1.** *adj.* governing, ruling; **2.** *su./f* housekeeper; governess; regent; **gouverne** [gu'vern] *f* guidance; ⊕ control; ⚓ steering; ✈ ~s *pl.* control surfaces; rudders and ailerons; *fig. pour ta* ~ for your guidance; **gouvernement** [guvernə'mɑ̃] *m* government; management; governorship; ⚓ steering; **gouvernemental, e**, *m/pl.* -aux [ˌnəmɑ̃'tal, ˌ'to] governmental; Government-...; **gouverner** [ˌ'ne] (1a) *v/t.* govern (*a.* ⊕, *a. gramm.*), rule, control; manage; bring up (*a child*); ⚓ steer; **gouverneur** [ˌ'nœːr] *m* governor; tutor; guardian.

grabat [gra'ba] *m* pallet; wretched bed; *fig. sur un* ~ in abject poverty.

grabuge F [gra'by:ʒ] *m* row, ructions *pl.*

grâce [grɑːs] *f* grace (*a. eccl.*, *a.* ✝), gracefulness, charm; favo(u)r; mercy; ⚖ pardon; ~! for pity's sake; ~s *pl.* thanks; ~ *à* thanks to; *action f de* ~s thanksgiving; *coup m de* ~ finishing stroke, quietus; *de mauvaise* ~ unwillingly, ungraciously; *dire ses* ~s say grace after a meal; *faire* ~ *de qch. à q.* spare s.o. s.th.; *rendre* ~(s) give thanks (to s.o. for s.th., *à q. de qch.*); **gracier** [gra'sje] (1o) *v/t.* pardon, reprieve.

gracieuseté [grasjøz'te] *f* graciousness; kindness; affability; **gra-**

cieux, -euse [~'sjø, ~'sjøːz] grace-
ful, pleasing; gracious; courteous;
à titre ~ free (of charge), complimentary.
gracile [gra'sil] slender, slim; thin
(*voice*).
gradation [grada'sjɔ̃] *f* gradual process; *gramm. ~ inverse* anti-climax;
par ~ gradually; grade [grad] *m*
rank (*a.* ✕), grade (*a.* ♠); *univ.*
degree; ♣ rating; gradé [gra'de]
m ✕ non-commissioned officer,
N.C.O.; ♣ rated man; gradin
[~'dɛ̃] *m* step; *en ~s* in tiers, tier
upon tier; graduation *phys.* [~dɥa-
'sjɔ̃] *f* graduating; scale; graduel,
-elle [~'dɥɛl] *adj., a. su./m eccl.*
gradual; graduer [~'dɥe] (1n) *v/t.*
graduate; grade; *univ.* confer a
degree on.
grailler [grɑ'je] (1a) *v/i.* speak in a
husky voice.
graillon [grɑ'jɔ̃] *m* smell of burnt
fat; F clot of phlegm; graillonner
[~jɔ'ne] (1a) *v/i. cuis.* catch; taste
of burnt fat; F bring up phlegm,
hawk.
grain [grɛ̃] *m* grain (*a. of sand,
powder, salt*); seed; *coffee:* bean;
berry; *rosary etc.:* bead; texture,
grain; particle, speck (*a. fig.*); ♣
squall; ⊕ lining; ⊕ cam-roller; F
bee in the bonnet, quirk; *~ de beauté*
beauty spot; mole; *~ de raisin* grape;
à gros ~s coarse-grained; F *avoir
son ~* be a bit fuddled (= *drunk*).
graine [grɛn] *f* seed; *silkworm:* eggs
pl.; *monter en ~* run to seed; *fig.*
grow into an old maid; F *une mauvaise ~* a bad lot; graineterie [~'tri]
f seed-trade; seed-shop; grainetier [~'tje] *m* corn-chandler, seeds-
man.
graissage [grɛ'saːʒ] *m* greasing,
lubrication, oiling; graisse [grɛs] *f*
grease (*a.* ⊕); fat; *wine:* ropiness;
sl. money; graisser [grɛ'se] (1a)
v/t. grease, lubricate, oil; get grease
on (*clothes*); F *~ la patte à q.* grease
s.o.'s palm (= *bribe s.o.*); *v/i.* become ropy (*wine*); graisseur
[~'sœːr] *m person:* greaser; ⊕
lubricator, grease-cup; graisseux,
-euse [~'sø, ~'søːz] greasy, oily;
fatty; ropy (*wine*).
graminées ♀ [grami'ne] *f/pl.* gram-
inaceae.
grammaire [gram'mɛːr] *f* gram-

mar; grammairien *m*, -enne *f*
[~mɛ'rjɛ̃, ~'rjɛn] grammarian;
grammatical, e, *m/pl.* -aux [~ma-
ti'kal, ~'ko] grammatical.
gramme [gram] *m measure:* gram
(-me).
gramophone [gramɔ'fɔn] *m* gramophone.
grand, grande [grɑ̃, grɑ̃ːd] 1. *adj.*
great, big; large; tall; high (*building,
explosives, wind*); wide, extensive;
grown-up; noble; high-class (*wines*);
chief; main (*road*); *~ public m*
general public; *au ~ jour* in broad
daylight; *de ~ cœur* with a will,
heartily, willingly; *de ~ matin* early
in the morning; *en ~* on a large
scale; *un ~ homme* a great man; *un
homme ~* a tall man; 2. *su./m* (Spanish) grandee; great man; adult,
grown-up; *school:* senior pupil.
grand...: *~-chose* su./inv.:
ne pas valoir ~ not to amount to
much; *~-croix* [~'krwa] *su./f/inv.
decoration:* Grand Cross; *su./m, pl.
~s-croix* Knight Grand Cross;
~-duc, pl. ~s-ducs [~'dyk] *m* Grand
Duke; grandesse [grɑ̃'dɛs] *f*
Spain: grandeeship; grandeur
[~'dœːr] *f* size; height; extent;
greatness; nobleness; importance;
magnitude; splendo(u)r; *noise:*
loudness; *~ naturelle* life-size; *sa ♀
archbishop:* his Grace; *bishop:* his
Lordship; grandir [~'diːr] (2a) *v/i.*
grow tall; grow up (*child*); increase,
grow; *v/t.* make greater; magnify
(*a. fig.*); enlarge.
grand...: *~-livre, pl. ~s-livres*
[grɑ̃'liːvr] *m* ledger; *~-mère, pl.
~(s)-mères* [~'mɛːr] *f* grandmother;
~-messe eccl. [~'mes] *f* high mass;
~-oncle, pl. ~s-oncles [~'tɔ̃ːkl] *m*
great-uncle; *~-peine* [~'pɛn] *adv.:
à ~* with great difficulty *or* much
trouble; *~-père, pl. ~s-pères* [~-
'pɛːr] *m* grandfather; *~-route* [~'rut]
f highway, high road; *~-rue* [~'ry]
f high *or* main street; *~s-parents*
[~pa'rɑ̃] *m/pl.* grandparents.
grange [grɑ̃ːʒ] *f* barn; *mettre en ~*
garner.
granit [gra'ni] *m* granite; graniteux, -euse [~ni'tø, ~'tøːz] granit-
ic.
granivore [grani'vɔːr] granivorous.
granulaire [grany'lɛːr] granular;
granulation [~la'sjɔ̃] *f* granula-

tion (a. ♣); *gunpowder*: corning; **granule** [gra'nyl] *m*, **granulé** [grany'le] *m* granule; **granuler** [~'le] (1a) *v/t.* granulate; corn (*gunpowder*); stipple (*an engraving*); **granuleux, -euse** [~'lø, ~'lø:z] granular.

graphique [gra'fik] **1.** *adj.* graphic; **2.** *su./m* graph; (*a. dessin m* ~) diagram.

grappe [grap] *f fruit*: bunch; cluster; ♣ *onions*: string; *vet.* ~s *pl.* grapes; **grappiller** [grapi'je] (1a) *v/t.* glean (*vineyards*); F pilfer, scrounge; *v/i.* F make petty profits; **grappilleur** *m*, **-euse** *f* [~'jœ:r, ~'jø:z] gleaner; F pilferer, scrounger; **grappillon** [~'jɔ̃] *m* small bunch or cluster.

grappin [gra'pɛ̃] *m* ⚓ grapnel, grappling-iron; ⊕ grab; ⚓ anchor-iron; ~s *pl.* climbing-irons; F *mettre le* ~ *sur* lay hands on, get hold of.

gras, grasse [grɑ, grɑ:s] **1.** *adj.* fat(ted) (*animal*); fatty (*acid, tissue*); greasy, oily (*rag, voice*); stout; thick (*beam, mud, speech, weather*); heavy (*soil*); rich (*food, coal*); soft (*outline, stone*); ⚓ aliphatic; *typ.* heavy, bold(-faced); *fig.* broad, smutty; *fromage m* ~ cream cheese; *eccl. jour m* ~ meat day; **2.** *su./m* fat; ⊕ *beam*: thickness; thick (*of thumb*); ~ *de la jambe* calf (of the leg); *faire* ~ eat meat; **gras-double** *cuis.* [grɑ'dubl] *m* tripe.

grasseyer [grɑsɛ'je] (1a) *v/i.* speak with a strong guttural r.

grassouillet, -ette F [grɑsu'jɛ, ~'jɛt] plump, chubby; buxom (*woman*).

gratification [gratifika'sjɔ̃] *f* tip, gratuity; bonus; **gratifier** [~'fje] (1o) *v/t.*: ~ *q. de qch.* bestow sth. upon s.o.; present s.o. with sth.; *fig.* attribute sth. to s.o.

gratin [gra'tɛ̃] *m cuis.* burnt part; seasoned bread-crumbs *pl.*; *fig.* élite; F upper crust; *community*: top people; *cuis. au* ~ au gratin (= *with bread-crumbs and grated cheese*); **gratiner** *cuis.* [~ti'ne] (1a) *v/i.* stick to the pan; *v/t.* cook with bread-crumbs and grated cheese; fry with egg and bread-crumbs.

gratis [gra'tis] *adv.* free (of charge), gratis. [thankfulness.\]
gratitude [grati'tyd] *f* gratitude;\]

gratte [grat] *f* ⊕ scraper; pickings *pl.*, F perks *pl.*, graft; ♣ fringe benefits *pl.*; ~-**ciel** [~'sjɛl] *m/inv.* sky-scraper; ~-**cul** [~'ky] *m/inv. dog-rose*: hip; ~-**papier** F [~pa'pje] *m/inv.* literary hack; *lawyer's office*: copying-clerk; ~-**pieds** [~'pje] *m/inv.* shoe-scraper; **gratter** [gra'te] (1a) *v/t.* scrape, scratch; cross out (*a word*); *tex.* teasel; brush up (*wool*); *fig.* overtake (*a rival*); *sl.* work; *sl.* make (*s.th.*) on the side; *v/i.*: ~ *du pied* paw the ground (*horse*); **grattoir** [~'twa:r] *m* scraper; erasing knife; *typ.* slice; **grattures** [~'ty:r] *f/pl. metal*: scrapings.

gratuit, e [gra'tɥi, ~'tɥit] free; gratuitous; unmotivated; unfounded; unprovoked (*abuse, insult*); *à titre* ~ free of charge, gratis; **gratuité** [~tɥi'te] *f* gratuitousness.

gravatier [grava'tje] *m* rubbish-carter; **gravats** [~'va] *m/pl.* (plaster) screenings; *buildings*: rubbish *sg.*

grave [gra:v] grave; solemn; sober (*face*); serious; important; ♪ deep, low.

graveler [grav'le] (1c) *v/t.* gravel; **graveleux, -euse** [~'lø, ~'lø:z] gravelly (*soil*); gritty; ♣ suffering from gravel; ♣ showing traces of gravel (*urine*); *fig.* smutty (*song etc.*); **gravelle** ♣ [gra'vɛl] *f* gravel; **gravelure** [grav'ly:r] *f* smutty story.

graver [gra've] (1a) *v/t.* engrave, carve; *fig.* ~ *qch. dans sa mémoire* engrave s.th. on one's memory; **graveur** [~'vœ:r] *m* engraver; *stone*: carver; ~ *sur bois* wood-engraver.

gravier [gra'vje] *m* gravel, grit; ♣ ~s *pl.* gravel *sg.*

gravir [gra'vi:r] (2a) *v/t.* climb, ascend; mount.

gravitation [gravita'sjɔ̃] *f* gravitation(al pull); **gravité** [~'te] *f phys., a. fig.* gravity; *fig.* seriousness; ♪ deepness; print; **graviter** [~'te] (1a) *v/i.* gravitate (towards, *vers*); revolve (round, *autour de*).

gravure [gra'vy:r] *f* engraving; etching; print; ~ *en taille-douce*, ~ *sur cuivre* copper-plate engraving; ~ *sur acier* steel engraving.

gré [gre] *m* will, wish, pleasure; liking, taste; consent; *à mon* ~ as

I please, to suit myself; *au* ~ *de* at the mercy of (*the winds etc.*); *bon* ~, *mal* ~ willy-nilly; *contre mon* ~ against my will, unwillingly; *de bon* ~ willingly; *de mon plein* ~ of my own accord; *savoir* ~ *à q. de qch.* be grateful to s.o. for s.th.

grec, grecque [grɛk] **1.** *adj.* Greek; **2.** *su./m ling.* Greek; *su.* ♀ Greek; **gréco-latin, e** [grekɔla'tɛ̃, ~'tin] Gr(a)eco-Latin.

gredin *m,* **e** *f* [grə'dɛ̃, ~'din] scoundrel, rogue.

gréement ⚓, ⚙ [gre'mã] *m* rigging; gear; **gréer** ⚓, ⚙ [~'e] (1a) *v/t.* rig.

greffage ⚘ [grɛ'fa:ʒ] *m* grafting; **greffe** [grɛf] *su./m* ⚖ office of the clerk of the court; ⚖ registry (*a.* ✝), record-office; *su./f* ⚘ ♀ graft, grafting; ⚘ *du cœur* heart transplant; **greffer** ⚘, ♀ [gre'fe] (1a) *v/t.* graft; **greffier** [~'fje] *m* ⚖ clerk of the court; ⚖, ✝, *admin.* registrar; **greffoir** ⚘ [~'fwa:r] *m* grafting-knife; **greffon** ⚘ [~'fɔ̃] *m* graft, slip, scion.

grégaire [gre'gɛ:r] gregarious; **grégarisme** [~ga'rism] *m* gregariousness.

grège [grɛ:ʒ] *adj./f* raw (*silk*).

grégeois [gre'ʒwa] *adj./m:* feu *m* ~ Greek fire.

grêle[1] [grɛ:l] slender; thin (*a. fig. voice*); *anat.* small (*intestine*).

grêle[2] [grɛ:l] *f* hail; *fig.* hail, shower; **grêlé, e** ♀ [gre'le] pock-marked; **grêler** [~'le] (1a) *v/impers.* hail; *v/t.* damage by hail; ♀ pock-mark; **grêlon** [~'lɔ̃] *m* hail-stone.

grelot [grə'lo] *m* small bell; sleighbell; F *attacher le* ~ bell the cat; **grelotter** [~lɔ'te] (1a) *v/i.* shiver, tremble, shake (with, *de*); tinkle.

grenade [grə'nad] *f* ♀ pomegranate; ✕ grenade; **grenadier** [grəna'dje] *m* ♀ pomegranate(-tree); ✕ grenadier; ✕ bomber; F *woman:* amazon; **grenadille** [~'di:j] *f* ♀ granadilla; ✝ red ebony; **grenadin, e** [~'dɛ̃, ~'din] **1.** *adj.* of Granada; of Grenada; **2.** *su./m cuis.* fricassee of chicken; ♀ grenadin; *orn.* African finch; *su./f tex.* grenadine.

grenaille [grə'nɑ:j] *f* small grain; (small) shot; *en* ~ granulated; **grenaison** [~nɛ'zɔ̃] *f cereals etc.:* corning, seeding.

grenat [grə'na] **1.** *su./m* garnet; **2.** *adj./inv.* garnet(-red).

greneler [grən'le] (1c) *v/t.* grain (*leather etc.*).

grener [grə'ne] (1d) *v/i.* corn, seed (*cereals etc.*); *v/t.* corn (*gunpowder*); grain (*salt, a. leather, paper*); stipple (*an engraving*).

grènetis [grɛn'ti] *m* milled edge (*of a coin*).

grenier [grə'nje] *m* granary; (hay-, corn-)loft; △ attic, garret.

grenouille [grə'nu:j] *f* frog; *sl.* kitty, club-money, funds *pl.,* ✕ mess-funds *pl.; sl. manger la* ~ run off with the kitty *or* funds; **grenouillère** [~nu'jɛ:r] *f* marsh; froggery; **grenouillette** [~nu'jet] *f* ♀ water-crowfoot; ♀ ranula.

grès [grɛ] *m* sandstone; (*a.* ~ *cérame*) stoneware; earthenware; **gréseux, -euse** [gre'zø, ~'zø:z] sandy, gritty; *geol.* sandstone (*rocks*); **grésière** [~'zjɛ:r] *f* sandstone quarry; **grésil** [~'zi] *m* sleet; hail.

grésiller[1] [grezi'je] (1a) *v/impers.* patter (*hail*); *v/t.* shrivel up.

grésiller[2] [~] (1a) *v/i.* crackle (*fire*); sizzle, sputter (*candle*).

grève [grɛ:v] *f* sea-shore; (*sandy*) beach; ⊕ strike; ~ *de la faim* hunger-strike; ~ *perlée* go-slow strike, *Am.* slow-down strike; ~ *sur le tas* sit-down strike; *faire* ~ be on strike; *faire la* ~ *du zèle* work to rule; *faire une* ~ *de sympathie* come out in sympathy.

grever [grə've] (1d) *v/t.* burden (*an estate*) (with, *de*); ⚖ entail (*an estate*); ⚖ mortgage (*land*); *admin.* rate (*a building*).

gréviste [gre'vist] *su.* striker.

gribouiller [gribu'je] (1a) *vt/i.* daub; scribble.

grief [gri'ɛf] *m* grievance, ground for complaint; ⚖ grounds *pl.* of appeal.

grièvement [griɛv'mã] *adv.* of **grave.**

griffade [gri'fad] *f* scratch (*of claw*); **griffe** [grif] *f* claw (*a.* ⊕); hawk, lion, *etc.*: talon; ♀ *vine:* tendril; *asparagus:* root; (*paper-*)clip; ~ *pl.* (*climbing-*)irons; **griffer** [~'fe] *v/t.* scratch, claw; fasten with a clamp; stamp (*a signature on*).

griffon [gri'fɔ̃] *m myth.* griffin; *orn.* tawny vulture; *dog:* griffon.

griffonnage [grifɔ'naːʒ] *m* scrawl,
scribble; **griffonner** [ˌ'ne] (1a)
v/t. scrawl, scribble; do a rough
sketch of; **griffonneur** *m*, **-euse** *f*
[ˌ'nœːr, ˌ'nøːz] scribbler.

grignoter [griɲɔ'te] (1a) *v/t.* nibble
(at); pick at (*one's food*); F *fig.*
get pickings from; *fig.* ~ sur encroach on.

grigou F [gri'gu] *m* miser, skinflint.

gril [gril] *m cuis.* grill, gridiron (a.
🐟, *a.* ♨); ⊕ *sluice-gate*: grating;
fig. être sur le ~ be on tenterhooks.

grillade *cuis.* [gri'jad] *f* grill, grilled
steak; grilling.

grillage[1] [gri'jaːʒ] *m cuis.* grilling;
roasting (*a.* metall.); ⚡ F *bulb*: burn-
ing-out.

grillage[2] [gri'jaːʒ] *m* lattice; ⊕
(*wire-*)netting; ⊕ *furnace, a.* ⚡
accumulator plate: grid; **grillager**
[ˌja'ʒe] (1l) *v/t.* fit lattice-work to;
⚠ lay down a grillage for; surround
with wire-netting; **grille** [griːj] *f*
grate (*a.* ⊕); grating; iron gate,
railing; ⚡, *radio*: grid; *mot.* grille;
radio: lampe *f* à ~-écran screen-
grid valve.

griller[1] [gri'je] (1a) *v/t. cuis.* grill;
toast (*bread*); roast (*beans, a.* ⊕
ore); singe (*cloth*); 🔥 calcine;
scorch; *mot.* F race past; *v/i.* F ⚡
burn out (*bulb*); *fig.* be burning
(with s.th., de qch.; to *inf.*, de *inf.*).

griller[2] [ˌ] (1a) *v/t.* rail in; bar (*a
window*).

grillon *zo.* [gri'jɔ̃] *m* cricket.

grill-room [gril'rum] *m* grill-room.

grimace [gri'mas] *f* grimace, grin,
wry face; **grimacer** [ˌma'se] (1k)
v/i. make faces, grimace; simper;
v/t.: ~ un sourire force a smile; **gri-
macier, -ère** [ˌma'sje, ˌ'sjɛːr] 1.
adj. grimacing; grinning; affected;
2. *su.* affected person; hypocrite.

grimaud [gri'mo] *m* scribbler.

grimer *thea.* [gri'me] (1a) *v/t. a.*
se ~ make up.

grimoire [gri'mwaːr] *m* book of
spells, gibberish; scribble, scrawl.

grimpant, e [grɛ̃'pɑ̃, ˌ'pɑ̃ːt] climbing; ♀ *a.* creeping, trailing; **grimper** [ˌ'pe] (1a) *vt/i.* climb; *v/i.*
climb up; ♀ climb, creep, trail;
grimpereau *orn.* [ˌ'pro] *m* tree-
creeper; **grimpette** [ˌ'pɛt] *f* steep
slope *or* climb; **grimpeur, -euse**
[ˌ'pœːr, ˌ'pøːz] 1. *adj.* climbing;

2. *su./m orn.* climber; *cyclism*: good
hill-climber.

grincement [grɛ̃s'mɑ̃] *m door, teeth,
wheel*: grinding, grating; *door, gate*:
creaking; *pen*: scratch; **grincer**
[grɛ̃'se] (1a) *v/i.* grate, grind; gnash
(*teeth*); creak (*door*); scratch (*pen*).

grincheux, -euse [grɛ̃'ʃø, ˌ'ʃøːz]
1. *adj.* grumpy; testy; touchy;
crabbed; 2. *su.* grumbler, F grouser.

gringalet F [grɛ̃ga'lɛ] *m* shrimp (=
seedy boy); whipper-snapper.

griot [gri'o] *m* 🌾 *flour etc.*: seconds
pl.

griotte [gri'ɔt] *f* ♀ morello cherry;
min. griotte (= *sort of marble
flecked with red and brown*).

grippage ⊕ [gri'paːʒ] *m* rubbing,
friction; jamming; abrasion.

grippe [grip] *f* dislike; ⚕ influenza,
F 'flu; prendre q. en ~ take a dislike
to s.o.; **grippé, e** ⚕ [gri'pe] *adj.:*
être ~ have influenza, F have the 'flu;
gripper [ˌ] (1a) *v/i. a.* se ~ ⊕
seize up, jam; run hot; become
abraded; *tex.* pucker; *v/t.* seize,
snatch; **grippe-sou, pl. grippe-
sou(s)** F [grip'su] *m* skinflint, miser.

gris, grise [gri, griːz] grey; dull
(*weather*); F tipsy, fuddled; en voir
de grises have a rough time; faire
grise mine à give a cold welcome to;
grisaille [gri'zɑːj] *f paint.* grisaille;
tex. pepper-and-salt; **grisailler**
[ˌzɑ'je] (1a) *v/t.* paint grey; paint
(*s.th.*) in grisaille; *v/i.* turn grey
(*hair*); **grisâtre** [ˌzɑːtr] greyish;
griser [ˌze] (1a) *v/t.* intoxicate,
make drunk; se ~ get drunk; **grisette** [ˌzɛt] *f* grisette (*a. tex.*).

grisoller [grizɔ'le] (1a) *v/i.* sing
(*lark*).

grison[1], **-onne** [gri'zɔ̃, ˌ'zɔn] 1. *adj.*
of the canton of Grisons; 2. *su.* inhabitant of the canton of Grisons.

grison[2], **-onne** [gri'zɔ̃, ˌ'zɔn] 1. *adj.*
grey(-haired), grizzled; 2. *su./m*
grey-beard; donkey; **grisonner**
[ˌzɔ'ne] (1a) *v/i.* turn grey (*hair*).

grisou ⚒ [gri'zu] *m* fire-damp; gas;
coup *m* de ~ fire-damp explosion.

grive *orn.* [griːv] *f* thrush; **grivelé,
e** [griv'le] speckled; **griveler** [ˌ]
(1d) *v/t.* obtain (*a meal etc.*) without
being able to pay; **grivèlerie** [gri-
vɛl'ri] *f* sponging; graft; pilfering.

grivois, e [gri'vwa, ˌ'vwaːz] broad,
spicy (*joke, story, etc.*); **grivoiserie**

[ˌvwaz'ri] f broad or smutty joke or story etc.; licentious gesture.

grog [grɔg] m grog, toddy.

grognard hist. [grɔ'naːr] m soldier of Napoleon's Old Guard; **grognement** [grɔɲ'mã] m grunt; growl; snarl; grumbling; **grogner** [grɔ'ne] (1a) v/i. grunt; growl; grumble; v/t. growl out (s.th.); **grogneur**, -euse [ˌ'nœːr, ˌ'nøːz] 1. adj. grumbling; 2. su./m grumbler, F grouser; **grognon**, -onne [ˌ'nɔ̃, ˌ'nɔn] 1. adj. grumbling; peevish; 2. su./m grumbler; cross-patch; **grognonner** F [ˌnɔ'ne] (1a) v/i. grunt; grumble; grouse; be peevish.

groin [grwɛ̃] m pig: snout.

grol(l)e sl. [grɔl] f shoe.

grommeler [grɔm'le] (1c) vt/i. mutter; growl; grumble.

grondement [grɔ̃d'mã] m thunder: rumble, rumbling; storm: roar(ing); sea: boom; dog: growl; **gronder** [grɔ̃'de] (1a) v/i. growl (dog); grumble (at, contre); rumble (thunder); roar (sea, storm); v/t. scold; **gronderie** [ˌ'dri] f scolding; **grondeur**, -euse [ˌ'dœːr, ˌ'døːz] 1. adj. grumbling, scolding; 2. su. grumbler; su./f shrew.

groom [grum] m page-boy, Am. bell-hop.

gros, grosse [gro, groːs] 1. adj. big, large; stout, fat; thick; broad (humour etc.); foul (weather, word); heavy (rain, sea); swollen (river); ᵍ pregnant; fig. teeming (with, de); fig. fraught (with, de); ~ bétail m cattle; ~ doigt m du pied big toe; F grosses légumes f/pl. swells; ⚠ ~ œuvre m foundations pl.; main walls pl.; avoir le cœur ~ be heavy-hearted; 2. gros adv. much; gagner ~ earn a lot, make big money; 3. su./m bulk, main part; ✗ main body (of an army); thickest part; essential (part); winter etc.: heart; ✝ wholesale (trade); en ~ broadly, on the whole; all told, altogether; (write) in large letters; ✝ wholesale-...; ✝ marchand m en ~ wholesaler; su./f gross, twelve dozen.

groseille ᵍ [gro'zeːj] f (red) currant; ~ à maquereau gooseberry; **groseillier** ᵍ [ˌzɛ'je] m currant-bush.

gros-grain tex. [gro'grɛ̃] m grogram.

grossesse ᵍ [gro'sɛs] f pregnancy; **grosseur** [ˌ'sœːr] f size, bulk; lips: thickness; ᵍ swelling; **grossier**, -ère [ˌ'sje, ˌ'sjɛːr] coarse; gross, crude; rude, unmannerly; rough; boorish; crass (ignorance, stupidity, etc.); **grossièreté** [ˌsjer'te] f coarseness, roughness; rudeness; grossness; coarse language; dire des ~s be offensive; **grossir** [ˌ'siːr] (2a) v/t. enlarge, magnify (a. opt., a. fig.); swell; v/i. a. se ~ grow bigger, increase; **grossissement** [ˌsis'mã] m magnification; enlargement; increase, swelling; **grossiste** ✝ [ˌ'sist] m wholesaler; **grossoyer** [ˌswa'je] (1h) v/t. engross (a document).

grotesque [grɔ'tɛsk] 1. adj. grotesque; 2. su./m grotesque person; freak.

grotte [grɔt] f grotto; cave.

grouiller [gru'je] (1a) v/i. swarm, crawl, teem, be alive (with, de); rumble (belly); † stir; v/t.: sl. se ~ hurry up, F get a move on.

groupe [grup] m persons, objects, a. ♪: group; ✗ unit; stars: cluster; ⚡ set (a. ⚙ of points); ⊕ bank (of boilers); trees: clump; biol. division; ᵍ ~ sanguin blood-group; **groupement** [ˌ'mã] m grouping; group; ⚡ connection, coupling; **grouper** [gru'pe] (1a) v/t. group; ⚡ connect up, couple; ✝ collect for bulk-dispatch; fig. concentrate (efforts).

gruau[1] [gry'o] m flour of wheat; groats pl.; cuis. gruel.

gruau[2] [ˌ] m orn. young crane; ⊕ small crane.

grue [gry] f orn., a. ⊕ crane; F street-walker, prostitute; ⊕ ~ à bras (or à flèche) jib-crane; 🔧 ~ d'alimentation water-pillar; F faire le pied de ~ cool one's heels, hang about (ger., à inf.).

gruger [gry'ʒe] (1l) v/t. crunch; F eat; fig. sponge on (s.o.), fleece (s.o.).

grume [grym] f log; bois m de (or en) ~ undressed timber.

grumeau [gry'mo] m clot; salt: speck; **grumeler** [grym'le] (1c) v/t.: se ~ clot, curdle; **grumeleux**, -euse [ˌ'lø, ˌ'løːz] curdled; gritty (pear).

grutier ⊕ [gry'tje] m crane-driver.

gruyère [gry'jɛːr] m gruyère.

gué [ge] *m* ford; **guéable** [~'abl] fordable; **guéer** [~'e] (1a) *v/t.* ford (*a river, a stream*); water (*a horse*).

guenille [gə'ni:j] *f* rag; F trollop; en ~s in rags.

guenon [gə'nɔ̃] *f* zo. long-tailed monkey; F ugly woman.

guêpe zo. [gɛ:p] *f* wasp; **guêpier** [gɛ'pje] *m* wasps' nest; *orn.* bee-eater.

guère [gɛ:r] *adv.*: ne ... ~ hardly, little, scarcely, not much *or* many.

guéret [ge'rɛ] *m* ploughed land; fallow land.

guéridon [geri'dɔ̃] *m* pedestal table.

guérilla ✕ [geri'ja] *f* guerilla (warfare); **guérillero** ✕ [~je'ro] *m person:* guerilla.

guérir [ge'ri:r] (2a) *v/t.* cure; *v/i.* heal (*wound*); recover, F get better; **guérison** [geri'zɔ̃] *f* cure; *wound:* healing; recovery; **guérissable** [~-'sabl] curable; healable; **guérisseur, -euse** [~'sœːr, ~'søːz] *su.* healer; quack-doctor; *su./m* medicine-man.

guérite [ge'rit] *f* ✕ sentry-box; look-out turret; (*watchman's*) shelter; 🚂 signal-box.

guerre [gɛ:r] *f* war(fare); *fig.* quarrel; *Grande* ♀ Great War, World War I; *faire la* ~ make war (on, à); **guerrier, -ère** [gɛ'rje, ~'rjɛ:r] **1.** *adj.* warlike; **2.** *su./m* warrior; **guerroyer** [~rwa'je] (1h) *v/i.* wage war.

guet [gɛ] *m* watch; look-out; patrol; *faire le* ~ be on the look-out; ~-**apens**, *pl.* ~s-apens [gɛta'pɑ̃] *m* ambush, trap.

guêtre [gɛ:tr] *f* gaiter; *mot.* patch, sleeve.

guetter [ge'te] (1a) *v/t.* lie in wait for, watch for; *fig.* wait (*one's opportunity*); **guetteur** ✕, ♣ [~'tœːr] *m person:* look-out.

gueulard, e [gœ'la:r, ~'lard] *su. sl.* bawler; *sl.* glutton; *su./m* ⊕ blast-furnace, *sewer:* mouth; ♣ *sl.* speaking-trumpet; **gueule** [gœl] *f animal, sl. person:* mouth; *gun:* muzzle; opening; *sl.* jaw; F sock *s.o.*; *sl. ta* ~! shut up!; **gueule-de-loup**, *pl.* **gueules-de-loup** ♀ [~də'lu] snapdragon, antirrhinum; **gueuler** *sl.* [gœ'le] (1a) *vt/i.* bawl; **gueules** ▨ [gœl] *m* gules.

gueusaille F [gø'za:j] *f* rabble; **gueusard** [~'za:r] *m* beggar; rascal, rogue.

gueuse *metall.* [gø:z] *f* pig-mo(u)ld; **gueuserie** [gøz'ri] *f* beggary; begging; *fig.* poor show, poor affair.

gueux, gueuse [gø, gø:z] **1.** *adj.* poverty-stricken, poor; **2.** *su.* beggar; tramp, vagabond; *su./f* wench.

gui[1] ♀ [gi] *m* mistletoe.

gui[2] ♣ [~] *m* boom; guy(-rope).

guibolle *sl.* [gi'bɔl] *f* leg.

guichet [gi'ʃɛ] *m* wicket-gate; entrance; turnstile; barrier; *post:* position, counter; cash-desk; 🚂 booking-office (window); *thea.* box-office; *sp. cricket:* wicket; **guichetier** [giʃ'tje] *m prison:* turnkey.

guide[1] [gid] *m* guide (*a.* ✕, *a.* ⊕); guide-book.

guide[2] [~] *f* rein; girl guide.

guide-âne [gi'da:n] *m* standing instructions *pl.*; *writing pad:* black lines *pl.*, ruled guide; **guider** [~'de] (1a) *v/t.* conduct, direct; drive (*a car etc.*); ♣ steer; **guiderope** ✈ [~'drɔp] *m* guide-rope.

guidon [gi'dɔ̃] *m* ♣ pennant; *cycle:* handle-bar; ✕ *gun:* foresight.

guigne [giɲ] *f* heart-cherry; F *fig.* bad luck.

guigner F [gi'ɲe] (1a) *v/t.* steal a glance at; have an eye to; ogle (*s.o.*). [(tree).]

guignier ♀ [gi'ɲje] *m* heart-cherry]

guignol [gi'ɲɔl] *m* Punch and Judy show; puppet (show).

guignolet [giɲɔ'lɛ] *m* cherry-brandy.

guignon [gi'ɲɔ̃] *m* bad luck; *avoir du* ~ have a run of bad luck.

guillaume ⊕ [gi'jo:m] *m plane:* rabbet.

guillemets [gij'mɛ] *m/pl.* inverted commas, quotation marks.

guilleret, -ette [gij'rɛ, ~'rɛt] gay; broad (*joke*).

guillocher ⊕ [gijɔ'ʃe] (1a) *v/t.* chequer.

guillotine [gijɔ'tin] *f* guillotine (*a. for cutting paper*); *fenêtre f à* ~ sash-window.

guimauve ♀ [gi'mo:v] *f* marshmallow.

guimbarde [gɛ̃'bard] *f* ♪ Jew's-harp; ⊕ grooving-plane; *sl.* rattle-trap, *Am.* jalopy.

guimpe [gɛ̃:p] *f* (*nun's*) wimple; chemisette.

guindage [gɛ̃'da:ʒ] *m* ⊕ hoisting; ⊕ *tackle*: hoist; **guindé, e** [~'de] stiff; stilted (*style*); **guinder** [~'de] (1a) *v/t.* hoist; *fig.* strain; *fig.* ~ *ses manières* adopt a stiff manner.

guinguette [gɛ̃'gɛt] *f* suburban tavern; out-of-town inn.

guiper [gi'pe] (1a) *v/t.* wind; wrap; lap (*a.* ⚡); **guipure** [~'py:r] *f* pillow-lace; ⚡ lapping.

guirlande [gir'lɑ̃:d] *f* garland, wreath, festoon; *pearls*: rope.

guise [gi:z] *f* manner, way; *à votre* ~*!* as you like!; please yourself!; *en* ~ *de* by way of, as.

guitare ♪ [gi'ta:r] *f* guitar.

gustatif, -ve [gysta'tif, ~'ti:v] gustative; gustatory (*nerve*); **gustation** [~ta'sjɔ̃] *f* tasting.

gutta-percha [gytaper'ka] *f* gutta-percha.

guttural, e, *m/pl.* **-aux** [gyty'ral, ~'ro] **1.** *adj.* guttural; throaty (*voice*); **2.** *su./f* gramm. guttural.

gymnase [ʒim'nɑ:z] *m* gymnasium, F gym; **gymnaste** [~'nast] *su.* gymnast; **gymnastique** [~nas'tik] **1.** *adj.* gymnastic; **2.** *su./f* gymnastics *sg.*, F gym; ~ *rythmique* eurhythmics *sg.*; *faire de la* ~ do gymnastics.

gymnote *icht.* [ʒim'nɔt] *m* electric eel.

gynécologiste 🦠 [ʒinekɔlɔ'ʒist], **gynécologue** 🦠 [~'lɔg] *su.* gyn(a)ecologist.

gypaète *orn.* [ʒipa'ɛt] *m* lammergeyer.

gypse [ʒips] *m min.* gypsum; ✝ plaster of Paris.

gyroscopique [ʒirɔskɔ'pik] gyroscopic; 🛩 *appareil m* ~ *de pilotage* gyro-pilot; ⚓ *compas m* ~ gyrocompass.

H

(Before the so-called aspirate *h*, marked **h*, there is neither elision nor liaison.)

H, h [aʃ] *m* H, h.

habile [a'bil] clever, skilful; artful, sharp; expert; ⚖ able, qualified, competent (to, *à*); **habileté** [abil'te] *f* skill, ability; cleverness; cunning; **habilitation** ⚖ [abilita'sjɔ̃] *f* enabling, competency; **habilité** ⚖ [~'te] *f* ability, competency; **habiliter** ⚖ [~'te] (1a) *v/t.* entitle (s.o. to *inf.*, *q. à inf.*).

habillage [abi'ja:z] *m* preparation; ⚡ trimming; ⊕ assembling; *cuis.* dressing; ✝ get-up; **habillement** [abij'mɑ̃] *m* clothing; clothes *pl.*; dress; **habiller** [abi'je] (1a) *v/t.* clothe, dress; prepare; trim; ✝ get up, box (*an article*); cover; *dress*: fit (*s.o.*); s'~ dress; **habilleur** *m*, **-euse** *f* [~'jœːr, ~'jøːz] *thea. etc.* dresser.

habit [a'bi] *m* (*a.* ~ *de soirée*) dress coat; dress; coat; *eccl.* habit; *eccl.* frock; ~ *vert* green coat (*of the Members of the Académie française*).

habitable [abi'tabl] habitable; **habitacle** [~'takl] *m* ⚓ binnacle; *poet.* dwelling; **habitant** *m*, **e** *f* [~'tɑ̃, ~'tɑ̃:t] inhabitant; occupier (*of a house*); resident; **habi-**tat 🌿, *zo.*, *etc.* [~'ta] *m* habitat; **habitation** [~ta'sjɔ̃] *f* habitation; dwelling, residence; **habiter** [~'te] (1a) *v/t.* inhabit, live in; *v/i.* dwell, live, reside.

habitude [abi'tyd] *f* habit, custom, practice, use; *avoir l'*~ *de* (*inf.*) be in the habit of (*ger.*); *d'*~ usually; *par* ~ from sheer force of habit; **habitué** *m*, **e** *f* [~'tɥe] frequenter, regular attendant *or* customer; **habituel, -elle** [~'tɥɛl] usual; customary; **habituer** [~'tɥe] (1n) *v/t.* accustom; get (*s.o.*) into the habit (of *ger.*, *à inf.*); s'~ *à* get used to.

****hâblerie** [ɑblə'ri] *f* boasting; ****hâbleur** *m*, **-euse** *f* [ɑ'blœːr, ~'blø:z] boaster.

****hache** [aʃ] *f* axe; ~-*légumes* [~le-'gym] *m/inv.* vegetable-cutter; ~-*paille* [~'pɑ:j] *m/inv.* chaff-cutter.

****hacher** [a'ʃe] (1a) *v/t.* chop (up); hash (*meat*); hack up; *fig.* score (*s.o.'s face*); hatch (*a drawing etc.*); ****hachereau** [aʃ'ro] *m* small axe, hatchet; ****hachette** [a'ʃɛt] *f* hatchet; ****hachis** *cuis.* [a'ʃi] *m* hash (*a. fig*), mince; ****hachoir** [a'ʃwa:r] *m* chopper; chopping-knife; chopping-board; ****hachure** [a'ʃy:r] *f* hachure, hatching; *en* ~*s* hachured.

*hagard, e [a'ga:r, ~'gard] haggard; drawn; wild-looking.

*haï,e [a'i] *p.p. of* haïr.

*haie [ɛ] *f* hedge(row); *people*: line; *sp.* hurdle; ~ *d'honneur* guard of hono(u)r; *sp. course f de* ~s hurdle-race; *faire la* ~ be lined up.

*haillon [a'jɔ̃] *m* rag, tatter.

*haine [ɛ:n] *f* hate, hatred; ***haineux, -euse** [ɛ'nø, ~'nø:z] full of hatred.

*haïr [a'i:r] (2m) *v/t.* hate, detest, loathe.

*haire [ɛ:r] *f* hair-shirt; *tex.* hair-cloth.

*hais [ɛ] *1st p. sg. pres. of* haïr; ***haïs** [a'i] *1st p. sg. p.s. of* haïr; ***haïssable** [ai'sabl] hateful, odious; ***haïssent** [a'is] *3rd p. pl. pres. of* haïr.

*halage [a'la:ʒ] *m* ⚓ *ship*: hauling; towing; *chemin m de* ~ tow(ing)-path.

*hâle [ɑ:l] *m* tan(ning); sunburn; ***hâlé, e** [ɑ'le] tanned, sunburnt; weather-beaten.

haleine [a'lɛn] *f* breath; *fig.* wind; *à perte d'*~ until out of breath; *avoir l'*~ *courte* be short-winded; *de longue* ~ long and exacting, of long duration; long-term (*plans*); *hors d'*~ out of breath; *tenir en* ~ keep (*s.o.*) breathless.

*haler [a'le] (1a) *v/t.* ⚓ haul (in); tow.

*hâler [ɑ'le] (1a) *v/t.* tan, brown; burn; burn *or* shrivel up (*plants*).

*halètement [alɛt'mɑ̃] *m* panting, gasping; ***haleter** [al'te] (1d) *v/i.* pant; gasp (for breath); puff.

*haleur [a'lœ:r] *m* hauler; tower.

*hall [ɔl] *m* entrance hall; *hotel*: lounge; *mot.* open garage; ⊕ shop, room; ***hallage** † [a'la:ʒ] *m* market dues *pl.*; ***halle** [al] *f* (covered) market.

*hallebarde *hist.* [al'bard] *f* halberd.

*hallier [a'lje] *m* thicket, copse; ~s *pl.* brushwood *sg.*

hallucination [alysina'sjɔ̃] *f* hallucination.

*halo [a'lo] *m meteor.* halo; *phot.* halation; *opt.* blurring.

halogène ⚗ [alɔ'ʒɛn] **1.** *adj.* halogenous; **2.** *su./m* halogen.

*halte [alt] *f* halt (*a.* 🚂), stop; stopping-place; *faire* ~ stop, ✕ halt; ~(-*là*)! stop!, ✕ halt!

haltère [al'tɛ:r] *m* dumb-bell.

*hamac ⚓ *etc.* [a'mak] *m* hammock.

*hameau [a'mo] *m* hamlet.

hameçon [am'sɔ̃] *m* (fish-)hook; *fig.* bait.

*hampe¹ [ɑ̃:p] *f* flag: pole; *spear*: shaft; handle; ⚘ stem.

*hampe² *cuis.* [~] *f* (thin) flank of beef.

*hamster [ams'tɛ:r] *m zo.* hamster; F hoarder (*of food*).

*hanap † [a'nap] *m* hanap, goblet.

*hanche [ɑ̃:ʃ] *f* hip; *horse*: haunch; ⚓ *ship*: quarter.

*handicap [ɑ̃di'kap] *m sp.* handicap (*a. fig.*); *fig.* disadvantage; ***handicaper** *sp.* [~ka'pe] (1a) *v/t.* handicap (*a. fig.*).

*hangar [ɑ̃'ga:r] *m* shed; lean-to; ✈ hangar.

*hanneton [an'tɔ̃] *m zo.* cockchafer; F *fig.* harum-scarum, scatterbrain.

*hanter [ɑ̃'te] (1a) *v/t.* frequent, haunt; *fig.* obsess; *maison f hantée* haunted house; ***hantise** [ɑ̃'ti:z] *f* obsession; haunting memory.

*happement [ap'mɑ̃] *m* snatching up, seizing; ***happer** [a'pe] (1a) *v/t.* catch, snatch; *v/i.* cling, stick.

*haquenée [ak'ne] *f* hack; ambling mare; *aller à la* ~ amble along.

*haquet [a'kɛ] *m* dray, waggon (*a.* ✕); ***haquetier** [ak'tje] *m* drayman.

*hara-kiri [araki'ri] *m* harakiri, happy dispatch.

*harangue [a'rɑ̃:g] *f* harangue; ***haranguer** [arɑ̃'ge] (1m) *v/t.* harangue; F *fig.* lecture (*s.o.*); F hold forth to; ***harangueur** [~'gœ:r] *m* orator; F tub-thumper.

*haras [a'rɑ] *m* stud-farm; stud.

*harasser [ara'se] (1a) *v/t.* wear out, exhaust.

*harcèlement [arsɛl'mɑ̃] *m* harassing, harrying (*a.* ✕); ***harceler** [~sə'le] (1d) *v/t.* harass, harry (*a.* ✕); badger; nag at.

*harde¹ [ard] *f* herd; *orn.* flock.

*harde² *hunt.* [ard] *f* leash; ***harder** *hunt.* [ar'de] (1a) *v/t.* leash (*the hounds in couples*).

*hardes [ard] *f/pl.* old clothes.

*hardi, e [ar'di] bold; daring; rash; impudent; ***hardiesse** [~'djɛs] *f* boldness; temerity; daring; rashness; effrontery.

*hareng [a'rɑ̃] *m* herring; ~ *fumé*

kipper; ~ *saur* red herring; ***harengaison** [arãgɛ'zõ] *f* herring-season; herring-fishing; ***harengère** [~-'ʒɛ:r] *f* fishwife.

*hargne [arɲ] *f* ill-temper; ***hargneux, -euse** [ar'ɲø, ~'ɲø:z] surly; peevish; bad-tempered; nagging (*wife*).

*haricot[1] ♀ [ari'ko] *m* (kidney-) bean; French bean, *Am.* string-bean.

*haricot[2] [~] *m* stew, haricot; ~ *de mouton* haricot mutton, *Am.* lamb stew. [nag.\

*haridelle F [ari'dɛl] *f* old horse, \

harmonica ♪ [armɔni'ka] *m* harmonica; mouth-organ.

harmonie [armɔ'ni] *f* ♪ harmony (*a. fig.*); *fig.* agreement; ♪ brass and reed band; **harmonieux, -euse** [~'njø, ~'njø:z] harmonious; **harmonique** [~'nik] harmonic; **harmoniser** [~ni'ze] (1a) *v/t. a.* s'~ harmonize; match (*colours*); **harmonium** ♪ [~'njɔm] *m* harmonium.

*harnacher [arna'ʃe] (1a) *v/t.* harness; rig (*s.o.*) out; ***harnacheur** [~'ʃœ:r] *m* harness-maker; saddler; groom.

*harnais [ar'nɛ] *m*, ***harnois** [~'nwa] *m* horse, *a. tex.*: harness; saddlery; ⊕ gearing; *cheval m de harnais* draught-horse.

*haro [a'ro] *m* hue and cry; *crier ~ sur* denounce.

harpagon [arpa'gõ] *m* skinflint.

*harpe[1] ♪ [arp] *f* harp.

*harpe[2] △ [~] *f* toothing-stone.

*harpie [ar'pi] *f myth.*, *a. fig.* harpy; *fig.* hell-cat.

*harpin [ar'pɛ̃] *m* boat-hook.

*harpiste ♪ [ar'pist] *su.* harpist.

*harpon [ar'põ] *m* harpoon; △ wall-staple; ***harponner** [~pɔ'ne] (1a) *v/t.* harpoon; *fig.* buttonhole (*s.o.*).

*hart [a:r] *f* binder, band; withe; † noose (*for hanging*).

*hasard [a'za:r] *m* chance, luck; risk; hazard (*a. golf*); *à tout ~* at all hazards *or* events; *au ~* at random; *... de ~ chance ...*; *par ~* by chance; ***hasardé, e** [azar'de] risky, foolhardy; bold; hazardous; ***hasarder** [~'de] (1a) *v/t.* risk, venture; ***hasardeux, -euse** [~'dø, ~'dø:z] perilous, risky; daring, foolhardy.

*hase *zo.* [a:z] *f* doe-hare; doe-rabbit.

*hâte [a:t] *f* haste, hurry; *à la ~* in a hurry; *avoir ~ de* (*inf.*) be in a hurry to (*inf.*); long to (*inf.*); ***hâter** [a'te] (1a) *v/t. a.* se ~ hasten; hurry; ***hâtif, -ve** [a'tif, ~'ti:v] hasty; premature; early (*fruit etc.*); ***hâtiveau** ✔ [ati'vo] *m* early fruit (*esp. pear*); early vegetable.

*hauban [o'bã] *m* ♣ shroud; ⚓, ⊕ stay; ⚡ (*bracing-*)wire; ***haubaner** [oba'ne] (1a) *v/t.* stay, guy.

*haubert *hist.* [o'bɛ:r] *m* hauberk.

*hausse [o:s] *f* rise (*a.* ✞), *Am.* raise; *rifle*: back-sight, rear-sight; ⊕ block, prop; *à la ~* on the rise; ***haussement** [os'mã] *m* raising; ~ *d'épaules* shrug; ***hausser** [o'se] (1a) *v/t.* raise (*a.* ♪; *a. a house, the price, one's voice*); lift; increase; shrug (*one's shoulders*); *v/i.* rise, go up; ♣ heave in sight; ***haussier** ✞ [o'sje] *m* bull.

*haussière ♣ [o'sjɛ:r] *f* hawser.

*haut, haute [o, o:t] **1.** *adj.* high; elevated; eminent, important; loud (*voice*); erect (*head*); upper (*floor etc.*); *la haute mer* the open sea; *la mer haute* high tide; **2.** *haut adv.* high (up); aloud; haughtily; further back (*in time*); *fig.* ~ *la main* easily; ~ *les mains!* hands up!; *d'en* ~ *adj.* upstairs; upper; *en* ~ *adv.* above; upstairs; **3.** *su./m* height; top; summit; *tomber de son* ~ fall flat; *fig.* fall; *fig.* be dumbfounded; *vingt pieds de* ~ 20 feet *or* foot high; *su./f: la haute* the smart set, the upper crust.

*hautain, e [o'tɛ̃, ~'tɛn] proud; haughty.

*haut...: *~bois ♪ [o'bwa] *m* oboe; (*a.* **~boïste** [obɔ'ist] *m*) oboist; ***~-de-chausses,** *pl.* ***~s-de-chausses** [od'ʃo:s] *m* breeches *pl.*; ***~-de-forme,** *pl.* ***~s-de-forme** [~'fɔrm] *m* top hat.

*haute-contre, *pl.* ***hautes-contre** ♪ [ot'kõ:tr] *f* voice: alto.

*hautement [ot'mã] *adv.* highly; loudly; loftily; frankly.

*Hautesse [o'tɛs] *f title of sultan:* Highness.

*hauteur [o'tœ:r] *f* height; eminence, high place; hill(-top); level; depth; ♓, *astr.* altitude; ♪ pitch; *fig.* arrogance; *fig. principles etc.*:

loftiness; *être à la* ~ *de* be equal to; be a match for; *fig.* be abreast of (*developments, news*); ⚓ be off (*Calais*); ✈ *prendre de la* ~ gain height; *tomber de sa* ~ fall flat; F *fig.* be dumbfounded; *sp. saut en* ~ high jump.

***haut...**: ***~-fond**, *pl.* ***~s-fonds** [o'fõ] *sea:* shoal, shallows *pl.*; ***~-le-cœur** [ol'kœ:r] *m/inv.* heave; nausea; *avoir des* ~ retch; ***~-le-corps** [~'kɔ:r] *m/inv.* sudden start; ***~-parleur** [opar'lœ:r] *m radio etc.*: loudspeaker; amplifier; ***~-relief**, *pl.* ***~s-reliefs** [orə'ljɛf] *m arts*: alto-relievo.

***havanais, e** [ava'nɛ, ~'nɛ:z] *adj., a. su.* ♀ Havanese; ***havane** [a'van] **1.** *su./m* Havana (cigar); **2.** *adj./inv.* tobacco-colo(u)red; brown.

***hâve** [ɑ:v] haggard, drawn, gaunt.

***havre** ⚓ [ɑ:vr] *m* harbo(u)r, haven.

***havresac** [ɑvrə'sak] *m* ⚔ knapsack; tool-bag; *camping*: haversack.

***hé!** [e] *int.* hi!; I say!; what!

***heaume** *hist.* [o:m] *m* helm(et).

hebdomadaire [ɛbdɔma'dɛ:r] **1.** *adj.* weekly; **2.** *su./m* weekly (paper *or* publication).

héberger [ebɛr'ʒe] (1l) *v/t.* lodge, shelter; give a home to.

hébéter [ebe'te] (1f) *v/t.* stupefy; daze; *fig.* stun; **hébétude** [~'tyd] *f fig.* daze, dazed condition; ⚕ hebetude.

hébraïque [ebra'ik] Hebrew, Hebraic; **hébraïsant** *m*, **e** *f* [~i'zã, ~'zã:t] Hebraist; **hébreu** [e'brø] *adj./m, a. su./m ling.* Hebrew.

hécatombe [eka'tõ:b] *f* hecatomb; F *fig. persons:* (great) slaughter.

hectare [ɛk'ta:r] *m* hectare (2.47 *acres*).

hectique ⚕ [ɛk'tik] hectic.

hecto... [ɛktɔ] hecto...; **~gramme** [~'gram] *m* hectogram(me); **~litre** [~'litr] *m* hectolitre (2.75 *bushels*); **~mètre** [~'mɛtr] *m* hectometre.

hégire [e'ʒi:r] *f* hegira.

***hein!** F [ɛ̃] *int.* what?; isn't it?; did I not?, *etc.*

hélas! [e'lɑ:s] *int.* alas!

***héler** [e'le] (1f) *v/t.* hail (*a ship, a taxi*).

hélianthe ⚘ [e'ljã:t] *m* sunflower, helianthus.

hélice [e'lis] *f* ⚙, *anat.* helix (*a.* = *snail*); ⚓ screw; ⚓, ✈ propeller; Archimedean screw; *escalier m en* ~ spiral staircase; *en* ~ helical (ly *adv.*); ⚓ *vaisseau m à* ~ screw-steamer.

hélicoïdal, e, *m/pl.* **-aux** [elikɔi'dal, ~'do] helical, helicoid(al), spiral.

hélicoptère ✈ [elikɔp'tɛ:r] *m* helicopter.

hélio... [eljɔ] helio...; **~graphe** *astr.* [~'graf] *m* heliograph; **~gravure** [~gra'vy:r] *f* photogravure; heliogravure; **~scope** *astr.* [~s'kɔp] *m* solar prism; **~thérapie** ⚕ [~tera'pi] *f* sunlight *or* sun ray treatment; **~trope** ⚘ [~'trɔp] *m* heliotrope.

héliport ✈ [eli'pɔ:r] *m* heliport.

hélium ⚗ [e'ljɔm] *m* helium.

helvétien, -enne [ɛlve'sjɛ̃, ~'sjɛn] *adj., a. su.* ♀ Swiss; **helvétique** [~'tik] Helvetic (*confederation*), Swiss.

***hem!** [ɛm] *int.* ahem!; hm!

héma... [ema], **hémat(o)...** [emat(o)] h(a)ema..., h(a)emat(o)...; blood...;

hématite *min.* [ema'tit] *f* h(a)ematite; ~ *rouge* red iron.

hémi... [emi] hemi...; **~cycle** ⚠ [~'sikl] *m* hemicycle; **~sphère** [emis'fɛ:r] *m* hemisphere.

hémo... [emɔ] h(a)em(o)... **~globine** *physiol.* [~glɔ'bin] *f* h(a)emoglobin; **~philie** ⚕ [~fi'li] *f* h(a)emophilia; **~rragie** ⚕ [~ra'ʒi] *f* h(a)emorrhage; **~rroïdes** ⚕ [~rɔ'id] *f/pl.* h(a)emorrhoids, piles.

***henné** ⚘ [ɛn'ne] *m* henna (*a. for hair*); *teindre au* ~ henna.

***hennir** [ɛ'ni:r] (2a) *v/i.* whinny, neigh; ***hennissement** [ɛnis'mã] *m* whinny(ing), neigh(ing).

hépatique [epa'tik] **1.** *adj.* hepatic; **2.** *su.* ⚕ hepatic; *su./f* ⚘ hepatica, liverwort; **hépatite** ['tit] *f* ⚕ hepatitis; *min.* hepatite.

hepta... [ɛpta] hepta...

héraldique [eral'dik] heraldic, armorial.

***héraut** [e'ro] *m* herald (*a. fig.*).

herbacé, e ⚘ [ɛrba'se] herbaceous; **herbage** [~'ba:ʒ] *m* grass-land; pasture; grass; *cuis.* green stuff; **herbager** [~ba'ʒe] *m* grazier; **herbe** [ɛrb] *f* grass; herb; weed; *~s pl. potagères* pot herbs; *en* ~ unripe; *fig.* budding; *fines ~s pl.* herbs for seasoning; *mauvaise* ~ weed; *fig.* bad lot; **herber** [ɛr'be] (1a) *v/t.* bleach (*linen*) on the grass; **herberie** [~bə'ri] *f* bleaching

ground (*for linen*); grass market;
herbette [‿'bɛt] *f* lawn grass; **herbeux, -euse** [‿'bø, ‿'bø:z] grassy;
herbicide [‿bi'sid] *m* weed-killer;
herbier [‿'bje] *m* herbarium; grass
loft *or* shed; **herbivore** *zo*. [‿bi-
'vɔ:r] 1. *adj.* herbivorous; 2. *su./m*
herbivore; **herboriser** [‿bɔri'ze]
(1a) *v/i.* go botanizing; gather plants
or herbs; **herboriste** [‿bɔ'rist] *su.*
herbalist; **herbu, e** [‿'by] 1. *adj.*
grassy; 2. *su./f* light grazing-land.
***here¹** *hunt.* [ɛ:r] *m* young stag.
***here²** [‿] *m*: *pauvre* ‿ poor devil.
héréditaire [eredi'tɛ:r] hereditary;
hérédité [‿'te] *f* heredity; ⚙ (right
of) inheritance.
hérésie [ere'zi] *f* heresy; **hérétique**
[‿'tik] 1. *adj.* heretical; 2. *su.* heretic.
***hérissé, e** [eri'se] bristling (with,
de); ⚘ prickly; bristly (*moustache*);
shaggy (*hair*); ***hérisser** [‿'se] (1a)
v/t. bristle up; cover with spikes;
ruffle (*its feathers*); se ‿ become
erect; stand on end (*hair*); bristle
(*a. fig.*); ***hérisson** [‿'sɔ̃] *m* zo., ⚒
hedgehog; *fig.* cantankerous person; △ row of spikes (*on a wall*);
⚙ toothed roller; ⊕ pin-wheel; ⊕
sprocket-wheel; *tex.* urchin.
héritage [eri'ta:ʒ] *m* inheritance,
heritage; **hériter** [‿'te] (1a) *vt/i.*
inherit; **héritier, -ère** [‿'tje,
‿'tjɛ:r] *su.* heir; *su./f* heiress.
hermétique [erme'tik] *phls.*, △
hermetic; (air-, water-)tight; light-
proof.
hermine *zo.* [ɛr'min] *f* ermine (*a.
⚘ fur*), stoat.
herminette ⊕ [ɛrmi'nɛt] *f* adze.
***herniaire** ⚘ [ɛr'njɛ:r] hernial;
bandage m ‿ truss; ***hernie** ⚘ [‿'ni]
f hernia, rupture.
héroïne [erɔ'in] *f* heroine; ⚗ hero-
in; **héroïque** [‿'ik] heroic (*a. ⚗*);
héroïsme [‿'ism] *m* heroism.
***héron** *orn.* [e'rɔ̃] *m* heron.
***héros** [e'ro] *m* hero.
herpès ⚘ [ɛr'pɛs] *m* herpes.
***herse** [ɛrs] *f* ⚙ harrow; △ port-
cullis; *thea.* ‿s *pl.* battens; ***herser** ⚙ [ɛr'se] (1a) *v/t.* harrow.
hésitation [ezita'sjɔ̃] *f* hesitation;
hesitancy; faltering; misgiving;
hésiter [‿'te] (1a) *v/i.* hesitate,
waver; falter (*in speaking*).
hétéro... [eterɔ] hetero...; ‿**clite**
[‿'klit] heteroclite, irregular; *fig.*

odd, strange; ‿**doxe** [‿'dɔks] heterodox, unorthodox; ‿**gène** [‿'ʒɛn]
heterogeneous; *fig.* incongruous;
mixed (*society*).
***hêtre** ⚘ [ɛ:tr] *m* beech.
***heu!** [ø] *int.* ah!; *doubt*: h'm!; *con-
tempt*: pooh!; *hesitancy*: ... and ...
heure [œ:r] *f* hour; time; moment;
period; ... o'clock; *six* ‿s *pl.* 6
o'clock; ‿ d'été summer time; ⚒
‿ H zero hour; ‿ *légale* standard
time; ‿s *pl. supplémentaires* overtime *sg.*; *à l'*‿ on time, punctual(ly
adv.); *à la bonne* ‿! well done!; fine!;
tout à l'‿ a few minutes ago; in a few
minutes; presently; *à tout à l'*‿!
so long!; see you later!; F *c'est l'*‿
time's up!; *de bonne* ‿ early; *quelle
‿ est-il?* what time is it?; *livre m
d'*‿s book of hours; prayer-book.
heureux, -euse [œ'rø, ‿'rø:z] happy,
glad, pleased, delighted; lucky;
successful; fortunate (*accident, position, etc.*); apt (*expression, phrase,
word*).
***heurt** [œ:r] *m* blow, knock, shock;
fig. sans ‿ smoothly; ***heurté, e**
[œr'te] clashing (*colours*); ***heurter**
[‿'te] (1a) *vt/i.* knock, hit, strike;
jostle; *v/i.* run into; collide with;
fig. offend (*s.o.'s feelings*); ⚓ ram,
strike; *v/i. a. se* ‿ collide; clash
(*colours*); ***heurtoir** [‿'twa:r] *m*
knocker; ⊕ stop; ⊕ tappet; ⚙
buffer.
hexagonal, e, *m/pl.* **-aux** ⚘ [ɛgza-
gɔ'nal, ‿'no] hexagonal; **hexagone**
⚘ [‿'gɔn] *m* hexagon.
hibernal, e, *m/pl.* **-aux** [iber'nal,
‿'no] winter-...; hibernal; wintry;
hibernant, e [‿'nɑ̃, ‿'nɑ̃:t] hiber-
nating; **hiberner** [‿'ne] (1a) *v/i.*
hibernate. [owlet.⟩
***hibou** *orn.* [i'bu] *m* owl; *jeune* ‿⟩
***hic** [ik] *m*: *voilà le* ‿! there's the
snag!
***hideux, -euse** [i'dø, i'dø:z] hide-
ous.
hiémal, e, *m/pl.* **-aux** [je'mal, ‿'mo]
winter-...
hier [jɛ:r] *adv.* yesterday; ‿ *soir*
yesterday evening, last night; *d'*‿
very recent; F *fig. né d'*‿ green.
***hiérarchie** [jerar'ʃi] *f* hierarchy;
***hiérarchique** [‿'ʃik] hierarchical;
voie f ‿ official channels *pl.*
hiéroglyphe [jerɔ'glif] *m* hiero-
glyph; *fig.* scrawl.

hilarant, e [ila'rã, ~'rã:t] mirth-provoking; **hilarité** [~ri'te] f hilarity, laughter, mirth.

hippique [i'pik] equine, horse-...; **concours** m ~ horse-show; race-meeting, Am. race-meet; **hippisme** [~'pism] m horse-racing.

hippo... [ipɔ] hippo...; horse...; **~campe** zo. [~'kã:p] m sea-horse, hippocampus; **~drome** [~'dro:m] m hippodrome, circus; race-course, race-track; **~mobile** [~mɔ'bil] horse-drawn; **~potame** zo. [~pɔ'tam] m hippopotamus.

hirondelle [irɔ̃'dɛl] f orn. swallow.

hirsute [ir'syt] hirsute, hairy; fig. boorish, rough.

hispanique [ispa'nik] Hispanic, Spanish.

hispide ♀ [is'pid] hispid; hairy.

***hisser** [i'se] (1a) v/t. hoist (a. ♎); se ~ a. pull o.s. up.

histoire [is'twa:r] f history, story, F yarn; F fib, invention; avoir des ~s avec q. get across s.o.; faire des ~s make a to-do; **historien** [~tɔ-'rjɛ̃] m historian; chronicler; narrator; **historier** [~'rje] (1o) v/t. illustrate; embellish (a. fig.); **historiette** [~'rjɛt] f anecdote; short story; **historique** [~'rik] **1.** adj. historic(al); **2.** su./m historical record or account.

histrion [istri'ɔ̃] m play-actor; F pol. mountebank.

hiver [i'vɛ:r] m winter; **hivernage** [iver'na:ʒ] m ♎ laying up for the winter; winter season; winter quarters pl., ♎ winter harbo(u)r; tropics: rainy season; wintering (of cattle); **hivernal, e**, m/pl. **-aux** [~'nal, ~'no] winter-...; wintry (weather); **hivernant** m, e f [~'nã, ~'nã:t] winter visitor; **hiverner** [~'ne] (1a) v/i. winter; hibernate (animal); v/t. ✗ plough before winter.

***hobereau** [ɔ'bro] m orn. hobby; F small country squire, squireen.

***hochement** [ɔʃ'mɑ] m shaking; toss (of the head); ***hochepot** [~'po] m hotch-potch; ragout of beef and vegetables; ***hochequeue** orn. [~'kø] m wagtail; ***hocher** [ɔ'ʃe] (1a) v/t. shake; ⊕ notch; dent (a blade); toss; ~ la tête toss one's head; ***hochet** [ɔ'ʃɛ] m rattle (for babies); toy, bauble.

***hockey** sp. [ɔ'kɛ] m hockey; ~ sur glace ice-hockey, ***hockeyeur** sp. [ɔkɛ'jœ:r] m hockey-player.

hoir ⚮ [wa:r] m heir; **hoirie** ⚮ [wa'ri] f inheritance, succession.

***holà** [ɔ'la] **1.** int. hallo!; stop!; **2.** m/inv.: F mettre le ~ restore order; put a stop (to, à).

***holding** ✝ [ɔl'diŋ] m holding company.

***hold-up** [ɔl'dœp] m/inv. hold-up, detention by force.

***hollandais, e** [ɔlɑ̃'dɛ, ~'dɛ:z] **1.** adj. Dutch; **2.** su./m ling. Dutch; ♀ Dutchman; les ♀ m/pl. the Dutch; su./f ♀ Dutchwoman.

***Hollande** [ɔ'lɑ̃:d] su./m Dutch cheese; su./f tex. Holland.

holocauste [ɔlɔ'ko:st] m holocaust; burnt-offering; sacrifice.

***homard** zo. [ɔ'ma:r] m lobster.

homélie [ɔme'li] f eccl. homily; F fig.sermon, lecture.

homicide [ɔmi'sid] **1.** su. person: homicide; su./m crime: homicide; ~ par imprudence (or involontaire) manslaughter; ~ volontaire (or prémédité) murder; **2.** adj. homicidal.

hommage [ɔ'ma:ʒ] m homage; token of esteem; ~s pl. compliments; ~ de l'auteur with the author's compliments; rendre ~ do homage, pay tribute (to, à); **hommasse** F [ɔ'mas] mannish, masculine (woman); **homme** [ɔm] m man; mankind; ~ d'affaires businessman; ⊕ ~ de métier craftsman; **~-grenouille**, pl. **~s-grenouilles** [~gra-'nu:j] m frogman; **~-sandwich**, pl. **~s-sandwichs** [~sã'dwitʃ] m sandwich-man.

homo... [ɔmɔ] homo...; **~gène** [~-'ʒɛn] homogeneous; **~logue** [~'lɔg] **1.** adj. homologous; **2.** su./m homologue; **~loguer** ⚮ [~lɔ'ge] (1m) v/t. confirm, endorse; ratify (a decision); grant probate of (a will); prove (a will); **~nyme** gramm. [~'nim] **1.** adj. homonymous; **2.** su./m homonym.

***hongre** [ɔ̃:gr] **1.** adj./m gelded; **2.** su./m gelding; ***hongrois, e** [ɔ̃'grwa, ~'grwa:z] **1.** adj. Hungarian; **2.** su./m ling. Hungarian; su. ♀ Hungarian.

honnête [ɔ'nɛ:t] honest; upright; decent; respectable; courteous, well-bred; seemly (behaviour); reasonable (price); virtuous (woman); ~s gens m/pl. decent people; **hon-**

nêteté [ɔnɛt'te] *f* honesty; integrity; politeness; respectability (*of behaviour*); ✝ fairness; *price etc.*: reasonableness; (*feminine*) modesty.

honneur [ɔ'nœːr] *m* hono(u)r; ~s *pl.* hono(u)rs, preferments; regalia; *avoir l'~* have the hono(u)r (of *ger.*, de *inf.*); ✝ beg (to *inf.*, de *inf.*); ✝ *faire ~ à* hono(u)r, meet (*a bill, an obligation*); ⚔ *rendre les ~s* present arms (to, *à*).

*****honnir** ✝ [ɔ'niːr] (2a) *v/t.* disgrace; spurn; revile; *honni soit qui mal y pense* evil be to him who evil thinks.

honorabilité [ɔnɔrabili'te] *f* respectability; **honorable** [~'rabl] hono(u)rable; respectable, creditable, ✝ reputable; **honoraire** [~'rɛːr] **1.** *adj.* honorary; **2.** *su./m:* ~s *pl.* fee(s *pl.*) *sg.*, honorarium *sg.*; ⚖ retainer *sg.*; **honorer** [~'re] (1a) *v/t.* hono(u)r (*a.* ✝); respect; do hono(u)r to; ✝ meet; *s'~ de* pride o.s. on; **honorifique** [~ri'fik] honorary (*title*).

*****honte** [ɔ̃ːt] *f* (sense of) shame; dishono(u)r, disgrace; *fig.* reproach; *avoir ~* be ashamed (of, de); *faire ~ à* put to shame; **honteux, -euse** [ɔ̃'tø, ~'tøːz] ashamed; disgraceful, shameful, scandalous; bashful.

hôpital [opi'tal] *m* ⚕ hospital; poorhouse, (*orphan's*) home; ⚔ *~ militaire* (*de campagne*) station (field) hospital.

*****hoquet** [ɔ'kɛ] *m* hiccough, hiccup; *emotion:* gasp (*of surprise etc.*); *****hoqueter** [ɔk'te] (1c) *v/i.* hiccup; have the hiccups.

horaire [ɔ'rɛːr] **1.** *adj.* time...; hour-...; ⊕ per hour, hourly; **2.** *su./m* time-table.

*****horde** [ɔrd] *f* horde.

horizon [ɔri'zɔ̃] *m* horizon, skyline; **horizontal, e,** *m/pl.* -aux [~zɔ̃'tal, ~'to] horizontal.

horloge [ɔr'lɔ:ʒ] *f* clock; ⊕ *~ centrale* master clock; *~ normande* grandfather('s) clock; *teleph. ~ parlante* speaking clock, Tim; **horloger** [~lɔ'ʒe] *m* watch-maker, clock-maker; **horlogerie** [~lɔʒ'ri] *f* watch-making, clock-making; watch-maker's (shop).

hormis [ɔr'mi] *prp.* except.

hormone *physiol.* [ɔr'mɔn] *f* hormone.

horoscope [ɔrɔs'kɔp] *m* horoscope; *faire* (*or tirer*) *un ~* cast a horoscope.

horreur [ɔ'rœːr] *f* horror; *avoir ~ de* loathe; abhor; hate; *faire ~ à* disgust; horrify; **horrible** [ɔ'ribl] horrible, dreadful; appalling; **horripiler** [ɔripi'le] (1a) *v/t.* give (*s.o.*) goose-flesh; F make (*s.o.'s*) flesh creep; F *fig.* exasperate.

*****hors** [ɔːr] *prp.* out of; outside (*the town*); beyond, but, save (*two, this*); ⚡ *~ circuit* cut off; *~ concours* hors concours; *sp. ~ jeu* offside; *~ ligne* (*or classe*) outstanding; ✝ *~ vente* no longer on sale; *mettre ~ la loi* outlaw (*s.o.*); *~* (*de*) *pair* peerless; *~ de* outside; out of (*breath, danger, fashion, hearing, reach, sight, use*); beyond (*dispute, doubt*); *~ d'affaire* out of the wood; *~ de combat* disabled; out of action; *~ de propos* ill-timed; irrelevant (*remark*); *~ de saison* unseasonable; *~ de sens* out of one's senses; *~ de soi* beside o.s. (with rage); *~ d'ici!* get out!; *qch. est ~ de prix* the price of s.th. is prohibitive.

*****hors...: *****~-bord** [ɔr'bɔːr] *m/inv.* outboard motor boat, F speed-boat; *****~-d'œuvre** [~'dœːvr] *m/inv.* ⚠ outwork, annexe; *fig.* irrelevant matter; *cuis.* hors-d'œuvre, side-dish; *****~-jeu** *sp.* [~'ʒø] *m/inv.* offside; *****~-la-loi** [~la'lwa] *m/inv.* outlaw; *****~-texte** [~'tɛkst] *m/inv.* (full page) plate (*in a book*).

hortensia ⚘ [ɔrtɑ̃'sja] *m* hydrangea.

horticole [ɔrti'kɔl] horticultural; **horticulture** [~kyl'tyːr] *f* horticulture, gardening.

hosanna [ɔzan'na] *int.*, *a. su./m* hosanna.

hospice [ɔs'pis] *m* hospice; almshouse; (*orphan's*) home; **hospitalier, -ère** [ɔspita'lje, ~'ljɛːr] **1.** *adj.* hospitable; hospital-...; **2.** *su./m eccl.* hospitaller; *su./f eccl.* Sister of Mercy; **hospitaliser** [~li'ze] (1a) *v/t.* send *or* admit to a hospital *or* home, hospitalize; **hospitalité** [~li'te] *f* hospitality; *donner l'~ à q.* give s.o. hospitality, F put s.o. up.

hostie [ɔs'ti] *f bibl.* (sacrificial) victim; *eccl.* host.

hostile [ɔs'til] hostile; **hostilité** [~tili'te] *f* hostility (against, contre); enmity; ⚔ *~s pl.* hostilities.

hôte, hôtesse [oːt, o'tɛs] *su.* guest,

huitième

visitor, lodger; *su./m* host; landlord; *su./f* hostess; landlady; *hôtesse de l'air* air hostess.

hôtel [o'tɛl] *m* mansion; public building; hotel; ~ *de ville* town hall, city hall; ~ *garni* residential hotel; *pej.* lodgings *pl.*, lodging-house; *maître m d'~* head waiter; *private house*: butler; ~**-Dieu**, *pl.* ~**s-Dieu** [otɛl'djø] *m* principal hospital; **hôtelier, -ère** [otə'lje, ~'ljeːr] *su.* innkeeper; hotel-keeper; *su./m* landlord; *su./f* landlady; **hôtellerie** [otɛl'ri] *f* hostelry, inn; hotel trade; *monastery etc.*: guest room(s *pl.*).

*****hotte** [ɔt] *f* basket; pannier; (*bricklayer's*) hod; ⊕ hopper; ⚠ hood.

*****houblon** ⚲ *etc.* [u'blɔ̃] *m* hop(s *pl.*); *****houblonner** [ublɔ'ne] (1a) *v/t.* hop (*beer*); *****houblonnier, -ère** [~'nje, ~'njeːr] **1.** *adj.* hop-(growing); **2.** *su./f* hop-field.

*****houe** ⚲ [u] *f* hoe; *****houer** [u'e] (1a) *v/t.* hoe.

*****houille** ⚒ [uːj] *f* coal; *fig.* ~ *blanche* water-power; *****houiller, -ère** ⚒ [u'je, ~'jeːr] **1.** *adj.* coal-...; carboniferous; *production f* ~*ère* output of coal; **2.** *su./f* coal-mine, pit, colliery; *****houilleux, -euse** [u'jø, ~'jøːz] carboniferous, coal-bearing.

*****houle** [ul] *f* swell, surge, billows *pl.*

*****houlette** [u'lɛt] *f* (*shepherd's etc.*) crook; ✐ trowel; *metall.* hand-ladle.

*****houleux, -euse** [u'lø, ~'løːz] swelling, surging (*a. fig.*), billowing; ⚓ rather rough (*sea*); *fig.* stormy (*meeting*).

*****houp!** [up] *int.* up!; off you go!

*****houppe** [up] *f* orn., a. feathers, hair, wool: tuft; tassel; bob; pompom; *orn., a. hair, tree:* crest; (powder-)puff; *hair:* topknot; *****houpper** [u'pe] (1a) *v/t.* tuft; trim with tufts *or* pompoms; *tex.* comb (*wool*); *****houppette** [u'pɛt] *f* small tuft; powder-puff.

*****hourdage** ⚠ [ur'daːʒ] *m*, *****hourdis** ⚠ [ur'di] *m* rough masonry; pugging; plaster-work; *****hourder** [~'de] (1a) *v/t.* rough-cast (*a wall*).

*****hourra** [u'ra] **1.** *int.* hurrah!; **2.** *su./m:* pousser des ~*s* cheer.

*****houspiller** [uspi'je] (1a) *v/t.* hustle; handle (*s.o.*) roughly; *fig.* rate, abuse.

*****houssaie** [u'sɛ] *f* holly-grove.

*****housse** [us] *f* furniture cover, *Am.* slip-cover; dust-sheet; horse-cloth; *cost.* (protective) bag; *****housser** [u'se] (1a) *v/t.* dust (*furniture*).

*****houssine** [u'sin] *f* furniture, riding: switch; *****houssiner** [usi'ne] (1a) *v/t.* switch.

*****houssoir** [u'swaːr] *m* feather-duster; whisk.

*****houx** ⚲ [u] *m* holly.

*****hoyau** ✐ [wa'jo] *m* grubbing-hoe, mattock.

*****hublot** ⚓ [y'blo] *m* port-hole, scuttle; air-port; *faux* ~ dead-light.

*****huche** [yʃ] *f* kneading-trough; bin; ⊕ hopper.

*****hucher** † [y'ʃe] (1a) *v/t.* call (*the hounds*); *****huchet** † [y'ʃɛ] *m* hunting-horn.

*****hue!** [y] *int.* gee up!; *a.* to a horse: to the right!; *fig. tirer à* ~ *et à dia* pull in opposite directions.

*****huée** [y'e] *f hunt. etc.* hallooing; *fig.* boo, hoot; ~*s pl.* booing *sg.*, jeers; *****huer** [y'e] (1a) *v/t.* boo (*s.o.*); *v/i.* hoot (*owl*).

*****huguenot, e** [yg'no, ~'nɔt] **1.** *adj. eccl.* Huguenot; **2.** *su. eccl.* Huguenot; *su./f cuis.* pipkin.

huilage [ɥi'laːʒ] *m* oiling, lubrication; *metall.* oil-tempering; **huile** [ɥil] *f* oil; ✚, ✿ ~ *de foie de morue* cod-liver oil; ~ *de graissage (de machine)* lubricating (engine) oil; ~ *minérale* mineral oil, petroleum; ~ *végétale* vegetable oil; *F les* ~*s pl.* the big pots (= *important people*); *eccl. les saintes* ~*s pl.* extreme unction: the holy oil *sg.*; **huiler** [ɥi'le] (1a) *v/t.* oil, lubricate; **huilerie** [ɥil'ri] *f* oil-works *or* oil-store; **huileux, -euse** [ɥi'lø, ~'løːz] oily, greasy; **huilier** [~'lje] *m* ⊕ oil-can; oil-merchant; *cuis.* oil-cruet; cruet-stand.

huis [ɥi] *m* † door; ⚖ *à* ~ *clos* in camera; *F à* ~ *clos* in private; ⚖ *ordonner le* ~ *clos* clear the court; **huisserie** ⚠ [ɥis'ri] *f* door-frame; **huissier** [ɥi'sje] *m* usher; ⚖ bailiff, process-server.

huit [ɥit; *before consonant* ɥi] *adj./num., a. su./m/inv.* eight; *date, title:* eighth; *d'aujourd'hui en* ~ today week; *tous les* ~ *jours* once a week; every week; *****huitain** [ɥi'tɛ̃] *m* octet; *****huitaine** [~'tɛn] *f* (about) eight; week; *****huitième** [~'tjɛm] **1.** *adj./*

num. eighth; **2.** *su.* eighth; *su./m fraction*: eighth; *su./f secondary school*: (approx.) second form.

huître [ɥiːtr] *f* oyster; F *fig.* ninny; **huîtrier, -ère** [ɥitri'e, ~'ɛːr] **1.** *adj.* oyster-...; **2.** *su./f* oyster-bed.

*****hulotte** *orn.* [y'lɔt] *f* brown owl, common wood-owl.

humain, e [y'mɛ̃, ~'mɛn] **1.** *adj.* human; humane; **2.** *su./m*: les ~s *pl.* mankind *sg.*; human beings; **humaniser** [ymani'ze] (1a) *v/t.* humanize; s'~ become (more) human; *fig.* become more sociable; **humanitaire** [~'tɛːr] *adj., a. su.* humanitarian; **humanité** [~'te] *f* humanity; kindness; mankind; ~s *pl.* classical studies, *the* humanities.

humble [œ̃:bl] humble; lowly; meek; ~ serviteur humble servant.

humecter [ymek'te] (1a) *v/t.* moisten, damp, wet; s'~ become moist.

*****humer** [y'me] (1a) *v/t.* breathe in (*the air, a perfume*); sip (*tea, coffee*); swallow (*a raw egg*).

humeur [y'mœːr] *f* humo(u)r (*a. anat.*), mood; disposition, temperament; temper; ~ † ~s *pl.* body-fluids; *avec* ~ crossly; peevishly.

humide [y'mid] damp; humid; **humidité** [ymidi'te] *f* dampness; moisture; humidity.

humilier [ymi'lje] (1o) *v/t.* humiliate, humble; **humilité** [~li'te] *f* humility.

humoriste [ymɔ'rist] **1.** *adj.* humorous (*writer*); **2.** *su.* humorist; **humoristique** [~ris'tik] humorous.

humour [y'muːr] *m* humo(u)r.

humus ⚘ [y'mys] *m* humus, leaf mo(u)ld.

*****hune** ⚓ [yn] *f* top; *****hunier** ⚓ [y'nje] *m* topsail.

*****huppe** [yp] *f orn.* hoopoe; *bird*: crest, tuft; *****huppé, e** [y'pe] *orn.* tufted, crested; F *fig.* smart; F *les gens m/pl.* ~s the swells.

*****hure** [y:r] *f* head (*usu. of boar*); *salmon*: jowl; *cuis.* brawn, *Am.* headcheese; *sl.* (ugly) head.

*****hurlement** [yrlə'mɑ̃] *m animal*: howl(ing); roar; bellow; *****hurler** [~'le] (1a) *v/i.* howl; roar; *v/t.* bawl out; *****hurleur, -euse** [~'lœːr, ~-'løːz] **1.** *adj.* howling; **2.** *su.* howler; *su./m zo.* monkey: howler.

hurluberlu [yrlybɛr'ly] *m* scatter-brain; harum-scarum.

*****huron** F [y'rɔ̃] *m* boor.

*****hussard** ✗ [y'saːr] *m* hussar; *****hussarde** [y'sard] *f dance*: hussarde; *à la* ~ cavalierly.

*****hutte** [yt] *f* hut, cabin, shanty.

hybride [i'brid] *adj., a. su./m* hybrid; **hybridité** [ibridi'te] *f* hybrid character, hybridity.

hydratation ⚗ [idrata'sjɔ̃] *f* hydration.

hydraulique [idro'lik] **1.** *adj.* hydraulic; water-...; **2.** *su./f* hydraulics *sg.*

hydravion [idra'vjɔ̃] *m* seaplane; ~ à coque flying boat.

hydro... [idrɔ] hydro...; water-...; ~**carbure** ⚗ [~kar'byːr] *m* hydrocarbon; ~**céphalie** [~sefa'li] *f* hydrocephaly, F water on the brain; ~**fuge** [~'fyːʒ] waterproof; ~**gène** ⚗ [~'ʒɛn] *m* hydrogen; ~**glisseur** [~gli'sœːr] *m* hovercraft; ~**mel** [~'mel] *m* hydromel; ~**phile** [~'fil] absorbent (*cotton*); ~**phobie** ⚕ [~fɔ'bi] *f* rabies; ~**pisie** [~pi'zi] *f* dropsy; ~**thérapie** ⚕ [~tera'pi] *f* hydrotherapy; water-cure.

hyène *zo.* [jɛn] *f* hyena.

hygiène [i'ʒjɛn] *f* hygiene; *admin.* health; **hygiénique** [iʒje'nik] hygienic, sanitary; healthy; *papier m* ~ toilet paper; **hygiéniste** [~'nist] *su.* hygienist, authority on public health.

hygromètre *phys.* [igrɔ'mɛtr] *m* hygrometer; **hygrométricité** *phys.* [~metrisi'te] *f* humidity; humidity-absorption index.

hymen [i'mɛn] *m anat.* hymen; *poet.* = **hyménée** *poet.* [ime'ne] *m* marriage.

hymne [imn] *su./m* patriotic song; national anthem; *su./f eccl.* hymn.

hyper... [iper] hyper...; ~**bole** [~'bɔl] *f* ⚘ hyperbola; *gramm.* hyperbole; ~**critique** [~kri'tik] hypercritical; ~**métrope** ⚕ [~me'trɔp] hypermetropic; long-sighted; ~**trophie** ⚕ [~trɔ'fi] *f* hypertrophy.

hypnose [ip'noːz] *f* hypnosis; trance; **hypnotiser** [ipnɔti'ze] (1a) *v/t.* hypnotize; **hypnotiseur** [~ti-'zœːr] *m* hypnotist; **hypnotisme** [~'tism] *m* hypnotism.

hypo... [ipɔ] hypo...; ~**crisie** [~kri-'zi] *f* hypocrisy; cant; ~**crite** [~-'krit] **1.** *adj.* hypocritical; **2.** *su.* hypocrite; ~**thécaire** [~te'kɛːr]

...on mortgage; mortgage-...; *créancier m* ~ mortgagee; ~**thèque** [~'tɛk] *f* mortgage; *prendre* (*purger*) *une* ~ raise (pay off *or* redeem) a mortgage; ~**théquer** [~te'ke] (1f) *v/t.*

mortgage; secure (*a debt*) by mortgage; ~**thèse** [~'tɛːz] *f* hypothesis; F theory.

hystérie ❦ [iste'ri] *f* hysteria; **hystérique** ❦ [~'rik] hysteric(al).

I

I, i [i] *m* I, i; *i grec* y.

iambe [jãːb] *m* iambus; iambic; ~*s pl.* satirical poem *sg.*; **ïambique** [jã'bik] iambic.

ibérique *geog.* [ibe'rik] Iberian, Spanish.

iceberg [is'bɛrg] *m* iceberg.

ichor ❦, *a. myth.* [i'kɔːr] *m* ichor.

ichtyo... [iktjɔ] ichthyo..., fish-...; ~**colle** [~'kɔl] *f* fish-glue, isinglass; ~**phage** [~'faːʒ] 1. *adj.* fish-eating; 2. *su.* ichthyophagist; ~**saure** [~'sɔːr] *m* ichthyosaurus.

ici [i'si] *adv.* here; now, at this point; *teleph.* ~ *Jean John* speaking; ~ *Londres radio*: London calling; this is London; *d'*~ *là* by that time; *d'*~ *peu* before long; *jusqu'*~ *place*: as far as here; *time*: up to now; *par* ~ here(abouts); this way; *près d'*~ nearby; ~**bas** [isi'bɑ] *adv.* on earth, here below.

iconoclaste [ikɔnɔ'klast] 1. *adj.* iconoclastic; 2. *su.* iconoclast; **iconolâtrie** [~lɑ'tri] *f* image-worship.

icosaèdre ⚔ [ikɔza'ɛdr] *m* icosahedron.

ictère ❦ [ik'tɛːr] *m* jaundice; **ictérique** [~te'rik] 1. *adj.* jaundiced (*eyes*, *person*); icteric (*disorder*); 2. *su.* sufferer from jaundice.

idéal, e, *m/pl.* **-als, -aux** [ide'al, ~'o] 1. *adj.* ideal; 2. *su./m* ideal.

idée [i'de] *f* idea; notion; intention, purpose; mind; whim, fancy; suggestion, hint; ~ *fixe* fixed idea, obsession.

idem [i'dɛm] *adv.* idem; ditto.

identifier [idãti'fje] (1o) *v/t.* identify; *s'*~ *à* identify o.s. with; **identique** [~'tik] *f* identical (with, *à*); **identité** [~ti'te] *f* identity; *carte f d'*~ identity card.

idéologie [ideɔlɔ'ʒi] *f* ideology (*a. pol.*).

idiomatique [idjɔma'tik] idiomatic; **idiome** [i'djoːm] *m* idiom; language.

idiot, e [i'djo, ~'djɔt] 1. *adj.* ❦ idiot; *fig.* idiotic, absurd; 2. *su.* ❦ idiot (*a. fig.*), imbecile; *fig.* fool; **idiotie** [idjɔ'si] *f* ❦ idiocy; *fig.* piece of nonsense; **idiotisme** [~'tism] *m* idiom(atic expression).

idoine [i'dwan] fit, able; qualified.

idolâtre [idɔ'lɑːtr] 1. *adj.* idolatrous; *fig.* **être** ~ *de* be passionately fond of, worship; 2. *su./m* idolater; *su./f* idolatress; **idolâtrer** [~lɑ'tre] (1a) *v/i.* worship idols; *v/t. fig.* be passionately fond of, worship; **idolâtrie** [~lɑ'tri] *f* idolatry; **idole** [i'dɔl] *f* idol, image. [ing rack.\

if [if] *m* ⚜ yew(-tree); *bottles*: drain-\

ignare [i'naːr] 1. *adj.* illiterate, ignorant; 2. *su.* ignoramus.

igné, e [ig'ne] igneous; **ignicole** [igni'kɔl] 1. *adj.* fire-worshipping; 2. *su.* fire-worshipper; **ignifuge** [~'fyːʒ] 1. *adj.* fireproof; non-inflammable; 2. *su./m* fireproof(ing) material; **ignifuger** [~fy'ʒe] (1l) *v/t.* fireproof; **ignition** [~'sjõ] *f* ignition.

ignoble [i'nɔbl] ignoble, base; vile; wretched.

ignominie [inɔmi'ni] *f* ignominy, shame, disgrace; **ignominieux, -euse** [~'njø, ~'njøːz] ignominious, shameful, disgraceful.

ignorance [inɔ'rãːs] *f* ignorance; **ignorant, e** [~'rã, ~'rãːt] 1. *adj.* ignorant (of, *de*), uneducated; 2. *su.* ignoramus; **ignorer** [~'re] (1a) *v/t.* be unaware of, not to know (about); *ne pas* ~ *que* not to be unaware that (*ind.*), know quite well that (*ind.*).

il [il] 1. *pron./pers./m* he, it, she (*ship etc.*); ~*s pl.* they; 2. *pron./impers.* it; there; *il est dix heures* it is 10 o'clock; *il vint deux hommes* two men came.

île [iːl] *f* island; isle.

illégal, e, *m/pl.* **-aux** [ille'gal, ~'go] illegal, unlawful.

illégitime [illeʒi'tim] illegitimate (*child*); unlawful (*marriage*); *fig.* spurious; *fig.* unwarranted; **illégitimité** [ˌtimi'te] *f* illegimacy.

illettré, e [ille'tre] illiterate, un-educated.

illicite [illi'sit] illicit; *sp.* foul.

illico F [ili'ko] *adv.* at once.

illimité, e [illimi'te] unlimited.

illisible [illi'zibl] illegible; unread-able (*book*).

illogique [illɔ'ʒik] illogical.

illuminant, e [illymi'nã, ˌ'nã:t] illuminating; **illuminer** [ˌ'ne] (1a) *v/t.* illuminate, flood-light (*build-ings*); light up (*a. fig.*); *fig.* enlighten (*s.o.*).

illusion [illy'zjõ] *f* illusion; delusion; **illusionner** [ˌzjɔ'ne] (1a) *v/t.* de-lude; deceive; s'ˌ delude o.s.; labo(u)r under a delusion; **illusoire** [ˌ'zwa:r] illusory.

illustration [illystra'sjõ] *f* illustra-tion; illustrating; renown, illustri-ousness; † explanation; **illustre** [ˌ'lystr] illustrious, renowned, fa-mous; **illustré** [illys'tre] *m*|pictori-al (paper), F magazine; **illustrer** [ˌ] (1a) *v/t.* make famous; illustrate (*a book*); † elucidate.

îlot [i'lo] *m* islet, small island; *houses*: block.

ilote *hist.* [i'lɔt] *m* helot.

image [i'ma:ʒ] *f* image; picture; idea; figure of speech; **imagé, e** [ima'ʒe] vivid, picturesque; **ima-ger** [ˌ] (1l) *v/t.* colo(u)r (*one's style*); **imagerie** [imaʒ'ri] *f* imagery; † colo(u)r print (trade); **imaginable** [imaʒi'nabl] imaginable; **imagi-naire** [ˌ'nɛ:r] imaginary (*a. Å*); fictitious; **imaginatif, -ve** [ˌna-'tif, ˌ'ti:v] imaginative; **imagina-tion** [ˌna'sjõ] *f* imagination; inven-tion, fancy; **imaginer** [ˌ'ne] (1a) *v/t.* imagine; fancy; suppose; s'ˌ imagine (o.s.); delude o.s.; suppose, think.

imbécile [ɛ̃be'sil] 1. *adj.* imbecile, half-witted; *fig.* idiotic; 2. *su.* im-becile; *fig.* idiot, F fat-head, *Am. sl.* nut; **imbécilité** [ˌsili'te] *f* im-becility; *fig.* stupidity; ˌs *pl.* non-sense *sg.*

imberbe [ɛ̃'bɛrb] beardless; F cal-low.

imbiber [ɛ̃bi'be] (1a) *v/t.* steep (in, de) (*a. fig.*); soak (up); absorb; F

drink; s'ˌ become absorbed; s'ˌ de absorb; *fig.* become steeped in.

imbu, e [ɛ̃'by] imbued (with, de); *fig.* steeped (in, de).

imbuvable [ɛ̃by'vabl] undrinkable.

imitable [imi'tabl] imitable; worthy of imitation; **imitateur, -trice** [imita'tœ:r, ˌ'tris] 1. *adj.* imitative; 2. *su.* imitator; **imitatif, -ve** [ˌ'tif, ˌ'ti:v] imitative; **imitation** [ˌ'sjõ] *f* imitation; *money*: counterfeiting; *signature*: forgery; à l'ˌ de in imita-tion of; **imiter** [imi'te] (1a) *v/t.* imitate; copy.

immaculé, e [immaky'le] immac-ulate; unstained.

immanent, e *phls.* [imma'nã, ˌ'nã:t] immanent.

immangeable [ɛ̃mã'ʒabl] uneat-]

immanquable [ɛ̃mã'kabl] infallible, inevitable; which cannot be missed (*target etc.*).

immatériel, -elle [immate'rjɛl] immaterial; † intangible.

immatriculation [immatrikyla'sjõ] *f* registration; *univ. etc.* enrolment, matriculation; **immatricule** *mot. etc.* [ˌ'kyl] *f* registration-number.

immaturité [immatyri'te] *f* im-maturity.

immédiat, e [imme'dja, ˌ'djat] im-mediate; urgent; ⌢m proximate (*analysis*).

immémorial, e *m*|*pl.* **-aux** [im-memɔ'rjal, ˌ'rjo] immemorial.

immense [im'mã:s] immense, huge, vast; *sl.* terrific (= *wonderful*); **immensité** [ˌmãsi'te] *f* immen-sity; vastness.

immerger [immer'ʒe] (1l) *v/t.* im-merse.

immérité, e [immeri'te] unmer-ited, undeserved.

immersion [immer'sjõ] *f* immer-sion; ⚓ *submarine*: submergence; *astr.* occultation.

immeuble [im'mœbl] 1. *adj.* ⚖ real; 2. *su.*|*m* ⚖ real estate, realty; † building, house.

immigrant, e [immi'grã, ˌ'grã:t] *adj., a. su.* immigrant; **immigra-tion** [ˌgra'sjõ] *f* immigration; im-migré *m*, e *f* [ˌ'gre] immigrant; **immigrer** [ˌ'gre] (1a) *v/i.* im-migrate.

imminence [immi'nã:s] *f* immi-nence; **imminent, e** [ˌ'nã, ˌ'nã:t] imminent, impending.

immiscer [immi'se] (1k) *v/t.* involve (in, *dans*); s'~ *dans* interfere with.

immixtion [immik'sjɔ̃] *f* interference; ⚹⚹ *succession*: assumption (of, *dans*).

immobile [immɔ'bil] motionless, unmoving; *fig.* steadfast, unshaken; **immobilier, -ère** ⚹⚹ [immɔbi'lje, ~'ljɛ:r] real; estate (*agency, agent*); **immobiliser** [~li'ze] (1a) *v/t.* immobilize; fix in position; ✝ tie up (*capital*); ⚹⚹ convert (*personalty*) into realty; **immobilisme** [~'lism] *m* ultra-conservatism; **immobilité** [~li'te] *f* immobility; ✗ garder l'~ stand at attention.

immodéré, e [immɔde're] immoderate, excessive.

immodeste [immɔ'dɛst] immodest; shameless.

immoler [immɔ'le] (1a) *v/t.* sacrifice, immolate.

immonde [im'mɔ̃:d] filthy, foul; unclean (*animal, eccl. spirit*); **immondices** [~mɔ̃'dis] *f/pl.* rubbish *sg.*, refuse *sg.*, dirt *sg.*

immoral, e *m/pl.* **-aux** [immɔ'ral, ~'ro] immoral; **immoralité** [~rali'te] *f* immorality; immoral act.

immortaliser [immɔrtali'ze] (1a) *v/t.* immortalize; **immortalité** [~tali'te] *f* immortality; **immortel, -elle** [~'tɛl] **1.** *adj.* immortal; everlasting, imperishable; **2.** *su./f* ✿ everlasting flower; *su./m:* 2s *pl.* immortals, F members of the Académie française.   [vated.]

immotivé, e [immɔti've] unmoti-]
immuable [im'mɥabl] unalterable; unchanging.

immuniser ✸ [immyni'ze] (1a) *v/t.* immunize; **immunité** [~'te] *f* immunity (from, *contre*); *admin.* exemption from tax.

immuno-dépresseur ✸ [immynɔdeprɛ'sœ:r] *m* immuno-suppressive drug.

immu(t)abilité [immɥabili'te, ~mytabili'te] *f* immutability, fixity.

impair, e [ɛ̃'pɛ:r] **1.** *adj.* ♉ odd; *anat.* unpaired (*organ*), single (*bone*); 🚢 down (*line*); **2.** *su./m* F bloomer, blunder.   [intangible.]
impalpable [ɛ̃pal'pabl] impalpable,]
impardonnable [ɛ̃pardɔ'nabl] unpardonable; unforgivable.

imparfait, e [ɛ̃par'fɛ, ~'fɛt] **1.** *adj.*

imperfect; unfinished; **2.** *su./m* *gramm.* imperfect (tense).

imparité [ɛ̃pari'te] *f* inequality; ♉ oddness.

impartial, e, *m/pl.* **-aux** [ɛ̃par'sjal, ~'sjo] impartial, unprejudiced, unbiassed.

impasse [ɛ̃'pɑ:s] *f* impasse (*a. fig.*); blind alley; *fig.* deadlock; *faire une ~ cards:* finesse.

impassibilité [ɛ̃pasibili'te] *f* impassiveness, impassibility; **impassible** [~'sibl] impassive, unmoved; unimpressionable.

impatience [ɛ̃pa'sjɑ̃:s] *f* impatience; eagerness; **impatient, e** [~'sjɑ̃, ~'sjɑ̃:t] impatient; eager (to *inf.*, *de inf.*); **impatienter** [~sjɑ̃'te] (1a) *v/t.* irritate, provoke; s'~ lose patience; grow impatient.

impayable [ɛ̃pɛ'jabl] invaluable; priceless (*a. fig. = very amusing*); F *fig.* screamingly funny; **impayé, e** ✝ [~'je] unpaid (*debt*); dishono(u)red (*bill*).

impeccable [ɛ̃pɛ'kabl] impeccable; infallible.   [ance.]
impédance ⚡ [ɛ̃pe'dɑ̃:s] *f* imped-]
impénétrable [ɛ̃pene'trabl] impenetrable (by, *à*); impervious (to, *à*); *fig.* inscrutable; close (*secret*).

impénitence [ɛ̃peni'tɑ̃:s] *f* impenitence; **impénitent, e** [~'tɑ̃, ~'tɑ̃:t] impenitent, unrepentant.

impenses ⚹⚹ [ɛ̃'pɑ̃:s] *f/pl.* upkeep *sg.*
impératif, -ve [ɛ̃pera'tif, ~'ti:v] *adj., a. su./m* imperative.

impératrice [ɛ̃pera'tris] *f* empress.
imperceptible [ɛ̃pɛrsɛp'tibl] imperceptible, undiscernible.

imperfection [ɛ̃pɛrfɛk'sjɔ̃] *f* imperfection; incompleteness; defect, flaw, fault; faultiness.

impérial, e, *m/pl.* **-aux** [ɛ̃pe'rjal, ~'rjo] **1.** *adj.* imperial; **2.** *su./f* top; *bus, tram:* top-deck, outside; *beard:* imperial; **impérialisme** [~rja'lism] *m* imperialism; **impérieux, -euse** [~'rjø, ~'rjø:z] imperious; domineering; peremptory; urgent, pressing.   [able, undying.]
impérissable [ɛ̃peri'sabl] imperish-]
imperméable [ɛ̃pɛrme'abl] **1.** *adj.* impermeable; watertight, waterproof; impervious (to, *à*); **2.** *su./m* rain-coat; waterproof.

impersonnel, -elle [ɛ̃pɛrsɔ'nɛl] impersonal.

impertinence [ɛ̃pɛrti'nɑ̃ːs] *f* impertinence; rudeness, cheek; ⚖ irrelevance; **impertinent, e** [‿'nɑ̃, ‿'nɑ̃ːt] **1.** *adj.* impertinent; cheeky, pert; ⚖ irrelevant; **2.** *su./m* impertinent fellow; *su./f* saucy girl.

imperturbable [ɛ̃pɛrtyr'babl] unruffled; imperturbable, phlegmatic.

impétrer ⚖ [ɛ̃pe'tre] (1f) *v/t.* impetrate.

impétueux, -euse [ɛ̃pe'tɥø, ‿'tɥøːz] impetuous; hot-headed, precipitate, impulsive; **impétuosité** [‿tɥozi'te] *f* impetuosity; impulsiveness.

impitoyable [ɛ̃pitwa'jabl] pitiless (to[wards] *à*, *envers*); merciless; relentless.

implacable [ɛ̃pla'kabl] implacable, unrelenting (towards *à*, *à l'égard de*, *pour*).

implanter [ɛ̃plɑ̃'te] (1a) *v/t.* plant, *fig.* implant; ✚ graft; *s'~* take root.

implication [ɛ̃plika'sjɔ̃] *f* ⚖ implication; *phls.* contradiction; **implicite** [‿'sit] implicit; implied, tacit; **impliquer** [‿'ke] (1m) *v/t.* involve; imply.   [beseech.)

implorer [ɛ̃plɔ're] (1a) *v/t.* implore;)

impoli, e [ɛ̃pɔ'li] impolite, discourteous; rude (to *envers*, *avec*); **impolitesse** [‿li'tɛs] *f* impoliteness, discourtesy; rudeness.

impolitique [ɛ̃pɔli'tik] ill-advised.

impondérable [ɛ̃pɔ̃de'rabl] *adj.*, *a. su./m* imponderable.

impopulaire [ɛ̃pɔpy'lɛːr] unpopular; **impopularité** [‿lari'te] *f* unpopularity.

importance [ɛ̃pɔr'tɑ̃ːs] *f* importance; size, extent; **important, e** [‿'tɑ̃, ‿'tɑ̃ːt] **1.** *adj.* important; considerable; weighty, *fig. pej.* self-important, F bumptious; **2.** *su.:* F *faire l'~* give o.s. airs; *su./m* main thing, essential point.

importateur, -trice ✚ [ɛ̃pɔrta'tœːr, ‿'tris] **1.** *su.* importer; **2.** *adj.* importing; **importation** ✚ [‿'sjɔ̃] *f* importation; *~s pl.* goods: imports.

importer[1] [ɛ̃pɔr'te] (1a) *v/t.* ✚ import; *fig.* introduce.

importer[2] [‿] (1a) *v/i.* matter; be important!; *n'importe!* it doesn't matter!; never mind!; *n'importe quoi* no matter what, anything; *qu'importe?* what does it matter?

importun, e [ɛ̃pɔr'tœ̃, ‿'tyn] **1.** *adj.* importunate; tiresome; unwelcome; untimely (*request*); **2.** *su. person:* nuisance; bore; **importunément** [ɛ̃pɔrtyne'mɑ̃] *adv. of importun 1*; **importuner** [‿'ne] (1a) *v/t.* importune; pester (with, de); inconvenience, disturb; dun (*a debtor*); **importunité** [‿ni'te] *f* importunity.

imposable [ɛ̃pɔ'zabl] taxable; **imposant, e** [‿'zɑ̃, ‿'zɑ̃ːt] imposing; commanding; **imposer** [‿'ze] (1a) *v/t. eccl.* lay on (*hands*); give (*a name*); prescribe, impose; force (*an opinion, one's viewpoint*) (upon, *à*); *admin.* tax, rate; *~ du respect à q.* fill s.o. with respect; *~ silence à q.* enjoin silence on s.o.; *s'~* assert o.s., command attention; force o.s. (upon, *à*); be essential; *v/i.:* en *~ à q.* fill s.o. with respect *or* awe; deceive s.o.; **imposition** [‿zi'sjɔ̃] *f eccl.* laying on (*of hands*); *name:* giving; *rules, task:* prescribing; taxation; rating.

impossibilité [ɛ̃pɔsibili'te] *f* impossibility (*a. = impossible thing*); **impossible** [‿'sibl] impossible; F fantastic.

imposteur [ɛ̃pɔs'tœːr] *m* impostor; F sham; **imposture** [‿'tyːr] *f* imposture; deception.

impôt [ɛ̃'po] *m* tax, duty; taxation.

impotence [ɛ̃pɔ'tɑ̃ːs] *f* impotence; helplessness; **impotent, e** [‿'tɑ̃, ‿'tɑ̃ːt] **1.** *adj.* impotent; crippled, helpless; **2.** *su.* cripple, invalid.

impraticable [ɛ̃prati'kabl] impracticable; impassable (*road*); *sp.* unplayable (*tennis court etc.*).

imprécation [ɛ̃preka'sjɔ̃] *f* curse.

imprécis, e [ɛ̃pre'si, ‿'siːz] vague; unprecise.

imprégner [ɛ̃pre'ɲe] (1f) *v/t.* impregnate (*a. fig.*) (with, de).

imprenable ✕ [ɛ̃prə'nabl] impregnable.

imprescriptible ⚖ [ɛ̃prɛskrip'tibl] indefeasible.

impression [ɛ̃prɛ'sjɔ̃] *f fig.*, *a. book, seal:* impression; *tex., typ. book:* printing; *wind:* pressure; *footsteps:* imprint; *coins:* stamping; (*colour-*)print; *paint.* priming; *envoyer à l'~* send to press; **impressionnable** [ɛ̃prɛsjɔ'nabl] impressionable; **impressionnant, e** [‿'nɑ̃, ‿'nɑ̃ːt] impressive; moving (*sight, voice*); stirring (*news*); **impressionner**

[ˌ'ne] (1a) *v/t.* impress, affect, move; make an impression on; **impressionnisme** *♪ etc.*[ˌ'nism] *m* impressionism; **impressionniste** *♪ etc.* [ˌ'nist] *su.* impressionist.

imprévisible [ɛ̃previ'zibl] unforeseeable, unpredictable; **imprévision** [ˌ'zjõ] *f* lack of foresight.

imprévoyance [ɛ̃prevwa'jãːs] *f* lack of foresight; improvidence; **imprévu, e** [ˌ'vy] unforeseen, unexpected.

imprimé [ɛ̃pri'me] *m* printed paper or book; *fig. post:* printed matter *sg.*; **imprimer** [ˌ'me] (1a) *v/t. typ., tex.* print; impress (*a seal*); communicate, impart (*a movement*); *paint.* prime; **imprimerie** [ɛ̃prim'ri] *f* printing; printing-house; printing-press; **imprimeur** [ɛ̃pri'mœːr] *m* printer; **imprimeuse** [ˌ'møːz] *f* (small) printing-machine.

improbable [ɛ̃prɔ'babl] improbable; **improbant, e** [ˌ'bã, ˌ'bãːt] unconvincing; **improbateur, -trice** [ˌba'tœːr, ˌ'tris] disapproving; **improbation** [ˌba'sjõ] *f* strong disapproval.

improbité [ɛ̃prɔbi'te] *f* dishonesty.

improductif, -ve [ɛ̃prɔdyk'tif, ˌ'tiːv] unproductive; ✝ idle (*assets, money*).

impromptu [ɛ̃prɔ̃p'ty] **1.** *adj./inv. in gender* unpremeditated; extempore (*speech*); impromptu; scratch (*meal*); **2.** *adv.* without preparation, *sl.* off the cuff; **3.** *su./m ♪* impromptu.

impropre [ɛ̃'prɔpr] wrong; unfit, unsuitable (for, *à*); **impropriéte** [ɛ̃proprie'te] *f* impropriety; incorrectness.

improuvable [ɛ̃pru'vabl] unprovable.

improviser [ɛ̃prɔvi'ze] (1a) *vt/i.* improvise; *v/i.* speak extempore; F ad lib; **improviste** [ˌ'vist] *adv.: à l'ˌ* unexpectedly, by surprise; without warning.

imprudence [ɛ̃pry'dãːs] *f* imprudence; rashness; imprudent act; **imprudent, e** [ˌ'dã, ˌ'dãːt] imprudent, rash; unwise.

impudence [ɛ̃py'dãːs] *f* impudence; effrontery; impudent act; **impudent, e** [ˌ'dã, ˌ'dãːt] **1.** *adj.* impudent; **2.** *su.* impudent person; **impudeur** [ˌ'dœːr] *f* shamelessness;

lewdness; effrontery; **impudicité** [ˌdisi'te] *f* unchastity; indecency; **impudique** [ˌ'dik] unchaste; indecent.

impuissance [ɛ̃pɥi'sãːs] *f* powerlessness, helplessness; impotence (*a.* 🜨); *dans l'ˌ de* (*inf.*) powerless to (*inf.*); **impuissant, e** [ˌ'sã, ˌ'sãːt] powerless, helpless; vain (*effort*); 🜨 impotent.

impulsif, -ve [ɛ̃pyl'sif, ˌ'siːv] impulsive; **impulsion** [ˌ'sjõ] *f ≠, ⊕, a. fig.* impulse; F stimulus; *fig.* prompting; *force f d'ˌ* impulsive force.

impunément [ɛ̃pyne'mã] *adv.* with impunity; *fig.* harmlessly; **impuni, e** [ˌ'ni] unpunished; **impunité** [ˌni'te] *f* impunity.

impur, e [ɛ̃'pyːr] impure, tainted; unclean; **impureté** [ɛ̃pyr'te] *f* impurity, unchastity.

imputable [ɛ̃py'tabl] imputable, ascribable (to, *à*); ✝ chargeable (to, *sur*); **imputer** [ˌ'te] (1a) *v/t.* impute, ascribe; ✝ assign (*a sum*); ✝ *ˌ sur* deduct from.

imputrescible [ɛ̃pytre'sibl] incorruptible; rot-proof.

inabordable [inabɔr'dabl] unapproachable, inaccessible; prohibitive (*price*). [ceptable.\

inacceptable [inaksɛp'tabl] unac-⎱

inaccessible [inakse'sibl] inaccessible; impervious (to, *à*) (*flattery, light, rain*).

inaccompli, e [inakõ'pli] unaccomplished, unfulfilled.

inaccordable [inakɔr'dabl] ungrantable (*favour*); incompatible, irreconcilable.

inaccostable [inakɔs'tabl] unapproachable (*person*).

inaccoutumé, e [inakuty'me] unaccustomed (to, *à*); unusual.

inachevé, e [inaʃ've] incomplete, unfinished.

inactif, -ve [inak'tif, ˌ'tiːv] inactive; idle (*a.* ✝ *capital*); ✝ dull (*market*); 🜍 inert; **inaction** [ˌ'sjõ] *f* inaction, idleness; ✝ dullness; **inactivité** [ˌtivi'te] *f* inactivity; ✝ dullness; 🜍 inertness.

inadmissible [inadmi'sibl] inadmissible.

inadvertance [inadver'tãːs] *f* inadvertence, oversight; *par ˌ* inadvertently.

inaliénable [inalje'nabl] inalienable.

inaltérable [inalte'rabl] unchanging, unvarying; which does not deteriorate.

inamovible [inamɔ'vibl] irremovable; for life (*post*); built in (*furniture etc.*); *agencements m/pl.* ~s fixtures.

inanimé, e [inani'me] inanimate, lifeless; unconscious.

inanité [inani'te] *f* futility; inane remark.

inanition [inani'sjɔ̃] *f* starvation.

inappréciable [inapre'sjabl] inappreciable (*quantity*); *fig.* invaluable.

inapte [i'napt] unfit (for, *à*); unsuited (to, *à*); **inaptitude** [inapti-'tyd] *f* inaptitude; unfitness (for, *à*).

inassouvi, e [inasu'vi] unappeased (*hunger*); unslaked, unquenched (*thirst*); *fig.* unsatisfied.

inattendu, e [inatɑ̃'dy] unexpected.

inattentif, -ve [inatɑ̃'tif, ~'ti:v] inattentive (to, *à*); heedless (of, *à*).

inaugurer [inogy're] (1a) *v/t.* inaugurate, open; unveil (*a monument*); *fig.* usher in (*an epoch*).

inavoué, e [ina'vwe] unacknowledged.

incalculable [ɛ̃kalky'labl] countless, incalculable.

incandescence [ɛ̃kɑ̃dɛ'sɑ̃:s] *f* incandescence, glow; ⚡ *lampe f à* ~ glow-lamp.

incapable [ɛ̃ka'pabl] incapable (of *ger.*, *de inf.*); unfit (to *inf.*, *de inf.*); **incapacité** [~pasi'te] *f* incapacity (*a.* ⚖️); unfitness; incompetency.

incarcération [ɛ̃karsera'sjɔ̃] *f* incarceration, imprisonment; **incarcérer** [~'re] (1f) *v/t.* incarcerate, imprison.

incarnadin, e [ɛ̃karna'dɛ̃, ~'din] incarnadine, flesh-pink; **incarnat, e** [~'na, ~'nat] **1.** *adj.* flesh-colo(u)red, rosy; **2.** *su./m* pink; rosiness; *fig.* bloom; **incarnation** [~na'sjɔ̃] *f* incarnation; *fig.* personification; ⚕️ *nail:* ingrowing; **incarné, e** [~'ne] incarnate; *fig.* personified; ⚕️ ingrowing (*nail*); **incarner** [~'ne] (1a) *v/t.* incarnate; *fig.* personify; ⚕️ *s'~* grow in (*nail*).

incartade [ɛ̃kar'tad] *f* prank; freak; (*verbal*) outburst.

incassable [ɛ̃kɑ'sabl] unbreakable.

incendiaire [ɛ̃sɑ̃'djɛ:r] **1.** *adj.* incendiary (*bomb*); *fig.* inflammatory; **2.** *su.* incendiary; fire-brand; **incendie** [~'di] *m* fire; ⚖️ ~ *volontaire* arson; **incendié** *m*, e *f* [~'dje] person rendered homeless by fire; **incendier** [~'dje] (1o) *v/t.* set (*s.th.*) on fire, burn (*s.th.*) down.

incertain, e [ɛ̃sɛr'tɛ̃, ~'tɛn] uncertain, doubtful; unreliable; undecided (about, *de*) (*person*); unsettled (*weather*); **incertitude** [~ti-'tyd] *f* uncertainty, doubt; *result:* inaccuracy; *fig.* indecision; unsettled state (*of the weather*).

incessamment [ɛ̃sɛsa'mɑ̃] *adv.* incessantly; at any moment; without delay, at once; **incessant, e** [~'sɑ̃, ~'sɑ̃:t] ceaseless, unceasing, incessant.

inceste [ɛ̃'sɛst] **1.** *adj.* incestuous; **2.** *su./m* incest; *su. see incestueux* 2; **incestueux, -euse** [ɛ̃sɛs'tɥø, ~-'tɥø:z] **1.** *adj.* incestuous; **2.** *su.* incestuous person.

incidemment [ɛ̃sida'mɑ̃] *adv. of* *incident* 1; **incidence** [~'dɑ̃:s] *f* incidence; **incident, e** [~'dɑ̃, ~'dɑ̃:t] **1.** *adj.* incidental; *opt.* incident; **2.** *su./m* incident; occurrence; ⚖️ point of law; *fig.* difficulty; hitch; ~ *technique* technical hitch; **incidentel, -elle** [~dɑ̃'tɛl] incidental.

incinération [ɛ̃sinera'sjɔ̃] *f* incineration; cremation; **incinérer** [~'re] (1f) *v/t.* incinerate; cremate.

inciser [ɛ̃si'ze] (1a) *v/t.* make an incision in; ⚕️ lance (*an abscess*); **incisif, -ve** [~'zif, ~'zi:v] **1.** *adj.* incisive, cutting; *dent f* ~ve = **2.** *su./f tooth:* incisor; **incision** [~'zjɔ̃] *f* incision; ⚕️ *abscess:* lancing.

inciter [ɛ̃si'te] (1a) *v/t.* incite, instigate, urge (on).

incivil, e [ɛ̃si'vil] uncivil, rude; **incivilité** [~vili'te] *f* incivility, rudeness; rude remark.

inclinaison [ɛ̃kline'zɔ̃] *f* incline, slope; ⚓ *ship:* list; ~ *magnétique* magnetic dip; **inclination** [~na'sjɔ̃] *f* inclination (*a. fig.*); *body:* bending; *head:* nod; *fig.* bent; **incliner** [~'ne] (1a) *v/t.* incline (*a. fig.*), slope; bend; nod (*one's head*); *s'*~ slant, bow; *fig.* yield (to, *devant*); ⚓ heel; 📉 bank; *v/i.* incline (*a. fig.*); lean; ⚓ list.

inclus, e [ɛ̃'kly, ~'kly:z] **1.** *adj.* enclosed; *la lettre ci-*~*e* enclosed letter; **inclusif, -ve** [ɛ̃kly'zif, ~'zi:v] inclusive.

incognito [ɛ̃kɔɲi'to] *adv., a. su./m* incognito.

incohérent, e [ɛkɔe'rɑ̃, ~'rɑ̃:t] incoherent (*a. phys.*), rambling.

incolore [ɛ̃kɔ'lɔ:r] colo(u)rless (*a. fig.*); *fig.* insipid.

incomber [ɛ̃kɔ̃'be] (1a) *v/i.*: ~ *à* be incumbent upon; devolve upon.

incombustible [ɛ̃kɔ̃bys'tibl] incombustible, fireproof.

incommensurable [ɛ̃kɔmɑ̃sy'rabl] Ⱥ incommensurable; irrational (*root*); incommensurate; *fig.* enormous, huge.

incommode [ɛ̃kɔ'mɔd] inconvenient; uncomfortable; troublesome; unwieldy (*object*); **incommodément** [ɛ̃kɔmɔde'mɑ̃] *adv.* inconveniently, uncomfortably; **incommoder** [~'de] (1a) *v/t.* inconvenience, hinder; disturb, trouble; *food etc.*: disagree with (*s.o.*); **incommodité** [~di'te] *f* inconvenience; discomfort; awkwardness.

incomparable [ɛ̃kɔpa'rabl] incomparable, unrivalled.

incompatible [ɛ̃kɔpa'tibl] incompatible.

incomplet, -ète [ɛ̃kɔ̃'plɛ, ~'plɛt] incomplete, unfinished.

incompréhensible [ɛ̃kɔ̃preɑ̃'sibl] incomprehensible; **incompréhensif, -ve** [~'sif, ~'si:v] uncomprehending.

incompris, e [ɛ̃kɔ̃'pri, ~'pri:z] misunderstood; unappreciated.

inconcevable [ɛ̃kɔ̃sə'vabl] unimaginable, unthinkable.

inconciliable [ɛ̃kɔ̃si'ljabl] irreconcilable.

inconduite [ɛ̃kɔ̃'dɥit] *f* misbehavio(u)r; loose living; ⚖ misconduct.

incongelable [ɛ̃kɔ̃ʒ'labl] unfreezable; non-freezing.

incongru, e [ɛ̃kɔ̃'gry] incongruous; improper, unseemly; **incongruité** [~grɥi'te] *f* incongruity; unseemliness; **incongrûment** [~gry'mɑ̃] *adv. of incongru*.

inconnu, e [ɛ̃kɔ'ny] **1.** *adj.* unknown (to *à, de*); **2.** *su.* unknown, stranger; *su./f* Ⱥ unknown (quantity).

inconscience [ɛ̃kɔ̃'sjɑ̃:s] *f* unconsciousness; ignorance (of, de); **in-**

conscient, e [~'sjɑ̃, ~'sjɑ̃:t] **1.** *adj.* unconscious; **2.** *su* unconscious person; *su./m psych.* the unconscious.

inconséquence [ɛ̃kɔ̃se'kɑ̃:s] *f* inconsequence, inconsistency; *fig.* indiscretion.

inconsidéré, e [ɛ̃kɔ̃side're] inconsiderate (*person*); rash, ill-considered.

inconsistant, e [ɛ̃kɔ̃sis'tɑ̃, ~'tɑ̃:t] unsubstantial; loose (*ground*); soft (*mud*); *fig.* inconsistent.

inconsolable [ɛ̃kɔ̃sɔ'labl] unconsolable; disconsolate (*person*).

inconstance [ɛ̃kɔ̃s'tɑ̃:s] *f* inconstancy, fickleness; changeableness (*of weather*); *biol.* variability; **inconstant, e** [~'tɑ̃, ~'tɑ̃:t] inconstant, fickle; changeable (*weather*); *biol.* variable.

inconstitutionnel, -elle [ɛ̃kɔ̃stitysjɔ'nɛl] unconstitutional.

incontestable [ɛ̃kɔ̃tes'tabl] indisputable, unquestionable, beyond (all) question; **incontesté, e** [~'te] undisputed.

incontinence [ɛ̃kɔ̃ti'nɑ̃:s] *f* incontinence (*a.* 🕮); **incontinent, e** [~'nɑ̃, ~'nɑ̃:t] **1.** *adj.* incontinent; unchaste; **2.** *incontinent adv.* at once.

inconvenance [ɛ̃kɔ̃v'nɑ̃:s] *f* unsuitableness; impropriety; indecency.

inconvénient [ɛ̃kɔ̃ve'njɑ̃] *m* disadvantage, drawback; inconvenience; *fig.* objection.

inconvertible [ɛ̃kɔ̃vɛr'tibl] inconvertible (*a.* 🕮); **inconvertissable** [~ti'sabl] *fig.* incorrigible; past praying for; 🕮 inconvertible.

incorporation [ɛ̃kɔrpɔra'sjɔ̃] *f* incorporation; ✕ enrolment; **incorporel, -elle** [~'rɛl] incorporeal; ⚖ intangible (*property*); **incorporer** [~'re] (1a) *v/t.* incorporate; mix (with *à, avec, dans*); ✕ draft (*men*).

incorrect, e [ɛ̃kɔ'rɛkt] incorrect; wrong; inaccurate; indecorous; **incorrection** [~rɛk'sjɔ̃] *f* incorrectness; error; wrong act; indecorousness.

incorrigible [ɛ̃kɔri'ʒibl] incorrigible; *fig.* F hopeless.

incorruptible [ɛ̃kɔryp'tibl] incorruptible.

incrédibilité [ɛ̃kredibili'te] *f* incredibility; **incrédule** [~'dyl] **1.** *adj.* incredulous; sceptical (about, of *à l'égard de*); *eccl.* unbelieving; **2.** *su.* *eccl.* unbeliever; **incrédulité** [~dyli'te] *f* incredulity; *eccl.* unbelief.

incrimination [ɛ̃krimina'sjɔ̃] *f* (in-) crimination; indictment; charge; **incriminer** [~'ne] (1a) *v/t.* accuse, charge; *fig.* impeach (*s.o.'s conduct*).

incroyable [ɛ̃krwa'jabl] **1.** *adj.* incredible; **2.** *su./m hist.* beau; **incroyance** [~'jɑ̃:s] *f* unbelief; **incroyant, e** [~jɑ̃, ~'jɑ̃:t] **1.** *adj.* unbelieving; **2.** *su.* unbeliever.

incrustation [ɛ̃krysta'sjɔ̃] *f* incrustation; ⊕ inlaid work; ⊕ *boiler*: fur(ring); **incruster** [~'te] (1a) *v/t.* incrust; inlay (with, *de*); △ line; form a crust on; *fig.* s'~ become ingrained (*in the mind*); outstay one's welcome.

incubateur [ɛ̃kyba'tœ:r] *m* incubator; **incubation** [~'sjɔ̃] *f eggs, a.* ♊: incubation; *hens*: sitting.

incube [ɛ̃'kyb] *m* incubus, nightmare. [*indict.*]

inculper [ɛ̃kyl'pe] (1a) *v/t.* charge,| **inculquer** [ɛ̃kyl'ke] (1m) *v/t.* inculcate, instil (into, *à*).

inculte [ɛ̃'kylt] uncultivated, wild; waste (*land*); *fig.* rough; *fig.* unkempt (*hair*).

incunable [ɛ̃ky'nabl] *m* early printed book; ~s *pl.* incunabula.

incurable [ɛ̃ky'rabl] *adj., a. su.* incurable; **incurie** [~'ri] *f* carelessness, negligence.

incursion [ɛ̃kyr'sjɔ̃] *f* inroad, foray, raid; *fig.* excursion (into, *dans*).

indébrouillable [ɛ̃debru'jabl] impossible to disentangle; *fig.* inextricable.

indécence [ɛ̃de'sɑ̃:s] *f* indecency; **indécent, e** [~'sɑ̃, ~'sɑ̃:t] indecent; improper.

indéchiffrable [ɛ̃deʃi'frabl] undecipherable; *fig.* illegible; *fig.* unintelligible.

indécis, e [ɛ̃de'si, ~'si:z] undecided; irresolute; blurred, vague (*outline etc.*); indecisive (*battle, victory*); **indécision** [~si'zjɔ̃] *f* indecision; uncertainty.

indéfini, e [ɛ̃defi'ni] indefinite; undefined; **indéfinissable** [~ni'sabl] indefinable; nondescript.

indéfrisable [ɛ̃defri'zabl] *f* permanent wave.

indélébile [ɛ̃dele'bil] indelible; kissproof (*lipstick*).

indélibéré, e [ɛ̃delibe're] unconsidered.

indélicat, e [ɛ̃deli'ka, ~'kat] indelicate, coarse; tactless (*act*); dishonest.

indémaillable [ɛ̃dema'jabl] ladderproof, non-run (*stocking*).

indemne [ɛ̃'dɛmn] undamaged; uninjured; without loss; free (from, *de*); **indemnisation** [ɛ̃demniza'sjɔ̃] *f* indemnification; **indemniser** [~'ze] (1a) *v/t.* indemnify, compensate (for, *de*); **indemnité** [~'te] *f* indemnity; compensation; allowance; ~ *journalière* daily allowance.

indéniable [ɛ̃de'njabl] undeniable.

indépendamment [ɛ̃depɑ̃da'mɑ̃] *adv. of independant;* **indépendance** [~'dɑ̃:s] *f* independence (of *de, à l'égard de*); **indépendant, e** [~'dɑ̃, ~'dɑ̃:t] independent (of, *de*); free (from, *de*); self-contained (*flat etc.*). [ineradicable.]

indéracinable *fig.* [ɛ̃derasi'nabl]|**indéréglable** [ɛ̃dere'glabl] foolproof (*machine etc.*).

indescriptible [ɛ̃deskrip'tibl] indescribable (F *a. fig.*).

indestructible [ɛ̃destryk'tibl] indestructible.

indéterminé, e [ɛ̃detɛrmi'ne] undetermined; indeterminate (Ⴟ, *a. fig.*).

index [ɛ̃'dɛks] *m* forefinger; *book*: index; pointer; *eccl. the* Index; *fig.* black list; *mettre à l'*~ black-list.

indicateur, -trice [ɛ̃dika'tœ:r, ~'tris] **1.** *adj.* indicatory; ~ *de* indicating (*s.th.*); **2.** *su./m* ⊕ indicator, ga(u)ge, pointer; 🚂 guide, time-table; directory (*of streets etc.*); informer, police spy; ~ *de pression* pressure-ga(u)ge; *mot.* ~ *de vitesse* speedometer; **indicatif, -ve** [~'tif, ~'ti:v] **1.** *adj.* indicative; **2.** *su./m radio etc.*: station-signal; signature-tune; 💀 call sign; *gramm.* indicative; **indication** [~'sjɔ̃] *f* indication; information; sign, token; mark; 🕸 declaration; ~s *pl.* ♊ *etc.* instructions; ⊕ particulars; *thea.* ~s *pl. scéniques* stage-directions.

indice [ɛ̃'dis] *m* indication; *opt.,* Ⴟ index; ⚓ landmark.

indicible [ɛ̃di'sibl] unspeakable; unutterable; *fig.* indescribable.

indien, -enne [ɛ̃'djɛ̃, ‿'djɛn] **1.** *adj.* Indian; **2.** *su.* ♀ Indian; *su./f tex.* printed calico; *tex.* chintz.

indifférence [ɛ̃dife'rãːs] *f* indifference, apathy (towards, *pour*); **indifférent, e** [‿'rã, ‿'rãːt] indifferent (*a.* ♎) (to, *à*); unaffected (by, *à*); unconcerned; ♎ neutral (*salt etc.*); unimportant.   [*fig.*)\

indigence [ɛ̃di'ʒãːs] *f* poverty (*a.*)

indigène [ɛ̃di'ʒɛn] **1.** *adj.* indigenous (to, *à*); native; ♈ home-grown; **2.** *su.* native.

indigent, e [ɛ̃di'ʒã, ‿'ʒãːt] **1.** *adj.* poor, needy; **2.** *su.* pauper; *su./m:* **les ‿s** *pl.* the poor.

indigeste [ɛ̃di'ʒɛst] indigestible; stodgy (*a. fig.*); **indigestion** ♴ [‿ʒɛs'tjɔ̃] *f* indigestion; F *fig. avoir une ‿ de* be fed up with.

indignation [ɛ̃diɲa'sjɔ̃] *f* indignation.

indigne [ɛ̃'diɲ] unworthy (of, *de*; to *inf., de inf.*).

indigner [ɛ̃di'ɲe] (1a) *v/t.* make (*s.o.*) indignant; **s'‿** be indignant (with, at *contre*, *de*).

indignité [ɛ̃diɲi'te] *f* unworthiness, vileness; indignity; ♹ disqualification.

indigo [ɛ̃di'go] *m* indigo; **indigotier** [‿gɔ'tje] *m* ♧ indigo plant; ⊕ indigo manufacturer *or* worker.

indiquer [ɛ̃di'ke] (1m) *v/t.* indicate; point out; recommend; *fig.* show; fix.

indirect, e [ɛ̃di'rɛkt] indirect; *pej.* underhand; ♹ circumstantial; ⚡ *éclairage m ‿* concealed lighting.

indiscret, -ète [ɛ̃dis'krɛ, ‿'krɛt] indiscreet; tactless; *fig.* prying (*look*).

indiscutable [ɛ̃disky'tabl] indisputable, unquestionable.

indispensable [ɛ̃dispã'sabl] **1.** *adj.* indispensable (to, for *à*); essential; unavoidable; **2.** *su./m* the necessary.

indisponible [ɛ̃dispɔ'nibl] unavailable; ♹ inalienable.

indisposé, e [ɛ̃dispo'ze] unwell, indisposed; ill-disposed (towards, *contre*); **indisposer** [‿'ze] (1a) *v/t.* make (*s.o.*) unwell; *fig. ‿ q. contre* make s.o. hostile to; **indisposition** [‿zi'sjɔ̃] *f* indisposition; upset.

indisputable [ɛ̃dispy'tabl] unquestionable.

indissoluble [ɛ̃disɔ'lybl] ♎ insoluble; *fig.* indissoluble.

indistinct, e [ɛ̃dis'tɛ̃(ː)kt], ‿'tɛ̃ːkt] indistinct; faint; dim, hazy.

individu [ɛ̃divi'dy] *m* individual (*a. pej.*); **individualiser** [‿dɥali'ze] (1a) *v/t.* particularize; individualize; **individualiste** [‿dɥa'list] **1.** *adj.* individualistic; **2.** *su.* individualist; **invididualité** [‿dɥali'te] *f* individuality; **individuel, -elle** [‿'dɥɛl] individual, personal; private; separate.

indivis, e [ɛ̃di'vi, ‿'viːz] joint; *par ‿* jointly; **indivisible** [‿vi'zibl] indivisible; ♹ joint.

indocile [ɛ̃dɔ'sil] unmanageable, intractable; **indocilité** [‿sili'te] *f* intractability.

indolence [ɛ̃dɔ'lãːs] *f* ♴, *a. fig.* indolence; sloth; **indolent, e** [‿'lã, ‿'lãːt] **1.** ♴, *a. fig.* indolent; *fig.* apathetic; *fig.* sluggish; **2.** *su.* idler.

indolore ♴ [ɛ̃dɔ'lɔːr] painless.

indomptable [ɛ̃dɔ̃'tabl] unconquerable; *fig.* indomitable; uncontrollable.

indu, e [ɛ̃'dy] undue (*haste*); unseasonable (*hour*, *remark*); ♹ not due.

indubitable [ɛ̃dybi'tabl] unquestionable, undeniable.

inductance ⚡ [ɛ̃dyk'tãːs] *f* inductance; **inducteur, -trice** ⚡ [‿'tœːr, ‿'tris] **1.** *adj.* inducing (*current*); inductive (*capacity*); **2.** *su./m* inductor; field-magnet; **induction** ⚡, *phls.* [‿'sjɔ̃] *f* induction.

induire [ɛ̃'dɥiːr] (4h) *v/t.* induce; lead (into, *à*); *phls.* infer; **induit** ⚡ [ɛ̃'dɥi] **1.** *adj./m* induced; **2.** *su./m* induced circuit; armature.

indulgence [ɛ̃dyl'ʒãːs] *f* indulgence (*a. eccl.*); forbearance; **indulgent, e** [‿'ʒã, ‿'ʒãːt] *adj.:* **‿ pour** indulgent to, lenient with.

indûment [ɛ̃dy'mã] *adv.* unduly; improperly.

industrialiser [ɛ̃dystriali'ze] (1a) *v/t.* industrialize; **industrie** [‿'tri] *f* industry (⊕, *a. fig.*), trade, manufacture; *fig.* activity; *fig.* skill, ingenuity; **‿-clef** key-industry; **‿ minière** mining industry; *vivre d'‿* live by one's wits; **industriel, -elle** [‿tri'ɛl] **1.** *adj.* industrial; **2.** *su./m* manufacturer; industrialist; **industrieux, -euse** [‿tri'ø, ‿'øːz] industrious, busy; skil(l)ful.

inébranlable [inebrã'labl] unshakable.

inédit, e [ine'di, ~'dit] unpublished; F new; original.

ineffable [ine'fabl] ineffable, beyond expression.

inefficace [inefi'kas] ineffective; unavailing; **inefficacité** [~kasi'te] f inefficacy; ineffectiveness.

inégal, e, m/pl. **-aux** [ine'gal, ~'go] unequal; irregular (*pulse etc.*); uneven (*ground, temper*); changeable (*moods, wind*); **inégalité** [~gali'te] f inequality (a. ♊); irregularity; unevenness.

inéligible [ineli'ʒibl] ineligible.

inéluctable [inelyk'tabl] inescapable.

inemployé, e [inãplwa'je] unemployed; not made use of.

inepte [i'nɛpt] inept, fatuous, stupid; **ineptie** [inɛp'si] f ineptitude; stupidity, ineptness.

inépuisable [inepɥi'zabl] inexhaustible.

inerte [i'nɛrt] inert (*mass,* a. ♊); inactive (♊, a. *mind*); *fig.* sluggish; *fig.* passive (*resistance*); **inertie** [inɛr'si] f *phys. etc.*, a. *fig.* inertia; *fig.* listlessness; *fig.* passive resistance; **force** f **d'~** inertia, vis inertiae.

inespéré, e [inɛspe're] unhoped-for, unexpected.

inestimable [inɛsti'mabl] invaluable; without price.

inévitable [inevi'tabl] inevitable; unavoidable.

inexact, e [inɛg'zakt] inexact; inaccurate; unpunctual; **inexactitude** [~zakti'tyd] f inexactitude; inaccuracy; unpunctuality

inexcusable [inɛksky'zabl] inexcusable.

inexigible [inɛgzi'ʒibl] ⚖ inexigible; ✝ not due.

inexorable [inɛgzɔ'rabl] inexorable, unrelenting.

inexpérience [inɛkspe'rjã:s] f lack of experience; **inexpérimenté, e** [~rimã'te] unskilled (*worker*); untested, untried; inexperienced (*person*).

inexplicable [inɛkspli'kabl] inexplicable.

inexploré, e [inɛksplɔ're] unexplored.

inexprimable [inɛkspri'mabl] inexpressible; unspeakable (*pleasure etc.*).

inexpugnable [inɛkspyg'nabl] impregnable.

inextinguible [inɛkstẽ'gɥibl] inextinguishable (*fire*); unquenchable; *fig.* uncontrollable.

inextirpable [inɛkstir'pabl] ineradicable.

inextricable [inɛkstri'kabl] inextricable.

infaillible [ẽfa'jibl] infallible.

infaisable [ẽfə'zabl] unfeasible; impracticable.

infamant, e [ẽfa'mã, ~'mã:t] defamatory; ignominious; **infâme** [ẽ'fa:m] infamous; vile (*deed, quarter, slum*); foul (*behaviour, deed*); **infamie** [ẽfa'mi] f infamy, dishono(u)r; vile deed or thing; **~s** pl. abuse sg., infamous accusations.

infant [ẽ'fã] m infante; **infante** [ẽ'fã:t] f infanta; **infanterie** ✗ [ẽfã'tri] f infantry; **infanticide** [~ti'sid] 1. adj. infanticidal; 2. su.: person: infanticide; su./m crime: infanticide; **infantile** [~'til] infantile (*disease, mortality*); *fig.* childish.

infatigable [ẽfati'gabl] indefatigable, untiring.

infatuer [ẽfa'tɥe] (1n) v/t. infatuate; **s'~** de become infatuated with.

infécond, e [ẽfe'kõ, ~'kõ:d] barren; *fig.* unfruitful.

infect, e [ẽ'fɛkt] stinking; noisome (*smell*); filthy (*book,* a. *fig. lie, weather*); **infecter** [ẽfɛk'te] (1a) v/t. infect; pollute; stink of; **infection** [~'sjõ] f infection; stench.

inférer [ẽfe're] (1f) v/t. infer (from, de).

inférieur, e [ẽfe'rjœːr] 1. adj. inferior; lower; **~ à** below; 2. su. inferior; subordinate; **infériorité** [~rjori'te] f inferiority; difference; **complexe** m **d'~** inferiority complex.

infernal, e, m/pl. **-aux** [ẽfɛr'nal, ~'no] infernal (a. *fig.*); *fig.* devilish; ✶ **pierre** f **~e** lunar caustic.

infertile [ẽfɛr'til] infertile, barren.

infestation [ẽfɛsta'sjõ] f infestation; **infester** [~'te] (1a) v/t. infest (with, de) (a. *fig.*).

infidèle [ẽfi'dɛl] 1. adj. unfaithful; inaccurate; infidel; unbelieving; 2. su. unbeliever; infidel; **infidélité** [~deli'te] f infidelity (to, envers); unfaithfulness; inaccuracy; unbelief.

infiltration [ẽfiltra'sjõ] f infiltration

(*a.* ☠); ⊕ leakage; seepage; **infil-trer** [‿'tre] (1a) *v/t.*: s'‿ infiltrate (*a.* ⚔, *a.* ☠); filter in, soak in (*a. fig.*).

infime [ɛ̃'fim] lowly; lowest; least; F minute, tiny.

infini, e [ɛ̃fi'ni] **1.** *adj.* infinite; endless; **2.** *su./m* infinity; *the* infinite; **infiniment** [‿ni'mɑ̃] *adv.* infinitely; F extremely; **infinité** [‿ni'te] *f* ℀ *etc.* infinity; *fig.* host.

infirme [ɛ̃'firm] **1.** *adj.* infirm; disabled, crippled; *fig.* weak; **2.** *su.* invalid; cripple; **infirmer** [ɛ̃fir'me] (1a) *v/t. fig.* weaken; disprove; ⚖ quash; **infirmerie** [‿mə'ri] *f* infirmary; sick-room; ⚓ sick-bay; **infirmier** [‿'mje] *m* (hospital-)attendant; male nurse; ⚔ medical orderly; ambulance man; **infirmière** [‿'mjɛːr] *f* nurse; **infirmité** [‿mi'te] *f* infirmity; disability; *fig.* weakness.

inflammable [ɛ̃fla'mabl] inflammable; easily set on fire (*a. fig.*); **inflammation** [‿ma'sjɔ̃] *f* inflammation (*a.* ☠); ignition; **inflammatoire** [‿ma'twaːr] inflammatory.

inflation ✝ *etc.* [ɛ̃fla'sjɔ̃] inflation.

infléchir [ɛ̃fle'ʃiːr] (2a) *v/t.* bend, inflect.

inflexible [ɛ̃flɛk'sibl] inflexible; **inflexion** [‿'sjɔ̃] *f* inflection, inflexion (*a.* ℀, *opt.*, *gramm.*); *voice*: modulation; *body*: bow.

infliger [ɛ̃fli'ʒe] (1l) *v/t.* inflict.

inflorescence ♀ [ɛ̃flɔre'sãːs] *f* inflorescence.

influence [ɛ̃fly'ãːs] *f* influence; **influencer** [‿ã'se] (1k) *v/t.* influence; **influent, e** [‿'ã, ‿'ãːt] influential; **influer** [‿'e] (1a) *v/i.*: ‿ sur influence.   [*inv.* folio.ᐟ

in-folio *typ.* [ɛ̃fɔ'ljo] *m/inv., a. adj./*ᐟ

information [ɛ̃fɔrma'sjɔ̃] *f* information; inquiry; *ƥ radio*: news (-bulletin) *sg.*; newscast *sg.*

informe [ɛ̃'fɔrm] unformed; shapeless, unshapely; ⚖ irregular, informal.

informer [ɛ̃fɔr'me] (1a) *v/t.* inform, notify; s'‿ inquire (about, de; of, from *auprès de*); *v/i.*: ⚖ ‿ contre inform against; ‿ de, ‿ sur investigate, inquire into.

infortune [ɛ̃fɔr'tyn] *f* misfortune; adversity; **infortuné, e** [‿ty'ne] unfortunate, unlucky.

infraction [ɛ̃frak'sjɔ̃] *f* infraction; *right, treaty, etc.*: infringement; ⚖ offence; *duty, peace*: breach (of, *à*).

infranchissable [ɛ̃frãʃi'sabl] impassable; *fig.* insuperable (*difficulty*).

infrarouge [ɛ̃fra'ruːʒ] infra-red.

infrastructure [ɛ̃frastryk'tyːr] *f* ⚡ ground organization; 🚂 substructure; *roadway*: bed.

infroissabilité *tex.* [ɛ̃frwasabili'te] *f* crease-resistance; **infroissable** *tex.* [‿'sabl] uncreasable.

infructueux, -euse [ɛ̃fryk'tɥø, ‿-'tɥøːz] unfruitful, barren; *fig.* unavailing, fruitless.

infus, e [ɛ̃'fy, ‿'fyːz] *fig.* innate, intuitive; *avoir la science ‿e* know things by intuition; **infuser** [ɛ̃fy'ze] (1a) *v/t.* infuse (*a. fig. life*); steep (*herbs*); s'‿ infuse; draw (*tea*); **infusible** [‿'zibl] non-fusible; **infusion** [‿'zjɔ̃] *f* infusion; **infusoires** [‿'zwaːr] *m/pl.* infusoria.

ingambe [ɛ̃'gãːb] active, nimble.

ingénier [ɛ̃ʒe'nje] (1o) *v/t.*: s'‿ *à* tax one's ingenuity to, F go all out to; **ingénieur** [‿'njœːr] *m* engineer; ‿ de l'État Government civil engineer; ‿ du son radio: sound engineer, *Am.* sound man; ‿ mécanicien mechanical engineer; **ingénieux, -euse** [‿'njø, ‿'njøːz] ingenious; clever; **ingéniosité** [‿njozi'te] *f* ingenuity; cleverness.

ingénu, e [ɛ̃ʒe'ny] **1.** *adj.* ingenuous, artless, unsophisticated; **2.** *su.* artless person; *su./f thea.* ingénue; **ingénuité** [‿nɥi'te] *f* artlessness, ingenuousness.

ingérence [ɛ̃ʒe'rãːs] *f* interference; **ingérer** [‿'re] (1f) *v/t.* ingest; F consume (*a meal*); s'‿ de (*or dans*) interfere in.

ingrat, e [ɛ̃'gra, ‿'grat] ungrateful (to[wards], envers; for, *à*); thankless (*task*); unpleasant (*work*); unpromising; ✍, *fig.* unproductive; *âge m ‿* awkward age; **ingratitude** [ɛ̃grati'tyd] *f* ingratitude; thanklessness; ✍, *fig.* unproductiveness.

ingrédient [ɛ̃gre'djã] *m* ingredient.

inguérissable [ɛ̃geri'sabl] incurable.

ingurgiter [ɛ̃gyrʒi'te] (1a) *v/t.* ⚕ ingurgitate; F swallow.

inhabile [ina'bil] unskilful, inexpert; ⚖ incompetent; **inhabileté**

[‿bil'te] *f* lack of skill (in, *à*); clumsiness; **inhabilité** ‡‡ [‿bili'te] *f* incapacity, disability; incompetency.

inhabitable [inabi'tabl] uninhabitable; **inhabité, e** [‿'te] uninhabited; untenanted (*house*).

inhalateur ℰ [inala'tœːr] *m* inhaler; (*oxygen-*)breathing apparatus; **inhaler** ℰ [‿'le] (1a) *v/t.* inhale.

inhérence [ine'rãːs] *f* inherence (in, *à*); **inhérent, e** [‿'rã, ‿'rãːt] inherent (in, *à*); intrinsic.

inhiber [ini'be] (1a) *v/t.* physiol., psych. inhibit; ‡‡ prohibit; **inhibition** [‿bi'sjɔ̃] *f* ‡‡ prohibition; physiol., psych. inhibition.

inhospitalier, -ère [inɔspita'lje, ‿'ljɛːr] inhospitable.

inhumain, e [iny'mɛ̃, ‿'mɛn] inhuman; cruel.

inhumer [iny'me] (1a) *v/t.* bury, inter.

inimaginable [inimaʒi'nabl] unimaginable.

inimitable [inimi'tabl] inimitable.

inimitié [inimi'tje] *f* hostility (*a. fig.*); enmity.

ininflammable [inɛ̃fla'mabl] noninflammable, uninflammable.

inintelligence [inɛ̃teli'ʒãːs] *f* lack of intelligence; **inintelligent, e** [‿'ʒã, ‿'ʒãːt] unintelligent; obtuse; **inintelligible** [‿'ʒibl] unintelligible.

inique [i'nik] iniquitous; **iniquité** [iniki'te] *f* iniquity (*a. eccl., a. fig.*).

initial, e, *m/pl.* **-aux** [ini'sjal, ‿'sjo] *adj.,* *a. su./f* initial; **initiateur, -trice** [inisja'tœːr, ‿'tris] **1.** *adj.* initiatory; initiation...; **2.** *su.* initiator; originator; **initiative** [‿sja-'tiːv] *f* initiative; ‿ *privée* private enterprise; **initier** [‿'sje] (1o) *v/t.* initiate (*a. fig.*).

injecter [ɛ̃ʒek'te] (1a) *v/t.* inject (with *de, avec*); impregnate (*wood*); *injecte de sang* bloodshot (*eye*); s'‿ become bloodshot (*eye*); **injection** [‿'sjɔ̃] *f* ℰ, ⊕ injection; *wood:* impregnation.

injonction ‡‡ [ɛ̃ʒɔ̃k'sjɔ̃] *f* injunction; order.

injure [ɛ̃'ʒyːr] *f* insult; ravages *pl.* (*of time*); wrong, injury, ‡‡ tort; ‿*s pl.* abuse *sg.*; **injurier** [ɛ̃ʒy'rje] (1o) *v/t.* insult, abuse; call (*s.o.*) names; **injurieux, -euse** [‿'rjø,

‿'rjøːz] insulting, abusive (towards, *pour*); ‡‡ tortious.

injuste [ɛ̃'ʒyst] **1.** *adj.* unjust, unfair (to, *envers*); unrighteous (*person*); **2.** *su./m* wrong; **injustice** [ɛ̃ʒys'tis] *f* injustice, unfairness; **injustifiable** [‿ti'fjabl] unwarrantable, unjustifiable.

inlassable [ɛ̃la'sabl] tireless; *fig.* untiring.

inné, e [in'ne] innate.

innocemment [inɔsa'mã] *adv.* of innocent 1; **innocence** [‿'sãːs] *f* innocence; **innocent, e** [‿'sã, ‿'sãːt] **1.** *adj.* innocent; simple, artless; **2.** *su.* simple *or* artless person; **innocenter** [‿sã'te] (1a) *v/t.* clear (*s.o.*) (of, *de*); justify.

innocuité [innɔkɥi'te] *f* harmlessness.

innombrable [innɔ̃'brabl] innumerable, countless.

innovation [innɔva'sjɔ̃] *f* innovation.

inoccupé, e [inɔky'pe] unoccupied; vacant; unemployed; idle (*person*).

in-octavo *typ.* [inɔkta'vo] *m/inv.,* *a. adj./inv.* octavo.

inoculer [inɔky'le] (1a) *v/t.* ℰ, *a. fig.* inoculate, infect (s.o. with s.th., *qch. à q.*).

inodore [inɔ'dɔːr] odo(u)rless; ⚘ scentless.

inoffensif, -ve [inɔfã'sif, ‿'siːv] inoffensive; harmless.

inondation [inɔ̃da'sjɔ̃] *f* inundation; flood; *fig.* deluge; **inonder** [‿'de] (1a) *v/t.* inundate; flood (*a.* ⚓); *fig.* deluge (with, *de*); F soak.

inopérant, e ‡‡ [inɔpe'rã, ‿'rãːt] inoperative.

inopiné, e [inɔpi'ne] unforeseen, sudden.

inopportun, e [inɔpɔr'tœ̃, ‿'tyn] inopportune; untimely; **inopportunément** [‿tyne'mã] *adv.* of inopportun.

inoubliable [inubli'abl] unforgettable.

inouï, e [i'nwi] unheard of; extraordinary.

inoxydable [inɔksi'dabl] rust-proof; rustless; stainless (*steel*).

inqualifiable [ɛ̃kali'fjabl] beyond words; *fig.* indescribable; *fig.* scandalous.

in-quarto *typ.* [ɛ̃kwar'to] *m/inv.,* *a. adj./inv.* quarto.

inquiet, -ète [ɛ̃'kjɛ, ~'kjɛt] restless; uneasy; anxious; **inquiétant, e** [ɛ̃kje'tɑ̃, ~'tɑ̃:t] alarming, disturbing; *fig.* disquieting; **inquiéter** [~'te] (1f) *v/t.* alarm, disturb; make (*s.o.*) uneasy; s'~ worry (about, de); **inquiétude** [~'tyd] *f* disquiet; uneasiness, anxiety; restlessness.

insaisissable [ɛ̃sezi'sabl] unseizable; elusive; imperceptible (*difference, sound, etc.*); ♃ not attachable.

insalissable [ɛ̃sali'sabl] dirt-proof.

insalubre [ɛ̃sa'lybr] unhealthy; insanitary; **insalubrité** [~lybri'te] *f* unhealthiness; insanitary condition.

insanité [ɛ̃sani'te] *f* insanity; *fig.* nonsense.

insatiable [ɛ̃sa'sjabl] insatiable.

insciemment [ɛ̃sja'mɑ̃] *adv.* unconsciously

inscription [ɛ̃skrip'sjɔ̃] *f* inscription; registration, enrolment; *univ.* matriculation; ⚓ scrip; ⚓ ~ maritime seaboard conscription; **inscrire** [~'kri:r] (4q) *v/t.* inscribe, write down; register; enroll; s'~ register.

inscrutable [ɛ̃skry'tabl] inscrutable.

insecte [ɛ̃'sɛkt] *m* insect, *Am.* F bug; **insecticide** [ɛ̃sɛkti'sid] 1. *adj.* insecticidal; *poudre f* ~ insect-powder; 2. *su./m* insecticide; **insectivore** *zo.* [~'vɔ:r] 1. *su./m* insectivore; 2. *adj.* insectivorous.

insensé, e [ɛ̃sɑ̃'se] 1. *adj.* mad (*a. fig.*); *fig.* senseless; *fig.* crazy (*idea, plan*); 2. *su./m* madman; *su./f* madwoman.

insensibilisation ✶ [ɛ̃sɑ̃sibiliza'sjɔ̃] *f* an(a)esthetization; **insensibiliser** ✶ [~ze] (1a) *v/t.* an(a)esthetize; **insensibilité** [~'te] *f* insensibility (*a. fig.*); insensitiveness; callousness, indifference; **insensible** [ɛ̃sɑ̃'sibl] insensible; insensitive; indifferent; imperceptible (*difference*).

inséparable [ɛ̃sepa'rabl] 1. *adj.* inseparable; 2. *su.* inseparable companion; *su./m: orn.* ~s *pl.* love-birds.

insérer [ɛ̃se're] (1f) *v/t.* insert; **insertion** [ɛ̃sɛr'sjɔ̃] *f* insertion.

insidieux, -euse [ɛ̃si'djø, ~'djø:z] insidious (*a.* ✶ *disease*); crafty (*person*).

insigne¹ [ɛ̃'siɲ] distinguished (by, for *par*); signal (*favour*); *pej.* notorious; glaring.

insigne² [~] *m* ✗, *sp., etc.* badge;

~s *pl.* insignia; ~s *pl.* de la royauté royal insignia.

insignifiant, e [ɛ̃siɲi'fjɑ̃, ~'fjɑ̃:t] insignificant; vacuous (*face*).

insinuer [ɛ̃si'nɥe] (1n) *v/t.* insinuate (*a. fig.*); ✶ insert (*a probe etc.*); s'~ insinuate o.s.; worm one's way (into, *dans*).

insipide [ɛ̃si'pid] insipid; tasteless (*food*); *fig* dull, uninteresting; **insipidité** [~pidi'te] *f food:* tastelessness, lack of taste; *fig* insipidity, dullness; tameness.

insistance [ɛ̃sis'tɑ̃:s] *f* insistence (on *ger.*, *à inf.*); *avec* ~ insistently; **insister** [~'te] (1a) *v/i.* insist (on *ger.* *à, pour inf.*); *fig* sur stress; persist in.

insociable [ɛ̃sɔ'sjabl] unsociable.

insolation [ɛ̃sɔla'sjɔ̃] *f* ✶ sunstroke; sun-bathing; *phot.* daylight printing.

insolence [ɛ̃sɔ'lɑ̃:s] *f* insolence; impertinence; impudence; **insolent, e** [~'lɑ̃, ~'lɑ̃:t] insolent, impertinent; overbearing.

insoler [ɛ̃sɔ'le] (1a) *v/t.* expose (*s.th.*) to the sun; *phot.* print by daylight.

insolite [ɛ̃sɔ'lit] unusual.

insoluble [ɛ̃sɔ'lybl] insoluble (*a. fig.*).

insolvable ♃ [ɛ̃sɔl'vabl] insolvent.

insomnie [ɛ̃sɔm'ni] *f* insomnia, sleeplessness.

insondable [ɛ̃sɔ̃'dabl] unsoundable (*sea*); *fig.* unfathomable.

insonorisé, e [ɛ̃sɔnɔri'ze] soundproof(ed).

insouciance [ɛ̃su'sjɑ̃:s] *f* unconcern; jauntiness; carelessness; **insouciant, e** [~'sjɑ̃, ~'sjɑ̃:t] unconcerned, carefree, jaunty; thoughtless; **insoucieux, -euse** [~'sjø, ~'sjø:z] heedless (of, *de*).

insoumis, e [ɛ̃su'mi, ~'mi:z] 1. *adj.* unsubdued; unruly, refractory; insubordinate; ✗ absent; 2. *su./m* ✗ absentee, *Am.* draft dodger.

insoutenable [ɛ̃sut'nabl] untenable, indefensible; unbearable (*pain*).

inspecter [ɛ̃spɛk'te] (1a) *v/t.* ✗ *etc.* inspect; ✝ examine (*accounts*); **inspecteur** [~'tœ:r] *m factory, mines, police, school, sanitary, taxes:* inspector; *works:* overseer; ✝ examiner; shop-walker, *Am.* floorwalker; **inspection** [~'sjɔ̃] *f* inspection; examination; inspectorate; ✗ muster parade.

inspiration [ɛ̃spira'sjɔ̃] f inspiration
(a. fig.); **inspirer** [~'re] (1a) v/t.
inspire (s.o. with s.th., qch. à q.)
(a. fig.); fig. prompt (to inf., de
inf.).

instabilité [ɛ̃stabili'te] f instability
(a. fig.); **instable** [~'tabl] unstable;
fig. unreliable.

installation [ɛ̃stala'sjɔ̃] f installation; ⚡ putting in; ⊕ equipment;
⊕ plant; ~ d'aérage ventilation
plant; **installer** [~'le] (1a) v/t. install; ⊕ etc. fit up; furnish (a
house); fig. establish, settle.

instamment [ɛ̃sta'mɑ̃] adv. ear-
nestly; urgently.

instance [ɛ̃s'tɑ̃ːs] f instance (a. ⚖);
instancy; ⚖ suit; ~s pl. entreaties;
en ~ de on the point of; **instant, e**
[~'tɑ̃, ~'tɑ̃ːt] **1.** adj. pressing; imminent; **2.** su./m moment, instant;
à l'~ just now; immediately;
instantané, e [~tɑ̃ta'ne] **1.** adj. instantaneous; sudden (shock, fright);
2. su./m phot. snapshot; **instanta-
néité** [~tɑ̃tanei'te] f instantaneous-
ness.

instar [ɛ̃s'taːr] m: à l'~ de after the
manner of, like.

instauration [ɛ̃stora'sjɔ̃] f founding; establishment; **instaurer** [~-
're] (1a) v/t. found; establish.

instigateur m, **-trice** f [ɛ̃stiga'tœːr,
~'tris] instigator (of, de); inciter (to,
de); **instigation** [~'sjɔ̃] f instigation.

instiller ⚕ [ɛ̃sti'le] (1a) v/t. instil (a.
fig.), drop (liquid in the eye).

instinct [ɛ̃s'tɛ̃] m instinct; d'~, par ~
instinctively; **instinctif, -ve** [~tɛ̃k-
'tif, ~'tiːv] instinctive.

instituer [ɛ̃sti'tɥe] (1n) v/t. institute;
establish; admin., a. ⚖ appoint (an
heir etc.); **institut** [~'ty] m institute;
eccl. order; eccl. rule; **instituteur,
-trice** [~ty'tœːr, ~'tris] su. school-
teacher; su./m schoolmaster; founder; su./f schoolmistress; (private)
governess; foundress; **institution**
[~ty'sjɔ̃] f institution.

instructeur [ɛ̃stryk'tœːr] **1.** su./m
instructor (a. ⚔), teacher; **2.** adj./m:
⚖ juge m ~ examining magistrate;
instructif, -ve [~'tif, ~'tiːv] instruc-
tive; **instruction** [~'sjɔ̃] f instruction; education; ⚔ training (of
troops); ⚖ preliminary investigation, judicial inquiry; ~s pl. in-

structions, directions; ~ civique
civics sg.; ~ publique state education; avoir de l'~ be well educated; **instruire** [ɛ̃s'trɥiːr] (4h)
v/t. inform; educate, teach; ⚔ train
(troops etc.); ⚔ drill (troops); ⚖
investigate; **instruit, e** [ɛ̃s'trɥi, ~-
'trɥit] educated, learned; ~ de
aware of.

instrument [ɛ̃stry'mɑ̃] m instrument (a. ♪, a. ⚖); tool (a. fig.); ⚖
deed; **instrumenter** [~mɑ̃'te] (1a)
v/t. ♪ score; v/i. ⚖ draw up a document; ~ contre order proceedings
to be taken against.

insu [ɛ̃'sy] m: à l'~ de without the
knowledge of, unknown to.

insubmersible [ɛ̃sybmɛr'sibl] un-
sinkable.

insubordination [ɛ̃sybɔrdina'sjɔ̃] f
insubordination; **insubordonné, e**
[~dɔ'ne] insubordinate.

insuccès [ɛ̃syk'sɛ] m failure.

insuffisance [ɛ̃syfi'zɑ̃ːs] f insuffi-
ciency; fig. unsatisfactoriness; **insuffisant, e** [~'zɑ̃, ~'zɑ̃ːt] insuffi-
cient; inadequate; fig. incompetent.

insuffler [ɛ̃sy'fle] (1a) v/t. inflate (a
balloon etc.); ⚕ spray (one's throat);
fig. inspire (s.o. with s.th., qch. à q.).

insulaire [ɛ̃sy'lɛːr] **1.** adj. insular;
2. su. islander.

insuline ⚕ [ɛ̃sy'lin] f insulin.

insulte [ɛ̃'sylt] f insult; **insulter**
[ɛ̃syl'te] (1a) v/t. insult; v/i.: ~ à
abuse, revile; be an insult to.

insupportable [ɛ̃sypɔr'tabl] unbearable; insufferable (person); intolerable; F aggravating.

insurgé, e [ɛ̃syr'ʒe] adj., a. su. insurgent, rebel; **insurger** [~] (1l)
v/t.: s'~ revolt, rebel (against, contre).

insurmontable [ɛ̃syrmɔ̃'tabl] in-
surmountable, insuperable.

insurrection [ɛ̃syrɛk'sjɔ̃] f insurrection, rebellion, rising.

intact, e [ɛ̃'takt] intact; undamaged;
untouched; fig. unblemished (reputation).

intarissable [ɛ̃tari'sabl] inexhaustible; never-failing; long-winded
(talker).

intégral, e, m/pl. **-aux** [ɛ̃te'gral, ~-
'gro] **1.** adj. integral (a. Ⓐ), full;
2. su./f Ⓐ integral; **intégrant, e**
[~'grɑ̃, ~'grɑ̃ːt] integral (part etc.);
intègre [ɛ̃'tɛgr] upright, honest;

incorruptible; **intégrité** [ɛ̃tegri'te] *f* integrity.

intellect [ɛ̃tɛl'lɛkt] *m* intellect; **intellectuel, -elle** [ˌ'lɛk'tɥɛl] *adj.*, *a. su.* intellectual.

intelligence [ɛ̃teli'ʒɑ̃:s] *f* understanding, intelligence; (*good or bad*) terms *pl.*; d'~ *avec* in collusion with; **intelligent, e** [ˌ'ʒɑ̃, ˌ'ʒɑ̃:t] intelligent; clever; **intelligible** [ˌ'ʒibl] intelligible; *fig.* distinct.

intempérance [ɛ̃tɑ̃pe'rɑ̃:s] *f* intemperance; **intempérant, e** [ˌ'rɑ̃, ˌ'rɑ̃:t] intemperate; **intempérie** [ˌ'ri] *f weather*: inclemency; ~s *pl.* bad weather *sg.*

intempestif, -ve [ɛ̃tɑ̃pes'tif, ˌ'ti:v] untimely, unseasonable.

intendance [ɛ̃tɑ̃'dɑ̃:s] *f* intendance; stewardship; ✗ Commissariat; ✗ *Service de l'~* (*approx.*) Royal Army Service Corps; **intendant** [ˌ'dɑ̃] *m* intendant; steward; ✗ Commissariat officer; ⚓ paymaster; *school*: bursar.

intense [ɛ̃'tɑ̃:s] intense; severe (*cold, pain*); powerful; deep (*colour*); ⚡ strong (*current*); heavy (*flow*); high (*fever*); bitter (*cold*); **intensité** [ɛ̃tɑ̃si'te] *f* intensity; severity; strength; *light*: brilliance; *colour*: depth, richness; *cold*: bitterness; *wind*: force.

intenter ⚖ [ɛ̃tɑ̃'te] (1a) *v/t.* bring (*an action*); institute (*proceedings*).

intention [ɛ̃tɑ̃'sjɔ̃] *f* intention (*a.* ⚖); purpose; wish, will; *à ton* ~ for you; **intentionné, e** [ˌsjɔ'ne] ...-disposed, ...-intentioned; **intentionnel, -elle** [ˌsjɔ'nɛl] intentional, wilful.

inter... [ɛ̃tɛr] inter...; **~allié, e** *pol.* [ˌa'lje] interallied; **~calaire** [ˌka'lɛːr] intercalated; intercalary (*day etc.*); **~caler** [ˌka'le] (1a) *v/t.* intercalate; insert; ⚡ cut in; **~céder** [ˌse'de] (1f) *v/t.* intercede (on s.o.'s behalf, *pour* q.; with s.o., *auprès de* q.) **~cepter** [ˌsɛp'te] (1a) *v/t.* intercept; shut off (*steam*); **~ception** [ˌsɛp'sjɔ̃] *f* interception; ⊕ *steam*: shutting off; **~cesseur** [ˌsɛ'sœːr] *m* intercessor; **~cession** [ˌsɛ'sjɔ̃] *f* intercession; **~changeable** [ˌʃɑ̃'ʒabl] interchangeable; **~continental, e** *m/pl.* -aux [ˌkɔ̃tinɑ̃'tal, ˌ'to] intercontinental (*a.* ✗ *missile*); **~dépen-**

dance [ˌdepɑ̃'dɑ̃:s] *f* interdependence; **~diction** [ˌdik'sjɔ̃] *f* interdiction; **~dire** [ˌ'diːr] (4p) *v/t.* prohibit, forbid; *fig.* bewilder, dumbfound; *eccl.* (lay under an) interdict; *admin.* suspend; **~dit, e** [ˌ'di, ˌ'dit] **1.** *adj.* forbidden; bewildered; **2.** *su./m eccl.* interdict.

intéressé, e [ɛ̃tere'se] **1.** *adj.* interested; selfish; **2.** *su.* interested party; **intéresser** [ˌre'se] (1b) *v/t.* interest; concern; s'~ take an interest (in, *à*); **intérêt** [ˌ'rɛ] *m* interest (*a.* ✝); advantage; *par* ~ out of selfishness; *sans* ~ uninteresting.

interférence *phys.* [ɛ̃tɛrfe'rɑ̃:s] *f* interference (*a. radio*).

interfolier [ɛ̃tɛrfɔ'lje] (1o) *v/t.* interleave (*a book*).

intérieur, e [ɛ̃te'rjœːr] **1.** *adj.* interior, inner; inward; *geog.*, *a.* ⚓ inland ...; *admin.*, *pol.* domestic, home ...; **2.** *su./m* interior, inside; home; *sp.* inside; d'~ domestic; domesticated (*person*).

intérim [ɛ̃te'rim] *m/inv.* interim; *par* ~ *adj.* interim; *adv.* temporarily; **intérimaire** [ˌri'mɛːr] **1.** *adj.* temporary, acting; **2.** *su.* locum tenens; deputy.

inter...: **~jection** [ɛ̃tɛrʒɛk'sjɔ̃] *f* interjection; ⚖ ~ *d'appel* lodging of an appeal; **~jeter** [ˌʒə'te] (1c) *v/t.* interject; ⚖ ~ *appel* appeal; **~ligne** [ˌ'liɲ] *su./m* space (between two lines); *su./f typ.* lead; **~ligner** [ˌli'ɲe] (1a) *v/t.* interline; *typ.* lead out; **~linéaire** [ˌline'ɛːr] interlinear; **~locuteur** *m*, -trice *f* [ˌlɔ-ky'tœːr, ˌ'tris] interlocutor; *conversation*: speaker; questioner; **~lope** [ˌ'lɔp] **1.** *adj.* ✝ illegal, dishonest; *fig.* shady, dubious; **2.** *su./m* smuggler; blockade-runner; **~loquer** *fig.* [ˌlɔ'ke] (1m) *v/t.* disconcert, nonplus; **~mède** [ˌ'mɛd] *m* medium; *thea.* interlude; **~médiaire** [ˌme'djɛːr] **1.** *adj.* intermediate; ✝ middleman's ...; ⊕ *arbre* ~ countershaft; **2.** *su./m* intermediary, go-between; medium; ✝ middleman; agent; *par l'~ de* through the medium of.

interminable [ɛ̃tɛrmi'nabl] neverending, interminable.

intermittence [ɛ̃tɛrmi'tɑ̃:s] *f* intermittence; *par* ~ intermittently; **intermittent, e** [ˌ'tɑ̃, ˌ'tɑ̃:t] intermittent (*a.* 🌡 *fever*); 🌡 irregular (*pulse*); ⚡ make-and-break (*current*).

internat [ɛ̃ter'na] *m* living-in; boarding-school; 🌡 post of assistant house-physician *or* house-surgeon, *Am.* internship; *coll.* boarders *pl.*

international, e, *m/pl.* **-aux** [ɛ̃ternasjɔ'nal, ~'no] **1.** *adj.* international; **2.** *su. sp.* international; *su./f* International (Working Men's Association); *song*: Internationale.

interne [ɛ̃'tern] **1.** *adj.* internal; inner; municipal (*law*); 🅰 interior (*angle*); resident; **2.** *su. school*: boarder; 🌡 resident medical student in a hospital; **internement** [ɛ̃ternə'mɑ̃] *m admin.* internment; *lunatic*: confinement; **interner** [~'ne] (1a) *v/t. admin.* intern; shut up, confine (*a lunatic*).

inter...: **~pellateur** *m*, **-trice** *f* [ɛ̃terpela'tœːr, ~'tris] interpellator; **~pellation** [~pɛla'sjɔ̃] *f* peremptory question(ing); interruption; ✗ challenge; *parl.* interpellation; **~peller** [~pɛ'le] (1a) *v/t.* interpellate; ✗ *etc.* challenge; 🏛 *etc.* call upon (*s.o.*) to answer; **~planétaire** [~plane'tɛːr] interplanetary; **~polateur** *m*, **-trice** *f* [~pɔla'tœːr, ~'tris] interpolator; **~polation** [~pɔla'sjɔ̃] *f* interpolation; **~poler** [~pɔ'le] (1a) *v/t.* interpolate; **~poser** [~po'ze] (1a) *v/t.* interpose; 🏛 *personne f interposée* intermediary; third party fraudulently hold out as a principal; *s'~* interpose *or* place o.s. (between, *entre*); **~position** [~pozi'sjɔ̃] *f* interposition; *fig.* intervention; 🏛 *de personnes* fraudulent holding out of a third party as principal; **~prétation** [~preta'sjɔ̃] *f* interpreting; interpretation (*a. thea.*, ♪, *etc.*); explanation; **~prète** [~'prɛt] *su.* interpreter; *fig.* exponent; **~préter** [~pre'te] (1f) *v/t.* interpret; expound; read (*a signal*); *mal ~* misconstrue; **~professionnel, -elle** [~prɔfesjɔ'nɛl] (*salaries*) in comparable professions; **~rogateur, -trice** [ɛ̃terɔga'tœːr, ~'tris] **1.** *adj.* interrogative; questioning; **2.** *su.* questioner; interrogator; *school:* examiner; **~rogatif, -ive** *gramm.* [~rɔga'tif, ~'tiːv] *adj.*, *a. su./m* interrogative; **~rogation** [~rɔga'sjɔ̃] *f* interrogation; question; questioning; *point m d'~*

question-mark; **~rogatoire** [~rɔga'twaːr] *m* 🏛 interrogatory, examination (*of an accused*); ✗ questioning; **~roger** [~rɔ'ʒe] (11) *v/t.* interrogate; question; examine; *fig.* consult; **~rompre** [~'rɔ̃ːpr] (4a) *v/t.* interrupt; break (*a journey, a.* ⚡); suspend, stop, cut short; ⊕ shut off (*steam*); **~rupteur, -trice** [~ryp'tœːr, ~'tris] **1.** *adj.* interrupting; **2.** *su.* interruptor; *su./m* ⚡ switch, circuit-breaker; **~ruption** [~ryp'sjɔ̃] *f* interruption; stopping; *communications*: severing; *work*: stopping; ⚡ *current*: breaking; ⊕ *steam*: shutting off; *sans ~* without a break; **~section** [~sek'sjɔ̃] *f* 🅰 *etc.* intersection; *track, road*: crossing; **~stice** [ɛ̃ters'tis] *m* interstice; chink; **~urbain, e** [ɛ̃teryr'bɛ̃, ~'bɛn] inter-urban; *teleph.* trunk(-*call*, -*line*, *etc.*); **~valle** [~'val] *m* interval (*a.* ♪); space, gap; *time*: period; ⚡ clearance; *dans l'~* in the meantime; *par ~s* off and on, at intervals; **~venir** [~və'niːr] (2h) *v/i.* intervene; interfere; *fig.* occur, happen; **~vention** [~vɑ̃'sjɔ̃] *f* intervention (*a.* 🏛); interference; 🌡 operation; 🌡 *~ chirurgicale* surgical intervention; **~vertir** [~vɛr'tiːr] (2a) *v/t.* invert (*an order, a.* 🔬); **~view** [~'vju] *f* interview(ing); **~viewer 1.** (1a) *v/t.* [~vju've] interview; **2.** *su./m* [~vju'vœːr] interviewer.

intestin, e [ɛ̃tɛs'tɛ̃, ~'tin] **1.** *adj.* internal; civil (*war*); **2.** *su./m anat.* intestine, bowel, gut; *~ grêle* small intestine; *gros ~* large intestine; **intestinal, e**, *m/pl.* **-aux** [~ti'nal, ~'no] intestinal.

intimation [ɛ̃tima'sjɔ̃] *f* intimation; *admin.* notice; 🏛 notice of appeal; **intime** [ɛ̃'tim] intimate, close; inner; private; **intimer** [ɛ̃ti'me] (1a) *v/t.* intimate; notify; 🏛 summons (*s.o.*) to appear before the Court of Appeal.

intimider [ɛ̃timi'de] (1a) *v/t.* intimidate; frighten; threaten; F bully.

intimité [ɛ̃timi'te] *f* intimacy, closeness; *fig.* depths *pl.*; *dans l'~* privately.

intitulé [ɛ̃tity'le] *m book etc.*: title; *chapter*: heading; *deed*: premises *pl.*; **intituler** [~] (1a) *v/t.* entitle, call.

intolérable [ɛ̃tɔle'rabl] intolerable, unbearable; **intolérance** [ˌ'rɑ̃:s] *f* intolerance; **intolérant, e** [ˌ'rɑ̃, ˌ'rɑ̃:t] intolerant.

intonation [ɛ̃tɔna'sjɔ̃] *f speech*: intonation; *voice*: modulation, pitch.

intoxication ✗ [ɛ̃tɔksika'sjɔ̃] *f* poisoning; ~ *alimentaire* food poisoning; **intoxiquer** ✗ [ˌ'ke] (1m) *v/t.* poison.

intraitable [ɛ̃trɛ'tabl] unmanageable; obstinate, inflexible; ✗ beyond treatment.

intransigeant, e [ɛ̃trɑ̃zi'ʒɑ̃, ˌ'ʒɑ̃:t] **1.** *adj.* uncompromising; peremptory (*tone*); *pol.* intransigent; **2.** *su. pol.* die-hard.

intransitif, -ve *gramm.* [ɛ̃trɑ̃zi'tif, ˌ'ti:v] intransitive.

intrépide [ɛ̃tre'pid] intrepid, fearless; *pej.* brazen; **intrépidité** [ˌpidi'te] *f* intrepidity, fearlessness.

intrigant, e [ɛ̃tri'gɑ̃, ˌ'gɑ̃:t] **1.** *adj.* scheming; **2.** *su.* intriguer, schemer; **intrigue** [ɛ̃'trig] *f* intrigue; machination; plot (*a. thea., novel, etc.*); love-affair; **intriguer** [ɛ̃tri'ge] (1m) *v/i.* plot, intrigue; *v/t.* puzzle, intrigue (*s.o.*).

intrinsèque [ɛ̃trɛ̃'sɛk] intrinsic; specific (*value*).

introducteur *m*, **-trice** *f* [ɛ̃trɔdyk-'tœ:r, ˌ'tris] introducer; **introduction** [ˌdyk'sjɔ̃] *f* introduction; ushering in; ⊕ *steam*: admission; *book*: preface; **introduire** [ˌ'dɥi:r] (4h) *v/t.* introduce; usher in, show in; ⊕ admit (*steam*); s'~ get in, enter.

introniser [ɛ̃trɔni'ze] (1a) *v/t.* enthrone; *fig.* establish (*a fashion*); s'~ establish o.s.; become established (*fashion*).

introuvable [ɛ̃tru'vabl] undiscoverable.

intrus, e [ɛ̃'try, ˌ'try:z] **1.** *adj.* intruding; **2.** *su.* intruder; ⚖ trespasser; F *reception etc.*: gate-crasher; **intrusion** [ɛ̃try'zjɔ̃] *f* intrusion.

intuitif, -ve [ɛ̃tɥi'tif, ˌ'ti:v] intuitive; **intuition** [ˌ'sjɔ̃] *f* intuition, insight.

inusable [iny'zabl] everlasting; proof against wear.

inusité, e [inyzi'te] unusual; not in use (*word*).

inutile [iny'til] useless; superfluous; **inutilisable** [inytili'zabl] un-

serviceable, unemployable (*person*); worthless; **inutilisé, e** [ˌ'ze] unused; **inutilité** [ˌ'te] *f* uselessness; futility; useless thing.

invalide [ɛ̃va'lid] **1.** *adj.* invalid (*a.* ⚖), infirm; ✗ disabled; rickety (*chair etc.*); **2.** *su.* invalid; *su./m* disabled soldier, pensioner; **invalider** [ɛ̃vali'de] (1a) *v/t.* ⚖ invalidate; quash (*elections*); *pol.* unseat (*a member of Parliament etc.*); **invalidité** [ˌdi'te] *f* infirmity; disablement; ✗ invalidism; ⚖ invalidity.

invariable [ɛ̃va'rjabl] invariable, unchanging.

invariance ⚛ [ɛ̃va'rjɑ̃:s] *f* invariance.

invasion [ɛ̃va'zjɔ̃] *f* invasion.

invective [ɛ̃vɛk'ti:v] *f* invective; ~s *pl.* abuse *sg.*; **invectiver** [ˌti've] (1a) *v/t.* rail at, abuse (*s.o.*); *v/i.*: ~ *contre* rail at, revile, inveigh against.

invendable † [ɛ̃vɑ̃'dabl] unsaleable, unmerchantable.

inventaire [ɛ̃vɑ̃'tɛ:r] *m* inventory; † stock-list; *faire son* ~ take stock; **inventer** [ˌ'te] (1a) *v/t.* invent; **inventeur, -trice** [ˌ'tœ:r, ˌ'tris] **1.** *adj.* inventive; **2.** *su.* inventor; discoverer; ⚖ finder; **invention** [ˌ'sjɔ̃] *f* invention; imaginative capacity; **inventorier** † [ˌtɔ'rje] (1o) *v/t.* inventory, list; value (*bills etc.*); take stock of.

inverse [ɛ̃'vɛrs] **1.** *adj.* inverse; **2.** *su./f* ⚛, *phls.* inverse; *su./m* opposite; **inverser** [ɛ̃vɛr'se] (1a) *vt/i.* reverse (*a.* ⚡); **inverseur** [ˌ'sœ:r] *m* ⚡ reverser; ⊕ reversing device *or* handle; **inversible** [ˌ'sibl] reversible; **inversion** [ˌ'sjɔ̃] *f* ⚛, *gramm.* inversion; ⚡ *current*: reversal; **invertir** [ˌ'ti:r] (2a) *v/t.* reverse (*a.* ⚡ *the current*); invert.

investigateur, -trice [ɛ̃vɛstiga-'tœ:r, ˌ'tris] **1.** *adj.* investigating; searching (*a. glance*); **2.** *su.* investigator, inquirer; **investigation** [ˌ'sjɔ̃] *f* investigation, inquiry.

investir [ɛ̃vɛs'ti:r] (2a) *v/t.* invest; ✗ blockade.

invétérer [ɛ̃vete're]˙ (1f) *v/t.*: s'~ become inveterate, become deep-rooted.

invincible [ɛ̃vɛ̃'sibl] invincible; *fig.* insuperable (*difficulty*).

inviolable [ɛ̃vjɔ'labl] inviolable; burglar-proof (*lock*).

invisible [ɛ̃vi'zibl] invisible.

invitation [ɛ̃vita'sjɔ̃] *f* invitation; *sans* ~ uninvited(ly *adv.*); *sur l'*~ *de* at the invitation of; **invite** [ɛ̃'vit] *f* invitation, inducement; *cards*: lead; **invité** *m*, e *f* [ɛ̃vi'te] guest; **inviter** [~] (1a) *v/t.* invite (to *inf.*, *à inf.*); *fig.* tempt; *cards*: call for.

invivable F [ɛ̃vi'vabl] unlivable-with.

invocation [ɛ̃vɔka'sjɔ̃] *f* invocation.

involontaire [ɛ̃vɔlɔ̃'tɛːr] involuntary.

involution [ɛ̃vɔly'sjɔ̃] *f* ⊁, 𝔄, ⚕, *biol.* involution; † intricacy.

invoquer [ɛ̃vɔ'ke] (1m) *v/t.* invoke; call upon; put forward (*an excuse, a reason, etc.*).

invraisemblable [ɛ̃vrɛsɑ̃'blablǝ] unlikely, improbable; **invraisemblance** [~'blɑ̃ːs] *f* unlikelihood, improbability. [nerable.⟩

invulnérable [ɛ̃vylne'rabl] invul-

iode ⚗ₘ, ⚕ [jɔd] *m* iodine; **ioder** [jɔ'de] iodize; **iodique** [~'dik] iodic.

ion ⚗ₘ, ⚡, *phys.* [jɔ̃] *m* ion.

ionique[1] ⚛ [jɔ'nik] Ionic.

ionique[2] [jɔ'nik] *phys.* ionic; *radio*: thermionic (*tube, valve*); **ionisation** ⚗ₘ, *phys.* [~niza'sjɔ̃] *f* ionization.

iouler ♪ [ju'le] (1a) *v/i.* yodel.

irai [i're] *1st p. sg. fut. of* aller *1*.

irascible [ira'sibl] irritable, testy.

iris [i'ris] *m* ⚕, *anat.*, *phot.* iris; *poet.* rainbow; ♀ *a.* flag; **irisation** [iriza'sjɔ̃] *f* iridescence; **irisé, e** [~'ze] iridescent; **iriser** [~'ze] (1a) *v/t.* make iridescent.

irlandais, e [irlɑ̃'dɛ, ~'dɛːz] **1.** *adj.* Irish; **2.** *su./m ling.* Irish; ♀ Irishman; *les* ♀ *pl.* the Irish; *su./f* ♀ Irishwoman.

ironie [irɔ'ni] *f* irony; **ironique** [~'nik] ironic(al); **ironiser** [~ni'ze] (1a) *v/i.* speak ironically.

irradiation [irradja'sjɔ̃] *f* ⚕, *phys.* irradiation; *phot.* halation; **irradier** [~'dje] (1o) *v/i.* (ir)radiate; spread (*cancer, pain, etc.*); *v/t.* spread through.

irraisonnable [irrezɔ'nabl] irrational.

irréalisable [irreali'zabl] unrealizable (*a.* ⚘); impracticable; **irréalité** [~'te] *f* unreality.

irrécusable [irreky'zabl] unimpeachable; unchallengeable.

irréductible [irredyk'tibl] Ᾱ, ⚙ irreducible; *fig.* unshakable.

irréel, -elle [irre'ɛl] unreal.

irréfléchi, e [irrefle'ʃi] thoughtless; unthinking, rash (*person*).

irrégularité [irregylari'te] *f* building, ground, conduct: irregularity; unpunctuality; **irrégulier, -ère** [~'lje, ~'ljɛːr] irregular; uneven (*pulse, surface*); unpunctual.

irrémédiable [irreme'djabl] incurable; *fig.* irreparable.

irréparable [irrepa'rabl] irreparable; *fig.* irretrievable.

irrépréhensible [irrepreɑ̃'sibl] blameless.

irréprochable [irreprɔ'ʃabl] irreproachable; ⚖ unimpeachable.

irrésistible [irrezis'tibl] irresistible.

irrésolu, e [irrezɔ'ly] irresolute; unsolved (*problem*); **irrésolution** [~ly'sjɔ̃] *f* indecision, irresolution.

irrespectueux, -euse [irrespɛk-'tɥø, ~'tɥøːz] disrespectful (to [-wards] *pour, envers*).

irresponsabilité [irrespɔ̃sabili'te] *f* irresponsibility; **irresponsable** [~'sabl] irresponsible.

irrétrécissable *tex.* [irretresi'sabl] unshrinkable; *rendre* ~ sanforize.

irrévocable [irrevɔ'kabl] irrevocable; absolute (*decree*).

irrigateur [irriga'tœːr] *m* ⚕ hose (-pipe); water-cart; ⚕ *wounds*: irrigator; ⚕ douche, enema; **irrigation** [~ga'sjɔ̃] *f* ⚕, ⚕ irrigation; ⚕ flooding; ⚕ douching; **irriguer** [~'ge] (1m) *v/t.* ⚕, ⚕ irrigate; ⚕ water; ⚕ douche.

irritable [irri'tabl] irritable; touchy (*person*); sensitive (*skin*); **irritant, e** [~'tɑ̃, ~'tɑ̃ːt] irritating; ⚕ irritant; **irriter** [~'te] (1a) *v/t.* irritate; ⚕ inflame; *s'*~ become angry (at, with s.o. *contre q.*; at s.th., *de qch.*); ⚕ become inflamed.

irruption [irryp'sjɔ̃] *f* irruption; invasion; inrush; *river*: overflow, flood.

isard *zo.* [i'zaːr] *m* izard, (Pyrenean) wild goat.

islamique [isla'mik] Islamic; **islamisme** [~'mism] *m* Islam(ism).

islandais, e [islɑ̃'dɛ, ~'dɛːz] **1.** *adj.* Icelandic; **2.** *su./m ling.* Icelandic; *su.* ♀ Icelander.

isobare *meteor.* [izɔ'baːr] *f* isobar;
isocèle ⚗ [ˌ'sɛl] isosceles; **iso-
chrone** ⊕ [ˌ'krɔn], **isochronique**
⊕ [ˌkrɔ'nik] isochronous.

isolant, e [izɔ'lɑ̃, ˌ'lɑ̃:t] 1. *adj.* iso-
lating; ⚡ insulating; *bouteille f*
ˌe vacuum *or* thermos flask;
2. *su./m* insulator; insulating material; **isolateur, -trice** [ˌla'tœːr,
ˌ'tris] 1. *adj.* ⚡ insulating; ⚠
damp-proofing; 2. *su./m* ⚡, *a.*
radio: insulator; **isolement** [izɔl-
'mɑ̃] *m* ✂, ⊕, *a. fig.* isolation; ⚡ in-
sulation; **isolément** [izɔle'mɑ̃] *adv.*
alone; separately; **isoler** [ˌ'le] (1a)
v/t. isolate (*a.* ⚗) (from *d'avec, de*);
⚡ insulate; **isoloir** [ˌ'lwaːr] *m* ⚡
insulator; *admin., pol.* polling-
booth.

isomère [izɔ'mɛːr] 1. *adj.* ⚗,
isomerous, isomeric; 2. *su./m* ⚗
isomer.

isotope ⚗, *phys.* [izɔ'tɔp] *m* isotope.

israélien, -enne [israe'ljɛ̃, ˌ'ljɛn]
adj., a. su. ⚥ Israeli; **israélite** [ˌ'lit]
1. *adj.* Jewish, of the Israelites; 2.
su. ⚥ Israelite, Jew.

issu, e [i'sy] 1. *adj.*: ˌ de descended

from; born of; 2. *su./f* issue, end;
upshot, result; outlet; ⊕ ˌes *pl.*
by-products; *à l'*ˌe de at the end
of; after; *sans* ˌe blind (*alley*).

isthme *geog., anat.* [ism] *m* isthmus.

italien, -enne [ita'ljɛ̃, ˌ'ljɛn] 1. *adj.*
Italian; 2. *su./m ling.* Italian; *su.* ⚥
Italian; **italique** *typ.* [ˌ'lik] *adj., a.*
su./m italic.

item [i'tɛm] *adv.* item, also.

itératif, ve [itera'tif, ˌ'tiːv] *gramm.*
iterative; ⚙ repeated.

itinéraire [itine'rɛːr] 1. *adj.* road-...,
direction-...; 2. *su./m* itinerary;
route; guide-book; **itinérant, e**
[ˌ'rɑ̃, ˌ'rɑ̃:t] itinerant; ✗ mobile.

ivoire [i'vwaːr] *m* ivory; **ivoirerie**
[ivwarə'ri] *f* ivory work *or* trade.

ivraie ⚘ [i'vrɛ] *f* cockle, darnel;
bibl. tares *pl.*

ivre [iːvr] drunk (with, *de*); intoxicated; *fig.* mad (with, *de*); **i-
vresse** [i'vrɛs] *f* drunkenness, intoxication; *fig.* ecstasy; **ivrogne,
-esse** [i'vrɔɲ, ivrɔ'ɲɛs] 1. *adj.* ad-
dicted to drink; drunken; 2. *su.*
drunkard, toper, *sl.* boozer; **ivrognerie** [ivrɔɲ'ri] *f* (habitual)
drunkenness.

J

J, j [ʒi] *m* J, j.

ja(c)quot *orn.* [ʒa'ko] *m* parrot:
Poll(y).

jabot [ʒa'bo] *m* bird: crop; *cost.*
blouse, shirt: frill; ruffle, jabot;
jaboter F [ˌbo'te] (1a) *v/i.* jabber,
chatter.

jacasse F [ʒa'kas] *f* chatterbox;
jacasser F [ʒa'kase] (1a) *v/i.* chatter, gossip; **jacasserie** [ˌkas'ri] *f*
gossip; [claimed.]

jacent, e ⚖ [ʒa'sɑ̃, ˌ'sɑ̃:t] un-

jachère ✒ [ʒa'fɛːr] *f* fallow; **jachérer** ✒ [ˌʃe're] (1f) *v/t.* plough
up (*fallow land*); fallow (*land*).

jacinthe [ʒa'sɛ̃:t] *f* ⚘ hyacinth; *min.*
jacinth; ⚘ ˌ des bois bluebell.

jack ⚡ [ʒak] *m* jack.

jacobin, e [ʒakɔ'bɛ̃, ˌ'bin] *su. hist.*
Jacobin; *fig.* sympathizer with
radical democracy.

jaconas *tex.* [ʒakɔ'na] *m* jaconet.

jacquard *tex.* [ʒa'kaːr] *m* Jacquard
loom.

Jacques [ʒaːk] *npr./m* James; *sl.*
faire le ⚥ play the fool.

jactance [ʒak'tɑ̃:s] *f* boast(ing);
jacter *sl.* [ˌ'te] (1a) *v/i.* boast; brag.

jade *min.* [ʒad] *m* jade.

jadis [ʒa'dis] *adv.* formerly, of old.

jaillir [ʒa'jiːr] (2a) *v/i.* gush, spurt
out; shoot *or* burst forth; fly
(*sparks*); flash (*light*); **jaillissement** [ˌjis'mɑ̃] *m* gushing *etc.*

jais *min.* [ʒɛ] *m* jet; *noir comme du* ˌ
jet-black.

jalon [ʒa'lɔ̃] *m* surveying staff;
(range-)pole; ✗ aiming-post; *fig.*
poser des ˌs prepare the ground
(for, *pour*); **jalonner** [ˌʒɔ'ne] (1a)
v/t. stake out; *fig.* mark; *fig.* be
a landmark in (*a period*).

jalouser [ʒalu'ze] (1a) *v/t.* be jealous of (*s.o.*); **jalousie** [ˌ'zi] *f*
jealousy; Venetian blind; screen;
⚘ sweet-william; ˌ *du métier* professional jealousy; **jaloux, -ouse**
[ʒa'lu, ˌ'luːz] jealous; envious,

careful (*of one's reputation*); *fig.* eager (to, de).

jamais [ʒa'mɛ] *adv.* ever; never; ~ *de la vie!* out of the question!; ~ *plus* never again; *à (or pour)* ~ for ever; *ne ... ~* never.

jambage [ʒɑ̃'ba:ʒ] *m* △ *door*: jamb; *door, window*: post; *fireplace*: cheek, jamb; foundation-wall; *writing*: down-stroke; **jambe** [ʒɑ̃:b] *f* leg; *glass*: stem; △ *brickwork*: stone pier; △ ~ *de force* strut, prop; *mot.* stay-rod; *à toutes* ~s at top speed; *cela me fait une belle* ~! a fat lot of good that does me; *sp.* jeu *m de* ~s foot-work; *prendre ses* ~s *à son cou* take to one's heels; **jambé, e** [ʒɑ̃'be] *adj.*: *bien* ~ with shapely legs; **jambette** [~'bɛt] *f* small leg; △ stanchion; **jambier, -ère** [~'bje, ~'bjɛ:r] **1.** *adj. anat.* tibial; **2.** *su./f* elastic stocking; legging; *sp.* shinguard; **jambon** [~'bɔ̃] *m* ham; *œufs m/pl. au* ~ ham and eggs; **jambonneau** [~bɔ'no] *m* knuckle of ham; small ham.

jamboree [ʒɑ̃bɔ're] *m* jamboree.

jansénisme *eccl.* [ʒɑ̃se'nism] *m* Jansenism.

jante [ʒɑ̃:t] *f wheel*: felloe; rim.

janvier [ʒɑ̃'vje] *m* January.

japon [ʒa'pɔ̃] *m* Japan porcelain; **japonais, e** [~pɔ'nɛ, ~'nɛ:z] **1.** *adj.* Japanese; **2.** *su./m ling.* Japanese; *su.* ♀ Japanese *the* ♀ *m/pl.* the Japanese.

japper [ʒa'pe] (1a) *v/i.* yelp.

jaquette [ʒa'kɛt] *f* morning coat; (*lady's*) jacket; (*child's*) frock; *book*: dust-jacket.

jardin [ʒar'dɛ̃] *m* garden; ~ *alpin* rock-garden; ~ *anglais* landscape garden; ~ *d'enfants* kindergarten; *thea.* côté *m* ~ prompt-side; **jardinage** [ʒardi'na:ʒ] *m* gardening; garden-produce; garden plot; *diamond*: flaw; **jardiner** [~'ne] (1a) *v/i.* garden; **jardinet** [~'nɛ] *m* small garden; **jardinier, -ère** [~'nje, ~'njɛ:r] **1.** *adj.* garden...; **2.** *su.* gardener; *su./f* flower stand; window-box; spring cart; *orn.* ortolan; ~ère *d'enfants* kindergarten teacher; *cuis. à la* ~ère garnished with vegetables.

jargon [ʒar'gɔ̃] *m* jargon; slang; *fig.* gibberish; **jargonner** [~gɔ'ne] (1a) *v/i.* talk jargon.

jarre [ʒa:r] *f* (earthenware) jar; ⚡ ~ *électrique* Leyden jar.

jarret [ʒa'rɛ] *m anat.* man: back of the knee; *horse*: hock; *cuis. beef*: shin; *veal*: knuckle; ⊕ *pipe*: elbow; △ bulge; **jarretelle** [ʒar'tɛl] *f* suspender, *Am. a.* garter; **jarretière** [~'tjɛ:r] *f* garter.

jars *orn.* [ʒa:r] *m* gander.

jaser [ʒa'ze] (1a) *v/i.* chatter, talk; gossip; **jaseur, -euse** [~'zœ:r, ~'zø:z] **1.** *adj.* talkative; **2.** *su.* chatterbox; gossip; tale-bearer.

jasmin ♀ [ʒaz'mɛ̃] *m* jasmine.

jaspe *min.* [ʒasp] *m* jasper; ~ *sanguin* bloodstone; **jasper** [ʒas'pe] (1a) *v/t.* marble, vein.

jatte [ʒat] *f* bowl; *milk*: pan, basin; **jattée** [ʒa'te] *f* bowlful; *milk*: panful.

jauge [ʒo:ʒ] *f* ga(u)ge (*a.* ⊕); ga(u)ging-rod; *mot.* dip-stick; petrol-ga(u)ge, *Am.* gasoline-ga(u)ge; ♣ tonnage; ⚓ trench; **jauger** [ʒo'ʒe] (11) *v/t.* ga(u)ge (*a.* ⊕); measure; *fig.* size up.

jaunâtre [ʒo'nɑ:tr] yellowish; sallow (*face*); **jaune** [ʒo:n] **1.** *adj.* yellow; **2.** *adv.*: *rire* ~ give a sickly smile; **3.** *su./m* yellow; *egg*: yolk; F blackleg, scab, *Am.* strike-breaker; **jaunet, -ette** [ʒo'nɛ, ~'nɛt] yellowish; **jaunir** [~'ni:r] (2a) *vt/i.* yellow; **jaunisse** ⚕ [~'nis] *f* jaundice.

javart ⚕ [ʒa'va:r] *m horse*: ulcerous sore.

Javel [ʒa'vɛl] *m*: *eau f de* ~ liquid bleach (and disinfectant).

javeler [ʒav'le] (1c) *v/t.* ⚘ lay (*corn*) in swaths; *v/i.* turn yellow; **javelle** ⚘ [ʒa'vɛl] *f corn*: swath; bundle.

javelot [ʒav'lo] *m* javelin.

jazz [dʒa:z] *m* jazz.

je [ʒə] *pron./pers.* I.

jeannette F [ʒa'nɛt] *f* sleeve-board.

je-m'en-fichisme F [ʒəmɑ̃fi'ʃism] *m/inv.* couldn't-care-less attitude.

jenny *tex.* [ʒe'ni] *f* spinning jenny.

jerrycan *mot.* [dʒeri'kan] *m* petrol-can.

jet [ʒɛ] *m* throw, cast(ing); jet (*a. gas, nozzle, etc.*); *liquid*: gush, spurt; *light*: flash, ⚡, ⚡ jetsam; ⚘ shoot, sprout; *metall.* casting; jet (aeroplane); ~ *de sable* sand-blast; ✕ *armes f/pl. de* ~ projectile *or* missile weapons; *du premier* ~ at the first try; **jetée** [ʒə'te] *f* jetty;

breakwater; **jeter** [~'te] (1c) v/t. throw, fling, hurl; throw away; ⚓ drop (anchor), jettison (goods); △ lay (the foundations); 🔩 discharge; utter (a cry, a threat); give off (sparks); se ~ river: flow (into, dans); se ~ sur pounce on; se ~ vers rush towards; **jeton** [~'tɔ̃] m counter; token; teleph. ~ de téléphone telephone token.

jeu [ʒø] m game; play; gambling; fun; thea. acting; ⊕ tools etc.: set; ⊕ machine: working; ⊕ clearance; fig. action, activity; ♪ execution; ♪ organ: stop; cards: pack, Am. deck; thea. ~x pl. de scène stage business sg.; ~ de mots pun, play on words; ~ d'esprit witticism; ⊕ ~ utile play, clearance; avoir beau ~ de faire qch. be able to do s.th. very easily; étaler son ~ show one's hand; sp. franc ~ fair play.

jeudi [ʒø'di] m Thursday; ~ saint Maundy Thursday.

jeun [ʒœ̃] adv.: à ~ on an empty stomach, fasting.

jeune [ʒœn] 1. adj. young; youthful; younger, junior; fig. new; recent; unripe, early (fruit); ~ fille girl; ~ homme youth, lad; 2. su. young person or animal; su./m: les ~s pl. the young pl.; youth (coll.) sg.

jeûne [ʒø:n] m fast(ing), abstinence; **jeûner** [ʒø'ne] (1a) v/i. fast (from, de).

jeunesse [ʒœ'nɛs] f youth; boyhood, girlhood; fig. youthfulness, freshness; F girl; ~ scolaire schoolchildren pl.; **jeunet, -ette** F [~'nɛ, ~'nɛt] very young.

jiu-jitsu [dʒydʒit'sy] m ju-jutsu.

joaillerie [ʒɔaj'ri] f jewellery; jeweller's business; **joaillier** m, -ère f [ʒɔa'je, ~'jɛːr] jeweller.

job F [ʒɔb] m job, employment.

jobard F [ʒɔ'baːr] m dupe, F mug; **jobarder** [ʒɔbar'de] (1a) v/t. fool, dupe; **jobarderie** F [~'dri] f gullibility.

jociste [ʒɔ'sist] su. member of the Jeunesse ouvrière chrétienne.

jocrisse [ʒɔ'kris] m fool; clown; F mug.

joie [ʒwa] f joy, delight; gaiety, mirth.

joignis [ʒwa'ɲi] 1st p. sg. p.s. of joindre; **joignons** [~'ɲɔ̃] 1st p. pl.

pres. of joindre; **joindre** [ʒwɛ̃:dr] (4m) v/t. join (a. ⊕); unite, combine; bring together; clasp (one's hands); 🖋 attach (to a letter); adjoin (a house etc.); 🖋 etc. pièces f/pl. jointes enclosures; se ~ à join (in); v/i. meet; **joins** [ʒwɛ̃] 1st p. sg. pres. of joindre; **joint, e** [ʒwɛ̃, ʒwɛ̃:t] 1. p.p. of joindre; 2. su./m △, ♪, anat., geol. joint; join; metall. seam; ⊕ piston: packing; ⊕ ~ à rotule ball-and-socket joint; mot. ~ de culasse gasket; sans ~ seamless; F trouver le ~ find a way (to, inf., pour inf.; of ger., de inf.); **jointé, e** [ʒwɛ̃'te] jointed; pasterned (horse); **jointif, -ve** △ [~'tif, ~'tiːv] placed edge to edge; joined; **jointoyer** △ [~twa'je] (1h) v/t. point; grout; **jointure** [~'tyːr] f ⊕, anat. joint; fingers: knuckle.

joli, e [ʒɔ'li] pretty; nice; **joliet, -ette** [~'lje, ~'ljɛt] rather pretty; **joliment** [~li'mɑ̃] adv. prettily; fig. well, appropriately; F awfully.

jonc ♀ [ʒɔ̃] m rush; Malacca cane; droit comme un ~ straight as a die; **jonchaie** ♀ [ʒɔ̃'ʃɛ] f rush-bed; cane-plantation; **joncher** [~'ʃe] (1a) v/t. strew; fig. litter; **jonchère** [~'ʃɛːr] f see jonchaie; **jonchets** [~'ʃe] m/pl. game: spillikins.

jonction [ʒɔ̃k'sjɔ̃] f junction (a.⊕, a. 🚂); 🖋 connector; joining, meeting; 🚂 joinder.

jongler [ʒɔ̃'gle] (1a) v/i. juggle (a. fig.); **jonglerie** [~glə'ri] f juggling; fig. trick(ery); **jongleur** [~'glœːr] m juggler; cheat, charlatan; † jongleur.

jonque ⚓ [ʒɔ̃:k] f junk.

jouable ♪, thea., etc. [ʒwabl] playable; **jouailler** F [ʒwa'je] (1a) v/i. cards: play for love; ♪ piano: strum, violin: scrape.

joue [ʒu] f cheek; ~ contre ~ cheek by jowl; mettre en ~ take aim at.

jouer [ʒwe] (1p) v/t. play (a. ♪, thea., a game, cards); back (a horse); stake, bet (money); pretend to be; imitate (s.o.); look like (wool); F fool (s.o.); se ~ gambol, frolic; se ~ de play with, make light of; v/i. play; gamble (on the Stock Exchange), speculate; ⊕ work, run well (machine); ⊕ have too much play; ~ à play (football, at soldiers); ~ de ♪ play (an instrument); fig. make play

with; *à qui de* ~? *cards:* whose turn
is it?; *faire* ~ set in motion, release;
jouet [ʒwɛ] *m* toy; plaything (*a. fig.*);
joueur, -euse [ʒwœːr, ʒwøːz]
1. *su.* player; gambler; ♱ speculator, operator; ♱ ~ *à la hausse* (*à la
baisse*) bull (bear); 2. *adj.* fond of
playing *or* gambling.
joufflu, e [ʒuˈfly] chubby. [beam.]
joug [ʒu] *m* yoke (*a.* ⊕); *balance:*
jouir [ʒwiːr] (2a) *v/i.* enjoy o.s.; ~ *de*
enjoy (*s.th.*); **jouissance** [ʒwiˈsãːs]
f enjoyment; ♱ fruition, right to
interest *etc.*
joujou, *pl.* **-x** F [ʒuˈʒu] *m* toy, plaything; *faire* ~ *avec* play with.
jour [ʒuːr] *m* day(light); daytime;
light (*a. fig.*); dawn, daybreak;
opening, gap; *sewing:* open-work;
fig. aspect; ~ *de fête* holiday; ~ *de
l'an* New Year's Day; ~ *ouvrable*
working-day; *à* ~ *sewing:* open-
work ...; ♱ posted, up to date; *au
grand* ~ in broad daylight; *fig.*
publicly; *au* ~ *le* ~ from day to day;
au point (*or lever*) *du* ~ at daybreak;
de ~ by day; *de nos* ~s nowadays;
donner le ~ *à* give birth to; *du* ~ *au
lendemain* overnight; at a moment's
notice; ✖ *être de* ~ be on duty for
the day; *l'autre* ~ the other day;
fig. mettre au ~ reveal, disclose;
par ~ per *or* a *or* each day; *cuis. plat
m du* ~ today's special dish; *petit* ~
morning twilight; *sous un nouveau* ~
in a new light; *tous les* (*deux*) ~s
every (other) day; *un* ~ one day (*in
the past*), some day (*in the future*);
un ~ *ou l'autre* sooner or later; *vivre
au* ~ *le* ~ live from hand to mouth;
see voir.
journal [ʒurˈnal] *m* record, diary;
journal (*a.* ♱); ♱ day-book; ⚓, ⊕
log-book; newspaper; ~ *financier*
(*officiel*) financial (official) gazette;
~ *parlé radio:* news(-bulletin), *Am.*
newscast; *le* ~ *du jour* today's paper;
journalier, -ère [ʒurnaˈlje, ~ˈljɛːr]
1. *adj.* daily; variable (*character*);
2. *su./m* day-labo(u)rer, journeyman;
journalisme [~ˈlism] *m* journal-
ism; **journaliste** [~ˈlist] *su.* journalist; reporter; ♱ journalizer.
journée [ʒurˈne] *f* day; daytime;
day's work *or* journey; *à la* ~ by
the day; *femme f de* ~ charwoman,
F daily; **journellement** [~nɛlˈmã]
adv. daily, every day.

joute [ʒut] *f* contest; † joust, tilt;
jouter [ʒuˈte] (1a) *v/i.* fight; † joust,
tilt.
jovial, e, *m/pl.* **-als, -aux** [ʒɔˈvjal,
~ˈvjo] jolly, jovial; good-natured;
jovialité [~vjaliˈte] *f* joviality, jollity.
joyau [ʒwaˈjo] *m* jewel (*a. fig.*).
joyeux, -euse [ʒwaˈjø, ~ˈjøːz] merry,
joyful, cheerful.
jubé ⚠, *eccl.* [ʒyˈbe] *m* rood-screen,
rood-loft.
jubilaire [ʒybiˈlɛːr] jubilee-...; **jubilation** F [~laˈsjõ] *f* jubilation; **jubilé** [~ˈle] *m* jubilee; fiftieth anniversary; golden wedding; **jubiler** F
[~ˈle] (1a) *v/i.* be delighted, rejoice;
F gloat.
jucher [ʒyˈʃe] (1a) *vt/i.* perch (*bird,
a. fig. person*); roost; **juchoir** [~-
ˈʃwaːr] *m* perch, hen-roost.
judaïque [ʒydaˈik] Judaic (*law*);
Jewish (*history*); **judaïser** [~iˈze]
(1a) *v/i.* Judaize; **judaïsme** [~ˈism]
m Judaism.
Judas [ʒyˈda] *m* Judas (*a. fig.*); F
traitor; ⚤ spy-hole, Judas(-hole) (*in
a door*).
judicature [ʒydikaˈtyːr] *f* judicature; judgeship; **judiciaire** [~ˈsjɛːr]
judicial, legal; *poursuites f/pl.*
~s legal proceedings; **judicieux,
-euse** [~ˈsjø, ~ˈsjøːz] judicious, sensible; discerning; *peu* ~ injudicious;
ill-advised.
juge [ʒyːʒ] *m* judge (*a. fig.*); *sp.* um-
pire; ~ *d'instruction* examining magistrate; **jugement** [ʒyˈmã] *m* judgment; ⚖ *case:* trial; sentence (*on
criminal*), *civil case:* award; *fig.*
opinion; *fig.* discrimination, good
sense; *eccl.* ~ *dernier* Last Judgment, doomsday (*a. fig.*); ⚖ ~ *par
défaut* judgment by default; **jugeote** F [ʒyˈʒɔt] *f* common sense; F
nip (*s.th.*) in the bud; ⚖ jugulate.
juger [~ˈʒe] (1l) *v/t.* judge; ⚖ try (*for,
pour*); *fig.* think; ~ *à propos de*
think it proper to; *mal* ~ misjudge
(*s.o.*).
jugulaire [ʒygyˈlɛːr] 1. *adj.* jugular;
2. *su./f anat.* jugular (vein); ✖
helmet etc.: chin-strap, chin-chain;
juguler [~ˈle] (1a) *v/t.* strangle; *fig.
nip* (*s.th.*) in the bud; ⚖ jugulate.
juif, juive [ʒɥif, ʒɥiːv] 1. *adj.*
Jewish; 2. *su./m eccl.* (*practising*)
Jew; ⚤ Jew; *petit* ~ funny bone;
su./f ⚤ Jewess.

juillet [ʒɥi'jɛ] *m* July.

juin [ʒɥɛ̃] *m* June.

juiverie [ʒɥi'vri] *f* Jewry; *coll. the* Jews *pl.*; F usury.

julienne [ʒy'ljɛn] *f cuis.* vegetable soup; ♀ rocket.

jumeau, -elle, *m/pl.* **-aux** [ʒy'mo, ~'mɛl,~'mo] 1. *adj.* twin; 2. *su.* twin; *su./f*: ~elles *pl.* opt. binoculars; opera-glasses; ⊕ cheeks; *lathe-bed*: slide-bars; **jumelé, e** [ʒym'le] twin; coupled.

jument [ʒy'mɑ̃] *f* mare.

jumping *sp.* [dʒœm'piŋ] *m* jumping.

jungle [ʒɔ̃:gl] *f* jungle.

jupe [ʒyp] *f* skirt; **jupon** [ʒy'pɔ̃] *m* petticoat; slip, *Am.* half-slip; *Sc.* kilt; *fig.* woman; *courir le* ~ be a skirt-chaser, run after women.

juré, e [ʒy're] 1. *adj.* sworn; 2. *su./m* juror, juryman; ~s *pl.* jury; **jurement** [ʒyr'mɑ̃] *m* swearing, oath; **jurer** [ʒy're] (1a) *v/t.* swear; vow; *v/i.* curse; *fig.* clash (*colours*); **jureur** [~'rœ:r] *m* swearer.

juridiction [ʒyridik'sjɔ̃] *f* ⚖ jurisdiction; venue; *fig.* province; **juridique** ⚖ [~'dik] judicial; legal.

jurisconsulte ⚖ [ʒyriskɔ̃'sylt] *m* jurist; legal expert; **jurisprudence** ⚖ [~pry'dɑ̃:s] *f* jurisprudence; statute law; case-law; (*legal*) precedents *pl.*

juriste ⚖ [ʒy'rist] *m* jurist; legal writer.

juron [ʒy'rɔ̃] *m* oath, swear-word.

jury [ʒy'ri] *m* ⚖ jury; *univ. etc.* board of examiners; selection committee.

jus [ʒy] *m* juice; *cuis.* gravy; *sl.* coffee; ⚡ *sl.* juice (= *current*); *sl.* petrol, *Am.* gas; *sl.* elegance; *cuis. arroser de* ~ baste (*meat*); *mot. sl. donner du* ~ step on the gas.

jusant [ʒy'zɑ̃] *m* ebb(-tide).

jusqu'au-boutisme *pol. etc.* [ʒysko-bu'tism] *m* extremism; **jusqu'au-boutiste** *pol. etc.* [~'tist] *su.* whole-hogger; die-hard; **jusque** [ʒysk(ə)] *prp.* (*usu. jusqu'à*) until, till; as far as (to), up *or* down to; *jusqu'à ce que* (*sbj.*) until; *jusqu'au bout* to the (bitter) end; *jusqu'ici* thus *or* so far.

jusquiame ♀ [ʒys'kjam] *f* henbane.

juste [ʒyst] 1. *adj.* just, legitimate, fair; proper, fit; accurate; exact (*word*); tight (*fit*); right (*time, watch, word*); ~-*milieu* *m* happy *or* golden mean; *au* ~ exactly; 2. *adv.* rightly; just; precisely; ♪ true; scarcely; *à* 10 *heures* ~ at ten (o'clock) sharp; **justement** [ʒystə-'mɑ̃] *adv.* rightly; precisely; **justesse** [~'tɛs] *f* exactness; accuracy (*a. fig.*); appropriateness; *échapper de* ~ just scrape out of it; **justice** [~'tis] *f* justice; equity; legal proceedings *pl.*; *aller en* ~ go to law; *poursuivre en* ~ take legal action against; *se faire* ~ revenge o.s.; commit suicide; **justiciable** [~ti-'sjabl] *adj.*: ~ *de* amenable to (*a. fig.*); open to (*criticism*); **justicier, -ère** [~ti'sje, ~'sjɛ:r] *adj.*, *a.* *su.* justiciary.

justificatif, -ve [ʒystifika'tif, ~'ti:v] 1. *adj.* justificatory; *pièce f* ~*ve* = 2. *su./m* supporting document; ✝ voucher; **justification** [~fika'sjɔ̃] *f* justification (*a. typ., a. eccl.*); vindication; *fact, identity:* proof; **justifier** [~'fje] (1o) *v/t.* justify, vindicate; ⊕ adjust; *se* ~ clear o.s.; *v/i.*: ~ *de* give proof of.

jute *tex.* [ʒyt] *m* jute.

juteux, -euse [ʒy'tø, ~'tø:z] 1. *adj.* juicy; ✗ *sl.* smart, elegant; 2. *su./m* ✗ *sl.* company sergeant-major.

juvénile [ʒyve'nil] juvenile; youthful; **juvénilité** [~nili'te] *f* youthfulness.

juxtaposer [ʒykstapo'ze] (1a) *v/t.* juxtapose, place side by side.

K

K, k [ka] *m* K, k.

kakatoès *orn.* [kakatɔ'ɛs] *m* cockatoo.   [khaki.

kaki *tex.* [ka'ki] *su./m, a. adj./inv.*

kangourou *zo.* [kɑ̃gu'ru] *m* kangaroo.

kaolin [kaɔ'lɛ̃] *m* china clay, kaolin.

kapok ♀ [ka'pɔk] *m* kapok.

képi [ke'pi] *m* peaked cap, kepi.

kermès ♀ [ker'mɛs] *m* kermes.

kermesse [~] *f* village fair; church bazaar.

kérosène [kero'zɛn] *m* paraffin(-oil), *Am.* kerosene.

khâgne [kaɲ] *f see* cagne.

kibboutz [ki'buts] *m* kibbutz.

kidnapper [kidna'pe] (1a) *v/t.* kidnap.

kif kif *sl.* [kif'kif] *adj./inv.* same; the same thing, much of a muchness.

kiki *sl.* [ki'ki] *m* throat, neck.

kilo... [kilo] kilo...; **~cycle** ∮ [~'sikl] *m* kilocycle; **~(gramme)** [~('gram)] *m measure:* kilogram(me); **~métrage** [~me'tra:ʒ] *m* measuring *or* length in kilometres, mileage; **~mètre** [~'mɛtr] *m measure:* kilometer; *~s pl. à l'heure* miles per hour; **~métrer** [~me'tre] (1f) *v/t.* measure in kilometres; mark (*a road*) with kilometre stones; **~watt** ∮

[~'wat] *m* kilowatt; **~-heure** kilowatt-hour.

kimono *cost.* [kimɔ'no] *m* kimono; *manche f* ~ Magyar sleeve.

kiosque [kjɔsk] *m* kiosk; *band:* stand; *flower, newspaper:* stall; ⚓ house; ⚓ *submarine:* conning-tower.

kirsch [kirʃ] *m* kirsch(wasser).

kitchenette [kitʃə'nɛt] *f* kitchenette.

klaxon *mot. etc.* [klak'sɔ̃] *m* horn, hooter, klaxon; **klaxonner** [~sɔ'ne] (1a) *v/i.* hoot, sound the horn.

knock-out *box.* [nɔ'kaut] **1.** *su./m/inv.* knock-out; **2.** *adj./inv.:* mettre q. ~ knock s.o. out.

krach ✝ [krak] *m* crash.

kyrielle F [ki'rjɛl] *f* rigmarole; long list (of, de).

kyste ✻ [kist] *m* cyst.

L

L, l [ɛl] *m* L, l.

la[1] [la] *see* le.

la[2] ♩ [~] *m/inv.* la, *note:* A; *donner le* ~ give the pitch.

là [la] *adv. place:* there; *time:* then; ~ *où* where; *ce livre-*~ that book; *c'est* ~ *que* that is where; *de* ~ hence; **~-bas** [~'ba] *adv.* over there, yonder.

labeur [la'bœ:r] *m* labo(u)r, toil; *typ.* bookwork.

labial, e, *m/pl.* **-aux** [la'bjal, ~'bjo] *adj., a. su./f* labial (*a. gramm.*).

labile [la'bil] ✻, ⚗ labile; *fig.* untrustworthy.

laborantine [laborã'tin] *f* female laboratory assistant; **laboratoire** [~ra'twa:r] *m* ⚗ laboratory; *metall.* furnace: hearth; **laborieux, -euse** [~'rjø, ~'rjø:z] laborious, hardworking; working (*classes*).

labour [la'bu:r] *m* ploughing, tillage; *~s pl.* ploughed land *sg.; cheval m de* ~ plough-horse; **labourable** [labu'rabl] arable; plough-...; **labourage** [~'ra:ʒ] *m* ploughing, tilling; **labourer** [~'re] (1a) *v/t.* plough, till; *fig.* furrow (*one's brow*); ⚓ anchor: drag, *ship:* graze (*the bottom*); **laboureur** [~'rœ:r] *m* ploughman; farm-hand.

labyrinthe [labi'rɛ̃:t] *m* labyrinth (*a. anat.*); maze.

lac [lak] *m* lake; F *dans le* ~ in a fix, in the soup.

laçage [la'sa:ʒ] *m* lacing (up); **lacer** [~'se] (1k) *v/t.* lace (up); ⚓ belay (*a rope*).

lacérer [lase're] (1f) lacerate; tear; slash.

lacet [la'sɛ] *m* (*shoe- etc.*)lace; *hunt.* noose, snare (*a. fig.*); *road:* hairpin bend; *en* ~*s* winding (*road*).

lâchage [lɑ'ʃa:ʒ] *m* release; F *friends:* dropping; **lâche** [lɑ:ʃ] **1.** *adj.* loose, slack; lax (*discipline, style*); cowardly; **2.** *su./m* coward; **lâcher** [lɑ'ʃe] (1a) *v/t.* release (*a. mot.*), loosen, slacken; *fig.* drop; let out (*a curse, an oath, a secret*); ⊕ blow off (*steam*); *fig.* ~ *pied* give ground; *v/i.* become loose; *sp.* F give up; **lâcheté** [lɑʃ'te] *f* cowardice; **lâcheur** *m,* **-euse** *f* F [lɑ'ʃœ:r, ~'ʃø:z] fickle person; quitter.

lacis ✂, *anat., etc.* [la'si] *m* network.

laconique [lakɔ'nik] laconic.

lacrymal, e, *m/pl.* **-aux** [lakri'mal, ~'mo] tear-...; **lacrymogène** [~mɔ'ʒɛn] tear-exciting; *gaz m* ~ tear-gas.

lacs [lɑ] *m* noose, snare; *fig.* trap.

lacté, e [lak'te] milky; milk-(*diet, fever*); *anat.* lacteal; *voie f* ~*e* Milky Way, Galaxy; **lactose** ⚗ [~'to:z] *f* lactose, milk-sugar.

lacune [la'kyn] *f* gap, blank.
lacustre [la'kystr] lacustrine (*a.* zo.); cité *f* ~ lake-dwelling.
lad *sp.* [lad] *m* stable-boy.
là-dessous [lat'su] *adv.* underneath, under there; **là-dessus** [~'sy] *adv.* thereupon (*place, a. time*); on that.
ladite [la'dit] *see* ledit.
ladre [lɑːdr] 1. *adj.* stingy, mean; † *♃* leprous; *vet.* measly; 2. *su./m* skinflint, miser; † leper; **ladrerie** [ladrə'ri] *f* F stinginess, meanness; † leprosy; † lazar-house; *vet. pigs:* measles *sg.*
lai, e [lɛ] 1. *adj. eccl.* lay-...; 2. *su./m eccl.* layman; lay; **laïc, -ïque** [la'ik] *adj., a. su. see* laïque; **laïcisation** [laisiza'sjõ] *f* secularisation; **laïciser** [~'ze] (1a) *v/t.* secularize; **laïcité** [~'te] *f* secularity, undenominationalism.
laid, e [lɛ, lɛːd] ugly; plain (*face*); *Am.* homely; mean (*deed*); **laideron** F [lɛ'drõ] *mf* plain woman or girl; **laideur** [~'dœːr] *f* ugliness; *face:* plainness, *Am.* homeliness.
laie¹ [lɛ] *f* wild sow.
laie² [~] *f* ride; forest-path.
laie³ [~] *f* bush-hammer.
lainage [lɛ'naːʒ] *m* fleece; woollen article; *tex.* teaseling; † ~s *pl.* woollens, woollen goods; **laine** [lɛn] *f* wool; *carpet:* pile; ~ artificielle artificial wool; ~ peignée worsted; **lainer** *tex.* [lɛ'ne] (1b) *v/t.* teasle, nap; **laineux, -euse** [~'nø, ~'nøːz] fleecy; woolly (*hair, sheep, a.* ♃); **lainier, -ère** [~'nje, ~'njɛːr] 1. *adj.* wool(len); 2. *su.* manufacturer of woollens.
laïque [la'ik] 1. *adj.* secular; undenominational (*school*); 2. *su./m* layman; ~s *pl.* laity; *su./f* laywoman.
laisse [lɛs] *f* leash, lead; *fig.* tenir *q.* en ~ keep s.o. in leading-strings.
laisser [lɛ'se] (1b) *v/t.* leave; let, allow, permit; abandon, quit; ~ *là q.* leave s.o. in the lurch; ~ *là qch.* give s.th. up; *v/i.:* ~ *à désirer* leave much to be desired; ~ *à penser* give food for thought; **~-aller** [lɛsea'le] *m/inv.* unconstraint; carelessness; **~-faire** *pol. etc.* [~'fɛːr] *m* inaction, non-interference; **laissez-passer** [~pa'se] *m/inv.* pass, permit.
lait [lɛ] *m* milk; ~ de chaux whitewash; ~ en poudre powdered milk; cochon *m* de ~ sucking-pig; **laitage**

[lɛ'taːʒ] *m* dairy products *pl.*; **laitance** [~'tãːs] *f*, **laite** [lɛt] *f* milt; soft roe; **laité, e** [lɛ'te] soft-roed; **laiterie** [~'tri] *f* dairy; dairy-farming; **laiteux, -euse** [~'tø, ~'tøːz] milky; *♃* lacteal, milk-...; **laitier, -ère** [~'tje, ~'tjɛːr] 1. *adj.* milk-...; dairy-...; 2. *su./m* milk-man; ⊕ slag; *su./f* milk-woman; milkmaid; dairymaid; milk-cart.
laiton [lɛ'tõ] *m* (yellow) brass.
laitue ♀ [lɛ'ty] *f* lettuce; ~ pommée cabbage-lettuce.
laïus F [la'jys] *m* speech.
lama¹ [la'ma] *m Buddhism:* lama.
lama² zo. [~] *m* llama.
lamanage ⚓ [lama'naːʒ] *m* harbour, river: piloting; **lamaneur** ⚓ [~'nœːr] *m* harbour, river: pilot.
lambeau [lã'bo] *m* shred, bit, scrap; rag.
lambin, e F [lã'bɛ̃, ~'bin] 1. *adj.* dawdling, slow; 2. *su.* dawdler; **lambiner** F [~bi'ne] (1a) *v/i.* dawdle.
lambourde [lã'burd] *f* △ bridging joist.   [petmel.]
lambrequin [lãbrə'kɛ̃] *m* valance,
lambris △ [lã'bri] *m wood:* wainscoting, panelling; *marble, stone:* wall-lining; **lambrissage** △ [lãbri'saːʒ] *m* wainscoting, panelling; *room:* lining; **lambrisser** △ [~'se] (1a) *v/t.* wainscot, panel; line (*a room*); plaster (*attic walls*).
lame [lam] *f metal:* thin plate, strip; *sword, razor,* ♀ *leaf, etc.:* blade; *⚡ accumulator etc.:* plate; ⚓ wave; *feather:* vane; *blind:* slat; (*metallic*) foil; **lamelle** [la'mɛl] *f* lamella, scale, flake; *metal:* thin sheet; *blind:* slat; ~s *pl. à parquet* steel shavings; **lamelleux, -euse** [~me'lø, ~'løːz] fissile, F flaky; lamellate(d) (*fungus etc.*).
lamentable [lamã'tabl] deplorable, lamentable; grievous (*error*); pitiful; full of woe (*voice*); **lamentation** [~ta'sjõ] *f* lamentation; **lamenter** [~'te] (1a) *v/t.: se* ~ lament, deplore (s.th., de qch.).
lamette [la'mɛt] *f metal:* small plate; small blade.
laminer ⊕ [lami'ne] (1a) *v/t.* laminate, roll (*metal*); calender (*paper*); throttle (*steam*); **laminoir** ⊕ [~'nwaːr] *m* rolling-mill; roller; *paper:* calendering machine.

lampadaire [lăpa'dɛːr] *m* candela-brum; lamp-stand.

lampe [lãːp] *f* lamp; *radio*: valve; *telev.* tube; ~ *à arc* arc-light; ~ *amplificatrice radio*: amplifying valve; ⊕ ~ *à souder* blowlamp; ~ *de chevet* bedside lamp; ⚔ ~ *de mineur* safety-lamp; ~ *de poche* flash-lamp, electric torch; ~ *témoin* pilot-lamp; ~ *triode* three-electrode lamp.

lampée [lă'pe] *f water etc.*: draught, *Am.* draft; *d'une seule* ~ at one gulp; **lamper** [~] (1a) *v/t.* gulp down, F swig (*a drink*).

lampion [lă'pjõ] *m decorations*: fairy-light; Chinese lantern; **lampiste** [~'pist] *m* lamp-maker; lamplighter; F underling; **lampisterie** [~pis'tri] *f* lamp-making; lamp works *usu. sg.*; ⚙ lamp-cabin, lamp-room.

lamproie *icht.* [lă'prwa] *f* lamprey.

lampyre *zo.* [lă'piːr] *m* fire-fly, glow-worm.

lance [lãːs] *f* spear; lance; *water-hose*: nozzle; *railing*: spike; ⊕ ~ *hydraulique* monitor; *fig. rompre une* ~ *avec* cross swords with (*s.o.*).

lance...: ~**flammes** ⚔ [lãs'flɑːm] *m/inv.* flame-thrower; ~**grenades** ⚔ [~grə'nad] *m/inv.* grenade-thrower; **lancement** [~'mã] *m* throwing; *Am. baseball*: pitch; ⚓ launching (*a. rocket, a. fig.*); *bomb*: releasing; *propeller*: swinging; ✈ floating; **lancer** [lă'se] (1k) *v/t.* throw, fling, hurl; *Am. baseball*: pitch (*a ball*); launch (⚓, ✈ *an article, a rocket, fig. an attack, a. fig. a person*); ⚓ fire (*a torpedo*); utter (*an oath*); emit (*smoke, steam*); set (*a dog on s.o.*); ⚔ throw (*troops against the enemy*); ⚡ switch on; *mot.* start; ⚙ swing (*the propeller*); ✈ float (*a company*); *fig.* crack (*a joke*); se ~ rush, dash, dart; *fig.* se ~ *dans* go *or* launch (out) into; **lance-torpilles** ⚓ [lãstɔr'piːj] *m/inv.* torpedo-tube.

lancette ⚕, 🔺 [lã'sɛt] *f* lancet.

lanceur *m*, **-euse** *f* [lă'sœːr, ~'søːz] thrower; *cricket*: bowler; *Am. sp. baseball*: pitcher; ✈ promoter, floater; *fig.* initiator; **lancier** ⚔ [~'sje] *m* lancer.

lancinant, e [lăsi'nã, ~'nãːt] shooting, throbbing (*pain*).

landau, *pl.* **-s** [lă'do] *m* landau; hooded perambulator.

lande [lãːd] *f* heath, wasteland, moor.

langage [lã'gaːʒ] *m* language; speech; ~ *chiffré* coded text.

lange [lãːʒ] *m* baby's napkin; ~*s pl.* swaddling-clothes (*a. fig.*).

langoureux, -euse [lãgu'rø, ~'røːz] languid, languishing.

langouste *zo.* [lã'gust] *f* lobster; F crayfish.

langue [lãːg] *f* tongue; language; *land*: neck; ~ *maternelle* mother tongue; ~ *verte* slang; *avoir la* ~ *bien pendue* have a glib tongue; *de* ~ *anglaise* English-speaking (*country*); *donner sa* ~ *aux chats* give up (*a riddle etc.*); *ne pas avoir sa* ~ *dans sa poche* have a quick *or* ready tongue; **languette** [lã'gɛt] *f metal, wood*: small tongue; strip; *shoe*, ⊕ joint, *a.* ♪: tongue; ⊕ feather; *balance*: pointer. [lessness.)

langueur [lã'gœːr] *f* languor; list-)

languir [lã'giːr] (2a) *v/i.* languish, pine; *thea.* drag; *fig.*, ✞ be dull; **languissant, e** [~gi'sã, ~'sãːt] languid, listless; languishing (*look etc.*); ✞ dull.

lanière [la'njɛːr] *f* thong, lash.

lansquenet [lãskə'nɛ] *m* lansquenet (*a. card game*).

lanterne [lã'tɛrn] *f* lantern; *opt.* ~ *à projections* slide projector; ~ *sourde* bull's-eye lantern; ~ *vénitienne* Chinese lantern; *à la* ~! string him up!; **lanterneau** [lãtɛr'no] *m* 🔺 staircase: skylight; 🚗 *Am.* monitor roof; **lanterner** F [~'ne] (1a) *v/i.* dawdle; *v/t.* put (*s.o.*) off; pester (*s.o.*); **lanternier** [~'nje] *m* lantern-maker; lamplighter. [~'nøːz] downy.)

lanugineux, -euse 🌿 [lanyʒi'nø,)

lapalissade [lapali'sad] *f* truism, glimpse of the obvious.

laper [la'pe] (1a) *v/t.* lap.

lapereau [la'pro] *m* young rabbit.

lapidaire [lapi'dɛːr] *adj., a. su./m* lapidary; **lapidation** [~da'sjõ] *f* stoning; **lapider** [~'de] (1a) *v/t.* stone to death; F throw stones at; *fig.* hurl (*abuse etc.*); **lapidifier** [~di'fje] (1o) *v/t.* petrify.

lapin, e [la'pɛ̃, ~'pin] *su./m* rabbit; F chap; ~ *de choux* (*or domestique*) tame rabbit; ~ *de garenne* wild rab-

lavette

bit; ~ *mâle* buck rabbit; ✝ *peau f de* ~ cony; F *poser un* ~ *à q.* fail to turn up; *su./f* doe; **lapinière** [⸗pi-'njɛ:r] *f* rabbit-hutch; rabbit-warren.

lapis(-lazuli) [la'pis, ⸗pislazy'li] *m min.* lapis lazuli; *colour:* bright blue.

lapon, -onne [la'pɔ̃, ⸗'pɔn] **1.** *adj.* Lapp(ish); **2.** *su./m ling.* Lapp(ish); *su.* ♀ Laplander, Lapp.

laps [laps] *m:* ~ *de temps* lapse *or* space of time; **lapsus** [la'psys] *m pen, tongue:* slip; *memory:* lapse.

laque [lak] *su./f* lac; *paint.* lake; *su./m* lacquer; **laquer** [la'ke] (1m) *v/t.* lacquer, japan.

laquelle [la'kɛl] *see* lequel.

larbin F [lar'bɛ̃] *m* flunkey.

larcin ⚏ [lar'sɛ̃] *m* larceny; pilfering.

lard [la:r] *m* bacon; back-fat; F *faire du* ~ grow stout; **larder** [lar-'de] (1a) *v/t. cuis.* (inter)lard (*a. fig.*); *fig.* assail (with, de); **lardoire** [⸗'dwa:r] *f cuis.* larding-pin; *a. pile:* shoe; **lardon** [⸗'dɔ̃] *m cuis.* piece of larding bacon; *fig.* cutting remark, jibe; F kid, baby; **lardonner** [⸗dɔ'ne] (1a) *v/t. cuis.* cut (*bacon*) into strips; *fig.* taunt.

large [larʒ] **1.** *adj.* broad; wide; big, ample; loose-fitting (*suit etc.*); **2.** *adv.* broadly; **3.** *su./m* breadth, width; room, space; ⚓ open sea; offing; *au* ~*!* keep away!; **largesse** [lar'ʒɛs] *f* liberality; bounty, largesse; **largeur** [⸗'ʒœ:r] *f* breadth, width; ⚓ *arch:* span; ~ *d'esprit* broadness of mind.

largue ⚓ [larg] slack (*rope*); free, large (*wind*); **larguer** [lar'ge] (1m) *v/t.* ⚓ let go (*a rope*); unfurl (*a sail*); ✕ release (*bombs*).

larme [larm] *f* tear; *fig.* drop; *fig.* ~*s pl. de crocodile* crocodile tears; **larmier** [lar'mje] *m* ⚏ drip-stone; *anat. eye:* corner; *deer:* tear-bag; *horse:* temple; **larmoyant, e** [lar-mwa'jɑ̃, ⸗'jɑ̃:t] weeping; tearful; ⚏ watering; *pej.* maudlin; **larmoyer** [⸗'je] (1h) *v/i.* ⚏ water; *fig. pej.* weep.

larron, -onnesse [la'rɔ̃, ⸗rɔ'nɛs] *su.* robber; *su./m:* s'*entendre comme* ~*s en foire* be as thick as thieves.

larve *biol.* [larv] *f* larva, grub.

laryngite ⚏ [larɛ̃'ʒit] *f* laryngitis; **laryngoscope** ⚏ [⸗gɔs'kɔp] *m* laryngoscope; **laryngotomie** ⚏ [⸗-gɔtɔ'mi] *f* laryngotomy; **larynx** *anat.* [la'rɛ̃:ks] *m* larynx.

las, lasse [lɑ, lɑ:s] tired, weary.

lascar [las'ka:r] *m* lascar; F (smart) fellow.

lascif, -ve [la'sif, ⸗'si:v] lascivious, lewd; **lasciveté** [⸗siv'te] *f* lasciviousness, lewdness.

lasser [lɑ'se] (1a) *v/t.* tire; *fig.* exhaust; *se* ~ grow weary (of, de); **lassitude** [⸗si'tyd] *f* weariness, lassitude.

latanier ♀ [lata'nje] *m* latania.

latéral, e, *m/pl.* **-aux** [late'ral, ⸗'ro] lateral; side-...

latin, e [la'tɛ̃, ⸗'tin] **1.** *adj.* Latin; ⚓ lateen (*sail*); *les nations f/pl.* ~*es* the Latin peoples; **2.** *su./m ling.* Latin.

latitude [lati'tyd] *f geog., fig.* latitude; *fig.* freedom; *geog. par* 10° *de* ~ *Sud* in latitude 10° South.

latrines [la'trin] *f/pl.* latrines.

latte [lat] *f* ⚠ lath; ✕ straight cavalry sword; **latter** [la'te] (1a) *v/t.* ⚠ lath; ⊕ lag; **lattis** [⸗'ti] *m* lath-work.

laudanum [loda'nɔm] *m* laudanum.

laudatif, -ve [loda'tif, ⸗'ti:v] laudatory.

lauréat, e [lɔre'a, ⸗'at] **1.** *adj.* laureate; **2.** *su.* laureate, prize-winner.

laurier ♀, *a. fig.* [lɔ'rje] *m* laurel; ~*-rose, pl.* ~*s-roses* ♀ [⸗rje'ro:z] *m* common oleander.

lavable [la'vabl] washable; **lavabo** [⸗va'bo] *m* wash-stand; lavatory; ✗ baths *pl.*; **lavage** [⸗'va:ʒ] *m* washing; *pol.* ~ *de cerveau* brain-washing; *terre f de* ~ alluvium.

lavande ♀ [la'vɑ̃:d] *f* lavender.

lavandière [lavɑ̃'dje:r] *f* washer-woman; laundress; **lavasse** F [⸗'vas] *f* watery soup; slops *pl.*, dish-water, hog-wash.

lave *geol.* [la:v] *f* lava.

lave-glace *mot.* [lav'glas] *m* windshield washer; **lave-mains** [⸗'mɛ̃] *m/inv.* hand-basin; **lavement** [⸗-'mɑ̃] *m eccl.* washing; ⚏ enema; **laver** [la've] (1a) *v/t.* wash; scrub (*a.* 🔁, ⊕); ⊕ trim up (*wood*); ⚏ bathe (*a wound*); *fig.* clear; *sl.* sell off; F ~ *la tête à* tell (*s.o.*) off, *Am.* call (*s.o.*) down; **lavette** [⸗'vɛt] *f*

dish-mop; dish-cloth; **laveur,
-euse** [~'vœːr, ~'vøːz] *su.* person:
washer, ⊕, ♫ gas: scrubber;
su./m ⊕ scrubber; *su./f* washing-
machine; **lavis** *paint.* [~'vi] *m*
washing; wash-tint; wash-draw-
ing; **lavoir** [~'vwaːr] *m* wash-house,
♫ washing-plant; ~ *de cuisine*
scullery; **lavure** [~'vyːr] *f* swill,
hog-wash; ⊕ metal turnings *pl.*
and filings *pl.*; *gold:* sweepings *pl.*

laxatif, -ve ⚓ [laksa'tif, ~'tiːv] *adj.,
a. su./m* laxative, aperient; **laxité**
[laksi'te] *f* laxity.

layer[1] [lɛ'je] (1i) *v/t.* cut a path
through (*a forest*); blaze (*trees*).

layer[2] ⊕ [~] (1i) *v/t.* tool (*a stone*).

layette [lɛ'jɛt] *f* packing-case;
(*baby's*) layette, baby-linen.

layon *hunt.* [lɛ'jɔ̃] *m* cross-ride;
service-path.

lazaret ⚓ [laza'rɛ] *m* lazaret(to) (*a.
= quarantine station*).

lazulite *min.* [lazy'lit] *f see lapis
(-lazuli).*

le *m*, **la** *f*, **les** *pl.* [lə, la, le] 1. *art./def.*
the; 2. *pron./pers.* him, her, it; *pl.*
them.

lé [le] *m tex.* width, breadth; ⚓
tow-path.

leader *pol., journ., sp.* [li'dœːr] *m*
leader.

lèche [lɛʃ] *f* F *bread etc.*: thin slice;
sl. faire de la ~ à suck up to; **~-cul**
V [~'ky] *m/inv.* arse-crawler; **~frite**
[~'frit] *f* dripping-pan.

lécher [le'ʃe] (1f) *v/t.* lick; *fig.* over-
polish, elaborate (*one's style*);
lécheur *m*, **-euse** *f* [~'ʃœːr, ~'ʃøːz]
gourmand; ⊕ licker; F toady;
lèche-vitrines F [lɛʃvi'trin] *m/inv.*
window-shopping.

leçon [lə'sɔ̃] *f* reading; *school, a. fig.*:
lesson; *univ.* lecture; ~ *particulière*
private lesson.

lecteur *m*, **-trice** *f* [lɛk'tœːr, ~'tris]
reader; *univ.* foreign assistant; *typ.*
proof-reader; **lecture** [~'tyːr] *f*
reading (*a. parl.*); *avoir de la ~* be
well read.

ledit *m*, **ladite** *f*, **lesdits** *m/pl.*,
lesdites *f/pl.* [lə'di, la'dit, le'di,
le'dit] *adj.* the aforesaid, the above-
mentioned, the said ...

légal, e, *m/pl.* **-aux** [le'gal, ~'go]
legal; forensic (*medicine*); *monnaie f*
~*e* legal tender; **légaliser** [legali'ze]
(1a) *v/t.* legalize; attest, certify (*a*

declaration, a signature); **légalité**
[~'te] *f* legality, lawfulness

légat *hist., a. eccl.* [le'ga] *m* legate;
légataire ⚖ [lega'tɛːr] *su.* legatee;
heir; ~ *universel* residuary legatee;
légation *eccl., pol.* [~'sjɔ̃] *f* legation.

légendaire [leʒɑ̃'dɛːr] 1. *adj.* legendary; F epic (*struggle, fight*);
2. *su./m* legendary; **légende** [~'ʒɑ̃ːd]
f legend (*a. coins, illustrations, etc.*);
typ. caption; *diagram, map, etc.*:
key.

léger, -ère [le'ʒe, ~'ʒɛːr] light (*a.
wine*); slight (*error, pain*); weak
(*tea, coffee*); mild (*beer, tobacco*);
fig. flighty (*conduct, woman*); *fig.*
frivolous; free (*talk*); *à la légère*
lightly; unthinkingly, too hastily;
légèreté [leʒɛr'te] *f* lightness *etc.*,
see léger.

légion [le'ʒjɔ̃] *f* ✕ *etc.* legion; *fig.*
host; ~ *d'Honneur* Legion of Hon-
o(u)r; ✕ ~ *étrangère* Foreign Legion; **légionnaire** [~ʒjɔ'nɛːr] *m hist.*
legionary; ✕ soldier of the Foreign
Legion; member of the Legion of
Hono(u)r.

législateur *m*, **-trice** *f* [leʒisla'tœːr,
~'tris] legislator; **législatif, -ve**
[~'tif, ~'tiːv] legislative; **législation** [~'sjɔ̃] *f* legislation; law; **législature** [~'tyːr] *f* legislature; period
of office of a legislative body;
légiste [le'ʒist] 1. *su./m* legist,
jurist; 2. *adj.*: *médecin m* ~ medical
expert.

légitimation [leʒitima'sjɔ̃] *f* child:
legitimation; official recognition;
légitime [~'tim] 1. *adj.* legitimate,
lawful; *fig.* justifiable; sound (*inference*); ~ *défense f* self-defence;
2. *su./f* ⚖ child's portion; *sl.* wife;
légitimer [~ti'me] (1a) *v/t.* legitimate; *fig.* justify; *admin. etc.*
recognize; **légitimité** [~timi'te] *f*
legitimacy; lawfulness.

legs [lɛ] *m* legacy; bequest; **léguer**
[le'ge] (1s) *v/t.* bequeath (*a. fig.*),
leave.

légume [le'gym] *m* vegetable; ⚘
pod; **légumier, -ère** [legy'mje,
~'mjeːr] 1. *adj.* vegetable...; 2. *su./m*
vegetable dish; **légumineux, -euse**
⚘ [~mi'nø, ~'nøːz] 1. *adj.* leguminous; 2. *su./f* leguminous plant.

lendemain [lɑ̃d'mɛ̃] *m* next day,
day after, morrow; *le ~ matin* the
next morning.

lendore [lã'dɔːr] *su.* slowcoach, sleepyhead.

lénifier ✻ [leni'fje] (1o) *v/t.* soothe, assuage, alleviate; **lénitif, -ve** ✻ [~'tif, ~'tiːv] **1.** *adj.* lenitive; soothing; **2.** *su./m* lenitive.

lent, lente [lã, lãːt] slow; slow-burning (*powder*).

lente [lãːt] *f* louse: nit.

lenteur [lã'tœːr] *f* slowness; ~s *pl.* slowness *sg.*; dilatoriness *sg.*

lentille [lã'tiːj] *f* ♀ lentil; *opt.* lens; ⊕, *clock pendulum*: bob, ball; ~s *pl. face*: freckles, spots; *opt.* ~s *pl.* cornéennes contact lenses.

léonin, e [leɔ'nɛ̃, ~'nin] leonine; *fig. part* f ~e lion's share; **léopard** *zo.* [~'paːr] *m* leopard.

lépidoptères [lepidɔp'tɛːr] *m/pl.* lepidoptera.

lèpre ✻ [lɛpr] *f* leprosy (*a. fig.*); **lépreux, -euse** ✻ [le'prø, ~'prøːz] **1.** *adj.* leprous; **2.** *su.* leper; **léproserie** ✻ [~prɔz'ri] *f* leper-hospital.

lequel *m*, **laquelle** *f*, **lesquels** *m/pl.*, **lesquelles** *f/pl.* [lə'kɛl, la-'kɛl, le'kɛl] **1.** *pron./rel.* whom, whom, which; **2.** *pron./interr.* which (one)?; **3.** *adj.* which.

lérot *zo.* [le'ro] *m* garden dormouse, leriot.

les [le] *see* le.

lès [le] *prp.* near ... (*only in place names*).

lèse-majesté ⚖ [lɛzmaʒɛs'te] *f* high treason, lese-majesty; **léser** [le'ze] (1f) *v/t.* wrong (*s.o.*); injure (*a. fig. s.o.'s pride*); *fig.* endanger.

lésine [le'zin] *f* stinginess; **lésiner** [~zi'ne] (1a) *v/i.* be stingy; ~ *sur* haggle over; **lésinerie** [~zin'ri] *f* stinginess.

lésion [le'zjɔ̃] *f* injury (*a.* ⚖); ✻ lesion.

lessivage [lɛsi'vaːʒ] *m* washing; ⊕ *boiler*: cleaning; ⊕, ⚒ leaching; **lessive** [~'siːv] *f* wash(ing); ☩ washing-powder; *faire la* ~ do the laundry; *jour m de* ~ washing-day; **lessiver** [lɛsi've] (1a) *v/t.* wash, scrub (*the floor*); ⊕ clean (*a boiler*); ⊕, ⚒ leach; *sl.* sell; **lessiveuse** [~'vøːz] *f* washing-machine.

lest ⚓ [lɛst] *m* ballast.

leste [~] light, nimble, agile; *fig.* unscrupulous; *fig.* broad (*humour*).

lester [lɛs'te] (1a) *v/t.* ballast; weight (*a net*).

léthargie [letar'ʒi] *f* lethargy; **léthargique** [~'ʒik] lethargic.

letton, -onne [lɛ'tɔ̃, ~'tɔn] **1.** *adj.* Lettonian; *geog.* Latvian; **2.** *su./m ling.* Lettish; *su.* ♀ Lett.

lettre [lɛtr] *f* letter; ~s *pl.* literature *sg.*, letters; ⚖ ~s *pl.* de procuration letters of procuratory; ~s *pl.* patentes letters patent; ~ *chargée* (*or recommandée*) *post*: registered letter; *hist.* ~ *de cachet* order under the king's private seal; ♥ ~ *de change* bill of exchange; ~ *de commerce* business letter; *pol.* ~ *de créance* credentials *pl.*; ~ *de crédit* letter of credit; ~ *de faire-part* notice (*of wedding etc.*); ~ *de voiture* way-bill, consignment note; *à la* ~ literally; *en toutes* ~s in full; *homme m* (*femme f*) *de* ~s man (woman) of letters; *lever les* ~s *post*: collect the post; **lettré, e** [le'tre] well-read, literate.

leu [lø] *m: à la queue* ~ ~ in single file.

leur [lœːr] **1.** *adj./poss.* their; **2.** *pron./pers.* them; (to) them; **3.** *pron./poss.*: *le* (*la*) ~, *les* ~s *pl.* theirs, their own; **4.** *su./m* theirs, their own; *les* ~s *pl.* their (own) people.

leurre [lœːr] *m fish, a. fig.*: bait; *birds*: decoy; *fig.* catch; **leurrer** [lœ're] (1a) *v/t.* bait (*a fish*); decoy (*birds*); *fig.* allure, entice; *se* ~ *de* delude o.s. with.

levage [lə'vaːʒ] *m* hoisting, raising; *dough*: rising; *appareil m de* ~ hoist.

levain [lə'vɛ̃] *m* yeast; leaven (*a. fig.*).

levant [lə'vã] *m* east; **levantin, e** [~vã'tɛ̃, ~'tin] *adj., a. su.* ♀ Levantine.

levé [lə've] *m* ♪ up beat; *surv.* survey; **levée** [~'ve] *f thing*, ✻ siege: raising; *thing, ban, embargo*: lifting; *meeting*: closing; ⚖ *court*: rising; ✗ levy(ing); embankment, causeway; *post*: collection; ✗ *camp*: striking; ⚓ *anchor*: weighing; *sea*: swell; removal; ⊕ *piston*: travel, cam, *valve*: lift, cam, cog; *cards*: trick; **lever** [~'ve] **1.** (1d) *v/t.* lift; raise (*a.* ✗); adjourn, close (*a meeting*); levy (✗, *a. taxes*); shrug (*one's shoulders*); *post*: collect; *post*: clear (*a letter-box*); ✗ *etc.* strike (*a. camp*); ⚓ weigh (*anchor*); remove (*a bandage*, *a difficulty*, *a doubt*); *cards*: pick up (*a trick*); *se* ~ rise, stand

up; clear (*weather*); *v/i.* ⚓ shoot;
rise (*dough*); **2.** *su./m* person, thing,
sum: rising; *thea. curtain:* rise;
(*royal*) levee; *surv.* surveying; **levier** [⸣'vje] *m* lever; *mot.* ~ du
changement de vitesse gear lever.

levraut [lə'vro] *m* leveret, young
hare.

lèvre [lɛ:vr] *f* lip (*a.* ⚓); *crater:*
rim; *geol. fault:* wall; ~s *pl.* wound:
lips; se mordre les ~s d'avoir parlé
regret having spoken.

levrette [lə'vrɛt] *f* greyhound bitch;
lévrier [le'vrje] *m* greyhound.

levure [lə'vy:r] *f* yeast; ~ artificielle
baking-powder.

lexicographe [lɛksikɔ'graf] *m* lexicographer; **lexicographie** [⸣gra'fi]
f lexicography.

lez [le] *see* **lès**.

lézard [le'za:r] *m zo.* lizard; *fig.*
idler, lounger; *faire le* ~ bask in the
sun; **lézarde** [⸣'zard] *f* chink,
crevice, crack; **lézarder** [⸣zar'de]
(1a) *v/t.* crack, split; *v/i.* F bask in
the sun; F lounge.

liage [lja:ʒ] *m* binding, tying, fastening; **liaison** [ljɛ'zɔ̃] *f* joining; connection (*a.* ✝); *cuis.* thickening;
△ mortar, cement; ✕, *gramm.* liaison
(*a.* = intimacy); ♪ slur; **liant, liante**
[ljɑ̃, ljɑ̃:t] **1.** *adj.* binding; flexible,
springy; elastic; good-natured,
sociable; **2.** *su./m* good nature,
amiability, flexibility, springiness;
△ binding agent.

liarder F [ljar'de] (1a) *v/i.* pinch
and scrape; count every halfpenny.

liasse [ljas] *f* bundle, packet; wad.

libation [liba'sjɔ̃] *f* libation; F *faire
d'amples* ~s drink deeply.

libelle [li'bɛl] *m* lampoon; ⚖ libel;
libeller [libɛl'le] (1a) *v/t.* draw up
(*a cheque, a document*); make out
(*a cheque*); **libelliste** [⸣'list] *m*
lampoonist.

libellule *zo.* [libɛl'lyl] *f* dragon-fly,
(devil's) darning-needle.

liber ⚓ [li'bɛ:r] *m* bast, inner bark.

libéral, e [libe'ral, *m/pl.* -aux
~'ro] **1.** *adj.* liberal; broad; generous; **2.** *su./m* liberal; **libéralisme**
pol. [libera'lism] *m* liberalism; **libéralité** [⸣li'te] *f* liberality; *fig.* generosity; **libérateur, -trice** [⸣'tœ:r,
~'tris] **1.** *adj.* liberating; **2.** *su.*
liberator, deliverer, rescuer; **libération** [⸣'sjɔ̃] *f* liberation; ⚖ dis-

charge (*a.* ✕), release; ✝ payment
in full; **libérer** [libe're] (1f) *v/t.*
liberate; set free; ⚖, ✕ discharge;
✕ exempt from military service;
✝ free (*s.o. of a debt*); se ~ de free
o.s. from; ✝ liquidate (*a debt*);
liberté [libɛr'te] *f* liberty, freedom;
⊕ piston: clearance; prendre des ~s
avec take liberties with; prendre la
~ de (*inf.*) take the liberty of (*ger.*);
libertin, e [⸣'tɛ̃, ~'tin] **1.** *adj.* dissolute; *fig* freakish; **2.** *su.* libertine;
rake; **libertinage** [⸣ti'na:ʒ] *m* dissolute behavio(u)r or ways *pl.*

libidineux, -euse [libidi'nø, ~'nø:z]
lewd, lustful; **libido** *psych.* [⸣'do]
f libido.

libraire [li'brɛ:r] *su.* bookseller;
~-**éditeur**, *pl.* ~s-**éditeurs** [⸣brɛre-
di'tœ:r] *m* publisher; **librairie**
[⸣brɛ'ri] *f* bookshop; book-trade;
publishing house.

libre [libr] free; independent
(*school*); *admin.* unstamped (*paper*);
~ à vous de (*inf.*) you are welcome
or at liberty to (*inf.*); *teleph.* pas ~
line engaged, *Am.* line busy;
~-**échange** [libre'ʃɑ̃:ʒ] *m* free(-)
trade; ~-**échangiste** [⸣ʃɑ̃'ʒist] *m*
free-trader; ~-**service**, *pl.* ~s-**services** [librəsɛr'vis] *adj.*: magasin ~
~ self-service store.

librettiste *thea.* [librɛ'tist] *m* libret-
tist; **libretto** *thea.* [⸣'to] *m* libretto.

lice[1] *tex.* [lis] *f* warp.

lice[2] *hunt.* [⸣] *f* hound bitch.

lice[3] [⸣] *f* ✝ lists *pl.*; *fig.* entrer en ~
contre enter the lists against, F have
a tilt at.

licence [li'sɑ̃:s] *f* *fig.*, *a. admin.*
licence; *univ.* degree of licentiate;
fig. licentiousness; ~ poétique poetic
licence; prendre des ~s avec take
liberties with; **licencié** *m, e* f
[lisɑ̃'sje] licentiate; *univ.* bachelor
(*of arts etc.*); ✝ licensee; **licenciement** ✕ etc. [⸣si'mɑ̃] *m* disband-
ing; **licencier** [⸣'sje] (1o) *v/t.* disband; ⊕ lay off (*workmen*); **licencieux, -euse** [⸣'sjø, ~'sjø:z] licentious.

lichen ⚓ [li'kɛn] *m* lichen.

licher *sl.* [li'ʃe] (1a) *v/t.* lick; drink
(up).

licitation ⚖ [lisita'sjɔ̃] *f* sale by
auction as one lot (*of property held
jointly or in common*).

licite [li'sit] licit, lawful.

liciter ♃ [lisi'te] (1a) *v/t.* sell by auction as one lot; *see licitation*.

licol [li'kɔl] *m* halter.

licorne [li'kɔrn] *f* ⊘, *myth.* unicorn; *icht.* ~ de mer narwhal.

licou [li'ku] *m see licol*.

lie [li] *f* lees *pl.*; dregs *pl.* (*a. fig.*).

liège [ljɛːʒ] *m* ♀ cork oak; cork; float; **liégeux, -euse** [lje'ʒø, ~'ʒøːz] cork-like.

lien [ljɛ̃] *m* tie (*a.* ⊕), bond, link; ⊕ *metal*: strap, band; ~s *pl.* chains; **lier** [lje] (1o) *v/t.* bind (*a.* ♃), fasten, tie; connect, link (*ideas, questions, topics*); *cuis.* thicken (*a sauce*); ~ *connaisance avec* strike up an acquaintance with; *se* ~ *avec* make friends with.

lierre ♀ [ljɛːr] *m* ivy.

liesse [ljɛs] *f* rejoicing, jollity.

lieu [ljø] *m* place; locality, spot; *fig.* grounds *pl.*, reason, cause; ⚓ locus; site; ~x *pl.* premises; ~x *pl.* (*d'aisance*) privy *sg.*, toilet *sg.*; *gramm.* ~x *pl.* communs commonplaces; *au* ~ *de* instead of; *au* ~ *que* whereas; *avoir* ~ take place, occur; *donner* ~ *à* give rise to; *en premier* ~ in the first place, first of all; *il y a* (*tout*) ~ *de* (*inf.*) there is (every) reason for (*ger.*); *sur les* ~x on the premises; F on the spot.

lieue [ljø] *f measure*: league.

lieur, -euse [ljœːr, ljøːz] *su. person*: binder; *su./f* (*mechanical*) binder.

lieutenance [ljøt'nãːs] *f* lieutenancy; **lieutenant** [~'nã] *m* ✕ lieutenant; ♏ ~ *de vaisseau* lieutenant; ~*-colonel* ✕ lieutenant-colonel; ✂ wing-commander.

lièvre *zo.* [ljɛːvr] *m* hare.

liftier [lif'tje] *m* lift boy, *Am.* elevator operator.

ligament *anat.* [liga'mã] *m* ligament; **ligamenteux, -euse** [~mã-'tø, ~'tøːz] ligamentous; **ligature** [~'tyːr] *f* binding, tying; ♪, *typ.* ligature; ♏, ♪ splice; ♪ tie; **ligaturer** [~ty're] (1a) *v/t.* bind; ♪ ligature; ♪ tie.

lignage [li'naːʒ] *m* lineage; **lignard** ✕ F [~'naːr] *m* soldier of the line, infantryman; **ligne** [liɲ] *f* line, row; ✂ flight; *geog. the* equator; ~ *aérienne* ✂ overhead line; airline; *à la* ~*!* new paragraph!, indent!; F *elle a de la* ~ she has a good figure;

♏ *grande* ~ main line; *hors* ~ incomparable; *lire entre les* ~s read between the lines; *pêcher à la* ~ angle; **lignée** [li'ɲe] *f* issue; descendants *pl.*

ligneul [li'ɲœl] *m* shoemaker's thread.

ligneux, -euse [li'ɲø, ~'ɲøːz] ligneous, woody; **lignifier** [~ɲi'fje] (1o) *v/t. a. se* ~ turn into wood; **lignite** *min.* [~'ɲit] *m* lignite, brown coal.

ligoter [ligɔ'te] (1a) *v/t.* tie up.

ligue [lig] *f* league; **liguer** [li'ge] (1m) *v/t.* league; **ligueur** *hist.* [~'gœːr] *m* leaguer.

lilas ♀ [li'la] *su./m, a. adj./inv.* lilac.

limace [li'mas] *f zo.* slug; ⊕ Archimedean screw; **limaçon** [~ma'sɔ̃] *m zo.* snail; *anat.* cochlea; ~ *de mer* periwinkle; *escalier m en* ~ spiral staircase.

limaille ⊕ [li'maːj] *f* filings *pl.*

limande [li'mãːd] *f icht.* dab; ⊕ graving piece.

limbe [lɛ:b] *m astr.* rim; ⚓, ♀ limb; ♀ *leaf*: lamina; *eccl.* ~s *pl.* limbo *sg.*

lime ⊕ [lim] *f* file; ~ *à ongles* nailfile; *enlever à la* ~ file (*s.th.*) off; **limer** [li'me] (1a) *v/t.* file; *fig.* polish; **limeuse** ⊕ [~'møːz] *f* filing-machine.

limier [li'mje] *m zo.* bloodhound; F sleuth.

limitatif, -ve [limita'tif, ~'tiːv] limiting, restrictive; **limitation** [~'sjɔ̃] *f* limitation, restriction; ~ *des naissances* birth-control; **limite** [li'mit] **1.** *su./f* limit; boundary (*a. sp.*); ~ *d'élasticité* elastic limit, tensile strength; **2.** *adj.: cas m* ~ border-line case; *vitesse f* ~ maximum speed, speed limit; **limiter** [limi'te] (1a) *v/t.* limit; restrict; **limitrophe** [~'trɔf] (*de*) adjacent (to); bordering (on); *pays m* ~ borderland.

limoger ✕ F [limɔ'ʒe] (1l) *v/t.* stellenbosch; supersede (*a general etc.*).

limon¹ [li'mɔ̃] *m* mud, slime, alluvium.

limon² [~] *m cart etc.:* shaft; △ string-board.

limon³ ♀ [li'mɔ̃] *m* sour lime; **limonade** [limɔ'nad] *f* lemonade; **limonadier** *m*, **-ère** *f* [~na'dje, ~'djɛːr] bar-keeper; dealer in soft drinks, *Am.* soda-fountain keeper.

limoneux, -euse [limɔ'nø, ~'nøːz]

muddy (*water*); *geol.* alluvial; 💥 growing in mud; bog-... [tree.]
limonier[1] 💥 [limɔ'nje] *m* sour-lime]
limonier[2] [limɔ'nje] *m* shaft-horse; **limonière** [~'njɛːr] *f* pair of shafts; four-wheeled dray.

limousine [limu'zin] *f* rough woollen coat *or* cloak; *mot.* limousine; **limousiner** △ [~zi'ne] (1a) *v/t.* build in rubble work.

limpide [lɛ̃'pid] clear, transparent, limpid; **limpidité** [~pidi'te] *f* limpidity; clarity.

lin [lɛ̃] *m* 💥 flax; *tex.* linen; **linaire** 💥 [li'nɛːr] *f* linaria, F toad-flax; **linceul** [lɛ̃'sœl] *m* shroud.

linéaire [line'ɛːr] linear; ⊕ *dessin m* ~ geometrical drawing; *mesure f* ~ measure of length; **linéament** [~a'mɑ̃] *m* feature (*a. fig.*).

linette 💥 [li'nɛt] *f* linseed.

linge [lɛ̃ːʒ] *m* linen, calico; ~ *de corps* underwear; ~ *de table* table linen; ~ *sale* dirty linen (*a. fig.*); **linger** *m*, -**ère** [lɛ̃'ʒe, ~'ʒɛːr] *su.* linendraper; *su./f* wardrobe keeper; seamstress; **lingerie** [lɛ̃ʒ'ri] *f* underwear; ♥ linen-drapery; linen-trade; linen-room.

lingot *metall.* [lɛ̃'go] *m* ingot; **lingotière** *metall.* [~gɔ'tjɛːr] *f* ingotmo(u)ld.

lingual, e, *m/pl.* **-aux** [lɛ̃'gwal, ~'gwo] lingual; **linguiste** [~'gɥist] *su.* linguist; **linguistique** [~gɥis-'tik] **1.** *adj.* linguistic; **2.** *su./f* linguistics *sg.*

linier, -ère [li'nje, ~'njɛːr] **1.** *adj.* linen...; flax...; **2.** *su./f* flax-field.

liniment [lini'mɑ̃] *m* liniment.

linoléum [linɔle'ɔm] *m* linoleum; oilcloth.

linon *tex.* [li'nɔ̃] *m* lawn; buckram.

linotte *orn.* [li'nɔt] *f* linnet; red poll; F *tête f de* ~ feather-brain.

linteau △ [lɛ̃'to] *m* lintel.

lion [ljɔ̃] *m* lion (*a.* F); F celebrity; *astr. le* ♌ Leo, the Lion; *fig. part f du* ~ lion's share; **lionceau** [ljɔ̃-'so] *m* lion cub; **lionne** [ljɔn] *f* lioness.

lippe [lip] *f* thick lower lip; F *faire la* ~ pout; **lippée** † [li'pe] *f* feast; **lippu, e** [~'py] thick-lipped.

liquéfaction ♠ *etc.* [likefak'sjɔ̃] *f* liquefaction; **liquéfier** ♠ *etc.* [~'fje] (1o) *v/t.* liquefy; reduce to the liquid state; *se* ~ liquefy.

liquette F [li'kɛt] *f* shirt.
liqueur [li'kœːr] *f* liquor, drink; liqueur; ♠ solution, liquid.
liquidateur ♣ [likida'tœːr] *m* liquidator; **liquidation** [~'sjɔ̃] *f* liquidation; ♠ *Stock Exchange:* settlement; ♠ clearance sale; ♣ † ~ *judiciaire* winding up.

liquide [li'kid] **1.** *adj.* liquid (*a. gramm., a.* ♠ *debt*); ready (*money*); *actif m* ~ liquid assets *pl.*; **2.** *su./m* liquid; drink; *su./f gramm.* liquid consonant; **liquider** [~ki'de] (1a) *v/t.* liquidate (*a. fig.*); ♠ settle (*an account, a. fig. a question*); ♠ sell off (*goods*); *fig.* get rid of; *se* ~ *avec* clear off one's debt to.

liquoreux, -euse [likɔ'rø, ~'røːz] liqueur-like; sweet (*wine*); **liquoriste** [~'rist] *m* wine and spirit merchant.

lire[1] [liːr] (4t) *v/i.* read (about, *sur*); *v/t.* read; *cela se lit sur votre visage* it shows in your face; *je vous lis difficilement* I have difficulty with your handwriting.
lire[2] [~] *f Italian currency:* lira.
lis 💥 [lis] *m* lily; ◻ *fleur f de* ~ fleur-de-lis.

liséré [lize're] *m* border, edging; piping, binding; **lisérer** [~] (1d) *v/t.* border, edge; pipe.
liseron 💥 [liz'rɔ̃] *m* bindweed, convolvulus.

liseur, -euse [li'zœːr, ~'zøːz] *su.* great reader; *su./f* reading stand; *book:* dust jacket; reading-lamp; *cost.* bed jacket; **lisibilité** [~zibili'te] *f* legibility; **lisible** [~'zibl] legible; *fig.* readable (*book*).
lisière [li'zjɛːr] *f tex.* selvedge, list; *field, forest:* edge; *country, field:* border; *fig.* leading-strings *pl.*
lisons [li'zɔ̃] *1st p. pl. pres. of lire*[1].
lissage [li'saːʒ] *m* ⊕ polishing; *metal:* burnishing.
lisse[1] [lis] smooth, polished; glossy.
lisse[2] ♣ [~] *f* rail; *hull:* ribband.
lisse[3] *tex.* [~] *f* warp.
lisser [li'se] (1a) *v/t.* smooth, polish; burnish (*metal*); glaze (*paper*); *bird:* preen (*its feathers*); *se* ~ become smooth; **lissoir** ⊕ [~'swaːr] *m* smoother; polishing-iron.
liste [list] *f* list, roll; register; ✗ roster; ♣ *jury:* panel; ~ *civile* civil list; ~ *électorale* register of voters.
listeau [lis'to] *m*, **listel** [~'tɛl] *m* △

listel, fillet; *coin*: rim; ⚓ sheer-rail.

lit [li] bed (*a.* ⚓, ⊕, *river*, *etc.*); *river*: bottom; *geol.* layer, stratum; ～ *de camp* camp-bed; *hist.* ～ *de justice king's throne in old French parliament*; ～ *de mort* death-bed; ～ *d'enfant* cot; ～ *de plume* feather bed; *fig.* comfortable job; ⚓ ～ *du vent* wind's eye; ～ *escamotable* folding-bed; *chambre f à deux ～s* twin-bedded room; *enfant mf du second* ～ child of the second marriage; *faire* ～ *à part* sleep apart; *garder le* ～ be confined to one's bed.

litanie [lita'ni] *f* F rigmarole; *eccl.* ～*s pl.* litany *sg.*; F *la même* ～ the old, old story; the same refrain.

liteau [li'to] *m* ⚓ batten, rail; *tex.*)

literie [li'tri] *f* bedding.   [stripe.)

litho...[lito]**litho...;~graphe** [~'graf] *m* lithographer; **~graphie** [~gra'fi] *f* lithography; lithograph.

litière [li'tjɛːr] *f* litter; *fig. faire* ～ *de* trample underfoot.

litigant, e ⚖ [liti'gã, ~'gãːt] litigant; **litige** ⚖ [~'tiːʒ] *m* litigation; (law)suit; *en* ～ under dispute, at issue; **litigieux, -euse** [~ti'ʒjø, ~'ʒjøːz] litigious.

litorne *orn.* [li'tɔrn] *f* fieldfare.

litre [litr] *m* measure: litre, *Am.* liter.

littéraire [lite'rɛːr] literary; **littéral, e,** *m/pl.* **-aux** [~'ral, ~'ro] literal (*a.* Å); ⚖ documentary (*evidence*); **littérateur** [~ra'tœːr] *m* man of letters; **littérature** [~ra-'tyːr] *f* literature; ～ *professionnelle* technical literature.

littoral, e, *m/pl.* **-aux** [lito'ral, ~'ro] 1. *adj.* coastal, littoral; 2. *su./m* coast-line; shore.

liturgie *eccl.* [lityr'ʒi] *f* liturgy; **liturgique** *eccl.* [~'ʒik] liturgical.

liure [ljyːr] *f* cart-load *etc.*: lashing.

livide [li'vid] livid; ghastly; **lividité** [~vidi'te] *f* lividness; ghastliness.

livrable ✝ [li'vrabl] deliverable; ready for delivery; **livraison** [~vrɛ-'zõ] *f* ✝ delivery; *book*: instalment.

livre¹ [liːvr] *m* book; ⚓ ～ *de bord* log-book; ～ *de raison* register; record; *pol.* ～ *jaune* (*approx.*) blue book; *à* ～ *ouvert* at sight; *tenir les* ～*s* keep the accounts; ✝ *tenue f des* ～*s* book-keeping; *see grand-livre.*

livre² [~] *f money, weight*: pound.

livrée [li'vre] *f* livery; *coll.* servants *pl.*

livrer [~] (1a) *v/t.* deliver; ✗ surrender; ～ *bataille* join battle (with, *à*); *se* ～ surrender; *fig.* indulge (in, *à*).

livret [li'vrɛ] *m* booklet; ♩ libretto; (*bank-*)book; *school*: record-book; (*student's*) handbook.

livreur ✝ [li'vrœːr] *m* delivery-man, delivery-boy; **livreuse** [li'vrøːz] *f* delivery-girl; delivery-van.

lobe [lɔb] *m* ♀, *anat.* lobe; Å foil; **lobé, e** ♀ [lɔ'be] lobed, lobate; **lobule** ♀, *anat.* [~'byl] *m* lobule.

local, e, *m/pl.* **-aux** [lɔ'kal, ~'ko] 1. *adj.* local; 2. *su./m* premises *pl.*; site; room; **localiser** [lɔkali'ze] (1a) *v/t.* locate; localize; **localité** [~li'te] *f* locality, place; **locataire** [~'tɛːr] *su.* tenant, occupier; ⚖ lessee; lodger; hirer; **locatif, -ve** [~'tif, ~'tiːv] rental; tenant's ...; *réparations f/pl.* ～*ves* repairs for which the tenant is liable; **location** [~'sjõ] *f* hiring; letting; renting; tenancy; *thea. etc.* booking; ～ *de livres* lending-library; *bureau m de* ～ box-office; booking-office (*a.* ⊛); **location-vente** [~sjõ'vãːt] *f* hire-purchase system.

loch ⚓ [lɔk] *m* log.

lock-out ⊕ [lɔ'kaut] *m/inv.* lock-out.

locomobile [lɔkɔmɔ'bil] 1. *adj.* travelling; locomotive; 2. *su./f* transportable steam-engine, loco-mobile; **locomotif, -ve** [~'tif, ~-'tiːv] 1. *adj.* ⊕, *a. physiol.* locomotive; transportable; 2. *su./f* lo-comotive, engine; **locomotion** [~-'sjõ] *f* locomotion.

locuste *zo.* [lɔ'kyst] *f* locust.

locution [lɔky'sjõ] *f* expression, phrase.

lof [lɔf] *m* windward side; *sail*: luff; **lofer** ⚓ [lɔ'fe] (1a) *v/i.* luff.

loge [lɔʒ] *f* hut; cabin; *freemason, gardener, porter*: lodge; *dog*: kennel; *thea.* box; *thea.* (*artist's*) dressing-room; ♀ cell, loculus; **logeable** [lɔ'ʒabl] fit for occupation (*house*); *mot.* comfortable; **logement** [lɔʒ-'mã] *m* lodging, housing; accommodation; ✗ billeting; ✗ quarters *pl.*; ⊕ bed, seating; ✝ container; **loger** [lɔ'ʒe] (1l) *v/t.* lodge, house;

✕ billet, quarter; put; ⊕ fix, fit, set; v/i. lodge, live; ✕ be quartered; ~ en *garni* live in lodgings; **logette** [~'ʒɛt] f small lodge; *thea.* small box; **logeur** [~'ʒœːr] m landlord, lodging-house keeper; ✕ householder (*on whom a soldier is billeted*); **logeuse** [~'ʒøːz] f landlady.

logicien m, **-enne** f [lɔʒi'sjɛ̃, ~'sjɛn] logician; **logique** [~'ʒik] **1.** *adj.* logical; **2.** *su./f* logic.

logis [lɔ'ʒi] m abode, home, dwelling; hostelry; *fig.* la *folle du* ~ the imagination.

loi [lwa] f law; rule; *mettre hors la* ~ outlaw; *parl. projet de* ~ bill; *se faire une* ~ *de* (*inf.*) make a point of (*ger.*); **~-cadre**, *pl.* **~s-cadres** [~'kɑːdr] f skeleton law.

loin [lwɛ̃] *adv.* far, distant (from, de); ~ *de* (*inf.*) far from (*ger.*); *aller trop* ~ overdo it, go too far; *au* ~ far away; *bien* ~ very far; far back (*in the past*); further on (*in the book etc.*); *de* ~ at a distance; from afar; *de* ~ *en* ~ at long intervals, now and then; **lointain, e** [~'tɛ̃, ~'tɛn] **1.** *adj.* far (off), distant, remote; **2.** *su./m* distance; *dans le* ~ in the distance.

loir *zo.* [lwaːr] m dormouse.

loisible [lwa'zibl] permissible; optional; **loisir** [~'ziːr] m leisure; *à* ~ at leisure, leisurely.

lombaire *anat.* [lɔ̃'bɛːr] lumbar; **lombes** *anat.* [lɔ̃:b] *m/pl.* lumbar region *sg.*; loins.

londonien, -enne [lɔ̃dɔ'njɛ̃, ~'njɛn] **1.** *adj.* London ...; **2.** *su.* ♀ Londoner.

long, longue [lɔ̃, lɔ̃:g] **1.** *adj.* long; thin (*sauce*); ~ *à croître* slow-growing; ✝ *à* ~ *terme* long-dated (*bill*); *de longue main* for a long time past; *être* ~ *à* (*inf.*) be long in (*ger.*); **2.** *long adv.*: *fig. en dire* ~ speak volumes; *en savoir* ~ know all about it; **3.** *su./m* length; *de* ~ *en large* to and fro; *deux pieds de* ~ two feet long; *le* ~ *de* (all) along; *tomber de tout son* ~ fall full length, F measure one's length; *su./f gramm.* long syllable; *cards*: long suit; *à la longue* in the long run; at length.

longanimité [lɔ̃ganimi'te] f forbearance; long-suffering.

long-courrier ✈ [lɔ̃ku'rje] m long-distance plane.

longe [lɔ̃:ʒ] f tether; *whip*: thong; longe; *cuis.* veal, venison: loin.

longer [lɔ̃'ʒe] (1l) v/t. pass *or* go along; skirt (*the coast, a wall*); **geron** [lɔ̃ʒ'rɔ̃] m △ stringer; longitudinal girder; ✈ *fuselage*: longeron, *wing*: spar.

longévité [lɔ̃ʒevi'te] f longevity, long life.

longitude *geog.* [lɔ̃ʒi'tyd] f longitude; **longitudinal, e**, *m/pl.* **-aux** [~tydi'nal, ~'no] longitudinal, lengthwise; ⚓ fore-and-aft.

longtemps [lɔ̃'tɑ̃] *adv.* long, a long time; *il y a* ~ long ago.

longueur [lɔ̃'gœːr] f length (*a. sp.*); *fig.* slowness; *phys.* ~ *d'onde radio*: wave-length.

longue-vue, *pl.* **longues-vues** [lɔ̃g-'vy] f telescope, field-glass.

looping ✈ [lu'piŋ] m loop(ing); *faire un* ~ loop (the loop).

lopin [lɔ'pɛ̃] m ground: patch, plot.

loquace [lɔ'kwas] talkative; garrulous; **loquacité** [~kwasi'te] f loquacity, talkativeness.

loque [lɔk] f rag.

loquet [lɔ'kɛ] m latch; *knife*: clasp; **loqueteau** [lɔk'to] m catch, small latch.

loqueteux, -euse [lɔk'tø, ~'tøːz] **1.** *adj.* ragged, in tatters; **2.** *su.* tatterdemalion.

lorgner [lɔr'ɲe] (1a) v/t. ogle, leer at; *fig.* have one's eye on; stare at; **lorgnette** [~'ɲɛt] f opera-glasses *pl.*; **lorgnon** [~'ɲɔ̃] m eye-glasses *pl.*; pince-nez.

loriot *orn.* [lɔ'rjo] m oriole.

lorrain, e [lɔ'rɛ̃, ~'rɛn] **1.** *adj.* of or from Lorraine; **2.** *su.* ♀ Lorrainer.

lors [lɔːr] *adv.*: ~ *de* at the time of; ~ *même que* even when; *dès* ~ since that time; *consequently*; *pour* ~ so ...; **lorsque** [lɔrsk(ə)] *cj.* when.

losange ♦ [lɔ'zɑ̃:ʒ] m rhomb(us); *en* ~ diamond-shaped.

lot [lo] m portion, share, lot (*a. fig.*); prize; *gros* ~ first prize, jackpot; **loterie** [lɔ'tri] f lottery (*a. fig.*); draw, raffle.

lotier ♀ [lɔ'tje] m lotus.

lotion [lɔ'sjɔ̃] f ✕, ⊕ washing; lotion; ~ *capillaire* hairwash; **lotionner** [~sjɔ'ne] (1a) v/t. wash, bathe; sponge.

lotir [lɔ'tiːr] (2a) v/t. parcel out (✝, *a. an estate*); *min.* sample (*ores*);

~ q. de qch. allot s.th. to s.o.; **lotis-
sement** [‿tis'mã] m land: development; ⚓ parcelling out; dividing
into lots; estate: apportionment.
loto [lɔ'to] m lotto; lotto set.
louable [lwabl] laudable, praiseworthy (for, de).
louage [lwa:ʒ] m hiring out; hire;
⚓ chartering; de ~ hired; ⚓ charter...
louange [lwã:ʒ] f praise; **louanger**
[lwã'ʒe] (1l) v/t. praise, extol;
louangeur, -euse [‿'ʒœ:r, ‿'ʒø:z]
1. adj. adulatory; 2. su. adulator,
lauder.
louche[1] [luʃ] cross-eyed; F ambiguous; fig. shady (thing); shifty
(person).
louche[2] [‿] f (soup-)ladle; ⊕
reamer.
loucher [lu'ʃe] (1a) v/i. squint;
loucherie [luʃ'ri] f squint.
louchet [lu'ʃɛ] m draining-spade.
louer[1] [lwe] (1p) v/t. rent, hire;
book, reserve (a place, seats).
louer[2] [‿] (1p) v/t. praise; commend (s.o. for s.th., q. de qch.);
se ~ de be very pleased with; congratulate o.s. on.
loueur[1] m, **-euse** f [lwœ:r, lwø:z]
hirer out.
loueur[2], **-euse** [‿] 1. adj. flattering;
2. su. flatterer.
loufoque F [lu'fɔk] loony, daft, F
dippy.
loulou zo. [lu'lu] m Pomeranian.
loup [lu] m zo. wolf; fig. (black velvet) mask; ✂ gas-mask: face-piece;
fig. flaw; ⊕ crow-bar; ⊕ bug; ~ de
mer icht. sea-perch; F old salt; à
pas de ~ stealthily; entre chien et ~
in the twilight; hurler avec les ~s
do in Rome as the Romans do;
~-cervier, pl. ~s-cerviers [‿ser-
'vje] m zo. lynx; fig. profiteer.
loupe [lup] f ⚕ wen; ♀ excrescence;
opt. lens, magnifying-glass.
loupé ⊕ [lu'pe] defective (piece);
louper [‿'pe] (1a) v/t. bungle,
botch.
loup-garou, pl. **loups-garous** [lu-
ga'ru] m myth. werewolf; F fig.
bear; F bogy.
lourd, lourde [lu:r, lurd] heavy, Am.
hefty; clumsy; fig. gross (error, incident); fig. dull (mind etc.); sultry,
close (weather); **lourdaud, e** [lur-
'do, ‿'do:d] 1. adj. loutish; awk-

ward; dull-witted; 2. su. lout; clod;
blockhead; **lourderie** [‿də'ri] f
loutishness; gross blunder; **lourdeur** [‿'dœ:r] f heaviness; clumsiness; fig. dullness; weather: sultri-
ness.
lourer ♪ [lu're] (1a) v/t. drone out
(a tune); play legato.
loustic F [lus'tik] m wag.
loutre [lutr] f zo. otter; ⚓ sealskin.
louve zo. [lu:v] f she-wolf; **louveteau** [luv'to] m wolf-cub (a. Boy
Scouts); **louvetier** [‿'tje] m master
of the wolf-hunt.
louvoyer [luvwa'je] (1h) v/i. ⚓
tack; fig. manœuvre.
loyal, e, m/pl. **-aux** [lwa'jal, ‿'jo]
fair, straightforward, sincere; faithful; ⚖ true; **loyauté** [‿jo'te] f
fairness; honesty; loyalty (to, envers).
loyer [lwa'je] m rent; ⚓ money:
price.
lu, e [ly] p.p. of lire[1].
lubie [ly'bi] f whim, fad.
lubricité [lybrisi'te] f lubricity,
lust; **lubrifiant, e** ⊕ [‿'fjã, ‿'fjã:t]
1. adj. lubricating; 2. su./m lubri-
cant; **lubrification** [‿fika'sjõ] f
lubrication; greasing; **lubrifier**
[‿'fje] (1o) v/t. lubricate; grease,
oil; **lubrique** [ly'brik] lustful,
lewd; wanton.
lucane [ly'kan] m lucanus; F stag-
beetle.
lucarne [ly'karn] f dormer or attic
window; gable-window.
lucide [ly'sid] lucid (a. ✦), clear;
lucidité [‿sidi'te] f lucidity (a. ✦);
✦ sanity; clearness.
luciole zo. [ly'sjɔl] f firefly, glow-
worm.
lucratif, -ve [lykra'tif, ‿'ti:v] lucrative; **lucre** [lykr] m lucre, profit.
luette anat. [lɥɛt] f uvula.
lueur [lɥœ:r] f gleam, glimmer (a.
fig.); flash.
luge [ly:ʒ] f Swiss toboggan, luge;
luger [ly'ʒe] (1l) v/i. toboggan,
luge; **lugeur** m, **-euse** f [‿'ʒœ:r,
‿'ʒø:z] tobogganer, luger.
lugubre [ly'gybr] dismal, gloomy;
ominous.
lui[1] [lɥi] p.p. of luire.
lui[2] [‿] pron./pers. subject: he; object: him, her, it; (to) him, (to)
her, (to) it; à ~ to him, to her, to
it; his, hers, its; c'est ~ it is he,

F it's him; **~-même** [~'mɛ:m] *pron./ rfl./m* himself, itself.

luire [lɥi:r] (4u) *v/i.* shine, gleam; *fig.* dawn (*hope*); **luisant, e** [lɥi'zɑ̃, ~'zɑ̃:t] **1.** *adj.* shining; gleaming; glossy (*surface*); **2.** *su./m* gloss, shine; **luisis** [~'zi] *1st p. sg. p.s. of* luire; **luisons** [~'zɔ̃] *1st p. pl. pres. of* luire.

lumière [ly'mjɛ:r] *f* light; lamp; *fig.* enlightenment; ⊕ *bearing:* oil-hole; *cylinder-valve:* port; *plane:* mouth; *mot.* slot; **lumignon** [lymi'ɲɔ̃] *m* candle-end; poor light; **luminaire** [~'nɛ:r] *m* luminary; *coll.* lighting; **luminescence** [~nɛ-'sɑ̃:s] *f* luminescence; *éclairage m par* ~ fluorescent lighting; **luminescent, e** [~nɛ'sɑ̃, ~'sɑ̃:t] luminescent; **lumineux, -euse** [~'nø, ~'nø:z] luminous; *phys.* light(-wave); *fig.* bright, brilliant (*idea*); illuminated (*advertisement*); **luminosité** [~nozi'te] *f* luminosity; sheen; patch of light.

lunaire [ly'nɛ:r] **1.** *adj.* lunar; **2.** *su./f* ♀ lunaria; **lunaison** *astr.* [~nɛ'zɔ̃] *f* lunation; **lunatique** [~na'tik] moonstruck; *fig.* capricious; *vet.* moon-eyed.

lunch [lœ̃:ʃ] *m* lunch(eon); snack; **luncher** [lœ̃'ʃe] (1a) *v/i.* lunch; have a snack.

lundi [lœ̃'di] *m* Monday; F *faire le* ~ take Monday off.

lune [lyn] *f* moon; *poet.* month; F moon-face; *sl.* behind; F mood; ~ *de miel* honeymoon; *clair m de* ~ moonlight; *faire un trou dans la* ~ shoot the moon; *promettre la* ~ promise the moon and stars; **luné, e** [ly'ne] lunate, crescent-shaped; F *bien (mal)* ~ well- (ill-)disposed; in a good (bad) mood.

lunetier [lyn'tje] *m* spectacle-maker; optician; **lunette** [ly'nɛt] *f* telescope; ~s *pl.* spectacles, glasses; *mot. etc.* goggles; 🚋 cab-window; ⊕ die; ⊕ *lathe:* back-rest; **lunetterie** [lynɛ'tri] *f* spectacle-making; making of optical instruments.

lunule [ly'nyl] *f anat., a.* ♪ lunule, lunula; *finger-nail:* half-moon.

lupanar [lypa'na:r] *m* brothel.

lupin ♀ [ly'pɛ̃] *m* lupin.

lurette F [ly'rɛt] *f: il y a belle* ~ a long time ago.

luron [ly'rɔ̃] *m* jolly chap; strapping fellow; **luronne** [~'rɔn] *f* (bold) hussy; tomboy.

lus [ly] *1st p. sg. p.s. of* lire[1].

lustrage *tex.* [lys'tra:ʒ] *m* glossing; shininess (*from wear*); **lustral, e**, *m/pl.* -aux [~'tral, ~'tro] lustral.

lustre[1] *poet.* [lystr] *m* lustre, period of five years.

lustre[2] [lystr] *m* lustre (*a. fig.*), gloss; chandelier; **lustrer** [lys'tre] (1a) *v/t.* glaze, gloss; F make shiny (*with wear*); **lustrine** *tex.* [~'trin] *f* (silk) lustrine; cotton lustre; *manches f/pl. de* ~ oversleeves.

lut ⊕ [lyt] *m* luting; **luter** ⊕ [ly'te] (1a) *v/t.* lute, seal with luting.

luth ♪ [lyt] *m* lute; **lutherie** [ly'tri] *f* stringed-instrument industry.

luthérien, -enne *eccl.* [lyte'rjɛ̃, ~'rjɛn] *adj., a. su.* Lutheran.

luthier [ly'tje] *m* lute-maker; stringed-instrument maker *or* seller.

lutin, e [ly'tɛ̃, ~'tin] **1.** *adj.* mischievous, impish; **2.** *su./m* imp (*a. fig. child*), elf, goblin; **lutiner** [~ti'ne] (1a) *v/t.* take liberties with (*a woman*).

lutrin *eccl.* [ly'trɛ̃] *m* lectern; *coll.* succentors *pl.*

lutte [lyt] *f* wrestling; struggle (*a. fig.*), fight; *fig.* strife; *sp.* ~ *à la corde* tug-of-war; *pol.* ~ *des classes* class war *or* struggle; **lutter** [ly'te] (1a) *v/i.* wrestle (with *avec, contre*); struggle, fight, contend (with, against *contre*); **lutteur** *m*, **-euse** *f* [~'tœ:r, ~'tø:z] wrestler; *fig.* fighter.

luxation ⚕ [lyksa'sjɔ̃] *f* luxation, dislocation.

luxe [lyks] *m* luxury; wealth; *fig.* profusion; *de* ~ luxury, de luxe.

luxer ⚕ [lyk'se] (1a) *v/t.* luxate, dislocate.

luxueux, -euse [lyk'sɥø, ~'sɥø:z] luxurious; sumptuous (*feast*).

luxure [lyk'sy:r] *f* lewdness, lechery; **luxuriant, e** [~sy'rjɑ̃, ~'rjɑ̃:t] luxuriant; **luxurieux, -euse** [~sy'rjø, ~'rjø:z] lecherous, lewd.

luzerne ♀ [ly'zɛrn] *f* lucern(e), Am. alfalfa; **luzernière** ⚘ [~zɛr'njɛ:r] *f* lucern(e)-field.

lycée [li'se] *m* (state) grammar-school; **lycéen, -enne** [~se'ɛ̃, ~se-'ɛn] *su.* pupil at a *lycée*; *su./m* grammar-schoolboy; *su./f* grammar-schoolgirl.

lymphe ⚕ [lɛ̃:f] *f* lymph.

lynchage [lɛ̃'ʃaːʒ] *m* lynching; **lyn-cher** [~'ʃe] (1a) *v/t.* lynch.

lynx *zo.* [lɛ̃ks] *m* lynx; *aux yeux de* ~ lynx-eyed.

lyre [liːr] *f* ♪ lyre; ⊕ quadrant; ⚓

rowlock: stirrup; *orn.* oiseau-~ lyre-bird; **lyrique** [li'rik] **1.** *adj.* lyric (-al); **2.** *su./m* lyric poet; **lyrisme** [~'rism] *m* lyricism.

lys ♀ [lis] *m* lily.

M

M, m [ɛm] *m* M, m.

ma [ma] *see* mon.

maboul, e F [ma'bul] **1.** *adj.* cracked, dippy; **2.** *su.* loony.

macabre [ma'kaːbr] gruesome; ghastly; *danse f* ~ dance of Death.

macadamiser [makadami'ze] (1a) *v/t.* macadamize (*a road*).

macaque *zo.* [ma'kak] *m* macaque.

macareux *orn.* [maka'rø] *m* puffin.

macaron *cuis.* [maka'rɔ̃] *m* macaroon; **macaroni** [~rɔ'ni] *m/inv.* *cuis.* macaroni; F dago (= *Italian*).

macédoine [mase'dwan] *f* fruit salad; *fig.* miscellany, *pej.* hotch-potch; ~ de légumes mixed (diced) vegetables *pl.*

macérer [mase're] (1f) *v/t.* soak, steep; *fig.* mortify (*the flesh*).

Mach *phys.* [mak] *npr.*: nombre m de ~ mach (number).

mâche [maːʃ] *f horses*: mash; ♀ corn-salad.

mâchefer ⊕ [maʃ'feːr] *m* clinker, slag; *lead*: dross.

mâcher [ma'ʃe] (1a) *v/t.* chew; *animal*: champ (*fodder*); ~ à q. la besogne half-do s.o.'s work for him; *ne pas* ~ *les mots à q.* not to mince matters with s.o.

machin F [ma'ʃɛ̃] *m* thing, gadget; what's-his-name.

machinal, e, *m/pl.* -**aux** [maʃi'nal, ~'no] mechanical, unconscious; **machinateur** [~na'tœːr] *m* plotter, schemer; **machination** [~na'sjɔ̃] *f* machination, plot; **machine** [ma-'ʃin] *f* machine; engine (*a.* 🚂); ⚡ dynamo; F thing, gadget; ~s *pl.* machinery *sg.*; ~ à *calculer* calculating machine; ~ à *écrire* type-writer; ~ à *sous* slot-machine; **machine-outil**, *pl.* **machines-outils** [~ʃinu'ti] *f* machine-tool; **machiner** [~ʃi'ne] (1a) *v/t.* scheme, plot; *machiné à l'avance* put-up (*affair*); **machinerie** [~ʃin'ri] *f* ⊕ machine shops *pl.*; machine

construction; ⚓ engine-room; **machiniste** [~ʃi'nist] *m* engineer; ⚓ engine-room hand; bus driver; *thea.* scene-shifter.

mâchoire [ma'ʃwaːr] *f* jaw (*a.* ⊕); ⊕ vice; flange; *mot.* ~s *pl.* (brake-)shoes; **mâchonner** [~ʃɔ-'ne] (1a) *v/t.* mumble; mutter; chew; *animal*: champ (*fodder*); **mâchure** [~'ʃyːr] *f tex.* flaw; *fruit*, *flesh*: bruise; **mâchurer** [~ʃy're] (1a) *v/t.* soil; *typ.* smudge; ⊕ bruise.

macis ♀, *cuis.* [ma'si] *m* mace.

maçon [ma'sɔ̃] *m* △ mason; F free-mason.

mâcon [ma'kɔ̃] *m* Mâcon (= *wine of Burgundy*).

maçonner [masɔ'ne] (1a) *v/t.* △ build; face (*with stone*); wall up (*a door, a window*); **maçonnerie** [~sɔn'ri] *f* △ masonry; △ stone-work; F freemasonry; **maçonnique** [~sɔ'nik] masonic.

macque *tex.* [mak] *f* brake(-harrow).

macro... [makro] macro...; ~**cé-phale** *zo.*, [~se'fal] macroce-phalic, large-headed.

macule [ma'kyl] *f* spot, blemish, stain; *astr.* sun-spot; **maculer** [~ky'le] (1a) *v/t.* maculate; stain; *typ.* mackle; *v/i. a. se* ~ mackle, blur.

madame, *pl.* **mesdames** [ma'dam, me'dam] *f* Mrs.; madam; F lady.

madeleine [mad'lɛn] *f* ♀ (*sort of*) pear; *cuis.* sponge-cake.

mademoiselle, *pl.* **mesdemoisel-les** [madmwa'zɛl, medmwa'zɛl] *f* Miss; young lady.

madère [ma'dɛːr] *m* Madeira (*wine*).

Madone [ma'dɔn] *f* Madonna.

madras ⚓, *tex.* [ma'draːs] *m* Madras (handkerchief).

madré, e [ma'dre] **1.** *adj.* mottled; spotted; *fig.* sly, wily; **2.** *su. fig.* sly fox.

madrier △ [madri'e] *m* timber; plank.

madrilène [madri'lɛn] **1.** Madrile-
nian; of Madrid; **2.** *su.* ♀ inhabitant
of Madrid.

mafflu, e F [ma'fly] heavy-jowled.

magasin [maga'zɛ̃] *m* shop, *Am.*
store; warehouse, store; *camera,
rifle,* ✗ *powder:* magazine; ✗ ar-
mo(u)ry; ~ à *succursales multiples*
chain stores *pl.*; ~ *de livres library:*
stacks *pl.*; † *grand* ~ department
store; **magasinage** [~zi'na:ʒ] *m*
warehousing, storing; storage
(charges *pl.*); **magasinier** [~zi'nje]
m warehouseman, store-keeper.

magazine [maga'zin] *m* (illustrated)
magazine.

mage [ma:ʒ] **1.** *su./m* magus; seer;
2. *adj.*: *bibl. les Rois m/pl.* ♀s the
Three Wise Men, the (Three)
Magi; **magicien** *m,* **-enne** *f* [maʒi-
'sjɛ̃, ~'sjɛn] magician; wizard;
magie [~'ʒi] *f* magic (*a. fig.*);
magique [~'ʒik] magic(al) (*a. fig.*).

magistral, e, *m/pl.* **-aux** [maʒis'tral,
~'tro] magisterial; *fig.* pompous;
fig. masterly (*work*); F first-rate; ✗
magistral; **magistrat** [~'tra] *m*
magistrate, judge; **magistrature**
[~tra'ty:r] *f* magistrature; magis-
tracy; ~ *assise* Bench, judges *pl.*;
~ *debout* public prosecutors *pl.*

magnan *dial.* [ma'nã] *m* silkworm;
magnanerie [~ɲan'ri] *f* silkworm
breeding *or* rearing-house.

magnanime [maɲa'nim] magnani-
mous; **magnanimité** [~nimi'te] *f*
magnanimity.

magnat [mag'na] *m* magnate.

magnésie ⚗ [maɲe'zi] *f* magnesia,
magnesium oxide; *sulfate m de* ~
Epson salts *pl.*

magnésite [maɲe'zit] *f* magnesite,
meerschaum.

magnésium [maɲe'zjɔm] *m* ⚗
magnesium; *phot.* flash-light.

magnétique [maɲe'tik] magnetic;
magnétisme [~'tism] *m* magnet-
ism; **magnétite** *min.* [~'tit] *f* lode-
stone, magnetite; **magnéto** [~'to] *f*
magneto; **magnétophone** [~to'fɔn]
m tape recorder.

magnificence [maɲifi'sã:s] *f* magnificence, splendo(u)r; ~s *pl.* lavishness *sg.*; **magnifique** [~'fik] magnificent, splendid; *fig.* pompous;
fig. † open-handed.

magnolia ♀ [maɲɔ'lja] *m,* **magno-
lier** ♀ [~'lje] *m* magnolia(-tree).

magot[1] [ma'go] *m zo.* barbary ape;
macaque; *fig.* ugly man.

magot[2] F [~] *m* savings *pl.*, hoard.

mahométan, e [maɔme'tã, ~'tan]
adj., a. su. Mohammedan, Moslem;
mahométisme [~'tism] *m* Mo-
hammedanism.

mai [mɛ] *m* May; may-pole.

maie [~] *f* kneading-trough.

maigre [mɛ:gr] **1.** *adj.* thin, lean;
meagre, scanty (*meal, a. fig.*);
2. *su./m meat:* lean; *icht.* meagre;
faire ~ fast, abstain from meat;
maigrelet, -ette [mɛgrə'lɛ, ~'lɛt]
rather thin, slight; **maigreur** [~-
'grœ:r] *f* thinness; emaciation; *fig.*
meagreness, poorness; **maigrir**
[~'gri:r] (2a) *v/i.* grow thin; lose
weight; *v/t.* make thinner; ⊕ thin
(*wood*).

mail [ma:j] *m* ⊕ sledge-hammer;
avenue; † *club, game:* mall.

maille[1] [ma:j] *f stitch; chain:* link;
(chain-)mail; *net:* mesh; *feather:*
speckle; *vine etc.:* bud; ⊕ two-
handed mallet; *à larges* (*petites*) ~s
wide-(close-)meshed.

maille[2] [~] *f*: *avoir* ~ *à partir avec q.*
have a bone to pick with s.o.

maillechort [maj'fɔ:r] *m* nickel *or*
German silver.

mailler [ma'je] (1a) *v/t.* net; ⚓
lace; ⊕ shackle (*chains*); ⊕ make
(*s.th.*) in lattice-work; *v/i.* ⚘ bud;
a. se ~ become speckled (*partridge
etc.*).

maillet [ma'jɛ] *m* mallet, maul; *sp.*
polo-stick; croquet mallet.

maillon [ma'jɔ̃] *m chain:* link; *tex.*
mail; ⚓ shackle; **maillot** [ma'jo]
m swaddling-clothes *pl.*; bathing-
costume; *sp. football:* jersey; *rowing, running:* vest.

main [mɛ̃] *f* hand (*a. cards; a. =
handwriting*); *fig.* grip; ⚘ scoop;
drawer: handle; *tex. cloth:* feel; ⚘
paper: quire; *cards:* deal; ~ *courante* △ handrail; ⚘ rough book;
à la ~ in the *or* one's hand; (*do
s.th.*) by hand; *à* ~ *levée* free-
handed; *à pleines* ~s lavishly; *avoir
la* ~ *cards:* have the lead *or* deal; *bas
(haut) les* ~s! hands off (up)!; *battre des* ~s clap (one's hands); *fig. de
bonnes* ~s on good authority; *en* ~
under control; in hand; *en un tour
de* ~ straight off, F in a jiffy; *en
venir aux* ~s come to blows *or* grips;

maladif

fait à la ~ handmade; *la* ~ *dans la* ~ hand in hand; *payer de la* ~ *à la* ~ pay direct without formalities; *porter la* ~ *sur* strike (*s.o.*); *fig.* *prêter la* ~ lend a hand; *savoir de longue* ~ have known for a long time; *serrer la* ~ *à q.* shake hands with s.o.; *sous la* ~ to hand; *sous* ~ underhanded(ly *adv.*); ~**d'œuvre**, *pl.* ~**s-d'œuvres** ⊕ [~'dœːvr] *f* labo(u)r; manpower; ~**forte** [~'fɔrt] *f*: *prêter* ~ give assistance (*to the police etc.*); ~**levée** 🏛 [~lə've] *f* withdrawal; ~ *de saisie* replevin; ~**mise** [~'miːz] *f* seizure (of, *sur*); 🏛 distraint; ~**morte** 🏛 [~'mɔrt] *f* mortmain.

maint, mainte *poet.* [mɛ̃, mɛ̃ːt] many a; *maintes fois* many a time.

maintenant [mɛ̃t'nɑ̃] *adv.* now; *dès* ~ from now on, henceforth.

maintenir [mɛ̃t'niːr] (2h) *v/t.* maintain (*a. fig.*); keep; support; uphold; *se* ~ continue; remain; hold one's own; **maintien** [mɛ̃'tjɛ̃] *m* maintenance; bearing, carriage; *perdre son* ~ lose countenance.

maire [mɛːr] *m* mayor; **mairie** [mɛ'ri] *f* town hall; mayoralty.

mais [mɛ] **1.** *cj.* but; **2.** *adv.* indeed, well; ~ *non!* no indeed!; not at all!; *je n'en puis* ~ I am completely exhausted; I don't know what to say.

maïs [ma'is] *m* maize, Indian corn, *Am.* corn.

maison [mɛ'zɔ̃] *f* house; home; household; family; ✝ (*a.* ~ *de commerce*) firm; ~ *close* brothel; ~ *d'arrêt* gaol, lock-up; ~ *de commission* commission agency; ~ *de rapport* apartment house; ~ *de santé* nursing home; mental hospital; ~ *du Roi* Royal Household; ~ *jumelle* semi-detached house; ✝ ~ *mère* head office; *de bonne* ~ of a good family; *la* ~ *des Bonaparte* the House of Bonaparte; **maisonnée** [mɛzɔ'ne] *f* household, family; **maisonnette** [~'nɛt] *f* cottage, small house.

maître, -esse [mɛːtr, mɛ'trɛs] **1.** *su./m* master (*a. fig.*); *fig.* ruler; owner; *school*: teacher; ⚓ petty officer; 🏛 *title given to lawyers:* maître; ~ *d'armes* fencing-master; *univ.* ~ *de conférences* lecturer; ~ *de forges* iron-master; ~ *d'hôtel* head-waiter; ⚓ chief steward; *être passé* ~ *en* be a past master of *or* in; F *faire le* ~

lord it; *su./f* mistress; **2.** *adj.* complete, utter; capable; △, ⊕, *etc.* principal, main; ~ *fripon* arrant knave; ~**autel**, *pl.* ~**s-autels** *eccl.* [metro'tɛl] *m* high altar; **maîtrisable** [~tri'zabl] controllable; **maîtrise** [~'triːz] *f* mastership; *eccl.* choir school; *fig.* feeling, profession, *etc.:* mastery; **maîtriser** [~tri'ze] (1a) *v/t.* master, overcome; *se* ~ control o.s.

majesté [maʒɛs'te] *f* majesty; **majestueux, -euse** [~'tɥø, ~'tɥøːz] majestic, stately.

majeur, e [ma'ʒœːr] **1.** *adj.* major (*a.* 🏛, ♪, *phls.*), greater; *fig.* main, chief; *devenir* ~ reach one's majority; **2.** *su./m* 🏛 major; middle finger; **major** ✕ [ma'ʒɔːr] *m* regimental adjutant; ~ *de place* town major; ~ *général* chief of staff; **majoration** [~ʒɔra'sjɔ̃] *f* over-estimation; increase; *admin.* advancement; **majordome** [~ʒɔr'dɔm] *m* major-domo, steward; **majorer** [maʒɔ're] (1a) *v/t.* over-estimate; ✝ add to (*a bill*); increase; **majorité** [~ri'te] *f* majority (*a.* 🏛); 🏛 coming of age; ✕ adjutancy.

majuscule [maʒys'kyl] **1.** *adj.* capital (*letter*); **2.** *su./f* capital letter.

mal [mal] **1.** *su./m* evil; hurt; harm; pain; 🐾 disease; wrong; ~ *de cœur* nausea, sickness; ~ *de l'air* air sickness; ~ *de mer* seasickness; ~ *de tête* headache; ~ *du pays* homesickness; *avoir* ~ *au ventre* have a stomachache; *faire du* ~ *à q.* harm s.o.; 🐾 *haut* ~ epilepsy; *prendre qch. en* ~ take offence at s.th.; *se donner du* ~ take pains *or* trouble; *vous me faites* ~! you are hurting (me)!; **2.** *adv.* badly; ill; uncomfortable; ~ *à l'aise* ill at ease; ~ *à propos* inopportunely, at the wrong time; ~ *fait* badly made; botched (*work*); *être* ~ be uncomfortable; be wrong; *pas* ~ good-looking, presentable (*person*); quite good; F *pas* ~ *de* a good many, a lot of; *se sentir* ~ feel ill; *se trouver* ~ faint.

malade [ma'lad] **1.** *adj.* ill, sick; diseased; **2.** *su.* patient; sick person; **maladie** [mala'di] *f* illness, sickness; ailment; disease; ~ *de carence* deficiency disease, vitamin deficiency; **maladif, -ve** [~'dif, ~'diːv] sickly, ailing.

maladresse [mala'drɛs] *f* clumsiness; blunder; **maladroit, e** [ˌˈdrwa, ˌˈdrwat] **1.** *adj.* clumsy, awkward; **2.** *su.* duffer; blunderer; awkward person.

malais, e [ma'lɛ, ˌˈlɛːz] **1.** *adj.* Malay(an); **2.** *su./m ling.* Malay(an); *su.* ♀ Malay(an).

malaise [ma'lɛːz] *f* uneasiness, discomfort; indisposition; *fig.* unrest; **malaisé, e** [ˌlɛ'ze] difficult; uneasy.

malandre [ma'lɑ̃:dr] *f* ⊕ *wood*: rotten knot; *vet.* malanders *usu. pl.*

malappris, e [mala'pri, ˌˈpriːz] **1.** *adj.* ill-bred; **2.** *su.* ill-bred person.

malavisé, e [malavi'ze] **1.** *adj.* ill-advised; injudicious (*person*); **2.** *su.* blunderer.

malaxage [malak'saːʒ] *m* 🦷 massage; ⊕ *cement*: mixing; *dough*: kneading; **malaxer** [ˌˈse] (1a) *v/t.* 🦷 massage; ⊕ mix; knead (*dough*); **malaxeur** ⊕ [ˌˈsœːr] *m* (cement) mixer; mixing machine.

malbâti, e [malbɑ'ti] misshapen; uncouth.

malchance [mal'ʃɑ̃:s] *f* bad luck; mishap; **malchanceux, -euse** [ˌʃɑ̃'sø, ˌˈsøːz] **1.** *adj.* unlucky, luckless; **2.** *su.* unlucky person.

maldonne [mal'dɔn] *f cards*: misdeal; F error.

mâle [mɑːl] **1.** *adj.* male (♀, ⊕ *screw, person*); *zo.* buck (*rabbit*), dog (*fox, wolf*), bull (*elephant*); *orn.* cock; *fig.* virile; manly; **2.** *su./m* male.

malédiction [maledik'sjɔ̃] *f* curse; **maléfice** [male'fis] *m* evil spell; **maléfique** [ˌˈfik] evil; maleficent.

malencontre [malɑ̃'kɔ̃:tr] *f* mishap; **malencontreux, -euse** [malɑ̃kɔ̃'trø, ˌˈtrøːz] unfortunate; tiresome.

malentendu [malɑ̃tɑ̃'dy] *m* misunderstanding.

malfaire [mal'fɛːr] (4r) *v/i.* do evil; **malfaisant, e** [ˌfə'zɑ̃, ˌˈzɑ̃:t] harmful; mischievous; evil-minded (*person*); **malfaiteur** *m*, **-trice** *f* [ˌfɛ'tœːr, ˌˈtris] malefactor; offender.

malfamé, e [malfa'me] ill-famed; notorious.

malformation [malfɔrma'sjɔ̃] *f* malformation (*a.* 🦷).

malgré [mal'gre] *prp.* despite, in spite of; ~ *moi* against my will; ~ *tout* still.

malhabile [mala'bil] clumsy; inexperienced (in *ger.*, *à inf.*).

malheur [ma'lœːr] *m* bad luck; misfortune; unhappiness; ~ *à lui!* woe betide him!; *quel* ~! what a pity!; **malheureux, -euse** [ˌlœ'rø, ˌˈrøːz] **1.** *adj.* unlucky, unhappy; unfortunate; *fig.* poor; *fig.* paltry; **2.** *su.* unfortunate person; *pauvre* ~! poor soul!

malhonnête [malɔ'nɛt] dishonest; *fig.* impolite; indecent (*gesture*); **malhonnêteté** [ˌnɛt'te] *f* dishonesty; *fig.* rudeness; *gesture*: indecency.

malice [ma'lis] *f* malice; *fig.* trick; *ne pas voir* ~ *à* not to see any harm in; **malicieux, -euse** [ˌli'sjø, ˌˈsjøːz] mischievous; waggish, sly (*remark etc.*).

malignité [maliɲi'te] *f* malignity (*a.* 🦷); piece of spite; **malin, -igne** [ˌˈlɛ̃, ˌˈliɲ] **1.** *adj.* malignant (*a.* 🦷); wicked; *fig.* cunning, sharp, sly; *fig.* F difficult; **2.** *su. fig.* shrewd person; *su./m*: *le* ♀ the Devil.

malines ♀ [ma'lin] *f* Mechlin lace.

malingre [ma'lɛ̃:gr] sickly, weakly.

malintentionné, e [malɛ̃tɑ̃sjɔ'ne] **1.** *adj.* evil-minded, ill-intentioned; **2.** *su.* evil-minded person.

malique ♀ [ma'lik] malic (*acid*).

mal-jugé ⚖ [malʒy'ʒe] *m* miscarriage of justice.

malle [mal] *f* trunk; ⚓ mail-boat; (*dé*)*faire sa* ~ (un)pack.

malléable [malle'abl] malleable (*a. fig.*); *fig.* pliant.

malle-poste, *pl.* **malles-poste** [mal'pɔst] *f* †mail-coach; **malletier** [mal'tje] *m* trunk-maker; **mallette** [ma'lɛt] *f* suitcase; attaché case; small case.

malmener [malmə'ne] (1d) *v/t.* illtreat, maltreat; *fig.* abuse.

malotru, e [malɔ'try] **1.** *adj.* uncouth; vulgar; **2.** *su.* boor, churl.

malpeigné, e [malpe'ɲe] unkempt, untidy (*person*).

malpropre [mal'prɔpr] dirty (*a. fig.*); slovenly (*appearance*); **malpropreté** [ˌprɔprə'te] *f* dirtiness (*a. fig.*); dirt; slovenliness; ~*s pl.* dirty stories, F smut *sg.*

malsain, e [mal'sɛ̃, ˌˈsɛn] unhealthy;

unwholesome (*a. fig.*); dangerous (*coast*); *fig.* unsound.

malséant, e [malse'ã, ~'ã:t] unbecoming, unseemly.

malsonnant, e [malsɔ'nã, ~'nã:t] offensive.

malt [malt] *m* malt; **malter** [mal'te] (1a) *v/t.* malt; **malterie** [~'tri] *f* malting; malt-house; **malteur** [~'tœ:r] *m* maltster; **maltose** ⚗, ⊕ [~'to:z] *m* maltose.

maltraiter [maltrɛ'te] (1a) *v/t.* illtreat, maltreat; handle roughly.

malveillance [malvɛ'jã:s] *f* malevolence, ill will, spite (to[wards] *pour, envers*); **malveillant, e** [~'jã, ~'jã:t] ill-willed; malicious; spiteful.

malversation ⚖ [malversa'sjɔ̃] *f* embezzlement; breach of trust.

malvoisie [malvwa'zi] *mf wine:* malmsey.

maman [ma'mã] *f* mam(m)a, mummy, mother.

mamelle [ma'mɛl] *f* breast; *cow etc.:* udder; teat; **mamelon** [mam-'lɔ̃] *m* nipple (*a.* ⊕ *for oiling*); *person, a. animal:* teat; ⊕ boss; *geog.* rounded hillock; **mamelonné, e** [~lɔ'ne] mamillate; hilly.

mamel(o)uk [mam'luk] *m* mameluke.

m'amie †, **ma mie** [ma'mi] *f* my dear.

mamillaire [mamil'lɛ:r] mamillary; **mammaire** *anat.* [~'mɛ:r] mammary; **mammifère** *zo.* [~mi'fɛ:r] 1. *adj.* mammalian; 2. *su./m* mammal.

mamours [ma'mu:r] *m/pl.* billing *sg.* and cooing *sg.*, caresses.

mammouth *zo.* [ma'mut] *m* mammoth.

manant [ma'nã] *m* boor; yokel; † villager.

manche[1] [mã:ʃ] *m* handle; haft; (*broom-*)stick; *whip:* stock; ♪ *violin:* neck; ≿ ~ *à balai* joy-stick; *jeter le ~ après la cognée* throw the helve after the hatchet.

manche[2] [~] *f* sleeve; *water:* hose; (*air-*)shaft; *geog.* strait; *sp.* heat; *tennis:* set; *cards:* hand; ≿ ~ *à air* wind sock; *la ♀ the* (English) Channel.

mancheron [mãʃ'rɔ̃] *m plough:* handle; *cost.* cuff; short sleeve; **manchette** [mã'ʃet] *f* cuff; wrist-

band; *journ.* headline; *sl.* ~s *pl.* handcuffs; **manchon** [~'ʃɔ̃] *m* muff; ⊕ casing, sleeve; ⊕ flange; *mot.* clutch; gas-mantle.

manchot, e [mã'ʃo, ~'ʃɔt] 1. *adj.* one-armed; *fig.* awkward with one's hands, F ham-fisted; 2. *su.* onearmed person; *su./m orn.* penguin.

mandant [mã'dã] *m* ⚖ principal; employer; *pol.* constituent.

mandarinat [mãdari'na] *m* mandarinate.

mandarine ♀ [mãda'rin] *f* mandarin(e), tangerine.

mandat [mã'da] *m* mandate; commission; ⚖ power of attorney; ⚖ warrant; ✝ draft, order; *sous ~* mandated (*territory*); **mandataire** [mãda'tɛ:r] *su.* agent; ⚖ attorney; trustee; *pol.* mandatory; **mandat-carte,** *pl.* **mandats-cartes** [~'kart] *m post:* money order (*in post-card form*); **mandater** [~'te] (1a) *v/t.* give a mandate to; write a money order for (*a sum*); **mandat-poste,** *pl.* **mandats-poste** [~'pɔst] *m* postal money order.

mandement [mãd'mã] *m eccl.* pastoral letter; instructions *pl.*; **mander** [mã'de] (1a) *v/t.* instruct (*s.o.*); summon (*s.o.*); *journ. on mande ...* it is reported ...

mandibule *anat.* [mãdi'byl] *f* mandible.

mandoline ♪ [mãdɔ'lin] *f* mandolin(e).

mandragore ♀ [mãdra'gɔ:r] *f* mandragora, F mandrake.

mandrin ⊕ [mã'drɛ̃] *m* mandrel; chuck; punch.

manducation [mãdyka'sjɔ̃] *f* mastication; *eccl.* manducation.

manège [ma'nɛ:ʒ] *m* horsemanship, riding; *horse:* breaking (in); treadmill; *fig.* trick, stratagem; ~ *de chevaux de bois* merry-go-round.

mânes [mɑ:n] *m/pl.* manes, spirits (*of the departed*).

maneton ⊕ [man'tɔ̃] *m* crank-pin; *hand-crank:* handle; *mot.* throw.

manette [ma'nɛt] *f* handle; lever (*a. mot.*); Morse: key.

manganèse ⚗, *min., metall.* [mãga'nɛ:z] *m* manganese.

mangeable [mã'ʒabl] edible, eatable; **mangeaille** [~'ʒɑ:j] *f* feed (*for animals*); F food (*for humans*); **mangeoire** [~'ʒwa:r] *f* manger;

feeding-trough; **manger** [mã'ʒe]
1. (1l) vt/i. eat; v/t. corrode (metal);
squander (money); mumble (words);
fig. use up, consume (coal, gas,
petrol, etc.); **2.** su./m food; **mange-
tout** [mãʒ'tu] m/inv. spendthrift;
♣ string-bean; ♣ sugar-pea, Am.
string-pea; **mangeur** m, **-euse** f
[mã'ʒœːr, ˷'ʒøːz] eater; fig. de-
vourer; **mangeure** [˷'ʒyːr] f place
eaten (by mice, moths, etc.).
maniabilité [manjabili'te] f handi-
ness; manageableness, ☞, mot.
manœuvrability; **maniable** [˷-
'njabl] manageable, manœuvrable;
handy (tool); fig. tractable.
maniaque [ma'njak] **1.** adj. maniac;
faddy; **2.** su. crank, faddist; ☞ maniac; **manie** [˷'ni] f mania; F
craze; fig. idiosyncrasy.
maniement [mani'mã] m management; handling; **manier** [˷'nje]
(1o) v/t. manage; handle.
manière [ma'njɛːr] f manner (a.
paint. etc.), way; fig. mannerisms
pl.; ˷s pl. manners; à la ˷ de after
the manner of; de ˷ à so as to; de ˷
que so that; d'une ˷ ou d'une autre
somehow or other; en aucune ˷ in
no way; en ˷ de by way of; faire
des ˷s be affected; affect reluctance; **maniéré, e** [manje're] affected; paint. etc. mannered; fig.
genteel (voice etc.); **maniérisme**
[˷'rism] m mannerism.
manieur [ma'njœːr] m controller;
pej. ˷ d'argent financier; financial
adventurer.
manifestation [manifɛsta'sjɔ̃] f
manifestation; pol. demonstration;
eccl. revelation; **manifeste** [˷'fɛst]
1. adj. manifest, obvious; ♔ overt;
2. su./m manifesto; ♠ manifest;
manifester [˷fɛs'te] (1a) v/t. show,
manifest; reveal; se ˷ appear; show
o.s.; v/i. pol. demonstrate.
manigance F [mani'gãːs] f intrigue,
F wire-pulling; pol. ˷s pl. gerrymandering sg.; **manigancer** F
[˷gã'se] (1k) v/t. plot; pol. gerrymander.
manipulateur [manipyla'tœːr] m
handler; tel. sending key; radio:
sender; **manipulation** [˷la'sjɔ̃] f
manipulation; handling; **manipuler** [˷'le] (1a) v/t. manipulate (a.
fig.), handle; ⚡, tel. operate (a key
etc.).

manitou F [mani'tu] m boss, ty-
coon.
manivelle ⊕ [mani'vɛl] f crank
(-handle).
manne[1] [man] f basket; (baby's)
bassinet.
manne[2] bibl. [˷] f manna.
mannequin[1] [man'kɛ̃] m small
hamper.
mannequin[2] [man'kɛ̃] m ♣, paint.
manikin; paint. lay figure; cost.
dummy; mannequin; fig. puppet;
mannequiner paint. [˷ki'ne] (1a)
v/t. pose (s.o.) unnaturally.
manœuvrabilité [manœvrabili'te]
f manœuvrability; **manœuvrable** [˷'vrabl] manageable; workable; **manœuvre** [ma'nœːvr] su./f
working; operation; ⛴ shunting,
Am. switching; ⚔, ♠ manœuvre
(a. fig.); exercise; ⚔, ♠ movement;
fig. intrigue; su./m (manual)
labo(u)rer; unskilled worker; fig.
hack; **manœuvrer** [manœ'vre] (1a)
v/t. work (a machine etc.); ⛴ shunt,
marshal; vt/i. manœuvre (a. ⚔,
♠, fig.)); **manœuvrier, -ère**
[˷vri'e, ˷'ɛːr] skilful; capable.
manoir [ma'nwaːr] m country-
house; hist. manor.
manomètre ⊕ [manɔ'mɛtr] m
manometer.
manouvrier [manuvri'e] m day-
labo(u)rer.
manque [mãːk] m lack, want;
deficiency, shortage; ˷ de for lack
of; ˷ de foi breach of faith; ˷ de
parole breaking of one's promise; ˷
à la ˷ poor, fifth-rate; **manqué, e**
[mã'ke] unsuccessful; **manquement** [mãk'mã] m failure, lapse;
˷ à breach of; **manquer** [mã'ke]
(1m) v/t. miss (a. fig.); spoil (one's
life, a picture); se ˷ miss one another; v/i. lack, want, be short;
fail; ˷ à q. be missed by s.o.; ˷ à
qch. fail in s.th.; commit a breach
of s.th.; j'ai manqué (de) tomber I
nearly fell; ne pas ˷ de (inf.) not to
fail to (inf.).
mansarde △ [mã'sard] f attic,
garret(-window); roof: mansard.
mansuétude [mãsɥe'tyd] f gentleness, meekness.
mante [mãːt] f (woman's) sleeveless
cloak; zo. ˷ religieuse (or prie-Dieu)
praying mantis.
manteau [mã'to] m coat; cloak (a.

fig.); mantle (*a. zo.*); ⊕ casing; ⚠ mantelpiece; *sous le* ~ on the quiet, secretly; **mantelet** [mãt'lɛ] *m* cost. tippet, mantlet; ⚓ port-lid; **mantille** *cost.* [mã'ti:j] *f* mantilla.

manucure [many'ky:r] *su.* manicurist.

manuel, -elle [ma'nɥɛl] 1. *adj.* manual; 2. *su./m* handbook, manual; text-book.

manufacture [manyfak'ty:r] *f* (manu)factory; ⊕ plant; **manufacturer** [~ty're] (1a) *v/t.* manufacture; **manufacturier, -ère** [~ty-'rje, ~'rjɛ:r] 1. *adj.* manufacturing; 2. *su./m* manufacturer; mill-owner.

manuscrit, e [manys'kri, ~'krit] 1. *adj.* manuscript; hand-written; 2. *su./m* manuscript.

manutention [manytã'sjɔ̃] *f* control; handling; ✕, ⚓ store-keeping; stores *pl.*; bakery; **manutentionner** [~sjɔ'ne] (1a) *v/t.* handle; ✕, ⚓ store; bake.

mappemonde [map'mɔ̃:d] *f* map of the world.

maquereau [ma'kro] *m icht.* mackerel; V pimp.

maquette [ma'kɛt] *f* model (*a. thea.*); ⊕ mock-up; *book:* dummy; *metall.* bloom.

maquignon [maki'ɲɔ̃] *m* horse-dealer; *pej.* go-between, agent; **maquignonnage** [~ɲɔ'na:ʒ] *m* horse-dealing; *pej.* sharp practice; **maquignonner** [~ɲɔ'ne] (1a) *v/t.* fake up (*a horse*); arrange (*s.th.*) by sharp practices, F work, *sl.* cook.

maquillage [maki'ja:ʒ] *m* make-up; **maquiller** [~'je] (1a) *v/t.* make up; *phot.* work up; *fig.* disguise; *se* ~ make up; **maquilleur** *m*, **-euse** *f* [~'jœ:r, ~'jø:z] *thea.* make-up artist; *fig.* faker.

maquis [ma'ki] *m* scrub; *fig.* maze; jungle; ✕ underground forces *pl.*, maquis; *prendre le* ~ go underground.

marabout [mara'bu] *m Islam:* marabout; round-bodied metal jug; *orn., a. tex.* marabou.

maraîcher, -ère [marɛ'ʃe, ~'ʃɛ:r] 1. *adj.* market-(gardening)...; 2. *su./m* market-gardener; **marais** [~'rɛ] *m* marsh; bog; swamp; ♂ market-garden.

marasme [ma'rasm] *m* ⚕ marasmus, wasting; *fig.* depression (*a.* ✝).

marathon *sp.* [mara'tɔ̃] *m* marathon (*a. fig.*).

marâtre [ma'rɑ:tr] *f* step-mother; cruel *or* unnatural mother.

maraude [ma'ro:d] *f* plundering, looting; filching; F *en* ~ cruising, crawling (*taxi*); **marauder** [~ro-'de] (1a) *v/i.* plunder; filch; F cruise (*taxi*).

marbre [marbr] *m* marble; *typ.* press-stone; ⊕ (sur)face-plate; *typ. sur le* ~ in type; **marbrer** [mar-'bre] (1a) *v/t.* marble; *fig.* mottle; **marbrerie** [~brə'ri] *f* marble-cutting, marble-work; marble-mason's yard; **marbrier, -ère** [~bri'e, ~'ɛ:r] 1. *adj.* marble...; 2. *su./m* marble-cutter; monumental mason; *su./f* marble-quarry; **marbrure** [~'bry:r] *f* marbling; *fig.* mottling.

marc [ma:r] *m grapes etc.:* marc; (*tea-*)leaves *pl.*, (*coffee-*)grounds *pl.*

marcassin *zo.* [marka'sɛ̃] *m* young wild boar.

marchand, e [mar'ʃɑ̃, ~'ʃɑ̃:d] 1. *adj.* saleable, marketable; trade (*name, price*); shopping (*centre*); commercial (*town*); ⚓ merchant (*navy, ship*); 2. *su.* dealer, shopkeeper; (*coster-, fish-, iron-*)monger; ~ *d'anti-quités* antique dealer; ~ *des quatre-saisons* costermonger; ~ *de tabac* tobacconist; ~ *en* (*or au*) *détail* retailer; ~ *en gros* wholesaler; **marchandage** [marʃɑ̃'da:ʒ] *m* bargaining; **marchander** [~'de] (1a) *v/t.* haggle with (s.o., q.); bargain for (s.th., *qch.*); beat (*s.o.*) down; ⊕ subcontract (*a job*); *ne pas* ~ not to spare; **marchandeur** *m*, **-euse** *f* [~'dœ:r, ~'dø:z] bargainer; ⊕ subcontractor of labo(u)r; **marchandise** [~'di:z] *f* merchandise, wares *pl.*, goods *pl.*; 🚆 *train m de* ~*s* goods train, *Am.* freight train.

marche[1] [marʃ] *f* walk; ✕, ♪ march; tread; step, stair; ⊕, 🚆 *machine, train:* running; *fig. events, stars, time, etc.:* course; *fig.* (rate of) progress; ~ *arrière mot.* reversing; 🚆 backing; *en* ~ 🚆 *etc.* moving...; ⊕ running; *en état de* ~ in working order; ⊕, *a. fig.* (re)*mettre en* ~ set in motion (restart).

marche[2] *geog.* [~] *f* border(land); march(-land).

marché [mar'ʃe] *m* buying; market (*a. financial*); deal, bargain; trans-

action; ✝ ~ à terme time-bargain;
~ au comptant cash transaction; ✝,
pol. ~ commun Common Market;
~ des changes exchange market;
~ du travail labo(u)r market; ~ intérieur (étranger) home (foreign)
market; ~ noir black market; à bon ~
cheap(ly); à meilleur ~ more cheaply, cheaper; bon ~ cheapness (of,
de); fig. par-dessus le ~ into the
bargain.

marchepied [marʃə'pje] m vehicle:
footboard; mot. running-board;
wagon: tail-board; step-ladder; fig.
stepping-stone.

marcher [mar'ʃe] (1a) v/i. walk, go
(a. ⚙ engine); ⚔ etc. march; ⊕ run
(a. ⚙ train), work; fig. F swallow;
⚓ sail, head (for, vers); ⊕ ~ à vide
run idle; ~ sur les pas de q. follow
in s.o.'s footsteps; ~ sur les pieds
de q. tread on s.o.'s feet; faire ~ run
(a house, a business); F faire ~ q.
pull s.o.'s leg; F (je ne) marche pas!
nothing doing!; F ne pas se laisser ~
sur les pieds not to let o.s. be put
upon; ma montre ne marche plus
my watch is broken; **marcheur,
-euse** [~'ʃœːr, ~'ʃøːz] 1. adj. walking; ~ bon ~ fast-sailing; 2. su.
walker; su./m: F vieux ~ old rake.

marcotte ⚘ [mar'kɔt] f layer;
runner; **marcotter** ⚘ [~kɔ'te] (1a)
v/t. layer.

mardi [mar'di] m Tuesday; ~ gras
Shrove Tuesday.

mare [maːr] f pond; pool (a. fig.).

marécage [mare'kaːʒ] m bog,
swamp; fen, marshland; **marécageux, -euse** [~ka'ʒø, ~'ʒøːz] boggy,
swampy, marshy.

maréchal ⚔ [mare'ʃal] m marshal;
(a. ~-ferrant) farrier; ~ des logis
cavalry: sergeant; ~ des logis-chef
battery or squadron sergeant-major; **maréchalat** [~ʃa'la] m
marshalship; **maréchalerie** [~ʃal-'ri] f horse-shoeing; smithy.

marée [ma're] f tide; ✝ fresh fish;
~ basse (haute) low (high) tide,
low (high) water; grande ~ spring-tide; la ~ descend (monte) the tide
is going out (coming in).

marelle [ma'rel] f game: hopscotch.

mareyeur m, **-euse** f [mare'jœːr,
~'jøːz] fishmonger.

margarine ✝ [marga'rin] f margarine.

marge [marʒ] f border, edge; margin (a. fig., a. ✝); ✝ margin of
profit; fig. scope; **margelle** [mar-'ʒɛl] f well: curb(-stone); **margeur** [~'ʒœːr] m typ. layer-on;
typewriter: margin stop; **marginal, e**, m/pl. **-aux** [~ʒi'nal, ~'no]
marginal.

margotin [margo'tɛ̃] m bundle of
firewood.

margouillis F [margu'ji] m mud,
slush; mess.

margoulin sl. [margu'lɛ̃] m petty
tradesman; dishonest shopkeeper.

marguerite ⚘ [margə'rit] f daisy;
grande ~ marguerite, ox-eye daisy;
petite ~ daisy.

mari [ma'ri] m husband; **mariable**
[~'rjabl] marriageable, F in the
marriage market; **mariage** [~'rja:ʒ]
m marriage; wedding; matrimony;
marié, e [~'rje] 1. adj. married;
2. su./m bridegroom; su./f bride;
marier [~'rje] (1o) v/t. marry (a.
⚓), give or join in marriage; fig.
join; fig. blend (colours); se ~
marry, get married; fig. harmonize
(with, à); **marieur** m, **-euse** f
[~'rjœːr, ~'rjøːz] matchmaker.

marin, e [ma'rɛ̃, ~'rin] 1. adj.
marine (plant); sea...; nautical;
2. su./m sailor; moist wind (in
South-Eastern France); F ~ d'eau
douce land-lubber.

marinade [mari'nad] f pickle;
brine; cuis. marinade.

marine [ma'rin] 1. adj./inv. navy
(-blue); 2. su./f ⚓ navy; ⚓ seamanship; paint. seascape; ~ de
guerre Navy; ~ marchande merchant service or navy; ⚔ infanterie
f de ~ (approx.) Royal Marine
Light Infantry, Am. Marines pl.

mariner cuis. [mari'ne] (1a) v/t.
marinade; pickle.

marinier, -ère [mari'nje, ~'njeːr]
1. adj. naval; 2. su./m waterman,
bargee; su./f swimming: side-stroke.

marionnette [marjɔ'net] f puppet
(a. fig.); théâtre m de ~s puppet-show.

marital, e, m/pl. **-aux** [mari'tal,
~'to] marital; **maritalement** [~tal-'mɑ̃] adv. maritally; vivre ~ live
together as husband and wife.

maritime [mari'tim] maritime (⚓,
law, power, province); shipping
(agent, intelligence); naval (dock-

yard); marine (*insurance*); seaborne (*trade*); seaside (*town*). [tern.]

maritorne [mari'tɔrn] *f* slut, slat-/

marivaudage [marivo'da:ʒ] *m* preciosity in writing; mild flirting.

marjolaine ♀ [marʒɔ'lɛn] *f* marjoram.

marmaille F *coll.* [mar'mɑ:j] *f* children *pl.*, F kids *pl.*

marmelade [marmə'lad] *f* compote (*of fruit*); (*orange*) marmalade; F mess; *fig.* en ~ pounded to a jelly.

marmite [mar'mit] *f* pan; (cooking-)pot; ✕ F heavy shell; ~ à pression (*or de Papin*) pressure-cooker; ~ norvégienne hay-box; F faire bouillir la ~ keep the pot boiling.

marmiton [⹀mi'tɔ̃] *m* cook's boy; (*pastry-cook's*) errand-boy.

marmonner [marmɔ'ne] (1a) *v/t.* mumble, mutter.

marmoréen, -enne [marmɔre'ɛ̃, ⹀'ɛn] marmoreal, marble...; **marmoriser** ⹁ [⹀ri'ze] (1a) *v/t.* marmarize.

marmot [mar'mo] *m* F brat; F croquer le ~ cool one's heels.

marmotte [mar'mɔt] *f* zo. marmot, *Am.* woodchuck; ♥ case of samples; head-scarf.

marmotter [marmɔ'te] (1a) *v/t.* mumble, mutter.

marmouset [marmu'zɛ] *m* fig. F whipper-snapper, little chap; ⊕ fire-dog.

marne ⹀, *geol.* [marn] *f* marl; **marner** [mar'ne] (1a) *v/t.* ⹀ marl; *v/i.* ⚓ rise (*tide*).

marocain, e [marɔ'kɛ̃, ⹀'kɛn] *adj.*, *a. su.* ♀ Moroccan.

maronner [marɔ'ne] (1a) *vt/i.* growl, mutter.

maroquin [marɔ'kɛ̃] *m* morocco (-leather); *pol.* F ministerial portfolio; **maroquiner** [⹀ki'ne] (1a) *v/t.* give a morocco finish to; make (*skin*) into morocco-leather; **maroquinerie** [⹀kin'ri] *f* fancy leather goods *pl.*

marotte [ma'rɔt] *f* (*fool's*) cap and bells *pl.*; *hairdresser etc.*: dummy head; F fad, F bee in the bonnet.

maroufle¹ [ma'rufl] *m* † lout, hooligan.

maroufle² [ma'rufl] *f* strong paste; **maroufler** [⹀ru'fle] (1a) *v/t.* remount (*a picture*); prime, size (*canvas*); ✂ tape (*a seam*).

marquant, e [mar'kɑ̃, ⹀'kɑ̃:t] outstanding, prominent; **marque** [mark] *f* mark (*a.* ♥, *a. fig.*); ♥ brand, make (*a. mot.*); ♥ tally; ⊕ marking tool; *sp.* score; *fig.* token; *fig.* highest quality; ~ au crayon pencil-mark; ~ déposée (*or de fabrique*) registered trade-mark; de ~ distinguished (*person*); ♥ F choice, best quality; **marquer** [mar'ke] (1m) *v/t.* mark; stamp; brand; *sp* score (*goals, points*); *fig.* denote, indicate; *fig.* show (*one's age, one's feelings*); *fig.* emphasize; ascertain (*facts*); ♪ ~ la mesure beat time; *v/i.* be outstanding; F ~ mal make a bad impression; **marqueter** [⹀kə'te] (1c) *v/t.* speckle; inlay (*wood*); **marqueterie** [⹀kə'tri] *f* inlaid-work, marquetry; *fig.* patchwork.

marqueur, -euse [mar'kœ:r, ⹀'kø:z] *su.* marker; *sp.* scorer.

marquis [mar'ki] *m* marquis, marquess; **marquise** [⹀'ki:z] *f* title: marchioness; marquee; awning, canopy.

marquoir [mar'kwa:r] *m* marking tool.

marraine [ma'rɛn] *f* godmother; *eccl.*, *a. fig.* sponsor.

marrant, e *sl.* [ma'rɑ̃, ⹀'rɑ̃:t] screamingly funny; odd.

marre *sl.* [ma:r] *f*: en avoir ~ be fed up (with, de).

marri, e † [ma'ri] grieved.

marron¹ [ma'rɔ̃] **1.** *su./m* ♀ (*edible*) chestnut; F blow; ♀ ~ d'Inde horse-chestnut; **2.** *adj./inv.* maroon; chestnut(-coloured).

marron², -onne [ma'rɔ̃, ⹀'rɔn] run wild (*animal*); unqualified; unlicensed (*taxi-driver, trader, etc.*); *sp.* sham; **marronner** [⹀rɔ'ne] (1a) *v/i. fig.* carry on a profession or trade without qualifications; ♥ Stock Exchange: job; *sl.* grouse.

maronnier ♀ [marɔ'nje] *m* chestnut (-tree).

mars [mars] *m* March; *astr.* Mars; ⹀ ~ *pl.* spring wheat *sg.*

marsouin [mar'swɛ̃] *m* zo. porpoise; ⚓ forecastle awning; ✕ F colonial infantry soldier.

marsupial *m*, **-e** *f*, *m/pl.* **-aux** zo. [marsy'pjal, ⹀'pjo] *adj.*, *a. su./m* marsupial.

marte [mart] *f* † see martre.

marteau [mar'to] *m* hammer (*a.* ♪,

a. anat.); (*door-*)knocker; *clock:* striker; *icht.* hammerhead; ~ *pneumatique* pneumatic drill; ~**-pilon**, *pl.* ~**x-pilons** *metall.* [⌣topi'lɔ̃] *m* power-hammer; forging-press.

martel [mar'tɛl] *m* † hammer; *fig.* se mettre ~ en tête worry; **marteler** [⌣tə'le] (1d) *v/t.* hammer; ✔ blaze (*trees*); *fig.* torment; *fig.* ~ ses mots speak each word with emphasis.

martial, e, *m/pl.* -aux [mar'sjal, ~'sjo] martial (*a. law*); soldierly; **martien, -enne** [~'sjɛ̃, ~'sjɛn] *adj., a. su.* ♀ Martian.

martinet[1] [marti'nɛ] *m* ⊕ tilt-hammer, drop-stamp; flat candlestick (*with handle*); cat-o'-nine-tails.

martinet[2] *orn.* [~] *m* swift, martlet.

martin-pêcheur, pl. martins-pêcheurs *orn.* [martɛ̃pɛ'ʃœːr] *m* kingfisher.

martre *zo.* [martr] *f* marten.

martyr *m*, **e** *f* [mar'tiːr] martyr; **martyre** [~'tiːr] *m* martyrdom; *fig.* agonies *pl.*; **martyriser** [~tiri'ze] (1a) *v/t. eccl.* martyr; *fig.* torment; *fig.* make a martyr of.

marxisme *pol.* [mark'sism] *m* Marxism; **marxiste** *pol.* [~'sist] *adj., a. su.* Marxist.

mas [mɑs] *m* small farmhouse.

mascarade [maska'rad] *f* masquerade (*a. fig.*).

mascaret [maska'rɛ] *m* bore, tidal wave.

mascotte [mas'kɔt] *f* mascot, charm.

masculin, e [masky'lɛ̃, ~'lin] **1.** *adj.* masculine; male; **2.** *su./m gramm.* masculine.

masochiste [mazo'ʃist] *su.* masochist.

masque [mask] *m* mask (*a. fig.*); *fig.* cloak, cover; *thea.* masque; masquerader; ~ à gaz gas-mask, respirator; **masquer** [mas'ke] (1m) *v/t.* mask; *fig.* conceal; ⚓ back (*a sail*).

massacrant, e [masa'krɑ̃, ~'krɑ̃t] *adj.:* humeur *f* ~e bad *or* F foul temper; **massacre** [~'sakr] *m* massacre; slaughter (*a. fig.*); **massacrer** [masa'kre] (1a) *v/t.* massacre, slaughter; *fig.* make a hash of, ruin; murder (*music*); *tennis:* kill (*a ball*); **massacreur** *m*, **-euse** *f* [~'krœːr, ~'krøːz] slaughterer; *fig.* bungler; *fig. music:* murderer.

massage ⚕ [ma'saːʒ] *m* massage.

masse[1] [mas] *f* ⊕ sledge-hammer; (*ceremonial*) mace.

masse[2] [~] *f* ✗, *phys., fig.* mass; ✝ bulk; ✝ fund; ✶ earth; *persons, water:* body; *fig.* crowd, heap; en ~ in a body; as a whole; *fig.* mass...; *phys.* ~ *critique* critical mass.

massé [ma'se] *m billiards:* massé (shot).

massepain [mas'pɛ̃] *m* marzipan.

masser[1] [ma'se] (1a) *v/t.* mass (*people*); se ~ form a crowd.

masser[2] [ma'se] (1a) *v/t.* ⚕ massage; rub down (*a horse*); **masseur** [~'sœːr] *m* (*a.* ~ *kinésithérapeute*) masseur; **masseuse** [~'søːz] *f* masseuse.

massicot[1] ⚗, ⊕ [masi'ko] *m* yellow lead.

massicot[2] [~] *m books:* guillotine, trimmer.

massier [ma'sje] *m* mace-bearer.

massif, -ve [ma'sif, ~'siːv] **1.** *adj.* massive, bulky, heavy; solid (*gold*); **2.** *su./m* clump, cluster; ⚠ block, solid mass; *geog.* mountain mass.

massue [ma'sy] *f* club (*a. zo.*, ⚘); *fig.* en *coup de* ~ sledge-hammer (*arguments*).

mastic [mas'tik] *m iron etc.:* mastic; *glazier:* cement; putty; *tooth:* filling, stopping.

masticateur [mastika'tœːr] **1.** *adj./m* masticatory; **2.** *su./m* masticator; **masticatoire** [~'twaːr] **1.** *adj.* masticatory; **2.** *su./m* ⚕ masticatory; chewing-gum.

mastiquer[1] [masti'ke] (1m) *v/t.* masticate; chew.

mastiquer[2] [~] (1m) *v/t.* ⊕ cement; stop (*a hole, a. a tooth*); putty (*a window*).

mastroquet F [mastro'kɛ] *m* public-house keeper, F pub-keeper.

masure [ma'zyːr] *f* hovel, shack.

mat[1], **mate** [mat] dull, flat, lustreless (*colour*); heavy (*bread, dough*).

mat[2] [~] **1.** *adj./inv.* checkmated; **2.** *su./m* checkmate.

mât [mɑ] *m* ⚓ mast; (*tent-*)pole; ✗ strut; 🚩 ~ *de signaux* signal-post; ⚓ *navire m à trois* ~s three-master.

matador [mata'dɔːr] *m* matador; *fig.* magnate; *fig.* bigwig.

matamore [mata'mɔːr] *m* swash-buckler.

match, *pl. a.* **matches** *sp.* [matʃ] *m* match; ~ de *championnat* league match; ~ de *retard* match in hand; ~ *retour* return match.

matelas [mat'la] *m* mattress; ⊕ ~ *d'air* air-cushion; ~ *pneumatique* air-bed, air-mattress; **matelasser** [matla'se] (1a) *v/t.* pad; stuff; *porte f matelassée* baize door; **matelassier** *m*, **-ère** *f* [~'sje, ~'sjɛːr] mattress-maker; mattress-cleaner; **matelassure** [~'syːr] *f* padding, stuffing.

matelot [mat'lo] *m* sailor; **matelote** [~'lɔt] *f cuis.* matelote; † (*approx.*) hornpipe; *à la* ~ sailor-fashion.

mater[1] [ma'te] (1a) *v/t.* mat, dull; ⊕ hammer; work (*the dough*).

mater[2] [~] (1a) *v/t.* (check)mate (*at chess*); *fig.* subdue, humble.

mâter ♣ [mɑ'te] (1a) *v/t.* mast; rig (*booms*); sup-end (*a boat*).

matérialiser [materjali'ze] (1a) *v/t. a. se* ~ materialize; **matériau** △ [~'rjo] *m* material; **matériaux** ⊕, △, *fig.* [~'rjo] *m/pl.* materials; **matériel, -elle** [~'rjɛl] **1.** *adj.* material; physical; *fig.* sensual; ⚖ *dommages m/pl.* ~s damage *sg.* to property; *vie f* ~*elle* necessities *pl.* of life; **2.** *su./m* ⊕ plant; apparatus; *school, a.* ♣: furniture; *war:* material; *humain* man-power; men *pl.*; 🛤 ~ *roulant* rolling stock.

maternel, -elle [mater'nɛl] maternal; mother (*tongue*); *école f* ~*elle* infant school; **maternité** [~ni'te] *f* maternity, motherhood; maternity hospital.

mathématicien *m*, **-enne** *f* [mathemati'sjɛ̃, ~'sjɛn] mathematician; **mathématique** [~'tik] **1.** *adj.* mathematical; **2.** *su./f:* ~s *pl.* mathematics; ~s *pl. spéciales* higher mathematics.

matière [ma'tjɛːr] *f* material; matter, substance; *fig.* subject; *fig.* grounds *pl.* (*oft.* ⚖); ~s *pl.* *premières* raw material *sg.*; ~s *pl. plastiques* plastics; *en* ~ *de* as regards; *entrer en* ~ broach the subject; *table f des* ~s table of contents.

matin [ma'tɛ̃] **1.** *su./m* morning; *au* ~ in the morning; *de bon* (*or grand*) ~ early in the morning; **2.** *adv.* early.

mâtin [mɑ'tɛ̃] **1.** *su./m zo.* mastiff; **2.** *int.* F gosh!

matinal, e, *m/pl.* **-aux** [mati'nal, ~'no] morning...; early; *être* ~ be an early riser (*person*); **matinée** [~'ne] *f* morning, forenoon; morning's work; *cost.* wrapper; *thea.* matinee, afternoon performance; *faire la grasse* ~ sleep late, F have a lie in; **matines** *eccl.* [ma'tin] *f/pl.* mat(t)ins; **matineux, -euse** [mati'nø, ~'nøːz] **1.** *adj.* early rising; **2.** *su.* early riser; **matinier, -ère** [~'nje, ~'njɛːr] *adj.*: *l'étoile f* ~*ère* the morning star.

matir [ma'tiːr] (2a) *v/t.* mat, dull; ⊕ hammer.

matois, e [ma'twa, ~'twaːz] **1.** *adj.* sly, foxy, cunning; **2.** *su.* crafty person.

matou *zo.* [ma'tu] *m* tom-cat.

matraque [ma'trak] *f* bludgeon; rubber truncheon.

matras [ma'trɑ] *m* 🝆 matrass; ✠ *hist.* crossbow: quarrel.

matriarcat [matriar'ka] *m* matriarchy; **matrice** [~'tris] **1.** *su./f* matrix; ⊕ die; ⊕ master record; *typ.* type mo(u)ld; *anat.* womb, uterus; **2.** *adj.* primary (*colour*); mother (*church, tongue*); **matricer** ⊕ [matri'se] (1k) *v/t.* stamp (out); swage; **matricide** [~'sid] **1.** *su. person:* matricide; *su./m crime:* matricide; **2.** *adj.* matricidal.

matricule [matri'kyl] *su./f* roll, register; registration; *su./m* registration-number, serial-number; **matriculer** [~ky'le] (1a) *v/t.* enrol(l), register; number.

matrimonial, e, *m/pl.* **-aux** [matrimo'njal, ~'njo] matrimonial.

matrone [ma'trɔn] *f* matron.

maturation [matyra'sjõ] *f* ripening; *tobacco:* maturing.

mâture ♣ [mɑ'tyːr] *f* masting; *coll.* masts *pl.*; sheer-legs *pl.*

maturité [matyri'te] *f* maturity; ripeness; *avec* ~ after mature consideration.

matutinal, e, *m/pl.* **-aux** [matyti'nal, ~'no] matutinal.

maudire [mo'diːr] (4p) *v/t.* curse; *fig.* grumble about; **maudit, e** [~'di, ~'dit] **1.** *p.p. of maudire;* **2.** *adj.* (ac)cursed; *fig.* execrable, damnable.

maugréer [mogre'e] (1a) *v/i.* curse; *fig.* grumble (about, at *contre*).

maure [mɔːr] **1.** *adj./m* Moorish;

2. *su./m* ♀ Moor; **mauresque** [mɔ-'rɛsk] 1. *adj.* Moorish; △ Moresque; 2. *su./f* ♀ Moorish woman.

mausolée [mozɔ'le] *m* mausoleum.

maussade [mo'sad] surly, sullen; *fig.* depressing, dull (*weather*); irritable (*person, tone*); **maussaderie** [‿sa'dri] *f* sullenness; irritability, peevishness.

mauvais, e [mɔ've, ‿'ve:z] 1. *adj.* bad (*a. influence, news, ✝ season*); evil, wicked; wrong; ill; nasty, unpleasant; offensive (*smell*); ✱ severe (*illness*); ‿e excuse lame excuse; ‿e foi dishonesty; unfairness; ‿e tête unruly *or* obstinate 'person; de ‿e humeur in a bad temper; 2. *mauvais adv.*: il fait ‿ the weather is bad; sentir ‿ smell bad, stink.

mauve [mo:v] *su./f* ♀ mallow; *su./m, a. adj.* mauve, purple.

mauviette [mo'vjɛt] *f orn.* skylark; *fig.* frail person; **mauvis** *orn.* [‿'vi] *m* redwing.

maxillaire *anat.* [maksil'lɛ:r] *m* jaw-bone; ‿ supérieur maxilla.

maxime [mak'sim] *f* maxim; **maximum**, *pl. a.* **maxima** [‿si'mɔm, ‿'ma] *su./m, a. adj.* maximum.

mayonnaise *cuis.* [majɔ'nɛ:z] *f* mayonnaise.

mazer *metall.* [ma'ze] (1a) *v/t.* refine (*pig-iron*).

mazette F [ma'zɛt] 1. *su./f sp.* duffer; ✗ recruit; poor horse; 2. *int.* my word!; *Am.* say!

mazout [ma'zut] *m* fuel oil; crude oil.

me [mə] 1. *pron./pers.* me; to me; ‿ voici! here I am!; 2. *pron./rfl.* myself, to myself.

méandre [me'ɑ̃:dr] *m* wind(ing), bend; *faire des* ‿s meander, wind (*river*).

mécanicien [mekani'sjɛ̃] *m* mechanic; engineer, artificer; 🚂 engine-driver, *Am.* engineer; **mécanicienne** [‿ni'sjɛn] *f* sewing-machine operator; *factory:* machinist; **mécanique** [‿'nik] 1. *adj.* mechanical; 2. *su./f* mechanics *sg.*; mechanism, (piece of) machinery; ♪ technique; *phys.* ‿ ondulatoire wave-mechanics *sg.*; **mécaniser** [‿ni'ze] (1a) *v/t.* mechanize; turn (*s.o.*) into a machine; **mécanisme** [‿'nism] *m* mechanism; machinery; technique.

mécano ⊕ F [meka'no] *m* mechanic.

méchamment [meʃa'mɑ̃] *adv. of* *méchant*; **méchanceté** [‿ʃɑ̃s'te] *f* wickedness; naughtiness; ill nature; malice, spite; spiteful thing; **méchant, e** [‿'ʃɑ̃, ‿'ʃɑ̃:t] 1. *adj.* wicked, evil; naughty; nasty, spiteful; *fig.* poor, sorry; *fig.* paltry; *il n'est pas* ‿ he's all right; he's harmless; 2. *su./m* naughty boy; *su./f* naughty girl.

mèche¹ [mɛʃ] *f* candle, lamp: wick; ✗ match fuse; *whip:* cracker, *Am.* snapper; *hair:* lock; ⊕ bit, drill; *éventer la* ‿ discover a secret; *vendre la* ‿ let the cat out of the bag, *sl.* blow the gaff.

mèche² F [‿] *f:* *de* ‿ *avec* in collusion with; hand in glove with; *il n'y a pas* ‿! it can't be done!

mécher [me'ʃe] (1f) *v/t.* match, fumigate (*a cask*).

mécompte [me'kɔ̃:t] *m* miscalculation, mistake in reckoning, error; *fig.* disappointment.

méconnaissable [mekɔnɛ'sabl] unrecognizable; hardly recognizable; **méconnaissance** [‿nɛ'sɑ̃:s] *f* failure to recognize; **méconnaître** [‿'nɛ:tr] (4k) *v/t.* refuse to recognize, cut; *fig.* not to appreciate; *fig.* underrate; *fig.* disown.

mécontent, e [mekɔ̃'tɑ̃, ‿'tɑ̃:t] dissatisfied, discontented (with, *de*); annoyed (at, *de*; that, *que*); **mécontentement** [‿tɑ̃t'mɑ̃] *m* dissatisfaction (with, *de*); displeasure, annoyance (at, *de*); *pol.* disaffection; **mécontenter** [‿tɑ̃'te] (1a) *v/t.* dissatisfy; displease, annoy.

mécréant, e [mekre'ɑ̃, ‿'ɑ̃:t] 1. *adj.* unbelieving; heterodox; 2. *su.* unbeliever; misbeliever; miscreant.

médaille [me'da:j] *f* medal; badge; △ medallion; **médaillé, e** [meda-'je] 1. *adj.* decorated; holding a medal; 2. *su.* medallist; medal-winner, prize-winner; **médaillier** [‿'je] *m* medal cabinet; collection of medals; **médailliste** [‿'jist] *m* collector of medals; medal-maker; **médaillon** [‿'jɔ̃] *m* medallion; locket; *journ.* inset; *cuis. butter:* pat; *cuis.* medaillon.

médecin [met'sɛ̃] *m* doctor, physician; ⚓ ‿ *du bord* ship's doctor; ‿ *légiste* medical expert; ‿ *traitant* doctor in charge of the case; *femme* *f* ‿ lady doctor; **médecine** [‿'sin] *f* medicine; ∼ *légale* forensic medicine.

médian, e [me'djã, ∼'djan] median; middle...; *foot.* half-way (*line*); **médiat, e** [∼'dja, ∼'djat] mediate; **médiateur, -trice** [medja'tœːr, ∼'tris] **1.** *adj.* mediatory; **2.** *su.* mediator; intermediary; **médiation** [∼'sjɔ̃] *f* mediation.

médical, e, *m/pl.* -aux [medi'kal, ∼'ko] medical; **médicament** [medika'mã] *m* medicament, F medicine; **médicamenter** [∼mã'te] (1a) *v/t.* doctor, dose (*s.o.*); **médicamenteux, -euse** [∼mã'tø, ∼'tøːz] medicinal; **médicastre** [medi'kastr] *m* quack (doctor); **médication** [∼ka'sjɔ̃] *f* medical treatment, medication; **médicinal, e,** *m/pl.* -aux [∼si'nal, ∼'no] medicinal; **médico-legal, e,** *m/pl.* -aux [∼kole'gal, ∼'go] medico-legal.

médiéval, e, *m/pl.* -aux [medje'val, ∼'vo] medi(a)eval; **médiéviste** [∼'vist] *su.* medi(a)evalist.

médiocre [me'djɔkr] mediocre; indifferent; **médiocrité** [∼djɔkri'te] *f* mediocrity; F *person:* secondrater.

médire [me'diːr] (4p) *v/i.:* ∼ *de q.* slander s.o., speak ill of s.o., F run s.o. down; **médisance** [medi'zãːs] *f* slander; scandal-mongering; **médisant, e** [∼'zã, ∼'zãːt] **1.** *adj.* slanderous, backbiting; **2.** *su.* slanderer; scandal-monger.

méditatif, -ve [medita'tif, ∼'tiːv] meditative; contemplative, pensive; **méditation** [∼ta'sjɔ̃] *f* meditation (*a. eccl.*); cogitation, thought; **méditer** [∼'te] (1a) *v/i.* meditate; *v/t.* contemplate (*s.th.*).

méditerrané, e *geog.* [meditera'ne] mediterranean.

médium [me'djɔm] *m psychics:* medium; ♪ middle register.

médius *anat.* [me'djys] *m* middle finger.

médullaire ♀, *anat.* [medyl'lɛːr] medullary.

méduse [me'dyːz] *f* jelly-fish; **méduser** F [∼dy'ze] (1a) *v/t.* petrify.

meeting *sp., pol.* [mi'tiŋ] *m* meeting.

méfaire † [me'fɛːr] *v/i.* occurs only *in inf.* do wrong; **méfait** [∼'fɛ] *m* misdeed.

méfiance [me'fjãːs] *f* distrust; **méfiant, e** [∼'fjã, ∼'fjãːt] suspicious,

distrustful; **méfier** [∼'fje] (1o) *v/t.:* se ∼ be on one's guard; se ∼ *de* be suspicious of, distrust.

mégalo... [megalɔ] megalo...; ∼**mane** [∼'man] *su.* megalomaniac.

mégaphone [mega'fɔn] *m* megaphone.

mégarde [me'gard] *f: par* ∼ inadvertently; accidentally.

mégatonne [mega'tɔn] *f* megaton.

mégère [me'ʒɛːr] *f* shrew, termagant.

mégie [me'ʒi] *f fine skins:* tawing; **mégir** [∼'ʒiːr] (2a), **mégisser** [∼ʒi'se] (1a) *v/t.* taw, dress; **mégisserie** [∼ʒis'ri] *f* tawing, dressing; tawery; **mégissier** [∼ʒi'sje] *m* tawer.

mégot F [me'go] *m cigarette:* fagend, *Am.* butt; *cigar:* stump; (poor) cigar.

méhari, *pl. a.* **méhara** [mea'ri, ∼'ra] *m* fast dromedary; **méhariste** ⚔ [∼'rist] *m* cameleer.

meilleur, e [mɛ'jœːr] **1.** *adj.* better; le ∼ the better (*of two*), the best (*of several*); **2.** *su./m* best (*thing*).

mélancolie [melãkɔ'li] *f* melancholy, gloom; ✻ melancholia; **mélancolique** [∼'lik] mournful, gloomy, melancholy; ✻ melancholic.

mélange [me'lãːʒ] *m* mixture, blend; *cards:* shuffling; ∼s *pl.* miscellany *sg.*; ∼ *réfrigérant* freezing-mixture; **mélanger** [melã'ʒe] (1l) *v/t. a.* se ∼ mix; blend; **mélangeur** [∼'ʒœːr] *m* mixing-machine, mixer.

mélasse [me'las] *f* molasses *pl.*, treacle; *sl. dans la* ∼ in the soup.

mêlée [mɛ'le] *f* ⚔ mêlée, fray; scuffle; scramble; *sp. rugby:* scrum; **mêler** [∼] (1a) *v/t.* mix; mingle, blend; ∼ *q. à* (or *dans*) involve s.o. in; se ∼ *de* meddle in, interfere in; dabble in (*politics*).

mélèze ♀ [me'lɛːz] *m* larch.

mélilot ♀ [meli'lo] *m* sweet clover, melilot.

méli-mélo, *pl.* **mélis-mélos** F [melime'lo] *m* jumble; clutter; hotchpotch.

mellifère [mɛlli'fɛːr] honey-bearing; **mellifique** [∼'fik] mellific, honey-making; **melliflue** *fig.* [∼'fly] mellifluous, honeyed.

mélodie [melɔ'di] *f* ♪ melody, tune; melodiousness; **mélodieux, -euse**

[~'djø, ~'djø:z] melodious, tuneful;
mélodique ♪ [~'dik] melodic; **mélodrame** [~'dram] *m* melodrama;
mélomane [~'man] **1.** *adj.* mad
on music; **2.** *su.* melomaniac.

melon [mə'lɔ̃] *m* ♀ melon; bowler
(hat).

membrane [mã'bran] *f* ♀, *anat.*,
⊕ membrane; *zo.* duck, goose, *etc.*:
web; **membraneux, -euse** [~bra-
'nø, ~'nø:z] membranous.

membre [mã:br] *m* member; *body:*
limb; ⚓ rib; **membré, e** [mã'bre]
adj.: **bien ~** well-limbed; **membru,
e** [~'bry] strong-limbed; **big-
limbed; membrure** [~'bry:r] *f*
coll. limbs *pl.*, ⚓ ribs *pl.*; ⚒
frame.

même [mɛ:m] **1.** *adj.* same; *after
noun:* self, very; **ce ~** the same
evening; **ce soir ~** this very evening;
en ~ temps at the same time; *la
bonté ~* kindness itself; **les ~s personnes** the same persons; *see* **vous-
même**; **2.** *adv.* even; **à ~ de** *(inf.)*
able to *(inf.)*, in a position to *(inf.)*;
boire à ~ la bouteille drink out of
the bottle; **de ~** in the same way,
likewise; **de ~ que** like, (just) as;
pas ~ not even; **quand ~** even if;
all the same; **tout de ~** all the same;
voire ~ ... indeed ...

mémère F [me'mɛ:r] *f* mother, F
mum(my); grandmother, F granny.

mémoire[1] [me'mwa:r] *f* memory;
de ~ by heart, from memory; **de ~
d'homme** within living memory; **en
~ de** in memory of.

mémoire[2] [~] *m* memorandum; memorial; memoir, dissertation; ⚖
abstract; **~s** *pl.* transactions; **⚥s** *pl.*
(historical) memoirs.

mémorable [memɔ'rabl] memora-
ble, noteworthy; **mémorial** [~'rjal]
m Gazette; ⚥ memoirs *pl.*; **mémo-
rialiste** [~rja'list] *m* memorialist.

menace [mə'nas] *f* threat, menace;
menacer [~na'se] (1k) *v/t.* threaten
(with, **de**).

ménage [me'na:ʒ] *m* housekeeping;
housework; set of furniture; *fig.*
household, family; *fig.* married
couple; **faire bon ~** get on well together; **faire le ~** do the housework;
faux ~ unmarried couple living together; **femme f de ~** charwoman,
cleaner; **jeune ~** newly married
couple; **tenir le ~** keep house for;

ménagement [~naʒ'mã] *m* care,
consideration, caution.

ménager[1] [mena'ʒe] (1l) *v/t.* save;
use economically, make the most
of; arrange; provide.

ménager[2], **-ère** [mena'ʒe, ~'ʒɛ:r]
1. *adj.* domestic; *fig.* thrifty, sparing (of, **de**); **enseignement m ~**
domestic science; **2.** *su./f* housewife; housekeeper; canteen of cutlery; cruet-stand; **ménagerie** [~
naʒ'ri] *f* menagerie.

mendiant, e [mã'djã, ~'djã:t] **1.** *adj.*
mendicant; **2.** *su.* beggar; *su./m*: F **les
quatre ~s** *pl.* figs, raisins, almonds
and hazel-nuts as dessert; **mendicité** [~disi'te] *f* begging, beggary;
beggardom; **mendier** [~'dje] (1o)
v/i. beg; *v/t.* beg for; **~ des compliments** fish for compliments; **mendigot** F [~di'go] *m* beggar.

meneau △ [mə'no] *m* mullion; **à
~x** mullioned.

menée [mə'ne] *f* hunt. track; *fig.*
manœuvre, intrigue.

mener [~] (1d) *v/t.* lead; conduct,
guide; ⚒ draw (*a line*); partner (*a
lady in a dance*); *fig.* rule, control,
manage; drive (*a horse, a car*); steer
(*a boat*); **~ par le bout du nez** lead
by the nose; **cela peut le ~ loin** that
may take him a long way; *v/i.* lead
(to, **à**); **ne pas en ~ large** be in a
tight corner.

ménestrel *hist.* [menɛs'trɛl] *m* minstrel; **ménétrier** [~ne'trje] *m* village musician, fiddler.

meneur [mə'nœ:r] *m* guide; ringleader; driver.

menhir *geol.* [me'ni:r] *m* menhir.

méningite ⚕ [menɛ̃'ʒit] *f* menin-
gitis.

ménisque *anat.* [me'nisk] *m* me-
niscus.

ménopause ⚕ [menɔ'po:z] *f* meno-
pause.

menotte [mə'nɔt] *f* ⊕ handle; *mot.
etc.* link; F little hand; **~s** *pl.* handcuffs.

mensonge [mã'sɔ̃:ʒ] *m* lie, falsehood; *fig.* delusion; **~ officieux** (*or
pieux*) white lie; **mensonger, -ère**
[~sɔ̃'ʒe, ~'ʒɛ:r] untrue; false; *fig.*
illusory.

mensualité [mãsɥali'te] *f* monthly
payment *or* instalment; *payment:*
monthly rate; **mensuel, -elle** [~
'sɥɛl] monthly.

mensurable [mãsy'rabl] measurable; **mensuration** [‿ra'sjɔ̃] f measurement; ⚔ mensuration.

mental, e, m/pl. -aux [mã'tal, ‿'to] mental; *restriction f* ‿e mental reservation; **mentalité** [‿tali'te] f mentality.

menterie F [mã'tri] f lie, F fib; **menteur, -euse** [‿'tœːr, ‿'tøːz] **1.** adj. lying; deceptive, false; **2.** su. liar, F fibber.

menthe ♀ [mãːt] f mint.

mention [mã'sjɔ̃] f mention; *faire* ‿ *de* = **mentionner** [‿sjɔ'ne] (1a) v/t. mention; name.

mentir [mã'tiːr] (2b) v/i. lie, F fib.

menton [mã'tɔ̃] m chin; **mentonnet** [mãtɔ'ne] m ⊕ catch; ⊕ lug; ⚙ flange; **mentonnière** [‿'njɛːr] f (bonnet-)string; ⚒ chin-bandage; ⚔ check-strap; ♪ violin: chin-rest.

mentor [mɛ̃'tɔːr] m mentor.

menu, e [mə'ny] **1.** adj. small; fine; minute (details, fragments); slim, slender (figure); petty, trifling; **2.** menu adv. small, fine; hacher ‿ mince; chop (s.th.) up small; **3.** su./m detail; meal: menu; ‿ *à prix fixe* table d'hôte; *par le* ‿ in detail.

menuiser [mənɥi'ze] (1a) v/t. cut (wood) down; v/i. do woodwork; **menuiserie** [‿nɥiz'ri] f woodwork, carpentry; joiner's shop; **menuisier** [‿nɥi'zje] m joiner; carpenter.

méphitique [mefi'tik] noxious, foul; gaz m ‿ choke-damp.

méplat, e [me'pla, ‿'plat] **1.** adj. flat; ⚠ flat-laid; in planks (wood); **2.** su./m flat part; geol. rock: ledge.

méprendre [me'prãːdr] (4aa) v/t.: se ‿ sur be mistaken about, misjudge; fig. à s'y ‿ to the life; il n'y a pas à s'y ‿ there can be no mistake.

mépris [me'pri] m contempt, scorn; au ‿ de in defiance of, contrary to; **méprisable** [mepri'zabl] contemptible; **méprisant, e** [‿'zã, ‿'zãːt] scornful, contemptuous.

méprise [me'priːz] f mistake.

mépriser [mepri'ze] (1a) v/t. despise; scorn.

mer [mɛːr] f sea; tide; ‿ haute high tide; haute ‿ open sea; porter de l'eau à la ‿ carry coals to Newcastle.

mercanti F [mɛrkã'ti] m profiteer; **mercantile** [‿'til] mercantile;

commercial; fig. esprit m ‿ grabbing spirit, mercenary soul.

mercenaire [mɛrsə'nɛːr] **1.** adj. mercenary (a. ⚔); **2.** su./m hireling; ⚔ mercenary.

mercerie [mɛrsə'ri] f haberdashery; haberdasher's (shop), Am. notions shop.

merci [mɛr'si] **1.** adv. thank you, thanks (for, de); **2.** su./m thanks pl.; su./f mercy; crier ‿ cry mercy, beg for mercy; sans ‿ pitiless(ly adv.), merciless(ly adv.).

mercier m, **-ère** f [mɛr'sje, ‿'sjɛːr] haberdasher; small-ware dealer.

mercredi [mɛrkrə'di] m Wednesday.

mercure ⚗ [mɛr'kyːr] m mercury, quicksilver; **mercureux** ⚗ [‿ky-'rø] adj./m mercurous.

mercuriale [mɛrky'rjal] f ♀ market-prices pl.; F fig. reprimand.

mercuriel, -elle [mɛrky'rjɛl] mercurial.

merde V [mɛrd] **1.** su./f shit; **2.** int. hell!

mère [mɛːr] f mother (a. fig.); ⊕ die; mo(u)ld; fig. source, root; ‿ patrie mother-country; ♀ maison f ‿ head office.

méridien, -enne [meri'djɛ̃, ‿'djɛn] **1.** adj. geog. meridian; midday; astr. transit; **2.** su./m meridian; su./f meridian line; midday nap; sofa; **méridional, e,** m/pl. -aux [‿djɔ'nal, ‿'no] **1.** adj. south(ern); meridional; **2.** su. southerner; meridional.

meringue cuis. [mə'rɛ̃ːg] f meringue.

mérinos ♈, zo. [meri'nos] m merino.

merise ♀ [mə'riːz] f wild cherry; **merisier** [‿ri'zje] m wild cherry (-tree).

mérite [me'rit] m merit; quality; ability; sans ‿ undeserving; **mériter** [meri'te] (1a) vt/i. deserve, merit; **méritoire** [‿'twaːr] meritorious, praiseworthy, commendable.

merlan [mɛr'lã] m icht. whiting; sl. hairdresser; **merle** [mɛrl] m orn. blackbird; F fig. ‿ blanc rara avis; F fig. fin ‿ sly fellow.

merluche [mɛr'lyʃ] f icht. hake; ♈ dried cod.

merrain [mɛ'rɛ̃] m ⊕ stave-wood; wood for cooperage; deer's antlers: beam.

merveille [mɛr'vɛ:j] *f* marvel, wonder; *à* ~ magnificently, F fine; **merveilleux, -euse** [~vɛ'jø, ~'jø:z] marvellous, wonderful; supernatural.

mes [me] *see* mon.

més... [mez] mis...; ~**alliance** [meza'ljã:s] *f* misalliance.

mésange *orn.* [me'zã:ʒ] *f* tit(mouse); **mésangette** [~zã'ʒɛt] *f* bird-trap.

mésaventure [mezavã'ty:r] *f* misadventure, mishap, mischance.

mesdames [me'dam] *pl. of madame;* **mesdemoiselles** [medmwa'zɛl] *pl. of mademoiselle.*

mésentente [mezã'tã:t] *f* misunderstanding, disagreement.

mésentère *anat.* [mezã'tɛ:r] *m* mesentery.

mésestimer [mezɛsti'me] (1a) *v/t.* underestimate; hold (*s.o.*) in low esteem.

mésintelligence [mezɛ̃tɛli'ʒã:s] *f* disagreement; *en* ~ *avec* at loggerheads with.

mesquin, e [mɛs'kɛ̃, ~'kin] mean, shabby; *fig.* paltry (*excuse, character*); **mesquinerie** [~kin'ri] *f* meanness; pettiness.

mess ✕ [mɛs] *m* mess.

message [me'sa:ʒ] *m* message (*a. fig.*); **messager** *m*, **-ère** *f* [~sa'ʒe, ~'ʒɛ:r] messenger, *fig.* harbinger; **messagerie** [~saʒ'ri] *f* carrying trade; parcel delivery; ♃ ~ *maritime* shipping company; *bureau m des* ~*s* shipping office; 🚋 parcels office.

messe *eccl., a.* ♪ [mɛs] *f* mass.

messeoir [me'swa:r] (3k) *v/i.* be unbecoming (to, *à*).

Messie *bibl.* [mɛ'si] *m* Messiah.

messieurs [me'sjø] *pl. of monsieur.*

mesurable [məzy'rabl] measurable; **mesurage** [~'ra:ʒ] *m* measurement; **mesure** [mə'zy:r] *f* measure; measurement; extent, degree; step; *fig.* moderation; *verse:* metre; ♪ time; ♪ bar; *à* ~ one by one; in proportion; *à* ~ *que* (in proportion) as; *donner sa* ~ show what one is capable of; *en* ~ *de* in a position to; *outre* ~ excessively, beyond measure; *poids m/pl. et* ~*s pl.* weights and measures: *prendre des* ~*s contre* take steps *or* measures against; *fig. prendre la* ~ *de q.* size s.o. up; *prendre les* ~*s de q.* take s.o.'s meas-

urements; *fig. sans* ~ boundless; *sur* ~ to measure, to order; **mesurer** [mazy're] (1a) *v/t.* measure; calculate; *fig.* estimate; *se* ~ *cope (with avec, contre);* **mesureur** [~'rœ:r] *m person, machine:* measurer; *ga(u)ge;* ✠ metre.

méta... [meta] meta...

métairie [mete'ri] *f* small farm.

métal [me'tal] *m* metal; ~ *brut (commun)* raw (base) metal; **métallifère** [metalli'fɛ:r] metalliferous; **métallique** [~'lik] metallic; wire *(rope);* ♀ *encaisse f* ~ gold reserve; **métalliser** ⊕ [~li'ze] (1a) *v/t.* cover with metal, plate; metallize; **métallo** F [~'lo] *m* metal-worker; **métallurgie** ⊕ [~lyr'ʒi] *f* metallurgy; smelting; **métallurgiste** ⊕ [~lyr'ʒist] *m* metallurgist; metalworker.

méta...: ~**morphose** [metamɔr'fo:z] *f* metamorphosis, transformation; ~**morphoser** [~mɔrfo'ze] (1a) *v/t.* metamorphose; *se* ~ change; ~**phore** [~'fɔ:r] *f* metaphor; image; ~**phorique** [~fɔ'rik] metaphorical; ~**physique** [~fi'zik] *f* metaphysics *sg.;* ~**psychique** [~psi'ʃik] *f* parapsychology.

métayer [mete'je] *m* metayer, tenant farmer; *Am.* share-cropper.

méteil ♪ [me'tɛ:j] *m* mixed crop (*of wheat and rye*).

métempsycose [metãpsi'ko:z] *f* metempsychosis.

météo [mete'o] *su./f* weather report; meteorological office; *su./m* meteorologist; weather man; **météore** [~'ɔ:r] *m* meteor; **météorisme** [~ɔ'rism] *m* ♂ meteorism; flatulence; *vet.* hoove; **météorologie** [~ɔrɔlɔ'ʒi] *f* meteorology.

méthode [me'tɔd] *f* method, system; way; **méthodique** [~tɔ'dik] methodical, systematic.

méticuleux, -euse [metiky'lø, ~'lø:z] meticulous, punctilious, F fussy.

métier [me'tje] *m* trade; craft; profession; *tex.* loom; ~ *à broder (tisser)* tambour frame (weaving-loom); ~ *mécanique* power-loom.

métis, -isse [me'tis] **1.** *su.* halfbreed; *dog:* mongrel; **2.** *adj.* halfbred, cross-bred; mongrel (*dog*).

métrage [me'tra:ʒ] *m* measurement; metric length; *cin. court (long)* ~

short (full-length) film; **mètre**
[mɛtr] *m* metre, *Am.* meter; *fig.*
F yardstick; ~ *à ruban* tape-measure;
~ *carré* square metre; ~ *cube* cubic
metre; ~ *pliant* folding rule; **métré**
[me'tre] *m* measurement(s *pl.*);
métreur [~'trœːr] *m* quantity-sur-
veyor; **métrique** [~'trik] **1.** *adj.*
metric; **2.** *su./f* prosody, metrics *sg.*

métro F [me'tro] *m* underground
railway, tube, *Am.* subway.

métro...: **~logie** [metrɔlɔ'ʒi] *f* me-
trology; **~manie** [~ma'ni] *f* metro-
mania; **~nome** ♩ [~'nɔm] *m* metro-
nome.

métropole [metrɔ'pɔl] *f* metropolis;
capital; mother country; **métropolitain, e** [~pɔli'tɛ̃, ~'tɛn] **1.** *adj.*
metropolitan; **2.** *su./m* metropolitan; *eccl.* archbishop; underground
railway.

mets¹ [mɛ] *m* food; dish.

mets² [~] *1st p. sg. pres.* of **mettre**.

mettable [me'tabl] wearable
(*clothes*); **metteur** [~'tœːr] *m* ⊕
setter; 🖶 (*plate*-)layer; ~ *en scène*
thea. producer; *cin.* director.

mettre [mɛtr] (4v) *v/t.* put; place,
set; lay (*a.* the table); put on
(*clothes*); translate (into, en); bet
(on, sur); *fig.* suppose, assume; ~ *à
l'aise* put (*s.o.*) at his ease; ⚡ ~ *à la
terre* earth; ~ *au point* adjust; *opt.*
focus (*a lens*); *fig.* clarify (*an affair*);
~ *bas* lamb (*sheep*), litter, whelp
(*bitch*), foal (*mare*), farrow (*pig*),
calve (*cow*); ~ *de côté* save; ~ *deux
heures à* (*inf.*) take two hours to
(*inf.*); ~ *en colère* make angry; ~ *en
jeu* bring into play *or* discussion;
⊕ ~ *en marche* start (*a. fig.*); *typ.*
~ *en pages* make up; *thea.* ~ *en
scène* stage; *mettons que ce soit
vrai* let us suppose this to be true
or that this is true; *se ~ place* o.s.,
stand; *se ~ à* (*inf.*) begin (*ger.*, to
inf.); start (*ger.*), take to; *se ~ à
l'œuvre* set to work; *se ~ en colère*
get angry; *se ~ en gala* put on
formal dress; *se ~ en route* start out;
se ~ ensemble live together (*unmarried couple*); *se ~ en tête de* (*inf.*)
take it into one's head to (*inf.*);
s'y ~ set about it.

meublant, e [mœ'blɑ̃, ~'blɑ̃ːt] suitable for furnishing; 🖈 *meubles*
m/pl. ~s furnishings, movables;
meuble [mœbl] **1.** *adj.* movable;

loose (*ground*); 🖈 *biens m/pl.* ~s
movables, personalty *sg.*; **2.** *su./m*
piece of furniture; suite (*of furniture*); 🖈 chattel, movable; **meublé, e** [mœ'ble] **1.** *adj.*: (non) ~
(un)furnished; **2.** *su./m* furnished
room; **meubler** [~] (1a) *v/t.* furnish; stock (*the cellar, a farm, etc.*)
(with, de); *fig.* fill.

meule¹ [mœːl] *f hay*: stack, rick;
charcoal: pile; *bricks*: clamp; ✱
mushrooms: bed.

meule² [mœːl] *f* ⊕ millstone;
grindstone; ~ *de fromage* large
round cheese; **meuler** ⊕ [mœ'le]
(1a) *v/t.* grind; **meulerie** ⊕ [mœl-
'ri] *f* millstone-factory, grindstone-
factory; **meulier** ⊕ [mø'lje] *m*
millstone-maker, grindstone-mak-
er; **meulière** ⊕ [~'ljɛːr] *f* millstone grit; millstone quarry.

meulon [mø'lɔ̃] *m* small haystack;
corn: stook; (*hay*)cock.

meunerie [møn'ri] *f flour*: milling;
meunier [mø'nje] miller; **meu-
nière** [~'njɛːr] *f* woman mill-owner,
a. miller's wife.

meurent [mœːr] *3rd p. pl. pres.* of
mourir; **meurs** [~] *1st p. sg. pres.*
of **mourir**; **meurt-de-faim** F
[mœrdə'fɛ̃] *m/inv.* starveling; *de* ~
starvation (*wage*).

meurtre [mœrtr] *m* murder; 🖈
non-capital murder, *Am.* murder
in the second degree; *au* ~!
murder!; *fig. c'est un* ~ it is a downright shame; **meurtrier, -ère**
[mœrtri'e, ~'ɛːr] **1.** *adj.* murderous;
guilty of murder (*person*); **2.** *su./m*
murderer; *su./f* murderess; △ loop-
hole.

meurtrir [mœr'triːr] (2a) *v/t.*
bruise; **meurtrissure** [~tri'syːr] *f*
bruise. [voir.]

meus [mø] *1st p. sg. pres.* of **mou-**⟩

meute [møːt] *f* pack; *fig.* mob.

meuvent [mœːv] *3rd p. pl. pres.* of
mouvoir.

mévendre ✝ † [me'vɑ̃ːdr] (4a) *v/t.*
sell at a loss; **mévente** ✝ † [~'vɑ̃ːt] *f*
goods: sale at a loss; slump.

mi ♩ [mi] *m/inv.* mi, *note*: E.

mi... [mi] *adv.* half, mid, semi-;
~*clos* half open; *à* ~*chemin* half-
way; *la* ~*janvier* mid-January.

miaou [mjau] *m* miaow, mew.

miasme [mjasm] *m* miasma.

mini-jupe [mini'ʒyp] *f* mini-skirt.

miauler [mjo'le] (1a) *v/i.* mew, miaow.

mica *min.* [mi'ka] *m* mica; **micelle** *biol.* [mi'sɛl] *m* micella.

miche [miʃ] *f* round loaf.

micheline 🚋 [miʃ'lin] *f* rail-car.

micmac F [mik'mak] *m* intrigue; underhand work.

micro F [mi'kro] *m radio:* microphone, F mike; *au ~* on the air.

micro... [mikrɔ] micro...

microbe [mi'krɔb] *m* microbe, F germ.

microcéphale [mikrɔse'fal] *adj., a. su.* microcephalic.

micron [mi'krɔ̃] *m measure:* micron (*1/1000 mm*).

micro...: **~phone** [mikrɔ'fɔn] *m* microphone; **~scope** [~krɔs'kɔp] *m* microscope; **~sillon** [~krɔsi'jɔ̃] *m* microgroove; long-playing record.

midi [mi'di] *m* midday, noon, twelve o'clock; *fig.* heyday (*of life*); *~ et demi* half past twelve; *geog.* **le ♀** the South of France; **midinette** F [~di'net] *f* dressmaker's assistant, midinette.

mie[1] [mi] *f* bread: soft part, crumb.

mie[2] † [~] *f see* m'amie.

miel [mjɛl] *m* honey; **miellé, e** [mje'le]honeyed; honey-colo(u)red; **mielleux, -euse** [~'lø, ~'lø:z] like honey; *fig.* honeyed (*words*); bland (*smile*); smooth-tongued (*person*).

mien, mienne [mjɛ̃, mjɛn] **1.** *pron./poss.:* **le ~, la ~ne, les ~s** *m/pl.*, **les ~nes** *f/pl.* mine; **2.** *adj./poss.* † *of* mine; *un ~ ami* a friend of mine; **3.** *su./m* mine, my own; *les ~s pl.* my (own) people. [bit.)

miette [mjet] *f* crumb; *fig.* piece,⌋

mieux [mjø] **1.** *adv.* better; rather; *aimer ~* prefer; ✈ *aller ~* feel or be better; *à qui ~ ~* one trying to outdo the other; *de ~ en ~* better and better; *je ne demande pas ~ que de* (*inf.*) I shall be delighted to (*inf.*); *le ~* (the) best; *tant ~* all the better; *valoir ~* be better; *vous feriez ~ ~ de* (*inf.*) you had better (*inf.*); **2.** *su./m* best; ✈ *change for the better; au ~* as well as possible, ✝ *at best; faire de son ~* do one's best.

mièvre [mjɛːvr] delicate; *fig.* affected (*style*); **mièvrerie** [mjɛvrə-'ri] *f* delicateness; *fig.* style *etc.:* affectation.

mi-fer ⊕ [mi'fɛːr] *m: assembler à ~* lap-joint.

mignard, e [mi'ɲaːr, ~'ɲard] affected, mincing; dainty; **mignarder** [~ɲar'de] (1a) *v/i.* simper, mince; *v/t.* caress (*a child*); be finical in (*style*); **mignardise** [~ɲar-'diːz] *f* affectation; *style:* finicalness; ✿ (garden) pink; **mignon, -onne** [~'ɲɔ̃, ~'ɲɔn] **1.** *adj.* dainty, sweet, *Am.* cute; *péché m ~* besetting sin; **2.** *su.* darling, pet; **mignoter** [~ɲɔ-'te] (1a) *v/t.* caress; pet.

migraine [mi'grɛn] *f* migraine, sick headache.

migrateur, -trice [migra'tœːr, ~-'tris] *orn.* migratory; migrant (*person*); **migration** [~'sjɔ̃] *f* migration; **migratoire** [~'twaːr] migratory.

mijaurée [miʒɔ're] *f* affected woman.

mijoter [miʒɔ'te] (1a) *v/t.* let (*s.th.*) simmer (*a. fig. an idea*); hatch (*a plot*); *fig. se ~* be brewing; *v/i.* simmer.

mil[1] [mil] *adj./inv.* thousand (*only in dates*).

mil[2] *sp.* [~] *m* Indian club.

mil[3] ♀ [mi:j] *m see* millet.

milan *orn.* [mi'lɑ̃] *m* kite.

mildiou ♀, ✎ [mil'dju] *m* mildew.

miliaire ✈ [mi'ljɛːr] miliary (*fever*).

milice ✕ [mi'lis] *f* militia; **milicien** ✕ [~li'sjɛ̃] *m* militiaman.

milieu [mi'ljø] *m* middle; *phys.* medium; *fig.* circle, sphere; *fig.* field; *fig.* middle course; *au ~ de* amid(st); in the middle.

militaire [mili'tɛːr] **1.** *adj.* military; ♪ martial; **2.** *su./m* military man; soldier; **militant, e** [~'tɑ̃, ~'tɑ̃:t] **1.** *adj.* militant; **2.** *su.* fighter (*for, de*); militant; **militariser** [~tari'ze] (1a) *v/t.* militarize; **militarisme** [~ta'rism] *m* militarism; **militer** [~'te] (1a) *v/i.* militate (against, *contre*; in favo[u]r of *pour*, *en faveur de*).

mille [mil] **1.** *adj./num./inv.* (a or one) thousand; **2.** *su./m/inv.* thousand; *su./m* mile.

mille-feuille [mil'fœːj] *f* ✿ yarrow; *cuis.* mille-feuille (*sort of puff pastry*); **millénaire** [mille'nɛːr] **1.** *adj.* millennial; **2.** *su./m* one thousand; thousand years, millennium.

mille...: **~pattes** *zo.* [mil'pat]

m/inv. centipede, millepede; ~(-)**pertuis** ♀ [~pɛr'tɥi] *m* St. John's wort.

millésime [mille'zim] *m* date (*on coin*); ⊕ year of manufacture.

millet ♀ [mi'jɛ] *m* (wood) millet-grass; *grains m/pl.* de ~ bird-seed, canary-seed.

milliaire [mi'ljɛːr] milliary; *borne f* ~ milestone; **milliard** [~'ljaːr] *m* milliard, one thousand million(s *pl.*), *Am.* billion; **millième** [~'ljɛm] *adj., a. su., a. su./m fraction*: thousandth; **millier** [~'lje] *m* (about) a thousand; **million** [~'ljɔ̃] *m* million.

mime [mim] *m* mimic; *thea. hist.* mime; **mimer** [mi'me] (1a) *v/t.* mime (*a scene*); mimic (*s.o.*).

mimétique *zo.* [mime'tism] *m* mimicry.

mimi [mi'mi] *m* pussy; F pet, darling.

mimique [mi'mik] mimic.

mimosa ♀ [mimo'za] *m* mimosa.

minable *fig.* [mi'nabl] seedy, shabby.

minauder [mino'de] (1a) *v/i.* simper, smirk; **minauderie** [~'dri] *f* simpering, smirking.

mince [mɛ̃ːs] thin; slender, slight, slim; F ~ *alors!* hell!

mine[1] [min] *f* appearance, look; ~*s pl.* simperings; *avoir bonne (mauvaise)* ~ look well (ill); *faire* ~ *de* (*inf.*) make as if to (*inf.*); make a show of (*s.th.*; *doing s.th.*).

mine[2] [min] *f* ✕, ✕, ⚓, *fig.* mine; *pencil*: lead; *fig.* store; ~ *de houille* colliery, coal-mine; ~ *de plomb graphite*; *faire sauter une* ~ spring a mine; **miner** [mi'ne] (1a) *v/t.* (under)mine (*a. fig.*); *fig.* envy *etc.*: consume (*s.o.*); **minerai** ✕ [min-'rɛ] *m* ore.

minéral, e, *m/pl.* **-aux** [mine'ral, ~'ro] **1.** *adj.* mineral; inorganic (*chemistry*); *eau f* ~*e* mineral water; *spa water*; **2.** *su./m* mineral; **minéraliser** [~rali'ze] (1a) *v/t.* mineralize; **minéralogie** [~ralɔ'ʒi] *m* mineralogy.

minet *m*, **-ette** *f* [mi'nɛ, ~'nɛt] puss(y) (= *cat*); F pet, darling.

mineur[1], **e** [mi'nœːr] **1.** *adj.* minor, lesser; ⚖ infant; **2.** *su.* ⚖ minor, infant; *su./f* minor premise; assumption.

mineur[2] [~] *m* ✕ miner; ✕ sapper.

miniature [minja'tyːr] *f* miniature; **miniaturiste** [~ty'rist] *adj., a. su.* miniaturist.

minier, -ère [mi'nje, ~'njɛːr] **1.** *adj.* mining; **2.** *su./f* open-cast mine.

minimal, e, *m/pl.* **-aux** [mini'mal, ~'mo] minimal; **minime** [~'nim] tiny, *fig.* trivial; **minimiser** [~nimi'ze] (1a) *v/t.* minimize; reduce (*s.th.*) to the minimum; **minimum,** *pl. a.* **minima** [~ni'mɔm, ~'ma] **1.** *su./m* minimum; ~ *vital* minimum living wage; **2.** *adj.* minimum.

ministère [minis'tɛːr] *m* agency; *pol., a. eccl.* ministry; *pol.* office, government department; service; *pol.* ♀ Office; Ministry; ♀ *de la Défense nationale* Ministry of Defence, *Am.* Department of Defense; ♀ *des Affaires étrangères* Foreign Office, *Am.* State Department; ⚖ ♀ *public* Public Prosecutor; **ministre** [~'nistr] *m pol., a. protestantism*: minister; ♀ *de la Défense nationale* Minister of Defence, *Am.* Secretary of Defense; ♀ *des Affaires étrangères* Foreign Secretary, *Am.* Secretary of State; ♀ *des Finances France*: Minister of Finance, *Britain*: Chancellor of the Exchequer, *Am.* Secretary of the Treasury.

minium ⚗ [mi'njɔm] *m* minium; red lead.

minois F [mi'nwa] *m* pretty face.

minorité [minɔri'te] *f* minority; ⚖ infancy; *pol.* mettre en ~ defeat (*the government*).

minoterie [minɔ'tri] *f* flour-mill; flour-milling; **minotier** [~'tje] *m* (flour-)miller.

minuit [mi'nɥi] *m* midnight; ~ *et demi* half past twelve (at night).

minuscule [minys'kyl] **1.** *adj.* tiny, small (*letter*); **2.** *su./f* small letter, *typ.* lower-case letter.

minute [mi'nyt] **1.** *su./f time, degree, committee*: minute; *deed, judgment*: draft; record; ⚓ *à la* ~ while you wait; **2.** *int.* wait a bit!; **minuter** *admin.* [miny'te] (1a) *v/t.* minute; draft; **minuterie** [~'tri] *f clocks etc.*: motion-work; ⚡ time-switch.

minutie [miny'si] *f* (attention to) minute detail; **minutieux, -euse** [~'sjø, ~'sjøːz] detailed, painstaking, thorough.

mioche F [mjɔʃ] *su.* urchin; kid(die), tot.

mi-parti, e [mipar'ti] equally divided.

miracle [mi'ra:kl] *m* miracle (*a. fig.*); **miraculeux, -euse** [⌣raky'lø, ⌣- 'lø:z] miraculous; F marvellous.

mirage [mi'ra:ʒ] *m* mirage; *fig.* illusion; **mire** [mi:r] *f* ✕ aiming; *gun:* bead; *surv.* pole, levelling-rod; *telev.* test-card, test-pattern; *point m de* ⌣ ✕ aim; *fig.* cynosure; **mirer** [mi're] (1a) *v/t.* aim at; *surv.* take a sight on; ✝ candle (*an egg*); hold (*cloth*) against the light; *se* ⌣ look at o.s.; be reflected.

mirifique F [miri'fik] wonderful.

mirliton [mirli'tɔ̃] *m* ♪ toy flute; *cuis.* cream puff; *vers m/pl. de* ⌣ doggerel.

mirobolant, e F [mirɔbɔ'lɑ̃, ⌣'lɑ̃:t] marvellous; staggering.

miroir [mi'rwa:r] *m* mirror, looking-glass; *mot.* ⌣ *rétroviseur* driving mirror; **miroitement** [⌣rwat'mɑ̃] *m* flash; gleam; *water:* shimmer; **miroiter** [mirwa'te] (1a) *v/i.* flash; glitter; sparkle; *faire* ⌣ hold out the promise of; **miroiterie** [⌣'tri] *f* mirror-factory; mirror-trade.

miroton *cuis.* [mirɔ'tɔ̃] *m* re-heated beef in onion sauce.

mis¹ [mi] *1st p. sg. p.s. of* mettre.

mis², e [mi, mi:z] *p.p. of* mettre.

misaine ⚓ [mi'zɛn] *f* foresail; *mât m de* ⌣ foremast.

misanthrope [mizɑ̃'trɔp] **1.** *su./m* misanthropist; **2.** *adj.* misanthropic.

miscible [mi'sibl] miscible.

mise [mi:z] *f* placing, putting; *auction:* bid; *gamble:* stake; dress, attire; ✝ outlay; ⌣ *à la retraite* retirement; ⚡ ⌣ *à la terre* earthing; ⚓ ⌣ *à l'eau* launching; ⌣ *à mort bullfight:* kill (of the bull); F ⌣ *à pied* sacking; ⌣ *au point* adjustment; *phot.* focussing; ⌣-*bas* dropping (*of young animals*); ✝ ⌣ *de fonds* putting up of money; ✝, ⚖ ⌣ *en demeure* formal demand; ⊕ ⌣ *en fabrication* putting into production; ⊕ ⌣ *en liberté* release; ⊕ ⌣ *en marche* starting; ⌣ *en ondes* radio adaptation; *typ.* ⌣ *en pages* making up; ⌣ *en plis hair:* setting; *mot.* ⌣ *en route* starting up; *thea.* ⌣ *en scène* staging, production; ⌣ *en service* commencement of service; ⌣ *en train* start(ing); ✝ ⌣

en vente putting up for sale; (*ne plus*) *de* ⌣ fashionable (out of fashion); **miser** [mi'ze] (1a) *v/t.* bid; stake; *v/i.* count (on, *sur*).

misérable [mize'rabl] **1.** *adj.* miserable; *fig.* wretched; *fig.* mean (*action*); **2.** *su.* (poor) wretch; **misère** [⌣'zɛ:r] *f* misery; poverty; *fig.* trifle.

miséricorde [mizeri'kɔrd] **1.** *su./f* mercy; *eccl.* miserere; **2.** *int.* goodness gracious!; F mercy!; **miséricordieux, -euse** [⌣kɔr'djø, ⌣'djø:z] merciful (to, *envers*).

missel *eccl.* [mi'sɛl] *m* missal.

missile ✕ [mi'sil] *m* (guided) missile.

mission [mi'sjɔ̃] *f* mission; **missionnaire** [⌣sjɔ'nɛ:r] *m* missionary; **missive** [⌣'si:v] *f* missive, letter.

mistigri F [misti'gri] *m* puss.

mistral [mis'tral] *m* mistral (*cold north-east wind in Provence*).

mitaine [mi'tɛn] *f* mitten.

mite [mit] *f* moth; *cheese:* mite; **mité, e** [mi'te] moth-eaten.

mi-temps [mi'tɑ̃] *f sp.* half-time, interval; ✝ *à* ⌣ half-time (*work*).

miteux, -euse F [mi'tø, ⌣'tø:z] shabby; seedy (*person*).

mitiger [miti'ʒe] (1l) *v/t.* mitigate; relax (*a law etc.*).

miton ♂ F [mi'tɔ̃] *m:* *onguent m* ⌣ *mitaine* harmless but useless ointment.

mitonner [mitɔ'ne] (1a) *v/i.* simmer; *v/t.* let (*s.th.*) simmer; *fig.* hatch.

mitoyen, -enne [mitwa'jɛ̃, ⌣'jɛn] common (*to two things*), △ party (*wall*).

mitraille ✕ [mi'tra:j] *f* grape-shot; F coppers *pl.* (= *small change*); **mitrailler** ✕ [mitra'je] (1a) *v/t.* machine-gun, strafe, rake with fire; **mitraillette** ✕ [⌣'jɛt] *f* submachine-gun; **mitrailleur** ✕ [⌣'jœ:r] **1.** *su./m* machine-gunner; **2.** *adj./m:* *fusil m* ⌣ Bren gun; **mitrailleuse** ✕ [⌣'jø:z] *f* machine-gun.

mitre [mitr] *f* (*bishop's*) mitre; △ chimney-cowl; **mitron** [mi'trɔ̃] *m* journeyman baker; △ chimney-pot.

mixte [mikst] mixed; ⛭ combined; ⌣ *double m tennis:* mixed doubles *pl.*; *enseignement m* ⌣ co-education; **mixtion** ♒ [miks'tjɔ̃] *f* mixture; *drugs:* compounding; **mixtionner** ♒ [⌣tjɔ'ne] (1a) *v/t.* compound (*drugs*); **mixture** 🔔, 💊 [ˌˈtyːr] *f* mixture.

mobile [mɔˈbil] **1.** *adj.* mobile; movable (*a. feast*); moving (*object, target, etc.*); detachable; *fig.* inconstant; ✗ *colonne f* ~ flying column; **2.** *su./m* moving body; ⊕ moving part; *fig.* motive; *fig.* mainspring; *premier* ~ *person*: prime mover; **mobilier, -ère** [ˌbiˈlje, ˌˈljɛːr] **1.** *adj.* 🏛 movable; 🏛 personal (*action, estate*); † transferable; **2.** *su./m* furniture; suite.

mobilisation [mɔbilizaˈsjɔ̃] *f* ✗, 🏛 mobilization; † realization; liquidation; **mobiliser** [ˌˈze] (1a) *v/t.* ✗, 🏛 mobilize; ✗ call up; † realize (*an indemnity*); † liquidate (*capital*).

mobilité [mɔbiliˈte] *f* mobility; *fig. temperament etc.*: fickleness.

moche F [mɔʃ] rotten; poor, shoddy; F awful.

modal, e, *m/pl.* **-aux** [mɔˈdal, ˌˈdo] modal; **modalité** [ˌdaliˈte] *f phls.* modality; ♩ form of scale; ~s *pl.* † terms and conditions; 🏛 restrictive clauses.

mode [mɔd] *su./m* 🏛, *phls.*, *a. fig.* mood (*a. gramm.*), mode; *fig.* method; 📦 ~ *d'emploi* directions *pl.* for use; † ~ *de paiement* method of payment; *su./f* fashion, way, manner; † ~s *pl.* fashions; millinery *sg.*; *à la* ~ fashionable, stylish; *cuis.* à la mode (*beef*); *à la dernière* ~ in the latest fashion.

modèle [mɔˈdɛl] **1.** *su./m* model (*a. fig.*), pattern; *prendre q. pour* ~ model o.s. on s.o.; **2.** *adj.* model ...

modelé [mɔdˈle] *m* relief; *surv.* hillshading; **modeler** [ˌˈle] (1d) *v/t.* model; mo(u)ld; shape; **modeleur** ⊕ [ˌˈlœːr] *m* pattern-maker.

modérateur, -trice [mɔderaˈtœːr, ˌˈtris] **1.** *su.* moderator, restrainer; *su./m* ⊕ regulator; 🔧, *phys.* moderator; (*volume-*)control; **2.** *adj.* moderating, restraining; **modération** [ˌraˈsjɔ̃] *f* moderation, restraint; *price, tax,* 🏛 *sentence*: reduction; **modéré, e** [ˌˈre] *adj.* moderate; sober; conservative (*estimate*); **modérer** [ˌˈre] (1f) *v/t.* moderate, restrain; check; reduce (*the price etc.*); *se* ~ *abate* (*weather*).

moderne [mɔˈdɛrn] modern; **moderniser** [mɔderniˈze] (1a) *v/t.*

modernize; moderniste [ˌˈnist] modernist; **modernité** [ˌniˈte] *f* modernity; modern times *pl.*

modeste [mɔˈdɛst] modest; unpretentious; quiet; moderate (*price*); **modestie** [ˌdɛsˈti] *f* modesty; unpretentiousness.

modicité [mɔdisiˈte] *f means*: modesty; *prices*: reasonableness.

modifiable [mɔdiˈfjabl] modifiable; **modificateur, -trice** [ˌfikaˈtœːr, ˌˈtris] modifying; **modification** [ˌfikaˈsjɔ̃] *f* modification, alteration; **modifier** [ˌˈfje] (1o) *v/t.* modify (*a. gramm.*); alter; † rectify (*an entry*).

modique [mɔˈdik] reasonable, moderate (*price*); slender, modest (*means*). [diste.⟍

modiste [mɔˈdist] *f* milliner. [~∫]

modulateur 🔧 [mɔdylaˈtœːr] *m* modulator; **modulation** [ˌˈsjɔ̃] *f* modulation (*a. voice*); *voice*: inflexion; **module** [mɔˈdyl] *m* ▲ modulus; ▲ module; F unit; F size; ~ *lunaire* lunar module; **moduler** [ˌdyˈle] (1a) *vt/i.* modulate.

moelle [mwal] *f* marrow; ♦ pith (*a. fig.*); *anat.* medulla; ~ *épinière* spinal cord; **moelleux, -euse** [mwaˈlø, ˌˈløːz] marrowy (*bone*); ♦ pithy; *fig.* soft; *fig.* mellow (*light, voice*).

moellon [mwaˈlɔ̃] *m* quarry-stone; ~ *de roche* rock rubble.

mœurs [mœrs] *f/pl.* morals; manners, ways, customs; *animals*: habits.

mohair [mɔˈɛːr] *m* mohair ..

moi [mwa] **1.** *pron./pers. subject*: I; *object*: me; (to) me; *à* ~ to me; mine; *c'est* ~ it is I, F it's me; *de vous à* ~ between you and me; *il a vu mon frère et* ~ he has seen my brother and me; **2.** *su./m* ego, self.

moignon 📦 [mwaˈɲɔ̃] *m* stump.

moi-même [mwaˈmɛːm] *pron./rfl.* myself.

moindre [mwɛ̃dr] less(er); *le* (*la*) ~ the least; the slightest; **moindrement** [mwɛ̃drˈmɑ̃] *adv.*: *pas le* ~ not in the least.

moine [mwan] *m* monk; *fig.* F bedwarmer, hot-water bottle; *metall.* blister; **moineau** *orn.* [mwaˈno] *m* sparrow; *sl.* fellow; **moinerie** *usu. pej.* [mwanˈri] *f* friary; monkery;

moinillon F [mwani'jɔ̃] *m* young monk.

moins [mwɛ̃] **1.** *adv.* less (than, *que*); fewer; ~ de deux less than two; à ~ de (*inf.*), à ~ que … (*ne*) (*sbj.*) unless; au ~ at least; de ~ en ~ less and less; du ~ at least (= *at all events*); le ~ (the) least; **2.** *prp.* minus, less; cinq heures ~ dix ten minutes to five; **3.** *su./m* ♣ minus (sign); **~-value** ♣ [~va'ly] *f* depreciation.

moire *tex.* [mwaːr] *f* moire; watered silk; **moirer** *tex.*, *a.* ⊕ [mwa're] (1a) *v/t.* moiré.

mois [mwa] *m* month; month's pay; ♣ à un ~ de date one month after date; par ~, tous les ~ monthly; tous les ~ every month.

moisi, e [mwa'zi] **1.** *adj.* mo(u)ldy; musty (*smell*, *taste*); **2.** *su./m* mo(u)ld, mildew; sentir le ~ smell musty; **moisir** [~'ziːr] (2a) *vt/i.* mildew; *v/i.* a. se ~ go mo(u)ldy; F vegetate; **moisissure** [~zi'syːr] *f* ♣ mildew, mo(u)ld; mustiness.

moisson [mwa'sɔ̃] *f* harvest, crop (*a. fig.*); harvest-time; **moissonner** [mwasɔ'ne] (1a) *v/t.* harvest, reap (*a. fig.*), gather; **moissonneur** [~'nœːr] *m* harvester, reaper; **moissonneuse** [~'nøːz] *f* harvester, reaper (*a. machine*); **~-batteuse** combine-harvester; **~-lieuse** *machine*: self-binder.

moite [mwat] moist, damp; clammy; † limp; **moiteur** [mwa'tœːr] *f* moistness; ✠ perspiration.

moitié [mwa'tje] **1.** *su./f* half; F better half (= *wife*); à ~ chemin half-way; à ~ prix (at) half-price; se mettre de ~ avec q. go halves with s.o.; **2.** *adv.* half.

mol [mɔl] *see* mou 1.

molaire [mɔ'lɛːr] *adj.*, *a.* *su./f* molar.

môle [moːl] *m* mole, breakwater; pier.

moléculaire [mɔleky'lɛːr] molecular; **molécule** [~'kyl] *f* molecule; ♣ **~-gramme** gram(me-)molecule.

molester [mɔles'te] (1a) *v/t.* molest.

molette [mɔ'lɛt] *f* spur: rowel; ⊕ cutting-wheel; *paint.* small pestle; ✠ winding-pulley; *lighter*: wheel; clef f à ~ adjustable spanner.

mollasse F [mɔ'las] soft, flabby; slow (*person*); **molle** [mɔl] *see*

mou 1; **mollesse** [mɔ'lɛs] *f* softness, flabbiness; slackness; indolence; **mollet, -ette** [~'lɛ, ~'lɛt] **1.** *adj.* softish; soft-boiled (*egg*); tender (*feet*); pain m ~ roll; **2.** *su./m* leg: calf; **molletière** [mɔl'tjɛːr] *f* puttee; **mollir** [mɔ'liːr] (2a) *v/i.* soften; slacken; *fig.* get weak; ✗ give ground; ♣ get easier (*price of commodity*). [F slowcoach.]

mollusque *zo.* [mɔ'lysk] *m* mollusc;

molo! [mɔ'lo] *int.* easy! gently!

molosse [mɔ'lɔs] *m* watch-dog; mastiff.

môme *sl.* [moːm] *su.* child: kid, brat.

moment [mɔ'mɑ̃] *m* moment (*a. phys.*); au ~ où (*or que*) since; par ~s now and again; pour le ~ for the time being; **momentané, e** [~mɑ̃ta'ne] momentary; temporary (*absence*).

momerie [mɔm'ri] *f* mummery; *fig.* affectations *pl.*

momie [mɔ'mi] *f* mummy; F old fogy; F bag of bones; **momifier** [~mi'fje] (1o) *v/t.* mummify.

mon *m*, **ma** *f*, *pl.* **mes** [mɔ̃, ma, me] *adj./poss.* my.

monacal, e, *m/pl.* **-aux** *eccl.* [mɔna-'kal, ~'ko] monac(h)al; **monachisme** *eccl.* [~'kism] *m* monasticism.

monarchie [mɔnar'ʃi] *f* monarchy; **monarchiste** [~'ʃist] *adj.*, *a. su.* monarchist; **monarque** [mɔ'nark] *m* monarch.

monastère [mɔnas'tɛːr] *m* monastery; *nuns:* convent; **monastique** [~'tik] monastic.

monceau [mɔ̃'so] *m* heap, pile.

mondain, e [mɔ̃'dɛ̃, ~'dɛn] **1.** *adj.* mundane, worldly; fashionable; **2.** *su.* wordly-minded person; *su./m* man-about-town; *su./f* society woman; **mondanité** [~dani'te] *f* worldliness; love of social functions; **monde** [mɔ̃ːd] *m* world (*a. fig.*); people; family; *fig.* society; *coll.* servants *pl.*; au bout du ~ at the back of beyond; dans le ~ entier all over the world; homme m du ~ man of good breeding; il y a du ~ there is a crowd; recevoir du ~ entertain (guests); tout le ~ everyone; *fig.* un ~ de lots *pl.* of; vieux comme le ~ as old as the hills; **mondial, e**, *m/pl.* **-aux** [mɔ̃'djal, ~'djo] worldwide; world (*war*).

monégasque [mɔne'gask] of Monaco.

monétaire [mɔne'tɛːr] monetary; **monétisation** [⁓tiza'sjɔ̃] *f* minting.

moniteur [mɔni'tœːr] *m school:* monitor; *sp.* coach; ✈ *plane:* instructor; **monition** *eccl.* [⁓'sjɔ̃] *f* monition; **monitoire** *eccl.* [⁓'twaːr] *m* (*a.* lettre *f* ⁓) monitory (letter).

monnaie [mɔ'nɛ] *f* money; (small) change; currency; ✝ ⁓ forte hard currency; *donner la* ⁓ *de* give change for, change (*a note etc.*); **monnayer** [⁓nɛ'je] (1i) *v/t.* mint, coin; **monnayeur** [⁓nɛ'jœːr] *m* minter, coiner.

mon(o)... [mɔn(ɔ)] mon(o)...; **monobloc** [mɔnɔ'blɔk] cast *or* made in one piece.

monocle [mɔ'nɔkl] *m* monocle.

mono...: **⁓gramme** [mɔnɔ'gram] *m* monogram; initials *pl.*; **⁓logue** [⁓'lɔg] *m* monologue; **⁓loguer** [⁓lɔ'ge] (1m) *v/i.* soliloquize.

monôme ⅄ [mɔ'noːm] *m* monomial.

mono...: **⁓phasé, e** ⚡ [mɔnɔfa'ze] single-phase; **⁓place** ✈, *mot.* [⁓'plas] *m* single-seater; **⁓plan** ✈ [⁓'plɑ̃] *m* monoplane; **⁓pole** [⁓'pɔl] *m* monopoly; **⁓poliser** [⁓pɔli'ze] (1a) *v/t.* monopolize; **⁓rail** 🚋 [⁓'raːj] *adj.*, *a. su./m* monorail; **⁓syllabe** [⁓si'lab] *m* monosyllable; **⁓théisme** [⁓te'ism] *m* monotheism; **⁓tone** [⁓'tɔn] monotonous; **⁓tonie** [⁓tɔ'ni] *f* monotony.

monseigneur, *pl.* **messeigneurs** [mɔ̃se'nœːr, mese'nœːr] *m* My Lord; *archbishop, duke:* Your Grace; *prince:* Your Royal Highness; His Lordship; His Grace; His Royal Highness; **messieurs,** *pl.* **messieurs** [ma'sjø, me'sjø] *m* Mr.; sir; gentleman; man; *in letters:* Dear Sir; ⁓ *le Président* Mr. President.

monstre [mɔ̃:str] 1. *su./m* monster (*a. fig.*); freak of nature; 2. *adj.* colossal, huge; **monstrueux, -euse** [mɔ̃stry'ø, ⁓'øːz] monstrous; huge; frightful; **monstruosité** [⁓ozi'te] *f* monstrosity; *fig.* enormity.

mont [mɔ̃] *m* mount(ain); *les* ⁓s *pl.* the Alps.

montage [mɔ̃'taːʒ] *m* carrying up; *loads, materials:* hoisting; ⊕ *machine:* assembling; *gun, phot., etc.:* mounting; ⚡ wiring, connecting up;

gems, scene, etc.: setting; *mot.* tyre: fitting (on); *cin.* film: editing; ⊕ *chaîne f de* ⁓ assembly line.

montagnard, e [mɔ̃ta'naːr, ⁓'naːrd] 1. *adj.* mountain..., highland...; 2. *su.* mountaineer, highlander; **montagne** [⁓'tan] *f* mountain; (foot-)hills; ⁓s *pl. russes* scenic railway *sg.*; **montagneux, -euse** [⁓ta-'nø, ⁓'nøːz] mountainous, hilly.

montaison [mɔ̃te'zɔ̃] *f* salmon: run-up; **montant, e** [⁓'tɑ̃, ⁓'tɑ̃:t] 1. *adj.* rising; uphill; 👗 up (*train, platform*); *cost.* high-necked; 2. *su./m reckoning, account:* total; *tide:* flow, rising; *ladder:* upright; ⊕ strut, pillar; (*tent-*)pole; *stair:* riser; ⚓ stanchion; (*gate-*)post; leg; (*lamp-*)post.

mont-de-piété, *pl.* **monts-de-piété** [mɔ̃dəpje'te] *m* pawn-shop.

monte...: **⁓charge** [mɔ̃t'ʃarʒ] *m/inv.* hoist; goods-lift; **⁓pente** [⁓-'pɑ̃:t] *m* ski-lift; **⁓plats** [⁓'pla] *m/inv.* service-lift, *Am.* dumb-waiter.

monté, e [mɔ̃'te] 1. *adj.* mounted (*a. police*); equipped; F *fig.* coup *m* ⁓ plot, put-up job; *fig.* être ⁓ have a grudge (against, *contre*); 2. *su./f* rising; rise; ascent; climb, gradient; ⚒, *mot.* climbing; **monter** [⁓'te] (1a) *v/i.* climb (up), ascend, mount, go upstairs; rise (*anger, price, sun, barometer, tide*); amount (to, *à*) (*cost, total*); boil up (*milk*); ⁓ *à* (*or sur*) *un arbre* climb a tree; ⁓ *dans un train* get on a train, *Am.* board a train; ⁓ *en avion* get into a plane; ⁓ *sur un navire* go aboard a ship; *faire* ⁓ raise (*prices*); *v/t.* mount (*a. phot., a.* ⚒ *guard*), climb, go up (*the stairs, a hill*); ride (*a horse*); ✝ set up (*a factory*); take up, carry up; turn up (*a lamp, etc.*); equip; wind up (*a watch*); assemble (*a machine*); *thea.* stage (*a play*); *fig.* plan, plot; F ⁓ *la tête à q.* work s.o. up (against, *contre*); ⁓ *son ménage* set up house; *sl.* ⁓ *un coup à q.* frame s.o.; *se* ⁓ amount (to, *à*); equip o.s. (with, *en*); **monteur** *m*, **-euse** *f* [⁓'tœːr, ⁓'tøːz] ⊕ setter; *cin.* cutter; *thea.* producer; ⚡ fitter; **monticule** [⁓ti'kyl] *m* hillock; *ice:* hummock; **montoir** [⁓-'twaːr] *m* mounting-block.

montre [mɔ̃:tr] *f* show, display; shop-window; show-case; watch, *mot.* clock; *mot. etc.* course *f contre la* ~ race against the clock; *faire* ~ *de* display; **~-bracelet,** *pl.* **~s-bracelets** [mɔ̃trəbras'le] *f* wrist-watch; **montrer** [mɔ̃'tre] (1a) *v/t.* show; display; indicate, point out; **se** ~ show o.s., *fig.* prove (o.s.); turn out; appear.

montueux, -euse [mɔ̃'tɥœ, ~'tɥøːz] hilly, mountainous; **monture** [~-'tyːr] *f horse, picture:* mount; ⊕ mounting, assembling; *gem:* setting; *spectacles:* frame; *gun etc.:* handle, stock; *sans* ~ rimless (*spectacles*).

monument [mɔny'mɑ̃] *m* monument (*a. fig.*), memorial; public building; **~s** *pl. town:* sights; ~ *funéraire* monument (*over tomb*); **monumental, e,** *m/pl.* **-aux** [~mā-'tal, ~'to] monumental; F huge, enormous.

moquer [mɔ'ke] (1m) *v/t.:* **se** ~ **de** make fun of; F *s'en* ~ not to care (a damn); **moquerie** [mɔk'ri] *f* mockery; ridicule; jeer.

moquette¹ [mɔ'ket] *f* decoy(-bird).
moquette² *tex.* [~] *f* moquette.

moqueur, -euse [mɔ'kœːr, ~'køːz] **1.** *adj.* mocking; derisive; **2.** *su.* mocker; *su./m orn.* mocking-bird.

moraine *geol.* [mɔ'rɛn] *f* moraine.
moral, e, *m/pl.* **-aux** [mɔ'ral, ~'ro] **1.** *adj.* moral; *fig.* mental; **2.** *su./m* morale; (moral) nature; *su./f* morals *pl.*; ethics; *fables etc.:* moral; **moralisateur, -trice** [mɔraliza-'tœːr, ~'tris] moralizing (*person*); edifying; **moraliser** [~li'ze] *vt/i.* moralize; *v/t.* F lecture, preach at (*s.o.*); **moraliste** [~'list] *su.* moralist; **moralité** [~li'te] *f* good (moral) conduct, morality; morals *pl.*; *story:* moral; *thea.* morality(-play).

moratoire [mɔra'twaːr] *t/t* moratory; ✝ *intérêts m/pl.* **~s** interest *sg.* on over-due payments.

morbide [mɔr'bid] morbid, sickly; *paint.* delicate (*flesh-tints*); **morbidesse** *paint.* [~bi'dɛs] *f* delicacy of flesh-tints, morbidezza; **morbidité** [~bidi'te] *f* morbidity.

morbleu! [mɔr'blø] *int.* hang it all!; confound it!

morceau [mɔr'so] *m* piece, morsel; bit, scrap; *avoir qch. pour un* ~ *de pain* get s.th. for a song; **morceler** [~sə'le] (1c) *v/t.* cut up (into pieces);

divide (*land, an estate*); **morcellement** [~sel'mɑ̃] *m* cutting up; *land, estate:* parcelling out.

mordache ⊕ [mɔr'daʃ] *f* clamp; *chuck:* jaw, grip.

mordacité [mɔrdasi'te] *f* ⌁ corrosiveness; *fig.* causticity, mordancy; **mordicus** F [mɔrdi'kys] *adv.* stoutly, doggedly.

mordieu! [mɔr'djø] *int.* hang it all!; confound it!

mordiller [mɔrdi'je] (1a) *v/t.* nibble; *puppy etc.:* bite playfully.

mordoré, e [mɔrdɔ're] *adj., a. su./m* bronze, reddish brown.

mordre [mɔrdr] (4a) *v/t.* bite; ⊕ catch; *acid:* corrode (*metal*); **se** ~ *les lèvres* bite one's lips; *v/i.* bite (*a.* ♉); ⊕ catch, engage (*wheel*); *fig.* ~ *à* get one's teeth into; take to (*a subject*); **mordu, e** F [mɔr'dy] mad (on, *de*).

more [mɔːr] *adj./m, a. su./m* ♀ see *maure;* **moreau, -elle,** *m/pl.* **-eaux** [mɔ'ro, ~'rɛl, ~'ro] **1.** *adj.* black (*horse*); **2.** *su./f* ♀ morel, black nightshade; **moresque** [~'rɛsk] *adj., a. su./f* see *mauresque.*

morfil ⊕ [mɔr'fil] *m* wire-edge (*on tool*).

morfondre [mɔr'fɔ̃ːdr] (4a) *v/t.* freeze; **se** ~ wait, F cool one's heels; *fig.* be bored.

morgue¹ [mɔrg] *f* haughtiness, arrogance.

morgue² [~] *f* mortuary, morgue.

morgué! [mɔr'ge], **morgu(i)enne!** [~'g(j)ɛn] *int.* hang it all!; confound it!

moribond, e [mɔri'bɔ̃, ~'bɔ̃ːd] **1.** *adj.* moribund, dying; **2.** *su.* dying person; *su./m: les* **~s** *pl.* the dying.

moricaud, e [mɔri'ko, ~'koːd] **1.** *adj.* dark-skinned, dusky; **2.** *su.* blackamoor; F darky.

morigéner F [mɔriʒe'ne] (1f) *v/t.* rate, tell (*s.o.*) off.

morille ♀ [mɔ'riːj] *f fungus:* morel.
morillon [mɔri'jɔ̃] *m* ♀ black grape; *orn.* tufted duck; ⚒ rough emerald.

morion ⚔, ⚒ [mɔ'rjɔ̃] *m* morion.
mormon, -onne [mɔr'mɔ̃, ~'mɔn] *adj., a. su.* Mormon.

morne [mɔrn] gloomy; dismal (*scene, existence*); bleak (*scenery*).

morose [mɔ'roːz] morose, surly; forbidding (*aspect*); **morosité** [~-

rozi'te] *f* moroseness, surliness; gloominess.

morphine ⚕ [mɔr'fin] *f* morphia, morphine; **morphinisme** ⚕ [ˌ-fi-'nism] *m* morphinism; **morphino-mane** [ˌ-finɔ'man] *adj., a. su.* morphia addict, F drug-fiend, *Am.* dope-fiend.

morphologie [mɔrfɔlɔ'ʒi] *f* morphology.

mors [mɔːr] *m harness:* bit; ⊕ *vice:* jaw; *prendre le ~ aux dents* bolt (*horse*); *fig.* take the bit between one's teeth.

morse[1] *zo.* [mɔrs] *f* walrus.

morse[2] [ˌ-] *m* Morse (code *or* alphabet).

morsure [mɔr'syːr] *f* bite; *fig.* sting.

mort[1] [mɔːr] *f* death; *à ~* deadly; *attraper la ~* catch one's death; *avoir la ~ dans l'âme* be sick at heart; *mourir de sa belle ~* die in bed.

mort[2], **e** [mɔːr, mɔrt] **1.** *p.p. of mourir;* **2.** *adj.* dead; stagnant (*water*); *paint. nature f ~e* still life; *poids m ~* dead weight; *point m ~* mot. neutral (*gear*); *fig.* dead-lock; **3.** *su.* dead person; *su./m* dummy (*at cards*); *faire le ~* be dummy; *fig.* sham dead; *jour m des ♀s* All Souls' Day; *~s pl. et blessés m/pl.* casualties.

mortadelle [mɔrta'dɛl] *f* Bologna sausage.

mortaise ⊕ [mɔr'tɛːz] *f* mortise.

mortalité [mɔrtali'te] *f* mortality; **mort-aux-rats** [mɔrɔ'ra] *f* ratsbane; **mortel, -elle** [mɔr'tɛl] **1.** *adj.* mortal; fatal (*accident, wound*); *fig.* deadly, boring; **2.** *su.* mortal; **morte-saison**, *pl.* **mortes-saisons** ♰ [mɔrtse'zɔ̃] *f* slack season.

mortier △, ✕ [mɔr'tje] *m* mortar.

mortification [mɔrtifika'sjɔ̃] *f* ⚕, *eccl., fig.* mortification; ⚕ gangrene; *cuis. game:* hanging; *fig.* humiliation; **mortifier** [ˌ-'fje] (1o) *v/t.* mortify (*the body, one's passions, fig. s.o.*); ⚕ gangrene; *cuis.* hang (*game*); ⚕ *se ~* mortify, gangrene; **mort-né, e** [mɔr'ne] **1.** *adj.* still-born (*child, a. fig. project*); **2.** *su.* stillborn baby; **mortuaire** [mɔr'tɥɛːr] mortuary; death...; *drap m ~* pall; *extrait m ~* death certificate; *maison f ~* house of the deceased.

morue *icht.* [mɔ'ry] *f* cod; *~ sèche* salt cod; *huile f de foie de ~* cod-liver oil.

morve [mɔrv] *f vet.* glanders *pl.*; (nasal) mucus, V snot; **morveux, -euse** [mɔr'vø, ˌ-'vøːz] **1.** *adj. vet.* glandered; F snotty; **2.** *su.* F greenhorn.

mosaïque[1] *bibl.* [mɔza'ik] Mosaic.

mosaïque[2] [mɔza'ik] *f flooring, a. telev.:* mosaic; **mosaïste** [ˌ-'ist] *su.* worker in mosaic.

moscoutaire *pej.* [mɔsku'tɛːr] **1.** *adj.* Communist; **2.** *su.* F Bolshie.

mosquée [mɔs'ke] *f* mosque.

mot [mo] *m* word; note (= *short letter*); joke; saying; ✕ password; *~s pl. croisés* crossword (puzzle) *sg.*; *~ à ~* word for word; ✕, *fig. ~ d'ordre* key-word, watchword; *à ~s couverts* by hints; *au bas ~* at the lowest estimate; *avoir des ~s avec q.* fall out with s.o.; *bon ~* witticism; *en un ~* in a word, in a nutshell; *jouer sur les ~s* play upon words; *prendre q. au ~* take s.o. at his word; *sans ~ dire* without a word.

motard F [mɔ'taːr] *m* motor cyclist; courtesy cop; **motel** [ˌ-'tɛl] *m* motel.

motet ♪ [mɔ'tɛ] *m* motet; anthem.

moteur, -trice [mɔ'tœːr, ˌ-'tris] **1.** *adj.* motive, driving; *anat.* motory; **2.** *su./m* prime mover; motor; engine; *~ à combustion interne, ~ à explosion* internal combustion engine; *~ à deux temps* two-stroke engine; *~ à injection* injection engine; *~ à réaction* jet engine; *~ fixe* stationary engine.

motif, -ve [mɔ'tif, ˌ-'tiːv] **1.** *adj.* motive; **2.** *su./m* motive; *fig.* grounds *pl.*; ♪ theme; *needlework:* pattern.

motion [mɔ'sjɔ̃] *f* motion; *parl. ~ de confiance* (*censure*) motion of confidence (no-confidence).

motivation [mɔtiva'sjɔ̃] *f* motivation; **motiver** [ˌ-'ve] (1a) *v/t.* motivate; cause; ⚖ give the reasons for.

moto F [mɔ'to] *f* motor cycle, F motor bike.

moto... motor...; power-driven...; **~culteur** [mɔtɔkyl'tœːr] *m* power-driven cultivator; **~culture** [ˌ-kyl'tyːr] *f* mechanized farming; **~cyclette** [ˌ-si'klɛt] *f* motor cycle; *~ à sidecar* motor cycle combination; *faire de la ~* motor-cycle; **~-**

cycliste [∼si'klist] *su.* motor cyclist; **∼glisseur** ⚓ [∼gli'sœ:r] *m* speed-boat; **∼godille** ⚓ [∼gɔ'di:j] *f* out-board slung motor; **motoriser** [mɔtɔri'ze] (1a) *v/t.* motorize.

mot-souche, *pl.* **mots-souches** *typ.* [mo'suʃ] *m* catchword.

motte [mɔt] *f* mound; *earth:* clod; *lawn, peat:* sod; *butter:* pad.

motus! [mɔ'tys] *int.* keep it quiet!

mou (*adj. before vowel or h mute* **mol**) *m,* **molle** *f, m/pl.* **mous** [mu, mɔl, mu] **1.** *adj.* soft; *fig.* weak; flabby (*flesh*); slack (*rope*); close (*weather*); calm, smooth (*sea*); **2.** *su./m* belt, *rope, etc.:* slack; *cuis.* lights *pl.*

mouchard *pej.* [mu'ʃa:r] *m* (police) informer, F stool-pigeon; F *school:* sneak; **moucharder** [∼ʃar'de] (1a) *v/t.* spy on (*s.o.*); *school:* sneak on; *v/i.* spy; sneak (*at school*); **mouche** [muʃ] *f* fly; *foil:* button; *target:* bull's-eye; spot, speck, patch (*on face*); beauty-spot; **faire ∼** hit the bull's-eye; *faire d'une ∼ un éléphant* make a mountain out of a molehill; *fig.* **pattes** *f/pl.* de ∼ *handwriting:* scrawl; *prendre la ∼* take offence; F *quelle ∼ le pique?* what is biting him?

moucher [mu'ʃe] (1a) *v/t.* wipe (*s.o.'s*) nose; snuff (*a candle*); ⊕ trim; *fig.* snub (*s.o.*); se ∼ blow *or* wipe one's nose.

moucherolle *orn.* [muʃ'rɔl] *f* fly-catcher.

moucheron[1] [muʃ'rɔ̃] *m* gnat, midge; F kid.

moucheron[2] [∼] *m candle:* snuff.

moucheter [muʃ'te] (1c) *v/t.* spot, fleck; button (*a foil*); **mouchette** [mu'ʃet] *f* ⊕ mo(u)lding-plane; ∼s *pl.* snuffers; **moucheture**[muʃ'ty:r] *f* spot, speckle, fleck; *zo.* ermine: tail.

mouchoir [mu'ʃwa:r] *m* handkerchief; ⊕ triangular wooden bracket; ∼ de tête head square; **mouchure** [∼'ʃy:r] *f* (nasal) mucus; *candle:* snuff; *rope:* frayed end.

moudre [mudr] (4w) *v/t.* grind.

moue [mu] *f* pout; *faire la ∼* pout, look sulky.

mouette *orn.* [mwɛt] *f* gull.

moufle[1] [mufl] *f* ⊕ set of pulleys; (block and) tackle; ⚠ tie, clamp; ∼s *pl.* mitts; ✦ wiring gloves.

moufle[2] ⚙ [∼] *m* muffle-furnace.

mouflon *zo.* [mu'flɔ̃] *m* moufflon, wild sheep.

mouillage [mu'ja:ʒ] *m* moistening, dampening; *wine:* watering; ⚓ anchoring; **mouiller** [∼'je] (1a) *v/t.* wet, damp, moisten; water (*wine etc.*); ⚓ moor (*a ship*); ⚓ drop (*the anchor*); *gramm.* palatalize (*a consonant*); se ∼ get wet; grow moist (*with tears*); **mouillure** [∼'jy:r] *f* wetting; damp-mark; *gramm.* palatalization.

moulage[1] [mu'la:ʒ] *m* grinding; *mill:* grinding machinery.

moulage[2] [mu'la:ʒ] *m* ⊕ cast(ing); *metall.* founding; ⚠ plaster mo(u)lding.

moulant, e [mu'lɑ̃, ∼'lɑ̃:t] skintight (*dress*).

moule[1] [mul] *m* ⊕ mo(u)ld; matrix; *jeter en ∼* cast.

moule[2] [mul] *f* mussel; F fat-head; F lazy-bones *sg.*; **moulé, e** [mu'le] mo(u)lded, cast; block (*letters*); *fig.* with a good figure (*person*), well-formed; copperplate (*writing*).

mouler [mu'le] (1a) *v/t.* cast; mo(u)ld; *metall.* found; *fig.* fit tightly; se ∼ *sur* model o.s. on; **mouleur** [∼'lœ:r] mo(u)lder, caster.

moulière [mu'ljɛ:r] *f* mussel-bed.

moulin [mu'lɛ̃] *m* mill (*a.* ⊕); ∼ *à café* coffee-mill; **mouliner** [muli'ne] (1a) *v/t.* tex. throw (*silk*); *insects:* eat into (*wood*); **moulinet** [∼'ne] *m* winch; *fishing-rod:* reel; turnstile; *fencing, a.* stick: twirl; ∼ *à musique* toy musical box; **moulineur** *tex.* [∼'nœ:r] *m,* **moulinier** *tex.* [∼'nje] *m* silk-thrower.

moulons [mu'lɔ̃] *1st p. pl. pres. of* **moudre; moulu, e** [∼'ly] **1.** *adj. fig.* F tired out; aching all over; **2.** *p.p. of* **moudre.**

moulure ⚠, ⊕ [mu'ly:r] *f* mo(u)lding; profiling.

moulus [mu'ly] *1st p. sg. p.s. of* **moudre.**

mourant, e [mu'rɑ̃, ∼'rɑ̃:t] **1.** *adj.* dying; faint (*voice*); languishing (*voice*); F screamingly funny; **2.** *su.* dying person; **mourir** [∼'ri:r] (2k) *v/i.* die; die out (*fire*); die away (*sound*); fall (*hope*); ∼ *avant l'âge* come to an untimely end; *être à ∼ de rire* be screamingly funny; *ennuyer q. à ∼* bore s.o. to death; *v/t.:* se ∼ be dying; die away; **mourrai**

[mur're] *1st p. sg. fut. of mourir*;
mourus [mu'ry] *1st p. sg. p.s. of*
mourir.

mousquet ✕ [mus'kɛ] *m* musket;
mousquetade [muskə'tad] *f* mus-
ket-shot; *musket-shots*: volley;
mousquetaire ✕ [‿'tɛːr] *m* mus-
keteer; **mousqueton** [‿'tɔ̃] *m* snap-
hook; ✕ † artillery carbine.

mousse[1] [mus] *m* ship's boy; cabin-
boy.

mousse[2] [‿] *f* ♀ moss; *beer*: froth;
sea: foam; *soap*: lather; *cuis.*
mousse.

mousse[3] [‿] blunt.

mousseline [mus'lin] 1. *su./f tex.*
muslin; 2. *adj./inv.*: *cuis.* pommes
f/pl. ‿ mashed potatoes; *verre m* ‿
muslin-glass.

mousser [mu'se] (1a) *v/i.* froth;
lather (*soap*); effervesce, fizz (*champagne*); F faire ‿ q. crack s.o. up;
mousseux, -euse [‿'sø, ‿'søːz]
1. *adj.* mossy; foaming; sparkling
(*wine*); 2. *su./m* sparkling wine.

mousson [mu'sɔ̃] *f* monsoon.

moussu, e [mu'sy] mossy; ♀ *rose f*
‿e moss-rose.

moustache [mus'taʃ] *f* moustache;
cat: whiskers *pl.*; **moustachu, e**
[‿ta'ʃy] moustached.

moustiquaire [musti'kɛːr] *f* mos-
quito-net; **moustique** *zo.* [‿'tik] *m*
mosquito; gnat.

moût [mu] *m* grapes: must; unfermented wine.

moutarde ♀, *a. cuis.* [mu'tard] *f*
mustard; **moutardier** [‿tar'dje] *m*
mustard-pot; mustard-maker; F se
croire le premier ‿ *du pape* think
no end of o.s.

mouton [mu'tɔ̃] *m* sheep; *cuis.* mutton; *sl. prison*: spy; ⊕ ram, monkey; ⊕ drop-hammer; ‿s *pl. sea*:
white horses; *revenons à nos* ‿s let
us get back to the subject; **moutonner** [‿tɔ'ne] (1a) *v/t.* frizz (*one's
hair etc.*); *v/i.* foam, break into
white horses (*sea*); *ciel m* moutonné
mackerel sky; **moutonnerie** [‿tɔn-
'ri] *f* stupidity; **moutonneux,
-euse** [mutɔ'nø, ‿'nøːz] fleecy (*sky*);
frothy, covered with white horses
(*sea*); **moutonnier, -ère** [‿'nje,
‿'njeːr] ovine; *fig.* sheep-like, easily
led.

mouture [mu'tyːr] *f* grinding, milling; milling dues *pl.*

mouvant, e [mu'vã, ‿'vãːt] moving;
shifting (*sands*); loose (*ground*); *fig.*
changeable; *sables m/pl.* ‿s quicksand *sg.*; **mouvement** [muv'mã] *m*
movement (*a.* ♪); motion (*a. phys.*);
✝, *a. fig.* change; ✝ *market*: fluctuation; *roads etc.*: traffic; ⊕ *machine*: action, works *pl.*; *fig.* impulse; *fig.* outburst; ‿ *clandestin*
underground movement; ⊕ ‿ *perdu*
idle motion; ‿ *perpétuel* perpetual
motion; ‿ *populaire* popular up-
rising; ‿ *syndical* trade-union-
ism; ✗ *faire un faux* ‿ strain
o.s. *or* a muscle; **mouvementé, e**
[‿mã'te] lively; busy; eventful
(*life*); undulating (*ground*).

mouver [mu've] (1a) *v/t.* ✍ turn
over (*the soil*); *cuis.* stir.

mouvoir [mu'vwaːr] (3f) *v/t.* ⊕
drive; ♣ propel (*a ship*); *fig.* move;
mouvrai [‿'vre] *1st p. sg. fut. of*
mouvoir.

moyen, -enne [mwa'jɛ̃, ‿'jɛn] 1. *adj.*
middle; mean; average; medium
(*size, quality*); ♀ Age Middle Ages
pl.; *classe f* ‿enne middle class; *du*
♀ Age medi(a)eval; 2. *su./m* means
sg., way, manner; medium; ♭
mean; ⚖ grounds *pl.* of a claim;
‿s *pl.* resources; *au* ‿ *de* by means
of; *su./f* average, mean; *examination*: pass-mark; *en* ‿enne on an
average; **moyenâgeux, -euse** F
[‿jɛna'ʒø, ‿'ʒøːz] (*pej.* sham-)me-
di(a)eval; *fig.* antediluvian; **moyen-
courrier** ✈ [‿jɛku'rje] *m* middle-
range aircraft; **moyennant** [‿jɛ'nã]
prp. at the cost of; ‿ *quoi* in return
for which; in consideration of
which.   [nave.]

moyeu[1] [mwa'jø] *m wheel*: hub,|

moyeu[2] [‿] *m* preserved plum.

mû, mue, *m/pl.* **mus** [my] *p.p. of*
mouvoir.

muance [mɥɑ̃ːs] *f voice*: breaking.

mucilage ⚕ [mysi'la:ʒ] *m* gum, mucilage; **mucilagineux, -euse** [‿la-
ʒi'nø, ‿'nøːz] mucilaginous, viscous.

mucosité [mykozi'te] *f* mucus.

mue [my] *f birds*: mo(u)lt(ing);
snakes: sloughing; *animals*: shed-
ding of coat *etc.*; mo(u)lting-season;
hens: coop; *voice*: breaking; **muer**
[mɥe] (1n) *v/i.* mo(u)lt (*birds*);
slough (*snake*); shed its coat *etc.*
(*animal*); break (*voice*); cast its
antlers (*stag*).

muet, -ette [mɥɛ, mɥɛt] **1.** *adj.* dumb; mute; **2.** *su.* dumb *or* mute person.

mufle [myfl] *m animal:* muzzle, nose; *fig.* F *person:* skunk, rotter; F mug (= *face*); **muflerie** F [myflə'ri] *f* low-down *or* rotten behavio(u)r; low trick; **muflier** ♀ [ˌfli'e] *m* snapdragon.

mugir [my'ʒiːr] (2a) *v/i.* bellow (*bull, a.* F *person with rage*); low (*cow*); howl (*wind*); roar (*sea, a. fig.*); **mugissement** [ˌʒis'mɑ̃] *m* bellowing *etc.*

muguet [my'gɛ] *m* ♀ lily of the valley; ✕ thrush.

mulâtre *m,* **-tresse** *f* [my'lɑːtr, ˌla'trɛs] mulatto.

mule[1] [myl] *f* mule, slipper; ✕ kibe.

mule[2] *zo.* [ˌ] *f* (she-)mule.

mulet[1] *zo.* [my'lɛ] *m* mule.

mulet[2] *icht.* [ˌ] *m* grey mullet.

muletier [myl'tje] *m* muleteer.

mulot *zo.* [my'lo] *m* field-mouse.

mulsion [myl'sjɔ̃] *f* milking.

multi... [mylti] multi(-)...; many-...; **ˌcolore** [ˌkɔ'lɔːr] many-colo(u)red; multi-colo(u)red; **ˌlatéral, e,** *m/pl.* **-aux** [ˌlate'ral, ˌ'ro] multilateral.

multiple [myl'tipl] **1.** *adj.* multiple; multifarious; **2.** *su./m* multiple; **multiplication** [ˌtiplika'sjɔ̃] *f* multiplication; ⊕, *mot.* gear(-ratio); *fig.* increase; **multiplier** [ˌtipli'e] (1a) *vt/i.* multiply; *v/t.:* ⊕ ~ *la vitesse* gear up.

multitude [mylti'tyd] *f* multitude; crowd.

municipal, e, *m/pl.* **-aux** [mynisi'pal, ˌ'po] municipal; bye-(*law*); *conseil m* ~ town-council; *hist. la Garde* ˌe the Paris Municipal Guard; **municipalité** [ˌpali'te] *f* municipality, township.

munificence [mynifi'sɑ̃ːs] *f* munificence; bounty; **munificent, e** [ˌ'sɑ̃, ˌ'sɑ̃ːt] munificent; bounteous.

munir [my'niːr] (2a) *v/t.* furnish, supply, provide (with, de); *eccl.* fortify (*with the rites of the Church*); **munition** [myni'sjɔ̃] *f* munitioning; provisioning; ~s *pl.* supplies, ✕ ammunition *sg.*; ~s *pl.* de bouche provisions; *pain m de* ~ ration bread; **munitionnaire** ✕ [ˌsjɔ'nɛːr] *m* supply officer.

muqueux, -euse [my'kø, ˌ'køːz] mucous.

mûr, mûre [myːr] ripe; mature (*age, mind, wine*).

mur [myːr] *m* wall; ✈ ~ *du son* sound barrier; **murage** [my'raːʒ] *m* walling (in); bricking up; **muraille** [ˌ'raːj] *f* high *or* thick wall; ⚓ *ship:* side; **mural, e,** *m/pl.* **-aux** [ˌ'ral, ˌ'ro] mural; *carte f* ˌe wall-map.

mûre ♀ [myːr] *f* mulberry; blackberry.

murer [my're] (1a) *v/t.* wall in; wall *or* block up.

mûrier ♀ [my'rje] *m* mulberry (-bush *or* -tree); ~ *sauvage* bramble.

mûrir [my'riːr] (2a) *vt/i.* ripen, mature (*a. fig.*); *v/t. fig.* think out thoroughly.

murmure [myr'myːr] *m* murmur (-ing); whisper; **murmurer** [ˌmy're] (1a) *vt/i.* murmur; whisper; babble (*child, stream*); *fig.* complain.

mûron ♀ [my'rɔ̃] *m* blackberry; wild raspberry.

mus [my] *1st p. sg. p.s. of mouvoir.*

musaraigne *zo.* [myza'rɛɲ] *f* shrew-mouse.

musard, e [my'zaːr, ˌ'zard] **1.** *adj.* idling; **2.** *su.* idler; **musarder** F [ˌzar'de] (1a) *v/i.* idle; fritter away one's time.

musc [mysk] *m* musk; *zo.* musk-deer.

muscade ♀ [mys'kad] *f* nutmeg.

muscadet [myska'dɛ] *m* (*sort of*) muscatel (*wine*).

muscadier ♀ [myska'dje] *m* nutmeg-tree.

muscardin *zo.* [myskar'dɛ̃] *m* dormouse.

muscat [mys'ka] *m* muscat (grape *or* wine); musk-pear.

muscle [myskl] *m* muscle; *fig.* brawn; **musclé, e** [mys'kle] muscular; brawny; athletic; **musculaire** [ˌky'lɛːr] muscular; **musculeux, -euse** [ˌky'lø, ˌ'løːz] muscular; *cuis.* sinewy (*meat*).

museau [my'zo] *m* muzzle, snout; F mug (= *face*).

musée [my'ze] *m* museum.

museler [myz'le] (1c) *v/t.* muzzle (*a. fig.*); **muselière** [ˌzə'ljɛːr] *f* muzzle.

muser [my'ze] (1a) *v/i.* dawdle; fritter away one's time.

musette [my'zɛt] *f horse*: nose-bag; ✕ haversack; ♪ country bagpipe; *bal m* ~ popular dance-hall.

musical, e, *m/pl.* **-aux** [myzi'kal, ~'ko] musical; **music-hall** [myzi-'ko:l] *m* music-hall; variety; **musicien, -enne** [myzi'sjɛ̃, ~'sjɛn] **1.** *adj.* musical; **2.** *su.* musician; performer, player; **musique** [my-'zik] *f* music; ✕ *etc.* band; ~ *enregistrée* recorded music.

musqué, e [mys'ke] musky, musk; *fig. paroles f/pl.* ~es honeyed words; *poire f* ~e musk-pear; *rose f* ~e musk-rose.

musulman, e [myzyl'mɑ̃, ~'man] *adj., a. su.* ♀ Moslem, Mohammedan.

mutabilité [mytabili'te] *f* instability; ⚖ alienability; **mutation** [~ta'sjɔ̃] *f* change, alteration; ♪, *biol.* mutation; ♪ *violin-playing:* shift; *personnel, property:* transfer; **muter** [~'te] (1a) *v/t.* transfer (*an official etc.*).

mutilation [mytila'sjɔ̃] *f person, book, statue, etc.:* mutilation; *person:* maiming; *book, statue, etc.:* defacement; **mutilé** [~'le] *m:* ~ *de guerre* disabled ex-serviceman; ~ *du travail* disabled workman; **mutiler** [~'le] (1a) *v/t.* mutilate; maim; deface.

mutin, e [my'tɛ̃, ~'tin] **1.** *adj.* unruly, disobedient; ✕ insubordinate; *fig.* pert, roguish; **2.** *su./m* mutineer; **mutiner** [~ti'ne] (1a) *v/t.: se* ~ rise in revolt, rebel; be unruly; ✕ mutiny; **mutinerie** [~tin'ri] *f*

rebellion; ✕ mutiny; unruliness; pertness.

mutisme [my'tism] *m* dumbness; *fig.* silence.

mutualité [mytualiֹ'te] *f* mutuality, reciprocity; **mutuel, -elle** [my-'tɥɛl] **1.** *adj.* mutual; *pari m* ~ totalizator, F tote; *secours m/pl.* ~*s* mutual benefit; *société f de secours* ~ friendly society; **2.** *su./f* mutual insurance company.

myocarde *anat.* [mjɔ'kard] *m* myocardium; **myocardite** ⚕ [~kar-'dit] *f* myocarditis.

myope ⚕ [mjɔp] **1.** *adj.* myopic, near-sighted, short-sighted; **2.** *su.* near-sighted *or* short-sighted person; **myopie** ⚕ [mjɔ'pi] *f* myopia, near-sightedness, short-sightedness.   [forget-me-not.]

myosotis ♀ [mjɔzɔ'tis] *m* myosotis,)

myrte ♀ [mirt] *m* myrtle; **myrtille** ♀ [mir'til] *f* whortleberry, bilberry.

mystère [mis'tɛ:r] *m* mystery (*a. thea.*), secret; secrecy; **mystérieux, -euse** [~te'rjø, ~'rjø:z] mysterious, enigmatic; **mysticisme** [~ti'sism] *m* mysticism; **mystification** [~tifika'sjɔ̃] *f* hoax; mystification; **mystifier** [~ti'fje] (1o) *v/t.* hoax, fool; mystify; **mystique** [~'tik] **1.** *adj.* mystic; **2.** *su.* mystic; *su./f* mystical theology *or* doctrine.

mythe [mit] *m* myth (*a. fig.*); legend; **mythique** [mi'tik] mythical; **mythologie** [mitɔlɔ'ʒi] *f* mythology; **mythologique** [~lɔ'ʒik] mythological; **mythologue** [~'lɔg] *m* mythologist.

N

N, n [ɛn] *m* N, n.

nabab [na'bab] *m* nabob.

nacelle [na'sɛl] *f* ♜ skiff, wherry; ✈ cockpit; *airship:* gondola; *balloon:* basket.

nacre [nakr] *f* mother of pearl; **nacré, e** [na'kre] pearly; **nacrer** [~] (1a) *v/t.* give a pearly sheen to.

nage [na:ʒ] *f* swimming; rowing; stroke; ~ *à la brasse* breast-stroke; ~ *libre* free style; ~ *sur le dos* back-stroke; *à la* ~ by swimming; *donner la* ~ *rowing:* set the stroke; F (*tout*) *en* ~ bathed in perspiration; **na-**

geoire [na'ʒwa:r] *f icht.* fin; *whale:* paddle; float; *sl.* arm; **nager** [~'ʒe] (11) *v/i.* swim; row; float; ~ *dans l'opulence* be rolling in money; *v/t.:* ~ *le crawl* swim the crawl; **nageur** *m,* **-euse** *f* [~'ʒœ:r, ~'ʒø:z] swimmer; rower.

naguère [na'gɛ:r] *adv.* lately, a short time ago.

naïf, -ve [na'if, ~'i:v] naïve, artless, unaffected; unsophisticated, simple.

nain, naine [nɛ̃, nɛn] **1.** *su.* dwarf, midget; **2.** *adj.* dwarf(ish); stunted.

nais [nɛ] *1st p. sg. pres. of naître;*

naissance [nɛ'sɑ̃:s] *f* birth; *fig.* origin; *fig.* beginning; *acte m de* ~ birth-certificate; *Français de* ~ French-born; *fig. prendre* ~ originate; **naissant, e** [~'sɑ̃, ~'sɑ̃:t] dawning; *fig. a.* incipient; **naissent** [nɛs] *3rd p. pl. pres. of naître*; **naître** [nɛ:tr] (4x) *v/i.* be born; dawn; *fig.* originate, begin; *faire* ~ give rise to, cause.

naïveté [naiv'te] *f* naïvety, ingenuousness; simpleness; ingenuous remark.

naja *zo.* [na'ʒa] *m* naja, hooded snake.

nantir [nɑ̃'ti:r] (2a) *v/t.* ⚖ *creditor*: secure; *fig.* provide (with, de); **nantissement** [~tis'mɑ̃] *m* security; lien, hypothecation.

napalm ⚗, ⚔ [na'palm] *m* napalm.

naphte ⚗ [naft] *m* naphtha.

nappe [nap] *f* (table)cloth; cover; *ice, water, etc.*: sheet; **napperon** [na'prɔ̃] *m* napkin; tea-cloth.

naquis [na'ki] *1st p. sg. p.s. of naître.*

narcisse ⚘ [nar'sis] *m* narcissus; ~ *des bois* daffodil.

narcose ⚕ [nar'ko:z] *f* narcosis; **narcotique** [~kɔ'tik] *adj., a. su./m* narcotic.

nard ⚘, ⚕ [na:r] *m* (spike)nard.

narguer [nar'ge] (1m) *v/t.* flout; F cheek (*s.o.*); jeer at (*s.o.*).

narine [na'rin] *f anat.* nostril.

narquois, e [nar'kwa, ~'kwa:z] bantering.

narrateur *m*, **-trice** *f* [nara'tœ:r, ~'tris] narrator, teller, relater; **narratif, -ve** [~'tif, ~'ti:v] narrative; **narration** [~'sjɔ̃] *f* narration, narrative; **narrer** [na're] (1a) *v/t.* narrate, relate.

narval, *pl.* **-als** *zo.* [nar'val] *m* narwhal.

nasal, e, *m/pl.* **-aux** [na'zal, ~'zo] *adj., a. su./f gramm.* nasal; **nasaliser** *gramm.* [~zali'ze] (1a) *v/t.* nasalize; **naseau** [~'zo] *m* nostril; **nasillard, e** [nazi'ja:r, ~'jard] nasal, twanging; **nasiller** [~'je] (1a) *v/i.* speak through one's nose; *v/t.* F recite (*s.th.*) through the nose; **nasilleur** *m*, **-euse** *f* [~'jœ:r, ~'jø:z] person who speaks with a nasal twang.

nasse [nas] *f* eel-pot; trap (*a. fig.*).

natal, e, *m/pl.* **-als** [na'tal] native; birth...; **natalité** [~tali'te] *f* birth-rate, natality.

natation [nata'sjɔ̃] *f* swimming; **natatoire** [~'twa:r] *zo.* natatory; *icht. vessie f* ~ air-bladder, swimming-bladder.

natif, -ve [na'tif, ~'ti:v] **1.** *adj.* native (*a.* ⚒); natural, innate; **2.** *su.* native.

nation [na'sjɔ̃] *f* nation; *bibl. les* ~*s pl.* the Gentiles; **national, e,** *m/pl.* **-aux** [~sjɔ'nal, ~'no] **1.** *adj.* national; **2.** *su./m*: ~*s pl.* nationals; *su./f* (*a. route f* ~*e*) highway; main road; **nationalisation** [nasjɔnaliza'sjɔ̃] *f* nationalization; **nationalisme** *pol.* [~'lism] *m* nationalism; **nationaliste** *pol.* [~'list] **1.** *su.* nationalist; **2.** *adj.* nationalistic; **nationalité** [~li'te] *f* nationality; nation.

nativité *eccl., astr.* [nativi'te] *f* nativity.

natte [nat] *f* (*straw- etc.*) mat(ting); *hair*: plait, braid; F pigtail; **natter** [na'te] (1a) *v/t.* cover (*s.th.*) with mats; plait (*one's hair, straw*).

naturalisation [natyraliza'sjɔ̃] *f pol.* naturalization; ⚘, *zo.* acclimatizing; **naturaliser** [~li'ze] (1a) *v/t.* naturalize; ⚘, *zo.* acclimatize; stuff, mount (*an animal*); *se* ~ become naturalized; **naturalisme** *paint. etc.* [~'lism] *m* naturalism; **naturaliste** [~'list] **1.** *su.* naturalist; taxidermist; **2.** *adj.* naturalistic; **naturalité** [~li'te] *f* naturalness.

nature [na'ty:r] **1.** *su./f* nature; kind; type; disposition, temperament; *paint. d'après* ~ from nature; *de* ~ *à* (*inf.*) likely to (*inf.*), such as to (*inf.*); *lois f/pl. de la* ~ laws of nature; *par* ~ by nature, naturally; *payer en* ~ pay in kind; **2.** *adj./inv.* plain; *café m* ~ black coffee; **naturel, -elle** [naty'rɛl] **1.** *adj.* natural; unstudied (*language, reply*); genuine (*wine*); illegitimate (*child*); **2.** *su./m* native; disposition, nature; *au* ~ realistically, true to life; *cuis.* plain; **naturiste** [~'rist] **1.** *su.* naturist; **2.** *adj.* naturistic.

naufrage [no'fra:ʒ] *m* shipwreck (*a. fig.*); *faire* ~ be shipwrecked; **naufragé, e** [nofra'ʒe] **1.** *adj.* shipwrecked; castaway; **2.** *su.* shipwrecked person; castaway; **naufrageur** [~'ʒœ:r] *m* wrecker.

nauséabond, e [nozea'bɔ̃, ~'bɔ̃:d] nauseous, foul; evil-smelling; **nau-**

sée [ˌ'ze] *f* nausea; seasickness; *fig.* loathing; **nauséeux, -euse** [ˌze'ø, ˌ'øːz] nauseous; loathsome.

nautique [no'tik] ⚓ nautical; sea-...; aquatic (*sports*); **nautonier** [ˌtɔ-'nje] *m* ferryman, pilot.

naval, e, *m/pl.* **-als** [na'val] naval, nautical; *constructions* f/pl. ~es ship-building *sg.*

navarin *cuis.* [nava'rɛ̃] *m* mutton stew with turnips.

navet [na'vɛ] *m* turnip; F *paint.* daub; F duffer; *thea., cin., etc.* F flop, *Am. sl.* turkey.

navette¹ [na'vɛt] *f eccl.* incense-boat; ⊕ shuttle; ⛫ shuttle-service; *fig.* faire la ~ go to and fro.

navette² ♀ [ˌ] *f* rape.

navigabilité [navigabili'te] *f* navigability; *ship:* seaworthiness; ✈ airworthiness; **navigable** [ˌ'gabl] navigable; seaworthy (*ship*); ✈ airworthy; **navigateur** [ˌga'tœːr] 1. *adj./m* seafaring; 2. *su./m* navigator; sailor; **navigation** [ˌga'sjɔ̃] *f* navigation, sailing; ~ intérieure inland navigation; **naviguer** [ˌ'ge] (1m) *vt/i.* ⚓, ✈ navigate; ⚓ steer.

navire ⚓ [na'viːr] *m* ship, vessel; ⚓ ~ de commerce merchantman; **~-citerne,** *pl.* **~s-citernes** ⚓ [ˌvir-si'tɛrn] *m* tanker; **~-école,** *pl.* **~s-écoles** ⚓ [ˌvire'kɔl] *m* training ship; **~-hôpital,** *pl.* **~s-hôpitaux** ⚓ [ˌvirɔpi'tal, ˌ'to] *m* hospital-ship.

navrant, e [na'vrã, ˌ'vrãːt] heart-rending, heart-breaking; **navré, e** [ˌ'vre] deeply grieved; heart-broken; **navrer** [ˌ'vre] (1a) *v/t.* grieve (*s.o.*) deeply; *j'en suis navré!* I am awfully *or* F terribly sorry!

ne [nə] *adv.*: ne ... guère not ... much, scarcely; ne ... jamais never; ne ... pas not; ne ... plus no more, no longer; ne ... plus jamais never again; ne ... point not (at all); ne ... que only.

né, née [ne] 1. *p.p. of* naître; 2. *adj.* born; *fig.* cut out (for, pour); bien ~ of a good family; *fig.* être ~ coiffé be born with a silver spoon in one's mouth.

néanmoins [neã'mwɛ̃] *adv.* nevertheless, however; yet.

néant [ne'ã] *m* nothing(ness), naught; *admin.* nil; ⚖ mettre à ~

dismiss; *réduire à ~* reduce to naught.

nébuleux, -euse [neby'lø, ˌ'løːz] 1. *adj.* nebulous; cloudy (*a. liquid*), misty (*sky, view*); *fig.* gloomy (*face*); F *fig.* obscure; 2. *su./f astr.* nebula; **nébulosité** [ˌlozi'te] *f* haziness (*a. fig.*); patch of haze *or* mist.

nécessaire [nesɛ'sɛːr] 1. *adj.* necessary (to, for à); requisite; 2. *su./m* necessaries *pl.*; outfit, kit, set; ~ de *toilette* dressing-case; **nécessité** [ˌsi'te] *f* necessity, need; indigence; **nécessiter** [ˌsi'te] (1a) *v/t.* necessitate, entail, require; **nécessiteux, -euse** [ˌsi'tø, ˌ'toːz] 1. *adj.* needy; 2. *su./m*: les ~ pl. the needy.

nécro... [nekrɔ] necro...; **~loge** [ˌ'lɔːʒ] *m* obituary list; death-roll; **~logie** [ˌlɔ'ʒi] *f* obituary; **~logue** [ˌ'lɔg] *m* necrologist; **~mancie** [ˌmã'si] *f* necromancy; **~pole** [ˌ'pɔl] *f* necropolis, city of the dead.

nécrose [ne'kroːz] *f* ♣ necrosis; ♀ canker.

nectar ♀, *a. myth.* [nɛk'taːr] *m* nectar.

néerlandais, e [neɛrlã'dɛ, ˌ'dɛːz] 1. *adj.* Dutch; Netherlands; 2. *su.*♀ Netherlander; *su./m*♂ Dutchman; *su./f* ♀ Dutchwoman.

nef [nɛf] *f church*: nave; *poet.* ship.

néfaste [ne'fast] ill-omened; ill-starred; ill-fated; disastrous.

nèfle ♀ [nɛfl] *f* medlar; **néflier** ♀ [ne'flie] *m* medlar(-tree).

négatif, -ve [nega'tif, ˌ'tiːv] 1. *adj.* negative (*a.* ⚡); *phot. épreuve f* ~ve = 2. *su./m phot.* negative; **négation** [ˌ'sjɔ̃] *f* negation, denial; *gramm.* negative.

négligé, e [negli'ʒe] 1. *adj.* neglected; slovenly (*dress, style*); careless (*appearance, dress*); 2. *su./m* undress; informal dress; dishabille; négligé; **négligeable** [ˌ'ʒabl] negligible (*a.* ⚡); trifling; **négligence** [ˌ'ʒãːs] *f* negligence, neglect; oversight; **négligent, e** [ˌ'ʒã, ˌ'ʒãːt] negligent, careless; **négliger** [ˌ'ʒe] (1l) *v/t.* neglect; overlook; disregard; slight (*s.o.*); se ~ become careless *or* slovenly.

négoce [ne'gɔs] *m* trade, business; **négociable** ✝ [negɔ'sjabl] negotiable; market (*value*); **négociant** [ˌ'sjã] *m* (wholesale) merchant; trader; **négociateur, m -trice** *f*

[‿sja'tœːr, ‿'tris] negotiator; **négociation** [‿sja'sjɔ̃] f negotiation (a. ✕); ✝ transaction; ✕ parley; **négocier** [‿'sje] (1o) vt/i. negotiate.

nègre [nɛːgr] m negro; F ghost (writer); (barrister's) devil; fig. travailler comme un ‿ work like a nigger; **négresse** [ne'grɛs] f negress; **négrier** [negri'e] m slave-trader; ⚓ (a. bateau m ‿) slave-ship; **négrillon** F [‿'jɔ̃] m negro-boy; F piccaninny; **négrillonne** F [‿'jɔn] f negro-girl.

neige [nɛːʒ] f snow (a. sl. = cocaine); ‿s pl. éternelles perpetual snow sg.; ⚗ ‿ carbonique dry ice; ‿ croûteuse (poudreuse) crusted (powdery) snow; boule f de ‿ snowball; 🚂 train m de ‿ winter sports train; **neiger** [nɛ'ʒe] (1l) v/impers. snow; **neigeux, -euse** [‿'ʒø, ‿'ʒøːz] snowy; snow-covered; snow-white.

nénuphar ♀ [neny'faːr] m water-lily.

néo... [neɔ] neo-...; ‿**logisme** [‿lɔ-'ʒism] m neologism.

néon ⚗ [ne'ɔ̃] m neon; éclairage m au ‿ neon lighting.

néphrétique ⚕ [nefre'tik] 1. adj. nephritic; 2. su. sufferer from nephritis; **néphrite** [‿'frit] f ⚕ nephritis; min. jade; ⚕ ‿ chronique Bright's disease.

népotisme [nepɔ'tism] m nepotism.

nerf [nɛːr] m anat. nerve; sinew; △ rib; fig. pep, energy; fig. ‿ de bœuf cosh; life-preserver; fig. avoir du ‿ be vigorous; avoir ses ‿s be on edge; le ‿ de la guerre the sinews pl. of war; porter sur les ‿s à q. get on s.o.'s nerves.

nerprun ♀ [nɛr'prœ̃] m buckthorn.

nervation ♀ [nɛrva'sjɔ̃] f nervation; **nerver** [‿'ve] (1a) v/t. strengthen; put bands on (a book); **nerveux, -euse** [‿'vø, ‿'vøːz] nervous; sinewy; anat. nerve-...; excitable, highly-strung (person); fig. virile (style etc.); **nervin** ⚕ [‿'vɛ̃] adj./m, a. su./m nervine; **nervosisme** ⚕ [‿vo'zism] m nervous predisposition; **nervosité** [‿vozi-'te] f irritability; **nervure** [‿'vyːr] f leaf, bookbinding, piston, casting, a. △: rib; ⊕ flange; △ fillet; cost. ‿s pl. piping sg.

net, nette [nɛt] 1. adj. clean, spotless; clear, plain; phot. distinct; ✝ net; 2. net adv. plainly, flatly; clearly; refuser ‿ refuse point-blank; 3. su./m: copie f au ‿ fair copy; mettre qch. au ‿ make a fair copy of s.th.; **netteté** [nɛtə'te] f cleanness; (bodily) cleanliness; fig. image, sound: clarity; distinctness; fig. decidedness; **nettoiement** [netwa'mɑ̃] m cleaning; clearing; **nettoyage** [‿'jaːʒ] m ⊕ scaling; ✕ mopping-up; ‿ à sec dry-cleaning; **nettoyer** [‿'je] (1h) v/t. clean; clear; ⊕ scale; ✕ mop up; F rifle (a house, s.o.); F clean out; ‿ à sec dry-clean.

neuf[1] [nœf; before vowel or h mute nœv] adj./num., a. su./m/inv. nine; date, title: ninth.

neuf[2], **neuve** [nœf, nœːv] 1. adj. new; fig. inexperienced; 2. su./m new; à ‿ anew, all over again; quoi de ‿? what news?; remettre à ‿ recondition, renovate.

neurasthénie ⚕ [nørasteni] f neurasthenia; **neurasthénique** ⚕ [‿'nik] adj., a. su. neurasthenic; **neurologue** ⚕ [nørɔ'lɔg] m neurologist, nerve specialist.

neutraliser [nøtrali'ze] (1a) v/t. neutralize; **neutraliste** pol. [‿'list] adj., a. su. neutralist; **neutralité** [‿li'te] f neutrality; ⚗ neutral state; **neutre** [nøːtr] 1. adj. neuter (a. gramm.); ⚗, pol., a. colour: neutral; 2. su. pol. neutral; su./m gramm. neuter.

neutron phys. [nø'trɔ̃] m neutron.

neuvaine eccl. [nœ'vɛn] f novena; **neuvième** [‿'vjɛm] adj./num., a. su., a. su./m fraction: ninth.

névé geol. [ne've] m névé, firn.

neveu [nə'vø] m nephew; ‿x pl. descendants.

névralgie ⚕ [nevral'ʒi] f neuralgia; **névralgique** [‿'ʒik] ⚕ neuralgic; fig. point m ‿ sore spot.

névr(o)... [nevr(ɔ)] neur(o)..

nez [ne] m nose; animal: snout; ⚓, ✈ bow, nose; scent; F ‿ à ‿ face to face; au ‿ de q. under s.o.'s nose; fig. avoir le ‿ fin be shrewd; F avoir q. dans le ‿ bear s.o. a grudge; mener par le bout du ‿ twist (s.o.) round one's little finger; mettre le ‿ dans poke one's nose into.

ni [ni] cj. nor, or; ni ... ni neither ... nor; ni moi non plus nor I (either).

niable [njabl] deniable; ⅟₂ traversable.

niais, e [njɛ, njɛːz] **1.** *adj.* simple, silly; *Am.* dumb; **2.** *su.* fool; simpleton; *Am.* dumbbell; **niaiserie** [njɛzˈri] *f* foolishness, silliness.

niche¹ F [niʃ] *f* trick, practical joke.

niche² [niʃ] *f* niche, recess; ~ *à chien* kennel; **nichée** [niˈʃe] *f* nestful; brood; **nicher** [~] (1a) *v/i.* nest; F *fig.* live, hang out; *v/t.* lodge, set, put.

nichrome *metall.* [niˈkrɔm] *m* chrome-nickel steel.

nickel ⚗ [niˈkɛl] *m* nickel; **nickelage** ⊕ [niˈklaːʒ] *m* nickel-plating; **nickeler** [~ˈkle] (1c) *v/t.* nickel (-plate).

nicotine ⚗ [nikɔˈtin] *f* nicotine.

nid [ni] *m* nest; *fig. thieves:* den; *tex.* ~ *d'abeilles* honeycomb, *Am.* waffle weave; *mot.* ~-de-poule pothole (*on a road*); **nidification** [nidifikaˈsjɔ̃] *f* nest-building.

nièce [njɛs] *f* niece.

nielle [njɛl] *su./f* ✵ *wheat:* earcockle; ✿ nigella; *su./m* ⊕ niello, inlaid enamel-work; **nieller** [njeˈle] (1a) *v/t.* ✵ blight, smut; ⊕ (inlay with) niello; ~ *se* ~ smut; **niellure** [~ˈlyːr] *f* ✵ blighting; ⊕ niello-work.

nier [nje] (1o) *v/t.* deny; repudiate (*a debt*); *on ne saurait* ~ *que* there can be no denying that.

nigaud, e [niˈgo, ~ˈgoːd] **1.** *adj.* simple, silly; **2.** *su.* simpleton, booby, ass; **nigauderie** F [~goˈdri] *f* stupidity; simplicity.

nimbe [nɛ̃ːb] *m* nimbus, halo; **nimbé, e** [nɛ̃ˈbe] haloed.

nipper F [niˈpe] (1a) *v/t.* rig (*s.o.*) out; **nippes** F [nip] *f/pl.* old clothes; togs.

nippon, e [niˈpɔ̃, ~ˈpɔn] *adj., a. su.* ♀ Japanese, Nipponese.

nique F [nik] *f: faire la* ~ *à* cook a snook at (*s.o.*); treat (*s.th.*) with contempt.   G³

nitouche [niˈtuʃ] *f: sainte* ~ (little) hypocrite; F goody-goody.

nitrate ⚗ [niˈtrat] *m* nitrate; ~ *de* ... ... nitrate; **nitre** ⚗ [nitr] *m* nitre, saltpetre; **nitré, e** [niˈtre] nitrated; nitro-...; **nitreux, -euse** [~ˈtrø, ~ˈtrøːz] nitrous; **nitrière** [nitriˈɛːr] *f* saltpetre-bed; nitreworks *usu. sg.*; **nitrification** [~fikaˈsjɔ̃] *f* nitrifi-

cation; **nitrifier** [~ˈfje] (1o) *v/t. a.* *se* ~ nitrify; **nitrique** [niˈtrik] nitric (*acid*).

nitro... [nitrɔ] nitro(-)...; ~**gène** ⚗ [~ˈʒɛn] *m* nitrogen.

nitruration ⚗ [nitryraˈsjɔ̃] *f* nitriding.   [nival.\

nivéal, e, *m/pl.* -aux ✿ [niveˈal, ~ˈo]\

niveau [niˈvo] *m* level (*a.* ⊕); *fig.* standard; ⊕ ga(u)ge; *d'eau* water-level; ~ *de maçon* plumb-level; *mot.* ~ *d'essence* petrol gauge, *Am.* gasoline level gage; ~ *de vie* standard of living; *pol.* ~ *le plus élevé* highest level; *fig. au* ~ *de* on a par with; *de* ~ level (with, *avec*); 🚂 *passage au à* ~ level crossing, *Am.* grade crossing; **niveler** [nivˈle] (1c) *v/t.* level, even up; ⊕ true up; survey (*the ground*); **niveleur** [~ˈlœːr] *m* leveller (*a. fig.*); **nivellement** [nivelˈmɑ̃] *m* *land:* surveying; *ground, a. fig.:* levelling.

nobiliaire [nɔbiˈljɛːr] **1.** *adj.* nobiliary; **2.** *su./m* peerage-list; **noble** [nɔbl] **1.** *adj.* noble; lofty (*style*); **2.** *su./m* nobleman; *su./f* noblewoman; **noblesse** [nɔˈblɛs] *f* nobility (*a. fig.*).

noce [nɔs] *f* wedding; wedding-party; F *faire la* ~ go on the spree *or sl.* the binge; *voyage m de* ~*s* honeymoon (trip); **noceur** *m*, **-euse** *f* F [nɔˈsœːr, ~ˈsøːz] reveller; fast liver.

nocher *poet.* [nɔˈʃe] *m* boatman.

nocif, -ve [nɔˈsif, ~ˈsiːv] harmful, noxious; **nocivité** [~siviˈte] *f* harmfulness.

noctambule [nɔktɑ̃ˈbyl] *su.* sleepwalker; F night-prowler; **noctuelle** *zo.* [~ˈtɥɛl] *f* noctua, owlet-moth; **nocturne** [~ˈtyrn] **1.** *adj.* nocturnal; by night; **2.** *su./m orn.* nocturnal (bird of prey); ♪ *f* nocturne.

Noël [nɔˈɛl] *m* (*oft. la* [fête *de*] ~) Christmas; yule-tide; ♪ ♀ (Christmas) carol; *arbre m de* ~ Christmas tree; *le père* ~ Father Christmas, Santa Claus.

nœud [nø] *m* knot (*a.* ⚓); *fig.* tie, bond; ⚓ hitch, bend; *fig.* matter, play, question, etc.: crux; ✿, ♉, ♐, *astr., phys.* node; ⊕ joint; 🚂 junction; ~ *de tisserand* weaver's knot.

noir, noire [nwaːr] **1.** *adj.* black; dark; *fig.* gloomy (*thoughts*); *fig.* foul; *sl.* dead drunk; *avoir des idées*

noires have the blues; *cuis.* beurre
m ~ browned butter sauce; *blé m* ~
buckwheat; **2.** *su./m* black (man);
negro; *colour*: black; 🏴 bruise; ~
de fumée lampblack; *fig.* ~ *sur
blanc* in black and white; *broyer
du* ~ be in the dumps; *mettre
dans le* ~ hit the mark; *prendre
le* ~ go into mourning; *voir tout
en* ~ look on the black side of
things; *su./f* black woman; negress;
♪ crotchet; **noirâtre** [nwa'rɑːtr]
blackish, darkish; **noiraud, e** [~'ro,
~'roːd] **1.** *adj.* swarthy; **2.** *su.*
swarthy person; **noirceur** [nwar-
'sœːr] *f* blackness; darkness; *fig.*
gloominess; *fig.* foulness; *crime*:
heinousness; **noircir** [~'siːr] (2a)
v/t. blacken (*a. fig.*); make gloomy
(*a picture, the sky, thoughts*); *v/i.*
turn black *or* dark; **noircissure**
[~si'syːr] *f* smudge.

noise [nwaːz] *f*: *chercher* ~ *à* pick a
quarrel with, *Am.* pick on.

noisetier 🌿 [nwaz'tje] *m* hazel(-tree,
-bush); **noisette** [nwa'zɛt] **1.** *su./f*
🌿 hazel-nut; **2.** *adj./inv.* (*a. couleur
f* ~) (nut-)brown; hazel (*eyes*); **noix**
[nwa] *f* 🌿 walnut; 🌿, *a.* 🏴 nut; ⊕
half-round groove; *sl.* head; *sl.*
fellow; ~ *de terre* peanut; *cuis.*
~ *de veau* round shoulder of veal.

nom [nɔ̃] *m* name, *gramm.* noun;
fig. reputation; ~ *de baptême* Christian *or* baptismal name, *Am.* given
name; ~ *de famille* family name;
surname; ~ *de guerre* assumed
name; ~ *de plume* pen-name; 🕆 ~
déposé registered trade name; 🕆 ~
social name of (the) firm *or* company; *de* ~ by name; *décliner ses* ~
et prénoms give one's full name; *du*
~ *de* called by, ~ *de petit* ~
Christian name, *Am.* given name.

nomade [nɔ'mad] **1.** *adj.* wandering;
nomadic; **2.** *su.* nomad.

nombrable [nɔ̃'brabl] countable;
nombre [nɔ̃ːbr] *m* number (*a.
gramm.*); ~ *cardinal* cardinal number; ~ *entier* integer; whole number; ~ *impair* (*pair, premier*) odd
(even, prime) number; *bon* ~ *de* a
good many ...; *du* ~ *de* one of; *bibl.
les* ~s *pl.* Numbers; *sans* ~ countless; **nombrer** [nɔ̃'bre] (1a) *v/t.*
count, number; **nombreux, -euse**
[~'brø, ~'brøːz] numerous; manifold; rhythmic, harmonious.

nombril [nɔ̃'bri] *m anat.* navel; 🌿
fruit: eye.

nomenclature [nɔmɑ̃kla'tyːr] *f* nomenclature; list.

nominal, e, *m/pl.* **-aux** [nɔmi'nal,
~'no] nominal; of names; *appel m*
~ roll-call; 🕆 *valeur f* ~e face-value;
nominatif, -ve [~na'tif, ~'tiːv]
nominal; of names; 🕆 registered
(*securities*); **nomination** [~na'sjɔ̃] *f*
nomination; appointment.

nommé, e [nɔ'me] **1.** *adj.* appointed
(*day*); *à point* ~ in the nick of time;
2. *su.*: *le* ~ X, *la* ~e X the person
named X; *su./m*: *un* ~ *Jean* one John;
nommément [~me'mɑ̃] *adv.*
namely, to wit; especially; **nommer** [~'me] (1a) *v/t.* name; mention; appoint (*to a post*); *se* ~ be
called; give one's name.

non [nɔ̃] *adv.* no; not; ~ *pas!* not
at all!; ~ (*pas*) *que* (*sbj.*) not that
(*ind.*); *dire que* ~ say no; *ne* ...
pas ~ *plus* not ... either.

non... [nɔ̃; *before vowel* nɔn] non-
...; **~-activité** [nɔnaktivi'te] *f* non-
activity; *mettre en* ~ suspend.

nonagénaire [nɔnaʒe'nɛːr] *adj., a.
su.* nonagenarian.

non-agression *pol.* [nɔnagrɛ'sjɔ̃] *f*
non-aggression; *pacte m de* ~ non-
aggression pact.

nonce [nɔ̃ːs] *m* nuncio; ~ *apostolique*
papal nuncio.

nonchalance [nɔ̃ʃa'lɑ̃ːs] *f* nonchalance; languidness; **nonchalant, e**
[~'lɑ̃, ~'lɑ̃ːt] nonchalant, unconcerned, languid.

non...: **~-combattant** ✗ [nɔ̃kɔ̃ba-
'tɑ̃] *m* non-combattant; **~-conduc-
teur, -trice** [~kɔ̃dyk'tœːr, ~'tris]
1. *adj.* non-conducting; **2.** *su./m*
non-conductor; **~-conformisme**
eccl. [~kɔ̃fɔr'mism] *m* nonconform-
ity, dissent; **~-conformiste** [~kɔ̃-
fɔr'mist] *m* nonconformist (*a. fig.*);
~-intervention [nɔnɛtɛrvɑ̃'sjɔ̃] *f*
non-intervention, non-interference;
~-lieu ⚖ [nɔ̃'ljø] *m* no true bill;
rendre une ordonnance de ~ dismiss
the charge.

nonne [nɔn] *f* nun.

nonobstant [nɔnɔp'stɑ̃] **1.** *prp.* not-
withstanding; **2.** *adv.* † for all that.

nonpareil, -eille [nɔ̃pa'rɛːj] **1.** *adj.*
matchless, unparalleled; **2.** *su./f*
apple, *a. typ.*: nonpareil.

non...: **~-réussite** [nɔ̃rey'sit] *f* failure; *plan*: miscarriage; **~-sens** [~-'sɑ̃:s] *m* meaningless act *or* expression; **~-valeur** [~va'lœ:r] *f* worthless object; unproductive land; F passenger (= *incompetent employee etc.*); *admin.* possible deficit.

nord [nɔ:r] **1.** *su./m* north; ⚓ north wind; *du* ~ north(ern); northerly (*wind*); *le* ♀ the north (*of a country*); *fig. perdre le* ~ lose one's bearings; *vers le* ~ northward(s), to the north; **2.** *adj./inv.* northern (*latitudes etc.*); northerly (*wind*); **~-est** [nɔ'rest] **1.** *su./m* north-east; **2.** *adj./inv.* north-east; north-eastern (*region*); north-easterly (*wind*); **~-ouest** [nɔ'rwest] **1.** *su./m* north-west; **2.** *adj./inv.* north-west; north-western (*region*); north-westerly (*wind*).

noria ⊕ [nɔ'rja] *f* chain-pump; bucket-conveyor.

normal, e, *m/pl.* **-aux** [nɔr'mal, ~'mo] **1.** *adj.* normal; usual; standard (*measures etc.*); natural; *École f* ~**e** (teachers') training college; **2.** *su./f* normal (*a.* ⅍); ⅍ perpendicular; **normalien** *m*, **-enne** *f* [nɔrma'ljɛ̃, ~'ljɛn] student at an *École normale*; **normalisation** [~liza'sjɔ̃] *f* standardization; **normaliser** [~li'ze] (1a) *v/t.* standardize, normalize.

normand, e [nɔr'mã, ~'mã:d] **1.** *adj.* Norman; F *réponse f* ~**e** non-committal answer; **2.** *su.* ♀ Norman.

norme [nɔrm] *f* norm, standard.

norvégien, -enne [nɔrve'ʒjɛ̃, ~'ʒjɛn] *adj., a. su.* ♀ Norwegian.

nos [no] *pl. of* notre.

nostalgie [nɔstal'ʒi] *f* ⚕ nostalgia; *fig.* homesickness; *fig.* yearning; **nostalgique** [~'ʒik] nostalgic; *fig.* homesick.

notabilité [nɔtabili'te] *f* notability (*a. person*); *fig.* prominent person; **notable** [nɔ'tabl] **1.** *adj.* notable; considerable; distinguished; **2.** *su./m* person of distinction *or* note; *hist.* Notable.

notaire ⚕⚕ , *a. eccl.* [nɔ'tɛ:r] *m* notary.

notamment [nɔta'mã] *adv.* particularly, especially.

notarial, e, *m/pl.* **-aux** [nɔta'rjal, ~'rjo] notarial; **notarié, e** [~'rje] *adj.*: *acte m* ~ deed executed and authenticated by a notary.

notation ♪, ⅍ [nɔta'sjɔ̃] *f* notation.

note [nɔt] *f* note (*a.* ♪, *pol.*, *fig.*), memo(randum); minute; annotation; *school*: mark; *journ.* notice; ✝ account, bill; *prendre* ~ *de* note, make a note of; *prendre des* ~s jot down notes; **noter** [nɔ'te] (1a) *v/t.* note, make a note of; jot down; take notice of; ♪ write down.

notice [nɔ'tis] *f* notice, account; *book*: review.

notification [nɔtifika'sjɔ̃] *f* notification, notice; **notifier** [~'fje] (1o) *v/t.* intimate (s.th. to s.o., *qch. à q.*); notify (s.o. of s.th., *qch. à q.*).

notion [nɔ'sjɔ̃] *f* notion, idea; ~**s** *pl.* smattering *sg.*; **notoire** [~'twa:r] well-known; manifest; *pej.* notorious; **notoriété** [~tɔrje'te] *f* notoriety; *person*: repute.

notre, *pl.* **nos** [nɔtr, no] *adj./poss.* our.

nôtre [no:tr] **1.** *pron./poss.*: *le* (*la*) ~, *les* ~**s** *pl.* ours; **2.** *su./m* ours, our own; *les* ~**s** *pl.* our (own) people.

nouage [nwa:ʒ] *m* tying; *bone*: knitting.

noue ⚠ [nu] *f* valley channel, gutter-tile.

noué, e [nwe] ⚕ rickety; knotty (*joint*); *fig.* stunted (*mind etc.*); **nouer** [nwe] (1p) *v/t.* tie (up), knot; *fig.* enter into (*conversation, relations*); ⚕ stiffen (*joints*); *se* ~ become knotted; ⚕ knit (*bone*); stiffen (*joints*), become rickety (*child*); *v/i.* set (*fruit*); **nouet** *cuis.* [nwe] *m* bag of herbs; **noueux, -euse** [nwø, nwø:z] knotty; ⚕ arthritic (*rheumatism*); gnarled (*hands, stem*).

nougat *cuis.* [nu'ga] *m* nougat.

nouille [nu:j] *f cuis.* noodle; F spineless individual.

nourrain [nu'rɛ̃] *m* fry, young fish; **nourrice** [~'ris] *f* (wet-)nurse; ⊕, ⚙ service-tank; *mot.* feed-tank; *mettre un enfant en* ~ put a child out to nurse; **nourricerie** [~ris'ri] *f* stock-farm; silkworm nursery; baby-farm; **nourricier, -ère** [~ri'sje, ~'sjɛ:r] nutritious, nutritive; foster-(*father, mother*); **nourrir** [~'ri:r] (2a) *v/t.* feed, nourish; suckle, nurse (*a baby*); *fig.* harbo(u)r (*hope, thoughts*); foster (*hatred*); cherish (*hope, a grudge*); strengthen; maintain (*a fire*); *se* ~ *de* live on; *v/i.* be nourishing; **nourrissage**

[nuri'sa:ʒ] *m cattle*: rearing; **nour-rissant, e** [‿'sã, ‿'sã:t] nourishing; nutritious; rich (*food*); **nourris-seur** [‿'sœ:r] *m* dairyman; ⊕ feed-roll; **nourrisson** [‿'sõ] *m* suckling, nursling; foster-child; **nourriture** [‿'ty:r] *f* feeding; food; board, keep; *la ‿ et le logement* board and lodging.

nous [nu] **1.** *pron./pers. subject*: we; *object*: us; (to) us; *à ‿* to us; ours; *ce sont ‿*, F *c'est ‿* it is we, F it's us; **2.** *pron./rfl.* ourselves; **3.** *pron./recip.* each other; one another; *‿-mêmes* [‿'mɛ:m] *pron./rfl.* ourselves.

nouure [nu'y:r] *f* ✗ *fruit*: setting; ✗ rickets *pl.*

nouveau (*adj. before vowel or h mute* **-el**) *m*, **-elle**, *m/pl.* **-aux** [nu'vo, ‿'vɛl, ‿'vo] **1.** *adj.* new; recent, fresh; new-style; another, further; novel; *‿eaux riches m/pl.* nouveaux riches, newly rich; *le plus ‿* latest; *qch.(rien) de ‿* s.th. (nothing) new; *quoi de ‿?* what's the news?; **2.** *nouveau adv.*: *à ‿* anew, afresh; *de ‿* again; **nouveau-né, e** [nuvo'ne] **1.** *adj.* new-born; **2.** *su./m* new-born child; **nouveauté** [‿'te] *f* newness, novelty; latest model; innovation; ✤ *‿s pl.* fancy goods; linen-drapery *sg.*; **nouvel** [nu'vɛl] **1.** *adj. see nouveau* 1; *‿ an m* New Year; **nouvelle** [nu-'vɛl] **1.** *adj. see nouveau* 1; **2.** *su./f* news *sg.*, tidings *pl.*; short story; *avoir des ‿s de q.* hear from *or* of s.o.; **nouvelliste** [‿vɛ'list] *su.* short-story writer; *journ.* F par writer.

novateur, -trice [nɔva'tœ:r, ‿'tris] **1.** *adj.* innovating; **2.** *su.* innovator.

novembre [nɔ'vã:br] *m* November.

novice [nɔ'vis] **1.** *adj.* inexperienced (in *à*, *dans*), new (to *à*, *dans*); **2.** *su.* novice (*a. eccl., a. fig.*); *fig.* tyro; beginner; *profession*: probationer; **no-viciat** [‿vi'sja] *m* noviciate; F apprenticeship.

noyade [nwa'jad] *f* drowning.

noyau [nwa'jo] *m fruit*: stone, kernel; *phys., biol., fig.* nucleus (*a. atom etc.*); ⊕ *wheel*: hub; *metall., a.* ✗ core; △ newel; *fig.* group; *pol.* cell; ✗ *fruit m à* ‿ stone-fruit; **noyau-tage** [‿jo'ta:ʒ] *m pol.* infiltration (into, de); *metall.* coring.

noyer¹ [nwa'je] (1h) *v/t.* drown

(*a.* F *fig.*); flood (*a. mot.*), inundate, immerse; ⊕ countersink (*a screw*); ⊕ bed (*s.th.*) in cement; *se ‿ suicide*: drown o.s.; *accident*: be drowned; *fig.* be steeped (in, *dans*); ⊕ *vis f* noyée countersunk screw.

noyer² ✗ [‿] *m* walnut(-tree).

nu, nue [ny] **1.** *adj.* naked, nude, bare; *fig.* unadorned; *‿-pieds, pieds ‿s* barefoot(ed); **2.** *su./m* nude; nudity; △ bare part; **3.** *adv.*: *à nu* bare; *mettre à nu* expose, lay bare; de-nude; *monter à nu* ride (*a horse*) bareback.

nuage [nɥa:ʒ] *m* cloud; *sans ‿s* cloudless (*sky*), *fig.* perfect (*bliss*); **nuageux, -euse** [nɥa'ʒø, ‿'ʒø:z] cloudy, overcast; *fig.* hazy (*idea*).

nuance [nɥã:s] *f* shade (*a. fig.*), hue; *fig.* tinge; *fig.* nuance, shade of meaning; **nuancer** [nɥã'se] (1k) *v/t.* shade (with, de); vary (*the tone*); express slight differences in.

nubile [ny'bil] nubile.

nucléaire *phys.* [nykle'ɛ:r] nuclear (*a. armament*); **nucléon** *phys.* [‿'õ] *m* nucleon.

nudisme [ny'dism] *m* nudism; **nu-diste** [‿'dist] *su.* nudist; **nudité** [‿di'te] *f* nudity, nakedness; *paint.* nude; △ bareness.

nue [ny] *f* high cloud; *‿s pl.* skies (*a. fig.*); *porter aux ‿s* praise to the skies; *fig. tomber des ‿s* be thunder-struck; **nuée** [nɥe] *f* storm-cloud; *fig.* cloud; swarm, host.

nuire [nɥi:r] (4u *a.* h) *v/i.*: *‿ à* harm, hurt; be injurious to; **nuisibi-lité** [nɥizibili'te] *f* harmfulness; **nuisible** [‿'zibl] harmful, injurious.

nuit [nɥi] *f* night; *de ‿* by night; *passer la ‿* stay overnight (with, chez); **nuitée** [nɥi'te] *f* night's work.

nul, nulle [nyl] **1.** *adj.* no, not one; void, null; *sp.* drawn (*game*); non-existent; ⚖ invalid (*marriage*); **2.** *pron./indef.* no(t) one, nobody; **nullement** [nyl'mã] *adv.* not at all; **nullité** [nyli'te] *f* ⚖ nullity, invalidity; *fig.* nothingness; non-existence; *person*: nonentity; *fig.* incapacity.

numéraire [nyme'rɛ:r] **1.** *adj.* legal (*tender*); numerary (*value*); **2.** *su./m* specie; cash; currency; **numéral, e**, *m/pl.* **-aux** [‿'ral, ‿'ro] numeral; **numérateur** ✗ [‿ra'tœ:r] *m* numerator; **numération** Ȧ [ˌra'sjõ] f notation; numeration; **numérique** [ˌˑ'rik] numerical; **numéro** [ˌˑ'ro] m number; *periodical*: issue, copy; ✝ size; F person, fellow; *teleph.* telephone number; *mot.* registration number; F ~ *deux* second-best; ~ *de vestiaire* cloak-room ticket; F ~ *un* first-class; **numérotage** [ˌˑrɔ'ta:ʒ] m numbering; *book*: paging; **numéroter** [ˌˑrɔ'te] (1a) v/t. number; paginate (*a book*); **numéroteur** [ˌˑrɔ'tœːr] m numbering machine *or* stamp.

numismate [nymis'mat] m numis-

matist; **numismatique** [ˌˑma'tik] f numismatics *sg.*

nuptial, e, m/pl. **-aux** [nyp'sjal, ˌˑ'sjo] bridal; wedding...

nuque [nyk] f nape *or* F scruff of the neck.

nurse [nœrs] f children's nurse, F nanny.

nutritif, -ve [nytri'tif, ˌˑ'tiːv] nourishing, nutritive; *food*...; **nutrition** [ˌˑ'sjõ] f nutrition.

nylon *tex.* [ni'lõ] m nylon.

nymphe [nɛ̃:f] f *myth.* nymph (*a. fig.*); *zo.* pupa, chrysalis; **nymphéa** Ȧ [nɛ̃fe'a] m water-lily; nymphea.

O

O, o [o] m O, o.
ô! [o] *int.* oh!
oasis [oa'zis] f oasis (*a. fig.*).
obédience [obe'djã:s] f *eccl.* dutiful submission, obedience; F submission.
obéir [obe'iːr] (2a) v/i.: ~ *à* obey; comply with (*s.th.*); yield to; ✇, *mot.* respond to; ⚓ answer; *se faire* ~ compel obedience (from, *par*); **obéissance** [ˌˑi'sã:s] f obedience; submission (*to authority*); *fig.* pliancy; **obéissant, e** [ˌˑi'sã, ˌˑ'sã:t] obedient; submissive; *fig.* pliant.   [lisk.]
obélisque *archeol.* [obe'lisk] m obe-]
obérer [obe're] (1f) v/t. burden with debt; *s'*~ run deep into debt.
obèse [ɔ'bɛ:z] 1. *adj.* obese, stout; 2. *su.* obese *or* stout person; **obésité** [ɔbezi'te] f obesity, corpulence.
obier ♀ [ɔ'bje] m guelder rose.
obit *eccl.* [ɔ'bit] m obit; **obituaire** [ɔbi'tɥɛːr] m obituary list.
objecter [ɔbʒɛk'te] (1a) v/t. raise as an objection (to, *à*); ~ *qch. à q.* allege *or* hold s.th. against s.o.; **objecteur** [ˌˑ'tœːr] m: ✗ ~ *de conscience* conscientious objector; **objectif, -ve** [ˌˑ'tif, ˌˑ'tiːv] 1. *adj.* objective; 2. *su.* m *opt.* objective; *phot.* lens; ✗, ⚓ target; *fig.* aim, object; **objection** [ˌˑ'sjõ] f objection; **objectiver** [ˌˑti've] (1a) v/t. objectify; **objectivité** [ˌˑtivi'te] f objectivity.
objet [ɔb'ʒɛ] m object (*a. gramm., phls., a. fig.*); thing; subject(-matter); *fig.* purpose, aim; *gramm.*

complement; ✝ article; ~*s* pl. *trouvés* lost property *sg.*; *remplir son* ~ reach one's goal.
oblat m, **e** f *eccl.* [ɔ'bla, ˌˑ'blat] oblate; **oblation** *eccl.* [ɔbla'sjõ] f oblation, offering.
obligataire ✝ [ɔbliga'tɛːr] m bondholder, debenture-holder; **obligation** [ˌˑ'sjõ] f obligation, duty; ✝ bond, debenture; favo(u)r; gratefulness; **obligatoire** [ˌˑ'twaːr] obligatory; compulsory; binding (*agreement, decision*); *enseignement* m ~ compulsory education; ✗ *service* m *militaire* ~ compulsory military service.
obligé, e [ɔbli'ʒe] 1. *adj.* obliged, compelled (to *inf.*, *de inf.*); necessary, indispensable; inevitable; *fig.* grateful; 2. *su.* person under an obligation; ✝ obligor; **obligeamment** [ˌˑʒa'mã] *adv. of obligeant*; **obligeance** [ˌˑ'ʒã:s] f kindness; *avoir l'*~ *de* (*inf.*) be so kind as to (*inf.*); **obligeant, e** [ˌˑʒã, ˌˑ'ʒã:t] obliging; kind; **obliger** [ˌˑ'ʒe] (1l) v/t. oblige, bind (to, *à*); compel (to, *de*); do (*s.o.*) a favo(u)r; *s'*~ *à* bind o.s. to.
oblique [ɔ'blik] 1. *adj.* oblique; ⊿ skew; slanting; *fig.* crooked; underhand; 2. *su./m anat.* oblique muscle; ✗ ~ *à droite* (*gauche*) right (left) incline; *su./f* oblique line; **obliquer** [ɔbli'ke] (1m) v/i. oblique; slant; edge (to[wards] *sur, vers*); ✗ incline; **obliquité** [ˌˑki'te] f obliqueness; *fig.* crookedness.

oblitération [ɔblitera'sjɔ̃] *f* obliter-
ation; *stamp*: cancellation; ⚕ obstruction; **oblitérer** [ˌˈre] (1f) *v/t.*
obliterate; cancel (*a stamp*); ⚕ obstruct (*a vein*).

oblong, -gue [ɔ'blɔ̃, ˌˈblɔ̃ːg] oblong.

obole [ɔ'bɔl] *f* † obol(us); F farthing;
(*widow's*) mite; *apporter son* ~
à contribute one's mite to.

obombrer [ɔbɔ̃'bre] (1a) *v/t.* cloud
over.

obscène [ɔp'sɛn] obscene; smutty;
obscénité [ˌseni'te] *f* obscenity;
smuttiness.

obscur, e [ɔps'kyːr] dark; gloomy
(*weather*); obscure (*a. fig.*); abstruse (*argument etc.*); dim (*horizon,
light*); humble (*person*); **obscuran-
tisme** [ˌkyrɑ̃'tism] *m* obscurantism;
obscuration *astr.* [ˌkyra'sjɔ̃] *f* occultation; **obscurcir** [ˌkyr'siːr]
(2a) *v/t.* obscure; darken; dim (*the
view*); **obscurcissement** [ˌkyrsis-
'mɑ̃] *m* darkening; dimming; ob-
scuring; **obscurément** [ˌkyre'mɑ̃]
adv. of obscur; **obscurité** [ˌkyri'te]
f obscurity (*a. fig.*); darkness, *fig.*
vagueness.

obséder [ɔpse'de] (1f) *v/t.* obsess;
importune, pester.

obsèques [ɔp'sɛk] *f/pl.* funeral *sg.*,
obsequies; **obséquieux, -euse** [ɔp-
se'kjø, ˌˈkjøːz] obsequious, fawning; **obséquiosité** [ˌkjozi'te] *f* ob-
sequiousness.

observable [ɔpsɛr'vabl] observable;
observance [ˌˈvɑ̃ːs] *f* observance
(*a. eccl.*); **observateur, -trice** [ˌˈ-
va'tœːr, ˌ'tris] **1.** *adj./m* observant;
2. *su.* observer; ✕, ⚔ spotter; **observation** [ˌva'sjɔ̃] *f* observation;
eccl., law, rule: observance; reprimand; **observatoire** [ˌva'twaːr] *m*
astr. observatory; ✕ observation
post; **observer** [ˌ've] (1a) *v/t.* observe, keep (*feast, law, rule, sabbath*);
watch; notice; *faire* ~ *qch. à q.* draw
s.o.'s attention to s.th.; *s'*~ be careful *or* cautious.

obsessif, -ve [ɔpsɛ'sif, ˌ'siːv] ob-
sessive; **obsession** [ˌˈsjɔ̃] *f* obsession.

obstacle [ɔps'takl] *m* obstacle; impediment; *sp.* fence, jump; *sp.*
course f d'~*s* obstacle *or* hurdle race;
faire ~ *à* stand in the way of.

obstétrique ⚕ [ɔpste'trik] **1.** *adj.*
obstetric(al); **2.** *su./f* obstetrics *sg.*

obstination [ɔpstina'sjɔ̃] *f* obstinacy; perversity; pig-headedness;
obstiné, e [ˌ'ne] obstinate, stubborn; persistent; pig-headed; **obstiner** [ˌ'ne] (1a) *v/t.*: *s'*~ show
obstinacy; *s'*~ *à* (*inf.*) persist in
(*ger.*).

obstructif, -ve [ɔpstryk'tif, ˌ'tiːv]
pol. obstructive; ⚕ obstruent; **obstruction** [ˌˈsjɔ̃] *f* ⚕, *pol.* obstruction; *pol.* filibustering; ⚕ stoppage; **obstructionnisme** *pol.* [ˌ-
sjɔ'nism] *m* obstructionism, filibustering; **obstruer** [ɔpstry'e] (1a) *v/t.*
obstruct, block; ⊕ choke.

obtempérer [ɔptɑ̃pe're] (1f) *v/i.*:
~ *à* comply with; accede to.

obtenir [ɔptə'niːr] (2h) *v/t.* obtain,
get; **obtention** [ˌtɑ̃'sjɔ̃] *f* obtain-
ing.

obturateur, -trice [ɔptyra'tœːr, ˌ-
'tris] **1.** *adj.* obturating, closing;
2. *su./m* ⚕, ✕, *anat.* obturator;
phot. shutter; ⊕ stop-valve; *mot.*
throttle; **obturation** [ˌra'sjɔ̃] *f* ⚕
obturation; closing; sealing; *tooth*:
filling; **obturer** [ˌ're] (1a) *v/t.* stop,
seal, obturate; fill (*a tooth*).

obtus, e [ɔp'ty, ˌ'tyːz] Ⓐ, *a. fig.*
obtuse; blunt; *fig.* dull; **obtusan-
gle** Ⓐ [ˌty'zɑ̃ːgl] obtuse-angled.

obus [ɔ'by] *m* ✕ shell; *mot.* valve-
plug; ~ *à balles* shrapnel; ~ *non
éclaté* unexploded shell, dud; ~
perforant armo(u)r-piercing shell;
obusier ✕ [ɔby'zje] *m* howitzer.

obvier [ɔb'vje] (1o) *v/i.*: ~ *à* prevent.

oc [ɔk] *adv.*: *langue f d'*~ Langue
d'oc, Old Provençal.

occasion [ɔka'zjɔ̃] *f* opportunity,
chance; occasion; *fig.* reason (for,
de); † bargain; *à l'*~ when the
chance occurs; *à l'*~ *de* on the occasion of; *d'*~ second-hand; cheap;
par ~ occasionally; **occasionner**
[ˌzjɔ'ne] (1a) *v/t.* cause, give rise to.

occident [ɔksi'dɑ̃] *m* west, occident;
occidental, e *m/pl.* -aux [ˌdɑ̃'tal,
ˌ'to] **1.** *adj.* west(ern); occidental; **2.**
su. occidental; westerner.

occiput *anat.* [ɔksi'pyt] *m* occiput,
F back of the head.

occire † [ɔk'siːr] (4y) *v/t.* kill, slay;
occis, e [ˌ'si, ˌ'siːz] *p.p. of occire.*

occlusion [ɔkly'zjɔ̃] *f* ⚕ stoppage,
obstruction; ⊕ *valve*: closure; ⚕,
⚕ occlusion.

occultation *astr.* [ɔkylta'sjɔ̃] *f* occultation; **occulte** [ɔ'kylt] occult; secret; hidden; **occultisme** [ɔkyl'tism] *m* occultism.

occupant, e [ɔky'pã, ~'pã:t] **1.** *adj.* occupying, in occupation; *fig.* engrossing (*work*); **2.** *su./m* occupant; ⚖, ✗ occupier; **occupation** [~pa'sjɔ̃] *f* occupation; profession; employment, work; ✗ forces *f/pl.* d'~ occupying forces; sans ~ unemployed; **occuper** [~'pe] (1a) *v/t.* occupy (*a.* ✗); *fig.* fill; s'~ keep (o.s.) busy; s'~ à be engaged in; s'~ de be interested in; see to (*s.th.*); *v/i.* ⚖ be in charge of the case (for, *pour*).

occurrence [ɔky'rã:s] *f* occurrence, happening; emergency, juncture; en l'~ at this juncture; in *or* F under the circumstances; in the present case.

océan [ɔse'ã] *m* ocean, sea (*a. fig.*); F l'~ the Atlantic; **océanien, -enne** [~a'njɛ̃, ~'njɛn] **1.** *adj.* Oceanian, Oceanic; **2.** *su.* ♀ South Sea Islander; **océanique** [~a'nik] oceanic, ocean...

ocelot *zo.* [ɔs'lo] *m* ocelot.

ocre [ɔkr] *f* ochre; **ocrer** [ɔ'kre] (1a) *v/t.* ochre; **ocreux, -euse** [ɔ'krø, ~'krø:z] ochrous.

oct... [ɔkt], **octa...** [ɔkta], **octo...** [ɔkto] oct..., octa..., octo...; **octaèdre** [ɔkta'ɛ:dr] **1.** *adj.* octahedral; **2.** *su./m* ♃ octahedron.

octane ♎ [ɔk'tan] *m* octane.

octant ⚓, *astr.*, *surv.* [ɔk'tã] *m* octant.

octobre [ɔk'tɔbr] *m* October.

octogénaire [ɔktɔʒe'nɛ:r] *adj.*, *a. su.* octogenarian.

octogone ♃ [ɔktɔ'gɔn] *m* octagon.

octroi [ɔk'trwa] *m* concession, grant; city toll; toll-house; **octroyer** [~trwa'je] (1h) *v/t.* grant; bestow (on, *à*).

octuple [ɔk'typl] eightfold; octuple.

oculaire [ɔky'lɛ:r] **1.** *adj.* ocular; eye(-*witness*); **2.** *su./m* opt. eyepiece; **oculiste** ♒ [~'list] *m* oculist.

odeur [ɔ'dœ:r] *f* odo(u)r (*a. fig.*), smell, scent.

odieux, -euse [ɔ'djø, ~'djø:z] **1.** *adj.* odious; hateful; heinous (*crime*); **2.** *su./m* odiousness; odium.

odontalgie ♒ [ɔdɔ̃tal'ʒi] *f* toothache, odontalgia.

odorant, e [ɔdɔ'rã, ~'rã:t] fragrant, sweet-smelling; scented; **odorat** [~'ra] *m* (sense of) smell; **odoriférant, e** [~rife'rã, ~'rã:t] fragrant, odoriferous.

œil, *pl.* **yeux** [œ:j, jø] *m* eye; *bread, cheese:* hole; notice, attention; à l'~ by the eye; *sl.* on credit *or* tick; à l'~ nu with the naked eye; à mes yeux in my opinion; *avoir l'~ à qch.* see to s.th.; *avoir l'~ sur* keep an eye on; *coup m d'~* glance; *entre quatre yeux* in confidence; *être tout yeux* be all eyes; F *faire de l'~* ogle; tip s.o. the wink; *fermer les yeux sur* shut one's eyes to; *perdre des yeux* lose sight of; F *pour vos beaux yeux* for love, for your pretty face; *sauter aux yeux* be obvious; *sous mes yeux* before my face; ~-de-bœuf, *pl.* ~s-de-bœuf [œjdə'bœf] *m* bull's-eye window; ~-de-perdrix, *pl.* ~s-de-perdrix ♣ [~pɛr'dri] *m* soft corn; **œillade** [œ'jad] *f* ogle, leer; glance.

œillère [œ'jɛ:r] *f* blinker (*a. fig.*), *Am.* blind; ♒ eye-bath; **œillet** [œ'jɛ] *m* eyelet(-hole); ♀ pink, carnation; **œilleton** [œj'tɔ̃] *m* ♂ eyebud; *phot.* scope; ✗ rifle sight: peephole; **œillette** ♀ [œ'jɛt] *f* oil-poppy.

œsophage *anat.* [ezɔ'fa:ʒ] *m* (o)esophagus, gullet.

œstre *zo.* [estr] *m* oestrus; bot-fly. **œuf** [œf, *pl.* ø] *m* egg; *biol.* ovum; *icht.* spawn, roe; ~s *pl.* brouillés scrambled eggs; ~s *pl.* sur le plat fried eggs; ~ à la coque (soft-) boiled egg; ~ dur hard-boiled egg; *blanc m d'~* white of egg; *fig. dans l'~* in the bud; *jaune m d'~* eggyolk.

œuvé, e [œ've] hard-roed (*fish*).

œuvre [œ:vr] *su./f* work; effect; product(ion); (*welfare*) society; occupation; ~s *pl.* works (*a. eccl.*); *bois m d'~* timber; *se mettre à l'~* start working; *su./m* ♒ main work; *writer:* complete works *pl.*; ♪ opus; *grand ~* philosopher's stone; ♒ *gros ~* foundations *pl.* and walls *pl.*; **œuvrer** [œ'vre] (1a) *v/i.* work.

offense [ɔ'fã:s] *f* offence; ⚖ contempt (of Court, *à la Cour*); *eccl.* sin; **offenser** [ɔfã'se] (1a) *v/t.* offend; injure; s'~ take offence (at, *de*); **offenseur** [~'sœ:r] *m* offender;

offensif, -ve [ᴐ'sif, ᴐ'siːv] *adj.*, *a.*
✕ *su./f* offensive.
offert, e [ᴐ'fɛːr, ᴐ'fɛrt] *p.p.* of *offrir*;
offertoire *eccl.* [ᴐfɛr'twaːr] *m*
offertory.
office [ᴐ'fis] *su./m* office (*a. fig.*),
function, duty; employment; serv-
ice (*a. eccl.*, *a. fig.* = *turn*); d'~
officially; automatically; volun-
tarily; *su./f* butler's pantry; servants' hall; **officiant** *eccl.* [ᴐfi'sjɑ̃]
1. *adj./m* officiating; 2. *su./m* officiating priest; officiant; **officiel,**
-elle [ᴐ'sjɛl] official; formal (*call*).
officier [ᴐfi'sje] 1. (1o) *v/i.* officiate;
2. *su./m* officer; **officière** [ᴐ'sjɛːr] *f*
woman officer (*in the Salvation
Army*); **officieux, -euse** [ᴐ'sjø,
ᴐ'sjøːz] 1. *adj.* officious; unofficial;
informal; 2. *su.* busy-body.
officinal, e, *m/pl.* **-aux** ✿ [ᴐfi-
si'nal, ᴐ'no] medicinal; **officine**
[ᴐ'sin] *f* ✿ dispensary; chemist's
shop, *Am.* drugstore; F *fig.* den.
offrande *usu. eccl.* [ᴐ'frɑ̃ːd] *f* offering; **offrant** [ᴐ'frɑ̃] *m*: *au plus* ~ to
the highest bidder; **offre** [ᴐfr] 1.
1st p. sg. pres. of *offrir*; 2. *su./f*
offer, proposal; ⚖ tender; *auction*:
bid; *journ.* ~*s pl.* d'emploi situa-
tions vacant; *l'* ~ *et la demande*
supply and demand; **offrir** [ᴐ'friːr]
(2f) *v/t.* offer; give, present; bid
(*at an auction*); ~ *le mariage à*
propose to.
offset *typ.* [ᴐf'sɛt] *m/inv.* offset.
offusquer [ᴐfys'ke] (1m) *v/t.* obscure (*the view*, *a. fig.*); offend; *s'*~
take offence (at, de).
ogival, e, *m/pl.* **-aux** △ [ᴐʒi'val,
ᴐ'vo] ogival, pointed, Gothic;
ogive [ᴐ'ʒiːv] *f* △ ogee, ogive;
Gothic *or* pointed arch; △ *vault*:
rib; ✕ war-head.
ogre [ᴐgr] *m* ogre; *manger comme
un* ~ eat like a horse; **ogresse**
[ᴐ'grɛs] *f* ogress.
oh! [o] *int.* oh!
ohé! [o'e] *int.* hi!; hullo!; ⚓ ahoy!
oie *zo.* [wa] *f* goose.
oignon [ᴐ'ɲɔ̃] *m* onion; ✿ bulb; ✿
bunion; F turnip (= *watch*); *en
rang d'*~*s* in a row; **oignonade** *cuis.*
[ᴐɲᴐ'nad] *f* onion-stew; **oigno-
nière** [ᴐ'njɛːr] *f* onion-bed.
oindre [wɛ̃:dr] (4m) *v/t.* oil; *eccl.*
anoint; **oint, ointe** *bibl.*, *a. eccl.*
[wɛ̃, wɛ̃:t] *adj.*, *a. su./m* anointed.

oiseau [wa'zo] *m* bird; △ (*bricklayer's*) hod; F fellow, *Am.* guy;
à vol d'~ as the crow flies; *vue f
à vol d'*~ bird's-eye view; ~**-mou-
che,** *pl.* ~**x-mouches** *orn.* [~zo-
'muʃ] *m* humming-bird; **oiseler**
[waz'le] (1c) *v/i.* go bird-catching;
oiselet [~'lɛ] *m* small bird; **oiseleur** [~'lœːr] *m* fowler; bird-
catcher; **oiselier** [wazə'lje] *m* bird-
fancier; bird-seller; **oisellerie** [~zɛl-
'ri] *f* bird-catching; bird-breeding;
bird-shop.
oiseux, -euse [wa'zø, ~'zøːz] idle
(*a. fig.*); *fig.* useless; **oisif, -ve**
[~'zif, ~'ziːv] idle (*a.* ♣); unemployed; unoccupied; **oisiveté** [~-
ziv'te] *f* idleness; sloth.
oison [wa'zɔ̃] *m* gosling.
oléagineux, -euse [ᴐleaʒi'nø, ~'nøːz]
oily, oleaginous; ✿ oil-yielding.
olfactif, -ve [ᴐlfak'tif, ~'tiːv] olfac-
tory; **olfaction** *physiol.* [~'sjɔ̃] *f*
olfaction.
oligarchie [ᴐligar'ʃi] *f* oligarchy.
olivacé, e [ᴐliva'se] olive-green;
olivaie [~'vɛ] *f* olive-grove; **oli-
vaire** [~'vɛːr] olive-shaped; **olivai-
son** [~ve'zɔ̃] *f* olive-harvest; **olivâtre** [~'vɑːtr] olive (*colour*); sallow (*complexion*); **olive** [ᴐ'liːv]
1. *su./f* ♀ olive; 2. *adj./inv.* olive-
green; **oliverie** [ᴐli'vri] *f* olive-oil
factory; **olivier** ♀ [~'vje] *m* olive-
tree; olive-wood; *bibl.* Mont *m* des
♀s Mount of Olives.
olympien, -enne [ᴐlɛ̃'pjɛ̃, ~'pjɛn]
Olympian; *fig.* godlike; **olympique**
[~'pik] Olympic; *Jeux m/pl.* ♀s
Olympic games.
ombelle ♀ [ɔ̃'bɛl] *f* umbel; *en* ~ =
ombellé, e ♀ [ɔ̃bɛl'le] umbellate;
ombellifère ♀ [~li'fɛːr] umbel-
liferous.
ombilical, e, *m/pl.* **-aux** [ɔ̃bili'kal,
~'ko] umbilical.
ombrage [ɔ̃'braːʒ] *m* shade; *fig.*
offence, umbrage; *porter* ~ *à q.*
offend s.o.; **ombrager** [ɔ̃bra'ʒe]
(11) *v/t.* (give) shade; **ombrageux,
-euse** [~'ʒø, ~'ʒøːz] shy (*horse*),
touchy, sensitive (*person*); **ombre**
[ɔ̃:br] *f* shadow (*a. fig.*); shade (*a.
myth.*, *a. paint.*); ghost; *astr.* umbra;
fig. gloom; *fig.* bit; ~*s pl.* chinoises
shadow-show *sg.*; *fig.* ~ *d'une
chance* the ghost of a chance; *à l'*~
in the shade; *à l'*~ *de* in the shade

of; *fig.* under cover of; *rester dans l'~* stay in the background; **ombrelle** [ɔ̃'brɛl] *f* sunshade, parasol; ✈ aerial umbrella; **ombrer** [ɔ̃'bre] (1a) *v/t.* shade; darken (*the eyelids*); **ombreux, -euse** [ɔ̃'brø, ~'brø:z] shady.

omelette *cuis.* [ɔm'lɛt] *f* omelet(te).

omettre [ɔ'mɛtr] (4v) *v/t.* omit, leave out; *~ de* (*inf.*) fail to (*inf.*); **omission** [ɔmi'sjɔ̃] *f* omission; oversight.

omni... [ɔmni] omni...; *~bus* [~'bys] *m* (omni)bus; 🚂 *train m ~* stopping or local train, *Am.* accommodation train; *~potence* [~pɔ'tɑ̃:s] *f* omnipotence; *~potent, e* [~pɔ'tɑ̃, ~'tɑ̃:t] omnipotent.

omoplate *anat.* [ɔmɔ'plat] *f* shoulder-blade.

on [ɔ̃] *pron.* one, people *pl.*, you; somebody; *~ dit que* it is said that.

once¹ [ɔ̃:s] *f measure:* ounce; F *fig.* scrap, bit.

once² *zo.* [~] *f* snow-leopard, ounce.

oncial, e, *m/pl.* **-aux** [ɔ̃'sjal, ~'sjo] *adj., a. su./f* uncial.

oncle [ɔ̃:kl] *m* uncle.

onction [ɔ̃k'sjɔ̃] *f* oiling; *eccl., a. fig. pej.* unction; **onctueux, -euse** [~'tɥø, ~'tɥø:z] greasy; oily (*surface, a. pej. manner*); *fig.* unctuous (*speech*).

onde [ɔ̃:d] *f* wave (*a.* hair, *a.* radio); undulation; *~s pl. moyennes radio:* medium waves; *phys. ~ sonore* sound wave; *~ ultra-courte* ultrashort wave; *grandes ~s pl. radio:* long waves; *longueur f d'~* wavelength; *mettre en ~s radio:* put on the air; **ondé, e** [ɔ̃'de] **1.** *adj.* wavy (*hair, surface*); undulating; watered (*silk*); **2.** *su./f* heavy shower; **ondin** *m,* **e** *f* [ɔ̃'dɛ̃, ~'din] water-sprite.

on-dit [ɔ̃'di] *m/inv.* rumo(u)r.

ondoiement [ɔ̃dwa'mɑ̃] *m* undulation; *eccl.* emergency *or* private baptism; **ondoyant, e** [~'jɑ̃, ~'jɑ̃:t] undulating, wavy; swaying (*crowd*); *fig.* changeable; **ondoyer** [~'je] (1h) *v/i.* undulate, wave; sway (*crowd*); fall in waves (*hair*); *v/t. eccl.* baptize privately (*a child*); **ondulation** [ɔ̃dyla'sjɔ̃] *f ground, water:* undulation; *hair:* wave; ⊕ *metal etc.:* corrugation; **ondulatoire** *phys.* [~la'twa:r] undulatory; wave-(*mo-*

tion); **ondulé, e** [~'le] undulating (*ground*); corrugated (*metal etc.*); wavy, waved (*hair*); *tôle f ~e* corrugated iron; **onduler** [~'le] (1a) *v/i.* undulate, ripple; *v/t.* wave (*one's hair*); ⊕ corrugate; **onduleux, -euse** [~'lø, ~'lø:z] wavy, sinuous.

onéreux, -euse [ɔne'rø, ~'rø:z] onerous; troublesome; *fig.* heavy; *à titre ~* subject to liabilities; 💰 for valuable consideration.

ongle [ɔ̃:gl] *m* nail; *zo.* claw; *eagle, falcon, etc.:* talon; *jusqu'au bout des ~s* to the fingertips; **onglée** [ɔ̃'gle] *f* numbness of the fingertips; **onglet** [ɔ̃'glɛ] *m* thimble; *book:* tab, thumb-index; 🔬 ungula; ⊕ mitre; **onglier** [ɔ̃gli'e] *m* manicure-set; *~s pl.* nail-scissors.

onguent 💊 [ɔ̃'gɑ̃] *m* ointment, salve.

ongulé, e *zo.* [ɔ̃gy'le] **1.** *adj.* ungulate, hoofed; **2.** *su./m:* *~s pl.* ungulates, ungulata.

ont [ɔ̃] *3rd. p. pl. pres. of avoir 1.*

onze [ɔ̃:z] **1.** *adj./num., a. su./m/inv.* eleven; *date, title:* eleventh; **2.** *su./ m/inv. foot.* team; **onzième** [ɔ̃'zjɛm] *adj./num., a. su.* eleventh.

opacité [ɔpasi'te] *f* opacity; *fig.* denseness.

opale 💎 [ɔ'pal] **1.** *su./f* opal; **2.** *adj./inv.* opalescent; opal (*glass*); **opalin, e** [ɔpa'lɛ̃, ~'lin] *adj., a. su./f* opaline.

opaque [ɔ'pak] opaque.

opéra [ɔpe'ra] *m* opera; *building:* opera-house.

opérable 💊 [ɔpe'rabl] operable.

opéra-comique, *pl.* **opéras-comiques** ♪, *thea.* [ɔperakɔ'mik] *m* light opera.

opérateur, -trice [ɔpera'tœ:r, ~'tris] *su.* operator; *su./m cin.* cameraman; 💊 operating surgeon; **opération** [~'sjɔ̃] *f* 💊, 🔬, ✕, *a. fig.* operation; 💰 transaction; 💊 *salle f d'~* operating theatre; **opératoire** 💊 [~'twa:r] operative; *médecine f ~* surgery.

opercule [ɔpɛr'kyl] *m* cover; lid (*a.* 🔬); *icht.* gill-cover.

opérer [ɔpe're] (1f) *v/t.* operate, effect; 🔬, 📷, ✕ carry out; 💊 operate on (*s.o.*) (for, *de*); *s'~* take place; *v/i.* act; work.

opérette ♪ [ɔpe'rɛt] *f* musical comedy.

ophtalmie

ophtalmie ❦ [ɔftal'mi] f ophthalmia.

ophtalmo... ❦ [ɔftalmɔ] ophthalmo...; **~scope** [~mɔs'kɔp] m ophthalmoscope.

opiacé, e [ɔpja'se] opiated.

opiner [ɔpi'ne] (1a) v/i. be of (the) opinion (that, que); decide, vote; ~ du bonnet nod assent; **opiniâtre** [~'njɑːtr] obstinate, stubborn; **opiniâtrer** [~nja'tre] (1a) v/t.: s'~ remain stubborn; persist (in, dans; in ger., à inf.); **opiniâtreté** [~njɑtrə'te] f obstinacy, stubbornness; **opinion** [~'njɔ̃] f opinion; avoir bonne (mauvaise) ~ de think highly (poorly) of.

opiomane [ɔpjɔ'man] su. opium-eater; opium addict; **opium** [ɔ-'pjɔm] m opium.

opportun, e [ɔpɔr'tœ̃, ~'tyn] opportune, timely; advisable; **opportunément** [ɔpɔrtyne'mɑ̃] adv. of opportun; **opportunisme** [~'nism] m opportunism; **opportuniste** pol. [~'nist] 1. adj. time-serving; 2. su. opportunist; time-server; **opportunité** [~ni'te] f timeliness; opportuneness; advisability.

opposant, e [ɔpo'zɑ̃, ~'zɑ̃ːt] 1. adj. opposing, adverse; 2. su. opponent; **opposé, e** [~'ze] 1. adj. opposed; opposite (a. ♠); fig. contrary; 2. su./m opposite (of, de); à l'~ de contrary to, unlike; **opposer** [~'ze] (1a) v/t. oppose; contrast (with, à); s'~ à be opposed to; resist (s.th.); **opposition** [~zi'sjɔ̃] f opposition (a. parl., astr.); contrast; être en ~ avec clash with.

oppresser [ɔpre'se] (1a) v/t. oppress (a. ❦); fig. depress; **oppresseur** [~'sœːr] m oppressor; **oppressif, -ve** [~'sif, ~'siːv] oppressive; **oppression** ❦ [~'sjɔ̃] f oppression (a. fig.); difficulty in breathing.

opprimer [ɔpri'me] (1a) v/t. oppress, crush.   [shame, disgrace.\
opprobre [ɔ'prɔbr] m opprobrium,∫

optatif, -ve [ɔpta'tif, ~'tiːv] adj., a. su./m gramm. optative.

opter [ɔp'te] (1a) v/i. choose; ~ pour decide in favo(u)r of.

opticien [ɔpti'sjɛ̃] m optician.

optimisme [ɔpti'mism] m optimism; **optimiste** [~'mist] 1. adj. optimistic; sanguine (disposition); 2. su. optimist.

option [ɔp'sjɔ̃] f option (on, sur) (a. ✝); choice (between de, entre).

optique [ɔp'tik] 1. adj. optic; optical; 2. su./f optics sg.; optical device; illusion f d'~ optical illusion.

opulence [ɔpy'lɑ̃ːs] f affluence; wealth (a. fig.); **opulent, e** [~ lɑ̃, ~'lɑ̃ːt] opulent, wealthy; abundant; F buxom (figure).

opuscule [ɔpys'kyl] m pamphlet; short treatise.

or¹ [ɔːr] 1. su./m gold; de l'~ en barres as good as ready money; d'~ gold(en); rouler sur l'~ be rolling in money.

or² [~] cj. now.

oracle [ɔ'rɑːkl] m oracle.

orage [ɔ'rɑːʒ] m storm (a. fig.); **orageux, -euse** [ɔra'ʒø, ~'ʒøːz] stormy (a. fig. debate); thundery (weather); threatening (sky etc.).

oraison [ɔrɛ'zɔ̃] f prayer; oration; ~ dominicale Lord's Prayer; ~ funèbre funeral oration.

oral, e, m/pl. -aux [ɔ'ral, ~'ro] 1. adj. oral; 2. su./m oral examination.

orange [ɔ'rɑ̃ːʒ] 1. su./f ♀ orange; su./m colour: orange; 2. adj./inv. orange (colour); **orangé, e** [ɔrɑ̃'ʒe] adj., a. su./m orange; **orangeade** [~'ʒad] f orangeade, orange squash; **orangeat** [~'ʒa] m candied orange-peel; **oranger** [~'ʒe] m ♀ orange-tree; orange-seller; **orangerie** [ɔrɑ̃ʒ'ri] f orangery; orange-grove.

orang-outan(g) zo. [ɔrɑ̃u'tɑ̃] m orang-(o)utang.

orateur [ɔra'tœːr] m orator, speaker; spokesman; **oratoire** [~'twaːr] 1. adj. oratorical; 2. su./m eccl. oratory; (private) chapel; **oratorio** ♪ [~tɔ'rjo] m oratorio.

orbe¹ △ [ɔrb] adj.: mur m ~ blind wall.

orbe² [ɔrb] 1. su./m orb; globe, sphere; **orbite** [ɔr'bit] f orbit; anat. eye: socket; placé sur son ~ placed in orbit (rocket etc.).

orchestre ♪ [ɔr'kɛstr] m orchestra; ~ à cordes string orchestra; chef m d'~ conductor; bandmaster; **orchestrer** ♪ [~kɛs'tre] (1a) v/t. orchestrate, score.

orchidée ♀ [ɔrki'de] f orchid.

ordalie † [ɔrda'li] f ordeal.

ordinaire [ɔrdi'nɛːr] 1. adj. ordinary, usual, customary; ♠ vulgar (*fractions*); average; *peu* ~ uncommon, unusual; 🏛 *tribunal m* ~ civil court; *vin m* ~ table wine; **2.** *su./m* custom; daily fare; ✕ mess; *eccl.* Ordinary; *à l'*~, *d'*~ as a rule, usually; *sortir de l'*~ be out of the ordinary.

ordinand *eccl.* [ɔrdi'nɑ̃] *m* ordinand; **ordinateur** ⊕ [~na'tœːr] *m* computer; **ordination** *eccl.* [~na'sjɔ̃] *f* ordination.

ordonnance [ɔrdɔ'nɑ̃ːs] *f* order (*a.* 🏛); arrangement; ⚕ prescription; *pol.*, *admin.* statute; ✕ † orderly; ✝ ~ (*de paiement*) order to pay; **ordonnateur, -trice** [~na'tœːr, ~'tris] **1.** *su.* director; organizer; **2.** *adj.* managing; **ordonnée** ⋀ [~'ne] *f* ordinate; **ordonner** [~'ne] (1a) *v/t.* order, command; arrange; direct; ⚕ prescribe; tidy; *eccl.*, *a. admin.* ordain; *v/i.* dispose (of, de).

ordre [ɔrdr] *m* order; sequence; orderliness; (*social*) estate; class, sort; command; *eccl.* ~*s pl.* Holy Orders; ✝ ~ *d'achat* purchase permit; ~ *du jour* agenda; *admin.* ~ *public* law and order; *fig.* de l'~ de in the region of (*2000*); *fig.* de premier ~ first-class, outstanding; *jusqu'à nouvel* ~ until further notice; ✕ *mot m d'*~ password; *numéro m d'*~ serial number; ✕ *porté* (*or cité*) *à l'*~ *du jour* mentioned in dispatches.

ordure [ɔr'dyːr] *f* dirt, filth; ~*s pl.* refuse *sg.*; **ordurier, -ère** [~dy'rje, ~'rjeːr] filthy; scurrilous; obscene (*book*); lewd.

oreillard, e *zo.* [ɔrɛ'jaːr, ~'jard] **1.** *adj.* lop-eared; **2.** *su./m* long-eared bat; **oreille** [ɔ'rɛːj] *f* ear; *metall.* lug, flange; *vase:* handle; *book:* dog's ear; *fig.* hearing; *fig.* heed; *avoir l'*~ *dure* be hard of hearing; *être tout* ~*s* be all ears; *faire la sourde* ~ turn a deaf ear; F *se faire tirer l'*~ need a lot of persuading; *tirer les* ~*s à* (*or de*) pull (*s.o.'s*) ears; **oreille-d'ours,** *pl.* **oreilles-d'ours** 💈 [ɔrɛj'durs] *f* bear's ear; **oreiller** [ɔrɛ'je] *m* pillow; **oreillette** [~'jɛt] *f anat.* auricle; *cap:* ear-flap; **oreillons** ⚕ [~'jɔ̃] *m/pl.* mumps *sg.*

ores [ɔːr] *adv.*: *d'*~ *et déjà* from now on.

orfèvre [ɔr'fɛːvr] *m* goldsmith;

orfèvrerie [~fɛvrə'ri] *f* goldsmith's trade *or* shop; gold plate.

orfraie *orn.* [ɔr'frɛ] *f* osprey.

organe [ɔr'gan] *m anat.*, *a. fig.* organ; *fig.* voice; *fig.* medium; ⊕ device; *machine:* component; **organique** [ɔrga'nik] organic; **organisateur, -trice** [~niza'tœːr, ~'tris] **1.** *su.* organizer; **2.** *adj.* organizing; **organisation** [~niza'sjɔ̃] *f* organization; staff; **organiser** [~ni'ze] (1a) *v/t.* organize; arrange; form; *s'*~ settle down, get into working order; **organisme** [~'nism] *m* organism; structure; organization; ⚕, *a. anat.* system; **organiste** ♪ [~'nist] *su.* organist.

orgasme *physiol.* [ɔr'gasm] *m* orgasm.

orge 💈 [ɔrʒ] *su./f* barley; *su./m:* ~ *mondé* hulled barley; ~ *perlé* pearlbarley; **orgeat** [ɔr'ʒa] *m* orgeat (*sort of syrup*); **orgelet** [~ʒə'lɛ] *m* eyelid: stye.

orgie [ɔr'ʒi] *f* orgy; *colours etc.*, *fig.*: riot; *fig.* profusion.

orgue ♪ [ɔrg] *su./m* organ; ~ *de Barbarie* barrel-organ; *su./f:* *eccl.* ~*s pl.* organ *sg.*; *les grandes* ~*s pl.* the grand organ *sg.*

orgueil [ɔr'gœːj] *m* pride; dignity; *pej.* arrogance; **orgueilleux, -euse** [~gœ'jø, ~'jøːz] proud; *pej.* arrogant.

orient [ɔ'rjɑ̃] *m* Orient, East; *pearl:* water; **oriental, e,** *m/pl.* **-aux** [ɔrjɑ̃'tal, ~'to] **1.** *adj.* oriental, east(ern); orient (*jewel*); **2.** *su.* oriental; **orientation** [~ta'sjɔ̃] *f* orientation; bearings *pl.*; *ground·* lie, lay; aspect; *pol.* trend; ~ *professionnelle* vocational guidance; **orienter** [~'te] (1a) *v/t.* orient (*a house etc.*); train, point (*a gun, an instrument*); direct (*a. radio*); guide; *antenne f orientée radio:* directional aerial; *s'*~ find one's bearings; *fig.* show a trend (towards, vers).

orifice [ɔri'fis] *m* hole, opening; ⊕ port.

origan 💈 [ɔri'gɑ̃] *m* marjoram.

originaire [ɔriʒi'nɛːr] originating (in, from de); native; innate; **original, e,** *m/pl.* **-aux** [~'nal, ~'no] **1.** *adj.* original; novel (*idea*); inventive (*mind*); *fig.* queer; **2.** *su.* eccentric; *su./m text etc.*: original; **originalité** [~nali'te] *f* originality; *fig.*

eccentricity; **origine** [ɔri'ʒin] f origin; birth; *fig.* source; *dès l'~* from the outset; **originel, -elle** [ˌʒi'nɛl] *eccl. etc.* original (*sin, grace*); primordial; fundamental.

oripeaux [ɔri'po] *m/pl.* tinsel *sg.*; tawdry finery *sg.*; ⊦ rags; *book:* purple patches.

ormaie [ɔr'mɛ] f elm-grove; **orme** ♀ [ɔrm] *m* tree, *a. wood:* elm; *fig. attendez-moi sous l'~!* you can wait for me till the cows come home!; **ormeau** ♀ [ɔr'mo] *m* young elm.

ornemaniste ⚠ *etc.* [ɔrnəma'nist] *m* ornamentalist; **ornement** [ˌ'mɑ̃] *m* ornament, adornment; trimming; ♪ grace(-note); ✗ badge; *eccl. ~s pl.* vestments; *sans ~s* plain (*style*); **ornemental, e,** *m/pl.* **-aux** [ˌmɑ̃-'tal, ˌ'to] ornamental, decorative; **ornementer** [ˌmɑ̃'te] (1a) *v/t.* ornament; **orner** [ɔr'ne] (1a) *v/t.* decorate, ornament; adorn (*a. fig.*).

ornière [ɔr'njɛːr] f rut (*a. fig.*); ⊕ groove.

ornitho... [ɔrnitɔ] ornitho...; **~logie** [ˌlɔ'ʒi] f ornithology.

oronge ♀ [ɔ'rɔ̃ːʒ] f orange-milk agaric.

orpaillage [ɔrpa'jaːʒ] *m* gold-washing; **orpailleur** [ˌ'jœːr] *m* gold-washer.

orphelin, e [ɔrfə'lɛ̃, ˌ'lin] **1.** *adj.* orphan(ed); *~ de père (mère)* fatherless (motherless); **2.** *su.* orphan; **orphelinat** [ˌli'na] *m* orphanage.

orteil *anat.* [ɔr'tɛːj] *m* (big) toe.

ortho... [ɔrtɔ] orth(o)...; **~doxe** [ˌ'dɔks] **1.** *adj.* orthodox: conventional; correct; **2.** *su.* orthodox; **~graphe** [ˌ'graf] f spelling, orthography; **~graphier** [ˌgra'fje] (1o) *v/t.* spell (*a word*) correctly; *mal ~* mis-spell; **~pédie** ⚕ [ˌpe'di] f orthop(a)edy.

ortie ♀ [ɔr'ti] f nettle; **ortier** ⚕ [ˌ'tje] (1o) *v/t.* urticate.

ortolan *orn.* [ɔrtɔ'lɑ̃] *m* ortolan.

orvet *zo.* [ɔr'vɛ] *m* slow-worm.

os [ɔs, *pl.* o] *m* bone; *fig.* trempé *jusqu'aux ~* soaked to the skin.

oscillation [ɔsilla'sjɔ̃] f oscillation; *machine:* vibration; *pendulum:* swing; *fig.* fluctuation, change; **osciller** [ˌ'le] (1a) *v/i.* oscillate, sway; swing (*pendulum*); ⊦ fluctuate; *fig.* waver.

osé, e [o'ze] bold, daring.

oseille ♀ [ɔ'zɛːj] f sorrel.

oser [o'ze] (1a) *v/t.* dare.

oseraie ⚘ [oz're] f osier-bed; **osier** ♀ [o'zje] *m* osier, willow; wicker.

ossature *anat.,* ⊕, *fig.* [ɔsa'tyːr] f skeleton, frame; **osselet** [ɔs'lɛ] *m* knucklebone; *anat.* ossicle; **ossements** [ˌ'mɑ̃] *m/pl.* bones, remains; **osseux, -euse** [ɔ'sø, ˌ'søːz] bony; **ossification** ⚕ [ɔsifika'sjɔ̃] f ossification; **ossifier** [ˌ'fje] (1o) *v/t. a. s'~* ossify; **ossuaire** [ɔ'sɥɛːr] *m* ossuary, charnel-house.

ostensible [ɔstɑ̃'sibl] open, patent; **ostensoir** *eccl.* [ˌ'swaːr] *m* monstrance; **ostentation** [ˌta'sjɔ̃] f ostentation, show.

ostéo... [ɔsteɔ] osteo...

ostracisme [ɔstra'sism] *m* ostracism.

ostréicole [ɔstrei'kɔl] oyster-...; **ostréiculteur** [ˌkyl'tœːr] *m* oyster-breeder; **ostréiculture** [ˌkyl'tyːr] f oyster-breeding.

ostrogot(h), e [ɔstrɔ'go, ˌ'gɔt] **1.** *adj.* Ostrogothic; *fig.* barbarous; **2.** *su.* ♀ Ostrogoth; *fig.* barbarian, vandal.

otage [ɔ'taːʒ] *m* hostage (for, *de*); *fig.* guarantee.

otalgie ⚕ [ɔtal'ʒi] f ear-ache.

otarie *zo.* [ɔta'ri] f sea-lion.

ôter [o'te] (1a) *v/t.* remove, take away; take off (*one's gloves etc.*); ⅍ deduct, subtract (*a number*).

otite ⚕ [ɔ'tit] f otitis; *~ moyenne* tympanitis.

ottoman, e [ɔtɔ'mɑ̃, ˌ'man] **1.** *adj.* Ottoman; **2.** *su.* ♀ Ottoman; *su./m tex.* grogram; *su./f* divan, ottoman.

ou [u] *cj.* or; *ou ... ou* either ... or; *ou bien* or else; *si ... ou* whether ... or.

où [u] **1.** *adv. place, direction:* where; *time:* when; **2.** *pron./rel. place, direction:* where; *time:* when, on which; *fig. at* or in which; *d'où* whence, where ... from; hence, therefore; *par où?* which way?

ouaille [wa:j] f ⊦, *a. dial.* sheep; *fig., eccl. ~s pl.* flock *sg.*

ouate [wat] f wadding; cotton-wool; *~ hydrophile* absorbent cotton-wool; **ouater** [wa'te] (1a) *v/t.* wad, pad; *fig.* soften (*a sound*); *cost.* quilt.

oubli [u'bli] *m* forgetfulness; forgetting; oblivion; oversight, omission.

oublie [ˌ] f *wafer:* cornet.

oublier [ubli'e] (1a) *v/t.* forget; overlook; miss (*an occasion*); neglect; *faire* ~ live down; *n'oubliez pas* remember; *s'*~ forget o.s.; indulge (in, *à*); **oubliettes** [~'et] *f/pl.* secret dungeon *sg.*, oubliette *sg.*; **oublieux, -euse** [~'ø, ~'ø:z] forgetful, unmindful (of, de).

oued [wɛd] *m* wadi, watercourse.

ouest [wɛst] **1.** *su./m* west; *de l'*~ west(ern); *d'*~ westerly (*wind*); *vers l'*~ westward(s), to the west; **2.** *adj./inv.* west(ern); westerly

ouf! [uf] *int.* phew!   [(*wind*).|

oui [wi] **1.** *adv.* yes; *dire que* ~ say yes; *mais* ~! certainly!; yes indeed!; **2.** *su./m/inv.* yes.

ouiche *sl.* [wiʃ] *int.* not on your life!

ouï-dire [wi'di:r] *m/inv.* hearsay; *par* ~ by hearsay; **ouïe** [wi] *f* (sense of) hearing; ⊕ ear; ~s *pl.* ♪ sound-holes; *icht.* gills (*of a fish*); **ouïr** [wi:r] (2r) *v/t.* hear.

ouragan [ura'gɑ̃] *m* hurricane.

ourdir [ur'di:r] (2a) *v/t.* tex. warp; *fig.* weave (*an intrigue*), hatch (*a plot*).

ourler [ur'le] (1a) *v/t.* hem; ⊕ lap-joint; **ourlet** [~'lɛ] *m* hem; *fig.* edge; ⊕ lap-joint.

ours [urs] *m zo.* bear (*a. fig.*); ~ *blanc* polar bear; ~ *en peluche* Teddy bear; **ourse** [~] *f zo.* she-bear; *astr. la Grande* ♀ the Great Bear, *Charles's Wain; astr. la Petite* ♀ the Little Bear; **oursin** *zo.* [ur'sɛ̃] *m* sea-urchin; bearskin; **ourson** *zo.* [~'sõ] *m* bear-cub.

oust(e)! F [ust] *int.* get a move on!; out you go!

outarde *orn.* [u'tard] *f* bustard.

outil [u'ti] *m* tool; **outillage** [uti-'ja:ʒ] *m* tool set *or* kit; ⊕ equipment, plant, machinery; **outiller** [~'je] (1a) *v/t.* equip with tools; ⊕ fit out (*a factory*); **outilleur** [~'jœ:r] *m* tool-maker.

outrage [u'tra:ʒ] *m* outrage; ₤ ~ *à magistrat* contempt of court; **outrager** [utra'ʒe] (1l) *v/t.* outrage; insult; violate (*a woman*); **outrageux, -euse** [~'ʒø, ~'ʒø:z] insulting, scurrilous.

outrance [u'trɑ̃:s] *f* excess; *à* ~ to the bitter end; to the death (*war*); **outrancier, -ère** [utrɑ̃'sje, ~'sjɛ:r] **1.** *adj.* extreme; **2.** *su.* extremist.

outre[1] [u:tr] *f* water-skin.

outre[2] [u:tr] **1.** *prp.* beyond; in addition to; **2.** *adv.* further, beyond; *en* ~ moreover, furthermore; *passer* ~ *à* ₤ overrule; *fig.* disregard, ignore; *percer q. d'*~ *en* ~ run s.o. through; **~cuidance** [utrəkɥi-'dɑ̃:s] *f* bumptiousness, overweening conceit; **~cuidant, e** [~'dɑ̃, ~'dɑ̃:t] bumptious, overweening; **~mer** [~'mɛ:r] *m* lapis lazuli; *colour*: ultramarine; **~-mer** [~'mɛ:r] *adv.* overseas...; **~passer** [~pɑ'se] (1a) *v/t.* exceed; go beyond.

outrer [u'tre] (1a) *v/t.* exaggerate; tire out; *outré de colère* provoked to anger, infuriated.

ouvert, e [u'vɛ:r, ~'vɛrt] **1.** *p.p. of* ouvrir; **2.** *adj.* open (*a. fig., a.* ✗ war, city); quick (*mind*); *fig. à bras* ~s with open arms; ✝ *compte m* ~ open account, open credit; **ouverture** [uvɛr'ty:r] *f* opening; aperture; ♪ overture; ⊕ ~s *pl.* ports.

ouvrable [u'vrabl] workable; *jour m* ~ working day; **ouvrage** [u'vra:ʒ] *m* work; *fig.* workmanship; product; **ouvrager** [uvra'ʒe] (1l) *v/t.* ⊕ work; *tex.* embroider.

ouvre [u:vr] *1st p. sg. pres. of* ouvrir.

ouvré, e [u'vre] wrought (*iron*); worked (*timber*); *tex.* figured.

ouvre-boîtes [uvrə'bwat] *m/inv.* tin-opener, *Am.* can-opener; **ouvre-lettres** [~'lɛtr] *m/inv.* letter-opener.   [(diaper, figure).|

ouvrer [u'vre] (1a) *v/t.* work; *tex.*|

ouvreur, -euse [u'vrœ:r, ~'vrø:z] *su.* opener; *su./f thea.* usherette (*a. cin.*); box-attendant; *tex. machine:* cotton-opener.

ouvrier, -ère [uvri'e, ~'ɛ:r] **1.** *su.* worker; operator; factory-worker; ~ *agricole* farm-hand; ✗ ~ *au jour* surface hand; ~ *aux pièces* piece-worker; *su./m:* ~ *qualifié* skilled workman; *su./f* factory-girl; *zo.* worker (bee *or* ant); **2.** *adj.* working (*class*); workmen's ...; labo(u)r...; worker (*ant, bee*).

ouvrir [u'vri:r] (2f) *v/t.* open (*a. fig.*); unfasten; turn on (*the gas, a tap*); *fig.* begin; open (*s.th.*) up; ♂ break (*the circuit*); ♪ lance (*a boil*); *fig.* *s'*~ *à q.* confide in s.o.; talk freely to s.o.; *v/i. a. s'*~ open.

ouvroir [u'vrwa:r] *m* workroom; charity workshop.

ovaire ♀, *anat.* [ɔ'vɛːr] *m* ovary.
ovale [ɔ'val] *adj.*, *a. su./m* oval.
ovation [ɔva'sjɔ̃] *f* ovation; *faire une ~ à q.* give s.o. an ovation.
ove [ɔːv] *m* △ ovolo; egg-shaped section; **ové, e** [ɔ've] egg-shaped.
ovi... [ɔvi] ovi..., ovo...
ovin, e [ɔ'vɛ̃, ~'vin] ovine.
ovipare *zo.* [ɔvi'paːr] oviparous.
ox(y)... [ɔks(i)] ox(y)...

oxydable ♐ [ɔksi'dabl] oxidizable;
oxydation ♐ [~da'sjɔ̃] *f* oxidization;
oxyde ♐ [ɔk'sid] *m* oxide; *~ de carbone* carbon monoxide; **oxyder** ♐ [~si'de] (1a) *v/t. a. s'~* oxidize.
oxygène ♐ [ɔksi'ʒɛn] *m* oxygen;
oxygéné, e [~ʒe'ne] ♐ oxygenated; *F cheveux m/pl. ~s* peroxided hair; *eau f ~e* hydrogen peroxide.
ozone ♐ [ɔ'zɔn] *m* ozone.

P

P, p [pe] *m* P, p.
pacage [pa'kaːʒ] *m* pasturage; grazing; **pacager** [~ka'ʒe] (1l) *v/t.* pasture, graze.
pachyderme *zo.* [paʃi'dɛrm] **1.** *adj.* thick-skinned; **2.** *su./m* pachyderm.
pacificateur, -trice [pasifika'tœːr, ~'tris] **1.** *adj.* pacifying; **2.** *su.* peacemaker; **pacification** [~'sjɔ̃] *f* pacification, pacifying; **pacifier** [pasi-'fje] (1o) *v/t.* pacify (*a country*); calm (*the crowd, s.o.'s mind*); **pacifique** [~'fik] **1.** *adj.* pacific; peaceful, quiet; *l'océan m ♀ = ***2.** *su./m:* *le ♀* the Pacific (Ocean).
pacotille [pakɔ'tiːj] *f* ✝ shoddy goods *pl.*; job-lot; *de ~* jerry-built (*house*).
pacte [pakt] *m* pact, agreement; **pactiser** [pakti'ze] (1a) *v/i.* come to terms; compromise (with, *avec*).
paf F [paf] **1.** *int.* slap!; **2.** *adj.* F tight (= *drunk*).
pagaie [pa'gɛ] *f* paddle.
pagaïe F, **pagaille** F [pa'gaːj] *f* disorder, mess; *fig.* chaos.
paganiser [pagani'ze] (1a) *vt/i.* paganize; **paganisme** [~'nism] *m* paganism; heathendom.
pagayer [pagɛ'je] (1i) *vt/i.* paddle.
page[1] [paːʒ] *m* page(-boy).
page[2] [paːʒ] *f book:* page, leaf; *à la ~* in the know, up to date; **paginer** [paʒi'ne] (1a) *v/t.* paginate.
pagne [paɲ] *m* loin-cloth.
paie [pɛ] *f* pay(ment), wages *pl.*; *enveloppe f de ~* pay envelope; *jour m de ~* pay-day; **paiement** [~'mã] *m* payment; *~ anticipé* advance payment *or* instalment; *~ au comptant* cash payment; *~ contre livraison* cash on delivery; *~ partiel* part-pay-

ment; *suspendre ses ~s* suspend payment.
païen, -enne [pa'jɛ̃, ~'jɛn] *adj.*, *a. su.* pagan, heathen.
paillage ✗ [pa'jaːʒ] *m* mulching.
paillard, e *sl.* [pa'jaːr, ~'jard] **1.** *adj.* ribald, lewd; **2.** *su./m* rake; *su./f* wanton; **paillardise** [~jar'diːz] *f* lechery; lewd talk.
paillasse[1] [pa'jas] *m* buffoon, clown.
paillasse[2] [pa'jas] *f* straw mattress, palliasse; ♐ bench; **paillasson** [~ja'sɔ̃] *m* mat; matting; **paille** [paːj] **1.** *su./f* straw; ⊕ *iron:* shavings *pl.*; ⊕, *gem, glass, metal, a. fig.:* flaw; *fig.* poverty; ~ *de fer* steel wool; *fig.* *homme m de ~* man of straw, tool, *Am.* front; *tirer à la courte ~* draw lots; **2.** *adj./inv.* straw-colo(u)red; **paillé, e** [pa'je] flawed, flawy; scaly (*metal*); straw-colo(u)red; **pailler** [~'je] (1a) *v/t.* mulch; (cover with) straw; **2.** *su./m* farm-yard; straw-yard; straw-stack; **paillet** [~'jɛ] *m* pale red wine; **pailleter** [paj'te] (1c) *v/t.* spangle (with, *de*); **paillette** [pa'jɛt] *f* spangle; *mica, soap:* flake; *metall.* scale; *jewel:* flaw; grain of gold-dust; *fig. wit:* flash; **pailleux, -euse** [pa'jø, ~'jøːz] strawy; ⊕ flawy; **paillis** [~'ji] *m* mulch; **paillote** [~'jɔt] *f* straw hut.

pain [pɛ̃] *m* bread; loaf; *soap:* cake, tablet; *butter:* pat; *sugar:* lump; *fig.* livelihood; *sl.* punch, blow; ~ *à cacheter* wafer, seal; ~ *bis* brown bread; ~ *complet* whole-meal bread; ✗ † ~ *de munition* ration bread; ~ *d'épice* gingerbread; *petit ~* roll.
pair, paire [pɛːr] **1.** *adj.* equal; ⅄ even (*number*); **2.** *su./m* equality; ✝

par; *parl.* peer; *person:* equal; *au* ~ in return for board and lodging; *de* ~ on a par (with, *avec*); *hors* (*de*) ~ peerless, unrivalled; *fig.* être *au* ~ de be be up to date *or* schedule with; *parl. la Chambre des* ♂s the (House of) Lords *pl.*

paire [pɛ:r] *f* pair; *oxen:* yoke; *birds:* brace; *fig.* match.

pairesse [pɛ'rɛs] *f* peeress; **pairie** [~'ri] *f* peerage.

paisible [pɛ'zibl] peaceful, quiet.

paître [pɛ:tr] (4k) *v/t.* graze (*cattle*); drive to pasture; feed on (*grass*); *v/i.* feed, graze; pasture, browse; F envoyer q. ~ send s.o. packing.

paix [pɛ] *f* peace; quiet; *fig.* reconciliation; ~ *donc!* keep quiet!; ~ séparée separate peace; *faire la* ~ make peace; F *ficher la* ~ à q. leave s.o. alone, let s.o. be.

pal, *pl.* **pals** [pal] *m* pale (*a.* ⬛), stake.

palabre [pa'labr] *f or m* palaver; F speech.

paladin [pala'dɛ̃] *m* paladin, knight; knight-errant.

palais¹ [pa'lɛ] *m* (*royal or bishop's*) palace; *coll.* lawyers *pl.*; ~ *de justice* law-courts *pl.*

palais² ♂, *anat.*, *fig.* [~] *m* palate; *anat. voile m du* ~ soft palate.

palan ⚓, ⊕ [pa'lɑ̃] *m* pulley-block, tackle; set of pulleys.

palanche [pa'lɑ̃:ʃ] *f* yoke (*for carrying buckets etc.*).

palangre [pa'lɑ̃:gr] *f* trawl-line, *Am.* trawl.

palanque ✕ [pa'lɑ̃:k] *f* timber stockade; **palanquer** [~lɑ̃'ke] (1m) *v/t.* ✕ stockade; ⚓ bowse (*a chain*); haul tight.

palanquin [palɑ̃'kɛ̃] *m* palanquin; ⚓ reef-tackle.

palatal, e, *m/pl.* **-aux** [pala'tal, ~'to] *adj.*, *a. su./f* palatal; **palatin, e** *anat.* [pala'tɛ̃, ~'tin] palatine.

pale¹ *eccl.* [pal] *f* chalice-cover, pall.

pale² [~] *f* ♣, ✕, *cin.* blade (*a. fan*); *fan:* vane; ⚓ arm.

pâle [pɑ:l] pale, pallid; wan; ashen (*complexion*); *fig.* colo(u)rless (*style*); ✕ *sl.* sick; *fig.* sickly (*smile*).

palée ⊕ [pa'le] *f* row of piles; sheet piling.

palefrenier [palfrə'nje] *m* groom; stable-boy; ostler; **palefroi** † [~'frwa] *m* palfrey.

paléo... [paleɔ] pal(a)eo...; **paléontologie** [~ɔ̃tɔlɔ'ʒi] *f* pal(a)eontology.

paleron [pal'rɔ̃] *m* ox etc.: shoulder-blade.

palet [pa'lɛ] *m* game: quoit.

paletot [pal'to] *m* overcoat, great-coat.

palette [pa'lɛt] *f* battledore; *table-tennis:* bat; *oar:* blade; *wheel:* paddle; *paint.* palette.

pâleur [pɑ'lœ:r] *f* pallor, paleness; *moon:* wanness.

palier [pa'lje] *m* ⚞ stairs: landing; ⊕ bearing; ⊕ pillow-block; ✄, 🚂, *mot.* level; *sur le même* ~ on the same floor; **palière** ⚞ [~'ljɛ:r] *adj./f* top (*step*).

palinodie [palinɔ'di] *f* recantation.

pâlir [pɑ'li:r] (2a) *v/i.* (grow) pale; *fig.* fade; *v/t.* make pale; bleach (*colours*).

palissade [pali'sad] *f* palisade, fence; ✕ stockade; **palissader** [~sa'de] (1a) *v/t.* fence in, enclose; ✕ stockade; ⚘ hedge in (*a field*).

palissandre [pali'sɑ̃:dr] *m* rosewood.

palisser ⚘ [pali'se] (1a) *v/t.* train (*vine etc.*).

palliatif, -ve [pallja'tif, ~'ti:v] *adj.*, *a. su./m* palliative.

pallier [pal'lje] (1o) *v/t.* palliate.

palmarès [palma'rɛ:s] *m* prize-list, hono(u)rs list.

palme¹ [palm] *f* ♣ palm(-branch); *fig.* palm; *skin diving etc.:* flipper.

palme² † [~] *m measure:* hand('s-breadth).

palmé, e [pal'me] ♣ palmate; *orn.* web-footed.

palmer¹ ⊕ [pal'me] (1a) *v/t.* flatten the head of.

palmer² ⊕ [pal'mɛ:r] *m* micrometer ga(u)ge.

palmeraie [palmə'rɛ] *f* palm-grove.

palmette [~'mɛt] *f* ⚞ palm-leaf, palmette; ⚘ fan-shaped espalier; **palmier** ♣ [~'mje] *m* palm-tree; **palmipède** *zo.* [~mi'pɛd] *adj.*, *a. su./m* palmipede; **palmite** [~'mit] *m* palm-marrow; **palmure** *orn.* [~'my:r] *f* web.

palombe *orn.* [pa'lɔ̃:b] *f* ring-dove, wood-pigeon.

palonnier [palɔ'nje] *m* ⊕ *carriage etc.:* swingle-bar; *mot.* compensation bar; 🚂 rudder-bar.

pâlot, -otte [pɑ'lo, ~'lɔt] palish; peaky.

palpable [pal'pabl] palpable (*a. fig.*); tangible; *fig.* obvious; **palpe** [palp] *m zo.* feeler; *icht.* barbel; **palper** [pal'pe] (1a) *v/t.* feel; *&* palpate; F pocket (*money*).

palpitant, e [palpi'tᾶ, ~'tᾶ:t] fluttering (*heart*); throbbing; *fig.* thrilling; **palpitation** [~ta'sjɔ̃] *f* throb (-bing); *&* palpitation; fluttering; **palpiter** [~'te] (1a) *v/i.* palpitate; throb, beat (*heart*); flutter; *fig.* thrill (with, de).

paltoquet F [palto'ke] *m* lout; whipper-snapper.

paludéen, -enne [palyde'ɛ̃, ~'ɛn] marsh...; *&* malarial (*fever*); **paludisme** *&* [~'dism] *m* malaria, marsh fever; **palustre** [pa'lystr] paludous; swampy (*ground*).

pâmer [pɑ'me] (1a) *v/t.*: se ~ faint; se ~ de joie in raptures; se ~ de rire split one's sides with laughter; **pâmoison** [~mwa'zɔ̃] *f* swoon.

pampa [pɑ̃'pa] *f* pampas *pl.*

pamphlet [pɑ̃'flɛ] *m* lampoon; **pamphlétaire** [~fle'tɛ:r] *m* pamphleteer, lampoonist.

pamplemousse ♀ [pɑ̃plə'mus] *m* grapefruit; shaddock.

pampre ♀ [pɑ̃:pr] *m* vine-branch, vine-shoot.

pan¹ [pɑ̃] *m cost.* flap; coat-tail; △ *wall:* piece, section; (*wooden*) partition, framing; *building, prism, nut:* side; *sky:* patch.

pan²! [~] *int.* bang!; slap!

pan... [pɑ̃; *before vowel* pan] pan...

panacée [pana'se] *f* panacea, nostrum.

panachage [pana'ʃa:ʒ] *m election:* splitting one's vote; **panache** [~'naʃ] *m* plume, tuft (*on a helmet etc.*); *smoke:* wreath; *fig.* swagger, flourish; *mot. etc.* faire ~ turn over; **panaché, e** [pana'ʃe] **1.** *adj.* mixed (*salad, ice*); **2.** *su./m* shandy(gaff); **panacher** [~] (1a) *v/t.* plume; ♀ variegate; *election:* split (*one's votes*).

panade [pa'nad] *f cuis.* panada; F dans la ~ in need; in the soup.

panais ♀ [pa'nɛ] *m* parsnip.

panama [pana'ma] *m* panama hat, F (*fine-*)straw hat.

panaris *&* [pana'ri] *m* whitlow.

pancarte [pɑ̃'kart] *f* placard, bill; show-card; label.

pancréas *anat.* [pɑ̃kre'ɑ:s] *m* pancreas.

panégyrique [paneʒi'rik] *m* panegyric; faire le ~ de panegyrize (*s.o.*).

paner *cuis.* [pa'ne] (1a) *v/t.* cover with bread-crumbs; **paneterie** [pan'tri] *f* bread-pantry; ✕, *school, etc.:* bread-store; **panetier** [~'tje] *m* bread-store keeper; **panetière** [~'tjɛ:r] *f* bread-cupboard; sideboard.

panier [pa'nje] *m* basket (*a. sp.*); ~ à salade salad washer; *fig.* Black Maria, prison van; *fig.* ~ percé spendthrift; F le dessus du ~ pick of the bunch.

panifiable [pani'fjabl] bread-...; farine *f* ~ bread-flour; **panification** [~fika'sjɔ̃] *f* panification; **panifier** [~'fje] (1o) *v/t.* turn (*flour*) into bread.

paniquard F [pani'ka:r] *m* scaremonger; **panique** [~'nik] *adj., a. su./f* panic.

panne¹ *tex.* [pan] *f* plush.

panne² [~] *f* lard, hog's fat.

panne³ [~] *f mot. etc.* breakdown; *&* etc. current, engine: failure; ⚓ harbour: boom; en ~ ⚓ hove to; *fig.* at a standstill; laisser en ~ leave (*s.o.*) in the lurch; tomber en ~ break down.

panne⁴ △ [~] *f* pantile; *roof:* purlin.

panneau [pa'no] *m wood, a. paint.:* panel; board; *&* ground-signal; ⚓ hatch; *&* glass frame; F snare, trap.

panneton ⊕ [pan'tɔ̃] *m key:* web; (*window-*)catch.

panoplie [pano'pli] *f hist.* panoply; soldier's equipment; (*child's*) tool-set.

panorama [panora'ma] *m* panorama.

pansage [pɑ̃'sa:ʒ] *m horse:* grooming.

panse [pɑ̃:s] *f* F belly (*a.* ⚗ retort etc.); *zo.* first stomach, paunch.

pansement *&* [pɑ̃s'mᾶ] *m wound:* dressing; **panser** [pɑ̃'se] (1a) *v/t.* groom, rub down (*a horse*); *&* dress (*a wound*), tend (*a wounded man*).

pansu, e [pɑ̃'sy] pot-bellied.

pantalon [pɑ̃ta'lɔ̃] *m* trousers *pl.*, Am. pants *pl.*; (*woman's*) knickers *pl.*; slacks *pl.*

panteler [pɑ̃t'le] (1c) *v/i.* pant.

panthère *zo.* [pɑ̃'tɛ:r] *f* panther.

pantière *hunt.* [pɑ̃'tjɛ:r] *f* draw-net.

pantin [pɑ̃'tɛ̃] *m toy:* jumping-jack; *fig.* puppet.

panto... [pãtɔ] panto...; **~graphe** [~'graf] *m* drawing, *a.* ⚥: pantograph; lazy-tongs *pl.*

pantois [pã'twa] *adj./m* flabbergasted.

pantomime [pãtɔ'mim] *f* dumb show; pantomime.

pantouflard [pãtu'fla:r] *m* stay-at-home type; **pantoufle** [~'tufl] *f* slipper; *fig.* en ~s in a slipshod way; **pantouflerie** ⊕ [~tuflə'ri] *f* slipper-making.

paon *orn.* [pã] *m* peacock (*a. fig.*); **paonne** *orn.* [pan] *f* peahen; **paonneau** [pa'no] *m* pea-chick.

papa F [pa'pa] *m* papa, dad(dy); *fig.* à la ~ in leisurely fashion.

papal, e, *m/pl.* **-aux** [pa'pal, ~'po] papal; **papauté** [~po'te] *f* papacy; **pape** *eccl.* [pap] *m* pope.

papegai *orn.* [pap'gɛ] *m* popinjay.

papelard, e F [pa'pla:r, ~'plard] **1.** *adj* sanctimonious; **2.** *su./m* sanctimonious person; **papelardise** F [~plar'di:z] *f* cant, sanctimoniousness.

paperasse [pa'pras] *f* red tape; useless paper(s *pl.*); **paperasserie** [~pras'ri] *f* accumulation of old papers; F red tape, red-tapism; **paperassier** [~pra'sje] *m* bureaucrat.

papeterie [pap'tri] *f* paper-mill; paper trade; stationery; stationer's (shop); **papetier, -ère** [~tje, ~'tje:r] **1.** *su.* stationer; paper-manufacturer; **2.** *adj.* paper(-making); **papier** [pa'pje] *m* paper; document; ✝ bill(s *pl.*); ~ à calquer tracing-paper; ~ à la cuve hand-made paper; à lettres letter-paper; ~à musique music-paper; ~ bible (or indien) India paper; ~ buvard blotting paper; ~ carbone carbon paper; ~ couché art paper; ~ d'emballage brown paper; ~ de verre sand-paper, glasspaper; ~-emeri emery-paper; ~filtre filter-paper; ~ hygiénique toilet-paper; ~ peint, ~-tenture wallpaper; ~ pelure tissue-paper; ~-**monnaie** [~pjemɔ'nɛ] *m* paper money

papille ⚕, *anat.* [pa'pi:j] *f* papilla.

papillon [papi'jõ] *m* zo butterfly; *cost.* butterfly bow, bow-tie; leaflet, *poster* fly-bill; inset map; *document.* rider; ✝ label, tag; ⊕ butterfly-valve; ⊕ wing-nut; *mot.* throttle; F *fig.* ~s *pl.* noirs gloomy

thoughts, F blues; **papillonner** [~jɔ'ne] (1a) *v/i.* flutter; F flit from subject to subject; **papillote** [~'jɔt] *f* curl-paper; frill (*round ham etc.*); twist of paper; **papilloter** [~jɔ'te] (1a) *v/i.* blink (*eyes, light*); *cin.* flicker; *fig.* glitter.

paprika ⚕, *cuis.* [papri'ka] *m* red pepper.

papule ⚕, ⚕ [pa'pyl] *f* papula, papule; **papuleux, -euse** [~py'lø, ~-'lø:z] papulose, F pimply.

papyrus [papi'rys] *m* papyrus.

pâque [pɑ:k] *f* (*Jewish*) Passover.

paquebot ⚓ [pak'bo] *m* (passenger-)liner; packet-boat.

pâquerette ⚕ [pa'krɛt] *f* daisy.

Pâques [pɑ:k] *su./m* Easter; *su./f:* ~ *pl.* closes Low Sunday *sg.*; ~ *pl.* fleuries Palm Sunday *sg.*; faire ses ⚕ make one's Easter communion.

paquet [pa'kɛ] *m* parcel, package; pack (*of cards, a. fig. of nonsense*); bundle; ⚓ mail-boat; ⚓ ~ de mer heavy sea; **paqueter** [pak'te] (1c) *v/t.* make up into a parcel; **paqueteur** *m*, **-euse** *f* ✝, ⊕ [~'tœ:r, ~-'tø:z] packer.

par [par] *prp.* place: by (*sea*), through (*the door, the street*); via (*Calais*); over; to; *time:* on (*a fine evening, a summer's day*); in (*the rain*); *motive:* from, through; out of (*friendship, curiosity*); *agent:* by; *instrument:* by (*mail, telephone, train, boat, etc.*); *distribution:* per (*annum, capita*), each; a (*day, week, etc.*); in (*hundreds, numerical order*); ~ eau et ~ terre by land and sea; ~ monts et ~ vaux over hill and dale; ~ où? which way?; ~ toute la terre (*ville*) all over the world (town); regarder (*jeter*) ~ la fenêtre look (throw) out of the window; tomber ~ terre fall to the ground; ~ un beau temps in fine weather; ~ bonheur (*malheur*) by good (ill) fortune, (un)fortunately; ~ hasard by chance; ~ pitié! for pity's sake!; vaincu ~ César conquered by Caesar; Phèdre ~ Racine Phèdre by Racine; ~ soi-même (by or for) oneself; célèbre ~ famous for; ~ conséquent consequently; ~ droit et raison by rights; ~ avion post: via airmail; venir ~ air à fly to; prendre ~ la main take by the hand; jour ~ jour day by day; deux ~ deux two by two; *commencer* (*finir etc.*) ~ (*inf.*) begin (end) by (*ger.*); F ~ *trop court* (much *or* far) too short; *de* ~ by, in conformity with (*the conditions, nature, etc.*); *de* ~ *le roi* by order of the King; in the King's name; ~-*ci* here; ~-*là* there; ~-*ci* ~-*là* hither and thither; now and then; ~ *derrière* from behind; ~-*dessous* under, beneath; ~-*dessus* over (*s.th.*); ⚖ ~-*devant* before, in presence of.

para ✗ F [pa'ra] *m* paratrooper.

para...: ~**bole** [para'bɔl] *f* parable; ⚓ parabola.

parachever [paraʃ've] (1d) *v/t.* perfect.

para...: ~**chute** [para'ʃyt] *m* ✈ parachute; ⚒ *cage:* safety device; ~**chuter** [~ʃy'te] (1a) *v/t.* (drop by) parachute; ~**chutiste** [~ʃy'tist] *m* parachutist; paratrooper.

parade [pa'rad] *f box.*, *a. fencing:* parry; *horse:* checking; F repartee; ✗ parade (*a. fig.*); *fig.* show; ⚓ *faire* ~ dress (a) ship; *faire* ~ *de* show off, display; *lit m de* ~ lying-in-state bed; **parader** [~ra'de] (1a) *v/i.* parade; *faire* ~ *un cheval* put a horse through its paces.

paradigme gramm. [para'digm] *m* paradigm.

paradis [para'di] *m* paradise; *thea.* gallery, F the gods *pl.*; **paradisiaque** [~di'zjak] paradisiac; of paradise; **paradisier** orn. [~di'zje] *m* bird of paradise.

paradoxal, e, *m/pl.* **-aux** [paradɔk-'sal, ~'so] paradoxical; **paradoxe** [~'dɔks] *m* paradox.

parafe [pa'raf] *m see paraphe;* **parafer** [~ra'fe] *see parapher.*

paraffine ⚗ [para'fin] *f* paraffin.

parafoudre ⚡ [para'fudr] *m* lightning-arrester; *magneto:* safety-gap.

parage[1] † [pa'ra:ʒ] *m* birth, descent; *de haut* ~ of high lineage.

parage[2] [~] *m:* ~*s pl.* ⚓ latitudes; regions; vicinity *sg.*, quarters.

paragraphe [para'graf] *m* paragraph.

parais [pa're] *1st p. sg. pres. of paraître;* **paraissons** [~re'sɔ̃] *1st p. pl. pres. of paraître;* **paraître** [~'re:tr] (4k) *v/i.* appear; seem, look; be visible; come out (*book etc.*); *vient de* ~ just out (*book*); *v/impers.:* à *ce qu'il paraît* apparently; *il paraît que* (*ind.*)

it seems that; il paraît que oui (non) it appears so (not).

parallèle [paral'lɛl] **1.** *adj.* parallel; **2.** *su./f* ⚛, ✗ parallel; *su./m geog.*, ✎, *a. fig.* parallel; **parallélépipède** ⚛ [~lelepi'pɛd] *m* parallelepiped; **parallélisme** [~le'lism] *m* parallelism (between ... and *de* ... à, *entre* ... *et*); **parallélogramme** ⚛ [~lelɔ'gram] *m* parallelogram.

para...: ~**lyser** [parali'ze] (1a) *v/t.* ⚕ paralyse (*a. fig.*); *fig.* cripple; ~**lysie** ⚕ [~'zi] *f* paralysis; † palsy; ~ *agitante* Parkinson's disease; ~**lytique** ⚕ [~'tik] *adj.*, *a. su.* paralytic; ~**militaire** [paramili'tɛ:r] semi-military.

parangon [parã'gɔ̃] *m* paragon, model; flawless gem; *typ. gros* ~ double pica.

parapet [para'pɛ] *m* ⚛, ✗ parapet; ✗ breastwork.

paraphe [pa'raf] *m signature:* flourish; initials *pl.*; **parapher** [~ra'fe] (1a) *v/t.* initial.

para...: ~**phrase** [para'fra:z] *f* paraphrase; *fig.* circumlocution; ~**phraser** [~fra'ze] (1a) *v/t.* paraphrase; *fig.* add to (*a story etc.*); ~**pluie** [~'plɥi] *m* umbrella (*a.* ✗, ✎); ~**site** [~'zit] **1.** *adj.* ✎, ✎ parasitic; **2.** *su./m* ✎, *biol.*, *zo.*, *fig.* parasite; *fig.* sponger; ~*s pl. radio:* atmospherics; ~**sol** [~'sɔl] *m* parasol, sunshade; *mot.* visor; ~**tonnerre** [~tɔ'nɛ:r] *m* lightning-conductor, lightning-rod; ~**typhoïde** ⚕ [~tifɔ'id] *f* paratyphoid fever; ~**vent** [~'vã] *m* folding screen.

parbleu! [par'blø] *int.* rather!; of course!

parc [park] *m* park (*a.* ✗, *a. mot.*); enclose; *horses:* paddock; *cattle:* pen; *sheep:* fold; *oysters:* bed; ⊕ *coal:* yard; 🚂 depot; *child:* play-pen; ✗ ~ à *munitions* ammunition depot; *mot.* ~ *de stationnement* parking place; **parcage** [par'ka:ʒ] *m mot.* parking; *cattle:* penning; *sheep:* folding; *oysters:* laying down; *mot.* ~ *interdit* no parking.

parcellaire [parsɛl'lɛ:r] divided into small portions; **parcelle** [~'sɛl] *f land:* lot, plot; small fragment; *fig.* grain; **parceller** [~sɛ'le] (1a) *v/t.* divide into lots; portion out.

parce [pars] *cj.:* ~ *que* because.

parchemin [parʃə'mɛ̃] *m* parch-

ment; *bookbinding*: vellum; F ~s *pl.*
univ. diplomas; 🔧 title-deeds; **parcheminé, e** [parʃmi'ne] *fig.* parchment-like, dried; wizened (*skin*);
parcheminer [~'ne] (1a) *v/t.* give
a parchment finish to; *se* ~ shrivel
up; become parchment-like; **par-
chemineux, -euse** [~'nø, ~'nø:z]
parchment-like.

parcimonie [parsimɔ'ni] *f* parsi-
mony, stinginess; **parcimonieux,
-euse** [~'njø, ~'njø:z] parsimonious,
stingy.

parcourir [parku'ri:r] (2i) *v/t.* travel
through; traverse (*a.* ♪); cover (*a
distance*); skim, look through (*a
book, papers, etc.*); *eye*: survey;
parcours [~'ku:r] *m* distance covered; *sp., golf, river*: course; ⊕
path; trip, journey.

pardessus [pardə'sy] *m* overcoat,
top-coat.

pardi! [par'di] *int.* of course!;
rather!

pardon [par'dɔ̃] **1.** *su./m* pardon (*a.
eccl.*); forgiveness; *eccl.* pilgrimage
(*in Brittany*); **2.** *int.*: ~! excuse me!;
~? I beg your pardon?; **pardonna-
ble** [~dɔ'nabl] forgivable, excusable;
pardonner [~dɔ'ne] (1a) *v/t.* pardon, forgive; excuse; *je ne par-
donne pas que vous l'ayez visité* I
cannot forgive your having visited
him.

pare...: ~-**boue** *mot.* [par'bu] *m/inv.*
see *garde-boue*; ~-**brise** *mot.*
[~'bri:z] *m/inv.* windscreen, *Am.*
windshield; ~-**chocs** *mot.* [~ʃɔk] *m/
inv.* bumper; fender; ~-**étincelles**
[~etɛ̃'sɛl] *m/inv.* fire-guard; 🔧
spark-catcher; ~-**feu** [~'fø] *m/inv.*
forest: fire-break.

pareil, -eille [pa'rɛːj] **1.** *adj.* like,
similar; such (*a*); *sans* ~ unrivalled,
unequalled; **2.** *su.* equal, like; peer;
match; *su./f*: *rendre la* ~*eille à* pay
(*s.o.*) back in his own coin.

parement [par'mɑ̃] *m* adorning;
ornament; *cost., a.* 🔺 facing; 🔺
stone: face; ⊕, *cuis.* dressing; kerb-
stone, curb-stone.

pare-mines ⚓ [par'min] *m/inv.*
paravane.

parent, e [pa'rɑ̃, ~'rɑ̃:t] *su.* relative,
relation; *su./m*: ~s *pl.* parents,
father and mother; **parenté** [~rɑ̃-
'te] *f* relationship, kinship.

parenthèse [parɑ̃'tɛ:z] *f* parenthe-

sis, digression; *typ.* bracket; *entre*
~s in brackets; *fig.* incidentally.

parer [pa're] (1a) *v/t.* ornament,
adorn; dress (*meat, vegetables*); ⚓
clear (*the anchor*); ⚓ steer clear of,
clear; ward off, parry; avoid; pull
up (*a horse*); *se* ~ deck o.s. out (in,
de); *fig.* show off; *v/i.*: ~ *à* provide
against *or* for; obviate (*a difficulty*);
avert (*an accident*).

pare-soleil [parsɔ'lɛ:j] *m/inv.* sun-
visor (*a. mot.*).

paresse [pa'rɛs] *f* laziness, idleness; mind, *a.* 🐿 bowels, etc.:
sluggishness; **paresseux, -euse**
[~rɛ'sø, ~'sø:z] **1.** *adj.* sluggish; lazy;
idle; **2.** *su.* lazy *or* idle person; *su./m*
zo. sloth.

pareur *m*, **-euse** *f* ⊕ [pa'rœ:r, ~-
'rø:z] finisher, trimmer.

parfaire [par'fɛ:r] (4r) *v/t.* complete, finish; make up (*a total of
money*); **parfait, e** [~'fɛ, ~'fɛt]
1. *adj.* perfect; *fig.* thorough, utter;
† full (*payment*); F capital; (*c'est*)
~! splendid!; **2.** *su./m gramm.* perfect; *cuis.* ice-cream; **parfaitement** [~fɛt'mɑ̃] *adv.* perfectly;
thoroughly; ~! precisely!; exactly!

parfois [par'fwa] *adv.* sometimes,
now and then.

parfum [par'fœ̃] *m* perfume, scent;
fragrance; **parfumer** [~fy'me] (1a)
v/t. perfume, scent; *se* ~ use scent;
parfumerie [~fym'ri] *f* perfum-
ery; **parfumeur** *m*, **-euse** *f* † [~-
fy'mœ:r, ~'mø:z] perfumer.

pari [pa'ri] *m* bet, wager; *sp.* bet-
ting; ~ *mutuel* totalizator system,
F tote; **pariade** *orn.* [~'rjad] *f* pairing; pairing season; pair; **parier**
[~'rje] (1o) *vt/i.* bet (on, *sur*); wager.

pariétaire [parje'tɛ:r] *f* wall-pell-
litory; **pariétal, e,** *m/pl.* ~**aux** [~-
'tal, ~'to] **1.** 🎐, *anat.* parietal; *paint.*
mural; **2.** *su./m anat.* parietal bone.

parieur *m*, **-euse** *f* [pa'rjœ:r, ~'rjœ:z]
better, punter.

Parigot *m*, **e** *f* F [pari'go, ~'gɔt]
Parisian; **parisien, -enne** [~'zjɛ̃,
~'zjɛn] *adj., a. su.* ♀ Parisian.

parisyllabique [parisilla'bik] pari-
syllabic.

paritaire [pari'tɛ:r] *adj.*: *réunion f* ~
round-table conference; **parité**
[~'te] *f* parity; equality; 🎐 evenness.

parjure [par'ʒy:r] **1.** *adj.* perjured;

2. *su. person*: perjurer; *su./m* perjury; **parjurer** [~ʒy're] (1a) *v/t.*: se ~ perjure o.s.

parking *mot.* [par'kiŋ] *m* parking.

parlant, e [par'lã, ~'lã:t] speaking (*a. fig.*); *fig.* talkative; *cin.* sound (*film*); **Parlement** [~lə'mã] *m* Parliament, *Am.* Congress; *au* ~ in parliament; **parlementaire** [parləmã'tɛ:r] **1.** *adj.* parliamentary, *Am.* Congressional; *drapeau m* ~ flag of truce; **2.** *su./m* member of parliament, *Am.* Congressman; ⚔ bearer of a flag of truce; **parlementarisme** *pol.* [~ta'rism] *m* parliamentary government; **parlementer** [~'te] (1a) *v/i.* parley; **parler** [par'le] **1.** (1a) *v/i.* speak, talk (to, *à*; of, about *de*); be on speaking terms (with, *à*); *les faits parlent* the facts speak for themselves; *on m'a parlé de* I was told about; *sans* ~ *de* let alone ...; *v/t.* speak (*a language*); ~ *affaires* (F *boutique, politique, raison*) talk business (F shop, about politics, sense); se ~ be spoken (*language*); **2.** *su./m* speech; dialect; way of speaking; **parleur, -euse** [~'lœ:r, ~'lø:z] *su.* speaker, talker; *su./m* ⚡ sounder; **parloir** [~'lwa:r] *m* parlo(u)r; **parlote** [~'lɔt] *f* ⚖ moot; F small talk.

parmesan [parmə'zã] *m* Parmesan (cheese).

parmi [par'mi] *prp.* among; amid.

parodie [parɔ'di] *f* parody; skit ([up]on, *de*); **parodier** [~'dje] (1o) *v/t.* parody, burlesque.

paroi [pa'rwa] *f biol.*, ⊕ *boiler, cylinder, a. rock, tent*: wall; ⚠ partition-wall; *case, stomach, tunnel*: lining; *thea.* flat.

paroisse [pa'rwas] *f* parish; parish church; **paroissial, e,** *m/pl.* **-aux** [parwa'sjal, ~'sjo] parochial; parish-...; **paroissien, -enne** [~'sjɛ̃, ~'sjɛn] *su.* parishioner; *su./m* prayer-book; F *drôle de* ~ queer stick.

parole [pa'rɔl] *f* word; remark; promise, ⚔ parole; *fig.* speech; eloquence; saying; *avoir la* ~ have the floor; *donner la* ~ *à q.* call upon s.o. to speak.

parpaing ⚠ [par'pɛ̃] *m* parpen; breeze-block.

Parque *myth.* [park] *f* one of the Fates.

parquer [par'ke] (1m) *v/t.* enclose; pen (*cattle*); fold (*sheep*); put (*a horse*) in paddock; *mot.*, ⚔ park; *v/i. a.* se ~ park; **parquet** [~'kɛ] *m* ⚠ floor(ing); *mirror*: backing; ⚖ public prosecutor's department; ⚖ well; † official market; *bourse*: Ring; **parqueter** ⊕ [parkə'te] (1c) *v/t.* lay a floor in (*a room*); parquet; **parqueterie** ⊕ [~'tri] *f* laying of floors; ~ *en mosaïque* inlaid floor; inlaying; **parqueteur** ⊕ [~'tœ:r] *m* parquet-layer.

parrain [pa'rɛ̃] *m* godfather; sponsor (*a. fig.*).

parricide [pari'sid] **1.** *adj.* parricidal; **2.** *su. person*: parricide; *su./m crime*: parricide.

parsemer [parsə'me] (1d) *v/t.* strew, sprinkle (with, *de*); *fig.* stud, spangle.

part [pa:r] *f* share (*a.* †); part; portion (*a.* ⚖); place; *food*: helping, *cake*: piece; *à* ~ apart, separately; *à* ~ *cela* apart from that; except for that; *à* ~ *soi* in one's own heart, to o.s.; *autre* ~ elsewhere; *d'autre* ~ besides; *de la* ~ *de* on behalf of; from; *de ma* ~ from me; on my part; *de* ~ *en* ~ through and through; *faire* ~ *de qch. à q.* inform s.o. of s.th.; *nulle* ~ nowhere; *pour ma* ~ as to me, I for one; *prendre* ~ *à* take part in, join in; *quelque* ~ somewhere; **partage** [par'ta:ʒ] *m* division, sharing; ⚖, *a. pol.* partition; share, portion, lot (*a. fig.*); *geog. ligne f de* ~ *des eaux* watershed, *Am.* divide; *échoir en* ~ *à q.* fall to s.o.'s lot; **partager** [~ta'ʒe] (1l) *v/t.* divide (up); share (*a. fig. an opinion*); se ~ be divided; differ; *être bien (mal) partagé* be well (ill) provided for *or* endowed.

partance ⚓, ✈ [par'tã:s] *f* departure; *en* ~ *pour* (bound) for.

partant [par'tã] *cj.* therefore, hence.

partenaire [partə'nɛ:r] *m* partner (*a. sp., cin., etc.*).

parterre [par'tɛ:r] *m* ⚘ flower-bed; *thea.* pit.

parti [par'ti] *m* ⚔, *pol., fig.* party; *fig.* side; *fig.* gang; *marriage*: match; *fig.* choice, decision; *fig.* advantage; ~ *pris* bias, set purpose; *prendre* ~ come to a decision; *prendre son* ~ *de* resign o.s. to; *tirer* ~ *de* turn (*s.th.*) to account; **partial, e,** *m/pl.*

-aux [‿'sjal, ‿'sjo] biased; partial (to, *envers*); **partialité** [‿sjali'te] *f* partiality (for, to *envers*); bias.

participation [partisipa'sjɔ̃] *f* participation; ✝, *a. fig.* share (in, *à*); **participe** *gramm.* [‿'sip] *m* participle; **participer** [‿si'pe] (1a) *v/i.* participate, (have a) share (in, *à*); take part (in, *à*); ‿ de partake of; resemble.

particulariser [partikylari'ze] (1a) *v/t.* give details of, particularize; **particularité** [‿'te] *f* particularity; peculiarity; detail; characteristic.

particule [parti'kyl] *f* particle (*a. phys., a. gramm.*).

particulier, -ère [partiky'lje, ‿'ljɛːr] **1.** *adj.* particular, special; unusual; private (*collection, room, etc.*); **2.** *su.* private individual; *su./m* private life; **en** ‿ privately; particularly.

partie [par'ti] *f* part (*a.* ♩); *pleasure, hunt., a.* ⚱: party; *cricket, foot., tennis:* match; ✝ line of business; ⚖ ‿ civile plaintiff; ✝ ‿ simple (double) single (double) entry; **en grande** ‿ largely; **en** ‿ in part, partly; *faire* ‿ de be one of, belong to; **partiel, -elle** [‿ sjɛl] partial, incomplete.

partir [par'tiːr] (2b) *v/i.* depart, leave (for, *pour*); set out; go off (*person, a. gun*); go away; *hunt.* rise; come off (*button etc.*); start (from, *de*; for, *pour*) (*a. mot.*); *fig.* spring (from, *de*); ‿ **en voyage** go on a journey; *à* ‿ de (starting) from.

partisan, e [parti'zã, ‿'zan] **1.** *su.* partisan, follower; supporter, advocate; *j'en suis* ‿ I am (all) for it; *su./m* ⚔ soldier: guerilla; *guerre f de* ‿*s* guerilla warfare; **2.** *adj.* party ...

partitif, -ve *gramm.* [parti'tif, ‿'tiːv] partitive (*article*).

partition [parti'sjɔ̃] *f* ♩ score; ▨ quarter.

partout [par'tu] *adv.* everywhere; ‿ **où** wherever; *rien* ‿ *tennis:* love-all.

paru, e [pa'ry] *p.p. of paraître.*

parure [pa'ryːr] *f* adornment; ornament; *jewels etc.*: set; ⊕ parings *pl.*

parus [pa'ry] *1st p. sg. p.s. of paraître.*

parution [pary'sjɔ̃] *f book:* publication.

parvenir [parvə'niːr] (2h) *v/i.* ar-

rive; reach; succeed (in, *à*); **parvenu** *m,* **e** *f* [‿'ny] one of the newly rich, self-made person, upstart.

parvis [par'vi] *m* △ square (*in front of church*); *bibl., a. fig.* court.

pas [pɑ] **1.** *su./m* step (*a. dancing, a. of staircase*), pace, gait, walk; footprint; *door:* threshold; *geog.* pass(age); ⚓ straits *pl.;* ⊕ *screw:* thread; *fig.* move; ‿ *à* ‿ step by step; ‿ *cadencé* measured step; ⚔, *sp.* ‿ **gymnastique** double; *à grands* ‿ apace, quickly; *mot. aller au* ‿ go dead slow; *à* ‿ *de loup* stealthily; *au* ‿ at a walking pace; *faux* ‿ slip (*a. fig.*); *fig.* (social) blunder; *geog.* le ‿ **de Calais** the Straits *pl.* of Dover; ⚔, *sp. marquer le* ‿ mark time; **2.** *adv.* not; *ne ... pas* not; *ne ... pas de* no; *ne ... pas un* not (a single) one; *ne ... pas non plus* nor *or* not ... either.

pascal, e *m/pl.* **-als, -aux** [pas'kal, ‿'ko] paschal; Easter (*vacation*).

pas-d'âne ⚘ [pɑ'dɑːn] *m/inv.* colts-foot.

pasquinade [paski'nad] *f* lampoon, pasquinade.

passable [pɑ'sabl] passable, acceptable; middling; *mention f* ‿ *examination:* pass; **passade** [‿'sad] *f* passing fancy; F brief love-affair; **passage** [‿'saːʒ] *m* passage (*a. in a book*); 🚢, mountains, river, *etc.*: crossing; way; *mountain:* pass; △ arcade; ⚡ flow; *fig.* transition; 🚢 *à niveau* level crossing, *Am.* grade crossing; ‿ **clouté** pedestrian crossing, *Am.* crosswalk; ‿ **souterrain** subway; ‿ **supérieur** railway bridge; *de* ‿ migratory (*bird*); *fig.* passing, casual; **passager, -ère** [‿sa'ʒe, ‿'ʒɛːr] **1.** *adj.* of passage (*bird*); passing (*a. fig.*); **2.** *su.* ♂, passenger; **passant, e** [‿'sã, ‿'sãːt] **1.** *su.* passer-by; **2.** *adj.* busy, frequented (*road*); **passavant** [‿sa'vã] *m* ⚓ gangway; *admin.* permit; *customs:* transire.

passe [pɑːs] *f* passing, passage; permit; ⚓, 🚢, *admin., fencing, foot.*: pass; ✝ allowance to cashier; *typ.* overplus; *belle (mauvaise)* ‿ good (bad) position; **en** ‿ **de** (*inf.*) in a fair way to (*inf.*); *mot m de* ‿ password.

passé, e [pɑ'se] **1.** *su./m* past; ⚖ record; *gramm.* past (tense); **2.** *adj.*

past; over; faded (*colour*); last
(*week etc.*); **3.** *prp.* after, beyond.
passe...: ~-**bouillon** *cuis.* [pɑsbu-
'jɔ̃] *m/inv.* soup-strainer; ~**carreau** [‿kaʼro] *m* sleeve-board; ~-**debout** *hist.* [‿dəʼbu] *m/inv.* transire;
~-**droit** [‿ʼdrwa] *m* injustice; unfair
promotion; ~**filer** [‿fiʼle] (1a) *v/t.*
darn; ~-**lacet** [‿laʼsɛ] *m* bodkin;
~-**lait** *cuis.* [‿ʼlɛ] *m/inv.* milk-
strainer.
passement [pɑsʼmɑ̃] *m cost.* lace;
chair etc.: braid; **passementer**
[‿mɑ̃ʼte] (1a) *v/t.* trim with lace;
braid (*furniture*); **passementier** *m*,
-**ère** *f* [‿mɑ̃ʼtje, ‿ʼtjɛːr] dealer in
trimmings.
passe...: ~-**montagne** [pɑsmɔ̃ʼtaɲ]
m Balaclava helmet; ~-**partout**
[‿parʼtu] *m/inv.* pass-key, master-
key; *phot.* slip-in mount; ⊕ cross-
cut saw; compass-saw; ~-**passe**
[‿ʼpɑs] *m/inv.* legerdemain, sleight-
of-hand; *tour m de* ~ conjuring
trick; ~-**plats** [‿ʼpla] *m/inv.* serv-
ice-hatch; ~**poil** *cost.* [‿ʼpwal] *m*
piping, braid; ~**port** [‿ʼpɔːr] *m*
admin. passport; ⚓ sea-letter;
~-**purée** *cuis.* [‿pyʼre] *m/inv.* potato-
masher.
passer [pɑʼse] (1a) **1.** *v/i.* pass
(*a. time*); go (to, *à*); be moved
(*pupil*); become, ✗ be promoted;
fade (*colour*), vanish; pass away,
die; *fig.* wear off (*success etc.*); go
by, elapse (*time*); be transmitted
or handed down (*heritage, tradition*); ✕ fly (over, *sur*); ⚖ ~ *à la
douane* go through the customs; ~
chez q. call at s.o.'s or on s.o.; ~ *en
proverbe* become proverbial; *mot.*
~ *en seconde* change into second
gear; ~ *par* go through; *road:* go
over (*a mountain*); ~ *pour* be thought
to be, be considered (*s.th.*), seem;
~ *sur* overlook (*a fault*); *faire* ~
pass (*s.th.*) on (to, *à*); while away
(*the time*); get rid of; *j'en passe* I
am skipping over many items;
laisser ~ let (*s.o.*) pass; miss (*an
opportunity*); *passons!* no more
about it!; *se faire* ~ *pour* pose as;
2. *v/t.* pass; cross; go past; hand
(over) (to, *à*); slip (*s.th. into a
pocket*); slip on, put on (*a garment*);
omit, leave out; overlook, excuse
(*a mistake*); spend (*time*); sit for
(*an examination*); vent (*one's anger*)

(on, *sur*); *cuis.* strain (*a liquid*),
sift (*flour*); ♦ place (*an order*);
parl. pass (*a bill*); ~ *en fraude*
smuggle in; *elle ne passera pas le
jour* she will not live out the day;
se ~ pass, go by (*time*); happen,
take place; pass away, cease; abate
(*anger*); fade (*colour*); *se* ~ *de* do
without (*s.th., qch.; ger., inf.*).
passereau *orn.* [pɑsʼro] *m* sparrow.
passerelle [pɑsʼrɛl] *f* foot-bridge;
⊕ *crane:* platform; ⚓ bridge.
passe...: ~-**temps** [pɑsʼtɑ̃] *m/inv.*
pastime; hobby; ~-**thé** [‿ʼte] *m/inv.*
tea-strainer.
passeur [pɑʼsœːr] *m* ferryman.
passible ⚖ [pɑʼsibl] liable (to, for
de).
passif, -ve [pɑʼsif, ‿ʼsiːv] **1.** *adj.*
passive (*a. gramm.*); *fig.* blind
(*obedience*); *défense f* ~*ve* Civil
Defence; Air Raid Precautions *pl.*;
♦ *dettes f/pl.* ~*ves* liabilities; **2.** *su./m
gramm.* passive (voice); ♦ liabilities
pl.
passion [pɑʼsjɔ̃] *f* passion (for, de)
(*a.* ✠, *eccl., a. fig.*); **passion-
nant, e** [pɑsjɔʼnɑ̃, ‿ʼnɑ̃ːt] thrilling;
fascinating; **passionné, e** [‿ʼne]
1. *adj.* passionate, impassioned
(for, *pour*); enthusiastic (about, de);
2. *su.* enthusiast, F fan; **passion-
nel, -elle** [‿ʼnɛl] *adj.*: ⚖ *crime m* ~
crime due to sexual passion; **passionner** [‿ʼne] (1a) *v/t.* rouse, excite; *fig.* fascinate; *se* ~ become
passionately fond (of, *pour*); get
excited.
passivité [pɑsiviʼte] *f* passivity.
passoire *cuis.* [pɑʼswaːr] *f* strainer.
pastel [pɑsʼtɛl] *m* crayon; pastel
drawing; *bleu m* ~ pastel blue.
pasteur [pɑsʼtœːr] *m* shepherd;
eccl. pastor.
pasteuriser [pɑstœriʼze] (1a) *v/t.*
pasteurize (*milk*).
pastiche [pɑsʼtiʃ] *m* pastiche; parody; **pasticher** [‿tiʼʃe] (1a) *v/t.*
copy the style of; parody.
pastille [pɑsʼtiːj] *f* pastille, lozenge.
pastis [pɑsʼtis] *m* aniseed aperitif;
F muddle.
pastoral, e *m/pl.* -**aux** [pɑstɔʼral,
‿ʼro] **1.** *adj.* pastoral; episcopal
(*ring*); **2.** *su./f* pastoral; **pastorat**
[‿ʼra] *m* pastorate.
pastourelle [pɑstuʼrɛl] *f poem:* pastoral.

pat [pat] *su./m, a. adj./m* stalemate.
pataquès [pata'kɛ:s] *m* faulty liaison (*in speech*).
patate [pa'tat] *f* ♀ sweet potato; F spud (= *potato*).
patati! [pata'ti] *int.*: et ~ et *patata* and so forth and so on.
patatras! [pata'trɑ] *int.* crash!
pataud, e [pa'to, ~'to:d] **1.** *su.* clumsy puppy; F lout; **2.** *adj.* clumsy, loutish.
patauger [pato'ʒe] (11) *v/i.* flounder (*a. fig.*); paddle, wade (*in sea*).
pâte [pɑ:t] *f* paste; dough; *paper:* pulp; *fig.* stuff; *fig.* type; ~s *pl.* alimentaires Italian pastes; ~ dentifrice tooth-paste; F une bonne ~ a good sort; *vivre comme un coq en* ~ live like a fighting cock; **pâté** [pɑ'te] *m cuis.* pie; *liver:* paste; *fig. houses, trees, etc.*: clump, cluster; *ink:* blot; **pâtée** [~] *f hens:* mash; dog food; *fig.* coarse food.
patelin F [pat'lɛ̃] *m* native village; small place.
patelinage [patli'na:ʒ] *m* smooth words *pl.*, F blarney; **pateliner** F [~li'ne] (1a) *v/t.* cajole (*s.o.*); wheedle; *v/i.* blarney; **patelinerie** [~lin'ri] *f see patelinage.*
patelle [pa'tɛl] *f zo., anat., archeol.* patella; *zo.* limpet, barnacle.
patène *eccl.* [pa'tɛn] *f* paten.
patenôtre [pat'no:tr] *f* Lord's prayer; ⚙ bucket elevator; ~s *pl.* rosary *sg.*, F beads.
patent, e [pa'tɑ̃, ~'tɑ̃:t] **1.** *adj.* patent; obvious; *hist. Lettres f/pl.* ~es Letters patent; **2.** *su./f* licence; ✝ *etc.* tax; ⚓ (a. ~e de santé) bill of health; **patenté, e** [~tɑ̃'te] **1.** *adj.* licensed; **2.** *su.* licensee.
pater *eccl.* [pa'tɛ:r] *m/inv.* Lord's prayer; paternoster.
patère [~] *f* hat-peg, coat-peg; curtain-hook.
paterne [pa'tɛrn] benevolent; **paternel, -elle** [patɛr'nɛl] paternal; fatherly; **paternité** [~ni'te] *f* paternity, fatherhood.
pâteux, -euse [pɑ'tø, ~'tø:z] pasty; cloudy (*jewel*); thick (*voice etc.*); coated (*tongue*).
pathétique [pate'tik] **1.** *adj.* pathetic (*a. anat.*), moving, touching; **2.** *su./m* pathos, the pathetic.
pathogène ⚕ [patɔ'ʒɛn] pathogenic; **pathologie** ⚕ [~lɔ'ʒi] *f* pathology;

pathologique ⚕ [~lɔ'ʒik] pathological.
pathos F [pa'tɔs] *m* bathos; F bombast.
patibulaire [patiby'lɛ:r] gallows...; *fig.* hang-dog (*look*).
patience [pa'sjɑ̃:s] *f* patience; forbearance; (jig-saw) puzzle; *prendre* ~ be patient; **patient, e** [~'sjɑ̃, ~'sjɑ̃:t] *adj., a. su.* patient; **patienter** [~sjɑ̃'te] (1a) *v/i.* be patient; wait patiently.
patin [pa'tɛ̃] *m* skate; *sledge:* runner; ⊕ *brake, wheel:* shoe; brake-block; ⊕ *rail:* flange; *staircase:* sleeper; ~ à roulettes roller-skate; **patinage** [~ti'na:ʒ] *m* skating; *wheel, belt:* slipping.
patine [pa'tin] *f bronze:* patina.
patiner[1] [pati'ne] (1a) *v/t.* give a patina to.
patiner[2] [pati'ne] (1a) *v/i.* skate; slip (*wheel, belt*); skid (*wheel*); **patinette** [~'nɛt] *f* scooter; **patineur** *m*, **-euse** *f* [~'nœ:r, ~'nø:z] skater; **patinoire** [~'nwa:r] *f* skating-rink.
pâtir [pɑ'ti:r] (2a) *v/i.* suffer (from, de); *vous en pâtirez* you will rue it.
pâtisser [pɑti'se] (1a) *v/i.* make pastry; **pâtisserie** [~tis'ri] *f* pastry; pastry shop; pastry-making; cakes *pl.*; **pâtissier** *m*, **-ère** *f* [~ti'sje, ~'sjɛ:r] pastry-cook.
patois [pa'twa] *m* dialect, patois; F jargon.
patouiller F [patu'je] (1a) *v/i.* flounder, splash (*in the mud*).
patraque F [pa'trak] **1.** *su./f* worn-out machine; *person:* old crock; **2.** *adj.* seedy (*person*); worn-out (*machine*).
pâtre [pɑ:tr] *m* shepherd; herdsman.
patriarcal, e, *m/pl.* **-aux** [patriar-'kal, ~'ko] patriarchal; **patriarche** [~'arʃ] *m* patriarch (*a. eccl.*).
patricien, -enne [patri'sjɛ̃, ~'sjɛn] *adj., a. su.* patrician.
patrie [pa'tri] *f* fatherland; native or mother country; *fig.* home.
patrimoine [patri'mwan] *m* patrimony, inheritance; **patrimonial, e**, *m/pl.* **-aux** [~mɔ'njal, ~'njo] patrimonial.
patriote [patri'ɔt] **1.** *adj.* patriotic (*person*); **2.** *su.* patriot; **patriotique** [~ɔ'tik] patriotic (*sentiments, song,*

etc.); **patriotisme** [⌐ɔ'tism] *m* patriotism.

patron [pa'trɔ̃] *m* master, F boss; head (*of a firm*); *hotel*: proprietor; protector; *eccl.* patron (saint); *cost.* pattern; ⊕ template; ✝ model; **patronage** [patrɔ'naːʒ] *m* patronage (*a.* ✝), support; *eccl.* young people's club; **patronal, e,** *m/pl.* **-aux** [⌐'nal, ⌐'no] *eccl.* patronal (*festival*); patron (*saint*); ⊕ employers' ...; **patronat** [⌐'na] *m* protection; ⊕ *coll.* employers *pl.*; **patronne** [pa'trɔn] *f* mistress; protectress; *eccl.* patroness; **patronner** [patrɔ'ne] (1a) *v/t.* patronize, sponsor; *cost.* cut out (*with a pattern*); stencil; **patronnesse** [⌐'nɛs] *adj./f* patroness.

patrouille ⚔ [pa'truːj] *f* patrol; **patrouiller** ⚔ [patru'je] (1a) *v/i.* (go on) patrol; **patrouilleur** [⌐'jœːr] *m* ⚓ patrol-boat; ⚔ scout; ⚔ member of a patrol.

patte [pat] *f zo.* paw; *orn.* foot; *insect*: leg; ⊕ cramp, hook; ⊕ flange; clamp; ⚓ anchor: fluke; *cost.* strap; *envelope, a. pocket*: flap; F authority, power; ⌐s *pl.* de mouche *writing*: scrawl; *faire* ⌐ de velours draw in its claws (*cat*); *fig.* speak s.o. fair; F *tomber sous la* ⌐ de q. fall into s.o.'s clutches; ⌐-d'oie, *pl.* ⌐s-d'oie [⌐'dwa] *f* crossroads *pl.*; *wrinkle*: crow's-foot.

pâturage [paty'raːʒ] *m* grazing; pasture(-land); pasturage; **pâture** [⌐'tyːr] *f* fodder; food (*a. fig.*); pasture; **pâturer** [⌐ty're] (1a) *vt/i.* graze.

pâturin ♀ [paty'rɛ̃] *m* meadow-grass, *Am.* spear-grass.

paturon [paty'rɔ̃] *m horse*: pastern.

paume [poːm] *f* palm of hand; *measure of horses*: hand; (*jeu m de*) ⌐ tennis.

paupérisme [pope'rism] *m* pauperism.

paupière [po'pjɛːr] *f* eyelid.

paupiette *cuis.* [po'pjɛt] *f* (beef- *or* veal-)olive.

pause [poːz] *f* pause; *foot.* half-time; ♪ rest; (lunch- *etc.*)interval; **pauser** [po'ze] (1a) *v/i.* pause; ♪ dwell (*on a note*).

pauvre [poːvr] **1.** *adj.* poor; needy; scanty (*vegetation*); *fig.* slight (*chance*); unfortunate; **2.** *su./m* poor

man; *admin.* pauper; **pauvresse** [po'vrɛs] *f* poor woman; *admin.* pauper; **pauvret** *m*, **-ette** *f fig.* [⌐'vrɛ, ⌐'vrɛt] *person*: poor little thing; **pauvreté** [⌐vrə'te] *f* poverty (*a. fig.*), destitution.

pavage [pa'vaːʒ] *m* paving; pavement.

pavaner [pava'ne] (1a) *v/t.*: se ⌐ strut; F show off.

pavé [pa've] *m* paving-stone, paving-block; pavement; highway; *fig. the* streets *pl.*; **pavement** [pav'mɑ̃] *m see pavage;* **paver** [pa've] (1a) *v/t.* pave; **paveur** [⌐'vœːr] *m* paver.

pavillon [pavi'jɔ̃] *m* pavilion; lodge, house; ✝ *bed*: canopy; *gramophone, loud-speaker*: horn; *funnel*: mouth; *teleph.* mouthpiece; ⚓ flag, colo(u)rs *pl.*; ♪ *trumpet*: bell; *anat.* auricle, external ear.

pavois [pa'vwa] *m hist.* (body-)shield; ⚓ bulwark; ⚓ *coll.* flags *pl.*, dressing; *élever sur le* ⌐ *hist.* raise to the throne; *fig.* extol; **pavoiser** [⌐vwa'ze] (1a) *v/t.* ⚓ dress (*a ship*); *fig.* deck with flags.

pavot ♀ [pa'vo] *m* poppy.

payable [pɛ'jabl] payable; **payant, e** [⌐'jɑ̃, ⌐'jɑ̃ːt] **1.** *adj.* paying; charged for; with a charge for admission; *fig.* remunerative; **2.** *su.* payer; ✝ drawee; **paye** [pɛːj] *f see* paie; **payement** [pɛj'mɑ̃] *m see* paiement; **payer** [pɛ'je] (1i) *v/t.* pay; pay for (*an article, a. fig.*); ✝ defray (*expenses*); settle (*a debt*); *fig.* reward (for, de); ⌐ *cher* pay dear, *fig.* be sorry for; ⌐ *de retour* reciprocate (*an affection etc.*); *trop payé* overpaid; *trop peu payé* underpaid; se ⌐ be paid *or* recompensed; se ⌐ *de paroles* be satisfied by mere words; **payeur, -euse** [⌐'jœːr, ⌐'jøːz] *su.* payer; *su./m* ⚔, ⚓ paymaster; *bank*: teller.

pays [pɛ'i] *m* country; land; region; home, native land; F fellow-countryman; *mal m du* ⌐ homesickness; *vin m du* ⌐ local wine; **paysage** [pei'zaːʒ] *m* landscape, scenery; **paysagiste** [⌐za'ʒist] *m* landscape-painter; **paysan, -anne** [⌐'zɑ̃, ⌐'zan] *adj., a. su.* peasant, rustic; **paysannerie** [⌐zan'ri] *f* peasantry; peasant people *pl.*; rustic manners *pl.*; **payse** F [pɛ'iz] *f* fellow-countrywoman.

péage [pe'aːʒ] *m* toll(-house); **péa-**

ger *m*, **-ère** *f* [~a'ʒe, ~'ʒɛːr] toll-collector.

peau [po] *f* ✝, *anat.*, *a. fruit*, *sausage*, *milk*: skin; ✝ pelt, hide; ✝ leather; *fruit*: peel; *faire ~ neuve* change clothes; *fig.* turn over a new leaf; ♀**-Rouge**, *pl.* ♀**x-Rouges** [~'ruːʒ] *m* Red Indian, redskin.

peccable [pɛk'kabl] liable to sin.

peccadille [pɛka'diːj] *f* peccadillo.

pechblende ⌂, *phys.* [pɛʃ'blɛ̃ːd] *f* pitchblende.

pêche[1] ⚘ [pɛːʃ] *f* peach.

pêche[2] [~] *f* fishing; fishery; catch; *~ à la ligne* angling; *aller à la ~* go fishing.

péché [pe'ʃe] *m* sin; *fig.* indiscretion, error; *~ mignon* little weakness; **pécher** [~] (1f) *v/i.* sin; *fig.* offend (*against*, *contre*); *fig.* err.

pêcher[1] [pɛ'ʃe] *m* peach-tree.

pêcher[2] [pɛ'ʃe] (1a) *v/t.* fish for; drag up (*a corpse*); *fig.* find, pick up; *v/i.*: *~ à la ligne* angle; **pêcherie** [pɛʃ'ri] *f* fishing-ground.

pêcheur, -eresse [pe'ʃœːr, peʃ'rɛs] **1.** *adj.* sinning; sinful; **2.** *su.* sinner.

pêcheur, -euse [pe'ʃœːr, ~'ʃøːz] **1.** *adj.* fishing; **2.** *su./m* fisherman; *su./f* fisherwoman.

pectoral, e, *m/pl.* **-aux** [pɛktɔ'ral, ~'ro] pectoral; cough-(*lozenge*, *syrup*).

péculat [peky'la] *m* embezzlement, peculation; **péculateur** [~la'tœːr] *m* embezzler, peculator.

pécule [pe'kyl] *m* savings *pl.*, F nest-egg; ✗, ⚓ gratuity.

pécuniaire [peky'njɛːr] pecuniary, financial.

pédagogie [pedagɔ'ʒi] *f* pedagogy; **pédagogique** [~gɔ'ʒik] pedagogic; **pédagogue** [~'gɔg] *su.* pedagogue.

pédale [pe'dal] *f* cycle, *a.* ♩: pedal; ⊕ treadle; *mot. ~ d'embrayage* clutch(-pedal); **pedaler** [peda'le] (1a) *v/i.* pedal; F cycle; **pédaleur** *m*, **-euse** *f* F [~'lœːr, ~'løːz] pedalist; cyclist; **pédalier** [~'lje] *m* cycle: crank-gear; ♩ pedal-board; **pédalo** F [~'lo] *m* pedal-craft.

pédant, e [pe'dã, ~'dãːt] **1.** *adj.* pedantic, priggish; **2.** *su.* pedant, prig; **pédanterie** [pedã'tri] *f* pedantry, priggishness; **pédantesque** [~'tɛsk] pedantic; **pédantisme** [~'tism] *m see* pédanterie.

pédestre [pe'dɛstr] pedestrian; **pé-**destrement** [~dɛstrə'mã] *adv.* on foot.

pédiatre ✚ [pe'djatr] *m* p(a)ediatrist; **pédiatrie** ✚ [~dja'tri] *f* p(a)ediatrics *pl.*

pédiculaire [pediky'lɛːr] pediculous, lousy; ✚ *maladie f ~* phthiriasis; **pédicule** *biol.* [~'kyl] *m* pedicle; **pédiculé, e** [~ky'le] pediculate.

pédicure [pedi'kyːr] *su.* chiropodist.

pédologie [pedɔlɔ'ʒi] *f subject*: child psychology.

pègre [pɛːgr] *f coll.* thieves *pl.*, underworld, *Am.* gangsterdom.

peignage *tex.* [pɛ'ɲaːʒ] *m* combing, carding; **peigne** [pɛɲ] *m* comb (*a.* ⊕); *shell-fish*: scallop, clam; *tex. wool*: card; *hemp*: hackle; *~ de chignon* back-comb; *se donner un coup de ~* run a comb through one's hair; **peigné, e** [pɛ'ɲe] **1.** *adj.* combed; *fig.* affected (*style*); *bien ~* trim; *mal ~* unkempt; **2.** *su./m tex.* worsted; *su./f tex.* cardful (*of wool etc.*); F *fig.* thrashing; **peigner** [~'ɲe] (1a) *v/t.* comb (*a. tex.*); *tex.* card (*wool*), hackle (*hemp*); polish (*one's style*); **peigneur, -euse** *tex.* [~'ɲœːr, ~'ɲøːz] *su.* wool-comber; *su./f* wool-combing machine; hackling-machine; **peignier** [~'ɲje] *m* comb-maker; ✝ comb-seller; **peignoir** [~'ɲwaːr] *m* (*lady's*) dressing-gown; morning wrapper; *~ de bain* bath-wrap; **peignures** [~'ɲyːr] *f/pl.* combings.

peinard, e F [pɛ'naːr, ~'nard] *adj.*: *être ~* be well off, *Am.* be well fixed; take things easy.

peindre [pɛ̃ːdr] (4m) *v/t.* paint; *~ au pistolet* spray (*with paint*); *fig. ~ en beau* paint (*things*) in rosy colo(u)rs; F *se ~* make up.

peine [pɛn] *f* punishment, penalty; pain; grief, sorrow; *fig.* trouble, difficulty; toil; ♂ *à ~* hardly, scarcely; *à grand-~* with difficulty; *en valoir la ~* be worth while; *être en ~ de* be at a loss to; *faire de la ~ à* hurt (*s.o.*); ⊕ *homme m de ~* labo(u)rer; *sous ~ de* under pain of; **peiner** [pɛ'ne] (1a) *v/t.* pain, hurt, grieve; *fig.* toil; *v/i.* toil; labo(u)r (*a. mot. engine*).

peintre [pɛ̃ːtr] *m* painter; artist; *~ en bâtiments* house: painter and decorator, house-painter; *femme f*

~ woman artist; **peinture** [pɛ̃'ty:r] *f*
painting; picture (*a. fig.*); paint;
~ *au pistolet* spray-painting; *prenez
garde à la* ~*!* wet paint!; **peinturer**
[⌣ty're] (1a) *v/t.* lay a coat of paint
on; **peinturlurer** F [⌣tyrly're] (1a)
v/t. daub (with colo[u]r); paint in
all the colo(u)rs of the rainbow.

péjoratif, -ve [peʒɔra'tif, ⌣'ti:v]
pejorative; disparaging; *au sens* ~
in a disparaging sense.

pékin [pe'kɛ̃] *m* F ⚔ civilian; F ⚔
en ~ in civvies.

pékiné, e *tex.* [peki'ne] candy-
striped.

pelade ⚕ [pə'lad] *f* alopecia.

pelage [pə'la:ʒ] *m* pelt, coat; wool,
fur; ⊕ removing the hair (from
skins); **pelé, e** [pə'le] **1.** *adj.* peeled
(*fruit, tree-bark*); bald (*person*);
2. *su.* F bald-pate, bald person.

pêle-mêle [pɛl'mɛl] **1.** *adv.* higgledy-piggledy, in confusion; helter-
skelter; **2.** *su./m/inv.* disorder, confusion, jumble.

peler [pə'le] (1d) *v/t.* ⊕ remove the
hair from (*skins*), unhair (*skins*); F
fig. strip (*s.o.*); *vt/i. a.* se ~ ⚕, *zo., a.*
⚘ peel.

pèlerin, e [pɛl'rɛ̃, ⌣'rin] *su.* pilgrim;
su./m orn. peregrine falcon; *icht.*
basking shark; *su./f cost.* cape;
pèlerinage [⌣ri'na:ʒ] *m* (place of)
pilgrimage; *aller en* ~ go on a pilgrimage.

pélican [peli'kɑ̃] *m orn.* pelican; ⊕
bench: holdfast. [coat.)

pelisse [pə'lis] *f* pelisse, fur-lined)

pellagre ⚕ [pɛl'la:gr] *f* pellagra.

pelle [pɛl] *f* ⊕ shovel, scoop; *oar:*
blade; (*child's*) spade; ~ *à poussière*
dust-pan; ⊕ ~ *mécanique* grab;
shovel-dredger; F *fig. ramasser une*
~ come a cropper (*off a horse, a. fig.*);
have a spill (*off a cycle*); **pelletée**
[⌣'te] *f* shovelful, spadeful; **pelleter** [⌣'te] (1c) *v/t.* shovel; turn with
a shovel.

pelleterie [pɛl'tri] *f* ⊕ fur-making;
♱ fur-trade; *coll.* peltry.

pelleteur *m*, **-euse** *f* [pɛl'tœ:r, ⌣'tø:z]
shovel excavator.

pelletier *m*, **-ère** *f* [pɛl'tje, ⌣'tjɛ:r]
furrier.

pelliculaire [pɛlliky'lɛ:r] pellicular
(*metal*); **pellicule** [⌣'kyl] *f* (thin)
skin; *phot., a. ice, oil:* film; *scalp:*
dandruff, scurf.

pelotage [pəlɔ'ta:ʒ] *m* string, wool,
etc.: winding into balls; *billiards:*
knocking the balls about; F cud-
dling; **pelote** [⌣'lɔt] *f* string, wool:
ball; *cotton-wool:* wad; (pin)cush-
ion; *game:* pelota; *fig. faire sa* ~
feather one's nest; make one's pile;
peloter [pəlɔ'te] (1a) *v/t.* wind
(*s.th.*) into a ball; F handle (*s.o.*)
roughly; F cuddle (*a girl*); F paw
(*a woman*); F flatter (*s.o.*); *v/i.*
knock the balls about; **peloton**
[⌣'tɔ̃] *m* string, wool: ball; ⚔ squad,
platoon; *fig. people:* group; *sp.
runners:* field, main body; ~ *d'exécution* firing squad *or* party; **pelotonner** [⌣tɔ'ne] (1a) *v/t.* wind (*s.th.*)
into a ball; se ~ curl up, roll o.s. up;
huddle together.

pelouse [pə'lu:z] *f* lawn; grass-plot;
turf, *a. golf:* green.

peluche *tex.* [pə'lyʃ] *f* plush; **pe-
lucher** [pəly'ʃe] (1a) *v/i.* become
fluffy; shed fluff; **pelucheux, -euse**
[⌣'ʃø, ⌣'ʃø:z] shaggy; fluffy.

pelure [pə'ly:r] *f fruit:* peel; *vegetable:* paring, peeling; *cheese:* rind;
F overcoat, outer garment(s *pl.*).

pénal, e, *m/pl.* **-aux** [pe'nal, ⌣'no]
penal; penalty (*clause*); **pénalisa-
tion** *sp.* [penaliza'sjɔ̃] *f* penalizing;
area: penalty; **pénalité** *sp., a.* ♫♫
[⌣'te] *f* penalty; **penalty** *foot.* [pe-
nal'ti] *m* penalty (kick).

pénates [pe'nat] *m/pl.* penates,
household gods; *fig.* home *sg.*

penaud, e [pə'no, ⌣'no:d] shame-
faced, abashed, crestfallen.

penchant, e [pɑ̃'ʃɑ̃, ⌣'ʃɑ̃:t] **1.** *adj.*
sloping, leaning; *fig.* declining;
2. *su./m* slope (*hill*)side; *fig.* inclination, propensity (to, for *à*), tendency; *fig.* fondness (for s.o., *pour
q.*); **pencher** [⌣'ʃe] (1a) *v/t.* bend
(*one's head*); tilt (*s.th.*); se ~ bend,
stoop over; slope; *v/i.* lean, bend;
fig. incline, be inclined (to, *vers*).

pendable [pɑ̃'dabl] meriting the
gallows; *fig.* outrageous; **pendaison**
[dɛ'zɔ̃] *f death:* hanging; **pendant,
e** [⌣'dɑ̃, ⌣'dɑ̃:t] **1.** *adj.* hanging;
lop-(*ears*); flabby (*cheeks*); ♫♫ pending; **2.** *su./m* pendant; *fig.* fellow,
counterpart; **3.** *pendant prp.* during; for (2 *days,* 3 *miles*); ~ *que*
while, whilst; **pendard, e** F [⌣'da:r,
⌣'dard] *su.* gallows-bird; rogue;
su./f hussy.

pendeloque [pãd'lɔk] *f* ear-drop; F *cloth*: shred; ~s *pl.* pendants; *chandelier*: drops; **pendentif** [pã-dã'tif] *m necklace, a. ⚡*: pendant; △ pendentive; en ~ hanging; **penderie** [~'dri] *f* hanging-wardrobe; ⊕ drying-house (*for skins*).

pendiller [pãdi'je] (1a) *v/i.* dangle.

pendre [pã:dr] (4a) *vt/i.* hang (on, from *à*); **pendu, e** [pã'dy] **1.** *p.p.* of *pendre*; **2.** *adj.* hanged; hanging (on, from *à*); **3.** *su.* person who has been hanged *or* who has hanged himself.

pendulaire [pãdy'lɛ:r] swinging, pendular (*motion*); **pendule** [~'dyl] *su./m phys. etc.* pendulum; *su./f* clock; **pendulette** [~dy'lɛt] *f* small clock.

pêne [pɛ:n] *m lock*: bolt; latch.

pénétrable [pene'trabl] penetrable; **pénétrant, e** [~'trã, ~'trã:t] penetrating; keen (*glance, intelligence, wind*); pervasive (*smell*); acute (*person*); **pénétration** [~tra'sjɔ̃] *f* penetration (*a. fig.*); *fig.* insight, shrewdness; **pénétrer** [~'tre] (1f) *v/t.* penetrate; *fig.* fathom (*a secret*); permeate (with, *de*); *v/i.* penetrate; enter; force one's way.

pénible [pe'nibl] painful; hard, laborious.

péniche ⚓ [pe'niʃ] *f* barge; lighter; ✕ ~ de débarquement landing-craft.

pénicillé, e [penisil'le] penicillate; **pénicilline** ⚕ [~'lin] *f* penicillin.

péninsulaire [penɛ̃sy'lɛ:r] peninsular; **péninsule** *geog.* [~'syl] *f* peninsula.

pénis *anat.* [pe'nis] *m* penis.

pénitence [peni'tã:s] *f* penitence, repentance; *eccl.* penance; *mettre q. en ~ school*: make s.o. stand in the corner; **pénitencerie** *eccl.* [~tãs'ri] *f* penitentiary(ship); **pénitencier** [~tã'sje] *m eccl.*, ⚖ penitentiary; ⚖ reformatory; **pénitent, e** [~tã, ~'tã:t] *adj., a. su.* penitent; **pénitentiaux** [~tã'sjo] *adj./m/pl.* penitential (*psalms*); **pénitentiel, -elle** [~tã'sjɛl] penitential; (*works*) of penance.

pennage [pɛn'na:ʒ] *m* plumage.

penne¹ ⚓ [pɛn] *f* peak.

penne² [pɛn] *f* quill-feather; wing-feather, tail-feather; *arrow*: feather; *tex.* warp end; **penné, e** ⚡ [pɛ'ne]

pennate, pinnate; pennon [~'nɔ̃] *m* pennon; *arrow*: feather.

pénombre [pe'nɔ̃:br] *f* half-light; penumbra; obscurity (*a. fig.*).

pensant, e [pã'sã, ~'sã:t] thinking; *mal ~* heretical; uncharitable; *see bien-pensant.*

pensée¹ ♀ [pã'se] *f* pansy.

pensée² [pã'se] *f* thought; idea; *fig.* mind; intention; **penser** [~'se] (1a) *v/i.* think (of, *à*); remember; intend; *fig.* expect; *faire ~* remind (s.o. of s.th., *q. à qch.*); *pensez à faire cela* don't forget to do this; *sans y ~* thoughtlessly; *v/t.* think, believe, consider; *elle pense venir* she means to come; *qu'en pensez-vous?* what do you think of it?; **penseur** [~'sœ:r] *m* thinker; *libre ~* free-thinker; **pensif, -ve** [~'sif, ~'si:v] pensive, thoughtful.

pension [pã'sjɔ̃] *f* pension, allowance; boarding-house; boarding-school; (charge for) board and lodging; ~ *alimentaire* maintenance allowance; **pensionnaire** [pãsjɔ-'nɛ:r] *su.* pensioner; *boarding-house, school*: boarder; resident; ✶ inmate; **pensionnat** [~'na] *m* boarding-school; *school*: hostel; *coll.* boarders *pl.*; **pensionner** [~'ne] (1a) *v/t.* pension off.

pensum [pɛ̃'sɔm] *m school*: imposition.

pent(a)... [pɛ̃t(a)] pent(a)...; five...; **pentathlon** *sp.* [pɛ̃ta'tlɔ̃] *m* pentathlon.

pente [pã:t] *f* slope, incline; gradient; *river*: fall; △ *roof*: pitch; *fig.* bent, propensity.

Pentecôte [pãt'ko:t] *f* Whitsun (-tide); Pentecost; *dimanche m de la ~* Whit Sunday.

pénultième [penyl'tjɛm] **1.** *adj.* penultimate; **2.** *su./f gramm.* penult, last syllable but one.

pénurie [peny'ri] *f* shortage, scarcity; *fig.* poverty, need.

pépère F [pe'pɛ:r] *m* quiet old fellow; *ch.sp.* granddad.

pépie [pe'pi] *f disease of birds*: pip; F *fig. avoir la ~* have a permanent thirst.

pépiement [pepi'mã] *m* chirp(ing), cheep(ing); **pépier** [~'pje] (1o) *v/i.* chirp, cheep.

pépin [pe'pɛ̃] *m fruit*: pip; F snag; F umbrella, F brolly; *sl. avoir un ~*

pour be in love with, F be smitten by; **pépinière** [pepi'njɛ:r] *f* 🗡 seed-bed; 🗡, *a. fig.* nursery; **pépiniériste** [ʌnje'rist] *m* nurseryman.

pépite [pe'pit] *f gold*: nugget.

pepsine 🔒 [pep'sin] *f* pepsin.

péquin F 🗙 [pe'kɛ̃] *m see* pékin.

perçage [pɛr'sa:ʒ] *m* piercing, boring; *cask*: tapping.

percale *tex.* [pɛr'kal] *f* cambric; percale; **percaline** [ʌka'lin] *f tex.* percaline; calico; *bookbinding*: cloth.

perçant, e [pɛr'sɑ̃, ʌ'sɑ̃:t] piercing, penetrating, keen (*cold, mind, etc.*); **perce** [pɛrs] *f* ⊕ borer, drill; ♪ *flute*: hole; en ʌ broached (*cask*); mettre en ʌ broach; **perce-bois** zo. [ʌ'bwa] *m/inv.* wood-borer; **percée** [pɛr'se] *f* opening; 🗙 break-through; *metall.* tap-hole; *furnace*: tapping; **percement** [ʌsə'mɑ̃] *m* piercing; boring; perforation; opening; **perce-neige** 🌿 [pɛrs'nɛ:ʒ] *f/inv.* snowdrop; **perce-oreille** zo. [pɛrsɔ'rɛ:j] *m* earwig.

percepteur, -trice [pɛrsɛp'tœ:r, ʌ'tris] 1. *adj.* perceiving; 2. *su./m* collector of taxes; **perceptibilité** [ʌtibili'te] *f* perceptibility; *sound*: audibility; *tax*: liability to collection; **perceptible** [ʌ'tibl] perceptible; audible (*sound*); collectable, collectible (*tax*); **perceptif, -ve** [ʌ'tif, ʌ'ti:v] perceptive; **perception** [ʌ'sjɔ̃] *f* perception; *admin.* taxes, *etc.*: collection; collectorship (of taxes).

percer [pɛr'se] (1k) *v/t.* pierce; *fig.* penetrate; break through; perforate; make a hole in (*a wall etc.*); broach (*a cask*); sink (*a well*); ⊕ drill, punch; 🗡 lance (*an abscess*); *v/i.* pierce; come through; **perceur, -euse** [ʌ'sœ:r, ʌ'sø:z] *su.* borer; driller; puncher; *su./f* drill (-ing-machine).

percevable [pɛrsə'vabl] perceivable; leviable (*tax*); **percevoir** [ʌ'vwa:r] (3a) *v/t.* perceive; hear (*a sound*); collect (*taxes, fares, etc.*).

perche¹ *icht.* [pɛrʃ] *f* perch.

perche² [pɛrʃ] *f* pole; *plough*: beam; F lanky individual; F *fig.* helping hand; 🚋 *tram*: trolley-arm; *sp.* saut *m* à la ʌ pole-jump(ing); **percher** [pɛr'ʃe] (1a) *v/i. a.* se ʌ perch, roost; F *fig.* live; **percheur, -euse** [ʌ'ʃœ:r, ʌ'ʃø:z] perching, roosting; *oiseau m*

ʌ percher; **perchis** 🗡 [ʌ'ʃi] *m* pole-plantation; **perchoir** [ʌ'ʃwa:r] *m* perch, roost.

perclus, e [pɛr'kly, ʌ'kly:z] anchylosed; stiff; lame.

perçoir ⊕ [pɛr'swa:r] *m* punch, drill; gimlet.

percolateur [pɛrkɔla'tœ:r] *m coffee*: percolator.

percussion [pɛrky'sjɔ̃] *f* 🗙, ♪, *⌀ gun*: percussion; **percutant, e** [ʌ'tɑ̃, ʌ'tɑ̃:t] percussive; **percuter** [ʌ'te] (1a) *v/t.* strike, tap; 🗡 sound; *v/i.* 🗙, *mot.*, *etc.* crash (into, contre); **percuteur** [ʌ'tœ:r] *m* fuse, *gun*: hammer; *fuse*: plunger.

perdable [pɛr'dabl] losable; **perdant, e** [ʌ'dɑ̃, ʌ'dɑ̃:t] 1. *adj.* losing; billet *m* ʌ ticket: blank; 2. *su.* loser; **perdition** [ʌdi'sjɔ̃] *f eccl.* perdition; ⚓ en ʌ sinking; in distress; **perdre** [pɛrdr] (4a) *v/t.* lose; waste (*time, pains*); get rid of; be the ruin of; ʌ la pratique get out of practice; ʌ q. de vue lose sight of s.o.; je m'y perds I can't make head or tail of it; se ʌ be lost; disappear; lose one's way; ⊕ be wasted; *v/i.* lose; fig. deteriorate, retrograde.

perdreau [pɛr'dro] *m orn.* young partridge; *cuis.* partridge; **perdrix** *orn.* [ʌ'dri] *f* partridge.

perdu, e [pɛr'dy] 1. *p.p. of* perdre; 2. *adj.* lost; *fig.* ruined; ⊕, △ sunk; *phys.* idle (*motion*); 🗙 stray (*bullet*); loose (*woman*); spare (*time*); à corps ʌ desperately; recklessly; crier comme un ʌ shout like a madman; reprise *f* ʌe invisible darn.

père [pɛ:r] *m* father (*a. fig.*); *eccl.* 2 Father; ʌs *pl.* forefathers; ʌ de famille paterfamilias; ʌ spirituel father confessor; F le ʌ ... old ...; *Dumas* ʌ Dumas Senior; ses ʌ et mère his parents.

pérégrination [peregrina'sjɔ̃] *f* peregrination.

péremption 🏛 [perɑ̃p'sjɔ̃] *f* striking out of an action by reason of failure to comply with a time-limitation; **péremptoire** [ʌ'twa:r] peremptory (*tone, a.* 🏛 *exception*); decisive (*argument*); 🏛 strict (*time-limit*).

pérennité [perenni'te] *f* everlastingness.

péréquation *admin.* [perekwa'sjɔ̃] *f* equalization; standardizing.

perfectibilité [pɛrfɛktibili'te] *f* perfectibility; **perfectible** [~'tibl] perfectible; **perfection** [~'sjɔ̃] *f* perfection; *à* (*or dans*) *la* ~ to perfection; **perfectionnement** [~sjɔn-'mɑ̃] *m* improvement; perfecting; **perfectionner** [~sjɔ'ne] (1a) *v/t.* improve; perfect.

perfide [pɛr'fid] false; treacherous (to, *envers*); perfidious; **perfidie** [~fi'di] *f* perfidy, (act of) treachery.

perforage ⊕ [pɛrfɔ'ra:ʒ] *m see* perforation; **perforateur, -trice** [~ra-'tœ:r, ~'tris] **1.** *adj.* perforating; **2.** *su./m* perforator; punch; *su./f* ⊕ rock-drill, borer; **perforation** [~ra'sjɔ̃] *f* perforation (*a.* ✻); drilling; *mot. etc.* puncture, puncturing; **perforer** [~'re] (1a) *v/t.* perforate; ⊕ drill, bore through; punch (*leather, paper*); *mot.* puncture; **perforeuse** [~'rø:z] *f* perforating machine.

performance *sp.* [pɛrfɔr'mɑ̃:s] *f* performance.

pergola [pɛrgɔ'la] *f* pergola.

péri... [peri] peri...; ~**carde** anat. [~'kard] *m* pericardium; ~**cardique** ✻ [~kar'dik] pericardial; ~**cardite** ✻ [~kar'dit] *f* pericarditis; ~**carpe** ♀ [~'karp] *m* pericarp, seed-vessel.

péricliter [perikli'te] (1a) *v/i.* be in jeopardy *or* F in a bad way.

péril [pe'ril] *m* peril, danger; risk; *au* ~ *de* at the risk of; **périlleux, -euse** [~ri'jø, ~'jø:z] perilous, dangerous.

périmé, e [peri'me] out-of-date; expired (*ticket etc.*); ⚖ barred by limitation.

périmètre [peri'mɛtr] *m* ⚖ perimeter; *fig.* sphere.

périnée anat. [peri'ne] *m* perineum.

période [pe'rjɔd] *su./f* time, *a. astr.*, *geol.*, *gramm.*, ✻, *a. phys. wave*: period; ✻ phase; ♪ phrase; age, era, epoch; *su./m poet.* point; zenith; **périodicité** [perjɔdisi'te] *f* periodicity; **périodique** [~'dik] **1.** *adj.* periodic(al); intermittent; ✻ recurrent (*fever*); **2.** *su./m* periodical.

péri...: ~**oste** anat. [pe'rjɔst] *m* periosteum; ~**ostite** ✻ [~rɔs'tit] *f* periostitis; ~**pétie** [peripe'si] *f* sudden change; ~**s** *pl.* vicissitudes; ~**phérie** [~fe'ri] *f* ⚖ periphery, circumference; *town*: outskirts *pl.*; ~**phéri-**

que [~ʃe'rik] ⚖ peripheral; outlying (*district etc.*); ~**phrase** gramm. [~'fra:z] *f* periphrasis; circumlocution; *par* ~ periphrastically; ~**phrastique** gramm. [~fras'tik] periphrastic.

périr [pe'ri:r] (2a) *v/i.* perish, die; ⚓ be wrecked, be lost.

périscope [peris'kɔp] *m* periscope; **périscopique** [~kɔ'pik] periscopic.

périssable [peri'sabl] perishable; **périssoire** [~'swa:r] *f* canoe.

péri...: ~**style** ⚖ [peris'til] *m* peristyle; *eccl.* cloisters *pl.*; ~**toine** anat. [peri'twan] *m* periton(a)eum; ~**tonite** ✻ [~tɔ'nit] *f* peritonitis.

perle [pɛrl] *f* pearl (*a. typ.*); bead (*a. fig. of dew*); *fig.* maid, wife, *etc.*: jewel; F *school*: howler; **perlé, e** [pɛr'le] set with pearls; *fig.* pearly; ♪ *etc.* exquisitely executed; **perler** [~'le] (1a) *v/t.* pearl (*an article, a. barley*); set with pearls; ♪ *etc.* execute perfectly; *v/i.* stand in beads (*sweat*); bead (*sugar*); **perlier, -ère** [~'lje, ~'lje:r] pearl-bearing; pearl-...

perlimpinpin [pɛrlɛ̃pɛ̃'pɛ̃] *m*: *poudre f de* ~ quack powder; *fig.* nonsense, F bunkum.

permanence [pɛrma'nɑ̃:s] *f* permanence; office *etc.* always open to the public; *en* ~ permanently; **permanent, e** [~'nɑ̃, ~'nɑ̃:t] **1.** *adj.* permanent; *fig.* lasting; *admin.* standing (*committee, order*); *cin.* non-stop (*performance*); **2.** *su./f* permanent wave, F perm.

perméable *phys.* [pɛrme'abl] permeable, pervious.

permettre [pɛr'mɛtr] (4v) *v/t.* permit, allow; authorize; *se* ~ (*inf.*) venture to (*inf.*), take the liberty of (*ger.*); **permis, e** [~'mi, ~'mi:z] **1.** *p.p.* of permettre; **2.** *adj.* permitted, allowed, lawful; **3.** *su./m* permit; licence; *mot.* ~ *de conduire* driving-licence; ~ *de séjour* residence permit; **permission** [~mi-'sjɔ̃] *f* permission; ✕, ⚓ leave (of absence); ✕ ~ *de détente* furlough after strenuous service; **permissionnaire** [~misjɔ'nɛ:r] *m* permit-holder; ✕ soldier on leave; ⚓ liberty man.

permutable [pɛrmy'tabl] interchangeable; **permutation** [~ta'sjɔ̃] *f* exchange of posts; ⚖ *etc.* permutation; **permuter** [~'te] (1a) *v/t.*

exchange (*posts etc.*); ✂ change over; ⅋ *etc.* permute; *v/i.* exchange posts (with, *avec*).

pernicieux, -euse [pɛrni'sjø, ~'sjø:z] pernicious, injurious.

péronnelle [perɔ'nɛl] *f* pert hussy.

péroraison [perɔrɛ'zɔ̃] *f* peroration; **pérorer** [~'re] (1a) *v/i.* hold forth; F speechify.

peroxyde ⚗ [perɔk'sid] *m* peroxide.

perpendiculaire [perpɑ̃diky'lɛːr] upright; ⅋ perpendicular (to, *à*) (*a.* △ *style*).

perpétration [perpetra'sjɔ̃] *f* perpetration; **perpétrer** [~'tre] (1f) *v/t.* perpetrate, commit.

perpétuel, -elle [perpe'tɥɛl] perpetual, everlasting; for life; **perpétuer** [~'tɥe] (1n) *v/t.* perpetuate; **perpétuité** [~tɥi'te] *f* perpetuity; *à ~ in* perpetuity; for life (🏛 *sentence*).

perplexe [per'plɛks] perplexed (*person*); perplexing (*situation*); **perplexité** [~plɛksi'te] *f* perplexity.

perquisition 🏛 [perkizi'sjɔ̃] *f* search; *~ domiciliaire* search of a house; **perquisitionner** [~sjɔ-'ne] (1a) *v/i.* (carry out a) search.

perron △ [pɛ'rɔ̃] *m* front steps *pl.*

perroquet [perɔ'kɛ] *m orn.* parrot; ⚓ *sail:* topgallant; **perruche** [~'ryʃ] *f orn.* parakeet; hen-parrot; ⚓ mizzen topgallant sail.

perruque [pɛ'ryk] *f* wig; F *fig. vieille ~* fogey; **perruquier** † [~ry-'kje] *m* wig-maker; barber.

persan, e [per'sɑ̃, ~'san] **1.** *adj.* Persian; **2.** *su./m ling.* Persian; *su.* ♀ Persian; **perse** *tex.* [pers] *f* chintz.

persécuter [perseky'te] (1a) *v/t.* persecute; F *fig.* harass; **persécuteur, -trice** [~'tœːr, ~'tris] **1.** *adj.* persecuting; *fig.* troublesome; **2.** *su.* persecutor; **persécution** [~'sjɔ̃] *f* persecution; *fig.* importunity.

persévérance [perseve'rɑ̃:s] *f* perseverance (in *ger.*, *à inf.*); **persévérant, e** [~'rɑ̃, ~'rɑ̃:t] persevering (in *ger.*, *à inf.*); dogged (*work*); **persévérer** [~'re] (1f) *v/i.* persevere.

persienne [per'sjɛn] *f* Venetian blind; slatted shutter.

persiflage [persi'fla:ʒ] *m* banter; **persifler** [~'fle] (1a) *v/t.* banter; talk at (*s.o.*); **persifleur, -euse** [~-'flœːr, ~'flø:z] **1.** *adj.* bantering, derisive; **2.** *su.* banterer; scoffer.

persil ♀ [per'si] *m* parsley; **persillade** *cuis.* [~si'jad] *f* beef salad with parsley-sauce; **persillé, e** [~si'je] blue(-moulded) (*cheese*); spotted with green; marbled (*meat*).

persistance [persis'tɑ̃:s] *f* persistence (in *ger.*, *à inf.*); ⚛, *a. fig.* continuance; **persistant, e** [~'tɑ̃, ~-'tɑ̃:t] persistent (*a.* ♀ *leaves*); dogged (*effort*); *fig.* lasting; steady (*rain*); **persister** [~'te] (1a) *v/i.* persist (in s.th., *dans qch.*; in *ger.*, *à inf.*); *la pluie persiste* it keeps on raining.

personnage [persɔ'na:ʒ] *m* personage; person of distinction; *thea. etc.* character; *pej.* individual, person; **personnalité** [~nali'te] *f* personality; person of distinction; *fig. ~s pl.* personal remarks, personalities; **personne** [per'sɔn] **1.** *su./f* person (*a. gramm.*); one's self; body, appearance; 🏛 *~ morale* corporate body, artificial person; *jeune ~* young lady; **2.** *pron./indef./m/inv.* anybody, anyone; (*with negative*) not anyone, nobody; *qui l'a vu? ~!* who saw him? no one!; **personnel, -elle** [persɔ'nɛl] **1.** *adj.* personal (*a.* 🏛, *gramm.*); selfish, self-(*interest etc.*); not transferable (*ticket*); **2.** *su./m* staff, personnel; ⚓ complement; 🎖 *~ à terre* (*or rampant*) ground staff *or* crew; *~ enseignant* school: staff, *univ.* academic staff, *Am.* faculty; **personnification** [~nifika'sjɔ̃] *f* personification; impersonation; **personnifier** [~ni-'fje] (1o) *v/t.* personify; impersonate.

perspectif, -ve [perspek'tif, ~'ti:v] **1.** *adj.* perspective; **2.** *su./f* perspective; *fig.* outlook, prospect; vista; *en ~* in view.

perspicace [perspi'kas] shrewd, perspicacious; **perspicacité** [~ka-si'te] *f* perspicacity, shrewdness, insight.

persuader [persɥa'de] (1a) *v/t.* persuade, convince; *~ qch. à q.* make s.o. believe s.th.; **persuasif, -ve** [~'zif, ~'zi:v] persuasive; insinuating; **persuasion** [~'zjɔ̃] *f* persuasion; conviction.

perte [pert] *f* loss, ruin; waste; leakage; ⚔ *~s pl.* casualties; ✂ *~ à la terre* earth-leakage; 🎖 *~ de sang* h(a)emorrhage; ♱ *à ~* at a loss; *à ~ de*

vue as far as the eye can see; F *fig.*
endlessly; *en pure* ~ to no purpose;
être en ~ *de 10 F* be 10 francs down
or out of pocket.

pertinence [pɛrti'nɑ̃:s] *f* pertinence,
relevance; **pertinent, e** [~'nɑ̃, ~-
'nɑ̃:t] pertinent, relevant.

pertuis [pɛr'tɥi] *m* sluice; *metall.*
tap-hole; *geog.* channel; *river*: narrows *pl.*; *geog.* pass.

perturbateur, -trice [pɛrtyrba-
'tœ:r, ~'tris] 1. *adj.* disturbing;
2. *su.* disturber; interferer; **perturbation** [~'sjɔ̃] *f* perturbation, agitation; ~s *pl. atmosphériques radio*:
atmospherics.

péruvien, -enne [pery'vjɛ̃, ~'vjɛn]
adj., a. su. ♀ Peruvian.

pervenche ♀ [pɛr'vɑ̃:ʃ] *f* periwinkle.

pervers, e [pɛr'vɛ:r, ~'vɛrs] 1. *adj.*
perverse; evil; 2. *su.* evil-doer; ✗
pervert; **perversité** [~vɛrsi'te] *f*
perversity; **pervertir** [~vɛr'ti:r]
(2a) *v/t.* corrupt; pervert.

pesade [pə'zad] *f horsemanship*:
pesade, rearing.

pesage [pə'za:ʒ] *m* weighing; *turf*:
weighing-in; weighing-in room;
paddock; **pesamment** [~za'mɑ̃]
adv. of pesant ≠ **pesant, e** [~'zɑ̃,
~'zɑ̃:t] 1. *adj.* heavy; *fig.* ponderous
(*style*); *fig.* dull (*mind*); 2. *su./m*
weight; **pesanteur** [~zɑ̃'tœ:r] *f*
weight; *phys.* gravity; heaviness;
fig. clumsiness; *fig.* dullness.

pèse... [pɛz] ...ometer; ...-scales
pl.; **~-bébé** [~be'be] *m* baby-scales
pl.

pesée [pə'ze] *f* weighing; force,
leverage; *faire la* ~ *de* weigh (*s.th.*);
pèse-lait [pɛz'lɛ] *m/inv.* lactometer, milk-ga(u)ge; **pèse-lettre** [~-
'lɛtr] *m* letter-balance, letter-scales
pl.; **peser** [pə'ze] (1d) *v/t.* weigh;
take into consideration; *v/i. fig.* lie
or weigh heavy (on, *sur*); ~ *sur* lay
stress on (*a word*); bear on
(*a lever*); **pesette** [~'zet] *f* assay-
scales *pl.*; **peseur** *m*, **-euse** *f* [~-
'zœ:r, ~'zø:z] weigher; **peson** [~'zɔ̃]
m balance.

pessimisme [pesi'mism] *m* pessimism; **pessimiste** [~'mist] 1. *adj.*
pessimistic; 2. *su.* pessimist.

peste [pɛst] *f* plague (*a. fig.*), pestilence; F *fig.* pest, nuisance; F ~!
confound it!; *vet.* ~ *bovine* cattle-

plague; ✗ ~ *bubonique* bubonic
plague, *hist.* Black Death; ~ *soit de
lui* a plague on him!; **pester** [pɛs-
'te] (1a) *v/i.* rave, storm (at, *contre*);
pestiféré, e [pɛstife're] 1. *adj.*
plague-stricken; 2. *su.* plague-
stricken person; **pestilence** ✗ †
[~'lɑ̃:s] *f* pestilence; **pestilentiel,
-elle** [~lɑ̃'sjɛl] pestilential.

pet [pɛ] *m* V fart; *cuis.* ~-de-nonne
doughnut, fritter.

pétale ♀ [pe'tal] *m* petal.

pétarade [peta'rad] *f fireworks*:
crackle; *mot.* back-fire; ✗ random
firing; **pétard** [~'ta:r] *m* ✗ shot;
🚂 detonator; *firework*: cracker; F
sensational news; *sl.* backside, bum;
F *faire du* ~ kick up a row; **péter**
[~'te] (1f) *v/i.* crack (*fire, gun*); pop
(*cork*); V fart; **pétiller** [~ti'je] (1a)
v/i. crackle (*fire etc.*); sparkle (*champagne, eyes*); *fig.* scintillate (with
wit, *d'esprit*).

petiot, e F [pə'tjo, ~'tjɔt] 1. *adj.* tiny,
little; 2. *su./m* little boy; *su./f*
little girl.

petit, e [pə'ti, ~'tit] 1. *adj.* small,
little; slight (*sound*); minor (*nobility, subject*); *school*: lower (*forms*);
tight (*shoes*); short; young (*a. zo.*);
petty, trifling; *pej.* mean; ~ *à* ~
little by little; ~e *industrie* smaller
industries *pl.*; ~es *gens pl.* humble
people; 2. *su.* child, kid; *zo.* cub,
young; **~e-fille**, *pl.* **~es-filles** [~tit-
'fi:j] *f* granddaughter; **~e-nièce**,
pl. **~es-nièces** [~tit'njɛs] *f* grand-
niece; **petitesse** [~ti'tɛs] *f* smallness, littleness; *pej.* meanness, pettiness; mean trick; **petit-fils**, *pl.*
petits-fils [~ti'fis] *m* grandson;
petit-gris, *pl.* **petits-gris** [~ti'gri]
m zo. miniver; ✝ *fur*: squirrel.

pétition [peti'sjɔ̃] *f* petition; **pétitionnaire** [~sjɔ'nɛ:r] *su.* petitioner;
pétitionner [~sjɔ'ne] (1a) *v/i.*
petition.

petit...: **~-lait**, *pl.* **~s-laits** [pəti'lɛ]
m whey; **~-maître**, *pl.* **~s-maîtres**
[~'mɛːtr] *m* fop; **~-nègre** F [~'nɛːgr]
m: *parler* ~ talk pidgin; **~-neveu**,
pl. **~s-neveux** [~nə'vø] *m* grand-
nephew; **~s-enfants** [~zɑ̃'fɑ̃] *m/pl.*
grandchildren; **~-suisse**, *pl.* **~s-
suisses** *cuis.* [~'sɥis] *m* small cream
cheese.

peton *ch.sp.* [pə'tɔ̃] *m* tiny foot.

pétrel *orn.* [pe'trɛl] *m* petrel.

pétrification [petrifika'sjɔ̃] f petri-
faction; **pétrifier** [ʌ'fje] (1o) v/t.
petrify; F dumbfound; se ~ petrify.

pétrin [pe'trɛ̃] m kneading-trough;
F fig. mess; F dans le ~ in a hole, in
the cart; **pétrir** [ʌ'triːr] (2a) v/t.
knead; mo(u)ld (clay, a. s.o.'s mind);
pétrissage [petri'saːʒ] m kneading; clay, a. fig. mind: mo(u)lding;
pétrisseur, -euse [ʌ'sœːr, ʌ'søːz]
su. kneader; su./f kneading-ma-
chine.

pétrole [pe'trɔl] m petroleum; mineral oil; paraffin, Am. kerosene; ~
brut crude oil; puits m de ~oil-well;
pétrolier, -ère [petro'lje, ʌ'ljeːr]
1. adj. oil-...; 2. su./m (a. navire m
~) tanker; **pétrolifère** [ʌli'fɛːr]
oil-bearing; oil-(belt, field, well).

pétulance [pety'lɑ̃ːs] f liveliness;
horse: friskiness; **pétulant, e** [ʌ'lɑ̃,
ʌ'lɑ̃ːt] lively; frisky (horse).

peu [pø] 1. adv. little; few; before
adj.: un-..., not very; ~ à ~ bit by
bit, little by little; ~ de little (bread
etc.), few (people, things, etc.); ~ de
chose nothing much; ~ d'entre eux
few of them; à ~ près approximately, nearly; depuis ~ of late;
pour ~ que (sbj.) however little (ind.),
if ever (ind.); quelque ~ rather,
slightly; sous (or dans) ~ before long;
tant soit ~ ever so little, a little bit;
viens un ~! come here!; 2. su./m
little, bit; want, lack; le ~ de ... the
little ..., the lack of ...; un ~ de
a bit of.

peuplade [pœ'plad] f small tribe,
people; **peuple** [pœpl] m people;
nation; **peupler** [pœ'ple] (1a) v/t.
populate (with, de); stock (with animals etc.); fig. fill; se ~ become
populated; fill up with people; v/i.
multiply, breed.

peuplier ♀ [pœpli'e] m poplar.

peur [pœːr] f fear, dread; avoir ~
be afraid; de ~ de (faire) qch. for
fear of (doing) s.th.; de ~ que ...
(ne) (sbj.) for fear of (ger.); faire ~ à
frighten (s.o.); **peureux, -euse**
[pœ'rø, ʌ'røːz] fearful; timid.

peut-être [pø'tɛːtr] adv. perhaps,
maybe; **peuvent** [pœːv] 3rd p. pl.
pres. of pouvoir 1; **peux** [pø] 1st p.
sg. pres. of pouvoir 1.

phalange [fa'lɑ̃ːʒ] f anat., a. ♀
phalanx; fig. host.

phalène zo. [fa'lɛn] f moth.

phanérogame ♀ [faner'gam] 1.
adj. phanerogamic; 2. su./f phan-
erogam.

phare [faːr] m lighthouse; ⚓, ✠
beacon; ⛴, mot. headlight, head-
lamp; mot. ~-code regulation or
anti-dazzle headlight; mot. baisser
les ~s dim or dip the headlights.

pharisaïque [fariza'ik] pharisaic(al);
pharisaïsme [ʌza'ism] m phari-
saism (a. fig.); **pharisien** [ʌ'zjɛ̃] m
pharisee (a. fig.); fig. self-righteous
person; fig. hypocrite.

pharmaceutique [farmasø'tik]
1. adj. pharmaceutic(al); 2. su./f
pharmaceutics sg.; **pharmacie** [ʌ-
'si] f pharmacy; chemist's (shop),
Am. drugstore; medicine-chest;
pharmacien m, **-enne** f [ʌ'sjɛ̃,
ʌ'sjɛn] chemist, Am. druggist;
pharmacologie [ʌkɔlɔ'ʒi] f phar-
macology; **pharmacopée** [ʌkɔ'pe]
f pharmacopoeia.

phase [faːz] f phase (a. ✶, ⚡, fig.).

phénicien, -enne [feni'sjɛ̃, ʌ'sjɛn]
1. adj. Phoenician; 2. su./m ling.
Phoenician; su. ♀ Phoenician.

phénique ⚗ [fe'nik] adj.: acide m ~
= **phénol** ⚗ [ʌ'nɔl] m phenol,
carbolic acid.

phénomène [feno'mɛn] m phenom-
enon; fig. wonder; freak.

philanthrope [filɑ̃'trɔp] su. philan-
thropist.

philatélie [filate'li] f stamp-collect-
ing, philately; **philatéliste** [ʌ'list]
su. stamp-collector, philatelist.

philippique [fili'pik] f philippic.

Philistin [filis'tɛ̃] m Philistine (a.
fig.).

phil(o)... [fil(ɔ)] phil(o)...

philo...: **~logie** [filolɔ'ʒi] f philology;
~logue [ʌ'lɔg] su. philologist; **~-
sophe** [ʌ'zɔf] 1. su. philosopher;
2. adj. philosophical; **~sophie** [ʌ-
zɔ'fi] f philosophy; faire sa ~ be in
the philosophy class (= [approx.]
lower 6th form); **~sophique** [ʌzɔ-
'fik] philosophic(al).

philtre [filtr] m philtre.

phlébite ✚ [fle'bit] f phlebitis.

phobie ✚ [fɔ'bi] f phobia.

phonétique [fone'tik] 1. adj. phonetic; 2. su./f phonetics pl.; **phonique** [ʌ'nik] phonic; sound(signal).

phonographe [fɔnɔ'graf] m, F
phono [ʌ'no] m gramophone,
record-player; phonograph.

phoque [fɔk] *m* zo. seal; ✝ sealskin.

phosphate , ✍ [fɔs'fat] *m* phosphate; **phosphore** [~'fɔːr] *m* phosphorus; **phosphoré, e** [fɔsfɔ-'re] containing phosphorus, phosphorated, phosphuretted (*hydrogen*); **phosphorescence** [~ɛ'sɑ̃ːs] *f* phosphorescence; **phosphorescent, e** [~ɛ'sɑ̃, ~'sɑ̃ːt] phosphorescent; **phosphoreux, -euse** [~'rø, ~'røːz] phosphorous; **phosphorique** [~'rik] *adj./m* phosphoric; **phosphorite** *min.* [~'rit] *f* phosphorite; **phosphure** [fɔs-'fyːr] *m* phosphide; **phosphuré, e** [~fy're] phosphuretted.

photo F [fɔ'to] *f* photograph, F photo; **faire de la ~** go in for photography.

photo... [fɔtɔ] photo...; **~calque** ⊕ [~'kalk] *m* blue print; **~chimie** [~ʃi'mi] *f* photochemistry; **~chromie** [~krɔ'mi] *f* colo(u)r photography; photochromy; **~copie** [~kɔ'pi] *f* photocopy; **~électrique** *phys.* [~elɛk'trik] photo-electric; **~gène** *phys.* [~ʒɛn] photogenic; **~génique** [~ʒe'nik] *actinic cin., phot.* photogenic; **~graphe** [~'graf] *m* photographer; **~graphie** [~gra'fi] *f* photograph, F photo; photography; **~ aérienne** aerial photography; **~graphier** [~gra'fje] (1o) *v/t.* take a photo(graph) of; **se faire ~** have one's photo(graph) taken; **~graphique** [~gra'fik] photographic; *appareil m ~* camera; *~ reconnaissance f ~* photo-reconnaissance; **~gravure** [~gra'vyːr] *f* process, *a. print:* photogravure; **~lithographie** [~litɔgra'fi] *f* photolithography; photolithograph; **~mètre** [~'mɛtr] *m* photometer; **~stoppeur** [~stɔ'pœːr] *m* street photographer; **~thérapie** ✿ [~tera'pi] *f* phototherapy; light-cure; **~tropisme** ♀ [~trɔ'pism] *m* phototropism; **~type** ⊕ [~'tip] *m* phototype; collotype; **~typie** ⊕ [~ti'pi] *f* process: collotype.

phrase [frɑːz] *f* sentence; ♪ phrase; **phraséologie** [frazeɔlɔ'ʒi] *f* phraseology; **phraséologique** [~'ʒik] phraseological; **phraser** [frɑ'ze] (1a) *vt/i.* phrase (*a.* ♪); **phraseur** *m*, **-euse** *f* F [~'zœːr, ~'zøːz] phrasemonger, speechifier.

phrénologie [frenɔlɔ'ʒi] *f* phrenology; **phrénologique** [~'ʒik] phrenological; **phrénologiste** [~'ʒist] *m* phrenologist.

phtisie ✿ [fti'zi] *f* phthisis; consumption; **phtisiothérapie** ✿ [~zjɔtera'pi] *f* phthisiotherapy; **phtisique** ✿ [~'zik] *adj., a. su.* consumptive.

phyllo... zo. [filɔ] phyllo...; **~xéra** [~lɔkse'ra] *m* phylloxera.

physicien *m*, **-enne** *f* [fizi'sjɛ̃, ~'sjɛn] physicist.

physico... [fizikɔ] physico...; physical (*chemistry*).

physio... [fizjɔ] physio...; **~logie** [~lɔ'ʒi] *f* physiology; **~logique** [~lɔ'ʒik] physiological; **~logiste** [~lɔ'ʒist] *su.* physiologist; **~nomie** [~nɔ-'mi] *f* physiognomy; appearance; countenance; *fig.* aspect, character.

physique [fi'zik] **1.** *adj.* physical; bodily; **2.** *su./f* physics *sg.*; **~ nucléaire** nuclear physics *sg.*; *su./m* physique; constitution; appearance.

phyto... [fitɔ] phyto...; **phytopte** zo. [~'tɔpt] *m* rust-mite.

piaffement [pjaf'mɑ̃] *m* horse: pawing, piaffer; **piaffer** [pja'fe] (1a) *v/i.* paw the ground (*horse*); prance (*horse*); *fig.* **~ d'impatience** fidget; **piaffeur, -euse** [~'fœːr, ~'føːz] prancing, high-stepping (*horse*); *fig.* fidgety; swaggering.

piaillard, e F [pja'jaːr, ~'jard] **1.** *adj.* cheeping (*bird*); squalling (*child*); **2.** *su.* squalling child; **piailler** [~'je] (1a) *v/i.* cheep (*bird*); squeal, screech (*child, animal*); **piaillerie** [pjaj'ri] *f birds:* (continuous) cheeping; *children etc.:* squealing, screeching; **piailleur** *m*, **-euse** *f* [pja'jœːr, ~'jøːz] *bird:* cheeper: *child etc.:* squealer, squaller.

pianino ♪ [pjani'no] *m* pianino; **pianiste** ♪ [~'nist] *su.* pianist; **piano** ♪ [~'no] **1.** *adv.* piano, softly; **2.** *su./m* piano(forte); **~ à queue** grand piano; **~ droit** upright piano; *jouer du ~* play the piano; **pianoter** F [~nɔ'te] (1a) *v/i.* ♪ strum; *fig.* drum (with one's fingers).

piaule *sl.* [pjol] *f* digs *pl.* (= *lodgings*); **piauler** [pjo'le] (1a) *v/i.* cheep (*chicks*); whine, pule (*children*).

pic[1] [pik] *m* ✕ *etc.* pick(axe); *geog., a.* ⚓ peak; *cards:* pique (*at piquet*); **~ pneumatique** pneumatic drill; *à ~*

perpendicular(ly *adv.*), sheer; ♐ apeak; *fig.* just in time, in the nick of time.

pic[2] *orn.* [⁓] *m* woodpecker.

picaillons *sl.* [pika'jõ] *m/pl.* dough *sg.*, coppers (= *money*).

picaresque [pika'rɛsk] picaresque (*novel*).

pichet [pi'ʃɛ] *m* pitcher, jug.

pickpocket [pikpɔ'kɛt] *m* pickpocket.

pick-up [pi'kœp] *m/inv. radio:* pick-up, record-player.

picorer [pikɔ're] (1a) *vt/i.* pilfer; *v/i.* peck; peck up food; forage for food.

picot [pi'ko] *m* splinter; ⚒ pickhammer; ⚒ wedge, peg; *lace, needlework:* picot; **picoter** [⁓kɔ'te] (1a) *v/t.* peck at (*fruit*); make (*s.o.'s eyes*) smart; pit (*s.o.'s face*); ⚒ wedge; *fig.* tease; **picoterie** F [⁓kɔ'tri] *f* teasing.

picotin [pikɔ'tɛ̃] *m measure:* peck.

pie[1] [pi] **1.** *su./f orn.* magpie; **2.** *adj./inv.* piebald (*horse*).

pie[2] [⁓] *adj./f:* œuvre *f* ⁓ charitable deed, good work.

pièce [pjɛs] *f* piece; bit, fragment; *cost.* patch; *wine:* cask, barrel; *tex.* roll; *money:* coin, piece; ⊕ *machine:* part; *thea.* play; room (*in a house*); *fig.* mo(u)ld; ⚖ document (*in a case*); ⊕, *mot., etc.* ⁓s *pl.* de rechange spare parts; ⊕ ⁓s *pl.* détachées attendant parts; ⁓ d'eau ornamental lake; ⁓ de résistance *cuis.* principal dish; *fig.* principal feature; à la ⁓ in ones, separately; 5 F (la) ⁓ 5 F each; mettre en ⁓s break *or* tear (*s.th.*) to pieces; tout d'une ⁓ all of a piece.

pied [pje] *m* ⚓, *anat., column, glass, measure, mountain, stocking, tree, verse, wall:* foot; foothold; footing (*a.* ✕); *furniture:* leg; ♀ stalk; *wine-glass:* stem; *camera etc.:* stand, rest; *asparagus, lettuce, etc.:* head; *hunt.* track; ⁓ à coulisse slide ga(u)ge, sliding cal(l)ipers *pl.;* ⁓ plat flatfoot; à ⁓ on foot; walking; au ⁓ de la lettre literal(ly *adv.*); avoir ⁓ have a footing; coup *m* de ⁓ kick; en ⁓ full-length (*portrait*); F lever le ⁓ make o.s. scarce; get out; F mettre q. à ⁓ dismiss *or* F sack s.o.; mettre sur ⁓ establish, set up; prendre (perdre) ⁓ gain a (lose

one's) foothold; ⁓-à-terre [⁓ta'tɛːr] *m/inv.* temporary lodging; town apartment; ⁓-bot, *pl.* ⁓s-bots [⁓'bo] *m* club-footed person; ⁓-d'alouette, *pl.* ⁓s-d'alouette [⁓da'lwɛt] *m* larkspur, delphinium; ⁓-de-biche, *pl.* ⁓s-de-biche [⁓də'biʃ] *m* bell-pull; ⊕ nail-claw; *sewing-machine:* presser-foot; ⚕ molar forceps; ⁓-de-chèvre, *pl.* ⁓s-de-chèvre ⊕ [⁓də'ʃɛːvr] *m* footing; ⁓-de-poule *tex.* [⁓də'pul] *m* broken-check; ⁓-droit, *pl.* ⁓s-droits [⁓'drwa] Δ *arch, bridge:* pier; side-wall; *window:* jamb.

piédestal [pjedɛs'tal] *m* pedestal.

pied-noir, *pl.* **pieds-noirs** F [pje-'nwaːr] *m* European settler in Algeria. [droit.\

piédroit Δ [pje'drwa] *m see* pied-\

piège [pjɛːʒ] *m* trap (*a. fig.*); prendre au ⁓ trap; tendre un ⁓ à set a trap for.

pie-grièche, *pl.* **pies-grièches** [pigri'ɛʃ] *f orn.* shrike; F *fig.* woman; shrew.

pierraille [pjɛ'rɑːj] *f* rubble; road metal; **pierre** [pjɛːr] *f* stone (*a.*⚕); ⁓ à briquet flint; Δ ⁓ de taille freestone; ashlar; ⁓ fine semi-precious stone; ⁓ précieuse precious stone, gem; **pierreries** [pjɛrə'ri] *f/pl.* precious stones, gems, jewels; **pierrette** [⁓'rɛt] *f* small stone; *thea.* pierrette; **pierreux, -euse** [⁓'rø, ⁓'røːz] stony; gravelly (*river-bed*); gritty (*pear*); ⚕ calculous; ⚕ suffering from calculus.

pierrot [pjɛ'ro] *m thea.* pierrot, clown; F *orn.* cock-sparrow; F fellow.

piété [pje'te] *f* piety; devotion.

piétiner [pjeti'ne] (1a) *v/t.* trample (*s.th.*) underfoot; ♪, ⊕ tread; *v/i.* stamp; (*a.* ⁓ sur place) mark time.

piétisme [pje'tism] *m* pietism; **piétiste** [⁓'tist] **1.** *su.* pietist; **2.** *adj.* pietistic.

piéton [pje'tõ] *m* pedestrian.

piètre F [pjɛtr] wretched, poor (*a. fig.*); *fig.* lame (*excuse*).

pieu [pjø] *m* stake, pile, post; *sl.* bed.

pieuvre *zo.* [pjœːvr] *f* octopus, squid, devil-fish.

pieux, -euse [pjø, pjøːz] pious, devout; dutiful (*child*); ⚖ charitable (*bequest*).

pif[1] F [pif] *m* conk, *Am. sl.* schnozzle (= *large nose*).

pif[2]! [~] *int.*: ~ ~!, ~ *paf!* bang, bang!

pige [pi:ʒ] *f* measuring rod; *journ.* fee.

pigeon [pi'ʒɔ̃] *m* orn. pigeon (*a.* F *fig.*); **△** builder's plaster; ~ *voyageur* carrier-pigeon; **pigeonne** *orn.* [~'ʒɔn] *f* hen-pigeon; **pigeonneau** [piʒɔ'no] *m* young pigeon; F *fig.* dupe; **pigeonnier** [~'nje] *m* pigeon-house, dovecot(e).

piger *sl.* [pi'ʒe] (1l) *v/t.* look at; catch (*a cold*); nab (*a thief*); twig (= *understand*); spot (*a trick, the winner*).

pigment [pig'mɑ̃] *m* skin etc.: pigment.

pigne ♀ [piɲ] *f* fir-cone, pine-cone.

pignocher F [piɲɔ'ʃe] (1a) *v/i.* pick (at one's food).

pignon[1] [pi'ɲɔ̃] *m* **△** gable(-end); **⊕** pinion; **⊕** ~ *de chaîne* sprocket-wheel, rag-wheel; F *avoir* ~ *sur rue* have a house of one's own; own houses.

pignon[2] ♀ [~] *m* pine kernel.

pignouf F [pi'ɲuf] *m* rotten cad; miser.

pilage [pi'la:ʒ] *m* pounding, crushing.

pilastre **△** [pi'lastr] *m* pilaster; newel.

pile[1] [pil] *f* pile, heap; **△** *bridge*: pier; *phys.* (*atomic, nuclear*) pile; ⚡ battery; **⊕** beating-trough; *sl.* thrashing; ⚡ ~ *sèche* dry cell.

pile[2] [~] *f* reverse (*of a coin*); ~ *ou face* heads *pl.* or tails *pl.*; *jouer à* ~ *ou face* toss up; F *s'arrêter* ~ stop short.

piler [pi'le] (1a) *v/t.* pound, crush, grind (*almonds, pepper*); F beat.

pileux, -euse *zo.*, *a.* ♀ [pi'lø, ~'lø:z] pilose, hairy.

pilier [pi'lje] *m* **△** pillar (*a. fig.*), column; *bridge*: pier; *fig.* frequenter (*of a place*).

pillage [pi'ja:ʒ] *m* looting, pillaging; *mettre au* ~ plunder; **pillard, e** [~'ja:r, ~'jard] 1. *adj.* pillaging; pilfering; 2. *su.* looter, plunderer; **piller** [~'je] (1a) *v/t.* pillage, loot, plunder; *fig.* steal from (*an author*); *fig.* ransack (*a book, a work*); **pilleur, -euse** [~'jœ:r, ~'jø:z] 1. *adj.* looting; pilfering; 2. *su.* looter; plunderer; **⚓** ~ *d'épaves* wrecker.

pilon [pi'lɔ̃] *m* **⊕** rammer; *metall.* stamper; pestle; F wooden leg; *cuis. fowl*: drumstick; *mettre au* ~ pulp (*a book*); **pilonner** [~lɔ'ne] (1a) *v/t.* pound; **⊕** ram; *metall.* stamp (*ore*); ✗ shell, ✈ bomb.

pilori [pilɔ'ri] *m* pillory.

pilot [pi'lo] *m* **△** pile; *salt-pans*: heap of salt.

pilotage[1] [pilɔ'ta:ʒ] *m* **△** pile-driving; pile-work.

pilotage[2] [pilɔ'ta:ʒ] *m* **⚓** pilotage (*a.* ✈); ✈ flying; ✈ ~ *sans visibilité* blind flying, flying on instruments; **pilote** [~'lɔt] *m* **⚓**, ✈, etc. pilot; *fig.* leader, guide; ✈ ~ *automatique* automatic pilot, gyropilot; ~ *d'essai* test-pilot.

piloter[1] [pilɔ'te] (1a) *v/t.* **⚓**, ✈ pilot; ✈ fly (*a plane*); *fig.* guide, show (*round Paris, dans Paris*).

piloter[2] **△** [~] (1a) *v/t.* drive piles into (*s.th.*).

pilotin [pilɔ'tɛ̃] *m Merchant Navy*: apprentice.

pilotis [pilɔ'ti] *m* pile-work; piling.

pilule ✚, *a. fig.* [pi'lyl] *f* pill.

pimbêche F [pɛ̃'bɛʃ] *f* stuck-up woman *or* F cat.

piment [pi'mɑ̃] *m* ♀, *a. cuis.* pimento, Jamaica pepper; *cuis.* red pepper; *fig.* spice; **pimenter** [~mɑ̃'te] (1a) *v/t. cuis.* season with pimento; *fig.* give spice to (*a story*).

pimpant, e [pɛ̃'pɑ̃, ~'pɑ̃:t] smart, spruce.

pin ♀ [pɛ̃] *m* pine(-tree), fir(-tree); ~ *sylvestre* Scotch fir; *pomme f de* ~ fir-cone, pine-cone.

pinacle [pi'nakl] *m* pinnacle; *fig.* height of power *or* fame; F *porter au* ~ praise (*s.o.*) to the skies.

pinard F [pi'na:r] *m* wine.

pinasse **⚓** [pi'nas] *f* pinnace.

pince [pɛ̃:s] *f* **⊕** pincers *pl.*, pliers *pl.*; *riveting, sugar, etc.*: tongs *pl.*; ✂ clip (*a. bicycle, paper, etc.*); **⊕** crowbar; *zo. crab, lobster*: claw; *sl. fig.* paw, hand; *cost.* dart, pleat; *zo.* ~*s pl. herbivora*: incisors; ~*s pl. coupantes* cutting-nippers; ~ *à épiler* tweezers *pl.*; ~ *à linge* clothes-peg.

pincé, e [pɛ̃'se] prim, affected; stiff (*voice*); tight-lipped (*smile*).

pinceau [pɛ̃'so] *m* (paint-)brush; *opt. light*: pencil; *fig.* touch.

pince-monseigneur, *pl.* **pinces-monseigneur** [pɛ̃smɔse'ɲœ:r] *m* crowbar, jemmy; **pince-nez** [~'ne] *m/inv.* pince-nez, eye-glasses *pl.*; **pincer** [pɛ̃'se] (1k) *v/t.* pinch; nip; grip; purse (*one's lips*); F arrest; ♪ pluck (*the strings*); en ~ *pour* have a crush on (*s.o.*); **pince-sans-rire** F [pɛ̃ssɑ̃'ri:r] *m/inv.* man of dry and sly humo(u)r; **pincette** [pɛ̃'sɛt] *f* nip; ~s *pl.* tweezers; (fire-)tongs; **pinçon** [~'sɔ̃] *m* mark (*left by a pinch*).

pineraie ♧ [pin'rɛ] *f*, **pinède** ♧ [pi-'nɛd] *f see* pinière.

pingouin *orn.* [pɛ̃'gwɛ̃] *m* auk, razorbill.

pingre F [pɛ̃:gr] **1.** *adj.* miserly, stingy, near; **2.** *su.* skinflint; **pingrerie** F [pɛ̃grə'ri] *f* stinginess.

pinière ♧ [pi'njɛ:r] *f* pine-wood, fir-grove.

pinson *orn.* [pɛ̃'sɔ̃] *m* finch.

pintade [pɛ̃'tad] *f orn.* guinea-fowl; F stuck-up woman.

pinte [pɛ̃:t] *f measure:* (French) pint, (*approx.*) English quart; **pinter** *sl.* [pɛ̃'te] (1a) *v/i.* tipple, booze; *v/t.* swill (*beer etc.*).

piochage [pjɔ'ʃa:ʒ] *m* swotting; **pioche** ⊕ [pjɔʃ] *f* pick(axe); **piocher** [pjɔ'ʃe] (1a) *v/t.* dig (*with a pick*); F *fig.* grind; *v/t.* F *fig.* swot at; *v/i.* F *fig.* swot; **piocheur, -euse** [~'ʃœ:r, ~'ʃø:z] *su.* F *person:* swot, *Am.* grind; *su./m* ⊕ navvy, digger; *su./f* ⊕ steam-digger.

piolet *mount.* [pjɔ'lɛ] *m* ice-axe.

pion [pjɔ̃] *m chess:* pawn; *draughts:* man; F *school:* usher, supervisor (*of preparation*).

pioncer *sl.* [pjɔ̃'se] (1k) *v/i.* sleep.

pionnier ⚔ [pjɔ̃'nje] *m* pioneer (*a. fig.*).

pipe [pip] *f* pipe (*a. measure for wine*); ⚡, *gas, liquid:* tube; **pipeau** [pi'po] *m* ♪ (reed-)pipe; bird-call; *birds:* limed-twig, snare; **pipée** [~'pe] *f* bird-snaring (*with bird-calls*).

pipe-line [pajp'lajn] *m oil:* pipe-line.

piper [pi'pe] (1a) *v/t.* lure (*with bird-calls*); *fig.* † trick, dupe (*s.o.*); load (*a dice*); mark (*a card*).

pipette ⚗ [pi'pɛt] *f* pipette.

pipeur [pi'pœ:r] *m* bird-lurer; F sharper, cheat.

pipi *ch.sp.* [pi'pi] *m: faire* ~ piddle.

¹quant, e [pi'kɑ̃, ~'kɑ̃:t] **1.** *adj.*

pricking; stinging (*nettle, a. remark*); biting (*remark, wind*); tart (*wine*); pungent (*smell, taste*); *fig.* piquant (*a. sauce*), stimulating; *cuis.* hot (*spice*); mot m ~ witty remark, quip; **2.** *su./m plant:* sting; *porcupine:* quill; *sauce etc.:* bite; *fig.* piquancy, *fig.* point; **pique** [pik] *su./f* † ⚔ pike; pointed tip; pique, ill feeling; *su./m cards:* spade(s *pl.*); **piqué, e** [pi'ke] **1.** *adj.* quilted (*garment*); sour (*wine*); ♪ staccato (*note*); ✈ nose-(dive); *cuis.* larded (*meat*); F cracked, dotty; moth-eaten; **2.** *su./m* quilting; piqué; ✈ nose-dive, vertical dive; **pique-assiette** F [pika'sjɛt] *m* sponger; **pique-feu** [pik'fø] *m/inv.* fire-rake, poker; **pique-nique** [~'nik] *m* picnic; **pique-notes** [~'nɔt] *m/inv.* spike-file; **piquer** [pi'ke] (1m) *vt/i.* prick; sting; *v/t.* nettle, wasp, *fig.* remark: sting (*s.o.*); make (*eyes, tongue*) smart; *moths, worms:* eat into; *tex.* quilt; pink (*silk*); stick (into, *dans*); *fig.* offend; arouse (*s.o.'s curiosity*); *cuis.* lard; *fig.* interlard (*an account, a story*); ⚕ ~ *q. à qch.* give an injection of s.th. to s.o.; ~ *une* tête dive, take a header; F ~ *un soleil* blush; *se* ~ take offence; *se* ~ *de* pride o.s. on; have pretensions to; *v/i.:* ~ *des deux* spur one's horse; ~ *sur* ⚓ head for; ✈ dive down on.

piquet¹ [pi'kɛ] *m* peg, stake, post; ⚔ picket.

piquet² [~] *m cards:* piquet; pack of piquet cards.

piqueter [pik'te] (1c) *v/t.* stake out (*a camp, a. surv., a.* △); peg out; spot, dot; ⊕ picket (*a factory etc.*).

piquette [pi'kɛt] *f* second wine; poor wine; **piqueur, -euse** [~-'kœ:r, ~'kø:z] *su.* stitcher, sewer; *su./m hunt.* whip(per-in); groom; outrider; ⚒ hewer; ⊕ plate-layer; **piqûre** [~'ky:r] *f* sting, prick; (*flea-*)bite; ⚕ injection; puncture; spot; *books, leather, etc.:* stitching, sewing.

pirate [pi'rat] *m* pirate (*a. fig.*); **pirater** [pi'ra'te] (1a) *v/i.* practise piracy; *fig.* pirate (*an edition etc.*); **piraterie** [~'tri] *f* piracy (*a. fig.*).

pire [pi:r] worse; *au* ~ if the worst comes to the worst; *le* ~ (the) worst.

piriforme [piri'fɔrm] pear-shaped.

pirogue [piˈrɔg] f (dug-out) canoe.

pirouette [piˈrwɛt] f toy: whirligig; horsemanship, a. dancing: pirouette; **pirouetter** [∼rwɛˈte] (1a) v/i. pirouette; twirl.

pis[1] zo. [pi] m udder.

pis[2] [pi] adv. worse; le ∼ (the) worst; ∼-aller [pizaˈle] m/inv. make-shift, last resource.

piscicole [pisiˈkɔl] piscicultural; **pisciculteur** [∼kylˈtœːr] m pisciculturist; **pisciculture** [∼kylˈtyːr] f pisciculture, fish-breeding; **pisciforme** [∼ˈfɔrm] pisciform, fish-shaped.

piscine [piˈsin] f swimming-pool; public baths pl.; † fish-pond.

piscivore [pisiˈvɔːr] piscivorous.

pisé ⚒ [piˈze] m puddled clay.

pissat [piˈsa] m (animal) urine; **pissenlit** ♀ [∼sɑ̃ˈli] m dandelion; **pisser** ∨ [∼ˈse] (1a) v/i. make water; ∨ piss; **pissoir** [∼ˈswaːr] m urinal; **pissotière** ∨ [∼sɔˈtjɛːr] f urinal.

pistache ♀ [pisˈtaʃ] f pistachio-nut; **pistachier** ♀ [∼taˈfje] m pistachio-tree.

piste [pist] f track; race-track; race-course; circus: ring; hunt., a. fig. trail, scent; clue; 🕊 tarmac; 🕊 ∼ d'atterrissage landing-strip; 🕊 ∼ d'envol runway; cin. ∼ sonore sound-track; **pister** [pisˈte] v/t. hunt. track; 🕊 shadow (s.o.).

pistil ♀ [pisˈtil] m pistil.

pistole † [pisˈtɔl] f gold coin: pistole; **pistolet** [∼tɔˈle] m pistol; ⊕ spraying-gun; ⚓ davit; ∼ de dessinateur French curve.

piston [pisˈtɔ̃] m ⊕ piston; ♪ valve; ♪ cornet; fig. influence, F pull; ⊕ course f du ∼ piston-stroke; **pistonner** [∼tɔˈne] (1a) v/t. F back, push (s.o.); sl. bother, pester (s.o.).

pitance eccl., a. F fig. [piˈtɑ̃ːs] f pittance; **piteux, -euse** [∼ˈtø, ∼ˈtøːz] piteous, sorry, woeful.

pithécanthrope [pitekɑ̃ˈtrɔp] m pithecanthrope, ape-man.

pitié [piˈtje] f pity (on, de).

piton [piˈtɔ̃] m ⊕ eye-bolt; ringbolt; F large nose; geog. peak; mount. piton, peg; ∼ à vis screweye.

pitoyable [pitwaˈjabl] pitiful; wretched; compassionate (to à, envers).

pitre [pitr] m clown (a. pej. fig.); **pitrerie** [pitrəˈri] f buffoonery.

pittoresque [pitɔˈrɛsk] **1.** adj. picturesque; graphic (description, style); **2.** su./m picturesqueness; vividness.

pivert orn. [piˈvɛːr] m green woodpecker.

pivoine ♀ [piˈvwan] f peony.

pivot [piˈvo] m ⊕ pivot (a. ✕ sl.), pin, axis; lever: fulcrum; fig. central figure etc.; ♀ tap-root; F ∼s pl. legs; **pivoter** [∼vɔˈte] (1a) v/i. pivot; turn, swivel; ✕ wheel; ♀ form tap-roots; F faire ∼ drill, put (s.o.) through it.

placage [plaˈkaːʒ] m ⊕ veneer(ing); metal: plating; ♪ patchwork; **placard** [∼ˈkaːr] m cupboard; ⚑ door: panel; poster, bill; typ. proof: galley; **placarder** [∼karˈde] (1a) v/t. post (a bill); stick (a poster) on a wall.

place [plas] f place, position; space, room; seat (a. 🚗, thea., etc.); square; (taxi-)stand; job, employment; rank; ✕ ∼ d'armes parade-ground; ✕ ∼ forte fortified town; fortress; à la ∼ de instead of; à votre ∼ if I were you; † faire la ∼ canvass for orders; par ∼s here and there; sur ∼ on the spot; **placement** [plasˈmɑ̃] m placing; † sale, disposal; † money: investing, investment.

placer[1] [plaˈse] (1k) v/t. place; put; find employment for; † sell, dispose of; † invest (money); seat (s.o.); show (s.o.) to a seat; F il n'a pu ∼ un mot he couldn't get a word in; se ∼ find a job; sell (article).

placer[2] 🛠 [plaˈsɛːr] m placer.

placet 🏛 [plaˈse] m claim; petition.

placeur, -euse [plaˈsœːr, ∼ˈsøːz] su. manager of an employment agency; steward (at meetings); † placer, seller; su./f thea. usherette, attendant.

placide [plaˈsid] placid, calm; **placidité** [∼sidiˈte] f calmness, serenity, placidity.

placier m, **-ère** f [plaˈsje, ∼ˈsjɛːr] † agent, canvasser; admin. clerk in charge of letting market pitches.

plafond [plaˈfɔ̃] m ceiling (a. fig., a. 🕊); mot. maximum speed; 🛠 roof; ⚓ hold: floor; ⊕ canal: bottom; **plafonner** [∼fɔˈne] (1a) v/t. ⚒ ceil; v/i. 🕊 fly at the ceiling; †

reach the ceiling (of, *à*) (*prices*);
plafonnier [～fɔ'nje] *m* ceiling-light; *mot.* roof-light.

plage [pla:ʒ] *f* beach, shore; seaside resort; ⚓ ～ *arrière* quarter-deck.

plagiaire [pla'ʒɛ:r] *m* plagiarist (from, *de*); **plagiat** [～'ʒja] *m* plagiarism, plagiary; **plagier** [～'ʒje] (1o) *v/t.* plagiarize, F crib from.

plaid[1] [plɛd] *m tex., cost.* plaid; travelling-rug.

plaid[2] ⚖ [plɛ] *m* plea, pleading; *court:* sitting; **plaidable** ⚖ [plɛ-'dabl] pleadable; **plaider** [～'de] (1a) *v/i.* plead; litigate; *fig.* intercede (with, *auprès de*); *v/t.* se ～ come on (*case*); **plaideur** *m*, **-euse** *f* ⚖ [～'dœ:r, ～'dø:z] petitioner, suitor; litigious person; **plaidoirie** ⚖ [～dwa'ri] *f* pleading; counsel's speech; **plaidoyer** ⚖ [～dwa'je] *m* plea; *a. fig.* argument (for, *en faveur de*).

plaie [plɛ] *f* wound; sore (*a. fig.*); scourge; *bibl., fig.* plague.

plaignant, e ⚖ [plɛ'ɲɑ̃, ～'ɲɑ̃:t] *adj., a. su.* plaintiff; complainant.

plain, plaine [plɛ̃, plɛn] *adj.:* de ～-*pied* on a level (with, *avec*), on the same floor; *fig.* straight; ～-**chant**, *pl.* ～**s-chants** ♪ [plɛ̃'ʃɑ̃] *m* plainsong.

plaindre [plɛ̃:dr] (4m) *v/t.* pity, be sorry for; † grudge; se ～ complain; grumble. [plaine.]

plaine [plɛn] *f* plain.

plainte [plɛ̃:t] *f* complaint (*a.* ⚖); reproach; lamentation; **plaintif, -ve** [plɛ̃'tif, ～'ti:v] plaintive; querulous (*person, voice*).

plaire [plɛ:r] (4z) *v/i.:* ～ *à* please; *à Dieu ne plaise* God forbid (that, *que*); *v/impers.:* cela lui plaît he likes that; *plaît-il?* I beg your pardon?; *s'il vous plaît* please; *v/t.:* se ～ delight (in, *à*); enjoy o.s.; be happy; please one another; **plaisamment** [plɛza'mɑ̃] *adv.* of *plaisant 1*; **plaisance** [～'zɑ̃:s] *f:* de ～ pleasure-(*boat, ground*); country (*seat*), in the country (*house*); **plaisant, e** [～'zɑ̃, ～'zɑ̃:t] 1. *adj.* amusing, humorous; ridiculous; 2. *su./m* joker; the funny part (*of s.th.*); *mauvais* ～ practical joker; **plaisanter** [plɛzɑ̃'te] (1a) *v/i.* joke; *fig.* trifle; *v/t.* chaff (*s.o.*); **plaisanterie** [～'tri] *f* joke, jest; *mauvaise* ～ silly joke; *par* ～ for a joke; **plaisantin**

[～'tɛ̃] *m* practical joker; **plaisir** [plɛ'zi:r] *m* pleasure (*a. fig.*); delight; amusement; favo(u)r; *à* ～ at will; without cause; *avec* ～ willingly; de ～ pleasure-. ; *faire* ～ *à* please; *les* ～*s pl. de la table* the pleasures of the palate; *menus* ～*s pl.* little luxuries; *partie f de* ～ picnic; *train m de* ～ excursion train; **plaisons** [plɛ'zɔ̃] *1st p. pl. pres. of plaire;* **plaît** [plɛ] *3rd p. sg. pres. of plaire.*

plan, plane [plɑ̃, plan] 1. *adj.* (*a.*⚙), level, flat; 2. *su./m* ⚙, △, ✎, ✈, *opt.* plane; ⊕ *plane:* sole; ✗ *fire-line;* ✎ wing; *fig.* level, sphere; *fig.* rank, importance; △ *etc.* plan; draft, drawing; *cin. gros* ～ close-up; F *laisser q. en* ～ leave s.o. in the lurch; *premier* ～ *thea.* down-stage; *paint.* foreground, *fig.* first importance; *second* ～ *paint.* middleground; *fig.* background, *fig.* second rank.

planche [plɑ̃:ʃ] *f* board; plank; (*book-*)shelf; ⊕ plate, block; ✎ *land;* ✎ (*flower- etc.*)bed; *thea.* ～*s pl.* boards, stage ☰; ⚓ ～ *de débarquement* gang-plank; *faire la* ～ *swimming:* float (on one's back); ⚓, ✝ *jours m/pl. de* ～ lay days; **planchéier** [plɑ̃ʃe'je] (1a) *v/t.* board (over); floor (*a room*); **plancher** [～'ʃe] *m* (boarded) floor; ⚓ planking; ✎, *mot.* floor-board; F *des vaches* terra firma; **planchette** [～'ʃet] *f* small board *or* plank.

plan-concave *opt.* [plɑ̃kɔ̃'ka:v] planoconcave; **plan-convexe** *opt.* [～'vɛks] planoconvex.

plane ⊕ [plan] *f* drawing-knife; turning-chisel.

plané, e ✈ [pla'ne] gliding; *vol m* ～ glide, volplane; *birds:* soaring.

planer[1] [pla'ne] (1a) *v/t.* ⊕ make even; plane (*wood*).

planer[2] [～] (1a) *v/i.* ✈ glide; soar (*bird*); hover (*bird, mist, a. fig.*).

planétaire [plane'tɛ:r] 1. *adj.* planetary; 2. *su./m* planetarium; **planète** *astr.* [～'nɛt] *f* planet.

planeur [pla'nœ:r] *m* ✈ glider; ⊕ *metals:* planisher; **planeuse** ⊕ [～'nø:z] *f* planing-machine; planishing-machine.

planification *pol.* [planifika'sjɔ̃] *f* planning; **planifié, e** *pol.* [～'fje] planned; *économie f* ～*e* planned economy.

planimétrie ⚕ [planime'tri] f planimetry; **planimétrique** [⌣'trik] planimetric(al).

planning [pla'niŋ] m planning (a. pol.); ⌣ familial family planning.

plant ✗ [plɑ̃] m sapling; slip; (nursery) plantation; **plantage** ✗ [plɑ̃-'taːʒ] m planting; plantation.

plantain ⚕ [plɑ̃'tɛ̃] m plantain.

plantation [plɑ̃ta'sjɔ̃] f planting; plantation; fig. setting up, erection; **plante** [plɑ̃ːt] f ⚕ plant; anat. foot: sole; ⌣ d'appartement indoor plant; ⌣ marine seaweed; jardin m des ⌣s botanical gardens pl., F zoo; **planter** [plɑ̃'te] (1a) v/t. plant; fix, set up; F fig. ⌣ là q. leave s.o. in the lurch; jilt s.o.; se ⌣ take (up) a stand; **planteur** [⌣'tœːr] m planter; **planteuse** [⌣'tøːz] f planting-machine.

plantigrade zo. [plɑ̃ti'grad] adj., a. su./m plantigrade.

plantoir ✗ [plɑ̃'twaːr] m dibble.

planton ✗ [plɑ̃'tɔ̃] m orderly.

plantule ⚕ [plɑ̃'tyl] f plantlet, plantling.

plantureux, -euse [plɑ̃ty'rø, ⌣'røːz] plentiful, copious; fertile, rich (country); fig. buxom (woman).

plaque [plak] f sheet; metal, a. phot.: plate; marble: slab; engine, a. ⊕: bed-plate; (ornamental) plaque; badge; ⌣ commémorative (votive) tablet; mot. ⌣ de police number plate; ⌣ de porte (rue) name-plate (street plate); ⌣ d'identité identification plate, ✗ identity disc; ⊕ ⌣ tournante turn-table; **plaqué** ⊕ [pla'ke] m plated metal; electro-plate; veneered wood; **plaquer** [⌣'ke] (1m) v/t. ⊕ plate (metal); ⊕ veneer (wood); ⌣ lay down (turf); foot. tackle; ♪ strike (a chord); F fig. leave (s.o.) in the lurch, throw (s.o.) over; **plaquette** [⌣'kɛt] f metal, wood: small plate; stone, marble: thin slab; brochure; **plaqueur** [⌣'kœːr] m ⊕ metal: plater; wood: veneerer; foot. tackler.

plastic ⚒ [plas'tik] m explosive gelatine; **plasticité** [⌣tisi'te] f plasticity; **plastique** [⌣'tik] 1. adj. plastic; 2. su./f plastic art; fig. figure; su./m ⊕ plastic goods pl.

plastron [plas'trɔ̃] m ✗ breast-plate; ⊕ drill-plate; fencing-jacket; fig. butt; cost. woman's modesty-front;

cost. men's shirt-front; **plastronner** [⌣trɔ'ne] (1a) v/i. F strut, put on side.

plat, plate [pla, plat] 1. adj. flat (a. fig.); level; smooth (sea); straight (hair); low-heeled (shoes); empty (purse); fig. dull; fig. poor, paltry; calme m ⌣ dead calm; 2. su./m flat part (of s.th.); oar, tongue: blade; book: board; cuis. dish; cuis. course; à ⌣ flat; fig. exhausted; F mettre les pieds dans le ⌣ put one's foot in it; tomber à ⌣ fall flat on one's face, thea. fall flat (play).

platane ⚕ [pla'tan] m plane-tree; faux ⌣ sycamore, great maple.

plateau [pla'to] m tray; platform; thea. stage; geog. plateau; balance: scale; ⊕ (bed-)plate; ⊕ table.

plate-bande, pl. **plates-bandes** [plat'bɑ̃ːd] f ✗ flower-bed; (grass) border; △ plat band; F plates-bandes pl. preserves, private ground sg.

platée [pla'te] f △ concrete: foundation; F dishful.

plate-forme, pl. **plates-formes** [plat'fɔrm] f bus, a. fig.: platform; 🚂 engine: foot-plate.

platine [pla'tin] su./f fire-arm etc.: lock; lock, watch: plate; typewriter, printing press: platen; su./m ⚒, min. platinum; **platiné, e** [⌣ti'ne] platinized; platinum-tipped.

platitude [plati'tyd] f platitude, commonplace remark; fig. servility; style: flatness.

plâtrage [plɑ'traːʒ] m ⊕ plastering; △ plaster-work; F rubbish; **plâtras** [⌣'trɑ] m debris of (building materials); **plâtre** [plɑːtr] m plaster; plaster cast; plaster-work; battre comme ⌣ beat (s.o.) to a jelly; ✗ mettre en ⌣ (put into) plaster; **plâtrer** [plɑ'tre] (1a) v/t. plaster; fig. patch up; ✗ (put into) plaster; **plâtreux, -euse** [⌣'trø, ⌣'trøːz] plastery; chalky (soil, water); gypse-ous; **plâtrier** [⌣tri'e] m plasterer; calciner of gypsum; **plâtrière** [⌣tri-'ɛːr] f gypsum-quarry, gypsum-kiln; chalk-pit.

plausible [plo'zibl] plausible; specious.

plèbe [plɛb] f the plebs; the common people pl.; **plébéien, -enne** [plebe'jɛ̃, ⌣'jɛn] adj., a. su. plebeian; **plébiscite** [plebi'sit] m plebiscite;

plébisciter [‿si'te] (1a) *v/t.* vote by plebiscite; F measure (*s.o.'s*) popularity.

plein, pleine [plɛ̃, plɛn] **1.** *adj.* full (of, *de*); filled (with, *de*); high (*sea, tide*); open (*country, street*); big with young (*animal*); solid (*brick, wood, tyre, wire*); ‿ emploi see plein-emploi; *fig.* pleine saison the height of the season; de son ‿ gré of one's own free will; en ‿ air in the open; en ‿ jour in broad daylight; *fig.* publicly, openly; ♃ en pleine mer on the open sea; en pleine rue in the open street; openly; **2.** *su./m* full part; *building:* solid part; ✂ *etc.* bull's-eye; fill(ing); battre son ‿ be at the full (*tide*); *fig.* be in full swing (*party, season, etc.*); *mot.* faire le ‿ fill up with petrol or *Am.* gas, fill up the tank; **plein-emploi** [plɛnɑ̃'plwa] *m* full employment.

plénier, -ère [ple'nje, ‿'njɛːr] complete, absolute; ♃, *eccl.* plenary; **plénipotentiaire** [plenipɔtɑ̃'sjɛːr] *adj., a. su./m* plenipotentiary; **plénitude** [‿'tyd] *f* fullness; completeness.

pléonasme [pleɔ'nasm] *m* pleonasm.

pléthore [ple'tɔːr] *f* ♫, *a. fig.* plethora; *fig.* (super)abundance; **pléthorique** [‿tɔ'rik] ♫ plethoric, full-blooded; *fig.* (super)abundant.

pleur [plœːr] *f* tear; **pleurard, e** [plœ'raːr, ‿'rard] **1.** *adj.* whimpering; whining (*voice*); tearful; **2.** *su.* whiner; F cry-baby; **pleure-misère** [plœrmi'zɛːr] *su./inv.* person who is always pleading poverty; **pleurer** [plœ're] (1a) *v/t.* weep for, mourn for; *v/i.* weep; cry (for, de; over, sur) (*a. fig.*); water, run (*eyes*); ⊕ *etc.* drip; ✓ bleed.

pleurésie ♫ [plœre'zi] *f* pleurisy.

pleureur, -euse [plœ'rœːr, ‿'røːz] **1.** *adj.* tearful, lachrymose; weeping (*person, rock, ♃ willow*); **2.** *su.* weeper; whimperer; *su./f* hired mourner; **pleurnicher** F [plœrni-'ʃe] (1a) *v/i.* whimper, whine, snivel; **pleurnicherie** [‿niʃ'ri] *f* whining; **pleurnicheur, -euse** [‿ni'ʃœːr, ‿'ʃøːz] **1.** *adj.* whining, whimpering, peevish; **2.** *su.* whiner, whimperer; F cry-baby.

pleut [plø] *3rd p. sg. pres. of* pleuvoir.

pleutre [pløːtr] *m* cad; coward.

pleuvoir [plœ'vwaːr] (3g) *v/impers.*

rain; il pleut à verse it is pouring (with rain), it is raining hard; *v/i. fig.* pour in; **pleuvra** [‿'vra] *3rd p. sg. fut. of* pleuvoir.

plèvre *anat.* [plɛːvr] *f* pleura.

pli [pli] *m* fold, pleat; wrinkle; *trousers:* crease; ✝ cover, envelope; letter, note; *bridge, whist:* trick; *arm, leg:* bend; *fig.* habit; *ground:* undulation; ‿s *pl.* non repassés unpressed pleats; faire des ‿s wrinkle; faire des ‿s à pleat (*s.th.*); ne pas faire un ‿ fit like a glove; *fig.* be plain sailing; *fig.* prendre un ‿ acquire a habit; ✝ sous ce ‿ enclosed, herewith; ✝ sous ‿ séparé under separate cover; **pliable** [‿'abl] foldable, folding; pliable, flexible (*a. fig.*); **pliant, e** [‿'ɑ̃, ‿'ɑ̃ːt] **1.** *adj.* pliant, flexible; folding; *fig.* docile; *mot.* capote *f* ‿e collapsible hood; **2.** *su./m* folding-stool, camp-stool.

plie *icht.* [pli] *f* plaice.

plier [pli'e] (1a) *v/t.* fold (up); bend; bow (*one's head*); se ‿ à submit to; *fig.* give o.s. up to; *v/i.* bend; yield (*a. ✂*); **plieur, -euse** [‿'œːr, ‿'øːz] *su.* folder; *su./f* folding-machine.

plinthe ⌂ *etc.* [plɛ̃ːt] *f* plinth.

plioir [pli'waːr] *m bookbinding:* folder; paper-knife; *fishing-line:* winder.

plisser [pli'se] (1a) *v/t.* pleat; crumple; crease; corrugate (*metal, paper*); pucker up (*one's face etc.*); *v/i.* crease, pucker; hang in or have folds; **plissure** [‿'syːr] *f* pleating; pleats *pl.*

pliure [pli'yːr] *f bookbinding:* folding(-room).

plomb [plɔ̃] *m* lead; ⌂ lead sink; ⚡ fuse; ✝ lead seal; ♃ plummet; *hunt. etc.* shot; *typ.* metal, type; *fig.* weight; à ‿ vertically; upright; straight down; mine *f* de ‿ black-lead, graphite; sommeil *m* de ‿ heavy sleep; tomber à ‿ fall plumb or vertically; **plombage** [plɔ̃'baːʒ] *m* leading, plumbing; ✝ sealing; *teeth:* stopping, filling; **plombagine** [‿ba'ʒin] *f* graphite, plumbago; **plombé, e** [‿'be] leaded (*a. cane*); leaden (*sky*); livid (*complexion*); **plomber** [‿'be] (1a) *v/t.* cover or weight with lead; glaze (*pottery*); stop, fill (*a tooth*); ⌂

plumb; ✝ seal; *fig.* give a livid hue to; **plomberie** [~'bri] *f* plumbing; lead industry; lead-works *usu. sg.*; plumber's (shop); **plombier** [~'bje] *m* lead-worker; plumber; **plombifère** [~bi'fɛːr] lead-bearing; lead (*glaze*).

plongeant, e [plɔ̃'ʒɑ̃, ~'ʒɑ̃:t] plunging; from above (*view*); **plongée** [~'ʒe] *f* plunge, dive; slope; *ground*: dip; en ~ (when) submerged; **plongeoir** [~'ʒwaːr] *m* diving-board; **plongeon** [~'ʒɔ̃] *m* dive; *orn.* diver; faire le ~ dive; *fig.* make up one's mind, F take the plunge; **plonger** [~'ʒe] (1l) *vt/i.* plunge; *v/t.* dip (into, dans); se ~ immerse o.s.; *fig.* être plongé dans be absorbed in; *v/i.* dive; ⚓ submerge (*submarine*); dip (*ground, a.* ✗ *seam*); ⚓ du nez pitch; **plongeur, -euse** [~'ʒœːr, ~'ʒøːz] **1.** *adj.* diving; **2.** *su. person*: diver; dish-washer, washer-up (*in a restaurant*); *su./m orn.* diver; ⊕ plunger.

plot ⚡ [plo] *m* stud, terminal; plug.

ploutocratie [plutɔkra'si] *f* plutocracy.

ployable [plwa'jabl] pliable; **ployer** [~'je] (1h) *vt/i.* bend; *v/t.* ✗ ploy; *v/i.* give way.

plu[1] [ply] *p.p. of plaire.*

plu[2] [~] *p.p. of pleuvoir.*

pluie [plɥi] *f* rain (*a. fig.*); *fig.* shower; craint la ~! keep dry!; F *fig.* faire la ~ et le beau temps rule the roost.

plumage [ply'maːʒ] *m* plumage; **plumard** [~'maːr] *m* featherduster; F bed; **plumasserie** ✝ [~mas'ri] *f* feather-trade; **plumassier** *m*, **-ère** *f* [~ma'sje, ~'sjɛːr] feather-dresser, feather-dealer; **plume** [plym] *f* feather; pen; pennib; *homme m de* ~ man of letters; **plumeau** [ply'mo] *m* featherduster; **plumée** [~'me] *f poultry*: plucking; F fleecing; **plumer** [~'me] (1a) *v/t.* pluck (*poultry*); F fleece (*s.o.*); *v/i. rowing*: feather; **plumet** [~'mɛ] *m* ✗ helmet: plume; **plumetis** [plym'ti] *m* (raised) satin-stitch; **plumeur** *m*, **-euse** *f* [ply'mœːr, ~'møːz] poultry-plucker; **plumier** [~'mje] *m* pen(cil)-box; pen-tray; **plumitif** [~mi'tif] *m* ♒

minute-book; F pen-pusher; **plumule** [~'myl] *f* plumule.

plupart [ply'paːr] *f*: la ~ most, the majority, the greater part; la ~ des gens, la ~ du monde most people; la ~ du temps generally; pour la ~ mostly.

pluralité [plyrali'te] *f* plurality; *votes*: majority.

pluri... [plyri] pluri..., multi...

pluriel, -elle *gramm.* [ply'rjɛl] **1.** *adj.* plural; **2.** *su./m* plural; au ~ in the plural.

plus[1] [ply; *oft.* plys *at end of word-group; before vowel* plyz] **1.** *adv.* more; ⅋ plus; ~ ... ~ ... the more ... the more ...; ~ confortable more comfortable; ~ de more than (*2 days*); ~ de soucis! no more worries!; ~ grand bigger; ~ haut! speak up!; ~ que more than (*he*); ~ rien nothing more; de ~ further(more); de ~ en ~ more and more; en ~ in addition (to, de); extra; le ~ confortable most comfortable; le ~ grand biggest; moi non ~ nor I, F me neither; ne ... ~ no more, no longer; not again; non ~ (not) either; rien de ~ nothing else *or* more; sans ~ simply, only, nothing more; tant et ~ any amount, plenty; **2.** *su./m*: le ~ the most, the best; au ~ at the best, at most; tout au ~ at the best, at the very most.

plus[2] [ply] *1st p. sg. p.s. of plaire.*

plusieurs [ply'zjœːr] *adj./pl., a. pron./indef./pl.* several; some.

plus-que-parfait *gramm.* [plyskə-par'fɛ] *m* pluperfect.

plus-value ✝, *pol.* [plyva'ly] *f* appreciation, increment value; betterment; extra-payment.

plut [ply] *3rd p. sg. p.s. of pleuvoir.*

plutonium ♒ [plytɔ'njɔm] *m* plutonium.

plutôt [ply'to] *adv.* rather, sooner (than, que); on the whole.

pluvial, e *m/pl.* **-aux** [ply'vjal, ~'vjo] rain-...; rainy (*season*); **pluvier** *orn.* [~'vje] *m* plover; **pluvieux, -euse** [~'vjø, ~'vjø:z] rainy; wet; of rain; **pluviomètre** *meteor.* [~vjo'mɛtr] *m* rain-ga(u)ge, udometer.

pneu, *pl.* **pneus** [pnø] *m* mot. tyre, *Am.* tire; express letter; ~ antidérapant non-skid tyre; **pneumatique** [~ma'tik] **1.** *adj.* air-...,

pneumatic; **2.** *su./m* (pneumatic) tyre; (*a.* carte *f* ~) express letter.

pneumonie ⚕ [pnømɔ'ni] *f* pneumonia; **pneumonique** ⚕ [~'nik] pneumonic.

pochade [pɔ'ʃad] *f* rapid *or* rough sketch.

pochard, e [pɔ'ʃaːr, ~'ʃard] **1.** *adj.* drunken; **2.** *su.* drunkard.

poche [pɔʃ] *f* pocket; sack; case; ⚕ pouch; *geol.* pot-hole; *geol.* wash-out; *cost.* pucker, F bag; ⊕, *cuis.* ladle; ~ d'air ✈ air-pocket; ⊕ air-lock; *argent m de* ~ pocket-money; **pochée** [pɔ'ʃe] *f* pocketful; **pocher** [~'ʃe] (1a) *v/t. cuis.* poach; *fig.* black (*s.o.'s eye*); dash off (*an essay, a sketch, etc.*); *cost.* make baggy at the knees; **pochetée** [pɔʃ'te] *f* pocketful; *sl.* stupid (person); **pochette** [pɔ'ʃɛt] *f* small pocket; handbag; sachet; *matches*: book; fancy handkerchief; ⚕ pocket-set (*of mathematical instruments*).

podagre ⚕ [pɔ'daːgr] **1.** *su.* gouty person; *su./f* podagra; **2.** *adj.* gouty. **podomètre** [pɔdɔ'mɛtr] *m* pedometer.

poêle[1] [pwɑːl] *m* (funeral-)pall. **poêle**[2] [pwɑːl] *m* stove, cooker. **poêle**[3] [pwɑːl] *f* frying-pan; F *fig. tenir la queue de la* ~ be in charge; **poêlée** [pwɑ'le] *f* panful.

poêlier [pwɑ'lje] *m* dealer in stoves and cookers; stove-setter.

poêlon [pwɑ'lɔ̃] *m* small saucepan; casserole.

poème [pɔ'ɛːm] *m* poem; **poésie** [~e'zi] *f* (piece of) poetry; **poète** [~'ɛt] *m* poet; *femme f* ~ woman poet, poetess; **poétereau** [pɔe'tro] *m* poetaster; **poétesse** [~'tes] *f* poetess; **poétique** [~'tik] **1.** *adj.* poetic(al); **2.** *su./f* poetics *sg.*; **poétiser** [~ti'ze] (1a) *v/i.* write poetry; *v/t.* poet(ic)ize.

poids [pwɑ] *m* weight; heaviness; *fig.* importance; load; *fig.* burden; ✝ ~ *brut* gross weight; *box.* ~ *coq* bantam weight; *box.* ~ *léger* light-weight; ~ *lourd box.* heavy-weight; *mot.* heavy lorry *or* truck; *box.* ~ *mi-lourd* light heavy-weight; ~ *mort* dead weight; *box.* ~ *mouche* fly-weight; *box.* ~ *moyen* middle-weight; ✝ ~ *net* net weight; *box.* ~ *plume* feather-weight; 🜊 ~ *spécifique* specific gravity; ⚖ ~ *utile*

payload; ~ *vif* live weight; *faire bon* ~ give good weight; *vendre au* ~ sell by weight.

poignant, e [pwa'nɑ̃, ~'nɑ̃ːt] poignant; keen; *fig.* heart-breaking.

poignard [pwa'naːr] *m* dagger; **poignarder** [~nar'de] (1a) *v/t.* stab; *fig.* wound (*s.o.*) deeply; **poigne** F [pwaɲ] *f* grip, grasp; **poignée** [pwa'ɲe] *f* handful (*a. fig.*); *door etc.*: handle; *sword*: hilt; ⊕ *tool*: haft; ~ *de main* handshake; **poignet** [~'ɲɛ] *m* wrist; *cost.* cuff; *shirt*: wristband.

poil [pwal] *m* hair, fur, coat (*of animal*); *tex. cloth*: nap; *velvet*: pile; 🝆 ~ *down*; *man*: (body-)hair; *brush*: bristle; F *fig.* mood; ~ *follet* down; F *à* ~ naked; *au* ~ perfectly; **poilu, e** [pwa'ly] **1.** *adj.* hairy, shaggy; **2.** *su./m* ✕ F French soldier.

poinçon ⊕ [pwɛ̃'sɔ̃] *m* (brad)awl; punch; stamp; *silver etc.*: (hall-)mark; *embroidery*: pricker; **poinçonner** [pwɛ̃sɔ'ne] (1a) *v/t.* prick; punch (*a. tickets*); stamp; hall-mark (*silver etc.*); **poinçonneur** [~'nœːr] *m* puncher; **poinçonneuse** [~'nøːz] *f* ⊕ stamping-machine; 🚋 ticket-punch.

poindre [pwɛ̃ːdr] (4m) *v/t.* † sting; *v/i.* dawn (*day[light]*); *fig.* come up, appear; 🝆 sprout.

poing [pwɛ̃] *m* fist.

point[1] [pwɛ̃] *m* 🝆, ⚕, *phys., typ., sp., fig., time, place*: point; *gramm.* full stop, *Am.* period; ⚕, *needle-work*: stitch; *opt.* focus; *sp.* score; *school*: mark; speck; dot (*a. on letter i*); *cards, dice*: pip; *fig.* extent, degree; *fig.* state, condition; *cost.* lace; ~ *d'arrêt* stopping place; ⚕ ~ *de côté* stitch in one's side; ⚕ ~ *de suture* stitch (*in a wound*); ~ *de vue* point of view, viewpoint; ~ *d'exclamation* exclamation mark; ~ *d'interrogation* question mark; ~ *du jour* daybreak; *mot.* ~ *mort* neutral; ~*-virgule* semicolon; *à ce* ~ *que* so much so that; *à* ~ in the right condition; in the nick of time; medium-cooked (*meat*); *sp. battre aux* ~*s* beat (*s.o.*) on points; *de* ~ *en* ~ in every particular; *deux* ~*s* colon; *en tout* ~ in every way, on all points; *être sur le* ~ *de* (*inf.*) be about to (*inf.*); ⚓ *faire le* ~ take the ship's position; *mauvais* ~ *school*: bad *or*

poor mark; *mettre au* ~ *opt* focus;
mot. etc tune (*the engine*); restate
(*a question*); clarify (*an affair*); *sur*
ce ~ on that score *or* head.

point² [~] *adv.*: ne ... ~ not ... at
all, ~ *du tout!* not at all.

pointe [pwɛ̃:t] *f* point, *arrow etc.*:
tip; *bullet*: nose; *spire, tree*: top;
touch (*of bronchitis etc.*, *a. fig*);
geog. headland, *land*: tongue; *day*:
break; witticism, *fig* peak, maximum; ~ *des pieds* tiptoe; ⊕ ~ *sèche*
etching-needle; dry-point engrav-
ing; F *avoir une* ~ *de vin* to be slightly
excited with drink; *décolleté m en*
~ V-neck; *en* ~ pointed (*beard*);
tapering; *heures f/pl. de* ~ peak
hours.

pointer¹ [pwɛ̃'te] (1a) *v/t.* prick up
(*one's ears*); sharpen (*a pencil*); ♪
dot (*a note*); *v/i.* ♀ sprout, come
up; rear (*horse*); rise, soar (*bird,
spire*).

pointer² [pwɛ̃'te] (1a) *v/t.* aim (*a
gun etc.*); check (off) (*items, names*);
prick; *v/i* clock in *or* out (*worker*).

pointillé, e [pwɛ̃ti'je] **1.** *adj.* dotted
(*line*); *tex* pin-head; spotted (*pattern*); stippled (*engraving*); **2.** *su./m*
dotted line, stippling; **pointiller**
[~'je] (1a) *v/t* dot; stipple; *fig.* pin-
prick (*s.o.*), nag at (*s.o.*); *v/i.* cavil;
split hairs; **pointilleux, -euse**
[~'jø, ~'jø:z] punctilious, particular
(about, *sur*); finicky, touchy.

pointu [pwɛ̃'ty] pointed, sharp;
fig shrill (*voice*); *fig.* touchy (*disposition*); **pointure** [~'ty:r] *f* collars,
shoes, *etc.* size.

poire [pwa:r] *f* ♀ pear; ⚡ bulb; ⚡
pear-switch; *sl.* mug, sucker, F
head; ~ *à poudre* powder-flask; F
garder une ~ *pour la soif* put s.th.
by for a rainy day; **poiré** [pwa're]
m perry.

poireau [pwa'ro] *m* ♀ leek; F simpleton, chump; F *faire le* ~ kick
one's heels; **poirée** ♀ [~'re] *f*
white beet

poirier ♀ [pwa'rje] *m* pear-tree.

pois [pwa] *m* ♀ pea; *tex.* polka dot;
~ *pl* *cassés* split peas; ~ *chiche*
chick-pea; *tex* *à* ~ spotted, dotted;
cuis *petits* ~ *pl* green peas.

poison [pwa'zɔ̃] *m* poison.

poissant, e F [pwa'sɑ̃, ~'sɑ̃:t] importunate, a pest

poissard, e [pwa'sa:r, ~'sard] **1.** *adj.*

vulgar; **2.** *su./f* fishwife; foul-
mouthed woman; *langue f de* ~e
F Billingsgate

poisse F [pwas] *f* bad luck.

poisser [pwa'se] (1a) *v/t.* pitch;
wax; make stick; F importune,
pester, *v/i* be sticky; **poisseux,
-euse** [~'sø, ~'sø:z] pitchy; sticky.

poisson [pwa'sɔ̃] *m* fish; ~ *d'avril*
April Fool trick *or* joke; ~ *rouge*
goldfish; *faire un* ~ *d'avril à* make
an April Fool of (*s.o.*); *astr.* *les* ♋s
pl Pisces, the Fishes; **~-chat**, *pl.*
~s-chats *icht* [~sɔ̃'ʃa] *m* cat-fish;
poissonnerie [~sɔn'ri] *f* fish-
market, fish-shop; **poissonneux,
-euse** [~sɔ'nø, ~'nø:z] teeming with
fish, **poissonnier, -ère** [~sɔ'nje,
~'njɛ:r] *su* fishmonger; *su./f* fish-
kettle

poitrail [pwa'tra:j] *m* horse: breast;
harness breast-strap; △ breast-
summer; **poitrinaire** ✞ [~tri'nɛ:r]
adj., *a. su.* consumptive; **poitrine**
[~'trin] *f* breast, chest; *woman*:
bust

poivrade *cuis.* [pwa'vrad] *f* dressing
of oil, vinegar and pepper; **poivre**
[pwa:vr] *m* pepper; F ~ *et sel* grey-
haired (*person*); *grain m de* ~ pep-
percorn; **poivré, e** [pwa'vre] pep-
pery, hot (*food*); pungent (*smell*);
stiff (*price*); *fig.* spicy (*story*); **poivrer** [~'vre] (1a) *v/t.* pepper; F
spice (*a story etc.*); **poivrier** [~vri'e]
m pepper-box; ♀ pepper-plant;
poivrière [~vri'ɛ:r] *f* pepper-pot;
pepper-box (*a* △); pepper-plan-
tation; **poivron** [~'vrɔ̃] *m* pimento,
allspice; **poivrot** F [~'vro] *m*
drunkard

poix [pwa] *f* pitch; cobbler's wax.

polaire ⚡, ⚓, *geog.* [pɔ'lɛːr]
polar; **polarisation** *phys.* [pɔlari-
za'sjɔ̃] *f* polarization; **polarité**
phys [~'te] *f* polarity.

polder [pɔl'dɛ:r] *m* Holland: polder.

pôle [po:l] *m* pole; *geog.* ~ *Nord* (*Sud*)
North (South) Pole.

polémique [pɔle'mik] **1.** *adj.* polemic; **2.** *su./f* polemic, *eccl.* po-
lemics *pl.*; **polémiquer** [~mi'ke]
(1m) *v/i.* polemize.

poli, e [pɔ'li] **1.** *adj.* polished (*a. fig.*);
burnished (*metal*); glossy; *fig.* po-
lite; *fig* urbane, elegant; **2.** *su./m*
polish, gloss

police¹ [pɔ'lis] *f* police, constabu-

lary; policing; regulations *pl.*: ~ *de
la circulation* traffic police; ~ *fluviale* river police; ~ *judiciaire* (*approx.*) Criminal Investigation Department, C.I.D.; *agent m de* ~
policeman; *appeler* ~(-)*secours* dial
999; ✗ *bonnet m de* ~ forage cap;
fiche f de ~ registration form (*at a
hotel*); ✗ *salle f de* ~ guard-room.
police² [~] *f* insurance policy; ✝
~ *de chargement* bill of lading; ~
flottante floating policy.
policer † [pɔli'se] (1k) *v/t.* bring
law and order to; organize; civilize.
polichinelle [pɔliʃi'nɛl] *m* Punch;
F buffoon; *secret m de* ~ open secret.
policier, -ère [pɔli'sje, ~'sjɛːr] **1.** *adj.*
police~; detective (*film, novel*);
2. *su./m* policeman; detective.
poliment [pɔli'mɑ̃] *adv. of poli 1.*
poliomyélite ✗ [pɔljɔmje'lit] *f* po-
liomyelitis, F polio; *infantile paralysis.*
polir [pɔ'liːr] (2a) *v/t.* polish (*a. fig.*);
make glossy; burnish (*metal*); *fig.*
refine; **polisseur, -euse** [pɔli'sœːr,
~'søːz] *su.* polisher; *su./f* polishing-
machine; **polissoir** [~'swaːr] *m* ⊕
tool: polisher; polishing-machine;
buff-stick; nail-polisher.
polisson, -onne [pɔli'sɔ̃, ~'sɔn]
1. *adj.* naughty; *pej.* indecent; lascivious; **2.** *su.* naughty child, scamp;
dissolute person; **polissonner** [~-
sɔ'ne] (1a) *v/i.* run the streets
(*child*); behave *or* talk lewdly; **po-
lissonnerie** [~sɔn'ri] *f child:* mischievousness; indecent act; smutty
story; depravity.
polissure [pɔli'syːr] *f* polish(ing).
politesse [pɔli'tɛs] *f* politeness,
courtesy; ~s *pl.* civilities.
politicien *m*, **-enne** *f usu. pej.* [pɔ-
liti'sjɛ̃, ~'sjɛn] politician; **politique**
[~'tik] **1.** *adj.* political; *fig.* prudent,
wary; *fig.* diplomatic; *homme m* ~
politician; **2.** *su./m* politician; *su./f*
politics; policy; ~ *de clocher* parish-
pump politics; ~ *de la porte ouverte*
open-door policy; ~ *extérieure* (*intérieure*) foreign (home) policy;
politiquer F [~ti'ke] (1m) *v/i.* dabble in politics; talk politics.
polka [pɔl'ka] *f* ♪ *dance:* polka; ⊕
quarryman's hammer.
pollen ♀ [pɔl'lɛn] *m* pollen; **polli-
nique** ♀ [~li'nik] pollinic; pollen-
(*sac, tube*); **pollinisation** ♀ [~-

liniza'sjɔ̃] *f* fertilization, polliniza-
tion.
polluer [pɔl'lɥe] (1n) *v/t.* defile;
eccl. profane; **pollution** [~ly'sjɔ̃] *f*
pollution (*a.* ✗); *eccl.* profanation.
polochon *sl.* [pɔlɔ'ʃɔ̃] *m* bolster.
polonais, e [pɔlɔ'nɛ, ~'nɛːz] **1.** *adj.*
Polish; **2.** *su./m ling.* Polish; *su.* ♀
Pole; *su./f* ♪ *dance:* polonaise.
poltron, -onne [pɔl'trɔ̃, ~'trɔn]
1. *adj.* timid; cowardly, craven;
2. *su.* coward, craven, *sl.* funk;
poltronnerie [~trɔn'ri] *f* timidity;
cowardice.
poly... [pɔli] poly...; **~clinique** [~-
kli'nik] *f* polyclinic; **~copier** [~kɔ-
'pje] (1o) *v/t.* cyclostyle, stencil,
duplicate; **~èdre** [~'ɛːdr] **1.** *adj.*
polyhedral; **2.** *su./m* polyhedron;
~game [~'gam] **1.** *adj.* polygamous;
♀ polygamic; **2.** *su.* polygamist;
~glotte [~'glɔt] *adj., a. su.* polyglot;
~gone [~'gɔn] **1.** *adj.* polygonal;
2. *su./m* polygon; ✗ artillery: shoot-
ing-range; **~mère** ♫ [~'mɛːr] poly-
meric; **~nôme** ♫ [~'noːm] *m* poly-
nomial.
polype [pɔ'lip] *m zo.* polyp; ✗ pol-
ypus; **polypeux, -euse** [~li'pø, ~-
'pøːz] polypous.
poly...: ~phonie ♪ [pɔlifɔ'ni] *f* po-
lyphony; **~phonique** ♪ [~fɔ'nik]
polyphonic; **~technicien** [~tɛkni-
'sjɛ̃] *m* student at the *École polytechnique*; **~technique** [~tɛk-
'nik] polytechnic; *École f
~ Military Academy of Artillery and
Engineering.*
pomiculteur [pɔmikyl'tœːr] *m* fruit-
grower.
pommade [pɔ'mad] *f* pomade,
pomatum, (*hair*-)cream; F *passer de
la* ~ *à* soft-soap (*s.o.*); **pomma-
der** [~ma'de] (1a) *v/t.* pomade,
put cream on (*one's hair*).
pommard [pɔ'maːr] *m* Pommard
(*a red burgundy*).
pomme [pɔm] *f* apple; ♀ pome;
lettuce etc.: head; *bedstead, stick:*
knob; *sprinkler etc.:* rose; F head;
~ *de discorde* bone of contention;
~ *de terre* potato; ~s *pl.* chips potato crisps; F *tomber dans les* ~s
pass out (= *faint*); **pommé, e**
[pɔ'me] **1.** *adj.* rounded; F downright (*fool*); first-rate; *chou m* ~
white-heart cabbage; *laitue f* ~e
cabbage lettuce; **2.** *su./m* cider.

pommeau [pɔ'mo] *m* pommel; *fishing-rod*: butt.

pommelé, e [pɔm'le] dappled; *ciel m* ~ mackerel sky; *gris* ~ dapple-grey; **pommelle** ⊕ [pɔ'mɛl] *f* grating (*over pipe*); **pommer** [~'me] (1a) *v/i. a. se* ~ form a head (*cabbage, lettuce, etc.*); **pommeraie** ✗ [pɔm'rɛ] *f* apple-orchard; **pommette** [pɔ'mɛt] *f* knob; *anat.* cheek-bone; **pommier** [~'mje] *m* apple-tree; **pomologie** [~mɔlɔ'ʒi] *f* pomology.

pompe[1] [pɔ̃:p] *f* pomp, ceremony; *entrepreneur m de* ~*s funèbres* funeral director, undertaker, *Am.* mortician.

pompe[2] [pɔ̃:p] *f* ⊕ pump; *mot.* ~ *à essence* petrol-pump, *Am.* gas-pump; ~ *à graisse* grease-gun; ~ *à incendie* fire-engine; ~ *à pneumatique* tyre-pump; tyre-inflator; ~ *aspirante* suction-pump; ~ *aspirante-foulante* lift-and-force pump; **pomper** [pɔ̃-'pe] (1a) *v/t.* pump (*a. fig.*); suck up *or* in; F tire out; **pompette** F [~'pɛt] tipsy.

pompeux, -euse [pɔ̃'pø, ~'pø:z] pompous; stately; high-flown (*style*).

pompier [pɔ̃'pje] 1. *su./m* fireman; pump-maker; pumpman; F tippler; 2. *adj.* F corny; high-falutin' (*style*); **pompiste** *mot.* [~'pist] *m* pump attendant.

pompon [pɔ̃'pɔ̃] *m* pompon, tuft; powder-puff; F *à lui le* ~! he is easily first!; **pomponner** [~pɔ'ne] (1a) *v/t.* adorn with pompons; *fig.* adorn.

ponant *hist.* [pɔ'nã] *m* West; Occident.

ponce [pɔ̃:s] *f* (*a. pierre f* ~) pumice-stone; *drawing*: pounce.

ponceau[1] ⊕ [pɔ̃'so] *m* culvert.

ponceau[2] [~] 1. *su./m* corn-poppy; poppy-red; 2. *adj./inv.* poppy-red.

poncer ⊕ [pɔ̃'se] (1k) *v/t.* pumice; *floor etc.*: sand-paper; rub down (*paint*); pounce (*a drawing*); **ponceux, -euse** [~'sø, ~'sø:z] 1. *adj.* pumiceous; 2. *su./f* ⊕ sand-papering machine; **poncif, -ve** [~'sif, ~'si:v] 1. *adj.* conventional; trite; stereotyped (*effect, plot*); 2. *su./m* conventionalism; *fig.* conventional piece of writing.

ponction ⚕ [pɔ̃k'sjɔ̃] *f* puncture;

blister: pricking; **ponctionner** [~sjɔ'ne] (1a) *v/t.* puncture; tap; prick (*a blister*).

ponctualité [pɔ̃ktɥali'te] *f* punctuality; **ponctuation** *gramm.* [~'sjɔ̃] *f* punctuation; **ponctuel, -elle** [pɔ̃k'tɥɛl] punctual; *phys.* pinpoint; **ponctuer** [~'tɥe] (1n) *v/t.* punctuate; emphasize (*a spoken word*).

pondaison [pɔ̃dɛ'zɔ̃] *f* eggs: laying.

pondérable [pɔ̃de'rabl] ponderable; **pondéral, e,** *m/pl.* **-aux** [~'ral, ~'ro] ponderal; **pondérateur, -trice** [~ra'tœ:r, ~'tris] stabilizing, balancing; **pondération** [~ra'sjɔ̃] *f* balance (*a. fig.*); equilibrium; *fig.* coolness; **pondéré, e** [~'re] level-headed; **pondérer** [~'re] (1f) *v/t.* balance.

pondeur, -euse [pɔ̃'dœ:r, ~'dø:z] 1. *adj.* (egg-)laying; 2. *su. fig.* prolific producer (*of novels etc.*); *su./f* hen: layer; **pondoir** [~'dwa:r] *m* nest-box; *hens*: laying-place; **pondre** [pɔ̃:dr] (4a) *v/t.* lay (*an egg*); F *fig.* produce, bring forth.

poney *zo.* [pɔ'nɛ] *m* pony.

pont [pɔ̃] *m* △, ⊕, *fig.* bridge; ⊕, *mot.* axle; ⚓ deck; ~*s pl. et chaussées f/pl.* Highways Department *sg.* (*in France*); ⊕ ~ *à bascule* weigh-bridge; ~ *aérien* air-lift; *mot.* ~ *arrière* rear-axle; *mot.* ~ *élévateur garage*: repair *or* car ramp; ~ *roulant* ⊕ travelling crane; 🚂 traverser; ⚠ ~ *suspendu* suspension-bridge; ⚠ ~ *tournant* swing-bridge; *fig. couper les* ~*s* burn one's boats; **pontage** [pɔ̃'ta:ʒ] *m* bridge-building; bridging.

ponte[1] [pɔ̃:t] *f* eggs: laying; eggs *pl.*

ponte[2] [~] *m* cards: punter; F top brass, V.I.P.

ponter[1] [pɔ̃'te] (1a) *v/t.* bridge (*a river, esp.* ✗ *with a pontoon etc.*); ⚓ lay the deck(s) of (*a ship*).

ponter[2] [~] (1a) *v/i.* cards: punt.

pontet [pɔ̃'te] *m* ⊕ *gun*: trigger-guard; *bayonet*: scabbard-catch; **pontier** [~'tje] *m* bridge-keeper; **pontife** [pɔ̃'tif] *m* pontiff; *fig.* pundit; *souverain m* ~ pope, sovereign pontiff; **pontifical, e,** *m/pl.* **-aux** [pɔ̃tifi'kal, ~'ko] *adj., a. su./m* pontifical; **pontificat** [~fi'ka] *m* pontificate; **pontifier** [~'fje] (1o) *v/i.* pontificate (*a. fig.*).

pont-levis, *pl.* **ponts-levis** [põlə'vi] *m* drawbridge.

ponton [põ'tõ] *m* ✕ pontoon; ⚓ lighter; *in river etc.*: floating landing-stage; † hulk, prison-ship; **pontonnier** [ˌtõ'nje] *m* ferry, *bridge*: toll-collector; ✕ pontoneer.

popeline *tex.* [pɔ'plin] *f* poplin.

popote F [pɔ'pɔt] **1.** *su./f* cooking; ✕ cook-shop; ✕ (*field-*)mess; *faire la* ~ do the cooking; **2.** *adj.* stay-at-home, quiet.

populace *pej.* [pɔpy'las] *f* populace, rabble; **populacier, -ère** F [ˌla-'sje, ~'sjɛːr] vulgar, common.

populage ⚘ [pɔpy'laːʒ] *m* marsh marigold.

populaire [pɔpy'lɛːr] **1.** *adj.* popular (with, *auprès de*); **2.** *su./m* common people; herd; **populariser** [pɔpylari'ze] (1a) *v/t.* popularize; make (*s.o.*) popular; **popularité** [ˌ'te] *f* popularity; **population** [pɔpyla-'sjõ] *f* population; ~ *active* working population; **populeux, -euse** [ˌ'lø, ~'løːz] populous, crowded (*city etc.*); **populo** F [ˌ'lo] *m* common people, riff-raff.

porc [pɔːr] *m* pig, hog; *cuis.* pork; *fig.* (dirty) swine.

porcelaine [pɔrsə'lɛn] *f* china (-ware); porcelain; ~ *de Limoges* Limoges ware; **porcelainier, -ère** [ˌlɛ'nje, ~'njɛːr] **1.** *adj.* china...; porcelain...; **2.** *su./m* porcelain manufacturer.

porcelet [pɔrsə'lɛ] *m* piglet, *ch.sp.* piggy.

porc-épic, *pl.* **porcs-épics** *zo.* [pɔrke'pik] *m* porcupine, *Am.* hedgehog.

porche △ [pɔrʃ] *m* porch, portal.

porcher [pɔr'ʃe] *m* swine-herd; **porchère** [ˌ'ʃɛːr] *f* swine-maiden; **porcherie** [ˌʃə'ri] *f* pig-farm; pigsty (*a. fig.*).

pore [pɔːr] *m* pore; **poreux, -euse** [pɔ'rø, ~'røːz] porous; unglazed (*pottery etc.*).

porion ✕ [pɔ'rjõ] *m* overman.

pornographie [pɔrnɔgra'fi] *f* pornography.

porosité [pɔrozi'te] *f* porosity.

porphyre [pɔr'fiːr] *m min.* porphyry; ✱ slab; **porphyrique** *min.* [ˌfi'rik] porphyritic.

porreau [pɔ'ro] *m see* poireau.

port[1] [pɔːr] *m* ⚓, ⚓ port; harbo(u)r; haven (*a. fig.*); ~ *d'attache* port of

registry; ~ *de* (*or à*) *marée* tidal harbo(u)r; ~ *de mer* seaport; ~ *franc* free port; *arriver à bon* ~ ⚓ come safe into port; *fig.* arrive safely; *capitaine m de* ~ harbo(u)r-master; *entrer au* ~ come into port.

port[2] [pɔːr] *m* carrying; *goods etc.*: carriage; *letter, parcel*: postage; ⚓ *ship*: tonnage; *transport, telegram, etc.*: charge; *decorations, uniform*: wearing; *person*: bearing, carriage; ~ *dû* carriage forward; ~ *payé* carriage *or* postage paid; **portable** [pɔr'tabl] portable; *cost.* wearable; **portage** [ˌ'taːʒ] *m* ⚓ conveyance, transport; ⚓ portage; ⊕ bearing.

portail △ [pɔr'taːj] *m* portal; main door.

portance ✈ [pɔr'tãːs] *f* lift (*per unit area*); **portant, e** [ˌ'tã, ~'tãːt] **1.** *adj.* ⊕ bearing, carrying; *fig.* in (*good, bad*) health; **2.** *su./m* ⊕ stay, strut; *box, trunk*: handle; *thea.* framework (*of a flat*); ⚡ magnet: armature; **portatif, -ve** [ˌta'tif, ~'tiːv] portable (*radio*).

porte [pɔrt] **1.** *su./f* △, *a.* ⊕ door (*a. fig.*); gate (*a.* ⚓); doorway, entrance; *geog.* pass, gorge; ~ *à deux battants* folding-door; ~ *cochère* carriage entrance, gateway; ⚒ ~ *d'aérage* trap, air-gate; ~ *vitrée* glass door; *écouter aux* ~ *s* eavesdrop; *mettre q. à la* ~ turn s.o. out; *nous habitons* ~ *à* ~ we are next-door neighbo(u)rs; **2.** *adj.*: *anat. veine f* ~ portal vein.

porte...: ~**affiches** [pɔrta'fiʃ] *m/inv.* notice-board; ~**aiguilles** [ˌe'gɥiːj] *m/inv.* needle-case; ~**assiette** [ˌa'sjɛt] *m/inv.* table-mat; ~**avions** ⚓ [ˌa'vjõ] *m/inv.* aircraft carrier, *Am. sl.* flattop; ~**bagages** [ˌba'gaːʒ] *m/inv.* luggage-rack; *mot.* luggage-carrier; ~**billets** [ˌbi'jɛ] *m/inv.* note-case, *Am.* bill-fold; ~**bonheur** [ˌbɔ-'nœːr] *m/inv.* talisman, lucky charm; mascot; ~**bouteilles** [ˌbu-'tɛːj] *m/inv.* bottle-rack; wine-bin; ~**cigarette** [ˌsiga'rɛt] *m/inv.* cigarette-holder; ~**cigarettes** [ˌsiga-'rɛt] *m/inv.* cigarette case; ~**clefs** [ˌə'kle] *m/inv.* (prison) warder; key-ring; *hotel*: key-board, key-rack; ~**drapeau** ✕ [ˌədra'po] *m/inv.* colo(u)r-bearer.

portée [pɔr'te] *f* bearing; △ span; *gun:* range; *voice:* compass; *arm:* reach; ⊕ bearing surface; △ projection; *fig.* comprehension; *fig.* full implications *pl.*; à ~ de la voix (main) within call (reach); être à la ~ de be within the understanding of (*s.o.*); be within reach *or* range of (*s.th.*); vues *f/pl.* à longue ~ far-sighted policy *sg.*

porte...: ~**enseigne** [pɔrtɑ̃'sɛn] *m/inv.* colo(u)r-bearer; ~**épée** [~e-'pe] *m/inv.* sword-knot; ~**faix** [~ɔ'fɛ] *m* (street-)porter; *docks:* stevedore.

porte-fenêtre, *pl.* **portes-fenêtres** △ [pɔrtə'fnɛːtr] *f* French window.

porte...: ~**feuille** [pɔrtə'fœːj] *m* documents, *a. pol.*: portfolio; wallet, note-case, *Am.* bill-fold; ⊹ ~ titres investments *pl.*, securities *pl.*; ~**habits** [pɔrta'bi] *m/inv.* hall-stand; ~**malheur** [~ma'lœːr] *m/inv.* bringer of bad luck, F Jonah; ~**manteau** [~mɑ̃'to] *m* coat-rack, hatstand; ~**mine** [~'min] *m/inv.* pencil-case; propelling pencil; ~**monnaie** [~mɔ'nɛ] *m/inv.* purse; ~**parapluies** [~para'plɥi] *m/inv.* umbrella-stand; ~**parole** [~pa'rɔl] *m/inv.* spokesman, F mouthpiece; ~**plume** [pɔrtə'plym] *m/inv.* penholder.

porter [pɔr'te] (1a) *v/t.* carry; bear; wear (*clothing*); take; strike, deal (*a blow*); ⚎ bring (*a charge, a complaint*); ⊹ charge; ⊹ place (*to s.o.'s credit*); ⊹ post (*in ledger*); produce (*fruit etc.*); ✕ shoulder (*arms*); *fig.* lead (*s.o.*) (to, à); *fig.* increase (*the number, the price, the temperature*); *fig.* have (*an affection, an interest*), bear (*the responsibility, witness*); se ~ proceed (to, à); feel, be (*well etc.*); be worn (*clothing*); se ~ candidat stand as candidate, *pol.* run (for, à); se ~ garant de vouch for; *v/i.* bear (*a. fig.*), rest (on, *sur*); deal (with, *sur*); hit the mark, strike home (*shot, a. fig. insult, etc*); ⚎ be pregnant; be with young (*animal*); *fig.* ~ à la tête go to the head (*wine*); ~ sur les nerfs get on one's nerves.

porte...: ~**respect** [pɔrtrɛs'pɛ] *m/inv.* defensive weapon; ~**savon** [~sa'võ] *m or m/inv.* soap-dish, soap-

holder; ~**serviettes** [~ser'vjet] *m/inv.* towel-rack.

porteur, -**euse** [pɔr'tœːr, ~'tøːz] 1. *su.* porter; *letter-, message-, news-, etc.*: bearer; ⚎ (*germ-*)carrier; *su./m* ⊹ bearer, payee (*of cheque*); (*stock-, share-*)holder; au ~ (*payable*) to bearer (*cheque*); 2. *adj.* pack-(*animal*); ⊕ bearing; suspension-...; carrier (*wave, rocket*).

porte-voix [pɔrtə'vwa] *m/inv.* speaking-tube; megaphone.

portier, -**ère** [pɔr'tje, ~'tjɛːr] *su.* porter, janitor; *su./f* mot., *a.* door; door-curtain; **portillon** [~ti-'jõ] *m* wicket(-gate); small gate.

portion [pɔr'sjõ] *f* portion, share, part; *meal:* helping; F ~ congrue bare living.

portique [pɔr'tik] *m* portico, porch; ⊕ gantry; *sp.* cross-beam.

porto [pɔr'to] *m wine:* port.

portrait [pɔr'trɛ] *m paint.* portrait; face; *fig.* likeness; *fig.* description; character-sketch, profile; **portraitiste** [pɔrtrɛ'tist] *su.* portrait-painter; **portraiturer** F [~ty're] (1a) *v/t.* portray.

portugais, e [pɔrty'gɛ, ~'gɛːz] 1. *adj.* Portuguese; 2. *su./m ling.* Portuguese; *su.* ♂ Portuguese; *les* ♀ *m/pl.* the Portuguese.

posage ⊕ [po'zaːʒ] *m* placing; fixing; *bricks, pipes:* laying; **pose** [poːz] *f* ⊕ placing; fixing; *bricks, pipes:* laying; ✕ posting; *phot.* time-exposure; *fig.* posture; pose; *fig.* affectation; *prendre une* ~ adopt *or* strike an attitude; **posé, e** [po'ze] *fig.* sedate, staid, grave; steady (*bearing, person, voice*); sitting (*bird*); **posemètre** *phot.* [poz'mɛtr] *m* exposure meter; **poser** [po'ze] (1a) *v/t.* place, put (*a. a question, a motion*), lay (*a.* △ bricks, pipes, carpet, ⚎ rails, etc.*); lay down (*a book, a. fig. a principle*); hang (*curtains*); set (*a problem*); ⊕ fix, fit; ✕ ~ *les armes* lay down one's arms; ~ *q.* establish s.o.'s reputation; *posons le cas* que let us suppose that; *se* ~ *fig.* achieve a certain standing; ⚎ land (*plane*); *se* ~ *comme* pass o.s. off as, claim to be; *v/i.* rest, lie; *paint.* pose (*a. fig.*), sit; F *fig.* put it on, *Am.* put on dog; *fig.* ~ *pour* claim to be; **poseur**, -**euse** [~'zœːr, ~'zøːz] *su.* affected person; attitudinizer; *su./m* pipes, *a.* mines: layer; (bill-) sticker.

positif, -ve [pozi'tif, ~'ti:v] **1.** *adj.* ♑, ⚡, *gramm., phys., phot.* positive; real, actual; matter-of-fact, practical (*person*); **2.** *su./m phot., gramm.* positive; reality; *phot.* print; ♪ choir-organ.

position [pozi'sjɔ̃] *f* position; situation (*a. fig.*); job; (*physical*) posture, attitude; (*social*) standing; ~ clé key position; *feux m/pl.* de ~ ⚔ navigation lights; ⚓ riding lights; *mot.* parking lights; *prendre* ~ *sur* take up a definite stand about.

possédé, e [pose'de] **1.** *adj.* possessed (by, de; *fig. a.* with, pour); **2.** *su./m* madman, maniac; *su./f* madwoman; **posséder** [~] (1f) *v/t.* possess (*a. fig.*); own; have; *fig. passion, influence:* dominate; have a thorough knowledge of; *fig. se* ~ contain o.s., control o.s.

possesseur [pose'sœ:r] *m* owner, possessor; **possessif, -ve** *gramm.* [~'sif, ~'si:v] *adj., a. su./m* possessive; **possession** [~'sjɔ̃] *f* possession (*a. by a demon*); property; *fig.* thorough knowledge (*of a subject*).

possibilité [posibili'te] *f* possibility; **possible** [~'sibl] **1.** *adj.* possible; *le plus* ~ as far as possible; as many or much as possible; *le plus vite* ~ as quickly as possible; **2.** *su./m* what is possible; *faire tout son* ~ do all one can (to *inf., pour inf.*).

post... [post] post...

postal, e, *m/pl.* **-aux** [pos'tal, ~'to] postal; *sac m* ~ mail-bag.

postdater [postda'te] (1a) *v/t.* postdate.

poste¹ [post] *f* post; mail; postal service; post office; ~ *aérienne* airmail; ~ *restante* to be called for, *Am.* general delivery; *mettre à la* ~ post, *Am.* mail (*a letter*); *par la* ~ by post.

poste² [~] *m* post (*a.* ⚔); ⚓ quarters *pl.,* room; ✈ *pilot:* cockpit; ⚔, ⊕, ⚡, *police, fire, radio, tel., etc.:* station; *radio, teleph.:* set; *teleph.* extension; ↑ entry; ↑ item; *mot.* (*filling*) station, (*petrol*) pump; ⚔ ~ *avancé* advanced post, outpost; 🚂 ~ *d'aiguillage* signal-box; ✈ ~ *de contrôle* control tower; ⊕, ⚔ ~ *de jour* (*nuit*) day (night) shift; ~ *de*

secours first-aid post; ⚔ regimental aid post; ~ *de télévision* television set, F T.V.; ~ *de T.S.F.* wireless (set), *Am.* radio; ~ *téléphonique* telephone-station; *conduire q. au* ~ take s.o. to the police station.

poster [pos'te] (1a) *v/t.* post, *Am.* mail (*a letter*); post (*guns, a sentry*); station (*a sentry*).

postérieur, e [poste'rjœ:r] **1.** *adj.* posterior; subsequent (*time*); hind (-er) (*place*); back (*vowel*); **2.** *su./m* posterior, F backside.

postérité [posteri'te] *f* posterity; descendants *pl.; la* ~ generations *pl.* to come.

postface [post'fas] *f book:* postscript.

posthume [pos'tym] posthumous.

postiche [pos'tiʃ] **1.** *adj.* false (*hair etc.*); imitation (*pearl*); **2.** *su./m* postiche.

postier m, -ère f [pos'tje, ~'tjɛ:r] post-office employee; **postillon** [~ti'jɔ̃] *m* postilion; F *speech:* splutter(ing).

post...: ~position [postpozi'sjɔ̃] *f* postposition; **~scolaire** [~skɔ'lɛ:r] after-school; *class, school:* continuation ...; **~scriptum** [~skrip'tɔm] *m/inv.* postscript, P.S.

postulant m, e f [posty'lɑ̃, ~'lɑ̃:t] *post:* applicant, candidate; *eccl.* postulant; **postulat** [~'la] *m* postulate, assumption; **postulation** [~la'sjɔ̃] *f* postulation; **postuler** [~'le] (1a) *v/t.* apply for (*a post*); *eccl.* postulate; *v/i.* ⚖ conduct a (law)suit.

posture [pos'ty:r] *f* posture, attitude; *fig.* position.

pot [po] *m* pot; jar, jug, can; ⚗ crucible; ~ *à eau* water jug, ewer; ~ *à fleurs* flower-pot; ~ *à lait* milk-can, milk-jug; ~ *de chambre* chamber(-pot); ~ *de fleurs* pot of flowers; *fig. découvrir le* ~ *aux roses* smell out the secret; *manger à la fortune du* ~ take pot luck; F *fig. tourner autour du* ~ beat about the bush.

potable [pɔ'tabl] drinkable, fit to drink; F fair, acceptable; *eau f* ~ drinking water.

potache F [pɔ'taʃ] *m* secondary-school boy, grammar-school boy.

potage [pɔ'ta:ʒ] *m* soup; *fig. pej. pour tout* ~ in all; **potager, -ère**

[‿ta'ʒe, ‿'ʒɛːr] **1.** *adj.* pot-(*herbs*); kitchen (*garden*); **2.** *su./m* (*a.* jardin *m* ‿) kitchen garden.

potasse [pɔ'tas] *f* 🜨 potash; 🜨 (impure) potassium carbonate; **po-tasser** F [pɔta'se] (1a) *v/t.* swot at *or* for; **potassique** 🜨 [‿'sik] potassium...; potassic (*salt*); **po-tassium** 🜨 [‿'sjɔm] *m* potassium.

pot-au-feu [pɔto'fø] **1.** *su./m/inv.* stock-pot; beef-broth; boiled beef and vegetables; **2.** *adj.* stay-at-home; **pot-bouille** † *sl.* [po'buːj] *f:* faire ‿ ensemble live together; **pot-de-vin,** *pl.* **pots-de-vin** F [pod'vɛ̃] *m* tip, gratuity; *pej.* bribe; *pej.* hush-money, *Am. sl.* rake-off.

pote *sl.* [pɔt] *m* pal, *Am.* buddy.

poteau [pɔ'to] *m* post (*a. sp.*), stake; pole; 🔧 pit-prop; *sl.* pal, *Am.* buddy; ‿ *indicateur* sign-post; ‿ *télégraphique* telegraph pole.

potée [pɔ'te] *f* potful, jugful; *beer:* mugful; ⊕ emery, putty, etc.: powder.

potelé, e [pɔt'le] plump, chubby; dimpled.

potence [pɔ'tãːs] *f* gallows *usu. sg.*, gibbet; △, ⊕ arm, cross-piece; ⊕ *crane:* jib; *mériter la* ‿ deserve hanging.

potentat [pɔtã'ta] *m* potentate; 🜨 F magnate.

potentiel, -elle [pɔtã'sjɛl] *adj.*, *a. su./m* potential (*a. gramm.*).

potentille ♀ [pɔtã'tiːj] *f* cinquefoil, potentilla.

potentiomètre ⚡ [pɔtãsjɔ'mɛtr] *m* potentiometer; *cin.* (*sound*) fader.

poterie [pɔ'tri] *f* pottery (*a. works*); earthenware; ‿ *d'étain* pewter; **potiche** [‿'tiʃ] *f* vase of Chinese *or* Japanese porcelain; **potier** [‿'tje] *m* potter; ‿ *d'étain* pewterer.

potin [pɔ'tɛ̃] *m* pewter; pinchbeck; F gossip; F din, rumpus; ‿ *jaune* brass; **potiner** F [pɔti'ne] (1a) *v/i.* gossip; **potinier, -ère** [‿'nje, ‿'njɛːr] **1.** *adj.* gossipy; **2.** *su.* scandalmonger, gossip; *su./f* gossip-shop.

potion 🜨 [po sjɔ̃] *f* potion, draught.

potiron ♀ [pɔti'rɔ̃] *m* pumpkin.

pot-pourri, *pl.* **pots-pourris** [popu-ri] *m cuis.* meat-stew; ♪ pot-pourri (*a. perfume*), medley.

pou, *pl.* **poux** [pu] *m* louse; (*bird-*)mite: (*sheep-*)tick.

pouah! [pwa] *int.* ugh!

poubelle [pu'bɛl] *f* refuse-bin, *Am.* garbage-can; dustbin.

pouce [puːs] *m* thumb; † *measure:* inch (*a. fig.*); big toe; *manger sur le* ‿ have a snack; *mettre les* ‿s knuckle under, give in; *s'en mordre les* ‿s regret it bitterly; *se tourner les* ‿s twiddle one's thumbs; **pou-cettes** [pu'sɛt] *f/pl.* thumb-cuffs; † *torture:* thumb-screw *sg.*; **poucier** [‿'sje] *m* 🜨 thumb-stall; ⊕ *latch:* thumb-piece.

pouding *cuis.* [pu'diŋ] *m* pudding.

poudingue *min.* [pu'dɛ̃ːg] *m* pud-ding-stone.

poudre [puːdr] *f* powder; dust (*a. fig.*); ⚔ (gun)powder; ⚔ ‿ *de mine* blasting powder; *café m en* ‿ in-stant coffee; *il n'a pas inventé la* ‿ he won't set the Thames on fire; *fig. jeter de la* ‿ *aux yeux de q.* throw dust in s.o.'s eyes; bluff s.o.; *réduire en* ‿ pulverize; *sucre m en* ‿ castor sugar; **poudrer** [pu'dre] (1a) *v/t.* (sprinkle [*s.th.*] with) powder; **poudrerie** [‿dra'ri] *f* (gun)powder-factory; **poudreux, -euse** [‿'drø, ‿'drøːz] dusty; powdery; **pou-drier** [‿dri'e] *m* powder-case, powder-box; compact; **poudrin** [‿'drɛ̃] *m see* embrun; **poudroyer** [‿drwa'je] (1h) *v/i.* form *or* send up clouds of dust.

pouf [puf] **1.** *int. sound of falling:* plop!; plump!; *feelings:* phew!; **2.** *su./m cushion:* pouf; puff (= *ex-aggerated advertisement*); **pouf-fant, e** F [pu'fã, ‿'fãːt] scream-ingly funny; **pouffer** [‿'fe] (1a) *v/i.* (*a.* ‿ *de rire*) burst out laughing.

pouillard *orn.* [pu'jaːr] *m* poult, young pheasant.

pouillerie *sl.* [puj'ri] *f* abject poverty; filthy hole.

pouilles [puːj] *f/pl.:* *chanter* ‿ *à* jeer at.

pouilleux, -euse [pu'jø, ‿'jøːz] lousy, lice-infested; F wretched.

poulailler [pula'je] *m* hen-house, hen-roost; F *thea.* gallery, gods *pl.*; **poulaillerie** [‿laj'ri] *f* poultry-market.

poulain [pu'lɛ̃] *m zo.* foal, colt; ⊕ skid; slide-way.

poulaine [pu'lɛn] *f* ⚓ head; *hist. souliers m/pl. à la* ‿ shoes with long pointed toes.

poularde *cuis.* [pu'lard] *f* fowl; fat (-tened) pullet; **poule** [pul] *f* hen; *cuis.* fowl; *games, a. fencing:* pool; *races:* sweepstake; F girl; F tart, prostitute; ~ *d'Inde* turkey-hen; F ~ *mouillée* milksop; *fig.* chair *f* de ~ goose-flesh; **poulet** [pu'lɛ] *m* chicken; F love-letter; *sl.* copper (= *policeman*); **poulette** [pu'lɛt] 1. *su./f zo.* pullet; F girl; 2. *adj.*: *cuis.* sauce *f* ~ sauce of butter, yolk of egg and vinegar.

pouliche *zo.* [pu'liʃ] *f* filly.

poulie ⊕ [pu'li] *f* pulley; block; driving wheel.

pouliner [puli'ne] (1a) *v/i.* foal; **poulinière** [⸰'njɛːr] 1. *adj./f* brood-...; 2. *su./f* brood mare; *bonne* ~ good breeder.

poulot *m*, -otte *f* F [pu'lo, ⸰'lɔt] darling, pet (*addressing children*).

poulpe *zo.* [pulp] *m see* pieuvre.

pouls ⚕ [pu] *m* pulse; *prendre le* ~ *à q.* feel s.o.'s pulse; F *fig.* tâter *le* ~ *à q.* sound s.o.; F *se tâter le* ~ reflect, hesitate.

poumon [pu'mɔ̃] *m anat.* lung; ⚕ ~ *d'acier* iron lung.

poupard [pu'paːr] *m* baby in long clothes; baby-doll.

poupe ⚓ [pup] *f* stern, poop.

poupée [pu'pe] *f* doll; puppet; ⊕ poppet; ⚓ *capstan:* head; *cost.* dummy; F bandaged finger.

poupin, e [pu'pɛ̃, ⸰'pin] rosy (-*cheeked*).

poupon *m*, -onne *f* F [pu'pɔ̃, ⸰'pɔn] baby; **pouponner** F [pupɔ'ne] (1a) *v/t.* coddle (*a child etc.*); **pouponnière** [⸰'njɛːr] *f* babies' room (*in day-nursery*); day-nursery; infants' nursery.

pour [puːr] 1. *prp.* for (*s.o., this reason, negligence, ten dollars, the moment, Christmas, ever*); on account of, because of, for the sake of; instead of; in favo(u)r of; considering; as; (al)though, in spite of, for; calculated *or* of a nature to (*inf.*); about to (*inf.*); ✝ per (*cent*); *du respect* ~ consideration for; *prendre* ~ take for; *passer* ~ be looked upon as; *see partir*; ~ *le plaisir* (*la vie*) for fun (life); ~ *ma part* as for me; ~ *moi* in my opinion; ~ (*ce qui est de*) *cela* as far as that goes; *see amour*; *il fut puni* ~ *avoir menti* he was punished for lying *or*

because he had lied; ~ *être riche il ... though he is rich he ...*; in spite of being rich he ...; *être* ~ (*inf.*) be on the point of (*ger.*); *affaires* on business; ~ *de bon* seriously, in earnest; ~ *le moins* at least; ~ *ainsi dire* so to speak, as it were; ~ *important qu'il soit* however important it may be; ~ *peu que* (*sbj.*) if ever (*ind.*); however little (*ind.*); ~ *que* (*sbj.*) so *or* in order that; *être* ~ *beaucoup* (*peu*) *dans qch.* play a big (small) part in s.th.; *être* ~ *in favo(u)r of; sévère* ~ hard on, strict with; 2. *su./m:* le ~ *et le contre* the pros *pl.* and cons *pl.*

pourboire [pur'bwaːr] *m* tip, gratuity.

pourceau [pur'so] *m* pig, hog, swine.

pour-cent ✝ [pur'sɑ̃] *m/inv.* percentage, rate per cent; **pourcentage** ✝ [⸰sɑ̃'taːʒ] *m* percentage; rate (of interest).

pourchasser [purʃa'se] (1a) *v/t.* pursue; *fig.* chase; hound (*a debtor etc.*).

pourfendeur *iro.* [purfɑ̃'dœːr] *m* swashbuckler; **pourfendre** *iro.* [⸰'fɑ̃ːdr] (4a) *v/t.* cleave in two.

pouriécher F [purle'ʃe] (1f) *v/t.*: ~ lick; *se* ~ *les babines* lick one's chops.

pourparlers [purpar'le] *m/pl.* (*diplomatic*) talks, negotiations; ✕ parley *sg.*

pourpoint *cost.* ✝ [pur'pwɛ̃] *m* doublet.

pourpre [purpr] 1. *su./f* dye, robe, *a. fig.*: purple; *su./m* dark red, crimson; ⚕ purpura; 2. *adj.* dark red, crimson, purple; **pourpré, e** [pur'pre] crimson; purple.

pourquoi [pur'kwa] 1. *adv., cj.* why; *c'est* ~ therefore; that's why; 2. *su./m/inv.*: *le* ~ the reason (for, de).

pourrai [pu're] *1st p. sg. fut.* of pouvoir 1.

pourri, e [pu'ri] 1. *adj.* rotten (with, de) (*fruit, wood, a. fig.*); bad (*egg, meat*); addled (*egg*); dank (*air*); damp (*weather*); putrid (*flesh*); 2. *su./m* rotten part, bad patch (*of fruit etc.*); **pourrir** [⸰'riːr] (2a) *vt/i.* rot; *v/i.* go bad *or* rotten; addle (*egg*); *fig.* ~ *en prison* rot in goal; **pourriture** [⸰ri'tyːr] *f* decay, rot

(-ting); putrefaction; *fig.* rottenness, corruption.

poursuite [pur'sɥit] *f* pursuit (*a. fig.*); chase; ~s *pl.* legal action *sg.*; prosecution *sg.*; **poursuivant, e** [‿sɥi'vã, ‿'vã:t] **1.** *su.* pursuer; ⚖ plaintiff; prosecutor; **2.** *adj.* prosecuting; **poursuivre** [‿sɥi:vr] (4ee) *v/t.* pursue (*a.* ✕, *a. fig.*); *fig.* continue, go on with; ⚖ sue (*s.o.*); prosecute (*s.o.*).

pourtant [pur'tã] *cj.* nevertheless, (and) yet.

pourtour [pur'tu:r] *m* periphery; precincts *pl.*; *thea.* gangway round the stalls; *avoir cent mètres de* ~ be 100 metres round.

pourvoi ⚖ [pur'vwa] *m* appeal; petition (for mercy, *en grâce*); **pourvoir** [‿'vwa:r] (3m) *v/t.* provide, supply, furnish (with, *de*); ⚖ *se* ~ appeal (to the Supreme Court, *en cassation*); *se* ~ *en grâce* petition for mercy; *v/i.*: ~ *à* provide for; ~ *à un emploi* fill a post; **pourvoyeur** *m*, **-euse** *f* [‿vwa'jœːr, ‿'jøːz] provider; caterer; contractor.   [(that).]

pourvu [pur'vy] *cj.*: ~ *que* provided)

poussah [pu'sa] *m toy:* tumbler; *fig.* pot-bellied man.

pousse [pus] *f leaves, hair, etc.:* growth; *teeth:* cutting; ✔ (*young*) shoot; *wine:* ropiness; ~**café** [‿ka'fe] *m/inv.* liqueur (*after coffee*), F chaser; ~**caillou** ✕ *sl.* [‿ka'ju] *m/inv.* foot-slogger (= *infantryman*); **poussée** [pu'se] *f* ⊕, ✕ thrust; *phys.* pressure (*a. business*); *fig.* push, shove; *fig.* upsurge; ✝ upward tendency; ✗ outbreak; ✔ growth; **pousse-pousse** [pus-'pus] *m/inv.* rickshaw (*in the East*); push-chair; **pousser** [pu'se] (1a) *v/t.* push, shove; push (*the door*) to, push (*a bolt*) across; drive (*a tunnel*); jostle (*s.o.*); *fig.* carry (to, *jusqu'à*); *fig.* urge on (*a crowd, a horse*); incite (*a crowd, s.o.*); *fig.* utter (*a cry*), heave (*a sigh*); extend (*one's studies*); push (*s.o.*) on; ✔ put forth (*roots, leaves*); *se* ~ push o.s. forward; push one's way to the front; *v/i.* push, apply pressure; ✔ grow (*a. hair etc.*); *fig.* make one's way, push on; **poussette** [‿'set] *f game:* push-pin; baby-carriage; push-chair.

poussier [pu'sje] *m* coal-dust; **poussière** [‿'sjɛːr] *f* dust; speck of dust; *water:* spray, spindrift; ♀ ~ *fécondante* pollen; *mordre la* ~ bite the dust; **poussiéreux, -euse** [‿sje'rø, ‿'røːz] dusty; dust-colo(u)red.

poussif, -ve [pu'sif, ‿'siːv] broken-winded (*horse etc.*); F short-winded (*person*).

poussin [pu'sɛ̃] *m* chick; *cuis.* spring chicken; **poussinière** [‿si'njɛːr] *f* chicken-coop; incubator.

poussoir [pu'swaːr] *m* electric bell, *clock, etc.:* push; ⊕, *mot.* push-rod; ✕ *machine-gun:* button.

poutrage ⚠ [pu'traːʒ] *m* framework, beams *pl.*; **poutre** ⚠ [pu:tr] *f* beam; joist; *metal:* girder; **poutrelle** ⚠ [pu'trɛl] *f* small beam; joist.

pouvoir [pu'vwaːr] **1.** (3h) *v/t.* be able; can; be possible; *cela se peut bien* it is quite possible; *il se peut que* (*sbj.*) it is possible that (*ind.*); *puis-je?* may I?; *n'en* ~ *plus* be worn out; be at the end of one's resources; **2.** *su./m* power (*a.* ☌, *phys.*); *fig.* sway; authority; *admin.* competence; ⚖ power of attorney; *abus m* (*or excès m*) *de* ~ action ultra vires; *au* ~ *de* in the power of; *être en* ~ *de* be able to.

pragmatique [pragma'tik] **1.** *adj.* pragmatic; **2.** *su./f hist.* Pragmatic Sanction; **pragmatisme** [‿'tism] *m* pragmatism.

prairie [prɛ'ri] *f* meadow; grassland, *Am.* prairie.

praline *cuis.* [pra'lin] *f* burnt almond; praline; **praliner** *cuis.* [‿li'ne] (1a) *v/t.* brown, crisp (*almonds*).

praticable [prati'kabl] practicable; feasible (*idea, plan*); negotiable, passable (*road etc.*); *fig.* sociable (*person*); **praticien, -enne** [‿sjɛ̃, ‿'sjɛn] **1.** *adj.* practising; **2.** *su./m* ⚕, ⚖ practitioner; practical man; **pratiquant, e** eccl. [‿'kã, ‿'kãːt] practising (*Catholic etc.*), churchgoing; **pratique** [pra'tik] **1.** *adj.* practical; *fig.* useful; experienced (*person*); **2.** *su./f* practice (*a. eccl.*); habit, use; experience; ✝ custom; ✝ clients *pl.*; *fig.* proceeding; **pratiquer** [‿ti'ke] (1m) *v/t.* practise (⚕, ⚖, *a. a religion, etc.*); exercise (*a profession*); put into practice (*a rule, virtues, etc.*); carry out; ⚠ make, cut (*a hole, a path, etc.*); frequent (*society*), associate with (*s.o.*); ✝ se ~ rule (*prices*); *v/i.* be in practice; practise.

pré [pre] *m* (small) meadow.

pré... [~] pre...; prae..., ante..., fore...

préalable [prea'labl] **1.** *adj.* previous; preliminary; **2.** *su./m* preliminary; *au* ~ first of all, beforehand.   [(to, de).]

préambule [preã'byl] *m* preamble)

préau [pre'o] *m* yard; *school:* covered playground.

préavis [prea'vi] *m* previous notice; warning.

prébende *eccl.* [pre'bã:d] *f* prebend.

précaire [pre'kɛːr] precarious; delicate (*health*); **précarité** [~kari'te] *f* precariousness.

précaution [preko'sjɔ̃] *f* precaution; caution, care; *avec* ~ cautiously; warily; **précautionner** [~-'sjɔ'ne] (1a) *v/t.* warn, caution; se ~ *contre* take precautions against.

précédemment [preseda'mã] *adv.* previously, before; **précédent, e** [~'dã, ~'dã:t] **1.** *adj.* preceding, previous, prior; former; **2.** *su./m* precedent; ⚖ ~s *pl.* case-law *sg.*; *sans* ~ unprecedented; **précéder** [~'de] (1f) *v/t.* precede; go before; *fig.* take precedence over, have precedence of.

précepte [pre'sɛpt] *m* precept; **précepteur** *m*, **-trice** *f* [presɛp-'tœːr, ~'tris] tutor; teacher; **préceptoral, e**, *m/pl.* **-aux** [~tɔ'ral, ~'ro] tutorial; **préceptorat** [~tɔ-'ra] *m* tutorship.

prêche [prɛːʃ] *m* protestantism: sermon; *fig.* protestantism; **prêcher** [prɛ'ʃe] (1a) *v/t.* preach (*a. fig.*); preach to (*s.o.*); *fig.* advocate (*economy, war, etc.*); *v/i.* preach; *fig.* ~ *à q. de* (*inf.*) exhort s.o. to (*inf.*); ~ *d'exemple* set an example; **prêcheur** *m*, **-euse** *f fig.* [~'ʃœːr, ~'ʃøːz] preacher, sermonizer; **prêchi-prêcha** F [~ʃipre'ʃa] *m* preachifying.

précieux, -euse [pre'sjø, ~'sjøːz] **1.** *adj.* precious; valuable; *fig.* affected (*style etc.*); **2.** *su.* affected person; **préciosité** [~sjozi'te] *f* preciosity, affectation.

précipice [presi'pis] *m* precipice.

précipitamment [presipita'mã] *adv.* in a hurry, headlong; **précipitation** [~ta'sjɔ̃] *f* (violent) haste, hurry, precipitancy; 🜁, *phys.*, *meteor.* precipitation; **précipité, e** [~'te] **1.** *adj.* precipitate; hasty; 🜍 racing (*pulse*); headlong (*flight*); **2.** *su./m* 🜁 *etc.* precipitate; **précipiter** [~'te] (1a) *v/t.* throw (down); hurl (down); *fig.* plunge (*into war, despair, etc.*); precipitate (*events, a.* 🜁); se ~ rush (at, upon *sur*); *v/i.* 🜁 (form a) precipitate.

précis, e [pre'si, ~'siːz] **1.** *adj.* precise, accurate, exact; definite (*explanation, reason, time*); *à dix heures* ~es at ten o'clock precisely *or* F sharp; **2.** *su./m* summary, précis, abstract; **précisément** [presize'mã] *adv.* of *précis* 1; **préciser** [~'ze] (1a) *v/t.* state precisely; define; specify; make clear; *v/i.* be precise; **précision** [~'zjɔ̃] *f* precision, accuracy, exactness; ~s *pl.* detailed information *sg.*, particulars.

précité, e [presi'te] above(-mentioned), aforesaid.

précoce [pre'kɔs] precocious (*child, talent, a.* 🜨); early (🜨, *a. season*); *fig.* premature; **précocité** [~kɔsi'te] *f* precocity; earliness.

précompte ✝ [pre'kɔ̃:t] *m* previous deduction.

préconçu, e [prekɔ̃'sy] preconceived; *idée f* ~e preconception.

préconiser [prekɔni'ze] (1a) *v/t. eccl.* approve the appointment of (*a bishop*); praise; recommend.

préconstruction ⚠ [prekɔ̃stryk-'sjɔ̃] *f* prefabrication.

précontraint, e ⊕ [prekɔ̃'trɛ̃, ~'trɛ̃:t] prestressed (*concrete*).

précurseur [prekyr'sœːr] **1.** *su./m* forerunner, precursor; harbinger (*of spring*); **2.** *adj./m* premonitory.

prédécesseur [predese'sœːr] *m* predecessor.

prédestination [predɛstina'sjɔ̃] *f* predestination; **prédestiné, e** [~'ne] foredoomed; *fig.* fated (to, *à*); **prédestiner** [~'ne] (1a) *v/t.* predestine (to, *à*) (*a. fig.*).

prédicateur, -trice *f* [predika-'tœːr, ~'tris] preacher; **prédication** [~'sjɔ̃] *f* preaching; sermon.

prédiction [predik'sjɔ̃] *f* prediction; forecast; **prédire** [~'diːr] (4p) *v/t.* predict, prophesy, foretell; forecast.

prédisposer ⚕, *a. fig.* [predispo'ze] (1a) *v/t.* predispose; ~ *contre* prejudice (*s.o.*) against (*s.o.*); **prédisposition** ⚕, *a. fig.* [~zi'sjɔ̃] *f* predisposition.

prédominance [predɔmi'nɑ̃:s] *f* predominance, prevalence; **prédominant, e** [~'nɑ̃, ~'nɑ̃:t] predominant, prevalent, prevailing; **prédominer** [~'ne] (1a) *v/i.* predominate, prevail (over, *sur*); *v/t.* take pride of place over.

prééminence [preemi'nɑ̃:s] *f* preeminence (over, *sur*); **prééminent, e** [~'nɑ̃, ~'nɑ̃:t] pre-eminent.

préexistant, e [preeksis'tɑ̃, ~'tɑ̃:t] pre-existent, pre-existing.

préfabriqué, e [prefabri'ke] prefabricated; *maison f* ~*e* prefab (-ricated house); **préfabriquer** [~] (1m) *v/t.* prefabricate.

préface [pre'fas] *f* preface (*a. eccl.*); foreword, introduction (to *à, de*); **préfacer** [~fa'se] (1k) *v/t.* write a preface to.

préfectoral, e, *m/pl.* **-aux** [prefɛkto'ral, ~'ro] prefectorial; of the *or* a prefect; **préfecture** [~'ty:r] *f hist.* prefectship; *hist, a. admin.* prefecture; *admin.* Paris police headquarters *pl.*

préférable [prefe'rabl] preferable (to, *à*), better (than, *à*); **préférence** [~'rɑ̃s] *f* preference (*a.* ✝); ⚖ priority; *de* ~ in preference (to, *à*), preferential (*tariff*), ✝ preference (*shares*); **préférer** [~'re] (1f) *v/t.* prefer.

préfet [pre'fɛ] *m hist., a. admin.* prefect; civil administrator; ~ *de police* chief commissioner of the Paris police; ~ *des études school:* master in charge of discipline; ⚓ ~ *maritime* port-admiral; **préfète** F [~'fɛt] *f* prefect's wife.

préfixe *gramm.* [pre'fiks] *m* prefix; **préfixer** [~fik'se] (1a) *v/t.* fix (*a date etc.*) in advance; *gramm.* prefix.

préhistoire [preis'twa:r] *f* prehistory; **préhistorique** [~stɔ'rik] prehistoric.

préjudice [preʒy'dis] *m* prejudice, harm; wrong, damage; ⚖ tort; *au* ~ *de* to the detriment of; *sans* ~ *de* without prejudice to; **préjudi-**

ciable [preʒydi'sjabl] prejudicial, detrimental (to, *à*); ⚖ tortious; **préjudiciaux** ⚖ [~'sjo] *adj./m/pl.*: *frais m/pl.* ~ security *sg.* for costs; **préjudiciel, -elle** ⚖ [~'sjɛl] interlocutory; **préjudicier** [~'sje] (1o) *v/i.* be prejudicial *or* detrimental (to, *à*); ~ *à* injure.

préjugé [preʒy'ʒe] *m* prejudice; bias; presumption; ⚖ (*legal*) precedent; *sans* ~*s* unprejudiced; **préjuger** [~] (1l) *v/t.* prejudge.

prélasser F [prela'se] (1a) *v/t.*: *se* ~ lounge, loll (*in a chair etc.*); strut.

prélat *eccl.* [pre'la] *m* prelate.

prèle ⚘ [prɛl] *f* horsetail.

prélèvement [prelɛv'mɑ̃] *m* previous deduction; deduction, amount deducted; *blood, gas, ore, etc.*: sample; **prélever** [prel've] (1d) *v/t.* deduct in advance; levy; take (*a sample* [*a.* ⚕ *of blood*]) (from, *à*).

préliminaire [prelimi'nɛ:r] **1.** *adj.* preliminary (to, *de*); **2.** *su./m* preliminary; ~*s pl. document:* preamble *sg.*

prélude ♪, *a. fig.* [pre'lyd] *m* prelude; **préluder** [~ly'de] (1a) *v/i.* ♪ (play a) prelude; *fig.* ~ *à* lead up to, serve as prelude to.

prématuré, e [prematy're] premature, untimely; **prématurément** [~re'mɑ̃] *adv. of* prématuré.

préméditation [premedita'sjɔ̃] *f* premeditation; *avec* ~ wilfully; ⚖ with malice aforethought; **prémédité, e** [~'te] deliberate; **préméditer** [~'te] (1a) *v/t.* premeditate.

prémices [pre'mis] *f/pl.* first fruits; *cattle:* firstlings; *fig.* beginnings.

premier, -ère [prə'mje, ~'mjɛ:r] **1.** *adj.* first (*time, place, position, rank*); *fig.* leading, best; *title:* the first; ⚖ prime (*number*); *admin. etc.* principal, head (*clerk*); former (*of two*); *mot.* ~*ère vitesse f* first *or* low gear; ⚖ *livre m school:* primer; *pol.* ~ *ministre m* Prime Minister; *au* ~ *coup* at the first attempt; *ce n'est pas le* ~ *venu* he isn't just anybody; *le* ~ *venu* the first comer; *les cinq* ~*s pl.* the first five; *Napoléon I*ᵉʳ Napoleon I, Napoleon the First; *partir le* ~ be the first to leave; **2.** *su./m* first; first, *Am.* second floor; *en* ~ in the first place; *thea.* *jeune* ~ leading man; *le* ~ *du mois* the first of the month; *su./f* *secondary school*: (*approx.*) sixth form; *thea.* first night *or* performance; 🚋 first class (carriage); *thea.* *jeune* ᵇ ère leading woman; 🚋 *voyager en* ᵇ ère travel first (class); **premièrement** [ᵇ mjɛr'mã] *adv.* first; in the first place; **premier-né**, **premier-née** *or* **première-née**, *m/pl.* **premiers-nés** [ᵇ mje'ne, ᵇ mjɛr'ne] *adj.*, *a. su./m* first-born.

prémilitaire [premilite:r] premilitary (*training*).

prémisse [pre'mis] *f logic*: premise, premiss.

prémonition [premɔni'sjɔ̃] *f* premonition; **prémonitoire** 🐾 [ᵇ twa:r] premonitory.

prémunir [premy'ni:r] (2a) *v/t.* put (*s.o.*) on his guard, forewarn (*s.o.*) (against, *contre*); se ᵇ take precautions (against, *contre*).

prenable [prə'nabl] seizable; **prenant**, **e** [ᵇ nã, ᵇ nã:t] sticky; engaging, captivating (*person, a. fig.*); *zo.* prehensile (*tail*); 🐾 *partie f* ᵇ e payee; recipient.

prénatal, **e**, *m/pl.* -als *or* -aux [prena'tal, ᵇ 'to] prenatal, antenatal.

prendre [prã:dr] (4aa) **1.** *v/t.* take (*a. lessons, a degree, a road*, ✗ *a town*), grasp; catch (*fire, a cold, the train*), trap (*a rat*); steal; seize; accept; eat (*a meal*), have (*tea, a meal*); pick up; engage (*a servant*); take (up) (*time*); handle, treat; 🐾 choose; buy (*a ticket*); ✗ conquer; ✗ *etc.* capture; ᵇ *à mentir* catch (*s.o.*) in a lie; ᵇ *corps* put on weight; ᵇ *en amitié* take to (*s.o.*); ⚓ ᵇ *le large* put to sea; ᵇ *mal* misunderstand; take (*s.th.*) badly; ᵇ *plaisir à* take pleasure in; ᵇ *pour* take (*s.o.*) for; ᵇ *q. dans sa voiture* give s.o. a lift; ᵇ *rendez-vous avec* make an appointment with; ᵇ *sur soi* take (*s.th.*) upon o.s.; *pour qui me prenez-vous?* what do you take me for?; se *laisser* ᵇ let o.s. be taken in; se ᵇ be caught; cling (to, *à*); set (*liquid*); curdle (*milk*); se ᵇ *à* undertake (*a task*), begin; *fig.* *s'en* ᵇ *à* find fault with (*s.o.*); *fig.* *s'y* ᵇ manage, go about things; **2.** *v/i.* set (*plaster etc.*); congeal, freeze; curdle (*milk*); *cuis.* thicken; *cuis.* catch (*milk in pan*); take root (*tree*); take (*fire*); *fig.* be successful; *ça ne prend pas* that cock won't fight;

preneur *m*, -**euse** *f* [prə'nœ:r, ᵇ 'nø:z] taker; catcher; 🕮 lessee; 🐾 purchaser; *cheque*: payee; **prennent** [prɛn] 3rd p. pl. pres. of *prendre*.

prénom [pre'nɔ̃] *m* first *or* Christian name, *Am.* given name; **prénommé**, **e** [prenɔ'me] above-named; **prénommer** [ᵇ] (1a) *v/t.*: se ᵇ be called.

prenons [prə'nɔ̃] *1st p. pl. pres. of prendre.*

préoccupation [preɔkypa'sjɔ̃] *f* preoccupation; anxiety, concern; **préoccuper** [ᵇ 'pe] (1a) *v/t.* preoccupy; worry, trouble; se ᵇ *de* attend to, busy o.s. with; *fig.* get worried about.

préparateur *m*, -**trice** *f* [prepara'tœ:r, ᵇ 'tris] preparer; *experiments*: demonstrator; assistant; **préparatifs** [ᵇ 'tif] *m/pl.* preparations; **préparation** [ᵇ 'sjɔ̃] *f* preparation (*a.* 🐾 *etc.*) (for, *à*); preparing; ⊕ dressing; *typ.* *ouvrage m en* ᵇ work to appear shortly; **préparatoire** [ᵇ 'twa:r] preparatory (*a. school*); preliminary; **préparer** [prepa're] (1a) *v/t.* prepare (for, *à*); train (*for a career*); coach (*a pupil*); prepare for (*an examination*); draw up (*a speech*); ⊕ dress; make (*tea etc.*); se ᵇ prepare o.s. (for, *à*); *fig.* be in the wind (*event*), brew (*storm, a. fig.*).

prépondérance [prepɔ̃de'rã:s] *f* preponderance (over, *sur*); *avoir la* ᵇ preponderate; **prépondérant**, **e** [ᵇ 'rã, ᵇ 'rã:t] preponderant; leading (*part, role*); casting (*vote*).

préposé *m*, **e** *f* [prepo'ze] official in charge, superintendent (of, *à*); 🕮 agent; **préposer** [ᵇ] (1a) *v/t.* appoint (as *comme, pour*).

préposition *gramm.* [prepozi'sjɔ̃] *f* preposition; **prépositionnel**, -**elle** *gramm.* [ᵇ sjɔ'nɛl] prepositional.

prérogative [prerɔga'ti:v] *f* prerogative; *parl.* privilege.

près [prɛ] **1.** *adv.* near, close (at hand); *à beaucoup* ᵇ by far; *à cela* ᵇ except for that; *à cela* ᵇ *que* except that; *à peu de chose* ᵇ little short of; *à peu* ᵇ nearly; about; *fig.* *au plus* ᵇ to the nearest point; *de* ᵇ close, near; from close to; (*fire*) at close range; *ici* ᵇ near by, quite near, close at hand; *regarder de plus* ᵇ take a closer look, examine more closely; *tout* ~ very near, quite close; **2.** *prp.* near; to; *ambassadeur m* ~ *le Saint-Siège* ambassador to the Holy See; ~ *de* near, close to (*Paris, the station*), by; in comparison with (*his father*); nearly (*two hours, two o'clock, ten pounds, three miles*), almost; ⚓ *courir* ~ *du vent* sail close to the wind; *il était* ~ *de tomber* he was on the point of falling.

présage [pre'za:ʒ] *m* portent, foreboding; omen; **présager** [~za'ʒe] (11) *v/t.* portend, bode; foresee.

pré-salé, *pl.* **prés-salés** [presa'le] *m* salt-marsh sheep; *cuis.* salt-marsh mutton.

presbyte 𝒮 [prɛz'bit] *adj.*, *a. su.* long-sighted; **presbytéral, e**, *m/pl.* **-aux** [prezbite'ral, ~'ro] priestly; **presbytère** *eccl.* [~'tɛ:r] *m* presbytery; *protestantism:* vicarage, rectory, *Sc.* manse; **presbytie** 𝒮 [~'si] *f* long-sightedness.

prescience [prɛ'sjɑ̃:s] *f* foreknowledge.

prescriptible 𝖙𝖙 [preskrip'tibl] prescriptible; **prescription** [~'sjɔ̃] *f* ⊕, *admin.* regulation (*as pl.*); 𝖙𝖙, 𝒮 prescription; ⊕ ~*s pl.* specifications; **prescrire** [prɛs'kri:r] (4q) *v/t.* prescribe (*s.o.'s conduct, a rule, a.* 𝒮), lay down (*the law, a time, s.o.'s conduct, etc.*); 𝖙𝖙 bar (*by statute of limitations etc.*); 𝖙𝖙 *se* ~ *par* be barred at the end of (*5 years*).

préséance [prese'ɑ̃:s] *f* precedence (*of, over* sur).

présence [pre'zɑ̃:s] *f* presence (at, à); ~ *d'esprit* presence of mind; *en* ~ face to face (with, de); *faire acte de* ~ put in *or* enter an appearance.

présent¹, e [pre'zɑ̃, ~'zɑ̃:t] **1.** *adj.* present (at, à); current; ~! present!; *esprit m* ~ ready wit; *gramm. temps m* ~ present (tense); **2.** *su./m* present (time *or* gramm. tense); *à* ~ just now, at present; *les* ~*s pl.* exceptés present company *sg.* excepted; *pour le* ~ for the time being, for the present; *quant à* ~ as for now; *su./f: la* ~*e* this letter.

présent² [pre'zɑ̃] *m* present, gift; *faire* ~ *de* make a present of; **présentable** F [prezɑ̃'tabl] presentable; **présentateur** *m*, **-trice** *f* [~ta'tœ:r, ~'tris] presenter; **présen-**

tation [~ta'sjɔ̃] *f* ✝, 𝒮, *eccl.*, *thea.*, *court:* presentation; introduction (to s.o., à q.); ✕ trooping (the colo(u)r, *du drapeau*); ✝ *à* ~ on demand, at sight.

présentement [prezɑ̃t'mɑ̃] *adv.* now, this minute; at present; immediately.

présenter [prezɑ̃'te] (1a) *v/t.* present (a. ✕, ✝, a. difficulties, ✕ arms), offer; show; introduce (*formally*); nominate (*a candidate*) (for, pour); produce (*one's passport*); *parl.* table (*a bill*); submit (*a conclusion*); *cin. etc.* ~ *q.* (*en vedette*) star s.o.; *je vous présente ma femme* may I introduce my wife?; *se* ~ appear; arise (*problem, question*); occur; present o.s., ✕ report (o.s.); introduce o.s.; *se* ~ *chez q.* call on s.o.

préservateur, -trice [prezɛrva-'tœ:r, ~'tris] preserving (from, de); **préservatif, -ve** [~'va'tif, ~'ti:v] **1.** *adj.* preservative; **2.** *su./m* preservative; 𝒮 condom; **préservation** [~va'sjɔ̃] *f* preservation, protection; **préserver** [~'ve] (1a) *v/t.* preserve, protect (from, de).

présidence [prezi'dɑ̃:s] *f* presidency; President's house; ✝ board; ✝, *a.* admin. chairmanship; **président** *m, e f* [~'dɑ̃, ~'dɑ̃:t] president; admin. chairman; 𝖙𝖙 presiding judge; **présidentiel, -elle** [~dɑ̃-'sjɛl] presidential; **présider** [~'de] (1a) *v/t.* preside over *or at* (s.*th.*); *fig.* direct; *v/i.:* ~ *à* preside at *or* over.

présomptif, -ve [prezɔ̃p'tif, ~'ti:v] presumptive; 𝖙𝖙 *héritier m* ~ heir apparent; **présomption** [~'sjɔ̃] *f* presumption (a. 𝖙𝖙, *a. fig. pej.*); **présomptueux, -euse** [~'tɥø, ~'tɥø:z] presumptuous; self-conceited.

presque [prɛsk(ə)] *adv.* almost, nearly; **presqu'île** *geog.* [prɛs'kil] *f* peninsula.

pressage ⊕ [prɛ'sa:ʒ] *m* pressing; **pressant, e** [~'sɑ̃, ~'sɑ̃:t] pressing, urgent; earnest (*request*); **presse** [prɛs] *f* ⊕, *journ.*, *typ.* press; pressing-machine; crowd, throng; haste; *business:* pressure; *exemplaire m du service de* ~ review copy; *heures f/pl. de* ~ rush hours; *sous* ~ in the press (*book*); **pressé, e** [pre'se] hurried (*style, words*); in a hurry (*person*); crowded, close; ⊕ pressed; urgent (*letter, task*); citron m ~ (fresh) lemon squash; **presse-citron** [prɛsi'trɔ̃] m/inv lemon-squeezer; **presse-étoffe** [~e'tɔf] m/inv sewing-machine presser-foot; **presse-étoupe** ⊕ [~e'tup] m/inv. stuffing-box

pressentiment [prɛsɑ̃ti'mɑ̃] m presentiment; foreboding, F feeling, Am hunch; **pressentir** [~'tiːr] (2b) v/t. have a presentiment of; sound (s.o.) (out) (on, sur); faire ~ foreshadow (s.th.).

presse...: ~-**pantalon** [prɛspɑ̃ta'lɔ̃] m/inv trouser-press; ~-**papiers** [~pa'pje] m/inv. paper-weight; ~-**purée** [~py're] m/inv. potato-masher

presser [prɛ'se] (1a) v/t. press (a. ⊕, a. fig.), squeeze; hasten (one's steps, le pas); hurry (s.o.); push on, urge on (a horse etc.); cuis. squeeze; se ~ crowd, press, throng, hurry, hasten; v/i. press; be urgent; rien ne presse there is no hurry [ing.] **pressing** [prɛ'siŋ] m (steam) press-**pression** [prɛ'sjɔ̃] f pressure (a. ⊕, meteor., mot., a fig.); ⚡ tension; cost. snap-fastener; 💉 ~ artérielle blood pressure; bière f à la ~ draught beer, Am. steam beer, **pressoir** [~'swaːr] m (wine-etc.)press, press-house; ⚡ push-button, **pressurage** [prɛsy'raːʒ] m pressing; pressurage (= wine or fee paid); F fig. extortion; **pressurer** [~re] (1a) v/t. press (grapes); press out (juice); F fig extort money from, **pressureur** [~'rœːr] m pressman; **pressuriser** [~ri'ze] (1a) v/t pressurize.

prestance [prɛs'tɑ̃ːs] f fine presence, commanding appearance; **prestant** ♪ [~'tɑ̃] m organ diapason (-stop); **prestation** [~ta'sjɔ̃] f dues: prestation, money lending; (insurance-)benefit; 🏛️ ~ de serment taking of the oath; ~s pl. en nature allowances in kind.

preste [prɛst] sharp, quick; F ~! quick!, **prestesse** [prɛs'tɛs] f quickness, nimbleness, alertness **prestidigitateur** [prɛstidiʒita'tœːr] m conjurer, juggler, **prestidigitation** [~ sjɔ̃] f conjuring, sleight of hand; juggling.

prestige [prɛs'tiːʒ] m prestige; fig. influence; **prestigieux, -euse** [~ti'ʒjø, ~ʒjøːz] amazing, wonderful.

présumable [prezy'mabl] presumable; **présumer** [~'me] (1a) v/t presume, assume; il est à ~ que the presumption is that; trop ~ de overestimate (s.th.); trop ~ de soi be too presuming

présure [pre zyːr] f rennet.

prêt¹ [prɛ] m loan; wages advance; ⚒️ pay; ~ à intérêt loan at interest; ~ sur gage loan against security.

prêt², prête [prɛ, prɛt] ready (for s.th., à qch., to inf., à inf.); prepared; ~ à on the verge of.

pretantaine F [prɛtɑ̃'ten] f: courir la ~ gad about

prêt-à-porter, pl. **prêts-à-porter** [prɛtapɔr'te] m ready-made dress etc

prêt-bail, pl. **prêts-baux** pol. [prɛ'baːj, ~'bo] m lease-lend, lend-lease.

prétendant, e [pretɑ̃dɑ̃, ~dɑ̃ːt] su. candidate (for, à); 🏛️ etc claimant; su./m pretender (to throne); suitor; **prétendre** [~ tɑ̃ːdr] (4a) v/t. claim; require; assert, affirm, maintain; † intend; v/i lay claim (to, à); aspire (to s.th., à qch.; to inf., à inf.); **prétendu, e** [~tɑ̃'dy] 1. adj. alleged; pej. so-called, would-be; 2. su. F (my) intended, fiancé(e f).

prête-nom usu. pej. [prɛt'nɔ̃] m man of straw, figure-head, Am. sl. front

pretentaine [prɛtɑ̃'ten] f see pretantaine

prétentieux, -euse [pretɑ̃'sjø, ~sjøːz] pretentious; conceited; **prétention** [~'sjɔ̃] f pretension (a. fig.), claim; fig conceit.

prêter [prɛ'te] (1a) v/t. lend, Am. loan; take (an oath); attribute; fig. credit (s.o. with s.th., qch. à q.); ~ à impart to, bestow upon; se ~ lend o.s.; be a party (to, à); indulge (in, à) (pleasure etc.); v/i. give (gloves etc.); fig. offer possibilities; ~ à give rise to.

prétérit gramm. [prete'rit] m (English) preterite

préteur hist [pre'tœːr] m praetor.

prêteur m, -euse f [prɛ'tœːr, ~'tøːz] lender; ~ sur gages pawnbroker; 🏛️ pledgee

prétexte [pre'tɛkst] m pretext, excuse; prendre ~ que put forward as a pretext that; **sous** ~ **que** on the plea *or* under the pretext that; **prétexter** [ˌteks'te] (1a) *v/t.* plead; allege; give (*s.th.*) as a pretext.

prétoire [pre'twaːr] *m* hist. praetorium; ½½ court.

prêtraille F *pej.* [prɛ'trɑːj] *f* priests *pl.*; shavelings *pl.*; **prêtre** [prɛːtr] *m* priest; **prêtresse** [prɛ'trɛs] *f* priestess; **prêtrise** [ˌ'triːz] *f* priesthood.

preuve [prœːv] *f* proof (*a.* Å, ½½, *fig.*); ½½, *a. fig.* evidence; signs *pl.*; test; *faire* ~ **de** display, give proof of; *faire la* ~ **de** prove.

preux † [prø] 1. *adj.* valiant, gallant; 2. *su. m/inv.* valiant knight.

prévaloir [preva'lwaːr] (3l) *v/i.* prevail (against, *sur*); *faire* ~ make good (*a claim, one's right*), win people over to (*an idea, an opinion*); *v/t.*: *se* ~ **de** take advantage of; exercise (*a right*); pride o.s. on.

prévaricateur, -trice [prevarikaˈtœːr, ˌ'tris] 1. *adj.* unjust; 2. *su.* unjust judge; person guilty of a breach of trust; **prévarication** [ˌka'sjɔ̃] *f* maladministration of justice; breach *or* abuse of trust; **prévariquer** [ˌ'ke] (1m) *v/i.* be unjust (*judge*); betray one's trust.

prévenance [prev nãːs] *f* kindness, (kind) attention; **prévenant, e** [ˌ'nã, ˌ'nãːt] kind, attentive, considerate (to, *envers*;); prepossessing (*manners etc.*); **prévenir** [ˌ'niːr] (2h) *v/t.* forestall; prevent (*an accident, danger, illness*); anticipate (*a wish*); warn; *admin.* inform, give notice; prepossess; *pej.* prejudice; **préventif, -ve** [prevã'tif, ˌ'tiːv] ♂, *a.* ½½ preventive; deterrent (*effect*); ½½ **détention** *f* ~**ve** remand in custody, detention awaiting trial; **prévention** [ˌ'sjɔ̃] *f* prepossession, *pej.* prejudice; ½½ custody; *mise* *f* *en* ~ committal for trial; charge; **préventionnaire** ½½ [ˌsjɔ'nɛːr] *su.* prisoner on remand; **préventorium** ♂ [ˌtɔ'rjɔm] *m* observation sanatorium; **prévenu, e** [prev'ny] 1. *p.p. of prévenir*; 2. *adj.* prepossessed; prejudiced; 3. *su.* accused; prisoner.

prévisible [previ'zibl] foreseeable; **prévision** [ˌ'zjɔ̃] *f* forecast (*a. meteor.*); anticipation; expectation.

prévoir [pre'vwaːr] (3m) *v/t.* forecast (*a. the weather*), foresee, anticipate; plan, provide for; lay down (*s.th.*) (in advance).

prévôt [pre'vo] *m* ½½, *a. hist.* provost; ✗ assistant provost marshal; ~ **de** *salle* *fencing*: assistant fencing-master; **prévôté** [ˌvo'te] *f* hist. provostship; *hist.* provostry; ✗ military police (establishment *or* service).

prévoyance [prevwa'jãːs] *f* foresight; precaution; ~ *sociale* national insurance; *mesures* *f/pl.* *de* ~ precautionary measures; *société* *f* *de* ~ provident society; **prévoyant, e** [ˌ'jã, ˌ'jãːt] provident; careful, cautious; far-sighted.

prie-Dieu [pri'djø] *m/inv.* prayer stool, prie-Dieu, praying-desk; **prier** [ˌ'e] (1a) *v/t.* pray; ask, entreat, beg, beseech; invite (*to dinner etc.*); *je vous* (*en*) *prie!* please (do)!; don't mention it!; *les priés* *m/pl.* the guests; *sans se faire* ~ willingly, readily; *se faire* ~ require pressing, need persuading; **prière** [ˌ'ɛːr] *f* prayer; request, entreaty; ~ *de* (*ne pas*) (*inf.*) please (do not) (*inf.*).

prieur *eccl.* [pri'œːr] *m* prior; **prieure** *eccl.* [ˌ'œːr] *f* prioress; **prieuré** [ˌœ're] *m* priory; priorship.

primage ♐, *a.* ⊕ [pri'maːʒ] *m* primage.

primaire [pri'mɛːr] primary; *geol. a.* primitive.

primat [pri'ma] *m* eccl. primate; *fig.* pre-eminence; **primates** *zo.* [ˌ'mat] *m/pl.* primates; **primatie** *eccl.* [ˌma'si] *f* primacy; **primauté** [ˌmo'te] *f* primacy (*a. eccl.*); priority.

prime[1] [prim] *f* ✝ premium; ✝ subsidy; ✝, ⊕ bonus; ✝ free gift; *fig.* *faire* ~ be highly appreciated.

prime[2] [prim] 1. *adj.* Å prime; *fig.* first; ~ *jeunesse* earliest youth; *de* ~ *abord* at first; *de* ~ *saut* at the first attempt; 2. *su./f* eccl., *a.* fencing: prime.

primer[1] [pri'me] (1a) *v/i. fig.* excel (in *en, par*); have priority; ⊕, *a. astr.* prime; *v/t.* surpass; take precedence of; *la force prime le droit* might is right.

primer[2] [ˌ] (1a) *v/t.* award a prize to; ✝ give a bonus to.

primerose ♀ [prim'ro:z] *f* hollyhock.

primesautier, -ère [primso'tje, ~'tjɛ:r] impulsive; ready.

primeur [pri'mœ:r] *f* freshness, newness; early season; 🖋 early vegetables *pl. or* fruit; *avoir la ~ d'une nouvelle* be the first to hear a piece of news; **primeuriste** 🖋 [~mœ'rist] *m* grower of early vegetables *or* fruit.

primevère ♀ [prim've:r] *f* primula; primrose.

primitif, -ve [primi'tif, ~'ti:v] primitive; first, early; original, pristine; *gramm.* primary (*tense*).

primo [pri'mo] *adv.* first, in the first place; **primogéniture** [~mɔ-ʒeni'ty:r] *f* primogeniture.

primordial, e, *m/pl.* **-aux** [primɔr-'djal, ~'djo] primordial; *fig.* of primary importance.

prince [prɛ̃:s] *m* prince.

princeps [prɛ̃'sɛps] *adj.*: *édition f ~* first edition.

princesse [prɛ̃'sɛs] *f* princess; **princier, -ère** [~'sje, ~'sjɛ:r] princely.

principal, e, *m/pl.* **-aux** [prɛ̃si'pal, ~'po] **1.** *adj.* principal (*fig., a.* 🏛, 🏛, ♪, *gramm.*), chief, main; head (*clerk*); **2.** *su./m* principal, chief; *school:* head(master); ✝ senior partner; 🏛, ✝ capital sum, principal; *fig.* main thing; **principalat** [~pa-'la] *m school:* headship; **principat** *hist.* [~'pa] *m* principate; **principauté** [~po'te] *f* principality.

principe [prɛ̃'sip] *m fig., a.* 🏛, 🏛, *phys.* principle; 🏛 element; *fig.* rule; *fig.* beginning; *dès le ~* from the beginning; *en ~* as a rule; provisionally; in theory; *par ~* on principle; *sans ~s* unprincipled (*person*).

printanier, -ère [prɛ̃ta'nje, ~'njɛ:r] spring...; **printemps** [~'tɑ̃] *m* spring; springtime (*a. fig.*); *fig.* heyday.

priorat [priɔ'ra] *m* priorate, priorship.

prioritaire [priɔri'tɛ:r] **1.** *adj.* priority...; **2.** *su.* priority-holder; **priorité** [~'te] *f* priority; *de ~ mot.* major (*road*), ✝ preference (*shares*).

pris[1] [pri] *1st p. sg. p.s. of* prendre.

pris[2]**, e** [pri, pri:z] **1.** *p.p. of* prendre; **2.** *adj.*: *bien ~* well-proportioned

(*figure*), well-built (*man*); *~ de sommeil* drowsy.

prise [pri:z] *f* hold, grip (*a. fig.*), grasp; ✗ taking (*a. phot.*); ✗ *town:* capture; ⚓ prize; ⊕ *machine:* mesh, engagement; ✝ *parcels:* collection; *cement etc.:* setting; *snuff:* pinch; *fish:* catch; ⊕ *ore:* sample; *analysis:* specimen, sample; ⊕ air, steam, *etc.:* intake; *~ d'air* air-inlet; ✈ air scoop; *~ d'eau* intake of water; tap, cock; hydrant; 🚒 water-crane; F *~ de bec* squabble; 🏛 *~ de corps* arrest; ⚡ *~ de courant* intake of current; wall-plug; *trolley:* current collector; *~ de sang* blood specimen; *~ de terre* earth-connection; *~ de vues* taking of photographs, photography; *cin.* shooting; *avoir ~ sur* have a hold over *or* on; *fig.* donner *~ à* lay o.s. open to; *en ~* ⊕ engaged, in gear; ⚓ holding (*anchor*); *être aux ~s avec* be at grips with; *faire ~* set (*cement*); *faire une ~ à (or sur)* tap (*river, ⚡ coil, cable*); *lâcher ~* let go; F *fig.* give in.

prisée 🏛 [pri'ze] *f* valuation; appraisal.

priser[1] [pri'ze] (1a) *v/t.* inhale, snuff; *v/i.* take snuff.

priser[2] [~] (1a) *v/t.* 🏛 value (*a. fig.*), appraise; *fig.* prize.

priseur[1] *m,* **-euse** *f* [pri'zœ:r, ~'zø:z] snuff-taker.

priseur[2] 🏛 [pri'zœ:r] *m goods:* appraiser; valuer.

prismatique [prisma'tik] prismatic; **prisme** [prism] *m* prism.

prison [pri'zɔ̃] *f* prison; gaol, *Am.* jail; ✗, ⚓ cell(*s pl.*); imprisonment; ✗ F cells *pl.*; **prisonnier, -ère** [~zɔ'nje, ~'njɛ:r] **1.** *su.* prisoner; *constituer ~* give o.s. up (to the police); **2.** *adj.* ✗ captive; 🏛 imprisoned.

privatif, -ve *gramm.* [priva'tif, ~'ti:v] *adj., a. su./m* privative; **privation** [~'sjɔ̃] *f* 🏛, ✗, *fig.* deprivation, loss; *fig.* privation; 🏛 forfeiture.

privautés *pej.* [privo'te] *f/pl.* familiarity *sg.*, liberties.

privé, e [pri've] **1.** *adj.* private; *zo.* tame; *conseiller m ~* Privy Councillor; **2.** *su./m* private life; *au ~* in private life; *dans le ~* in private.

priver [pri've] (1a) *v/t.* deprive; *se ~ de* do without; stint o.s. of.

privilège [privi'lɛːʒ] *m* privilege; licence; ♣♣, † preferential right; ♣♣ ~ d'hypothèque mortgage charge; avoir le ~ de be entitled to; avoir un ~ sur have a lien on; **privilégier** [‿le'ʒje] (1o) *v/t.* privilege; grant a charter to.

prix [pri] *m* price, cost; value (*a. fig.*); prize; reward; *sp.* challenge-cup race, prize race, stakes *pl.*; † exchange: rate; ~ courant market or current price; price-list; ~ de revient cost price; ~ de vente selling price; ~ fait (or fixe) fixed price; ~ fort list price; ~ homologué established price; ~ régulateur standard of value; ~ unique one-price store; ~ unitaire unit-price; à ~ d'ami cheap; à aucun ~ not at any price, on no account; à tout ~ at all costs; à vil ~ at a low price, F dirt cheap; dernier ~ lowest price, F rock-bottom price; faire un ~ quote a price (to, à); hors de ~ at ransom prices; ~ fixe F [‿'fiks] *m* restaurant with a fixed-price meal.

probabilité [prɔbabili'te] *f* probability (*a. Ⱥ*); selon toute ~ in all probability; **probable** [‿'babl] probable, likely.

probant, e *etc.* [prɔ'bɑ̃, ‿'bɑ̃ːt] probative; conclusive; **probation** [‿ba'sjɔ̃] *f* probation; **probatoire** [‿ba'twaːr] probative; **probe** [prɔb] honest; of integrity (*man*); **probité** [prɔbi'te] *f* probity, integrity.

problématique [prɔblema'tik] problematical; questionable; **problème** [‿'blɛm] *m* problem (*a. Ⱥ, a. fig.*); puzzle.

procédé [prɔse'de] *m fig.* proceeding; conduct; billiard cue: tip; ⊕ process; ~s *pl.* behaviour *sg.*; bons ~s *pl.* civilities; manquer aux ~s be ill-mannered; **procéder** [‿'de] (1f) *v/i.* proceed (from, de; ♣♣ against, contre; to, à); arise (from, de); act; **procédure** ♣♣ [‿'dyːr] *f* procedure; proceedings *pl.*

procès [prɔ'sɛ] *m* ♣♣ legal action; case; *anat.* process; ~ civil (law-)suit; ~ criminel (criminal) trial; **processif, -ve** [‿se'sif, ‿'siːv] litigious; procedural (*form*).

procession [prɔse'sjɔ̃] *f eccl. etc.* procession; parade; *fig* cars, visitors: string; **processionnaire** *zo.* [‿sesjɔ'nɛːr] **1.** *adj.* processionary; **2.** *su./f zo.* processionary caterpillar; **processional** *eccl.* [‿'nal] *m* processional; **processionnel, -elle** [‿'nɛl] processional (*hymn etc.*); **processionnellement** [‿nɛl'mɑ̃] *adv.* in procession; **processionner** [‿'ne] (1a) *v/i.* walk in procession, process.

processus [prɔse'sys] *m anat., a. fig.* process; progress; method.

procès-verbal [prɔsevɛr'bal] *m* official report; minutes *pl.*; meeting: proceedings *pl.*; dresser un ~ contre q. make a report on s.o., F take s.o.'s name and address.

prochain, e [prɔ'ʃɛ̃, ‿'ʃɛn] **1.** *adj.* next (*in a series*); nearest; near; impending (*departure, storm, etc.*); **2.** *su./m* neighbo(u)r, fellow-creature; **prochainement** [‿ʃɛn'mɑ̃] *adv.* soon, shortly; **proche** [prɔʃ] **1.** *adj.* near, close; **2.** *adv.*: de ~ en ~ by degrees; **3.** *su./m*: ~s *pl.* relatives.

proclamation [prɔklama'sjɔ̃] *f* proclamation; faire une ~ issue a proclamation; **proclamer** [‿'me] (1a) *v/t.* proclaim (*a. fig.*); declare, announce; (*create.*)

procréer [prɔkre'e] (1a) *v/t.* pro-

procuration [prɔkyra'sjɔ̃] *f* †, *a.* ♣♣ procuration, power of attorney; par ~ by proxy or procuration; **procurer** [‿'re] (1a) *v/t. a. se* ~ obtain, get, procure; **procureur** [‿'rœːr] *m* ♣♣ procurator, proxy; *eccl.* bursar; ♣♣ attorney; ♀ de la République (*approx.*) Public Prosecutor, *Am.* district attorney; ~ général (*approx.*) Attorney General.

prodigalité [prɔdigali'te] *f* prodigality; extravagance, lavishness.

prodige [prɔ'diːʒ] **1.** *su./m* prodigy; marvel (*a. fig.*); **2.** *adj.*: enfant *mf* ~ infant prodigy; **prodigieux, -euse** [‿di'ʒjø, ‿'ʒjøːz] prodigious, stupendous.

prodigue [prɔ'dig] **1.** *adj.* prodigal (*a. pej.*); lavish (of, with de), profuse (in, de); spendthrift; *bibl.* l'enfant *m* ~ the Prodigal Son; **2.** *su.* spendthrift, prodigal; **prodiguer** [‿di'ge] (1m) *v/t.* lavish; be unsparing of; squander; se ~ set out to please.

prodrome [prɔ'droːm] *m* prodrome (to, de); ♣ premonitory symptom; *fig.* preamble (to, de).

producteur, -trice [prɔdyk'tœːr, ~'tris] **1.** adj. productive (of, de); producing; ⊕ generating (apparatus); **2.** su. ✔ grower; cin. producer; **productible** [~'tibl] producible; **productif, -ve** [~'tif, ~'tiːv] productive, fruitful; **production** [~'sjɔ̃] f production (a. ⚡, ♪, ⊕, cin.); ⚡, gas, steam: generation; ⊕ output; product; ✿ growth; **productivité** [~tivi'te] f productivity; **produire** [prɔ'dɥiːr] (4h) v/t. produce (a. ⚡ evidence, a. cin.); ✔, ✚ yield; ⊕ turn out (products); generate (⚡, gas, steam); fig. give rise to; fig. bring about; se ~ take place, happen, occur; **produit** [~'dɥi] m ⚕, ⊕, 🜨 product; ✚ produce; proceeds pl. (of sale), receipts pl.; ✔ yield; ~ accessoire (or secondaire) by-product; ~ d'un capital yield of a capital sum; ✚ ~ manufacturé manufacture(d product); ✚ ~ national brut gross national product; ✚ ~ ouvré finished article.

proéminence [prɔemi'nãːs] f prominence; protuberance; **proéminent, e** [~'nã, ~'nãːt] prominent; projecting.

profanateur m, **-trice** f [prɔfana'tœːr, ~'tris] desecrator; **profanation** [~'sjɔ̃] f desecration; **profane** [prɔ'fan] **1.** adj. profane; secular (history, art, theatre, etc.); sacrilegious; impious; **2.** su. layman (a. fig.); F fig. outsider; **profaner** [~fa'ne] (1a) v/t. profane; desecrate (a church, a tomb); fig. degrade (one's talent etc.).

proférer [prɔfe're] (1f) v/t. utter; pour forth (insults).

professer [prɔfe'se] (1a) v/t. profess; be a professor of (a subject); practise (law, medicine, etc.); **professeur** [~'sœːr] m teacher, master; (a. femme f ~) secondary school: mistress; univ. professor, lecturer; ~ d'athéisme avowed or open atheist; **profession** [~'sjɔ̃] f eccl., a. fig. profession; occupation; trade; de ~ by profession; ~ habituale (drunkard); sans ~ of private means (person); **professionnel, -elle** [~sjɔ'nɛl] **1.** adj. professional; vocational; ✿ occupational (disease); enseignement m ~ vocational training; **2.** su. usu. sp. professional; **professorat** [~sɔ'ra] m secondary school: post of

teacher, master or mistress; univ. professorship, chair; coll. teaching profession, teachers pl.; univ. professoriate.

profil [prɔ'fil] m profile; outline, △ etc. section; geog. contour; **profilé, e** [prɔfi'le] **1.** adj. ✈, ♠. mot. streamlined; **2.** su./m mot., etc. section; **profiler** [~] (1a) v/t. shape; draw (s.th.) in section; profile; mot. streamline; se ~ be silhouetted (against contre, sur, à).

profit [prɔ'fi] m ✚ profit (a. fig.); fig. advantage, benefit; ✚ ~s pl. et pertes f./pl. profit sg. and loss sg.; mettre qch. à ~ turn s.th. to account, take advantage of s.th.; **profitable** [prɔfi'tabl] profitable, advantageous; **profiter** [~'te] (1a) v/t. profit (by, de); ✚ make a profit (on, sur); fig. grow (in, en); ~ à q. benefit s.o.; be profitable to s.o.; ~ de take advantage of, make the most of; **profiteur** pej. [~'tœːr] m profit-taker; F profiteer; F ~ de guerre war profiteer.

profond, e [prɔ'fɔ̃, ~'fɔ̃ːd] **1.** adj. deep (a. fig. sigh, sleep); fig. profound; **2.** profond adv. deep; **3.** su./m depth(s pl.); au ~ de la nuit in the dead of night; **profondément** [~fɔ̃de'mã] adv. of profond 1; **profondeur** [~fɔ̃'dœːr] f depth (a. fig.).

profus, e [prɔ'fy, ~'fyːz] profuse; **profusément** [prɔfyze'mã] adv. of profus; **profusion** [~'zjɔ̃] f profusion; abundance; fig. lavishness; fig. à ~ lavishly.

progéniture [prɔʒeni'tyːr] f progeny, offspring.

prognose ✿ [prɔg'noːz] f prognosis. **programme** [prɔ'gram] m programme, Am. program (a. pol., radio, data processing); pol. platform; univ. etc. examination: syllabus; ~ des auditeurs radio: request program(me); ~ d'études curriculum; **programmateur, -trice** [prɔgrama'tœːr, ~'tris] su. radio(person), su./m data processing (machine): programmer; **programmation** [~ma'sjɔ̃] f radio, data processing: programming; **programmeur** m, **-euse** f [~'mœːr, ~'møːz] data processing (person): programmer.

progrès [prɔ'grɛ] m progress; advancement; faire des ~ progress, make headway; **progresser** [prɔgre'se] (1a) *v/i.* progress, make headway, advance; *fig.* improve; **progressif, -ve** [~'sif, ~'si:v] progressive; forward; gradual; graduated (*tax*); **progression** [~'sjɔ̃] *f* progress; progression (*a.* Ⱥ); advance(ment); increase; **progressiste** *pol.* [~'sist] *adj., a. su.* progressive.

prohiber [prɔi'be] (1a) *v/t.* forbid, prohibit; *hunt.* temps *m* prohibé close season; **prohibitif, -ve** [prɔibi'tif, ~'ti:v] prohibitive (*price etc.*); prohibitory (*law etc.*); **prohibition** [~'sjɔ̃] *f* prohibition; ~s *pl.* de sortie ban *sg.* on exports; **prohibitionniste** [~sjɔ'nist] *adj., a. su./m* prohibitionist.

proie [prwa] *f* prey (*a. fig.*); être en ~ à be a prey to, be consumed by (*hatred etc.*).

projecteur [prɔʒɛk'tœ:r] *m* projector; floodlight; ✕ searchlight; **projectif, -ve** [~'tif, ~'ti:v] projective; **projectile** [~'til] *adj., a. su./m* projectile; missile; **projection** [~'sjɔ̃] *f* projection (*a.* △, Ⱥ); △ plan; (lantern) slide; **projecture** △ [~'ty:r] *f* projection.

projet [prɔ'ʒɛ] *m* project, plan; draft; scheme; *parl.* ~ de loi government bill; état *m* de ~ planning stage; **projeter** [prɔʒ'te] (1c) *v/t.* project; throw; cast (*a shadow*); *fig.* plan, contemplate, intend; se ~ stand out; be cast (*shadow*); jut out (*cliff etc.*).

prolétaire *pol.* [prɔle'tɛ:r] *adj., a. su./m* proletarian; **prolétariat** [~ta-'rja] *m coll.* proletariate, the working classes *pl.*; **prolétarien, -enne** [~ta'rjɛ̃, ~'rjɛn] proletarian.

prolifération ⚕, *zo.* [prɔlifera'sjɔ̃] *f* proliferation; **proliférer** [~fe're] (1f) *v/i.* proliferate; **prolifique** [~'fik] *f* prolific.

prolixe [prɔ'liks] prolix, diffuse; F *fig.* long-winded; **prolixité** [~liksi-'te] *f* prolixity; F *fig.* verbosity.

prologue [prɔ'lɔg] *m* prolog(ue) (to, de).

prolongation [prɔlɔ̃ga'sjɔ̃] *f* time: prolongation; leave, stay, ticket: extension; *sp.* extra time; **prolonge** ✕ [prɔ'lɔ̃:ʒ] *f* ammunition waggon; lashing-rope; **prolongement** [~lɔ̃ʒ'mɑ̃] *m space:* prolongation; extension; **prolonger** [~lɔ̃'ʒe] (1l)

v/t. prolong, extend (*in time or space*); ⚕ protract (*a disease*); Ⱥ produce (*a line*); ⚓ coast (along); se ~ continue; extend; be protracted.

promenade [prɔm'nad] *f* walk(ing); stroll (*on foot*), drive (*in a car*), sail (*in a boat*), ride (*on a bicycle*); trip, excursion; *place:* promenade, avenue; ✕ ~ (*militaire*) route march; faire une ~ go for or take a walk; **promener** [~'ne] (1d) *v/t.* take (*s.o.*) for a walk or a drive *etc.*; exercise (*an animal*); take, conduct; *fig.* run (*one's hand, one's eyes*) (over, sur); cast (*one's mind, one's thoughts*) (over, sur); envoyer ~ q. send s.o. about his business; se ~ walk, go for a walk or ride *etc.*; *fig.* rove, wander (*eyes, gaze*); va te ~! get away with you!; **promeneur** *m*, **-euse** *f* [~'nœ:r, ~'nø:z] walker, stroller; tripper; *fig.* guide; *thea.* promenader; **promenoir** [~'nwa:r] *m* promenade, covered walk; ⚓ promenade deck; ♫ lobby.

promesse [prɔ'mɛs] *f* promise, assurance; † promissory note; manquer à sa ~ break one's promise; **prometteur, -euse** [~mɛ'tœ:r, ~'tø:z] **1.** *adj.* free with his (her, *etc.*) promises; *fig.* promising, full of promise, attractive; **2.** *su.* person free with his (her) promises, ready promiser; **promettre** [~'mɛtr] (4v) *v/t.* promise (*a. fig.*); *fig.* bid fair to (*inf.*); se ~ qch. promise o.s. s.th.; look forward to s.th.; *v/i.* look or be promising; **promis, e** [~'mi, ~'mi:z] **1.** *p.p.* of promettre; **2.** *adj.* promised; engaged (*to be married*); la terre ~e the Promised Land (*a. fig.*); **3.** *su.* betrothed, F intended.

promiscuité [prɔmiskɥi'te] *f* promiscuity; en ~ promiscuously.

promission *bibl., a. fig.* [prɔmi'sjɔ̃] *f:* la terre de ~ the Promised Land.

promontoire *geog.* [prɔmɔ̃'twa:r] *m* promontory; headland.

promoteur, -trice [prɔmɔ'tœ:r, ~'tris] **1.** *adj.* promoting; **2.** *su.* promoter; **promotion** [~mɔ'sjɔ̃] *f* promotion; *school:* class (= *year*); *coll.* persons *pl.* promoted; **promouvoir** [~mu'vwa:r] (3f) *v/t.* promote.

prompt, prompte [prɔ̃, prɔ̃:t] prompt, quick, speedy, ready; ~ à se *décider* quick to make up one's mind; **promptitude** [prɔti'tyd] *f* promptness, promptitude, quickness; readiness.

promu, e [prɔ'my] *p.p. of promouvoir.*

promulgation [prɔmylga'sjɔ̃] *f law:* promulgation; *decree:* publication; **promulguer** [~'ge] (1m) *v/t.* promulgate (*a law*); publish, issue (*a decree*).

prône *eccl.* [pro:n] *m* sermon; **prôner** [pro'ne] (1a) *v/t. eccl.* preach to; *fig.* extol, crack (*s.th., s.o.*) up; read (*s.o.*) a lecture, scold; **prôneur** *m*, **-euse** *f* [~'nœ:r, ~'nø:z] extoller, *sl.* booster.

pronom *gramm.* [prɔ'nɔ̃] *m* pronoun; **pronominal, e,** *m/pl.* **-aux** *gramm.* [~nɔmi'nal, ~'no] pronominal.

prononçable [prɔnɔ̃'sabl] pronounceable; **prononcé, e** [~'se] **1.** *adj.* pronounced (*a. fig.*); *fig.* marked; **2.** *su./m* ⚖ decision; **prononcer** [~'se] (1k) *v/t.* pronounce; ⚖ pass (*sentence*); make (*a. a speech*); *fig.* mention (*a name*); *mal* ~ mispronounce (*a word etc.*); se ~ give one's opinion (*or* decision; come to a decision (on, about *sur*); be pronounced (*word*); *v/i.* pronounce; ~ *sur* rule upon, adjudicate upon (*a question*); ⚖ give one's verdict on; **prononciation** [~sja-'sjɔ̃] *f gramm.* pronunciation; ⚖ *sentence:* passing; *verdict:* bringing in; *speech:* delivery.

pronostic [prɔnɔs'tik] *m* prognostic(ation); forecast; *turf:* (*tipster's*) selection; ⚕ prognosis; **pronostiquer** [~ti'ke] (1m) *v/t.* foretell; ⚕ prognose, give a prognosis; forecast (*the weather*); **pronostiqueur** *m*, **-euse** *f* [~ti'kœ:r, ~'kø:z] prognosticator.

propagande [prɔpa'gɑ̃:d] *f* propaganda; publicity; advertising; de ~ propaganda ...; **propagandisme** [~gɑ̃'dism] *m* propagandism; **propagandiste** [~gɑ̃'dist] *su.* propagandist.

propagateur, -trice [prɔpaga'tœ:r, ~'tris] **1.** *adj.* propagating; **2.** *su.* propagator; *news, germs, etc.:* spreader; **propagation** [~ga'sjɔ̃] *f* propagation, spread(ing); *phys.* ~ *des ondes* wave propagation;

propager [~'ʒe] (1l) *v/t.* propagate (*biol., phys., a. fig.*); spread (*news, germs*); *fig.* popularize; se ~ propagate; spread; *phys.* be propagated.

propane ⚗ [prɔ'pan] *m* propane.

propension [prɔpɑ̃'sjɔ̃] *f* propensity, tendency.

prophète [prɔ'fɛt] *m* prophet, seer; *fig.* prophesier; **prophétesse** [~fe'tes] *f* prophetess; **prophétie** [~'si] *f* prophecy; **prophétique** [~'tik] prophetic; **prophétiser** [~ti'ze] (1a) *v/t.* prophesy, foretell.

prophylactique ⚕ [prɔfilak'tik] prophylactic; **prophylaxie** ⚕ [~'si] *f* prophylaxis; prevention of disease.

propice [prɔ'pis] propitious (to, *à;* for s.th., *à qch.*); favo(u)rable (to, *à*); **propitiation** [prɔpisja'sjɔ̃] *f* propitiation; **propitiatoire** [~'twa:r] propitiatory; F *don m* ~ sop (to Cerberus).

proportion [prɔpɔr'sjɔ̃] *f* ⚖ *etc.* proportion (with, *avec*), ratio; *fig.* ~s *pl.* size *sg.,* dimensions; *à* ~ *que* in proportion as; **proportionnel, -elle** [~sjɔ'nɛl] **1.** *adj.* proportional; ⚖ *moyenne f* ~*elle* mean proportional; **2.** *su./f* ⚖ proportional; **proportionner** [~sjɔ'ne] (1a) *v/t.* adapt (to, *à*); *bien proportionné* well-proportioned (*body etc.*); *fig.* well suited.

propos [prɔ'po] *m* purpose; topic; remark; convenience; ~ *pl.* talk *sg.; à* ~ relevant, pertinent, timely; *à* ~! by the way!; *à* ~ *de* about; *à* ~ *de rien* for no reason at all; *à ce* ~ in this connection; *à tout* ~ at every (end and) turn; *changer de* ~ change the subject; *hors de* ~ irrelevant (*comment*); ill-timed; *juger à* ~ think fit; *mal à* ~ inopportunely, at the wrong moment; **proposable** [prɔpo'zabl] worthy of consideration; **proposer** [~'ze] (1a) *v/t.* propose; suggest; offer (*a solution, money*); put forward (*a candidate, s.o. as a model*); se ~ propose or offer o.s. (as, *comme*); se ~ *de* (*inf.*) intend to (*inf.*); se ~ *pour* (*inf.*) offer to (*inf.*); **proposition** [~zi'sjɔ̃] *f* offer, proposal; ⚖, *phls.,* ♪ proposition; *gramm.* clause; *motion* (*to be voted upon*).

propre [prɔpr] **1.** *adj.* proper, correct; peculiar (to, *à*); characteristic (of, *à*); own; fit, able (to, *à*); calculated (to, *à*); clean, neat; ~ *à rien* good for nothing; ~ *maison f* own house; *maison f* ~ clean house; *en* ~*s termes* in so many words; **2.** *su./m* nature, characteristic; *eccl.* proper; *gramm.* literal sense; ᵍᵗᵗ ~*s pl.* separate property *sg.*; ~ *à rien* good-for-nothing; *iro. c'est du* ~! that's a fine thing!; **propret, -ette** † [prɔ prɛ, ~'prɛt] neat, tidy; **propreté** [~prɔ'te] *f* cleanness; neatness; cleanliness.

propriétaire [prɔprie'tɛːr] *su./m* proprietor, owner; landlord; *su./f* landlady; proprietress; **propriété** [~'te] *f* property (*a. phys.*); estate; ownership; *fig.* characteristic, property; *language, words, etc.*: correctness; ~ *immobilière* real estate; ~ *littéraire* copyright.

proprio F [prɔpri'o] *m* proprietor; owner; landlord.

propulser [prɔpyl'se] (1a) *v/t.* propel; ⚛ *propulsé par réaction* rocket-powered; **propulseur** [~'sœːr] **1.** *adj./m* propulsive, propelling, propellent; **2.** *su./m* propeller; **propulsif, -ve** [~'sif, ~'siːv] propulsive, propelling; **propulsion** [~'sjɔ̃] *f* propulsion; ~ *par réaction* rocket-propulsion.

prorata [prɔra'ta] *m/inv.* proportion; *au* ~ pro rata (*payment*); *au* ~ *de* in proportion to, proportionately to.

prorogation [prɔrɔga'sjɔ̃] *f parl.* prorogation; ᵍᵗᵗ *etc.* extension of time; *fig.* prolongation; **proroger** [~'ʒe] (1l) *v/t. parl.* adjourn, prorogue; ᵍᵗᵗ, ✝ extend (*a time-limit*), prolong.

prosaïque [prɔza'ik] prosaic; *fig.* unimaginative, dull; **prosaïsme** [~'ism] *m* prosaic style; *fig.* dullness; **prosateur** [~'tœːr] *m* prose-writer.

proscription [prɔskrip'sjɔ̃] *f* proscription; banishment; *fig.* abolition; **proscrire** [~'kriːr] (4q) *v/t.* proscribe; *fig.* abolish; *fig.* forbid; **proscrit** *m, e f* [~'kri, ~'krit] proscript, outlaw; exile.

prose [proːz] *f* prose; *eccl.* sequence.

prosélyte [prɔze'lit] *m* proselyte.

prospecter [prɔspɛk'te] (1a) *v/t.* ⚒ prospect; ✝ send out prospectuses to, circularize; **prospecteur** ⚒ *etc.* [~'tœːr] *m* prospector; **prospection** [~'sjɔ̃] *f* ⚒ *etc.* prospecting; prospection; ✝ canvassing; **prospectus** [~'tys] *m* prospectus; hand-bill.

prospère [prɔs'pɛːr] prosperous, thriving; favo(u)rable (*circumstances etc.*); well-to-do (*person*); **prospérer** [~pe're] (1f) *v/i.* prosper, thrive; succeed; **prospérité** [~peri'te] *f* prosperity; ✝ *vague f de* ~ boom.

prosterner [prɔstɛr'ne] (1a) *v/t.*: *se* ~ prostrate o.s.; bow down (before, to *devant*); F kowtow (to, *devant*).

prostituée [prɔsti'tɥe] *f* prostitute, whore; **prostituer** [~'tɥe] (1a) *v/t.* prostitute (*a. fig.*); **prostitution** [~ty'sjɔ̃] *f* prostitution (*a. fig.*).

prostration [prɔstra'sjɔ̃] *f* prostration (*a.* 🐾); 🐾 exhaustion; **prostré, e** [~'tre] prostrate; 🐾 exhausted.

protagoniste *thea., a. fig.* [prɔtagɔ'nist] *m* protagonist.

protecteur, -trice [prɔtɛk'tœːr, ~'tris] **1.** *adj.* ⊕, *a. pol.* protective; protecting; *fig. pej.* patronizing; **2.** *su./m* protector, patron; *su./f* protectress, patroness; **protection** [~'sjɔ̃] *f* protection (against, from *contre*); ⚒ cover; patronage, influence; wire-pulling; ~ *civile* civil defence; F *air m de* ~ patronizing air; **protectionnisme** *pol.* [~sjɔ'nism] *m* protectionism; **protectionniste** *pol.* [~sjɔ'nist] *adj., a. su.* protectionist; **protectorat** [~tɔ'ra] *m* protectorate.

protégé [prɔte'ʒe] *m* favo(u)rite; protégé; **protégée** [~te'ʒe] *f* protégée; **protège-oreilles** [~tɛʒɔ'rɛːj] *m/inv.* ear-protector; **protéger** [~te'ʒe] (1g) *v/t.* protect (from, *contre*); *fig.* be a patron of; patronize.

protestant, e [prɔtɛs'tɑ̃, ~'tɑ̃ːt] *adj., a. su.* Protestant; **protestantisme** [~tɑ̃'tism] *m* Protestantism; **protestataire** *pol.* [~ta'tɛːr] *su.* objector; **protestation** [~ta'sjɔ̃] *f* protest (against, *contre*); protestation (*of friendship, innocence, etc.*); **protester** [~'te] (1a) *v/t.* protest (*a.* ✝ *a bill*); *v/i.*: ~ *contre* challenge; protest against; ~ *de qch.* protest s.th.; **protêt** [prɔ'tɛ] *m* protest.

prothèse ⚕ [prɔˈtɛːz] f (a. dental) prosthesis.

prot(o)... [prɔt(ɔ)] prot(o)...

protocolaire [prɔtɔkɔˈlɛːr] formal; of etiquette; **protocole** [ˌˈkɔl] m protocol; ceremonial; F etiquette; *pol.* chef m du ~ Chief of Protocol.

prototype [prɔtɔˈtip] m prototype.

protubérance [prɔtybeˈrãːs] f protuberance; (*solar*) prominence; knob.

protuteur m, **-trice** f ⚹ [prɔtyˈtœːr, ˌˈtris] acting guardian.

prou [pru] adv.: ni peu ni ~ none or not at all; peu ou ~ more or less.

proue ⚓ [ˌ] f prow, bows pl.

prouesse [pruˈɛs] f prowess; ~s pl. exploits.

prouvable [pruˈvabl] provable; **prouver** [ˌˈve] (1a) v/t. prove.

provenance [prɔvˈnãːs] f source, origin; ✝ product; produce; 🚂 en ~ de from; **provenir** [ˌˈniːr] (2h) v/i.: ~ de arise from, come from; originate in.

proverbe [prɔˈvɛrb] m proverb; **proverbial, e,** m/pl. **-aux** [ˌvɛrˈbjal, ˌˈbjo] proverbial.

providence [prɔviˈdãːs] f providence; F fig. guardian angel; **providentiel, -elle** [ˌdãˈsjɛl] providential; fig. opportune, heavensent.

provigner ✍ [prɔviˈɲe] (1a) v/t. layer (*vine*); **provin** ✍ [prɔˈvɛ̃] m layered stock; *vine*: layer.

province [prɔˈvɛ̃ːs] f provinces pl.; fig. de ~ provincial, pej. countrified; **provincial, e,** m/pl. **-aux** [ˌvɛ̃ˈsjal, ˌˈsjo] 1. adj. provincial; fig. pej. countrified; 2. su., a. su./m eccl. provincial.

proviseur [prɔviˈzœːr] m lycee: headmaster; **provision** [ˌˈzjɔ̃] f provision, stock, supply; finance: funds pl., cover; ⚹ sum paid into court; faire ses ~s go shopping; par ~ provisional; sac m à ~s shopping-bag; **provisoire** [ˌˈzwaːr] provisional; temporary; acting (official etc.); **provisorat** [ˌzɔˈra] m lycee: headmastership.

provocant, e [prɔvɔˈkã, ˌˈkãːt] provocative (a. fig.); fig. enticing; **provocateur, -trice** [ˌkaˈtœːr, ˌˈtris] 1. adj. provocative; 2. su. aggressor; instigator; provoker; **provocation** [ˌkaˈsjɔ̃] f provoca-

tion; instigation; crime: incitement; challenge; ⚹ sleep etc.: inducement; **provoquer** [ˌˈke] (1m) v/t. provoke; instigate, incite (to, à); ⚹ induce (sleep etc.); fig. cause, bring about. [curer; su./f procuress.\]

proxénète [prɔkseˈnɛt] su./m pro-\]

proximité [prɔksimiˈte] f proximity; nearness; ~ de parenté near relationship; à ~ near at hand; à ~ de close to.

prude [pryd] 1. adj. prudish; 2. su./f prude.

prudemment [prydaˈmã] adv. of prudent; **prudence** [ˌˈdãːs] f prudence; discretion; **prudent, e** [ˌˈdã, ˌˈdãːt] prudent; discreet; fig. advisable (to inf., de inf.).

pruderie [pryˈdri] f prudery, prudishness; **prud'homme** [pryˈdɔm] m man of integrity, fig. wise man; conseil m des ~s conciliation board; **prudhommerie** [prydɔmˈri] f pomposity.

pruine [prɥin] f bloom (on fruit).

prune [pryn] 1. su./f plum; F fig. pour des ~s for nothing; 2. adj./inv. plum-colo(u)red; **pruneau** [pryˈno] m prune; F 🎯 (rifle-)bullet; sl. black eye; **prunelaie** ✍ [prynˈlɛ] f plum orchard; **prunelée** [ˌˈle] f plum jam; **prunelle** [pryˈnɛl] f ♀ sloe; ♀, a. tex. prunella; anat. eye: pupil, fig. apple (of the eye); **prunellier** ♀ [ˌnɛˈlje] m blackthorn, sloetree; **prunier** ♀ [ˌˈnje] m plum-tree.

prurigineux, -euse ⚹ [pryriʒiˈnø, ˌˈnøːz] pruriginous; **prurit** ⚹ [ˌˈri(t)] m pruritus, itching.

Prusse [prys] f: bleu m de ~ Prussian blue; **prussien, -enne** [pryˈsjɛ̃, ˌˈsjɛn] adj., a. su. ♀ Prussian; **prussique** 🧪 [ˌˈsik] adj.: acide m ~ prussic acid.

psalmiste [psalˈmist] m psalmist; bibl. le ♀ the Psalmist (= king David); **psalmodie** [ˌmɔˈdi] f eccl. psalmody; intoned psalm; F voice: singsong; **psalmodier** [ˌmɔˈdje] (1o) vt/i. intone, chant; v/t. F fig. drone (s.th.) out; **psaume** [psoːm] m psalm; **psautier** [psoˈtje] m psalter.

pseud(o)... [psød(ɔ)] pseud(o)...

pseudonyme [psødɔˈnim] 1. adj. pseudonymous; 2. su./m pseudonym; nom de plume.

ps(it)t! [ps(i)t] *int.* psst!; I say!

psittacisme ⚥ [psita'sism] *m* psittacism, parrotry; **psittacose** ⚥ [⌣'ko:z] *f* psittacosis; parrot disease.

psych... [psik] psych(o)...; **⌣analyse** ⚥ [psikana'li:z] *f* psychoanalysis; **⌣analyste** ⚥ [⌣'list] *m* psychoanalyst; **⌣analytique** ⚥ [⌣li'tik] psychoanalytic(al)

psyché [psi'ʃe] *f* cheval-glass.

psych... **⌣iatre** [psi'kja:tr] *m* psychiatrist; **⌣iatrie** [psikja'tri] *f* psychiatry; **⌣iatrique** [⌣'trik] psychiatric.

psychique [psi'ʃik] psychic; **psychisme** [⌣'ʃism] *m* psychism.

psycho... [psikɔ] psycho...; **⌣logie** [⌣lɔ'ʒi] *f* psychology; ⌣ *des enfants (foules)* child (mass) psychology; **⌣logique** [⌣lɔ'ʒik] psychological (*a.* F *fig. moment*); **⌣logue** [⌣'lɔg] *su.* psychologist; **⌣pathe** ⚥ [⌣'pat] *su.* psychopath.

psychose [psi'ko:z] *f* ⚥ psychosis; ⌣ *de guerre* war scare.

psychothérapie [psikɔtera'pi] *f* psychotherapy.

ptomaïne ⚥, ⚥ [ptɔma'in] *f* ptomaine.

pu [py] *p.p. of pouvoir* 1.

puant, e [pɥɑ̃, pɥɑ̃:t] stinking; foul (*a. fig.*); F conceited; **puanteur** [pɥɑ̃'tœ:r] *f* stench, stink.

pubère [py'bɛ:r] pubescent; **puberté** [⌣bɛr'te] *f* puberty.

pubescent, e ♀ [pybɛ'sɑ̃, ⌣'sɑ̃:t] pubescent, downy.

pubien, -enne *anat.* [py'bjɛ̃, ⌣'bjɛn] pubic; **pubis** *anat.* [⌣'bis] *m* pubis.

publiable [pybli'able] publishable; **public, -que** [⌣'blik] 1. *adj.* public; *la chose* ⌣*que* the state, the government; *la vie* ⌣*que* public life, politics *pl.*; *maison f* ⌣*que* brothel; 2. *su./m* public; *thea. etc.* audience; *en* ⌣ in public; *le grand* ⌣ the general public; F the man in the street; **publication** [pyblika'sjɔ̃] *f* publication; publishing; *en cours de* ⌣ printing (*book*); **publiciste** [⌣'sist] *su.* publicist; public relations officer; **publicitaire** [⌣si'tɛ:r] 1. *adj.* publicity-...; 2. *su./m* publicity man; **publicité** [⌣si'te] *f* publicity; public relations *pl.*; advertising; ⌣ *aérienne* sky-writing; ⌣ *lumineuse* illuminated advertising; *bureau m de* ⌣ advertising agency; *exemplaires m/pl. de* ⌣ press copies; **publier** [⌣'e] (1a) *v/t.* publish; make public; release (*news*); proclaim.

puce [pys] 1. *su./f* flea; F *marché m aux* ⌣*s* flea market; F *secouer les* ⌣*s à* give (*s.o.*) a good hiding; 2. *adj./inv.* puce.

pucelle [py'sɛl] *f* maiden, virgin; *la* ♀ (*d'Orléans*) the Maid of Orleans, Joan of Arc.

puceron ⚥ [pys'rɔ̃] *m* plant-louse; aphis.

pudeur [py'dœ:r] *f* modesty; decency; reserve; *sans* ⌣ shameless(ly *adv.*); **pudibond, e** [⌣di'bɔ̃, ⌣'bɔ̃:d] prudish; **pudicité** [⌣disi'te] *f* modesty, bashfulness; chastity; **pudique** [⌣'dik] modest, bashful; chaste.

puer [pɥe] (1n) *v/i.* stink, reek, smell; *v/t.* smell of; stink of.

puériculture [pɥerikyl'ty:r] *f* rearing of children; (*a.* ⌣ *sociale*) child welfare; **puéril, e** [⌣'ril] puerile, childish (*a. argument etc.*); *âge m* ⌣ childhood; **puérilité** [⌣rili'te] *f* childishness; puerility (*a. fig.*).

pugilat [pyʒi'la] *m* pugilism, boxing; F set-to; **pugiliste** [⌣'list] *m* pugilist, boxer, F pug.

puiné, e [pɥi'ne] 1. *adj.* younger; 2. *su./m* younger brother; *su./f* younger sister.

puis[1] [pɥi] *adv.* then, afterwards, next; *et* ⌣ and then; moreover; *et* ⌣ *après?* what then?; what about it?, so what?

puis[2] [⌣] *1st p. sg. pres. of pouvoir* 1.

puisage ⊕ [pɥi'za:ʒ] *m* pumping up; **puisard** [⌣'za:r] *m* sunk draining trap; sink, cesspool; ⚒, ⊕ sump; **puisatier** [⌣za'tje] *m* well-digger; ⚒ sumpman; **puiser** [⌣'ze] (1a) *v/t.* draw (from *à, dans*); *fig.* borrow.

puisque [pɥisk(ə)] *cj.* since, as; seeing that.

puissamment [pɥisa'mɑ̃] *adv.* powerfully; *fig.* extremely; **puissance** [⌣'sɑ̃:s] *f* *fig.*, *a.* ⚡, *eccl.*, *pol.*, *radio*: power; force; ⊕ output; ⚒ coal-seam: thickness; *fig.* influence; ♃, *fig.* authority; *phys.* ⌣ *en bougies* candle-power; ⌣ *lumineuse searchlight*: candle-power; *pol.* ⌣ *mondiale* world(-)power; **puissant, e** [⌣'sɑ̃, ⌣'sɑ̃:t] powerful; strong; weighty (*argument*); ⚒ thick (*coal-seams*).

puisse [pɥis] *1st p. sg. pres. sbj. of pouvoir 1.*

puits [pɥi] *m* well; ⚒ shaft; ⊕, ⚒ pit; ~ *d'aérage* air-shaft; *cuis.* ~ *d'amour* cream-puff; jam-puff; *fig.* ~ *de science person:* mine of information.

pull-over [pylɔ'vœːr] *m* pullover; sweater.

pulluler [pyly'le] (1a) *v/i.* swarm, teem; multiply rapidly.

pulmonaire [pylmɔ'nɛːr] **1.** *adj.* pulmonary; **2.** *su./f* ♀ lungwort.

pulpe [pylp] *f* pulp; *finger etc.:* pad; **pulpeux, -euse** [pyl'pø, ~'pøːz] pulpy, pulpous.

pulsatif, -ve [pylsa'tif, ~'tiːv] pulsatory; throbbing (*pain*); **pulsation** [~'sjɔ̃] *f* pulsation (*a.* ♂, *a. phys.*); *heart:* throb(bing), beat (-ing); **pulsatoire** ♂ [~'twaːr] pulsatory.

pulsoréacteur ✈ [pylsɔreak'tœːr] *m* intermittent jet; pulsojet.

pulvérisateur [pylveriza'tœːr] *m* pulverizer; spray, atomizer; *liquids:* vaporizer; **pulvériser** [~'ze] (1a) *v/t.* pulverize (*a. fig. s.o.*); F *sp.* smash (*a record*); *mot. etc.* atomize (*petrol, liquids*); **pulvériseur** ✐ [~'zœːr] *m* disk-harrow; **pulvérulence** [pylvery'lɑ̃ːs] *f* powderiness; dustiness; **pulvérulent, e** [~'lɑ̃, ~'lɑ̃ːt] powdery; dusty.

puma *zo.* [py'ma] *m* puma, cougar.

punais, e [py'nɛ, ~'nɛːz] **1.** *adj.* foulsmelling; **2.** *su./f zo.* bug; drawing-pin, *Am.* thumbtack.

punch [pɔ̃ːʃ] *m* punch.

punique *hist.* [py'nik] Punic; *fig. foi f* ~ treachery.

punir [py'niːr] (2a) *v/t.* punish (with, *de*); **punissable** [pyni'sabl] punishable; **punition** [~'sjɔ̃] *f* punishment; *games:* forfeit.

pupillaire *anat.*, ⚖ [pypil'lɛːr] pupil(l)ary; **pupillarité** ⚖ [~lari'te] *f* wardship.

pupille[1] [py'pil] *su.* ⚖ ward; orphanage-child; ~ *de la nation* war orphan (*in France*).

pupille[2] *anat.* [~] *f* eye: pupil.

pupitre [py'pitr] *m* desk; ♪ (*music-*) stand; *eccl.* lectern; ♂, *thea.* ~ *de distribution* (*or* *commutation*) switch-desk.

pur, pure [pyːr] pure (*a. fig.*), spotless; *fig.* clear (*conscience etc.*);

fig. innocent, chaste (*girl*); *fig.* sheer, downright; *zo.* ~ *sang* thoroughbred; *folie f* pure utter folly.

purée [py're] *f cuis. vegetables:* mash; mashed potatoes *pl.*; thick soup; *sl.* *être dans la* ~ be in the soup, be hard up.

pureté [pyr'te] *f* purity (*a. fig.*); chastity; *fig.* clearness.

purgatif, -ve ♂ [pyrga'tif, ~'tiːv] *adj., a. su./m* purgative; **purgation** [~'sjɔ̃] *f* ♂, *eccl.* purgation; ♂ purging; ♂ purge; **purgatoire** *eccl.* [~'twaːr] *m* purgatory (*a. fig.*); **purge** [pyrʒ] *f* ♂ purge (*a. pol.*), purgative; ⚖ *mortgage:* redemption; ⊕ blow-off; *tex.* cleaning; **purgeoir** ⊕ [pyrʒwaːr] *m* filtering-tank; **purger** [~'ʒe] (1l) *v/t.* purge (*fig., a.* ♂), cleanse; ⚖ redeem, pay off (*a mortgage*); *fig.* clear (*one's conscience, a debt, etc.*); ⊕ refine (*gold*); *tex.* cleanse; *se* ~ take a purgative; *fig.* clear o.s.

purification [pyrifika'sjɔ̃] *f* purification (*a. eccl.*); cleansing; **purifier** [~'fje] (1o) *v/t.* purify, cleanse; refine (*metal*); ⊕ disinfect (*the air etc.*).

purin ✐ [py'rɛ̃] *m* liquid manure.

purisme [py'rism] *m* purism; **puriste** [~'rist] **1.** *su.* purist; **2.** *adj.* puristic.

puritain, e [pyri'tɛ̃, ~'tɛn] **1.** *su.* Puritan; **2.** *adj.* puritan(ical) (*a. fig.*); **puritanisme** [~ta'nism] *m* puritanism (*a. fig.*).

purpurin, e [pyrpy'rɛ̃, ~'rin] purplish; crimson. [thoroughbred.]

pur-sang ⚖[pyr'sɑ̃] *m/inv. horse:*⟩

purulence ♂ [pyry'lɑ̃ːs] *f* purulence; **purulent, e** ♂ [~'lɑ̃, ~'lɑ̃ːt] purulent; *foyer m* ~ abscess.

pus[1] ♂ [py] *m* pus, matter.

pus[2] [~] *1st p. sg. p.s. of pouvoir 1.*

pusillanime [pyzilla'nim] pusillanimous; faint-hearted; **pusillanimité** [~nimi'te] *f* faint-heartedness.

pustule ♂ [pys'tyl] *f* pustule; **pustulé, e** [~ty'le], **pustuleux, -euse** ♂ [~ty'lø, ~'løːz] pus-⟩

putain V [py'tɛ̃] *f* whore. [tulous.⟩

putatif, -ve [pyta'tif, ~'tiːv] putative; reputed.

putois *zo.* [py'twa] *m* polecat.

putréfaction [pytrefak'sjɔ̃] *f* putrefaction, decay; **putréfier** [~'fje] (1o) *v/t.* putrefy, rot, decompose;

se ~ putrefy; **putrescence** [pytrɛ-'sã:s] *f* putrescence; ☞ sepsis; **putrescent, e** [~'sã, ~'sã:t] putrescent; **putrescible** [~'sibl] liable to putrefaction; **putride** [py'trid] putrid; tainted.   [*Auvergne*).\
puy *geog.* [pɥi] *m* peak (*in the*)
puzzle [pœzl] *m* jig-saw puzzle.
pygmée [pig'me] *m* pygmy.
pyjama [piʒa'ma] *m* (pair of) pyjamas *pl.*, *Am.* pajamas *pl.*
pylône [pi'lo:n] *m* ⚡ pylon (*a.* △), mast; ⚓, ✗ post.
pyramidal, e, *m/pl.* -aux [pirami-'dal, ~'do] pyramidal; F *fig.* terrific; **pyramide** △, ⚐ [~'mid] *f* pyramid; ~ des âges *statistics*: age pyramid.
pyrite *min.* [pi'rit] *f* pyrites.

pyro... [pirɔ] pyro...; ~**gravure** [~gra'vy:r] *f* poker-work; ~**ligneux** ⚗ [~li'nø] *adj.*: acide m ~ pyroligneous acid; ~**mane** [~'man] *su.* pyromaniac; ~**phore** ⚗, *zo.* [~'fɔ:r] *m* pyrophorus.
pyrosis ☞ [pirɔ'zis] *m* pyrosis, heartburn.
pyro...: ~**technicien** [pirɔtɛkni'sjɛ̃] *m* pyrotechnist; ~**technie** [~tɛk'ni] *f* pyrotechnics *pl.*
pyroxyle ⚗ [pirɔk'sil] *m* pyroxyline; gun-cotton.
Pyrrhus [pi'rys] *npr./m*: victoire *f* à la ~ Pyrrhic victory.
python *zo. etc.* [pi'tɔ̃] *m* python; **pythonisse** [~tɔ'nis] *f* pythoness; la ~ d'*Endor* the Witch of Endor.
pyxide ⚘ [pik'sid] *f* pyxis.

Q

Q, q [ky] *m* Q, q.
quadragénaire [kwadraʒe'nɛ:r] *adj.*, *a. su.* quadragenarian.
quadrangulaire [kwadrãgy'lɛ:r] ⚐ *etc.* quadrangular; △ four-cornered.
quadrant ⚐ [ka'drã] *m* quadrant; **quadrature** [kwadra'ty:r] ⚐, *astr.* quadrature; ⚐ *circle*: squaring (*a. fig.*).
quadri... [kwadri] quadri...; ~**folié, e** ⚘ [~fɔ'lje] quadrifoliate.
quadrige *hist.* [kwa'dri:ʒ] *m* quadriga.
quadrilatère ⚐ *etc.* [kwadrila'tɛ:r] *su./m, a. adj.* quadrilateral.
quadrillage [kadri'ja:ʒ] *m* crossruling; cross-gridding; chequerwork; squares *pl.*; **quadrille** [~'dri:j] *m* ♪ dance, *a. cards*: quadrille; **quadrillé, e** [~dri'je] squared (*paper etc.*); grid (*map*); chequered.
quadri...: ~**moteur** ✈ [kwadrimɔ-'tœ:r] **1.** *adj./m* four-engined; **2.** *su./m* four-engined plane; ~**réacteur** ✈ [~reak'tœ:r] *m* four-engined jet plane.
quadrupède [kwadry'pɛd] **1.** *adj.* four-footed, quadruped; **2.** *su./m* quadruped.
quadruple [kwa'drypl] *adj.*, *a. su./m* quadruple, fourfold; **quadrupler** [~dry'ple] (1a) *vt./i.* quadruple; increase fourfold.

quai [ke] *m* quay, wharf; 🚂 platform; embankment (*along a river*); droits *m/pl.* de ~ quayage (dues) *sg.*
qualifiable [kali'fjabl] subject to qualification; describable (as, de); **qualificatif, -ve** *gramm.* [~fika'tif, ~'ti:v] **1.** *adj.* qualifying; **2.** *su./m* qualifier; **qualification** [~fika'sjɔ̃] *f* qualification (*a. sp.*); calling; *gramm.*, *a.* ✝ qualifying; name, designation; **qualifié, e** [~'fje] qualified (to, *pour*); ⊕ skilled (*workman*); ⚖ aggravated (*larceny*); **qualifier** [~'fje] (1o) *v/t.* call, style (by, de; s.o. s.th., q. de qch.); qualify (*a. gramm.*); se ~ call o.s.; qualify (for, *pour*); **qualitatif, -ve** [~ta'tif, ~'ti:v] qualitative; **qualité** [~'te] *f* quality, property; nature; qualification; *fig.* capacity (as, de); title; avoir ~ pour be qualified to; de première ~ first-rate; en sa ~ de in his capacity as; ✝ gens *m/pl.* de ~ gentlefolk.
quand [kɑ̃] **1.** *adv.* when; depuis ~? how long?, since when?; pour ~ est ...? when is ...?; **2.** *cj.* when; ~ même none the less, nevertheless; even though.
quant à [kɑ̃'ta] *prp.* as for; as regards; in relation to.
quantième [kɑ̃'tjɛm] *m* day of the month, date.

quantique *phys.* [kwã'tik] *adj.*: mécanique *f* ~ quantum mechanics.

quantitatif, -ve [kãtita'tif, ~'ti:v] *m̃ etc.* quantitative; *gramm.* (*adjective*) of quantity, (*adverb*) of degree; **quantité** [~'te] *f* quantity.

quantum, *pl.* **-ta** [kwã'tɔm, ~'ta] *m* Ⓐ, ₥, ₼, *phys.* quantum; *phys.* théorie *f* des *quanta* quantum theory.

quarantaine [karã'ten] *f* (about) forty; ♉ quarantine; *la* ~ the age of forty, the forties *pl.*; mettre q. en ~ ♉, ♉ quarantine s.o.; *fig.* send s.o. to Coventry; **quarante** [~'rã:t] 1. *adj./num.*, forty; 2. *su./m/inv.* forty; *les* ♀ the Forty (members of the *Académie française*); **quarantième** [~'tjɛm] *adj./num.*, *a. su.* fortieth.

quart [ka:r] *m* Ⓐ *etc.* quarter; ♉ point (of the compass); ♉ watch; ♪ ~ *de soupir* semiquaver rest; ~ *d'heure* quarter of an hour; *deux heures moins le* ~ a quarter to two; *le* ~ *a sonné* it has struck quarter past; *un* ~ (*de livre*) a quarter (of a pound); *fig. un petit* ~ *d'heure* a few minutes; **quarte** [kart] 1. *adj./f* ⚔ quartan (*fever*); 2. *su./f* ♪ fourth; *fencing*: carte, quarte).

quartier [kar'tje] *m* quarter; (fourth) part; piece, portion; *venison*: haunch; *bacon*: gammon; *stone*: block; district, neighbo(u)rhood; *fig.* mercy, clemency; ✕ quarters *pl.*; ~ *chic* residential quarter; ✕ ~ *général* headquarters *pl.*; ~ *ouvrier* working-class district; ✕ *demander* ~ ask for *or* cry quarter; ✕ *faire* ~ give quarter; **~-maître**, *pl.* **~s-maîtres** [~tje'mɛ:tr] *m* ♉ leading seaman; ✕ † quartermaster.

quarto [kwar'to] *adv.* fourthly.

quartz *min.* [kwarts] *m* quartz; **quartzeux, -euse** *min.* [kwart'sø, ~'sø:z] quartzose; quartz (*sand*).

quasi [ka'zi] *adv.* almost, practically; quasi; **~-délit** ⚖ [~zide'li] *m* technical offence; **quasiment** F [~zi-'mã] *adv.* almost, practically.

Quasimodo *eccl.* [kazimɔ'do] *f* Low Sunday.

quaternaire Ⓐ, ₥, *geol., etc.* [kwater'nɛ:r] quaternary.

quatorze [ka'tɔrz] *adj./num., a. su./m/inv.* fourteen; *date, title*: fourteenth; **quatorzième** [~tɔr-'zjɛm] *adj./num., a. su.* fourteenth.

quatrain [ka'trɛ̃] *m* quatrain.

quatre [katr] *adj./num., a. su./m/inv.* four; *date, title*: fourth; *à* ~ *pas d'ici* close by; *à* ~ *pattes* on all fours; *entre* ~ *yeux* between you and me; *pol. les* ♀ *Grands* the Big Four; **~-mâts** ♉ [katrə'ma] *m/inv.* four-master; **~-saisons** [~sɛ'zõ] *f/inv.* (*sort of*) strawberry; *see marchand* 2; **~-temps** *eccl.* [~'tã] *m/pl.* ember days; **~-vingt-dix** [~vɛ̃'dis; *before consonant* ~'di; *before vowel or h mute* ~'diz] *adj./num., a. su./m/inv.* ninety; **~-vingt-dixième** [~vɛ̃di-'zjɛm] *adj./num., a. su.* ninetieth; **~-vingtième** [~vɛ̃'tjɛm] *adj./num., a. su.* eightieth; **~-vingts** [~'vɛ̃] *adj./num., a. su./m* (*loses its* -s *when followed by another number*) eighty; *quatre-vingt-un* eighty-one; **quatrième** [katri'ɛm] 1. *adj./num.* fourth; 2. *su.* fourth; *su./m fraction*: fourth, quarter; fourth, *Am.* fifth floor; *su./f secondary school*: (*approx.*) third form.

quatuor ♪ [kwa'tɥɔːr] *m* quartet; ~ *à cordes* string quartet.

quayage [kɛ'ja:ʒ] *m* wharfage.

que [kə] 1. *pron./interr.* what?; how (many)!; ~ *cherchez-vous*?, *qu'est-ce que vous cherchez*? what are you looking for?; ~ *c'est beau!* how beautiful it is!; ~ *de monde!* what a lot of people!; ~ *faire*? what can (could) be done?; *qu'est-ce* ~ *c'est* ~ *cela*? what's that?; *qu'est-ce* ~ *la littérature*? what is literature?; 2. *pron./rel.* whom, that; which; what; (*autant*) ~ *je sache* so far as I know; *je ne sais* ~ *dire* I don't know what to say; *je sais ce qu'il veut* I know what he wants; *le jour qu'il vint* the day (when) he came; *l'homme* ~ *j'aime* the man (whom *or* that) I love; *misérable* ~ *tu es!* wretch that you are!; you wretch!; 3. *cj.* that; so that; when; whether; *replacing another cj. to avoid its repetition*: *puisque vous le dites et* ~ *nous le croyons* since you say so and we believe it; ~ (*sbj.*) ... ~ (*sbj.*) whether (*ind.*) ... or (*ind.*); ~ *la lumière soit!* let there be light!; ~ *le diable l'emporte!* to hell with him!; *approchez* ~ *je vous regarde* come closer and let me look at you; *aussi* ... ~ ... as; *d'autant plus* ... ~ all the more ... as *or* because; *il ne partira pas* *sans* ~ *cela ne soit fait* he will not leave before it is done; *il y a ...* ~ since ...; *je crois* ~ *oui* I think so; *ne ...* ~ only, but; *non (pas)* ~ *(sbj.)* not that *(ind.)*; *plus* ~ more than; *tel* ~ such as; *tel* ~ *je suis as I am*; *un tel vacarme* ~ such a row that.

quel *m*, **quelle** *f*, **quels** *m/pl.*, **quelles** *f/pl.* [kɛl] **1.** *adj./interr.* what; who; which; what (a)!; *quelle bonté!* how kind!; *quelle heure est-il?* what time is it?; ~ *que (sbj.)* whatever *(ind.)*; *quelle que soit son influence* whatever his influence (may be); ~s *que soient ces messieurs* whoever these gentlemen may be; **2.** *adj./indef.* whatever; whoever; whichever.

quelconque [kɛl'kɔ̃:k] *adj./indef.* any, whatever; some ... or other; ordinary, commonplace; *il est très* ~ he is very ordinary.

quelque [kɛlk(ə)] **1.** *adj.* some, any; ~s *pl.* some, (a) few; ~ *chose* something, anything; ~ *peu* something; ~ ... *qui (or que)) (sbj.)* whatever *(ind.)*; *ne ...* ~ *chose* not ... anything; **2.** *adv.* some, about; ~ *peu* somewhat, a little; ~ ... *que (sbj.)* however *(adj.)*; ~**fois** [kɛlkə'fwa] *adv.* sometimes, now and then.

quelqu'un *m*, **e** *f*, *m/pl.* **quelques-uns** [kɛl'kœ̃, ~'kyn, ~kə'zœ̃] *pron./indef.* someone, anyone; somebody, anybody; *pl.* some, any; ~! ✝ shop!; F *W.C.*: engaged!; ~ *des* ... one (or other) of the ...; *être* ~ be s.o. (important).

quémander [kemɑ̃'de] (1a) *v/i.* beg (from, *à*); *v/t.* beg for; **quémandeur**, *m* -**euse** *f* [~'dœ:r, ~'dø:z] importunate beggar; *(place-)*hunter.

qu'en-dira-t-on F [kɑ̃dira'tɔ̃] *m/inv.* what people will say; public opinion.

quenelle *cuis.* [kə'nɛl] *f(fish-, meat-)*ball.

quenotte F [kə'nɔt] *f* tooth.

quenouille [kə'nu:j] *f* distaff; ✝ cat's-tail; *fig. tomber en* ~ fall to the distaff side.

querelle [kə'rɛl] *f* quarrel; dispute; ~ *d'Allemand* groundless quarrel; **quereller** [kərə'le] (1a) *v/t.* quarrel with *(s.o.)*, nag *(s.o.)*; *se* ~ quarrel; fall out (with, *avec*); **querelleur**, -**euse** [~'lœ:r, ~'lø:z] **1.** *adj.* quarrel-

some; nagging *(wife)*; **2.** *su.* quarrelsome person.

quérir [ke'ri:r] (2v) *v/t.*: *aller* ~ go and fetch, go for; *envoyer* ~ send for; *venir* ~ come and fetch, come for.

questeur *hist.* [kɥɛs'tœ:r] *m* quaestor.

question [kɛs'tjɔ̃] *f* question; matter; ⚖ issue; ⚖ *hist.* torture; ~ *d'actualité* topic of the moment *or* day; ~ *en suspens* outstanding question, question still unresolved; *ce n'est pas la* ~ that is not the point; *il est* ~ *de* it is a question of; there is talk of; *mettre qch. en* ~ challenge s.th.; *question s.th.*; ... *ne fait pas* ~ there is no doubt about ...; **questionnaire** [kɛstjɔ'nɛ:r] *m* list of questions; quiz; questionnaire; **questionner** [~'ne] (1a) *v/t.* question *(s.o.)*; **questionneur**, -**euse** [~'nœ:r, ~'nø:z] **1.** *adj.* inquisitive; **2.** *su.* inquisitive person; *su./m*: *c'est un éternel* ~ he never stops asking questions.

quête [kɛt] *f* quest, search; *hunt.* tracking *(by dogs)*; *eccl. etc.* collection; *en* ~ *de* in search of; *fig.* looking for *(information)*; **quêter** [kɛ-'te] (1a) *v/t.* collect; F *fig.* seek (for); *hunt.* seek *(game)*; *v/i.* take up a collection; **quêteur** *m*, -**euse** *f* [~'tœ:r, ~'tø:z] collector *(of alms)*; *eccl.* taker-up of the collection.

queue [kø] *f* ⚓, *zo.*, *astr.*, *etc.* tail; *pan*: handle; *cost. dress*: train; *(billiard-)*cue; *fig.* bottom, end; *people*: queue; ✗ rear *(of army)*; ⚓ stalk; *tool, button*: shank; *en* ~ in the rear; *fig.* at the bottom *or* tail-end; *faire (la)* ~ queue up, form a queue; *n'avoir ni* ~ *ni tête* be disconnected *(story)*; ♪ *piano m à* ~ grand piano; ~-**d'aronde**, *pl.* ~s-**d'aronde** ⊕ [~dɑ'rɔ̃:d] *f* dovetail; ~-**de-cochon**, *pl.* ~s-**de-cochon** ⊕ [~dkɔ'ʃɔ̃] *f* auger-bit, gimlet; ~-**de-morue**, *pl.* ~s-**de-morue** [~dmɔ'ry] *f (painter's)* flat brush; F evening dress, tails *pl.*; ~-**de-pie**, *pl.* ~s-**de-pie** [~d'pi] *f* swallow-tail coat; ~-**de-rat**, *pl.* ~s-**de-rat** [~d'ra] *f* ⊕ rat-tail(ed file); reamer; *(sort of)* snuff-box.

qui [ki] **1.** *pron./interr. subject: persons*: who, *two persons*: which; *things*: which; what; *object: per-*

sons: whom; *things*: which; ~ *des deux?* which of the two?; ~ *est-ce ~ chante?* who sings?, who is singing?; ~ *est-ce que tu as vu?* who(m) did you see?; *à ~* to whom? *à ~ est ce livre?* whose book is this?; whom does this book belong to?; *de ~* whose?; of *or* from whom?; **2.** *pron./rel. subject*: *persons*: who, that; (he *or* anyone) who; *things*: which, that; what; *after prp.*: *persons*: whom; *things*: which; ~ *pis est* what is worse; ~ *que ce soit* whoever it is; anyone; *à ~ mieux mieux* vying with one another; *ce ~* what; which; *n'avoir ~ tromper* have no one to deceive; **3.** *pron./indef.* some; ~ ..., ~ ... some ..., some *or* others ...

quia [kɥi'a] *adv.*: *être à ~* be nonplussed *or* F stumped; *mettre (or réduire) à ~* nonplus, F stump.

quiconque [ki'kɔ̃:k] *pron./indef.* whoever, anyone who; anybody.

quidam [ki'dam] *m*: *un ~* an individual, someone.

quiétude [kɥie'tyd] *f* quietude.

quignon [ki'ɲɔ̃] *m bread*: chunk, hunk.

quille[1] ⚓ [ki:j] *f* keel.

quille[2] [ki:j] *f sp.* skittle, ninepin; *sl.* leg.; *fig. recevoir comme un chien dans un jeu de ~s* give (*s.o.*) a cold welcome; **quillier** *sp.* [ki'je] *m* skittle-alley.

quinaire [kɥi'nɛ:r] ♄ quinary; ♀, *zo.* pentameral.

quincaille [kɛ̃'ka:j] *f* ✝ (piece of) hardware, ironmongery; F *coins*: coppers *pl.*; **quincaillerie** ✝ [~kaj-'ri] *f* hardware, ironmongery; hardware shop; **quincaillier** ✝ [~ka'je] *m* hardware merchant, ironmonger.

quinconce [kɛ̃'kɔ̃:s] *m* quincunx; arrangement in fives; *en ~* in quincunxes, in fives.

quinine ♒, ✽ [ki'nin] *f* quinine.

quinquagénaire [kɥɛ̃kwaʒe'nɛ:r] *adj., a. su.* quinquagenarian.

quinquennal, e *m/pl.* **-aux** [kɥɛ̃-kɥɛn'nal, ~'no] five-year (*plan*).

quinquina ✽ [kɛ̃ki'na] *m* cinchona, quinquina.

quint ✝ [kɛ̃] *adj./m* fifth; *Charles ♀ Charles V.*

quintal ✝ [kɛ̃'tal] *m* quintal (*approx. hundredweight*).

quinte [kɛ̃:t] *f cards*: quint; *fencing*: quinte; ♪ fifth; F *fig.* whim; *coughing*: fit.

quintessence [kɛ̃tɛ'sã:s] *f* quintessence; **quintessencier** [~sã'sje] (1o) *v/t.* refine.

quintette ♪ [kɛ̃'tɛt] *f* quintet(te).

quinteux, -euse [kɛ̃'tø, ~'tø:z] crotchety, cantankerous (*person*); restive (*horse*); ✽ fitful.

quintuple [kɛ̃'typl] *adj., a. su./m* quintuple, fivefold; **quintupler** [~ty'ple] (1a) *vt/i.* increase fivefold, quintuple.

quinzaine [kɛ̃'zɛn] *f* (about) fifteen; fortnight; fortnight's pay; **quinze** [kɛ̃:z] *adj./num., a. su./m/inv.* fifteen; *date, title*: fifteenth; ~ *jours* a fortnight; **quinzième** [kɛ̃'zjɛm] *adj./num., a. su.* fifteenth.

quiproquo [kipro'ko] *m* misunderstanding; mistake.

quittance ✝ [ki'tã:s] *f* receipt; *donner ~ à* give (*s.o.*) a receipt in full; *fig.* forgive (*s.o.*); **quittancer** ✝ [~tã'se] (1k) *v/t.* receipt.

quitte [kit] *adj.* free, clear (of, *de*); discharged (from, *de*); *être ~* be quits, be even; *tenir q. ~ de* let *s.o.* off (*s.th.*); *adj./inv.*: ~ *à* (*inf.*) even if (*ind.*); *il le fera ~ à perdre son argent* he will do it even if he loses his money.

quitter [ki'te] (1a) *v/t.* leave (*a person, a place*); resign (*a post*); give up (*a post, business, a. fig.*); take off (*one's coat, hat, etc.*); *teleph. ne quittez pas!* hold the line, please!

quitus ✝, ⚖ [ki'tys] *m* auditor's final discharge; receipt in full.

qui-vive [ki'vi:v] *m/inv.* ✕ (*sentry's*) challenge; *fig. être sur le ~* be on the qui vive *or* on the alert.

quoi [kwa] **1.** *pron./interr. things*: what; ~ *de neuf?* what's the news?; ~ *donc!* what!; **2.** *pron./rel.* what; ~ *que* (*sbj.*) whatever (*ind.*); ~ *qu'il en soit* be that as it may; *avoir de ~ vivre* have the wherewithal; *avoir de ~ vivre* have enough to live on; (*il n'y a*) *pas de ~!* don't mention it!; you're welcome!; *sans ~ ...* otherwise, or else; *un je-ne-sais-~* (*or je ne sais ~*) a(n indescribable) something, just something.

quoique [kwak(ə)] *cj.* (al)though.

quolibet [kɔli'bɛ] *m* gibe.

quote-part [kɔt'pa:r] *f* quota, share.

quotidien, -enne [kɔti'djɛ̃, ~'djɛn]
1. *adj.* daily, everyday; ⚡ quotid-
ian; **2.** *su./m* daily (paper).
quotient [kɔ'sjɑ̃] *m* Ⱥ quotient;

pol., *admin.* quota; *psych.* ~ *intellectuel* intelligence quotient, *abbr.* I. Q.
quotité [kɔti'te] *f* share, portion,
amount.

R

R, r [ɛːr] *m* R, r.
rabâchage [rabɑ'ʃaːʒ] *m* tiresome
repetition; rigmarole; **rabâcher**
[~'ʃe] (1a) *v/i.* repeat the same
thing over and over again; *v/t.*
repeat (*s.th.*) over and over again;
rabâcheur, -euse [~'ʃœːr, ~'ʃøːz]
su. person who repeats the same
thing over and over again.
rabais [ra'bɛ] *m* ✝ *price:* reduction,
discount; ✝ *coinage:* depreciation;
flood: abatement; *adjudication f*
au ~ allocation to the lowest tender;
✝ *vendre au* ~ sell at a discount *or*
reduced price; **rabaisser** [~bɛ'se]
(1a) *v/t.* lower; ✝ depreciate (*the
coinage*); *fig.* belittle; humble
(*s.o., s.o.'s pride*).
rabat [ra'ba] *m cost.* bands *pl.*;
handbag etc.: flap; ⊕ rabbet; **~-joie**
[~ba'ʒwa] *m/inv.* spoil-sport, wet
blanket; **rabattage** [~ba'taːʒ] *m* ✝
prices: lowering; *hunt.* beating (*for
game*); heading back (*of game*); *fig.*
heading off (*of people*); ✗ cutting
back; **rabatteur** [~ba'tœːr] *m* ✝
tout; *hunt.* beater; **rabattre** [~'batr]
(4a) *v/t.* fold back *or* down; lower
(*a. fig.*); *fig.* reduce; ✗ cut back;
hunt. beat up (*game*); head (*game*)
back; *fig.* head off (*people*); tone
down (*a colour*); lower (*the price,
s.o.'s pride, one's claims*); ~ *qch. de*
take *s.th.* off (*the price etc.*); *se* ~ *sur*
fall down upon; *fig.* fall back on;
v/i. turn off, bear (*to the left or
right*); ~ *de* lower; *fig.* en ~ climb
down.
rabbin [ra'bɛ̃] *m* rabbi.
rabibocher F [rabibɔ'ʃe] (1a) *v/t.*
patch up; *fig.* reconcile (*two ad-
versaries*).
rabiot *sl.* [ra'bjo] *m food:* extra;
overtime; extra period of service;
illicit profit.
rabique ⚡ [ra'bik] rabic.
râble¹ [rɑːbl] *m* ⊕ fire-rake; *metall.*
rabble.
râble² [rɑːbl] *m zo.* hare *etc.:* back;

cuis. hare: saddle; **râblé, e** [rɑ'ble]
thick-backed (*hare*); broad-backed,
strapping, strong (*person*).
rabonnir [rabɔ'niːr] (2a) *vt/i.* improve.
rabot ⊕ [ra'bo] *m* plane; ~ *en caoutchouc* squeegee; **raboter** [rabɔ'te]
(1a) *v/t.* ⊕ plane (*wood*); *fig.* polish;
sl. filch, *Am.* lift (*s.o.'s money*);
raboteur ⊕ [~'tœːr] *m* planer;
raboteuse ⊕ [~'tøːz] *f* planing-
machine; **raboteux, -euse** [~'tø,
~'tøːz] rough; knotty (*wood*); uneven (*road*); rugged (*country, a. fig.
style*).
rabougri, e [rabu'gri] stunted,
dwarfed (*person, a. plant*); scraggy
(*vegetation*); **rabougrir** [~'griːr]
(2a) *v/t.* stunt the growth of; *v/i. a.
se* ~ become stunted.
rabouter [rabu'te] (1a), **raboutir**
[~'tiːr] (2a) *v/t.* join end to end.
rabrouer F [rabru'e] (1a) *v/t.* scold,
F dress down; snub.
racaille [ra'kɑːj] *f people:* riff-raff,
scum; *things:* trash.
raccommodage [rakɔmɔ'daːʒ] *m*
mending, repairing; *socks etc.:*
darning; repair; darn; **raccom-
modement** [~mɔd'mɑ̃] *m* reconciliation; *quarrel:* mending; **raccommoder** [~mɔ'de] (1a) *v/t.*
mend, repair; darn (*socks etc.*); *fig.*
reconcile; *se* ~ *avec* make it up
with (*s.o.*); **raccommodeur,** *m*
-euse *f* [~mɔ'dœːr, ~'døːz] repairer,
mender.
raccord [ra'kɔːr] *m* ⊕ joint, union,
connection; △ join (*a. picture etc.*);
⚡ adapter; *teleph.* linking up; ▦
~ *de rail* junction-rail; **raccorde-
ment** [rakɔrdə'mɑ̃] *m* ⊕, △ joining, coupling, linking-up; junction; ⚡ connection; ▦ *voie f de* ~
loop-line; side-line (*to a factory*);
raccorder [~'de] (1a) *v/t.* join,
connect (*a.* ⚡), couple; bring (*parts*)
into line.
raccourci, e [rakur'si] **1.** *adj.* short-

ened; abridged (*account*); ⚓ oblate; bobbed (*hair*); short (*stature*); fig. à bras ⟋(s) with might and main; **2.** su./m abridgement; short cut (*to somewhere*); en ~ in a few words, briefly; **raccourcir** [⟋'siːr] (2a) v/t. shorten; cut short (*a speech*); curtail; abridge (*an account, a story*); v/i. grow shorter; tex. shrink; **raccourcissement** [⟋sis'mã] m shortening; abridgement; tex. shrinking.

raccroc [ra'kro] m billiards: fluke; coup m de ~ fluke; F faire le ~ walk the streets (*prostitute*); par ~ by a fluke; **raccrocher** [rakro'ʃe] (1a) v/t. hang up again; F get hold of (*s.o., s.th.*) again; get (*s.th.*) by a fluke; F solicit, accost (*s.o.*); se ~ clutch (at, à); take up (with s.o., à q.) again; F recoup one's losses; v/i. make flukes (*at billiards*); teleph. hang up, ring off; **raccrocheur, -euse** [⟋'ʃœːr, ⟋'ʃøːz] **1.** adj. eye-catching (*advertisement*); fetching; **2.** su./f street-walker, prostitute.

race [ras] f race; zo. species, breed; fig. breeding.

racer [re'sœːr] m racing-horse; mot. racing-car.

rachat [ra'ʃa] m repurchase; goods: buying in; annuity, covenant, loan, option, a. eccl.: redemption; policy, value: surrender; **rachetable** [raʃ'tabl] ✝ redeemable; eccl. atonable (*sin*); **racheter** [⟋'te] (1d) v/t. buy back; ✝ buy (*s.th.*) in; redeem (✝ annuity, debt, loan, a. fig.); ransom (*a prisoner*); atone for (*one's sins, a. fig.*); ✝ surrender (*a policy*); buy more of (*s.th.*).

rachitique ⚕ [raʃi'tik] rachitic, rickety; **rachitisme** ⚕ [⟋'tism] m rachitis, rickets.

racinage [rasi'naːʒ] m coll. (edible) roots pl.; tex. walnut dye; bookbinding: tree-marbling; **racine** [⟋'sin] f ⚓, ⚕, ⚓, ling., a. fig. root; mountain: foot; **raciner** [⟋si'ne] (1a) v/i. ⚕ (take) root; v/t. tex. dye with walnut; bookbinding: marble.

racisme [ra'sism] m racialism, Am. racism.

racle ⊕ [rɑːkl] f scraper.

raclée F [rɑ'kle] f hiding, thrashing, dressing-down; **racler** [⟋'kle] (1a) v/t. scrape; fig. make a clean sweep of; ⚋ thin out; se ~ la gorge clear

one's throat; v/i.: ⌡ ~ du violon scrape on the fiddle; **raclette** [⟋'klɛt] f ⊕ scraper; ⚋ hoe; phot. squeegee; **racloir** ⊕ [⟋'klwaːr] m scraper; **racloire** [⟋'klwaːr] f ⊕ spokeshave; tongue scraper; **raclure** [⟋'klyːr] f scrapings pl.

racolage [rako'laːʒ] m ⚔, ⚓ recruiting; fig. enlisting; prostitute: soliciting; **racoler** [⟋'le] (1a) v/t. ⚔, ⚓ recruit; fig. enlist; prostitute: solicit; **racoleur** ⚔ [⟋'lœːr] m recruiting-sergeant.

raconter [rakõ'te] (1a) v/t. tell, relate; **raconteur** m, **-euse** f [⟋'tœːr, ⟋'tøːz] (story-)teller.

racornir [rakor'niːr] (2a) v/t. harden, toughen; se ~ harden; grow hard or horny; fig. grow callous; fig. shrivel up.

radar [ra'daːr] m radar (set); **radariste** [⟋da'rist] m radar operator.

rade ⚓ [rad] f roads pl., roadstead; fig. laisser en ~ abandon.

radeau [ra'do] m raft.

radiaire [ra'djɛːr] radiate(d); **radial, e,** m/pl. **-aux** ⚓, anat. [⟋'djal, ⟋'djo] radial; **radiance** [⟋'djãːs] f radiance; radiant heat; **radiant, e** [⟋'djã, ⟋'djãːt] adj., a. su./m radiant; **radiateur** [⟋dja-'tœːr] m radiator.

radiation[1] phys. [radja'sjõ] f radiation.

radiation[2] [⟋] f striking out; debt etc.: cancellation; ⚖ solicitor: striking off; barrister: disbarment.

radical, e, m/pl. **-aux** [radi'kal, ⟋'ko] **1.** adj. radical (a. ⚓, ⚕, ⚓, pol., gramm.); **2.** su./m radical; ⚓ root(-sign); gramm. root; **radicelle** ⚕ [⟋'sɛl] f radicle.

radié, e [ra'dje] radiate(d), rayed. **radier**[1] ⚒ etc. [ra'dje] m floor, base, bed; level; basin, dock: apron; (foundation-)raft; tunnel: invert.

radier[2] [⟋] (1o) v/t. strike out, erase; delete; cancel.

radier[3] [ra'dje] (1o) v/i. phys. radiate; fig. beam (with, de); **radieux, -euse** [⟋'djø, ⟋'djøːz] radiant (a. fig.).

radio F [ra'djo] su./f wireless, radio, sound broadcasting; ⚕ X-rays pl.; su./m wireless message; ⚓, ⚔ wireless operator.

radio... [radjo] radio...; **~actif, -ve** phys. [⟋ak'tif, ⟋'tiːv] radioactive;

~conducteur ⚡ [~kɔ̃dyk'tœːr] *m* radio conductor; **~détection** [~detɛk'sjɔ̃] *f* radiodetection; **~diffuser** [~dify'ze] (1a) *v/t.* broadcast; **~diffusion** [~dify'zjɔ̃] *f* broadcasting; **~électricité** *radio, a. phys.* [~elektrisi'te] *f* radioelectricity; **~élément** *phys.* [~ele'mɑ̃] *m* radioactive element, radio-element; **~goniométrie** [~gɔnjome'tri] *f* direction-finding; **~gramme** [~'gram] *m* ⚡ wireless message, radiogram; ⚕ X-ray photograph; skiagraph; **~graphe** [~'graf] *su.* radiographer; **~graphie** ⚕ [~gra'fi] *f* radiography, X-ray photograph(y); **~graphier** [~gra'fje] (1o) *v/t.* radiograph; **~guidé, e** [~gi'de] radiocontrolled; **~journal** [~ʒur'nal] *m* radio: news bulletin; **~logie** ⚕, *a. phys.* [~lɔ'ʒi] *f* radiology; **~logue** ⚕ [~'lɔg] *m*, **~logiste** ⚕ [~lɔ'ʒist] *m* radiologist; **~mètre** *phys.* [~'mɛtr] *m* radiometer; **~phare** ⚡ [~'faːr] *m* radio beacon; **~phonie** [~fɔ'ni] *f* wireless telephony; **~phonique** [~fɔ'nik] wireless ...; radio...; **~phono** [~fɔ'no] *m instrument, furniture:* radiogram; **~repérage** [~rəpe'raːʒ] *m* radio-location; **~reporter** [~rəpɔr'tɛːr] *m* (radio) commentator; **~scopie** ⚕ [~skɔ'pi] *f* radioscopy; **~télégramme** ⚡ [~tele'gram] *m* wireless telegram, radio-telegram; **~télégraphie** ⚡ [~telegra'fi] *f* wireless telegraphy, radio-telegraphy; **~téléphonie** [~telefɔ'ni] *f* wireless telephony, radio-telephony; **~thérapie** ⚕ [~tera'pi] *f* radiotherapy.

radis ♀ [ra'di] *m* radish; F *ne pas avoir un ~* be penniless, F be broke.

radium ⚛ [ra'djɔm] *m* radium; **~thérapie** ⚕ [~djɔmtera'pi] *f* radium treatment, radium-therapy.

radius *anat., a. zo.* [ra'djys] *m* radius.

radon *phys.* [ra'dɔ̃] *m* radon.

radotage [radɔ'taːʒ] *m* drivel, twaddle; dotage; **radoter** [~'te] (1a) *v/i.* talk nonsense; drivel; be in one's dotage; **radoteur** *m*, **-euse** *f* [~'tœːr, ~'tøːz] dotard; driveller.

radoub ⚓ [ra'du] *m* repair; *bassin m de ~* graving-dock, dry dock; **radouber** ⚓ [~du'be] (1a) *v/t.* repair the hull of; dock.

radoucir [radu'siːr] (2a) *v/t.* calm (*a. fig.*); make (*s.th.*) milder *or* softer; *se ~* become milder *or* softer.

rafale [ra'fal] *f* squall; *wind:* (strong) gust; ✕ *gun-fire:* burst; *~ de pluie* cloud-burst.

raffermir [rafɛr'miːr] (2a) *v/t.* harden, make firm(er); *fig.* strengthen; *fig.* fortify; *se ~* harden (*a.* † *prices*); † level off (*prices*); ✝ improve; **raffermissement** [~mis'mɑ̃] *m* hardening (*a.* † *of prices*); *fig.* strengthening; *fig.* improvement.

raffinage ⊕ [rafi'naːʒ] *m* sugar, petrol, etc.: refining; *oil:* distilling; **raffiné, e** [~fi'ne] refined (*sugar, petrol, a. fig.*); *fig.* subtle; **raffinement** [~fin'mɑ̃] *m fig.* refinement; *fig.* subtlety; ⊕ *sugar, petrol, etc.:* refining; *oil:* distilling; **raffiner** [~fi'ne] (1a) *v/t.* refine (*a.* ⊕, *a. fig.*); *v/i.* be punctilious *or* overnice (on, upon *sur*); **raffinerie** ⊕ [~fin'ri] *f* refinery; (sugar-)refining; oil distillery; **raffineur** *m*, **-euse** *f* ⊕ [~fi'nœːr, ~'nøːz] refiner.

raffoler F [rafɔ'le] (1a) *v/i.:* *~ de* be passionately fond of, F be mad about; dote on.

raffut F [ra'fy] *m* row, din.

raffûter ⊕ [rafy'te] (1a) *v/t.* reset, sharpen (*a tool*).

rafiot ⚓ [ra'fjo] *m* skiff.

rafistoler F [rafistɔ'le] (1a) *v/t.* patch (*s.th.*) up.

rafle[1] ♀ [rɑːfl] *f grapes etc.:* stalk; *maize:* cob.

rafle[2] [rɑːfl] *f police etc.:* raid; clean sweep; loot; **rafler** F [rɑ'fle] (1a) *v/t.* round up (*criminals*); carry off.

rafraîchir [rafrɛ'ʃiːr] (2a) *v/t.* cool; renovate; freshen up; refresh (*a. one's memory*); revive; brush up (*a subject*); restore (*a painting*); *v/i.* cool; grow cooler (*weather*); **rafraîchissement** [~ʃis'mɑ̃] *m* ⊕ *etc.* cooling; *memory:* refreshing; *subject:* brushing up; *painting etc.:* restoring; *~s pl.* refreshments; **rafraîchisseur** [~ʃi'sœːr] *m*, **rafraîchissoir** [~ʃi'swaːr] *m* cooler.

ragaillardir F [ragajar'diːr] (2a) *v/t.* cheer (*s.o.*) up.

rage [raːʒ] *f* rage, fury; *fig.* mania; violent pain; ✝ rabies; **rager** F [ra'ʒe] (1l) *v/i.* rage; be infuriated; **rageur, -euse** F [~'ʒœːr, ~'ʒøːz] violent-tempered, choleric.

raglan cost. [ra'glɑ̃] m raglan.
ragot¹, e [ra'go, ~'gɔt] 1. adj. squat; stocky (person, a. horse); 2. su./m hunt. boar in its third year.
ragot² F [ra'go] m tittle-tattle, gossip.
ragoût [ra'gu] m cuis. stew; F fig. relish, spice; **ragoûtant, e** [ragu-'tɑ̃, ~'tɑ̃:t] tempting (dish); fig. inviting (person); **ragoûter** [~'te] (1a) v/t. restore the appetite of (s.o.); fig. appeal to the taste of (s.o.).
ragréer [ragre'e] (1a) v/t. ⊕ trim up (a joint); △ clean down (brick-work); ⚓ re-rig; fig. restore.
rai [rɛ] m light; ray; wheel: spoke.
raid [rɛd] m mot. long-distance run or ✈ flight; mot. (long-distance) endurance test; ✕, ✈ raid.
raide [rɛd] 1. adj. stiff (a. manner); rigid; tight (rope); straight (flight, hair); steep (path, slope, stair, a. fig. remark); F fig. unyielding (charac-ter); 2. adv. speedily, hard; tomber ~ mort drop stone-dead; **raideur** [rɛ'dœ:r] f stiffness (a. of manner); rigidity; rope: tautness; path, slope, stair: steepness; character, tempera-ment: inflexibility; avec ~ violently; stubbornly; **raidir** [~'di:r] (2a) v/t. stiffen (a. fig.); tighten (a rope); se ~ brace o.s.; v/i. a. se ~ grow stiff; harden; **raidissement** [~dis-'mɑ̃] m stiffening; tautening.
raie¹ [rɛ] f stroke, line; streak; hair: parting; ✏ furrow; anat., a. ✏ ridge.
raie² icht. [~] f skate, ray.
raifort ♀ [rɛ'fɔ:r] m horse-radish.
rail [rɑ:j] m rail; railway; ~ conduc-teur live rail.
railler [rɑ'je] (1a) v/t. laugh at (s.o.); make fun of (s.o.); twit (s.o.); se ~ de make fun of; v/i. joke; **raillerie** [rɑj'ri] f banter; jest; scoffing; ~ à part joking aside; entendre la ~ be able to take a joke; ne pas entendre ~ be very touchy, be unable to take a joke; **railleur, -euse** [rɑ'jœ:r, ~-'jø:z] 1. adj. bantering, mocking; 2. su. scoffer; banterer.
rainette ♀ [rɛ'nɛt] f zo. tree-frog; ♀ apple: pippin.
rainure ⊕ [rɛ'ny:r] f groove; slot.
raiponce ♀ [rɛ'pɔ̃:s] f rampion.
raire [rɛ:r] (4ff) v/i. bell (stag).
rais [rɛ] m see rai.

raisin [rɛ'zɛ̃] m grape(s pl.); ~s pl. de Corinthe currants; ~s pl. de Smyrne sultanas; ~s pl. secs raisins; **raisiné** [~zi'ne] m grape jam.
raison [rɛ'zɔ̃] f reason; sense; satis-faction; justice, right; proof, ground; justification; motive; ⚓ claim; ⚖ ratio; ✝ ~ sociale name, style (of a firm); à ~ de at the rate of; à plus forte ~ so much or all the more; avoir ~ be right; comme de ~ as one might expect; of course; en ~ de in proportion to; because of; parler ~ talk sense; **raisonnable** [~zɔ'nabl] reasonable (a. ✝); rational; adequate; fair; **raisonné, e** [~zɔ'ne] reasoned; descriptive (cat-alogue); **raisonnement** [~zɔn'mɑ̃] m reasoning; argument; pas de ~s! don't argue!; **raisonner** [rɛzɔ'ne] (1a) v/i. reason, argue (about, sur); v/t. reason with (s.o.); weigh (ac-tions); **raisonneur, -euse** [~'nœ:r, ~'nø:z] 1. adj. reasoning; fig. argu-mentative; 2. su. reasoner; fig. ar-gumentative person; su./m: faire ~ ~ argue.
rait [rɛ] p.p./inv. of raire.
rajeunir [raʒœ'ni:r] (2a) v/t. make younger, rejuvenate; renovate; se ~ make o.s. look younger; v/i. get or look younger; **rajeunissement** [~nis'mɑ̃] m person: rejuvenation; renovation.
rajouter [raʒu'te] (1a) v/t. add.
rajustement [raʒysta'mɑ̃] m re-adjustment, setting right; ✝ ~ des salaires wage adjustment; **rajuster** [~'te] (1a) v/t. readjust, set to rights; fig. settle (a quarrel).
râle [rɑ:l] m orn. rail; (a. râlement [rɑl'mɑ̃] m) ⚕ râle; throat: rattle; death-rattle.
ralenti [ralɑ̃'ti] m slow motion or speed; au ~ slow(ly adv.); mot. mettre au ~ throttle down; mot. tourner au ~ idle, tick over; **ralen-tir** [~ti:r] (2a) vt/i. a. se ~ slow down; relax; **ralentissement** [~tis'mɑ̃] m slowing down, slacken-ing; decrease.
râler [rɑ'le] (1a) v/i. rattle (throat); be in one's death agony; F fig. fume (with anger, de colère); F haggle; **râleur** m, -euse f F [~'lœ:r, ~'lø:z] haggler; niggardly or crabby per-son.
ralliement [rali'mɑ̃] m ✕ rally(ing);

✕, ⚓ assembly; *mot m de* ~ pass-word; *point m de* ~ rallying-point; **rallier** [~'lje] (1o) *v/t.* ✕, ⚓ as-semble (*troops, ships*); ✕, ⚓ rejoin (*a unit, a ship*); *fig.* win, attract (*support, votes, etc.*); se ~ *à* rally to; ⚓ hug (*the shore*).

rallonge [ra'lɔ̃ː3] *f* ⊕ extension-piece; *table*: extension-leaf; *table f à* ~s extension table; **rallonge-ment** [~lɔ̃3'mɑ̃] *m* extension; **ral-longer** [~lɔ̃'3e] (1l) *v/t.* lengthen; eke out; *cuis.* thin (*a sauce*).

rallumer [raly'me] (1a) *v/t.* relight; *fig.* revive (*an emotion*); se ~ re-kindle; break out again (*war*); *fig.* revive (*emotion*).　　　　[ing, rally.]

rallye *mot. etc.* [ra'li] *m* race-meet-)

ramage [ra'maː3] *m tex.* floral de-sign; *orn.* song, warbling; **rama-ger** *orn.* [~ma'3e] (1l) *v/i.* sing, warble.

ramas [ra'mɑ] *m* pile; collection; *pej.* set (*of robbers*), rabble.

ramasse [ra'mɑːs] *f* (*Alpine*) sledge. **ramassé, e** [rama'se] stocky (*per-son, horse*); ⊕, *a. fig.* compact; **ra-masse-miettes** [~mas'mjet] *m/inv.* crumb-tray, crumb-scoop; **ramas-ser** [rama'se] (1a) *v/t.* gather (to-gether); collect; pick up (*an object*); ~ *une bûche* come a cropper; se ~ collect; pick o.s. up; *fig.* crouch (*animal*); *fig.* gather o.s. (*for an ef-fort*); **ramassis** [~'si] *m* pile; F *people*: pack.

rame¹ ⚓ [ram] *f* oar.

rame² [~] *f* ✝ *paper*: ream; 🚃 *coaches,* ⚓ *barges etc.*: string; 🚃 train.

rame³ ⚶ [~] *f* stick, prop.

rameau [ra'mo] *m* 🌿 bough; ~ twig; *geog.*, *a. family, science, etc.*: branch; ⚒ vein; *zo.* ~x *pl.* antlers; ~ *d'olivier* olive-branch (*a. fig.*); *eccl. dimanche m des* ⚥x Palm Sun-day; **ramée** [~'me] *f* leafy branches *pl.*, arbo(u)r; small wood (*for burn-ing etc.*).

ramender [ramɑ̃'de] (1a) *v/t.* mend (*nets*); ⚶ manure again; renew the gilt of (*a picture-frame*).

ramener [ram'ne] (1d) *v/t.* bring back; ⚒, *a. fig.* reduce (to, *à*); draw (down, back, *etc.*); *fig.* restore (*peace*); *fig.* win (*s.o.*) over; se ~ amount, come down (to, *à*); F turn up.

ramequin *cuis.* [ram'kɛ̃] *m* ramekin, ramequin (= *mixture of cheese, eggs, etc.*).　　　　　　　　　[stake.)

ramer¹ ⚶ [ra'me] (1a) *v/t.* stick,)

ramer² [ra'me] (1a) *v/i.* row; **rameur, -euse** [~'mœːr, ~'møːz] *su.* rower; *su./m* oarsman; *su./f* oarswoman.

rameux, -euse ⚶ [ra'mø, ~'møːz] ramose, branching; **ramier** *orn.* [~'mje] *m* ring-dove, wood-pigeon; **ramification** [~mifika'sjɔ̃] *f* rami-fication (*a. fig.*); branch(ing); **ra-mifier** [~mi'fje] (1o) *v/t.* ramify; se ~ ramify, branch out; **ramille** [~'miːj] *f* twig; ~s *pl.* fire-lighting: small wood *sg.*

ramolli, e [ramɔ'li] softened; F *fig.* soft-headed; **ramollir** [~'liːr] (2a) *v/t.* soften; se ~ soften, grow soft; **ramollissement** [~lis'mɑ̃] *m* sof-tening; ⚕ ~ *cérébral* softening of the brain.

ramoner [ramɔ'ne] (1a) *v/t.* sweep (*the chimney*); ⊕ scour, clear; *mount.* climb (*a chimney*); **ramo-neur** [~'nœːr] *m* (chimney-)sweep.

rampant, e [rɑ̃'pɑ̃, ~'pɑ̃ːt] 1. *adj.* 🔺 sloping; ⚶, *zo.* creeping; *zo.* crawling; *fig.* cringing; *fig.* pedes-trian (*style*); 2. *su./m* 🔺 sloping part; **rampe** [rɑ̃ːp] *f* slope, incline; in-clined plane; gradient, *Am. road*: grade; 🔺, 🚃, ⚡ ramp; *stairs*: handrail; *thea.* limelight (*a. fig.*); footlights *pl.*; ⚡ runway lights *pl.*; ~ *de lancement* launching ramp; **ramper** [rɑ̃'pe] (1a) *v/i.* creep (*a.* ⚶, *zo.*, *a. person*); crawl (*zo.*, *person, a.* F *fig.*); *fig.* fawn (*person*); ⚶ trail; 🔺 slope; *fig.* be pedestrian (*style*).

ramponneau F [rɑ̃pɔ'no] *m* blow.

ramure [ra'myːr] *f* branches *pl.*; *stag*: antlers *pl.*

rancart F [rɑ̃'kaːr] *m*: *mettre au* ~ discard; *admin.* retire (*s.o.*).

rance [rɑ̃ːs] 1. *adj.* rancid; 2. *su./m*: *sentir le* ~ smell rancid.

ranch, *pl.* **ranches** [rɑ̃ːʃ] *m* ranch.

ranche [rɑ̃ːʃ] *f ladder*: peg; **rancher** [rɑ̃'ʃe] *m* peg-ladder, pole-ladder.

rancir [rɑ̃'siːr] (2a) *v/i.* become rancid; **rancissure** [~si'syːr] *f* ran-cidness.

rancœur [rɑ̃'kœːr] *f* ranco(u)r; re-sentment.

rançon [rɑ̃'sɔ̃] *f* ransom; *fig.* price; **rançonner** [rɑ̃sɔ'ne] (1a) *v/t.* hold to ransom; ransom (*s.o.*); ⚕ F fleece; **rançonneur, -euse** F [~-'nœ:r, ~'nø:z] extortionate.

rancune [rɑ̃'kyn] *f* spite, malice; grudge; *sans ~!* no offence!; no hard feelings!; **rancunier, -ère** [~ky'nje, ~'njɛ:r] **1.** *adj.* spiteful; **2.** *su.* spiteful person; person bearing a grudge.

randonnée [rɑ̃dɔ'ne] *f hunt.* circuit; *fig.* ramble; *mot. etc.* run, outing; *mot.* motor tour; *cyclism*: long road-race.

rang [rɑ̃] *m* row, line; order, class; tier; ⚔, *a. fig.* rank; F *fig. de premier ~* first-rate, first-class; **rangé, e** [rɑ'ʒe] **1.** *adj.* tidy; steady (*person*); ⚔ pitched (*battle*); **2.** *su.*/*f* row, line; *thea.* tier; *figures*: set; **ranger** [~] (1l) *v/t.* (ar)range; ⚔ draw up, marshal; put (*s.th.*) away; tidy (*objects, a room*); *fig.* rank (among, *parmi*); ⚓ hug (*the coast*); *fig.* steady (*s.o.*); restrain, keep back (*a crowd*); *mot.* park (*one's car*); se ~ ⚔ draw up, fall in (*a. fig.* with *à, avec*); *fig.* settle down (*in life, behaviour, etc.*); *mot.* pull over; *fig.* make way (*person*).

ranimer [rani'me] (1a) *v/t. a.* se ~ revive; *fig.* cheer up.

rapace [ra'pas] rapacious (*a. fig.*); predatory; **rapacité** [~pasi'te] *f* rapacity; *avec ~* rapaciously.

rapatriement [rapatri'mɑ̃] *m* repatriation; **rapatrier** [~'e] (1a) *v/t.* repatriate.

râpe [rɑ:p] *f* ⊕ rasp, rough file; *cuis.* grater; ⚘ *grapes etc.*: stalk; **râper** [rɑ'pe] (1a) *v/t.* ⊕ rasp; grind (*snuff*); *cuis.* grate; wear threadbare (*clothes*); *râpé* threadbare (*clothes*).

rapetasser F [rapta'se] (1a) *v/t.* patch up; cobble (*shoes*); *fig.* botch up.

rapetisser [rapti'se] (1a) *v/t.* make (*s.th.*) smaller; shorten (*clothes*); *v/i. a.* se ~ become smaller; shorten; *tex.* shrink.

rapiat, e F [ra'pja, ~'pjat] **1.** *adj.* stingy; **2.** *su.* skinflint.

rapide [ra'pid] **1.** *adj.* rapid, fast, swift; steep (*slope*); **2.** *su.*/*m geog.* rapid; 🚂 express (train); **rapidité** [~pidi'te] *f* swiftness, speed; *slope*: steepness.

rapiéçage [rapje'sa:ʒ] *m* patching (-up); patchwork; **rapiécer** [~'se] (1f *a.* 1k) *v/t.* patch.

rapière † [ra'pjɛ:r] *f* rapier.

rapin F [ra'pɛ̃] *m* art student; *pej.* dauber.

rapine [ra'pin] *f* rapine; *pej.* graft; **rapiner** [~pi'ne] (1a) *vt/i.* pillage.

rappareiller [raparɛ'je] (1a) *v/t.* match, complete (*a set*).

rapparier [rapa'rje] (1o) *v/t.* match, complete (*a pair*).

rappel [ra'pɛl] *m pol. etc.* recall; ⚖ *decree*: rescind; ⚕ *money*: calling in, *debt*: reminder; ⚔ *reservists*: recall to the colo(u)rs, call-up; *thea.* curtain call; call (*to order*); ⊕ back-motion; *fig.* touch, suspicion; ⚔ *battre le ~* call to arms; *mount. faire une descente en ~* rope down; *touche f de ~ typewriter*: back-spacer; **rappeler** [~'ple] (1c) *pol., a. fig.* recall; *thea.* call for (*an actor*); remind (s.o. of s.th., *qch. à q.*); repeal (*a decree*); cancel (*a message*); ⊕ draw back; *teleph.* ring back; *paint.* distribute (*the highlights*); *fig.* restore (*s.o. to health*); *parl. ~ à l'ordre* call to order; se ~ recall, remember (*s.th.*).

rappliquer [rapli'ke] (1m) *v/t.* re-apply; *v/i.* F come *or* go back.

rapport [ra'pɔ:r] *m* ⚕, ⊕ return, yield; ⚕ *etc.* report; statement, account; ⚟, *a. mot.* ratio; connection (with, *avec*); relation; *fig.* resemblance; *~s pl.* intercourse *sg.*; *fig. en ~ avec* in keeping *or* touch with; F *faire des ~s* tell tales; *maison f de ~* apartment house; *mettre q. en ~ avec* put s.o. in touch with; *par ~ à* in relation to; compared with; *sous tous les ~s* in every respect *or* way; **rapporter** [rapɔr'te] (1a) *v/t.* bring back; *hunt.* retrieve; ⚖ restore; ⚖, *admin.* revoke; ⊕ join, add; ⚕ yield, produce; *fig.* get; report (*a fact, an observation, etc.*); *fig.* ascribe, refer (to, *à*); † se ~ agree (with, *avec*); se ~ *à* refer to; *s'en ~ à* rely on; *v/i.* pay, be profitable; F tell tales; present a report (on, about *sur*); **rapporteur, -euse** [~'tœ:r, ~'tø:z] **1.** *adj.* sneaking; **2.** *su.* sneak, tell-tale; *su.*/*m committee, conference*: rapporteur; ⚔, ⚖ judge-advocate; ⚟ protractor.

rapprendre [ra'prɑ̃:dr] (4aa) *v/t.* learn *or* teach (*s.th.*) again.

rapprochement [raprɔʃ'mɑ̃] *m* bringing together; comparison; connection; closeness; *fig.* reconciliation; *pol.* rapprochement, re-establishment of harmonious relations; **rapprocher** [ˌprɔ'ʃe] (1a) *v/t.* bring together; bring (*s.th.*) near again; bring (*things*) closer together; put (*s.th.*) nearer (to, de); compare, put together; *fig.* reconcile; se ~ draw near(er) (to, de); approximate (to, de); become reconciled (with, de).

rapt ♳♵ [rapt] *m* abduction of a minor; kidnapping.

râpure [rɑ'py:r] *f* filings *pl.*; raspings *pl.*

raquette [ra'kɛt] *f sp.* racket, racquet; battledore; snow-shoe; ♃ prickly pear.

rare [ra:r] rare (*a.* ♈, *phys.*, *fig.*); *fig.* singular, uncommon; ♒ slow (*pulse*); thin, scanty (*hair etc.*); **raréfaction** [rarefak'sjɔ̃] *f phys.* rarefaction; ♉ growing scarcity; **raréfier** [ˌ'fje] (1o) *v/t. phys.* rarefy; ♉ *etc.* make scarce; se ~ rarefy; grow scarce(r); **rareté** [rar'te] *f phys.*, *a. fig.* rarity; ♉, *a. fig.* scarcity; singularity; rare occurrence.

ras¹, rase [rɑ, rɑ:z] **1.** *adj.* close-cropped (*hair, head*); close-shaven (*cheek, chin, beard*); *fig.* blank, bare; open (*country*); à ~ bord to the brim, brim-full; *faire table rase* make a clean sweep; **2.** *su./m*: au ~ de level *or* flush with.

ras² [rɑ] *m see raz.*

rasade [rɑ'zad] *f* brim-full glass; *verser une* ~ à fill (*s.o.'s*) glass to the brim; **rasage** [ˌ'za:ʒ] *m beard:* shaving; *tex. cloth:* shearing; **rase-mottes** [ˌ'raz'mɔt] *m/inv.:* voler en ~ hedge-hop; **raser** [rɑ'ze] (1a) *v/t.* shave; *tex.* shear (*cloth*); F *fig.* bore (*s.o.*); ♄ raze (*to the ground*); *fig.* graze, skim; *crème f à* ~ shaving cream; *se* ~ shave; F *fig.* be bored; **raseur** *m*, **-euse** *f* [ˌ'zœ:r, ˌ'zø:z] shaver; *tex.* shearer; F *fig.* bore, *Am. sl.* bromide; **rasibus** F [ˌzi'bys] *adv.* very close (to, de); **rasoir** [ˌ'zwa:r] **1.** *su./m* razor; *tex.* knife; **2.** *adj.* F boring.

rassasier [rasa'zje] (1o) *v/t.* satisfy; satiate (with, de); cloy (with, de); *se* ~ take one's fill.

rassemblement [rasɑ̃blə'mɑ̃] *m* collecting; gathering; crowd; ✕ parade; **rassembler** [ˌ'ble] (1a) *v/t.* (re)assemble; gather together (again); *fig.* muster (*strength*); ✕ parade.

rasseoir [ra'swa:r] (3c) *v/t.* seat (*s.o.*) again; settle.

rasséréner [rasere'ne] (1f) *v/t.* calm, soothe; clear up.

rassis, e [ra'si, ˌ'si:z] settled, calm; sedate; stale (*bread*).

rassurer [rasy're] (1a) *v/t.* reassure; ⚠ strengthen.

rastaquouère F [rasta'kwɛ:r] *m* flashy adventurer.

rat [ra] *m zo.* rat; F *fig.* miser; F *fig.* ~ *de bibliothèque* book-worm; ~ *de cave* exciseman; ~ *d'église* frequent church-goer; ~ *d'hôtel* hotel thief.

rata *sl.* [ra'ta] *m* stew.

ratatiner [ratati'ne] (1a) *v/t. a.* se ~ shrivel, shrink; crinkle up (*parchment*).

ratatouille *sl.* [rata'tu:j] *f* stew; skilly.

rate¹ [rat] *f anat.* spleen; *zo.*, *anat.* milt; F *dilater la* ~ *de q.* make *s.o.* shake with laughter; F *ne pas se fouler la* ~ take things easy.

rate² *zo.* [ˌ] *f (female)* rat.

raté, e [ra'te] **1.** *adj.* botched (*work*); ineffectual (*person*); *coup m* ~ failure; **2.** *su. person:* failure; *su./m* ⊕, *mot.* misfire.

râteau [rɑ'to] *m* ♪ *etc.* rake; F large comb; ⊕ *lock:* wards *pl.*; **râteler** [rɑt'le] (1c) *v/t.* ♪ rake (up); **râtelier** [rɑtə'lje] *m* rack; F (set of) false teeth *pl.*, denture.

rater [ra'te] (1a) *v/i. mot.* misfire (*a. fig.*); fail to go off (*gun*); *fig.* fail; *v/t.* miss; *fig.* fail in (*an examination, attempt, etc.*).

ratière [ra'tjɛ:r] *f* rat-trap.

ratification [ratifika'sjɔ̃] *f* ratification; **ratifier** [ˌ'fje] (1o) *v/t.* ratify; approve.

ratiner *tex.* [rati'ne] (1a) *v/t.* frieze (*cloth*).

ratiociner *pej.* [rasjɔsi'ne] (1a) *v/i.* ratiocinate; reason.

ration [ra'sjɔ̃] *f* ration(s *pl.*), allowance; *physiol.* intake.

rationaliser [rasjɔnali'ze] (1a) *v/t.* rationalize; **rationalisme** *phls.* [ˌ'lism] *m* rationalism; **rationaliste** *phls.* [ˌ'list] *adj.*, *a. su.* rationalist; **rationalité** [ˌli'te] *f* rationality.

rationnel, -elle [rasjɔ'nɛl] rational (*a.* Å); F *fig.* sensible.

rationnement [rasjɔn'mɑ̃] *m* rationing; **rationner** [ˌsjɔ'ne] (1a) *v/t.* ration (*a. fig.*).

ratisser [rati'se] (1a) *v/t.* ✗ rake; ✗ hoe; scrape (*skins, potatoes*); F rake in, grab; F clean (*s.o.*) out; **ratissoire** [ˌ'swaːr] *f* ✗ hoe; ✗ rake; scraper.

raton [ra'tɔ̃] *m zo.* little rat; F darling; *zo.* ~ *laveur* rac(c)oon.

rattachement [rataʃ'mɑ̃] *m* linking up; *pol.* union; **rattacher** [ˌta'ʃe] (1a) *v/t.* (re)fasten; tie up (again); *fig.* connect; *fig.* bind; **se** ~ **be** fastened; *fig.* be connected (with, à).

rattraper [ratra'pe] (1a) *v/t.* catch again; recover (*one's health, one's money*); catch up on (*time*); overtake; ⊕ take up (*play*); **se** ~ **à** catch hold of (*a branch etc.*); *fig.* **se** ~ **de** make up, make good.

raturage [raty'raːʒ] *m* erasing; crossing out; **rature** [ˌ'tyːr] *f* erasure; crossing out; **raturer** [ˌty're] (1a) *v/t.* erase; cross out; scrape (*parchment*).

rauque [roːk] hoarse; harsh.

ravage [ra'vaːʒ] *m* ravages *pl.*, havoc; **ravager** [ˌva'ʒe] (1l) *v/t.* ravage, lay waste; devastate; play havoc with.

ravalement [raval'mɑ̃] *m building*: re-surfacing; **ravaler** [ˌva'le] (1a) *v/t.* swallow (again *or* down); F *fig.* take back (*a statement*); *fig.* reduce (to, à); *fig.* disparage; Δ re-dress (*stonework*); Δ rough-cast (*a wall*); Δ hollow out (*a wall*); ✗ cut back, trim; *fig.* **se** ~ lower o.s.

ravauder [ravo'de] (1a) *v/t.* mend, patch; darn (*socks etc.*); botch; **ravaudeur** *m*, **-euse** *f* [ˌ'dœːr, ˌ'døːz] *m* mender; darner; botcher.

rave ⚕ [raːv] *f* rape.

ravi, e [ra'vi] enraptured; F delighted (with s.th., de qch.; to *inf.*, de *inf.*).

ravier [ra'vje] *m* radish-dish, hors-d'œuvres dish; **ravière** ✗ [ˌ'vjɛːr] *f* radish-bed; turnip-field.

ravigote *cuis.* [ravi'gɔt] *f* ravigote sauce; **ravigoter** F [ˌgɔ'te] (1a) *v/t.* revive, refresh.

ravilir [ravi'liːr] (2a) *v/t.* degrade, debase.

ravin [ra'vɛ̃] *m*, **ravine** [ˌ'vin] *f*, **ravinée** [ravi'ne] *f* ravine, gully; **raviner** [ˌ] (1a) *v/t.* cut channels in (*the ground*).

ravir [ra'viːr] (2a) *v/t.* carry off, abduct; steal; *fig.* charm, delight; **à** ~ delightfully.

raviser [ravi'ze] (1a) *v/t.*: **se** ~ change one's mind; think again.

ravissant, e [ravi'sɑ̃, ˌ'sɑ̃ːt] bewitching; delightful, lovely; ravening (*beast*); **ravissement** [ˌvis'mɑ̃] *m* carrying off; *fig.* rapture; **ravisseur** [ˌvi'sœːr] *m* plunderer; abductor (*of a woman*); kidnapper (*of a child*).

ravitaillement [ravitaj'mɑ̃] *m* supplying; replenishment; ✗ provisioning (with, en); ⊕ (supplying with) fuel and lubricants *pl.*; *admin.* food control; ✗ *convoi m de* ~ supply column; **ravitailler** [ˌta'je] (1a) *v/t.* provision, supply (with, en); *mot. etc.* refuel; ⚓ **se** ~ take in fresh supplies, refuel; **ravitailleur** [ˌta'jœːr] *m* ✗ carrier; ⚓ supplyship; ⚓ parent ship; ✈ refuelling aircraft.

raviver [ravi've] (1a) *v/t.* revive; brighten up; **se** ~ revive; break out again (*struggle*).

ravoir [ra'vwaːr] *v/t. occurs only in inf.* get (*s.th.*) back again; have (*s.th.*) again.

rayer [rɛ'je] (1i) *v/t.* scratch (*a surface*); stripe (*cloth etc.*); ⊕ groove (*a cylinder*); rifle (*a gun*); rule (*paper*); strike out, cross out.

rayon[1] [rɛ'jɔ̃] *m book-case*: shelf; *store*: department; *fig.* speciality, F line, field; ~ *de miel* honeycomb.

rayon[2] [rɛ'jɔ̃] *m phys.*, *a. fig.* ray; *sun, light*: beam; Å radius (*a. fig.*); *wheel*: spoke; ✗ drill; ✗ *lettuce etc.*: row; ✗ ~**s** *pl.* Χ X-rays; (*grand*) ~ *d'action* (long) range; **rayonnant, e** [ˌjɔ'nɑ̃, ˌ'nɑ̃ːt] radiant (*heat, a. fig.*); *fig.* beaming (*face*); *phys.* radio-active (*matter*).

rayonne *tex.* [rɛ'jɔn] *f* rayon.

rayonnement [rɛjɔn'mɑ̃] *m phys.* radiation; *astr.*, *fig.* radiance; **rayonner** [ˌjɔ'ne] (1a) *v/i. phys.* radiate; *fig.* beam (with, de).

rayure [rɛ'jyːr] *f tex.* stripe, streak; *glass etc.*: scratch; ⊕ groove; *gun*: rifling; erasure, striking out.

raz [rɑ] *m* strong current, race; ~ *de*

marée bore; tidal wave; *fig.* landslide.

razzia [ra(d)'zja] *f* raid, razzia.

re... [rə], **ré...** [re] re-...; ... again; ... back.

ré ♩ [re] *m/inv.* re, *note:* D.

réacteur [reak'tœ:r] *m* ⚡, *phys.* reactor; *mot.* choke; ✈ jet plane, F jet; **réactif, -ve** 🧪 [⁓'tif, ⁓'ti:v] **1.** *adj.* reactive; test-(*paper*); **2.** *su./m* reagent; **réaction** [⁓'sjɔ̃] *f* *pol.*, ⊕ reaction; *rifle:* kick; ✈ jet; 🧪, *physiol.*, *etc.* test; *phys.* ⁓ en *chaîne* chain reaction; *avion m à ⁓* jet (plane); **réactionnaire** *pol.* [⁓sjɔ'nɛ:r] *adj.*, *a. su.* reactionary.

réadmettre [read'metr] (4p) *v/t.* readmit; **réadmission** [⁓mi'sjɔ̃] *f* readmittance.

réagir [rea'ʒi:r] (2a) *v/i.* react (on, *sur*).

réaléser ⊕ [reale'ze] (1f) *v/t.* rebore.

réalisable [reali'zabl] realizable, available (*assets*); feasible (*plan*); **réalisateur, -trice** [⁓za'tœ:r, ⁓'tris] *su.* realizer; *shares:* seller; *plan:* worker out; *su./m. cin.* director; **réalisation** [⁓za'sjɔ̃] *f* realization; *shares:* selling out; carrying out, performing; production; **réaliser** [⁓'ze] (1a) *v/t.* realize; achieve; produce; sell out (*shares*); carry out (*a plan*); *se ⁓* be realized; come true; **réalisme** [rea'lism] *m* realism; **réaliste** [⁓'list] **1.** *adj.* realist(ic); **2.** *su.* realist; **réalité** [⁓li'te] *f* reality; *⁓s pl.* facts; *en ⁓* really.

réapparaître [reapa'rɛ:tr] (4k) *v/i.* reappear; **réapparition** [⁓ri'sjɔ̃] *f* reappearance.

réapprovisionner [reaprɔvizjɔ'ne] (1a) *v/t.* restock (with, *en*).

réarmement [rearmə'mɑ̃] *m* ⚔ rearming; rearmament; ⚓ refitting; **réarmer** [⁓'me] (1a) *v/t.* ⚔ rearm; recock (*a gun*); ⚓ refit.

réassigner 🏛 [reasi'ɲe] (1a) *v/t.* re-summon.

réassortir ♦ [reasɔr'ti:r] (2a) *v/t.* restock; match (*gloves etc.*).

réassurer ♦ [reasy're] (1a) *v/t.* reinsure, reassure.

rébarbatif, -ve [rebarba'tif, ⁓'ti:v] forbidding, grim; *fig.* crabbed (*style*); surly (*disposition*).

rebâtir [rəba'ti:r] (2a) *v/t.* △ rebuild; *fig.* reconstruct.

rebattre [rə'batr] (4a) *v/t.* beat again; reshuffle (*cards*); F *fig.* repeat over and over again; *avoir les oreilles rebattues de* be sick of hearing (*s.th.*); *sentier m rebattu* beaten track.

rebelle [rə'bɛl] **1.** *adj.* rebellious; 🩺 obstinate; ⊕ refractory (*ore*); unruly (*spirit*); **2.** *su.* rebel; **rebeller** [⁓bɛ'le] (1a) *v/t.:* *se ⁓* rebel, rise (against, *contre*); **rébellion** [rebe'ljɔ̃] *f* rebellion, revolt, rising.

rebiffer F [rəbi'fe] (1a) *v/t.:* *se ⁓* bristle (up); get one's back up.

reboisement [rəbwaz'mɑ̃] *m* reafforestation; **reboiser** [⁓bwa'ze] (1a) *v/t.* reafforest (*land*).

rebond [rə'bɔ̃] *m* *ball:* bounce; *⁓s pl. waters:* surging *sg.*; **rebondi, e** [rəbɔ̃'di] chubby; plump; **rebondir** [⁓'di:r] (2a) *v/i.* rebound; bounce (*ball*); surge (*waters*).

rebord [rə'bɔ:r] *m* edge, rim, border; (*window-*)sill; ⊕ flange; *cost.* hem; **reborder** [⁓bɔr'de] (1a) *v/t.* put a new edging on; ⊕ reflange; *cost.* re-hem.

reboucher [rəbu'fe] (1a) *v/t.* stop (*s.th.*) up again; recork (*a bottle*); fill up.

rebours [rə'bu:r] *m:* *à* (*or* *au*) *⁓* against the grain; *fig.* the wrong way; backwards; contrary (to, *de*).

rebouter 🩺 [rəbu'te] (1a) *v/t.* set (*a broken leg*); **rebouteur** 🩺 [⁓'tœ:r] *m*, **rebouteux** 🩺 [⁓'tø] *m* bonesetter.

rebras [rə'bra] *m* *glove:* gauntlet; *book jacket:* flap.

rebrousse-poil [rəbrus'pwal] *adv.:* *à ⁓* against the nap; the wrong way (*a.* F *fig.*); **rebrousser** [⁓bru'se] (1a) *v/t.* brush up (*one's hair, tex.*); *tex.* nap; grain (*leather*); F *fig.* rub (*s.o.*) the wrong way; *⁓ chemin* retrace one's steps; turn back.

rebuffade [rəby'fad] *f* rebuff, snub.

rébus [re'bys] *m* picture-puzzle.

rebut [rə'by] *m* rejection; ♦ *etc.* reject; ⊕ waste, rubbish; *fig.* scum; *post:* dead letter; ♦ *marchandises f/pl. de ⁓* trash *sg.*; *mettre au ⁓* discard; ⊕ scrap; **rebutant, e** [rəby'tɑ̃, ⁓'tɑ̃:t] tiresome; forbidding; **rebuter** [⁓'te] (1a) *v/t.* rebuff; 🏛 not to admit (*a document etc.*); *fig.* discourage, take the heart out of; *se ⁓* be(come) discouraged.

récalcitrant, e [rekalsi'trã, ~'trã:t]
adj., a. su. recalcitrant.

recaler [rəka'le] (1a) *v/t.* wedge
again (*furniture*); ⊕ reset; F fail,
F plough (*a candidate*).

récapituler [rekapity'le] (1a) *v/t.*
recapitulate, sum up, summarize.

recel 🕀 [rə'sɛl] *m*, **recèlement** 🕀
[~sɛl'mã] *m stolen goods:* receiving;
criminal: harbo(u)ring; concealment; **receler** [rəs'le] (1d) *v/t.* 🕀
receive; harbo(u)r; conceal (*a. fig.*);
receleur *m*, **-euse** *f* 🕀 [~'lœ:r,
~'lø:z] receiver (of stolen goods),
F fence.

récemment [resa'mã] *adv.* recently,
lately, of late.

recensement [rəsã:s'mã] *m admin.*
census; *admin.* record; *admin. votes:*
count(ing); 🕀 (new) inventory; *fig.*
review; ✗ registration; **recenser**
[rəsã'se] (1a) *v/t. admin.* take a
census of; count (*votes*); record; ✗
register; 🕀 inventory; **recension**
[~'sjɔ̃] *f text:* recension.

récent, e [re'sã, ~'sã:t] recent, fresh,
new.

recépage [rəse'pa:ʒ] *m* 🪓 cutting
down; ⊕ dismantling.

récépissé 🕀 [resepi'se] *m* receipt;
acknowledgment.

réceptacle [resɛp'takl] *m* receptacle (*a.* ♀); ⊕ steam, waters:
collector; **récepteur, -trice** [~-
'tœ:r, ~'tris] **1.** *adj.* receiving; *appareil m* ~ *tel., teleph.* receiver;
radio: set; **2.** *su./m* ⊕, *tel., teleph.*
receiver; *radio:* set; ⊕ *machine:*
driven part; *teleph.* décrocher (*raccrocher*) le ~ lift (hang up) the receiver; **réceptif, -ve** [~'tif, ~'ti:v]
receptive; **réception** [~'sjɔ̃] *f* receipt; *tel., teleph., telev., a. hotel,
a. at court:* reception; welcome;
thea. acceptance (*of a new play*);
réceptionner 🕀 [~sjɔ'ne] (1a) *v/t.*
check and sign for; **réceptivité**
[~tivi'te] *f* receptivity; 🎗 en état
de ~ liable to infection.

récession [resɛ'sjɔ̃] *f* recession (*a.*
🕀).

recette [rə'sɛt] *f* 🕀 receipts *pl.*,
returns *pl.*; *thea. etc.* takings *pl.*;
🕀 acceptance, receipt; *admin.* collectorship; *cuis.* recipe; 🕀 *bills,
debts:* collection; ✗ landing; *garçon m de* ~ bank-messenger.

rec_vable [rəsə'vabl] admissible (*a.*

🕀); 🕀 fit for acceptance; **receveur, -euse** [~'vœ:r, ~'vø:z] *su.*
receiver; *admin.* collector; *tel.* addressee; *su./m bus, tram:* conductor;
(post)master; *su./f* (post)mistress;
thea. usherette; *bus, tram:* conduc-
tress; **recevoir** [~'vwa:r] (3a) *v/t.*
receive; *fig.* welcome; admit (*pu-
pils, a. fig. customs*), promote (*to a
higher class*); accept (*an excuse*);
être reçu à (*inf.*) be permitted *or*
authorized to (*inf.*); être reçu à un
examen pass an examination; être
reçu avocat (*médecin*) qualify as a
barrister (doctor); *v/i.* hold a reception, be at home; **recevrai**
[~'vre] *1st p. sg. fut.* of recevoir.

rechange [rə'ʃã:ʒ] *m* replacement;
🕀 *bill:* re-exchange; ⊕, *mot.* ~s
pl. spare parts; de ~ spare (*part,
tyre*); **rechanger** [~ʃã'ʒe] (1l) *v/t.*
(ex)change (*s.th.*) again.

rechaper *mot.* [rəʃa'pe] (1a) *v/t.*
retread (*a tyre*).

réchapper [reʃa'pe] (1a) *v/i.:* ~ de
escape from; get over (*s.th.*); 🎗
recover from (*an illness*).

recharger [rəʃar'ʒe] (1l) *v/t.* reload;
⚓ relade; ⊕ recharge; ✗ charge
(*the enemy*) again; remetal (*a road*).

réchaud [re'ʃo] *m* hot-plate; chafing-dish; ~ à alcool spirit-stove; ~ à
gaz gas-oven, gas-cooker; ~ à pétrole oil-stove.

réchauffé [reʃo'fe] *m cuis.* warmed-
up dish; *fig.* rehash; *fig.* old *or*
stale news; **réchauffer** [~'fe] (1a)
v/t. (re)heat; warm up *or Am.* over
(*food*); *fig.* warm (*s.o.'s heart*); *fig.*
reawaken (*s.o.'s enthusiasm etc.*);
se ~ warm o.s. up; **réchauffeur** ⊕
[~'fœ:r] *m* (pre-)heater; **réchauf-
foir** [~'fwa:r] *m* hot-plate.

rechausser [rəʃo'se] (1a) *v/t.* fit
(*s.o.*) with new shoes; 🪓 bank up
the foot of (*a tree etc.*); 🔺 line the
foot of (*a wall*).

rêche [rɛʃ] rough; difficult (*person*).

recherche [rə'ʃɛrʃ] *f* search; research, investigation; 🕀 enquiry;
fig. style: studied elegance; 🕀 ~ de
(*la*) paternité affiliation; à la ~ de
in search of; *fig. sans* ~ unaffected,
easy; **recherché, e** [rəʃɛr'ʃe] sought
after; 🕀 in demand; studied (*elegance, style*); *fig.* choice, exquisite
(*dress etc.*); *fig.* strained (*interpretation, style*); **rechercher** [~] (1a) *v/t.*

search for, seek; look for; *fig.* court (*praise, a woman*); try to obtain; ⅄ find (*the value of s.th.*).

rechigné, e [rəʃi'ɲe] sour (*look etc.*); sour-tempered, surly (*person*); **rechigner** [᠆] (1a) *v/i.* jib (at, *devant*; at *ger.*, *à inf.*); look sour; *sans ~* with a good grace.

rechute ꝟ, *eccl.* [rə'ʃyt] *f* relapse.

récidive [resi'di:v] *f* ꝟ recurrence; ꝟ repetition of an offence; **récidiver** [᠆di've] (1a) *v/i.* ꝟ recur; ꝟ commit an offence for the second time, relapse into crime; **récidiviste** [᠆di'vist] *su.* old offender; habitual criminal.

récif ♨, *geog.* [re'sif] *m* reef.

récipiendaire [resipjã'dɛ:r] *su.* newly elected member; **récipient** [᠆'pjã] *m* container, receptacle; ⊕ air-pump etc.: receiver; ⊕ cistern.

réciprocité [resiprɔsi'te] *f* reciprocity; interchange; **réciproque** [᠆'prɔk] **1.** *adj.* reciprocal (*a.* ⅄, *phls., gramm.*), mutual; ⅄ inverse (*ratio*), converse (*proposition*); ⊕ reversible; **2.** *su./f* ⅄, *phls.* converse; reciprocal; *fig.* like.

récit [re'si] *m* account; narrative; ♪ recitative; ♪ *organ:* swell-box; **récital,** *pl.* **-als** ♪ [᠆'tal] *m* recital; **récitateur** *m,* **-trice** *f* [᠆ta'tœ:r, ᠆'tris] reciter; **récitatif** ♪ [᠆ta'tif] *m* recitative; **récitation** [᠆ta'sjɔ̃] *f* recitation; **réciter** [᠆'te] (1a) *vt/i.* recite.

réclamant *m,* **e** *f* [rekla'mã, ᠆'mã:t] complainer; ꝟ claimant; **réclamation** [᠆ma'sjɔ̃] *f* complaint (*a. admin.*); objection; ꝟ claim; *bureau m des ~s* claims department; **réclame** [re'kla:m] *f* advertising; advertisement; *pej.* blurb; *typ.* catchword; *~ lumineuse* illuminated sign; *faire de la ~* advertise, boost one's goods; **réclamer** [᠆kla'me] (1a) *v/t.* claim (from, *à*); demand (*s.th.*) back; call for; require; *se ~ de* appeal to; *fig.* use (*s.o.*) as one's authority; *v/i.: ~ contre* complain of; protest against; ꝟ appeal against.

reclassement [rəklas'mã] *m* reclassifying, re-classification; regrouping; *admin.* regrading; **reclasser** [᠆kla'se] (1a) *v/t.* re-classify; regroup; regrade.

reclus *m,* **e** *f* [rə'kly, ᠆'kly:z] recluse;

réclusion [rekly'zjɔ̃] *f* seclusion, retirement; ꝟ solitary confinement with hard labo(u)r.

récognition *phls.* [rekɔgni'sjɔ̃] *f* recognition.

recoiffer [rəkwa'fe] (1a) *v/t.* do (*s.o.'s*) hair again; re-cap (*a bottle*).

recoin [rə'kwɛ̃] *m* nook, cranny.

reçois [rə'swa] *1st p. sg. pres. of* recevoir; **reçoivent** [᠆'swa:v] *3rd p. pl. pres. of* recevoir.

récolement ꝟ [rekɔl'mã] *m* verification; *depositions:* reading; **récoler** ꝟ [᠆kɔ'le] (1a) *v/t.* check; read over a deposition to (*a witness*).

récollection *eccl.* [rekɔlɛk'sjɔ̃] *f* recollection.

recoller [rəkɔ'le] (1a) *v/t.* re-glue; re-paste; F plough (again) (*in an examination*).

récolte [re'kɔlt] *f* harvest, crop; harvesting; F *fig.* collection; *fig.* profits *pl.*; **récolter** [᠆kɔl'te] (1a) *v/t.* harvest; gather in; *fig.* collect.

recommandable [rəkɔmã'dabl] to be recommended; estimable (*person*); *fig.* advisable; **recommandation** [᠆da'sjɔ̃] *f* recommendation; *fig.* instruction, advice; *post:* registration; **recommander** [᠆'de] (1a) *v/t.* recommend; *fig.* advise; *fig.* bring (*to s.o.'s attention*); *post:* register; *se ~ à* commend o.s. to; *se ~ de* give (*s.o.*) as a reference.

recommencer [rəkɔmã'se] (1k) *vt/i.* begin again, start afresh.

récompense [rekɔ̃'pã:s] *f* reward (for, *de*); *iro.* punishment; *show etc.:* prize, award; *en ~* in return (for, *de*); **récompenser** [᠆pã'se] (1a) *v/t.* reward, recompense (for, *de*).

recomposer [rəkɔpo'ze] (1a) *v/t.* ♫ recompose; *typ.* reset.

recompter [rəkɔ̃'te] (1a) *v/t.* recount, count again.

réconciliable [rekɔ̃si'ljabl] reconcilable; **réconciliateur** *m,* **-trice** *f* [᠆lja'tœ:r, ᠆'tris] reconciler; **réconciliation** [᠆lja'sjɔ̃] *f* reconciliation; **réconcilier** [᠆'lje] (1o) *v/t.* reconcile; *se ~ à* make one's peace with (*a. eccl.*); make it up with (*s.o.*).

reconduction ꝟ [rəkɔ̃dyk'sjɔ̃] *f lease:* renewal; *tacite ~* renewal of lease by tacit agreement; **reconduire** [᠆'dɥi:r] (4h) *v/t.* escort (*s.o.*) (back); lead back; show (*s.o.*)

to the door; ⚖ renew (*a lease*); **reconduite** [~'dɥit] *f* escorting (*s.o.*) (back); showing (*s.o.*) to the door.
réconfort [rekɔ̃'fɔ:r] *m* comfort, consolation; **réconfortant** ⚕ [~fɔr'tɑ̃] *m* tonic, stimulant; **réconforter** [~fɔr'te] (1a) *v/t.* cheer (*s.o.*) up, comfort; strengthen.
reconnaissable [rəkɔnɛ'sabl] recognizable (by, from *à*); **reconnaissance** [~'sɑ̃:s] *f* recognition; ⚔ *etc.* reconnaissance, reconnoitring; ⚜ note of hand, F I.O.U.; ⚖, *fig.* acknowledgment; *fig.* gratitude; ⚖ *bastard*: affiliation; **reconnaissant, e** [~'sɑ̃, ~'sɑ̃:t] grateful (for, *de*; to, *envers*); **reconnaître** [rəkɔ'nɛ:tr] (4k) *v/t.* recognize (*a.* ⚖, *a. pol. a government*); know again; ⚜ credit; *fig.* acknowledge; ⚔, ⚒, *etc.* reconnoitre; ⚓ identify (*a ship*); *fig.* be grateful for; *fig.* se ~ collect one's thoughts; get one's bearings.
reconquérir [rəkɔ̃ke'ri:r] (2l) *v/t.* reconquer; win back (*a. fig.*); **reconquête** [~'kɛ:t] *f* reconquest.
reconstituant, e ⚕ [rəkɔ̃sti'tɥɑ̃, ~'tɥɑ̃:t] *adj.*, *a. su./m* tonic, restorative; **reconstituer** [~'tɥe] (1n) *v/t.* reconstitute; reconstruct (*a crime*); restore (△ *an edifice*, *fig. s.o.'s health*).
reconstruction [rəkɔ̃stryk'sjɔ̃] *f* reconstruction, rebuilding; **reconstruire** [~'trɥi:r] (4h) *v/t.* reconstruct, rebuild.
reconvention ⚖ [rəkɔ̃vɑ̃'sjɔ̃] *f* counter-claim; cross-action.
recoquiller [rəkɔki'je] (1a) *v/t. a.* se ~ curl up; shrivel; *page f recoquillée* dog-eared page.
record [rə'kɔ:r] **1.** *su./m sp. etc.* record; ⊕ maximum output; *sp. détenir le* ~ hold the record; **2.** *adj./inv.* record...; bumper (*crop*); **recordman,** *pl.* **-men** [~kɔrd'man, ~'mɛn] *m* record-holder.
recoucher [rəku'ʃe] (1a) *v/t.* put (*s.o.*) to bed again; lay down again; se ~ go back to bed.
recoudre [rə'kudr] (4l) *v/t.* sew up *or* on again; *fig.* link up.
recoupe [rə'kup] *f stone, metal, etc.*: chips *pl.*, chippings *pl.*; *food*: scraps *pl.*; ⚘ second crop; ⚜ *flour*: sharps *pl.*; **recouper** [~ku'pe] (1a) *v/t.* cut (again); intersect; △ step; blend (*wines*); cross-check; *v/i. cards*: cut again.
recourbement [rəkurbə'mɑ̃] *m* bending; **recourber** [~'be] (1a) *v/t* bend (again *or* down).
recourir [rəku'ri:r] (2i) *v/i.* run back; ~ *à* resort to, have recourse to; **recours** [~'ku:r] *m* recourse; resort; ⚖ appeal (for mercy, *en grâce*).
recouvrement[1] [rəkuvrə'mɑ̃] *m* covering, coating.
recouvrement[2] [rəkuvrə'mɑ̃] *m debt, health, strength, etc.*: recovery; ~*s pl.* outstanding debts; **recouvrer** [~'vre] (1a) *v/t.* recover, regain; collect (*a tax, a debt, etc.*).
recouvrir [rəku'vri:r] (2f) *v/t.* recover, cover (*s.th.*) again (with, *de*); cover (*a. fig.*); coat; ⊕ overlap.
récréatif, -ve [rekrea'tif, ~'ti.v] recreational; entertaining; light (*reading*); **récréation** [~'sjɔ̃] *f* recreation; *school*: play.
recréer [rəkre'e] (1a) *v/t.* recreate; re-establish.
récréer [rekre'e] (1a) *v/t.* entertain, amuse; refresh; se ~ take some recreation.
recrépir [rəkre'pi:r] (2a) *v/t.* △ replaster; rough-cast again; F *fig.* patch up, touch up.
récrier [rekri'e] (1a) *v/t.*: se ~ (*sur*) cry out, exclaim (against); object (to).
récrimination [rekrimina'sjɔ̃] *f* recrimination; **récriminer** [~'ne] (1a) *v/i.* recriminate (against, *contre*).
récrire [re'kri:r] (4q) *v/t.* rewrite; *v/i.* reply by letter.
recroître ⚘ [rə'krwa:tr] (4o) *v/i.* grow again.
recroqueviller [rəkrɔkvi'je] (1a) *v/t.*: se ~ curl up; ⚘, *a. fig.* wilt.
recrû, -crue [rə'kry] **1.** *su./m copsewood*: new growth; **2.** *p.p. of recroître.*
recrudescence [rəkrydɛ'sɑ̃:s] *f* recrudescence; fresh outbreak; **recrudescent, e** [~'sɑ̃, ~'sɑ̃:t] recrudescent.
recrue ⚔, *pol.*, *fig.* [rə'kry] *f* recruit(ing); **recruter** ⚔, *pol.*, *fig.* [rəkry'te] (1a) *v/t.* recruit; enlist; **recruteur** [~'tœ:r] *m* ⚔ recruiter; recruiting officer; ⚜ tout.
rectangle ⟁ [rɛk'tɑ̃:gl] **1.** *adj.* right-angled; **2.** *su./m* rectangle; **rec-**

tangulaire Ⱥ [‿tăgy'lɛːr] rectangular, right-angled.

recteur, -trice [rɛk'tœːr, ‿'tris]
1. *adj.* guiding; *orn.* tail(-*feather*); 2. *su./m univ.* rector, vice-chancellor.

rectificateur ⌁, ⚡ [rɛktifika'tœːr] *m* rectifier; **rectificatif, -ve** [‿'tif, ‿'tiːv] 1. *adj.* rectifying; 2. *su./m* corrigendum (*to a circular*); **rectification** [‿'sjɔ̃] *f* rectification; *alcohol*: rectifying; *fig.* correction; **rectifier** [rɛkti'fje] (1o) *v/t.* straighten; correct (*an error, a price*, ⚔ *the range*); ⌁, Ⱥ, *a. fig.* rectify; *fig.* put (*s.th.*) right; ⊕ adjust (*a machine etc.*); ⊕ true up (*on the lathe*).

rectiligne [rɛkti'liɲ] rectilinear; linear (*movement*); *fig.* unswerving.

rectitude [rɛkti'tyd] *f* straightness; *fig.* rectitude; *fig.* correctness.

recto [rɛk'to] *m page*: recto; *book*: right-hand page.

reçu, e [rə'sy] 1. *su./m* receipt; *au* ‿ receipt of; 2. *adj.* received, accepted, recognized; 3. *p.p.* of recevoir.

recueil [rə'kœːj] *m* collection; anthology; ⚖ compendium, digest; **recueillement** [‿kœj'mã] *m* collectedness; meditation; **recueillir** [‿kœ'jiːr] (2c) *v/t.* collect, gather; ⚘, *a. fig.* reap; *fig.* give shelter to (*s.o.*), take (*s.o.*) in; obtain (*information*); se ‿ collect one's thoughts; meditate.

recuire [rə'kɥiːr] (4h) *v/t.* recook, cook (*s.th.*) again; ⊕ reheat; ⊕ anneal (*glass*), temper (*steel*).

recul [rə'kyl] *m* retirement; backward movement; *rifle*: kick; *cannon*: recoil; **reculade** [rəky'lad] *f* retreat (*a.* ⚔, *fig.*), falling back; **reculé, e** [‿'le] remote, distant; **reculer** [‿'le] (1a) *v/i.* move or draw back; back (*car, horse*); *fig.* shrink (from, devant); *v/t.* move back; set back; *fig.* postpone; **reculons** [‿'lɔ̃] *adv.*: à ‿ backwards.

récupérateur ⊕ [rekypera'tœːr] *m* regenerator; *oil*: extractor; **récupération** [‿ra'sjɔ̃] *f loss*: recoupment; ⊕, *a.* ⚕ recovery; **récupérer** [‿'re] (1f) *v/t.* recover; recoup (*a loss*); bring (*a satellite*) back to earth; F scrounge; *v/i. a.* se ‿ recuperate, recover.

récurer [reky're] (1a) *v/t.* scour; clean; **récureur** [‿'rœːr] *m* scourer.

reçus [rə'sy] *1st p. sg. p.s. of* recevoir.

récusable ⚖ [reky'zabl] challengeable; impeachable (*evidence, witness*); **récuser** ⚖ [‿'ze] (1a) *v/t.* challenge, object to (*a witness*); impeach (*s.o.'s evidence*); se ‿ declare o.s. incompetent, decline to give an opinion.

rédacteur, -trice [redak'tœːr, ‿'tris] *su.* author; drafter; *journ.* member of staff; *su./m*: ‿ en chef editor; **rédaction** [‿'sjɔ̃] *f* drafting; *journ.* editorial staff; *journ.* editing; *journ.* (newspaper) office; *school*: composition, essay.

redan [rə'dã] *m* △ step; ⚔ redan.

reddition [redi'sjɔ̃] *f* surrender; ⚓ rendering (*of an account*).

redécouvrir [rədeku'vriːr] (2f) *v/t.* rediscover.

redemander [rədmã'de] (1a) *v/t.* ask for (*s.th.*) again *or* back; ask for more of (*s.th.*).

rédempteur, -trice [redãp'tœːr, ‿'tris] 1. *adj.* redeeming; 2. *su.* redeemer; **rédemption** [‿'sjɔ̃] *f* redemption (*a. eccl.*).

redent [rə'dã] *m see* redan.

redescendre [rədɛ'sãːdr] (4a) *v/i.* go *or* come down again; ⚓ back (*wind*); fall (*barometer*); *v/t.* bring down again; take (*s.th.*) down again; ‿ l'escalier go downstairs again.

redevable [rəd'vabl] 1. *adj.* beholden, indebted (for, de); 2. *su.* debtor; **redevance** [‿'vãːs] *f* rent; fee; (*author's*) royalty; *admin.* tax, dues *pl.*; **redevoir** [‿'vwaːr] (3a) *v/t.* owe a balance of.

rédhibition ⚖ [redibi'sjɔ̃] *f* annulment of sale (*owing to latent defect*); **rédhibitoire** ⚖ [‿'twaːr] *adj.*: vice *m* ‿ latent defect that makes a sale void.

rédiger [redi'ʒe] (11) *v/t.* draw up, draft, write; *journ.* edit.

rédimer [redi'me] (1a) *v/t.* redeem; se ‿ de redeem o.s. from; compound for (*a tax*).

redingote *cost.* [rədɛ̃'gɔt] *f* frockcoat.

redire [rə'diːr] (4p) *v/t.* repeat; say *or* tell again; *v/i.*: trouver à ‿ à take exception to, criticize; **rediseur** *m*, **-euse** *f* [‿di'zœːr, ‿'zøːz] repeater; **redite** [~'dit] f repetition, tautology; **redites** [~'dit] 2nd p. pl. pres. of redire.

redondance [rədõ'dã:s] f redundancy; **redondant, e** [~'dã, ~'dã:t] redundant.

redonner [rədɔ'ne] (1a) v/t. give (s.th.) again; restore (s.th., a. strength); v/i. return, come on again; ~ dans fall back into; la pluie redonne de plus belle the rain is coming on again worse than ever.

redoubler [rədu'ble] (1a) v/t. redouble; cost. reline; ~ une classe school: stay down; v/i. increase (fever); ~ d'efforts strive harder than ever.

redoutable [rədu'tabl] formidable; to be feared (by, à).

redoute [rə'dut] f ✕ redoubt; dancing-hall: gala evening.   [dread.\
redouter [rədu'te] (1a) v/t. fear,/

redressement [rədrɛs'mã] m fig. rectification; ⊕, fig. straightening; ∮ rectifying; ♁, opt., phot. correction; **redresser** [rədrɛ'se] (1a) v/t. re-erect (a statue); raise (a pole); ⚓ right (a boat); set right (a wrong etc.); ✕ lift the nose of; ∮, a. fig. rectify; ⊕ straighten out, true; se ~ stand up again; draw o.s. up; right itself (boat); ✕ flatten out; fig. mend one's ways; **redresseur** [~'sœr] m ∮ rectifier; ∮ commutator; ⊕ straightener; fig. righter (of wrongs).

redû, -due [rə'dy] 1. p.p. of redevoir; 2. su./m ♁ balance due.

réducteur, -trice [redyk'tœːr, ~'tris] 1. adj. reducing; 2. su./m ♏, phot. reducer; reducing camera or apparatus; ⊕, mot. reducing gear; **réductibilité** [~tibili'te] f reducibility; **réductible** ♈, ♏, ♁ [~'tibl] reducible; **réductif, -ve** ♏ [~'tif, ~'tiːv] reducing; **réduction** [~'sjõ] f decrease; ♁, ♈, ♏, ♊ metall., admin., phot., paint., a. fig. reduction; ♏, ♈, ✕ reducing; ✕ province: conquest, town: reduction; ∮ voltage: stepping down; ⊕ gearing down; ♊ sentence: mitigation; **réduire** [re'dɥiːr] (4h) v/t. reduce; lessen; cut down (expenses); subjugate; ∮ step down; ⊕ gear down; se ~ à keep (o.s.) to; fig. come or F boil down to; **réduit** [~'dɥi] 1. su./m retreat, nook; pej. hovel; ✕

keep; 2. adj./m: à prix ~ at a reduced price.

réédifier [reedi'fje] (1o) v/t. rebuild; re-erect.

rééditer [reedi'te] (1a) v/t. republish; cin. remake (a film); **réédition** [~'sjõ] f re-issue; cin. a. re-make.

rééducatif, -ve ♏ [reedyka'tif, ~'tiːv] occupational (therapy); **rééducation** ♏ [~ka'sjõ] f re-education; rehabilitation; **rééduquer** ♏ [~'ke] (1m) v/t. re-educate; rehabilitate.

réel, -elle [re'ɛl] 1. adj. real (a. ♊ action, estate); actual; ♁ (in) cash; 2. su./m reality, the real.

réélection [reelɛk'sjõ] f re-election; **rééligible** [~li'ʒibl] re-eligible; **réélire** [~'liːr] (4t) v/t. re-elect.

réescompte ♁ [rees'kõːt] m rediscount; **réescompter** ♁ [~kõ'te] (1a) v/t. rediscount.

réévaluation [reevalɥa'sjõ] f revaluation.

refaire [rə'fɛːr] (4r) v/t. remake; do or make (s.th.) again; mend, repair; ♏ restore to health; F swindle, do (s.o.), dupe; F steal (from, à); se ~ ♏ recuperate; ♁ retrieve one's losses; **refait, e** F [~'fɛ, ~'fɛt] duped.

réfection [refɛk'sjõ] f remaking; 🏛 rebuilding; repair(ing); ♏ recuperation; **réfectoire** [~'twaːr] m refectory, dining-hall.

refend [rə'fã] m splitting; ⊕ bois m de ~ wood in planks; 🏛 mur m de ~ partition-wall; **refendre** [~'fãːdr] (4a) v/t. split; rip (timber); slit (leather).

référé ♊ [refe're] m summary procedure; provisional order; **référence** [~'rãːs] f reference (a. of a servant); ♁ pattern-book; ♁ sample-book; fig. allusion; ouvrage m de ~ reference book; **référendaire** [~rã'dɛːr] m ♊ commercial court: chief clerk; hist. grand ~ Great Referendary; **référendum** [~rɛ'dɔm] m referendum; **référer** [~'re] (1f) v/t. ascribe; attribute; se ~ à refer to (s.th.); ask (s.o.'s) opinion; s'en ~ à q. de qch. refer s.th. to s.o.; v/i.: ♊ ~ à q. de qch. refer s.th. to s.o.

refermer [rəfɛr'me] (1a) v/t. shut (again), close (again); se ~ close up (wound); shut (again).

réfléchi, e [refle'ʃi] thoughtful (*person*); considered (*action, opinion*); ♈ premeditated (*crime*); *gramm.* reflexive; *tout* ~ everything considered; **réfléchir** [~'ʃiːr] (2a) *v/t.* reflect; *se* ~ curl back; *phys.* be reflected; reverberate (*sound*); *v/i.* consider; reflect (on à, sur); **réfléchissement** *phys.* [~ʃis'mã] *m* reflection; *sound:* reverberation; **réflecteur** [reflɛk'tœːr] *m* ⚡, *mot., phys.* reflector; *fig.* searchlight; **reflet** [rə'flɛ] *m* reflection; glint, gleam, glimmer; **refléter** [~fle'te] (1f) *v/t.* reflect, throw back (*colour, light*); *fig. se* ~ *sur* be reflected on (*s.o.*).

réflexe *phys., physiol.* [re'flɛks] *adj., a. su./m* reflex; **réflexion** [~flɛk'sjõ] *f phys., a. fig.* reflection; *fig.* thought; *toute* ~ *faite* everything considered.

refluer [rəfly'e] (1a) *v/i.* flow back; ebb (*tide*); *fig.* fall back; *fig.* pour (into, *dans*); **reflux** [~'fly] *m* tide: ebb; ebbtide; flowing back; *fig. crowd etc.:* falling back.

refondre [rə'fõːdr] (4a) *v/t.* ⊕ remelt; *metall., a. fig.* recast; *fig.* remodel; ⚓ refit (*a ship*); **refonte** [~'fõːt] *f* remelting; recasting (*a. fig.*); reorganization; ⚓ refit(ting).

réformable [refɔr'mabl] reformable; ⚔ liable to discharge; ♈ reversible; **réformateur, -trice** [~ma'tœːr, ~'tris] **1.** *adj.* reforming; **2.** *su.* reformer; **réformation** [~ma'sjõ] *f* reformation (*a. eccl.*); **réforme** [re'fɔrm] *f* reform(ation); ⚔, ⚓ discharge; *horse:* casting; *eccl. la* ♀ the Reformation; ⚔ mettre à la ~ discharge (*s.o.*); cast (*a horse*); dismiss, cashier (*an officer*); **réformé, e** [refɔr'me] **1.** *su. eccl.* protestant; ⚔ person invalided out of the service; **2.** *adj. eccl.* reformed; ⚔ discharged (*soldier*).

reformer [rəfɔr'me] (1a) *v/t.* reform, form anew.

réformer [refɔr'me] (1a) *v/t.* reform, amend; ⚔, ⚓ invalid (*s.o.*) out of the service; dismiss; cashier (*an officer*); retire (*an officer*); cast (*a horse*); ♈ reverse (*a judgment*).

refouler [rəfu'le] (1a) *v/t.* drive back, repel; ram down; *fig.* repress.

réfractaire [refrak'tɛːr] **1.** *adj.* refractory (*a.* ⊕ *ore*), rebellious, recalcitrant; ⊕ fire-proof; proof (against, à); **2.** *su.* refractory person; ⚔ defaulter; *Am.* draft-dodger; **réfraction** *phys., opt.* [~'sjõ] *f* refraction; *indice m de* ~ refractive index.

refrain [rə'frɛ̃] *m* refrain (*a. fig.*); F *fig.* le même ~ the same old story.

réfrangible *phys.* [refrã'ʒibl] refrangible.

refrènement [rəfrɛn'mã] *m* instincts: curbing; **refréner** [~fre'ne] (1f) *v/t.* curb, restrain.

réfrigérant, e [refriʒe'rã, ~'rãːt] **1.** *adj.* refrigerating, cooling; freezing; 🌡 refrigerant; ⊕ cooler-...; **2.** *su./m* 🌡 condenser; refrigerator; 🌡 refrigerant; **réfrigérateur** [~ra'tœːr] *m* refrigerator, F frig, *Am.* ice-box; **réfrigératif, -ve** 🌡 [~ra'tif, ~'tiːv] *adj., a. su./m* refrigerant; **réfrigération** [~ra'sjõ] *f* refrigeration; *meat:* chilling; **réfrigérer** [~'re] (1f) *v/t.* refrigerate; cool; chill (*meat*).

réfringent, e *phys.* [refrɛ̃'ʒã, ~'ʒãːt] refractive, refracting.

refroidir [rəfrwa'diːr] (2a) *v/t.* cool, chill; ⊕, *a. fig.* quench (*metal, a. one's enthusiasm, one's sympathy*); *sl.* kill; ⊕ *refroidi par l'air* aircooled (*engine*); 🌡 *se* ~ catch a chill; *v/i. a. se* ~ grow cold; cool off (*a. fig.*); **refroidissement** [~dis'mã] *m* cooling (down); 🌡 chill; *temperature:* drop.

refuge [rə'fyːʒ] *m* refuge; shelter (*a. admin.*); *birds:* sanctuary; traffic island; *mot.* lay-by; *fig.* pretext, F way out; **réfugié m, e** *f* [refy'ʒje] refugee; **réfugier** [~] (1o) *v/t.: se* ~ take refuge; seek shelter; *fig.* have recourse (to, *dans*).

refus [rə'fy] *m* refusal; denial; rejection; ✝ ~ *m d'acceptation* nonacceptance; *essuyer un* ~ meet with a refusal; **refuser** [~fy'ze] (1a) *vt/i.* refuse, decline; *v/t.* ⚔ reject (*a man*); fail (*a candidate*); ~ *de* (*inf.*), *se* ~ *à* (*inf.*) refuse to (*inf.*); *se* ~ *à qch.* resist s.th., object to s.th.

réfutation [refyta'sjõ] *f* refutation; proof to the contrary; **réfuter** [~'te] (1a) *v/t.* refute; disprove.

regagner [rəga'ɲe] (1a) *v/t.* regain; win back; recover; return to (*a place*).

regain [rəˈgɛ̃] *m* ⚹ aftergrowth, second growth; *fig.* renewal.

régal, *pl.* **-als** [reˈgal] *m* feast, banquet; *fig.* treat; **régalade** [⁓gaˈlad] *f* regaling; treat; fire of small wood; *boire à la* ⁓ drink without the lips coming into contact with the glass *or* bottle.

régalage ⊕ [regaˈlaːʒ] *m* levelling.

régale [reˈgal] **1.** *adj./f*: 🜍 *eau f* ⁓ aqua regia; **2.** *su./f hist.* royal prerogative.

régaler[1] [regaˈle] (1a) *v/t.* level (*the ground*).

régaler[2] [⁓] (1a) *v/t.* entertain, regale (with, *de*); *se* ⁓ *de* feast on; treat o.s. to.

régalien *hist.* [regaˈljɛ̃] *adj./m* pertaining to the royal prerogative.

regard [rəˈgaːr] *m* look, glance; *sewer etc.*: man-hole; inspection hole; peep-hole; *geol.* inlier; *fig.* attention, eyes *pl.*; *au* ⁓ *de* compared to; *en* ⁓ *de* the opposite, facing; **regardant, e** F [rəgarˈdɑ̃, ⁓ˈdɑ̃ːt] stingy, niggardly; **regarder** [⁓ˈde] (1a) *v/t.* look at, watch; glance at; *face*, look on to; *telev.* look in; *fig.* consider (as, *comme*); *fig.* concern; ⁓ *fixement* stare at; *cela me regarde* that is my business; *v/i.* (have a) look; ⁓ *à* pay attention to (*s.th.*); look through (*s.th.*); ⁓ *par* (*à*) *la fenêtre* look through (in at) the window; ⁓ *fixement* stare.

régate [reˈgat] *f* regatta; *cost.* sailor-knot tie.

regel [rəˈʒɛl] *m* renewed frost.

régence [reˈʒɑ̃ːs] *f* regency; fob-chain.

régénération [reʒeneraˈsjɔ̃] *f* regeneration; ⊕ reclamation; ... *à* ⁓ regenerative ...; **régénérer** [⁓ˈre] (1f) *v/t.* regenerate; ⊕ reclaim.

régent, e [reˈʒɑ̃, ⁓ˈʒɑ̃ːt] *su.* regent; *su./m* † *collège*: form-master; **régenter** [⁓ʒɑ̃ˈte] (1a) *v/t.* † teach; F *fig.* lord it over.

régicide [reʒiˈsid] **1.** *adj.* regicidal; **2.** *su. person*: regicide; *su./m crime*: regicide.

régie [reˈʒi] *f* administration; management; state control; excise-office.

regimber [rəʒɛ̃ˈbe] (1a) *v/i.* balk (at, *contre*); kick (against, at *contre*).

régime [reˈʒim] *m* organization;

regulations *pl.*; system; ⊕ *engine*: normal running; *mot.* speed; ⚹ diet; *gramm.* object; ♀ *bananas etc.*: bunch; *hist.* Ancien ⁂ Ancien Regime (*before 1789*); *gramm. cas* ⁓ objective case; ⚹ *mettre au* ⁓ put (*s.o.*) on a diet; *suivre un* ⁓ (follow a special) diet.

régiment [reʒiˈmɑ̃] *m* ⚔ regiment; F *fig.* host; **régimentaire** ⚔ [⁓mɑ̃ˈtɛːr] regimental; *army*-...; troop (*train*).

région [reˈʒjɔ̃] *f* region (*a. anat.*); area; *phys.* field; ⁓ *désertique* desert region; ⁓ *vinicole* wine-producing district; **régional, e,** *m/pl.* **-aux** [⁓ʒjoˈnal, ⁓ˈno] regional, local.

régir [reˈʒiːr] (2a) *v/t. pol., gramm., fig.* govern; ♱ direct, manage; **régisseur** [⁓ʒiˈsœːr] *m* manager; *thea.* stage-manager; *cin.* assistant director; ⚹ *farm*: bailiff; *estate*: agent.

registre [rəˈʒistr] *m* register (*a. ♪*), record; ♱ account-book; ⊕ log-book; ⊕ *chimney etc.*: damper; ⊕ *steam engine*: throttle; ⁓ *de l'état civil* register of births, deaths and marriages; *tenir* ⁓ *de* keep a record of, note (down).

réglable [reˈglabl] adjustable; **réglage** [⁓ˈglaːʒ] *m* ⊕ regulating, adjustment; *speed*: control; *paper*: ruling; *radio*: tuning; **règle** [rɛgl] *f* ⊕ ruler, rule; *surv.* measuring-rod; ♪, *gramm., fig.* rule; ⚹ ⁓*s pl.* menses; ♪ ⁓ *à calcul* slide-rule; ♪ ⁓ *de trois* rule of three; *de* ⁓ usual, customary; *en* ⁓ in order; formal (*receipt*); **réglé, e** [reˈgle] regular, steady (*pace, person*); △ uniform (*courses*); ruled (*paper*); fixed (*hour etc.*); **règlement** [rɛglə-ˈmɑ̃] *m admin.*, ⚹ *etc.* regulation(s *pl.*); rule; ♱ settlement; **réglementaire** [rɛgləmɑ̃ˈtɛːr] regular, prescribed; regulation-...; *pas* ⁓ against the rules; **réglementation** [⁓taˈsjɔ̃] *f* regulation; regulating, control; ⁓ *de la circulation* traffic regulations *pl.*; **réglementer** [⁓ˈte] (1a) *v/t.* regulate, control; make rules for; **régler** [reˈgle] (1f) *v/t.* ⊕, *a. fig.* regulate; ♱ adjust; *fig.* settle (*a quarrel, a question*, ♱ *an account*); ♱ balance (*books*); rule (*paper*); *mot.* tune (*an engine*); *se* ⁓ *sur* take as a model *or* pattern.

réglet [reˈglɛ] *m* carpenter's rule;

△ reglet; **réglette** [~'glɛt] f typ. reglet; small rule; (metal) strip; slide-rule: slide; mot. ~-jauge dipstick.

réglisse ♀, ✗ [re'glis] f liquorice.

réglure [re'gly:r] f paper: ruling.

règne [rɛɲ] m ♀, zo. kingdom; pol., a. fig. reign; **régner** [re'ɲe] (1f) v/i. reign (a. fig.), rule; fig. prevail.

regorger [rəgɔr'ʒe] (1l) v/i. overflow; abound (in, de); be crowded (with, de); v/t. bring up (food); fig. disgorge.

regratter [rəgra'te] (1a) v/t. △ scrape, rub down (a wall); v/i. ✝ F huckster.

régressif, **-ve** [regrɛ'sif, ~'si:v] regressive; **régression** [~'sjõ] f regression; biol. retrogression; biol. throw-back; sales etc.: drop.

regret [rə'grɛ] m regret (for, of de); à ~ regretfully, with regret; avoir ~ de (inf.) regret to (inf.); **regrettable** [rəgrɛ'tabl] regrettable; unfortunate; **regretter** [~'te] (1a) v/t. regret, be sorry (that ind., que sbj.; for ger., de inf.); miss, mourn (for).

regroupement [rəgrup'mã] m regrouping; **regrouper** [~gru'pe] (1a) v/t. regroup.

régulariser [regylari'ze] (1a) v/t. regularize; put (s.th.) in order; put into legal form; **régularité** [~'te] f regularity; temper: evenness; punctuality; **régulateur**, **-trice** [regyla'tœ:r, ~'tris] **1.** adj. regulating; ✝ buffer-(stocks); **2.** su./m regulator; watch: balance-wheel; **régulier**, **-ère** [~'lje, ~'ljɛ:r] **1.** adj. regular (a. ℞, eccl., gramm.); even, equable (temper); **2.** su./m ✗, eccl. regular. (gurgitate.)

régurgiter [regyrʒi'te] (1a) v/t. re-

réhabilitation [reabilita'sjõ] f rehabilitation (a. fig.); bankrupt: discharge; **réhabiliter** [~'te] (1a) v/t. reinstate; discharge (a bankrupt); fig. rehabilitate; se ~ clear one's name.

réhabituer [reabi'tɥe] (1n) v/t. reaccustom (to, à).

rehaussement [rəos'mã] m raising (a. prices); fig. enhancing; **rehausser** [~o'se] (1a) v/t. raise; increase (one's courage); fig. enhance, set off (one's beauty, a colour, one's merit).

réimperméabiliser tex. [reẽpermeabili'ze] (1a) v/t. reproof.

réimporter [reẽpɔr'te] (1a) v/t. reimport.

réimposer [reẽpo'ze] (1a) v/t. reimpose (a tax); tax (s.o.) again.

réimpression [reẽprɛ'sjõ] f reprint (-ing); **réimprimer** [~pri'me] (1a) v/t. reprint.

rein [rẽ] m anat. kidney; ~s pl. back sg., loins; △ arch: sides; ✗ flottant floating kidney; avoir les ~s solides be sturdy; F fig. be wealthy; avoir mal aux ~s have backache; se casser les ~s break one's back (a. fig.).

réincorporer [reẽkɔrpɔ're] (1a) v/t. reincorporate.

reine [rɛn] f queen; ~-claude, pl. ~s-claudes ♀ [~'klo:d] f greengage; ~-des-prés, pl. ~s-des-prés ♀ [~de'pre] f meadow-sweet; ~-marguerite, pl. ~s-marguerites ♀ [~margə'rit] f china aster; **reinette** ♀ [rɛ'nɛt] f apple: pippin; ~ grise russet.

réintégration [reẽtegra'sjõ] f admin. person: reinstatement; ℞ reintegration; ⚖ conjugal rights: restitution; residence: resumption; **réintégrer** [~'gre] (1f) v/t. admin. reinstate (a person); ℞ reintegrate; return to, resume (one's domicile).

réitératif, **-ve** [reitera'tif, ~'ti:v] reiterative; second (summons); **réitérer** [~'re] (1f) v/t. repeat, reiterate.

reître [rɛ:tr] m ✗ hist. reiter; F tough old customer.

rejaillir [rəʒa'ji:r] (2a) v/i. gush out; spurt; be reflected (light); spring; fig. fall (upon, sur), reflect (on, sur).

rejet [rə'ʒɛ] m throwing out; food: throwing up; ⚖ dismissal; fig., parl. rejection; ✝ transfer; ♀ shoot; **rejetable** [rəʒ'tabl] rejectable; **rejeter** [~'te] (1c) v/t. throw back or again; fling back (a. ✗ the enemy); throw up (a. food); reject (s.o.'s advice, parl. a bill, an offer, etc.); ⚖ dismiss; ✝ transfer; cast off (stitches); shift (a. fig. the blame etc.); ♀ throw out (shoots); ~ la responsabilité sur throw or cast the responsibility on; **rejeton** [~'tõ] m ♀ (off)shoot; fig. offspring, scion.

rejoindre [rə'ʒwẽːdr] (4m) v/t. rejoin (a. ✗); catch (s.o.) up; se ~ meet (again).

réjoui, e [re'ʒwi] 1. *adj.* jolly, jovial, merry; 2. *su./m:* gros ~ merry or jovial fellow; **réjouir** [~'ʒwiːr] (2a) *v/t.* cheer, delight; entertain, amuse (*the company*); se ~ rejoice (at, in de) be delighted (at, de); enjoy o.s., make merry; **réjouissance** [~ʒwi-'sãːs] *f* rejoicing; ♱ makeweight.

relâche[1] [rə'lɑːʃ] *m* loosening; rest, respite; thea. ~! closed!; thea. faire ~ be closed; sans ~ without respite.

relâche[2] ⚓ [~] *f* (port of) call.

relâché, e [rəlɑ'ʃe] relaxed; slack (*rope*); *fig.* loose; **relâchement** [~laʃ'mã] *m* relaxing, slackening; *fig.* relaxation (a. ⚓, a. *from work*); *bowels, conduct:* looseness; **relâcher** [~lɑ'ʃe] (1a) *v/t.* loosen (a. ⚙ *the bowels*), slacken; *fig.* relax; release (*a prisoner*); ~ le temps make the weather milder; se ~ grow milder; *v/i.* ⚓ put into port.

relais [rə'lɛ] *m* men, horses, hounds, ♫ radio: relay; ⊕ shift; *geol.* sandbank; sand-flats *pl.*; ⚖ derelict land; ~ de contrôle pilot relay; *sp.* course *f* de (or par) ~ relay-race; sans ~ without rest.

relancer [rəlã'se] (1k) *v/t.* throw back or again; return (*a ball*); *hunt.* start (*the quarry*) again; *fig.* pursue, go after; *mot.* restart (*the engine*).

relaps, e *eccl.* [rə'laps] 1. *adj.* relapsed; 2. *su.* apostate, relapsed heretic.

relater [rəla'te] (1a) *v/t.* relate, recount; report.

relatif, -ve [rəla'tif, ~'tiːv] relative (a. *gramm.*); ~ à referring to, connected with, related to; **relation** [~'sjõ] *f* relation; connection; account, report; ~s *pl.* acquaintances; **relativité** [~tivi'te] *f* relativity; *phys.* théorie *f* de la ~ relativity theory.

relaxer [rəlak'se] (1a) *v/t.* ⚖ relax; ⚖ release.

relayer [rələ'je] (1i) *v/t.* take turns with; ♫, tel., radio: relay; se ~ take turns; work in shifts; *v/i.* change horses.

relégation ⚖ [rəlega'sjõ] *f* relegation; **reléguer** [~'ge] (1s) *v/t.* relegate; *fig.* banish; *fig.* remove.

relent [rə'lã] *m* musty smell or taste; unpleasant smell.

relevant, e [rəl'vã, ~'vãːt] *adj.:* ~

de dependent on; within the jurisdiction of.

relève [rə'lɛːv] *f* ✕, ⚓ relief; F relieving troops *pl.*; ✕ guard: changing; **relevé, e** [rəl've] 1. *adj.* raised (*head etc.*); turned up (*sleeve, trousers, etc.*); *fig.* high; lofty; noble (*sentiment*); *cuis.* highly seasoned; *fig.* spicy (*story*); 2. *su./m* abstract, summary; ♱ statement; *admin.* return; survey; *cost.* tuck; *cuis.* remove (= *course after soup*); ~ du gaz gas-meter reading; *su./f* ♱ afternoon; **relèvement** [rəlɛv'mã] *m* raising again; picking up; *bank-rate, temperature, wages:* rise; raising (a. ♱ *bank-rate etc.*); ⚓, *surv.* bearing; ♱, *fig.* recovery, improvement; ♱ *account:* making out; ✕ *sentry:* relieving; *wounded:* collecting; **relever** [rəl've] (1d) *v/t.* raise (a. ♱ *prices, wages, etc.*); lift; pick up (*from the ground*); ⚓ rebuild; ⚓ take the bearings of; *surv.* survey; *fig.* bring into relief, set off, enhance; ♱ make out (*an account*); put up (*a price*); read (*the meter*); *fig.* call attention to, notice; *fig.* accept (*a challenge*); ✕ relieve (*a sentry, troops*); *admin.* take over from (*s.o.*); *fig.* relieve (from, de); *cuis.* season; se ~ get up; rise (a. *fig.*); ♱, *a. fig.* revive, recover; *v/i.:* ~ de be dependent on; be responsible to; arise from; ♫ have just recovered from.

reliage [rə'ljaːʒ] *m casks:* hooping.

relief [rə'ljɛf] *m* relief (a. *fig.*); *fig.* prominence; en ~ relief (*map*); *fig.* mettre en ~ set off, throw into relief.

relier [rə'lje] (1o) *v/t.* bind (a. *books*); join; connect (a. ♫, teleph., ☎); tie (*s.th.*) up again; hoop (a *cask*); **relieur, -euse** [rə'ljœːr, ~-'ljøːz] *su.* (book)binder; *su./f* bookbinding machine.

religieux, -euse [rəli'ʒjø, ~'ʒjøːz] 1. *adj.* religious; sacred (*music*); *fig.* scrupulous; 2. *su./m* monk; *su./f* nun; **religion** [~'ʒjõ] *f* religion; *fig.* sacred duty; entrer en ~ enter into religion, take the vows; **religiosité** [~ʒjozi'te] *f* religiosity; *fig.* scrupulousness (in *ger.*, à *inf.*).

reliquaire [rəli'kɛːr] *m* reliquary, shrine.

reliquat [rəli'ka] *m* ⚖ residue; ♱ *account:* balance; ♫ after-effects *pl.*

relique [rə'lik] *f* relic; F *fig.* garder *comme une* ~ treasure.

relire [rə'li:r] (4t) *v/t.* re-read.

reliure [rə'ljy:r] *f* (book)binding; ~ *en toile* cloth binding.

relouer [rəlu'e] (1a) *v/t.* re-let; renew the lease of.

reluire [rə'lɥi:r] (4u) *v/i.* gleam; glisten, glitter; *faire* ~ polish (*s.th.*); **reluisant, e** [ˌlɥi'zɑ̃, ˌ'zɑ̃:t] gleaming, shining; glittering; well-groomed (*horse*).

reluquer F [rəly'ke] (1m) *v/t.* eye; covet.

remâcher [rəmɑ'ʃe] (1a) *v/t.* chew again; F *fig.* turn (*s.th.*) over in one's mind; brood over.

remailler [rəmɑ'je] (1a) *v/t.* mend a ladder in (*a stocking*).

remanent, e ⚡, *phys.* [rəma'nɑ̃, ˌ'nɑ̃:t] remanent, residual.

remaniement *pol.* [rəmani'mɑ̃] *m* reshuffle; **remanier** [ˌ'nje] (1o) *v/t.* rehandle; △ retile (*a roof*), re-lay (*a pavement, pipes, etc.*); *fig.* recast; *fig.* adapt (*a play etc.*).

remarier [rəma'rje] (1o) *v/t. a. se* ~ remarry, marry again.

remarquable [rəmar'kabl] remarkable (for, *par*); distinguished (by, *par*); outstanding (for, *par*); astonishing; **remarque** [ˌ'mark] *f* remark; note; ⚓ landmark; **remarquer** [ˌmar'ke] (1m) *v/t.* notice, note; re-mark; remark, observe; *faire* ~ *qch. à q.* point s.th. out to s.o.; *se faire* ~ attract attention; make o.s. conspicuous.

remballer [rɑ̃ba'le] (1a) *v/t.* re-pack; pack up again.

rembarquer [rɑ̃bar'ke] (1m) *vt/i.* ⚓ re-embark; *v/i. a. se* ~ go to sea again; *v/t.:* F *fig. se* ~ *dans* embark again upon (*s.th.*).

remblai [rɑ̃'ble] *m* embankment; filling up *or* in; banking (up); *material:* filling; ⊕ slag dump; **remblayer** [ˌblɛ'je] (1i) *v/t.* fill (up); bank (up).

remboîter ⚕ [rɑ̃bwa'te] (1a) *v/t.* set (*a bone*).

rembourrage [rɑ̃bu'ra:ʒ] *m* stuffing, padding; upholstering; **rembourrer** [ˌ're] (1a) *v/t.* stuff, pad, upholster.

remboursable ✝ [rɑ̃bur'sabl] repayable; redeemable (*annuity, stock, etc.*); **remboursement** ✝ [ˌsə'mɑ̃] *m* reimbursement, repayment; *annuity, stock:* redemption; *livraison f contre* ~ *post:* cash on delivery; **rembourser** [ˌ'se] (1a) *v/t.* reimburse, repay; redeem (*stocks etc.*).

rembrunir [rɑ̃bry'ni:r] (2a) *v/t.* darken; *fig.* make (*s.o.*) gloomy; *se* ~ grow dark; *fig.* become gloomy.

remède [rə'mɛd] *m* remedy, cure (for, *à*) (*a. fig.*); *porter* ~ *à* remedy; *sans* ~ beyond remedy; **remédiable** [rəme'djabl] remediable; **remédier** [ˌ'dje] (1o) *v/i.:* ~ *à* remedy, cure; ⚓ stop (*a leak*).

remembrement *admin.* [rəmɑ̃brə'mɑ̃] *m* regrouping (*of land*).

remémorer [rəmemɔ're] (1a) *v/t.* remind (s.o. of s.th., *qch. à q.*); *se* ~ call (*s.th.*) to mind.

remerciements [rəmɛrsi'mɑ̃] *m/pl.* thanks; **remercier** [ˌ'sje] (1o) *v/t.* thank (for, *de*); dismiss (*an employee*); decline with thanks.

remettre [rə'mɛtr] (4v) *v/t.* put (*s.th.*) back again, replace; *cost.* put (*s.th.*) on again; return; restore; *fig.* calm (*s.o.'s mind*), reassure (*s.o.*); ⚕ set (*a bone*); deliver; hand over (*a. a command, an office*); tender (*one's resignation*); pardon (*an offence*); remit (*a penalty, a. sins*); ✝ give a discount of, allow; *fig.* postpone; ~ *au hasard* leave to chance; F ~ *ça* begin again; ~ *en état* overhaul; *se* ~ return; *fig.* recover (from, *de*); *s'en* ~ *à q.* rely on s.o. (for, *de*); leave it to s.o.

réminiscence [remini'sɑ̃:s] *f* reminiscence.

remise [rə'mi:z] *su./f* putting back; postponement; *thea.* revival; *pointer, ⚕ bone:* setting; ✝ remittance; ✝ discount (of, *de*; on, *sur*); restoration; *post:* delivery; *debt, penalty:* remission; *duties, office, ticket:* handing over; coach-house; 🚌 (*engine-*)shed; ~ *à neuf* renovation; F *sous la* ~ on the shelf; *su./m* livery carriage; **remiser** [ˌmi'ze] (1a) *v/t.* put (*a vehicle*) away; lay (*s.th.*) aside; F *fig.* superannuate (*s.o.*); *sl.* snub (*s.o.*); *hunt. se* ~ take cover; alight (*game birds*).

rémissible [remi'sibl] remissible; **rémission** [ˌ'sjɔ̃] *f debt, sin:* remission; ⚕ abatement, remission; *sans* ~ unremitting(ly *adv.*).

rémittence ⚕ [remi'tɑ̃:s] *f* abate-

ment, remission; **rémittent, e** 🪖
[~'tã, ~'tã:t] remittent.

remmailler [rãma'je] (1a) *v/t. see*
remailler.

remontage [rəmõ'ta:ʒ] *m* going up;
furniture: assembling; ⚓ ascending; ⊕ *machine etc.*: (re)assembling;
refitting; ✝ *shop*: restocking; *wine*:
fortifying; *clock*: winding up;
shoes: vamping; **remontant, e**
[~'tã, ~'tã:t] **1.** *adj.* ascending; ⚜
remontant; 🪖 *etc.* stimulating,
tonic; **2.** *su./m* 🪖 stimulant, tonic,
F pick-me-up; **remonte** [rə'mõ:t] *f*
salmon: ascent, running; *coll. fish*:
run; ⚔ *cavalry*: remount(ing); re-
montée [~mõ'te] *f road*: climb; ⚔
climbing; **remonte-pente** *mount.*
[~mõt'pã:t] *m see* monte-pente; re-
monter [rəmõ'te] (1a) *v/i.* go up
(again) (*a.* ✝); get (*into a car, on a
horse, etc.*) again; rise (*barometer*);
re-ascend (*the throne, sur le trône, à*);
get higher (*sun*); *fig.* date *or* go back
(*to a time*); ⚓ flow (*tide*), come
round (*wind*); *v/t.* go up (again),
climb up (again); raise (up); take
(*s.th.*) up; pull up (*socks, trousers*);
⚔ remount (*s.o.*); wind up (*a
watch*); ⊕ reassemble; refit, reset;
✝ restock; *thea.* put (*a play*) on
again; refurnish (*a house*); F *fig.*
cheer (*s.o.*) up; se ~ recover one's
strength *or* spirits; get in a new
supply (of, *de*); **remontoir** ⊕ [~
'twa:r] *m watch*: winder; *clock*,
watch: key.

remontrance [rəmõ'trã:s] *f* re-
monstrance; *faire des* ~*s à* remonstrate with.

remontrer [rəmõ'tre] (1a) *v/t.* show
(again); point out; *v/i.* (*a.* en ~)
remonstrate (with, *à*), advise (s.o.,
à q.).

remordre [rə'mɔrdr] (4a) *v/t.* bite
again; *v/i.* have another bite (at, *à*);
F *y* ~ try again, F have another go;
remords [~'mɔ:r] *m* remorse;
twinge of conscience.

remorque [rə'mɔrk] *f* ⚓, *mot.*
tow(ing); tow-rope; ⚓ vessel in
tow; *mot.* trailer; 🚋 *voiture f* ~
slip-coach; **remorquer** [rəmɔr'ke]
(1m) *v/t.* ⚓, *mot.* tow; ⚓ draw;
remorqueur, -euse [~'kœ:r,
~'kø:z] **1.** *adj.* towing; ⚓ relief
(*engine*); **2.** *su./m* tug(-boat); tow-
boat.

remoudre [rə'mudr] (4w) *v/t.*
regrind (*coffee etc.*).

rémoulade *cuis.* [remu'lad] *f* re-
moulade-sauce.

rémouleur ⊕ [remu'lœ:r] *m* (*scis-
sors-, etc.*)grinder.

remous [rə'mu] *m water, wind*:
eddy; *tide*: swirl; *crowd*: movement; ⚓ *ship*: wash; *river*: rise in
level; 🪶 slip-stream.

rempailler [rãpa'je] (1a) *v/t.* re-
seat (*a rush-bottomed chair*); re-
stuff (*with straw*).

rempart [rã'pa:r] *m* ⚔ rampart;
fig. bulwark.

rempiéter [rãpje'te] (1f) *v/t.* re-
foot (*stockings*).

rempiler ⚔ F [rãpi'le] (1a) *v/i.* re-
engage, re-enlist.

remplaçant, e *f* [rãpla'sã, ~'sã:t]
person: substitute, deputy; 🪖, *eccl.*
locum tenens, F locum; **remplacement** [~plas'mã] *m* replacement;
substitution; ... *de* ~ refill ...; spare
...; *en* ~ *de* in place of; **remplacer** [~pla'se] (1k) *v/t.* replace (by,
par); take the place of; supersede
(*an official, a rule*); appoint a successor to (*an official, a diplomat*);
deputize for.

rempli *cost.* [rã'pli] *m dress*: tuck;
hem or seam: turning; **remplier**
cost. [~pli'e] (1a) *v/t.* put a tuck in
(*a dress etc.*); lay (*a hem, a seam*).

remplir [rã'pli:r] (2a) *v/t.* fill (up),
refill (with, *de*); *admin.* complete,
fill in *or* up (*a form*); *fig.* fulfil (*a
hope, a promise*), perform (*a duty*),
comply with (*formalities*); *thea.*
play (*a part*); se ~ fill; **remplissage** [~pli'sa:ʒ] *m* filling (up); ⚒
infilling; 🏛 filling (in); *fig.*
padding, F radio: fill-up.

remploi ⚖ [rã'plwa] *m* reinvest-
ment (*of proceeds of sale of wife's
property*); **remployer** [~plwa'je]
(1h) *v/t.* re-use; use again; employ
(s.o.) again; reinvest (*money*).

remplumer [rãply'me] (1a) *v/t.*:
se ~ F put on flesh again; F retrieve
one's fortunes; *orn.* grow new feathers.

rempocher [rãpo'ʃe] (1a) *v/t.* put
(*s.th.*) back in one's pocket.

remporter [rãpor'te] (1a) *v/t.* take
or carry back; carry off *or* away; *fig.*
win, gain (*a prize, a victory*).

rempoter 🪴 [rãpo'te] (1a) repot.

remuage [rə'mɥa:ʒ] *m* moving, removal; shaking (up), stirring (up); *wine*: settling of the deposit; **remuant, e** [~'mɥã, ~'mɥã:t] restless; bustling; **remue-ménage** [~myme'na:ʒ] *m*/*inv.* bustle, commotion, stir; **remuement** [~my-'mã] *m* moving; *furniture, earth*: removal; *fig.* stir, commotion; **remuer** [~'mɥe] (1n) *v*/*t.* move (*furniture, one's head, a. fig. s.o.'s heart, etc.*); stir (*coffee, tea*); *fig.* stir up (*a crowd*); *dog*: wag (*its tail*); se ~ move, stir; bestir o.s., F get a move on; *v*/*i.* move; budge; be loose (*tooth*).

remugle [rə'my:gl] *m* musty smell.

rémunérateur, -trice [remynera-'tœːr, ~'tris] **1.** *adj.* remunerative; profitable; **2.** *su.* rewarder; **rémunération** [~ra'sjɔ̃] *f* remuneration, payment (for, de); **rémunératoire** ⚖ [~ra'twaːr] for services rendered; (*money*) by way of recompense; **rémunérer** [~re] (1f) *v*/*t.* remunerate, reward; pay for (*services*).

renâcler [rənɑ'kle] (1a) *v*/*i.* snort (*horse*); sniff (*person*); *fig.* turn up one's nose (at, à); F *fig.* be reluctant; jib (at, à).

renaissance [rənɛ'sãːs] *f* rebirth; revival; *paint. etc.* ♀ Renaissance, Renascence; **renaître** [~'nɛːtr] (4x) *v*/*i.* be born again; *fig.* reappear; *fig.* revive (*arts, hope, etc.*).

rénal, e, *m*/*pl.* **-aux** [re'nal, ~'no] renal; *calcul m* ~ renal calculus.

renard [rə'naːr] *m zo.* fox; ⊕ *sl.* strike-breaker, F blackleg; ⊕, ⚓ dog(-hook); F *fig.* fin ~ sly dog; **renarde** *zo.* [~'nard] *f* vixen, she-fox; **renardeau** *zo.* [rənar'do] *m* fox-cub; **renarder** [~'de] (1a) *v*/*i.* F play the fox; *sl.* cat (= vomit); **renardière** [~'djɛːr] *f* fox-hole, fox's earth, burrow.

renchéri, e [rãʃe'ri] **1.** *adj.* dearer; F particular, fastidious; **2.** *su.* fastidious person; *su.*/*m*: faire le ~ be squeamish; put on airs; **renchérir** [~'riːr] (2a) *v*/*t.* raise the price of; *v*/*i.* get dearer, go up in price; ~ *sur* go one better than (*s.o.*); improve upon (*s.th.*); **renchérissement** [~ris'mã] *m* increase or rise in price; **renchérisseur** [~ri-'sœːr] *m* outdoer; outbidder; ♱ runner up of prices.

rencogner F [rãkɔ'ɲe] (1a) *v*/*t.* drive (*s.o.*) into a corner; *fig.* choke back (*one's tears*); rencogné dans ensconced in (*a chair etc.*).

rencontre [rã'kɔ̃:tr] *f* ⚶, *person, streams*: meeting; ⚔, *persons*: encounter; ⚙, *mot.* collision; ⚔ skirmish; *fig.* occasion; aller à la ~ de go to meet; de ~ second-hand (*goods*); *government*: makeshift; **rencontrer** [~kɔ̃'tre] (1a) *v*/*t.* meet (with); come upon (*s.o.*); ⚙, *mot.* collide with; *fig.* find; ⚔ encounter; ⚓ meet (*a ship*); ⚔ run foul of (*a ship*); *fig.* counter (*an argument*); se ~ meet; ⚙, *mot.* collide; *fig.* happen; *fig.* appear (*person*); *fig.* agree (*person, a. ideas*); *v*/*i.* *hunt.* find the scent; ~ *juste* guess right; *bien* ~ be lucky.

rendement [rãd'mã] *m* ⚶, ♱, ⚒ yield; ⊕ *works, men*: output; ⊕ efficiency (*a. of machines*); ⊕, ⚓, *mot.* performance; *sp. time*: handicap; ~ *maximum* maximum output or speed.

rendez-vous [rãde'vu] *m* rendezvous (*a.* ⚔); appointment, F date; meeting-place; haunt.

rendormir [rãdɔr'miːr] (2b) *v*/*t.* put to sleep again; se ~ fall asleep again.

rendre [rã:dr] (4a) *v*/*t.* return, give back; restore (*s.o.'s liberty, s.o.'s health*); give (*an account, change,* ⚖ *a verdict*); pay (*homage*); *fig.* convey (*the meaning*), translate; render (♱ *an account, services*); ⚖ pronounce (*judgment*); ♪ perform, play; ♱ deliver; ♱, ♫, ⚶ yield, produce; ⚔ surrender (*a fortress*); ⚐ throw up, vomit; ~ (*adj.*) make (*adj.*); ~ *compte de* account for; *fig.* ~ *justice à* do (*s.o.*) justice; ⚖ ~ *la justice* dispense justice; ~ *les derniers devoirs à* pay (*s.o.*) the last hono(u)rs; ~ *nul* nullify; vitiate (*a contract*); se ~ go (to, à); *fig.* yield, give way; ⚔ surrender; *v*/*i.* be productive or *fig.* profitable; ⚐ vomit; work, run (*engine*); ~ *à* lead to (*way*); **rendu, e** [rã'dy] **1.** *adj.* arrived; exhausted; **2.** *su.*/*m paint. etc.* rendering; ♱ returned article; F *un prêté pour un* ~ tit for tat.

rendurcir [rãdyr'siːr] (2a) *v/t. a.*
se ~ harden.

rêne [rɛn] *f* rein (*a. fig.*); *lâcher les*
~*s* slacken the reins; give a horse
its head.

renégat *m*, e *f* [rəne'ga, ~'gat] rene-
gade, turncoat.

rénette ⊕ [re'nɛt] *f* tracing-iron;
leather: race-knife; *horse's hoof:*
paring-knife.

renfermé, e [rãfɛr'me] **1.** *adj. fig.*
uncommunicative; **2.** *su./m* fusti-
ness; *odeur f de* ~ fusty *or* stale
smell; *sentir le* ~ smell fusty *or*
stuffy; **renfermer** [~] (1a) *v/t.*
shut *or* lock up (again); enclose;
fig. contain, include; *fig.* confine
(to *dans, en*); *fig.* hide; se ~ (*dans,
en*) confine o.s. (to); withdraw (into
o.s., silence).

renflement [rãflə'mã] *m* swelling,
bulging; bulge; *gun:* swell; **renfler**
[~'fle] (1a) *vt/i.* swell; enlarge; *v/i.*
rise (*dough*); *v/t.* (re)inflate.

renflouer [rãflu'e] (1a) *v/t.* ⚓
refloat; *fig.* put in funds.

renfoncement [rãfõs'mã] *m* knocking in (*of s.th.*) again; △ recess,
hollow; denting; *paint.* effect of
depth; pulling down (*of hat*) (*over
the eyes etc.*); F bashing in (*of hat*);
renfoncer [~fõ'se] (1k) *v/t.* knock
(further) in; △ recess, set back;
dent; pull down (*one's hat*); F bash
in (*one's hat*); new-bottom (*a cask*);
se ~ sink in; withdraw (*into a corner*).

renforçateur *phot.* [rãfɔrsa'tœːr] *m*
intensifier; **renforcement** [~sə-
'mã] *m* △, ✗ strengthening (*a. fig.*
opinion); reinforcing; *phys. sound:*
magnification; *phot.* intensifica-
tion; **renforcer** [~'se] (1k) *v/t.* rein-
force; ⊕ *a.* strengthen; increase
(*the sound, the expenditure*); *phot.*
intensify; *phys.* magnify; *v/i.* increase, grow stronger (*wind*); **ren-
forcir** *sl.* [~'siːr] (2a) *v/t.* make
stronger; *v/i.* grow stronger; **renfort** [rã'fɔːr] *m* ✗, ⊕, *etc.* rein-
forcement(*s pl.*); de ~ stiffening ...;
trace-(*horse*). [~ scowl] frown.]

renfrogner [rãfrɔ'ɲe] (1a) *v/t.: se]*

rengager [rãga'ʒe] (1l) *v/t.* re-
engage; renew (*battle*); † pawn *or*
pledge (*s.th.*) again; se ~ ✗ re-
enlist; re-enter into employment;
v/i. ✗ re-enlist.

rengaine F [rã'gɛːn] *f* catchword;
F old, old story; **rengainer** [~gɛ'ne]
(1a) *v/t.* put up (*the sword*); F ~ *toujours la même histoire* be always
harping on the same string.

rengorgement [rãgɔrʒə'mã] *m*
peacock: strut; *fig.* swagger; **ren-
gorger** [~'ʒe] (1l) *v/t.:* se ~ swagger; give o.s. airs.

rengraisser [rãgrɛ'se] (1a) *v/t.*
fatten up again; *v/i.* grow fat
again.

renier [rə'nje] (1o) *v/t. eccl.* deny;
abjure (*one's faith*); disown (*a friend,
an opinion*); repudiate (*an action,
an opinion*).

reniflement [rəniflə'mã] *m* snuf-
fling, sniff(ing); snort(ing); **renifler** [~'fle] (1a) *v/t.* sniff (*s.th.*) (up);
fig. scent; *v/i.* snuffle, sniff; snort;
snivel (*child*); *fig.* ~ *sur* turn up
one's nose at; **renifleur** *m*, -euse *f*
F [~'flœːr, ~'fløːz] sniffer.

rénitence ☞ [reni'tãːs] *f* resistance
to pressure; **rénitent, e** [~'tã,
~'tãːt] renitent.

renne *zo.* [rɛn] *m* reindeer.

renom [rə'nõ] *m* fame, renown;
renommé, e [rənɔ'me] **1.** *adj.*
famed, renowned, famous (for,
pour); **2.** *su./f* fame, renown; reputation; *esp.* ⚖ report, rumo(u)r; **renommer** [~] (1a) *v/t.* re-elect, re-
appoint; † praise.

renonce [rə'nõːs] *f* cards: inability
(*or* failure) to follow suit; **renoncement** [~nõs'mã] *m* renouncing;
renunciation (*a.* ⚖); ~ *à soi-même*
self-denial; **renoncer** [rənõ'se] (1k)
v/t. † renounce; *v/i. cards:* fail to
follow suit; revoke; ~ *à* renounce,
give up; waive (*a claim, a right*);
renonciation ⚖ [~sja'sjõ] *f* renunciation.

renoncule ♀ [rənõ'kyl] *f* ranun-
culus; ~ *âcre* crowfoot; buttercup.

renouement [rənu'mã] *m* renewal;
renouer [~'e] (1a) *v/t.* re-knot; tie
up again; *fig.* renew; resume (*a
conversation*).

renouveau [rənu'vo] *m* spring
(-time); renewal; ~ *catholique* Catholic (literary) revival; **renouveler**
[~nuv'le] (1c) *v/t.* renew; revive
(*a custom, a lawsuit, a quarrel*); *fig.*
transform; † repeat (*an order*);
mot. fit a new set of (*tyres*); se ~ be
renewed; happen again; **renouvel-**

lement [ˌnuvɛl'mɑ̃] *m* renovation; replacement; renewal; *fig.* increase.

rénovateur, -trice [renɔva'tœːr, ˌ'tris] **1.** *adj.* renovating; **2.** *su.* renovator, restorer; **rénovation** [ˌ'sjɔ̃] *f* renovation, restoration; renewal (*a.* ⚤); (*religious*) revival.

renseigné, e [rɑ̃sɛ'ɲe] (well-)informed (about, *sur*); **renseignement** [ˌsɛɲ'mɑ̃] *m* (piece of) information; *teleph.* ~s *pl.* inquiries; *bureau m de* ~s information bureau or *Am.* inquiry office; *prendre des* ~s *sur* make inquiries about; ⚔ *service m de* ~s Intelligence Corps; **renseigner** [ˌsɛ'ɲe] (1a) *v/t.* inform (*s.o.*), give (*s.o.*) information (about, *sur*); give (*s.o.*) directions; *se* ~ inquire, find out (about, *sur*).

rentabilité [rɑ̃tabili'te] *f* profitableness; **rentable** [rɑ̃'tabl] profitable.

rente [rɑ̃ːt] *f* rent; revenue; annuity, pension; stock(s *pl.*), bonds *pl.*; ~s *pl.* (private) income *sg.*; ~ *foncière* ground rent; ~ *perpétuelle* perpetuity; ~ *viagère* life annuity; **renter** [rɑ̃'te] (1a) *v/t.* endow; grant (*s.o.*) a yearly income; **rentier** *m*, **-ère** *f* [ˌ'tje, ˌ'tjɛːr] stockholder; annuitant; person living on private means; *petit* ~ small investor.

rentrant, e [rɑ̃'trɑ̃, ˌ'trɑ̃ːt] **1.** *adj.* ⚓ re-entrant; ⚙ retractable; ⊕ inset; **2.** *su. sp.* new player; *su./m* △ recess (*in a wall*); **rentrée** [rɑ̃'tre] *f* return, home-coming; ✹ *crops*: gathering; ♪ re-entry; *school etc.*: reopening; *parl.* re-assembly; ✝ *taxes etc.*: collection; ✝ *money*: receipt; *air etc.*: entry; *thea. actor*: come-back; **rentrer** [ˌ] (1a) *v/i.* re-enter (*a. thea., a.* ♪); come or go in (again); return; come or go home; re-open (*school etc.*); *parl.* re-assemble; go back to school (*child*); ✝ come in (*money*); *fig.* be included (in, *dans*); ~ *dans* get back, recover (*rights etc.*); *fig.* ~ *dans le néant* fall into oblivion; ~ *en fonctions* resume one's duties; *v/t.* take or bring or get or pull in; put away; ✹ gather in (*crops*); ✝ re-enter (*in an account*); *fig.* suppress (*a desire, one's tears*); ⚙ retract (*the undercarriage*).

renversable [rɑ̃vɛr'sabl] reversible;

capsizable (*boat etc.*); **renversant, e** F [ˌ'sɑ̃, ˌ'sɑ̃ːt] staggering, stunning; **renverse** [rɑ̃'vɛrs] *f* ⚓ *tide*: turn; *à la* ~ backwards; **renversement** [rɑ̃vɛrsə'mɑ̃] *m* reversal (*a. phys.*); ♪, *opt., phls., geol.* inversion; ⊕ reversing; ⚓ *tide*: turn(ing); *wind*: shift(ing); overturning; *fig.* disorder; *fig., a. pol.* overthrow; **renverser** [ˌ'se] (1a) *v/t.* reverse (*a.* ⚔, ⚡, ⊕ *an engine, the steam, mot.*); ♪, *opt., phls.* invert; turn upside down; knock down; knock over; overturn, upset; *fig., a. pol.* overthrow; F *fig.* amaze; F ~ *les rôles* turn the tables; *se* ~ fall over; overturn; lie back (*in a chair*); *v/i.* overturn; capsize (*boat*).

renvider *tex.* [rɑ̃vi'de] (1a) *v/t.* wind on; **renvideur** *tex.* [ˌ'dœːr] *m* mule.

renvoi [rɑ̃'vwa] *m* return(ing), sending back; *ball, sound*: throwing back; *tennis*: return; *heat, light*: reflecting; ⚙ belch; ♪ repeat (sign); *servant*: dismissal; adjournment; ⚤, *pol., typ.* reference; ⚤ transfer; ⚤ remand; **renvoyer** [ˌvwa'je] (1r) *v/t.* return (*a. tennis*), send back; throw back (*a ball, a sound*); reflect (*heat, light*); dismiss (*s.o.*); postpone; adjourn; *pol.* refer; ⚤ defer; ⚤ remand.

réoccuper [reɔky'pe] (1a) *v/t.* reoccupy.

réorganiser [reɔrgani'ze] (1a) *v/t.* reorganize.

réouverture [reuvɛr'tyːr] *f* reopening; resumption.

repaire [rə'pɛːr] *m animals, a. fig.*: den; *fig. criminal*: haunt.

repaître [rə'pɛːtr] (4k) *v/t.* feed (*a. fig.*); *se* ~ eat one's fill; *se* ~ *de* feed on; *fig.* indulge in (*vain hopes*); wallow in (*blood*).

répandre [re'pɑ̃ːdr] (4a) *v/t.* spill, shed; spread (*light, news*); scatter (*flowers, money, sand, etc.*); give off (*heat, a smell*); *il s'est répandu que* the rumo(u)r has spread that; *fig. se* ~ go out, be seen in society; **répandu, e** [ˌpɑ̃'dy] widespread, widely held (*opinion*); well known.

réparable [repa'rabl] reparable; *cost.* repairable; remediable.

reparaître [rəpa'rɛːtr] (4k) *v/i.* reappear; ⚙ recur.

réparateur, -trice [repara'tœːr,

~'tris] **1.** *adj.* repairing; restoring; **2.** *su.* mender, repairer; **réparation** [₍ra'sjõ] *f* repair(ing); *fig.* amends *pl.*; (*legal*) redress; ⚔ ~s *pl.* reparations; ⚖ ~ civile compensation; *foot.* coup *m* de pied de ~ penalty kick; **réparer** [₍'re] (1a) *v/t.* mend, repair, *Am.* fix; *fig.* make good (*losses, wear*); *fig.* make amends for, put (*s.th.*) right.

repartie [rəpar'ti] *f* repartee; retort; ~ *spirituelle* witty rejoinder; **repartir** [₍'ti:r] (2b) *v/i.* set out *or* leave again; retort, reply.

répartir [repar'ti:r] (2a) *v/t.* share out, distribute (*amongst, entre*); *admin.* assess; ⚑ allot (*shares*); **répartition** [₍ti'sjõ] *f* distribution (*a.* ⚡); apportionment, division, sharing out; *errors:* frequency; *admin.* assessment; allocation; ⚑ allotment.

repas [rə'pɑ] *m* meal; *petit* ~ snack.

repassage [rəpɑ'sa:ʒ] *m* repassing; *water, mountains:* recrossing; *clothes:* ironing; *lessons:* revision; ⊕ sharpening; **repasser** [₍'se] (1a) *v/i.* pass again; call again (on s.o., *chez q.*); cross over again (*to, en*); *v/t.* repass; cross (*the sea etc.*) again; iron (*clothes*); go over (*in the mind, a lesson, an outline, accounts, etc.*); take (*s.o.*) back; ⊕ sharpen, whet; *fer m à* ~ iron; **repasseur** [₍'sœ:r] *m* (*knife- etc.*)grinder; ⊕ examiner; **repasseuse** [₍'søːz] *f* woman, *a.* machine: ironer.

repayer [rəpɛ'je] (1i) *v/t.* repay; pay back.

repêchage [rəpɛ'ʃa:ʒ] *m* fishing up *or* out again; *fig.* giving a helping hand (*to, de*); *univ., school:* supplementary examination, F resit; **repêcher** [₍'ʃe] (1a) *v/t.* fish up *or* out again; *fig.* come to the rescue of; *univ., school:* give (*s.o.*) a second chance.

repeindre [rə'pɛ̃:dr] (4m) *v/t.* repaint.

repenser [rəpɑ̃'se] (1a) *v/i.* think again (about, of *à*); *y* ~ think it over.

repentant, e [rəpɑ̃'tɑ̃, ~'tɑ̃:t] repentant; **repenti, e** [₍'ti] *adj., a. su.* repentant, penitent; **repentir** [₍'ti:r] **1.** (2b) *v/t.*: se ~ (de *qch.*) repent ([of] s.th.), be sorry (for s.th.); **2.** *su./m* repentance.

repérage [rəpe'ra:ʒ] *m* marking with guide *or* reference marks; adjusting by guide marks; ⚔ locating; *radio:* logging; *cin.* synchronizing.

répercussion [repɛrky'sjõ] *f* repercussion; consequences *pl.*; *phys.* sound: reverberation; **répercuter** [₍'te] (1a) *v/t.* reverberate; reflect (*heat, light*); se ~ *phys.* reverberate; *fig.* have repercussions.

repère [rə'pɛ:r] *m* reference (mark *or* scale); guide mark; *surv.* benchmark; *cin.* synchronizing mark; *mot.* wing indicator; *point m* de ~ landmark (*a. fig.*); **repérer** [₍pe're] (1f) *v/t.* mark with guide *or* reference marks; fix *or* adjust by guide marks; ⚔ locate; *radio:* log; *cin.* synchronize (*sound and film*); F spot; se ~ get *or* take one's bearings.

répertoire [repɛr'twa:r] *m* index, list; *thea., a. fig.* repertory; *thea.* repertoire; *fig.* ~ *vivant* mine of information.

repeser [rəpə'ze] (1d) *v/t.* re-weigh.

répéter [repe'te] (1f) *v/t.* repeat; do *or* say again; *con* (*a lesson, thea.* a part); *thea.* rehearse (*a play*); *mirror:* reflect; **répéteur** [₍'tœːr] *m teleph.* repeater; *phys.* reflector; reproducer; **répétiteur, -trice** [₍ti'tœːr, ~'tris] *su.* private tutor; *su./m school:* assistant-master; ⚓ repeating ship; *teleph.* repeater; *su./f school:* assistant-mistress; **répétition** [₍ti'sjõ] *f* repetition; recurrence; private lesson; *thea.* rehearsal; *picture etc.:* reproduction, replica; *thea.* ~ *générale* dress rehearsal; ⚔ *fusil m à* ~ repeating rifle; *montre f à* ~ repeater (watch).

repeupler [rəpœ'ple] (1a) *v/t.* repeople; ⚘ replant; restock (*a pond, a river, etc.*).

repiquer [rəpi'ke] (1m) *v/t.* prick (*s.th.*) again; repair (*a road*); *cost.* restitch; ⚘ prick *or* plant out; *v/i.*: F ~ *au plat* have a second helping; F ~ *au truc* begin again.

répit [re'pi] *m* respite; F *fig.* breather; *sans* ~ incessant(ly *adv.*).

replacer [rəpla'se] (1k) *v/t.* replace; ⚑ reinvest; find a new position for (*a servant*).

replanter [rəplɑ̃'te] (1a) *v/t.* replant.

replâtrer [rǝplɑ'tre] (1a) v/t. △ replaster; fig. patch up.

replet, -ète [rǝ'plɛ, ~'plɛt] stoutish; **réplétion** [reple'sjɔ̃] f repletion, surfeit; corpulence.

repli [rǝ'pli] m cost. fold (a. of ground), crease; rope, snake: coil; river: bend, winding; ✕ falling back; **repliable** [rǝpli'abl] folding; collapsible (boat, chair); **repliement** [~'mɑ̃] m re-folding, turning up; bending back; ✕ falling back; **replier** [~'e] (1a) v/t. a. se ~ fold up; coil up; bend back; ✕ withdraw (outposts); se ~ ✕ fall back; fig. retire (within o.s., sur soi-même).

réplique [re'plik] f rejoinder, retort; thea. cue; work of art etc.: replica; cin. retake; ♪ counterpoint: answer; fig. sans ~ unanswerable (argument); **répliquer** [~.pli'ke] (1m) v/i. retort; answer back.

reploiement [rǝplwa'mɑ̃] m see repliement.

répondant [repɔ̃'dɑ̃] m ⚖ surety, security; eccl. server; examination: candidate; **répondre** [~'pɔ̃:dr] (4a) v/t. answer, reply; eccl. make the responses at (mass); v/i.: ~ à answer; comply with, satisfy; correspond to, match; ~ de answer for; be responsible for; guarantee; **réponse** [~'pɔ̃:s] f answer, reply; phys., physiol., a. fig. response; options: declaration; ⚖ ~s pl. de droit judicial decisions; ~ payée reply paid.

report [rǝ'pɔ:r] m ✝ carrying forward; ~ amount carried forward; ✝ contango, stock; ⊕ transfer; ⚖ antedate; **reportage** [rǝpɔr'ta:ʒ] m journ. report(ing); radio: running commentary.

reporter[1] [rǝpɔr'te] (1a) v/t. carry or take back; transfer (a. phot.), transmit; ✝ carry forward; Stock Exchange: continue; fig. postpone (to, until à).

reporter[2] journ. [rǝpɔr'tɛ:r] m reporter; ~ sportif sports reporter or commentator.

repos [rǝ'po] m rest, repose; peace (of mind etc.); ♪ pause; resting-place; stair: landing; ✕ ~! stand easy!; au ~ at rest (a. machine); still; **reposé, e** [~po'ze] **1.** adj. rested, refreshed; restful, quiet;

fresh (complexion); à tête ~e at leisure; deliberately; **2.** su./f animal: lair; **repose-pied** [~poz'pje] m/inv. foot-rest; **reposer** [rǝpo'ze] (1a) v/t. place, put, lay; ⛓ re-lay (a track); fig. rest; ✕ reposez armes! order arms!; se ~ (take a) rest; rely ([up]on, sur); settle (bird, wine, etc.); fig. se ~ sur ses lauriers rest on one's laurels; v/i. lie, rest; be at rest; fig. ~ sur rest on, be based on; ici repose here lies; **reposoir** eccl. [~-'zwa:r] m temporary altar, station.

repoussant, e [rǝpu'sɑ̃, ~'sɑ̃:t] repulsive; offensive, obnoxious (odour); **repousser** [~'se] (1a) v/t. push back or away, repel; ✕, a. fig. repulse (an attack, an offer); pol., a. fig. reject (a bill, overtures); ⊕ chase (metal), emboss (leather); throw out again (branches); v/i. ♀ shoot (up) again; grow again (hair); recoil (gun); resist (spring); **repoussoir** [~'swa:r] m ⊕ driving-bolt; pin-drift; fig. foil; paint. strong piece of foreground.

répréhensible [repreɑ̃'sibl] reprehensible; **répréhension** [~'sjɔ̃] f reprehension.

reprendre [rǝ'prɑ̃:dr] (4aa) v/t. take again; recapture; get (s.th.) back; pick (s.o.) up (again); fig. recover (senses, strength, taste, tongue); take back (an object, a gift, a promise, a servant, etc.); resume (a talk, one's work); repeat (an operation); thea. revive (a play); fig. catch (cold, F s.o.) again; fig. reprove (s.o.); put on again (one's summer clothes); v/i. begin again; 𝒮, ✝ improve; 𝒮 heal again (wound); ♀ take root (again); set again (liquid); reply; come in again (fashion).

représailles [rǝpre'za:j] f/pl. reprisal(s pl.) sg.; user de ~ make reprisals.

représentable [rǝprezɑ̃'tabl] representable; thea. performable; **représentant, e** [~'tɑ̃, ~'tɑ̃:t] **1.** adj. representative; **2.** su. representative; su./m ✝ agent, traveller; ~ exclusif de sole agent for; **représentatif, -ve** [~.ta'tif, ~'ti:v] representative (of, de); **représentation** [~.ta'sjɔ̃] f ⚖ representation; thea. performance, show; ✝ agency; admin. official entertainment; fig.

protest; **représenter** [~'te] (1a) v/t. re-present; ⚖, ✝, pol., fig. represent; stand for; symbolize; thea. perform, give (a play), take the rôle of (a character); paint. depict, portray; fig. describe (as, comme); introduce (s.o.) again; recall (s.o.); point (s.th.) out (to, à); fig. se ~ qch. imagine or picture s.th.; v/i. have a good presence; keep up appearances.

répressif, -ve [repre'sif, ~'si:v] repressive; **répression** [~'sjõ] f repression.

réprimable [repri'mabl] repressible.

réprimandable [reprimã'dabl] deserving (of) censure; **réprimande** [~'mã:d] f reprimand, rebuke; **réprimander** [~mã'de] (1a) v/t. reprimand, rebuke, reprove (for, de).

réprimer [repri'me] (1a) v/t. repress.

repris, e [rə'pri, ~'pri:z] 1. p.p. of reprendre; 2. adj. recaptured; 3. su./m: ~ de justice old offender; habitual criminal; F old lag, Am. repeater; su./f recapture, recovery; talks, work: resumption; thea. play, ✝ business: revival; box. round; foot. second half; ♩ repetition; fig. renewal; ⚙ fresh attack; mot. engine: pick-up; cost. darn(ing), mend(ing); ⚠ repairing; ⚠ ~e en sous-œuvre underpinning; ~e perdue invisible mending; à plusieurs ~es again and again; on several occasions; **repriser** [~pri'ze] (1a) v/t. mend, darn; **repriseuse** [~'zø:z] f mender, darner.

réprobateur, -trice [reprɔba'tœ:r, ~'tris] reproachful; reproving; **réprobation** [~'sjõ] f reprobation, censure; fig. (howl of) protest.

reprochable [reprɔ'ʃabl] reproachable, blameworthy; ⚖ impeachable (witness); **reproche** [~'prɔʃ] m reproach; reproof; ⚖ impeachment; sans ~ blameless; ⚖ unimpeachable; **reprocher** [~prɔ'ʃe] (1a) v/t. reproach; blame; ⚖ object to, challenge (an evidence etc.); ~ qch. à q. reproach or blame s.o. for s.th.; grudge s.o. s.th.

reproducteur, -trice [reprɔdyk'tœ:r, ~'tris] 1. adj. reproductive; 2. su./m stud animal; **reproduc-** **tible** [~'tibl] reproducible; **reproduction** [~'sjõ] f ⚙, zo., etc. reproduction; ✝ reproducing; copy; replica; ⚖ droits m/pl. de ~ copyright sg.; **reproduire** [rəprɔ'dɥi:r] (4h) v/t. reproduce; produce (s.th.) again; copy; se ~ fig. recur; zo. etc. reproduce, breed.

réprouvable [repru'vabl] blamable; blameworthy; **réprouvé, e** [~'ve] su. outcast; su./m: eccl. les ~s pl. the damned; **réprouver** [~'ve] (1a) v/t. reprobate (a. eccl.); fig. disapprove of; eccl. damn.

reps tex. [rɛps] m rep. [reptile.]
reptile zo. [rɛp'til] adj., a. su./m)
repu, e [rə'py] 1. p.p. of repaître; 2. adj. satiated, full.

républicain, e [repybli'kɛ̃, ~'kɛn] adj., a. su. republican; **république** [~'blik] f republic (a. fig.).

répudier [repy'dje] (1o) v/t. repudiate (an opinion, one's wife); ⚖ relinquish (a succession).

répugnance [repy'ɲã:s] f repugnance; dislike (of, to pour); loathing (of, for pour); fig. reluctance (to inf., à inf.); avec ~ reluctantly; **répugnant, e** [~'ɲã, ~'ɲã:t] repugnant, loathsome (to, à); **répugner** [~'ɲe] (1a) v/i.: ~ à feel loathing for; be repugnant to; il me répugne de (inf.) I am loath or reluctant to (inf.).

répulsif, -ve [repyl'sif, ~'si:v] repulsive; **répulsion** phys., a. fig. [~'sjõ] f repulsion (for, pour).

réputation [repyta'sjõ] f reputation, F character; (good or bad) name; connaître q. de ~ know s.o. by reputation; **réputer** [~'te] (1a) v/t. think, consider, hold.

requérant, e ⚖ [rəke'rã, ~'rã:t] 1. su. plaintiff; petitioner; applicant; 2. adj.: partie f ~e applicant; petitioner; claimant; **requérir** [~ke'ri:r] (2l) v/t. ask (for); claim, demand; fig. require; ✕ requisition; call upon (s.o.) for help; **requête** [~'kɛt] f request, petition; demand; ⚖ ~ civile appeal against a judgment.

requin icht. [rə'kɛ̃] m shark (a. F = swindler).

requis, e [rə'ki, ~'ki:z] 1. adj. requisite, necessary, required; 2. p.p. of requérir; 3. su./m labo(u)r conscript.

réquisition [rekizi'sjɔ̃] *f* requisition(ing) (*a.* ✗); levy; demand; **réquisitionner** [‿sjɔ'ne] (1a) *v/t.* requisition; seize, commandeer; **réquisitoire** ⚖ [‿'twaːr] *m* charge, indictment.

rescapé, e [rɛska'pe] **1.** *adj.* rescued; **2.** *su.* survivor; rescued person.

rescinder ⚖ [rɛsɛ̃'de] (1a) *v/t.* rescind, annul; avoid (*a contract*); **rescision** ⚖ [‿si'zjɔ̃] *f* rescission, annulment; *contract:* avoiding.

rescousse [rɛs'kus] *f:* aller (venir) à la ‿ de go (come) to the rescue of.

réseau [re'zo] *m* 🕸, teleph., roads, lace, *a. fig.:* network; teleph., fig. area (served); ⚡ mains *pl.*; 🕸, rivers, roads: system; ✗ barbed wire etc.: entanglement; *opt.* diffraction grating; *anat.* nerves: plexus.

résection ⚕ [resɛk'sjɔ̃] *f* resection.

réséda ♀ [reze'da] *m* reseda.

réséquer ⚕ [rese'ke] (1s) *v/t.* resect.

réservation [rezerva'sjɔ̃] *f* reservation; ⚖ ‿ faite de without prejudice to; **réserve** [‿'zɛrv] *f* ⚡, ⚖, *eccl., a. fig.* reservation; ✗, ⚓, ✝, ⚖, *pol., provisions,* ⚡ power: reserve; *fig.* caution; ⚖ (*legal*) portion; ✗ officier *m* de ‿ reserve officer; *fig. sans* ‿ unreserved(ly *adv.*), unstinted (*praise*); ⚖ *sous* ‿ without prejudice; *sous* ‿ de subject to; **réservé, e** [rezɛr've] reserved; cautious; stand-offish; shy; ⚖ *tous droits* ‿s all rights reserved; **réserver** [‿'ve] (1a) *v/t.* reserve; set (*s.th.*) aside; save (*s.th.*) up; set apart (*money for a specific purpose*); **réserviste** ✗ [‿'vist] *m* reservist; **réservoir** [‿'vwaːr] *m* reservoir; container; (*fish-*)pond; ⚡, *mot.* tank; ⚡ (*grease-*)box; ⚒, *mot.* ‿ de secours reserve tank.

résidant, e [rezi'dɑ̃, ‿'dɑ̃ːt] resident; *eccl.* residentiary; **résidence** [‿'dɑ̃ːs] *f* residence, abode; dwelling(-place); *admin.* residentship; **résident** *admin.* [‿'dɑ̃] *m* resident; **résidentiel, -elle** [‿dɑ̃'sjɛl] residential (*quarter*); **résider** [‿'de] (1a) *v/i.* live, dwell, reside (at, à in, dans); *fig.* lie (in dans, en); **résidu** [‿'dy] *m* 🝿, ⚡, ♀ residue; ✝ fraction.

résignation ⚖, *eccl. etc., a. fig.* [reziɲa'sjɔ̃] *f* resignation; **résigné, e** [‿'ɲe] resigned (to, à); meek; **ré-**

signer [‿'ɲe] (1a) *v/t.* resign (*s.th.*); give (*s.th.*) up; ‿ le pouvoir abdicate (*king*); lay down office; se ‿ resign o.s. (to, à).

résilier ⚖ [rezi'lje] (1o) *v/t.* avoid, resile from (*a contract*); cancel, annul.

résille [re'zi:j] *f* hair-net.

résine [re'zin] *f* resin; **résineux, -euse** [‿zi'nø, ‿'nøːz] resinous; coniferous (*forest*).

résistance [rezis'tɑ̃ːs] *f* ⚡, ⊕, ✗, *pol., fig.* resistance; ⊕ *materials:* strength; *fig.* opposition; *fig.* stamina, endurance; *pol.* ♀ underground movement; ⚡ ‿ de fuite de grille *radio:* grid-leak; faire ‿ offer or put up resistance; **résistant, e** [‿'tɑ̃, ‿'tɑ̃ːt] **1.** *adj.* resistant; strong; tough; fast (*colour*); ‿ à la chaleur heat-proof; **2.** *su. pol.* member of the *Résistance* (*1939—45 war*); **résister** [‿'te] (1a) *v/i.:* ‿ à resist; ⚓ weather (*a storm*); ⚡ take (*a stress*); *fig.* bear; hold out against.

résolu, e [rezɔ'ly] **1.** *adj.* resolute; determined (to, à); **2.** *p.p. of* résoudre; **résolus** [‿] *1st p. sg. p.s. of* résoudre; **résolutif, -ve** ⚕ [rezɔly'tif, ‿'tiːv] *adj. a. su./m* resolvent; **résolution** [‿'sjɔ̃] *f* 🝿, ⚡, ♪, *admin., a. fig.* resolution; *fig.* resolve, determination; ⚖ *contract:* avoidance, termination; *prendre la* ‿ de determine to; *admin. prendre une* ‿ pass a resolution; **résolutoire** ⚖ [‿'twaːr] (*condition*) of avoidance; **résolvons** [rezɔl'vɔ̃] *1st p. pl. pres. of* résoudre.

résonance [rezɔ'nɑ̃ːs] *f* resonance; *radio a.* tuning; **résonnement** [‿zɔn'mɑ̃] *m* resounding, reverberation, re-echoing; **résonner** [‿zɔ'ne] (1a) *v/i.* resound, reverberate, re-echo; ring (*metal*).

résorber ⚕ [rezɔr'be] (1a) *v/t.* re-(ab)sorb; **résorption** ⚕ [‿zɔrp'sjɔ̃] *f* re(ab)sorption.

résoudre [re'zudr] (4bb) *v/t.* resolve (*a.* ♪ a dissonance, *fig.* a difficulty); ♪ solve (*a. fig.* a problem); *fig.* decide on; settle (*a question*); ⚖ rescind, avoid; se ‿ à (*inf.*) decide to (*inf.*), make up one's mind to (*inf.*); **résous** 🝿 [‿'zu] *p.p./m of* résoudre.

respect [rɛs'pɛ] *m* respect, regard; *sauf votre* ‿ with all respect; saving your presence; *tenir q. en* ‿ keep

s.o. at arm's length *or* in check;
respectable [respɛk'tabl] respectable (*a. fig.*); *fig.* fair (*quantity*);
respecter [ʌ'te] (1a) *v/t.* respect; observe (*laws*); *fig.* spare; se ʌ have self-respect; **respectif, -ve** [ʌ'tif, ʌ'tiːv] respective; **respectueux, -euse** [ʌ'tɥø, ʌ'tɥøːz] respectful (towards, *envers*; of, *de*); dutiful (*child*).

respirable [rɛspi'rabl] respirable; **respirateur** *ℱ* [ʌra'tœːr] *adj./m* respiratory; **respiration** [ʌra'sjõ] *f* respiration, breathing; **respiratoire** [ʌra'twaːr] breathing; respiratory; *exercice m* ʌ breathing exercise; **respirer** [ʌ're] (1a) *v/i.* breathe (*a. fig.*); give signs of life; *v/t.* breathe, inhale; *fig.* betoken.

resplendir [rɛsplã'diːr] (2a) *v/i.* resplendent, glitter (with, *de*); *fig.* glow (with, *de*); **resplendissant, e** [ʌdi'sã, ʌ'sãːt] resplendent; **resplendissement** [ʌdis'mã] *m* splendo(u)r, resplendence, brightness.

responsabilité [rɛspõsabili'te] *f* responsibility, liability (*a. ℥ℨ*) (for, *de*); accountability; *℥ℨ* ʌ *civile* civil liability; **responsable** [ʌ'sabl] responsible, accountable (for s.th., *de* qch.; for s.o., *pour* q.; to *devant*, *envers*); *rendre q.* ʌ *de* hold s.o. responsible for, blame s.o. for.

resquiller F [rɛski'je] (1a) *vt/i.* wangle; *v/t.* avoid paying for; *v/i.* gate-crash; **resquilleur** *m*, **-euse** F [ʌ'jœːr, ʌ'jøːz] uninvited guest, F gate-crasher; wangler.

ressac *⚓* [rə'sak] *m* undertow; surf.
ressaisir [rəse'ziːr] (2a) *v/t.* recapture, seize again; recover possession of; se ʌ recover o.s.; recover one's balance.

ressasser [rəsɑ'se] (1a) *v/t.* re-sift (*flour*); F repeat (*a story etc.*).

ressaut [rə'so] *m* ⚠ projection; shelf (*along a track*); *geol.* rock-step; *geog.* sharp rise.

ressemblance [rəsã'blãːs] *f* likeness; resemblance (to, *avec*); **ressemblant, e** [ʌ'blã, ʌ'blãːt] alike; similar to; **ressembler** [ʌ'ble] (1a) *v/i.:* ʌ *à* resemble, look like; *ils se ressemblent* they are alike.

ressemeler [rəsəm'le] (1c) *v/t.* resole (*a shoe*).

ressentiment [rəsãti'mã] *m* resentment (against, *contre*; at, *de*); *avec*

ʌ resentfully; **ressentir** [ʌ'tiːr] (2b) *v/t.* feel, experience (*an emotion, pain, etc.*); resent (*an insult etc.*); *fig.* se ʌ *de* feel the (after-)effects of.

resserré, e [rəsɛ're] narrow, confined; **resserrement** [ʌsɛr'mã] *m* contraction, tightening; closing up; *ℱ* constipation; *money:* scarceness, scarcity; *fig.* heaviness (*of heart*); *fig. mind:* narrowness; **resserrer** [ʌsɛ're] (1b) *v/t.* contract, tighten; *ℱ* constipate; tie (*s.th.*) (up) again; lock (*s.th.*) up again; *⚒*, *⚓* close (up); *fig.* restrict; *fig.* compress (*an account*); se ʌ grow narrower (*valley*); *tex.* shrink.

ressort[1] [rə'soːr] *m* elasticity; *⊕* spring; *fig.* incentive, motive; ʌ *à boudin* (*à lames*) spiral (laminated) spring; *faire* ʌ act as a spring; be elastic; *fig. faire jouer tous les* ʌs leave no stone unturned.

ressort[2] [ʌ] *m* *℥ℨ* competence, jurisdiction; *fig.* scope; *en dernier* ʌ *℥ℨ* without appeal; *fig.* in the last resort.

ressortir[1] [rəsɔr'tiːr] (2b) *v/i.* go *or* come out again; *fig.* stand out, be thrown into relief; *fig.* result, follow (from, *de*); *v/t* bring *or* take out again.

ressortir[2] *℥ℨ* [rəsɔr'tiːr] (2a) *v/i.* be within the jurisdiction (of, *à*); **ressortissant, e** [ʌti'sã, ʌ'sãːt] **1.** *adj.* within the jurisdiction (of, *à*); belonging (to, *de*); **2.** *su./m* national (*of a country*), subject.

ressource [rə'surs] *f* resource(fulness); expedient; *⚒* pull-out; ʌs *pl.* resources, means; funds; *en dernière* ʌ in the last resort.

ressouvenir [rəsuv'niːr] (2h) *v/t.:* se ʌ *de* remember, recall.

ressuer [rə'sɥe] (1n) *v/i.* ⚠, *metall.* sweat; *faire* ʌ roast (*ore*).

ressusciter [resysi'te] (1a) *vt/i.* resuscitate, revive; *v/t.* raise from the dead; *v/i.* rise from the dead.

ressuyer [resɥi'je] (1h) *v/t.* dry (*lime, a road, a surface, etc.*).

restant, e [rɛs'tã, ʌ'tãːt] **1.** *adj.* remaining, left; *℥ℨ* surviving; **2.** *su.* survivor; *su./m* remainder, rest; *†* account: balance.

restaurant, e [rɛstɔ'rã, ʌ'rãːt] **1.** *adj.* restorative; **2.** *su./m* restaurant; *ℱ* restorative; **restaurateur,**

-trice [ˌra'tœːr, ˌ'tris] su. restorer; su./m restaurateur, keeper of a restaurant; **restauration** [ˌra'sjɔ̃] f restoration; **restaurer** [ˌ're] (1a) v/t. restore; ✗ etc. set (s.o.) up again; se ~ take refreshment; ✗ feed up.

reste [rest] m rest, remainder, remnant(s pl.); ~s pl. †, cuis. remnants, leavings; left-overs; mortal remains; au ~, du ~ moreover; de ~ left (over); en ~ † in arrears; fig. indebted (to, avec); **rester** [rɛs'te] (1a) v/i. remain; be left (behind); stay; en ~ là leave it at that; (il) reste à savoir si it remains to be seen whether.

restituable [rɛsti'tɥabl] repayable; restorable; **restituer** [ˌ'tɥe] (1n) v/t. restore (a text, s.th. to s.o.); return; restitute; ⚖ reinstate (s.o.); **restitution** [ˌty'sjɔ̃] f restoration (of a text, a. of s.th. to s.o.); ⚖ restitution; return.

restreindre [rɛs'trɛ̃:dr] (4m) v/t. restrict, limit, cut down; fig. se ~ à limit o.s. to; **restrictif, -ve** [ˌtrik'tif, ˌ'tiːv] restrictive; **restriction** [ˌtrik'sjɔ̃] f restriction (a. fig.); limitation; fig. ~ mentale mental reservation; **restringent, e** [ˌtrɛ̃'ʒɑ̃, ˌ'ʒɑ̃:t] adj., a. su./m astringent.

résultante [ˌ, phys. [rezyl'tɑ̃:t] f resultant; **résultat** [ˌ'ta] m result (a. ♘), issue; effect; avoir pour ~ result in; **résulter** [ˌ'te] (1a) v/i. (3rd persons only) result, follow (from, de); il en résulte que it follows that.

résumé [rezy'me] m summary, précis; en ~ to sum up, in short; **résumer** [ˌ] (1a) v/t. summarize; sum up (✗, arguments, etc.); se ~ sum up; fig. amount, F boil down (to, à).

résurrection [rezyrɛk'sjɔ̃] f resurrection; fig. revival.

retable △, eccl. [rə'tabl] m reredos, altar-piece.

rétablir [reta'bliːr] (2a) v/t. re-establish; restore (a. ✗); reinstate (an official); ✗ recover (one's health); fig. retrieve (one's fortune, a position, one's reputation); se ~ recover (a. ✗); † revive; **rétablissement** [ˌbli'mɑ̃] m re-establishment; restoration; reinstatement; ✗ recovery (a. fig.); † revival.

retaille cost. F [rə'tɑ:j] f cabbage;

retailler [ˌta'je] (1a) v/t. recut (a. ⊕); resharpen (a pencil); prune (a tree) again.

rétamage ⊕ [reta'ma:ʒ] m re-tinning; re-silvering; **rétamer** ⊕ [ˌ'me] (1a) v/t. re-tin; re-silver; sl. être rétamé be tight (= drunk); sl. broke; **rétameur** [ˌ'mœːr] m tinker.

retaper F [rəta'pe] (1a) v/t. touch up, recast; straighten (a bed); re-trim (a hat etc.); fig. restore (s.o.); F buck (s.o.) up; plough (a candidate); se ~ recover; F buck up.

retard [rə'taːr] m delay; lateness; child, harvest: backwardness; ✗, ⊕, ⚓ lag; ♩ suspension; être en ~ be late; be slow (clock etc.); être en ~ sur be behind (the fashion, the times); ma montre est en ~ de cinq minutes my watch is 5 minutes slow; **retardataire** [rətarda'tɛːr] 1. adj. late; † in arrears; behindhand; backward (child, country, etc.); 2. su. latecomer; laggard; † etc. person in arrears; ✗, ⚓ defaulter; **retardateur, -trice** [ˌ'tœːr, ˌ'tris] retarding; **retardation** phys. [ˌ'sjɔ̃] f retardation, negative acceleration; **retardement** [rətardə'mɑ̃] m delay; retarding; ✗ bombe f à ~ delayed-action bomb; **retarder** [ˌ'de] (1a) v/t. delay, retard; make late; defer (an event, payment); put back (a clock); v/i. be late; be slow, lose (clock); ✗, ⚓ lag; ~ sur be later than.

reteindre [rə'tɛ̃:dr] (4m) v/t. re-dye.

retenir [rət'niːr] (2h) v/t. hold back; detain (s.o.); keep; hold (s.o., s.o.'s attention); withhold (wages); fig. remember; book (a seat, a room); engage (a servant etc.); ✗ repress, hold back (a sob, tears, one's anger, etc.); restrain (from ger., de inf.); se ~ control o.s.; refrain (from, de); se ~ à clutch at (s.th.); **rétention** [retɑ̃'sjɔ̃] f ✗, a. ⚖ case: retention; ⚖ pledge: retaining.

retentir [rətɑ̃'tiːr] (2a) v/i. (re-)sound, ring, echo; fig. ~ sur affect; **retentissement** [ˌtis'mɑ̃] m resounding, echoing; fig. repercussion (of an event); fig. stir.

retenue [rət'ny] f money: deduction, stoppage; ♘ carry over; school: detention; holding back; reservoir; dam; ⚓ guy(-rope); fig. discretion; modesty; *fig. actions, speech*: restraint.

réticence [reti'sã:s] *f* reticence; ɹᵗ̩ₔ non-disclosure.

réticule [reti'kyl] *m opt.* graticule; hand-bag, reticule; **réticulé, e** [ₗₑₓ ky'le] reticulated.

rétif, -ve [re'tif, ₋'ti:v] restive, stubborn (*a. fig.*).

rétine *anat.* [re'tin] *f eye*: retina; **rétinite** [ₗₑₓₜi'nit] *f* ₴ retinitis; *min.* pitchstone.

retiré, e [rəti're] retired, secluded, solitary; remote; in retirement; **retirer** [ₗₑₓ] (1a) *v/t.* withdraw; take out; extract (*a bullet, a cork*); derive, get (*profit*); obtain; ✝ take up (*a bill*); *fig.* take back (*an insult, a promise, etc.*); *fig.* give shelter to (*s.o.*); *typ.* reprint (*a book*); fire (*a gun*) again; take out, *Am.* check out (*luggage*); ~ de la circulation call in (*currency*); se ~ retire, withdraw; ebb (*tide*), recede (*sea*), subside (*waters*).

retombée [rətɔ̃'be] *f* fall(-out); ⚠ *arch etc.*: springing; *phys.* ~s *pl.* radio-actives fall-out *sg.*; **retomber** [ₗₑₓ] (1a) *v/i.* fall (down) again; fall (back); ~ dans lapse into; *fig.* ~ sur blame, glory: fall upon.

retoquer F [rətɔ'ke] (1m) *v/t.* fail, F plough (*a candidate*).

retordoir ⊕ [rətɔr'dwa:r] *m instrument*: twister; **retordre** [ₗₑₓ'tɔrdr] (4a) *v/t.* wring out again; *tex.* twist; *fig.* donner du fil à ~ à q. give s.o. trouble.

retorquer [rətɔr'ke] (1m) retort; turn (*an argument*); cast back (*an accusation*).

retors, e [rə'tɔ:r, ₋'tɔrs] *tex.* twisted; curved (*beak*); *fig.* crafty; rascally.

retouche [rə'tuʃ] *f paint. etc.* retouch; *phot.* retouching; ⊕ finishing, dressing; **retoucher** [ₗₑₓtu'ʃe] (1a) *v/t.* paint., phot., *etc.* retouch; ⊕ finish, dress; *v/i.*: ~ à meddle with (*s.th.*) (again).

retour [rə'tu:r] *m* return (*a.* ⚠ wall, ✝, ⚡, *sp.*, *post*, *a. fig.*); going back; ✂, *life, feeling, fortune, opinion, rope*: turn; *fig. feeling, fortune, opinion, etc.*: change; ♩, ✂ recurrence; ✝ dishono(u)red bill; ɹᵗ̩ₔ *biol.* reversion; ✂ ~ d'âge critical age, change of life; *mot.* ~ de flamme

back-fire; ⚡ ~ par la terre earth return; à son ~ on his return; 🚂 billet *m* de ~ return ticket; en ~ de in return *or* exchange for; être de ~ be back; être sur le ~ be past one's prime, F be getting on; *sp.* match *m* ~ return match; **retourne** [ₗₑₓ 'turn] *f cards*: turn-up; trumps *pl.*; **retourner** [ₗₑₓtur'ne] (1a) *v/i.* return; go back; *fig.* recoil (upon, sur); ɹᵗ̩ₔ *biol.* revert; de quoi retourne-t-il? what is it all about?; il retourne cœur *cards*: hearts are trumps; *v/t.* turn (*s.th.*) inside out; turn (*hay, one's head, omelette, ship, a. fig. argument, etc.*); turn over (*an idea, the soil*); turn up (*a card*); twist (*s.o.'s arm*); *cuis.* mix (*salad*); *fig.* upset, disturb (*s.o.*); return (*s.th. to s.o., qch. à q.*); se ~ turn (round *or* over); round (on, contre); change (*opinion*); F s'en ~ go back.

retracer [rətra'se] (1k) *v/t.* retrace; mark (*s.th.*) out again; *fig.* bring to mind, recall; se ~ recur.

rétracter [retrak'te] (1a) *v/t.* retract; draw in; withdraw (*an opinion etc.*); ɹᵗ̩ₔ rescind (*a decree*); se ~ *tex.* shrink; ₋, *a. fig.* retract; **rétractile** [ₗₑₓ'til] retractile; **rétraction** [ₗₑₓ'sjɔ̃] *f* contraction; ₴ retraction.

retrait [rə'trɛ] *m* ⊕ *metal, wood, etc.*: shrinkage, contraction; withdrawal (*a.* ✝, *parl.*); *licence, ticket, order, etc.*: cancelling; ⚠ recess; ɹᵗ̩ₔ redemption; en ~ sunk (*panel*), recessed (*shelves*), set back (*house*); **retraite** [rə'trɛt] *f* ✂, ⚓ retreat (*a. fig.*); withdrawal; ✗ tattoo; retirement, superannuation; pension, ✗, ⚓ retired pay; *animals*: lair; ✝ redraft; ⚠ offset; caisse *f* de ~ superannuation fund; en ~ retired; mettre q. à la ~ retire s.o., pension s.o. off; prendre sa ~ retire; **retraité, e** [rətrɛ'te] 1. *adj.* pensioned off; superannuated; ✗, ⚓ on the retired list; 2. *su.* pensioner.

retraiter[1] [rətrɛ'te] (1a) *v/t.* treat *or* handle again.

retraiter[2] [ₗₑₓ] (1a) *v/t.* pension (*s.o.*) off, retire (*s.o.*), superannuate (*s.o.*); ✗, ⚓ place on the retired list.

retranchement [rətrɑ̃ʃ'mɑ̃] *m* cutting off; *pension*: docking; suppression; ✗ entrenchment; **retrancher** [ₗₑₓtrɑ̃'ʃe] (1a) *v/t.* cut off (from, de);

remove (from, *de*); cut out (*a. fig.*); ✂ entrench; ⚔ deduct; se ~ retrench; ⚔ entrench o.s.; dig o.s. in; *fig.* take refuge (behind, *derrière*).

rétrécir [retre'si:r] (2a) *vt/i. a.* se ~ narrow; contract; *tex.* shrink; **rétrécissement** [⁓sis'mɑ̃] *m* narrowing; contraction (*a. opt.*); *tex.* shrinking; ⚕ stricture.

retremper [rətrɑ̃'pe] (1a) *v/t.* soak (*s.th.*) again; ⊕ retemper (*steel, a. fig.* one's *mind, etc.*); *fig.* strengthen (*s.o.*); se ~ be toned up; get new strength.

rétribuer [retri'bɥe] (1n) *v/t.* pay, remunerate; **rétribution** [⁓by'sjɔ̃] *f* remuneration, payment; salary; *sans* ~ honorary.

rétro... [retrɔ] retro...; ⁓actif, -ve [⁓ak'tif, ⁓'ti:v] retroactive, retrospective; ⁓action [⁓ak'sjɔ̃] *f* retroaction; *⚡, radio:* feedback; ⁓céder [⁓se'de] (1f) *v/t.* 🚉 retrocede; redemise; ✝ return (*a commission*); ⁓fusée 🚀 [⁓fy'ze] *f* retro-rocket; braking-rocket; ⁓grade [⁓'grad] retrograde, backward; ⁓grader [⁓gra'de] (1a) *v/i.* move backwards; *astr., a. geog.* retrograde (*a. fig.*); ⚔ fall back; *v/t.* ⚔ reduce (*an N.C.O.*); ⚓ disrate (*a petty officer*); ⁓pédalage [⁓peda'la:ʒ] *m bicycle:* back-pedalling; ⁓spectif, -ve [⁓spɛk'tif, ⁓'ti:v] retrospective.

retrousser [rətru'se] (1a) *v/t.* turn up (*a sleeve, one's trousers, one's moustache*); tuck up (*one's skirt*); curl up (*one's lips*); nez *m* retroussé turned-up *or* snub nose.

retrouver [rətru've] (1a) *v/t.* find (again); rediscover (*s.th.*); meet (*s.o.*) again; return to (*a place*); recover (*one's health, one's strength*); *aller* ~ go and see (*s.o.*) again; se ~ *a.* find one's bearings.

rétro... : ⁓**version** 🚉 [retrɔvɛr'sjɔ̃] *f* retroversion; ⁓**viseur** *mot.* [⁓vi'zœ:r] *m* driving mirror, rear-view mirror.

rets *hunt.* [rɛ] *m* net.

réunion [rey'njɔ̃] *f* reunion; meeting; ⚔, *a. pol.* union; gathering; party; function; **réunir** [⁓'ni:r] (2a) *v/t.* (re)unite; join (to, with *à*); join together, link; collect (*money, water*); ⚔ raise (*troops*).

réussir [rey'si:r] (2a) *v/i.* succed (in *ger., à inf.*; at *or* in s.th., *dans qch.*);

be a success (*thea. etc.*); 🌱 thrive; ~ *à* pass (*an examination*); *v/t.* be successful in; carry (*s.th.*) out well; **réussite** [⁓'sit] *f* † result, outcome; success; *cards:* patience.

revacciner 🩺 [rəvaksi'ne] (1a) *v/t.* revaccinate.

revaloir [rəva'lwa:r] (3l) *v/t.* pay back in kind; repay; **revalorisation** † [rəvalɔriza'sjɔ̃] *f* revalorization, revaluation; **revaloriser** † [⁓'ze] (1a) *v/t.* revalorize, revalue.

revanche [rə'vɑ̃:ʃ] *f* revenge; return; en ~ in return; on the other hand; **revancher** [⁓'ʃe] (1a) *v/t.*: se ~ have one's revenge; revenge o.s. (for, *de*).

rêvasser [rɛva'se] (1a) *v/i.* muse (on, *à*), day-dream (about, *à*); **rêvasserie** [⁓vas'ri] *f* musing, day-dream(ing); **rêvasseur** *m*, -euse *f* [⁓va'sœ:r, ⁓'sø:z] day-dreamer; **rêve** [rɛːv] *m* dream (*a. fig.*); *faire un* ~ have a dream.

revêche [rə'vɛʃ] harsh, rough; ⊕ difficult to work (*stone, wood*); brittle (*iron*); *fig.* cantankerous, crabby; sour (*face*).

réveil [re'vɛːj] *m* waking, awakening; *religion:* revival; ⚔ reveille; alarm(-clock); *fig.* fâcheux ~ rude awakening; **réveille-matin** [⁓vɛjma'tɛ̃] *m/inv.* alarm(-clock); **réveiller** [revɛ'je] (1a) *v/t.* (a)wake; waken (*a. fig.*); rouse (*a. fig.*); ⚔ turn out; se ~ wake up, awake (*person*); *fig.* be awakened *or* aroused; **réveillon** [⁓'jɔ̃] *m* midnight supper (*usu. on Christmas Eve and New Year's Eve*).

révélateur, -trice [revela'tœ:r, ⁓'tris] **1.** *adj.* revealing; tell-tale (*sign*); *phot.* developing (*bath*); **2.** *su.* revealer; *su./m phot.* developer; ⊕ detector; **révélation** [⁓la'sjɔ̃] *f* revelation; F eye-opener; 🏛 information; *bibl.* ⁓s *pl.* the Revelation *sg.*; **révéler** [⁓'le] (1f) *v/t.* reveal (*a. eccl.*), disclose, F let out (*a secret*); *fig.* show; *phot.* develop.

revenant [rəv'nɑ̃] *m* ghost; F *fig.* stranger; *il y a des* ~s *ici* this place is haunted.

revendeur *m*, -euse *f* † [rəvɑ̃'dœ:r, ⁓'dø:z] retailer; second-hand dealer.

revendication [revɑ̃dika'sjɔ̃] *f* claim, demand; **revendiquer** [⁓'ke]

(1m) v/t. claim, demand; assume (*a responsibility*).

revendre [rə'vã:dr] (4a) v/t. resell; ✝ sell out; F *fig.* spare; *en ~ à* outwit (*s.o.*), be too much for (*s.o.*).

revenir [rəv'ni:r] (2h) v/i. return, come back *or* again (a. *fig.*); ♫ repeat (*food*); be owing (*money*); recover (from, de); cost (s.o. s.th., *à q. à qch.*); *fig.* amount (to, à); *fig.* fall by right (to, à); ♫ *à soi* come round; *~ de* get over (*s.th.*); *~ sur* retrace (*one's steps*), go back on (*a decision, a promise*), rake up (*the past*); *en ~ à* revert to; *cuis.* faire *~* brown (*meat*); ... ne me revient pas I don't like the look of ...; I cannot recall ...; ne pas en *~* be unable to get over it.

revente [rə'vã:t] f re-sale; ✝ *stock:* selling-out.

revenu [rəv'ny] m *person:* income; *State:* revenue; ✝ yield; *metall.* tempering; *admin.* impôt m sur le *~* income tax; **revenue** ✎ [~] f new growth; young wood.

rêver [re've] (1a) v/i. dream (about, of de); *~ à* think about, ponder over; *~ de* long for; v/t. dream of; *fig.* imagine; *fig.* desire ardently.

réverbère [rever'bɛ:r] m heat, lamp, *etc.:* reflector; street-lamp; **réverbérer** [~be're] (1f) v/t. reflect (*light*); re-echo (*a sound*).

reverdir [rəver'di:r] (2a) v/t. make *or* paint green again; v/i. turn green again; F *fig.* grow young again (*person*).

révérence [reve'rã:s] f reverence (*a. ♀ title*); bow; curtsey; F *~* parler with all due respect; *tirer sa ~* take one's leave; **révérenciel, -elle** [~rã'sjɛl] reverential; **révérencieux, -euse** [~rã'sjø, ~'sjø:z] ceremonious; over-polite (*person*); **révérend, e** *eccl.* [~'rã, ~'rã:d] Reverend; **révérendissime** *eccl.* [~rãdi-'sim] Most *or* Right Reverend; **révérer** [~'re] (1f) v/t. revere, (hold in) reverence.

rêverie [rev'ri] f reverie; dreaming.

revers [rə'vɛ:r] m *coin, fencing,* a. *fig.* fortune: reverse; *hand, page:* back; *tex.* wrong side; *cost. coat:* lapel; *trousers:* turn-up, *Am.* cuff; *stocking:* turn-down, top; ✗ *uniform:* facing; *fig.* set-back; backhanded blow; *sp.* back-hand stroke;

reverser [rəver'se] (1a) v/t. pour (*s.th.*) out again; pour (*s.th.*) back; *fig.* shift (on, to sur); ✝ transfer; **réversible** [rever'sibl] reversible; ♣ revertible; **réversion** ♣, *biol.* [~'sjõ] f reversion (to, à).

revêtement [rəvɛt'mã] m ⚠ facing, coating, sheathing; *road:* surface; ⚠, a. ✗ revetment; ♪ *flex:* cover; ⊕ *wood:* veneer(ing); ⚠ mur m de *~* retaining wall, revetment wall; **revêtir** [~vɛ'ti:r] (2g) v/t. (re-)clothe; dress (in, de); *fig.* invest (with, de); *cost.* put on; *fig.* assume (*a form, a shape, etc.*); ⚠ face, coat, cover; ⊕ lag (*a boiler*); ✗ revet; ✝ *~ qch. de sa signature* sign s.th.; affix one's signature to s.th.

rêveur, -euse [rɛ'vœ:r, ~'vø:z] 1. adj. dreamy; dreaming; 2. su. (day-)dreamer.

revient ✝ [rə'vjɛ̃] m: *prix* m de *~* cost (price).

revirement [rəvir'mã] m ✝, a. *fig.* sudden change *or* turn; ✝ *debt etc.:* transfer; ♠ going about; **revirer** [~vi're] (1a) v/i. ♠ go about; *fig.* change sides.

réviser [revi'ze] (1a) v/t. revise; ♣ audit (*accounts*); ♣ review; ⊕, *mot.* recondition, overhaul; inspect; **réviseur** [~'zœ:r] m reviser; examiner; *typ.* proof-reader; ✝ auditor; **révision** [~'zjõ] f revision; audit(ing); ♣ review; ⊕, *mot.* overhaul(ing); ⊕ inspection; *typ.* proof-reading; ✗ *conseil* m de *~* recruiting board, *Am.* draft board; military appeal court; **révisionnisme** *pol.* [~zjo-'nism] m revisionism.

revivifier [rəvivi'fje] (1o) v/t. revitalize, revive.

revivre [rə'vi:vr] (4hh) v/i. live again, come alive again; *fig.* revive; v/t. live (*s.th.*) over again.

révocable [revo'kabl] revocable; removable (*official*); **révocation** [~ka'sjõ] f ♣ *will:* revocation, *law:* repeal; *admin. order:* cancellation, *official:* removal, dismissal; **révocatoire** [~ka'twa:r] revocatory.

revoici F [rəvwa'si] prp.: *me ~!* here I am again!; **revoilà** F [~'la] prp.: *le ~ malade!* there he is, ill again!

revoir [rə'vwa:r] 1. (3m) v/t. see again; meet (*s.o.*) again; revise; inspect; ♣ review; *typ.* read (*proofs*);

go over (*accounts etc.*) again; **2.** *su.*/
m: au ~ good-bye.

révoltant, e [rĕvɔl'tã, ~'tã:t] shocking, revolting; **révolte** [~'vɔlt] *f*
revolt, rebellion; ✕, ⚓ mutiny;
révolté, e [revɔl'te] **1.** *adj.* in revolt; **2.** *su.* rebel, insurgent; ✕, ⚓
mutineer; **révolter** [~] (1a) *v/t.*
rouse to rebellion, cause to revolt;
F *fig.* revolt, shock, disgust; se ~
revolt, rebel (*a. fig.*); ✕, ⚓ mutiny.

révolu, e [revɔ'ly] completed (*period of time*); **révolution** [revɔly-
'sjɔ̃] *f* ✕, pol., *fig.* revolution; *astr.*
rotation; **révolutionnaire** [~sjɔ-
'nɛ:r] *adj.*, *a. su.* revolutionary; **ré-
volutionner** [~sjɔ'ne] (1a) *v/t.* revolutionize (*a. fig.*); F give (*s.o.*) a
turn.

revolver [revɔl've:r] *m* revolver, F,
a. Am. gun; *microscope*: revolving
nose-piece; ⊕ *lathe*: turret.

révoquer [revɔ'ke] (1m) *v/t.* revoke,
cancel (*an order*); dismiss, remove
(*an official*); recall (*an ambassador*);
~ en doute question (*s.th.*), call
(*s.th.*) in question.

revue [rə'vy] *f* review (= *survey, a.*
✕, *journ.*); inspection (*a.* ✕); *journ.*
magazine, periodical; *thea.* revue;
F *nous sommes de ~* we shall meet
again; we often meet; *passer en* ~
review, run over (*s.th.*); ✕ be reviewed *or* inspected; **revuiste** *thea.*
[~'vɥist] *su.* composer of revues.

révulsé, e [revyl'se] *adj.*: *l'œil* ~
with turned-up eyes; **révulsif, -ve**
✿ [~'sif, ~'si:v] *adj.*, *a. su./m* revulsive; counter-irritant; **révulsion** ✿
[~'sjɔ̃] *f* revulsion; counter-irritation.

rez-de-chaussée [retʃo'se] *m/inv.*
street level; ground floor, *Am.* first
floor; *au* ~ on the ground *or Am.*
first floor.

rhabiller [rabi'je] (1a) *v/t.* dress
(*s.o.*) again; provide (*s.o.*) with new
clothing; repair, mend (*s.th.*); *fig.*
gloss over (*a fault*); **rhabilleur** [~-
'jœ:r] *m* repairer; watch repairer.

rhénan, e [re'nã, ~'nan] Rhine ...,
Rhenish.

rhéostat ⚡ [reɔs'ta] *m* rheostat.

rhétoricien † [retɔri'sjɛ̃] *m* rhetorician; **rhétorique** [~'rik] *f* rhetoric; † (*a. classe f de* ~) school: top
classical form (*preparing for first
part of the baccalauréat*).

Rhin *geog.* [rɛ̃] *m*: vin *m* du ~ hock

rhino... [rinɔ] rhino...; **~céros** *zo.*
[~se'rɔs] *m* rhinoceros, **~logie** ✿
[~lɔ'ʒi] *f* rhinology, **~plastie** ✿
[~plas'ti] *f* rhinoplasty, **~scopie** ✿
[~skɔ'pi] *f* rhinoscopy.

rhizome ♀ [ri'zo:m] *m* rhizome.

rhodanien, -enne *geog.* [rɔda'njɛ̃,
~'njɛn] of the Rhone.

rhombe ⚚ [rɔ̃:b] *m* rhomb(us),
rhombique [rɔ̃'bik] rhombic;
rhomboïdal, e, *m/pl.* -aux [~bɔi-
'dal, ~'do] rhomboidal.

rhubarbe ♀ [ry'barb] *f* rhubarb.

rhum [rɔm] *m* rum.

rhumatisant, e ✿ [rymati'zã, ~-
'zã:t] *adj.*, *a. su.* rheumatic; **rhumatismal, e**, *m/pl.* -aux ✿ [~tis-
'mal, ~'mo] rheumatic; **rhumatisme** ✿ [~'tism] *m* rheumatism, F
rheumatics *pl.*; ~ *articulaire* rheumatoid arthritis.

rhume ✿ [rym] *m* cold; ~ *de cerveau*
(*poitrine*) cold in the head (on the
chest); *prendre un* ~ catch (a) cold.

ri [ri] *p.p. of rire* **1**; **riant, e** [rjã, rjã:t]
smiling (*person, face, a. countryside*);
pleasant (*thought*).   [*su.* ribald.]

ribaud, e † [ri'bo, ~'bo:d] *adj.*, *a.*]

riblons ⊕ [ri'blɔ̃] *m/pl.* swarf *sg.*

ribote F [ri'bɔt] *f* drunken bout; *sl.*
binge; *être en* ~ be tipsy; be on the
spree.

ribouldingue F [ribul'dɛ̃:g] *f* spree.

ricaner [rika'ne] (1a) *v/i.* snigger;
sneer; laugh derisively; **ricaneur,
-euse** [~ka'nœ:r, ~'nø:z] **1.** *su.*
sneerer; **2.** *adj.* derisive, sneering.

ric-(à-)rac F [rik(a)'rak] *adv.*
strictly, exactly; punctually.

richard, e F F [ri'fa:r, ~'fard]
wealthy person; **riche** [riʃ] **1.** *adj.*
rich (in en, de) (*a. fig.*); wealthy;
fig. valuable, handsome (*present*);
F *fig.* fine, first-class; **2.** *su.* rich
person; *su./m*: *bibl. le mauvais* ~
Dives; *les* ~*s pl.* the rich; **richesse**
[ri'fes] *f* wealth; riches *pl.*; *fig.*
opulence; ✿ *soil*: richness; *vegetation*: exuberance; **richissime** F
[~fi'sim] extremely rich, F rolling
in money.

ricin ♀ [ri'sɛ̃] *m* castor-oil plant;
huile f de ~ castor oil.

ricocher [rikɔ'ʃe] (1a) *v/i.* glance
off; ricochet (*bullet etc.*); **ricochet**
[~'ʃɛ] *m* rebound; ✕ ricochet; *fig.*
par ~ indirectly.

rictus [rik'tys] *m* $\clubsuit$ rictus; F grin.
ride [rid] *f* face, forehead: wrinkle; geol. ground: fold; sand, water: ripple; sand: ridge; $\clubsuit$ (shroud) lanyard; **rideau** [ri'do] *m* curtain, Am. a. drape; $\times$, $\clubsuit$, $\triangle$, a. fig. screen; thea. (drop-)curtain; $\oplus$ roll-top, roll-shutter; ~ de fer thea. safety curtain; pol. Iron Curtain; fig. tirer le ~ sur draw a veil over.
ridelle [ri'dɛl] *f* cart, truck: rail.
rider [ri'de] (1a) *v/t.* wrinkle; ripple (water, sand); $\oplus$ corrugate (metal); $\clubsuit$ tighten (the shrouds).
ridicule [ridi'kyl] 1. adj. ridiculous; 2. su./m absurdity; ridiculous aspect; ridicule; tourner en ~ (hold up to) ridicule; **ridiculiser** [~kyli'ze] (1a) *v/t.* ridicule, deride.
rien [rjɛ̃] 1. su./m mere nothing, trifle; F tiny bit; 2. pron./indef. anything; nothing; not ... anything; ~ de nouveau nothing new; ~ du tout nothing at all; ~ moins que nothing less than; cela ne fait ~ that does not matter; de ~! don't mention it!; en moins de ~ in less than no time; il ne dit jamais ~ he never says a thing; il n'y a ~ à faire it can't be helped; obtenir pour ~ get for a song; plus ~ nothing more; sans ~ dire without (saying) a word.
rieur, -euse [rjœːr, rjøːz] 1. adj. laughing; merry; mocking; 2. su. laugher.
riflard[1] F [ri'flaːr] *m* gamp, umbrella.
riflard[2] [~] *m* $\oplus$ metal: coarse file; wood: jack-plane; paring chisel; plastering trowel.
rigide [ri'ʒid] rigid, stiff (a. fig.); fixed (axle); tense (muscle, cord); **rigidité** [~ʒidi'te] *f* rigidity, stiffness (a. fig.); tenseness.
rigodon [rigɔ'dɔ̃] *m* † ♪ rigadoon (a. dance); $\times$ faire un ~ score a bull's-eye.
rigolade F [rigɔ'lad] *f* fun, lark.
rigolage ✗ [rigɔ'laːʒ] *m* field: trenching.
rigolard, e sl. [rigɔ'laːr, ~'lard] fond of a lark; full of fun, jolly.
rigole [ri'gɔl] *f* ✗ trench, ditch; ✗, $\oplus$ channel; $\times$ trough.
rigoler F [rigɔ'le] (1a) *v/i.* laugh; enjoy o.s.; **rigoleur, -euse** [~'lœːr, ~'løːz] 1. adj. jolly; fond of fun; 2. su. jolly person; person fond of

fun; laugher; **rigolo, -ote** F [~'lo, ~'lɔt] 1. adj. funny, comical; queer, odd; 2. su./m funny fellow; F card; F revolver, Am. gun.
rigorisme [rigɔ'rism] *m* rigorism, strictness; **rigoriste** [~'rist] 1. adj. rigorous; strict; 2. su. rigorist; rigid moralist; **rigoureux, -euse** [rigu'rø, ~'røːz] rigorous; strict; severe (climate, punishment); close (reasoning); **rigueur** [~'gœːr] *f* rigo(u)r, severity; fig. strictness; fig. reasoning: closeness, accuracy; à la ~ strictly; if really necessary, sl. at a push; de ~ obligatory, compulsory.
rillettes cuis. [ri'jɛt] *f/pl.* potted pork mince sg.
rimailler F [rima'je] (1a) *v/i.* write doggerel, dabble in poetry; **rimailleur** F [~'jœːr] *m* poetaster, rhymester; **rime** [rim] *f* rhyme; fig. sans ~ ni raison without rhyme or reason; **rimer** [ri'me] (1a) *v/t.* put into rhyme; *v/i.* rhyme (with, avec); **rimeur** [~'mœːr] *m* rhymer, versifier.
rinçage [rɛ̃'saːʒ] *m* rinsing.
rinceau [rɛ̃'so] *m* $\triangle$ foliage; $\varnothing$ branch.
rince-bouteilles [rɛ̃sbu'tɛːj] *m/inv.* bottle-washer; **rince-doigts** [~'dwa] *m/inv.* finger-bowl; **rincée** [rɛ̃'se] *f* sl. thrashing; F downpour; **rincer** [~'se] (1k) *v/t.* rinse; sl. thrash (s.o.); rain: soak (s.o.); **rinceur** *m*, **-euse** *f* [~'sœːr, ~'søːz] washer, rinser; **rinçure** [~'syːr] *f* slops pl. (a. F = very thin wine).
ring box. [riŋ] *m* ring.
ringard $\oplus$ [rɛ̃'gaːr] *m* clinker-bar; metall. rabble(r).
ripaille F [ri'paːj] *f* revelry; faire ~ carouse; **ripailleur** *m*, **-euse** *f* [~pa'jœːr, ~'jøːz] reveller, carouser.
ripoliner [ripɔli'ne] (1a) *v/t.* (paint with) enamel.
riposte [ri'pɔst] *f* retort, smart reply; sp. counter; **riposter** [~pɔs'te] (1a) *v/i.* retort; sp. counter, riposte; fig. ~ à counteract.
riquiqui F [riki'ki] *m* shrimp (= undersized man).
rire [riːr] 1. (4cc) *v/i.* laugh (at, de); jest, joke; smile (on, at à); make light (of, de); ~ au nez de q. laugh in s.o.'s face; ~ dans sa barbe chuckle to o.s.; ~ jaune give a sickly

smile; *à crever de ~* killingly funny;
éclater de ~ burst out laughing; *je
ne ris pas* I am in earnest; *pour ~*
for fun, as a joke; comic (*paper*);
mock (*auction, king*); *se ~ de* make
fun of; laugh at; **2.** *su./m* laugh(ter);
fou ~ uncontrollable laughter.

ris[1] ⚓ [ri] *m* reef (*in a sail*).

ris[2] *cuis.* [~] *m:* ~ *de veau* sweet-
bread.

ris[3] [ri] *1st p. sg. p.s. of rire 1;* **risée**
[ri'ze] *f* derision; *person:* laughing-
stock; ⚓ light squall; **risette**
[~'zɛt] *f* (*child's*) smile; ⚓ *wind:*
cat's-paw; *faire* (*la*) ~ smile (at,
à); **risible** [~'zibl] ludicrous (*a. person*).

risotto *cuis.* [rizɔ'to] *m* risotto
(*Italian rice dish*).

risque [risk] *m* risk; ⚖ *à ses ~s et
périls* at one's own risk; *à tout ~*
at all hazards; *au ~ de* (*inf.*) at the
risk of (*ger.*); **risquer** [ris'ke] (1m)
v/t. risk, chance; endanger; ~ *le
coup* take a chance, chance it; *v/i.:
~ de* (*inf.*) run the risk of (*ger.*).

risque-tout [~kə'tu] *m/inv.* dare-
devil.

rissole *cuis.* [ri'sɔl] *f* rissole; (*fish-*)
ball; **rissoler** *cuis.* [~sɔ'le] *vt/i.*
brown (*meat*).

ristourne ✝ [ris'turn] *f* repayment;
refund; *policy:* cancelling; transfer (*of item to account*); **ristourner**
✝ [~tur'ne] (1a) *v/t.* repay; refund;
cancel (*a policy*); transfer (*an item
to account*).

rite *eccl. etc.* [rit] *m* rite.

ritournelle [ritur'nɛl] *f* ♩ ritornello;
F *fig. la même ~* the same old story.

rituel, -elle [ri'tɥɛl] *adj., a. su./m*
ritual, ceremonial.

rivage [ri'va:ʒ] *m river:* bank; *lake,
sea:* shore, beach.

rival, e *m/pl.* **-aux** [ri'val, ~'vo]
adj., a. su. rival; **rivaliser** [rivali'ze]
(1a) *v/i.: ~ avec* rival; compete with,
vie with; **rivalité** [~'te] *f* rivalry,
competition.

rive [ri:v] *f river:* bank; *lake, river:*
side; *lake,* ✝ *sea:* shore; *forest:*
edge.

river ⊕ [ri've] (1a) *v/t.* rivet; clinch
(*a nail*); F ~ *son clou à q.* settle
s.o.'s hash.

riverain, e [ri'vrɛ̃, ~'vrɛn] **1.** *adj.*
riverside ..., riparian; bordering on a
road *etc.*; **2.** *su.* riverside resident;

riparian owner; dweller along a
road *etc.*

rivet ⊕ [ri'vɛ] *m* rivet; *nail:* clinch;
rivetage ⊕ [riv'ta:ʒ] *m* riveting;
clinching.

rivière [ri'vjɛ:r] *f* river; stream
(*a. fig.*); *sp.* water-jump; rivière
(*of diamonds*).

rivure ⊕ [ri'vy:r] *f* riveting; rivet
joint *or* head; pin-joint; pintle.

rixe [riks] *f* brawl, fight; affray.

riz [ri] *m* rice; *cuis.* ~ *au lait* rice
pudding; ~ *glacé* polished rice;
rizerie [riz'ri] *f* rice-mill; **rizière**
[ri'zjɛ:r] *f* rice-field, rice-swamp.

roadster *mot.* [rɔds'tœ:r] *m* two-
seater, *Am.* roadster.

rob [rɔb] *m cards:* rubber; *faire un ~*
play a rubber.

robe [rɔb] *f* dress, frock; gown (*a.
♫, a. univ.*); *animal:* coat; *bird:*
plumage; *onion, potato, sausage:*
skin; *cigar:* outer leaf; ♫ legal profession; ~ *de chambre* dressing-
gown; **robin** F *pej.* [rɔ'bɛ̃] *m* lawyer.

robinet ⊕ [rɔbi'nɛ] *m* cock, valve;
tap, faucet; *cock:* key; ~ *d'arrêt*
stop-cock; F *ouvrir le ~* turn on the
waterworks; **robinetier** ⊕ [~ne-
'tje] *m* brass-founder; brass-smith;
robinetterie [~ne'tri] *f* brass
founding; valve making.

robot [rɔ'bo] *m* robot; ✈ pilotless
plane.

robre [rɔbr] *m see rob.*

robuste [rɔ'byst] robust, sturdy; ♀
hardy; *fig.* firm (*faith etc.*); **robustesse** [~bys'tɛs] *f* sturdiness;
strength; hardiness.

roc [rɔk] *m* rock (*a. fig.*).

rocaille [rɔ'kɑ:j] *f* rock-work;
rubble; ✝ rococo; *jardin m de* ~
rock-garden; **rocailleux, -euse**
[~kɑ'jø, ~'jø:z] rocky, stony, pebbly;
fig. rugged, rough.

rocambole [rɔkɑ̃'bɔl] *f* ♀ Spanish
garlic; *fig.* cock-and-bull story,
fantastic story; stale joke.

roche [rɔʃ] *f* rock; boulder; ⚒ ~
mère matrix, parent-rock; *fig. cœur
m de* ~ heart of stone; **rocher** [rɔ'ʃe]
m (mass of) rock; *anat.* otic bone.

rochet[1] *eccl.* [rɔ'ʃɛ] *m* rochet.

rochet[2] [~] *m* ⊕ ratchet; *tex.*
bobbin; ⊕ *roue f à* ~ ratchet-wheel.

rocheux, -euse [rɔ'ʃø, ~'ʃø:z] rocky,
stony.

rocking-chair [rɔkiŋ'tʃɛːr] *m* rocking-chair.

rococo [rɔkɔ'ko] 1. *su./m* rococo; 2. *adj./inv.* rococo; F *fig.* antiquated.

rodage [rɔ'daːʒ] *m* ⊕ grinding; *mot.* running in; **roder** ⊕ [~'de] (1a) *v/t.* grind; polish; *mot.* run in (*an engine*); grind in (*valves*).

rôder [ro'de] (1a) *v/i.* loiter; prowl (about); ⚓ veer (at anchor, *sur son ancre*); **rôdeur** *m*, **-euse** *f* [~'dœːr, ~'døːz] prowler.

rodoir ⊕ [rɔ'dwaːr] *m* grinding-tool; polisher.

rodomontade [rɔdɔmɔ̃'tad] *f* swagger, bluster; rodomontade.

rogations *eccl.* [rɔga'sjɔ̃] *f/pl.* Rogation days; *semaine f des* ♀ Rogation week; **rogatoire** ⚖ [~'twaːr] *rogatory*; *commission f* ~ commission (*issued by foreign court*) to take evidence for that court, Commission Rogatoire; **rogatons** F [~'tɔ̃] *m/pl.* food: scraps; † tittle-tattle *sg.*

rogne *sl.* [rɔɲ] *f* (bad) temper.

rogner [rɔ'ɲe] (1a) *v/t.* trim, pare; clip (*claws, a. fig. the wings*); cut down (*s.o.'s salary*); *v/i. sl.* be in a temper, be cross; grumble; **rogneuse** ⊕ [~'ɲøːz] *f* trimming-machine.

rognon *usu. cuis.* [rɔ'ɲɔ̃] *m* kidney.

rognures [rɔ'ɲyːr] *f/pl.* clippings, cuttings; trimmings; scraps.

rogomme F [rɔ'gɔm] *m* spirits *pl.*; *voix f de* ~ *drunkard*: husky voice.

rogue[1] [rɔg] haughty, arrogant.

rogue[2] [~] *f* salted cod's-roe (*as a fishing bait*).

roi [rwa] *m* king (*a. cards, chess*); *jour m des* ♀s Twelfth-night.

roide [rwad] *see* raide.

roitelet [rwat'lɛ] *m* petty king; *orn.* wren.

rôle [roːl] *m* parchment, tobacco, *a.* ⚖: roll; ✗, ⚓, ⚙ list; *thea., a. fig.* part, rôle; *à tour de* ~ in turn.

romain, e [rɔ'mɛ̃, ~'mɛn] 1. *adj.* Roman; 2. *su./m ling.* Roman; *typ.* roman, primer; *su.* ♀ Roman.

romaine[1] [rɔ'mɛn] *f balance*: steel-yard.

romaine[2] ♀ [~] *f* Cos lettuce.

romaïque [rɔma'ik] *adj., a. su./m ling.* Romaic; modern Greek.

roman, e [rɔ'mɑ̃, ~'mɑ̃ːd] 1. *adj.* Romance; △ Norman (*in England*),

Romanesque; 2. *su./m ling.* Romance; novel; (*medieval*) romance; *usu.* ~s *pl.* fiction *sg.*; ~ *à thèse* tendenz novel.

romance ♪ [rɔ'mɑ̃ːs] *f* song, ballad; ~ *sans paroles* song without words.

romanche *ling.* [rɔ'mɑ̃ːʃ] *m* Ro(u)-mansh.

romancier *m*, **-ère** *f* [rɔmɑ̃'sje, ~'sjɛːr] novelist; fiction-writer; **roman-cycle**, *pl.* **romans-cycles** [~'sikl] *m* saga (novel).

romand, e *geog.* [rɔ'mɑ̃, ~'mɑ̃ːd] *adj.*: *la Suisse* ~e French(-speaking) Switzerland.

romanesque [rɔma'nɛsk] 1. *adj.* romantic; 2. *su./m fig.* romance; **roman-feuilleton**, *pl.* **romans-feuilletons** *journ.* [rɔmɑ̃fœj'tɔ̃] *m* serial (story); **roman-fleuve**, *pl.* **romans-fleuves** [~'flœːv] *m* saga (novel), river novel.

romanichel *m*, **-elle** *f* [rɔmani'ʃɛl] gipsy; Romany.

romaniser [rɔmani'ze] (1a) *vt/i.* Romanize (*a. eccl.*); **romaniste** [~'nist] *su. eccl., a. ling.* Romanist; *ling.* student of the Romance languages; **romantique** [rɔmɑ̃-'tik] 1. *adj.* Romantic; *fig.* imaginative; 2. *su.* Romantic; **romantisme** [~'tism] *m* Romanticism.

romarin ♀ [rɔma'rɛ̃] *m* rosemary.

rompre [rɔ̃ːpr] (4a) *v/t.* break (*s.th.*) in two; break (⚡ *circuit, one's neck, object, peace, promise, silence, step*); ⚖ *hist.* break on the wheel; break up (*an alliance, ✗ an attack, the road, etc.*); ✗ scatter (*a regiment*); break off (*a conversation, an engagement*); disrupt (✗ *an army, fig. unity*); burst (*an artery, the river banks*); break in (*an animal*); ✝ cancel; *fig.* disturb, upset; *fig.* interrupt; *fig.* deaden (*a shock*); *fig.* accustom (*s.o.*) (to, *à*); *se* ~ break; snap; accustom *or* harden o.s. (to, *à*); *v/i.* break; ✗, *a. sp.* give ground; ✗ *rompez!* dismiss!; **rompu, e** [rɔ̃'py] 1. *p.p. of* rompre; 2. *adj.* broken; broken in; ~ *à* used to, hardened to; experienced in (*business*); ~ *de fatigue* worn out; *à bâtons* ~s by fits and starts.

romsteck *cuis.* [rɔms'tɛk] *m* rump-steak.

ronce [rɔ̃ːs] *f* ♀ bramble, black-berry-bush; ⊕ *wood grain*: curl; F

~*s pl.* thorns; *fig.* difficulties; ~ *arti-ficielle* barbed wire; **ronceraie** [~'rε] *f* ground covered with brambles.

ronchonner F [rɔ̃ʃɔ'ne] (1a) *v/i.* grumble, grouse; hum (*radio-set*); **ronchonneur** *m*, **-euse** *f* F [~'nœːr, ~'nøːz] grumbler.

rond, ronde [rɔ̃, rɔ̃ːd] **1.** *adj.* round; plump (*face, person*); *fig.* brisk (*wind*); *fig.* straight, honest (*person*); F tipsy, tight, *Am.* high; **2. rond** *adv.*: ⊕ *etc.* tourner ~ run smoothly *or* true; **3.** *su./m* circle, round, ring; *bread etc.*: slice; *butter*: pat; ⊕ washer; ~ *de serviette* napkin-ring; *en* ~ in a circle; *su./f* ✗ *etc.*, *dance, a. song*: round; ♩ semibreve; *script*: round hand; *à la* ~*e* around; (*do s.th.*) in turn; **rond-de-cuir**, *pl.* **ronds-de-cuir** [~d-'kɥiːr] *m* round leather cushion; pen-pusher, clerk; bureaucrat; **rondeau** [rɔ̃'do] *m poem*: rondeau; ♩ rondo; ⚹ roller; **rondelet, -ette** [rɔ̃d'lε, ~'lεt] plumpish; nice round (*sum*); **rondelle** [rɔ̃'dεl] *f* disc; slice; ⊕ washer; ⊕ (*ball-*)race; **rondeur** [~'dœːr] *f* roundness (*a. fig. style*); fullness; *figure*: curve; *fig.* straightforwardness, frankness; **rondin** [~'dɛ̃] *m* log; billet; *iron*: round bar; **rond-point**, *pl.* **ronds-points** [rɔ̃'pwɛ̃] *m road*: circus; *mot.* roundabout; △ † apse.

ronflant, e [rɔ̃'flɑ̃, ~'flɑ̃ːt] snoring (*person*); throbbing, roaring, rumbling (*noise*); resounding (*titles, voice*); *fig.* pretentious, bombastic; **ronflement** [~flə'mɑ̃] *m* snore; snoring; *noise*: roar(ing), boom (-ing); *machine, top, a. radio*: hum; **ronfler** [~'fle] (1a) *v/i.* snore (*sleeper*); roar, boom; hum; *sl.* prosper; **ronfleur, -euse** [~'flœːr, ~'fløːz] *su.* snorer; *su./m* 𝄢 buzzer.

rongeant, e [rɔ̃'ʒɑ̃, ~'ʒɑ̃ːt] 🜍 corroding; 𝄞 rodent; *fig.* gnawing (*worries*); **ronger** [~'ʒe] (1l) *v/t.* gnaw; *worms etc.*: eat into; 🜍 corrode; pit (*metal*); *fig.* erode; *fig.* fret (*s.o.'s heart*); *fig.* rongé de tormented by (*grief*); worn by (*care*); **rongeur, -euse** [~'ʒœːr, ~'ʒøːz] **1.** *adj. zo., a.* 𝄞 rodent; *fig.* gnawing (*care, worry*); **2.** *su./m zo.* rodent.

ronron [rɔ̃'rɔ̃] *m cat*: purr(ing); F

machine: hum; **ronronner** [~rɔ'ne] (1a) *v/i.* purr (*cat, engine*); ⊕, *radio*, *etc.*: hum.

roquer [rɔ'ke] (1m) *v/i. chess*: castle.

roquet [rɔ'kε] *m* pug(-dog); mongrel, *Am.* yellow dog; *a.* = **roquetin** [rɔk'tɛ̃] *m* silk spool.

roquette¹ ✗ [rɔ'kεt] *f* rocket.

roquette² [~] *f* rocket.

rosace △ [rɔ'zas] *f* rose-window; (*ceiling-*)rose; **rosacé, e** [~za'se] **1.** *adj.* rosaceous; **2.** *su./f:* ~*s pl.* rosaceae; **rosage** ♀ [~'zaːʒ] *m* rhododendron; **rosaire** *eccl.* [~'zεːr] *m* rosary; **rosâtre** [~'zɑːtr] pinkish.

rosbif *cuis.* [rɔs'bif] *m* roast beef.

rose [roːz] **1.** *su./f* ♀ rose; △ rose-window; ⚓ ~ *des vents* compass-card; ♀ *sauvage* dog-rose; *su./m* rose (colo[u]r), pink; **2.** *adj.* pink; rosy; **rosé, e** [ro'ze] **1.** *adj.* rose-pink, rosy; rose, rosé (*wine*); **2.** *su./m wine*: rosé.

roseau [rɔ'zo] *m* ♀ reed; *fig.* (broken) reed.

rose-croix [roz'krwa] *m/inv.* Rosicrucian.

rosée [rɔ'ze] *f* dew.

roser [rɔ'ze] (1a) *v/t. a. se* ~ turn pink; **roseraie** ⚹ [roz'rε] *f* rose-garden; **rosette** [ro'zεt] *f* ribbon: bow; rosette (*a.* = *decoration*); red ink *or* chalk; ⊕ burr; rose-copper; **rosier** ♀ [~'zje] *m* rose-tree, rose-bush; **rosière** [~'zjεːr] *f* girl whose virtuous conduct has won her a prize (*formerly a crown of roses*) (*in some French villages*); **rosiériste** [~zje'rist] *m* rose-grower.

rossard *sl.* [rɔ'saːr] *m* skunk, beast (= *objectionable individual*).

rosse [rɔs] **1.** *su./f* F *horse*: screw; *see rossard*; **2.** *adj.* F objectionable; nasty; beastly; cynical (*comedy*).

rossée F [rɔ'se] *f* thrashing; **rosser** F [~] (1a) *v/t.* give (*s.o.*) a thrashing.

rossignol [rɔsi'ɲɔl] *m orn.* nightingale; ✝ ♀ piece of junk, old stock; F white elephant; ⊕ skeleton-key; ⚓ whistle.

rossinante F [rɔsi'nɑ̃ːt] *f* worn-out old hack, Rosinante.

rossolis [rɔsɔ'li] *m* ♀ sundew; *cordial*: rosolio.

rostre [rɔstr] *m zo.*, ♀ rostrum (*a.* ⚓ *hist.* = *beak of ship*); *hist.* ~*s pl.* rostra.

rot *sl.* [ro] *m* belch.

rôt [~] *m* roast (meat).

rotateur, -trice [rota'tœːr, ~'tris] **1.** *adj.* rotatory; **2.** *su./m anat.* rotator; *biol.* rotifer; **rotatif, -ve** [~'tif, ~'tiːv] **1.** *adj.* rotary; **2.** *su./f typ.* rotary (printing-)press; **rotation** [~'sjɔ̃] *f* rotation (*a.* ♈, ♂); ✝ ~ du stock merchandise turnover; **rotativiste** *typ.* [~ti'vist] *m* rotary printer; **rotatoire** [~'twaːr] ⊕ rotatory (*a. phys. power*); rotational(*force*); *phys.* rotary (*polarization*).

roter *sl.* [rɔ'te] (1a) *v/i.* belch, bring up wind; *j'en rotais* it took my breath away.

rôti *cuis.* [ro'ti] *m* roast (meat); **rôtie** [~] *f* (round of) toast; ~ à *l'anglaise* Welch rarebit.

rotin [rɔ'tɛ̃] *m* ♣ rattan; rattan cane.

rôtir [ro'tiːr] (2a) *vt/i.* roast (*a. fig.*); *fig.* scorch; *v/t.* toast (*bread*); **rôtissage** [~ti'saːʒ] *m* roasting; **rôtisserie** [~tis'ri] *f* cook-shop; **rôtisseur** *m*, **-euse** *f* [roti'sœːr, ~'søːz] seller of roast meats; cook-shop keeper; **rôtissoire** *cuis.* [~'swaːr] *f* Dutch oven; roaster.

rotonde [rɔ'tɔ̃ːd] *f* 🏛 rotunda; *cost.* (lady's) sleeveless cloak; 🚂 engine shed; **rotondité** [~tɔ̃di'te] *f* rotundity; F stoutness.

rotor ⚡, 🚁 [rɔ'tɔːr] *m* rotor.

rotule [rɔ'tyl] *f anat.* knee-cap; ⊕ ball-and-socket joint; *mot.* (steering-)knuckle.

roture [rɔ'tyːr] *f* commoner's condition; *coll.* commons *pl.*; **roturier, -ère** [~ty'rje, ~'rjeːr] **1.** *adj.* common, plebeian; **2.** *su.* commoner; self-made man.

rouage ⊕ [rwaːʒ] *m* wheels *pl.* (*a. fig.*); work(s *pl.*); cog-wheel, gear-wheel; *fig.* cog.

rouan, -anne *zo.* [rwɑ̃, rwan] roan.

rouanne ⊕ [rwan] *f* rasing-knife; scribing-compass; carpenter's auger.

roublard, e F [ru'blaːr, ~'blard] **1.** *adj.* wily, crafty; **2.** *su.* wily or crafty person; **roublardise** F [~blar'diːz] *f* cunning; piece of trickery.

rouble [rubl] *m Russian coinage:* r(o)uble.

roucouler [ruku'le] (1a) *vt/i.* coo; *v/t. fig.* warble (*a song*).

roue [ru] *f* wheel; ~ *arrière* (*avant*) back (front) wheel; *mot.* ~ *de secours* spare wheel; ~ *directrice* mot. steering-wheel; *cycl.* front wheel; ~ *motrice* driving wheel; *faire la* ~ *orn.* spread its tail (*peacock etc.*); *sp.* turn cart-wheels; ✗ wheel about; *fig.* swagger; *mot. freins m/pl. sur quatre* ~s four-wheel brakes; *mettre* (*or jeter*) *des bâtons dans les* ~s *de q.* put a spoke in s.o.'s wheel; *sur* ~s wheeled, on wheels; **roué, e** [rwe] **1.** *su.* cunning *or* artful person; *su./m* rake, roué; **2.** *adj.* cunning, artful; exhausted; **rouelle** [rwel] *f* round slice; *veal:* fillet, *beef:* round.

rouennerie *tex.* [rwan'ri] *f* printed cotton goods *pl.*

rouer [rwe] (1p) *v/t.* coil (*a rope*); ⚖ *hist.* break (*s.o.*) on the wheel; *fig.* ~ *de coups* thrash (*s.o.*) soundly, beat (*s.o.*) black and blue; **rouerie** [ru'ri] *f* trick; piece of trickery; **rouet** [rwe] *m* small wheel; spinning-wheel; ⊕ pulley-wheel; ⊕ *pully:* sheave; *lock:* scutcheon; ⚓ gin.

rouge [ruːʒ] **1.** *adj.* red (with, de); ruddy (*cheek*); ~ *brique* brick-red; ~ *sang* blood-red; *chapeau m* ~ cardinal's hat, F red hat; **2.** *adv.:* *fig. voir* ~ see red; **3.** *su./m colour:* red; F red wine; ~ à *lèvres, bâton m de* ~ lipstick; ⊕ *au* ~ at red heat; *porter au* ~ make (*s.th.*) red-hot; *se mettre du* ~ put on rouge; *su. pol. person:* red; **rougeâtre** [ru'ʒɑːtr] reddish; **rougeaud, e** F [~'ʒo, ~'ʒoːd] **1.** *adj.* red-faced; **2.** *su.* red-faced person; **rouge-gorge**, *pl.* **rouges-gorges** *orn.* [ruʒ'gɔrʒ] *m* robin (redbreast).

rougeole [ru'ʒɔl] *f* 🩺 measles *sg.*; ♣ field-cowwheat.

rouge-queue, *pl.* **rouges-queues** *orn.* [ruʒ'kø] *m* redstart; **rouget** [ru'ʒɛ] *m icht.* red mullet; gurnard; *vet.* swine-fever; *zo.* harvest-bug; **rougeur** [~'ʒœːr] *f* redness; *face:* blush, flush; blotch, red spot (*on the skin*); **rougir** [~'ʒiːr] (2a) *vt/i.* redden; turn red; *fig.* flush; *v/t.* make (*s.th.*) red-hot, bring (*s.th.*) to a red heat; *v/i.* blush.

roui [rwi] *m* retting; *sentir le* ~ taste of the saucepan *or* stewpan.

rouille [ruːj] *f* 🩸 rust (*a.* ✎); ♣ mildew; **rouillé, e** [ru'je] rusty (*a.*

fig.), rusted; ❧ mildewed; **rouiller**
[~'je] (1a) *v/t.* rust (*a.* ✍); ❧
mildew, blight; se ~ rust; ❧ go
mildewed; *fig.* get out of practice;
rouillure [~'jyːr] *f* rustiness; ❧
rust, blight.

rouir [rwiːr] (2a) *v/t.* ret, steep (*flax
etc.*); **rouissage** [rwi'saːʒ] *m* retting, steeping.

roulade [ru'lad] *f* roll; ♪ (vocal)
flourish, roulade; **roulage** [~'laːʒ]
m ✍, *a. mot.* rolling; *goods:* carriage;
haulage; cartage; (road) traffic; ⚓
haulage firm; **roulant, e** [~'lɑ̃,
~'lɑ̃ːt] 1. *adj.* rolling; sliding (*door*);
good, smooth (*road*); smooth-run-
ning (*car*); ✈ floating, working
(*capital*), going (*concern*); F screamingly funny; ✗, *fig.* feu *m* ~ running fire; 2. *su./f* (*a.* cuisine *f* ~e)
field kitchen; **rouleau** [~'lo] *m*
roller; power roller; *cuis.* rolling-
pin; *paper etc.*: roll; *rope etc.*: coil;
phot. spool; *tobacco:* twist; cylinder;
~ hygiénique toilet roll; *fig.* être au
bout de son ~ be at one's wit's end;
roulement [rul'mɑ̃] *m* rolling;
⊕ *machine:* running; *mot.* rattle;
⊕ (*ball- etc.*) bearing; ⊕ rolling
(mechanism), race; ♪ *drum:* roll; ✈
capital: circulation; *fig.* alternation;
✗ run, taxying; *mot.* bande *f*
de ~ tread; ✗ chemin *m* de ~ runway; *par* ~ in rotation; **rouler**
[ru'le] (1a) *v/t.* roll (along *or* about
or up); *ling.* roll (one's r's), trill; *fig.*
turn over (*in one's mind*); F cheat,
fleece (*s.o.*); F beat, best (*s.o.*); se ~
roll; *sl.* be convulsed; *v/i.* roll (*a.* ⚓);
roll about *or* along *or* over; travel;
wander; *mot.* ride, drive (along);
✗ taxi; ⊕, *mot.* run; ✈ circulate
(*money*); take turns, rotate; vary
(between, entre); ~ *sur* turn upon,
depend on; be rolling in (*money*).

roulette [ru'let] *f* small wheel;
chair etc.: caster, truckle; *tram:*
trolley-wheel; ♣ dentist's drill;
Å cycloid; *game:* roulette; bath-
chair; F aller comme sur des ~s go
like clockwork; *sp.* patin *m* à ~s
roller-skate.

rouleur, -euse [ru'lœːr, ~'løːz] *su.*
travelling journeyman; worker who
keeps changing jobs; *barrow:*
wheeler; *su./m* ✗ trammer, haul-
ier; *zo.* vine-weevil; *su./f* zo.
leaf-roller; F low prostitute; **roulier,**

-**ère** [~'lje, ~'ljɛːr] 1. *adj.* carrying;
2. *su./m* carrier, carter; **roulis** ⚓
[~'li] *m* roll(ing); **roulotte** [~'lɔt] *f*
(gipsy-)van; *mot.* caravan, trailer;
roulure [~'lyːr] *f* ⊕ *metal:* rolled
edge; *timber:* cup-shake; *sl.* low
prostitute.

roumain, e [ru'mɛ̃, ~'men] 1. *adj.*
Rumanian; 2. *su./m ling.* Rumanian;
su. ♀ Rumanian.

roupie[1] [ru'pi] *f* Indian coinage:
rupee.

roupie[2] F [~] *f* drop of mucus;
snivel; bit of trash.

roupiller F [rupi'je] (1a) *v/i.* snooze,
doze; *sl.* sleep; **roupilleur** F
[~'jœːr] *m* snoozer; **roupillon** F
[~'jɔ̃] *m* snooze; nap; *piquer un* ~
have a snooze.

rouquin, e F [ru'kɛ̃, ~'kin] 1. *adj.*
red-haired, sandy-haired; 2. *su.*
red-haired *or* sandy-haired person,
F Ginger, Carrots *sg.*; *usu. su./f*
F Coppertop.

rouspéter F [ruspe'te] (1f) *v/i.*
resist, show fight; protest; complain; **rouspéteur** F [~'tœːr] *m*
complainer; quarrelsome fellow;
Am. sl. griper, sorehead.

roussâtre [ru'sɑːtr] reddish; **rousseau** F [~'so] *m* red-haired person;
rousseur [~'sœːr] *f hair etc.*: redness; *tache f de* ~ freckle.

roussi [ru'si] *m:* sentir le ~ smell of
burning; *fig.* smack of heresy
(*opinion, statement*); be something
of a heretic (*person*).

roussin [ru'sɛ̃] *m* cart-horse; cob;
sl. cop(per) (= *policeman*); *sl.*
police-spy, *Am. sl.* stool pigeon.

roussir [ru'siːr] (2a) *vt/i.* turn
brown; scorch, singe (*linen*); *cuis.*
brown.

routage [ru'taːʒ] *m post:* sorting.

route [rut] *f* road(way); path; route
(*a.* ✗, ⚓, ✗); course (*a.* ⚓); ✗
chanson *f* de ~ marching song; en ~
on the way; ⚓ on her course; ✈ on
the road; en ~! off you go!; let's go!;
🚂 right away!; ⚓ full speed ahead!;
faire ~ sur make for; faire fausse ~
go astray, take the wrong road; *fig.*
be on the wrong track; mettre en ~
start (up); se mettre en ~ set out;
⚓ get under way.

router [ru'te] (1a) *v/t. post:* sort.

routier, -ère [ru'tje, ~'tjɛːr] 1. *adj.*
road-...; *carte f* ~ère road-map;

réseau m ~ highway network; *voie f* ~ère traffic lane; carriage-way; **2.** *su./m* track-chart; *mot.* long-distance driver; *cyclist:* (road) racer; *boy scout:* rover; F *vieux* ~ old stager; F *roadster;* road-map; traction-engine; **routine** [~'tin] *f* routine; red tape; *par* ~ by rule of thumb; *out of* sheer habit; **routinier, -ère** [~ti'nje, ~'nje:r] **1.** *adj.* routine (*activities*); who works to a routine (*person*); F in a rut; **2.** *su.* routinist; lover of routine; F *fig.* stick-in-the-mud.

rouvre ⚭ [ru:vr] **1.** *adj.:* chêne *m* ~ = **2.** *su./m* Austrian *or* Russian oak, robur.

rouvrir [ru'vri:r] (2f) *vt/i.* reopen.

roux, rousse [ru, rus] **1.** *adj.* russet; reddish(-brown); red (*hair*); *cuis.* brown(ed) (*butter, sauce*); *lune f* rousse April moon; *vents m/pl.* ~ cold winds of April; **2.** *su.* red-haired *or* sandy person; *su./m colour:* russet; reddish-brown; *cuis.* brown sauce; browning; brown(ed) butter.

royal, e, *m/pl.* **-aux** [rwa'jal, ~'jo] royal, regal; crown (*prince*); ⚓ main (*pump*); ✕ † le ⚭ *Cambouis* (*approx.*) the Army Service Corps; **royaliste** [~ja'list] *adj., a. su.* royalist; **royaume** [~'jo:m] *m* kingdom; realm (*a. fig.*); **royauté** [~jo'te] *f* royalty; kingship.

ru [ry] *m* water-course; gully; brook.

ruade [rɥad] *f horse:* kick, lashing out.

ruban [ry'bɑ̃] *m* ribbon (*a.* ✕, *a.* typewriter, *decorations*); band; tape; measuring-tape; ~ *adhésif* adhesive tape; ~ *d'acier* steel band; *mot.* ~ *de frein* brake band; ~ *magnétique* (*or de magnétophone*) recording tape; ⊕ ~ *roulant* conveyor-belt; ⊕ *scie f à* ~ band saw; **rubaner** [ryba'ne] (1a) *v/t.* trim (*s.th.*) with ribbons; cut (*s.th.*) (in)to ribbons; ✄ tape (*a wire*); **rubanier, -ère** [~'nje, ~'nje:r] ribbon-...

rubéfier ✄ [rybe'fje] (1o) *v/t.* rubefy; **rubicond, e** [~bi'kɔ̃, ~'kɔ̃:d] florid, rubicund.

rubigineux, -euse [rybiʒi'nø, ~'nø:z] rusty, rust-colo(u)red.

rubis [ry'bi] *m min.* ruby; *watch:* jewel; F *faire* ~ *sur l'ongle* drain to the dregs; *montre f montée sur* ~ jewelled watch; *payer* ~ *sur l'ongle*

pay to the last farthing *or Am.* last cent.

rubrique [ry'brik] *f* red ochre, red chalk; *eccl.,* 🕂 rubric; *journ.* column, heading; *book:* imprint.

ruche [ryʃ] *f* (bee-)hive; *cost.* ruching, ruche, frill; **rucher** [ry'ʃe] **1.** (1a) *v/t. cost.* ruche, frill; **2.** *su./m* apiary.

rude [ryd] rough (*cloth, path, sea, skin, wine*); hard (*blow, brush, climb, task, times, weather*); severe (*blow, cold, shock, trial, weather, a. fig.*); harsh (*voice, a. fig.*); primitive (*people etc.*); *fig.* brusque; F enormous; **rudement** [~'mɑ̃] *adv.* roughly *etc. see* rude; F extremely, awfully (= *very*).

rudéral, e, *m/pl.* **-aux** [ryde'ral, ~'ro] ruderal, growing in rubbish *or* in waste places.

rudesse [ry'dɛs] *f* roughness; hardness; severity; harshness; primitiveness; brusqueness, abruptness.

rudiment [rydi'mɑ̃] *m anat., biol., zo., etc.* rudiment; *fig.* ~s *pl. a.* grounding *sg.;* **rudimentaire** [~mɑ̃'tɛ:r] rudimentary.

rudoyer [rydwa'je] (1h) *v/t.* browbeat; bully; ill-treat.

rue¹ [ry] *f* street, thoroughfare; ~ *à sens unique* one-way street; ~ *barrée!* no thoroughfare; ~ *commerçante* shopping street.

rue² ⚭ [~] *f* rue.

ruée [rɥe] *f* rush; ✕ onslaught.

ruelle [rɥɛl] *f* lane, alley; space between bed and wall.

ruer [rɥe] (1n) *v/i.* lash out, kick; *se* ~ (*sur*) fling o.s. (at); rush (at, to); **rueur, -euse** [rɥœ:r, rɥø:z] **1.** *adj.* kicking (*horse*); **2.** *su. horse:* kicker.

rugby *sp.* [ryg'bi] *m* rugby (football).

rugine [ry'ʒin] *f* 🕂 xyster; (*dental*) scaler.

rugir [ry'ʒi:r] (2a) *v/i.* roar (*a. fig.*); howl (*storm, wind*); **rugissement** [~ʒis'mɑ̃] *m* roar(ing); *storm, wind:* howl(ing).

rugosité [rygozi'te] *f* roughness, ruggedness; corrugation; *ground:* unevenness; **rugueux, -euse** [~'gø, ~'gø:z] rough, rugged; corrugated; gnarled (*tree, trunk*).

ruine [rɥin] *f* ruin (*a. fig.*); downfall (*a. fig.*); *fig.* fall; *tomber en* ~s

fall in ruins; **ruiner** [rɥi'ne] (1a)
v/t. ruin (*a. fig.*), destroy; ✝ bankrupt (*s.o.*); disprove (*a theory*);
se ~ ruin o.s. (*person*); *fig.* go to
ruin (*thing*); **ruineux, -euse** [~'nø,
~'nøːz] ruinous; *fig.* disastrous.

ruisseau [rɥi'so] *m* brook; stream
(*a. fig.* of blood); street, *a. fig. pej.*:
gutter; **ruisseler** [rɥis'le] (1c) *v/i.*
stream (with, de), run (down);
trickle; drip; **ruisselet** [~'lɛ] *m*
rivulet, brooklet; **ruissellement**
[rɥisɛl'mɑ̃] *m* streaming, running;
trickling; dripping; *fig.* jewels:
glitter, shimmer.

rumb ⚓ [rɔ̃ːb] *m* rhumb.

rumeur [ry'mœːr] *f* distant sound;
confused noise; *traffic:* hum; uproar; *fig.* rumo(u)r, report.

ruminant, e *zo.* [rymi'nɑ̃, ~'nɑ̃ːt]
adj., a. su./m ruminant; **ruminer**
[~'ne] (1a) *v/t.* ruminate (*fig.* on an
idea, *une idée*); *fig.* ponder; *v/i. zo.,
fig.* chew the cud, ruminate.

rune [ryn] *f* rune; **runique** [ry'nik]
runic.   [ware).]

ruolz [ry'ɔls] *m* electroplate(d]

rupestre [ry'pɛstr] ♀ rupestral,
rock-dwelling; rock-(drawings).

rupin, e F [ry'pɛ̃, ~'pin] **1.** *adj.* first-
rate, *Am.* swell; wealthy (*person*);
2. *su./m* swell, toff, nob.

rupteur ⚡ [ryp'tœːr] *m* circuit-
breaker; **rupture** [~'tyːr] *f* dam:
breaking (*a. ⚡ circuit*), bursting; ⚕
blood-vessel: rupture; bone: fracture; *battle, engagement, negotiations:* breaking off; ⚖ contract,
promise: breach; road surface:
breaking up; *fig.* falling out, quarrel
(*between persons*); 🐎 ~ de charge
dividing of load; ⚖ ~ de promesse

de mariage breach of promise;
charge *f* de ~ breaking load.

rural, e, *m/pl.* -aux [ry'ral, ~'ro]
1. *adj.* rural, country...; **2.** *su.* peasant.

ruse [ryːz] *f* ruse, trick, wile; ⚔ ~
de guerre stratagem; *en amour la* ~
est de bonne guerre all's fair in love
and war; *user de* ~ practise deceit;
rusé, e [ry'ze] artful, wily, crafty,
cunning; **ruser** [~] (1a) *v/i.* use
guile; resort to trickery.

rush [rœʃ] *m sp.* (final) spurt, sprint;
fig. rush.

russe [rys] **1.** *adj.* Russian; **2.** *su./m
ling.* Russian; *su.* ♀ Russian;
russifier [rysi'fje] (1o) *v/t.* Russian-
ize.

russo... [rysɔ] Russo...; **~phile** [~'fil]
adj., a. su. Russophile.

rustaud, e [rys'to, ~'toːd] **1.** *adj.*
boorish, loutish, uncouth; **2.** *su.*
boor, lout; F bumpkin; **rusticité**
[~tisi'te] *f* rusticity; boorishness;
primitiveness; ♀ hardiness; **rustique** [~'tik] **1.** *adj.* rustic (*a. fig.*);
country...; *fig.* countrified, unrefined; ♀ hardy; **2.** *su./m* ⚒ bush-
hammer; **rustiquer** ⚒ [~ti'ke]
(1m) *v/t.* give a rustic appearance
to; **rustre** [rystr] **1.** *adj.* boorish,
loutish, churlish; **2.** *su./m* boor,
lout, churl; F bumpkin.

rut [ryt] *m animals:* rut(ting), heat;
être en ~ be in *or* on heat (*female*);
rut (*male*).

rutilant, e [ryti'lɑ̃, ~'lɑ̃ːt] glowing
red; gleaming (*a. fig.*); 🦎 rutilant;
fig. glittering; **rutiler** [~'le] (1a) *v/i.*
glow, gleam (red).

rythme [ritm] *m* rhythm; **rythmique** [rit'mik] rhythmic.

S

S, s [ɛs] *m* S, s; s... *sl.* = *sacré.*

sa [sa] *see* son[1].

sabbat [sa'ba] *m eccl.* Sabbath; *fig.*
witches' sabbath; F *fig.* din, racket;
sabbatique [~ba'tik] sabbatical.

sabine ♀ [sa'bin] *f* savin(e).

sabir *ling.* [sa'biːr] *m Levant:* lingua
franca.

sablage ⊕ [sɑ'blaːʒ] *m* sand-blasting.

sable[1] [sɑːbl] *m* sand; ✝ gravel;

sand-glass; ~ *mouvant* quicksand;
bâtir sur le ~ build on sand.

sable[2] ▨, *zo.* [~] *m* sable.

sablé *cuis.* [sɑ'ble] *m* shortbread;
sabler [~'ble] (1a) *v/t.* sand, gravel
(*a path*); ⊕ cast (*s.th.*) in a sand-
mo(u)ld; ⊕ sand-blast; F *fig.* swig
(*a drink*); **sableur** [~'blœːr] *m* ⊕
sand-mo(u)lder; F *fig.* hard drinker;
sableux, -euse [~'blø, ~'bløːz]
1. *adj.* sandy; **2.** *su./f* ⊕ sand-jet;

sablier [ˌbli'e] *m* sand-man; sand-box, sand-sifter; sand-glass; *cuis.* egg-timer.

sablière[1] ⚠ [sabli'ɛ:r] *f* plate; stringer.

sablière[2] [sabli'ɛ:r] *f* sand-pit; gravel-pit; 🚬 sand-box; **sablon** [ˌ'blɔ̃] *m* fine sand; **sablonner** [saˌblɔ'ne] (1a) *v/t.* sand; *metall.* sprinkle with welding sand; **sablonneux, -euse** [ˌ'nø, ˌ'nø:z] sandy; gritty (*fruit*); **sablonnière** [ˌ'njɛ:r] *f* sand-pit, gravel-pit; *metall.* sand-box.

sabord ⚓ [sa'bɔ:r] *m* port(-hole); **saborder** ⚓ [ˌbɔr'de] (1a) *v/t.* scuttle.

sabot [sa'bo] *m* sabot (*a.* ✗, ⊕); wooden shoe or clog; *zo.* hoof; ⊕, 𝄢, *mot.* (brake-, contact-, *etc.*)shoe; F dud; *toy:* top; *mot.* ~ de pare-choc overrider; F *fig.* dormir comme un ~ sleep like a log; **sabotage** [sabo-'ta:ʒ] *m* sabot-making; *work:* scamping, bungling; scamped *or* bungled work; (act *of*) sabotage (*during strikes etc.*); **saboter** [ˌ'te] (1a) *v/i.* clatter (*with sabots*); whip a top; F *fig.* bungle one's work; commit acts of sabotage; *v/t.* ⊕ shoe (*a pile*); 🚬 chair (*a sleeper*); *fig.* bungle (*one's work etc.*); ⊕ sabotage (*a job, machinery*); **saboteur** *m*, **-euse** *f* [ˌ'tœ:r, ˌ'tø:z] ⊕ saboteur; F *work:* bungler, botcher; **sabotier** [ˌ'tje] *m* sabot-maker; **sabotière** [ˌ'tjɛ:r] *f* clog-dance; slipper-bath.

sabre [sɑ:br] *m* sabre, broadsword; *icht.* sword-fish; ~ au clair (with) drawn sword; ✗ † ~-baïonnette sword-bayonet; coup *m* de ~ sabre cut; slash; F *fig.* traîneur *m* de ~ sabre-rattler; **sabrer** [ˌ'bre] (1a) *v/t.* sabre; slash; F botch, scamp (*one's work*); F *fig.* make drastic cuts in (*a play etc.*); **sabretache** ✗ [ˌbrə-'taʃ] *f* sabretache; **sabreur** [ˌ-'brœ:r] *m* † dashing cavalry officer; F *work:* scamper.

saburral, e, *m/pl.* **-aux** 𝄢 [saby'ral, ˌ'ro] saburral; coated (*tongue*).

sac[1] [sak] *m* coal, flour, *etc.:* sack; bag; ✗ kit-bag, knapsack; ruck-sack; *zo.* pouch; *anat.* sac; *geol.* pocket (*wind-*)cone; sackcloth; ~ à main handbag; F ~ à vin toper; ~ de couchage sleeping-bag; ~ de

voyage travelling-case; ~ en ban-doulière shoulder-bag; ~ en papier paper-bag; F homme *m* de ~ et de corde thorough scoundrel; F vider son ~ get it off one's chest.

sac[2] [ˌ] *m* pillage, sacking.

saccade [sa'kad] *f* jerk; par ~s in jerks; *fig.* by fits and starts; **saccadé, e** [saka'de] jerky; irregular.

saccage [sa'ka:ʒ] *m* confusion; havoc; **saccagement** [ˌkaʒ'mã] *m* pillaging, sacking; **saccager** [saka-'ʒe] (11) *v/t.* pillage, plunder; ransack (*a house*); *fig.* throw into confusion; **saccageur** *m*, **-euse** *f* [ˌ'ʒœ:r, ˌ-'ʒø:z] plunderer.

saccharate 𝄢 [sakka'rat] *m* sac-charate; **saccharide** 𝄢 [ˌ'rid] *m* saccharide; **saccharifier** 𝄢 [ˌri-'fje] (1o) *v/t.* saccharify; **saccharin, e** [ˌ'rɛ̃, ˌ'rin] *adj., a. su./f* sac-charine; **saccharose** 𝄢 [ˌ'ro:z] *m* saccharose.

sacerdoce [sasɛr'dɔs] *m* priesthood (*a. coll.*); **sacerdotal, e,** *m/pl.* **-aux** [ˌdɔ'tal, ˌ'to] priestly; sacerdotal; *fig.* priestlike.

sachant [sa'ʃã] *p.pr. of* savoir 1; **sache** [saʃ] *1st p. sg. pres. sbj. of* savoir 1.

sachée [sa'ʃe] *f* sackful, bagful; **sachet** [ˌ'ʃɛ] *m* small bag; *scent:* sachet; ✗ cartridge-bag; ~ de paie pay-envelope.

sacoche [sa'kɔʃ] *f* satchel, wallet; *mot., bicycle, etc.:* tool-bag; ✗ 'saddle-bag.

sacramental *eccl.* [sakramã'tal] *m* sacramental; **sacramentel, -elle** [ˌ'tɛl] *eccl.* sacramental; F binding, decisive (*word*).

sacre[1] [sakr] *m* king: anointing, coronation; bishop: consecration.

sacre[2] *orn.* † [ˌ] *m* saker.

sacré, e [sa'kre] holy (*orders, scripture*); sacred (*spot, vessel, a. fig.*); *anat.* sacral; *sl.* (*before su.*) confounded, damned; **sacre-bleu!** [ˌkrə'blə] *int.* damn (it)!; **sacre-ment** *eccl.* [ˌkrə'mã] *m* sacrament; derniers ~s *pl.* last rites; fréquenter les ~s be a regular communicant; **sa-crer** [ˌ'kre] (1a) *v/t.* anoint, crown (*a king*); consecrate (*a bishop*); *v/i.* F curse.

sacrificateur *m*, **-trice** *f* † [sakrifi-ka'tœ:r, ˌ'tris] sacrificer; **sacrifice** [ˌ'fis] *m* sacrifice (*a. fig.*); *eccl.*

saint ~ Blessed Sacrament; **sacrifier** [~'fje] (1o) v/t. sacrifice (a. ✝, a. fig.); fig. give (s.th.) up (to, for à); se ~ devote o.s. (to, à); v/i. sacrifice; conform (to, à); **sacrilège** [~'lɛːʒ] **1.** adj. sacrilegious, impious; **2.** su. sacrilegious person; su./m sacrilege.

sacripant [sakri'pɑ̃] m F scoundrel, knave; † braggart.

sacristain eccl. [sakris'tɛ̃] m sacristan; sexton; **sacristi!** [~'ti] int. Good Lord!; hang it!; **sacristie** eccl. [~'ti] f sacristy, vestry.

sacro... [sakrɔ] sacro-... (a. anat.); **~saint, e** [~'sɛ̃, ~'sɛ̃t] sacrosanct. **sacrum** anat. [sa'krɔm] m sacrum.

sadique [sa'dik] **1.** adj. sadistic; **2.** su. sadist; **sadisme** [~'dism] m sadism.

safran [sa'frɑ̃] **1.** su./m ♀, cuis. saffron; ♀ crocus; **2.** adj./inv. saffron (-colo[u]red); **safraner** cuis. [~fra-'ne] (1a) v/t. (colo[u]r or flavo[u]r with) saffron.

sagace [sa'gas] sagacious; shrewd; **sagacité** [~gasi'te] f sagacity; shrewdness; avec ~ sagaciously.

sage [saːʒ] **1.** adj. wise; prudent; discreet (person, conduct); well-behaved; good (child); modest (woman); **2.** su./m wise man, sage; **~femme**, pl. **~s-femmes** [saʒ-'fam] f midwife; **sagesse** [sa'ʒɛs] f wisdom; discretion; good behavio(u)r; woman: modesty.

sagittaire [saʒi'tɛːr] su./m hist. archer; astr. le ♀ Sagittarius, the Archer; su./f ♀ sagittaria, arrowhead.

sagou cuis. [sa'gu] m sago.

sagouin, e [sa'gwɛ̃, ~'gwin] su. zo. squirrel-monkey; su./m F slovenly fellow; su./f F slattern, slut.

sagoutier ♀ [sagu'tje] m sago-palm.

saie tex. [sɛ] f fine woollen lining.

saignant, e [sɛ'nɑ̃, ~'nɑ̃t] bleeding; cuis. underdone, rare (meat); **saignée** [~'ne] f ✝ bleeding; anat. bend of the arm; drainage: ditch; fig. resources: drain; ⊕ (oil-)groove; **saigner** [~'ne] (1b) vt/i. bleed; v/t. fig. extort money from (s.o.); ⊕ ~ un fossé drain a ditch; ~ une rivière tap a stream.

saillant, e [sa'jɑ̃, ~'jɑ̃ːt] **1.** adj. ⚠ projecting; prominent; fig. outstanding, striking; **2.** su./m ✗ sa-

lient; **saillie** [~'ji] f spurt, bound; ✗ sally (a. fig. wit); zo. covering; fig. outburst; paint. prominence; ⚠ projection; ⊕ lug; en ~ projecting; bay(-window); faire ~ project; protrude; par ~s by leaps and bounds.

saillir[1] [sa'jiːr] (2a) v/i. spurt out, gush out; ✗ (make a) sally; v/t. zo. cover (a mare).

saillir[2] [~] (2p) v/i. project; paint. etc. stand out.

sain, saine [sɛ̃, sɛn] healthy (person, climate, a. sp.); sound (doctrine, horse, fruit, timber, views, ✝, ☞, etc.); wholesome (food); ⚓ clear; ~ et sauf safe and sound; **sain(-)bois** ♀ [sɛ̃'bwa] m spurge-flax.

saindoux cuis. [sɛ̃'du] m lard.

sainfoin ♀, ✗ [sɛ̃'fwɛ̃] m sainfoin.

saint, sainte [sɛ̃, sɛ̃ːt] **1.** adj. holy; eccl. saintly; consecrated (building, ground, etc.); ♀ Jean St. John; F toute la sainte semaine all the blessed week; **2.** su. saint; su./m: les ~s pl. de glace the Ice or Frost Saints; le ~ des ~s the Holy of Holies; **~bernard** zo. [sɛ̃ber-'naːr] m/inv. St. Bernard; **~crépin** [~kre'pɛ̃] m shoemaker's tools pl.; fig. possessions pl.; ♀-**Esprit** [~tɛs-'pri] m Holy Ghost; **sainteté** [sɛ̃-tə'te] f holiness, saintliness; fig. sanctity.

saint...: **~frusquin** sl. [sɛ̃frys'kɛ̃] m/inv. possessions pl.; tout le ~ the whole caboodle; **~office** eccl. [~-tɔ'fis] m Holy Office; ♀-**Père** eccl. [~'pɛːr] m the Holy Father, the Pope; ♀-**Siège** eccl. [~'sjɛːʒ] m the Holy See.

sais [sɛ] 1st p. sg. pres. of savoir 1.

saisi ⚖ [sɛ'zi] m distrainee; **saisie** [~] f seizure (a. ⚖); ⚖ distraint; **saisine** [~'zin] f ⚖ livery of seisin; ⚓ etc. lashing; boat: sling; **saisir** [~'ziːr] (2a) v/t. seize; catch hold of; ⚖ attach; distrain upon (goods); foreclose (a mortgage); ⚓ stow (anchors, boats); cuis. cook (meat) at high temperature; fig. catch, grasp; understand; ~ q. de refer (s.th.) to s.o.; vest s.o. with; se ~ de seize upon (a. fig.); **saisissable** [~zi'sabl] seizable; attachable; fig. distinguishable; **saisissant, e** [~zi'sɑ̃, ~'sɑ̃ːt] **1.** adj. striking; gripping (scene, spectacle, speech); piercing (cold); ⚖ dis-

training; **2.** *su./m* 🏛 distrainer;
saisissement [⌣zis'mã] *m* seizure;
sudden chill; shock; *pleasure*: thrill.
saison [se'zõ] *f* season; tourist season; *time*: period; ~ **hivernale**
winter season; (*hors*) *de* ~ (un-)
seasonable, (in)opportune; *la* ~ *bat*
son plein it is the height of the
season; **saisonnier, -ère** [⌣zɔ'nje,
⌣'nje:r] seasonal.
salade[1] ⚔ † [sa'lad] *f* helmet:
salade.
salade[2] [sa'lad] *f* salad; lettuce; *fig.*
confusion, jumble; F *panier m à* ~
Black Maria (= *prison van*); **sala-
dier** [⌣la'dje] *m* salad-bowl.
salage [sa'la:ʒ] *m* salting; † salt-tax.
salaire [sa'lɛ:r] *m* wage(s *pl.*) (*a.
fig.*); pay; *fig.* reward; ~ *de base*
basic wage.
salaison [salɛ'zõ] *f* salting; *bacon*:
curing; salt provisions *pl.*; *marchand m de* ~*s* dry-salter.
salamandre [sala'mã:dr] *f zo.* sala-
mander; ⊕ slow-combustion stove.
salangane *orn.* [salã'gan] *f* salangane; *cuis.* nid *m* de ~ bird's nest.
salant [sa'lã] *adj./m* salt-...
salariat [sala'rja] *m* salaried *or*
wage-earning classes *pl.*; **salarié, e**
[⌣'rje] **1.** *adj.* wage-earning (*person*);
paid (*work*); **2.** *su.* wage-earner; *pej.*
hireling; **salarier** [⌣'rje] (1o) *v/t.*
pay wages to (*s.o.*).
salaud *sl.* [sa'lo] *m* dirty person; *fig.*
dirty dog, skunk; **sale** [sal] dirty
(*a. fig.*); *fig.* foul.
salé, e [sa'le] **1.** *adj.* salt(ed); *fig.*
spicy, coarse (*story*); biting (*comment etc.*); F stiff (*price,* 🏛 *sentence*);
2. *su./m* salt pork; *petit* ~ pickled
pork.
salement [sal'mã] *adv.* dirtily;
meanly, nastily; *sl.* very, extremely.
saler [sa'le] (1a) *v/t.* salt (*a. fig.*);
cure (*bacon*); *fig.* fleece, overcharge
(*s.o.*).
saleté[sal'te]*f*dirt(iness),filth(iness);
fig. indecency; dirty story; *fig.* dirty
trick; *fig. dire des* ~*s* talk smut.
salicaire ⚘ [sali'kɛ:r] *f* loosestrife.
salicorne ⚘ [sali'kɔrn] *f* saltwort.
salicylate 🧪 [salisi'lat] *m* salicylate;
salicylique 🧪 [⌣'lik] salicylic.
salière [sa'lje:r] *f* table: salt-cellar;
kitchen: salt-box; *horse*: depression
above the eye-socket; **salifiable** 🧪
[sali'fjabl] salifiable; **salification**

[⌣fika'sjõ] *f* salification; **salifier** 🧪
[⌣'fje] (1o) *v/t.* salify.
saligaud *m*, **e** *f sl.* [sali'go, ⌣'go:d]
dirty dog, skunk, rotter; sloven.
salin, e [sa'lɛ̃, ⌣'lin] **1.** *adj.* saline,
salty; salt (*air*); **2.** *su./m* salt-marsh;
⊕, 🧪 (crude) potash; **2.** *su./f* salt-
pan, salt works *usu. sg*; rock-salt
mine; **salinier** [⌣li'nje] *m* salter;
salt-mine owner; ♱ salt merchant.
salir [sa'li:r] (2a) *v/t.* dirty, soil; *fig.*
sully; *se* ~ get dirty *or* soiled; *fig.*
tarnish one's reputation; **salissant,
e** [⌣li'sã, ⌣'sã:t] dirty(ing); *tex. etc.*
easily soiled.
salivaire *anat.* [sali'vɛ:r] salivary;
salivation 🟊 [⌣va'sjõ] *f* salivation;
salive [sa'li:v] *f* saliva; F *perdre sa*
~ waste one's breath; **saliver** [⌣li-
've] (1a) *v/i.* salivate.
salle [sal] *f* hall; (*large*) room; *hospital*: ward; *thea.* (*a.* ~ *de spectacle*)
auditorium, F house; ~ *à manger*
dining-room; ~ *d'attente* waiting-
room; ~ *de bain(s)* bathroom; ~ *de
classe* class-room, schoolroom; ⚔
~ *de police* guard-room; ~ *des pas
perdus* lobby, waiting-hall.
salmigondis [salmigõ'di] *m cuis.*
salmagundi, ragout; *fig.* hotch-
potch.
salmis *cuis.* [sal'mi] *m* salmi; ragout
(*of roasted game*).
salmonidés *icht.* [salmɔni'de] *m/pl.*
Salmonidae.
saloir [sa'lwa:r] *m* salting-tub; *cuis.*
salt-sprinkler.
salon [sa'lõ] *m* drawing-room; ⚓
etc. saloon, cabin; (*tea-*)room; ♀ exhibition; *fig.* ~*s pl.* society *sg.*,
fashionable circles; ♀ *de l'automobile* motor-show; *fréquenter les* ~*s*
move in high society; **salonnier**
[⌣lɔ'nje] *m* art critic; critic of the
Salon (*the annual art exhibition in
Paris*).
salopard *sl.* [salɔ'pa:r] *m* unprepos-
sessing person; **salope** *sl.* [⌣'lɔp] *f*
slut; trollop; **saloperie** F [salɔ'pri]
f filth; rubbish, trash; bungled
piece of work; ~*s pl.* smut *sg.*, dirt
sg.; *faire une* ~ *à* play a dirty trick
on; **salopette** [⌣'pɛt] *f* overall(s
pl.); dungarees *pl.*
salpêtre [sal'pɛ:tr] *m* saltpetre, potassium nitrate, nitre; saltpetre rot
(*on walls*); **salpêtrer** [salpe'tre]
(1a) *v/t.* 🌱 treat with saltpetre; rot

(*walls*); **salpêtrerie** [‿trə'ri] *f* nitre works *usu. sg.*; **salpêtreux, -euse** [‿'trø, ‿'trøːz] saltpetrous; **salpêtrier** [‿tri'e] *m* saltpetre-worker; **salpêtrière** [‿tri'ɛːr] *f see* salpêtrerie; **salpêtrisation** [‿triza'sjɔ̃] *f* 🪏 treating with saltpetre; rotting (*through damp*).

salsifis 🌱, *cuis.* [salsi'fi] *m* salsify.

saltimbanque [saltɛ̃'bãːk] *m* (travelling) showman; *pol.*, *fig.* charlatan, mountebank; † tumbler.

salubre [sa'lyːbr] salubrious, healthy; wholesome (*food etc.*); **salubrité** [‿lybri'te] *f* salubrity, healthiness; *food etc.*: wholesomeness; ~ *publique* public health.

saluer [sa'lɥe] (1n) *v/t.* bow to; salute (*a.* ✕, ⚓), greet (*s.o.*); *fig.* welcome; ⚓ ~ *du pavillon* dip the flag to.

salure [sa'lyːr] *f* saltness; salt tang (*of the sea air*).

salut [sa'ly] *m* safety; *eccl.*, *a. fig.* salvation; greeting; bow; ✕ salute; ⚑ *flag:* dipping; ✕ *colour:* lowering; *eccl.* Benediction (of the Blessed Sacrament); ~! hullo!; how do you do?; *Armée f du* ♀ *Salvation Army*; **salutaire** [saly'tɛːr] salutary, wholesome, beneficent; **salutation** [‿ta'sjɔ̃] *f* greeting; bow; *agréez mes meilleures* ~*s end of letter:* yours faithfully; **salutiste** [‿'tist] *su.* Salvationist, member of the Salvation Army.

salve [salv] *f* ✕ salvo; *guns:* salute; *fig.* round (*of applause*).

samedi [sam'di] *m* Saturday; ~ *saint* Holy Saturday, Saturday before Easter.

sanctificateur, -trice [sãktifika-'tœːr, ‿'tris] **1.** *adj.* sanctifying; **2.** *su.* sanctifier; *su./m: le* ♀ the Holy Ghost; **sanctification** [‿fika'sjɔ̃] *f* sanctification; *Sabbath:* observance; **sanctifier** [‿'fje] (1o) *v/t.* sanctify, make holy; observe (*the Sabbath*); *que votre nom soit sanctifié* hallowed be Thy name. **sanction** [sãk'sjɔ̃] *f* sanction (*a. pol.*); assent; ⚖ penalty, punishment; **sanctionner** [‿sjɔ'ne] (1a) *v/t.* sanction; support (*a reading in a manuscript, a theory, etc.*); ⚖ attach a penalty to; penalize (*an offence, a. F a person*).

sanctuaire [sãk'tɥɛːr] *m* sanctuary

(*a. eccl.*); *fig.* sanctum, den; **sanctus** *eccl.*, ♪ [‿'tys] *m Mass:* sanctus.

sandal, *pl.* -**als** [sã'dal] *m see* santal.

sandale [sã'dal] *f* sandal; gym-shoe.

sandow [sã'dɔf] *m sp.* chest-expander; ⊕ *etc.* rubber shock-absorber.

sandre *icht.* [sã:dr] *f* pike-perch.

sandwich, *pl. a.* -**es** [sã'dwitʃ] *m* sandwich; *sl. faire* ~ play gooseberry.

sang [sã] *m* blood; race, lineage; kinship, relationship; F *avoir le* ~ *chaud* be quick-tempered; 💉 *coup m de* ~ (apoplectic) fit; *droit m du* ~ birthright; 💉 *écoulement m de* ~ h(a)emorrhage; *être tout en* ~ be covered with blood; *se faire du mauvais* ~ worry; ~-**froid** [‿'frwa] *m* composure, self-control; *de* ~ in cold blood, deliberately.

sanglant, e [sã'glã, ‿'glãːt] bloody; blood-covered; blood-red; *fig.* bitter (*attack, criticism, tears, etc.*); deadly (*insult*).

sangle [sã:gl] *f* strap; (*saddle-*) girth; *lit m de* ~ camp-bed; **sangler** [sã'gle] (1a) *v/t.* strap; girth (*a horse*); strike (*s.o.*); fasten the webbing on (*a bed, a chair*).

sanglier *zo.* [sãgli'e] *m* wild boar.

sanglot [sã'glo] *m* sob; **sangloter** [‿glɔ'te] (1a) *v/i.* sob.

sangsue *zo.*, *fig.* [sã'sy] *f* leech.

sanguin, e [sã'gɛ̃, ‿'gin] blood...; of blood; full-blooded (*person*); red-faced (*person*); **sanguinaire** [‿gi'nɛːr] **1.** *adj.* bloodthirsty (*person*); bloody (*fight*); **2.** *su./f* 🌱 blood-root; **sanguine** [‿'gin] *f* blood-orange; red h(a)ematite, red chalk; *min.* bloodstone; *paint.* red chalk (drawing); **sanguinolent, e** [‿ginɔ'lã, ‿'lãːt] blood-red; 💉 sanguinolent.

sanie 💉 [sa'ni] *f* pus, F matter; **sanieux, -euse** 💉 [‿'njø, ‿'njøːz] sanious.

sanitaire [sani'tɛːr] sanitary; ✕ hospital (*train*), ambulance (*aeroplane*).

sans [sã] *prp.* without; free from or of; ...less; un...; ~ *hésiter* without hesitating *or* hesitation; *non* ~ *peine* not without difficulty; ~ *plus tarder* without further delay; ~ *bretelles* strapless; ~ *cesse* ceaseless; ~ *doute* doubtless, no doubt;

~ *exemple* unparalleled; ~ *faute* without fail; faultless; ~ *le sou* penniless; ~ *que (sbj.)* without *(ger.)*; ~ *cela,* ~ *quoi* but for that; *see mot*; **~-abri** [ˌza'bri] *m/inv.* homeless person; **~-atout** [ˌza'tu] *m* cards: no trumps; **~-cœur** F [ˌ'kœːr] *su./inv.* heartless person; **~-culotte** *hist.* [ˌky'lɔt] *m* sansculotte (= *extreme republican*); **~-façon** [ˌfa'sɔ̃] *m/inv.* straightforwardness, bluntness; **~-fil** [ˌ'fil] *f/inv.* wireless message; **~-filiste** [ˌfi'list] *su.* wireless enthusiast; wireless operator; **~-gêne** [ˌ'ʒɛn] *su./inv.* off-handed *or* unceremonious person; *su./m inv. pej.* off-handedness; F cheek; **~-le-sou** F [ˌlə'su] *su./inv.* penniless person.

sansonnet *orn.* [sɑ̃sɔ'nɛ] *m* starling.

sans-souci F [sɑ̃su'si] **1.** *su./inv.* easygoing *or* happy-go-lucky person; **2.** *adj./inv.* unconcerned; insouciant.

santal, *pl.* **-als** ♀ [sɑ̃'tal] *m* sandalwood.

santé [sɑ̃'te] *f* health; *à votre* ~! cheers!; your health!; *être en bonne* ~ be well; *maison f de* ~ private hospital, nursing home; mental hospital; *médecin m de (la)* ~ medical officer of health, F M.O.H.; *service m de (la)* ~ Health Service, ⚕ medical service, ⚓ quarantine service. [cotton.]

santoline ♀ [sɑ̃tɔ'lin] *f* lavender-/

santonine [sɑ̃tɔ'nin] *f* ♀, *a.* ⚕ santonica; ⚕ santonin.

sanve ♀ [sɑ̃:v] *f* charlock.

saoul [su] *see* soûl.

sape [sap] *f* ✕ *etc.* sap(ping); undermining *(a. fig.)*; ⊕ short-handled scythe; **saper** [sa'pe] (1a) *v/t.* sap, undermine *(a. fig.)*.

sapeur ✕ [sa'pœːr] *m* sapper; pioneer; **~-pompier,** *pl.* **~s-pompiers** [ˌpœrpɔ̃'pje] *m* fireman; *sapeurs-pompiers pl.* fire-brigade.

saphir *min., a. orn.* [sa'fiːr] *m* sapphire; **saphirine** *min.* [ˌfi'rin] *f* sapphirine.

sapientiaux *bibl.* [sapjɑ̃'sjo] *adj./m/pl.*: *Livres m/pl.* ♀ wisdom-literature *sg.*

sapin [sa'pɛ̃] *m* ♀ fir(-tree), spruce; ⚓ deal; F coffin; *faux* ~ pitch-pine; F *toux f qui sent le* ~ churchyard cough; **sapinière** ♀ [ˌpi'njɛːr] *f* fir-plantation.

saponacé, e [sapɔna'se] saponaceous, soapy; **saponaire** ♀ [ˌ'nɛːr] *f* saponaria, *usu.* soapwort; **saponifier** [ˌni'fje] (1o) *v/t. a. se* ~ saponify.

sapristi! [sapris'ti] *int.* Good Lord!; hang it!

sarbacane [sarba'kan] *f* blow-pipe.

sarcasme [sar'kasm] *m* sarcasm; sarcastic remark; **sarcastique** [ˌkas'tik] sarcastic.

sarcelle *orn.* [sar'sɛl] *f* teal.

sarclage ✒ [sar'klaːʒ] *m* weeding; **sarcler** [ˌ'kle] *v/t.* ✒ weed; hoe (up); *fig.* weed out; **sarcloir** ✒ [ˌ'klwaːr] *m* hoe; **sarclure** ✒ [ˌ'klyːr] *f* (uprooted) weeds *pl.*

sarcome ⚕ [sar'koːm] *m* sarcoma.

sarcophage [sarkɔ'faːʒ] *m* sarcophagus.

sarcopte *zo.* [sar'kɔpt] *m* sarcoptes; itch-mite *(a.* ⚕*).*

sarde [sard] **1.** *adj.* Sardinian; **2.** *su./m ling.* Sardinian; *su.* ♀ Sardinian; **sardine** [sar'din] *f icht.* pilchard; ♰ sardine; ✕ N.C.O.'s stripe; **sardinerie** [ˌdin'ri] *f* sardine-packing factory *etc.*; **sardinier, -ère** [ˌdi'nje, ˌ'njɛːr] *su.* sardine fisher; sardine packer *or* curer; *su./m* sardine-net; sardine-boat.

sardoine *min.* [sar'dwan] *f* sard; *bibl.* sardine stone.

sardonique [sardɔ'nik] sardonic.

sargasse ♀ [sar'gas] *f* sargasso.

sarigue *zo.* [sa'rig] *m* sarigue; *South America:* opossum.

sarment ♀ [sar'mɑ̃] *m* vine-shoot; bine; **sarmenteux, -euse** [ˌmɑ̃'tø, ˌ'tøːz] sarmentous; *vine:* climbing.

sarrasin, e [sara'zɛ̃, ˌ'zin] **1.** *adj. hist.* Saracen; **2.** *su. hist.* ♀ Saracen; *su./m* ✒ buckwheat; *metall.* waste; *su./f* ✕, △ portcullis.

sarrau, *pl. a.* **-s** *cost.* [sa'ro] *m* overall, smock.

sarriette ♀ [sa'rjɛt] *f* savory.

sas ⊕ [sɑ] *m* sieve, riddle, screen; *(air-)*lock; lock-chamber; ⚓ submarine: flooding-chamber; *passer au* ~ sift, *fig.* bolt *(s.th.).*

sasse [sɑːs] *f* ⚓ bailing-scoop, bailer; ⊕ *flour:* bolter.

sassement [sɑs'mɑ̃] *m* ⚓ passing through a lock; ⊕ sifting, screening, *flour etc.:* bolting; **sasser** [sa'se]

(1a) *v/t.* ⚓ pass (*a boat*) through a lock; ⊕ sift (*a. fig.*), screen, bolt (*flour etc.*); jig (*ore*); *fig.* examine in detail.

satané, e F [sata'ne] confounded; **satanique** [ˌ'nik] satanic; *fig.* diabolical.

satellisation *phys.* [satɛlliza'sjɔ̃] *f satellite*: putting into orbit; **satelliser** *phys.* [ˌli'ze] (1a) *v/t.* put (*a satellite*) into orbit; **satellite** [ˌ'lit] *m astr., phys., a. fig.* satellite; *fig.* henchman; ⊕ planet-wheel.

satî [sɑ'ti] *f* suttee.

satiété [sasje'te] *f* satiety; *à ~* to repletion, to satiety.

satin ⚓, *tex.* [sa'tɛ̃] *m* satin; *bois m de ~* satinwood; **satinade** ⚓, *tex.* [sati'nad] *f silk*: satinette; **satinage** [ˌ'na:ʒ] *m* ⊕ glazing; *tex.* satining; *paper*: surfacing; *phot. print*: burnishing; **satiné, e** [ˌ'ne] **1.** *adj.* satiny; glazed (*leather, paper*); *geol.* satin-(*spar, stone*); **2.** *su./m* gloss; **satiner** [ˌ'ne] (1a) *v/t.* satin, glaze; surface (*paper*); press (*linen, paper*); *phot.* burnish; **satinette** ⚓, *tex.* [ˌ'nɛt] *f* (*cotton*) satinette, sateen; **satineur, -euse** *tex.* [ˌ'nœ:r, ˌ'nø:z] *su.* satiner, glazer; *su./f* satining-machine, glazing-machine.

satire [sa'ti:r] *f* satire (on, *contre*); lampoon; satirizing; **satirique** [sati'rik] **1.** *adj.* satiric(al); **2.** *su./m* satirist; **satiriser** [ˌri'ze] (1a) *v/t.* satirize.

satisfaction [satisfak'sjɔ̃] *f* satisfaction (*a. fig.*); *fig.* amends *pl.* (for *pour*, de); *eccl.* atonement (for, de); **satisfaire** [ˌ'fɛ:r] (4r) *v/t.* satisfy (*a. fig.*); make amends to (*s.o.*); *v/i. eccl.* make atonement; *~ à* satisfy; *fig.* meet (*an objection etc.*); *fig.* fulfil (*a duty*); **satisfaisant, e** [ˌfə-'zɑ̃, ˌ'zɑ̃:t] satisfactory, satisfying; **satisfait, e** [ˌ'fɛ, ˌ'fɛt] satisfied, pleased (with, de).

saturable 🜍, *phys.* [saty'rabl] saturable; **saturer** [ˌ're] (1a) *v/t.* 🜍, *phys.* saturate (with, de); *fig.* satiate.

saturnin, e ⚕ [satyr'nɛ̃, ˌ'nin] lead-...; **saturnisme** ⚕ [ˌ'nism] *m* lead-poisoning.

satyre [sa'ti:r] *m myth.* satyr; *zo.* satyr butterfly.

sauce [so:s] *f cuis., a. tobacco*: sauce;

cuis. gravy; *drawing*: lamp-black; *~ tomate* tomato sauce; F *dans la ~* in the soup; **saucée** F [so'se] *f rain*: downpour; *fig.* dressing-down, F telling-off; **saucer** [ˌ'se] (1k) *v/t.* dip (*s.th.*) in the sauce; soak (*a. F fig.*); F scold, tell (*s.o.*) off; **saucière** [ˌ'sjɛ:r] *f* sauce-boat; gravy-boat.

saucisse [so'sis] *f* (*fresh*) sausage; *sl.* fat-head, stupid; F ✈ observation balloon.

saucisson [sosi'sɔ̃] *m* (*dry, smoked, etc.*) sausage; ✖ powder-hose; ✖ fascine.

sauf, sauve [sof, so:v] **1.** *adj.* safe, unhurt; unscathed; **2.** *sauf prp.* except, but; save; in the absence of; *~ à* (*inf.*) subject to (*ger.*); *~ erreur ou omission* errors and omissions excepted; *~ imprévu* except for unforeseen circumstances; *~ que* (*sbj.*) except that (*ind.*); **~-conduit** [sofkɔ̃'dɥi] *m* safe-conduct, pass.

sauge 🜍, *cuis.* [so:ʒ] *f* sage.

saugrenu, e [sogrə'ny] preposterous, ridiculous.

saulaie 🜍 [so'lɛ] *f* willow-plantation; **saule** 🜍 [so:l] *m* willow; *~ pleureur* weeping willow; **saulée** [so'le] *f* row of willows.

saumâtre [so'mɑ:tr] brackish; F nasty; sour (*person*).

saumon [so'mɔ̃] **1.** *su./m icht.* salmon; ⊕ *lead*: pig; ⊕ *metal*: ingot, block; **2.** *adj./inv.* salmon-pink; **saumoné, e** [somo'ne] salmon; *icht. truite f ~e* salmon-trout; **saumoneau** *icht.* [ˌ'no] *m* young salmon; parr.

saumure [so'my:r] *f* pickling brine; pickle; **saumurer** [ˌmy're] (1a) *v/t.* pickle in brine; brine (*anchovies, meat*).

saunage [so'na:ʒ] *m* ⊕ salt-making; ⚓ salt-trade; **sauner** [ˌ'ne] (1a) *v/t.* deposit its salt (*marsh*); make salt; **saunerie** [son'ri] *f* saltworks *usu. sg.*; saltern; **saunier** [so'nje] *m* ⊕ salt-maker; ⚓ salt-merchant; **saunière** [ˌ'njɛ:r] *f* salt-box; *cattle, deer*: salt-lick.

saupoudrer [sopu'dre] (1a) *v/t.* sprinkle, powder (with, de); dust (with, de); *fig.* stud (*the sky, a speech*) (with, de); **saupoudroir** [ˌ'drwa:r] *m* sugar-sifter, muffineer; sprinkler.

saur [sɔːr] *adj./m:* *hareng m ~* red
herring.

saurai [sɔˈre] *1st p. sg. fut. of savoir* 1.

saure [sɔːr] yellowish-brown; sorrel
(*horse*); red (*hawk*); unfledged
(*bird*).

saurer [soˈre] (1a) *v/t.* kipper, cure
(*herrings*); **sauret** [~ˈre] *adj./m*
lightly cured (*herring*); **saurin**
[~ˈrɛ̃] *m* bloater.

saussaie ⚜ [soˈsɛ] *f see* saulaie.

saut [so] *m* leap, jump; (*water*)fall;
sp. ~ *à la perche* pole-jump; *sp.* ~
d'ange swallow-dive; *sp.* ~ *de haie*
hurdling; *sp.* ~ *en hauteur* (*longueur*)
high (long) jump; ~ *en parachute*
parachute jump; *sp.* ~ *périlleux*
somersault; F *au ~ du lit* on getting
out of bed; *faire le ~* give way;
take the plunge; F *faire un ~ chez*
pop round to (*a shop etc.*); *par ~s
et par bonds* by leaps and bounds;
fig. jerkily; **~-de-lit,** *pl.* **~s-de-lit**
cost. [~dˈli] *m* dressing-gown; **saute**
[soːt] *f price, temperature:* jump; ⚓
wind, *a. fig.:* shift.

sautelle ⚜ [soˈtɛl] *f* layered vine-
shoot.

saute-mouton *sp. etc.* [sotmuˈtɔ̃] *m*
leap-frog; **sauter** [soˈte] (1a) *1. v/i.*
jump, leap (*a. fig.* for joy, *de joie*);
⚓ shift, veer (*wind*); blow up (*explosive, mine, etc.*); ⚡ blow (*fuse*);
✝ go bankrupt, fail; ~ *aux yeux* be
obvious; *faire ~* blow (*s.th.*) up; ⚡
blow (*a fuse*); burst (*a boiler*); blast
(*a rock*); spring (*a trap*); burst (*a
button, a lock*); *fig.* dismiss, F fire
(*an official*); *fig. pol.* bring down
(*the government*); *v/t.* jump (*over*),
leap (*over*); *fig.* skip, omit; ⚡ blow (*a
fuse*); toss (*a child, a. cuis. a pancake*); *cuis.* fry quickly; **sauterelle**
[~ˈtrɛl] *f* *zo.* grasshopper; bird-
trap; ⊕ bevel square; **sauterie**
[~ˈtri] *f* jumping, hopping; F (*informal*) dance, F hop; **sauteur,
-euse** [~ˈtœːr, ~ˈtøːz] *1. adj.* jumping, leaping, *fig.* unreliable (*person*); *2. su.* jumper, leaper; *circus:*
tumbler; F *pej.* weather-cock; *su./f*
cuis. shallow pan; **sautiller** [~tiˈje]
(1a) *v/i.* hop, jump (about); throb
(*heart*); *fig.* be jerky (*style*).

sautoir [soˈtwaːr] *m* *sp.* hurdle;
St. Andrew's cross, ▨ saltire; *cost.*
neckerchief (*worn crossed in front*);
long chain worn round the neck;

en ~ diagonal; *porter en ~* wear
(*s.th.*) crosswise; carry (*a haversack
etc.*) with the straps crossed over
the chest; *porter un ordre en ~* wear
an order round one's neck.

sauvage [soˈvaːʒ] *1. adj.* savage;
wild (*a. zo., a.* ⚜); *fig.* barbarous;
fig. shy, *fig.* unsociable; *2. su.* (*f a.*
sauvagesse [~vaˈʒɛs]) savage; unsociable person; **sauvageon** ⚜
[~vaˈʒɔ̃] *m* wilding; *grafting:* wild
stock; **sauvagerie** [~vaʒˈri] *f* sav-
agery; barbarity; *fig.* unsociability;
shyness; **sauvagin, e** [~vaˈʒɛ̃,
~ˈʒin] *1. adj.* fishy; *2. su./m* fishy
taste *or* smell; *su./f coll. orn.* water-
fowl *pl.*; ✝ common pelts *pl.*

sauvegarde [sovˈgard] *f* safeguard
(*a. fig.*), protection; safety; safe-
conduct; ⚓ life-line; **sauvegarder**
[~garˈde] (1a) *v/t.* safeguard, protect; keep up (*appearances*).

sauve-qui-peut [sovkiˈpø] *m* stampede; headlong flight; **sauver**
[soˈve] (1a) *v/t.* save, rescue (from,
de); keep up (*appearances*); ⚓ salvage, salve; *sauve qui peut!* every
man for himself!; *se ~* escape (from,
de); ✝ recoup o.s.; *fig.* run away,
F clear out, Am. F beat it; **sauvetage** [sovˈtaːʒ] *m* life-saving; rescue; ⚓ salvage; *ceinture f de ~*
life-belt; **sauveteur** [~ˈtœːr] *1.
su./m* rescuer; lifeboatman; ⚓ sal-
vager; *2. adj./m: bateau m ~* lifeboat; ⚓ salvage-vessel; **sauveur**
[soˈvœːr] *m* saver, preserver; *eccl.*
♀ Savio(u)r, Redeemer.

savamment [savaˈmɑ̃] *adv.* learn-
edly; knowingly, wittingly; with
full knowledge.

savane ⚜ [saˈvan] *f* savanna(h).

savant, e [saˈvɑ̃, ~ˈvɑ̃t] *1. adj.*
learned (in, *en*); scholarly, erudite;
performing (*dog*); *fig.* clever, skilful;
2. su. scholar; scientist.

savarin *cuis.* [savaˈrɛ̃] *m* savarin.

savate [saˈvat] *f* old shoe; *sp.* French
or foot boxing; *mot. brake:* slipper;
⊕ sole-plate; F bungler, clumsy
workman; F *traîner la ~* be down
at heel; **savetier** [savˈtje] *m* cobbler; F bungler, botcher.

saveur [saˈvœːr] *f* flavo(u)r, taste;
fig. zest, pungency; *sans ~* insipid,
tasteless.

savoir [saˈvwaːr] *1.* (3i) *v/t.* know
(of), be aware of, know how; be

able to; learn, get to know; ~ *l'anglais* know English; ~ *vivre* know how to behave; *autant (pas) que je sache* as far as I know (not that I know of); *faire* ~ *qch. à q.* inform s.o. of s.th.; *je ne saurais* (inf.) I cannot (inf.), I could not (inf.); *ne* ~ *que* (inf.) not to know what to (inf.); *sans le* ~ unintentionally; *v/i.* know; know how; *(à)* ~ *to wit*, namely; *c'est à* ~ that remains to be seen; 2. *su./m* knowledge, learning, erudition, scholarship; ~-**faire** [savwar'fɛːr] *m/inv.* ability; ~-**vivre** [~'viːvr] *m/inv.* good manners *pl.*; (good) breeding.

savon [sa'vɔ̃] *m* soap; F *fig.* rebuke, F telling-off; ~ *à barbe* shaving-soap; ~ *de Marseille* yellow soap, scrubbing-soap; *bulle f de* ~ soap-bubble; *donner un coup de* ~ *à* give (*s.th.*) a wash; F *flanquer un* ~ *à q.* dress s.o. down, F tell s.o. off; *pain m de* ~ cake of soap; **savonnage** [savɔ'naːʒ] *m* washing, soaping; **savonner** [~'ne] (1a) *v/t.* soap; wash (*clothes*); lather (*one's face before shaving*); F dress (*s.o.*) down; *tex. se* ~ wash; **savonnerie** [savɔn'ri] *f* soap-works *usu. sg.*; soap-making; soap-trade; **savonnette** [savɔ'nɛt] *f* cake of soap; shaving-brush; *watch:* hunter; **savonneux**, -**euse** [~'nø, ~'nøːz] soapy; **savonnier**, -**ère** [~'nje, ~'njeːr] 1. *adj.* soap...; 2. *su./m* soap-maker; soap-berry(-tree).

savourer [savu're] (1a) *v/t.* enjoy; *fig.* savo(u)r; **savoureux**, -**euse** [~'rø, ~'røːz] tasty, savo(u)ry; *fig.* enjoyable; *fig.* racy (*story*).

savoyard [savwa'jaːr, ~'jard] *adj.*, *a. su.* ♀ Savoyard.

saxatile ♀ [saksa'til] saxatile.

saxe [saks] *m* Dresden china.

saxifrage ♀ [saksi'fraːʒ] *f* saxifrage.

saxon, -**onne** [sak'sɔ̃, ~'sɔn] *adj.*, *a. su.* ♀ Saxon.

saynète *thea.* [sɛ'nɛt] *f* sketch; short comedy.   [*policeman*).\

sbire [sbiːr] *m* sbirro; F cop (= }

scabieux, -**euse** ♀ [ska'bjø, ~'bjøːz] *adj.*, *a. su./f* scabious.

scabreux, -**euse** ♀ [ska'brø, ~'brøːz] *fig.* scabrous (*behaviour*, *tale*); difficult, F ticklish (*work*); delicate (*question*); indelicate (*allusion*); rough (*path*).

scaferlati [skaferla'ti] *m* ordinary cut tobacco.

scalène ♀, *anat.* [ska'lɛn] *adj.*, *a. su./m* scalene.

scalpe [skalp] *m trophy:* scalp.

scalpel ♂ [skal'pɛl] *m* scalpel.

scandale [skã'dal] *m* scandal; *fig.* disgrace, shame; *faire* ~ create a scandal; **scandaleux**, -**euse** [skãda'lø, ~'løːz] scandalous, disgraceful; notorious; **scandaliser** [~li'ze] (1a) *v/t.* shock, scandalize; *se* ~ *de* be shocked at.

scander [skã'de] (1a) *v/t.* scan (*a verse*); ♪ stress; *fig.* punctuate (with, *de*).

scandinave [skãdi'naːv] *adj.*, *a. su.* ♀ Scandinavian.

scansion [skã'sjɔ̃] *f verse:* scansion.

scaphandre [ska'fãːdr] *m* diving-suit; *casque m de* ~ diver's helmet; **scaphandrier** [~fãdri'e] *m* deep-sea diver.

scapulaire [skapy'lɛːr] *adj. anat.*, *a. su./m eccl.* scapular.

scarabée *zo.* [skara'be] *m* beetle; *hist. Egypt:* scarab.

scarificateur [skarifika'tœːr] *m* ♪ scarifier; ♂ scarificator; **scarifier** ♂, ♂ [~'fje] (1o) *v/t.* scarify.

scarlatine ♂ [skarla'tin] *f* (*a. fièvre f* ~) scarlet fever.

sceau [so] *m* seal (*a. fig.*); *fig.* mark; *admin. le* ~ *de l'État* the Great Seal.

scélérat, e [sele'ra, ~'rat] 1. *adj.* villainous (*person*); outrageous (*act*); 2. *su.* villain, scoundrel; **scélératesse** [~ra'tɛs] *f* villainy.

scellé ♂ [sɛ'le] *m* seal; **sceller** [~] (1a) *v/t.* seal; F ratify; ♂ bed (*a post etc.*, *in concrete etc.*); plug (*a nail in the wall etc.*).

scénario [sena'rjo] *m thea.*, *cin.* scenario; *cin.* film-script; **scénariste** [~'rist] *su.* scenario writer; *cin.* script-writer; **scène** [sɛn] *f thea.* stage; *fig.* drama; *play*, *a.* F *fig.:* scene; *fig. faire une* ~ create a scene; *mettre en* ~ stage (*a play*); *mise f en* ~ production; (stage-) setting; **scénique** [se'nik] scenic; stage...; *indications f/pl.* ~*s* stage directions.

sceptique [sɛp'tik] 1. *adj.* sceptical, *Am.* skeptical; 2. *su.* sceptic, *Am.* skeptic.

sceptre [sɛptr] *m* sceptre; *fig.* power.

schéma [ʃe'ma] *m* diagram; (sketch-)

plan; design; **schématique** [⏑ma-'tik] schematic.

schisme [ʃism] *m* schism.

schiste *geol.* [ʃist] *m* shale, schist; **schisteux, -euse** *geol.* [ʃis'tø, ⏑'tøːz] schistose; *coal*: slaty.

schlague ⚔ † [ʃlag] *f* flogging.

schlitte [ʃlit] *f* wood-sledge (*for transport of lumber down mountain*); *Am.* dray; **schlitteur** [ʃli'tœːr] *m* lumberman (*in charge of a schlitte*).

schnaps F [ʃnaps] *m* brandy.

schnick *sl.* [ʃnik] *m* (poor) brandy.

schooner ⚓ [skuˈnœːr] *m* schooner.

sciable ⊕ [sjabl] fit for sawing; **sciage** ⊕ [sjaːʒ] *m* sawing; (*a. bois m de* ⏑) sawn timber; **sciant, e** F [sjã, sjãːt] boring; *fig.* irritating.

sciatique ♂ [sja'tik] **1.** *adj.* sciatic; **2.** *su./m* sciatic nerve; *su./f* sciatica.

scie ⊕ [si] *f* saw; *sl.* bore, nuisance; *fig.* catchword; ⏑ *à chantourner* compass-saw; ⏑ *à main* hand-saw; ⏑ *à manche* pad-saw; ⏑ *à ruban* band-saw; ⏑ *circulaire* circular saw, *Am.* buzz-saw; *trait m de* ⏑ *saw-cut*.

sciemment [sja'mã] *adv.* knowingly, intentionally; **science** [sjãːs] *f* knowledge, learning; science; ⏑s *pl. naturelles* natural science *sg.*; *homme m de* ⏑ scientist, man of science; **science-fiction** [sjãsfik-'sjɔ̃] *f* science fiction; **scientifique** [sjãti'fik] **1.** *adj.* scientific; **2.** *su.* scientist.

scier [sje] (1o) *v/t.* ⊕ saw; ⏴ saw off (*a branch*); F ⏑ *le dos à* bore (*s.o.*) stiff; **scierie** ⊕ [si'ri] *f* sawmill; **scieur** [sjœːr] *m* ⊕ sawyer; ⏑ *de long* pit sawyer.

scille [sil] *f* ♀ scilla; ♂ squills *pl.*

scindement [sɛ̃dia'sjɔ̃] *m* splitting up; **scinder** [sɛ̃'de] (1a) *v/t.* split up, divide; *se* ⏑ split (*pol. party*).

scintillation [sɛ̃tilla'sjɔ̃] *f*, **scintillement** [⏑tij'mã] *m* sparkling, scintillation (*a. fig.*); *star*: twinkling; *cin.* flicker(ing); **scintiller** [⏑ti'je] (1a) *v/i.* sparkle, scintillate (*a. fig.*); twinkle (*star*); *cin.* flicker.

scion [sjɔ̃] *m* ⏴ shoot, scion; *fishing-rod*: tip.

scirpe ♀ [sirp] *m* bulrush, clubrush.

scissile *min.* [si'sil] scissile; **scission** [⏑'sjɔ̃] *f* scission, split, division; *faire* ⏑ secede; **scissipare**

biol. [sisi'paːr] fissiparous, scissiparous; **scissiparité** *biol.* [⏑pari-'te] *f* fissiparity, scissiparity; **scissure** *anat. etc.* [si'syːr] *f* fissure, cleft.

sciure ⊕ [sjyːr] *f* (*saw*)dust.

scléreux, -euse ♂ [skle'rø, ⏑'røːz] sclerous; **sclérose** ♂ [⏑'roːz] *f* sclerosis; **sclérotique** *anat.* [⏑rɔ-'tik] *adj., a. su./f* sclerotic.

scolaire [skɔ'lɛːr] school...; **scolarité** [⏑lari'te] *f* *univ.* number of terms kept; *school*: number of years in school; school attendance; school-leaving age; *frais m/pl. de* ⏑ school fees; **scolastique** *phls.* [⏑las'tik] **1.** *adj.* scholastic; **2.** *su./m* scholastic, schoolman; *su./f* scholasticism.

scolopendre [skɔlɔ'pãːdr] *f* *zo.* centipede; ♀ hart's-tongue.

sconse ⏀ [skɔ̃ːs] *m* skunk (fur).

scooter [skuˈtœːr] *m* scooter.

scorbut [skɔr'by] *m* scurvy, **scorbutique** ♂ [⏑by'tik] *adj., a. su.* scorbutic.

score *sp.* [skɔr] *m* score.

scorie [skɔ'ri] *f* slag, scoria; *iron*: dross.

scorpion [skɔr'pjɔ̃] *m* *zo.* scorpion; *astr. le* ♀ Scorpio, the Scorpion.

scorsonère ♀ [skɔrsɔ'nɛːr] *f* scorzonera, black salsify.

scout, e [skut] **1.** *su./m* boy-scout; **2.** *adj.* scout...; **scoutisme** [sku'tism] *m* boy-scout movement, scouting.

scribe [skrib] *m* *hist.* (*Jewish*) scribe; copyist; F pen-pusher.

script *cin.* [skript] *m* film-script; ⏑**-girl** *cin.* [⏑'gœːrl] *f* continuity-girl.

scriptural, e *m/pl.* -**aux** [skripty-'ral, ⏑'ro] scriptural; ✝ *monnaie f* ⏑e deposit currency.

scrofulaire ♀ [skrɔfy'lɛːr] *f* figwort; **scrofule** ♂ [⏑'fyl] *f* scrofula; **scrofuleux, -euse** ♂ [⏑fy'lø, ⏑'løːz] scrofulous (*person*); strumous (*tumour*).

scrupule [skry'pyl] *m* *weight, a. fig.*: scruple; *avoir des* ⏑s *à* (*inf.*) have scruples about (*ger.*); *sans* ⏑ unscrupulous(ly *adv.*); *punctilious; peu* ⏑ unscrupulous.

scrutateur, -trice [skryta'tœːr,

~'tris] **1.** *adj.* searching; **2.** *su./m*
scrutinizer, investigator; *pol. etc.*,
ballot etc.: teller; **scruter** [~'te]
(1a) *v/t.* scrutinize; investigate;
search (*one's memory*); **scrutin** [~'tɛ̃]
m poll; *admin.* vote; voting; ~ *pu-*
blic (secret) open (secret) vote;
dépouiller le ~ count the votes;
tour m de ~ ballot.

sculpter [skyl'te] (1a) *v/t.* sculpture, carve (out of, *dans*); **sculp-**
teur [~'tœːr] *m* sculptor; ~ *sur bois*
wood-carver; **sculpture** [~'tyːr] *f*
sculpture; ~ *sur bois* wood-carving.

scutellaire ♀ [skytel'lɛːr] *f* scutel-
laria, skull-cap.

se [sə] **1.** *pron./rfl.* oneself; himself,
herself, itself; themselves; *to ex-*
press passive: ~ *vendre* be sold; ~
roser be(come) pink; **2.** *pron./recip.*
each other, one another.

séance [se'ɑ̃ːs] *f* seat; sitting (*a.*
paint.), session, meeting; *cin.* performance; ~ *plénière* (*de clôture*)
plenary (closing) session; *fig.* ~
tenante immediately; **séant, e** [~'ɑ̃,
~'ɑ̃ːt] **1.** *adj.* in session, sitting; *fig.*
seemly, proper; becoming (to, *à*);
2. *su./m anat.* seat; *se mettre sur*
son ~ sit up (*in bed*).

seau [so] *m* pail, bucket; *biscuit:*
barrel; ~ *à charbon* coal-scuttle; F
il pleut à ~x it is raining in bucket-
fuls.

sébacé, e ⚕ [seba'se] sebaceous.

sébile [se'bil] *f* wooden bowl.

sec, sèche [sɛk, sɛʃ] **1.** *adj.* dry (*a.*
wine, fig. remark); dried (*cod, rai-*
sins); lean (*person, horse*); sharp
(*blow, answer, remark, tone*); *fig.*
harsh, unsympathetic; barren; ⚕
dead (*loss*); split (*peas*); hard (*cash*);
cards: bare (*ace, king, etc.*); **2.** *sec*
adv.: *boire* ~ drink neat; drink hard;
brûler ~ burn like tinder; *parler* ~
not to mince one's words; *rire* ~
laugh harshly; *à* ~ dry; dried up;
F hard-up, broke; **3.** *su./f* ⚕ flat;
sl. fag (= *cigarette*); *sl.* *piquer une*
sèche be stumped (*in oral examina-*
tion), get no marks (*in examination*).

sécante ⚕ [se'kɑ̃ːt] *f* secant; **séca-**
teur [~ka'tœːr] *m* pruning-
shears *pl.*, secateurs *pl.*

sécession [sese'sjɔ̃] *f* secession;
faire ~ secede (from, *de*); **séces-**
sionniste [~sjɔ'nist] *adj.*, *a. su.*
secessionist.

séchage [se'ʃaːʒ] *m* drying; ⊕
wood: seasoning; F *univ. lecture:*
cutting; **sèche-cheveux** [sɛʃə'ʃvø]
m/inv. hair-drier; **sécher** [se'ʃe]
(1f) *v/i.* (become) dry; F waste away
(with, *de*); F be stumped (*in an ex-*
amination); *sl.* smoke; *faire* ~ dry;
⊕ season (*wood*); *v/t.* dry; ⊕
season (*wood*); F *univ.* cut (*a lec-*
ture); F fail (*a candidate*); **séche-**
resse [seʃ'rɛs] *f* dryness; drought;
person, horse: leanness; *answer,*
remark, tone: curtness; *fig. heart:*
coldness; *fig. style etc.:* bareness;
sécherie [~'ri] *f* drying-floor; *ma-*
chine: drier; ♪ seed-kiln; **sécheur**
⊕ [se'ʃœːr] *m* drier; **sécheuse**
[~'ʃøːz] *f* steam-drier; **séchoir**
[~'ʃwaːr] *m* ⊕ drying-room; dry-
ing-ground; ⊕ drier; clothes-
horse, airer.

second, e [sə'gɔ̃, ~'gɔ̃ːd] **1.** *adj.*
second (*a. fig.*); **2.** *su.* (the) second;
su./m second in command, princi-
pal assistant; ♣ first mate, first
officer, *sl.* number one; *box.*, *a.*
duel: second; △ second floor, *Am.*
third floor; ♣ ~ *maître* petty officer; *su./f* ♪, ♫, *time:* second; 🚂
second (*class*); *secondary school:*
(*approx.*) fifth form; *typ.* revise;
secondaire [səgɔ̃'dɛːr] **1.** *adj.*
secondary; *fig. a.* subordinate, minor; **2.** *su./m* ⚡ secondary winding;
seconder [~'de] (1a) *v/t.* second,
support; further (*s.o.'s interests*).

secouer [sə'kwe] (1p) *v/t.* shake (*a.*
fig.); shake down *or* off; knock out
(*a pipe*); F *fig.* rouse (*s.o.*); F *se* ~
get a move on; rouse o.s.

secourable [səku'rabl] helpful;
ready to help; **secourir** [~'riːr] (2i)
v/t. aid, succo(u)r, help; **secouriste**
[~'rist] *su.* first-aid worker; voluntary ambulance worker; **secours**
[sə'kuːr] *m* help, assistance, aid; ⚔
~ *pl.* relieving force *sg.*, relief troops;
au ~! help!; *de* ~ relief-...; spare
(*wheel*); emergency (*exit, landing-*
ground); ⚔, ⚕ *premier* ~ first aid.

secousse [sə'kus] *f* shake; jolt, jerk;
⚡, *a. fig.* shock.

secret, -ète [sə'krɛ, ~'krɛt] **1.** *adj.*
secret, concealed; *fig.* reticent;
2. *su./m* secret; secrecy; ⚖ solitary
confinement; ⊕ *desk etc.:* secret
spring; ~ *postal* secrecy of correspondence; *en* ~ in secret, in secre-

cy; privately; *su./f prayer*: secret;
secrétaire [sǝkre'tɛːr] *su. person*:
secretary; *su./m furniture*: secre-
taire, writing-desk; *orn.* secretary-
bird; ~ d'État Secretary of State;
~ *particulier* private secretary;
secrétairerie [ˌtɛrǝ'ri] *f* secretary's staff; secretariat; *pol.* chan-
cery, registry; **secrétariat** [ˌta-
'rja] *m* secretariat, secretary's office; secretaryship.

sécréter *physiol.* [sekre'te] (1f) *v/t.*
secrete; **sécréteur, -trice** *or* **-euse**
physiol. [ˌ'tœːr, ~'tris, ~'tøːz] secretory; **sécrétion** *physiol.* [ˌ'sjɔ̃] *f*
secretion; **sécrétoire** *physiol.* [~-
'twaːr] secretory.

sectaire [sɛk'tɛːr] *adj., a. su.* sec-
tarian; **secte** [sɛkt] *f* sect.

secteur [sɛk'tœːr] *m* ⚭, ⊕, ✕, *astr.*
sector; *admin.* district, area; ⚡
mains *pl.*; ⚓ (*steering-*)quadrant.

section [sɛk'sjɔ̃] *f* section (*a.* ⚭, △);
cutting, docking; ✕ *infantry*: platoon, *artillery*: section; ✕ *ammunition*: column; ⚓ subdivision; *admin.* branch; *bus, tram*: stage;
admin. ~ *de vote* polling-district;
sectionnel, -elle [sɛksjɔ'nɛl] sec-
tional; **sectionner** [ˌ'ne] (1a) *v/t.*
divide into sections; cut, sever.

séculaire [seky'lɛːr] secular (= *once
in 100 years*); century-old; *fig.*
time-hono(u)red, ancient; **séculariser** [ˌlari'ze] (1a) *v/t.* secularize;
convert (*a church etc.*) to secular
use; **sécularité** [ˌlari'te] *f* secularity; *eccl.* secular jurisdiction; **séculier, -ère** [~'lje, ~'ljeːr] 1. *adj.* secular; laic, lay-...; *fig.* worldly;
2. *su./m* layman; *les ~s pl.* the laity.

sécurité [sekyri'te] *f* security; *admin., mot., a.* ⊕ safety; confidence;
pol. ~ *collective* collective security;
~ *routière* road safety.

sédatif, -ve ⚕ [seda'tif, ~'tiːv] *adj.,
a. su./m* sedative.

sédentaire [sedɑ̃'tɛːr] sedentary
(*life, profession*); settled, fixed; *orn.*
non-migrant.

sédiment [sedi'mɑ̃] *m* sediment,
deposit; **sédimentaire** *geol. etc.*
[ˌmɑ̃'tɛːr] sedimentary; aqueous
(*rock*); **sédimentation** [ˌmɑ̃ta-
'sjɔ̃] *f* sedimentation.

séditieux, -euse [sedi'sjø, ~'sjøːz]
1. *adj.* seditious; mutinous; 2. *su.*
seditionist, fomenter of sedition;

sédition [~'sjɔ̃] *f* sedition; *en ~* in
revolt.

séducteur, -trice [sedyk'tœːr, ~'tris]
1. *adj.* seductive, alluring; tempting (*look, word*); 2. *su.* seducer;
séductible [~'tibl] seducible; **séduction** [~'sjɔ̃] *f* seduction (*a.* ⚭);
fig. attraction; **séduire** [se'dɥiːr]
(4h) *v/t.* seduce (*a.* ⚭); suborn,
bribe (*a witness*); *fig.* attract (*s.o.*),
fascinate (*s.o.*); **séduisant, e** [ˌdɥi-
'zɑ̃, ~'zɑ̃ːt] seductive, tempting;
fig. attractive, fascinating.

segment [sɛg'mɑ̃] *m* ⚭, *zo.* segment; ⊕ (*piston-*)ring; *caterpillar
tyre*: joint; **segmentaire** [ˌmɑ̃-
'tɛːr] ⚭ segmentary; △, *anat.*
segmental; **segmenter** [ˌmɑ̃'te]
(1a) *v/t. a. se ~* segment, divide
into segments.

ségrégation [segrega'sjɔ̃] *f* segrega-
tion (*a. pol.*), isolation.

seiche *zo.* [sɛʃ] *f* cuttle-fish; *os m
de ~* cuttle-bone.

séide [se'id] *m* henchman; blind
supporter.

seigle ♀ [sɛgl] *m* rye; ~ *ergoté*
spurred rye.

seigneur [sɛ'ɲœːr] *m* lord; noble;
lord of the manor; *faire le* (*grand*)
~ lord it (over, *avec*); put on airs;
eccl. le ♀ the Lord; **seigneurial, e,**
m/pl. -aux [sɛɲœ'rjal, ~'rjo] sei-
gniorial, manorial; *maison f* ~*e*
manor-house; **seigneurie** [~'ri] *f*
lordship; manor; *sa ♀* his Lordship.

seille [sɛːj] *f* pail, bucket.

sein [sɛ̃] *m* breast; bosom (*a. fig.*);
fig. midst; *au ~ de* in the bosom of.

seine [sɛn] *f fishing*: seine, drag-
net.

seing ⚖ [sɛ̃] *m* signature, † sign
manual; *acte m sous ~ privé* simple
contract; private agreement.

séisme [se'ism] *m* earthquake,
seism.

seize [sɛːz] *adj./num., a. su./m/inv.*
sixteen; *date, title*: sixteenth; **seizième** [se'zjɛm] 1. *adj./num., a. su.*
sixteenth.

séjour [se'ʒuːr] *m* stay; *place*:
abode, residence, dwelling; ⚖
interdiction f de ~ prohibition from
entering certain localities; *permis
m de ~* residence permit; **séjourner**
[ˌʒur'ne] (1a) *v/i.* stay, reside; stop;
remain.

sel [sɛl] *m* salt (*a.* 🔒); *fig.* wit; ~*s pl.* smelling-salts; *prendre qch. avec un grain de* ~ take s.th. with a grain of salt.

select F [se'lɛkt] select; *réunions f/pl.* selects exclusive parties.

sélecter F 🕇 [selɛk'te] (1a) *v/t.* choose; **sélecteur** [~'tœːr] *m* ⚡, *a. radio:* selector; **sélectif, -ve** [~'tif, ~'tiːv] selective; **sélection** [~'sjɔ̃] *f* selection (*a.* ♪, *radio, biol., a. sp.*); choice; **sélectionner** [~sjɔ'ne] (1a) *v/t.* select, choose; **sélectivité** [~tivi'te] *f radio:* selectivity.

sélénique 🔒, *astr.* [sele'nik] selenic; **sélénium** 🔒 [~'njɔm] *m* selenium; **sélénographie** [~nɔgra'fi] *f* selenography.

self [sɛlf] *f* ⚡ (*a. bobine f de* ~) inductance-coil; ⚡ choking-coil, ⚡ choke; ~**-induction** [~ɛ̃dyk'sjɔ̃] *f* self-induction; inductance.

selle [sɛl] *f* ⊕, *mot., cuis., horse, bicycle:* saddle; ⊕ plate; *physiol.* motion, stool; ~ *anglaise* hunting saddle; *physiol. aller à la* ~ go to stool; F *mettre q. en* ~ give s.o. a helping hand.

seller[1] [se'le] (1a) *v/t.* saddle (*a horse*).

seller[2] ⚐ [~] (1a) *v/i. a. se* ~ become hard at the surface.

sellerie [sɛl'ri] *f* saddlery; 🕇 saddler's (shop); harness-room; *sellette* [sɛl'lɛt] *f* stool, seat; ⊕ slung cradle; 🎻 *etc.* bolster; † stool of repentance; *fig. mettre (or tenir) q. sur la* ~ cross-examine s.o., F carpet s.o.; **sellier** [~'lje] *m* saddler, harness-maker.

selon [sə'lɔ̃] **1.** *prp.* according to; ~ *moi* in my opinion; *c'est* ~ *!* it all *or* that depends!; **2.** *cj.:* ~ *que* according as, depending upon whether.

Seltz [sɛlts] *m: eau f de* ~ soda-water.

semailles [sə'maːj] *f/pl.* sowing *sg.*; seeds.

semaine [sə'mɛn] *f* week; ⊕, 🕇 working week; ✕ *etc.* duty for the week; week's pay; ~ *anglaise* five and a half day (working) week; ~ *sainte* Holy Week; *à la* ~ by the week; 🕇 *à la petite* ~ (*loan*) at high interest; *en* ~ during the week; *être de* ~ be on duty for the week; **semainier, -ère** [~mɛ'nje, ~'njɛr] **1.** *adj.* weekly; **2.** *su.* person on duty

for the *or* a week; *su./m* ⊕ time-sheet; set of seven razors.

sémantique [semã'tik] **1.** *adj.* semantic; **2.** *su./f* semantics *pl.*

sémaphore [sema'fɔːr] *m* semaphore; ⚓ signal-station (*on land*).

semblable [sã'blabl] **1.** *adj.* similar (to, à) (*a.* ⚠ *triangles*); alike; like (*a.* ⚠ *terms*); such; **2.** *su.* like, equal; fellow; *su./m: nos* ~*s pl.* our fellowmen; **semblablement** [~blablə'mã] *adv.* in like manner; **semblant** [~'blã] *m* appearance, look; *fig.* show (of, de); *faire* ~ pretend (to *inf.*, de *inf.*); make a show (of s.th., de qch.); *faux* ~ pretence; *sans faire* ~ *de rien* as if nothing had happened; surreptitiously; **sembler** [~'ble] (1a) *v/i.* seem, appear; *il me semble* I think; *que vous en semble?* what do you think (about it)?

semelle [sə'mɛl] *f shoe:* sole; *stocking:* foot; *mot. tyre:* tread; ⊕ bed; ⚠ foundation; ~ *de liège* cork insole; *remettre des* ~*s à* re-sole.

semence [sə'mãːs] *f seed (a. fig.)*; *physiol.* semen; ⊕ (tin)tack; ~ *de perles* seed-pearls *pl.*; **semer** [~'me] (1d) *v/t.* ⚐ sow (*a. fig. discord etc.*); scatter; *fig.* disseminate, spread (*a rumour*); squander (*one's money*); F shake off, drop (*s.o.*).

semestre [sə'mɛstr] *m* half-year; six months' duty *or* pay *or* ✕ leave of absence; *univ. etc.* semester; **semestriel, -elle** [~mɛstri'el] half-yearly; lasting six months.

semeur, -euse [sə'mœːr, ~'møːz] *su.* sower (*a. fig. of discord*); *fig.* spreader (*of rumours*).

semi... [səmi] semi...; ~**-brève** ♪ [~-'brɛːv] *f* semibreve, *Am.* whole note; ~**-coke** [~'kɔk] *m* coalite.

sémillant, e [semi'jã, ~'jãːt] bright; sprightly.

séminaire [semi'nɛːr] *m* seminary; *fig.* training centre; *univ.* seminar; *petit* ~ secondary school run by priests.

séminal, e, *m/pl.* **-aux** [semi'nal, ~'no] seminal.

semi-rigide [səmiri'ʒid] semi-rigid (*airship etc.*).

semis ⚐ [sə'mi] *m* sowing; seedling; seed-bed; ~ *en lignes* sowing in drills.

semi-ton ♪ [səmi'tɔ̃] *m* semitone;

semi-voyelle *gramm.* [„vwa'jɛl] *f* semivowel.

semoir ✎ [sə'mwaːr] *m* sowing-machine; seed-drill; seeder.

semonce [sə'mɔ̃ːs] *f fig.* reprimand; ⚓ *coup m de ~* warning shot; **se-moncer** (1k) *v/t.* † reprimand, F read (*s.o.*) a lecture; ⚓ call upon (*a ship*) to heave to *or* to show her flag.

semoule *cuis.* [sə'mul] *f* semolina.

sempiternel, -elle [sɑ̃pitɛr'nɛl] sempiternal, everlasting.

sénat [se'na] *m* senate(-house); **sé-nateur** [sena'tœːr] *m* senator; **sé-natus-consulte** *hist.* [„tyskɔ̃'sylt] *m* senatus-consult.

sénéchal *hist.* [sene'ʃal] *m* seneschal; **sénéchaussée** *hist.* [„ʃo'se] *f* seneschalsy; seneschal's court.

séneçon ♀ [sen'sɔ̃] *m* groundsel.

sénevé ♀ [sen've] *m* black mustard.

sénile ⚕ [se'nil] senile; **sénilité** ⚕ [„nili'te] *f* senility, senile decay.

sens [sɑ̃ːs] *m fig. smell etc.:* sense; *fig.* opinion; understanding; judg(e)-ment; meaning; direction (*a.* Ⓐ), way; *~ interdit* no entry; *~ moral* moral sense; *~ unique* one-way street; *à mon ~* in my view *or* opinion; *le bon ~*, *le ~ commun* common sense; *plaisirs m/pl. des ~* sensual pleasures; **sensation** [sɑ̃-sa'sjɔ̃] *f* sensation; (*physical*) feeling; *à ~* sensational (*news*); **sensa-tionnel, -elle** [„sjɔ'nɛl] sensation-al; *fig.* thrilling; *roman m ~* thriller; **sensé, e** [sɑ̃'se] sensible, intelli-gent; practical.

sensibiliser [sɑ̃sibili'ze] (1a) *v/t.* sensitize; **sensibilité** [„'te] *f* sen-sitiveness (*a. phot.*); *fig.* feeling, compassion; **sensible** [sɑ̃'sibl] sen-sitive (*ear, instrument, phot. paper, skin, spot, a. fig. to pain etc.*); tender (*flesh, spot*); responsive; suscep-tible; *fig.* appreciative (of, *à*); *fig.* sympathetic; perceptible, real (*dif-ference, progress*); *phot.* sensitized (*paper*); ♩ *note f ~* leading note *or Am.* tone; **sensiblerie** [„siblə'ri] *f* sentiment(ality) F sob-stuff.

sensitif, -ve [sɑ̃si'tif, „'tiːv] 1. *adj.* sensitive; *anat.* sensory; 2. *su./f* ♀ sensitive plant; F very sensitive woman *or* girl; **sensitivité** [„tivi'te] *f* sensitivity.

sensoriel, -elle [sɑ̃sɔ'rjɛl] sensorial, sensory.

sensualisme *phls.* [sɑ̃sɥa'lism] *m* sensualism; **sensualiste** *phls.* [„-'list] 1. *adj.* sensual; 2. *su.* sensua-list; **sensualité** [„li'te] *f* sensual-ity; voluptuousness; **sensuel, -elle** [sɑ̃'sɥɛl] 1. *adj.* sensual; carnal; voluptuous; 2. *su.* sensualist; vo-luptuary.

sentence [sɑ̃'tɑ̃ːs] *f* maxim; ⚖ sentence; (*a. ~ arbitrale*) award; **sentencieux, -euse** [„tɑ̃'sjø, „-'sjøːz] sententious.

senteur *hunt.* [sɑ̃'tœːr] *f* scent (*a. poet. =* perfume).

sentier [sɑ̃'tje] *m* footpath; path (*a. fig.*); *~ battu* beaten track.

sentiment [sɑ̃ti'mɑ̃] *m* feeling (*a. fig.*); sensation, emotion; conscious-ness, sense; *fig.* opinion, senti-ment; *~ d'infériorité* sense of infe-riority; *par ~* for sentimental rea-sons; *voilà mon ~* that is my opin-ion; **sentimental, e,** *m/pl.* **-aux** [„mɑ̃'tal, „'to] sentimental; **senti-mentalité** [„mɑ̃tali'te] *f* sentiment-ality.

sentine ⚓ [sɑ̃'tin] *f ship:* well; *fig.* sink of iniquity.

sentinelle ⚔ [sɑ̃ti'nɛl] *f* sentry; guard, watch; *faire ~* mount guard; F *fig. faire la ~* be on the watch.

sentir [sɑ̃'tiːr] (2b) *v/t.* feel; be con-scious of, be alive to; smell (*a. fig.*); taste of, smack of (*s.th.*); F *je ne peux pas le ~* I can't stand him; *vin m qui sent le bouchon* corked wine; *se ~ feel;* be aware of one's importance *or* strength; *se ~ de* feel the effects *or* benefits of; *v/i.* smell (*bad, mauvais; bon,* good).

seoir [swaːr] (3k) *v/i.* ⚖ be situ-ate(d); suit; *~ avec* go with.

sépale ♀ [se'pal] *m* sepal.

séparable [sepa'rabl] separable (from, *de*); **séparateur, -trice** [se-para'tœːr, „'tris] 1. *adj.* separative; 2. *su./m* ⊕ separator; **séparatif, -ve** [„'tif, „'tiːv] separating; divid-ing (*wall etc.*); **séparation** [„'sjɔ̃] *f* ⊕, ⚙, ⚖, *a. fig.* separation (from, *d'avec*); parting; *fig. family, meet-ing:* breaking up; division; ⚖ *~ de biens* separate maintenance; ⚖ *~ de corps* judicial separation; *pol. ~ des pouvoirs* separation of powers; ⚠ *mur m de ~* partition wall; **sépa-ratiste** [„'tist] 1. *adj.* separatist; 2. *su.* separatist, separationist; secessionist; **séparément** [separe-'mã] *adv.* separately; **séparer** [~'re] (1a) *v/t.* separate (from *de, d'avec*); part (*one's hair*); divide; *fig.* distinguish (from, *de*); se ~ part (*company*); break up (*assembly*); branch off (*road*).

sépia [se'pja] *f zo., colour:* sepia; *zo.* cuttle-fish; *paint.* sepia drawing.

sept [sɛt] *adj./num., a. su./m/inv.* seven; *date, title:* seventh; **septain** [sɛ'tɛ̃] *m* seven-line stanza; ⊕ seven-strand rope (*holding clock weights*); **septante** † [sɛp'tã:t] *adj./num., a. su./m/inv.* seventy; *bibl. version des ♀* Septuagint; **septembre** [~'tã:br] *m* September; **septembrisades** *hist.* [~tãbri'zad] *f/pl.* September massacres (*1792 in Paris*); **septénaire** [~te'nɛ:r] *adj., a. su./m* septenary; **septennal, e,** *m/pl.* -aux [~tɛn'nal, ~'no] septennial; **septennat** [~tɛn'na] *m* septennate.

septentrion *poet.* [sɛptãtri'ɔ̃] *m* north; **septentrional, e,** *m/pl.* -aux [~'nal, ~'no] 1. *adj.* north(ern); 2. *su.* northerner.

septicémie ✗ [sɛptise'mi] *f* septic(a)emia; blood-poisoning; **septicémique** [~se'mik] *adj.* septic(a)emic; **septicité** ✗ [~si'te] *f* septicity.

septième [sɛ'tjɛm] 1. *adj./num.* seventh; 2. *su.* seventh; *su./m fraction:* seventh; *su./f ♪* seventh; *school:* top form of lower school.

septique ✗ [sɛp'tik] septic; *fosse* ~ septic tank.

septuagénaire [sɛptɥaʒe'nɛ:r] *adj., a. su.* septuagenarian.

septuple [sɛp'typl] *adj., a. su./m* sevenfold; septuple; **septupler** [~ty'ple] (1a) *vt/i.* increase sevenfold, septuple.

sépulcral, e, *m/pl.* -aux [sepyl'kral, ~'kro] sepulchral; **sépulcre** [~'pylkr] *m* sepulchre; *le saint* ~ the Holy Sepulchre.

sépulture [sepyl'ty:r] *f* burial; tomb; burial-place.

séquelle [se'kɛl] *f pej.* set, lot; *pej. abuse, oaths:* string; ✗ ~s *pl.* aftereffects.

séquence [se'kã:s] *f* sequence.

séquestration [sekɛstra'sjɔ̃] *f infected animals:* isolation; ⚖ sequestration; *person:* false imprisonment; **séquestre** [~'kɛstr] *m* ⚖ seques-

tration; ⚓ *ship:* embargo; ⚖ sequestrated property; ⚖ receiver; ⚖ sequestrator; *sous* ~ sequestered; *mettre sous* ~ sequester; **séquestrer** [~kɛs tre] (1a) *v/t.* ⚖ sequester, sequestrate, ⚓ lay an embargo on (*a ship*); ⚖ confine (*s.o.*) illegally; ✗ isolate; *fig.* relegate (to, *dans*).

sérac [se'rak] *m geol.* ice-pinnacle; *glacier:* sérac; *cuis.* white Swiss cheese.

serai [sə're] *1st p. sg. fut.* of être 1.

sérail [se'ra:j] *m* seraglio.

sérancer *tex.* [serã'se] (1k) *v/t.* heckle, comb (*flax*).

séraphin [sera'fɛ̃] *m* seraph; ~s *pl.* seraphim; **séraphique** [~'fik] seraphic.

serbe [sɛrb] 1. *adj.* Serb(ian); 2. *su./m ling.* Serb(ian); *su.* ♀ Serb(ian).

serein, e [sə'rɛ̃, ~'rɛn] 1. *adj.* serene, calm (*a. fig.*); *fig.* tranquil; ✗ *goutte f* ~e amaurosis; 2. *su./m* evening dew.

sérénade ♪ [sere'nad] *f* serenade.

sérénissime [sereni'sim] *title:* (Most) Serene; **sérénité** [~te] *f* serenity (*a. title*); calmness; tranquillity.

séreux, -euse ✗ [se'rø, ~'rø:z] serous.

serf, serve [sɛrf, sɛrv] 1. *adj.* in bondage; *condition f* serve serfdom; 2. *su.* serf; *su./m* bond(s)man; *su./f* bond(s)woman.

serfouette ⚘ [sɛr'fwɛt] *f* combined hoe and fork; **serfouir** ⚘ [~'fwi:r] (2a) *v/t.* hoe; loosen (*the soil*).

serge *tex.* [sɛrʒ] *f* serge.

sergent [sɛr'ʒã] *m* ✗ *etc.* sergeant; ⊕ cramp, clamp; ⚓ ~ *d'armes* (*approx.*) ship's corporal; † ~ *de ville* policeman; ✗ ~-major, ~-chef *infantry:* quartermaster-sergeant.

sergot *sl.* [sɛr'go] *m* copper, *Am.* cop (= *policeman*).

sériciculteur [serisikyl'tœ:r] *m* silkworm breeder; **sériciculture** [~'ty:r] *f* silkworm breeding.

série [se'ri] *f* series; sequence; ⚓ *flags,* ⊕ *tools:* set; *sp. race:* heat; *billiards:* break; *en* ~, *par* ~ in series; ✝ *fait en* ~ mass-produced; ✝ *fin f de* ~ remnants *pl.*; ✝ *hors* ~ outsize; **sérier** [~ rje] (1o) *v/t.* arrange in series; ✝ standardize.

sérieux, -euse [se'rjø, ~'rjø:z] 1. *adj.* serious; grave; earnest; genuine (*offer*, *purchaser*); *fig.* peu ~ irresponsible (*person*); 2. *su./m* gravity, seriousness; *thea.* serious rôle; *garder son* ~ preserve one's gravity; *prendre au* ~ take (*s.th.*) seriously.

serin [sə'rɛ̃] *m orn.* serin; canary; F fool, *Am.* sap; greenhorn; **seriner** [səri'ne] (1a) *v/t.* teach (*a canary*) to sing; F *fig.* drum (*a rule etc.*) (into s.o., *à q.*); F ♪ thump out, grind out (*a tune*); **serinette** [~'nɛt] *f* bird-organ; F person who sings without expression.

seringue [sə'rɛ̃:g] *f ✗*, *⚕* syringe; *mot.* ~ *à graisse* grease-gun; **seringuer** [~rɛ̃'ge] (1m) *v/t.* syringe (*the ear etc.*), inject (*a drug*); squirt (*a liquid*).

serment [sɛr'mã] *m* oath; *faux* ~ perjury; *prêter* ~ take an oath; *sous* ~ sworn (*evidence*).

sermon [sɛr'mɔ̃] *m* sermon; *fig.* lecture; **sermonner** F [~mɔ'ne] (1a) *vt/i.* sermonize; *v/t.* reprimand; **sermonneur, -euse** F [~mɔ'nœːr, ~'nøːz] 1. *adj.* fault-finding; 2. *su.* fault-finder.

sérosité *physiol.* [serozi'te] *f* serosity; **sérothérapie** *⚕* [~rɔtera'pi] *f* serotherapy.

serpe *✗* [sɛrp] *f* bill-hook.

serpent [sɛr'pã] *m ♪*, *zo.*, *astr.*, *fig.* serpent; *zo.*, *fig.* snake; ~ *à lunettes* cobra; ~ *à sonnettes* rattlesnake; **serpentaire** [sɛrpã'tɛːr] *su./m orn.* secretary-bird; *su./f ♀*, *⚕* serpentaria, snake-root; **serpenteau** [~'to] *m zo.* young snake; *firework*: serpent, squib; **serpenter** [~'te] (1a) *v/i.* (*a.* *aller en serpentant*) wind, meander; **serpentin, e** [~'tɛ̃, ~'tin] 1. *adj.* serpentine; 2. *su./m* 🜍 worm (*of still*); ⊕ coil; paper streamer; *su./f ♀* snake-wood; *min.* serpentine.

serpette *✗* [sɛr'pɛt] *f* bill-hook; pruning-knife.

serpigineux, -euse *⚕* [sɛrpiʒi'nø, ~'nøːz] serpiginous.

serpillière [sɛrpi'jɛːr] *f tex.* packing-cloth; *tex.* dish-cloth; F apron made from sacking.

serpolet *♀* [sɛrpɔ'le] *m* wild thyme.

serrage [sɛ'ra:ʒ] *m* tightening; gripping; *mot.* ~ *des freins* braking.

serre [sɛːr] *f ✗* greenhouse, glasshouse, conservatory; *✗* (*a.* ~ *chaude*) hot-house; grip; *orn.* claw,

talon; ⊕, *⚓* clip; ⊕ mo(u)ld press.

serré, e [sɛ're] 1. *adj.* tight; closegrained (*wood*); compact; narrow (*defile etc.*); close (*buildings*, ✗ *order*, *reasoning*, *texture*, *translation*, *sp.* *finish*; *a.* *fig.* = *mean*); *fig.* avaricious; *avoir le cœur* ~ be sad at heart; *⚕* *avoir le ventre* ~ be constipated; 2. *serré adv.*: *jouer* ~ play cautiously; *mentir* ~ lie unblushingly; *mordre* ~ bite hard.

serre...: ~**file** [sɛr'fil] *m/inv.* ✗ serrefile; *⚓* rear ship; *marcher en* ~ bring up the rear; ~**fils** [~'fil] *m/inv.* *⚡* binding-screw; *⚡* clamp; ~**freins** [~'frɛ̃] *m/inv.* 🚋 brakesman; ⊕ brake-adjuster; ~**joint** [~'ʒwɛ̃] *m* cramp; screw-clamp.

serrement [sɛr'mã] *m* squeezing; 🜍 dam; ~ *de main* handshake; hand pressure; *fig.* ~ *de cœur* pang; **serre-papiers** [sɛrpa'pje] *m/inv.* file (*for papers*); paper-weight; paper-clip; set of pigeon-holes; **serrer** [sɛ're] (1b) *v/t.* press, squeeze; grasp (*s.o.'s hand*), grip; put (*away*); tighten (*a knot*, ⊕ *a screw*); *fig.* compress, condense; ✗ close (*the ranks*); *⚓* take in (*sails*); skirt (*the coast*, *a wall*); *sp.* jostle (*other runners etc.*); crowd (*s.o.'s car*); *mot.* ~ *à droite* keep (to the) right; ~ *de près* beset; go into (*a question*) in detail; ~ *la main à* shake hands with; ~ *les dents* clench one's teeth; *serrez-vous!* sit closer!; F move up!; *se* ~ crowd, stand (*sit etc.*) close together; tighten (*lips*), *fig.* feel a pang, contract (*heart*); **serretête** [sɛr'tɛːt] *m/inv.* headband; kerchief (*worn over hair*); ✗, *mot.* crash-helmet.

serrure [sɛ'ryːr] *f* lock; **serrurerie** [sɛryrə'ri] *f* locksmith's trade; locksmith's (shop); lock-mechanism; metal-work; **serrurier** [~'rje] *m* locksmith; metal-worker.

serte [sɛrt] *f gem:* mounting *or* setting (in a bezel); **sertir** [sɛr'tiːr] (2a) *v/t.* set (*a gem*) (in a bezel); set (*window-panes*) (in, de); **sertissage** [sɛrti'sa:ʒ] *m gem:* setting; *panes:* setting in lead; **sertisseur** [~'sœːr] *m* setter; **sertissure** [~'syːr] *f* bezel; setting.

sérum *⚕* [se'rɔm] *m* serum.

servage [sɛr'va:ʒ] *m* serfdom; bondage.

serval, *pl.* **-als** *zo.* [sɛrˈval] *m* serval, tiger-cat.

servant, e [sɛrˈvã, ˌˈvãːt] **1.** *adj.* serving; *eccl.* lay (*brother*); **2.** *su./m* ✕ gunner; *tennis:* server; *su./f* servant; dumb waiter, dinner-wag-gon; ⊕ prop; ⊕ (bench-)vice.

serviabilité [sɛrvjabiliˈte] *f* oblig-ingness; **serviable** [ˌˈvjabl] oblig-ing, helpful(*person*); **service** [ˌˈvis] *m* service (*a.* ✕, ♣, *eccl., tennis*); ✕, ♣ guard *etc.*: duty; *hotel:* serv-ice charge; ✝, *admin.* department; *cuis. meal:* course; *tools:* set; ~ compris service included; ~ de table dinner-service; ~ diplomatique dip-lomatic service, *Am.* corps; ~ divin divine service; ✕ ~ obligatoire com-pulsory (military) service, ~s *pl.* publics public services; ✕ être de ~ be on duty; ✝ libre ~ self-service; rendre (un) ~ à q. do s.o. a good turn.

serviette [sɛrˈvjɛt] *f* (table-)napkin, serviette; towel; brief-case, port-folio; ~-éponge Turkish towel; ✍ ~ hygiénique sanitary towel *or Am.* napkin.

servile [sɛrˈvil] servile; abject (to, *envers*); menial (*duties*); slavish (*imitation*); **servilité** [ˌviliˈte] *f* servility.

servir [sɛrˈviːr] (2b) *v/t.* serve (*a dish, s.o. at table,* ✝ *a customer, one's country, a. tennis a ball*); help, as-sist; be in the service of; wait on; *cards:* deal; ✝ supply; pay (*a rent*); *eccl.* ~ la messe serve at mass; *hunt.* ~ un sanglier au couteau dispatch a boar with a knife; se ~ help o.s. to food; se ~ de make use of; *tout le monde est servi?* bus, tram: any more fares?; *v/i.* serve (*a.* ✕), be used (as, *de*); be in service; be use-ful; à quoi cela sert-il? what's the good of that?; à quoi sert-il de (*inf.*)? what is the good of (*ger.*)?; **servi-teur** [ˌviˈtœːr] *m* servant; ~! no thank you; **servitude** [ˌviˈtyd] *f* servitude; slavery; *fig.* tyranny; ﬨﬨ easement; *fig.* obligation.

servofrein ⊕ [sɛrvoˈfrɛ̃] *m* servo-brake; **servomoteur** ⊕ [ˌmɔˈtœːr] *m* servo-motor.

ses [se] *see* son¹.

sessile ♀ *etc.* [sɛˈsil] sessile.

session ﬨﬨ, *parl.* [sɛˈsjɔ̃] *f* session.

set [sɛt] *m tennis:* set.

sétifère [setiˈfɛːr] bristly, setiferous.

séton ✍, *zo.* [seˈtɔ̃] *m* seton; *plaie f* en ~ flesh wound.

seuil [sœːj] *m phys., psych., fig.* fame, *door:* threshold; *fig.* beginning; sill; *geog. valley:* ridge; *ocean bed:* shelf.

seul, seule [sœl] *adj. before su.* one, only, single; very, mere; *after su. or verb alone,* lonely; *before art.* only; ... alone; comme un ~ homme like one man; un homme ~ a single *or* lonely man; **seulement** [ˌˈmã] *adv.* only; solely; but; ne ... pas ~ not even; si ... if only ...; **seulet, -ette** F [sœˈle, ˌˈlɛt] alone; lonely.

sève [sɛːv] *f* ♀ sap; *fig.* vigo(u)r, pith.

sévère [seˈvɛːr] severe (*a. fig.*); stern; strict (*discipline, morals*); hard (*person, climate*); **sévérité** [ˌve-riˈte] *f* severity (*a. fig.*); *person, look:* sternness; *fig. taste:* austerity; *discipline, morals:* strictness; ﬨﬨ ~s *pl.* harsh sentences.

sévices ﬨﬨ [seˈvis] *m/pl.* cruelty *sg.* (to[wards], *envers*); **sévir** [ˌˈviːr] (2a) *v/i.* rage (*plague, war*); be severe (*cold*); ~ contre deal severely with.

sevrage [səˈvraːʒ] *m child, lamb:* weaning; **sevrer** [ˌˈvre] (1d) *v/t.* wean (*a child, a lamb*); 🍂 separate; *fig.* deprive (of, *de*).

sexagénaire [sɛksaʒeˈnɛːr] *adj., a. su.* sexagenarian.

sex-appeal [sɛksaˈpiːl] *m* sex-appeal.

sexe [sɛks] *m* sex; F le beau ~, le ~ faible the fair *or* weaker sex, women *pl.*; le ~ fort the strong sex, men *pl.*; les deux ~s of both sexes.

sextuor ♪ [sɛksˈtɥɔːr] *m* sextet.

sextuple [sɛksˈtypl] *adj., a. su./m* sixfold, sextuple; **sextupler** [ˌˈty-ple] (1a) *vt/i.* increase sixfold, sex-tuple.

sexuel, -elle [sɛkˈsɥɛl] sexual.

seyant, e [seˈjã, ˌˈjãːt] becoming.

shake-hand [ʃɛkˈhand] *m/inv.* hand-shake.

shaker [ʃɛˈkœːr] *m* cocktail-shaker.

shampooing [ʃãˈpwɛ̃] *m* shampoo; faire un ~ à shampoo.

shooter *foot.* [ʃuˈte] (1a) *v/i.* shoot.

short *cost.* [ʃɔrt] *m* shorts *pl.*

shot *foot.* [ʃɔt] *m* shot.

shunt ⚡ [ʃœːt] *m* shunt; ~ de grille grid leak; **shunter** ⚡ [ʃœ̃ˈte] (1a) *v/t.* shunt.

si¹ [si] *cj.* if; whether; suppose; ~ ce *n'est que* were it not that; if it were not that; ~ *je ne me trompe* if I am not mistaken; ~ *tant est que* (*sbj.*) if it happens that (*ind.*).

si² [~] *adv.* so, so much; *answer to negative question*: yes; ~ *bien que* so that; with the result that; ~ *fait!* yes indeed!; ~ *riche qu'il soit* however rich he may be.

si³ ♪ [~] *m/inv.* si; *note*: B; ~ *bémol* B flat.

siamois, e [sja'mwa, ~'mwa:z] Siamese; *&* *frères m/pl.* ~, *sœurs f/pl.* ~es Siamese twins.

sibérien, -enne [sibe'rjɛ̃, ~'rjɛn] Siberian.

sibilant, e *&* [sibi'lɑ̃, ~'lɑ̃:t] sibilant.

siccatif, -ve [sika'tif, ~'ti:v] **1.** *adj.* (quick-)drying, siccative; **2.** *su./m* siccative; quick-drying substance.

side-car [sajd'ka:r] *m* motor-cycle combination; side-car.

sidéral, e, *m/pl.* **-aux** [side'ral, ~'ro] *astr.* sidereal; **sidéré, e** [~'re] struck dead; *fig.* thunderstruck, F flabbergasted.

sidérose [side'ro:z] *f min.* siderite; *&* siderosis; **sidérostat** *astr.* [~rɔs'ta] *m* siderostat; **sidérotechnie** [~rɔtɛk'ni] *f* metallurgy of iron; **sidérurgie** [~ryr'ʒi] *f* metallurgy of iron; **sidérurgique** [~ryr'ʒik] ironworking; *usine f* ~ ironworks *usu. sg.*

siècle [sjɛkl] *m* century; *eccl.* world(ly life); *fig.* period, time, age; F *il y a un* ~ *que* it's ages since; ♀ *des lumières* age of enlightenment; *Grand* ♀ *the* age of Louis XIV.

sied [sje] *3rd p. sg. pres. of seoir.*

siège [sjɛ:ʒ] *m chair etc.,* ⊕, *disease, government, parl.*: seat; centre (*of activity, learning, etc.*); ✝ office; ✕ siege; *ᴛᴛ judge*: bench; *eccl.* (*episcopal*) see; *chair*: bottom; *mot. etc.* ~ *arrière* back-seat; ~ *du cocher* coachman's box; ✝ ~ *social* head office, registered office; **siéger** [sje'ʒe] (1g) *v/i.* sit (*ᴛᴛ, a.* in Parliament, *au parlement*); ✝ have its head office; *&* be seated; *eccl.* hold one's see (*bishop*).

sien, sienne [sjɛ̃, sjɛn] **1.** *pron./poss.*: *le* ~, *la* ~*ne, les* ~*s pl., les* ~*nes pl.* his, hers, its, one's; **2.** *su./m* his *or* her *or* its *or* one's own; *les* ~*s pl.*

his *or* her *or* one's (own) people; *su./f: faire des* ~*nes* lark (about).

sieste [sjɛst] *f* siesta; F nap; *faire la* ~ take a nap.

sieur [sjœ:r] *m*: *ᴛᴛ le* ~ ... Mr. ...; ✝ *notre* ~ ... our Mr. ...

sifflant, e [si'flɑ̃, ~'flɑ̃:t] **1.** *adj.* hissing; wheezing (*breath*); whistling (*note*); *gramm.* sibilant; **2.** *su./f gramm.* sibilant; **sifflement** [~flə-'mɑ̃] *m person, a.* arrow, *bullet, wind*: whistle, whistling; *gas, goose, steam*: hiss(ing); *cuis., a. ≠* sizzling; *breathing*: wheezing; **siffler** [~'fle] (1a) *v/i.* whistle; hiss; *cuis., a. ≠* sizzle; *&* wheeze; blow a whistle; *&* pipe; *v/t.* whistle (*a tune*); whistle to (*a dog*); whistle for (*a taxi*); *&* pipe; *thea.* hiss, boo; F swig (*a drink*); **sifflet** [~'flɛ] *m* whistle, *&* pipe; *thea.* hiss, catcall; ~ *d'alarme* alarm-whistle; *coup m de* ~ (blast of the) whistle; *sl.* *couper le* ~ *à q.* cut s.o.'s throat; *fig.* nonplus s.o.; *donner un coup de* ~ blow a whistle; ⊕ *en* ~ slantwise; bevelled; **siffleur, -euse** [~'flœ:r, ~'flø:z] **1.** *adj.* whistling; wheezy (*horse*); hissing (*serpent*); **2.** *su.* whistler; *thea.* hisser, booer; *su./m orn.* widgeon; **sifflotement** [~flɔt'mɑ̃] *m* soft whistling; **siffloter** [~flɔ'te] (1a) *vt/i.* whistle softly *or* under one's breath.

sigillaire [siʒil'lɛ:r] sigillary; signet (-ring); **sigillé, e** [~'le] sigillate(d).

sigisbée [siʒis'be] *m* cicisbeo, gallant.

sigle [sigl] *m shorthand*: outline; abbreviation; ~*s pl.* sigla (*in old manuscripts*).

signal [si'ɲal] *m* signal; *teleph.* (*dialling*) tone; ~ *à bras* hand signal, ✕ *etc.* semaphore signal; ~ *avancé* distant signal; ~ *d'alarme* alarm-signal, 🚂 communication cord; *teleph.* ~ *d'appel* calling signal; ~ *de danger* (*détresse*) danger (distress) signal; ~ *horaire* radio: time signal, F pips *pl.*; ~ *lumineux* traffic-light; **signalé, e** [siɲa'le] outstanding; *pej.* notorious; **signalement** [~ɲal-'mɑ̃] *m* description; particulars *pl.*; **signaler** [siɲa'le] (1a) *vt/t.* signal (*a train etc.*); *fig.* distinguish; point out, draw attention to; describe, give a description of (*s.o.*); report (to, *à*); **signalétique** *admin.* [~le'tik] descriptive; **signalisation** [~liza-

'sjɔ̃] f signalling; 🚉 signal-system; *mot.* ~ routière road signs *pl.*; *lampe* f de ~ signal-lamp.

signataire [siɲa'tɛːr] *su.* signatory; **signature** [siɲa'tyːr] f signature; *apposer sa* ~ *à* set one's hand to; **signe** [siɲ] *m* sign; (*bodily, punctuation*) mark; ✗ insignia (*of rank*); ~ *de tête* (*des yeux*) nod (wink); *faire* ~ *à* beckon to; **signer** [si'ɲe] (1a) *v/t.* sign; sign o.s.; ⊕ stamp; *se* ~ cross o.s.; *v/i.* become a party (to, *à*); **signet** [~'ɲɛ] *m* bookmark.

significatif, -ve [siɲifika'tif, ~'tiːv] significant (*a.* 𝔸 *figure*); **signification** [~'sjɔ̃] f meaning; sense; ⚖ notice, *petition, writ, etc.*: service; **signifier** [siɲi'fje] (1o) *v/t.* mean, signify; notify; ⚖ serve (*a writ etc.*); *qu'est-ce que cela signifie?* what is the meaning of this? (*indicating disapproval*).

silence [si'lɑ̃ːs] *m* silence, stillness; *fig.* secrecy; ♪ rest; *garder le* ~ keep silent (about, *sur*); *passer qch. sous* ~ pass s.th. over in silence; say nothing about s.th., **silencieux, -euse** [~lɑ̃'sjø, ~'sjøːz] 1. *adj.* silent; still (*evening etc.*); 2. *su./m mot.* silencer.

silex *min.* [si'lɛks] *m* flint, silex.

silhouette [si'lwɛt] f silhouette; outline; profile; **silhouetter** [~lwe-'te] (1a) *v/t.* silhouette, outline; *phot.* block out; *se* ~ stand out (against, *contre*).

silicate 🔬 [sili'kat] *m* silicate; ~ *de potasse* water-glass; **silice** 🔬 [~'lis] f silica; **siliceux, -euse** [sili'sø, ~'søːz] siliceous; **silicium** 🔬 [~'sjɔm] *m* silicon; **siliciure** 🔬 [~'sjyːr] *m* silicide.

silique ♀ [si'lik] f siliqua; pod; **siliqueux, -euse** ♀ [~li'kø, ~'køːz] siliquose.

sillage [si'jaːʒ] *m* ⚓ wake, track; ⚓ speed, headway; ⚒ *coal*: continuation of a seam; *fig. marcher dans le* ~ *de* follow in (*s.o.'s*) footsteps.

sillet ♪ [si'jɛ] *m* violin etc.: nut.

sillomètre ⚓ [sijɔ'mɛtr] *m* speed indicator; patent log.

sillon [si'jɔ̃] *m* ⚓ furrow; ⚓ drill (= *small furrow*); *fig.* track; path; ⚓ *fig. forehead etc.*: wrinkle; *anat., a. gramophone*: groove; *poet.* ~s *pl.* fields; *éclairs m/pl. en* ~s

forked lightning *sg.*; **sillonner** [~-jɔ'ne] (1a) *v/t.* furrow (*a. one's forehead*); plough (*a. the sea*); *fig.* streak; *fig.* wrinkle (*one's face etc.*).

silo ⚓ [si'lo] *m* silo; *potatoes*: clamp; **silotage** ⚓ [~lɔ'taːʒ] *m* ensilage.

silphe *zo.* [silf] *m* carrion-beetle.

silure *icht.* [si'lyːr] *m* silurus, catfish.

simagrée F [sima'gre] f pretence; ~s *pl.* affectation *sg.*; affected airs; *faire des* ~s put on airs.

simarre [si'maːr] f ⚖ magistrate's cassock; *eccl.* chimere.

simien, -enne *zo.* [si'mjɛ̃, ~'mjɛn] *adj., a. su./m* simian; **simiesque** [~'mjɛsk] simian; ape-like.

similaire [simi'lɛːr] similar (*a.* 𝔸); like; **similairement** [~lɛr'mɑ̃] *adv.* in like manner; **similarité** [~lari-'te] f similarity, likeness; **simili** [~'li] *m* imitation; **similitude** [~li-'tyd] f similitude; similarity (*a.* 𝔸); *gramm.* simile.

simonie *eccl.* [simɔ'ni] f simony.

simoun [si'mun] *m* wind: simoom.

simple [sɛ̃:pl] 1. *adj.* simple; single (*a.* 🚉 *ticket*); ✗, ⚓ ordinary; *fig.* elementary; plain (*food, dress*); *fig.* simple(-minded); half-witted; 2. *su./m* the simple; simple-minded person, simpleton; *tennis*: single; ⚕ ~s *pl.* medicinal herbs, simples; ~ *messieurs tennis*: men's single(s *pl.*); **simplicité** [sɛ̃plisi'te] f simplicity; *fig.* simple-mindedness; ~s *pl.* naïve remarks; **simplification** [~fika'sjɔ̃] f simplification; **simplifier** [~'fje] (1o) *v/t.* simplify; 𝔸 reduce to its lowest terms; *se* ~ become simple(r); **simpliste** [sɛ̃'plist] 1. *adj.* simplistic; over-simple; 2. *su.* person who over-simplifies.

simulacre [simy'lakr] *m* image; *fig.* pretence, semblance; ✗ flight simulator; ~ *de combat* sham fight.

simulateur *m*, **-trice** f [simyla'tœːr, ~'tris] shammer; ✗ malingerer; **simulation** [~'sjɔ̃] f simulation; ✗ malingering; **simulé, e** [simy'le] feigned (*illness*); fictitious; sham (*fight*); **simuler** [~] (1a) *v/t.* simulate; feign (*illness*).

simultané, e [simulta'ne] simultaneous; **simultanéité** [~nei'te] f simultaneity; **simultanément** [~ne'mɑ̃] *adv. of* simultané.

sinapisme ⚕ [sina'pism] *m* mustard-plaster, sinapism.

sincère [sɛ̃'sɛːr] sincere; **sincérité**
[⁓seri'te] f sincerity, frankness;
genuineness.

singe [sɛ̃ːʒ] m zo. monkey; zo ape
(a. F fig. = imitator); ⊕ hoist; ✗
F bully (beef); sl. boss; laid comme
un ⁓ as ugly as sin; **singer** [sɛ̃'ʒe]
(1l) v/t. mimic, ape; **singerie** [sɛ̃ʒ-
'ri] f monkey trick; grimace; mimicry; monkey-house; **singeur,
-euse** [sɛ̃'ʒœːr, ⁓'ʒøːz] 1. adj. aping;
2. su. imitator, mimic.

singulariser [sɛ̃gylari'ze] (1a) v/t.
make (s.o.) conspicuous; render
(s.o.) singular; se ⁓ make o.s. conspicuous; **singularité** [⁓'te] f singularity; peculiarity; eccentricity;
oddness; **singulier, -ère** [sɛ̃gy'lje,
⁓'ljɛːr] 1. adj. singular (a. ⅄); peculiar; unusual; strange; conspicuous; single (combat); 2. su./m
gramm. singular; au ⁓ in the singular.

sinistre [si'nistr] 1. adj. sinister;
ominous, threatening; 2. su./m disaster, catastrophe; fire; loss (from
fire etc.); **sinistré, e** [⁓nis'tre] 1.adj.
shipwrecked; homeless (through
fire, bombs, etc.); bomb-damaged
(house etc.); ✗ être ⁓ be bombed-
out; 2. su. victim (of fire etc.).

sinon [si'nɔ̃] cj. otherwise, if not;
except (that, que).

sinueux, -euse [si'nɥø, ⁓'nɥøːz]
sinuous; winding (path, river);
sinuosité [⁓nɥozi'te] f winding;
meandering; bend (in river); **sinus**
[⁓'nys] m anat. sinus; ⅄ sine; **sinusite** [⁓ny'zit] f sinusitis.

sionisme [sjɔ'nism] m Zionism.

siphon [si'fɔ̃] m phys. etc. siphon;
△ drain etc.: trap.

sire [siːr] m king: Sire, Sir; † lord;
fig. pauvre ⁓ person: sorry specimen.

sirène [si'rɛn] f ♣, ⊕, myth., zo.,
fig. siren; ♣, ⊕ hooter; ♣ fog-
horn.

sirocco [sirɔ'ko] m wind: sirocco.

sirop [si'ro] m syrup.

siroter [sirɔ'te] (1a) v/t. F sip; v/i.
sl. tipple.

sirupeux, -euse [siry'pø, ⁓'pøːz]
syrupy; F fig. sloppy, sentimental.

sis, e [si, siːz] p.p. of seoir.

sismique [sis'mik] seismic.

sismo... [sismo] seismo...; **⁓graphe**
[⁓'graf] m seismograph.

site [sit] m (beauty) spot; △, ✗ lie
of the ground; ✗ angle m de ⁓
angle of sight.

sitôt [si'to] adv. as or so soon; ⁓
après immediately after; ⁓ dit, ⁓
fait no sooner said than done; ⁓ que
as soon as; ne ... pas de ⁓ not ... for
a long time.

sittelle orn. [si'tɛl] f sitta.

situation [sitɥa'sjɔ̃] f situation;
position; fig. job, post; location;
bearing, ⚓, ✗, admin. return,
report; ⁓ économique economic
position; ⁓ sociale station in life;
situé, e [si'tɥe] situated (at, à);
situer [⁓] (1n) v/t. situate, place;
locate (a. fig.).

six [sis; before consonant si; before
vowel and h mute siz] adj./num., a.
su./m/inv. six; date, title: sixth; à
la ⁓-quatre-deux in a slapdash way;
sixain [si'zɛ̃] m prosody: six-line
stanza; cards: packet of six packs;
sixième [⁓'zjɛm] 1. adj./num.
sixth; 2. su. sixth; su./m fraction:
sixth; sixth, Am seventh floor;
su./f secondary school: (approx.) first
form; **sixte** ♪ [sikst] f sixth.

sizain [si'zɛ̃] m see sixain.

skating [ske'tiŋ] m roller-skating;
skating-rink.

ski [ski] m ski; skiing; ⁓ nautique
water skiing; faire du ⁓ = **skier**
[⁓'e] (1a) v/i. ski; **skieur** m, -euse
f [⁓'œːr, ⁓'øːz] skier.

slave [slaːv] 1. adj. Slavonic; 2. su./
m ling. Slavonic; su. ♀ Slav; **slav-
isme** [sla'vism] m Slavism.

slip [slip] m women: panties pl.; men:
(short) pants pl.

sloop ♣ [slup] m sloop.

slovaque [slɔ'vak] adj., a. su. ♀
Slovak; **slovène** [⁓'vɛn] adj., a. su.
♀ Slovene.

smash [smaʃ] m tennis: smash.

smoking [smɔ'kiŋ] m dinner-jacket,
Am. tuxedo.

snob [snɔb] 1.adj. snobbish, swanky;
swell; 2. su./m snob; vulgar follower of fashion; **snobisme** [snɔ-
'bism] m vulgar following of fashion; snobbery.

snow-boot [sno'but] m snow-boot.

sobre [sɔbr] abstemious (person);
sober; frugal (eater, meal); fig. ⁓ de
sparing of; **sobriété** [sɔbrie'te] f
abstemiousness; moderation (in
drinking, eating, speech).

sobriquet [sɔbri'kɛ] m nickname.

soc ✎ [sɔk] *m* ploughshare.

sociabilité [sɔsjabili te] *f* sociability;
sociable [~sjabl] sociable, com-
panionable; *il est* ~ he is a good
mixer.

social, e, *m/pl.* **-aux** [sɔ'sjal, ~'sjo]
social; ✦ registered *capital, name
of company*); ✦ trading, financial
(*year*); *assistante f* ~e social worker,
✦ *raison f* ~e registered name of
company *or* firm; **socialisation**
pol. [sɔsjaliza'sjɔ̃] *f* socialization;
socialiser *pol.* [~'lize] (la) *v/t.*
socialize; **socialisme** *pol.* [~'lism]
m socialism; **socialiste** [~'list] **1.**
adj. socialist; socialistic (*doctrine*);
2. *su.* socialist.

sociétaire [sɔsje'tɛːr] *su.* (full)
member; ✦ shareholder; **société**
[~'te] *f* society; community; ✦
company; ✦ firm, partnership; association, club; gathering, meeting;
~ *anonyme* company limited by
shares; ~ *à responsabilité limitée*
(*sort of*) limited company; ⁓ *des
Nations* League of Nations; ~ *en
commandite* (*par actions*) limited
partnership; ~ *en nom collectif*
firm; private company; ~ *par
actions* company limited by shares;
acte m de ~ deed of partnership.

sociologie [sɔsjɔlɔ'ʒi] *f* sociology.

socle [sɔkl] *m* △ base (*a. fig.*);
column: plinth; *wall:* footing; ⊕
bed-plate (*of engine etc.*); bracket;
stand.

socque [sɔk] *m* clog; *thea.* † (*comedian's*) sock.

socquettes [sɔ'kɛt] *f/pl.* (*ladies'*)
ankle socks.

soda [sɔ'da] *m* soda-water.

sodium ⚗ [sɔ'djɔm] *m* sodium.

sœur [sœːr] *f* sister (*a. eccl.*); *eccl.*
nun; ~ *de lait* foster-sister.

sofa [sɔ'fa] *m* sofa, settee.

soi [swa] *pron.* oneself; himself,
herself, itself; *amour m de* ~ self-
love; *cela va de* ~ that goes without
saying; *être chez* ~ be at home;
en (*or de*) ~ in itself; **~-disant**
[~di'zɑ̃] **1.** *adj./inv.* self-styled; so-
called; **2.** *adv.* ostensibly.

soie [swa] *f* silk; (*hog-*)bristle; ⊕
crank: pin; ⊕ *tool etc.:* tongue; ✦
~ *artificielle* artificial silk; rayon;
~ *grège* raw silk; **soierie** ✦ [~'ri]
f silk goods *pl.*; silk trade; silk
factory.

soif [swaf] *f* thirst (*a. fig.* for, *de*);
avoir ~ be thirsty.

soigné, e [swa'ɲe] neat, trim; well-
groomed (*appearance*), *cus.* first-
rate (*meal*); **soigner** [~'ɲe] (la) *v/t.*
look after, ✦ nurse (*a sick person*);
✦ *doctor:* attend (*a patient*); *fig.*
elle soigne sa mise she dresses with
care; ✦ *se faire* ~ have treatment; **soigneux, -euse** [~'ɲø,
~'ɲøːz] careful of, *de;* to *inf., de*
inf.); neat; painstaking

soi-même [swa mɛːm] oneself

soin [swɛ̃] *m* care, pains *pl.* (*a fig.*);
fig. task, responsibility; ~s *pl.* ✦
etc. attention *sg.*; *aux bons* ~s *de
post:* care of, c/o.; *avoir* ~ *de* (*inf.*
take care to (*inf.*; *par les* ~s *de*
thanks to, by courtesy of; *premiers*
~s *pl.* first aid *sg.*; *prendre* ~ *de* take
care of (*s.th.*).

soir [swaːr] *m* evening; afternoon;
du matin au ~ from morning to
night; *le* ~ in the evening; *sur le* ~
towards evening; *tous les* ~s every
evening; **soirée** [swa re] *f duration,
period:* evening; (*evening*) party;
thea. evening performance; ~ *d'a-
dieu* farewell party; ~ *dansante*
dance.

sois [swa] *1st p. sg. pres. sbj. of* être
1; **soit 1.** *adv.* [swat] (let us) suppose...; *say* ...; ✦! all right!, agreed!;
ainsi ~-*il* so be it!, amen!; *tant* ~
peu ever so little; **2.** *cj.* [swa]: ~ ...
~ ..., ~ ... *ou* ... either ... or ...;
whether ... or ...; ~ *que* (*sbj.*)
whether (*ind.*).

soixantaine [swasɑ̃'tɛn] *f* (about)
sixty; *la* ~ the age of sixty, the
sixties *pl.*; **soixante** [~sɑ̃ːt] *adj./
num., a. su./m/inv.* sixty; **soixante-
dix** [~sɑ̃t dis; *before consonant* ~'di;
before vowel and h mute ~'diz] *adj./
num., a. su./m/inv.* seventy; **soixante-dixième** [~sɑ̃tdi'zjɛm] *adj./
num., a. su.* seventieth; **soixantième** [~sɑ̃'tjɛm] *adj./num., a. su.*
sixtieth.

soja ♀ [sɔ'ja] *m* soya-bean, *Am.* soy-
bean.

sol¹ ♪ [sɔl] *m/inv.* sol; *note:* G; *clef
f de* ~ G-clef.

sol² [sɔl] *m* earth, ground; ✎ soil;
field; **~-air** ⚔ [~ ɛːr] *adj./inv.*
ground-to-air (*missile*).

solaire [sɔ'lɛːr] solar; sun(-*dial,
glasses*); ✦ sun-ray (*treatment*).

solanées ♀ [sɔlaˈne] *f/pl.* solanaceae.

soldat *usu.* ⚔ [sɔlˈda] *m* soldier; ~ *de plomb* toy or tin soldier; ♀ *inconnu* the Unknown Warrior; *les simples* ~*s pl.* the rank *sg.* and file *sg.*; *se faire* ~ join the army; *simple* ~ private; **soldatesque** *pej.* [~daˈtɛsk] **1.** *adj.* barrack-room ...; **2.** *su./f* soldiery.

solde[1] ⚔, ⚓ [sɔld] *f* pay.

soide[2] ✝ [~] *m* account: balance; job lot, remnant; ~*s pl.* (clearance) sale *sg.*; ~ *créditeur (débiteur)* credit (debit) balance.

solder[1] ⚔, ⚓ [sɔlˈde] (1a) *v/t.* pay.

solder[2] [~] (1a) *v/t.* balance (*accounts*); settle (*a bill, an account*); sell off, clear (*goods*); remainder (*a book*).

sole[1] ✒ [sɔl] *f* break.

sole[2] [~] *f vet.* sole; ⊕ bed-plate; ⊕ *furnace:* hearth; △ sleeper; ⚓ *boat:* flat bottom.

sole[3] *icht.* [~] *f* sole.

solécisme *gramm., a. fig.* [sɔleˈsism] *m* solecism.

soleil [sɔˈlɛːj] *m* sun; sunshine; *eccl.* monstrance; ♀ sunflower; *firework:* Catherine-wheel; ✲ *coup m de* ~ sunstroke; sunburn; **soleilleux, -euse** [~lɛˈjø, ~ˈjøːz] sunny.

solennel, -elle [sɔlaˈnɛl] solemn; *fig.* grave (*tone*); **solenniser** [~niˈze] (1a) *v/t.* solemnize; **solennité** [~niˈte] *f* solemnity; *eccl.* ceremony; ~*s pl.* celebrations.

solfège ♪ [sɔlˈfɛːʒ] *m* sol-fa; **solfier** ♪ [~ˈfje] (1o) *v/t.* sol-fa.

solidage ♀ [sɔliˈdaːʒ] *m* golden-rod.

solidaire [sɔliˈdɛːr] interdependent; ⊕ integral (with, *de*); ⚖ joint and several; *être* ~ *de* be bound up with; **solidariser** [sɔlidariˈze] (1a) *v/t.* ⚖ render jointly responsible; *se* ~ accept joint responsibility; *fig.* make common cause; **solidarité** [~te] *f* interdependence; *fig.* solidarity; ⚖ joint responsibility; *grève* ~ *f de* ~ sympathetic strike.

solide [sɔˈlid] **1.** *adj.* solid (*body, earth, food, foundation, wall, a.* ✱ *angle*); fast (*colour*); strong (*flow, cloth, building, person*); ✝ sound (*a. reason*); *fig.* reliable; **2.** *su./m* solid (*a.* ✱); △ solid ground or foundations *pl.*; **solidification** [sɔlidifikaˈsjõ] *f* solidifying; **solidifier** [~ˈfje] (1o) *v/t. a. se* ~ solid-

ify; **solidité** [~ˈte] *f* solidity; *building, friendship, a. tex.:* strength; *fig.* soundness (*of judgment, a.* ✝).

soliloque [sɔliˈlɔk] *m* soliloquy.

solipède *zo.* [sɔliˈpɛd] **1.** *adj.* solid-ungulate; **2.** *su./m* soliped.

soliste ♪ [sɔˈlist] **1.** *su.* soloist; **2.** *adj.* solo (*violin etc.*).

solitaire [sɔliˈtɛːr] **1.** *adj.* solitary, lonely; ✲ tapeworm; **2.** *su./m* recluse; *diamond, a. game:* solitaire; *zo.* old boar.

solitude [sɔliˈtyd] *f* solitude, lone-liness; lonely spot.

solive △ [sɔˈliːv] *f* beam, joist; **soliveau** [~liˈvo] *m* △ small joist; *fig.* King Log, nonentity.

sollicitation [sɔllisitaˈsjõ] *f* entreaty, earnest request; ✒ attraction, *magnet:* pull; ⚖ application (*to the judge*); **solliciter** [~te] (1a) *v/t.* solicit, request; urge (*a person, a horse*); beg for (*a favour etc.*); attract; *fig.* provoke; **solliciteur** *m,* **-euse** *f* [~ˈtœːr, ~ˈtøːz] applicant (for, *de*); petitioner; **sollicitude** [~ˈtyd] *f* solicitude; anxiety (for, *pour*).

solo [sɔˈlo] **1.** *su./m* ♪ (*pl. a.* **-li** [~ˈli]) solo; **2.** *adj./inv.* solo (*cycle, violin, etc.*).

solstice [sɔlsˈtis] *m* solstice; **solstici-al, e,** *m/pl.* **-aux** [~tiˈsjal, ~ˈsjo] solstitial.

solubilité [sɔlybiliˈte] *f* solubility; *fig.* solvability; **soluble** [~ˈlybl] soluble (*a. fig.*); **solution** [~lyˈsjõ] *f* ✒, ⚕, ✲, *a. fig.* solution; resolution; ⚖ discharge (*of obligation*); ~ *de continuité* gap; break; ✒ fault.

solvabilité ✝ [sɔlvabiliˈte] *f* solvency; **solvable** ✝ [~ˈvabl] solvent; **solvant** ✒ [~ˈvã] *m* solvent.

sombre [sõːbr] dark, gloomy; dull, murky (*sky, weather*); dim (*light*); melancholy (*face, temperament, thoughts*).

sombrer [sõˈbre] (1a) *v/i.* ⚓, *a. fig.* founder; sink; *fig.* fail.

sommaire [sɔˈmɛːr] **1.** *adj.* summary (*a.* ⚖), brief, concise; *fig.* improvised; **2.** *su./m* summary, synopsis; **sommation** [~maˈsjõ] *f* ⚖ demand; notice; summons *sg.*; ✱ summation.

somme[1] [sɔm] *f* sum, amount; ~ *globale* lump or global sum; ~ *toute* ... on the whole ...; *en* ~ in short.

somme² [ˌ] f burden; *bête* f *de* ~ beast of burden; *mulet* m *de* ~ pack-mule.

somme³ [sɔm] m nap; *faire un* ~ take a nap, F have a snooze; **sommeil** [sɔ'mɛːj] m sleep, slumber; sleepiness; *avoir* ~ feel *or* be sleepy; **sommeiller** [ˌmɛ'je] (1a) v/i. be asleep; doze; *fig.* lie dormant.

sommelier [sɔmə'lje] m butler; cellarman; *restaurant:* wine-waiter; **sommellerie** [ˌmɛl'ri] f butler-ship; butler's pantry.

sommer¹ [sɔ'me] (1a) v/t. summon; call on (*s.o.*) (to *inf.*, *de inf.*); ✕ call upon (*a place*) to surrender.

sommer² ♂ [ˌ] (1a) v/t. find the sum of. [*être* 1.\

sommes [sɔm] *1st p. pl. pres. of*]

sommet [sɔ'mɛ] m summit (*a. pol.*), top (*a. fig.*); ♂, △ apex; ♂, ✕ vertex; *head, arch:* crown; *wave:* crest; *fig.* zenith, height; ♂ ~ *du poumon* apex of the lung; *pol.* *conférence* f *au* ~ summit conference.

sommier¹ [sɔ'mje] m ✝ cash-book; *admin.* register.

sommier² [ˌ] m pack-horse; △ *arch:* springer; *floor:* cross-beam; *door:* lintel; ⊕ *machine:* bed; ▓ bolster; ♪ *organ:* wind-chest; *piano:* string-plate; (*a. élastique*) spring-mattress, box-mattress.

sommité [sɔmi'te] f summit; tip; ♀ top; *fig. person:* leading figure.

somnambule [sɔmnɑ̃'byl] 1. *adj.* somnambulant; 2. *su.* somnam-bulist, sleep-walker; **somnam-bulisme** [ˌnɑ̃by'lism] m somnam-bulism, sleep-walking; **somnifère** [ˌni'fɛːr] 1. *adj.* sleep-inducing; ♂ soporific; F boring; 2. *su./m* ♂ sleeping-draught, sleeping-drug; narcotic.

somnolence [sɔmnɔ'lɑ̃ːs] f sleepi-ness, somnolence; **somnolent, e** [ˌ'lɑ̃, ˌ'lɑ̃ːt] sleepy, drowsy.

somptuaire [sɔ̃p'tɥɛːr] sumptuary; **somptueux, -euse** [ˌ'tɥø, ˌ'tɥøːz] sumptuous; *fig.* magnificent; **somptuosité** [ˌtɥozi'te] f sumptu-ousness, magnificence.

son¹ m, *sa* f, *pl.* *ses* [sɔ̃, sa, se] *adj./poss.* his, her, its, one's.

son² [sɔ̃] m sound, noise; *phys.* *mur* m *de* ~ sound-barrier.

son³ ♂ [ˌ] m bran; F *tache* f *de* ~ freckle.

sonate ♪ [sɔ'nat] f sonata; **sonatine** ♪ [ˌna'tin] f sonatina.

sondage [sɔ̃'daːʒ] m ✕ boring; ⚓ sounding; ♂ probing; ⊕ drill-hole; *fig.* survey; *enquête* f *par* ~ sam-pling survey; *fig. faire des* ~s make a spot check; **sonde** [sɔ̃ːd] f sound-ing-rod; ⚓ lead; ⚓ sounding(s *pl.*); ♂ probe; ✕ drill(er), borer; **sonder** [sɔ̃'de] (1a) v/t. sound (⚓, ♂ *a pa-tient, a. fig.*); ♂ probe (*a wound, a. fig.*); *fig.* investigate; *fig.* explore.

songe [sɔ̃ːʒ] m dream (*a. fig.*); ~**creux** [sɔ̃ʒ'krø] m/inv. dreamer; **songer** [sɔ̃'ʒe] (1l) v/i. dream (of, *de*); think (of, *à*); *songez donc!* just fancy!; **songerie** [sɔ̃ʒ'ri] f (day-) dream(ing); ~s *pl.* day-dreams; **songeur, -euse** [sɔ̃'ʒœːr, ˌ'ʒøːz] 1. *adj.* dreamy; thoughtful; 2. *su.* dreamer.

sonnaille [sɔ'nɑːj] f cattle-bell; **sonnailler** [ˌnɑ'je] 1. *su./m* bell-wether; 2. (1a) v/i. ring the bell all the time; **sonnant, e** [ˌ'nɑ̃, ˌ'nɑ̃ːt] striking; *fig.* resounding; hard (*cash*); *à trois heures* ~es on the stroke of three; **sonner** [ˌ'ne] (1a) v/t. sound (*a.* ✕); ring (*a bell*); strike (*the hour*); ring for (*s.o., a. church service*); *fig. ne pas* ~ *mot* not to utter a word; v/i. sound; ring (*bell, coin*); strike (*clock*); *gramm.* be sounded *or* pronounced; *fig.* ~ *bien* (*creux*) sound well (hollow); *dix heures sonnent* it is striking 10; *dix heures sont sonnées* it has struck 10; *les vêpres sonnent* the bell is ringing for vespers; **sonnerie** [sɔn'ri] f *bells:* ringing; *church etc.:* bells *pl.*; ⊕ striking mechanism; ♪, *teleph., etc.* bell; ✕ (bugle-)call.

sonnet [sɔ'nɛ] m sonnet.

sonnette [sɔ'nɛt] f (*house-*)bell; hand-bell; ⊕ pile-driver; *cordon* m *de* ~ bell-pull; *coup* m *de* ~ ring; **sonneur** [sɔ'nœːr] m bell-ringer; *tel.* sounder; ✕ bugler.

sonore [sɔ'nɔːr] resonant; *phys.* acoustic; resounding, loud; ring-ing (*voice*); *gramm.* voiced (*conso-nant*); *phys. onde* f ~ sound-wave; **sonorité** [ˌnɔri'te] f loudness; sonority.

sont [sɔ̃] *3rd p. pl. pres. of être* 1.

sophisme [sɔ'fism] m sophism; *logic:* fallacy.

sophistication [sɔfistika'sjɔ̃] f use

of sophistry; † *wine etc.*: adulteration; **sophistique** [sɔfis'tik] **1.** *adj.*
sophistic(al); **2.** *su./f* sophistry;
sophistiquer [‿ti'ke] (1m) *v/t.*
sophisticate; adulterate (*wine etc.*);
v/i. quibble; **sophistiqueur** [‿ti-
'kœːr] *m* quibbler; † adulterator.

soporifique [sɔpɔri'fik] *adj., a.*
su./m soporific.

soprano, *pl. a.* **-ni** [sɔpra'no, ‿'ni]
m soprano (*voice, a. singer*).

sorbe ♀ [sɔrb] *f* sorb-apple.

sorbet *cuis.* [sɔr'bɛ] *m* sorbet, water-
ice; † sherbet.

sorbier ♀ [sɔr'bje] *m* sorb; ~ *sauvage* rowan(-tree), mountain-ash.

sorcellerie [sɔrsɛl'ri] *f* witchcraft,
sorcery; **sorcier** [‿'sje] *m* sorcerer;
wizard; *fig.* brilliant mind; **sorcière** [‿'sjɛːr] *f* sorceress; witch;
fig. vieille ~ old hag.

sordide [sɔr'did] sordid, squalid;
filthy; *fig.* base; **sordidité** [‿didi'te]
f sordidness.

sornettes [sɔr'nɛt] *f/pl.* nonsense
sg.; idle talk *sg.*; conter des ~ talk
nonsense.

sort [sɔːr] *m* fate, destiny; lot;
chance, fortune; spell; *fig.* jeter un
~ *sur* cast a spell on *or* over; *tirer
au* ~ draw lots; **sortable** [sɔr'tabl]
suitable; eligible (*man*); **sorte**
[sɔrt] *f* sort (*a. typ.*), kind; way,
manner; *de la* ~ of that sort; in that
way; *de* ~ *que* so that; *en quelque* ~
in a way, to some extent; *en* ~ *que*
so that; *toutes* ~*s* of all sorts of.

sortie [sɔr'ti] *f* going out; ✗, ⊕,
🚒, *thea., etc.* exit; outlet (*a.* ⊕);
leaving; *admin. goods*: issue; † ex-
port(ation); ✗ sortie, sally; outing,
trip, excursion; *fig.* outburst; ~ *de
secours* emergency exit; † ~*s pl.*
de fonds outgoings; *à la* ~ *de* on
leaving; *privation f de* ~ *school*:
gating; ✗ stoppage of pass.

sortilège [sɔrti'lɛːʒ] *m* witchcraft;
spell.

sortir[1] [sɔr'tiːr] **1.** (2b) *v/i.* go *or*
come out, leave; ♀, ✗, *etc.* come
up; come through (*tooth*); stand
out, protrude (from, de); ~ *de* come
from; come of (*a good family*);
have been at (*a school*); get out of
(*one's bed, a difficulty*); *fig.* deviate
from (*a subject*); F ~ *de* (*inf.*) have
just done *or* finished (*ger.*); ♂ ~ *de*
l'hôpital be discharged from *or Am.*

the hospital; 🚒 ~ *des rails* jump
the metals; *être sorti* be out; *thea.*
sort exit; *v/t.* bring *or* take *or* put
or send out; publish (*a book*); F
throw (*s.o.*) out; **2.** *su./m*: *au* ~ *de*
on leaving; *fig.* at the end of.

sortir[2] ‡‡ [‿] (2a, *3rd pers. only*)
v/t. take, have (*effect*).

sosie F [sɔ'zi] *m* (*person's*) double.

sot, sotte [so, sɔt] **1.** *adj.* stupid,
foolish; disconcerted; **2.** *su.* fool;
sottise [sɔ'tiːz] *f* folly, stupidity;
stupid act *or* saying; insult.

sou [su] *m* sou (= *5 centimes*); *sans
le* ~ penniless.

soubassement [subas'mã] *m* △
sub-foundation; base (*a.* ⊕); ⊕
base-plate; *geol.* bed-rock; *bed*:
valance; *fig.* substructure.

soubresaut [subrə'so] *m* jerk;
sudden start; *vehicle*: jolt; ✗ ~*s pl.*
trembling *sg.*; **soubresauter** [‿so-
'te] (1a) *v/i.* start; jolt (*vehicle*).

soubrette *thea.* [su'brɛt] *f* soubrette,
(waiting-)maid.

souche [suʃ] *f* ♂ *tree etc.*: stump;
✗, *a. fig.* stock; ✗ *virus*: strain; △
(*chimney-*)stack; *eccl.* candle-stock;
fig. blockhead; *fig.* head (*of a
family*); † *cheque, ticket*: counterfoil, stub; *carnet m à* ~*s* counterfoil
book, *Am.* stub-book; *fig.* faire ~
found a family; **souchet** [su'ʃɛ]
m ♀ cyperus; *orn. duck*: shoveller;
⊕ ragstone.

souci[1] ♀ [su'si] *m* marigold.

souci[2] [su'si] *m* care; worry; concern; **soucier** [‿'sje] (1o) *v/t.*
trouble (*s.o.*); *se* ~ be anxious; *ne
se* ~ *de rien* care for nothing; *se* ~ *de*
trouble o.s. about; care for *or* about;
mind about; **soucieux, -euse** [‿'sjø,
‿'sjøːz] anxious, concerned (about,
de; to *inf.*, *de inf.*); *fig.* worried.

soucoupe [su'kup] *f* saucer; F ~
volante flying saucer.

soudable ⊕ [su'dabl] that can be
soldered *or* welded; **soudage** ⊕
[‿'daːʒ] *m* soldering; welding.

soudain, e [su'dɛ̃, ‿'dɛn] **1.** *adj.*
sudden; **2.** *soudain adv.* suddenly,
all of a sudden; **soudaineté** [‿den-
'te] *f* suddenness.

soudard *usu. pej.* [su'daːr] *m* † old
soldier, F old sweat; *fig.* ruffian.

soude [sud] *f* ♀, †, ⊕ soda; ♀
saltwort; ♀ ~ *caustique* caustic
soda.

souder [su'de] (1a) *v/t.* ⊕ solder, weld; *fig.* join; *lampe f à ~* blow-lamp.

soudière ⊕ [su'dje:r] *f* soda-works *usu. sg.*

soudoyer [sudwa'je] (1h) *v/t.* hire (the services of); *fig.* bribe.

soudure ⊕ [su'dy:r] *f* solder; soldering; welding; soldered joint; weld, (*welded*) seam; ⚓, ⊕, inner tube, *etc.*: F join.

soue [su] *f* pigsty.

souffert, e [su'fɛ:r, ~'fɛrt] *p.p. of souffrir.*

soufflage [su'fla:ʒ] *m* ⊕ glass-blowing; ⊕ furnace: blast; **soufflante** ⊕ [~'flɑ̃:t] *f* blower; **souffle** [sufl] *m* breath (*a.* ⚛); breathing; blast; *fig.* inspiration; ⚛ murmur; *sp., fig.* wind; *à bout de ~* out of breath; **soufflé** *cuis.* [su'fle] *m* soufflé; **soufflement** [~flə'mɑ̃] *m* blowing; **souffler** [~'fle] (1a) *v/i.* blow (*person, a. wind*); pant; get one's breath; *v/t.* blow (♪ *the organ,* ⊕ *glass*); inflate; blow up (*a balloon, a. the fire*); *thea.* prompt; *fig.* whisper; *fig.* breathe (*a word, a sound*); blow out (*a candle*); F trick (s.o. out of s.th., *qch. à q.*); F foment (*a strife*); *fig. ~ le chaud et le froid* blow hot and cold; **soufflerie** [~flə'ri] *f* forge, *a.* ♪ organ: bellows *pl.*; ⊕ blower; ⊕ wind-tunnel; **soufflet** [~'flɛ] *m* bellows *pl.* (*a. phot.*); ⊕ fan; ⛟ concertina vestibule; *carriage:* (*folding*) hood; ♪ swell; *cost.* gusset, gore; *fig.* slap, box on the ear; *fig.* affront; **souffleter** [~flə'te] (1c) *v/t. fig.* insult; *~ q.* slap s.o.'s face, box s.o.'s ears; **souffleur, -euse** [~'flœ:r, ~'flø:z] *su.* blower; *thea. etc.* prompter; *vet. horse:* roarer; *su./m* ⊕ blower; ⚡ blow-out; **soufflure** [~'fly:r] *f glass:* bubble; *metall.* flaw, blowhole; *paint:* blister.

souffrance [su'frɑ̃:s] *f* suffering; ⚖ sufferance; ✝ *en ~* suspended (*business*); held up (*post etc.*); outstanding (*bill etc.*); **souffrant, e** [~'frɑ̃, ~'frɑ̃:t] suffering, in pain; ⚛ unwell, ill; **souffre** [sufr] *1st p. sg. pres. of souffrir;* **souffre-douleur** [~frə-du'lœ:r] *su./inv.* drudge; scapegoat; laughing-stock.

souffreteux, -euse [sufrə'tø, ~'tø:z] destitute, sickly (*child etc.*).

souffrir [su'fri:r] (2f) *vt/i.* suffer; *v/t.* bear (*a. fig.*); permit, allow; *v/i. fig.* be grieved (to *inf.,* de *inf.*); be injured.

soufrage ⊕ [su'fra:ʒ] *m* sulphuring; **soufre** [sufr] *m* ⚛ *etc.* sulphur; *~ en poudre, fleur f de ~* flowers *pl.* of sulphur; **soufrer** [su'fre] (1a) *v/t.* treat with sulphur; ⊕, *tex.* sulphur (*a. matches*); **soufreuse** ✍ [~'frø:z] *f* sulphurator; **soufrière** [~fri'ɛ:r] *f* sulphur-mine; *geol.* solfatara; **soufroir** *tex.* [~-'frwa:r] *m* sulphuring-chamber.

souhait [swɛ] *m* wish; *à ~* to one's liking; **souhaitable** [swe'tabl] desirable; **souhaiter** [~'te] (1a) *v/t.* wish.

souillard [su'ja:r] *m* ⊕ sink-hole; ⊕ sink-stone; △ strut; **souillarde** [~'jard] *f* scullery; **souille** [su:j] *f* (*wild boar's*) wallow; ⚓ bed; **souiller** [su'je] (1a) *v/t.* soil (with, de); pollute; stain (*a. fig.*); *fig.* tarnish (*one's reputation etc.*); **souillon** [~'jɔ̃] *su.* sloven; *woman:* slut; **souillure** [~'jy:r] *f* stain (*a. fig.*); spot; *fig.* blemish; ⚙ impurity.

soûl, soûle F [su, sul] **1.** *adj.* surfeited (with, de); satiated; *sl.* drunk; **2.** *su./m* fill (*a. fig.*); *dormir tout son ~* have one's sleep out.

soulagement [sulaʒ'mɑ̃] *m* comfort, solace; relief (*a.* ⊕); **soulager** [~la'ʒe] (1l) *v/t.* relieve, alleviate; comfort; *se ~* relieve o.s. (*of a burden, a.* F *fig.*); relieve one's mind.

soûlard *m, e f* [su'la:r, ~'lard], **soûlaud** *m, e f* [~'lo, ~'lo:d] drunkard, soaker; **soûler** F [~'le] (1a) *v/t* satiate, glut (*s.o.*) (with, de); make (*s.o.*) drunk; *se ~* get drunk; gorge (on, de).

soulèvement [sulɛv'mɑ̃] *m ground, stomach, a. fig. people:* rising; ⚓ *sea:* swell(ing); *fig.* general protest; *geol.* upheaval; ⚛ *de cœur* nausea; **soulever** [sul've] (1d) *v/t.* raise (*a. fig.* an objection, a question, *etc.*); lift (up); *fig.* provoke (*an emotion*); *fig.* rouse (*peole*) to revolt; F steal, *sl.* lift; *fig. ~ le cœur à q.* make s.o. sick; *se ~* rise (*a.* in revolt); raise o.s.; turn (*stomach*).

soulier [su'lje] *m* shoe; *~s pl. de ski* ski-boots; *~ ferré* (*plat*) spiked (low-heeled) shoe; *~ Richelieu* lace-up shoe; *être dans ses petits* ~s be on pins and needles; be ill at ease.

soulignement [suliɲ'mɑ̃] *m* under-lining; *fig.* stressing; **souligner** [ˌli'ɲe] (1a) *v/t.* underline; *fig.* stress, emphasize.

soumettre [su'metr] (4v) *v/t.* sub-due (*s.o.*, *one's feelings*, *a. a country*); *fig.* subject (*s.o.* to s.th., *à à qch.*); *fig.* submit (*an idea, a plan, a request*) (to s.o., *à q.*); *se* ~ *à* submit to, comply with; **soumis, e** [ˌmi, ˌ'miːz] obedient; dutiful; *pol., admin., etc.* subject (to, *à*); **soumis-sion** [ˌmi'sjɔ̃] *f* ✕, *pol.* submission, surrender; obedience (to, *à*); ↑ undertaking, bond; ✝ tender (for, *pour*); **soumissionnaire** ✝ [su-misjɔ'neːr] *m* tenderer; *finance:* underwriter; **soumissionner** ✝ [ˌˈne] (1a) *v/t.* tender for; *finance:* underwrite.

soupape ⊕ [su'pap] *f* valve; *bath etc.:* plug; *fig.* safety-valve; ~ *à papillon* throttle-valve; ~ *d'échap-pement* outlet valve; *mot.* exhaust-valve; ⚡ ~ *électrique* rectifier.

soupçon [sup'sɔ̃] *m* suspicion; *fig.* inkling, idea, hint; *fig., a. cuis.* touch, dash; *liquid:* drop; *fig. pas un* ~ *de* not a shadow of, not the ghost of; **soupçonner** [ˌsɔ'ne] (1a) *v/t.* suspect; surmise; **soupçon-neux, -euse** [ˌsɔ'nø, ˌ'nøːz] sus-picious.

soupe [sup] *f* soup; F, *a.* ✕ meal; F food, *sl.* grub; sop (*for soaking in soup, wine, etc.*); ~ *à l'oignon* onion-soup; F ~ *populaire* soup-kitchen; F *s'emporter comme une* ~ *au lait* flare up.

soupente [su'pɑ̃ːt] *f* ⊕ support; ⌂ loft, garret; closet.

souper [su'pe] **1.** *v/i.* (1a) have supper; *sl. fig.* j'en ai soupé I'm fed up with it; **2.** *su./m* supper.

soupeser [supə'ze] (1d) *v/t.* feel the weight of; weigh (*s.th.*) in the hand.

soupière [su'pjɛːr] *f* soup-tureen.

soupir [su'piːr] *m* sigh; ♩ crotchet rest; ♪ (*demi-*)*quart m de* ~ (demi-)semiquaver rest; ♪ *demi-*~ quaver rest; **soupirail**, *pl.* **-aux** [supi-'raːj, ˌ'ro] *m* air-hole; vent (*in air-shaft etc.*); ventilator; **soupirant** F [ˌ'rɑ̃] suitor, admirer; **soupirer** [ˌ're] (1a) *v/i.* sigh; ~ *après* (*or pour*) long *or* sigh for.

souple [supl] supple; flexible; *fig.* compliant, docile; **souplesse** [su-'plɛs] *f* suppleness; flexibility; *fig.* adaptability; *fig. character*: plia-bility.

souquenille [suk'niːj] *f* ✝ smock; worn garment.

source [surs] *f* source (*a. fig.*); spring; *fig.* origin; ~ *jaillissante* gusher; *de bonne* ~ on good author-ity; *prendre sa* ~ *dans river:* rise in; **sourcier** [sur'sje] *m* water-diviner.

sourcil [sur'si] *m* eyebrow; *froncer les* ~s frown; **sourciller** [ˌsi'je] (1a) *v/i.* knit one's brows, frown; *fig.* flinch; *ne pas* ~ F not to turn a hair, *Am.* never to bat an eyelid; **sour-cilleux, -euse** [ˌsi'jø, ˌ'jøːz] frown-ing; *fig.* supercilious.

sourd, sourde [suːr, surd] **1.** *adj.* deaf; dull (*blow, colour, noise, pain, thud*); low (*cry*); hollow (*voice*); *fig.* veiled (*hostility*); *fig.* underhand; *gramm.* voiceless; F ~ *comme un pot* deaf as a (door-)post; *faire la sourde oreille* turn a deaf ear; *lanterne f sourde* dark-lantern; **2.** *su.* deaf per-son.

sourdine [sur'din] *f* ♩ mute; ⚡ damper; *en* ~ (*mutter*) under one's breath; ♩ muted; *fig.* on the sly.

sourd-muet, sourde-muette [sur-'mɥɛ, surd'mɥɛt] **1.** *adj.* deaf-and-dumb; **2.** *su.* deaf-mute.

sourdre [surdr] (4dd) *v/i.* spring; *fig.* arise.

souriant, e [su'rjɑ̃, ˌ'rjɑ̃ːt] smiling.

souriceau [suri'so] *m* young mouse; **souricière** [ˌ'sjɛːr] *f* mouse-trap; *fig.* (police-)trap.

sourire [su'riːr] **1.** (4cc) *v/i.* smile; *pej.* smirk; ~ *à q.* smile at s.o.; *fig.* be favo(u)rable to s.o.; *fig.* appeal *or* be attractive to s.o.; **2.** *su./m* smile.

souris [su'ri] *f* mouse.

sournois, e [sur'nwa, ˌ'nwaːz] **1.** *adj.* sly, cunning, crafty, deep; underhand; **2.** *su.* sly *or* cunning *or* crafty *or* deep *or* underhand per-son; **surnoiserie** [ˌnwaz'ri] *f* sly-ness; cunning; craftiness; under-hand trick.

sous [su] *prp. usu.* under (*the table, s.o.'s command, etc.*); underneath; below; at (*the equator*); in (*the tropics, the rain, a favourable light*); within (*three months*); ~ *clé* under lock and key; ~ *les drapeaux* with the colo(u)rs; ~ *enveloppe* under cover, in an envelope; ~ *le nom de* by the name of; ~ *peine de* on pain of; ~ *peu* before long, shortly; ~ *ce pli* enclosed; ~ *prétexte de* on the pretext of; ~ *le rapport de* in respect of; ~ (*le règne de*) *Louis XIV* under *or* in the reign of Louis XIV; *passer* ~ *silence* pass (*s.th.*) over in silence; ~ *mes yeux* before my eyes; *see* cape; main.

sous... [su; suz] sub..., under...; **~-aide** [su'zɛd] *su.* sub-assistant; **~-alimenté, e** [ˌzalimã'te] undernourished, underfed; **~-arrondissement** [ˌzarɔ̃dis'mã] *m* sub-district; **~-bail** [su'ba:j] *m* sub-lease; **~-bois** [ˌ'bwɑ] *m* undergrowth.

souscripteur ✝ [suskrip'tœ:r] *m* shares, periodical, etc.: subscriber; *cheque*: drawer; **souscription** [ˌ'sjɔ̃] *f* subscription (for shares, *à des actions*); signature; (*public*) fund; **souscrire** [sus'kri:r] (4q) *v/t.* subscribe (*a bond, a. to a periodical, to an opinion, etc.*); draw (*a cheque*); apply for (*shares*); sign (*a decree, a deed*); *v/i.*: ~ *pour* subscribe for *or* to; subscribe (*a sum of money*).

sous...: **~-cutané, e** ✼ [sukyta'ne] subcutaneous; **~-développé, e** [ˌdevlɔ'pe] underdeveloped; **~-entendre** [suzã'tã:dr] (4a)*v/t.* understand (*a. gramm.*); imply; **~-entendu** [ˌzãtã'dy] *m* implication; innuendo; **~-entente** [ˌzã'tã:t] *f* mental reservation; **~-estimer** [ˌzɛsti'me] (1a) *v/t.* underestimate; **~-exposer** *phot.* [ˌzɛkspo'ze] (1a) *v/t.* under-expose; **~-locataire** [sulɔka'tɛ:r] *su.* subtenant, sublessee; **~-location** [ˌlɔka'sjɔ̃] *f* sub-letting; sub-lease; **~-louer** [ˌ'lwe] (1p) *v/t.* sub-let; sub-lease; rent (*a house*) from a tenant; **~-main** [ˌ'mɛ̃] *m* blotting-pad, writing-pad; *en* ~ behind the scenes; **~-maître** [ˌ'mɛ:tr] *m* assistant master; **~-maîtresse** [ˌmɛ'trɛs] *f* assistant mistress; **~-marin, e** ⚓ [ˌma'rɛ̃, ˌ'rin] *adj., a. su./m* submarine; **~-officier** [suzɔfi'sje] *m,* F **~-off** [ˌ'zɔf] *m* ✕ non-commissioned officer, N.C.O.; ⚓ petty officer; **~-ordre** [ˌ'zɔrdr] *m* ♀ sub-order; *admin.* subordinate; *en* ~ subordinate(ly *adv.*); **~-pied** [su'pje] *m*

trouser-strap; *gaiters*: under-strap; **~-préfet** [ˌpre'fɛ] *m* sub-prefect; **~-produit** ⊕ [ˌprɔ'dɥi] *m* by-product; **~-secrétaire** [ˌsəkre'tɛ:r] *m* under-secretary (of State, *d'État*); **~signé, e** [ˌsi'ne] **1.** *adj.* undersigned; **2.** *su.* undersigned; *je* ~ ... I the undersigned ...; **~-sol** [ˌ'sɔl] *m* ⚒ subsoil; △ basement; basement-flat; ✕ underground; *richesses f/pl. de* ~ mineral resources.

soustraction [sustrak'sjɔ̃] *f* removal, abstraction (*a.* ⚖); ⅍ subtraction; **soustraire** [ˌ'trɛ:r] (4ff) *v/t.* remove; withdraw; ⅍ subtract (from, *de*); *fig.* shield (*s.o. from s.th., q. à qch.*); *se* ~ *à* escape from; avoid (*a duty*).

sous...: **~-ventrière** [suvãtri'ɛ:r] *f* saddle-girth; belly-band; **~-verge** [ˌ'vɛrʒ] *m/inv.* off-horse; F *fig.* underling; **~-vêtement** [ˌvɛt'mã] *m* undergarment.

soutache ✕, *a. cost.* [su'taʃ] *f* braid.

soutane *eccl.* [su'tan] *f* cassock, soutane; *fig. la* ~ holy orders *pl.,* F the cloth.

soute [sut] *f* ⚓ store-room; ✕ ~ *à bombes* bomb-bay; ~ *à charbon* coal-bunker; ~ *aux poudres* (powder-)magazine.

soutenable [sut'nabl] bearable; tenable (*opinion, theory, a.* ✕ †); **soutenance** [ˌ'nã:s] *f thesis:* maintaining; **soutènement** [sutɛn'mã] *m* support(ing); △ ~ retaining (*wall*), relieving (*arch*); **soutenir** [sut'ni:r] (2h) *v/t.* support; hold (*s.th.*) up; back (*s.o.*) (*financially*); keep up (*a conversation, a credit, a part*); maintain, assert (*a fact*); uphold (*an opinion, a theory, a thesis*); *fig.* endure, bear (*a. comparison*), stand; **soutenu, e** [ˌ'ny] sustained; unflagging (*attention, effort, interest*); ✝ steady (*market*); *fig.* lofty (*style*).

souterrain, e [sutɛ'rɛ̃, ˌ'rɛn] **1.** *adj.* underground; *fig.* underhand; *chemin m de fer* ~ underground railway, *Am.* subway; **2.** *su./m* underground passage, subway.

soutien [su'tjɛ̃] *m* support(ing); *person:* supporter; *fig.* mainstay; **~-gorge,** *pl.* **~s-gorge** *cost.* [ˌtjɛ̃'gɔrʒ] *m* brassière, F bra.

soutirer [suti're] (1a) *v/t.* draw off

(*wine etc.*); *fig.* get (s.th. out of s.o., *qch. à q.*).

souvenir [suv'niːr] **1.** (2h) *v/impers.* occur to the mind; *il me souvient de* there comes to my mind, I recall; *v/t.*: *faire ~ q. de* remind s.o. of; *se ~ de* remember, recall; **2.** *su./m* memory, remembrance; memento; keepsake; presentation (*to s.o.*).

souvent [su'vɑ̃] *adv.* often; *assez ~* fairly often; *peu ~* seldom, not often.

souverain, e [su'vrɛ̃, ~'vrɛn] **1.** *adj.* sovereign; supreme; **2.** *su.* sovereign; **souveraineté** [~vrɛn'te] *f* sovereignty; territory (*of a sovereign*).

soviet *pol.* [sɔ'vjɛt] *m* Soviet; **soviétique** [~vje'tik] **1.** *adj.* Soviet; **2.** *su.* ♀ Soviet citizen.

soya ♀ [sɔ'ja] *m see* soja.

soyeux, -euse [swa'jø, ~'jøːz] **1.** *adj.* silky, silken; **2.** *su./m* silk manufacturer.

soyons [swa'jɔ̃] *1st p. pl. pres. sbj. of* être†.

spacieux, -euse [spa'sjø, ~'sjøːz] spacious, roomy.

spadassin [spada'sɛ̃] *m* bully, ruffian.

spadice ♀ [spa'dis] *m* spadix.

spahi ✗ [spa'i] *m* spahi.

spalter [spal'tɛːr] *m painting:* graining-brush.

sparadrap 🗡 [spara'dra] *m* sticking *or* adhesive plaster.

spart(e) ♀ [spart] *m* esparto(-grass); **sparterie** [spar'tri] *f* ⊕ esparto factory; † esparto(-grass) products *pl.*

spasme 🗡 [spasm] *m* spasm; **spasmodique** 🗡 [spasmɔ'dik] spasmodic, spastic.

spath *min.* [spat] *m* spar; *~ fluor* fluorite.

spatial, e, *m/pl.* **-aux** [spa'sjal, ~'sjo] spatial; *navire m ~* space craft.

spatule [spa'tyl] *f* 🗡 spatula; ⊕ spoon tool; *sp.* ski-tip; *orn.* spoonbill; **spatulé, e** [~ty'le] spatulate.

speaker, speakerine [spi'kœːr, ~kə'rin] *su. radio:* announcer; *su./m parl.* speaker.

spécial, e, *m/pl.* **-aux** [spe'sjal, ~'sjo] **1.** *adj.* special, particular; ✗ *armes f/pl. ~es* technical arms; **2.** *su./f school:* higher mathematics class; **spécialiser** [spesjali'ze] (1a)

v/t. particularize; ear-mark (*funds*); *se ~ dans* specialize in, make a special study of, *Am.* major in; **spécialiste** [~'list] *su.* specialist (*a.* 🗡); expert; ✗ tradesman; **spécialité** [~li'te] *f* speciality; special study; 🛡 special duty; 🛡 specialized branch; *~ pharmaceutique* patent medicine.

spécieux, -euse [spe'sjø, ~'sjøːz] specious; plausible.

spécification [spesifika'sjɔ̃] *f* specification; *raw material:* working up; **spécificité** [~fisi'te] *f* specificity (*a.* 🗡); **spécifier** [~'fje] (1o) *v/t.* specify; lay down; stipulate; determine (*s.th.*) specifically; **spécifique** [~'fik] **1.** *su./m* specific (for, *de*); **2.** *adj.* specific; *phys. poids m ~* specific gravity.

spécimen [spesi'mɛn] **1.** *su./m* specimen, sample; **2.** *adj.* specimen (*copy*).

spéciosité [spesjozi'te] *f* speciousness.

spectacle [spɛk'takl] *m* spectacle, sight; *pej.* exhibition; *thea.* play, show; *fig. se donner en ~* make an ass of o.s.; *taxe f sur les ~s* entertainment tax.

spectateur, -trice [spɛkta'tœːr, ~'tris] *su.* spectator; witness (*of an accident, an event, etc.*); *su./m: thea. ~s pl.* audience *sg.*

spectral, e, *m/pl.* **-aux** [spɛk'tral, ~'tro] spectral (*a.* 🌑); spectrum (*analysis*); *opt.* of the spectrum; *fig.* ghostly; **spectre** [spɛktr] *m* spectre; ghost (*a. fig.*); *opt., a. phys.* spectrum; **spectroscopie** *phys.* [spɛktrɔskɔ'pi] *f* spectroscopy.

spéculaire [speky'lɛːr] **1.** *adj.* specular; *psych.* mirror (*writing*); *pierre f ~ mica;* **2.** *su./f* ♀ specularia.

spéculateur *m,* **-trice** *f* [spekyla'tœːr, ~'tris] †, *a. fig.* speculator; *fig.* theorizer; **spéculatif, -ve** [~'tif, ~'tiːv] †, *a. fig.* speculative; *fig.* contemplative; **spéculation** [~'sjɔ̃] *f* †, *a. fig.* speculation; *fig.* theory, conjecture; *fig.* cogitation; **spéculer** [speky'le] (1a) *v/i.* †, *a. fig.* speculate (*fig.* on, † in *sur;* † for, *à*).

spéléologie [speleɔlɔ'ʒi] *f* spel(a)eology; cave hunting; F pot-holing; **spéléologue** [~'lɔg] *m* spel(a)eologist; cave hunter; F pot-holer.

spencer *cost.* [spɛ̃'sɛːr] *m* spencer.

sperme *physiol.* [spɛrm] *m* sperm, semen.

sphère [sfɛːr] *f* sphere (*a.* 𝔄, *fig.*); *geog.* globe; **sphéricité** [sferisi'te] *f* sphericity, curvature; **sphérique** [⌣'rik] **1.** *adj.* spherical (*a.* 𝔄); **2.** *su./m* 𝕏 spherical balloon.

sphinx [sfɛ̃ks] *m* sphynx (*a. fig.*); *zo.* hawk-moth.

spic 𝄞 [spik] *m* spike-lavender.

spider *mot.* [spi'dɛːr] *m* dick(e)y (seat).

spinal, e, *m/pl.* **-aux** *anat.* [spi'nal, ⌣'no] spinal.

spinelle *min.* [spi'nɛl] *m* spinel.

spiral, e, *m/pl.* **-aux** [spi'ral, ⌣'ro] **1.** *adj.* spiral; **2.** *su./f* spiral; en ⌣e spiral(ly *adv.*), winding; *su./m* ⊕ *watch:* hairspring; **spire** [spiːr] *f* single turn, whorl (*a.* 𝄢); 𝄢 *bobbin:* one winding.

spirée 𝄞 [spi're] *f* spiraea.

spirite [spi'rit] **1.** *adj.* spiritualistic; **2.** *su.* spiritualist; **spiritisme** [spiri'tism] *m* spirit(ual)ism; **spiritualiser** [⌣tɥali'ze] (1a) *v/t.* spiritualize; 𝄐 † distil; **spiritualité** [⌣tɥali'te] *f* spirituality; **spirituel, -elle** [⌣'tɥɛl] spiritual (*a. eccl., phls., etc.*); *fig.* witty, humorous; **spiritueux, -euse** 𝄢 [⌣'tɥø, ⌣'tɥøːz] **1.** *adj.* spirituous; **2.** *su./m* spirit(uous liquor); *les* ⌣ *pl.* spirits.

spiromètre 𝄢 [spiro'mɛtr] *m* spirometer.

spleen [splin] *m* spleen; F hypochondria; F *avoir le* ⌣ have a fit of the blues.

splendeur [splã'dœːr] *f* splendo(u)r; brilliance, brightness; *fig.* grandeur, glory; **splendide** [⌣'did] splendid; brilliant; *fig.* magnificent.

spoliateur, -trice [spɔlja'tœːr, ⌣'tris] **1.** *adj.* spoliatory (*law, measure*); despoiling, plundering (*person*); **2.** *su.* despoiler; **spoliation** [⌣lja'sjɔ̃] *f* despoiling; robbing; spoliation; **spolier** [⌣'lje] (1o) *v/t.* despoil; rob (*of, de*).

spondée [spɔ̃'de] *m prosody:* spondee.

spongiaires [spɔ̃'ʒjɛːr] *m/pl.* spongiae; **spongieux, -euse** [⌣'ʒjø, ⌣'ʒjøːz] spongy; *anat.* ethmoid (*bone*); **spongiosité** [⌣ʒjozi'te] *f* sponginess.

spontané, e [spɔ̃ta'ne] spontaneous; 𝄢𝄢 voluntary (*confession*); 𝄞 self-sown; **spontanéite** [⌣nei'te] *f* spontaneity; **spontanément** [⌣ne-'mã] *adv. of* spontané.

sporadique 𝄢, 𝄞 [spɔra'dik] sporadic; **spore** 𝄞, *biol.* [spɔːr] *f* spore.

sport [spɔːr] *m* sport; ⌣*s pl. nautiques* aquatic sports; *le* ⌣ sports *pl.*; **sportif, -ve** [spɔr'tif, ⌣'tiːv] **1.** *adj.* sporting; sports...; **2.** *su.* follower of sports, F sports fan; *su./m* sportsman; *su./f* sportswoman; **sportsman,** *pl.* **sportsmen** [spɔrts'man, ⌣'mɛn] *m* sportsman; **sportswoman,** *pl.* **sportswomen** [⌣wu'man, ⌣'mɛn] *f* sportswoman.

spot [spɔt] *m radio etc.:* spot.

spoutnik [sput'nik] *m* sputnik.

sprat *icht.* [sprat] *m* sprat.

sprint *sp.* [sprint] *m* sprint; **sprinter** *sp.* **1.** [sprin'tœːr] *su./m* sprinter; **2.** [⌣'te] (1a) *v/i.* sprint.

spumeux, -euse [spy'mø, ⌣'møːz] frothy, foamy.

squale *icht.* [skwal] *m* dog-fish.

squame [skwam] *f skin:* scale; *bone:* exfoliation; squama; **squameux, -euse** [skwa'mø, ⌣'møːz] 𝄢, *anat., etc.* scaly; squamous (*a.* 𝄞).

square [skwaːr] *m* (public) square (with garden).

squelette [skə'lɛt] *m* skeleton (*a. fig.*); ⚓ carcass; *fig. book, plot:* outline; **squelettique** [⌣lɛ'tik] skeletal; *fig.* skeleton-like.

squille 𝄞, *icht.* [ski:j] *f* squill.

stabilisateur, -trice [stabiliza'tœːr, ⌣'tris] **1.** *adj.* stabilizing; **2.** *su./m* 𝕏 *etc.* stabilizer; **stabilisation** [⌣za'sjɔ̃] *f* stabilization; ⊕ standstill; ⊕ annealing; **stabiliser** [⌣'ze] (1a) *v/t.* stabilize (*a.* ✦ *the currency*); ⊕ anneal; se ⌣ become steady; **stabilité** [⌣'te] *f* stability; *tenure of post:* security; *fig.* permanence; **stable** [stabl] stable; *fig.* lasting; level-headed (*person*).

stade [stad] *m sp.* stadium; *sp.* athletic club; 𝄢, *a. fig.* stage, period.

stage [sta:ʒ] *m* (period of) probation; 𝕏, *univ.* course of instruction; 𝄢𝄢 *law student:* terms *pl.*; *faire un* ⌣ do a probationary period; **stagiaire** [sta'ʒjɛːr] **1.** *adj.* on probation (*person*); (*period*) of probation (*under instruction*); **2.** *su.* probationer.

stagnant, e [stag'nã, ⌣'nãːt] stagnant (*a.* ✦); **stagnation** [⌣na'sjɔ̃] *f* stagnation (a. ✝); ⚓ compass: slowness; ✝ dullness.

stalle [stal] f eccl., thea., stable, etc.: stall; stable: box.

staminé, e ♀ [stami'ne] stamened, staminate.

stance [stã:s] f stanza.

stand [stã:d] m races, show, exhibition: stand; shooting-gallery, rifle-range.

standard [stã'da:r] **1.** su./m teleph. switchboard; fig. standard (of living, de vie); **2.** adj. standard; **standardisation** ⊕ [stãdardiza'sjɔ̃] f standardization; **standardiser** ⊕ [~di'ze] (1a) v/t. standardize; **standardiste** teleph. [~'dist] su. switchboard operator.

starter [star'tɛ:r] m sp. starter; mot. choke.

station [sta'sjɔ̃] f ⚒, ⚓, ⚡, radio, 🚂 underground: station; stop, halt; (taxi-)rank; bus, tram: (fare) stage; (holiday) resort; ⚡ ~ centrale power station; ~ climatique health resort; ~ de correspondance underground railway: interchange station; en ~ standing; faire une ~ break one's journey; **stationnaire** [~sjɔ'nɛ:r] **1.** adj. stationary; **2.** su./m ⚓ guardship; **stationnement** [~sjɔn'mã] m stopping, standing; ✗ stationing, quartering; ✗ quarters pl.; ~ interdit road sign: no parking; no waiting; **stationner** [~sjɔ'ne] (1a) v/i. stop, halt; stand; park (car); ✗ be stationed; défense f de ~ no parking; **station-service**, pl. **stations-service** mot. [~sjɔ̃sɛr'vis] f service station; repair station.

statique [sta'tik] **1.** adj. static; **2.** su./f ⊕ statics sg.

statisticien [statisti'sjɛ̃] m statistician; **statistique** [~'tik] **1.** adj. statistical; **2.** su./f statistics sg.

stator ⚡ [sta'tɔ:r] m stator.

statuaire [sta'tɥɛ:r] **1.** adj. statuary; **2.** su./m person: sculptor; su./f art: statuary; sculptress; **statue** [~'ty] f statue; image.

statuer [sta'tɥe] (1n) v/t. decree, enact; rule; v/i.: ~ sur qch. decide s.th., give judgment on s.th.

stature [sta'ty:r] f stature; height.

statut [sta'ty] m ♰ statute; regulation; charter; pol. status; constitution; **statutaire** [~ty'tɛ:r] statutory; ✝ qualifying (share).

stéarine ♠ [stea'rin] f stearin(e); **stéarique** ♠ [~'rik] stearic.

steeple-chase sp. [stiplə't∫ez] m track: hurdle-race.

stellaire [stɛl'lɛ:r] **1.** adj. astr. stellar; **2.** su./f ♀ starwort.

sténo... [stenɔ] steno...; **~dactylographe** [~daktilɔ'graf], F **~dactylo** [~dakti'lo] su. shorthand-typist; **~gramme** [~'gram] m shorthand report; **~graphe** [~'graf] su. shorthand writer; stenographer; **~graphie** [~gra'fi] f shorthand; **~type** [~'tip] su./m stenotype; su./f shorthand typewriter; **~typiste** [~ti-'pist] su. stenotypist.

stentor [stã'tɔ:r] npr./m: fig. voix f de ~ stentorian voice.

steppe geog. [stɛp] f steppe.

steppe(u)r [stɛ'pœ:r] m horse: high-stepper.

stercoraire [stɛrkɔ'rɛ:r] m zo. dung-beetle; orn. skua.

stère [stɛ:r] m measure of wood: stere, cubic metre; bois m de ~ cordwood.

stéréo... [stereo] stereo...; **~métrie** ♠ [~me'tri] f stereometry; **~métrique** ♠ [~me'trik] stereometric; **~phonie** [~fɔ'ni] f stereophonic sound; **~phonique** [~fɔ'nik] stereophonic; **~scope** opt. [stereɔs'kɔp] m stereoscope; **~scopique** [~skɔ'pik] stereoscopic; **~type** typ. [stereɔ'tip] **1.** adj. stereotype; stereotyped (book); **2.** su./m stereotype (plate); **~typer** [~ti'pe] (1a) v/t. stereotype; expression f stéréotypée hackneyed phrase; sourire m stéréotypé fixed smile; **~typie** [~ti'pi] f stereotypy; stereotype foundry.

stérer [ste're] (1f) v/t. measure (wood) by the stere.

stérile [ste'ril] ♠, ♀, zo., a. fig. sterile, barren (a. woman); childless (marriage); fig. fruitless, vain (effort); **stériliser** [sterili'ze] (1a) v/t. sterilize (a. ♠); **stérilité** [~'te] f sterility; barrenness (a. fig.).

sternum anat. [stɛr'nɔm] m sternum, breast-bone.

sternutation ♠ [stɛrnyta'sjɔ̃] f sternutation, sneezing; **sternutatoire** ♠ [~'twa:r] **1.** adj. sternutatory; sneezing(-powder); **2.** su./m sneezing-powder.

stertoreux, -euse ♠ [stɛrtɔ'rø, ~-'rø:z] stertorous.

stéthoscope 🖉 [stetɔs'kɔp] *m* stethoscope.

stick [stik] *m* ✕ swagger-stick; (riding-)switch.

stigmate [stig'mat] *m* 🖉, ⚕, *a. fig.* stigma; 🖉 *wound*: scar, mark; *smallpox*: pock-mark; *fig.* stain (*on character*); *eccl.* ⁓s *pl.* stigmata; **stigmatique** [⁓ma'tik] stigmatic; *opt.* anastigmatic; **stigmatiser** [⁓mati'ze] (1a) *v/t. eccl.*, *a. fig.* stigmatize (with, de); 🖉 pock-mark (*s.o.*); *fig.* brand (*s.o.*).

stimulant, e [stimy'lɑ̃, ⁓'lɑ̃:t] **1.** *adj.* stimulating; **2.** *su./m* 🖉 stimulant; *fig.* stimulus, incentive; **stimulateur, -trice** [⁓la'tœ:r, ⁓'tris] stimulative; **stimuler** [⁓'le] (1a) *v/t.* stimulate; *fig.* incite, give a stimulus to; **stimulus** 🖉, *biol.* [⁓'lys] *m* stimulus.

stipendiaire *usu. pej.* [stipɑ̃'djɛ:r] **1.** *adj.* mercenary; **2.** *su.* mercenary; hireling; **stipendié** *m*, e *f* [⁓'dje] *see* stipendiaire 2; **stipendier** *pej.* [⁓'dje] (1o) *v/t.* keep in one's pay, hire.

stipulation 🖉 [stipyla'sjɔ̃] *f* condition; stipulation; **stipuler** [⁓'le] (1a) *v/t.* stipulate.

stock ✝ [stɔk] *m* stock; **stockage** [stɔ'ka:ʒ] *m* ✝ stocking; storing; **stocker** [⁓'ke] (1a) *v/t.* ✝ stock, store; ✕ stockpile (*bombs*).

stoïcien, -enne *phls.* [stɔi'sjɛ̃, ⁓'sjɛn] **1.** *adj.* stoic(al); **2.** *su.* stoic; **stoïcisme** *phls.*, *a. fig.* [⁓'sism] *m* stoicism; **stoïque** [⁓'ik] **1.** *adj. fig.* stoic(al); **2.** *su.* stoic.

stolon ⚕, *biol.* [stɔ'lɔ̃] *f* stolon.

stomacal, e, *m/pl.* -aux [stɔma'kal, ⁓'ko] gastric; stomach-(*pump, tube*); **stomachique** 🖉, *anat.* [⁓'ʃik] *adj.*, *a. su./m* stomachic.

stop! [stɔp] *int.* stop!

stoppage [stɔ'pa:ʒ] *m* ⊕ *machine*, *pipe*: stoppage; *admin. tax*: deduction at source; *cost.* invisible mending; *stockings*: invisible darning; **stopper** [⁓'pe] (1a) *v/t.* stop (*a cheque, a machine, a train*); *admin.* deduct (*a tax*) at source; ⊕ check (*a chain*); *cost.* repair by invisible mending; *v/i.* (come to a) stop; **stoppeur, -euse** [⁓'pœ:r, ⁓'pø:z] *su. cost.* fine-darner, invisible mender; *su./m* ⊕ chain-stopper.

store [stɔ:r] *m* blind; awning.

strabique 🖉 [stra'bik] **1.** *adj.* squint-eyed, F cross-eyed; **2.** *su.* squinter; **strabisme** 🖉 [⁓'bism] *m* squinting, strabism(us).

strangulation [strɑ̃gyla'sjɔ̃] *f* strangulation.

strapontin [strapɔ̃'tɛ̃] *m bus, taxi, thea.*: folding-seat.

strass [stras] *m* paste jewellery, strass.

stratagème ✕, *a. fig.* [strata'ʒɛm] *m* stratagem.

stratégie ✕, *a. fig.* [strate'ʒi] *f* strategy; **stratégiste** [⁓'ʒist] *m* strategist.

stratifier [strati'fje] (1o) *v/t. a.* se ⁓ ⚕, *geol.*, *physiol.* stratify; **stratigraphie** *geol.* [⁓tigra'fi] *f* stratigraphy; **stratosphère** *meteor.* [⁓tɔs-'fɛ:r] *f* stratosphere.

strict, stricte [strikt] strict (*a. fig.*); *fig.* severe; exact; **striction** [strik-'sjɔ̃] *f* 🖉 constriction; ⚕ striction.

strident, e [stri'dɑ̃, ⁓'dɑ̃:t] strident, harsh, shrill.

stridulant, e [stridy'lɑ̃, ⁓'lɑ̃:t] stridulant, chirring; **stridulation** [⁓la-'sjɔ̃] *f* stridulation, chirring; **striduleux, -euse** 🖉 [⁓'lø, ⁓'lø:z] stridulous.

strie [stri] *f* scratch, score; △, ⚕, *anat.*, *geol.* stria; *colour*: streak; **strier** [stri'e] (1a) *v/t.* score, scratch; ⚕, *geol.* striate; △ flute, groove; ⊕ corrugate (*iron*); streak; **striure** [⁓'y:r] *f see* strie.

strophe [strɔf] *f* stanza, verse; strophe.

structure △, *a. fig.* [stryk'ty:r] *f* construction, structure.

strume 🖉 ✝ [strym] *f* scrofula, struma.

strychnine ⚗ [strik'nin] *f* strychnine.

stuc △ [styk] *m* stucco; **stucateur** [styka'tœ:r] *m* stucco-worker.

studieux, -euse [sty'djø, ⁓'djø:z] studious.

studio [sty'djo] *m radio, a. cin.*: studio; one-roomed flat.

stupéfaction [stypefak'sjɔ̃] *f* stupefaction; amazement; **stupéfait, e** [⁓'fɛ, ⁓'fɛt] stupefied; amazed (at, de); **stupéfiant, e** [⁓'fjɑ̃, ⁓'fjɑ̃:t] **1.** *adj.* stupefying (🖉, *a. fig.*); *fig.* astounding; **2.** *su./m* 🖉 drug, narcotic; **stupéfier** [⁓'fje] (1o) *v/t.* 🖉, *a. fig.* stupefy; *fig.* astound; **stupeur** [sty'pœ:r] *f* stupor; *fig.* amazement.

stupide [sty'pid] **1.** *adj.* stupid, *Am.* F dumb; dumbfounded; silly, foolish; **2.** *su.* stupid person; dolt; **stupidité** [⁓pidi'te] *f* stupidity; folly.

stuquer △ [sty'ke] (1m) *v/t.* stucco.

style [stil] *m* ⚲, △, *fig.*, *a.* sun-dial: style; etching-needle; sun-dial: gnomon; **styler** [sti'le] (1a) *v/t.* train, form; F school (*s.o.*) (in, à).

stylet [sti'lɛ] *m* stiletto; ⚟ stylet, probe.

styliste [sti'list] *su.* stylist; **stylistique** [⁓lis'tik] *f* stylistics *sg.*

stylo F [sti'lo] *m* fountain-pen.

stylo... [stilɔ] stylo...; **⁓graphe** [⁓-'graf] *m* fountain-pen; stylograph.

styptique ⚟ [stip'tik] *adj., a. su./m* styptic, astringent.

su, e [sy] **1.** *p.p.* of *savoir*; **2.** *su./m*: au vu et au ⁓ de to the knowledge of.

suaire [sɥɛ:r] *m* shroud; *eccl. saint* ⁓ vernicle, veronica.

suave [sɥa:v] sweet; bland (*manner, tone*); soft (*shade*); mild (*cigar*); **suavité** [sɥavi'te] *f* sweetness, softness; *manner, tone:* blandness, **sub...** [syb] sub... [suavity.⟩

subalterne [sybal'tɛrn] **1.** *adj.* subordinate; inferior; **2.** *su./m* underling; ⚔ subaltern.

subconscience [sybkɔ̃'sjã:s] *f* subconsciousness; **subconscient, e** [⁓'sjã, ⁓'sjã:t] **1.** *adj.* subconscious; **2.** *su./m*: le ⁓ the subconscious.

subdiviser [sybdivi'ze] (1a) *v/t.* subdivide; **subdivision** [⁓'zjɔ̃] *f* subdivision.

subéreux, -euse ⚲ [sybe'rø, ⁓'rø:z] suberose; corky; *enveloppe f* ⁓euse cortex; **subérine** ⚲ [⁓'rin] *f* suberin.

subir [sy'bi:r] (2a) *v/t.* undergo; suffer (*death, defeat, a penalty*); submit to (*a law, a rule*); come under (*an influence*); *univ.* take (*an examination*).

subit, e [sy'bi, ⁓'bit] sudden, unexpected.

subjectif, -ve [sybʒɛk'tif, ⁓'ti:v] subjective.

subjonctif, -ve *gramm.* [sybʒɔ̃k'tif, ⁓'ti:v] **1.** *adj.* subjunctive; **2.** *su./m* subjunctive; au ⁓ in the subjunctive.

subjuguer [sybʒy'ge] (1m) *v/t.* subdue (*a. fig.*); *fig.* master (*one's feelings*).

sublimation ⚗, *psych.* [syblima'sjɔ̃] *f* sublimation; **sublime** [⁓'blim] **1.** *adj.* sublime (*a. anat., fig.*); lofty; **2.** *su./m* the sublime; **sublimé** ⚗ [sybli'me] *m* sublimate; **sublimer** [⁓] (1a) *v/t.* ⚗ sublimate, sublime; purify; **sublimité** [syblimi'te] *f* sublimity.

sublunaire [sybly'nɛ:r] sublunary; *fig.* mundane, ... of this world.

submerger [sybmɛr'ʒe] (11) *v/t.* submerge; flood (*a field, a village, a valley*); immerse (*an object in water*); swamp (*a boat, a field*); *fig.* inundate, overwhelm (with, de); submergé de besogne snowed under or inundated with work; **submersible** [⁓'sibl] **1.** *adj.* sinkable; ⚓ submersible; ⚓ *etc.* liable to flooding; **2.** *su./m* ⚓ † submarine; **submersion** [⁓'sjɔ̃] *f* submersion, submergence; ⚓ sinking; ⚓ flooding; mort *f* par ⁓ death by drowning.

subordination [sybɔrdina'sjɔ̃] *f* subordination; **subordonné, e** [⁓dɔ'ne] **1.** *adj.* subordinate, dependent (*a. gramm.*); **2.** *su.* subordinate, underling; **subordonner** [⁓dɔ'ne] (1a) *v/t.* subordinate; *fig.* regulate (according to, in the light of à).

suborner [sybɔr'ne] (1a) *v/t.* suborn (*a.* ⚖ *a witness etc.*); bribe; **suborneur, -euse** [⁓'nœ:r, ⁓'nø:z] **1.** *adj.* persuasive; **2.** *su.* ⚖ suborner.

subreptice [sybrɛp'tis] surreptitious; clandestine; **subreption** ⚖ [⁓'sjɔ̃] *f* subreption.

subroger ⚖ [sybrɔ'ʒe] (11) *v/t.* subrogate; appoint (*s.o.*) as deputy; subrogé tuteur *m* surrogate guardian.

subséquemment [sypseka'mã] *adv.* subsequently; in due course; **subséquent, e** [⁓'kã, ⁓'kã:t] subsequent.

subside [syp'sid] *m* subsidy; **subsidiaire** [⁓si'djɛ:r] subsidiary, accessory, additional (to, à).

subsistance [sybzis'tã:s] *f* subsistence; keep; ⁓s *pl.* provisions, supplies; *mis en* ⁓ attached to another unit for rations; **subsistant, e** [⁓-'tã, ⁓'tã:t] **1.** *adj.* subsisting, extant; **2.** *su./m* soldier attached (*to a unit*) for rations; **subsister** [⁓'te] (1a)

v/i. subsist; exist, continue, be extant; live (on, *de*); *moyens m/pl. de* ~ means of subsistence.
substance [syps'tã:s] *f* substance (*a. fig.*); ⊕ *etc.* material; *fig.* gist; *en* ~ substantially; **substantiel, -elle** [~tã'sjɛl] substantial; nourishing (*food*).
substantif, -ve [sypstã'tif, ~'ti:v] **1.** *adj.* substantive (*a. gramm.*); **2.** *su./m gramm.* substantive, noun.
substitué, e [sypsti'tɥe] supposititious (*child*); **substituer** [~'tɥe] (1n) *v/t.* substitute (for, *à*); ⚖ appoint (*an heir*) to replace another; ⚖ entail (*an estate*) (*to grandchildren etc.*); *se* ~ *à* act as substitute for (*s.o.*); take the place of; **substitut** [~'ty] *m* deputy; *eccl.* surrogate; ⚕ locum tenens, F locum; ⚖ deputy public prosecutor; **substitution** [~ty'sjɔ̃] *f* substitution (for, *à*); ⚖ entail (*to grandchildren etc.*).
substrat *phls.* [syps'tra] *m* substratum.
substruction ⚠ [sypstryk'sjɔ̃] *f* foundation, substructure; underpinning; **substructure** ⚠ [~'ty:r] *f* substructure.
subterfuge [syptɛr'fy:ʒ] *m* subterfuge; evasion, shift.
subtil, e [syp'til] subtle; fine, thin; *fig.* keen, acute (*hearing, smell, etc.*); shrewd (*person, intellect*); *fig.* nice (*distinction, point*); *pej.* cunning; **subtiliser** [syptili'ze] (1a) *v/t.* subtilize; refine; *fig.* make too subtle; F steal, filch, pinch; *v/i.*: ~ *sur* subtilize on (*a question*); **subtilité** [~'te] *f argument, distinction, poison*: subtlety; *dust, powder, distinction*: fineness; *hearing etc.*: acuteness; *person, intellect*: shrewdness; *pej.* cunning, artfulness.
suburbain, e [sybyr'bɛ̃, ~'bɛn] suburban.
subvenir [subvə'ni:r] (2h) *v/i.*: ~ *à* provide for; **subvention** [sybvã'sjɔ̃] *f* subsidy, subvention; **subventionnel, -elle** [~sjɔ'nɛl] subventionary; **subventionner** [~sjɔ'ne] (1a) *v/t.* subsidize.
subversif, -ve [sybvɛr'sif, ~'si:v] subversive, destructive (of, *de*); **subversion** [~'sjɔ̃] *f* subversion; overthrow.
suc [syk] *m* juice; ♀ sap; *fig.* essence, pith.
succédané, e [sykseda'ne] *adj., a. su./m* substitute (for, *de*); **succéder** [~'de] (1f) *v/i.*: ~ *à* succeed, follow; replace; ⚖ come into (*a fortune*); ~ *au trône* succeed to the throne.
succès [syk'sɛ] *m* success; triumph; outcome, result; *mauvais* ~ unfavo(u)rable outcome.
successeur [syksɛ'sœ:r] *m* successor (to, of *de*); **successible** ⚖ [~'sibl] entitled to inherit *or* succeed; **successif, -ve** [~'sif, ~'si:v] successive; in succession; ⚖ ... of succession; **succession** [~'sjɔ̃] *f* succession; series; ⚖ inheritance; **successivement** [~siv'mã] *adv.* in succession; one after another, consecutively; **successoral, e,** *m/pl.* **-aux** [~sɔ'ral, ~'ro] relating to a succession; death (*duties*).
succin [syk'sɛ̃] *m* yellow amber.
succinct, e [syk'sɛ̃, ~'sɛ̃:(k)t] succinct, concise, brief.
succion [syk'sjɔ̃] *f* suction; sucking (*of a wound*).
succomber [sykɔ̃'be] (1a) *v/i.* succumb (*fig.* to, *à*); *fig.* yield (to, *à*) (*grief, temptation, etc.*); be overcome; die.
succube [sy'kyb] *m* succubus.
succulence [syky'lã:s] *f* succulence; tasty morsel; **succulent, e** [~'lã, ~'lã:t] succulent (*food, morsel, a.* ♀, *a. fig. style*); tasty (*morsel*).
succursale [sykyr'sal] *f* ✝ branch; sub-office; *magasin m à* ~*s multiples* multiple store, chain store.
sucer [sy'se] (1k) *v/t.* suck; *fig.* *avec le lait* imbibe (*s.th.*) from infancy; **sucette** [~'sɛt] *f* ⊕ sucker; ✝ lollipop, F lolly; **suceur, -euse** [~'sœ:r, ~'sø:z] **1.** *adj.* sucking; *zo.* suctorial; **2.** *su.* sucker; *su./m* ⊕ *vacuum cleaner*: nozzle, sucker; *zo.* ~*s pl.* suctoria; **suçoir** *zo.* [~'swa:r] *m organ*: sucker; **suçon** F [~'sɔ̃] *m* barley-sugar stick; kiss-mark, mark left by sucking (*on the skin*); **suçoter** F [~sɔ'te] (1a) *v/t.* suck (at).
sucrage ⊕ [sy'kra:ʒ] *m* sugaring, sweetening; **sucrase** ⚗, ♀ [~'kra:z] *f* invert sugar; **sucrate** ✝ [~'krat] *m* sucrate; **sucre** [sykr] *m* sugar; ~ *de betterave* beet sugar; ~ *de lait* lactose; ~ *de raisin* grape sugar; ~ *en morceaux* (*poudre*) lump (castor) sugar; **sucré, e** [sy'kre] **1.** *adj.* sweet; **2.** *su./f*: *faire la* ~*e* be all honey *or*

sweetness; **sucrer** [ˌ‿'kre] (1a) *v/t.* sugar, sweeten; **sucrerie** [ˌkrɔ-'ri] *f* sugar-refinery; ‿s *pl.* confectionery *sg.*, sweets, *Am.* candies; **sucrier, -ère** [ˌkri'e, ‿'ɛːr] **1.** *adj.* sugar-...; **2.** *su.* sugar-refiner, sugar-boiler; *su./m* sugar-bowl, sugar-basin; **sucrin** [ˌ‿'krɛ̃] *m* sugary melon.

sud [syd] **1.** *su./m* south; ⚓ south wind; *du* ‿ south(ern); *le* ♀ the south (*of a country*); *vers le* ‿ southward(s), to the south; **2.** *adj./inv.* southern (*latitudes*); southerly (*wind*).

sudation ✻ [syda'sjɔ̃] *f* sudation, sweating; **sudatoire** [ˌ‿'twaːr] **1.** *adj.* sudatory; **2.** *su./m* hot-air bath; sweating-room.

sud-est [sy'dɛst] **1.** *su./m* south-east; **2.** *adj./inv.* south-east; south-eastern (*region*); south-easterly (*wind*).

sudiste *Am. hist.* [sy'dist] **1.** *su./m* southerner (*in Civil War*); **2.** *adj.* southern. [*su./m* sudorific.]

sudorifique ✻ [sydɔri'fik] *adj., a.*⟩

sud-ouest [sy'dwɛst] **1.** *su./m* south-west; **2.** *adj./inv.* south-west; south-western (*region*); south-westerly (*wind*).

suède ✝ [sɥɛd] *m*: de (*or* en) ‿ suède (*gloves*); **suédois, e** [sɥe-'dwa, ‿'dwaːz] **1.** *adj.* Swedish; **2.** *su./m ling.* Swedish; *su.* ♀ Swede.

suée [sɥe] *f* ✻, *vet.* sweat(ing); *sl.* hard job; *sl.* fright; **suer** [ˌ‿] (1n) *v/i.* sweat (*a. wall*, ⊕ *a. fig.* = *toil*); perspire; F *faire* ‿ *q.* sicken s.o.; *v/t.* sweat (*iron, a horse, etc.*); *fig.* reek of; *fig.* ‿ *sang et eau* toil hard, F sweat blood; **suette** ✻ [sɥɛt] *f* fever; **sueur** [sɥœːr] *f* sweat, perspiration.

suffi [sy'fi] *p.p.* of *suffire*; **suffire** [ˌ‿'fiːr] (4i) *v/i.* suffice, be sufficient; *fig.* ‿ *à* meet (*expenses*); *v/impers.*: *il suffit que* it is enough that; **suffisamment** [syfiza'mã] *adv.* sufficiently, enough; **suffisance** [ˌ‿'zãːs] *f* sufficiency; *pej.* (self-)conceit, self-importance; *à* (*or* en) ‿ in plenty; **suffisant, e** [ˌ‿'zã, ‿'zãːt] **1.** *adj.* sufficient, adequate; *pej.* conceited, self-important; **2.** *su.* conceited person; **suffisons** [ˌ‿'fisɔ̃] *1st p. pl. pres.* of *suffire*.

suffixe *gramm.* [sy'fiks] **1.** *su./m* suffix; **2.** *adj.* suffixed.

suffocant, e [syfɔ'kã, ‿'kãːt] suffocating, stifling; **suffocation** [ˌka-'sjɔ̃] *f* suffocation, choking; **suffoquer** [ˌ‿'ke] (1m) *v/t.* suffocate; choke; *v/i.* choke (with, *de*).

suffragant, e [syfra'gã, ‿'gãːt] *adj.*, *a. su./m* suffragan; **suffrage** [ˌ‿'fraːʒ] *m pol., a. eccl.* suffrage; *pol.* vote; franchise; *fig.* approbation, approval.

suffusion ✻ [syffy'zjɔ̃] *f* suffusion (*usu. of blood*); flush.

suggérer [sygʒe're] (1f) *v/t.* suggest; inspire; **suggestif, -ve** [ˌʒɛs-'tif, ‿'tiːv] suggestive; **suggestion** [ˌʒɛs'tjɔ̃] *f* suggestion.

suicide [sɥi'sid] suicide; **suicidé** *m*, *e f* [sɥisi'de] *person*: suicide; **suicider** [ˌ‿] (1a) *v/t.*: se ‿ commit sui-⟩ **suie** [sɥi] *f* soot. [cide.⟩

suif [sɥif] *m* tallow, F candle-grease; *cuis.* (*mutton*) fat; *sl.* telling off; **suiffer** [sɥi'fe] (1a) *v/t.* tallow, ⚓ pay; grease; *sl.* tell (*s.o.*) off; **suiffeux, -euse** [ˌ‿'fø, ‿'føːz] tallowy; greasy.

suint [sɥɛ̃] *m* ⊕ yolk, wool grease; glass gall; *laines* f/pl. *en* ‿ greasy wool *sg.*; **suintant, e** [sɥɛ̃'tã, ‿'tãːt] oozing; sweating; **suinter** [ˌ‿'te] (1a) *v/i.* ooze, sweat; ⚓ leak; exude; *v/t. fig.* ooze (*hatred*).

suis¹ [sɥi] *1st p. sg. pres.* of *être* 1.

suis² [ˌ‿] *1st p. sg. pres.* of *suivre*.

suisse [sɥis] **1.** *adj.* Swiss. **2.** *su./m eccl.* beadle, (*approx.*) verger; *hotel*: porter; ♀ Swiss; *les* ♀*s pl.* the Swiss; *petit* ‿ small cream cheese; **Suissesse** [sɥi'sɛs] *f* Swiss (woman).

suite [sɥit] *f* continuation; retinue, train, followers *pl.*; sequence, series; *fig.* result, consequence; sequel; *fig.* coherence; *fig.* ‿ with reference to; ✕ *à la* ‿ on pension; *à la* ‿ *de* following (*s.th.*); *in* (*s.o.'s*) train; *de* ‿ in succession, on end; F at once; *donner* ‿ *à* give effect to, carry out (*a decision*); ✝ carry out (*an order*); *et ainsi de* ‿ and so on; *manquer* (*d'esprit*) *de* ‿ lack method or coherence; *par la* ‿ later on, eventually; *par* ‿ therefore, consequently; *par* ‿ *de* as a result of, because of; *tout de* ‿ at once, immediately.

suitée [sɥi'te] *adj./f: jument f* ～ mare and foal.

suivant, e [sɥi'vɑ̃, ～'vãːt] **1.** *adj.* following, next; **2.** *su.* follower; *su./m* attendant, follower; *su./f* lady's-maid; *thea.* soubrette; **3.** *suivant prp.* following, along; *fig.* according to; ～ *que* according as; **suivi, e** [～'vi] **1.** *p.p. of suivre;* **2.** *adj.* sustained; coherent (*speech*); unwavering; uninterrupted; steady (*demand*); *fig.* popular; **suivre** [sɥiːvr] (4ee) *v/t.* follow; *fig.* escort; pursue (*a. fig. an aim*); take (*a course*); practise (*a profession*); succeed, come after; attend (*lectures etc.*); ～ *des yeux* look after (*s.o.*); ～ *la mode* keep up with fashion; *v/i.* follow, come after; *à* ～ *to be continued; faire* ～ *post:* forward (*a letter*); (*prière de*) *faire* ～ please forward.

sujet, -ette [sy'ʒɛ, ～'ʒɛt] **1.** *adj.* subject (to, *à*); **2.** *su. pol.* subject; *su./m* subject (*a. gramm., ♪, a. fig.*); theme; (subject-)matter; reason (for, *de*); *fig.* individual, person; *à ce* ～ on this matter, about this; *au* ～ *de* about, concerning, with reference to (*a.* ✝); *mauvais* ～ *person:* bad lot; *school:* bad boy; **sujétion** [syʒe'sjɔ̃] *f* subjection; constraint.

sulfamide 🜍 [sylfa'mid] *f* sulpha drug, sulphonamide; **sulfate** 🜍 [～'fat] *m* sulphate; **sulfure** 🜍 [～'fyːr] *m* sulphide; **sulfurer** [sylfy're] (1a) *v/t.* sulphurate; treat (*vines*) with sulphide; **sulfureux, -euse** [～'rø, ～'røːz] sulphureous; sulphur...; **sulfurique** 🜍 [～'rik] sulphuric (*acid*).

sultan [syl'tɑ̃] *m* sultan; scent-sachet; **sultanat** [～ta'na] *m* sultanate; **sultane** [～'tan] *f* sultana.

super *mot.* [sy'pɛːr] *m* high-octane petrol *or Am.* gasoline, F super.

super... [sypɛr] super-...

superbe [sy'pɛrb] **1.** *adj.* superb; fine, magnificent; **2.** *su./f* pride, vainglory.

super...: **～carburant** *mot.* [syperkarby'rɑ̃] *m* high-octane petrol *or Am.* gasoline; **～cherie** [～ʃə'ri] *f* swindle, fraud, deceit; **～fétation** [～feta'sjɔ̃] *f physiol.* superfetation; *words etc.:* superfluity; **～ficie** [～fi'si] *f* area; surface (*a. fig.*); **～ficiel, -elle** [～fi'sjɛl] superficial (*a. fig.*);

～fin, e [～'fɛ̃, ～'fin] superfine; **～flu, e** [～'fly] **1.** *adj.* superfluous; useless· **2.** *su./m* superfluity; **～fluité** [～flɥi'te] *f* superfluity; *fig.* ～*s pl.* extras, F luxuries; **～forteresse** ✈ [～fɔrtə'rɛs] *f* superfortress.

supérieur, e [sype'rjœːr] **1.** *adj.* superior (*a. fig.*); upper, higher (*a.* 🜊, *zo.*); ✝ of superior quality; ～ *à* superior to; above; **2.** *su.* superior; **supériorité** [～rjɔri'te] *f* superiority (*a. fig.*); *eccl.* superiorship; seniority (in age, *d'âge*).

super...: ～latif, -ve [syperla'tif, ～'tiːv] **1.** *adj.* superlative; **2.** *su./m gramm.* superlative; *au* ～ *gramm.* in the superlative; *fig.* superlatively; **～marché** ✝ [～mar'ʃe] *m* supermarket; **～posable** [～po'zabl] super(im)posable; **～poser** [～po'ze] (1a) *v/t.* super(im)pose (on, *à*); **～position** [～pozi'sjɔ̃] *f* superimposition; 🜊 superposition; *cin.* double exposure; **～sonique** 🜊 [～sɔ'nik] supersonic; **～stitieux, -euse** [～sti'sjø, ～'sjøːz] superstitious; **～stition** [～sti'sjɔ̃] *f* superstition; *fig.* blind attachment; **～structure** 🜊 [～stryk'tyːr] *f* 🜊, ⚓ superstructure; ⚓ permanent way; **～viser** [～vi'ze] (1a) *v/t.* supervise, control; **～vision** [～vi'zjɔ̃] *f* control, supervision.

supplanter [syplɑ̃'te] (1a) *v/t.* supplant, supersede.

suppléant, e [syple'ɑ̃, ～'ɑ̃ːt] **1.** *adj.* deputy *; acting ...;* **2.** *su.* deputy, substitute (for, *de*); *thea.* understudy; **suppléer** [～'e] (1a) *v/t.* supply, make up (for); replace, take the place of; *v/i.:* ～ *à* make up for, supplement; fill (*a position*); **supplément** [～'mɑ̃] *m* supplement (*a.* 🜊, *a. book*); addition; extra charge; 🚃 excess (fare); *restaurant:* extra course; **supplémentaire** [～mɑ̃'tɛːr] extra, additional; supplementary; 🜊 supplemental; ♪ leger (*line*); ⊕ *heures f/pl.* ～*s* overtime *sg.*; 🚃 *train* ～ relief train; **supplétif, -ve** [～'tif, ～'tiːv] suppletive, suppletory; ⚔ auxiliary.

suppliant, e [sypli'ɑ̃, ～'ɑ̃ːt] **1.** *adj.* suppliant, pleading, imploring; **2.** *su.* suppli(c)ant; **supplication** [～ka'sjɔ̃] *f* supplication, entreaty.

supplice [sy'plis] *m* torture; *fig.* agony, torment; ⚖ *dernier* ～ capital punishment; *fig.* être *au* ⌣ be on tenterhooks; be agonized; **supplicier** [⌣pli'sje] (1o) *v/t.* ⚖ † execute; F *fig.* torture; keep (*s.o.*) on tenterhooks.

supplier [sypli'e] (1a) *v/t.* beseech, implore, beg; **supplique** [sy'plik] *f* petition.

support [sy'pɔ:r] *m* support (*a. fig.*); stand, pedestal; **supportable** [sypɔr'tabl] tolerable, bearable; *fig.* fairly good, moderate; **supporter** [⌣'te] (1a) *v/t.* support (△, *a. a doctrine etc.*); back (*s.o.*) up; *fig.* bear, endure; put up with.

supposé, e [sypo'ze] 1. *adj.* supposed, alleged; assumed (*name, title*); ⚖ forged (*will*), supposititious (*child*); 2. *supposé prp.* supposing, suppose; 3. *supposé cj.:* ⌣ *que* (*sbj.*) supposing (that) (*ind.*); **supposer** [⌣'ze] (1a) *v/t.* suppose; assume; imagine; *fig.* imply, suggest; presuppose; ⚖ put forward (as genuine); **supposition** [⌣zi'sjɔ̃] *f* supposition, surmise; ⚖ *will:* forging, setting up (*of a supposititious child*); production of forged document(s), assumption (*of a false name*).

suppositoire ⚕ [sypozi'twa:r] *m* suppository.

suppôt *fig.* [sy'po] *m* instrument.

suppression [sypre'sjɔ̃] *f* suppression; ⚕ stoppage; *difficulty:* removal; ⚖ ⌣ *d'enfant* concealment of birth; **supprimer** [sypri'me] (1a) *v/t.* suppress; end; abolish; stop; cut out (*a.* ⚡); *fig.* omit; *typ.* delete; ⚖ conceal; F kill (*s.o.*); 🖃 cancel (*a train*).

suppurant, e ⚕ [sypy'rɑ̃, ⌣'rɑ̃:t] suppurating; **suppuratif, -ve** ⚕ [⌣ra'tif, ⌣'ti:v] *adj., a. su./m* suppurative; **suppuration** ⚕ [⌣ra'sjɔ̃] *f* suppuration, running; **suppurer** ⚕ [⌣'re] (1a) *v/i.* suppurate, run.

supputer [sypy'te] (1a) *v/t.* calculate, reckon; work out (*expenses, interest*).

suprématie [syprema'si] *f* supremacy; **suprême** [⌣'prɛm] 1. *adj.* supreme; highest; *fig.* last (*honours, hour, request*); 2. *su./m cuis.* suprême.

sur[1] [syr] *prp. usu.* on (*a chair, the Thames, my word, my honour*), upon; *destination:* towards (*evening, old*

age); *measurement:* by; *number:* out of; *succession:* after; *tomber* ⌣ hit upon; *donner* ⌣ *la rue* look on to the street; ⌣ *la droite* on *or* to the right; ⌣ *place* on the spot; *avoir de l'argent* ⌣ *soi* have money on *or* about one; ⌣ *ce* thereupon, and then; ⌣ *quoi* whereupon, and then; *un impôt* ⌣ a tax on; *travailler* ⌣ work on (*wood etc.*); être ⌣ *un travail* be at a task; *8* ⌣ *10* 8 out of 10; *measurement:* 8 by 10; *une fois* ⌣ *deux* every other time; *juger* ⌣ *les apparences* judge by appearances; *coup* ⌣ *coup* blow after blow; *revenir* ⌣ *ses pas* turn back; *fermer la porte* ⌣ *soi* close the door behind one; ⌣ *toute(s) chose(s)* above all; *lire qch.* ⌣ *le journal* read s.th. in the paper; ⌣ *un ton sévère* in a grave voice; *retenir* ⌣ keep (*s.th.*) back out of; stop (*s.th.*) out of (*s.o.'s wages*); *autorité f* ⌣ authority over.

sur[2], **sure** [sy:r] sour; tart.

sur... [syr] over-...; super...; supra...; sur..

sûr, sûre [sy:r] sure (of, *de*); safe; reliable (*person*, ⊕, *information, a. weather*); *fig.* unerring; *fig.* certain, unfailing; ⌣ *de soi* self-confident; *à coup* ⌣, *pour* ⌣*!* certainly!; surely!, *Am.* sure!

surabondance [syrabɔ̃'dɑ̃:s] *f* superabundance; † glut; **surabondant, e** [⌣'dɑ̃, ⌣'dɑ̃:t] superabundant; superfluous; **surabonder** [⌣'de] (1a) *v/i.* overflow (with *de, en*); † be glutted (with *de, en*).

suraigu ⚕, **-guë** [syre'gy] high-pitched; ⚕ peracute.

suranné, e [syra'ne] old-fashioned; superannuated; out of date.

surbaisser [syrbe'se] (1b) *v/t.* △ depress; *mot.* undersling.

surcharge [syr'ʃarʒ] *f* overload; *luggage:* excess weight; *post etc.:* surcharge; † *etc.* extra charge; overloading; *typ.* interlineation; **surcharger** [⌣ʃar'ʒe] (1l) *v/t.* overload (*a.* ⚡), overburden; ⌣ overcharge (*an accumulator*); *post:* overprint (*a stamp*); *typ.* interline; write over (*other words in a line*); *fig.* overtax (*s.o.*).

surchauffer [syrʃo'fe] (1a) *v/t.* overheat; superheat (*steam*); burn (*iron*).

surchoix [syr'ʃwa] *m* finest quality.

surclasser *sp.* [syrklɑ'se] (1a) *v/t.* outclass.

surcontrer [syrkɔ̃'tre] (1a) *v/t. cards*: redouble.

surcoupe [syr'kup] *f cards*: over-trumping; **surcouper** [ˌˎku'pe] (1a) *v/t. cards*: overtrump.

surcroît [syr'krwa] *m* increase; *un ˌˎ de qch.* an added s.th.; *par ˌˎ in* addition.

surdi-mutité ✻ [syrdimyti'te] *f* deaf-and-dumbness; **surdité** ✻ [ˌˎ'te] *f* deafness.

surdorer ⊕ [syrdɔ're] (1a) *v/t.* double-gild.

surdos [syr'do] *m horse*: back-band; *porter*: carrying-pad.

sureau ♀ [sy'ro] *m* elder.

surélever [syrel've] (1d) *v/t.* ⚠, ✝ heighten, raise; ✝ put up, boost (*prices*); *road-building*: bank (*a road bend*).

surelle ♀ [sy'rɛl] *f* wood-sorrel.

surenchère [syrã'ʃɛːr] *f auction*: higher bid, outbidding; **surenché-rir** [ˌˎʃe'riːr] (2a) *v/i.* rise higher in price; *auction*: bid higher; *ˌˎ sur q.* outbid s.o., *fig.* go one better than s.o.; **surenchérisseur** *m*, **-euse** *f* [ˌˎeri'sœːr, ˌˎ'søːz] outbidder.

surentraînement *sp.* [syrãtrɛn'mã] *m* over-training.

surestimer [syrɛsti'me] (1a) *v/t.* over-estimate; overrate (*s.o.*).

suret, -ette [sy'rɛ, ˌˎ'rɛt] sourish.

sûreté [syr'te] *f* safety; security (*a.* ✝); *fig.* blow, foot, hand, stroke: sureness; *judgment etc.*: soundness; *memory*: reliability; *ˌˎ de soi* self-assurance; *de ˌˎ* safety-...; *la ♀ la* Criminal Investigation Depart-ment, F the C.I.D., *Am.* the Federal Bureau of Investigation, F the F.B.I.

surexcitation [syrɛksita'sjɔ̃] *f* over-excitement; ✻ over-stimulation; **surexciter** [ˌˎ'te] (1a) *v/t.* over-excite (*s.o.*); over-stimulate (*a.* ✻).

surexposer *phot.* [syrɛkspo'ze] (1a) *v/t.* over-expose.

surface [syr'fas] *f* surface (*a.* ✇); area (*a.* ⚠, ⊕); ✝ standing; *fig.* appearance; ⚓ *faire ˌˎ* surface (*sub-marine*).

surfaire [syr'fɛːr] (4r) *v/t.* overrate (*a book, a writer*); ✝ charge too much for.

surgeon ♀ [syr'ʒɔ̃] *m* sucker; *pousser des ˌˎs* sucker; **surgir** [ˌˎ'ʒiːr] (2a) *v/i.* rise; loom (up); appear; *faire ˌˎ* give rise to, evoke.

surhausser [syro'se] (1a) *v/t.* ⚠ raise; 🚋 cant; ✝ force up the price of.

surhomme [sy'rɔm] *m* superman; **surhumain, e** [ˌˎry'mɛ̃, ˌˎ'mɛn] superhuman.

surimposer [syrɛ̃po'ze] (1a) *v/t.* superimpose; ✝ overtax, increase the tax on.

surimpression *phot.* [syrɛ̃prɛ'sjɔ̃] *f* double exposure.

surin[1] [sy'rɛ̃] *m* young apple-tree stock.

surin[2] *sl.* [sy'rɛ̃] *m* dagger, knife; **suriner** *sl.* [ˌˎri'ne] (1a) *v/t.* knife (*s.o.*), murder (*s.o.*).

surintendant, e [syrɛ̃tã'dã, ˌˎ'dã:t] *su.* superintendent, overseer; *su./f* superintendent's wife; lady-in-waiting in chief.

surir [sy'riːr] (2a) *v/i.* turn sour.

surjet [syr'ʒɛ] *m seam*: whipping; **surjeter** [ˌˎʒə'te] (1c) *v/t.* whip (*a seam*).

sur-le-champ [syrlə'ʃã] *adv.* at once, on the spot.

surlendemain [syrlãd'mɛ̃] *m* day after the morrow, second day (after s.th., *de qch.*).

surmenage [syrmə'naːʒ] *m* over-work(ing); **surmener** [ˌˎ'ne] (1d) *v/t.* overwork; work (*s.o.*) too hard; override (*a horse*); ⊕, ⚡ overrun.

surmontable [syrmɔ̃'tabl] sur-mountable; **surmonter** [ˌˎ'te] (1a) *v/t.* rise above (*a. fig.*); surmount (*a building, a. fig.* feelings, an ob-stacle); *fig.* overcome (*an enemy, feelings*); *se ˌˎ* control o.s.; *sur-monté de* crowned by, surmounted by.

surmouler [syrmu'le] (1a) *v/t. typ.* re-cast; *mot.* retread (*a tyre*).

surnager [syrna'ʒe] (1l) *v/i.* float on the surface; *fig.* survive.

surnaturel, -elle [syrnaty'rɛl] **1.** *adj.* supernatural; *fig.* uncanny, ex-traordinary; **2.** *su./m: le ˌˎ* the super-natural.

surnom [syr'nɔ̃] *m* nickname; ap-pellation, name; *hist.* agnomen.

surnombre [syr'nɔ̃:br] *m* excess number; *ˌˎ des habitants* overpopu-lation; *en ˌˎ* extra; supernumerary.

surnommer [syrnɔ'me] (1a) *v/t.* call (s.o. s.th., *q. qch.*); nickname.

surnuméraire [syrnyme'rɛ:r] *adj.*, *a. su./m* supernumerary.

suroffre † [sy'rɔfr] *f* better offer.

suroît ⚓ [sy'rwa] *m* south-west; *hat, a. wind*: sou'wester.

surpasser [syrpɑ'se] (1a) *v/t.* surpass (*a. fig.*); be higher than; be taller than (*a person*); *fig.* exceed, outdo.

surpaye [syr'pɛ:j] *f* overpayment; bonus, extra pay; **surpayer** [ˌpɛ'je] (1i) *v/t.* overpay (*s.o.*); pay too much for (*s.th.*).

surpeuplé, e [syrpœ'ple] overpopulated (*area*); **surpeuplement** [ˌplə'mɑ̃] *m* overpopulation.

surplis *eccl.* [syr'pli] *m* surplice.

surplomb [syr'plɔ̃] *m* overhang; en ~ overhanging; **surplombement** [ˌplɔ̃b'mɑ̃] *m* overhang(ing); **surplomber** [ˌplɔ̃'be] (1a) *vt/i.* overhang; *v/t.* jut out over (*s.th.*).

surplus [syr'ply] *m* surplus, excess; remainder; *au* ~ besides; moreover; *en* ~ excess ...; surplus ...

surprenant, e [syrprə'nɑ̃, ˌ'nɑ̃:t] surprising, astonishing, amazing; **surprendre** [ˌ'prɑ̃:dr] (4aa) *v/t.* surprise; astonish, amaze; come upon (*s.o.*); catch (*s.o.*) (unawares); pay (*s.o.*) a surprise visit; overhear (*a conversation, a remark*); intercept (*a glance, a letter*); ~ la bonne foi de q. abuse s.o.'s good faith.

surprime † [syr'prim] *f insurance*: extra premium.

surprise [syr'pri:z] *f* surprise; ⚔ surprise attack; *fig.* surprise-packet, lucky dip; *par* ~ by surprise.

surproduction [syrprɔdyk'sjɔ̃] *f* overproduction.

sursalaire [syrsa'lɛ:r] *m* bonus; extra pay.

sursaturer ⚗ [syrsaty're] (1a) *v/t.* supersaturate.

sursaut [syr'so] *m* start, jump; *s'éveiller en* ~ wake with a start.

surseoir [syr'swa:r] (3c) *v/i.*: ⚖ ~ à stay (*a judgment, proceedings*), suspend (*a judgment*); defer, postpone; *il a été sursis à qch.* s.th. has been postponed; **sursis, e** [ˌ'si, ˌ'si:z] 1. *p.p.* of surseoir; 2. *su./m* ⚖ delay; suspension of sentence; ⚔ *call-up*: deferment; **sursitaire** ⚔ [ˌsi'tɛ:r] *m* deferred conscript.

surtaux [syr'to] *m* over-assessment.

surtaxe [syr'taks] *f* surtax; *post*: postage due, surcharge; *admin.* over-assessment; **surtaxer** [ˌtak-'se] (1a) *v/t.* surtax; *post*: surcharge (*a letter*); *admin.* over-assess, overtax.

surtout[1] [syr'tu] *adv.* above all; particularly, especially.

surtout[2] [ˌ] *m dinner table*: centrepiece; *metall.* mantle; light handcart; † overcoat.

surveillance [syrvɛ'jɑ̃:s] *f* supervision; ⊕ inspection; ⚓ surveillance; *sous la* ~ *de la police* under police supervision; **surveillant, e** [ˌ'jɑ̃, ˌ'jɑ̃:t] *su.* supervisor, overseer; ⚓ inspector; † shop-walker, *Am.* floorwalker; *examination*: invigilator; *su./f* ⚓ (*ward-*)sister; **surveille** [syr'vɛ:j] *f: la* ~ *de* two days before ...; **surveiller** [ˌvɛ'je] (1a) *v/t.* supervise; superintend; tend (*a machine*); ⊕ inspect, test; *examination*: invigilate; *fig.* keep an eye on, watch; ⚖ *liberté f surveillée* probation.

survenant, e [syrvə'nɑ̃, ˌ'nɑ̃:t] 1. *adj.* coming unexpectedly, unexpected; 2. *su.* chance-comer.

survendre † [syr'vɑ̃:dr] (4a) *v/t.* charge too much for.

survenir [syrvə'ni:r] (2h) *v/i.* occur, happen; set in (*complications, weather*); arrive unexpectedly, F turn up (*person*); *v/impers.*: *il survint qch.* s.th. occurred, s.th. arose; *il lui survint qch.* s.th. happened to *or* for him.

survente[1] † [syr'vɑ̃:t] *f* overcharge.

survente[2] ⚓ [ˌ] *f* increase of wind, overblowing.

survie [syr'vi] *f* survival; ⚖ (presumption of) survivorship; † expectation of life; **survivance** [ˌvi-'vɑ̃:s] *f* survival (*a. biol., a. fig.*); *estate*: reversion; **survivant, e** [ˌvi'vɑ̃, ˌ'vɑ̃:t] 1. *adj.* surviving; 2. *su.* survivor; **survivre** [ˌ'vi:vr] (4hh) *v/i.*: ~ *à* outlive, survive.

survol [syr'vɔl] *m* ✈ flight over; *cin.* panning; **survoler** ✈ [ˌvɔ'le] (1a) *v/t.* fly over.

sus[1] [sy] *1st p. sg. p.s.* of savoir 1.

sus[2] [sy(s)] 1. *adv.*: *courir* ~ *à* rush at (*s.o.*); *en* ~ (*de*) in addition (to); 2. *int.* come on!; ~ *à* ...! at (*s.o.*)!, away with (*s.th.*)!

susceptibilité [sysɛptibili'te] *f* susceptibility; *fig.* touchiness; **susceptible** [~'tibl] susceptible; *fig.* sensitive; *fig.* touchy; ~ **de** capable of; liable to.

susciter [sysi'te] (1a) *v/t.* cause, give rise to; provoke, stir up (*a rebellion*); (a)rouse (*envy*); raise up.

suscription [syskrip'sjɔ̃] *f* letter: address.

susdit, e 𝔷𝔱𝔷 [sys'di, ~'dit] *adj.*, *a.* *su.* aforesaid, above-mentioned; **susmentionné, e** 𝔷𝔱𝔷 [~mãsjɔ'ne] *see susdit.*

susnommé, e 𝔷𝔱𝔷 [sysnɔ'me] *adj.*, *a.* *su.* above-named, afore-named.

suspect, e [sys'pɛ, ~'pɛkt] **1.** *adj.* suspicious; suspect (*person*); ~ **de** suspected of; **2.** *su.* suspect; **suspecter** [~pɛk'te] (1a) *v/t.* suspect (*s.o.*); doubt (*s.th.*).

suspendre [sys'pã:dr] (4a) *v/t.* suspend (*a. a judgment, payment*); hang up; *fig.* defer; *fig.* interrupt; **suspendu, e** [~pã'dy] hanging; ♪ suspended (*cadence*); **suspens** [~'pã] *m*: **en** ~ in suspense (*a.* ♥); outstanding (*question, a.* ✝ *bills*); **suspensif, -ve** [syspã'sif, ~'si:v] suspensive; *gramm.* **points** *m/pl.* ~**s** points of suspension; **suspension** [~'sjɔ̃] *f* suspension; hanging (*a.* 𝔷𝔱𝔷); (hanging) lamp; *mot.* springs *pl.*; ~ **d'armes** truce; armistice; suspension of hostilities; ☝ **en** ~ in suspension; *gramm.* **points** *m/pl.* **de** ~ points of suspension; **suspensoir** 𝔰 [~'swa:r] *m* suspensory bandage.

suspicion 𝔷𝔱𝔷 *etc.* [syspi'sjɔ̃] *f* suspicion; **en** ~ suspected.

suspied [sy'pje] *m* spur: instep strap.

sustentateur, -trice 𝔎 [systãta'tœ:r, ~'tris] lifting; main (*wing*); **sustentation** [~ta'sjɔ̃] *f* support; 𝔰 sustenance; 𝔎 lift(ing force); **sustenter** [~'te] (1a) *v/t.* sustain, feed.

susurrer [sysy're] (1a) *vt/i.* whisper, murmur.

suture [sy'ty:r] *f* 𝔰, *anat.* suture; 𝔰 *wound*: stitching; *fig. etc.* join.

suzerain, e [syz'rɛ̃, ~'rɛn] **1.** *adj.* paramount; **2.** *su.* suzerain; **suzeraineté** [~rɛn'te] *f* lordship; suzerainty; 𝔷𝔱𝔷 suzerain (state).

svelte [svɛlt] slender, slim; **sveltesse** [svɛl'tɛs] *f* slenderness, slimness.

sweater *cost.* [swi'tœ:r] *m* sweater.

swing ♪, *a.* box. [swiŋ] *m* swing.

sybaritique [sibari'tik] sybaritic; voluptuary; **sybaritisme** [~'tism] *m* sybaritism.

sycomore ♀ [sikɔ'mɔ:r] *m* sycamore.

sycophante [sikɔ'fã:t] *m* sycophant, F toady.

syllabaire [silla'bɛ:r] *m* spellingbook; **syllabe** [~'lab] *f* syllable; **syllabique** [~la'bik] syllabic.

sylphe [silf] *m*, **sylphide** [sil'fid] *f* sylph; *taille f de sylphide* sylph-like waist.

sylvain [sil'vɛ̃] *m* sylvan, silvan; ~**s** *pl.* genii of the woods; **sylvestre** ♀ [~'vɛstr] woodland (*tree*); wood-(*plant*), growing in the woods; **sylviculteur** [silvikyl'tœ:r] *m* sylviculturist; **sylviculture** [~'ty:r] *f* forestry, sylviculture.

symbole [sɛ̃'bɔl] *m* symbol; emblem; *eccl.* ♀ creed; **symbolique** [sɛ̃bɔ'lik] symbolic(al); **symboliser** [~li'ze] (1a) *v/t.* symbolize; **symbolisme** [~'lism] *m* symbolism; **symboliste** [~'list] **1.** *adj.* symbolistic; **2.** *su.* symbolist.

symétrie [sime'tri] *f* symmetry; *sans* ~ unsymmetrical; **symétrique** [~'trik] symmetrical.

sympathie [sɛ̃pa'ti] *f* sympathy (*a.* 𝔰, *physiol.*); *fig.* liking, congeniality; **sympathique** [~'tik] sympathetic (*a.* 𝔰, *physiol.*); likable (*person*); attractive; *fig.* congenial (*task, work*); invisible (*ink*); *il m'est* ~ I like him, I take to him; **sympathisant, e** [~ti'zã, ~'zã:t] **1.** *adj.* sympathizing; **2.** *su./m* *pol.* fellow-traveller; sympathiser; **sympathiser** [~ti'ze] (1a) *v/i. fig.* blend, harmonize, go together; sympathize (with, *avec*).

symphonie ♪ [sɛ̃fɔ'ni] *f* symphony; **symphoniste** [~'nist] *m* composer of symphonies; orchestral player.

symptôme [sɛ̃p'to:m] *m* 𝔰, *a. fig.* symptom; *fig.* sign.

syn... [*before vowel* sin...; *before consonant* sɛ̃...] syn...; ~**chronique** [sɛ̃krɔ'nik] synchronological; synchronistic; ~**chronisateur** *mot.* [~niza'tœ:r] *m* synchromesh (device); ~**chronisation** [~niza'sjɔ̃] *f* synchronization; ~**chroniser** [~ni'ze] (1a) *v/t.* synchronize (*a. cin.*);

⚡ parallel; **~chronisme** [~'nism]
m synchronism; ⚡, *phys.* step;
synchrony (*a. cin.*); **~cope** [sɛ̃'kɔp] *f*
⚡, *gramm.* syncope; ⚡ faint, swoon;
♪ syncopation; ♪ syncopated note;
~coper [~kɔ'pe] (1a) *v/t.* ♪, *gramm.*
syncopate.

syndic [sɛ̃'dik] *m* syndic; ⚏ ~ *de*
faillite (*approx.*) official receiver;
syndical, e, *m/pl.* **-aux** [sɛ̃di'kal,
~'ko] syndical; trade-union (*move-*
ment); ✝ *chambre f* ~*e* (*approx.*)
Stock Exchange Committee; **syn-**
dicalisme [~ka'lism] *m* trade-
unionism; **syndicaliste** [~ka'list]
su. syndicalist; trade-unionist; **syn-**
dicat [~'ka] *m* syndicate, association; receivership, trusteeship (*in*
bankruptcy); ~ *d'initiative* tourist
information bureau; ~ *ouvrier*
trade-union; ~ *patronal* employers'
federation; ~ *professionnel* trade
association; **syndiqué, e** [~'ke]
1. *adj.* associated; belonging to a
syndicate; union-...; **2.** *su.* trade-
unionist; **syndiquer** [~'ke] (1m)
v/t. syndicate; unionize; form (*men*)
into a trade-union; se ~ combine;
form a syndicate *or* trade-union.
synodal, e, *m/pl.* **-aux** [sinɔ'dal,
~'do] synodical; synodal (*examiner*);
synode *eccl.* [~'nɔd] *m* synod; **sy-**
nodique [~nɔ'dik] synodic(al).
synonyme [sinɔ'nim] **1.** *adj.* syn-
onymous (with, *de*); **2.** *su./m* syn-
onym; **synonymie** [~ni'mi] *f* syn-
onymity; **synonymique** [~ni'mik]
1. *adj.* synonymic; **2.** *su./f* synon-
ymy, synonymics *sg.*

synoptique [sinɔp'tik] synoptic.

syntaxe *gramm.* [sɛ̃'taks] *f* syntax;
syntaxique *gramm.* [~tak'sik] syn-
tactic(al).

synthèse [sɛ̃'tɛːz] *f* synthesis; **syn-**
thétique [sɛ̃te'tik] synthetic (*a.* ⚛
rubber); ⚛ well-balanced (*diet*);
synthétiser [~ti'ze] (1a) *v/t.* syn-
thesize.

syntonisation [sɛ̃tɔniza'sjɔ̃] *f radio:*
tuning; *bobine f de* ~ tuning-coil;
syntoniser [~'ze] (1a) *v/t. radio:*
tune in.

syphilis ⚛ [sifi'lis] *f* syphilis.

syriaque [si'rjak] *adj., a. su./m ling.*
Syriac.

syrien, -enne [si'rjɛ̃, ~'rjɛn] *adj., a.*
su. ♀ Syrian.

systématique [sistema'tik] systematic; methodical; *fig.* hide-bound;
systématiser [~ti'ze] (1a) *v/t.*
systematize; **système** [sis'tɛm] *m*
system; *phot.* (*back, front*) lens;
fig. device; ⊕ *etc.* set; *sl.* ~ *D* wan-
gling; 𝄢 ~ *décimal* (*métrique*)
decimal (metric) system; *anat.* ~
nerveux nervous system; *fig. esprit*
m de ~ pigheadedness.

systole ⚛ [sis'tɔl] *f* systole.

T

T, t [te] *m* T, t; ⊕ *fer m en T* T-
iron; tee; ⊕ *poutre f en double T*
I-section, H-beam.

ta [ta] *see* ton[1].

tabac [ta'ba] **1.** *su./m* ♀, *a.* ✝ tobacco; ~ *à chiquer* chewing tobacco;
~ *à fumer* (smoking) tobacco; ~ *à*
priser snuff; ♀*s pl.* (State) Tobacco
Department *sg.*; *bureau m* (*or dé-*
bit m) *de* ~ tobacconist's (shop);
prendre du ~ take snuff; **2.** *adj./inv.*
snuff-colo(u)red; **tabagie** [taba'ʒi]
f ✝ smoking-room; place smelling
of stale tobacco-smoke; **tabagisme**
[~'ʒism] *m* nicotine-poisoning; **ta-**
batière [~'tjɛːr] *f* snuff-box.

tabernacle [tabɛr'nakl] *m* tabernacle; [cence, emaciation.]
tabescence ⚛ [tabe'sɑ̃ːs] *f* tabes-}

table [tabl] *f* table; *stone:* slab, tablet; *teleph.* switchboard; index; ~ *à*
rallonges extending table; 𝄢 ~ *de*
multiplication multiplication table;
~ *des matières* table of contents; ♪ ~
d'harmonie violin: belly; ~ *d'hôte*
set dinner, table d'hôte; *à* ~! dinner is served!; *mettre la* ~ lay the
table; *sainte* ~ Lord's table, altar;
se mettre à ~ sit down at table;
tableau [ta'blo] *m paint. etc.* picture, painting; *thea.* tableau; *thea.,*
a. fig. scene; view; *notices, a.* ⚡, *sp.:*
board; *hotel:* key-board; (*a.* ~ *noir*)
blackboard; list, table; ⚛, *a.* ⚏
jurors: panel; ⚏ *solicitors:* roll, *bar-*
risters: list; *typ.* table; 🚂 train indicator; *fig.* description; ~ *d'annon-*
ces notice-board, *Am.* bulletin-

board; ~ de bord mot. dash-board;
⚡ instrument panel; ✦ ~ de distribution switchboard; mot. ~ de
graissage lubrication chart; F au ~
in the bag; **tableautin** [⌣blo'tɛ̃] m
small picture; **tablée** [⌣'ble] f
(tableful of) guests pl.

tabletier ✝ [tablə'tje] m dealer in
or maker of fancy articles and inlaid work; **tablette** [⌣'blɛt] f shelf;
stone: slab; (window-)sill; sideboard
etc.: (flat) top; joist: bearing surface; ✦ plate; ✦ lozenge; chocolate:
bar; ~ de cheminée mantelpiece;
rayez ça de vos ⌣s! you can forget
that!; don't count on that!; **tablet-
terie** [⌣blɛ'tri] f fancy-goods pl.
(industry); inlaid work.

tablier [tabli'e] m apron, child: pina-
fore; ⊕ bridge: flooring, road(way);
🚂 footplate; forge: hearth; rolling-
mill: table; fireplace: blower, hood;
mot. dashboard; (chess- etc.)board;
fig. rendre son ~ resign; give notice.

tabou, e [ta'bu] 1. adj. taboo; forbidden; 2. su./m taboo.

tabouret [tabu'rɛ] m (foot)stool.

tabulaire [taby'lɛːr] tabular; **tabulateur** [⌣la'tœːr] m tabulator; **ta-
bulatrice** [⌣la'tris] f machine: tabulator.

tac [tak] m mill: clack; sword-blades:
click; riposter du ~ au ~ fencing:
parry with the riposte; fig. give tit
for tat.

tache [taʃ] f stain (a. fig.), spot;
ink, a. fig.: blot; colour: blob, patch;
fig. stigma; blemish; fruit: bruise;
~ de naissance birth-mark; ~ de
rousseur face etc.: freckle; ~ de suie
smut; faire ~ be a blemish; fig. be
out of place.

tâche [tɑːʃ] f task, job; ouvrier m à
la ~ jobbing workman; piece-worker; prendre à ~ de (inf.) undertake
to (inf.), make a point of (ger.);
travailler à la ~ do piece-work.

tacher [ta'ʃe] (1a) v/t. stain (a. fig.),
spot; fig. tarnish (s.o.'s reputation);
se ~ get one's clothes stained; stain,
spot (cloth).

tâcher [tɑ'ʃe] (1a) v/i. try (to inf.,
de inf.); labo(u)r, toil (at, à); ~ (à
ce) que (sbj.) try to (inf.); **tâcheron**
[tɑʃ'rɔ̃] m jobbing workman; △
sub-contractor, jobber.

tacheter [taʃ'te] (1c) v/t. fleck,
mottle speckle.

tachy... [taki] tachy...; tacho...; ~-
mètre ⊕ [⌣'mɛtr] m speedometer,
tachometer.

tacite [ta'sit] tacit; implied; **taciturne** [⌣si'tyrn] taciturn; reserved;
close-mouthed.

tacot F [ta'ko] m mot. old crock, old
rattletrap; 🚂 small local train or
engine.

tact [takt] m (sense of) touch; fig.
tact; manque m de ~ tactlessness.

tacticien ✕ etc. [takti'sjɛ̃] m tacti-
cian.

tactile [tak'til] tactile.

tactique [tak'tik] 1. adj. tactical;
2. su./f ✕, a. fig. tactics pl.

taffetas tex. [taf'ta] m taffeta.

taie [tɛ] f (pillow-)case, slip; ✦
albugo, white speck (on the eye).

taillade [ta'jad] f slash, gash, cut;
taillader [⌣ja'de] (1a) v/t. slash (a.
cost., a. fig.); gash; **taillage** [⌣'jaːʒ]
m file, gear: cutting; **taillanderie**
[⌣jɑ̃'dri] f edge-tool making; coll.
edge-tools pl.; **taillandier** [⌣jɑ̃'dje]
m edge-tool maker; **taillant** [⌣'jɑ̃]
m blade, tool: (cutting) edge; **taille**
[tɑːj] f cutting; ✦ plant: pruning;
hedge: clipping; stone: hewing;
⊕ (gear-)milling; ✕ working face;
hair, tool, clothes: cut; blade: edge;
fig. size, dimensions pl.; person:
height, stature; waist, figure; grandes ~s pl. outsizes; par rang de ~ in
order of size or height; **taille-
crayon** [tɑjkrɛ'jɔ̃] m/inv. pencil-
sharpener; **taille-douce**, pl. **tail-
les-douces** [⌣'dus] f copperplate
(engraving); **tailler** [ta'je] (1a) v/t.
cut (gem, hair, lawn, stone); hew (a
stone); trim (one's beard); ✦ prune
(a plant), clip (a hedge); ⊕ mill
(gears); sharpen (a pencil); carve
(in a rock etc., a. fig. a way); hew
(the enemy to pieces); bien taillé
well set-up (person); cost. well-cut;
v/i. cards: deal; **taillerie** [tɑj'ri] f
gem-cutting; gem-cutter's workshop; **tailleur** [tɑ'jœːr] m ⊕ cutter; cost. tailor; gaming: banker;
cost. (a. costume m ~) tailor-made
costume; **tailleuse** cost. [⌣'jøːz] f
tailoress; **taillis** [⌣'ji] m copse;
brushwood; **tailloir** [tɑj'waːr] m
trencher; △ abacus.

tain [tɛ̃] m mirrors: silvering;
iron: tin-bath; foil.

taire [tɛːr] (4z) v/t. suppress, hush

(*s.th.*) up, say nothing about, not to mention (*s.th.*); keep (*s.th.*) secret (from, *à*); *faire* ~ silence, hush; se ~ be silent, hold one's tongue, say nothing; *taisez-vous!* be quiet!; F shut up!; **taisons** [tɛ'zɔ̃] *1st p. pl. pres. of taire*; **tait** [tɛ] *3rd p. sg. pres. of taire*.

talc *min.* [talk] *m* talc; French chalk; talcum powder; **talcique** [tal'sik] talcose.

talent [ta'lɑ̃] *m* talent (*fig., a. ancient weight*); aptitude; *de* ~ talented, gifted; **talentueux, -euse** F [ˌlɑ̃-'tɥø, ~'tɥøːz] talented.

talion [ta'ljɔ̃] *m* retaliation.

talisman [talis'mɑ̃] *m* talisman.

talle ✔ [tal] *f* sucker; *wheat etc.*: tiller; **taller** ✔ [ta'le] (1a) *v/i.* throw out suckers; tiller (*wheat*).

tallipot ✔ [tali'po] *m* talipot.

talmouse [tal'muːz] *f cuis.* cheese-cake; *sl.* punch on the nose.

taloche [ta'lɔʃ] *f* ⊕ (*plasterer's*) hawk; F cuff, box on the ears; **talocher** F [ˌlɔ'ʃe] (1a) *v/t.* cuff: box (*s.o.'s*) ears.

talon [ta'lɔ̃] *m foot, shoe,* ⚓ *rudder,* ⊕ *tool, rifle, mast, a.* ♪ *violin bow:* heel; spur; ⊕ *catch, clip; mot. tyre:* bead(ing); ⊕ *axle, bayonet:* shoulder; *axle:* flange; *loaf:* end; *bread, cheese:* remnant; *cards etc.:* stock, pile; ♱ counterfoil, *Am.* stub; ♱ ~*s pl.* aiguille stiletto heels; **talonner** [talɔ'ne] (1a) *v/t.* follow (on the heels of); dog (*s.o.*); spur on, urge on (*a horse, a. fig. a person*); dun (*s.o.*); *v/i.* ⚓ touch; strike; **talonnette** [ˌ'nɛt] *f* heel.

talqueux, -euse *min.* [tal'kø, ~'køːz] talcose.

talus [ta'ly] *m* slope; bank, embankment; *en* ~ sloping.

talweg *geol.* [tal'vɛg] *m* thalweg.

tamanoir *zo.* [tama'nwaːr] *m* great ant-eater.

tamarin ✔ [tama'rɛ̃] *m* tamarind; tamarind-tree; **tamarinier** ✔ [ˌri-'nje] *m* tamarind-tree.

tambouille *sl.* [tã'buːj] *f* kitchen (staff); cooking.

tambour [tã'buːr] *m* ♪, ✂, ✒, ⊕ *oil,* ⚡ *cable, mot. brake,* △ *column:* drum; *person:* drummer; ⚡ *coil:* cylinder; △ *hotel etc.:* revolving door; *embroidery:* frame; ♪ ~ *de basque* tambourine (*with jingles*); ~

de ville town-crier; *fig. mener q.* ~ *battant* treat s.o. with a high hand; *sans* ~ *ni trompette* quietly, on the quiet; **tambourin** [tãbu'rɛ̃] *m* ♪ tambourine (*without jingles*); (*Provençal*) long, narrow drum; *ball-games:* tambourine-like racquet; **tambouriner** [ˌri'ne] (1a) *v/i.* drum (*a. fig.*); beat a drum *or* tambourine; *v/t.* have (*s.th.*) announced by the town-crier; *fig.* boost (*s.o.*).

tamis [ta'mi] *m* sieve; *liquids:* strainer; ⊕ screen; *cinders etc.:* riddle; *flour:* bolter; *passer au* ~ sift (*a. fig.*); **tamiser** [tami'ze] (1a) *v/t.* sift, sieve; strain; filter (*air, light, a. liquid*); bolt (*flour*); *fig.* soften (*the light*); *v/i.* filter through; **tamiseur** *m*, **-euse** *f* [ˌ'zœːr, ~'zøːz] *person:* sifter, screener; strainer.

tampon [tã'pɔ̃] *m* △ *wall,* ✂, *bath, wash-basin, cask, metall.:* plug; *inking, polishing, a.* ⚡ *cotton-wool:* pad; *paper, cotton-wool, etc.:* wad; rubber stamp; ⚂ (*a.* ~ *de choc*) buffer; ✕ *hist.* F orderly; ~ *buvard* hand-blotter; *coup* ~ *de* ~ collision; F *fig.* thump; *pol. État m* ~ buffer State; **tamponnement** [ˌpɔn'mã] *m* plugging; ⚂, *mot.* collision; dabbing (*with pad*); F thumping; **tamponner** [ˌpɔ'ne] (1a) *v/t.* plug; dab (*with a handkerchief, a pad, etc.*); ⚂ *etc.* collide with; *mot.* bump into; F beat (*s.o.*).

tam-tam [tam'tam] *m* ♪ tom-tom; ♪ (*Chinese*) gong; *fig.* fuss, to-do.

tan [tã] *m* tan, tanner's bark.

tancer [tã'se] (1k) *v/t.* scold, F tell (*s.o.*) off.

tanche *icht.* [tã:ʃ] *f* tench.

tandem [tã'dɛm] *m* tandem (*bicycle*); *en* ~ tandem.

tandis [tã'di] *cj.:* ~ *que* whereas (*emphasizing difference*); while.

tangage ⚓, ✈ [tã'ga:ʒ] *m* pitch (-ing).

tangent, e [tã'ʒã, ~'ʒãːt] **1.** *adj.* ⚛ tangent(ial) (to, *à*); **2.** *su./f* ⚛ tangent; **tangible** [ˌ'ʒibl] tangible.

tangue ✔ [tã:g] *f* (slimy) sea-sand (*used as manure*).

tanguer ⚓, ✈ [tã'ge] (1m) *v/i.* pitch, rock; be down by the head.

tanière [ta'njɛːr] *f* den, lair (*a. fig.*); (*fox-*)hole, earth.

tank ✕ [tã:k] *m* tank; **tankiste** ✕ [tã'kist] *m* member of a tank crew.

tannant, e [ta'nɑ̃, ~'nɑ̃:t] tanning; F tiresome; boring.

tanne [tan] f ♂ *face:* blackhead; ⊕ *leather:* spot.

tanné, e [ta'ne] **1.** *adj.* tan(ned); **2.** *su./m colour:* tan; **tanner** [~] (1a) *v/t.* ⊕ tan; F irritate; pester; F thrash *(s.o.);* **tannerie** ⊕ [tan'ri] f tannery; *trade:* tanning; **tanneur** ⊕ [ta'nœ:r] *m* tanner; **tan(n)in** [~'nɛ̃] *m* tannin; **tan(n)iser** ⊕ [~ni-'ze] (1a) *v/t.* treat *(s.th.)* with tannin.

tan-sad [tɑ̃'sad] *m* pillion.

tant [tɑ̃] *adv.* so much; so *or* as many; so; as much, as hard (as, que); so *or* as long (as, que); ~ bien que mal somehow (or other); ~ de fois so often; ~ heureuse qu'elle paraisse however happy she may seem; ~ il y a que the fact remains, however, that; ~ mieux! so much the better!; F good!; ~ pis! so much the worse!; what a pity! F too bad!; ~ s'en faut far from it; ~ s'en faut que *(sbj.)* far from it *(ger.);* ~ soit peu ever so little; even a little; somewhat; en ~ que in so far as (+ *verb)* considered as (+ *su.);* si ~ est que if indeed.

tante [tɑ̃:t] f aunt; F chez ma ~ pawned, in pawn.

tantième ✝ [tɑ̃'tjɛm] *m* percentage, share.   [a bit.)

tantinet F [tɑ̃ti'ne] *m:* un ~ a little,∫

tantôt [tɑ̃'to] **1.** *adv.* presently, soon, by and by; a little while ago, just now; ~ ... ... now ... now ..., sometimes ... sometimes ...; à ~! good-bye for the present!; F so long!; **2.** *su./m* F afternoon.

taon zo. [tɑ̃] *m* gad-fly, horse-fly.

tapage [ta'pa:ʒ] *m* noise; din; *fig.* row; fuss; F touching *(s.o.* for money);* faire du ~ make a stir *(news);* **tapageur, -euse** [~pa'ʒœ:r, ~'ʒø:z] **1.** *adj.* noisy, rowdy; *cost.* flashy; *fig.* blustering *(manner, speech);* **2.** *su.* rowdy, roisterer; brawler; noisy person; ⚖ disturber of the peace; **tape** [tap] f tap, slap, pat; F failure; F ramasser une ~ fail, F flop; **tapé, e** [ta'pe] **1.** *adj.* dried *(fruit);* *fig.* first-class; réponse f ~e smart answer; **2.** *su./f* F lots *pl.,* heaps *pl.;* tons *pl.; children:* horde;

tapecul [tap'ky] *m* see-saw, Am. teeter-totter; gig; *pej. carriage:* rattletrap; **taper** [ta'pe] (1a) *v/t.* plug,

stop (up); F smack, slap; slam *(the door);* ♩ thump out *(a tune),* beat *(a drum);* type *(a letter etc.);* dab on *(paint);* F touch *(s.o.)* (for, de); *sl.* tu peux te ~! nothing doing!; *sl.* you've had it!; *v/i.* knock; strum *(on the piano);* ~ dans l'œil à take *(s.o.'s)* fancy; ~ du pied stamp (one's foot); ~ sur q. slate s.o., pitch into s.o.; F ~ sur le ventre à q. give s.o. a dig in the waistcoat; **tapette** [~-'pet] f gentle tap; ⊕ bat *(for corking bottles);* fly-swatter; carpet-beater; F tongue; avoir une fière ~ have a tongue that wags at both ends; **tapeur** F [~'pœ:r] *m* cadger; piano strummer.

tapinois [tapi'nwa] *adv.:* en ~ quietly, on the sly.

tapioca [tapjɔ'ka] *m* tapioca; *cuis.* tapioca soup.

tapir¹ [ta'pi:r] (2a) *v/t.:* se ~ crouch; lurk; *fig.* nestle.

tapir² zo. [~] *m* tapir.

tapis [ta'pi] *m* carpet; cloth; ⚡ ~ chauffant electrically heated mat; ⊕ ~ roulant endless belt, assembly line; ~ vert (gaming) table; *fig.* mettre sur le ~ bring *(s.th.)* up (for discussion); **tapisser** [~pi'se] (1a) *v/t.* paper *(a room);* hang *(a wall)* with tapestry; *fig.* cover, line; **tapisserie** [~pis'ri] f tapestry, hangings *pl.;* tapestry-weaving; tapestry-work; wall-paper; *fig.* faire ~ be a wall-flower *(at a dance);* pantoufles f/pl. en ~ carpet-slippers; **tapissier, -ère** [~pi'sje, ~'sjɛ:r] *su.* tapestry-maker; *furniture:* upholsterer; crewel-worker; *su./f* delivery-van; covered waggon.

tapon [ta'pɔ̃] *m* plug, stopper; en ~ screwed up; **taponner** [~pɔ'ne] (1a) *v/t.* screw up *(one's hair etc.).*

tapoter F [tapɔ'te] (1a) *v/t.* tap; pat; strum *(a tune);* drum *(on the table).*

taquer typ. [ta'ke] (1m) *v/t.* plane (down); **taquet** [~'kɛ] *m* ⊕ wedge, angle-block; *metall.* lug; ⚓ cleat.

taquin, e [ta'kɛ̃, ~'kin] **1.** *adj.* (fond of) teasing; **2.** *su.* tease; **taquiner** [~ki'ne] (1a) *v/t.* tease; *fig.* worry; **taquinerie** [~kin'ri] f teasing (disposition).

taquoir typ. [ta'kwa:r] *m* planer.

tarabiscoté, e [tarabiskɔ'te] ⊕ grooved; *fig.* over-elaborate *(style).*

tarabuster F [tarabys'te] (1a) *v/t.*
worry; bully.

tarage ✝ [ta'ra:ʒ] *m* allowance for
tare.

tarare ✗ [ta'ra:r] *m* winnower.

taratata! F [tarata'ta] *int.* fiddlesticks!

taraud ⊕ [ta'ro] *m* (screw-)tap;
taraudage ⊕ [taro'da:ʒ] *m* nut *etc.*:
tapping; screw-cutting; screw-
pitch; **tarauder** [~'de] (1a) *v/t.* ⊕
tap, cut; F thrash (*s.o.*); **taraudeu-
se** ⊕ [~'dø:z] *f machine*: screw-cut-
ter, thread-cutter.

tard [ta:r] **1.** *adv.* late; *au plus* ~ at
the latest; *il se fait* ~ it is getting
late; *pas plus* ~ *que* ... only ..., not
later than ...; *tôt ou* ~ sooner or
later; **2.** *su./m:* sur le ~ late in the
day; *fig.* late in life; **tarder** [tar'de]
(1a) *v/i.* delay; *il me tarde de* (*inf.*)
I am anxious to (*inf.*); *ne pas* ~ *à*
(*inf.*) not to have to wait long before (*ger.*); *sans* (*plus*) ~ without
(further) delay; **tardif, -ve** [~'dif,
~'di:v] late; belated (*apology, regret*); *fig.* slow (to, *à*); backward
(*fruit, a. fig. intelligence*); **tardigrade** *zo.* [~di'grad] *adj., a. su./m*
tardigrade; **tardillon** [~di'jɔ̃] *m*
animal: latest born; *fig.* Benjamin
(*of a family*); **tardiveté** [~div'te] *f*
lateness; slowness; backwardness.

tare [ta:r] *f* ✝ depreciation; ✝
allowance; *weight:* tare; ⊕ *spring:*
calibration; *fig.* defect; ✗ taint;
sans ~ sound.

tarentelle ♪ *etc.* [tarã'tɛl] *f* taran-
tella.

tarentule *zo.* [tarã'tyl] *f* tarantula.

tarer [ta're] (1a) *v/t.* ✝ tare; ⊕
calibrate (*a spring*); spoil, damage
(*a fruit, goods, a. fig. s.o.'s reputation*).

targette ⊕ [tar'ʒɛt] *f* sash-bolt;
flat door-bolt.

targuer [tar'ge] (1m) *v/t.*: se ~ de
pride o.s. on (s.th., *qch.*; doing,
faire); claim (*a privilege*).

tarière ⊕ [ta'rjɛ:r] *f* auger; drill;
✗ borer.

tarif [ta'rif] *m* price-list, tariff;
rate(s *pl.*); schedule of charges; ~
différentiel (*préférentiel*) differential
(preferential) tariff; ~ *postal* postage (rates *pl.*); ~ *réduit* reduced
tariff; *plein* ~ *goods:* full tariff; *person:* full fare; **tarifaire** [tari'fɛ:r]

tariff-...; tarifer [~'fe] (1a) *v/t.* fix
the rate of (*a duty, a tariff*); fix the
price of (*goods*); **tarification** [~fi-
ka'sjɔ̃] *f* tariffing.

tarin *orn.* [ta'rɛ̃] *m* siskin.

tarir [ta'ri:r] (2a) *v/t.* dry up; *fig.*
exhaust; *v/i. a. se* ~ dry up, run
dry; *fig.* cease; **tarissement** [~ris-
'mã] *m* drying up; *fig.* exhausting.

tarot [ta'ro] *m cards:* tarot pack; ~s
pl. cards, game: tarots.

tarse *anat.* [tars] *m* tarsus; F *human
foot:* instep; **tarsien, -enne** *anat.*
[tar'sjɛ̃, ~'sjɛn] tarsal.

tartan *tex.* [tar'tã] *m* tartan.

tartarinade F [tartari'nad] *f* boast.

tarte *cuis.* [tart] *f* (open) tart; flan;
tartelette *cuis.* [~'lɛt] *f* tartlet;
tartine [tar'tin] *f* slice of bread
and butter *or* jam *etc.*; F *fig.* rigmarole; long-winded speech *or*
article *or* sermon.

tartrate ♐ [tar'trat] *m* tartrate;
tartre [tartr] *m* tartar (*a.* ♐, *a.
dental*); ⊕ *boiler:* scale, fur; **tar-
treux, -euse** [tar'trø, ~'trø:z] tar-
tarous; ⊕ furry, scaly; **tartrique**
♐ [~'trik] tartaric (*acid*).

tartufe [tar'tyf] *m* hypocrite; **tar-
tuferie** [~ty'fri] *f* (piece of) hypocrisy, cant.

tas [tɑ] *m* heap, pile (*a. fig. of things*);
fig. crowd, lot; *lies, a. people:* pack;
⊕ hand *or* small anvil; *mettre en* ~
pile up; *sur le* ~ on the job, at work.

tasse [tɑ:s] *f* cup; ~ *à café* coffee-
cup; ~ *de café* cup of coffee.

tasseau [tɑ'so] *m* ♙ bracket; (supporting) batten; brick foundation.

tassée [tɑ'se] *f* cupful.

tassement [tɑs'mã] *m* squeezing;
soil: packing; ♙ subsidence; ♙
consolidation (*a. fig.*), settling; ✝
set-back; **tasser** [tɑ'se] (1a) *v/t.*
cram together; pack (tightly); shake
down; *se* ~ crowd together; squeeze
up; ♙ settle; ♙ sink, subside; ✝
weaken; shrink, grow smaller (*with
age*) (*person*); *v/i.* ✗ grow thick.

tâter [tɑ'te] (1a) *v/t.* touch, feel;
grope for (*s.th.*); *fig.* feel out, explore, try; ✗ feel (*the pulse*); *v/i.:*
~ *à* (*or de*) taste, try; *fig.* ~ *de* try
(one's hand at) (*work*); **tâte-vin**
[tɑt'vɛ̃] *m/inv. instrument:* wine-
taster; sampling-tube.

tatillon, -onne F [tati'jɔ̃, ~'jɔn]
1. *adj.* niggling, finicky; over-par-

ticular; **2.** *su.* fusspot; busybody;
tatillonner F [⸏jɔ'ne] (1a) *v/i.*
niggle, fuss over details; be meddlesome.

tâtonner [tɑtɔ'ne] (1a) *v/i.* feel one's
way (*a. fig.*); grope; fumble; **tâtonneur** *m*, **-euse** *f* [⸏tɔ'nœːr, ⸏'nøːz]
groper, fumbler; **tâtons** [⸏'tɔ̃] *adv.*:
à ⸏ gropingly; *aller etc. à* ⸏ grope
one's way.

tatou *zo.* [ta'tu] *m* armadillo.

tatouage [ta'twaːʒ] *m* tattooing; *design*: tattoo; **tatouer** [⸏'twe] (1p)
v/t. tattoo; **tatoueur** [⸏'twœːr] *m*
tattooist.   [rain-awning.|

taud ⚓ [to] *m*, **taude** ⚓ [toːd] *f*

taudis [to'di] *m* hovel; wretched
room; squalid hole; ⸏ *pl.* slums.

taule [toːl] *f see* **tôle**.

taupe [toːp] *f zo.* mole; ⚕ moleskin;
⸏**-grillon**, *pl.* ⸏**s-grillons** *zo.* [top-
gri'jɔ̃] *m* mole-cricket; **taupier**
[to'pje] *m* mole-catcher; **taupière**
[⸏'pjɛːr] *f* mole-trap; **taupinière**
[⸏pi'njɛːr] *f* mole-hill.

taureau [tɔ'ro] *m* bull; *astr.* le ♉
Taurus, the Bull; *avoir un cou de* ⸏
be bull-necked; *course f de* ⸏*x* bullfight; **taurillon** [⸏ri'jɔ̃] *m* bull-
calf; **tauromachie** [⸏rɔma'ʃi] *f*
bull-fighting.

tautologie [totɔlɔ'ʒi] *f* tautology,
redundancy.

taux [to] *m* rate (*a.* ⚕); ⚕ fixed
price; ⊕ ratio; 📐 proportion,
amount; ⚕ ⸏ *de change* (rate of)
exchange; ⸏ *de charge* load per
unit area; ⸏ *de la mortalité* death-
rate; ⚕ ⸏ *d'escompte* bank rate; ⚕
⸏ *d'intérêt* rate of interest; *au* ⸏ *de*
at the rate of.

taverne [ta'vɛrn] *f* tavern; public
house, F pub; café-restaurant.

taxateur [taksa'tœːr] *m* assessor; 🏛
taxing master; **taxation** [⸏'sjɔ̃] *f*
fixing of prices *etc.*; *admin.*, *a.* 🏛
taxation; *admin.* assessment; **taxe**
[taks] *f admin.* tax, duty; rate (*a.*
📬), charge (*a. teleph.*); fixed price;
pay: official rate; ⚕ controlled
price; 🏛 *costs*: taxation; ⸏ *de radiodiffusion* radio license; ⸏ *supplementaire post*: surcharge; late fee; *hors*
⸏*s* tax-free; **taxer** [tak'se] (1a) *v/t.*
fix the price *or* rate of; *admin.*, *a.*
🏛 tax (*a. fig.*); *post*: surcharge;
teleph. charge for; *fig.* accuse (of,
de); ⚕ bill, charge.

taxi [tak'si] *m* taxi(-cab), cab; ⸏
mètre [⸏si'mɛtr] *m* taximeter; ⸏
phone *teleph.* [⸏si'fɔn] *m* (public)
call-box.

tayloriser ⊕ [tɛlɔri'ze] (1a) *v/t.*
Taylorize; **taylorisme** ⊕ [⸏'rism]
m Taylorism.

tchécoslovaque [tʃekɔslɔ'vak] *adj.*,
a. su. ♀ Czechoslovak; **tchèque**
[tʃɛk] **1.** *adj.* Czech; **2.** *su./m ling.*
Czech; *su.* ♀ Czech.

te [tə] **1.** *pron./pers.* you; to you;
2. *pron./rfl.* yourself, to yourself.

té [te] *m letter*: T; T-square; △
tee-iron.

technicien *m*, **-enne** *f* [tɛkni'sjɛ̃,
⸏'sjɛn] technician; **technicité** [⸏si-
'te] *f* technicality; **Technicolor** [⸏-
kɔ'lɔːr] *m* Technicolor; **technique**
[tɛk'nik] **1.** *adj.* technical; **2.** *su./f*
technique; ⸏ *électrique* electrical
engineering; **technologie** [⸏nɔlɔ'ʒi]
f technology; **technologique** [⸏-
nɔlɔ'ʒik] technological.

te(c)k ♀, ⚕ [tɛk] *m* teak.

tectrice *orn.* [tɛk'tris] *adj./f: plumes
f/pl.* ⸏*s* tectrices.

tégument ♀, *anat.*, *zo.* [tegy'mɑ̃] *m*
tegument.

teigne [tɛɲ] *f zo.* moth; ⚶ tinea,
scalp-disease; ♀ scurf; *vet.* thrush;
F *fig.* pest; **teigneux, -euse** [tɛ'nø,
⸏'nøːz] **1.** *adj.* suffering from scalp-
disease; **2.** *su.* person suffering from
scalp-disease.

teignis [tɛ'ɲi] *1st p. sg. p.s. of* teindre; **teignons** [⸏'ɲɔ̃] *1st p. pl. pres.
of* teindre; **teindre** [tɛ̃ːdr] (4m) *v/t.*
dye (blue *etc.*, *en bleu etc.*); stain
(*a. fig.*); se ⸏ dye one's hair; **teins**
[tɛ̃] *1st p. sg. pres. of* teindre; **teint,
teinte** [tɛ̃, tɛ̃ːt] **1.** *p.p. of* teindre; **2.**
su./m dye, colo(u)r; complexion;
tex. bon (*or grand*) ⸏ fast colo(u)r;
fig. partisan m bon ⸏ staunch supporter; *petit* ⸏ fading dye; *su./f*
tint, hue, shade; *fig.* touch, tinge;
teinter [tɛ̃'te] (1a) *v/t.* tint; *fig.*
tinge (with, de); **teinture** [⸏'tyːr] *f*
tex., *a. hair*: dye(ing); *phot. etc.*
tinting; colo(u)r, hue; *fig.* touch;
📐, ⚶ tincture; **teinturerie** ⊕ [⸏-
tyr'ri] *f* dye-works *usu. sg.*; dyeing;
teinturier [⸏ty'rje] *m* dyer.

tel *m*, **telle** *f*, **tels** *m/pl.*, **telles** *f/pl.*
[tɛl] **1.** *adj./indef.* such; so great;
like; as; ⸏ *maître*, ⸏ *valet* like master, like man; ⸏ *que* (such) as; like;

such that; ~ quel ordinary; just as he *or* it is *or* was; ✝ with all faults; *à telle ville* in such and such a town; *de telle sorte que* in such a way that; *il n'y a rien de ~ que* there's nothing like; *un ~ repas* such a meal; 2. *pron./indef.* (such a) one; some; *Monsieur un ~ (or Un ♀)* Mr. So-and-so; *Madame une telle (or Une Telle)* Mrs. So-and-so; ~ *qui* he who.

télautographe [telotɔ'graf] *m* telewriter.

télé... [tele] tele...; ~**commande** [ˌkɔ'mãːd] *f* remote control; ~**communication** [ˌkɔmynika'sjõ] *f* telecommunication; ~**enseignement** [ˌɑ̃sɛɲ'mã] *m* educational broadcast *or* television program(me)s *pl.*; ~**férique** [ˌfe'rik] *m* see *téléphérique*; ~**génique** *telev.* [ˌʒe'nik] telegenous; ~**gramme** [ˌ'gram] *m* telegram, F wire; ~**graphe** [ˌ'graf] *m* telegraph; ~**graphie** [ˌgra'fi] *f* telegraphy; ~ *sans fil*, abbr. T.S.F. wireless, radio; ~**graphier** [ˌgra'fje] (1o) *vt/i.* telegraph, wire; ~**graphique** [ˌgra'fik] telegraphic; *mandat m ~* telegraph(ic) money order; *poteau m ~* telegraph-pole; *réponse f ~* reply by wire *or* cable; ~**graphiste** [ˌgra'fist] *su.* telegraph operator; telegraph boy *or* messenger; ~**guidé, e** [ˌgi'de] radio-controlled; guided *(missile)*; ~**imprimeur** [ˌɛ̃pri'mœːr] *m* teleprinter; ~**mètre** *phot.* [ˌ'mɛtr] *m* range-finder; ~**objectif** *phot.* [ˌɔbʒɛk'tif] *m* telephoto lens; ~**phérique** [ˌfe'rik] *m* telpher railway; cable-carrier; ropeway; ~**phone** [ˌ'fɔn] *m* telephone, F phone; ~ *intérieur* house telephone; internal telephone; F intercom; *annuaire m du ~* telephone directory *or* F book; *appeler q. au ~* ring s.o. up; *avez-vous le ~?* are you on the phone?; ~**phoner** [ˌfɔ'ne] (1a) *vt/i.* (tele)phone; *v/i.*: ~ *à q.* ring s.o. up; ~**phonie** [ˌfɔ'ni] *f* telephony; ~ *sans fil* radiotelephony; ~**phonique** [ˌfɔ'nik] telephone...; telephonic; *cabine f (or cabinet m) ~* telephone booth, call-box; ~**phoniste** [ˌfɔ'nist] *su.* telephone operator; ~**récepteur** [ˌresɛp'tœːr] *m* television set.

télescopage [telɛskɔ'paːʒ] *m* telescoping; **télescope** [ˌ'kɔp] *m* telescope; **télescoper** 🚂 *etc.* [ˌkɔ'pe] (1a) *vt/i. a. se ~* telescope; crumple up.

télé...: ~**scripteur** 🖊 [teleskrip'tœːr] *m* teleprinter; ~**spectateur** *m*, **-trice** *f telev.* [ˌspɛkta'tœːr, ˌ'tris] (tele-)viewer; ~**viseur** [televi'zœːr] *m* television set; televisor; ~**vision** [ˌ'zjõ] *f* television; ~ *en couleurs* colo(u)r television.

télex [telɛks] *m* Telex.

tellement [tɛl'mã] *adv.* so, in such a way; to such an extent.

tellure 🜍 [tɛl'lyːr] *m* tellurium; **tellureux, -euse** 🜍 [telly'rø, ~'røːz] tellurous; **tellurien, -enne** [ˌ'rjɛ̃, ~'rjɛn] tellurian; earth...

téméraire [teme'rɛːr] 1. *adj.* rash *(a. fig.* judgment *etc.)*, reckless; daring; 2. *su.* rash person; dare-devil; **témérité** [ˌri'te] *f* temerity, rashness, recklessness; piece of daring; bold speech.

témoignage [temwa'ɲaːʒ] *m* 🜪 *etc.* evidence *(a. fig.)*; *eccl.* witness; 🜪 hearing (of witness); witness; *fig.* proof; *fig. en ~ de* as a token of; *porter ~* certify; *rendre ~* bear witness (to, *à)*; **témoigner** [ˌ'ɲe] (1a) *vt/i.* testify; *v/i.* bear witness; *v/t.* show; bear witness to; **témoin** [tem'wɛ̃] 1. *su./m* witness; *duel:* second; boundary mark; 🜪 reference solution; sample; *sp.* stick *(etc. in relay race)*; 🜪 ~ *à charge (décharge)* prosecution (defence) witness; ~ *oculaire* eye-witness; 2. *adj.*: *lampe f ~* tell-tale lamp, warning light.

tempe *anat.* [tãːp] *f* temple.

tempérament [tãpera'mã] *m person:* temperament *(a. ♪)*, constitution; *person:* humo(u)r, temper; *fig.* modification; *fig.* measure, restraint; ✝ *à ~* by instalments; *vente f à ~* hire-purchase; sale on the instalment plan.

tempérance [tãpe'rãːs] *f* temperance, moderation; **tempérant, e** [ˌ'rã, ~'rãːt] temperate, moderate; 🜊 sedative; **température** [ˌra'tyːr] *f* temperature; 🜍 (boiling-, freezing-)point; *fig.* feeling; 🜊 *avoir de la ~* have a temperature; **tempéré, e** [ˌ're] temperate, moderate *(climate, a. fig.* speech); *fig.* sober, restrained; ♪ equally tempered; *fig.* limited *(monarchy)*; *geog. zone f ~e*

tendre

temperate zone; **tempérer** [~'re] (1f) *v/t.* moderate, temper (*a. fig.*); se ~ moderate.

empête [tã'pɛːt] *f* wind, *a. fig.*: storm; ♃ hurricane; **tempêter** F [~pɛ'te] (1a) *v/i.* storm; rage; **tempétueux, -euse** [~pe'tɥø, ~'tɥøːz] stormy, tempestuous (*a. fig.*).

temple [tãːpl] *m* temple (*a. hist.* ♎); *protestantism:* church, chapel; *freemasonry:* lodge; **templier** [tãpli'e] *m* Knight Templar; F *jurer comme un ~* swear like a trooper.

temporaire [tãpɔ'rɛːr] temporary; provisional; ♪ time(-*value*).

temporal, e, *m/pl.* **-aux** *anat.* [tãpɔ'ral, ~'ro] 1. *adj.:* temporal; 2. *su./m* temporal (bone).

temporalité *eccl.* † [tãpɔrali'te] *f* temporality; **temporel, -elle** [~'rɛl] 1. *adj.:* secular; temporal (= *not eternal, not spiritual*); 2. *su./m* temporal power; revenue, temporalities *pl.* (*of a benefice*).

temporisateur, -trice [tãpɔriza'tœːr, ~'tris] 1. *adj.:* temporizing; 2. *su.* temporizer; ⊕ *welding:* timer; **temporisation** [~za'sjɔ̃] *f* temporization, temporizing; **temporiser** [~'ze] (1a) *v/i.* temporize; delay action deliberately, *sl.* stall.

temps [tã] *m* time (*a.* ♪); while, period; leisure; age, epoch; *fig.* times *pl.; fig.* moment, opportunity; weather (*a.* ♃); term; season; ⚡, ⊕ phase; *mot. etc.* stroke; ♪ measure, beat; *gramm.* tense; *à deux ~* two-stroke (*engine*); *à ~* in (the nick of) time; *avec le ~* in (the course of) time; *de mon ~* in my time; *de ~ à autre* (or *en* ~) now and then, from time to time; *en même ~* at the same time; *en ~ de guerre* in wartime; *entre-~* meanwhile; *être de son ~* keep up with the times; *gagner du ~* play for time; *il est grand ~* it is high time (to *inf.*, *de inf.*; that *ind.*, *que sbj.*); *le bon vieux ~* the good old days *pl.; les ~ pl. sont durs* times are hard; ♪ *mesure f à deux ~* duple time; (*ne pas*) *avoir le ~ de* (*inf.*) have (no) time to (*inf.*); *quel ~ fait-il?* what is the weather like?

tenable [tə'nabl] ⚔, *a. fig.* tenable; habitable (*house*); *fig. pas ~* unbearable.

tenace [tə'nas] tenacious; clinging

(*perfume, a.* ⚘); adhesive; stiff (*soil*); tough (*metal*); *fig.* stubborn, persistent; retentive (*memory*); **ténacité** [tenasi'te] *f* tenacity (*a. fig.*); stickiness; *soil:* stiffness; *metal:* toughness; *fig.* stubbornness; doggedness; *memory:* retentiveness; *avec ~* tenaciously; stubbornly.

tenaille ⊕ [tə'naːj] *f* tongs *pl.;* clamp; pliers *pl.;* pincers *pl.* (*a.* ⚔); **tenailler** [~na'je] (1a) *v/t.* torture.

tenancier [tənã'sje] *m* tenantfarmer; keeper; † (*a. franc ~*) yeoman, freeholder; **tenant, e** [~'nã, ~'nãːt] 1. *adj.: séance f ~e* during the sitting; *fig.* then and there; 2. *su./m* supporter; *sp. title etc.:* holder; *bet:* taker; *b̶t̶t̶ d'un seul ~* all in one block; continuous; *~s pl.* lands bordering on an estate; *~s pl. et aboutissants m/pl. estate:* adjacent parts; *fig.* the full details, *the* ins and outs.

tendance [tã'dãːs] *f* tendency, trend, propensity (*a. fig.*); *à ~* tendentious (*book*); *avoir ~ à* be inclined to; **tendancieux, -euse** [~dã'sjø, ~'sjøːz] tendentious; *b̶t̶t̶* leading (*question*); **tendant, e** [~'dã, ~'dãːt] tending (to, *à*).

tendelet ♃ *etc.* [tã'dlɛ] *m* awning. **tender** 🚂 [tã'dɛːr] *m* tender.

tenderie *hunt.* [tã'dri] *f* (*bird-*)snare; setting of snares (*for birds*).

tendeur, -euse [tã'dœːr, ~'døːz] *su. carpet:* layer; *wallpaper:* hanger; *hunt. snares:* setter; *su./m* ⊕ tightener; (*trouser- etc.*)stretcher; (*shoe-*)tree; *mot.* tension-rod; *~ de chaine* chain-adjuster.

tendineux, -euse [tãdi'nø, ~'nøːz] *anat.* tendinous; *cuis.* stringy (*meat*). **tendoir** [tã'dwaːr] *m* clothes-line; *tex.* tenter.

tendon *anat.* [tã'dɔ̃] *m* tendon, sinew.

tendre¹ [tã:dr] (4a) *v/t.* stretch; hang (*wallpaper*), paper (*a room*); lay (*a carpet, a snare*); pitch (*a tent*); spread (*a net, a sail*); hold out (*one's hand*); offer (*one's hand etc.*); *fig.* strain; ~ *l'oreille* prick up one's ears; *v/i.* tend, lead (to, *à*) (*a. fig.*).

tendre² [tã:dr] *m* tender (*heart, meat, skin, years, youth*); soft (*colour, grass, metal, pencil, stone, wood,*

etc.); early (*childhood, years*); *fig.*
affectionate, fond; **tendresse** [tã-
'drɛs] *f* tenderness; love; ~s *pl.*
caresses, endearments; **tendron**
[~'drɔ̃] *m* ♀ tender shoot; *cuis.*
gristle; F *fig.* little *or* young girl.

tendu, e [tã'dy] **1.** *p.p. of* tendre¹;
2. *adj.* stretched; tight; taut; tense,
strained (*a. fig.*).

ténèbres [te'nɛ:br] *f/pl.* darkness
sg. (*a. fig.*), gloom *sg.*; *eccl.* tenebrae;
ténébreux, -euse [~ne'brø,~'brø:z]
dark, gloomy; lowering (*sky*); *fig.*
deep, sinister; obscure (*style*).

teneur¹, -euse [tə'nœ:r,~'nø:z] *su.*
holder; *su./m:* ♀ ~ de livres book-
keeper.

teneur² [tə'nœ:r] *f* tenor (*of book,
conduct, etc.*); ⊕, ⚙ percentage,
amount; *solution:* strength; *min.*
grade; (*gold- etc.*)content; ⚙ en
alcool alcoholic content.

ténia ⚕, *zo.* [te'nja] *m* taenia, tapeworm; **ténifuge** ⚙ [~ni'fy:ʒ] *adj.,
a. su./m* t(a)enifuge.

tenir [tə'ni:r] (2h) **1.** *v/t.* hold (*a. a
meeting*); have, possess; grasp (*a. =
understand*); retain; *fig.* have in
hand, control; manage, run (*a
firm*); keep; contain (*a pint*); *fig.*
accommodate, seat (*200 persons*);
△ support; occupy, take up; consider, think; regard (*as, pour*); ⚓
hug (*the coast*); *thea.* take, play
(*a rôle*); ♀ stock (*goods*); take (on)
(*a bet*); ~ compte de take (*s.th.*) into
account; ~ en respect hold in awe;
~ *l'eau* be watertight; ~ *le lit* stay
in bed; ♀ ~ *les livres* do the book-
keeping; ~ *sa langue* hold one's
tongue; ~ *sa promesse* keep one's
word; ~ *son tempérament de son
père* have got one's temper from
one's father; ~ *tête à* resist; *tenez
votre droite* keep to the right; *se* ~
keep (*quiet*), remain (*standing*); be;
s'en ~ *à* keep to; be satisfied with;
2. *v/i.* hold; hold firm; ⚔ hold out;
remain; *fig.* last; ♀ be held (*market*); ⚕ sit; border (on, *à*) (*land*);
fig. be joined (to, *à*); be keen (on *ger.,
à inf.*); ~ *à* value (*s.th.*); be due to,
depend on; ~ *à ce que* (*sbj.*) be
anxious that (*ind.*); ~ *bon* (*or ferme*)
stand firm; hold out; ⚓ hold tight;
~ *de* take after (*s.o.*), be akin to
(*s.th.*); ~ *pour* be in favo(u)r of (*s.o.*);
en ~ *pour* be fond of (*s.o.*), stick to (*s.th.*);

je n'y tiens pas I don't care for it;
F I am not keen (on it); *ne pouvoir
plus y* ~ be unable to stand it; *tiens!,
tenez!* look (here)!; here!; *tiens!*
well!; really?

tennis [tɛ'nis] *m* (lawn) tennis;
tennis-court; ~ de *table* table-
tennis.

tenon [tə'nɔ̃] *m* ⊕ tenon; ⊕ lug;
⚒ nut.

ténor ♪ [te'nɔ:r] *m* tenor; *fort* ~
heroic tenor.

tenseur [tã'sœ:r] *adj., a. su./m* ⚕,
anat. tensor; **tension** [~'sjɔ̃] *f phys.,
⚡, etc., a. fig.* tension; ⊕, ⚙ blood,
steam: pressure; ⚡ voltage; ♀
prices: hardness, firmness; ⚕ ~
artérielle blood-pressure; ⚡ ~ de
service operating potential; ⚡ *sous* ~
live (*wire*).

tentacule *zo.* [tãta'kyl] *m* tentacle.
tentant, e [tã'tã, ~'tã:t] tempting,
alluring; **tentateur, -trice** [tãta-
'tœ:r, ~'tris] **1.** *adj.* tempting;
2. *su./m* tempter; *su./f* temptress;
tentation [~'sjɔ̃] *f* temptation (to
inf., de inf.); **tentative** [~'ti:v] *f*
attempt (at, *de*); ⚖ *d'assassinat*
attempted murder.

tente [tã:t] *f* tent; *fair etc.:* booth;
⚓ awning; *dresser une* ~ pitch a
tent; ~**-abri**, *pl.* ~**s-abris** ✕ [~a-
'bri] *f* shelter-tent.

tenter [tã'te] (1a) *v/t.* tempt (*s.o.*);
put to the test; ✕ ~ *l'assaut de* attempt (*a place*); *être tenté de* (*inf.*)
be tempted to (*inf.*); *v/i.:* ~ de (*inf.*)
try to (*inf.*), attempt to (*inf.*).

tenture [tã'ty:r] *f* (paper-)hanging;
tapestry; hangings *pl.*; wallpaper.

tenu, e [tə'ny] **1.** *p.p. of* tenir;
2. *su./f* holding (*a.* ⚖); ♀ books,
shop, etc.: keeping; *fig.* shape; *person:* bearing; behavio(u)r; ⊕ maintenance; ⚖ *etc.* sitting; *cost., a.* ✕
dress; ♀ market, *prices:* firmness;
♪ sustained note; ✕ ~e de campagne
battle-dress; *mot.* ~e de route road-
holding qualities *pl.*; ~e de soirée
evening dress; ~e de ville morning
or street dress; ✕ walking-out
dress; *de la* ~*e! school etc.:* behave
yourself!; ✕ *en grande* (*petite*) ~e
in full dress (*undress*).

ténu, e [te'ny] thin, slender; *fig.*
fine; **ténuité** [~nɥi'te] *f* tenuous-
ness; slenderness; thinness (*a. of a
liquid*); *sand, a. fig.:* fineness.

ter [tɛːr] *adv.* three times, ♪ ter; for the third time; *in house numbers:* 3ter 3b.

tercet ♪ [tɛr'sɛ] *m* triplet (*a. prosody*).

térébenthène 🜋 [terebã'tɛn] *m* terebenthene; **térébenthine** 🜋 [~'tin] *f* turpentine.

térébrant, e [tere'brã, ~'brãːt] *zo.* boring; ⚕ terebrating (*pain*).

tergiversation [tɛrʒivɛrsa'sjõ] *f* equivocation; beating about the bush; **tergiverser** [~'se] (1a) *v/i.* equivocate; beat about the bush.

terme [tɛrm] *m* end, conclusion; *statue:* terminus; ⚕⚕ quarter; quarter's rent; quarter day; ♈, ✝, ⚕ time; ✝ *stocks etc.:* settlement; delay (*for payment*); ✝ *price:* instalment; *expression,* ♗, *phls.,* ⚕⚕ *contract:* term; ⚕⚕ *~s pl.* wording *sg.;* conditions; *~ de métier* technical term; *à ~* in due time; *à court* (*long*)*~* ✝ short- (long-)dated; *fig.* short- (long-)term (*policy etc.*); ✝ *demander un ~ de grâce* ask for time to pay; *en ~s de commerce* in commercial language; *en propres ~s* in so many words; *fig. être en bons ~s avec* be on good terms with; ✝ *opérations f/pl. à ~* forward deals; *vente f* (*achat m*) *à ~* credit sale (purchase).

terminaison [tɛrminɛ'zõ] *f* ending, termination (*a. gramm.*); **terminal, e,** *m/pl.* **-aux** ♀ *etc.* [~'nal, ~'no] terminal; **terminer** [~'ne] (1a) *v/t.* terminate; end, finish, complete; *se ~* come to an end; *gramm. se ~ en* end in.

terminologie [tɛrminɔlɔ'ʒi] *f* terminology; **terminologique** [~'ʒik] terminological.

terminus 👀 *etc.* [tɛrmi'nys] **1.** *su./m* terminus; **2.** *adj.:* gare *f ~* (railway) terminus.

termite *zo.* [tɛr'mit] *m* termite, white ant; **termitière** [~mi'tjɛːr] *f* termitary.

ternaire [tɛr'nɛːr] 🜋, ♗ ternary; ♪ triple (*measure*). [two treys *pl.*\

terne¹ [tɛrn] *m lottery:* tern; *dice:*\

terne² [tɛrn] dull, lustreless; dim; colo(u)rless; tarnished (*metal etc.*); **ternir** [tɛr'niːr] (2a) *v/t.* tarnish (*metal etc., a. fig. s.o.'s honour, s.o.'s reputation*); *fig.* dull, dim; **ternissure** [~ni'syːr] *f* tarnish; *metal:* dull spot; *fig.* stain.

terrain [tɛ'rɛ̃] *m* ground; soil, land; ✗ terrain; ✗ (*parade- etc.*)ground; foot. field; *cricket:* ground; *golf:* course; ⚠ site; *geol.* rock formation; (*ne plus*) *être sur son ~* be in one's element (out of one's depth).

terrasse [tɛ'ras] *f* terrace; bank; ⚠ balcony; ⚠ flat roof; *paint.* foreground; *assis sur la ~* sitting outside the café; *en ~* terraced; **terrassement** [~ras'mã] *m* banking; earthwork; **terrasser** [~ra'se] (1a) *v/t.* embank, bank up; throw (*s.o.*) down, down (*s.o.*); *fig.* overwhelm; **terrassier** [~ra'sje] *m* labo(u)rer; navvy, *Am.* ditch-digger.

terre [tɛːr] *f* earth (*a. ♪*), ground; ♪ soil; ⊕ loam; clay; ⚓ land, shore; property, estate; *fig.* world; *~ à ~* matter of fact, commonplace; *~ cuite* terracotta; *~ ferme* mainland; firm land, terra firma; ✗ *armées f/pl. de ~* land forces; F *avoir les pieds sur ~* have both feet firmly on the ground; *de ~* earth (-en)...; *♪ mettre à la ~* earth; *mettre pied à ~* alight; *prendre ~* land; *se coucher par ~* lie on the ground; *tomber par ~* fall (flat).

terreau ♪ [tɛ'ro] *m* vegetable-mo(u)ld; compost; leaf-mo(u)ld; **terreauter** ♪ [~ro'te] (1a) *v/t.* treat with compost or mo(u)ld.

terre-neuvas [tɛrnœ'va] *m* Newfoundland fishing-boat *or* fisherman; **terre-neuve** *zo.* [~'nœːv] *m/inv.* Newfoundland dog; **terre-neuvien** [~nœ'vjɛ̃] *m see terre-neuvas.*

terre-plein [tɛr'plɛ̃] *m* earth platform, terrace; 👀 road-bed; ✗ terreplein.

terrer [tɛ're] (1a) *v/t.* ♪ earth up; warp (*a field*); spread mo(u)ld over; ⊕ clay (*sugar*); *tex.* full; *se ~* ✗ entrench o.s., ✗ lie flat on the ground; go to earth (*fox*); burrow (*rabbit*); **terrestre** [~'rɛstr] ♀, *zo.* terrestrial; ♀ ground-...; ✗ land-... (*a. insurance*); *fig.* earthly, wordly.

terreur [tɛ'rœːr] *f* terror (*a. fig.*), dread; *hist. la* ♀ the (Reign of) Terror.

terreux, -euse [tɛ'rø, ~'røːz] earthy; *fig.* grubby, dirty; *fig.* muddy (*colour, complexion*).

terrible [tɛ'ribl] terrible (*a. fig.*), dreadful, frightful.

terrien *m*, **-enne** *f* [tɛ'rjɛ̃, ~'rjɛn]
land-owner; ⚓ landsman, *pej.*
land-lubber.

terrier [tɛ'rje] *m* (*rabbit-*)hole, (*fox-*)
earth; *zo.* terrier.

terrifier [tɛri'fje] (1o) *v/t.* terrify.

terri(l) ⚒ [tɛ'ri] *m* heap, tip.

terrine *cuis.* [tɛ'rin] *f* earthenware
vessel *or* pot; potted meat; **ter-
rinée** [~ri'ne] *f* potful, panful.

territoire [tɛri'twaːr] *m* territory,
area of jurisdiction; *anat.* area;
territorial, e, *m/pl.* **-aux** [~tɔ'rjal,
~'rjo] **1.** *adj.* territorial; **2.** *su./m* ✕
territorial (soldier); *su./f* ✕ territorial army; **territorialité** [~tɔrjali-
'te] *f* territoriality.

terroir 🖉 [tɛ'rwaːr] *m* soil; *sentir
le* ~ smack of the soil.

terroriser [tɛrɔri'ze] (1a) *v/t.* ter-
rorize; **terrorisme** [~'rism] *m*
terrorism; **terroriste** *pol.* [~'rist]
m terrorist.

tertiaire *geol. etc.* [tɛr'sjeːr] tertiary.

tertre [tɛrtr] *m* mound, hillock.

tes [te] *see* **ton**[1].

tessiture ♩ [tɛsi'tyːr] *f* tessitura.

tesson [tɛ'sɔ̃] *m* potsherd; *glass etc.*:
fragment.

test[1] 🎓 *etc.* [tɛst] *m* test; ~ *mental*
intelligence test.

test[2] [tɛst] *m zo.* shell, test; ⚘ *seed:*
testa, skin; **testacé, e** *zo.* [tɛsta'se]
testaceous.

testament [tɛsta'mã] *m* ⚖ will,
testament; *bibl.* Ancien (Nouveau) ⚖
Old (New) Testament; **testamentaire** ⚖ [~mã'teːr] testamentary;
testateur ⚖ [~tœːr] *m* testator *m*;
testatrice ⚖ [~'tris] *f* testatrix.

tester[1] ⚖ [tɛs'te] (1a) *v/i.* make a
will.

tester[2] 🎓 *etc.* [~] (1a) *v/t.* test.

testicule *anat.* [tɛsti'kyl] *m* testicle.

testimonial, e, *m/pl.* **-aux** [tɛsti-
mɔ'njal, ~'njo] oral (*evidence*);
deponed to by a witness; *lettre f*
~e testimonial.

têt [tɛ] *m* 🝧 small fire-clay cup.

tétanos [teta'nɔs] *m* 🎓 tetanus, lock-
jaw; *vet.* stag-evil.

têtard [tɛ'taːr] *m* tadpole; *icht.*
chub; *icht.* miller's-thumb; **tête**
[tɛːt] *f* head (*a. = leader; a. =
person*); *fig.* intelligence; *fig.* memory; *fig.* self-possession; *fig.* mind,
reason; *page, class, tree, etc.:* top;
column, vehicle: front; *chapter:*

heading; *foot.* header; ~ *carrée*
stubborn person, *sl.* square-head;
~ *de bielle* ⊕ crank-head; *mot.* big
end; 🚂 ~ *de ligne* rail-head; ✕
de pont bridge-head; ✕ ~ *nue* bare-
headed; *agir* ~ *baissée* act blindly;
avoir la ~ *chaude* (*froide*) be hot-
(cool-)headed; *calculer de* ~ work
(*s.th.*) out in one's head; *coup m
de* ~ rash action; *de* ~ from memory; *en faire à sa* ~ go one's own
way; *en* ~ *à* ~ privately; *faire la* ~ *à*
frown at; be sulky with; *faire une* ~
look glum; *forte* ~ strong-minded
or unmanageable person; *sp. gagner
d'une* ~ win by a head; *la* ~ *la première* head first, headlong; *piquer
une* ~ dive; *se mettre en* ~ *de* (*inf.*)
take it into one's head to (*inf.*);
monter la ~ get worked up; *tenir* ~ *à*
stand up to, hold one's own against;
un homme m de ~ a capable man;
~-à-tête [tɛta'tɛt] *m/inv.* tête-à-
tête; private interview; sofa; **~-bê-
che** [tɛt'bɛʃ] *adv.* head to tail; **~-
bleu!** [~'blø] *int.* confound it!;
curse it!; **~-de-loup**, *pl.* **~s-de-
loup** [~d'lu] *f* wall-broom; long-
handled brush.

tétée [te'te] *f* (*baby's*) feed; suck;
téter [~] (1f) *v/t.* baby: suck; *v/i.*
suck (*baby*).

têtière [tɛ'tjɛːr] *f* infant's cap;
antimacassar; ⚓ *sail:* head; *horse:*
head-stall.

tétin [te'tɛ̃] *m* nipple; **tétine** [~'tin]
f animal: teat, dug; **téton** F [~'tɔ̃]
m (*woman's*) breast.

tétra... [tetra] tetra...; **four-...;
~èdre** 🝆 [~'ɛdr] **1.** *adj.* tetrahedral;
2. *su./m* tetrahedron.

tétrarque [te'trark] *m* tetrarch.

tétras *orn.* [te'trɑ] *m* grouse.

tette [tɛt] *f animal:* teat, dug.

têtu, e [tɛ'ty] **1.** *adj.* stubborn,
obstinate; **2.** *su.* stubborn *or* obstinate person; *su./m* ⊕ granite-
hammer.

teuf-teuf [tœf'tœf] *m/inv.* puff-
puff (= *train*); motor-car, *Am.*
automobile.

teuton, -onne [tø'tɔ̃, ~'tɔn] **1.** *adj.*
Teutonic; **2.** *su.* ♀ Teuton; **teutonique** [~tɔ'nik] Teutonic (*a. Order*).

texte [tɛkst] *m* text.

textile [tɛks'til] **1.** *adj.* textile;
2. *su./m* textile (industries *pl.*).

textuaire [tɛks'tɥɛːr] textual; **tex-**

tuel, -elle [ˌ'tɥɛl] textual; word-for-word (*quotation*); **texture** [ˌ-'tyːr] *f* texture; *fig.* construction, make-up.

thalweg *geol.* [tal'vɛg] *m* thalweg.

thaumaturge [toma'tyrʒ] *m* miracle-worker; thaumaturge; **thaumaturgie** [ˌtyr'ʒi] *f* thaumaturgy.

thé [te] *m* tea; tea-party; *boîte f à* ˌ tea-caddy, tea-canister; *heure f du* ˌ tea-time.

théâtral, e, *m/pl.* **-aux** [tea'tral, ˌ'tro] theatrical; *fig.* spectacular; *pej.* stagy; **théâtre** [ˌ'ɑːtr] *m* theatre, *Am.* theater (*a.* ✂ *of war*); stage, F boards *pl.*; scene (*a. fig.*); *fig.* setting; dramatic art; plays *pl.* (*of s.o.*); ˌ *en plein air*, ˌ *de verdure* open-air theatre; *coup m de* ˌ sensational development; *faire du* ˌ go *or* be on the stage.

thébaïde [teba'id] *f* solitude; **thébaïque** ⚕ [ˌ'ik] thebaic; opium...; **thébaïsme** ⚕ [ˌ'ism] *m* opium-poisoning, thebaism.

théière [te'jɛːr] *f* teapot.

théisme[1] ⚕ [te'ism] *m* tea-poisoning

théisme[2] *phls.* [ˌ] *m* theism.

thématique ♪, *gramm.* [tema'tik] thematic; **thème** [tɛm] *m* theme (*a.* ♪); topic; ♪ subject; *gramm.* stem; ✂, ⚓ scheme; *school:* prose (composition).

théo... [teɔ] theo...; **ˌcratie** [ˌkra'si] *f* theocracy; **ˌdolite** *surv.* [ˌdɔ'lit] *m* theodolite; **ˌlogie** [ˌlɔ'ʒi] *f* theology; *univ. a.* divinity; *docteur m en* ˌ doctor of divinity, D.D.; **ˌlogien** *m*, **-enne** *f* [ˌlɔ'ʒjɛ̃, ˌ'ʒjɛn] theologian; **ˌlogique** [ˌlɔ'ʒik] theological.

théorème Ⱥ [teɔ'rɛm] *m* theorem.

théoricien *m*, **-enne** *f* [teɔri'sjɛ̃, ˌ'sjɛn] theoretician, theorist; **théorie** [ˌ'ri] *f* theory; **théorique** [ˌ-'rik] theoretical; **théoriser** [ˌri'ze] (1a) *vt/i.* theorize.

théosophe [teɔ'zɔf] *su.* theosophist.

thérapeute [tera'pøːt] *m* therapeutist; **thérapeutique** ⚕ [ˌpø-'tik] **1.** *adj.* therapeutic; **2.** *su./f* therapy, therapeutics *pl.*; ˌ *de choc* shock-treatment; **thérapie** ⚕ [ˌ'pi] *f* therapy; ˌ *rééducative* occupational therapy.

thermal, e, *m/pl.* **-aux** [tɛr'mal, ˌ'mo] thermal; *eaux f/pl.* ˌ*es* hot springs; *station f* ˌ*e* spa; **thermes** [tɛrm] *m/pl.* thermal baths; *hist. Greece and Rome:* thermae, public baths; **thermique** *phys.* [tɛr'mik] thermal, thermic; heat (*engine*).

thermo... [tɛrmɔ] thermo-...; **ˌélectrique** *phys.* [ˌelɛk'trik] thermo-electric(al); **ˌgène** *physiol.* [ˌ-'ʒɛn] thermogenic; heat-producing; ⚕ *ouate f* ♀ thermogene (wool); **ˌmètre** [ˌ'mɛtr] *m* thermometer; **ˌnucléaire** *phys.* [ˌnykle'ɛːr] thermonuclear; **ˌsiphon** *phys.* [ˌsi'fɔ̃] *m* thermo-siphon; **ˌstat** [ˌs'ta] *m* thermostat; **ˌthérapie** ⚕ [ˌtera'pi] *f* heat treatment.

thésauriser [tezɔri'ze] (1a) *v/i.* hoard; amass money; *v/t.* hoard, pile up, amass.

thèse [tɛːz] *f* thesis (*a. univ.*); argument.

thon *icht.* [tɔ̃] *m* tunny(-fish), tuna.

thoracique *anat.* [tɔra'sik] thoracic; **thorax** [ˌ'raks] *m* anat. chest; thorax (*a. of insect*).

thrombose ⚕ [trɔ̃'boːz] *f* thrombosis.

thuriféraire [tyrife'rɛːr] *m eccl.* thurifer, censer-bearer; *fig.* fawner; sycophant.

thym ♀ [tɛ̃] *m* thyme.

tiare [tja:r] *f* (*papal*) tiara; papacy.

tibia *anat.* [ti'bja] *m* shin(-bone), tibia.

tic [tik] *m* ⚕ tic, twitch; *fig.* mannerism.

ticket [ti'kɛ] *m* ticket; *cloak-room etc.:* check; (*ration-*)coupon; 🚃 ˌ *de quai* platform ticket.

tic-tac [tik'tak] *m/inv.* tick-tack; click-clack; *clock:* tick(-tock); *heart:* pit-a-pat.

tiède [tjɛd] tepid; lukewarm (*a. fig.*); warm (*wind*); **tiédeur** [tje'dœːr] *f* tepidity; lukewarmness (*a. fig.*); *fig.* indifference; **tiédir** [ˌ'diːr] (2a) *v/i.* become tepid *or* lukewarm; *v/t.* take the chill off; make tepid *or* lukewarm.

tien *m*, **tienne** *f* [tjɛ̃, tjɛn] **1.** *pron./poss.:* le ˌ, la ˌne, les ˌs *pl.*, les ˌnes *pl.* yours; † thine; **2.** *su./m* your own; les ˌs *pl.* your (own) people.

tiendrai [tjɛ̃'dre] *1st p. sg. fut. of* tenir; **tiennent** [tjɛn] *3rd p. pl. pres. of* tenir; **tiens** [tjɛ̃] *1st p. sg. pres. of* tenir.

tierce [tjɛrs] *f* ♪, Ⱥ, *astr.* third; *eccl*

terce; *cards, fencing*: tierce; *typ.*
final revise; **tiercer** ⚓ [tjɛr'se] (1k)
v/t. plough (*a field*) for the third
time; **tiers, tierce** [tjɛːr, tjɛrs]
1. *adj.* third; *hist.* ~ état *m* third
estate, commonally; *tierce tertian* (ague); **2.** *su./m* third
(part); third person; ⚖ third party;
tiers-point [tjɛr'pwɛ̃] *m* ⊕ triangular file; ⚠ *vaulting*: intersection
of two ribs.

tige [tiːʒ] *f* ♀ stem, stalk; *tree*:
trunk; *column*: shaft; ⊕ rod; *boot*:
upper; ⚓ anchor, *a. key*: shank;
fig. family: stock; ⊕ ~ du piston
piston-rod.

tignasse F [ti'ɲas] *f hair*: mop.
tigre *zo.* [tigr] *m* tiger; **tigré, e**
[ti'gre] striped (*fur*); spotted (*skin*);
tabby (*cat*); **tigresse** *zo.* [~'grɛs] *f*
tigress.

tilbury [tilby'ri] *m* tilbury, gig.
tilde *typ.* [tild] *m* tilde (~).
tiliacées ♀ [tilja'se] *f/pl.* tiliaceae.
tillac ⚓ [ti'jak] *m* deck.
tille [tiːj] *f* ⊕ adze; ⚓ † cuddy.
tilleul [ti'jœl] *m* ♀ linden, lime
(-tree); *infusion*: lime-blossom tea.

timbale [tɛ̃'bal] *f* ♩ kettledrum;
cuis. pie-dish; metal drinking-cup;
F décrocher la ~ carry off the prize;
♩ les ~s *pl.* orchestra: the timpani;
timbalier ♩ [~ba'lje] *m* kettledrummer; *orchestra*: timpanist.

timbre [tɛ̃ːbr] *m* date, postage, etc.:
stamp; *bicycle, clock, etc.*: bell; *fig.
voice etc.*: timbre; ~ fiscal revenue
stamp; ~ humide rubber stamp; F
avoir le ~ fêlé be cracked or crazy;
timbré, e [tɛ̃'bre] sonorous (*voice*);
admin. stamped (*paper*); ⊕ tested
(*boiler*); F *fig.* cracked, crazy, daft;
timbre-poste, *pl.* **timbres-poste**
[~brə'pɔst] *m* postage stamp; **timbre-quittance**, *pl.* **timbres-quittance** [~brəki'tãːs] *m* receipt stamp;
timbrer [~'bre] (1a) *v/t.* stamp (*a
passport, paper*); post-mark (*a letter*); ⊕ test (*a boiler*); **timbreur**
[~'brœːr] *m* stamper.

timide [ti'mid] timid; shy; apprehensive; **timidité** [~midi'te] *f*
timidity; shyness; diffidence (in
ger., à inf.).

timon [ti'mɔ̃] *m plough*: beam;
vehicle: pole; *fig.* helm; ⚓ † tiller;
timonerie [~mɔn'ri] *f* ⚓ steering;
⚓ wheel-house; 🚗, *mot.* steering-

gear, brake-gear; ⚓ maître *m* de ~
quartermaster; *Royal Navy*: yeoman of signals; **timonier** [~mɔ'nje]
m vehicle: wheel-horse; ⚓ helmsman; ⚓ quartermaster; ⚓ signalman.

timoré, e [timɔ're] timorous.
tinctorial, e, *m/pl.* **-aux** [tɛ̃ktɔ'rjal,
~'rjo] ⊕ tinctorial; dye(-*stuffs,
-woods*).

tins [tɛ̃] *1st p. sg. p.s. of* tenir.
tintamarre F [tɛ̃ta'maːr] *m* din,
noise; *fig.* publicity, fuss; **tintement** [tɛ̃t'mã] *m bell*: ringing; *glasses, small bells*: tinkle; *coins*: jingle;
🎵 tinnitus, buzzing (*in the ears*);
tinter [tɛ̃'te] (1a) *v/t.* ring, toll (*the
bell*); ring the bell for (*mass etc.*);
v/i. ring, toll (*bell*); tinkle (*glasses,
small bells, etc.*); jingle (*coins*); 🎵
buzz (*ears*); *fig.* tingle, burn (*ears*);
tintouin F [~'twɛ̃] *m* trouble,
worry.

tique *zo.* [tik] *f* tick.
tiquer [ti'ke] (1m) *v/i. vet.* be a
crib-biter, crib; F twitch (*face etc.*);
wince; F sans ~ without turning a
hair.
tiqueté, e ♀, *orn., etc.* [tik'te] variegated, speckled.
tiqueur *vet.* [ti'kœːr] *m horse*: cribbiter.

tir [tiːr] *m* shooting; musketry;
artillery: gunnery; fire, firing;
shooting-match; rifle-range; (*a. jeu
m de ~*) shooting gallery; ~ à
cible target-practice; ~ à volonté
individual fire; ~ sur zone barrage;
à ~ rapide quick-firing (*gun*); ligne
f de ~ line of fire.

tirade [ti'rad] *f* tirade; *thea.* long
declamatory speech; ♩ run.
tirage [ti'raːʒ] *m* drawing, pulling,
hauling; *barge etc.*: towing; towpath; ⊕, *mot.* pull, draught; ⊕
wire-drawing; *stone*: quarrying;
lottery: draw; *phot. camera*: focal
length; *typ., phot.* action, *a. number
printed*: printing; *journ.* circulation;
fig. disagreement, friction; ~ à part
off-print; ~ au sort ballot(ing);
drawing lots; *cheval m de* ~ draughthorse; **tiraillement** [~raj'mã] *m*
tugging, pulling; *fig.* disagreement,
friction; 🎵 ~s *pl.* *d'estomac* pangs
of hunger, F aching void *sg.*; **tirailler** [~ra'je] (1a) *v/t.* pull about; *fig.*
pester (*s.o.*); *v/i.* blaze away, shoot

at random; ✂ ~ *contre* snipe at;
tiraillerie [⌣rɑj'ri] *f* friction;
pestering; ✂ firing at random; **ti-**
railleur [⌣rɑ'jœːr] *m* ✂ sharp-
shooter, rifleman; F free-lance
(journalist); **tirant** [⌣'rɑ̃] *m* purse-
string; boot-strap; *strap etc.*: pull;
⊕ rod; ⚓ tie-beam; tie-rod; *cuis.*
meat: sinew; ♪ ~s *pl.* braces; ⚓ ~
d'eau draught.   [pocket.⏌
tire [tiːr] *f*: *voleur m à la* ~ pick-⏌
tiré, e [ti're] **1.** *adj.* haggard, drawn;
fig. ~ *par les cheveux* far-fetched;
2. *su./m* ♱ drawee; *hunt.* shoot(ing-
preserve).
tire...: **~-au-flanc** *sl.* [tiro'flɑ̃] *m/*
inv. shirker; **~-balle** ✗ [⌣'bal] *m*
bullet-forceps; **~-botte** [⌣'bɔt] *m*
bootjack; boot-hook; **~-bouchon**
[⌣bu'ʃɔ̃] *m* corkscrew; *hair*: ringlet;
en ~ corkscrew (*curls*); **~-bouton**
[⌣bu'tɔ̃] *m* button-hook; **~-braise**
[⌣'brɛːz] *m/inv.* (*baker's*) rake;
~-clou ⊕ [⌣'klu] *m* nail-puller;
~-d'aile [⌣'dɛl] *adv.*: *à* ~ at full
speed, swiftly; **~-larigot** F [⌣lari-
'go] *adv.*: *à* ~ to one's heart's content; *boire à* ~ drink heavily *or* like
a fish; **~-ligne** [⌣'liɲ] *m* drawing-
pen; ♱ scriber.
tirelire [tir'liːr] *f* money-box; *sl.*
mug (= *face*).
tire-pied [tir'pje] *m* shoe-horn,
shoe-lift; (*shoemaker's*) stirrup;
tire-point ⊕ [⌣'pwɛ̃] *m* pricker;
tirer [ti're] (1a) **1.** *v/t.* pull, drag;
draw (*a. a wire, a line, wine*); ♱
a cheque, money; *a.* ⚓ *10 feet*; *fig.*
lots); tug; stretch; pull off (*boots*);
raise (*one's hat*) (to, *devant*); ✗ pull
out (*a tooth*); take out (*s.th. from
somewhere*); *fig.* derive, get; fire (*a
gun etc.*), let off (*a firearm*); *hunt.*
shoot at (*an animal*); *typ.* pull (*a
proof*), run off (*copies*); *gramm.*
borrow (*a word*) (from Greek, *du
grec*); ~ *du sang à* take a blood
specimen from (*s.o.*); ~ *en longueur*
stretch (*s.th.*) out; ~ *la langue* put
one's tongue out; *phot.* F ~ *le portrait de* snap (*s.o.*); ~ *les cartes* tell
fortunes (by the cards); ~ *les conséquences* draw the consequences;
~ *plaisir* (*vanité*) *de* derive pleasure
from (take pride in); ~ *son origine
de* spring from; ♱ ~ *une lettre de
change sur* draw a bill on (*s.o.*);
film m tiré d'un roman film adapted

from a novel; *se* ~ extricate o.s.
(from, *de*); F beat it; F *l'année se
tire* the year is drawing to its close;
s'en ~ make ends meet; scrape
through; *se* ~ *d'affaire* pull
through, get out of trouble; **2.** *v/i.*
pull (at, on *sur*); draw (*chimney,
oven, etc.*); tend (to *à, sur*); verge
(on *à, sur*); go, make (for, *vers*);
shoot, fire (at, *sur*); ♱ ~ *à découvert* overdraw one's account; ~ *à
sa fin* draw to a close; run low
(*stock*); ✂ F ~ *au flanc* swing the
lead, malinger; ~ *au large* ⚓ stand
out to sea; F *fig.* beat it, clear off;
~ *au sort* draw lots; ~ *en longueur*
drag on; ~ *sur le rouge* shade into
or border on red; ~ *sur une cigarette* (*sa pipe*) draw on a cigarette
(suck one's pipe); **tiret** *typ.* [⌣'rɛ]
m hyphen; dash; **tirette** [⌣'rɛt] *f*
draw-cords *pl.*, curtain cords *pl.*;
mot. (*bonnet*) fastener; *desk*: writ-
ing-slide; **tireur, -euse** [⌣'rœːr,
⌣'røːz] *su.* ⊕, ♱, *a.* beer, *etc.*:
drawer; *typ.* (*proof-*)puller; *gun*:
firer; shooter; marksman, shot;
phot. printer; pickpocket; *su./f*
phot. printing-box; ~*euse de cartes*
fortune-teller.
tiroir [ti'rwaːr] *m* desk, table, *etc.*:
drawer; ⊕, *a.* *slide-rule*: slide;
slide-valve; *à* ~s episodic (*play,
novel*); ✗ *en* ~ in echelon; **~-caisse**,
pl. ~s-caisses [⌣rwar'kɛs] *m* till.
tisane [ti'zan] *f* infusion; (*herb-*)tea;
tisanerie [⌣zan'ri] *f* hospital: pa-
tients' kitchen.
tison [ti'zɔ̃] *m* fire-brand; half-
burned log; fusee; **tisonné, e** [ti-
zɔ'ne] with black spots (*horse's
coat*); **tisonner** [⌣'ne] (1a) *vt/i.*
poke, stir; *v/t. fig.* fan (*a quarrel*);
tisonnier [⌣'nje] *m* poker; ⊕ ~s
pl. firing tools.
tissage *tex.* [ti'saːʒ] *m* weaving;
weave, mesh; cloth-mill; **tisser**
tex., a. fig. [⌣'se] (1a) *v/t.* weave;
tisserand *tex.* [tis'rɑ̃] *m* weaver;
tisserin *orn.* [⌣'rɛ̃] *m* weaver-bird;
tisseur *m*, -euse *f* [ti'sœːr, ⌣'søːz]
weaver; **tissu, e** [⌣'sy] **1.** *adj. fig.*
woven, made up; **2.** *su./m* *tex.*
fabric, textile, cloth; *fig.* texture;
biol., a. fig. lies *etc.*: tissue; **tissu-**
éponge, *pl.* **tissus-éponges** [⌣sye-
'pɔ̃ːʒ] *m* sponge-cloth; **tissure** *tex.,
a. fig.* [⌣'syːr] *f* texture.

titane ⚒ [ti'tan] *m* titanium.

titiller [titil'le] (1a) *v/t.* tickle, titillate.

titrage [ti'tra:ʒ] *m* ⚒, ⊕ titration; *metall.* assaying; ⊕ *thread, wire:* sizing; *cin.* insertion of the titles; **titre** [ti:tr] *m book, claim, eccl., gold, honour, nobility, office, song:* title; *book:* title-page; *chapter, page:* heading; *journ.* headline; *school:* certificate (*a.* ✝); *univ.* diploma; ✝ bond; *admin.* pass (*a.* ⚒), voucher; ⚖ *deed; fig.* claim; ⚒ strength, *alcohol:* degree; *metall. ore:* content; *coinage:* standard; ⊕ *thread, wire:* size; ~s *pl.* qualifications (for, *à*); ✝ stocks and shares, securities; *typ.* ~ *courant* running headline; ~ *de créance* proof of debt; *à* ~ *de* by right *or* virtue of; as a (*friend*); *à* ~ *d'office* ex officio; *à* ~ *gratuit* free; as a favo(u)r; *à juste* ~ rightly, deservedly; *en* ~ titular; on the permanent staff; *fig.* acknowledged; *typ.* *faux* ~ half-title; *or m au* ~ standard gold; **titrer** [ti'tre] (1a) *v/t.* give a title to; *cin.* title (*a film*); ⚒, ⊕ titrate; ⚒ standardize; *metall.* assay; ⊕ size (*thread, wire*).

tituber [tity'be] (1a) *v/i.* stagger, lurch, reel.

titulaire [tity'lɛ:r] **1.** *adj.* titular (*a. eccl.*); full, regular (*member*); **2.** *su.* holder; *passport:* bearer; *su./m eccl.* incumbent; *univ.* regular professor.

toast [tɔst] *m* toast; *porter un* ~ propose a toast (to, *à*); **toaster** [tɔs'te] (1a) *v/t.* toast (*s.o.*), drink to (*s.o.'s*) health.

toboggan [tɔbɔ'gã] *m* toboggan; *piste f de* ~ toboggan-run.

toc [tɔk] **1.** *int.* tap, tap!; rat-rat! (*at door*); **2.** *su./m sound:* tap, rap; ⊕ (*lathe-*)carrier; ⊕ catch; F sham jewellery; *en* ~ pinchbeck; **3.** *adj./ inv. sl.* touched, crazy.

tocsin [tɔk'sɛ̃] *m* alarm(-bell, -signal).

toge [tɔ:ʒ] *f hist. Rome:* toga; ⚖ *univ.* gown; ⚖ robe.

tohu-bohu [tɔybɔ'y] *m* confusion; hubbub.

toi [twa] *pron./pers. subject:* you, ✝ thou; *object:* you, ✝ thee; (to) you, ✝ (to) thee; *à* ~ to you, ✝ to thee; yours, ✝ thine.

toilage [twa'la:ʒ] *m* lace: ground.

toile [twal] *f* linen; cloth; *paint.* canvas; (oil) painting; (*spider's*) web; *thea.* curtain; ⚓ sail; ⚒ tent; ~s *pl. hunt.* toils; ✝ ~ *à matelas* tick(ing); ~ *à sac* sackcloth; ~ *à voiles* sail-cloth; ~ *cirée* ✝ oilcloth, American cloth; ⚓ oilskin; ✝ ~ *de coton* cotton(-cloth); *thea.* ~ *de fond* backcloth; ~ *métallique* wire gauze; *reliure f en* ~ cloth binding; **toilerie** ✝ [~'ri] *f* linen *or* textile trade; linen goods *pl.*; **toilette** [twa'lɛt] *f* toilet, washing, dressing; dressing table; (*woman's*) dress, costume; wash-stand; lavatory; *faire sa* ~ dress, F get ready; *objets pl. de* ~ toilet accessories; toilet, -ère [~- 'lje, ~'lje:r] **1.** *adj.* linen...; **2.** *su./m* ✝ linen dealer *or* manufacturer.

toi-même [twa'mɛ:m] *pron./rfl.* yourself, ✝ thyself.

toise [twa:z] *f* measuring apparatus; *fig.* standard (of comparison); ✝ *measure:* fathom; **toiser** [twa'ze] (1a) *v/t.* measure; △, *surv.* survey for quantities; *fig.* eye (*s.o.*) from head to foot, weigh (*s.o.*) up.

toison [twa'zɔ̃] *f* fleece; F *fig.* shock of hair.

toit [twa] *m* roof (*a.* ⚒); house-top; *mot.* ~ *ouvrant* sunshine roof; *fig. crier sur les* ~s shout (*s.th.*) from the housetops; **toiture** [twa'ty:r] *f* roof (-ing).

tokai, tokay [tɔ'kɛ] *m wine:* Tokay.

tôle [to:l] *f* ⊕ sheet-metal, sheet-iron; (*galvanized, enamelled, etc.*) iron; plate; boiler-plate; *sl.* prison, cells *pl.*; ~ *ondulée* corrugated iron.

tolérable [tɔle'rabl] tolerable, bearable; **tolérance** [~'rã:s] *f* ⊕, ⚖, *coinage, a. fig.:* tolerance; ⊕ limits *pl.*, margin; *admin.* allowance; (*religious*) toleration; *maison f de* ~ licensed brothel; **tolérant, e** [~'rã, ~'rã:t] tolerant; **tolérer** [~'re] (1f) *v/t.* tolerate (*a.* ⚖ *a drug*); *fig.* overlook; F bear, endure.

tôlerie [tol'ri] *f* sheet-iron and steel-plate goods *pl. or* trade *or* works *usu. sg.*

tolet ⚓ [tɔ'lɛ] *m* thole-pin.

tôlier [to'lje] *m* ✝ sheet-iron merchant; sheet-iron worker; *sl.* innkeeper.

tomate ♀ [tɔ'mat] *f* tomato.

tombac *metall.* [tɔ̃'bak] *m* tombac(k).

tombale [tɔ̃'bal] *adj./f: pierre f* ~ tombstone.

tombant, e [tɔ̃'bɑ̃, ~'bɑ̃:t] falling; drooping (*moustache, shoulders*); sagging (*branch*); flowing (*hair*); *à la nuit* ~*e* at nightfall.

tombe [tɔ̃:b] *f* tomb, grave; tombstone; **tombeau** [tɔ̃'bo] *m* tomb; *fig.* death.

tombée [tɔ̃'be] *f* rain: fall; *à la* ~ *de la nuit* (*or du jour*) at nightfall; **tomber** [~'be] (1a) **1.** *v/i.* fall (*a.* ✕, *a. fig.* hair, night, government, *etc.*); tumble (down), fall (down); decline; drop (*a.* ✻ *fever*); decrease; subside (*rage, wind, a. fever*) die down (*feelings, fire, storm*); flag (*conversation*); *fig.* fail; *thea.* fall flat (*play*); ✻ crash; *fig.* become; *fig.* go out of fashion; *fig.* drop in (on, *chez*); ~ *à rien* come to nothing; ~ *bien* (*or juste*) happen or come at the right moment; ~ *d'accord* reach agreement, agree; ~ *dans le ridicule* make a fool of o.s.; ~ *de fatigue* be ready to drop; ~ *en disgrâce* fall into disgrace; ~ *le mardi* fall on a Tuesday (*festival*); ~ *mal* be inopportune; ~ *malade* (*mort, amoureux*) fall ill (dead, in love); ~ *sur* meet (with), run *or* come across; ✕ fall on (*the enemy*); *faire* ~ bring down; *cards:* drop; *il tombe de la neige* it is snowing; *laisser* ~ drop (*s.th., one's voice*, F *s.o.*); give up, discard; F *les bras m'en tombent* I am flabbergasted; **2.** *v/t.* ✻ *wrestling:* throw (*s.o.*); ⊕ turn up or down (*the edge of a plate etc.*); *thea.* bring about the failure of, F kill; **tombereau** [tɔ̃'bro] *m* (tip-)cart; 🚛 open truck; truckload; *hist.* tumbrel; ~ *à ordures* dust-cart; **tombeur** [~'bœ:r] *m* 🛆 housebreaker; *sp.* wrestler; F ~ *de femmes* lady-killer.

tombola [tɔ̃bɔ'la] *f* lottery, raffle.

tome [tɔ:m] *m* tome, (large) volume.

tomenteux, -euse ⚘, *biol.* [tɔmɑ̃'tø, ~'tø:z] tomentose, downy.

ton¹ *m*, **ta** *f*, *pl.* **tes** [tɔ̃, ta, te] *adj./poss.* your; † thy.

ton² [tɔ̃] *m* ♪ key; ♪ pitch; *voice, paint., phot.,* ♪, *a.* ♪ *instrument:* tone; *paint., phot.* tint; ✝ shade, colo(u)r; *fig.* (*good etc.*) form; ♪ ~ *d'église* church mode; ♪ *donner du* ~ (*à q.*) brace (s.o.) up, act as a tonic (on s.o.); **tonal, e,** *m/pl.* **-als** ♪ [tɔ̃-] 'nal] tonal; **tonalité** [~nali'te] *f* ♪, *paint., phot.* tonality; *radio:* tone.

tondage [tɔ̃'da:ʒ] *m vet.* dipping; shearing (*a. tex.*); **tondaille** [~'dɑ:j] *f* (sheep-)shearing; **tondaison** [~dɛ'zɔ̃] *f see* tonte; **tondeur, -euse** [~'dœ:r, ~'dø:z] *su.* shearer; *vet., a.* ♪ clipper; *su./f* shears *pl.*; ♪ lawnmower; *hair, dog's coat:* clippers *pl.*; **tondre** [tɔ̃:dr] (4a) *v/t. vet., a.* ⊕ shear; *sheep:* crop (*the grass*); clip (*dog, hair, hedge, horse*); *fig.* fleece (s.o.).

tonicité ✻ [tɔnisi'te] *f* tonicity; **tonifier** ✻ [~ni'fje] (1o) *v/t.* tone up, brace; **tonique** [~'nik] **1.** *adj.* tonic (✻, *a. gramm.*); *accent m* ~ stress, tonic; **2.** *su./m* ✻ tonic; *su./f* ♪ tonic, key-note.

tonitruant, e *fig.* [tɔnitry'ɑ̃, ~'ɑ̃:t] thundering; violent (*wind*); **tonitruer** *fig.* [~'e] (1a) *v/i.* thunder.

tonnage ⚓ [tɔ'na:ʒ] *m* tonnage; displacement.

tonnant, e [tɔ'nɑ̃, ~'nɑ̃:t] thundering (*a. fig. voice*).

tonne [tɔn] *f measure:* metric ton; tun, cask; **tonneau** [tɔ'no] *m* cask, barrel; governess-cart; *mot.* tonneau; ✝ toll, horizontal spin; *au* ~ draught (*beer*); **tonnelage** [tɔn'la:ʒ] *m* cooperage; ✝ *marchandises f/pl. de* ~ goods in barrels; **tonnelet** [~'lɛ] *m* keg (*a.* ⚓); small cask; *oil:* drum; **tonnelier** ⊕ [tɔnə'lje] *m* cooper; **tonnelle** [~'nɛl] *f* 🏛 barrel-vault, semicircular arch; *fig.* bower; *hunt.* tunnel-net; **tonnellerie** ⊕ [~nɛl'ri] *f* cooperage; cooper's shop.

tonner [tɔ'ne] (1a) *v/i.* thunder (*a. fig.*); *fig.* boom (out); **tonnerre** [~'nɛ:r] *m* thunder (*a. fig.*); F thunderbolt, lightning; ✕ † *fire-arm:* breech; *coup m de* ~ thunderclap, peal of thunder; *fig.* thunderbolt.

tonsure [tɔ̃'sy:r] *f* tonsure; *fig.* priesthood; **tonsurer** [~sy're] (1a) *v/t.* tonsure.

tonte [tɔ̃:t] *f* (sheep-)shearing; shearing-time; *tex.* shearing; ♪ clipping; *lawn:* mowing.

tonton F [tɔ̃'tɔ̃] *m* uncle.

tonture [tɔ̃'ty:r] *f tex.* shearing(s *pl.*); ♪ *action:* clipping; *action:* mowing; clippings *pl.* (*from hedge etc.*); cut grass (*from lawn*); ⚓ sheer.

topaze *min.* [tɔ'paːz] *f* topaz; ~ brûlée (*occidentale*) pink (false) topaz.

tope! [tɔp] *int.* agreed!; done!;
toper *fig.* [tɔ'pe] (1a) *v/i.* agree;
shake hands on it.

tophus ♨ [tɔ'fys] *m* toph(us), chalk-
stone.

topinambour ♧, *cuis.* [tɔpinɑ̃'buːr]
m Jerusalem artichoke.

topique [tɔ'pik] **1.** *adj.* local (*a.* ♨);
fig. to the point, relevant; **2.** *su./m*
♨ local *or* topical remedy; *phls.*
commonplace.

toquade F [tɔ'kad] *f* passing craze,
infatuation.

toquante *sl.* [tɔ'kɑ̃ːt] *f* ticker (=
watch).

toque *cost.* [tɔk] *f* chef, jockey, univ.,
♟: cap; (*woman's*) toque.

toqué, e F [tɔ'ke] crazy, dotty, daft,
Am. sl. nuts; ~ de infatuated with,
sl. mad about (*a hobby, a woman*,
etc.); **toquer** [~] (1m) *v/t.* drive
(*s.o.*) crazy; *fig.* infatuate; se ~ lose
one's head (over, de).

torche [tɔrʃ] *f* torch; *paint.* (*cleaning*) rag; straw pad; *market-porter:*
pad (*on the head*); ♒ se mettre en
~ *parachute:* snake, fail to open;
torcher [tɔr'ʃe] (1a) *v/t.* wipe
(*s.th.*) (clean); daub (*the wall*),
cover (*the floor, the wall*) with cob-
mortar; F *fig.* polish off, do (*s.th.*)
quickly; *pej.* botch, scamp (*one's
work*); **torchère** [~'ʃɛːr] *f* standard-
lamp; candelabra; **torchette** [~'ʃet]
f wisp of straw (*for cleaning*); house
flannel; *tex.* hank; **torchis** ♧ [~'ʃi]
m cob; **torchon** [~'ʃɔ̃] *m* dish-cloth;
duster; floor-cloth; *packing:* twist
of straw; *papier-*~ *m* torchon-paper;
torchonner F [~ʃɔ'ne] (1a) *v/t.*
wipe; *sl.* botch, scamp (*one's work*).

tordage [tɔr'daːʒ] *m* twisting; *tex.
etc.* twist; **tordant, e** F [~'dɑ̃, ~
'dɑ̃ːt] screamingly funny; **tord-
boyaux** F [tɔrbwa'jo] *m/inv.* strong
(but poor) brandy, *sl.* rot-gut; rat-
poison; **tordeur, -euse** [tɔr'dœːr,
~'døːz] *su. tex.* person: twister; *su./f*
⊕ cable-twisting machine; *zo.* leaf-
roller moth; **tordoir** ⊕ [~'dwaːr]

m rope-twister, rack-stick; cable-
twisting machine; *laundry:* wringer; oil-mill; **tordre** [tɔrdr] (4a) *v/t.*
⊕ twist; wring (*hands, s.o.'s neck,
clothes, a. fig. s.o.'s heart*); distort,
twist (*one's features, the mouth, the
meaning*); ⊕ buckle (*metal*); se ~
twist, writhe; (*a.* se ~ de rire) roar
with laughter.

tore △, ♱, ♧ [tɔːr] *m* torus; ♱ *a.*
ring.

toréador [tɔrea'dɔːr] *m* bull-fighter.

torgn(i)ole [tɔr'nɔl] *f* slap, blow.

tornade [tɔr'nad] *f* tornado; *fig.*
torrent of abuse.

toron¹ △ [tɔ'rɔ̃] *m* lower torus.

toron² [tɔ'rɔ̃] *m* rope: strand; *straw:*
wisp.

torpeur [tɔr'pœːr] *f* torpor; **torpide**
[~'pid] torpid.

torpille ♱, ♒, *a. icht.* [tɔr'piːj] *f*
torpedo; **torpiller** ♱ [~pi'je] (1a)
v/t. torpedo (*a ship, a. fig. a scheme*);
torpilleur ♱ [~pi'jœːr] *m* destroyer; *person:* torpedo man.

torréfacteur [tɔrrefak'tœːr] *m* (cof-
fee-)roaster; **torréfaction** [~fak-
'sjɔ̃] *f* (coffee-)roasting; torrefac-
tion; **torréfier** [~'fje] (1o) *v/t.*
roast (*coffee etc.*); torrefy; *sun:*
scorch (*s.o.*).

torrent [tɔ'rɑ̃] *m* torrent (*a. fig.*);
fig. abuse, light, tears: flood; **tor-
rentiel, -elle** [tɔrɑ̃'sjɛl] torrential;
torrentueux, -euse [~'tɥø, ~'tɥøːz]
torrent-like, torrential.

torride [tɔ'rid] *geog.* torrid; *fig.*
scorching (*heat*).

tors, torse [tɔːr, tɔrs] **1.** *adj.*
twisted, △ wreathed (*column*); F
crooked, bandy; cou *m* ~ wry neck;
2. *su./m* rope *etc.*: twist; (*twisted*)
cord; **torsade** [tɔr'sad] *f* hair:
twist-joint; △ cable mo(u)lding;
♒, ♱ *epaulet:* thick bullion; en ~
coiled (*hair*); **torsader** [~sa'de]
(1a) *v/t.* ⊕ twist (*wires etc.*) (together); coil (*hair*).

torse [tɔrs] *m* trunk, torso; F chest.

torsion [tɔr'sjɔ̃] *f* rope, wire, *etc.*:
twisting; *phys., ♱, mot.* torsion;
moment *m* de ~ torque.

tort [tɔːr] *m* wrong; mistake, error,
fault; damage, harm; à ~ wrongly;
à ~ ou à raison rightly or wrongly;
avoir ~ be wrong; faire ~ à injure;
defraud (of, de).

torticolis ⚕ [tɔrtikɔ'li] *m* crick (in the neck); stiff neck.

tortillage F [tɔrti'jaːʒ] *m* quibbling, wriggling; underhand intrigue; tortuous *or* involved language; **tortillard, e** [~ti'jaːr, ~'jard] **1.** *adj.* cross-grained; ⚘ dwarf (*elm*); **2.** *su./m* 🚂 small local railway; **tortille** [~'tiːj] *f* winding path (*in a wood etc.*); **tortillement** [~tij'mɑ̃] *m* twist(ing); *worm, a. fig.*: wriggling; *fig.* quibbling, subterfuge; **tortiller** [~ti'je] (1a) *v/t.* twist (up); kink (*a rope*); twirl (*one's moustache*); se ~ wriggle; writhe, squirm; *v/i.* F *fig.* prevaricate, quibble, wriggle; ~ *des hanches* swing *or* F wiggle one's hips; **tortillon** [~ti'jɔ̃] *m hair, paper*: twist; *straw*: wisp; *market-porter*: head-pad.

tortionnaire [tɔrsjɔ'nɛːr] **1.** *adj.* torture-..., of torture; ⚖ iniquitous; wicked; **2.** *su./m* executioner, torturer.

tortis [tɔr'ti] *m* twisted threads *pl.*;

tortu, e [tɔr'ty] crooked. [torsel.]

tortue [tɔr'ty] *f zo.* tortoise; F *à pas de* ~ at a snail's pace; *cuis. soupe f à la* ~ turtle-soup.

tortueux, -euse [tɔr'tɥø, ~'tɥøːz] tortuous (*a. fig. conduct*), winding; twisted (*tree*); *fig.* crooked (*conduct, person*); *fig.* wily (*person*).

torture [tɔr'tyːr] *f* torture; **torturer** [~ty're] (1a) *v/t.* torture; *fig.* twist, strain (*the sense, a text*); se ~ *l'esprit* rack one's brains.

torve [tɔrv] menacing; forbidding; *regard m* ~ grim look; scowl.

tôt [to] *adv.* soon; early; ~ *ou tard* sooner or later; *au plus* ~ at the earliest; *faites* ~*!* do it quickly!; F look sharp!; *le plus* ~ *possible* as soon as possible.

total, e, *m/pl.* **-aux** [tɔ'tal, ~'to] **1.** *adj.* total, complete; **2.** *su./m* (sum) total; *au* ~ on the whole; **totalisateur** [tɔtaliza'tœːr] *m* adding-machine; *turf*: totalizator; **totalisation** [~za'sjɔ̃] *f* totalization; totting up, adding up; **totalisatrice** [~za'tris] *f* cash register; **totaliser** [~'ze] (1a) *v/t.* totalize, tot up, add up; **totalitaire** [~'tɛːr] totalitarian; **totalitarisme** [~ta'rism] *m* totalitarianism; **totalité** [~'te] *f* whole, total; *en* ~ wholly.

toton [tɔ'tɔ̃] *m* teetotum; F *faire tourner q. comme un* ~ twist s.o. round one's little finger.

touage ⚓ [twaːʒ] *m* chain-towage (dues *pl.*); kedging.

touaille [twɑːj] *f* roller-towel.

toubib F [tu'bib] *m* doctor, medical officer, F doc.

touchant, e [tu'ʃɑ̃, ~'ʃɑ̃ːt] **1.** *adj.* touching, moving; **2.** *su./m* touching thing (about s.th., *de qch.*); **3.** *touchant prp.* concerning, about, with regard to; **touchau** [tu'ʃo] *m* (*goldsmith's*) touch-needle, test-needle; **touche** [tuʃ] *f* touch (*a. paint., sp.*); test(ing); *typewriter,* ♪ *piano*: key; ♪ *violin etc.*: finger-board; ⚡ contact; goad; *cattle*: drove; *book*: thumb-index; *paint. etc., a. fig.* style, manner; *foot.* throw-in; *foot.* (*a. ligne f de* ~) touch-line; *fencing, billiards*: hit; ♪ ~*s pl. guitar*: frets; *tel.* ~ *d'interruption* break-key; *arbitre m de* ~ *foot.* linesman; *rugby*: touch-judge; *pierre f de* ~ touchstone (*a. fig.*); **touche-à-tout** [tuʃa'tu] *su./inv.* busybody, meddler; Jack of all trades; **toucheau** [~'ʃo] *m see touchau*; **toucher** [~'ʃe] **1.** (1a) *v/t.* touch, hit (*a ball,* ⚔ *the mark, an opponent*); feel; ⊕ try, test (*metal*); ♪ play; drive (*cattle*); receive, draw (*money*); ✝ collect (*a bill*); *fig.* move (*s.o.*) (*to tears etc.*); deal with, touch on, allude to (*a matter, a question*); strike (*a.* ⚓ *rock*); *v/i.*: ~ *à* border on (*a place, a. fig.*); be in contact with (*s.th.*); be near to (*an age, a place, a. fig.*); reach to; *fig.* affect (*interests, question, welfare*); ⚓ call at; ~ *à sa fin* be drawing to a close; *défense f de* ~*!* hands off!; F *touchez là!* shake hands on it!; F put it there!; shake!; **2.** *su./m* touch (*a.* ♪ *of a pianist*); feel; **touchette** ♪ [~'ʃɛt] *f guitar etc.*: fret, stop; **toucheur** [~'ʃœːr] *m* (cattle-)drover; *typ.* inking-roller.

toue ⚓ [tu] *f* river barge; chain-ferry; kedging; warping; **touée** ⚓ [twe] *f* kedging; warping; warp, warping-cable; *cable, rope, ship at anchor*: scope; **touer** ⚓ [~] (1p) *v/t.* kedge; warp; chain-tow; take in tow; **toueur, -euse** [twœːr, twøːz] **1.** *adj.* warping; **2.** *su./m person*: warper; tow-boat.

touffe [tuf] *f grass, hair*: tuft; *hay, straw*: wisp; *flowers*: bunch; *trees*: clump; **touffeur** [tu'fœːr] *f room*: stifling heat; F fug; **touffu, e** [~'fy] bushy (*beard etc.*); thickly wooded (*scenery*); close, tangled (*thicket*); *fig.* abstruse; that is heavy reading (*book*).

toujours [tu'ʒuːr] *adv.* always, ever; still; nevertheless, anyhow; ~ est-il que the fact remains that; *pour* (*or à*) ~ for ever.

toundra *geog.* [tun'dra] *f* tundra.

toupet [tu'pɛ] *m* tuft of hair; *person, a. horse*: forelock; F *fig.* impudence, cheek; *faux* ~ transformation, toupet.

toupie [tu'pi] *f* (spinning-)top; peg-top; ⊕ mo(u)lding lathe; ~ *d'Allemagne* humming-top; F *vieille* ~ old frump; **toupiller** [tupi'je] (1a) *v/t.* ⊕ shape (*wood*); *v/i.* spin round; bustle about.

toupillon [tupi'jɔ̃] *m hair etc.*: small tuft.

tour[1] [tuːr] *f* tower; *chess*: castle, rook.

tour[2] [~] *m* ⊕ *machine, key, phrase, order, fig.*: turn; ⊕ revolution; (*potter's*) wheel; ⊕ lathe; circuit, circumference; *cost.* size, measurement; turning, winding; *face*: outline; *affairs*: course; trip, walk, stroll; ⚗, *a. road*: twist; ⚗ sprain; *sp. tennis*: round; *fig.* feat; trick; *fig.* manner, style; ~ *à* ~ by turns; *sp.* ~ *cycliste* cycle race; ~ *de force* feat (*of strength or skill*); ~ *de main* knack, skill; *fig.* tricks *pl.* of the trade; *sp.* ~ *de piste* lap; *cost.* ~ *de poitrine man*: chest measurement; *woman*: bust measurement; ⚗ ~ *de reins* crick in the back; *cost.* ~ *de taille* waist measurement; *à mon* ~ in my turn; *à* ~ *de bras* with all one's might; *à* ~ *de rôle* in rotation; *c'est* (*à*) *son* ~ it is his turn; *en un* ~ *de main* in a twinkling, straight away; ⚓ *faire le* ~ swing the ship; capsize; *faire le* ~ *de* go round (*the world etc.*); *faire un mauvais* ~ *à q.* play a dirty trick on s.o.; *faire un* ~ take a stroll; *fermer à double* ~ double-lock (*a door*); *par* ~ *de faveur* out of (one's proper) turn.

touraille ⊕ [tu'raːj] *f* malt-kiln; **touraillon** ⊕ [~ra'jɔ̃] *m brewing*: cummings *pl.*

tourbe[1] [turb] *f* mob, rabble.

tourbe[2] [turb] *f* peat, turf; **tourbeux, -euse** [tur'bø, ~'bøːz] ⚘ peaty, boggy; *marais m* ~ peat-bog; **tourbier** [~'bje] *m* peat-worker; **tourbière** [~'bjɛːr] *f* peat-bog.

tourbillon [turbi'jɔ̃] *m* whirlwind; *dust*: swirl; whirlpool; eddy; *astr., fig.* vortex; *fig.* whirl; *fig.* round; ~ *de neige* snowstorm; **tourbillonner** [~jɔ'ne] (1a) *v/i.* swirl; whirl round.

tour-de-cou, *pl.* **tours-de-cou** *cost.* [turdə'ku] *m* neckband.

tourelle [tu'rɛl] *f* △, ⚔, ⚓, ⊕, ⚒ turret; ⊕ *lathe*: capstan.

touret [tu'rɛ] *m* ⊕ small wheel; *winch*: drum; ⚡ cable drum; ⊕ *tool*: bow-drill; *lines, ropes, etc.*: reel; ~ *à polir* polishing lathe.

tourie [tu'ri] *f* carboy.

tourier [tu'rje] *m monastery*: porter; **tourière** [~'rjɛːr] *f convent*: portress; **tourillon** [~ri'jɔ̃] *m wheel*: spindle; *gate*: pivot; *piston*: gudgeon; crank-pin; trunnion.

tourisme [tu'rism] *m* touring; holiday travel; tourist industry; *bureau m de* ~ travel agency; *voiture f de* ~ touring-car, F tourer; **touriste** [~'rist] *su.* tourist; F tripper; **touristique** [~ris'tik] travel ...; touristic, tourist ...

tourment [tur'mɑ̃] *m* torment, torture (*a. fig.*); *fig.* agony, anguish; ~s *pl. hunger*: pangs; **tourmente** [~'mɑ̃ːt] *f* storm (*a. fig.*), tempest, gale; *fig.* turmoil; ~ *de neige* blizzard; **tourmenter** [turmɑ̃'te] (1a) *v/t.* torture, torment; *fig.* worry, trouble; *fig.* pester, harry; ⚓ *wind*: toss (*a ship*) about; *fig.* over-elaborate (*a picture, a theme, etc.*); **tourmenteur, -euse** [~'tœːr, ~'tøːz] tormenting; **tourmentin** ⚓ [~'tɛ̃] *m* storm-jib.

tournage [tur'naːʒ] *m* ⊕ turning (*on a lathe*); ⚓ belaying; *cin.* shooting; **tournailler** F [~na'je] (1a) *v/i.* prowl about; **tournant, e** [~'nɑ̃, ~'nɑ̃ːt] **1.** *adj.* turning; revolving; winding (*path, road*); spiral (*staircase*); **2.** *su./m road, river*: turning, bend; (*street*) corner; whirlpool, eddy; *mill*: water-wheel; **tourne-broche** [turnə'brɔʃ] *m* roasting-jack; † turnspit; **tourne-disque** [~'disk] *m grammophone*: turn-

table; **tournedos** *cuis.* [ˌ'do] *m*
tournedos; fillet steak; **tournée**
[tur'ne] *f admin., a.* ⚓ round; 🚂
circuit; *thea.* tour; *fig.* round (of
drinks); F *fig.* thrashing; *faire la* ~
de visit, do the round of, F do;
tournemain † [ˌnə'mɛ̃] *m*: *en un* ~
in a twinkling, straight away; **tourner** [ˌ'ne] (1a) **1.** *v/t.* turn; rotate
(*a wheel*); turn round (*a corner*);
wind (*s.th. round s.th.*); ⊕ shape,
fashion; *cuis.* stir (*a liquid*); ⚓
make fast (*a hawser*); *cin.* shoot,
make (*a film*), *actor*: star in (*a film*);
✗ outflank; *fig.* evade (*a difficulty,
a law*), get round (*a.* ✗); *fig.* turn
over (*a. a page*), revolve (*a problem*); convert (into, en); ~ *la tête*
(*l'estomac*) *à q.* turn s.o.'s head
(stomach); *se* ~ turn (round);
change (into, en); **2.** *v/i.* turn; go
round, revolve; ⊕ run, go; spin
(*top*); wind (*path, road*); *fig.* whirl
(*head*); change (*weather, wind*);
shift (*wind*); *cin.* film; ripen (*fruit*);
curdle (*milk*); *fig.* turn out (*badly,
well*); *fig.* ~ *à* become, tend to
(-wards); ~ *à droite* turn to the right;
~ *au beau* turn fine; *mot.* ~ *au ralenti* idle, tick over; *bien tourné* handsome, well set-up; *il tourne cœur
cards*: the turn-up is hearts; *la tête
me tourne* I feel giddy, my head is
spinning; *mal* ~ go to the bad;
tournerie ⊕ [ˌnə'ri] *f* turner's
shop.
tournesol [turnə'sɔl] *m* ♀ sunflower; 🜂 litmus.
tournette [tur'nɛt] *f tex.* reel;
squirrel's cage; turn-table; ⊕ circular glass-cutter; **tourneur, -euse**
[ˌ'nœːr, ˌ'nøːz] **1.** *adj.* dancing
(*dervish*); **2.** *su./m* ⊕ turner;
(*screw-*)cutter; *pottery*: thrower;
tournevent [ˌnə'vɑ̃] *m* chimney-
jack; chimney-cowl; **tournevis** ⊕
[ˌnə'vis] *m* screw-driver.
tourniole ⚕ F [tur'njɔl] *f* whitlow
(*round a nail*).
tourniquet [turni'kɛ] *m* turnstile;
⫟ revolving stand; ⚲ sprinkler;
⊕ catch; *shutter*: button; ⚡ vane;
🎆 tourniquet; ✗ F *passer au* ~ be
court-martialled.
tournis *vet.* [tur'ni] *m sheep*: staggers *pl.*
tournoi [tur'nwa] *m sp. etc.* tourna-
ment; *whist*: drive; **tournoiement**

[turnwa'mɑ̃] *m* spinning, whirling;
water: swirling; *bird*: wheeling; 🎆
dizziness; **tournoyer** [ˌ'je] (1h) *v/i.*
spin; turn round and round, whirl;
swirl (*water*); wheel (*bird*); *fig.*
quibble.
tournure [tur'nyːr] *f* turn, direction; figure, shape; cast; *mind,
phrase*: turn; ⊕ *lathe*: turning(s
pl.); *prendre une meilleure* ~ take
a turn for the better.
tourte [turt] *f cuis.* (covered) pie
or tart; F dolt, duffer; **tourteau**
[tur'to] *m* round loaf; cattle-cake,
oil-cake; edible crab; ⊕ centre-
boss.
tourtereau *orn.* [turtə'ro] *m* young
turtle-dove (*a. fig.*); **tourterelle**
orn. [ˌ'rɛl] *f* turtle-dove.
tourtière *cuis.* [tur'tjɛːr] *f* pie-dish;
baking-tin.
tous [tu; tus] *see* **tout**.
Toussaint *eccl.* [tu'sɛ̃] *f*: *la* ~ All
Saints' Day; *la veille de la* ~ Hal-
lowe'en.
tousser [tu'se] (1a) *v/i.* cough;
tousseur *m*, **-euse** *f* [ˌ'sœːr, ˌ'søːz]
cougher; **toussoter** [ˌsɔ'te] (1a)
v/i. give little coughs; have a slight
cough.
tout *m*, **toute** *f*, **tous** *m/pl.*, **toutes**
f/pl. [tu, tut, tu, tut] **1.** *adj. before
unparticularized noun*: all, any,
every; sole, only; *intensive*: very,
most, utmost, extreme; *before
particularized su./sg.*: all, the whole
(of); *before particularized su./pl.*:
all, every, every one of; *with numerals*: all; *with numeral + su./pl.*
every + *su./sg.*; ~ *homme* every or
any man; *pour toute nourriture* as
sole food; *de toute fausseté* completely false; *toute la (une) ville* the
(a) whole town; ~ *le monde* everyone; ~ *Paris* all *or* the whole of
Paris; *toutes les semaines* every
week; *tous les cinq* all five; *tous les
deux* both; *toutes les cinq (deux)
semaines* every fifth (other) week;
2. *pron./indef.* [*m/pl.* tus] all; everything; ~ *est là* everything is there;
après ~ after all; *bonne f à* ~ *faire*
maid of all work; *c'est (or voilà)* ~
that is all; *c'est à* ~ *dire* that's the
long and the short of it; *et* ~ *et* ~
and all the rest of it; *nous tous* all
of us; *six fois en* ~ six times in all;
3. *su./m* the whole, all; the main

thing; A̸ (*pl.* **touts** [tu]) total; *du* ~ *au* ~ completely, entirely; *pas du* ~ not at all; **4.** *adv.* (*before adj.|f beginning with consonant or aspirate h, agrees as if adj.*) quite, completely; all; very; ready(-*cooked*, -*made*, *etc.*); right; stark (*naked*, *mad*); straight (*ahead*, *forward*); ~ *à coup* suddenly; ~ *à fait* completely; ~ *à l'heure* a few minutes ago; in a few minutes; ~ *au plus* at the very most; ~ *autant* quite as much *or* many; ~ *d'abord* at first; ~ *de même* all *or* just the same; ~ *de suite* at once, immediately; ~ *restaurant*: in a moment; ~ *d'un coup* at one fell swoop; ~ *en* (*ger.*) while (*ger.*); ~ *petits enfants* very young children; ~ *sobre qu'il paraît* however sober he seems *or* may seem, sober though he seems *or* may seem; *à ~ à l'heure!* see you later!; *c'est ~ un* it's all the same; *elle est toute contente* (*honteuse*) she is quite content (ashamed); *elle est tout étonnée* she is quite astonished.

tout-à-l'égout [tutale'gu] *m/inv.* main-drainage, direct-to-sewer drainage.

toute [tut] *see* **tout**; ~**fois** [~'fwa] *cj.* however, still, nevertheless; ~**-puissance** *eccl.* [~pɥi'sã:s] *f* omnipotence.

toutou *ch.sp.* [tu'tu] *m* doggie, bow-wow.

tout-venant 🗙 [tuvə'nã] *m* unscreened coal.

toux [tu] *f* cough; *accès m* (*or quinte f*) *de* ~ fit of coughing.

toxicité [tɔksisi'te] *f* toxicity; **toxicologie** 🦠 [~kɔlɔ'ʒi] *f* toxicology; **toxicomane** 🦠 [~kɔ'man] *su.* dope-fiend; drug-addict; **toxicomanie** 🦠 [~kɔma'ni] *f* dope-habit, drug-habit; **toxine** 🦠 [tɔk'sin] *f* toxin; **toxique** [~'sik] **1.** *adj.* toxic; poisonous; **2.** *su./m* poison.

trac F [trak] *m* fright; *thea.* stage-fright; *avoir le* ~ get the wind up; *tout à* ~ blindly, without reflection.

tracas [tra'kɑ] *m* bother, worry, trouble; ⊕ hoist-hole, *Am.* hoist-way; **tracasser** [~ka'se] (1a) *v/t.* bother, worry; *se* ~ worry (about, *pour*); **tracasserie** [~kas'ri] *f* worry, fuss; pestering; ~*s pl.* irritating interference *sg.*; pin-pricks; **tracassier, -ère** [~ka'sje, ~'sjɛːr] **1.** *adj.*

vexatious; fussy (*person*); interfering (*person*); **2.** *su.* busybody; fussy person; troublesome person.

trace [tras] *f* trace; *vehicle*: track; *animal, person*: trail; footprints *pl.*; *fig.* footsteps *pl.*; *burn, suffering*: mark; *fig.* sign; **tracé** [tra'se] *m* tracing, sketching; *town etc.*: lay-out; *road*: lie; A̸ graph; 🔺 *etc.* outline, drawing, plan; **tracer** [~] (1k) *v/t.* trace; lay out; mark out; A̸ plot (*a curve, a graph*); draw (*a line, a plan*); sketch (*an outline, a plan*); *fig.* show; *v/i.* 🌱 creep; *zo.* burrow (*mole*); **traceret** ⊕ [tras'rɛ] *m* scriber, tracing-awl; **traceur, -euse** [tra'sœːr, ~'søːz] *su., a. adj.* ⊕, 🗙, *etc.* tracer.

trachée [tra'ʃe] *f* 🌱, *zo.* trachea; 🌱 duct; F *anat.* = ~**-artère**, *pl.* ~**s-artères** *anat.* [~ʃear'tɛːr] *f* trachea, windpipe; **trachéite** 🦠 [~ʃe'it] *f* tracheitis; **trachéotomie** 🦠 [~keɔto'mi] *f* tracheotomy; **trachome** 🦠 [~'kɔːm] *m* trachoma.

traçoir ⊕ [tra'swaːr] *m see* **traceret**.

tract [trakt] *m* tract; leaflet.

tractation *pej.* [trakta'sjɔ̃] *f* deal (-ing); bargaining.

tracté, e [trak'te] tractor-drawn; **tracteur** [~'tœːr] *m* tractor, traction-engine; ~ *à chenilles* caterpillar-tractor; **traction** [~'sjɔ̃] *f* traction; pulling; draught, *Am.* draft; *sp.* pull-up; 🚂 rolling-stock department; *mot.* (*a.* ~ *avant*) car with front-wheel drive; ⊕ *etc.* essai *m de* ~ tension test.

tradition [tradi'sjɔ̃] *f* tradition; ⚖ delivery; folklore; *de* ~ traditional; **traditionaliste** [~sjɔna'list] *su.* traditionalist; **traditionnel, -elle** [~sjɔ'nɛl] traditional; standing (*joke etc.*); habitual.

traducteur *m*, **-trice** *f* [tradyk'tœːr, ~'tris] translator; **traduction** [~'sjɔ̃] *f* translation; interpretation; **traduire** [tra'dɥiːr] (4h) *v/t.* translate; convert (into, *en*); interpret, express; ~ *en justice* summon, sue, prosecute; *se* ~ *par* be translated by; *fig.* be expressed by; **traduisible** [~dɥi'zibl] translatable; ⚖ ~ *en justice* liable to prosecution *or* to be sued.

trafic [tra'fik] *m* traffic (*a. fig. pej.*); trading; *teleph.* ~ *interurbain* trunk traffic; *faire le* ~ *de* traffic in; **trafi-**

quant [trafi'kã] *m* trader; trafficker (in de, en) (*a. pej.*); **trafiquer** [⸗'ke] (1m) *v/i.* trade, deal (in, en); *usu. pej.* traffic; *v/t.* negotiate (*a bill*); **trafiqueur** *pej.* [⸗'kœːr] *m* trafficker (in de, en).

tragédie [traʒe'di] *f* tragedy (*a.fig.*); **tragédien** [⸗'djɛ̃] *m* tragedian, tragic actor; **tragédienne** [⸗'djen] *f* tragic actress, tragedienne; **tragique** [tra'ʒik] **1.** *adj.* tragic; **2.** *su./ m* tragic aspect (*of an event*); tragedy (*a. = tragic art*); tragic poet; **prendre au ⸗** make a tragedy of (*s.th.*).

trahir [tra'iːr] (2a) *v/t.* betray; disclose; deceive (*s.o.*); *fig. strength:* fail (*s.o.*); be false to (*one's oath*); not to come up to (*expectations, hopes*); **trahison** [⸗i'zõ] *f* treachery, perfidy; betrayal (of, de); ⚖ treason; **haute ⸗** high treason.

traille [traːj] *f* trail-ferry; *fishing:* trawl-net.

train [trɛ̃] *m* ⊕ gear, 🚂, ✗ transport, *animals, attendants, radio waves, vehicles:* train; attendants *pl.:* barges, mules, vehicles: string; tyres, wheels: set; *metall.* rolls *pl.:* ⊕ gear; (*timber-, Am. lumber-*)raft, float; *zo. horse:* quarters *pl.;* pace (*a. sp.*), speed; F noise, din, row; *fig.* mood; 🚂 **⸗-auto** auto-train, sleeper with car department; 🚂 **⸗ correspondant** connection; 🚂 **⸗ de banlieue** suburban train; **⸗ de derrière** (*devant*) *horse:* hind- (fore-) quarters *pl.;* ⊕ **⸗ de laminoir** rolling-mill; 🚂 **⸗ de marchandises** (*plaisir, voyageurs*) goods, *Am.* freight (excursion, passenger) train; ⊕ **⸗ d'engrenages** gear train; ⊕ **⸗ de roues** wheel train; 🚂 **⸗ direct** (*or express*) through *or* express train; 🚂 **⸗ omnibus** slow *or Am.* accommodation train; 🚂 **⸗ rapide** fast express (train); *fig. à fond de ⸗* at top speed; *aller son petit ⸗* jog along; *fig. dans le ⸗* up to date; F in the swim; *en bon ⸗* in a good state, doing *or* going well; *être en ⸗ de* (*inf.*) be (engaged in) (*ger.*); be in a mood for (*ger. or su.*); ✗ F *le ⸗* ♘ (*approx.*) (Royal) Army Service Corps; *mal en ⸗* out of sorts; *fig. manquer le ⸗* miss the bus; *mener grand ⸗* live in great style; *sp. mener le ⸗* set the pace; *mettre en ⸗*

set (*s.th.*) going; *typ.* make ready; *sl. prendre le ⸗ onze* go on Shanks's mare (*= go on foot*).

traînage [tre'naːʒ] *m* hauling; sleighing; sleigh transport; 🛠 haulage; *telev.* streaking; **traînant, e** [⸗'nã, ⸗'nãːt] dragging; trailing (*robe*); *fig.* sluggish; **traînard, e** [⸗'naːr, ⸗'nard] *su.* dawdler, *Am.* F slowpoke; *su./m* ✗ straggler; ⊕ *lathe:* carriage; **traînasser** [⸗na'se] (1a) *v/t.* drag out; spin out; *v/i.* laze, loaf; loiter; **traîne** [trɛːn] *f* being dragged *or* ⚓ towed; *cost. dress:* train; *fishing:* seine(-net), drag-net; ⚓ *à la ⸗* astern; in tow (*a. fig.*); **en ⸗** *turf:* in training; **traîneau** [tre'no] *m* sleigh, sledge; *fishing:* seine(-net), dragnet; **traînée** [⸗'ne] *f* blood, light, smoke, snail: trail; *gunpowder:* train; *fishing:* ground-line; *sl.* prostitute; **traîner** [⸗'ne] (1b) *v/t.* draw, drag, pull; tow (*a barge*); drawl out (*words*); drag out (*an affair, an existence, a speech*); **⸗ la jambe** limp; **se ⸗** crawl; drag o.s. along; *fig.* linger; drag (*time*); *v/i.* trail; *fig.* linger on (*a. 🛌 illness*), loiter; dawdle; lag behind; languish; flag; remain unpaid (*account*); **⸗ en longueur** drag on; **traîneur, -euse** [⸗'nœːr, ⸗'nøːz] *su.* dawdler; *su./m* hauler, dragger; ✗ *etc.* straggler; **⸗ de sabre** swashbuckler; sabre-rattler.

train-poste, *pl.* **trains-poste(s)** [trɛ̃'pɔst] *m* mail-train.

train-train F [trɛ̃'trɛ̃] *m* (*daily*) round; routine.

traire [treːr] (4ff) *v/t.* milk (*a cow*); draw (*milk*); **trait, traite** [trɛ, trɛt] **1.** *p.p. of* traire; **2.** *su./m* pull(ing); *arrow:* shooting; *dart:* throwing; arrow, dart; *pen:* stroke; mark, line; *liquid:* draught, *Am.* draft; gulp; *light:* shaft, beam; *fig.* act; stroke (*of genius*); characteristic touch; trait (*of character*); *appearance:* feature; *fig.* reference, relation; *paint.* outline, contour; **⸗ d'esprit** witticism; **⸗ d'union** hyphen; *avoir ⸗ à* have reference to, refer to; *boire d'un seul ⸗* drink (*s.th.*) at one gulp *or* F go; *cheval m de ⸗* draughthorse, *Am.* draft-horse, cart-horse; *su./f road:* stretch; *journey:* stage; ✝ *bank:* bill, draft; *bill:* drawing;

trade; milking; ~e des blanches white-slave traffic; ~e des Noirs slave-trade; ⚓ faire ~e sur draw (a bill) on (s.o.); tout d'une ~e at one stretch.

traitable [trɛ'tabl] treatable; ⊕ kindly (material); fig. tractable, docile.

traité [trɛ'te] m treatise (on de, sur); pol. etc. treaty, agreement.

traitement [trɛt'mã] m treatment (a. 🜍); salary; ✗ etc. pay; ⊕ material: processing; ~ initial starting or initial salary; mauvais ~s pl. illtreatment sg.; maltreatment sg.; **traiter** [trɛ'te] (1a) v/t. treat (🜍, s.o., a. fig.); call (s.o. s.th., q. de qch.); entertain (s.o.); deal with, discuss (a subject); negotiate (business, a deal, a marriage, etc.); ~ q. de prince address s.o. as prince; v/i. negotiate, treat (for de, pour; with, avec); ~ de deal with (a subject); **traiteur** [~'tœːr] m banquet: caterer; restaurant keeper.

traître, -esse [trɛːtr, trɛ'trɛs] 1. adj. treacherous (a. fig.); fig. dangerous; vicious (animal); 2. su./m traitor; thea. villain; prendre q. en ~ attack s.o. when he is off his guard; su./f traitress; **traîtreusement** [trɛtrøz'mã] adv. of traître 1; **traîtrise** [~'triːz] f treachery.

trajectoire phys., ↗, etc. [traʒɛk'twaːr] su./f, a. adj. trajectory.

trajet [tra'ʒɛ] m 🜍, mot. etc. journey; ⚓, anat., tex. passage; channel etc.: crossing; mot. etc. ride; ✈ flight; 🜍, a. phys. artery, nerve, projectile, etc.: course.

tralala [trala'la] m ♪ tra la la; F fig. fuss, ceremony; en grand ~ all dressed up, F dressed up to the nines.

tram F [tram] m tram(car), Am. streetcar, trolley(-car).

trame [tram] f tex. woof, weft; fig. thread, web; phot. ruled screen; telev. frame; fig. plot; **tramer** [tra'me] (1a) v/t. tex. weave (a. fig. a plot); fig. plot.

traminot [trami'no] m tramway employee, Am. streetcar employee.

tramontane [tramõ'tan] f ⚓ north wind; north; astr. North Star; fig. perdre la ~ lose one's bearings.

tramway [tram'wɛ] m tramway; tram(car), Am. streetcar, trolley

(-car); remorque f de ~ trailer (of a tramcar).

tranchant, e [trã'ʃã, ~'ʃãːt] 1. adj. cutting, sharp (tool, edge, a. fig. tone, voice); fig. trenchant (argument etc.); glaring (colour, a. fig. contradiction); ⊕ outil m ~ edgetool; 2. su./m edge; knife: cutting edge; fig. argument m à deux ~s argument that cuts both ways; **tranche** [trã:ʃ] f bread, meat, etc., a. fig.: slice; book, coin, plank: edge; wheel: face; ⊕ tools: set; ✗ ridge; ♰ shares: block; ⚕ section; bacon: rasher; couper en ~s slice; en ~s sliced, in slices; ⊕ par la ~ edgeways; **tranché, e** [trã'ʃe] 1. adj. distinct, sharp; ▨ tranché; 2. su./f trench (a. ✗); 🜍, forest etc.: cutting; 🜍 ~es pl. gripes; colic sg.; **tranchefil** [trãʃ'fil] m horse: curbchain; **tranchefile** [~'fil] f book: headband; **trancheland** cuis. [~'lãːr] m cook's knife; **tranchemontagne** [~mõ'taɲ] m blusterer, fire-eater; **tranche-pain** [~'pɛ̃] m/inv. bread-cutter; **trancher** [trã'ʃe] (1a) v/t. slice, cut; cut off; fig. cut short; settle (a question) once and for all; settle (a difficulty, a problem, a quarrel); ~ le mot speak out, speak plainly; v/i. cut; contrast sharply (with, sur); fig. be cocksure, lay down the law; fig. ~ de set up for or as; **tranchet** ⊕ [~'ʃɛ] m (shoemaker's) paring-knife; **tranchoir** cuis. [~'ʃwaːr] m cutting-board.

tranquille [trã'kil] tranquil, calm, still, quiet; fig. easy (a. ♰ market), untroubled (mind); laissez-moi ~ leave me alone; **tranquillisant** 🜍 [trãkili'zã] m tranquil(l)izer; **tranquilliser** [~'ze] (1a) v/t. calm (s.o., one's mind, etc.); reassure (s.o.) (about, sur); se ~ calm down; fig. set one's mind at rest; **tranquillité** [~'te] f tranquil(l)ity, calm, stillness, quiet; peace (of mind).

trans... [trãs, trãz] trans...; ~**action** [trãzak'sjõ] f ♰ transaction; ♰ deal; ⚕ settlement, arrangement; ♰, ⚕ composition; compromise (a. pej.); ~s pl. dealings; transactions (of a learned society); ~**atlantique** [~zatlã'tik] 1. adj. transatlantic; 2. su./m Atlantic liner; deck-chair; ~**bordement** [trãsbɔrdə'mã] m ⚓ trans-shipment; river:

ferrying across; 🚂 *goods, passengers*: transfer; *trucks etc.*: traversing; **~border** [~'de] (1a) *v/t.* ⚓ tranship; ferry across (*a river*); 🚂 transfer (*goods, passengers*); traverse; **~bordeur** [~'dœːr] *m* travelling platform; (*a. pont m ~*) transporter-bridge; 🚂 train-ferry; **~cendance** *phls.* [trǎssǎ'dǎ:s] *f* transcendency, transcendence; **~cendant, e** [~'dǎ, ~'dǎːt] *phls., a. fig.* transcendent; 🅰 transcendental.

transcription [trǎskrip'sjõ] *f* transcription (*a. ♪*); ✝ *journal*: posting; ⚖ *decree etc.*: registration; copy, transcript; **transcrire** [~'kriːr] (4q) *v/t.* transcribe (*notes, a. text, a. ♪*); ✝ post (*a journal into the ledger*); ⚖ register (*a decree etc.*).

transe [trǎːs] *f* (hypnotic) trance; **~s** *pl.* fear *sg.*, fright *sg.*   [sept.]

transept 🅰 *eccl.* [trǎ'sept] *m* tran-

trans...: ~férer [trǎsfe're] (1f) *v/t.* transfer; (re)move from one place to another; move (*an appointment, a date*); *eccl.* translate (*a bishop*); ⚖ assign; ⚖ convey (*an estate*); **~fert** [~'fɛːr] *m* transference; transfer (*a. phot.*, ✝); ⚖ assignment; ⚖ *estate*: conveyance; **~figuration** [~figyra'sjõ] *f* transfiguration; **~figurer** [~figy're] (1a) *v/t.* transfigure; se ~ be(come) transfigured; **~formable** [trǎsfor'mabl] transformable; *mot.* convertible; **~formateur, -trice** [~ma'tœːr, ~'tris] **1.** *adj.* transforming; **2.** *su./m* ⚡ transformer; **~formation** [~ma'sjõ] *f* transformation (into, en); *phls.* conversion; de ~ ⚡ transformer ...; ⊕ processing ...; **~former** [~'me] (1a) *v/t.* transform, convert (a. *foot., a. phls.*), change (into, en); se ~ change, turn (into, en); **~formisme** *biol. etc.* [~'mism] *m* transformism; **~formiste** [~'mist] *su. phls. etc.* transformist; *thea.* quick-change artist; **~fuge** [trǎs'fyːʒ] *m* ✕ deserter (*to the enemy*); F *fig.* turncoat; **~fuser** *usu.* ⚕ [~fy'ze] (1a) *v/t.* transfuse; **~fusion** [~fy'zjõ] *f* (⚕ blood-)transfusion; **~gresser** [~grɛ'se] (1a) *v/t.* transgress, infringe, break (*a law etc.*); **~humer** [trǎzy'me] (1a) *v/t.* move (*flocks*) to or from the Alpine pastures; *v/i.* move to or from the hills.

transiger [trǎzi'ʒe] (1l) *v/i.* compromise (*a. fig.*); come to terms (with, avec).

transir [trǎ'siːr] (2a) *v/t.* chill; benumb; *fig.* paralyse (with, de); *v/i.* be chilled to the bone; be paralysed with fear.

transistor [trǎzis'tɔr] *m radio*: transistor.

transit [trǎ'zit] *m* ✝ transit; 🚂 through traffic; **transitaire** ✝ [trǎzi'tɛːr] **1.** *adj.* relating to transit of goods; (*country*) across which goods are conveyed in transit; **2.** *su./m* forwarding or transport agent; **transiter** ✝ [~'te] (1a) *v/t.* convey (*goods*) in transit; *v/i.* be in transit; **transitif, -ve** [~'tif, ~'tiːv] *gramm.* transitive; *geol.* transitional; **transition** [~'sjõ] *f* transition; ♪ modulation; *geol.* de ~ transitional; **transitoire** [~'twaːr] transitory, transient; temporary; *gramm.* glide (*consonant, vowel*).

trans...: ~lation [trǎsla'sjõ] *f* transfer; ⊕, *eccl.* translation; ⊕ shifting; *tel.* retransmission; ⚖ conveyance; **~lucide** [~ly'sid] semitransparent, translucent; **~lucidité** [~lysidi'te] *f* semi-transparency, translucence; **~metteur** [~mɛ'tœːr] *m* transmitter; ⚓ signals (officer) *sg.*; ⚓ ship's telegraph; **~mettre** [~'mɛtr] (4v) *v/t.* transmit (*tel., radio, a. heat, light, a message*); pass on (*a disease, a message*); hand down (*to other generations*); ⚖ convey, transfer; ⚖ assign (*a patent, shares*); **~migration** [~migra'sjõ] *f people, soul*: transmigration; **~migrer** [~mi'gre] (1a) *v/i.* transmigrate; **~missibilité** [~misibili'te] *f* transmissibility; ⚖ transferability; **~missible** [~mi'sibl] transmissible; ⚖ *etc.* transferable; **~mission** [~mi'sjõ] *f message, order, a.* ⊕, ✕, *phys., radio, tel.*: transmission; *disease, message, order*: passing on; ⊕ drive, (transmission) gear, shafting; ⚖ transfer, conveyance; ⚖ *patent, shares*: assignment; *foot.* passing; ✕, ⚓ **~s** *pl.* signals; *mot.* **~** *par chaîne* chain-drive; **~muable** [~'mɥabl] transmutable (into, en); **~muer** [~'mɥe] (1n) *v/t.* transmute (into, en); **~mutabilité** [~mytabili'te] *f* transmutability (into, en); **~mutable** [~my'tabl] transmutable

(into, en); **mutation** [.myta'sjõ] *f*
transmutation (into, en); **océa-**
nique [trãzɔsea'nik] transoceanic;
paraître [trãspa're:tr] (4k) *v/i.*
show through; **parence** [.pa'rã:s]
f transparency; **parent, e** [.pa'rã,
.'rã:t] **1.** *adj.* transparent (*a. fig.*);
2. *su./m* transparency; *writing-pad:*
guide-lines *pl.*; **percer** [.pɛr'se]
(1k) *v/t.* pierce (through); run (*s.o.*)
through; transfix; *fig.* pierce (*s.o.*
to the heart, *le cœur à q.*); *fig. rain:*
soak.

transpiration [trãspira'sjõ] *f* ⚕
perspiring; perspiration, sweat; ♀,
phys., physiol., a. fig. transpiration;
en ~ in a sweat; **transpirer** [.'re]
(1a) *v/i.* perspire, sweat; ♀,
physiol., a. fig. transpire; *fig.* leak
(out) (*news, secret*).

trans...: **plantable** ♀, ⚕ [trãsplã-
'tabl] transplantable; **plantation**
[.plãta'sjõ] *f* transplanting, trans-
plantation; **planter** ♀, ✗, ⚕, *fig.*
[.plã'te] (1a) *v/t.* transplant; **port**
[.'pɔ:r] *m* ⊕ transport, carriage; ⚡,
⚖ conveyance; ⚖ assignment; ♱
account: transfer, balance brought
forward; ⚓ troop-ship, transport;
fig. anger: (out)burst; *joy:*
transport, ecstasy; ⚖ *au cerveau*
brain-storm;   light-headedness;
stroke; ~ *d'aviation* aircraft transport; ⚖ *sur les lieux* visit to the
scene (of the occurrence); ♱ *com-*
pagnie f de ~ forwarding company;
⊕ *courroie f de* ~ conveyor-belt;
de ~ ⊕ conveyor-...; *geol.* alluvial
(*deposit*); **portable** [.pɔr'tabl]
transportable; ⊕ fit to be moved
(*patient*); **portation** [.pɔrta'sjõ] *f*
♱ *goods:* conveyance; ♱, ⚖ transportation; **porter** [.pɔr'te] (1a)
v/t. transport (*a.* ⚖), carry, transfer
(*to another place*); ⚖ assign; ♱
carry over; transfer; extend (*the*
balance); *fig.* carry (*s.o.*) away;
transporté de joie beside o.s. with
joy, enraptured; *se* ~ go; ⚖ *se* ~
sur les lieux visit the scene (of the
occurrence); **porteur** [.pɔr'tœ:r]
m ♱ carrier; ⊕ conveyor; ~ *aérien*
overhead runway, cableway; **po-**
sable [.po'zabl] transposable; **po-**
ser [.po'ze] (1a) *v/t.* typ., ♪, ♫,
etc. transpose; **positeur** ♪ [.pozi-
'tœ:r] *m* (*a. instrument m* ~) trans-
posing instrument; **position** [.-

pozi'sjõ] *f* transposition; *cin.* dubbing; **sibérien, -enne** *geog.* [.si-
be'rjɛ̃, .'rjɛn] trans-Siberian; **^**
substantiation *eccl.* [.sypstãsja-
'sjõ] *f* transubstantiation; **suder**
[.sy'de] (1a) *vt/i.* transude; *v/i.*
ooze through; **vasement** [.vaz-
'mã] *m liquid:* decanting; **vaser**
[.va'ze] (1a) *v/t.* decant; *se* ~
siphon; **versal, e,** *m/pl.* **-aux** [.-
ver'sal, .'so] **1.** *adj.* cross(-*section*),
transverse (*a.* anat. muscle), transversal; ⚓ athwartship; ⚓ *coupe*
f ~*e* cross-section; **2.** *su./f* ⚓
transversal; **versalement** [.ver-
sal'mã] *adv.* transversely, crosswise; ⚓ athwartship.

trapèze [tra'pɛ:z] *m* ⚓ trapezium;
sp. trapeze; *anat.* (*a.* muscle *m* ~)
trapezius; **trapéziste** *sp.* [.pe'zist]
su. trapeze-artist; trapezist; **trapé-**
zoïde ⚓ [.pezɔ'id] *m* trapezoid.

trappe [trap] *f* trap-door; *thea., a.*
hunt. trap; *fireplace:* register;
French fireplace: blower, curtain;
trappeur [tra'pœr] *m* trapper.

trapu, e [tra'py] thick-set, stocky,
squat.

traque *hunt.* [trak] *f game:* beating;
traquenard [.'na:r] *m horse:* racking gait; racking horse; trap (*a.*
fig.); *fig.* être pris dans son propre ~
fall into one's own trap; **traquer**
[tra'ke] (1m) *v/t.* beat (*the wood*)
for game; beat up (*game*); track
down (*a criminal*); surround, hem
(*s.o.*) in; **traquet** [.'kɛ] *m* ⊕ *mill:*
clapper; *orn.* wheatear; **traqueur**
hunt. [.'kœ:r] *m* beater.

traumatique ⚕ [troma'tik] trau-
matic; **traumatisme** ⚕ [.'tism] *m*
traumatism.

travail[1] *vet.* [tra'va:j] *m* frame, sling.
travail[2], *pl.* **-aux** [tra'va:j, .'vo] *m*
work; ⚖, ⚒, *pol.* labo(u)r; ⊕,
physiol., a. wine: working; ⚕ childbirth; employment; piece of work,
F job; workmanship; business; ⊕
power; ~ *à la tâche* piece-work; ~
en série mass production; ~ *intel-*
lectuel (*manuel*) brain-work (manual work); *accident m du* ~ accident
at work; *être sans* ~ be out of work;
⚒ ~*aux pl. forcés* hard labo(u)r *sg.*;
travailler [trava'je] (1a) *v/i.* work
(on, *sur*), toil; be at work; strive,
endeavo(u)r; perform (*animal*);
work, ferment (*wine*); warp, shrink

(*wood*); fade (*colour*); be active (*mind*, *volcano*); ⊕ be stressed (*beam*); strain (*cable*, *ship*, *etc.*); ✝ produce interest (*capital*); *v/t.* work (*a.* ✎, ⊕); torment (*s.o.*, *s.o.'s mind*); ⊕ shape, fashion; knead (*dough*); overwork (*a horse*); work (*hard*) at, study (*a subject*); *phot.* work up; *fig.* tamper with; se ~ strain; **travailleur, -euse** [~-'jœːr, ~'jøːz] **1.** *adj.* hard-working, industrious; **2.** *su.* worker; *su./m* workman, labo(u)rer; ~ *de force* heavy worker; ~ *intellectuel* (*manuel*) brain-worker (manual worker); *su./f* (*lady's*) work-table; *zo.* worker (*bee*); **travaillisme** *pol.* [~'jism] *m* Labour; **travailliste** *pol.* [~'jist] **1.** *adj.* Labour ...; **2.** *su./m* member of the Labour party; *parl.* Labour member.

travée ⊿ [tra've] *f* bay (*a. of a bridge*); *bridge:* span; ✗ wing: rib.

travers [tra'vɛːr] **1.** *su./m* breadth; ⚓ beam; ⊿ irregularity; ⊿ *mantelpiece:* lintel; *racquet:* cross-string; *fig.* fault, failing; *metall.* ~ *pl.* cross-cracks; ~ *de doigt* finger's breadth; **2.** *adv.:* de ~ askew, awry; (*look*) askance; *fig.* wrong; en ~ across, crosswise; ⚓ athwart; **3.** *prp.:* à ~, au ~ de through (*s.th.*); à ~ *champs* across country; **traversable** [~-vɛr'sabl] traversable; fordable (*river*); **traverse** [~'vɛrs] *f* ⊿ traverse beam *or* girder; *ladder:* rung; transom; 🚂 sleeper, *Am.* tie; *mot. etc.* cross-member; ⊕ crosshead; ✗ ground-sill; ⚓ harbour: bar; *fig.* set-back; *a. chemin de ~* cross-road, short cut; cross-street; **traversée** [travɛr'se] *f* ⚓, 🚂 crossing; ⚓ voyage, passage; *mount.* traverse; **traverser** [~'se] (1a) *v/t.* cross (*a. fig.*); pass *or* go through (⊿ *bridge:* span (*a river*); *fig.* cut; cross-cut (*a stone*); *fig.* thwart; **traversier, -ère** [~'sje, ~'sjɛːr] cross-..., crossing; ferry(-*boat*); ⚓ leading (*wind*); ♪ transverse (*flute*); **traversin** [~'sɛ̃] *m carpentry:* cross-bar, cross-piece; *balance:* beam; *bed:* bolster; **traversine** [~'sin] *f* cross-bar, cross-beam; 🚂 gangplank.

travesti, e [travɛs'ti] **1.** *adj.* disguised; fancy-dress (*ball*); burlesqued; **2.** *su./m* fancy dress; *thea.* man's part (played by a woman) (*or*

vice versa); **travestir** [~'tiːr] (2a) *v/t.* disguise (as, en); *fig.* parody, burlesque (*a poem etc.*); F *fig.* misrepresent, overpaint; **travestissement** [~tis'mã] *m* disguise; disguising; *fig.* travesty; misrepresentation (*of a fact*).

trayeur [trɛ'jœːr] *m* milker; **trayeuse** [~'jøːz] *f* milkmaid; milking-machine; **trayon** [~'jɔ̃] *m cow:* teat, dug.

trébuchant, e [treby'ʃã, ~'ʃãːt] stumbling; staggering; of full weight (*coin*); **trébucher** [~'ʃe] (1a) *v/i.* stumble (*a. fig.*), stagger; turn the scale (*coin*); *fig.* trip; *v/t.* test (*a coin*) for weight; **trébuchet** [~'ʃe] *m* assay *or* precision balance; trap (*for small birds*).

tréfiler ⊕ [trefi'le] (1a) *v/t.* wire-draw; **tréfilerie** ⊕ [~fil'ri] *f* wire-drawing (mill); **tréfileur** ⊕ [~fi-'lœːr] *m* wire-drawer.

trèfle [trɛfl] *m* ♣ clover; ⊿, ⚘ tre-foil; *cards:* club(s *pl.*); ⚘ ~ *blanc* shamrock; *mot. croisement m en ~* cloverleaf (crossing); *jouer ~* play a club, play clubs; **tréflière** ✎ [trefli'ɛːr] *f* clover-field.

tréfonds [tre'fɔ̃] *m* ⚒ subsoil; *fig.* depths *pl.*; *le fonds et le ~* ⚒ soil and subsoil; *fig.* the ins ~ *pl.* and outs *pl.* (*of s.th.*).

treillage [trɛ'jaːʒ] *m* trellis; lattice-work; wire netting; wire fencing; **treillager** [~ja'ʒe] (1l) *v/t.* trellis; lattice (*a wall*, *a window*); enclose with wire netting.

treille [trɛj] *f* vine-arbo(u)r; ⚘ climbing vine, grape-vine; *fig.*, *a. poet.* jus *m de la* ~ juice of the grape, wine.

treillis [trɛ'ji] *m* trellis(-work), lattice; grid (*for maps etc.*); *tex.* glazed calico; *tex.* coarse canvas, sackcloth; ✗ fatigue-dress, fatigues *pl.*; **treillisser** [~'se] (1a) *v/t. see treillager.*

treize [trɛːz] **1.** *adj./num.* thirteen; *date*, *title:* thirteenth; ~ *à la douzaine* baker's dozen; **2.** *su./m/inv.* thirteen; **treizième** [trɛ'zjɛm] *adj./num.*, *a. su.* thirteenth.

tremblaie ✎ [trã'blɛ] *f* aspen grove; **tremblant, e** [trã'blã, ~'blãːt] **1.** *adj.* trembling (with, de); quaking, shaking (*ground*, *voice*); quavering (*voice*); flickering (*light*);

shaky (*bridge*, *a. fig. person*); quivering (*face*); **2.** *su./m* ♪ organ: tremolo (stop); **tremble** ✿ [trɑ̃:bl] *m* aspen; **tremblement** [trɑ̃blə'mɑ̃] *m* trembling, shaking, quivering; *voice*: quaver(ing); *fig. horror*: shudder(ing); ♪ tremolo; ✿, *a. fig. emotion*: tremor; ~ de terre earthquake, the whole earth tremor; F *tout le ~* the whole shoot *or* caboodle; **trembler** [~'ble] (1a) *v/i.* tremble, shake, quiver (with, *de*); quaver (♪, *a. voice*); flicker (*light*); flutter (*bird's wings*); *fig.* tremble, be afraid; ~ que (*sbj.*) be terrified lest (*cond.*); **trembleur, -euse** [~'blœ:r, ~'blø:z] *su.* trembler; *fig.* timid *or* anxious person; *su./m* ⚡ make-and-break; *tel., teleph.* buzzer; **trembloter** F [~bblɔ'te] (1a) *v/i.* quiver; quaver (*voice*); flicker (*light*); flutter (*wings*); shiver (with, *de*).

trémie ⊕ [tre'mi] *f* mill-hopper; *blast-furnace*: cone; funnel.

trémière ✿ [tre'mjɛ:r] *adj./f*: rose *f* ~ hollyhock.

trémousser [tremu'se] (1a) *v/i.* flutter (wings, *des ailes*); *v/t.*: se ~ flutter (*bird*); fidget (*child etc.*); jig up and down; *fig.* bestir o.s., F get a move on.

trempage [trɑ̃'pa:ʒ] *m* ⊕ soaking, steeping; *typ. paper*: damping; **trempe** [trɑ̃:p] *f* ⊕ soaking, steeping; *typ. paper*: damping; *metall.* tempering, hardening; *steel*: temper; *fig.* quality, stamp; F thrashing, hiding; ~ de surface casehardening; **trempé, e** [trɑ̃'pe] **1.** *adj.* soaked, wet; *fig. bien* ~ welltempered (*mind*); of great stamina (*person*); **2.** *su./f* soaking, steeping; F thrashing, hiding; **tremper** [~'pe] (1a) *v/t.* soak; drench; dip (*the pen in ink*); dip, *Am.* dunk (*bread, biscuit, in a liquid*); ⊕ harden (*steel, a. fig. muscles*); *typ.* damp (*paper*); dilute (*wine*) with water; *v/i.* soak; *fig.* be a party (to, *dans*); **trempette** [~'pet] *f*: faire la ~ dip, *Am.* dunk a biscuit *etc.* in one's wine *or* coffee *etc.*; F faire ~ have a dip.

tremplin [trɑ̃'plɛ̃] *m sp. etc.* springboard; diving-board; *ski*: platform; *fig.* stepping-stone (to, *pour*).

trémulation ✿ [tremyla'sjɔ̃] *f* tremor.

trentaine [trɑ̃'tɛn] *f* (about) thirty;

la ~ the age of thirty, the thirties *pl.*; **trente** [trɑ̃:t] *adj./num., a. su./ m/inv.* thirty; *date, title*: thirtieth; **trentième** [trɑ̃'tjɛm] *adj./num., a. su.* thirtieth.

trépan [tre'pɑ̃] *m* ✿, ⊕ trepan; ⊕ rock-drill; *a.* = **trépanation** [~pana'sjɔ̃] *f* trepanning; **trépaner** [~pa'ne] (1a) *v/t.* ✿ trepan; ⊕ drill *or* bore into (*rock*).

trépas *poet.* [tre'pɑ] *m* death, decease; **trépassé, e** [trepa'se] *adj., a. su.* dead, departed, deceased; **trépasser** [~] (1a) *v/i.* die, pass away.

trépidation [trepida'sjɔ̃] *f* ✿, *a. fig.* trembling; *fig.* flurry, agitation; ⊕ *machine*: vibration; *earth*: tremor.

trépied [tre'pje] *m* tripod; *cuis.* trivet.

trépigner [trepi'ɲe] (1a) *v/i.* stamp one's feet; jump (for joy, *de joie*); dance (with, *de*); *v/t.* trample (*the earth*).

trépointe [tre'pwɛ̃t] *f shoe*: welt.

très [trɛ] *adv.* very, most; very much.

trésaille [tre'zɑ:j] *f waggon*: crosspiece.

Très-Haut [tre'o] *m/inv.*: le ~ the Almighty, God.

trésor [tre'zɔ:r] *m* treasure (*a. fig.*); treasure-house; *eccl.* relics *pl.* and ornaments *pl.*; ᵼᵼᵼ treasure-trove; *pol.* ♀ Treasury; ~s *pl.* wealth *sg.*; F *dépenser des ~s pour* spend a fortune on; **trésorerie** [~zɔr'ri] *f* treasury; treasurer's office; treasurership; *pol.* ♀ Treasury; *Britain*: Exchequer; **trésorier, -ère** [~zɔ'rje, ~'rjɛ:r] *su.* treasurer; *su./m admin., a.* ✕ paymaster; *su./f admin.* paymistress.

tressage [trɛ'sa:ʒ] *m* plaiting, braiding.

tressaillement [tresaj'mɑ̃] *m* surprise: start; *fear*: shudder; *pleasure, joy*: thrill; *pain*: wince; **tressaillir** [~sa'ji:r] (2s) *v/i.* quiver; flutter (*heart*); ~ de start (*etc.*) with; shudder with (*fear*); thrill with (*joy*); wince with (*pain*).

tressauter [treso'te] (1a) *v/i.* jump (with fear, surprise, *etc.*); jolt, jump about (*things*).

tresse [tres] *f hair, straw*: tress, plait; *yarn, a.* ⚡: braid; **tresser** [tre'se] (1a) *v/t.* plait (*hair, straw*);

braid (*yarn, a. &*); weave (*a basket, flowers, a garland*); **tresseur** m, **-euse** f [ˌˈsœːr, ˌˈsøːz] braider, plaiter.

tréteau [treˈto] m trestle, support; *thea.* ~x *pl.* stage *sg.*

treuil ⊕ [trœːj] m winch, windlass.

trêve [trɛːv] f truce; *fig.* respite; ~ de plaisanteries! no more joking!

tri [tri] m sorting.

triade [triˈad] f triad.

triage [triˈaːʒ] m sorting; selecting; ⚒ grading; 🚂 gare f de ~ marshalling yard.

triangle [triˈɑ̃ːgl] m 🏛, ♪, *astr.* triangle; ⚓ triangular flag; ⚡ three-phase mesh; set square, *Am.* triangle; **triangulaire** [triɑ̃gyˈlɛːr] triangular; *pol.* three-cornered (*contest*); **triangulation** *surv.* [ˌlaˈsjõ] f triangulation.

trias *geol.* [triˈɑːs] m trias; **triasique** *geol.* [ˌaˈzik] triassic.

tribal, e [triˈbal] tribal.

tribord ⚓ [triˈbɔːr] m starboard; à (or par) ~ to starboard.

tribu [triˈby] f tribe; *zo.* sub-family.

tribulation [tribylaˈsjõ] f tribulation; *fig.* trial.

tribun [triˈbœ̃] m *hist.* tribune; *fig.* popular orator; demagogue.

tribunal [tribyˈnal] m 🏛, ⚔, *a. admin.* tribunal; 🏛 (law-)court; *judges*: bench; ~ arbitral (de commerce) arbitration (commercial) court; ~ de première instance court of first instance; (*approx.*) County Court; ~ de simple police magistrate's court, F police-court; ~ pour enfants juvenile court; **tribune** [ˌˈbyn] f rostrum, (*speaker's*) platform; 🏛 (*organ*) loft; ⚖, *eccl.*, *arch.* gallery; *turf*: grand stand; *parl.* monter à la ~ address the House.

tribut [triˈby] m tribute (*a. fig.*); *fig.* reward; **tributaire** [ˌbyˈtɛːr] tributary (*a. geog.*).

tricar *mot.* [triˈkaːr] m motor-tricycle; three-wheeler.

tricher [triˈʃe] (1a) *vt/i.* cheat; **tricherie** [triʃˈri] f *cards etc.*: cheating; trickery; **tricheur, -euse** f [triˈʃœːr, ˌˈʃøːz] cheat, trickster; *cards*: sharper.

trichine 🦠 [triˈʃin; ˌˈkin] f trichina; thread-worm; **trichinose** 🦠 [ˌkiˈnoːz] f trichinosis.

trichromie *phot., typ.* [trikrɔˈmi] f three-colo(u)r process.

tricolore [trikɔˈlɔːr] tricolo(u)r(ed); drapeau m ~ tricolo(u)r, French (national) flag.

tricorne [triˈkɔrn] **1.** *adj. zo.* three-horned; *cost.* tricorn (*hat*); **2.** *su./m* tricorn, three-cornered hat.

tricot [triˈko] m knitting; *tex.* stockinet; ✝ knitwear; *cost.* (under)vest; jersey, sweater, pullover; **tricotage** [trikɔˈtaːʒ] m knitting; **tricoter** [ˌˈte] (1a) *v/t.* knit; F se ~ make off; *v/i.* F *fig.* move fast; F dance; **tricoteur, -euse** [ˌˈtœːr, ˌˈtøːz] *su.* knitter; *su./f* knitting-machine; ⊕ knitting-loom.

trictrac [trikˈtrak] m backgammon (-board); *dice*: rattle.

tricycle [triˈsikl] m tricycle; three-wheeled vehicle.

trident [triˈdɑ̃] m *myth. etc.* trident; ✈ three-pronged pitch-fork; 🏛 trident curve; fish-spear.

trièdre 🏛 [triˈɛdr] **1.** *adj.* trihedral; **2.** *su./m* trihedral, trihedron.

triennal, e, *m/pl.* **-aux** [triɛnˈnal, ˌˈno] triennial; **triennat** [ˌˈna] m triennium; three-year term of office.

trier [triˈe] (1a) *v/t.* sort (out); *tex.* pick; 🚂 marshal (*trucks*); *fig.* choose, select; **trieur, -euse** [ˌˈœːr, ˌˈøːz] *su. person*: sorter; *tex.* (wool-)picker; *su./m* ⊕ screening-machine; separator, sorter; *su./f* wool-picking machine; *computer*: sorter.

trifolié, e 🌿 [trifɔˈlje] three-leaved, trifoliate.

trigone 🏛 [triˈgɔn] trigonal, three-cornered; **trigonométrie** 🏛 [ˌgɔnɔmeˈtri] f trigonometry.

trilatéral, e, *m/pl.* **-aux** [trilateˈral, ˌˈro] trilateral, three-sided.

trilingue [triˈlɛ̃ːg] trilingual.

trille ♪ [triːj] m trill; **triller** ♪ [triˈje] (1a) *vt/i.* trill.

trillion [triˈljõ] m a million of billions, trillion, *Am.* a billion of billions, quintillion.

trilobé, e 🏛 [trilɔˈbe] trefoiled.

trilogie [trilɔˈʒi] f trilogy.

trimard *sl.* [triˈmaːr] m high road; **trimarder** *sl.* [trimarˈde] (1a) *v/i.* be on the tramp; **trimardeur** *sl.* [ˌˈdœːr] m tramp, *Am.* hobo.

trimbaler F [trɛ̃baˈle] (1a) *v/t.* carry

about; trail (*s.o.*), have (*s.o.*) in tow; lug (*s.th.*) about.

trimer F [tri'me] (1a) *v/i.* drudge, toil.

trimestre [tri'mɛstr] *m* quarter, three month; quarter's rent *or* salary; *univ.*, *school*: term, *Am.* session; term's fees *pl.*, *Am.* sessional fees *pl.*; **trimestriel, -elle** [~mɛstri'ɛl] quarterly; trimestrial.

trimoteur ✈ [trimɔ'tœːr] **1.** *adj.*/*m* three-engined; **2.** *su.*/*m* three-engined aeroplane.

tringle [trɛ̃ːgl] *f* rod; ⚒ bar; ⚓ *etc.* (*wooden*) batten; △ square mo(u)lding, tringle.

trinité [trini'te] *f* trinity (*a.* ♀ *eccl.*).

trinôme ℞ [tri'noːm] *adj.*, *a. su.*/*m* trinomial.

trinquart ⚓ [trɛ̃'kaːr] *m* herring-boat.

trinquer [trɛ̃'ke] (1m) *v/i.* clink *or* touch glasses (with, *avec*); (have a) drink (with, *avec*); F *fig.* hobnob (with, *avec*); *sl.* get the worst of it, suffer.

trio [tri'o] *m* ♪ *etc.* trio; *metall.* three-high mill.

triode [tri'ɔd] *f* (*a. lampe f* ~) *radio*: three-electrode lamp, triode.

triolet [triɔ'lɛ] *m* ♪ triplet; *prosody*: triolet.

triomphal, e, *m/pl.* **-aux** [triɔ̃'fal, ~'fo] triumphal; **triomphalement** [~fal'mɑ̃] *adv.* triumphantly; **triomphateur, -trice** [~fa'tœːr, ~'tris] **1.** *adj.* triumphing; **2.** *su.*/*m* F conquering hero; **triomphe** [tri'ɔ̃ːf] *m* triumph; *arc m de* ~ triumphal arch; **triompher** [~ɔ̃'fe] (1a) *v/i.* triumph (over, *de*); *fig.* rejoice, exult (over, *de*); ~ *dans* excel in *or* at; ~ *de a.* overcome, get over (*s.th.*).

tripaille F [tri'pɑːj] *f* garbage; (*butcher's*) offal.

triparti, e [tripar'ti], **tripartite** [~'tit] tripartite; *pol.* three-party (*government*), three-power; **tripartition** [~ti'sjɔ̃] *f* tripartition.

tripe [trip] *f cuis.* (*usu.* ~*s pl.*) tripe; *cigar*: core; F ~*s pl.* guts; *tex.* ~ *de velours* velveteen; **triperie** [tri'pri] *f* tripe-shop, tripe trade; **tripette** F [~'pɛt] *f*: *ça ne vaut pas* ~ it's not worth a cent.

triphasé, e ⚡ [trifɑ'ze] three-phase, triphase.

tripier [tri'pje] *m* tripe-dealer, tripe-seller.

triple [tripl] **1.** *adj.* threefold, treble; triple (*a.* ℞, ⚗, *astr.*); F *fig.* out-and-out (*fool*); **2.** *su.*/*m* treble; **triplé** *m*, **e** *f* [tri'ple] *children*: triplet; **tripler** [~] (1a) *vt/i.* treble; increase threefold.

triporteur [tripɔr'tœːr] *m* carrier-tricycle; (*commercial*) tri-car.

tripot [tri'po] *m* gambling-house, gambling-den; bawdy house; **tripotage** [tripɔ'taːʒ] *m* messing about *or* round, *fig.* intrigue; tampering (*with accounts, the cash, etc.*); **tripotée** *sl.* [~'te] *f* hiding, beating; lots *pl.* (*of people, things*); **tripoter** [~'te] (1a) *v/i.* mess about *or* around; do odd jobs; gamble (in, *sur*); tamper (with the cash, *dans la caisse*); *v/t.* handle, play with; meddle with (*s.th.*); paw (*s.o.*); speculate in (*the market*); *fig.* be up to; **tripoteur** [~'tœːr] *m* intriguer; mischief-maker; shady speculator.

trique F [trik] *f* cudgel, big stick.

triqueballe [trik'bal] *m* timber-cart; logging-wheels *pl.*

trique-madame ⚘ [trikma'dam] *f* white stonecrop.

triquer [tri'ke] (1m) *v/t.* sort (*timber*); beat, thrash (*s.o.*).

trisaïeul [triza'jœl] *m* great-great grandfather; **trisaïeule** [~] *f* great-great grandmother.

trisannuel, -elle [triza'nɥɛl] triennial.

trisection [trisɛk'sjɔ̃] *f* trisection.

trisser[1] [tri'se] (1a) *v/i.* twitter (*swallow*).

trisser[2] [~] (1a) *v/i.* call for a second encore; *v/t.* encore twice.

triste [trist] sad; sorrowful, melancholy (*face, news, person*), downcast (*expression, face, person*); dull (*life, weather*); gloomy, dreary (*life, room, scene, weather*); painful (*duty, news*); *fig.* sorry, poor; **tristesse** [tris'tɛs] *f* sadness; gloom; *life, room, scene, weather*: gloominess, dreariness; *scenery*: bleakness.

triton[1] *zo.* [tri'tɔ̃] *m* water-salamander, newt; *mollusc*: trumpet-shell.

triton[2] ♪ [~] *m* tritone.

trituration ⊕ [trityra'sjɔ̃] *f* trituration, grinding; **triturer** ⊕ [~'re] (1a) *v/t.* triturate, grind; masticate.

trivalence ♏ [triva'lã:s] f trivalence; **trivalent, e** ♏ [~'lã, ~'lã:t] trivalent.

trivial, e, m/pl. **-aux** [tri'vjal, ~'vjo] trite, hackneyed; vulgar, coarse; **trivialité** [~vjali'te] f triteness, vulgarity, coarseness, vulgarism.

troc [trɔk] m barter, exchange; F swop(ping), Am. swap(ping).

trochée [trɔ'ʃe] m prosody: trochee.

troène ♣ [trɔ'ɛn] m privet.

troglodyte [trɔglɔ'dit] m zo., orn. troglodyte; person: caveman, cavedweller.

trogne [trɔɲ] f bloated face.

trognon [trɔ'ɲõ] m fruit: core; cabbage: stump, stalk; sl. darling.

trois [trwa] 1. adj./num. three; date, title: third; 2. su./m/inv. three; **règle** f **de ~** rule of three; **~-étoiles** [trwaze'twal] m: M. ~ Mr X; **troisième** [~'zjɛm] 1. adj./num., a. su. third; 2. su./m fraction: third; third, Am. fourth floor; su./f secondary school: (approx.) fourth form; **trois-mâts** ♣ [trwa'ma] m/inv. three-master; **trois-quarts** [~'ka:r] m/inv. ♪ three-quarter violin; three-quarter length coat; rugby: three-quarter; **trois-six** ♦ [~'sis] m proof spirit.

trolley [trɔ'lɛ] m ⊕ trolley, runner; ⚡ trolley(-pole and wheel); **~bus** [~lɛ'bys] m trolley-bus.

trombe [trɔ̃:b] f waterspout; fig. **entrer en ~** burst in; **trombone** [trɔ̃'bɔn] m ♪ trombone; (wire) paper-clip; **tromboniste** ♪ [~bɔ'nist] m trombonist.

trommel ⊕, ⚒ [trɔ'mɛl] m revolving screen; drum.

trompe [trɔ̃:p] f ♪ horn (a. mot.); zo. insect: probe; zo. proboscis; elephant: trunk; ♏ aspirator; metall. blast pump; ⚒ water-blast; ⚿ squinch; anat. tube; mot. hooter.

trompe-la-mort F [trɔ̃pla'mɔ:r] su./inv. death-dodger; **trompe-l'œil** [~'plœ:j] m/inv. paint. still-life deception; fig. illusion; F pej. window-dressing, camouflage; pinchbeck; **tromper** [~'pe] (1a) v/t. deceive; cheat; mislead; delude (about, sur); be unfaithful to (one's husband or wife); outwit, elude (the law, a watch); fig. beguile (one's grief, one's hunger, the time); fig. run counter to (hopes, intentions); **se ~** be wrong; make a mistake; **se ~ de**

chemin take the wrong road; **tromperie** [~'pri] f deceit, deception, illusion; piece of deceit.

trompeter [trɔ̃p'te] (1c) v/t. trumpet abroad (a. fig.); fig. divulge; v/i. sound the trumpet; scream (eagle).

trompette [trɔ̃'pɛt] su./f trumpet; F fig. gossip-monger; mot. horn; zo. trumpet-shell; su./m ⚔ trumpeter; **~-major,** pl. **~s-majors** ⚔ [~pɛt-ma'ʒɔ:r] m trumpet major.

trompeur, -euse [trɔ̃'pœ:r, ~'pø:z] 1. adj. deceitful (person); lying (tongue, words); fig. deceptive (appearance etc.); 2. su. deceiver; cheat; betrayer.

tronc [trɔ̃] m ♏, △, anat. trunk; ♣ tree: bole; △ column: drum; eccl. collection-box; alms-box; ♏ frustum; ♏ **~ de cône** truncated cone; **tronchet** [trɔ̃'ʃe] m (butcher's etc.) block; **tronçon** [~'sõ] m stump; piece; length; offcut; ☙, tel., etc. section; horse's tail: dock; **tronconique** ♏ [~kɔ'nik] in the shape of a truncated cone; **tronçonner** [~sɔ'ne] (1a) v/t. cut into lengths; cut up (anything long and cylindrical).

trône [tro:n] m throne; monter sur le ~ ascend the throne; **trôner** [tro'ne] (1a) v/i. sit enthroned; F fig. sit in state, lord it.

tronquer [trɔ̃'ke] (1m) v/t. △, ♏ truncate; fig. shorten; fig. cut down.

trop [tro] adv. too much or many; too, over-...; unduly; too long or far; too often; too well; **de ~** too many; **être de ~** be unwelcome, be in the way; **ne ... que ~** far too ...; only too ...; **par ~** altogether or really too ...

trophée [trɔ'fe] m trophy.

trophique physiol. [trɔ'fik] trophic; digestive (trouble).

tropical, e, m/pl. **-aux** [trɔpi'kal, ~'ko] tropical (climate, heat, plant); **tropique** astr., geog. [~'pik] m tropic.

trop-plein [trɔ'plɛ̃] m overflow; waste-pipe; overflow-pipe; fig. superabundance.

troquer [trɔ'ke] (1m) v/t. exchange, barter, F swop, Am. swap (for, contre).

trot [tro] m trot; **aller au ~** trot; F **au ~** quickly; **prendre le ~** break into a trot; **trotte** F [trɔt] f dis-

tance; *tout d'une* ~ at a stretch;
trotte-menu F [˷məˈny] *adj./inv.*
scampering; toddling (*steps of
child*); *poet. la gent* ~ *mice pl.*);
trotter [trɔˈte] (1a) *v/i.*trot; scamper (*mice*); F *fig.* be on the move
or go; ~ *par* (*or dans*) *la tête de
q.* haunt s.o. (*tune*); *v/t.*: F *se* ~
be off; **trotteur, -euse** [˷ˈtœːr,
˷ˈtœːz] **1.** *adj.* walking(-*costume
etc.*); **2.** *su. horse*: trotter; *fig.* quick
walker; *su./f clock, watch*: secondhand; **trottin** [˷ˈtɛ̃] *m* errand-girl;
trottiner [˷tiˈne] (1a) *v/i.* trot
short (*horse*); jog along (*on a horse*);
fig. toddle (*child*); *fig.* trot about;
trottinette [˷tiˈnɛt] *f* scooter;
trottoir [˷ˈtwaːr] *m* pavement,
footpath, *Am.* sidewalk; ~ *cyclable*
cycle path; F *pej. faire le* ~ walk the
streets.

trou [tru] *m* hole; *needle*: eye; gap
(*a. fig.*); *anat.* foramen; *thea.*
(*prompter's*) box; ✈ ~ *d'air* airpocket; ⊕ ~ *de graissage* oil-hole;
fig. boucher un ~ pay off a debt; F
faire un ~ *à la lune* do a moonlight
flit; abscond.

troublant, e [truˈblɑ̃, ˷ˈblɑ̃ːt] disturbing; disquieting; unsettling;
trouble [trubl] **1.** *adj.* troubled,
confused; murky (*light, sky, water*);
dim (*eyes, light*); **2.** *su./m* confusion,
disorder; *eyesight, digestion*: trouble; dissension; *fig.* uneasiness, turmoil; ⊕, *fig., pol.* disturbance; **trouble-fête** [trublɔˈfɛːt] *su./inv.* spoilsport, wet blanket; **troubler** [˷ˈble]
(1a) *v/t.* disturb (⚛, *a. water etc.,
a. fig. a person*); cloud (*a liquid*);
fig. interrupt; *fig.* perplex, disconcert; make (*s.o.*) uneasy; ruffle (*s.o.*);
se ~ become cloudy *or* overcast
(*sky*); falter (*voice*); become flustered (*person*); show concern.

trouée [truˈe] *f* gap (*a.* ✖), breach;
✖ break-through; **trouer** [˷] (1a)
v/t. make a hole *or* holes in; ✖
breach; *fig.* pit (with, *de*); *fig.* make
gaps in; *se* ~ wear into holes,
develop holes; *fig.* open, show gaps
or a gap.

trouille *sl.* [truːj] *f* fear, jitters *pl.*;
avoir la ~ have the wind up.

troupe [trup] *f people*: troop (*a.* ✖),
band; *pej.* gang; *thea.* company,
troupe; ✖ regiment; ✖ *men pl.*;
cattle, deer, etc.: herd; *geese, sheep*:

flock; *flies*: swarm; *birds*: flight; ✖
~*s pl.* forces, troops; **troupeau**
[truˈpo] *m cattle etc.*: herd; *geese,
sheep, a. fig., eccl.*: flock; *fig.* set,
pack; **troupier** ✖ F [˷ˈpje] *m*
soldier.

trousse [trus] *f* bundle; *hay*: truss;
⊕, ✂ *instruments, tools*: case, kit;
✖ *darning, sewing*: housewife; ~ *de
toilette* dressing-case; *aux* ~*s de*
on (*s.o.'s*) heels, after (*s.o.*); **trousseau** [truˈso] *m keys etc.*: bunch;
outfit; *bride*: trousseau; *metall.*
sweep; **trousse-queue** [trusˈkø]
m/inv. horse: tail-case; **trousser**
[truˈse] (1a) *v/t.* tuck up; turn up
(*one's trousers*); *cuis.* truss (*fowl*);
metall. sweep (*a mould*); F *fig.* polish
off, get quickly through (*a meal,
one's work*); *fig.* bien *troussé* neat;
dapper (*person*); *cuis.* well-prepared;
well-turned (*compliment*); **troussis** [˷ˈsi] *m* tuck (*to shorten a skirt
etc.*).

trouvable [truˈvabl] that can be
found, findable; **trouvaille** [˷ˈvaːj]
f (*lucky*) find, godsend; **trouver**
[˷ˈve] (1a) *v/t.* find; discover; hit
or come upon; meet (with); *fig.*
consider, think; ~ *bon* (*mauvais*)
(dis)approve; ~ *bon de* (*inf.*) think
fit to (*inf.*); ~ *la mort* meet one's
death; *aller* (*venir*) ~ *q.* go (come)
and see s.o.; *comment trouvez-vous
...?* what do you think of ...?;
enfant m trouvé foundling; *objets
m/pl. trouvés* lost property *sg.*;
vous trouvez? do you think so?; *se* ~
be (present, situated); feel (*better
etc.*); happen; *il se trouve que ...*
it happens that; **trouvère** [˷ˈvɛːr]
m minstrel; **trouveur** *m*, *-euse f*
[˷ˈvœːr, ˷ˈvøːz] discoverer; finder.
truand *m*, *e f* [tryˈɑ̃, ˷ˈɑ̃d] † vagrant; sturdy beggar; hooligan.

truble [trybl] *f fishing*: hoop-net,
shove-net.

truc F [tryk] *m* knack, hang; dodge,
trick, *Am.* gimmick; thingummy,
thing, gadget.

trucage [tryˈkaːʒ] *m* faking; cheating; fake; F *accounts*: cooking; *cin.*
trick picture; ✖ dummy work; *pol.
elections*: gerrymandering.

truchement [tryʃˈmɑ̃] *m* † interpreter; *fig.* go-between.
trucider F [trysiˈde] (1a) *v/t.* massacre, kill.

truc(k) 🚂 [tryk] *m* truck.
truculent, e [tryky'lɑ̃, ‿lɑ̃:t] ruddy (*face*); broad (*language*).
truelle [try'ɛl] *f* △, ⊕, *etc*. trowel; *cuis.* (*fish-*)slice; **truellée** [‿ɛ'le] *f* trowelful.
truffe [tryf] *f* ♀, *cuis.* truffle; F bulbous nose; **truffer** [try'fe] (1a) *v/t. cuis.* stuff with truffles; F riddle (with, de); **trufficulteur** [‿fikyl-'tœ:r] *m* truffle-grower; **truffier, -ère** [‿'fje, ‿'fjɛ:r] **1.** *adj.* truffle-…; **2.** *su./m* truffle-grower; *su./f* truffle-bed.
truie [trɥi] *f* sow.
truisme [try'ism] *m* truism.
truite *icht.* [trɥit] *f* trout; ‿ saumonée salmon trout; **truité, e** [trɥi'te] spotted; speckled; crackled (*china*).
trumeau [try'mo] *m* △ pier; pierglass; *cuis.* leg of beef; F trollop.
truquage [try'ka:ʒ] *m see trucage*; **truquer** [‿'ke] (1m) *v/t.* fake; F cook (*accounts*); *pol.* gerrymander (*elections*); *v/i.* cheat; sham; **truqueur** *m*, **-euse** *f* [‿'kœ:r, ‿'kø:z] *person:* fraud, humbug; faker (*of antiques etc.*).
trust ✝ [trœst] *m* trust; **truster** ✝ [trœs'te] (1a) *v/i.* trust; *v/t.* monopolize.
trypsine 🔬 [trip'sin] *f* trypsin.
tsar [tsa:r] *m* tsar, czar; **tsarine** [tsa'rin] *f* tsarina, czarina; **tsariste** [‿'rist] *adj.*, *a. su.* tsarist, czarist.
tsé-tsé *zo.* [tse'tse] *f* tsetse-fly.
tu[1] [ty] *pron./pers.* you, † thou.
tu[2], **e** [‿] *p.p. of taire*.
tuable [tɥabl] fit for slaughter (*animal*); **tuant, tuante** F [tɥɑ̃, tɥɑ̃:t] killing (*work*); splitting (*headache*); *fig.* exasperating; boring (*person*).
tub [tœb] *m* tub, bath.
tubage [ty'ba:ʒ] *m* ⊕, △, ⚒, *vet.* tubing; *shaft, well:* casing; **tube** [tyb] *m* ♀, 🔬, ♀, ⊕ *boiler*, ⚓ *torpedo, anat., paint., phys., telev.*, ✝ *tooth-paste, etc.:* tube; ⊕, △ pipe; *radio:* valve; *anat.* duct; *sl.* top hat; 🔬 ‿ *à essai* test-tube; *telev.* ‿ *de prise de vue* camera tube.
tuber[1] [ty'be] (1a) *v/t.* ⊕, ⚒, *vet.* tube (*boiler, bore-hole, larynx, well*); ⊕ case (*a shaft*).
tuber[2] [ty'be] (1a) *v/t.* tub (*s.o.*); se ‿ have a tub *or* bath.
tubercule [tybɛr'kyl] *m* ♀ tuber; 🔬

tubercle; **tuberculé, e** *biol.* [‿ky'le] tubercled, tuberculate(d); **tuberculeux, -euse** [‿ky'lø, ‿'lø:z] **1.** *adj.* 🔬 tubercular; 🔬 tuberculous; **2.** *su.* 🔬 tubercular patient; consumptive; **tuberculose** 🔬 [‿ky'lo:z] *f* tuberculosis.
tubéreux, -euse ♀ [tybe'rø, ‿'rø:z] tuberose; **tubérosité** [‿rozi'te] *f* tuberosity. [tubular.]
tubulaire ♀, △, ⊕, 🚂 [tyby'lɛ:r]}
tubulure [tyby'ly:r] *f* pump etc.: pipe; nozzle; *bottle:* neck; *mot.* manifold.
tudesque [ty'dɛsk] Teutonic, Germanic; *fig.* uncouth, barbarous.
tue-chien ♀ [ty'ʃjɛ̃] *m/inv.* meadow-saffron; **tue-mouches** [‿'muʃ] *m/inv.* ♀ fly agaric; fly-swatter; (*a. papier m* ‿) fly-paper; **tuer** [tɥe] (1n) *v/t.* kill (*a. fig.* time); *butcher;* slaughter; *fig.* bore (*s.o.*) to death; *fig.* while away (*one's time*); ⚔ *tué à l'ennemi* killed in action; se ‿ kill o.s.; commit suicide; be killed; *fig.* wear o.s. out (in, with *à*); **tuerie** [ty'ri] *f fig.* slaughter, massacre; slaughter-house; **tue-tête** [‿'tɛt] *adv.: à* ‿ at the top of one's voice; **tueur** *m*, **tueuse** *f* [tɥœ:r, tɥø:z] killer, slayer, slaughterer (*a. fig.*).
tuf [tyf] *m geol.* tufa; *fig.* foundation, bed-rock; *geol.* ‿ *volcanique* tuff.
tuile [tɥil] *f* tile; F *fig.* (piece of) bad luck, *Am.* tough luck; **tuileau** [tɥi'lo] *m* broken tile; piece of tile; **tuilerie** ⊕ [tɥil'ri] *f* tileworks *usu. sg.*, tile-field; **tuilier** ⊕ [tɥi'lje] *m* tiler, tile-maker.
tulipe [ty'lip] *f* ♀ tulip; ⚡ (tulip-shaped) lamp-shade; **tulipier** ♀ [‿li'pje] *m* tulip-tree.
tulle *tex.* [tyl] *m* tulle; net; **tullerie** ⊕ [‿'ri] *f* tulle-factory; tulle-making.
tuméfaction 🔬 [tymefak'sjɔ̃] *f* swelling, tumefaction; **tuméfier** 🔬 [‿'fje] (1o) *v/t. a.* se ‿ tumefy, swell.
tumeur 🔬 [ty'mœ:r] *f* tumo(u)r, F growth; swelling.
tumulaire [tymy'lɛ:r] tomb…, grave…, *a.* tumular(y).
tumulte [ty'mylt] *m* tumult, uproar; *passions, politics:* turmoil; *business:* rush, bustle; riot; **tumultueux, -euse** [‿myl'tɥø, ‿'tɥø:z] tumultuous, riotous; *fig.* noisy, rowdy.

tumulus [tymy'lys] *m* tumulus, barrow.

tungstène ⚒, *metall.* [tœ̃ks'tɛn] *m* tungsten, wolfram; *acier m au ~* tungsten steel.

tunique [ty'nik] *f* ⚘, ✕, *cost.* tunic; *eccl.* tunicle.

tunnel [ty'nɛl] *m* tunnel; ✈ *~ aérodynamique* wind tunnel.

turban *cost.* [tyr'bɑ̃] *m* turban.

turbin F [tyr'bɛ̃] *m* work; *school:* swot, grind.

turbine ⊕ [tyr'bin] *f* turbine; *vacuum cleaner:* rotary fan.

turbiné, e ⚘ *etc.* [tyrbi'ne] turbinate(d); whorled.

turbiner F [tyrbi'ne] (1a) *v/i.* work, toil; *school:* swot, grind; **turbineur** F [~'nœːr] *m* hard worker.

turbocompresseur ⊕, ✈ [tyrbɔkɔ̃prɛ'sœːr] *m* turbo-compressor, turbo-supercharger; **turbopropulseur** ✈ [~prɔpyl'sœːr] *m* propeller turbine; *avion m à ~* turbo-prop aircraft; **turboréacteur** ✈ [~reak'tœːr] *m* turbo-jet engine.

turbot *icht.* [tyr'bo] *m* turbot; **turbotière** *cuis.* [~bɔ'tjɛːr] *f* turbot-kettle; **turbotin** *icht.* [~bɔ'tɛ̃] *m* young turbot.

turbulence [tyrby'lɑ̃ːs] *f* turbulence (*a. phys.*); *child:* boisterousness; *fig.* unruliness; **turbulent, e** [~'lɑ̃, ~'lɑ̃ːt] turbulent; boisterous (*child, wind*); wild (*sea*); stormy (*life*); *fig.* unruly (*people*).

turc, turque [tyrk] **1.** *adj.* Turkish; † *fig.* hard-hearted, harsh; **2.** *su./m ling.* Turkish; *su.* ♀ Turk; *tête f de* ♀ scapegoat; *try-your-strength machine* (*at a fair*).

turco ✕ † F [tyr'ko] *m* Turco (= *Algerian rifleman*).

turf [tyrf] *m* racecourse; turf, racing; **turfiste** [tyr'fist] *su.* racegoer.

turgescence ⚘, ⚘ [tyrʒɛ'sɑ̃ːs] *f* turgescence, turgidity; **turgescent, e** ⚘, ⚘ [~'sɑ̃, ~'sɑ̃ːt] turgescent.

turgide [tyr'ʒid] turgid, swollen.

turion ⚘ [ty'rjɔ̃] *m* turion.

turlupin [tyrly'pɛ̃] *m* buffoon, clown; **turlupinade** [~pi'nad] *f* piece of low buffoonery; low pun; **turlupiner** [~pi'ne] (1a) *v/t.* make low jokes about (*s.o.*); *v/i.* play the clown, act the buffoon.

turlututu F [tyrlyty'ty] **1.** *su./m* ♪ (*sort of*) toy flute; **2.** *int.* fiddlesticks!; hoity-toity!

turne F [tyrn] *f* digs *pl.*; den, room; dilapidated house; *quelle ~!* what a hole!; what a dump!

turnep(s) ⚘ [tyr'nɛp(s)] *m* kohlrabi.

turpitude [tyrpi'tyd] *f* turpitude; depravity; smut(ty talk *or* story); foul deed.

turquin [tyr'kɛ̃] *adj./m*: *bleu ~* bluish-grey, slate-blue.

turquoise [tyr'kwaːz] **1.** *su./f stone:* turquoise; **2.** *adj./inv.* turquoise (*colour*).

tus [ty] *1st p. sg. p.s. of* taire.

tussilage ⚘ [tysi'laːʒ] *m* coltsfoot.

tussor *tex.* [ty'sɔːr] *m* tussore(-silk).

tutélaire [tyte'lɛːr] tutelary; guardian ...; **tutelle** [~'tɛl] *f* ⚖ guardianship, tutelage; *pol.* trusteeship; *fig.* protection.

tuteur, -trice [ty'tœːr, ~'tris] *su.* ⚖ guardian; tutor (*of minor*); committee (*of lunatic*); *fig.* protector; *su./m* ⚘ prop, stake; **tuteurage** ✿ [~tœ'raːʒ] *m* staking.

tutoiement [tytwa'mɑ̃] *m* use of *tu* and *toi* (*as a sign of familiarity*); **tutoyer** [~'je] (1h) *v/t.* address (*s.o.*) as *tu*; be on familiar terms with (*s.o.*).

tutu [ty'ty] *m* ballet-skirt.

tuyau [tɥi'jo] *m* pipe, tube; *cost.* fluting, goffer; ⚘ stalk; *pipe:* stem; *chimney:* flue; F *fig.* tip, wrinkle, hint; ✿ *~ d'arrosage* garden-hose; *~ de jonction* (*or communication*) connecting pipe; *~ de poêle* stove-pipe; *sl.* top-hat; *~ d'incendie* fire-hose; *fig. dire qch. à q. dans le ~ de l'oreille* whisper s.th. in s.o.'s ear; **tuyautage** [tɥijo'taːʒ] *m* ⊕ piping, tubing; pipes *pl.*; pipe-line; *cost.* fluting, goffering; F *fig.* tipping (off); **tuyauter** [~'te] (1a) *v/t.* flute (*linen*); F give (*s.o.*) a tip; *fer m à ~* goffering iron *or* tongs *pl.*; **tuyauterie** [~'tri] *f* pipe and tube works *usu. sg. or* factory *or* trade; *cost.* fluting, goffering.

tuyère [tɥi'jɛːr] *f* ⊕ nozzle; ✈ *~ d'éjection* outlet jet, *Am.* jet outlet.

tympan [tɛ̃'pɑ̃] *m* △, *anat.* tympanum; *anat.* (ear-)drum; ⊕ pinion; *hydraulics:* scoop-wheel; treadmill;

typ. tympan; *fig.* briser le ~ à q. split s.o.'s eardrums; **tympanisme** 🔬 [tɛ̃pa'nism] *m* tympanites; **tympanon** ♪ [ˌ~'nɔ̃] *m* dulcimer.

type [tip] **1.** *su./m* type (*a. typ., fig.*); standard model *or* pattern; † sample; F fellow, chap, *Am.* guy; **2.** *adj.* typical; **typesse** *sl.* [ti'pɛs] *f* woman; girl.

typhique 🔬 [ti'fik] typhous; **typhoïde** 🔬 [ˌ~fɔ'id] **1.** *adj.* typhoid; **2.** *su./f* typhoid (fever).

typhon *meteor.* [ti'fɔ̃] *m* typhoon.

typhus 🔬 [ti'fys] *m* typhus.

typique [ti'pik] typical (of, de); symbolical.

typographe [tipo'graf] *m* typographer, printer; **typographie** [ˌ~gra'fi] *f* typography; letterpress

printing; printing-works *usu. sg.*; **typographique** [ˌ~gra'fik] typographical; *erreur f* ~ misprint.

tyran [ti'rã] *m* tyrant (*a. fig.*); *orn.* king-bird; **tyrannicide** [tirani'sid] *su. person:* tyrannicide; *su./m act:* tyrannicide; **tyrannie** [ˌ~'ni] *f* tyranny (*a. fig.*); **tyrannique** [ˌ~'nik] tyrannical (*a. fig.*); **tyranniser** [ˌ~ni'ze] (1a) *v/t.* tyrannize (*s.o.*); oppress (*s.o.*); rule (*s.o.*) with a rod of iron; *fig.* bully (*s.o.*).

tyrolien, -enne [tiro'ljɛ̃, ˌ~'ljɛn] **1.** *adj.* Tyrolese; **2.** *su.* ♀ Tyrolese; *les ♀s m/pl.* the Tyrolese; *su./f* ♪ yodelled melody; ♪ Tyrolienne.

tzar [tsa:r] *etc. see tsar etc.*

tzigane [tsi'gan] *su.* Hungarian gipsy, Tzigane.

U

U, u [y] *m* U, u; ⊕ *fer m en U* U-girder.

ubiquiste [ybi'kɥist] **1.** *adj.* ubiquitous; **2.** *su.* ubiquitous person; **ubiquité** [ˌ~kɥi'te] *f* ubiquity.

udomètre [ydɔ'mɛtr] *m* udometer, rain-ga(u)ge.

ukase *pol., a. fig.* [y'ka:z] *m* ukase, edict.

ulcération 🔬 [ylsera'sjɔ̃] *f* ulceration; **ulcère** 🔬 [ˌ~'sɛ:r] *m* ulcer; sore; **ulcérer** [ylse're] (1f) *v/t.* ulcerate; *fig.* embitter; **ulcéreux, -euse** [ˌ~'rø, ˌ~'rø:z] ulcerated; ulcerous.

ulnaire *anat.* [yl'nɛ:r] ulnar.

ultérieur, e [ylte'rjœ:r] ulterior; *geog.* further; subsequent (to, à), later (*time*).

ultimatum [yltima'tɔm] *m* ultimatum; **ultime** [ˌ~'tim] ultimate, final; **ultimo** [ˌ~ti'mo] *adv.* lastly, finally.

ultra *pol.* [yl'tra] *m* extremist, ultra.

ultra... [yltra] ultra...; **~court, e** *phys.* [ˌ~'ku:r, ˌ~'kurt] ultra-short (*wave*); **~montain, e** [ˌ~mɔ̃'tɛ̃, ˌ~'tɛn] **1.** *adj. geog., pol., eccl.* ultramontane; **2.** *su. eccl., pol.* ultramontanist, Vaticanist; **~(-)son** *phys.* [ˌ~'sɔ̃] *m* ultra-sound; **~sonore** *phys.* [ˌ~sɔ̃'nɔ:r] ultrasonic; supersonic; **~violet, -ette** *opt.* [ˌ~vjɔ'le, ˌ~'lɛt] ultra-violet.

ululer [yly'le] (1a) *v/i.* hoot (*owl*).

un, une [œ̃, yn] **1.** *art./indef.* a, *before vowel:* an; *fig.* someone like; such a (*in int. as intensive*); *not translated before abstract nouns qualified by an adj.:* avec une grande joie with great joy; ~ *jour ou l'autre* some day or other; **2.** *adj./num./inv.* one; une fois once; une heure one o'clock; ~ *jour sur deux* every other day; *c'est tout* ~ it makes no difference; *de deux choses l'une* (it's) one thing or the other; **3.** *su.* one; ~ *à* ~ one by one; *su./f: journ. la une* page one; *su./m:* le un (number) one; *thea.* first act; **4.** *pron./indef.* one; *les* ~s *les autres* one another, each other; *les* ~s ..., *les autres* ... some ..., others ...; *l'* ~ *l'autre* another, each other.

unanime [yna'nim] unanimous (in s.th., *dans qch.*; in ger. à, *pour inf.*); **unanimité** [ˌ~nimi'te] *f* unanimity; *à l'* ~ unanimously, with one voice.

uni, e [y'ni] **1.** *p.p. of unir*; **2.** *adj.* smooth; level, even (*ground*); regular; plain (*colour, a. tex.*); *fig., a. pol.* united; **3.** *su./m* plain *or* simple material.

unicellulaire ♀, *a. zo.* [ynisɛly'lɛ:r] unicellular.

unicité [ynisi'te] *f* uniqueness; *phls.* oneness.

unicolore [ynikɔˈlɔːr] unicolo(u)red; one-colo(u)red.

unicorne [yniˈkɔrn] **1.** adj. single-horned; **2.** su./m ⬜, zo., myth. unicorn.

unième [yˈnjɛm] adj./num., a. su. in compounds: first; vingt et ~ twenty-first.

unification [ynifikaˈsjɔ̃] f unification; ⊕, ✝ companies: amalgamation, merger; ✝ standardization; **unifier** [~ˈfje] (1o) v/t. unify; ⊕, ✝ amalgamate, merge (companies); ✝ standardize.

uniforme [yniˈfɔrm] **1.** adj. uniform, unvarying; flat (rate); fig. monotonous; **2.** su./m ✗, ⚓, school, etc.: uniform; **uniformément** [yniˌfɔrmeˈmɑ̃] adv. of uniforme 1; **uniformiser** [~miˈze] (1a) v/t. standardize; make (s.th.) uniform; **uniformité** [~miˈte] f uniformity; fig. consistency; evenness.

unigraphie ✝ [ynigraˈfi] f single-entry book-keeping.

unijambiste [yniʒɑ̃ˈbist] su. one-legged person.

unilatéral, e, m/pl. **-aux** ⚕, ꜰꜰ, pol., etc. [ynilateˈral, ~ˈro] unilateral.

union [yˈnjɔ̃] f union; combination; admin. association; marriage; ⊕ coupling, union-joint; fig. agreement.

unipare biol. [yniˈpaːr] uniparous.

uniphasé, e ⚡ [ynifaˈze] monophase; single-phase.

unipolaire ⚡ [ynipɔˈlɛːr] unipolar, single-pole ...

unique [yˈnik] unique; single, alone; only; ✗, pol. united; fig. unrivalled; fig. pej. impossible; seul et ~ one and only; **uniquement** [ynikˈmɑ̃] adv. solely; simply, merely.

unir [yˈniːr] (2a) v/t. unite (to à, avec), join; fig. combine; level (the ground etc.); ✝ merge; s'~ à join forces with; marry (s.o.).

unisson [yniˈsɔ̃] m ♪ unison; à l'~ in unison (with, de); fig. in harmony or keeping (with, de).

unitaire [yniˈtɛːr] unitary; unitarian (a. eccl.); ⚕, ✝ unit-...; **unitarisme** eccl. [~taˈrism] m Unitarianism; **unité** [~ˈte] f ✗, ⚕ unit; ⚕ one; ⚕, phls., fig., thea. unity; fig. consistency, uniformity; ✝ prix m de l'~ price of one.

univalent, e ⚗ [ynivaˈlɑ̃, ~ˈlɑ̃ːt] univalent, monovalent.

univers [yniˈvɛːr] m universe; **universaliser** [yniversaliˈze] (1a) v/t. universalize; **universalité** [~saliˈte] f universality; whole (a. ꜰꜰ), entirety; **universel, -elle** [~ˈsɛl] universal (a. phls., ⊕); world(-wide); ꜰꜰ residuary (legatee); fig. homme m ~ all-rounder; ⚗ remède m ~ panacea.

universitaire [yniversiˈtɛːr] **1.** adj. university ..., academic; **2.** su. member of the teaching profession; univ. academic; **université** [~ˈte] f university, Am. a. college; l'~ France: the teaching profession.

univoque [yniˈvɔk] univocal; fig. unequivocal (language, proof, words); fig. uniform.

uppercut box. [ypɛrˈkyt] m uppercut.

uranate ⚗ [yraˈnat] m uranate; **urane** ⚗ [yˈran] m uranium oxide; **uranite** min. [yraˈnit] f uranite; **uranium** ⚗ [~ˈnjɔm] m uranium.

uranographie astr. [yranɔɡraˈfi] f uranography.

urbain, e [yrˈbɛ̃, ~ˈbɛn] **1.** adj. urban; town(guard, house, life, planning); city (life); **2.** su. town-dweller, city-dweller; **urbanification** [yrbanifikaˈsjɔ̃] f town-planning; **urbaniser** [~niˈze] (1a) v/t. urbanize; **urbanisme** [~ˈnism] m urbanism; town-planning, Am. city-planning; **urbaniste** [~ˈnist] m urbanist; town-planner, Am. city-planner; **urbanité** [~niˈte] f urbanity.

urée ⚗ [yˈre] f urea; **urémie** ⚗ [yreˈmi] f ur(a)emia; **urétérite** ⚗ [~teˈrit] f ureteritis; **urètre** anat. [yˈrɛːtr] m urethra.

urgence [yrˈʒɑ̃ːs] f urgency; emergency; affairs: pressure; d'~ immediately; en cas d'~ in case of or in an emergency; il y a (grande) ~ it is (very) urgent; **urgent, e** [~ˈʒɑ̃, ~ˈʒɑ̃ːt] urgent, pressing; ⚗ cas m ~ emergency.

urinaire anat. [yriˈnɛːr] urinary; **urinal** ⚗ [~ˈnal] m (day-, bed-)urinal; **urine** physiol. [yˈrin] f urine; **uriner** [yriˈne] (1a) v/i. urinate, make water; **urinoir** [~ˈnwaːr] m (public) urinal.

urique ⚗ [yˈrik] uric.

urne [yrn] *f* urn; (ballot-)box; ~ *funéraire* cinerary urn; *se rendre aux ~s* go to the polls.

urologie [yrɔlɔ'ʒi] *f* urology; **urologiste** [~'ʒist] *m* urologist.

Ursuline *eccl.* [yrsy'lin] *f* Ursuline (nun).

urticacées ♀ [yrtika'se] *f/pl.* urticaceae; **urticaire** [~'kɛːr] *f* urticaria, nettle-rash.

us [y] *m/pl.*: ~ *et coutumes f/pl.* ways and customs.

usable [y'zabl] liable to wear out; **usage** [y'zaːʒ] *m* use (*a.* ♀), employment; ♀ user; *cost.*, *carpet, etc.*: service, wear; *fig.* custom; usage; *fig.* practice; ♀ ~*s pl.* common *sg.*; ~ *du monde* good breeding; ~ *externe* for external use; *à l'~ de* intended for; *faire* ~ *de* use; *faire bon* ~ *de* put to good use; *hors d'*~ disused; *il est d'*~ *de* (*inf.*) it is usual to (*inf.*); **usagé, e** [yza'ʒe] second-hand; worn (*clothes*); used; **usager, -ère** [~'ʒe, ~'ʒɛːr] **1.** *su.* user; ♀ *pasturage:* commoner; **2.** *adj.* in everyday use; ♀ *Customs:* for personal use; **usance** ✝ [y'zãːs] *f* usance; **usé, e** [y'ze] worn (out); *cost.* threadbare, shabby; frayed (*rope*); *fig.* hackneyed, commonplace; worn-out (*horse*); exhausted (*soil*); **user** [~] **1.** (1a) *v/t.* use up; consume (*fuel*); *cost.* wear out; spoil (*one's eyes etc.*); waste (*one's youth*); *s'~* wear away *or* out; *fig.* be spent; *v/i.*: ~ *de* use; make use of; resort to (*tricks, violence*); **2.** *su./m* usage; experience.

usinage ⊕ [yzi'naːʒ] *m* machining, tooling; **usine** [y'zin] *f* works *usu. sg.*, factory; *tex.*, *metall.*, *paper:* mill; ⚡ ~ *électrique* power-station, power-house; ~ *hydraulique* waterworks *usu. sg.*; **usiner** [yzi'ne] (1a) *v/t.* ⊕ machine, tool; process; **usinier** [~'nje] *m* mill-owner; manufacturer.

usité, e [yzi'te] in use, current.

ustensile [ystã'sil] *m* utensil, implement; tool.

usuel, -elle [y'zɥɛl] usual, customary; common; *langue f ~elle* everyday language.

usufruit ♀ [yzy'frɥi] *m* usufruct;

life interest; **usufruitier, -ère** ♀ [~frɥi'tje, ~'tjeːr] **1.** *adj.* usufructuary; **2.** *su.* tenant for life; usufructuary.

usuraire [yzy'rɛːr] usurious; exorbitant.

usure[1] [y'zyːr] *f* ⊕, *cost.*, *furnishings, etc.:* wear (and tear); *geol.*, *gramm.* erosion; ⚔ *guerre f d'*~ war of attrition.

usure[2] [y'zyːr] *f* usury; *fig. rendre avec* ~ repay (*s.th.*) with interest; **usurier** *m*, **-ère** *f* [yzy'rje, ~'rjeːr] usurer.

usurpateur, -trice [yzyrpa'tœːr, ~'tris] **1.** *adj.* usurping; *fig.* encroaching; **2.** *su.* usurper; **usurpation** [~'sjɔ̃] *f* usurpation (of, *de*); *fig.* encroachment (upon, *de*); **usurpatoire** [~'twaːr] usurpatory; **usurper** [yzyr'pe] (1a) *v/t.* usurp (*the throne, a title*) (from, *sur*); *v/i* *fig.* encroach (upon, *sur*).

ut ♪ [yt] *m/inv.* ut; *note:* C; *clef f d'*~ C-clef.

utérin, e [yte'rɛ̃, ~'rin] **1.** *adj.* ♀, ♀ uterine; ♀ half(-brother, -sister) on the mother's side; **2.** *su./m* half-brother on the mother's side; *su./f* half-sister on the mother's side.

utile [y'til] **1.** *adj.* useful; of service; *fig.* convenient; necessary; *en temps* ~ in (good) time; in due course; **2.** *su./m the* useful; **utilisable** [ytili'zabl] usable; utilizable; available (*ticket*); **utilisateur** ✝ [~za'tœːr] *m* user, consumer; **utilisation** [~za-'sjɔ̃] *f* utilization; turning (*of s.th.*) to account; use; **utiliser** [~'ze] (1a) *v/t.* make use of; use; utilize; **utilitaire** [~'tɛːr] *adj.*, *a.* *su.* utilitarian; **utilitarisme** [~ta'rism] *m* utilitarianism; **utilité** [~'te] *f* utility, usefulness; use; service, useful purpose; *thea.* small *or* minor part; *actor:* utility man.

utopie [yto'pi] *f* utopia; *d'*~ utopian; **utopique** [~'pik] *adj.*, *a.* *su.* utopian; **utopiste** [~'pist] *su.* utopian, utopist.

utricule *anat.* [ytri'kyl] *m* utricle.

uval, e, *m/pl.* **-aux** [y'val, ~'vo] grape-...

uvulaire *anat.* [yvy'lɛːr] uvular.

V

V, v [ve] *m* V, v; *double v* W, w.

va! [va] *int.* to be sure!; believe me!; well!; good!; ~ *pour cette somme!* done (at that price)!; agreed (at that figure)!

vacance [va'kɑ̃:s] *f* vacancy; vacant post; ~s *pl.* holidays; vacation *sg.* (*Am. a. univ.*), *parl.* recess *sg.*; *grandes* ~s *pl.* long holidays *etc.*; **vacant, e** [~'kɑ̃, ~'kɑ̃:t] vacant, unoccupied (*house, post, seat, etc.*); ⚖ in abeyance (*estate*).

vacarme [va'karm] *m* uproar, din.

vacation ⚖ [vaka'sjɔ̃] *f* attendance, sitting; *rights etc.*: abeyance; ~s *pl.* fees; *law-courts*: vacation *sg.*

vaccin [vak'sɛ̃] *m* vaccine; **vaccinal, e**, *m/pl.* **-aux** ✳ [vaksi'nal, ~'no] vaccinal; **vaccinateur** [~na'tœ:r] *m* vaccinator; **vaccination** ✳ [~na'sjɔ̃] *f* vaccination; inoculation; ~ *préventive* protective inoculation; **vaccine** [vak'sin] *f* ✳ vaccinia, (inoculated) cow-pox; *vet.* cow-pox; **vacciner** ✳ [~si'ne] (1a) *v/t.* vaccinate; inoculate.

vache [vaʃ] **1.** *su./f* cow; 🐂 cowhide; *sl.* fat woman, V cow; *woman*: bitch; *sl. man etc.*: swine; F la ~ *plancher m des* ~s terra firma, dry land; F *fig. manger de la* ~ *enragée* have a hard time of it; F *parler français comme une* ~ *espagnole* murder the French language; **2.** *adj. sl.* harsh; bad; F foul; **vacher** *m*, **-ère** *f* [va'ʃe, ~'ʃɛ:r] cowherd; **vacherie** [vaʃ'ri] *f* cow-shed, cow-house; dairy-farm; *sl.* dirty trick; **vachette** 🐂 [va'ʃɛt] *f leather*: calf-skin.

vacillant, e [vasi'jɑ̃, ~'jɑ̃:t] unsteady; staggering; flickering (*flame*); shaky (*hand, ladder*); *fig.* undecided; uncertain (*health*); **vacillation** [~ja'sjɔ̃] *f* unsteadiness; *flame*: flickering; *ladder*: shakiness; *fig.* wavering, vacillation; **vacillatoire** [~ja'twa:r] vacillatory; **vaciller** [~'je] (1a) *v/i.* be unsteady; stagger; be shaky; flicker (*light*); twinkle (*star*); *fig.* vacillate, waver.

vacuité [vakɥi'te] *f* emptiness, vacuity; **vacuum** [~'kɥɔm] *m* vacuum.

vade-mecum [vademe'kɔm] *m/inv.* vade-mecum; companion (=*book*).

vadrouille [va'dru:j] *f* ⚓ swab; ⚓ pitch-mop; tar-mop; *sl.* pub-crawl, spree; *en* ~ on the spree; **vadrouiller** *sl.* [vadru'je] (1a) *v/i.* gallivant; go on the spree; **vadrouilleur** *m*, **-euse** *f* [~'jœ:r, ~'jø:z] roamer; gadabout.

va-et-vient [vae'vjɛ̃] *m/inv.* coming and going; movement to and fro; backward and forward motion, *Am.* back and forth motion; ⚓ shuttle-service; ⊕ reciprocating gear; ⚡ two-way wiring; *faire le* ~ *entre* 🚌, *bus, etc.*: ply between.

vagabond, e [vaga'bɔ̃, ~'bɔ̃:d] **1.** *adj.* vagabond, vagrant; roving (*a. fig.*); **2.** *su.* vagabond; vagrant, tramp; **vagabondage** [~bɔ̃'da:ʒ] *m* vagrancy; truancy; **vagabonder** [~bɔ̃'de] (1a) *v/i.* be a vagabond; roam (*a. fig.*); play truant; *fig.* wander (*imagination*).

vagin *anat.* [va'ʒɛ̃] *m* vagina.

vagir [va'ʒi:r] (2a) *v/i.* wail (*new-born infant*); squeak (*hare*); **vagissement** [~ʒis'mɑ̃] *m* new-born infant: vagitus, wail; hare: squeak (-ing).

vague[1] [vag] *f* ⚓ wave (*a. fig., a.* ✕); billow; ⚡ current, *fig.* anger: surge.

vague[2] [~] **1.** *adj.* vague; hazy; indeterminate; dim (*memory*); *anat.* vagus (*nerve*); **2.** *su./m* vagueness.

vague[3] [~] **1.** *adj.* vacant, empty (*look, stare*); **2.** *su./m* empty space; *fig.* vacancy.

vaguemestre [vag'mɛstr] *m* ✕ post-orderly; ⚓ postman.

vaguer [va'ge] (1m) *v/i.* roam, wander.

vaillamment [vaja'mɑ̃] *adv. of* *vaillant*; **vaillance** [~'jɑ̃:s] *f* valo(u)r, courage, gallantry; **vaillant, e** [~'jɑ̃, ~'jɑ̃:t] valiant, brave, courageous; ✕ gallant; stout (*heart*); F *fig.* in good health.

vaille [vaj] *1st p. sg. pres. sbj. of* *valoir*.

vain, vaine [vɛ̃, vɛn] **1.** *adj.* vain; empty (*promise, title, words, etc.*); useless (*effort*); conceited (*person*); **2.** *vain adv.*: *en* ~ vainly, in vain.

vainc [vɛ̃] *3rd p. sg. pres. of vaincre*; **vaincre** [vɛ̃:kr] (4gg) *v/t.* conquer (*a. fig. an emotion, hardship, etc.*); defeat, beat (*s.o.*) (*a. sp.*); *fig.* outdo; **vaincu, e** [vɛ̃'ky] **1.** *p.p. of vaincre*; **2.** *su.* vanquished *or* conquered person; *sp. etc.* loser; **vainqueur** [ˌ~'kœ:r] **1.** *su./m* victor, conqueror; *sp. etc.* winner; **2.** *adj.* victorious; **vainquis** [ˌ~'ki] *1st p. sg. p.s. of vaincre*; **vainquons** [ˌ~'kɔ̃] *1st p. pl. pres. of vaincre*.

vair [vɛ:r] *m* ☩ squirrel fur; ⌗ vair; **vairon** [vɛ'rɔ̃] **1.** *adj./m*: ⚜, *vet.* wall-eyed; *yeux m/pl.* ~s eyes of different colo(u)rs; **2.** *su./m icht.* minnow.

vais [vɛ] *1st p. sg. pres. of aller 1.*

vaisseau [vɛ'so] *m* 🕮, ⚓, ⚗, *anat., cuis.* vessel; ⚓ ship; ⚗, *anat.* duct, canal; ⚠ *building*: body; *church*: nave; *anat.* ~ sanguin blood-vessel; ~ spatial spacecraft; *fig.* brûler ses ~x burn one's boats; ~-école, *pl.* ~x-écoles [ˌsoe'kɔl] *m* training-ship.

vaisselier [vɛsə'lje] *m furniture*: dresser; **vaisselle** [ˌ~'sɛl] *f* table-service; table-ware; crockery, china; *eau f* de ~ dish-water; *faire la* ~ do the washing-up, wash up.

val, *pl.* **vals,** *a.* **vaux** [val, vo] *m* vale, dale; *par monts et par vaux* up hill and down dale.

valable [va'labl] valid (*a. fig.*).

valence¹ ☩, ⚗ [va'lɑ̃:s] *f* Valencia orange.

valence² 🕮 [ˌ~] *f* valency.

valenciennes [valɑ̃'sjɛn] *f* Valenciennes (lace).

valériane ⚘, ⚗ [vale'rjan] *f* valerian; **valérianelle** ⚗ [ˌ~rja'nɛl] *f* lamb's-lettuce.

valet [va'lɛ] *m* (man-)servant; *cards*: knave, jack; ⊕ door-counter-weight; ⊕ clamp, dog; *mirror, etc., a.* 🕮 stand; *fig.* toady; ~ de chambre valet, man-servant; ✍ ~ de ferme farm-hand.

valétudinaire [valetydi'nɛ:r] *adj., a. su.* valetudinarian.

valeur [va'lœ:r] *f* value (*a.* ♬, ☩, *phls., fig.*), worth; asset (*a fig.*); ♪ *note*: length; ⚔ valo(u)r, gallantry; ☩ ~s *pl.* shares, securities; ☩ ~s *pl.* **actives** assets; ⚔ ~ **militaire** fighting qualities *pl.*; ⚓ ~ **nautique** seaworthiness; ☩ ~ **nominale** face

value; de ~ valuable; *fig.* of value; able (*person*); *mettre en* ~ enhance the value of; develop (*the soil*); reclaim (*a marsh*); *fig.* emphasize, bring out; *objets m/pl.* de ~ valuables; **valeureux, -euse** ⚔ [ˌ~lœ'rø, ˌ~'rø:z] brave, gallant, valiant.

validation [valida'sjɔ̃] *f* validation; *law:* ratifying; **valide** [ˌ~'lid] valid; healthy; *fig.* sound; ⚔ fit (*for service*); F *fig.* peu ~ off colo(u)r; **valider** [vali'de] (1a) *v/t.* validate; authenticate (*a document*); ratify (*a contract*); **validité** [ˌ~di'te] *f* validity.

valise [va'li:z] *f* valise; suit-case; *Am.* grip; *diplomatic*) bag.

vallée [va'le] *f* valley; **valleuse** [ˌ~'lø:z] *f* small dry valley; **vallon** [ˌ~'lɔ̃] *m* small valley; dale, vale; **vallonné, e** [ˌ~lɔ'ne] undulating; **vallonnement** [ˌ~lɔn'mɑ̃] *m* laying out (*of ground*) in dells; foothill.

valoir [va'lwa:r] (31) *v/i.* be worth; be profitable; be as good as; be equal to; deserve, merit; be *or* remain valid; ☩ à ~ on account (of, *sur*); *ça vaut la peine* (de *inf.*) it's worth while (*ger.*); *ça vaut le coup* it's worth trying; *faire* ~ make the most of (*s.th.*); ☩ invest profitably; ☩ exploit, make productive; *fig.* emphasize, bring out; *vaille que vaille* for better or worse; *v/t.* procure, win, fetch; *se faire* ~ make the most of o.s.; *v/impers.:* il vaut mieux (*inf.*) it's better to (*inf.*); *mieux vaut tard que jamais* better late than never.

valorisation ☩ [valɔriza'sjɔ̃] *f* valorization; *cheques:* valuing; *price:* stabilization; **valoriser** ☩ [ˌ~'ze] (1a) *v/t.* valorize; value (*cheques*); stabilize (*prices*).

valse ♪ [vals] *f* waltz; **valser** [val'se] (1a) *v/i.* waltz; *faire* ~ dance with; *fig.* lead (*s.o.*) a dance; *fig.* show (*s.o.*) to the door; *faire* ~ l'argent spend money like water; **valseur, -euse** [ˌ~'sœ:r, ˌ~'sø:z] **1.** *adj.* waltzing; **2.** *su.* waltzer.

valu, e [va'ly] **1.** *p.p. of valoir;* **2.** *su./f* see *moins-value; plus-value;* **valus** [ˌ~] *1st p. sg. p.s. of valoir.*

valvaire ⚗ *etc.* [val'vɛ:r] valvar, valvate; **valve** [valv] *f anat., mot., metall., radio,* ⚗, ⊕, ⚡: valve; **valvé, e** ⚗ [val've] valvate; **val-**

vule [~'vyl] *f* valvule; *anat.* valve.

vampire [vã'pi:r] *m* *zo.*, *a. fig.* vampire; *fig.* blood-sucker; **vampirique** [~pi'rik] vampiric; bloodsucking.

van [vã] *m* ✔ winnowing-basket; fan; winnowing-machine; ✗ van (-ning-shovel); ✔ *passer au* ~ winnow. [ism.]

vandalisme [vãda'lism] *m* vandal-]

vanesse *zo.* [va'nɛs] *f* vanessa.

vanille ♀, *cuis.* [va'ni:j] *f* vanilla; *à la* ~ vanilla ...; **vanillé, e** *cuis.* [~ni'je] vanilla(-flavo[u]red); **vanillerie** ✔ [~nij'ri] *f* vanilla-plantation; **vanillier** [vani'je] *m* vanilla plant; **vanilline** ♫, ⊕ [~'jin] *f* vanillin.

vanité [vani'te] *f* vanity; *fig.* futility; *pej. tirer* ~ *de* pride o.s. on; **vaniteux, -euse** [~'tø, ~'tø:z] **1.** *ai j.* vain, conceited; **2.** *su.* conceited person.

vannage[1] [va'na:ʒ] *m* ✔ winnowing, sifting; ✗ *ore:* vanning; F *fig.* exhaustion.

vannage[2] ⊕ [~] *m* *water-gate:* sluice-gates *pl.*; *turbine:* gating; **vanne** [van] *f* sluice(-gate), watergate; *turbine:* gate; (overflow) weir; *mot. etc.* valve; *fan, ventilator:* shutter.

vanneau *orn.* [va'no] *m* lapwing, (green) plover.

vanner[1] [va'ne] (1a) *v/t.* ✔ winnow, sift; ✗ van; F *fig.* exhaust.

vanner[2] ⊕ [~] (1a) *v/t.* fit sluices in; gate (*a turbine*).

vannerie [van'ri] *f* basket-making; ✟ wicker-work, basket-work.

vanneur [va'nœ:r] *m* ✔ winnower; ✗ vanner (*a. machine*); **vanneuse** ✔ [~'nø:z] *f* winnowing-machine.

vannier [va'nje] *m* basket-maker.

vannure ✔ [va'ny:r] *f* chaff, husks *pl.*

vantail, *pl.* **-aux** [vã'ta:j, ~'to] *m* *door, shutter, etc.*: leaf.

vantard, e [vã'ta:r, ~'tard] **1.** *adj.* boastful, bragging; **2.** *su.* bragger, braggart; *Am. sl.* blow-hard, *Am. sl.* wind-jammer; **vantardise** [~tar'di:z] *f* bragging; boasting; piece of bluff; **vanter** [~'te] (1a) *v/t.* vaunt, extol; F boost, crack up; *se* ~ (*de*) boast (of); **vanterie** [vã'tri] *f* bragging; boast(ing).

va-nu-pieds F [vany'pje] *m/inv.* tatterdemalion; *child:* ragamuffin.

vapeur [va'pœ:r] *su./f* vapo(u)r; mist; *petrol, wine, cuis., eccl. incense:* fumes *pl.*; ⊕ *machine f à* ~ steam engine; *su./m* ⚓ steamer, steamship; ~ *de cabotage* coasting steamer; **vaporeux, -euse** [vapɔ-'rø, ~'rø:z] vaporous, misty; steamy; *fig.* hazy; *fig.* nebulous; **vaporisateur** [~riza'tœ:r] *m* vaporizer; atomizer; scent-spray; ⊕ evaporator; **vaporiser** [~ri'ze] (1a) *v/t.* vaporize; atomize, spray (*a liquid*); F spray (*s.th.*) with scent; *tex.* steam (*cloth*); *se* ~ vaporize; spray o.s.

vaquer [va'ke] (1m) *v/i.* be vacant; ⚖, *parl.* not to be sitting; ~ *à* attend to; be occupied with.

varan *zo.* [va'rã] *m* varan, monitor.

varangue ⚓ [va'rã:g] *f* floor (-timber).

varappe *mount.* [va'rap] *f* rock-face; rock-climbing; rope-soled shoe.

varech ♀ [va'rɛk] *m* seaweed, wrack.

vareuse [va'rø:z] *f* ⚓ pilot-jacket; jersey (*a.* ⚓), jumper; ✗ fatigue jacket, *Am.* blouse.

variabilité [varjabili'te] *f* variability; *weather, a. fig.* mood: changeableness; **variable** [~'rjabl] **1.** *adj.* ♀, *astr., gramm., biol.* variable; changeable (*weather, a. mood*); *fig.* fickle; ♣ unequal (*pulse*); **2.** *su./f* ♀ variable; **variant, e** [~'rjã, ~-'rjã:t] **1.** *adj.* variable, inconstant; **2.** *su./f* *text:* variant, different reading; **variation** [~rja'sjõ] *f* variation (*a.* ♪).

varice ♣ [va'ris] *f* varix; varicose vein.

varicelle ♣ [vari'sɛl] *f* chicken-pox, varicella.

varié, e [va'rje] varied; various; variegated (*colours etc.*); miscellaneous (*news, items, objects*); ⊕ variable (*motion*); **varier** [~'rje] (1o) *v/t.* vary; variegate (*colours*); ♪ make variations on (*an air*); *v/i.* vary; ✟ fluctuate (*market*); *fig.* ~ *sur* be at variance on, disagree over; **variété** [~rje'te] *f* variety; *scenery:* varied nature; *opinions:* diversity; ✟ range; *thea.* ~s *pl.* variety theatre *sg.*

variole [va'rjɔl] *f* ♣ smallpox, variola; *vet.* (cow-, sheep-)pox; **va-**

riolé, e [varjɔ'le] pock-marked;
varioleux, -euse ℀ [ʌ'lø, ʌ'løːz]
1. *adj.* variolous; **2.** *su.* smallpox
patient; sufferer from smallpox;
variolique ℀ [ʌ'lik] variolous.
variomètre ⚡ [varjɔ'mɛtr] *m* vari-
ometer.
variqueux, -euse ℀ [vari'kø, ʌ'køːz]
varicose.
varlet *hist.* [var'lɛ] *m* varlet, page.
varlope ⊕ [var'lɔp] *f* trying-plane;
varloper ⊕ [ʌlɔ'pe] (1a) *v/t.* try up
(*a plank*).

vasculaire ♀, *anat.* [vasky'lɛːr],
vasculeux, -euse ♀, *anat.* [ʌ'lø,
ʌ'løːz] vascular; ℀ **pression** *f* vascu-
laire blood-pressure.
vase[1] [vɑːz] *m* vase (*a.* △, ♀), vessel,
receptacle; ♀ calyx; ～ **de nuit**
chamber.
vase[2] [ʌ] *f* mud, ooze.
vaseline ⚕ [vaz'lin] *f* vaseline, petroleum jelly, *Am.* petrolatum; **en-**
duire de ～ vaseline.
vaseux, -euse [va'zø, ʌ'zøːz] muddy,
slimy; F *fig.* woolly (*ideas*); *sl. fig.*
seedy, ill.
vasistas [vazis'tɑs] *m* fanlight (*over
door*), *Am.* transom.
vaso-moteur, -trice *anat.* [vazɔ-
mɔ'tœːr, ʌ'tris] vaso-motor.
vasque [vask] *f fountain:* basin.
vassal, e, *m/pl.* **-aux** [va'sal, ʌ'so]
1. *adj.* vassal; ～ **de** (*region*) under
the suzerainty of; **2.** *su.* vassal;
vassalité [ʌsali'te] *f,* **vasselage**
[vas'laːʒ] *m* vassalage; *fig.* bondage.
vaste [vast] **1.** *adj.* vast, immense;
comprehensive; *anat.* vastus; **2.** *su./
m anat.* vastus.
vaticinateur, -trice [vatisina'tœːr,
ʌ'tris] **1.** *adj.* prophetic; **2.** *su./m*
prophet; *su./f* prophetess; **vatici-
nation** [ʌna'sjɔ̃] *f* prophecy; **vati-
ciner** [ʌ'ne] (1a) *v/i.* prophesy.
va-tout [va'tu] *m/inv. the* whole of
one's stakes; *jouer son* ～ stake one's
all.
vaudeville [vod'vil] *m* vaudeville;
hist. topical *or* satirical song; **vau-
devilliste** [ʌvi'list] *su./m* writer of
vaudevilles.
vaudois, e [vo'dwa, ʌ'dwɑːz] *adj.,
a. su.* ♀ Vaudois; *eccl. hist.*
Waldensian.
vaudrai [vo'dre] *1st p. sg. fut. of
valoir.*
vau-l'eau [vo'lo] *adv.:* à ～ downstream; F *fig.* aller à ～ go to rack
and ruin.

vaurien, -enne [vo'rjɛ̃, ʌ'rjen] *su.*
bad lot; F *child:* rascal; *su./m*
waster, ne'er-do-well; *su./f* worthless woman.
vautour *orn.* [vo'tuːr] *m* vulture.
vautrer [vo'tre] (1a) *v/t.:* se ～ wallow (in, *dans*) (*pig, a. fig. person*);
F *fig.* sprawl (*on a sofa, etc.*); revel
(in, *dans*).
vau-vent *hunt.* [vo'vɑ̃] *adv.:* à ～
down (the) wind; (*fly*) before the
wind.
vaux [vo] *1st p. sg. pres. of valoir.*
vavasseur *hist.* [vava'sœːr] *m* vava-
so(u)r.
veau [vo] *m* calf; *meat:* veal; ✝
calf(-leather); F *person:* clod, lout;
～ **marin** sea-calf, seal; *fig.* adorer le
～ **d'or** worship the golden calf; F
pleurer comme un ～ blubber; *cuis.*
tête *f* de ～ calf's-head.
vecteur ⚛ [vɛk'tœːr] *adj., a. su./m*
vector.
vécu, e [ve'ky] *p.p. of vivre 1.*
vécus [ʌ] *1st p. sg. p. s. of vivre 1.*
vedette [və'dɛt] *f* ⚔ vedette,
mounted sentry; ⚔ vedette duty;
⚓ patrol boat, scout; motor boat;
thea., cin. star; *typ., journ.* bold
type, headline; ⚓ ～ **lance-torpilles**
motor torpedo boat, M.T.B.; **en** ～
F *fig.* in the forefront; in the limelight; *typ., journ.* in bold type.
végétal, e, *m/pl.* **-aux** [veʒe'tal, ʌ'to]
1. *adj.* plant(-*life*); vegetable (*butter, kingdom*); **2.** *su./m* plant; **végé-
tarien, -enne** [ʌta'rjɛ̃, ʌ'rjen] *adj.,
a. su.* vegetarian; **végétarisme**
[ʌta'rism] *m* vegetarianism.
végétatif, -ve [veʒeta'tif, ʌ'tiːv]
vegetative; **végétation** [ʌta'sjɔ̃] *f*
vegetation; growth; ℀ ～s *pl.* adé-
noïdes adenoids; **végéter** [ʌ'te] (1d)
v/i. ♀ grow; ♀, *a. fig.* vegetate.
véhémence [vee'mɑ̃:s] *f* vehemence;
avec ～ vehemently; **véhément, e**
[ʌ'mɑ̃, ʌ'mɑ̃:t] vehement; *fig.* violent.
véhiculaire [veiky'lɛːr] vehicular
(*language*); **véhicule** [ʌ'kyl] *m*
vehicle (*a.* ℀ *etc.*); carriage; ℀, *a.
fig.* medium; **véhiculer** [ʌky'le]
(1a) *v/t.* convey, carry; cart.
veille [vɛj] *f* staying up (*at night*);
late night; sleeplessness, waking;
eccl. vigil; eve (of, **de**), day

before; *fig.* verge, brink; ⚔ watch;
⚓ look-out; *fig. à la* ～ *de* on
the brink *or* eve *or* point of; *la* ～
de Noël Christmas Eve; **veillée**
[vɛ'je] *f* social evening (with
friends); sitting up; vigil, *Am.* wake
(*by the body of a deceased*); ☞ night-
nursing (*of a sick person*); **veiller**
[～'je] (1a) *v/i.* stay *or* sit up (late);
remain *or* lie awake; *eccl.* keep
vigil; ⚔, ⚓ watch, be on the look-
out; stand by; ～ *à* see to; be careful to; watch over, keep an eye on;
～ *à ce que* (*sbj.*) see to it that (*ind.*);
～ *sur* take care of; *v/t.* watch over,
attend to (*a patient etc.*); sit up
with (*a patient, a corpse*); *Am.* wake
(*a corpse*); **veilleur** [～'jœːr] *m*
watcher (*by night*); ⊕ watchman;
～ *de nuit* night watchman; **veilleuse** [～'jøːz] *f* watcher, woman *or*
nun keeping vigil (*by dead*); night-
light; *gas:* pilot-light; *mettre en* ～
turn down (*the gas*); *mot.* dim (*the
headlights*).

veinard, e [vɛ'naːr, ～'nard] **1.** *adj.*
lucky; **2.** *su.* lucky person; **veine**
[vɛn] *f* ⚕, *anat., geol., a. fig.* vein
(*a. = marking in marble, wood, etc.*);
✗ *ore:* lode; *coal:* seam; underground stream; *fig.* inspiration; *fig.*
mood; F (good) luck; *être en* ～ *de*
(*inf.*) be in the mood for (*ger.*);
veiné, e [vɛ'ne] veined; grained
(*door*); **veiner** ⊕ [～'ne] (1a) *v/t.*
grain, vein (*paintwork*); **veineux,
-euse** [～'nø, ～'nøːz] ⊕ veiny (*wood
etc.*); *anat., physiol.* venous; ⚕
venose, veiny; **veinule** [～'nyl] *f*
anat. etc. veinlet; venule; ✗ thread
(*of ore*).

vélaire *gramm.* [ve'lɛːr] **1.** *adj.* velar; uvular (*R*); **2.** *su./f* velar (consonant).

velche [vɛlʃ] *m* barbarian.

vêler [vɛ'le] (1b) *v/i.* calve (*cow*).

vélin [ve'lɛ̃] *m* vellum; ✝ fine Alençon lace; ✝ (*a. papier m* ～) wove
paper.

vélivéliste ⚡ [velive'list] *su.* glider-
pilot; **vélivoler** ⚡ [～vɔ'le] (1a) *v/i.*
glide.

velléité [velei'te] *f* stray impulse;
slight inclination; F half a mind (to,
de).

vélo F [ve'lo] *m* (push-)bike, wheel;
aller à ～ cycle, F bike, wheel.

vélocité [velɔsi'te] *f* speed, velocity;

vélodrome ～'droːm] *m* cycle-
racing track, velodrome; **vélomo-
teur** [～mɔ'tœːr] *m* light motor-
cycle; motor-assisted bicycle.

velours [vɔ'luːr] *m* velvet; *gramm.*
faulty liaison; *tex.* ～ *à côtes* corduroy; ～ *de coton* velveteen; ～ *de soie*
silk velvet; **velouté, e** [vəlu'te]
1. *adj.* velvety; mellow (*wine*);
downy (*cheek, peach*); *phot.*velvet-
surface (*paper*); **2.** *su./m* softness,
velvetiness; *fruit:* bloom; *tex.* velvet braid; *cuis.* rich thick gravy
soup; *tex.* (*a.* ～ *de laine*) velours;
velouter [～'te] (1a) *v/t.* give a soft
or velvety appearance to (*s.th.*); *fig.*
soften (*an outline*); **velouteux,
-euse** [～'tø, ～'tøːz] soft, velvety;
veloutier [～'tje] *m* velvet-maker.

velte ⊕ [vɛlt] *f* ga(u)ging stick; ✝
measure: (*approx.*) 7.5 litres *or* 13
pints.

velu, e [və'ly] hairy; ⚠ uncut,
rough; ⚕ pubescent; villous.

vélum [ve'lɔm] *m* awning.

venaison *cuis.* [vənɛ'zɔ̃] *f* venison.

vénal, e, *m/pl.* **-aux** [ve'nal, ～'no]
venal (*a. pej.*); *pej.* mercenary, cor-
rupt(ible); ✝ *valeur f* ～*e* market
value; **vénalité** [～nali'te] *f* venality;
pej. corruptibility.

venant, e [və'nɑ̃, ～'nɑ̃ːt] **1.** *adj.*
thriving; **2.** *su./m: allants* et/*m/pl. et*
～*s pl.* passers-by; comers and
goers; *à tout* ～ to all comers, to
anyone.

vendable [vɑ̃'dabl] saleable, marketable.

vendange [vɑ̃'dɑ̃ːʒ] *f* grape-gather-
ing; wine-harvest; (*a.* ～*s pl.*) season:
vintage; **vendangeoir** [vɑ̃dɑ̃-
'ʒwaːr] *m* grape-basket; **vendanger**
[～'ʒe] (1l) *vt/i.* vintage; *vt.* gather
the grapes of; *v/i.* harvest grapes;
gather the grapes; **vendangeur** *m*,
-euse *f* [～'ʒœːr, ～'ʒøːz] vintager;
wine-harvester.

venderesse ⚖ [vɑ̃'drɛs] *f* vendor.

vendetta [vɛ̃dɛt'ta] *f* vendetta.

vendeur [vɑ̃'dœːr] *m* ✝ vendor (*a.*
⚖), seller; shop assistant; salesman; **vendeuse** ✝ [～'døːz] *f* seller,
shop assistant; saleswoman; **vendre** [vɑ̃ːdr] (4a) *v/t.* sell (for, *à*);
fig. pej. betray; *à* ～ for sale; ✝ *se*
～ *à* be sold at *or* for.

vendredi [vɑ̃drə'di] *m* Friday; *le* ～
saint Good Friday.

vendu, e [vã'dy] **1.** *su./m* traitor;
2. *p.p. of* vendre.
venelle [və'nɛl] *f*: F *enfiler la ~*
take to one's heels; slip away.
vénéneux, -euse [vene'nø, ~'nø:z]
poisonous (*a.* 🍄, ♀).
vénérable [vene'rabl] (11) **1.** *adj.* venerable; **2.** *su./m* freemasonry: Wor-
shipful Master; **vénération** [~ra-
'sjõ] *f* veneration; **vénérer** [~'re]
(1f) *v/t.* venerate; revere.
vénerie [ven'ri] *f* hunting; venery.
vénérien, -enne 🖋 [vene'rjɛ̃, ~'rjɛn]
venereal.
venette *sl.* [və'nɛt] *f* funk.
veneur [və'nœ:r] *m* huntsman.
vengeance [vã'ʒã:s] *f* revenge;
vengeance; *tirer ~ de* be revenged
for (*s.th.*); take vengeance on (*s.o.*);
venger [~'ʒe] (11) *v/t.* avenge
(for, de); *se ~* take (one's) revenge
(for, de); be revenged (on s.o., de
q.); **vengeur, -eresse** [vã'ʒœ:r,
vã'ʒ'rɛs] **1.** *su.* avenger; **2.** *adj.*
avenging.
véniel, -elle *eccl.* [ve'njɛl] venial
(*sin*).
venimeux, -euse [vəni'mø, ~'mø:z]
zo., a. fig. venomous; *zo.* poisonous
(*serpent, bite*); *fig.* malicious; **veni-
mosité** [~mozi'te] *f* sting, *a. fig.*:
venomousness; **venin** *zo., fig.* [və-
'nɛ̃] *m* venom.
venir [və'ni:r] (2h) *v/i.* come, be
coming; arrive; grow (*a.* ♀, *child,
tooth*); *fig.* issue, be descended
(from, de); occur, happen (to *inf.*,
à inf.); *~ à* reach (*maturity*); *~ à
bien* be successful; *~ au monde* be
born; *~ de ce que* (*ind.*) result from
(*ger.*); *~ de dire* have just said; *~
prendre* come and fetch (*s.o.*); *à ~*
future (*event, state*), (*years*) to
come; *bien ~* thrive; *d'où cela
vient-il?* what's the reason for
that?; *en ~ aux coups* come to
blows; *en ~ aux faits* get down to
business; *être bien* (*mal*) *venu* be
(un)welcome; *typ.* be well (badly)
produced (*book*); be (un)success-
ful; *être mal venu à* (*inf.*) be inap-
propriate *or* unseemly to (*inf.*);
faire ~ send for; grow (*wheat*); *où
voulez-vous en ~?* what are you
getting *or* driving at?; *se faire bien
~ de q.* ingratiate o.s. with s.o.;
s'en ~ come *or* go along; *v/impers.*
come; happen; occur; *d'où vient-il*

que (*ind.*)? how is it that (*ind.*)?;
est-il venu q.? has anyone called?;
il est venu quatre hommes four men
have come.
vénitien, -enne [veni'sjɛ̃, ~'sjɛn]
1. *adj.* Venetian; *blond m ~* Titian
red; **2.** *su.* ♀ Venetian.
vent [vã] *m* wind (*a.* 🖋); air;
breath(ing); blast (⊕, *a. gun*); *hunt.*
scent; *fig.* hot air, emptiness; *fig.*
influence; *♪ ~s pl.* the wind *pl.*; *~
debout* head wind; *aller comme le
~* go like the wind; *⚓ au ~ de* to
windward of; *avoir ~ de* get
wind of; *coup m de ~* gust of wind,
squall; *♪ instrument m à ~* wind
instrument; *prendre le ~* see how
the land lies.
vente [vã:t] *f* 🌳 sale; 🌳 *fig.* business; timber; *timber:* felling; *~
forcée* compulsory sale; *~ publique*
public sale; auction; *de ~ difficile*
hard to sell; *en ~* on sale; *typ.* out
(*book*); *en ~ chez* sold by; *en ~
libre* off the ration; unrationed;
être de bonne ~ sell well; *mettre en
~* offer (*s.th.*) for sale; publish,
issue (*a book*).
venteaux ⊕ [vã'to] *m/pl.* bellows:
air-holes, valves.
venter [vã'te] (1a) *v/i.* blow (*wind*);
il vente it is windy, it is blowing
...; *v/t. wind:* drive (*the tide*); **venteux, -euse** [~'tø, ~'tø:z] windy;
windswept (*region*); *metall.* blistered; 🖋 causing flatulence (*food*).
ventilateur [vãtila'tœ:r] *m* ventilator; ⚡ *etc.* fan; ⚡ *soufflant* blower;
ventilation [~la'sjõ] *f* ventilation;
🌳 apportionment; ⚖ separate valuation; **ventiler** [~'le] (1a) *v/t.*
ventilate, air (*a. fig.*); 🌳 apportion;
⚖ value separately; *mal ventilé*
stuffy (*room*).
ventis [vã'ti] *m/pl.* wind-fallen
trees.
ventosité 🖋, *vet.* [vãtozi'te] *f* flatulence.
ventouse [vã'tu:z] *f* 🖋 cupping-
glass; ⊕ air-hole, ventilator; *furnace door:* air valve; ⚓ air-scuttle;
vacuum cleaner: nozzle; *zo.* leech,
octopus: sucker; **ventouser** 🖋 [~-
tu'ze] (1a) *v/t.* cup (*a patient*).
ventral, e, *m/pl.* **-aux** [vã'tral, ~'tro]
ventral; **ventre** [vã:tr] *m* abdomen,
belly; stomach, paunch; *pregnant
woman:* womb; ⊕, *furnace,* ⚓ *sail,*

ship: belly; △, *fig.* bulge; ⚓, *phys.*
antinode; ~ *à terre* at full speed;
à plat ~ prone; *avoir (prendre) du* ~
be (grow) stout; *faire* ~ bulge (out)
(⊕ *vessel*, △ *wall*); F *taper sur le*
~ *à q.* give s.o. a dig in the waistcoat; **ventrebleu!** [vătrə'blø] *int.*
zounds!; **ventrée** [vă'tre] *f lambs*:
fall; *animals*: litter; F bellyful.
ventricule *anat.* [vătri'kyl] *m* ven-
tricle.
ventrière [vătri'ɛ:r] *f* ⚒ binder, abdominal belt; △ cross-tie, purlin;
⚓ bilge-block.
ventriloque [vătri'lɔk] **1.** *adj.* ven-
triloquial, ventriloquous; **2.** *su.*
ventriloquist; **ventriloquie** [~lɔ'ki]
f ventriloquism, ventriloquy.
ventripotent, e F [vătripɔ'tă, ~'tă:t]
big-bellied; corpulent.
ventru, e [vă'try] corpulent; big-
bellied (*a. bottle*); ⊕ dished (*outwards*).
venu, e [və'ny] **1.** *p.p. of venir*; **2.** *su.*
(*first, last, new-*)comer; *le premier*
~ *a.* anybody; *su./f* arrival; coming;
water: inflow; *tree etc.*: growth; ~
au monde birth; ~ *d'une belle* ~
well-grown; *fig. tout d'une* ~ shapeless; (*evensong sg.*\)
vêpres *eccl.* [vɛ:pr] *f/pl.* vespers;
ver [vɛ:r] *m* worm (*a. fig. person*);
maggot, grub; ~ *à soie* silk-worm;
~ *blanc* grub; ~ *de terre* earthworm; ~ *luisant* glow-worm; ✱ ~
solitaire tapeworm; *tirer les* ~*s du
nez à q.* worm secrets out of s.o.
vérace [ve'ras] veracious; **véracité**
[~rasi'te] *f* veracity, truth(fulness).
véranda △ [verã'da] *f* veranda(h),
Am. porch.
verbal, e, *m/pl.* **-aux** [vɛr'bal, ~'bo]
verbal; ⚖ oral (*contract*); *see
procès-verbal*; **verbalisation** ⚖
[vɛrbaliza'sjɔ̃] *f* official entry of an
offence; F taking of (*s.o.'s*) name
and address (*by police*); **verbaliser**
[~'ze] (1a) *v/i.* admin. draw up an
official report (*of an offence etc.*);
~ *contre police*: take (*s.o.'s*) name
and address; **verbe** [vɛrb] *m gramm.*
verb; *eccl.* ♀ *the* Word; F *avoir le* ~
haut be loud of speech; *fig.* be overbearing; **verbeux, -euse** [vɛr'bø,
~'bø:z] verbose, long-winded; **verbiage** [~'bja:ʒ] *m* verbosity; verbiage, wordiness; **verbosité** [~bo-
zi'te] *f* verbosity, wordiness.

ver-coquin, *pl.* **vers-coquins** [vɛr-
kɔ'kɛ̃] *m zo.* vine-grub; *vet.* staggers *pl.*; *sheep*: stagger-worm.
verdage ⚘ [vɛr'da:ʒ] *m* manure
crop.
verdagon [vɛrda'gɔ̃] *m* very green
wine; **verdâtre** [vɛr'dɑːtr] greenish; **verdelet, -ette** [~də'lɛ, ~'lɛt]
greenish; slightly acid (*wine*); **ver-
det** ⚗ [~'dɛ] *m* verdigris; **verdeur**
[~'dœ:r] *f* greenness (*a. of wood*);
wine etc., a. fig. remarks: acidity;
old person: vigo(u)r.
verdict ⚖ [vɛr'dikt] *m* verdict
(*against, contre*; *for, en faveur de*).
verdier[1] *hist.* [vɛr'dje] *m* verderer.
verdier[2] *orn.* [vɛr'dje] *m* green-
finch; **verdir** [~'diːr] (2a) *v/t.* make
or paint (*s.th.*) green; *v/i.* ♀ become green; ⚗ become covered
with verdigris; **verdoyant, e** [vɛr-
dwa'jɑ̃, ~jɑ̃:t] verdant; green;
greenish (*colour*); **verdoyer** [~'je]
(1h) *v/i.* become green; take on a
green colo(u)r.
verdunisation [vɛrdyniza'sjɔ̃] *f*
water: chlorination; **verduniser**
[~'ze] (1a) *v/t.* chlorinate (*water*).
verdure [vɛr'dyːr] *f* greenness; ♀
greenery, verdure; *cuis.* green-
stuff, pot-herbs *pl.*; **verdurier**
[~dy'rje] *m* greengrocer.
véreux, -euse [ve'rø, ~'rø:z] wormy
(*fruit*); *fig.* bad (*debts*), shady (*company, firm, person*); shaky (*case*).
verge [vɛrʒ] *f* rod; ⚓ anchor:
shank; *balance*: beam; *anat.* penis;
fig. domination, sway; F *passer
par les* ~*s* run the gauntlet.
vergé, e [vɛr'ʒe] **1.** *adj. tex.* streaky,
unevenly dyed; *tex.* corded; laid
(*paper*); **2.** *su./m* ~ *blanc* cream-laid
paper.
verger [vɛr'ʒe] *m* orchard.
vergeté, e [vɛrʒə'te] streaky; ▨
paly; **vergette** [~'ʒɛt] *f* switch,
cane; *drum*: hoop; *feathers, twigs*:
whisk; ▨ pallet.
vergeure ⊕ [vɛr'ʒyːr] *f* wire-mark
(*on paper*); (laid) wires (*of mould
for paper*).
verglacé, e [vɛrglɑ'se] covered with
glazed frost; icy (*road*); **verglas**
[~'glɑ] *m* glazed frost; thin coating
of ice.
vergne ♀ [vɛrɲ] *m* alder(-tree).
vergogne [vɛr'gɔɲ] *f* shame; *sans*
~ shameless(ly *adv.*).

vergue ⚓ [vɛrg] f yard; ～ de misaine foreyard; bout m de ～ yard-arm; grande ～ main yard.

véridique [veri'dik] veracious, truthful (account, person); **vérifiable** [～'fjabl] verifiable; **vérificateur, -trice** [verifika'tœːr, ～'tris] 1. su./m weights etc.: inspector, examiner; ⊕ ga(u)ge, calipers pl.; mot. ～ de pression tyres: pressure-ga(u)ge; ♱ ～ comptable auditor; 2. adj. ⊕ testing; verifying; **vérificatif, -ve** [～'tif, ～'tiːv] verificatory; verifying-...; **vérification** [～'sjõ] f verification; inspection, examination, testing; ♱ accounts: audit(ing); admin. votes: scrutiny; ♈ will: probate; **vérifier** [veri'fje] (1o) v/t. verify, confirm; admin. inspect, examine, test; ♱ audit (accounts); ⊕ overhaul (a machine etc.); admin. scrutinize (votes); take up (references).

vérin ⊕, mot. [ve'rɛ̃] m jack.

véritable [veri'tabl] true; real, genuine (a. fig.); fig. usu. pej. downright.

Véritas ⚓ [veri'taːs] m (approx.) Lloyd's (List).

vérité [veri'te] f truth; fact; fig. truthfulness, sincerity; à la ～ as a matter of fact; F c'est la ～ vraie it's the honest truth; dire la ～ tell the truth; en ～ really, truly.

verjus [vɛr'ʒy] m verjuice (grape); **verjuté, e** [～ʒy'te] acid, sour (a. fig.).

vermeil, -eille [vɛr'mɛːj] 1. adj. ruby (lips), bright red; rosy (cheek); 2. su./m silver-gilt, vermeil; vermeil varnish.

vermicelle cuis. [vɛrmi'sɛl] m vermicelli pl.; **vermicellerie** [～sɛl'ri] f manufacture of vermicelli.

vermiculaire [vɛrmiky'lɛːr] vermicular (a. physiol.); anat. vermiform (appendix); **vermiculé, e** [～ky'le] ⌂ vermiculate(d); zo. etc. vermiculate; **vermiculure** ⌂ etc. [～ky'lyːr] f vermiculation; **vermifuge** ♨ [～'fyːʒ] adj., a. su./m vermifuge.

vermillon [vɛrmi'jõ] 1. su./m vermilion (a. colour); bright red; 2. adj./inv. bright red; **vermillonner** [～jɔ'ne] (1a) v/t. paint (s.th.) bright red; rouge (one's cheeks).

vermine [vɛr'min] f vermin (usu. = lice, fleas); F fig. rabble; **vermineux, -euse** ♨ [vɛrmi'nø, ～'nøːz] caused by worms, verminous (disease); **vermisseau** zo. [～'so] m small earthworm; **vermivore** zo. [～'vɔːr] vermivorous; **vermouler** [vɛrmu'le] (1a) v/t.: se ～ become worm-eaten (wood); **vermoulu, e** [～'ly] worm-eaten (wood); fig. decrepit; out-of-date; **vermoulure** [～'lyːr] f worm-hole; wood: worm-eaten state; wood dust (from worm-hole); fig. decrepitude.

vermouth [vɛr'mut] m vermouth.

vernaculaire [vɛrnaky'lɛːr] adj., a. su./m vernacular.

vernal, e, m/pl. **-aux** ♀, astr., etc. [vɛr'nal, ～'no] vernal.

verni, e [vɛr'ni] varnished; patent (leather); F drunk; F lucky.

vernier ♈, astr., surv. [vɛr'nje] m vernier; sliding-ga(u)ge.

vernir [vɛr'niːr] (2a) v/t. varnish; japan (iron, leather); polish (furniture); glaze (pottery); fig. gloss over; **vernis** [vɛr'ni] m varnish; polish; gloss (a. fig.); glaze; ～ à ongles nail varnish; ～ au tampon French polish; **vernis-émail**, pl. **vernis-émaux** [vɛrnie'maːj, ～'mo] m Japan enamel; **vernissage** [～'saːʒ] m ⊕ varnish(-ing); glaze; glazing; exhibition: varnishing-day; ～ au tampon French-polishing; **vernisser** ⊕ [～'se] (1a) v/t. glaze (pottery).

vérole ♨ [ve'rɔl] f V pox (= syphilis); petite ～ see variole; **vérolé, e** ♨ V [～rɔ'le] poxed (= syphilitic).

véronal ♟ [verɔ'nal] m veronal; barbitone.

véronique [verɔ'nik] f ♀ speedwell; eccl. veronica, vernicle.

verrai [vɛ're] 1st p. sg. fut. of voir.

verrat zo. [vɛ'ra] m boar.

verre [vɛːr] m glass(ful); ～ à pied wine glass, stemmed glass; ～ armé wired or reinforced glass; ～ à vin wine-glass; ♨ ～ de contact contact lens; mot. ～ de sûreté safety-glass; ～ de vin glass of wine; ～ soluble water-glass; petit ～ drop of spirits, F nip; se noyer dans un ～ d'eau make a mountain out of a molehill; **verré, e** [vɛ're] adj.: papier m ～ glass-paper, sand-paper; **verrerie** [vɛr'ri] f ⊕ glass-works usu. sg.; ⊕ glass-making; ♱ glassware; ～ allant *au four* flame-proof glassware; **verrier** [vɛ'rje] **1.** *su./m* glassmaker; glass-blower; glass-rack; **2.** *adj./m: peintre m* ~ artist in stained glass; **verrière** [~'rjɛːr] *f* glass (casing); *eccl. etc.* stained glass window; 🚂 *station:* glass-roof; **verrine** [~'rin] *f* glass (casing); *barometer:* glass; ⚓ lantern; **verroterie** [~rɔ'tri] *f* glass trinkets *pl.*; small glassware; glass beads *pl.*

verrou [vɛ'ru] *m* bolt; *shot-gun:* breech-bolt; 🚂 ~ *de blocage* switch-lock; 🔒 *sous les* ~s under lock and key; **verrouiller** [~ru'je] (1a) *v/t.* bolt (*a door etc.*); ⊕ lock; lock (*s.o.*) in or up; *se* ~ bolt o.s. in.

verrue [vɛ'ry] *f* wart; **verruqueux, -euse** [~ry'kø, ~'køːz] warty; ♀ warted; ❀, ♀ verrucose.

vers¹ [vɛːr] *m poetry:* line, verse; ~ *pl. blancs* blank verse *sg.*

vers² [~] *prp. direction:* to, towards (*a place*); *time:* towards; about (*3 o'clock*), around (*noon, Easter*); ~ *l'époque* about the time; ~ *l'est* eastwards, towards the east.

versage [vɛr'saːʒ] *m* 🔧 first ploughing; ⚒ *trucks:* emptying, tipping.

versant [vɛr'sɑ̃] *m slope; hill etc.:* side; *canal etc.:* sloping bank.

versatile *fig.* [vɛrsa'til] changeable, fickle.

verse [vɛrs] *adv.: à* ~ in torrents; *il pleut à* ~ it is pouring; **versé, e** [vɛr'se] versed, practised (in, *dans*); **Verseau** *astr.* [vɛr'so] *m: le* ~ Aquarius, the Water-bearer.

versement [vɛrsə'mɑ̃] *m liquid:* pouring (out); 💰 paying in, deposit, payment; ✗ *stores:* issue; ~ *partiel* instalment; *carnet m de* ~s paying-in book; *en plusieurs* ~s by instalments; **verser** [~'se] (1a) *v/t.* pour (out) (*a liquid, a. fig. ridicule, etc.*); overturn (*a vehicle etc.*); ⚒ tip (*a truck*); shed (*blood, light, tears*); 💰 pay (in), deposit (*money*); ✗ issue (*stores*); ✗ assign (*men*); *fig.* pour out (*one's hopes, one's sorrow*); 🔧 beat down (*corn etc.*); *v/i.* turn over; upset; 🔧 be beaten down (*corn etc.*); ~ *dans person:* fall a prey to (*a disease*). [*typ.* versicle.]

verset [vɛr'se] *m bibl. etc.* verse;

verseur, -euse [vɛr'sœːr, ~'søːz] *su.* pourer; *su./m* waiter; ⚒ tipper; *su./f* coffee-pot; waitress; barmaid.

versicolore [vɛrsikɔ'lɔːr] variegated, versicolo(u)r(ed); chameleon-like.

versificateur *m*, **-trice** *f* [vɛrsifika-'tœːr, ~'tris] versifier; **versification** [~fika'sjɔ̃] *f* versification; **versifier** [~'fje] (1o) *v/t.* write in verse; put (*prose*) into verse; *v/i.* versify; write poetry.

version [vɛr'sjɔ̃] *f* 🎬, *hist., bibl.* version (*a. = account of s.th.*); *school:* translation into one's own language.

verso [vɛr'so] *m* verso, back (*of a sheet of paper*); left-hand page (*in a book*); *au* ~ overleaf, on the back.

versoir 🔧 [vɛr'swaːr] *m plough:* mo(u)ld-board.

vert, verte [vɛːr, vɛrt] **1.** *adj.* green; unripe (*fruit*); sharp, young (*wine*); raw (*hide*); callow (*youth*); hale and hearty (*old man*); *fig.* severe (*reprimand, punishment*); sharp (*reply*); smutty, spicy (*story*); *haricots m/pl.* ~s French beans; *langue f* ~e slang; **2.** *su./m colour*, 🎨, *a. min.:* green; (green) grass; *golf:* putting-green; *wine:* sharpness; *inv.* when used adjectivally in compounds: *une robe* ~ *foncé* a dark green dress; *des rideaux* ~ *olive* olive-green curtains; **~-de-gris** [vɛrdə'gri] *m* verdigris; **~-de-grisé, e** [~gri'ze] coated *or* covered with verdigris.

vertébral, e, *m/pl.* **-aux** *anat.* [vɛrte'bral, ~'bro] vertebral; *colonne f* ~*e* spine, backbone, spinal column; **vertèbre** *anat.* [~'tɛːbr] *f* vertebra; **vertébré, e** *zo.* [~te'bre] *adj., a. su./m* vertebrate.

vertement [vɛrtə'mɑ̃] *adv.* sharply; sternly.

vertical, e, *m/pl.* **-aux** [vɛrti'kal, ~'ko] **1.** *adj.* vertical; perpendicular; upright; 2. *su./f* ♀ vertical; **verticalité** [~kali'te] *f* perpendicularity, uprightness.

verticille ♀ [vɛrti'sil] *m* verticil, whorl; **verticillé, e** ♀ [~si'le] verticillate, whorled.

vertige [vɛr'tiːʒ] *m* giddiness, dizziness, vertigo; fear of heights; *avoir le* ~ feel dizzy; *cela me donne le* ~ it makes me (feel) dizzy; **vertigineux, -euse** [~tiʒi'nø, ~'nøːz] dizzy, giddy (*a. fig. speed*); *vet.* causing staggers; **vertigo** *vet.* [~ti'go] *m* (blind) staggers *pl.*

vertu [vɛr'ty] *f* virtue; chastity; virtuous woman; *substance* ~ prop-

erty; en ~ de by virtue of; because
of; *faire de nécessité* ~ make a
virtue of necessity; **vertueux,
-euse** [~'tɥø, ~'tɥøːz] virtuous;
chaste (*woman*).

vertugadin † *cost.* [vɛrtyga'dɛ̃] *m*
farthingale.

verve [vɛrv] *f* zest, verve, spirits *pl.*,
F go.

verveine ♀ [vɛr'vɛn] *f* verbena,
vervain.

vésanie ♣ [veza'ni] *f* insanity.

vesce ♀ [vɛs] *f* vetch, tare.

vésicant, e ♣ [vezi'kɑ̃, ~'kɑ̃ːt] *see*
vésicatoire 1; **vésicatoire** ♣ [~ka-
'twaːr] **1.** *adj.* vesicatory, blistering;
2. *su./m* blister, vesicatory; **vésicu-
laire** ♀, *zo.* [~ky'lɛːr] vesicular (*a.
♣*); bladder-like; **vésicule** [~'kyl] *f*
anat. etc. vesicle, bladder (*a. icht.*);
metall. blister; *anat.* ~ *biliaire* gall-
bladder.

vesou [və'zu] *m* sugar-refining: cane-
juice.

vespasienne [vɛspa'zjɛn] *f* street
urinal.

vespéral, e, *m/pl.* **-aux** [vɛspe'ral,
~'ro] **1.** *adj.* evening-...; **2.** *su./m*
eccl. vesperal.

vesse [vɛs] *f* V silent fart; ~! *school*:
cave!; look out!; **~-de-loup,** *pl.* **~s-
de-loup** ♀ [~də'lu] *f* puff-ball.

vessie [vɛ'si] *f anat., a. foot.* bladder;
F blister (*filled with serum*); ♣ ~ *à
glace* ice-bag; *icht.* ~ *natatoire* air-
bladder, swim(ming)-bladder; *fig.
prendre des* ~*s pour des lanternes*
believe that the moon is made of
green cheese, not to know chalk
from cheese.

vestale [vɛs'tal] *f* vestal (virgin).

veste *cost.* [vɛst] *f* short jacket; *fig.
remporter une* ~ fail; *fig., pol. etc.
retourner sa* ~ turn one's coat,
change sides *or* one's party; **vestiaire** [vɛs'tjɛːr] *m thea. etc.* cloak-
room, *Am.* check-room; hat-and-
coat rack; ⚱ robing-room; ⚔, *sp.
etc.* changing-room.

vestibule [vɛsti'byl] *m* (entrance-)
hall; vestibule (*a. anat.*).

vestige [vɛs'tiːʒ] *m* mark, footprint; trace (*a. fig.*); *fig.* vestige.

veston [vɛs'tɔ̃] *m cost.* (man's) jacket;
⚓ monkey-jacket; *complet m* ~
lounge suit; *être en* ~ wear a
lounge suit.

vêtement [vɛt'mɑ̃] *m* garment; ~*s*

pl. clothes; dress *sg.*; *eccl.* vestments; ~*s pl. de dehors* outdoor
things; ~*s pl. de dessous* underwear;
~*s pl. de deuil* mourning *sg.*; widow's
weeds.

vétéran [vete'rɑ̃] *m* ✕ *etc.* veteran;
school etc.: pupil repeating a course.

vétérinaire [veteri'nɛːr] **1.** *adj.*
veterinary; **2.** *su./m* veterinary
surgeon, F vet, *Am.* veterinarian.

vétillard, e *f* [veti'jaːr, ~'jard] *see*
vétilleur, -euse; **vétille** [~'tiːj] *f*
trifle; **vétiller** [veti'je] (1a) *v/i.*
quibble, split hairs; niggle; trifle;
vétilleur *m*, **-euse** *f* [~'jœːr, ~'jøːz]
quibbler; niggler; **vétilleux, -euse**
[~'jø, ~'jøːz] delicate, F ticklish;
finicky, particular (*person*).

vêtir [ve'tiːr] (2g) *v/t.* clothe, dress
(in, *de*); se ~ dress o.s. (in, *de*);
put on one's clothes.

veto [ve'to] *m/inv.* veto; *droit m de*
~ power of veto; *mettre son* ~ *à* veto
(*s.th.*).

vêts [vɛ] *1st p. sg. pres. of vêtir*;
vêtu, e [ve'ty] *p.p. of vêtir*; **vêture**
[~'tyːr] *f admin.* provision of clothing; *action*: clothing; *eccl.* taking
of the habit (*monk*) *or* of the veil
(*nun*).

vétuste [ve'tyst] decrepit; *cost.*
worn-out; **vétusté** [~tys'te] *f* decrepitude, decay.

veuf, veuve [vœf, vœːv] **1.** *adj.*
widowed; *fig.* ~ *de* without; bereft
of; **2.** *su./m* widower; *su./f* widow;
orn. widow-bird, whidah-bird.

veuille [vœj] *1st p. sg. pres. sbj. of
vouloir* 1.

veule [vøːl] feeble, flabby (*person
etc.*); drab (*life*); toneless, flat
(*voice*); ♀ sickly (*plant*).

veulent [vœl] *3rd p. pl. pres. of vouloir* 1.

veulerie [vøl'ri] *f person etc.*: listlessness, flabbiness; *life*: drabness,
dullness; *voice*: flatness.

veuvage [vœ'vaːʒ] *m woman*: widowhood; *man*: widowerhood.

veux [vø] *1st p. sg. pres. of vouloir* 1.

vexant, e [vɛk'sɑ̃, ~'sɑ̃ːt] annoying,
vexing; **vexateur, -trice** [vɛksa-
'tœːr, ~'tris] **1.** *adj.* vexatious; **2.** *su.*
vexer; **vexation** [~'sjɔ̃] *f* vexation;
harassing, harassment; **vexatoire**
[~'twaːr] vexatious; **vexer** [vɛk'se]
(1a) *v/t.* vex; harass; annoy; *cela
me vexe* I am sorry (to *inf.*, *de inf.*);

se ~ become vexed *or* annoyed *or* chagrined (at, de).

via [vi'a] *prp. before place-name*: via, by way of.

viabilité [vjabili'te] *f road*: practicability; *road, a.* ✗, *biol.*: viability; **viable** [vjabl] ✗, *biol.* viable; fit for traffic (*road*) *m*

viaduc [vja'dyk] *m* viaduct.

viager, -ère [vja'ʒe, ~'ʒɛːr] **1.** *adj.* for life; life ...; *fig.* transitory; *rente f* ~*ère* life annuity; *rentier m* ~ annuitant; **2.** *su./m* life interest; *en* ~ at life interest.

viande [vjã:d] *f* meat; F substance; ~ *fraîche* (*frigorifiée*) fresh (frozen *or* chilled) meat; ~*s pl. froides restaurant*: cold buffet; *conserve f de* ~ preserved meat.

viander *hunt.* [vjã'de] (1a) *v/i.* graze (*deer*).

viatique [vja'tik] *m eccl.* viaticum, last sacrament; *fig.* money *or* provisions *pl.* for a journey.

vibrant, e [vi'brã, ~'brã:t] vibrating; *fig.* ringing, resonant (*voice, tone*); *fig.* rousing (*speech*); **vibrateur** ✗ [vibra'tœːr] *m* buzzer, vibrator; **vibration** [~'sjɔ̃] *f* vibration; ✗ flutter(ing); *voice*: resonance; **vibrer** [vi'bre] (1a) *v/i.* vibrate; ✗ *appel m* vibré buzzer call; *faire* ~ make (*s.th.*) vibrate; *fig.* thrill; **vibreur** ✗ [~'brœːr] *m* vibrator, make-and-break; buzzer.

vibrion ✗, *biol.* [vibri'ɔ̃] *m* vibrio; ~ *septique* gas-bacillus; **vibrisses** *zo., anat.* [~'bris] *f/pl.* vibrissae.

vibromasseur ✗ [vibrɔma'sœːr] *m massage*: vibrator.

vicaire [vi'kɛːr] *m parish*: curate, assistant priest; † deputy; ~ *de Jésus-Christ the* Vicar of Christ, *the* Pope; ~ *général, grand* ~ vicar-general; **vicariat** *eccl.* [~ka'rja] *m* curacy; vicariate.

vice [vis] *m* vice, corruption, depravity; *fig.* defect, fault; *sl.* cunning; ~ *de conformation* defect in build; malformation; ✗ ~ *de forme* flaw, defect of form; ~ *propre* inherent defect.

vice-... [vis] vice-...; ~**consul** [~kɔ̃-'syl] *m* vice-consul; ~**président** [~prezi'dã] *m* vice-president; ~**roi** [~'rwa] *m* viceroy.

vichyste *pol. pej.* [vi'ʃist] *su.* Vichyte.

viciateur, -trice [visja'tœːr, ~'tris] vitiating; *fig.* contaminating; **viciation** [~'sjɔ̃] *f* vitiation (*a.* ✗); *air*: contamination; *fig.* morals *etc.*: corruption; **vicier** [vi'sje] (1o) *v/t.* vitiate (*a.* ✗); corrupt, taint, spoil; *air m* vicié stale *or* foul air; *se* ~ become tainted; **vicieux, -euse** [~'sjø, ~'sjøːz] vicious (*a. fig. circle*); depraved (*person*); defective; faulty (*expression, reasoning*); restive, bad-tempered (*horse*).

vicinal, e, *m/pl.* **-aux** [visi'nal, ~'no] local, by(-road).

vicissitude [visisi'tyd] *f* vicissitude; ~*s pl.* ups and downs.

vicomte [vi'kɔ̃:t] *m* viscount; **vicomté** [vikɔ̃'te] *f* viscountcy; viscounty; **vicomtesse** [~'tɛs] *f* viscountess.

victime [vik'tim] *f* victim (*a. fig.*); *disaster*: casualty; *être* ~ *de* be a victim of; be down with (*bronchitis*).

victoire [vik'twaːr] *f* victory; *remporter la* ~ gain a *or* the victory (over, *sur*); win the day; **victoria** [~tɔ'rja] *su./f carriage*: Victoria; *su./m*: ♀ ~ *regia* victoria regia, water-maize; **victorieux, -euse** [~tɔ'rjø, ~'rjøːz] victorious (over, de); triumphant (over, de); *fig.* decisive (*proof*).

victuailles F [vik'tɥɑ:j] *f/pl.* eatables, victuals.

vidage [vi'da:ʒ] *m* emptying; *fish, poultry*: cleaning; *canal*: embankment; F dismissal; **vidange** [~'dã:ʒ] *f* emptying; draining; road ditch; ~*s pl.* night-soil *sg.*; *boiler*: sludge *sg.*; felled trees *pl.*; *en* ~ broached (*cask*), opened (*bottle*); **vidanger** [vidã'ʒe] (1l) *v/t.* empty; drain; clean out; **vidangeur** [~'ʒœːr] *m* nightman; **vide** [vid] **1.** *adj.* empty; blank (*space*); *fig.* vain; ~ *de sens* (de)void of meaning; *avoir le cerveau* ~ feel light-headed (*from lack of food*); **2.** *su./m* (empty) space; blank (*in document*); gap (*between objects, a. fig.*); *phys.* vacuum, space; *fig.* vacancy, emptiness; *fig.* nothingness; *à* ~ empty; ✗ *no*-load; *frapper à* ~ miss (the mark, the nail, *etc.*); ⊕ *marcher à* ~ run light; *mot. tourner à* ~ tick over, idle; **vide-bouteille** [~bu'tɛ:j] *m* siphon; † country-lodge; **vide-citron** [~si'trɔ̃] *m* lemon-squeezer.

videlle [vi'dɛl] *f cuis.* jagger; (*confectioner's*) fruit-stoner.
vide-ordures [vidɔr'dyːr] *m/inv.* rubbish-shoot; **vide-pomme** [ˌ‿'pɔm] *m/inv.* apple-corer; **vider** [vi'de] (1a) *v/t.* empty; drain; clear out; clear (*a forest*); *fig.* exhaust; F *fig.* dismiss, sack (*s.o.*); gut, clean (*fish*); draw (*poultry*); stone (*fruit*), core (*an apple*); bail out (*a boat*); *fig.* settle (*an argument, a question*); ✝ make up (*accounts*); ~ les arçons be thrown (*from a horse*).
vidimer [vidi'me] (1a) *v/t.* attest (*a copy*); **vidimus** [ˌ‿'mys] *m* vidimus, attested copy.
viduité [vidɥi'te] *f* widowhood.
vidure [vi'dyːr] *f leather, sewing:* pinking; that which is cleaned out.
vie [vi] *f* life; lifetime; way of life; livelihood, living; biography; *fig.* animation, spirit; ~ moyenne expectation of life; ⊕ ~ utile *machine:* life; à ~ for life; de ma ~ in all my life; *donner la* ~ à give birth to (*a child, fig. a project*); être en ~ be alive; F *jamais de la* ~! never!; F not on your life!; *sans* ~ lifeless.
vieil [vjɛj] *see vieux* 1; **vieillard** [vje'jaːr] *m* old man; ~s *pl.* old people; **vieille** [vjɛj] *see vieux*; ~ *fille f* old maid, spinster; **vieillerie** [vjɛj'ri] *f* old clothes *pl.*; old stuff (= *furniture etc.*; *a. fig.*); *fig.* outdated ideas; **vieillesse** [vje'jɛs] *f* old age; *coll.* old people *pl.*; *fig. custom, wine, etc.:* age; **vieillir** [ˌ‿'jiːr] (2a) *v/t.* age; *v/i.* grow old; age; *fig.* go out of fashion; **vieillissement** [ˌ‿jis'mã] *m* ageing; *fig.* obsolescence; **vieillot, -otte** F [ˌ‿'jo, ˌ‿'jɔt] oldish; wizened (*face*); *fig.* old-fashioned.
vielle ♪ ✝ [vjɛl] *f* hurdy-gurdy; **vieller** ♪ ✝ [vje'le] (1a) *v/i.* play the hurdy-gurdy; **vielleur** *m*, **-euse** *f* ♪ ✝ [ˌ‿'lœːr, ˌ‿'løːz] hurdy-gurdy grinder.
viendrai [vjɛ̃'dre] *1st p. sg. fut. of venir*; **viennent** [vjɛn] *3rd p. pl. pres. of venir*; **viens** [vjɛ̃] *1st p. sg. pres. of venir.*
vierge [vjɛrʒ] 1. *su./f* virgin, maiden; *astr. la* ♀ Virgo, the Virgin; 2. *adj.* virgin (*forest, gold, soil*); *fig.* spotless, pure; blank (*page*); *phot.* unexposed (*film*); ~ de clear of.
vieux (*adj. before vowel or h mute*

vieil) *m*, **vieille** *f*, *m/pl.* **vieux** [vjø, vjɛːj, vjø] 1. *adj.* old; aged; venerable, ancient; *fig.* obsolete; *fig.* old-fashioned; 2. *su./m* old man; *su./f* old woman.
vif, vive [vif, viːv] 1. *adj.* alive, living; *fig.* lively (*imagination*); brisk (*action, discussion, fire, game, pace*); sharp (*wind*); bright (*colour*); quick (*temper, wit*); de vive force by main force; eau *f* vive running water; vive arête sharp edge; *vives eaux pl.* spring tide *sg.*; 2. *su./m* ♫ living person; living flesh; *paint.* life; *fig. fight:* thick, heart; *blesser au* ~ wound to the quick; **vif-argent** [vifar'ʒã] *m* quicksilver, mercury.
vigie [vi'ʒi] *f* ⚓ action, *a. person:* look-out; watch-tower; ⚓ danger-buoy; 🔭 observation-box.
vigilamment [viʒila'mã] *adv. of vigilant*; **vigilance** [ˌ‿'lãːs] *f* vigilance; caution; **vigilant, e** [ˌ‿'lã, ˌ‿'lãːt] vigilant, watchful, alert; **vigile** [vi'ʒil] *su./f eccl.* vigil; *su./m hist.* Rome: night watchman.
vigne [viɲ] *f* ♣ vine; 🌱 vineyard; ♣ blanche clematis; ♣ ~ de Judée woody nightshade; ♣ ~ vierge Virginia creeper; cep *m* de ~ vine-stock; *fig. dans les ~s du Seigneur* in one's cups (= *drunk*); **vigneron** [viɲə'rõ] *m* wine-grower; vine-dresser; **vignette** [ˌ‿'ɲɛt] *f* vignette; *typ.* engraving; *admin. packet of cigarettes etc.:* revenue band *or* seal; ornamental border; **vignettiste** [viɲe'tist] *m* vignettist; **vigneture** [viɲə'tyːr] *f* ornamental border of vine-leaves (*round miniatures*); **vignoble** [vi'ɲɔbl] 1. *su./m* 🌱 vineyard; 2. *adj.* wine ...
vigogne *zo., a. tex.* [vi'ɡɔɲ] *f* vicuña.
vigoureux, -euse [vigu'rø, ˌ‿'røːz] vigorous, strong; powerful (*blow*); *fig.* energetic; **vigueur** [ˌ‿'ɡœːr] *f* vigo(u)r, strength; *fig.* force; en ~ in force; *entrer (mettre)* en ~ come (put) into force.
vil, vile [vil] ✝ cheap; *fig.* low(ly), base (*metal, a. fig.*); ✝ ~ *prix* low price; à ~ *prix* at a low price, F dirt cheap.
vilain, e [vi'lɛ̃, ˌ‿'lɛn] 1. *adj.* nasty, unpleasant; dirty (*trick*); shabby (*coat, hat*); ugly; wretched (*street, house*); *fig.* mean (*person, deed*);

2. *su.* blackguard, villain; † villein; F naughty child; *su./m* F *fig.* trouble.

vilebrequin [vilbrə'kɛ̃] *m* ⊕ brace (and bit); wimble; ⊕, *mot.* crankshaft.

vilenie [vil'ni] *f* meanness; *fig.* abuse; vile story; dirty trick, mean action.

vilipender [vilipã'de] (1a) *v/t.* vilify; run *(s.o.)* down.

villa [vi'la] *f* villa; country-house; cottage; **village** [‿'la:ʒ] *m* village; **villageois, e** [‿la'ʒwa, ‿'ʒwa:z] **1.** *adj.* rustic, country-...; *fig.* boorish; **2.** *su.* villager; *su./m* countryman; *pej.* bumpkin; *su./f* countrywoman; *pej.* country wench.

villanelle † [vila'nɛl] *f* prosody: villanelle; ♪ villanella.

ville [vil] *f* town, city; ~ maritime town on the sea, seaside town; *à la* ~ in town (= *not in the country*); *aller en* ~ go (in)to town; *dîner en* ~ dine out; *en* ~ *post:* Local; *teleph. la* ~, *s'il vous plaît!* Exchange, please!, *Am.* operator, please!

villégiature [vileʒa'ty:r] *f* stay in the country; holiday *(away from town)*; *en* ~ on holiday.

villosité *anat. etc.* [villozi'te] *f* villosity.

vin [vɛ̃] *m* wine; ~ *chaud* mulled wine; ~ *du cru* (*or pays*) local wine; ~ *de marque* vintage wine; ~ *ordinaire* table *or* dinner wine; *grand* ~ wine from a famous vineyard; vintage wine; *gros (petit)* ~ full-bodied *or* heavy (light) wine; *offrir un* ~ *d'honneur à* give an official reception in hono(u)r of; **vinage** [vi'na:ʒ] *m* wine etc.: fortifying; **vinaigre** [‿'nɛ:gr] *m* vinegar; **vinaigrer** [vinɛ'gre] (1a) *v/t.* season with vinegar; *fig.* give an acid edge to; **vinaigrerie** [‿grə'ri] *f* vinegar factory *or* trade; vinegar-making; **vinaigrette** *cuis.* [‿'grɛt] *f* vinegar sauce; oil and vinegar dressing; **vinaigrier** [‿gri'e] *m* vinegar-maker; vinegar-merchant; vinegar-cruet; **vinaire** [vi'nɛ:r] wine ...; **vinasse** [‿'nas] *f* † poor, thin wine; 🜍 residuary liquor.

vindicatif, -ve [vɛ̃dika'tif, ‿'ti:v] vindictive; spiteful; 🜍 punitive; **vindicte** [‿'dikt] *f* 🜍 prosecution; F *fig.* obloquy.

vinée [vi'ne] *f* wine-crop, vintage; ♀ fruit-branch of a vine; **viner** ⊕ [‿'ne] (1a) *v/t.* fortify *(wine etc.)*; **vineux, -euse** [‿'nø, ‿'nø:z] vinous; wine-flavo(u)red; wine-colo(u)red; full-bodied *(wine)*; vintage *(year)*.

vingt [vɛ̃; *before vowel and h mute, and when followed by another numeral* vɛ̃:t] *adj./num., a. su./m/inv.* twenty; *date, title:* twentieth; ~ *et un* twenty-one; ~-*deux* twenty-two; **vingtaine** [vɛ̃'tɛn] *f* (about) twenty; score; **vingtième** [‿'tjɛm] *adj./num., a. su./m* fraction: twentieth.

vinicole [vini'kɔl] wine-growing; **viniculture** [‿kyl'ty:r] *f* viniculture, wine-growing; **vinification** ⊕ [‿fika'sjɔ̃] *f* vinification; **vinique** [vi'nik] vinic *(alcohol etc.)*; **vinosité** [‿nozi'te] *f wine:* flavo(u)r and strength, vinosity.

vins [vɛ̃] *1st p. sg. p.s. of venir.*

viol 🜍 [vjɔl] *m* rape.

violacé, e [vjɔla'se] **1.** *adj.* purplish-blue; livid *(person)*; **2.** *su./f:* ♀ ~*s pl.* violaceae; **violacer** [‿] (1k) *v/i.* become covered with purplish spots; become purplish.

violateur, -trice [vjɔla'tœ:r, ‿'tris] *su.* violator *(a. fig.)*; *fig.* breaker *(of law, Sabbath, etc.)*; *su./m* 🜍 ravisher; **violation** [‿'sjɔ̃] *f* violation *(a. fig.)*; *fig.* breach; *Sabbath:* breaking; ~ *de domicile* violation of privacy *(of one's home)*.

violâtre [vjɔ'lɑ:tr] purplish.

viole ♪ [vjɔl] *f* † viol; ~ *d'amour* viola d'amore.

violemment [vjɔla'mɑ̃] *adv. of* **violent**; **violence** [‿'lɑ̃:s] *f* violence, force; 🜍 duress; *faire* ~ *à* do violence to *(a. fig.)*; violate *(a woman)*; **violent, e** [‿'lɑ̃, ‿'lɑ̃:t] violent *(a. death)*; fierce; high *(wind)*; F *fig. c'est un peu* ~! that's a bit thick!; **violenter** [‿lɑ̃'te] (1a) *v/t.* do violence to; force *(s.o.* to *inf., q. pour que sbj.)*; ravish *(a woman)*; **violer** [‿'le] (1a) *v/t.* violate; *fig.* break; 🜍 rape, ravish *(a woman)*.

violet, -ette [vjɔ'lɛ, ‿'lɛt] **1.** *adj.* violet, purple; *inv.* in compounds: ~ *évêque* bishop's-purple; **2.** *su./m colour:* violet; *su./f* ♀ violet; *sl. faire sa* ~ play the shrinking violet.

violier ♀ [vjɔ'lje] *m* stock; ~ *jaune* wallflower.

violiste ♪ [vjɔ'list] *m* performer on the viol; **violon** [ʌ'lɔ̃] *m* ♪ *instrument, a. player*: violin; F fiddle; ⊕ fiddle-block; F cells *pl.*, *sl.* quod, clink; **violoncelle** ♪ [ʌlɔ̃'sɛl] *m* (violon)cello; cellist; **violoncelliste** ♪ [ʌlɔ̃sɛ'list] *su.* (violon)cellist; **violoniste** ♪ [ʌlɔ'nist] *su.* violinist.

viorne ♀ [vjɔrn] *f* viburnum.

vipère [vi'pɛːr] *f* zo. viper, adder; *fig. langue f de* ~ venomous tongue; **vipéridés** zo. [viperi'de] *m/pl.* viperidae, viper family *sg.*; **vipérin, e** [ʌ'rɛ̃, ʌ'rin] 1. *adj.* viperine; *fig.* venomous (*tongue*); 2. *su./f* zo. viperine snake; ♀ viper's bugloss.

virage [vi'raːʒ] *m* turning; *road etc.*: turn, bend, corner; ☒, *mot., etc.* sweeping round; ☒ bank(ing); *sp. racing-track*: bank(ed corner); *mot.* turning space; ⚓ going about; *phot.* toning; *tex.* changing of colo(u)r; ☍, ☢ reversal; ~ à droite right turn; ~ à visibilité réduite blind corner; *prendre un* ~ take a corner; ~-**fixage**, *pl.* ~**s-fixages** *phot.* [ʌraʒfik'saːʒ] *m* combined toning and fixing.

virago [vira'go] *f* virago.

vire [viːr] *f* winding mountain track.

virée [vi're] *f* turning about; F joyride; *tournées f/pl. et* ~*s pl.* zigzagging *sg.*; **virement** [vir'mã] *m* ⚓ tide, *a. fig.*: turn; ♱ transfer; *banque f de* ~ clearing-bank; *comptoir m général de* ~ banker's clearing-house; **virer** [vi're] (1a) *v/i.* turn; *mot.* (take a) corner; ☒ bank; ⚓ heave; *phot.* tone; *tex.* change colo(u)r; ~ *court mot.* corner sharply; ⚓ go court about; F *fig. tourner et* ~ shilly-shally; *v/t.* turn (*s.th.*) over; ♱ clear (*a cheque*); ♱ transfer (*money*); *phot.* tone; *cuis.* toss (*a pancake*); *fig. tourner et* ~ *q.* cross-examine s.o. thoroughly; F turn s.o. inside out.

vireux, -euse [vi'rø, ʌ'røːz] noxious, poisonous; malodorous, F stinking.

virevolte [vir'vɔlt] *f horse*: quick circling; *fig.* sudden change.

virginal, e, *m/pl.* -**aux** [virʒi'nal, ʌ'no] 1. *adj.* virginal, maidenly; 2. *su./m* ♪ virginal; **virginité** [ʌni-'te] *f* virginity; maidenhood.

virgule [vir'gyl] *f gramm.* comma; ♪ (decimal) point.

viril, e [vi'ril] male (*clothing, sex*);

fig. manly; virile; *âge m* ~ manhood; *anat. membre m* ~ penis; **viriliser** [virili'ze] (1a) *v/t.* make a man of (*s.o.*); **virilité** [ʌ'te] *f* virility; manliness, manhood.

viro-fixateur *phot.* [virɔfiksa'tœːr] 1. *adj./m* toning and fixing; 2. *su./m* toning and fixing bath.

virole [vi'rɔl] *f* ⊕ handle, stick, *tube*: ferrule; ⊕ *machine*: collar; *pipes*: thimble-joint; *coining*: ring-die; ⚔ *bayonet*: locking-ring; **viroler** [ʌrɔ'le] (1a) *v/t.* ferrule; place (*coin-blanks*) in the ring-die.

virtualité [virtɥali'te] *f* virtuality; **virtuel, -elle** [ʌ'tɥɛl] virtual; **virtuellement** [ʌtɥɛl'mã] *adv.* practically.

virtuose [vir'tɥoːz] *su.* virtuoso; **virtuosité** [ʌtɥozi'te] *f* virtuosity.

virulence [viry'lãːs] *f*, *a. fig.* virulence; **virulent, e** ☢, *a. fig.* [ʌ'lã, ʌ'lãːt] virulent; **virus** ☢ [vi'rys] *m* virus; ~ *filtrant* filterable virus; *maladie f à* ~ virus disease.

vis[1] [vis] *f* ⊕ screw; *screw*: thread; ~ *de rappel* adjusting screw; ~ *sans fin* endless screw; *pas m de* ~ thread of screw; F *fig. serrer la* ~ *à q.* put the screw on s.o.

vis[2] [vi] *1st p. sg. pres. of vivre 1.*

vis[3] [ʌ] *1st p. sg. p.s. of voir.*

visa [vi'za] *m passport*: visa; *document*: signature; *supervisor etc.*: initials *pl.*; *cheque*: certification; *bill*: sighting; 🚋 stamping (*of ticket when breaking a journey*); ~ *de transit* transit visa.

visage [vi'zaːʒ] *m* face; countenance; *à* ~ *découvert* barefacedly; *faire bon* (*mauvais*) ~ *à* be friendly (unfriendly) towards, smile (frown) on (*s.o.*); F *trouver* ~ *de bois* find nobody at home; meet with a closed door.

vis-à-vis [viza'vi] 1. *adv.* opposite; 2. *prp.*: ~ *de* opposite, facing; *fig.* in relation to, with respect to; 3. *su./m* person opposite; partner (*at cards etc.*); S-shaped couch.

viscéral, e, *m/pl.* -**aux** *anat.* [vise-'ral, ʌ'ro] visceral; **viscère** *anat.* [ʌ'sɛːr] *m* internal organ; ~*s pl.* viscera.

viscose ☍, ⊕, ♱ [vis'koːz] *f* viscose; **viscosité** [ʌkozi'te] *f* viscosity; stickiness.

visée [vi'ze] f aim (a. fig.); ⚔, surv. aim(ing); sight(ing); ~s pl. aims, designs.

viser[1] [vi'ze] (1a) v/i. aim (at, à) (a. fig.); v/t. aim at (a. fig.); surv. sight; fig. relate to, have (s.th.) in view; fig. refer to (s.o.), allude to (s.o.); ~ q. à la tête aim at s.o.'s head.

viser[2] [~] (1a) v/t. visé (a passport); initial, sign (a document); certify (a cheque); 🚋 stamp (the ticket when a journey is broken).

viseur [vi'zœːr] m aimer; surv. etc. sight(ing-piece); phot. view-finder; (a. tuyau m ~) sighting-tube; 🗲 ~ de lancement bomb-sight.

visibilité [vizibili'te] f visibility; conspicuousness (of s.th.); **visible** [~'zibl] visible; fig. evident, obvious; at home (person); available, free; open to the public.

visière [vi'zjɛːr] f helmet; visor; cap: peak; eye-shade; ⊕ inspection-hole; ⚔ etc. gun: sight; fig. rompre en ~ avec q. contradict s.o. flatly; quarrel openly with s.o.

vision [vi'zjɔ̃] f vision (a. eccl.); sight; fig. fantasy; phantom; imagination; trouble m de la ~ eyesight trouble; **visionnaire** [~zjɔ'nɛːr] adj., a. su. visionary.

visitation eccl. [vizita'sjɔ̃] f: la ♀ (the Feast of the Visitation); **visite** [~'zit] f visit (a. ⚕); (social or ceremonial) call; admin. inspection; customs: examination; ⚕ medical examination; ⚖ search; ⚖ domiciliaire domiciliary visit; heures f/pl. de ~ calling hours; hospital: visiting hours; rendre ~ à pay (s.o.) a visit; **visiter** [vizi'te] (1a) v/t. visit; admin. inspect, examine; ⚖ search; **visiteur, -euse** [~'tœːr, ~'tøːz] 1. adj. visiting; 2. su. visitor, caller; ⊕, admin., etc. inspector; customs: searcher; ⚓ ship: surveyor; su./f: ~euse de santé health visitor.

vison [vi'zɔ̃] m zo. (American) mink; 🦫 mink.

visqueux, -euse [vis'kø, ~'køːz] viscous; sticky; tacky.

vissage ⊕ [vi'saːʒ] m screwing; **visser** [~'se] (1a) v/t. ⊕ screw (on, down, in, etc.); F clamp down on.

visuel, -elle [vi'zɥɛl] visual; champ m ~ field of vision.

vital, e, m/pl. **-aux** [vi'tal, ~'to] vital (a. fig. question); **vitaliser** [vitali'ze] (1a) v/t. vitalize; **vitalité** [~'te] f vitality.

vitamine [vita'min] f vitamin.

vite [vit] 1. adv. quickly, rapidly, fast; soon; 2. adj. fast, swift.

vitellus [vitɛl'lys] m ♀, biol. vitellus; biol. yolk.

vitesse [vi'tɛs] f speed; quickness, rapidity, swiftness; phys. bullet, light, sound: velocity, speed; mot. gear; ~ imposée prescribed speed; mot. ~ limitée traffic sign: speed limit, no speeding; mot. boîte f de ~s gear-box, Am. transmission; grande (petite) ~ high (low) speed; mot. indicateur m de ~ speedometer; mot. première (quatrième) ~ first (fourth) gear; bottom (top) gear.

viticole [viti'kɔl] vine-...; viticultural; **viticulteur** [~kyl'tœːr] m vine-grower, viticulturist; **viticulture** [~kyl'tyːr] f vine-growing, viticulture.

vitrage [vi'traːʒ] m church etc.: windows pl., glass-work; glass door; glass partition; ⊕ glazing; **vitrail,** pl. **-aux** [~'traːj, ~'tro] m leaded glass window; eccl. stained glass window; **vitre** [vitr] f pane (of glass); window-pane; F fig. casser les ~s kick up a fuss; **vitré, e** [vi'tre] ⊕ glazed; ♀, anat., etc. vitreous; **vitrer** [~'tre] (1a) v/t. ⊕ glaze (a door, a window, etc.); **vitrerie** [~trə'ri] f glazing, glaziery; **vitreux, -euse** [~'trø, ~'trøːz] vitreous (a. ⚕); glassy; **vitrier** [vitri'e] m glass-maker; ⊕ glazier; **vitrière** [~'ɛːr] f metal window framing; **vitrifiable** [~'fjabl] vitrifiable; **vitrification** [~fika'sjɔ̃] f vitrification; **vitrifier** [~'fje] (1o) v/t. vitrify; ~ par fusion fuse; se ~ vitrify; **vitrine** [vi'trin] f shop-window; glass case, 🦫 show-case.

vitriol 🧪 [vitri'ɔl] m vitriol (a. fig.); fig. au ~ biting, caustic (remark); **vitriolé, e** 🧪 [~'le] vitriolized; **vitrioler** [~'le] (1a) v/t. vitriolize; throw vitriol at (s.o.); tex. sour (fabric); **vitrioleur m, -euse** f [~'lœːr, ~'løːz] vitriol-thrower.

vitupération [vitypera'sjɔ̃] f vituperation, abuse; **vitupérer** [~'re] (1f) v/t. vituperate, abuse.

vivace [vi'vas] long-lived; ♀ peren-

nial; **♧** hardy; *fig.* enduring; *fig.*
inveterate; **vivacité** [‿vasi'te] *f*
promptness; alertness; *fig. combat,
discussion:* heat; *fig.* hastiness;
colour, feelings, etc.: vividness; *fig.*
liveliness; *horse:* mettle; *avec ~*
vivaciously.

vivandier, -ère † [vivã'dje, ‿'djɛ:r]
su. canteen-keeper; *su./f* vivan-
dière.

vivant, e [vi'vã, ‿'vã:t] **1.** *adj.*
living (*a. fig.*), alive; modern
(*language*); *fig.* lively (*scene etc.*);
vivid (*account, picture, etc.*); **2.** *su./m*
living person; lifetime; *bon ~* boon
companion; man who enjoys life;
easy-going fellow; *de son ~* in his
lifetime. [hurrah; *~s pl.* cheers.]

vivat [vi'vat] **1.** *int.* hurrah!; **2.** *su./m*

vive *icht.* [vi:v] *f* weever, sting-fish.

viveur [vi'vœ:r] *m* gay dog; rake;
fast liver.

vivier [vi'vje] *m* fish-pond, fish-
preserve, **⚓** (fish-)well; *fig.* breed-
ing-ground (for, de).

vivificateur, -trice [vivifika'tœ:r,
‿'tris] vivifying, invigorating; **vivi-
fication** [‿'sjõ] *f* reviving; **vivifier** [vivi'fje] (1o) *v/t.* revive;
quicken, give life to; invigorate;
vivipare [‿'pa:r] **1.** *adj.* **♧,** *zo.*
viviparous; **2.** *su. zo.* viviparous
animal; **vivisection** [‿sɛk'sjõ] *f*
vivisection.

vivoter F [vivo'te] (1a) *v/i.* live from
hand to mouth; **vivre** [vi:vr]
1. (4hh) *v/i.* live (on, de; at, in à);
be alive; subsist, exist; *fig.* survive,
last (*memory etc.*); F *apprendre à ~
à* teach (*s.o.*) manners; *avoir beaucoup vécu* have seen life; *difficile
à ~* difficult to get along with; **✗**
qui vive? who goes there?; *qui
vivra verra* time will show; *vive …!*
long live …!; hurrah for (*s.th.*)!;
v/t. live (*one's life*); live through
(*experiences*); **2.** *su./m* living; food;
~s pl. provisions; **✗** rations; **✗** *~s
pl. de réserve* iron rations; **vivrier,
-ère** [vivri'e, ‿'ɛ:r] food-…; **⚓**
revictualling.

vizir [vi'zi:r] *m* vizi(e)r.

vlan!, v'lan! [vlã] *int.* slap-bang!

vocable [vo'kabl] *m* word; *eccl.*
name of the patron saint; patronage
(*of a saint*); *eccl. sous le ~ de* dedi-
cated to; **vocabulaire** [‿kaby'lɛ:r]
m vocabulary; word-list.

vocal, e, *m/pl.* **-aux** [vo'kal, ‿'ko]
vocal (*a. anat., a. ♪*); **vocalique**
gramm. [voka'lik] vocalic, vowel-…;
vocalisation *gramm., a. ♪* [‿liza-
'sjõ] *f* vocalization; **vocalise ♪** [‿-
'li:z] *f* exercise in vocalization; *faire
des ~s* vocalize; **vocaliser** *gramm.,
a. ♪* [‿li'ze] (1a) *vt/i.* vocalize; **vo-
calisme** *gramm., a. ♪* [‿'lism] *m*
vocalism; **vocation** [‿'sjõ] *f* vocation.

vociférations [vosifera'sjõ] *f/pl.*
shouts, yells; outcries; **vociférer**
[‿'re] (1f) *v/i.* shout, yell, scream
(at, *contre*); vociferate (against,
contre).

vodka [vod'ka] *f* vodka.

vœu [vø] *m* vow; *fig.* wish, desire.

vogue [vog] *f* fashion, F rage, craze;
dial. eccl. patronal festival; *être en
~* be popular; *entrer (mettre) en ~*
come (bring) into vogue.

voguer [vo'ge] (1m) *v/i.* row; sail
(*boat, cloud*); *fig. vogue la galère!*
let's risk *or* chance it!

voici [vwa'si] *prp.* here is, here are;
F *~!* look!; *~ un an que je suis ici* I
have been here for a year; *me ~!*
here I am!

voie [vwa] *f* way (*a. fig.*), road;
path; *anat.* duct, tract; *fig.* means
pl., course; **⬚** railway, *Am.* railroad;
⚡ circuit; **☁** (*dry, wet, etc.*) process; *~ aérienne* air-route, airway;
~ de communication road, thoroughfare; line of communication;
✗ *~ de départ* runway; *~s pl. de
droit* legal channels; **⚖** *~s pl. de
fait* assault *sg.* and battery *sg.*; *fig.
~s et moyens* ways and means;
☤ *~s pl. respiratoires* respiratory
tract *sg.*; **⚓** *~ d'eau* leak; **⬚** *à deux
~s* double-track (*line*); **⬚** *à ~ normale (étroite)* standard-ga(u)ge
(narrow-ga[u]ge) (*line*); **⬚** *à ~
unique* single-track (*line*); *en ~ de*
in process of; under (*repair*); *par
~ de fig.* by (means of); **⬚** *via;
par ~ ferrée* by rail(way).

voilà [vwa'la] *prp.* there is, there
are; behold; that is, those are;
F *~!* that's all!; *~ ce que je dis* that's
what I say; *~ qui est drôle* that's
funny; *~ tout* that's all; *~ un an que
je suis ici* I have been here for a
year; *en ~ assez!* that's enough!;
me ~! here I am!

voile [vwal] *su./m* veil (*a. fig., a.*

eccl.); *fig.* cloak; *fig.* blur; *tex.* voile; *phot.* fog; ⊕ buckle, warping; *anat.* ~ *du palais* soft palate; *sous le* ~ *de* under the cloak of; *su.*/f ⚓ sail; *fig.* ship; *bateau m* à ~s sailing-boat; *faire* ~ set sail (for, *pour*); *grand-*~ mainsail; F *mettre les* ~s clear out; **voiler** [vwa'le] (1a) *v/t.* veil (*a.* ♪ *one's voice*); shade, dim (*the light*); *fig.* cloak, hide; *phot.* fog; ⊕ buckle, warp; ⚓ rig (*a ship*) with sails; *fig.* *voix f voilée* husky voice; *fig. se* ~ become overcast (*sky*); *v/i. a. se* ~ ⊕ go out of true; warp (*wood*); **voilerie** ⚓ [vwal'ri] *f* sail-making; sail-loft; **voilette** *cost.* [vwa'lɛt] *f* (hat-)veil; **voilier** [~'lje] *m* ⚓ sailing-ship, sailing-boat; sail-maker; *bâtiment m bon* ~ good sailer; **voilure** [~'ly:r] *f* ⚓ sails *pl.*; ✄ wings *pl.*, wing surface; ⊕ rod, wheel: buckling; *wood*: warping.

voir [vwa:r] (3m) *v/t.* see; perceive; watch; observe; remark; witness (*an incident*); visit; inspect; examine; ✗ attend (*a patient*); ✗ consult (*a physician*); *fig.* consider, take a view of (*s.th.*); *fig.* understand; *fig.* experience, go through (*misfortunes*); F tolerate, stand; ~ *à* (*inf.*) see to it that (*ind.*); ~ *le jour* be born; ~ *venir q.* see s.o. coming; *fig.* see what s.o. is up to; *à ce que je vois* from what I see; *cela se voit* that's obvious; *c'est à* ~ that remains to be seen; F *écoutez* ~ just listen; *être bien* (*mal*) *vu de* be in s.o.'s good (bad) books; *faire* ~ show; *laisser* ~ betray, reveal; *n'avoir rien à* ~ *avec* (*or à*) have nothing to do with; ✗ *se faire* ~ *par le médecin* get examined; *venir* ~ call on (*s.o.*).

voire [vwa:r] *adv.* † truly; (*a.* ~ *même*) (and) even, indeed.

voirie [vwa'ri] *f* highway system; system of roads; *admin.* Roads Department, *Am.* Highway Division; refuse-dump, rubbish-dump.

voisin, e [vwa'zɛ̃, ~'zin] **1.** *adj.* neighbo(u)ring; adjacent; next (*building, house, room, etc.*); ~ *de* in the vicinity of; *fig.* similar to, akin to, approximating to; **2.** *su.* neighbo(u)r; **voisinage** [~zi'na:ʒ] *m* neighbo(u)rhood; vicinity; surroundings *pl.*; *bon* ~ neighbo(u)r-

liness; **voisiner** [~zi'ne] (1a) *v/i.* be adjacent, be side by side; be neighbo(u)rly, be on friendly terms (with, *avec*).

voiturage ⚓ [vwaty'ra:ʒ] *m* carriage, conveyance; cost of conveyance; **voiture** [~'ty:r] *f* carriage, conveyance, vehicle; *mot.* car, *Am.* automobile; ⚓ van; ⚓ cart; 🚂 coach, *Am.* car; ⚓ goods *pl.*, *Am.* freight; 🚂 ~ *à marchandises* goods truck, *Am.* freight car; ~ *carénée* streamlined car *or Am.* automobile; ~ *de livraison* delivery van; ~ *d'enfant* perambulator, F pram, *Am.* baby carriage; ~ *de place* taxi; ~ *de remise* hired carriage; 🚂 ~ *directe* through carriage; F ~-*pie* radio patrol car; ~ *publique* public conveyance; *en* ~! all aboard!; take your seats!; **voiturée** [~ty're] *f people*: carriageful; *goods*: cartload, van-load; **voiturer** [~ty're] (1a) *v/t.* convey, carry (*goods*); ⚓ drive; **voiture-radio**, *pl.* **voitures-radio** [~tyrra'djo] *f* radio car; **voiturette** [~ty'rɛt] *f mot.* baby car; light car; trap; **voiturier, -ère** [~ty'rje, ~'rjɛ:r] **1.** *adj.* carriageable; carrying; carriage(-drive); **2.** *su./m* ⚓ carrier.

voix [vwa] *f* voice (*a. gramm., a.* ♪); ♪ part; speech; tone; *fig.* opinion; *parl., pol.* vote; *à haute* ~ aloud; *à* ~ *basse* softly, in a low voice; *pol. aller aux* ~ vote; *de vive* ~ by word of mouth; *fig. demeurer sans* ~ remain speechless; *donner de la* ~ give tongue, bark (*hounds*); *mettre qch. aux* ~ put s.th. to the vote.

vol¹ ⚖ [vɔl] *m* theft, larceny, robbery; ~ *à l'américaine* confidence trick; ~ *à l'étalage* shop-lifting; ~ *avec effraction* housebreaking and larceny.

vol² [vɔl] *m orn.*, ✄ flying; flight (*a. distance, a. fig., a. birds*); *locusts*: swarm; ~ *à voile* gliding; ~ *d'acrobatie* stunt flying; ~ *de nuit* night-flight; ~ *plané* ✄ glide; *orn.* soaring flight; *à* ~ *d'oiseau* as the crow flies; bird's-eye (*view*); *au* ~ on the wing; *prendre son* ~ ✄ take off; *orn.* take wing, fly off; **volage** [vɔ'la:ʒ] fickle, inconstant.

volaille [vɔ'la:j] *f* poultry; *cuis.* fowl; **volailler** [~la'je] *m* poulterer; poultry-yard.

volant, e [vɔ'lɑ̃, ~'lɑ̃:t] **1.** *adj.* flying; *fig.* loose, floating (*dress*); portable; ✈ wander(-*plug*); **2.** *su./m game*: shuttlecock; ⊕ fly-wheel; ⊕ *lathe etc.*: hand-wheel; *mot.* steering-wheel, F wheel; *cost.* flounce; ✝ ~ de sécurité reserve fund; *mot. prendre le* ~ drive, take the wheel.

volatil, e [vɔla'til] volatile.

volatile [~] *m*, *a. f* bird, winged creature.

volatiliser [vɔlatili'ze] (1a) *v/t. a.* se ~ volatilize.

vol-au-vent *cuis.* [vɔlo'vɑ̃] *m/inv.* vol-au-vent (*small filled puff-pie*).

volcan [vɔl'kɑ̃] *m* volcano; **volcanique** [~ka'nik] volcanic; *fig.* fiery; **volcanisme** *geol.* [~ka'nism] *m* volcanism.   [a slam or vole.|

vole [vɔl] *f*: *faire la* ~ *cards*: make|

volée [vɔ'le] *f bird, bullet, stairs*: flight; *birds*: flight, flock; ✗ volley; ⚓ broadside; *bells*: peal; ⊕ *steam-hammer*: rise; *piston*: throw; *fig. blows etc.*: shower; ~ *basse tennis*: low volley; ~ *haute tennis*: smash; *à la* ~ on the wing; *fig.* rashly; *fig.* at random; *à toute* ~ in full swing; F *de bond ou de* ~ somehow or other; *entre bond et* ~ *tennis*: on the half-volley; *fig.* at a lucky moment; *fig. la haute* ~ the upper ten *pl.*

voler[1] ⚖ [vɔ'le] (1a) *vt/i.* steal; *v/t.* swindle, cheat (*s.o.*).

voler[2] [~] (1a) *v/i.* ✗, *orn.* fly (*a. fig.*); *fig.* rush; ~ *à voile* glide; *v/t. hunt.* fly (*a hawk*); fly at (*the quarry*).

volerie[1] ⚖ [vɔl'ri] *f* robbery; larceny.

volerie[2] *hunt.* [~] *f* hawking.

volet [vɔ'lɛ] *m window, a. phot., mot., etc.*: shutter; *mot.* flap; *mot.* butterfly-valve; ⚡ *etc. indicator*: disk; sorting-board; *fig. trier sur le* ~ select (*persons*) carefully; screen (*candidates*).

voleter [vɔl'te] (1c) *v/i. orn.* flit (*a. fig. person*); flutter.

voleur, -euse [vɔ'lœ:r, ~'lø:z] **1.** *adj.* thieving; pilfering; *fig.* rapacious; **2.** *su.* thief; (*sheep- etc.*)stealer; *fig.* robber; *su./m*: *au* ~! stop thief!

volière [vɔ'ljɛ:r] *f* aviary; large bird-cage; pigeon-run.

volige ⚒ [vɔ'li:ʒ] *f* batten; lath; roofing-strip; **voliger** ⚒ [~li'ʒe] (11) *v/t.* batten; lath.

volitif, -ve [vɔli'tif, ~'ti:v] volitional; **volition** [~'sjɔ̃] *f* volition.

volontaire [vɔlɔ̃'tɛ:r] **1.** *adj.* voluntary; spontaneous; *fig.* self-willed, obstinate; **2.** *su./m* ✗ volunteer; **volonté** [~'te] *f* will; will-power; *fig.* pleasure, desire; ~*s pl.* (*last*) will *sg.* and testament *sg.*; *fig.* whims; *à* ~ at pleasure, at will; *en faire à sa* ~ have one's own way; *montrer de la bonne* (*mauvaise*) ~ show (un)willingness; **volontiers** [~'tje] *adv.* willingly, with pleasure; *fig.* readily, easily.

volt ⚡ [vɔlt] *m* volt; **voltage** ⚡ [vɔl'ta:ʒ] *m* voltage; **voltaïque** ⚡ [~ta'ik] voltaic.

voltaire [vɔl'tɛ:r] *m* Voltaire chair (= *high-backed armchair*).

voltaïsation ⚡ [vɔltaiza'sjɔ̃] *f* treatment by means of a voltaic pile; **voltamètre** ⚡ [~'mɛtr] *m* voltameter.

volte [vɔlt] *f horsemanship, a. fencing*: volt; *sp.* vaulting; ~**face** [~ə'fas] *f/inv.* volte-face; about-face; right-about turn.

voltige [vɔl'ti:ʒ] *f horsemanship*: trick-riding; *sp.* exercises *pl.* on the flying trapeze; leaping-rope; **voltiger** [~ti'ʒe] (11) *v/i. orn.* flit (*a. fig.*); fly about; flutter; *sp.* perform on the flying trapeze; *horsemanship*: do trick-riding; **voltigeur** [~ti'ʒœ:r] *m sp.* performer on the flying trapeze (*etc.*); ✗ light infantryman.

volubile [vɔly'bil] ♀ voluble (*a. person*), turning; *fig.* glib; fluent; **volubilis** ♀ [~bi'lis] *m* convolvulus; **volubilité** [~bili'te] *f* volubility; *fig.* glibness.

volucompteur *mot.* [vɔlykɔ̃'tœ:r] *m* flow meter.

volume [vɔ'lym] *m* volume; tome; ⚛, *phys., etc.* volume, mass; ✝, ⚓ bulk; **volumineux, -euse** [~lymi-'nø, ~'nø:z] voluminous (*a. fig.*); bulky, large.

volupté [vɔlyp'te] *f* (sensual) pleasure; **voluptueux, -euse** [~'tɥø, ~'tɥø:z] **1.** *adj.* voluptuous; **2.** *su.* sensualist.

volute [vɔ'lyt] *f shell, a.* △: volute; △, *a.* ♪ *violin*: scroll; *fig. smoke etc.*: curl.

vomique ♀, ⚕ [vɔ'mik] *adj.*: *noix f* ~ nux vomica; **vomir** [~'mi:r] (2a) *v/t.* ⚕ vomit; *fig.* belch forth; *v/i.* be sick, ⚕ vomit; **vomissement**

ℱ [ˌmisˈmã] *m action*: vomiting; vomit; **vomitif, -ve** ℱ [ˌmiˈtif, ˌˈtiːv] *adj., a. su./m* emetic.

vont [vɔ̃] *3rd. p. pl. pres. of aller 1.*

vorace [vɔˈras] voracious; **voracité** [ˌrasiˈte] *f* voracity; *avec* ~ voraciously.

vortex [vɔrˈtɛks] *m* whorl; vortex (-ring).

vorticelle *biol.* [vɔrtiˈsɛl] *f* vorticel.

vos [vo] *pl. of votre.*

vosgien, -enne [voˈʒjɛ̃, ˌˈʒjɛn] of the Vosges.

votant, e [vɔˈtã, ˌˈtãːt] **1.** *adj.* voting; **2.** *su.* voter; *su./m*: liste *f* des ~s electoral roll; **votation** [ˌtaˈsjɔ̃] *f* voting; **vote** [vɔt] *m* vote; voting; poll, ballot; *parl. bill*: division; passing (of a bill, *d'une loi*); result (of the voting *or* ballot); **voter** [vɔˈte] (1a) *v/i.* vote; *v/t.* vote (*money*); pass (*a bill*); ~ des remerciements à pass a vote of thanks to.

votif, -ve *eccl. etc.* [vɔˈtif, ˌˈtiːv] votive.

votre, *pl.* **vos** [vɔtr, vo] *adj./poss.* your.

vôtre [votr] **1.** *pron./poss.*: le (*la*) ~, les ~s *pl.* yours; F à la ~ cheerio!; your health!; je suis des ~s I am on your side; **2.** *su./m* yours, your own; les ~s *pl.* your (own) people.

voudrai [vuˈdre] *1st p. sg. fut. of vouloir 1.*

vouer [vwe] (1p) *v/t.* dedicate, vow, pledge; *fig.* devote (*one's life, one's time*).

vouloir [vuˈlwaːr] **1.** (3n) *v/t.* want, wish; need; require; intend; be prepared *or* ready to; choose; want to (*inf.*), feel like (*ger.*); insist on; *fig.* try, attempt; allow, admit (that s.th. is true, *que qch. soit vrai*); *gramm.* take (*the indicative*); ~ bien be willing; ~ dire mean (to say); *Dieu veuille que* God grant that; je le veux bien I am quite willing; je veux que cela soit I insist that it shall be so; je veux que ce soit fait I want this to be done; le moteur ne voulut pas marcher the engine refused to work; sans le ~ unintentionally; veuillez me dire please tell me; *v/i.*: en ~ à bear (*s.o.*) a grudge; have designs on (*s.th.*); **2.** *su./m* will; bon (*mauvais*) ~ good (ill) will; de son bon ~ of one's own accord; **voulu, e** [ˌˈly] *p.p. of*

vouloir 1; **voulus** [ˌˈly] *1st p. sg. p.s. of vouloir 1.*

vous [vu] **1.** *pron./pers. subject.* you; *object*: you; (to) you; à ~ to you; yours; **2.** *pron./rfl.* yourself, yourselves; **3.** *pron./recip.* each other, one another; ~-**même** [ˌˈmɛːm] *pron./rfl.* yourself; ~s *pl.* yourselves.

vousseau ⚠ [vuˈso] *m*, **voussoir** ⚠ [ˌˈswaːr] *m* arch-stone, voussoir; **voussure** ⚠ [ˌˈsyːr] *f arch*: curve; ceiling *etc.*: arching; **voûte** [vut] *f* ⚠ arch, vault (*a. fig.*); archway; *anat.* mouth: roof, skull: dome; *fig.* ~ céleste canopy of heaven; ~ en berceau barrel vault(ing); ~ en ogive ogive vault; **voûté, e** [vuˈte] ⚠ vaulted, arched; *anat.* round (shoulders); round-shouldered, bent (*person*); **voûter** [ˌˈ] (1a) *v/t. fig.* bend; *v/t. a.* se ~ vault; arch.

vouvoyer [vuvwaˈje] (1h) *v/t.* address (*s.o.*) as vous.

voyage [vwaˈjaːʒ] *m* journey; tour, trip; run (*in a car*); ⚓ voyage; ✈ flight; ~ à pied walk; ~ circulaire circular trip; ~ d'affaires business trip; ~ d'agrément pleasure trip; ~ de retour return journey; ~ surprise mystery tour; ~ touristique conducted tour; ... de ~ travelling-...; il est en ~ he is travelling; partir en ~ go on a journey, F away; **voyager** [ˌjaˈʒe] (1l) *v/i.* travel (*a.* ✈); (make a) journey; ⚓ get about; *orn.* migrate; il a beaucoup voyagé he has travelled widely; **voyageur, -euse** [ˌjaˈʒœːr, ˌˈʒøːz] **1.** *su.* traveller; ⚓, 🚂, *etc.* passenger; fare (*in a taxi*); ✈ (*a. commis m* ~) commercial traveller; **2.** *adj.* travelling; migratory (*bird*); pigeon *m* ~ homing pigeon, carrier-pigeon.

voyant, e [vwaˈjã, ˌˈjãːt] **1.** *adj.* who can see (*person*); *fig.* loud, gaudy (*colour etc.*); conspicuous (*building, landmark, etc.*); **2.** *su.* sighted person, person who can see; clairvoyant; † seer; *su./m* mark; ⊕ sighting-slit; *surv.* sighting-board.

voyelle *gramm.* [vwaˈjɛl] *f* vowel.

voyer † [vwaˈje] **1.** *adj.*: agent *m* ~ road surveyor; **2.** *su./m* road surveyor.

voyons [vwaˈjɔ̃] *1st p. pl. pres. of voir.*

voyou [vwaˈju] *m* street-arab; hooligan, loafer, *Am.* hoodlum.

vrac [vrak] *m*: ✝ en ~ in bulk; loose; *fig.* higgledy-piggledy.

vrai, vraie [vrɛ] **1.** *adj.* true; truthful; sta(u)nch, loyal (*friend*); *fig.* real, genuine; *fig. usu. pej.* downright, regular; F (*pour*) de ~ really; in earnest; **2.** *vrai adv.* truly; really; *à ~ dire* as a matter of fact; strictly speaking; *dire* ~ tell the truth; ~ *de* ~! F honestly!; *sl.* cross my heart!; **3.** *su./m* truth; *au* ~ really; *être dans le* ~ be right; **vraiment** [~'mã] *adv.* really, truly; indeed; **vraisemblable** [~sã'blabl] **1.** *adj.* likely, probable; **2.** *su./m* probability; what is probable; **vraisemblance** [~sã'blã:s] *f* probability, likelihood; *story etc.*: verisimilitude; *selon toute* ~ in all probability.

vrille [vri:j] *f* ⊕ gimlet, borer; ♀ tendril; ✈ spin; ✈ *tomber en* ~ go into a spin; **vrillé, e** [vri'je] **1.** *adj.* ⊕ bored; ♀ tendrilled, with tendrils; *tex.* twisted, kinked; curled; **2.** *su./f* ♀ bindweed; **vriller** [~'je] (1a) *v/t.* ⊕ bore; *v/i. tex.* twist, kink; snarl; ascend in a spiral (*rocket etc.*); **vrillette** *zo.* [~'jɛt] *f* death-watch beetle; **vrillonner** [~jɔ'ne] (1a) *v/i.* twist, kink (*rope*); corkscrew (*wire etc.*).

vrombir [vrɔ̃'bi:r] (2a) *v/i.* buzz (*insect, engine*); ⊕, ✂ hum (*a. top*); throb; **vrombissement** [~bis'mã] *m insect, engine*: buzz(ing); ⊕, ✂, *top*: hum(ming); ⊕ throb(bing); *mot.* purr(ing).

vu, vue [vy] **1.** *p.p. of voir*; **2.** *vu prp.* considering, seeing (that, *que*); ~ *que a.* since; ₄₇₇ whereas; **3.** *su./m* sight; *au* ~ *de tous* openly; *au* ~ *et au su de tous* to everybody's knowledge.

vue [~] *f* sight; eyesight; appearance, look; view; purpose, intention; idea, notion; *cin.* (lantern-) slide; *à* ~ ♪, ✝ at sight; free-hand (*drawing*); *à* ~ *de* within sight of; *à* ~ *d'œil* visibly; *fig.* roughly, at a rough estimate; *à la* ~ *de* in the *or* at the sight of; ✝ *à trois jours de* ~ three days after sight; *avoir en* ~ have in mind; *avoir la* ~ *courte* be short-sighted; *avoir* ~ *sur* look out on, face; *connaître q. de* ~ know s.o. by sight; *en* ~ in sight; *en* ~ *de* with a view to; for the purpose of; in order to; *garder q. à* ~ keep a close watch on s.o.; *perdre de* ~ lose sight of; *point m de* ~ point of view; *prise f de* ~s photography; *cin.* film-shooting.

Vulcain [vyl'kɛ̃] *m astr., myth.* Vulcan; *zo.* ♀ red admiral; **vulcaniser** ⊕ [~kani'ze] (1a) *v/t.* vulcanize, cure.

vulgaire [vyl'gɛ:r] **1.** *adj.* vulgar (*a. pej.*); common; general; *pej.* low, coarse; *langue f* ~ vernacular; **2.** *su./m* common people *pl.*; *fig. pej.* vulgarity; **vulgariser** [vylgari'ze] (1a) *v/t.* popularize; *pej.* coarsen; *se* ~ become common; grow vulgar; **vulgarité** [~'te] *f* vulgarity.

vulnérabilité [vylnerabili'te] *f* vulnerability; **vulnérable** [~'rabl] vulnerable; **vulnéraire** [~'rɛ:r] **1.** *adj.* ✵ vulnerary, healing; **2.** *su./f* ♀ kidney-vetch; **vulnérant, e** [~'rã, ~'rã:t] wounding.

vultueux, -euse ✵ [vyl'tɥø, ~'tɥø:z] bloated, red and puffy (*face*); **vultuosité** ✵ [~tɥozi'te] *f face*: puffiness.

vulve *anat.* [vylv] *f* vulva.

W

W, w [dublə've] *m* W, w.

wagon 🚃 [va'gɔ̃] *m* carriage, coach, *surt. Am.* car; *goods*: waggon, truck; ~ *de marchandises* goodsvan, *Am.* freight-car; ~ *frigorifique* refrigerator van *or* car; *monter en* ~ get into *or* board the train; **~-bar**, *pl.* **~s-bars** [vagɔ̃'ba:r] *m* refreshment-car; **~-citerne**, *pl.* **~s-citernes** [~si'tɛrn] *m* tank-car, tank-

waggon; **~-lit**, *pl.* **~s-lits** [~'li] *m* sleeping-car, F sleeper, *Am.* pullman.

wagonnet [vagɔ'ne] *m* tip-truck, tip-waggon, *Am.* dump-truck.

wagon...: **~-poste**, *pl.* **~s-poste** [vagɔ̃'pɔst] *m* mail-van, *Am.* mail-car; **~-restaurant**, *pl.* **~s-restaurants** [~restɔ'rã] *m* dining-car; restaurant-car; **~-salon**, *pl.* **~s-salons**

[⌐sa'lɔ̃] *m* saloon(-car), *Am.* observation-car, parlor-car; **⌐tombereau**, *pl.* **⌐s-tombereaux** [⌐tɔ̃'bro] *m* tipping-car.

wallon, -onne [va'lɔ̃, ⌐'lɔn] **1.** *adj.* Walloon; **2.** *su./m ling.* Walloon; *su.* ♀ Walloon.

warrant ✝, ₰ₐ [va'rɑ̃] *m* warrant; **warranté, e** ✝ [varɑ̃'te] covered by a warehouse warrant; **warranter** ✝ [⌐] (1a) *v/t.* issue a warehouse warrant for.

waterproof [watɛr'pruf] *m* waterproof, mackintosh.

waters F [wa'tɛːr] *m/pl.* water-closet *sg.*, W.C. *sg.*, toilet *sg.*

watt ⚡ [wat] *m* watt; **⌐heure**, *pl.* **⌐s-heures** ⚡ [wa'tœːr] *m* watt-hour; **⌐man**, *pl.* **⌐men** [wat'man, ⌐'mɛn] *m* electric tram *or* train: driver, *Am.* motorman.

week-end [wi'kɛnd] *m* week-end; **weekendard** *m*, **e** *f* F [⌐kɛn'daːr, ⌐'dard] week-ender. [(film).⟩

western *cin.* [wɛs'tœrn] *m* western⟩

wigwam [wig'wam] *m* wigwam.

wisigoth, e [vizi'go, ⌐'gɔt] **1.** *adj.* Visigothic; **2.** *su.* ♀ Visigoth.

X

X, x [iks] *m* X, x; *l'X sl.* the *École polytechnique*; *phys. rayons m/pl.* X X-rays; ₰ *passer aux rayons X* X-ray.

xénophobe [ksenɔ'fɔb] *adj., a. su.* xenophobe; **xénophobie** [⌐fɔ'bi] *f* xenophobia. [xeranthemum.⟩

xéranthème ♀ [kserɑ̃'tɛm] *m*⟩

xérès [ke'rɛs] *m* sherry.

xylo... [ksilɔ] xylo...; **⌐graphe** [⌐'graf] *m* xylographer, wood-engraver; **⌐graphie** [⌐gra'fi] *f* wood-engraving; wood-cut; **⌐phage** *zo.* [⌐'faːʒ] **1.** *su./m* xylophagan, xylophage; **2.** *adj.* xylophagous; **⌐phone** ♪ [⌐'fɔn] *m* xylophone.

Y

Y, y [i'grɛk] *m* Y, y.

y [i] **1.** *adv.* there, here; *fig.* in, at home; *il y a* there is, there are; *il y a deux ans* two years ago; *je l'y ai rencontré* I met him there; *on y va!* come on!; **2.** *pron.* to *or* by *or* at *or* in it (him, her, them); *ça y est* that's it; *il n'y gagna rien* he gained nothing by it; *il n'y peut rien* there's nothing he can do about it; *il y va de* it is a matter of; *je n'y suis pour rien* I had nothing to do with it; *pendant que j'y pense* by the way; *vous y êtes?* do you follow?; F do you get it?

yacht ⚓ [jak] *m* yacht; **⌐club** ⚓ [⌐'klœb] *m* yacht-club; **yachting** [ja'kiŋ] *m* yachting; **yacht(s)-** **man**, *pl.* **yachtsmen** [jak(s)'man, jaks'mɛn] *m* yachtsman.

ya(c)k *zo.* [jak] *m* yak.

yaourt *cuis.* [ja'urt] *m* yog(h)urt, yaourt. [oak, ilex.⟩

yeuse ♀ [jøːz] *f* holm-oak, holly-⟩

yeux [jø] *pl. of œil.*

yodler ♪ [jɔd'le] (1a) *v/i.* yodel.

yogourt *cuis.* [jɔ'gurt] *m see yaourt.*

yole ⚓ [jɔl] *f* yawl, gig.

yougoslave [jugɔ'slaːv] *adj., a. su.* ♀ Jugoslav, Yugoslav.

youpin, e F *pej.* [ju'pɛ̃, ⌐'pin] **1.** *su.* Yid (= *Jew*); **2.** *adj.* Jewish.

youyou ⚓ [ju'ju] *m* dinghy.

ypérite 🜺 [ipe'rit] *f* yperite, mustard-gas; **ypréau** ♀ [ipre'o] *m* wych-elm; white poplar.

Z

Z, z [zɛd] *m* Z, z.
zabre *zo.* [zɑ:br] *m* zabrus; caraboid beetle.
zancle *icht.* [zã:kl] *m* zanclus.
zanzibar [zãzi'ba:r] *m* dice-throwing (*for drinks*). [zoot-suiter.|
zazou F [za'zu] *m* teddy boy, *Am.*|
zèbre [zebr] *m zo.* zebra; F chap, *Am.* guy; **zébrer** [ze'bre] (1f) *v/t.* streak; mark (*s.th.*) with stripes; **zébrure** [~'bry:r] *f* stripe; zebra markings *pl.*, stripes *pl.*
zébu *zo.* [ze'by] *m* zebu.
zélateur, -trice [zela'tœ:r, ~'tris] **1.** *su.* zealot, zealous worker (for, de); **2.** *adj.* zealous; **zèle** [zɛ:l] *m* zeal, enthusiasm (for, *pour*); F *faire du ~* make a show of zeal; go beyond one's orders; **zélé, e** [ze'le] **1.** *adj.* zealous; **2.** *su.* zealot; **zélote** *bibl.* [~'lɔt] *m* zealot; **zélotisme** [~lɔ-'tism] *m* zealotry.
zénith [ze'nit] *m* zenith (*a. fig.*).
zéphire *tex.* [ze'fi:r] *adj.: laine f ~* zephyr; **zéphyr** [~'fi:r] *m* zephyr; soft breeze; **zéphyrien, -enne** [~fi'rjɛ̃, ~'rjɛn] zephyr-like.
zéro [ze'ro] **1.** *su./m* nought, cipher; *scale:* zero; *sp. tennis:* love, *cricket:* duck; F nobody, nonentity; *≴ off* (*on cooker etc.*); *fig. partir de ~* start from scratch; **2.** *adj./inv.: à ~ heure* at midnight; **zérotage** *phys.* [~rɔ-'ta:ʒ] *m* determination of the zero point; *thermometer etc.:* calibration.
zeste [zɛst] *m lemon etc.:* peel, twist; F *fig. cela ne vaut pas un ~* it's not worth a straw; **zester** [zɛs-'te] (1a) *v/t.* peel (*a lemon etc.*).
zézaiement [zeze'mã] *m* lisp(ing); **zézayer** [~ze'je] (1i) *vt/i.* lisp.
zibeline *zo.*, *✝* [zi'blin] *f* sable.
zigouiller *sl.* [zigu'je] (1a) *v/t.* knife, kill; ✗ bayonet; cut to pieces.
zig(ue) *sl.* [zig] *m* chap, *Am.* guy.
zigzag [zig'zag] *m* zigzag (*a.* ✗, ⚓); ⊕ lazy-tongs *pl.*; ⊕ *disposé en ~* staggered; *en ~* zigzag...; forked (*lightning*); **zigzaguer** [~za'ge] (1m) *v/i.* zigzag; flit about (*bat*); *mot.* drive erratically.

zinc [zɛ̃:g] *m* zinc; *✝* spelter; F counter, bar; *≴ sl.* (heavy) aeroplane; **zincage** [zɛ̃'ka:ʒ] *m see zingage*; **zincifère** [~si'fɛ:r] zinc-bearing; **zincographe** ⊕ [zɛ̃kɔ-'graf] *m* zincographer; **zincographie** ⊕ [~gra'fi] *f* zincograph(y).
zingage [zɛ̃'ga:ʒ] *m metall.* coating with zinc; △ *etc.* covering (*s.th.*) with zinc.
zingaro, *pl.* **-ri** [zɛ̃ga'ro, ~'ri] *m* gipsy; zingaro.
zinguer [zɛ̃'ge] (1m) *v/t. metall.* coat with zinc; galvanize (*iron*); △ *etc.* cover (*s.th.*) with zinc; **zinguerie** [~'gri] *f* ⊕ zinc-works *usu. sg.*; *✝* zinc-trade, *✝* zinc-ware; **zingueur** [~'gœ:r] *m* ⊕ zinc-worker; △ zinc-roofer.
zizanie [ziza'ni] *f* ♀ zizania, Indian rice; *fig.* discord; *en ~* at loggerheads (with, *avec*).
zodiacal, e, *m/pl.* **-aux** *astr.* [zɔdja-'kal, ~'ko] zodiacal; **zodiaque** *astr.* [~'djak] *m* zodiac.
zona *✗* [zo'na] *m* shingles *pl.*; **zone** [zo:n] *f* ⚖, ✗, *geog.* zone; ✗, *geog.* belt; *admin.* area; *✝ cost.* girdle; F outskirts *pl.* of Paris; *~ de silence radio:* skip zone, silent zone.
zoo F [zɔ'ɔ] *m* zoo.
zoo... [zɔɔ] zoo...; **~logie** [~lɔ'ʒi] *f* zoology; **~phage** *zo.* [~'fa:ʒ] zoophagous, carnivorous; **~phytes** *biol.* [~'fit] *m/pl.* zoophytes; phytozoa; **~tomie** [~tɔ'mi] *f* zootomy, comparative anatomy.
zostère ♀ [zɔs'tɛ:r] *f* sea-wrack, grass-wrack; *Am.* eel-grass.
zouave ✗ *hist.* [zwa:v] *m* zouave (= *French colonial infantryman*).
zut! *sl.* [zyt] *int.* anger, disappointment: hang it!; dash it!, darn it!; *indifference:* blow it!; *contempt:* shut up!
zygoma *anat.* [zigɔ'ma] *m* cheekbone, zygoma.
zymologie ⚗ [zimɔlɔ'ʒi] *f* zymology; **zymotechnie** ⚗ [~tɛk'ni] *f* zymotechnics *sg.*; **zymotique** *✗* [~'tik] zymotic.

Noms propres avec leur prononciation et notes explicatives

Proper names with pronunciation and explanation

A

Aboukir [abu'ki:r] *m* Ab(o)ukir (*village of Egypt, scene of the Battle of the Nile*).

Abyssinie [abisi'ni] *f*: l'~ Abyssinia (*former name of Ethiopia*).

Académie [akade'mi] *f*: ~ française the French Academy.

Achille [a'ʃil] *m* Achilles (*Greek hero*).

Adam [a'dɑ̃] *m* Adam.

Adélaïde [adela'id] *f* Adelaide.

Adolphe [a'dɔlf] *m* Adolf, Adolphus.

Adour [a'du:r] *French river*.

Adriatique [adria'tik] *f* Adriatic (Sea).

Afghanistan [afganis'tɑ̃] *m*: l'~ Afghanistan.

Afrique [a'frik] *f*: l'~ Africa.

Agathe [a'gat] *f* Agatha.

Agen [a'ʒɛ̃] *capital of the department of Lot-et-Garonne*.

Agincourt [aʒɛ̃'ku:r] *former name of Azincourt*.

Agnès [a'nɛs] *f* Agnes.

Aimée [ɛ'me] *f* Amy.

Ain [ɛ̃] *French river; department of eastern France*.

Aisne [ɛn] *French river; department of northern France*.

Aix-en-Provence [ɛksɑ̃prɔ'vɑ̃:s] *former capital of the province of Provence*.

Ajaccio [aʒak'sjo] *capital of the department of Corse*.

Alain [a'lɛ̃] *m* Allen.

Alain-Fournier [alɛ̃fur'nje] *French writer*.

Albanie [alba'ni] *f*: l'~ Albania.

Albert [al'bɛ:r] *m* Albert.

Albi [al'bi] *capital of the department of Tarn*.

Albion *poet.* [al'bjɔ̃] *f* Albion, Britain.

Alembert, d' [dalɑ̃'bɛ:r] *French philosopher and mathematician*.

Alençon [alɑ̃'sɔ̃] *capital of the department of Orne*.

Alexandre [alɛk'sɑ̃:dr] *m* Alexander.

Alger [al'ʒe] Algiers (*capital and port of Algeria*); Algier (*department of Algeria*).

Algérie [alʒe'ri] *f*: l'~ Algeria.

Allemagne [al'maɲ] *f*: l'~ Germany.

Allier [a'lje] *French river; department of central France*.

Alpes [alp] *f/pl.* Alps; **Basses-~** [bɑ'salp] *f/pl.* department of southeastern France; **Hautes-~** [ot'salp] *f/pl.* department of southeastern France; **~-Maritimes** [~mari'tim] *f/pl.* department of southeastern France.

Alphonse [al'fɔ̃:s] *m* Alphonso; Alfonso.

Alsace [al'zas] *f*: l'~ Alsace, Alsatia (*old province of France*).

Amboise [ɑ̃'bwa:z] *French town in the Loire valley with a famous castle*.

Amélie [ame'li] *f* Amelia.

Amérique [ame'rik] *f*: l'~ America.

Amiens [a'mjɛ̃] *capital of the department of Somme; former capital of the province of Picardie*.

Ampère [ɑ̃'pɛ:r] *French physicist*.

Anatole [ana'tɔl] *m Christian name*.

Andorre [ɑ̃'dɔ:r] *f* Andorra.

André [ɑ̃'dre] *m* Andrew.

Andrée [ɑ̃'dre] *f Christian name*.

Aneto [ane'to]: pic *m* d'~ highest peak of the Pyrénées.

Angers [ɑ̃'ʒe] *capital of the depart-*

ment of Maine-et-Loire; former capital of the province of Anjou.

Angleterre [ăɡlə'tɛːr] f: l'~ England.

Angoulême [ăɡu'lɛm] capital of the department of Charente; former capital of the province of Angoumois.

Angoumois [ăɡu'mwa] m old province of France.

Anjou [ă'ʒu] m old province of France.

Anne [ɑːn] f Ann(e).

Annecy [an'si] capital of the department of Haute-Savoie; lac m d'~ French lake.

Annette [a'nɛt] f Annie, Nancy, Nanny, Nan.

Anouilh [a'nuːj] French writer.

Antibes [ă'tib] French health resort on the Mediterranean.

Antoine [ă'twan] m Ant(h)ony.

Anvers [ă'vɛːr; Belgian: ~'vɛrs] Antwerp.

Apennins [apɛn'nɛ̃] m/pl. Apennines.

Aquitaine [aki'tɛn] f old province of France.

Arabe [a'rab]: République f ♀ unie United Arab Republic.

Arabie [ara'bi] f: l'~ Arabia; l'~ Saoudite Saudi Arabia.

Aragon [ara'ɡɔ̃] French poet.

Archimède [arʃi'mɛd] m Archimedes (Greek scientist).

Ardèche [ar'dɛʃ] French river; department of southern France.

Ardennes [ar'dɛn] f/pl. department of northeastern France.

Argentine [arʒă'tin] f: l'~ Argentina, the Argentine.

Ariège [a'rjɛːʒ] French river; department of southern France.

Aristide [aris'tid] m Aristides.

Aristote [aris'tɔt] m Aristotle (Greek philosopher).

Arnaud [ar'no] m Christian name.

Arras [a'rɑːs] capital of the department of Pas-de-Calais; former capital of the county of Artois.

Artus [ar'tys] m: le roi ~ King Arthur.

Artois [ar'twa] m former French county.

Asie [a'zi] f: l'~ Asia; l'~ Mineure Asia Minor.

Athènes [a'tɛn] f Athens.

Atlantique [atlă'tik] m Atlantic (Ocean).

Aube [oːb] French river; department of east-central France.

Auch [oːʃ] capital of the department of Gers; former capital of the duchy of Gascogne.

Aude [oːd] French river; department of southern France.

Auguste [ɔ'ɡyst] m Augustus.

Aunis [o'nis] old province of France.

Aurigny [ɔri'ɲi] Alderney (one of the Channel Islands).

Aurillac [ɔri'jak] capital of the department of Cantal.

Australie [ɔstra'li] f: l'~ Australia.

Autriche [o'triʃ] f: l'~ Austria.

Auvergne [ɔ'vɛrɲ] f old province of France.

Auxerre [ɔ'sɛːr] capital of the department of Yonne.

Aveyron [ave'rɔ̃] French river; department of southern France.

Avignon [avi'ɲɔ̃] capital of the department of Vaucluse.

Azay-le-Rideau [azɛlri'do] famous French castle.

Azincourt [azɛ̃'kuːr] Agincourt (French village); see Agincourt.

B

Bacchus [ba'kys] m Bacchus (Roman god of wine).

Balzac [bal'zak] French writer.

Barbe [barb] f Barbara.

Bar-le-Duc [barlə'dyk] capital of the department of Meuse.

Barrès [ba'rɛs] French writer.

Barthélemy [bartelə'mi] m Bartholomew.

Basse-Terre [bas'tɛːr] capital of the overseas department of Guadeloupe.

Bastille [bas'tiːj] f state prison destroyed in 1789.

Baudelaire [bod'lɛːr] French poet.

Baudouin [bo'dwɛ̃] m Baldwin.

Bavière [ba'vjɛːr] f: la ~ Bavaria.

Bayeux [ba'jø] French town.

Béarn [be'arn] m old province of France.

Beaumarchais [bomar'ʃɛ] French writer.

Beauvais [bo'vɛ] capital of the department of Oise.

Belfast [bɛl'fast] capital of Northern Ireland.

Belfort [bɛl'fɔːr] capital of the Territoire de ~; **Territoire** m de ~

531

[tɛritwardəbɛl'fɔːr] *department of eastern France.*
Belgique [bɛl'ʒik] *f: la ~ Belgium.*
Belgrade [bɛl'grad] *capital of Yugoslavia.*
Benjamin [bɛ̃ʒa'mɛ̃] *m Benjamin.*
Benoît [bə'nwa] *m Benedict.*
Bergson [bɛrk'sɔn] *French philosopher.*
Berlin [bɛr'lɛ̃] *Berlin.*
Berlioz [bɛr'ljoːz] *French composer.*
Bernadotte [bɛrna'dɔt] *French Marshal.*
Bernanos [bɛrna'noːs] *French Catholic writer.*
Bernard [bɛr'naːr] *m Bernard.*
Berne [bɛrn] *Bern(e).*
Berry [bɛ'ri] *m old province of France.*
Berthe [bɛrt] *f Bertha.*
Bertrand [bɛr'trɑ̃] *m Bertram, Bertrand.*
Besançon [bəzɑ̃'sɔ̃] *capital of the department of Doubs; former capital of the province of Franche-Comté.*
Bidault [bi'do] *French politician.*
Birmanie [birma'ni] *f: la ~ Burma.*
Bizet [bi'zɛ] *French composer.*
Blanc [blɑ̃]: *mont m ~ highest peak of the Alpes.*
Blanche [blɑ̃:ʃ] *f Blanche.*
Blois [blwa] *capital of the department of Loir-et-Cher with a famous castle.*
Blum [blum] *French socialist.*
Bolivie [bɔli'vi] *f: la ~ Bolivia.*
Bonaparte [bɔna'part] *French (Corsican) family; see* Napoléon.
Bonn [bɔn] *capital of the Federal Republic of Germany.*
Bordeaux [bɔr'do] *capital of the department of Gironde; former capital of the province of Guyenne et Gascogne.*
Bossuet [bɔ'sɥɛ] *French prelate, orator and writer.*
Bouches-du-Rhône [buʃdy'roːn] *f/pl. department of southeastern France.*
Bouddha [bu'da] *m Buddha.*
Boulogne-sur-Mer [bulɔɲsyr'mɛːr] *French port and town.*
Bourbons *hist.* [bur'bɔ̃] *m/pl.* Bourbons (*French royal house*).
Bourbonnais [burbɔ'nɛ] *m old province of France.*
Bourg [burk] *capital of the department of Ain.*

Bourges [burʒ] *capital of the department of Cher; former capital of the province of Berry.*
Bourget [bur'ʒɛ]: *lac m du ~ French lake;* Le ~ [ləbur'ʒɛ] *airport of Paris.*
Bourgogne [bur'gɔɲ] *f: la ~ Burgundy (old province of France).*
Bourguiba [burgi'ba] *first president of the republic of Tunis.*
Braille [braːj] *Frenchman who invented the alphabet named after him.*
Braque [brak] *French painter.*
Brésil [bre'zil] *m: le ~ Brazil.*
Brest [brɛst] *French port and town.*
Bretagne [brə'taɲ] *f: la ~ Brittany (old province of France).*
Briand [bri'ɑ̃] *French state man.*
Brigitte [bri'ʒit] *f Bridget.*
Broglie, de [də'brɔːj] *name of two French physicists.*
Bruges [bry:ʒ] *Belgian port and town.*
Bruxelles [bry'sɛl] *Brussels.*
Bucarest [byka'rɛst] *Bucharest.*
Budapest [byda'pɛst] *capital of Hungary.*
Bulgarie [bylga'ri] *f: la ~ Bulgaria.*

C

Caen [kɑ̃] *capital of the department of Calvados.*
Cahors [ka'ɔːr] *capital of the department of Lot.*
Caire, Le [lə'kɛːr] *Cairo.*
Calais [ka'lɛ] *French port and town.*
Calvados [kalva'doːs] *m department of northern France.*
Calvin [kal'vɛ̃] *famous French Protestant reformer.*
Camargue [ka'marg] *f region in the delta of the Rhône.*
Cambodge [kɑ̃'bɔdʒ] *m: le ~ Cambodia.*
Cambrai [kɑ̃'brɛ] *French town.*
Camus [ka'my] *French writer.*
Canada [kana'da] *m: le ~ Canada.*
Cannes [kan] *French health resort on the Mediterranean.*
Cantal [kɑ̃'tal] *m department of central France.*
Capétiens *hist.* [kape'sjɛ̃] *m/pl.* Capetians (*French royal house*).
Caroline [karɔ'lin] *f Caroline.*
Carolingiens *hist.* [karɔlɛ̃'ʒjɛ̃] *m/pl.* Carolingians (*French royal house*).
Carpates [kar'pat] *f/pl.* Carpathians.

Catherine [ka'trin] *f* Catherine, Katharine, Katherine, Kathleen.

Caucase [ko'kɑ:z] *m* Caucasus.

Cayenne [ka'jɛn] *capital of the overseas department of Guyane française.*

Cécile [se'sil] *f* Cecilia, Cecily.

Cervin [sɛr'vɛ̃]: *le mont m* ~ *the* Matterhorn.

César [se'za:r] *m*: (*Jules*) ~ Julius Caesar (*Roman general and dictator*).

Cévennes [se'vɛn] *f/pl. mountain range of France.*

Cézanne [se'zan] *French painter.*

Chagall [ʃa'gal] *French painter.*

Châlons-sur-Marne [ʃalɔ̃syr-'marn] *capital of the department of* Marne.

Chambéry [ʃɑ̃be'ri] *capital of the department of Savoie; former capital of the province of Savoie.*

Chambord [ʃɑ̃'bɔ:r] *famous French castle.*

Champagne [ʃɑ̃'paɲ] *f old province of France.*

Champ-de-Mars [ʃɑ̃d'mars] *m area of Paris between the École militaire and the Seine.*

Champs-Elysées [ʃɑ̃zeli'ze] *m/pl. famous Paris avenue.*

Chantilly [ʃɑ̃ti'ji] *French town with famous castle; a. famous race-course.*

Charente [ʃa'rɑ̃:t] *f French river; department of western France;* ~**-Maritime** [ʃarɑ̃tmari'tim] *f department of western France.*

Charles [ʃarl] *m* Charles.

Charlot [ʃar'lo] *m* Charlie, Charley; F *cin.* Charlie Chaplin.

Charlotte [ʃar'lɔt] *f* Charlotte.

Chartres [ʃartr] *capital of the department of Eure-et-Loir.*

Chartreuse [ʃar'trø:z] *f: la Grande-* ~ *famous monastery near Grenoble.*

Chateaubriand [ʃatobri'ɑ̃] *French writer.*

Châteauroux [ʃato'ru] *capital of the department of Indre.*

Châtelet [ʃat'lɛ] *name of two Paris fortresses.*

Chaumont [ʃo'mɔ̃] *capital of the department of Haute-Marne.*

Chenonceaux [ʃənɔ̃'so] *famous French castle.*

Cher [ʃɛ:r] *m French river; department of central France.*

Cherbourg [ʃɛr'bu:r] *French port and town.*

Chili [ʃi'li] *m*: e ~ Chile, Chili.

Chine [ʃin] *f: la* ~ China.

Christine [kris'tin] *f* Christina, Christine.

Christophe [kris'tɔf] *m* Christopher.

Citroën [sitro'ɛn] *French industrialist.*

Claire [klɛ:r] *f* Clara, Clare.

Claudel [klo'dɛl] *French Catholic writer.*

Clemenceau [klemɑ̃'so] *French statesman.*

Clermont-Ferrand [klɛrmɔ̃fɛ'rɑ̃] *capital of the department of Puy-de-Dôme; former capital of the province of Auvergne.*

Cochinchine [kɔʃɛ̃'ʃin] *f: la* ~ Cochin China.

Cocteau [kɔk'to] *French writer.*

Cognac [kɔ'ɲak] *French town.*

Colbert [kɔl'bɛ:r] *French statesman.*

Colette [kɔ'lɛt] *French authoress.*

Coligny, de [dəkɔli'ɲi] *famous French Calvinist.*

Collège de France [kɔlɛʒdə'frɑ̃:s] *famous institution of higher education in Paris.*

Colmar [kɔl'ma:r] *capital of the department of Haut-Rhin.*

Colombie [kɔlɔ̃'bi] *f: la* ~ Colombia.

Comédie-Française [kɔmedifrɑ̃-'sɛ:z] *f National Theatre of France.*

Comtat Venaissain [kɔ̃tavənɛ'sɛ̃] *m old province of France.*

Concorde [kɔ̃'kɔrd]: *place f de la* ~ *one of the most famous squares in* Paris.

Congo [kɔ̃'go] *m African river.*

Constance [kɔ̃s'tɑ̃:s] *m/f* Constance.

Copenhague [kɔpɛ'nag] Copenhagen.

Corée [kɔ're] *f: la* ~ Korea.

Corneille [kɔr'nɛ:j] *French classical dramatist.*

Cornouaille [kɔr'nwa:j] *old county of France.*

Corot [kɔ'ro] *French painter.*

Corrèze [kɔ'rɛ:z] *f French river; department of central France.*

Corse [kɔrs] *f: la* ~ Corsica (*French island; department of France*).

Costa Rica [kɔstari'ka] *m* Costa Rica.

Côte d'Argent [kotdar'ʒɑ̃] *f part of French Atlantic coast.*

Côte d'Azur [kotda'zy:r] *f part of French Mediterranean coast.*

Côte d'Émeraude [kotdem'ro:d] *f part of French Channel coast.*

Côte-d'Or [kot'dɔ:r] *f department of east-central France.*

Côtes-du-Nord [kotdy'nɔ:r] *f/pl. department of northwestern France.*

Coty [kɔ'ti] *French statesman.*

Coulomb, de [dəku'lɔ̃] *French physicist.*

Couperin [ku'prɛ̃] *family of French musicians.*

Courbet [kur'bɛ] *French painter.*

Couve de Murville [kuvdəmyr'vil] *French politician.*

Crète [krɛt] *f: la ~ Crete.*

Creuse [krø:z] *f French river; department of central France.*

Crimée [kri'me] *f: la ~ the Crimea.*

Cuba [ky'ba]: *(île f de ~) Cuba.*

Cupidon [kypi'dɔ̃] *m Cupid (Roman god of Love).*

Curie [ky'ri] *name of two eminent French physicists, discoverers of radium.*

D

Daguerre [da'gɛ:r] *French inventor of the earliest photographic process.*

Daladier [dala'dje] *French politician.*

Dalmatie [dalma'si] *f Dalmatia.*

Danemark [dan'mark] *m:* le ~ Denmark.

Daniel [da'njɛl] *m Daniel.*

Danton [dɑ̃'tɔ̃] *French revolutionary.*

Danube [da'nyb] *m Danube.*

Daudet [do'dɛ] *French writer.*

Daumier [do'mje] *French lithographer.*

Dauphiné [dofi'ne] *m old province of France.*

David [da'vid] *m David (a. French painter).*

Deauville [do'vil] *French health resort on the Channel.*

Debré [də'bre] *French politician.*

Debussy [dəby'si] *French composer.*

Degas [də'ga] *French painter.*

Delacroix [dəla'krwa] *French painter.*

Denis [də'ni] *m Den(n)is.*

Descartes [de'kart] *French philosopher.*

Diane [djan] *f Diana (Roman goddess of hunting, a. Christian name).*

Diderot [didə'ro] *French philosopher.*

Dieppe [djɛp] *French port and town.*

Digne [diɲ] *capital of the department of Basses-Alpes.*

Dijon [di'ʒɔ̃] *capital of the department of the Côte-d'Or; former capital of the province of Bourgogne.*

Dinard [di'na:r] *French health resort on the Channel.*

Dominicaine [dɔmini'kɛn]: *la République f ~ the Dominican Republic.*

Dominique [dɔmi'nik] *m Dominic.*

Don Quichotte [dɔ̃ki'ʃɔt] *m Don Quixote.*

Dordogne [dɔr'dɔɲ] *f French river; department of southwestern France.*

Dorothée [dɔrɔ'te] *f Dorothea, Dorothy.*

Doubs [du] *m French river; department of eastern France.*

Douvres [du:vr] *Dover.*

Draguignan [dragi'ɲɑ̃] *capital of the department of Var.*

Dreyfus [drɛ'fys] *French army officer convicted of treason and imprisoned, but cleared in 1906.*

Drôme [dro:m] *f French river; department of southeastern France.*

Dublin [du'blɛ̃] *capital of the Republic of Ireland.*

Duclos [dy'klo] *French Communist politician.*

Duhamel [dya'mɛl] *French writer.*

Dumas [dy'ma] *name of two French writers.*

Dunant [dy'nɑ̃] *Swiss merchant, founder of the Red Cross.*

Dunkerque [dœ̃'kɛrk] *Dunkirk (French port and town).*

Durance [dy'rɑ̃:s] *f French river.*

E

Écosse [e'kɔs] *f Scotland.*

Édimbourg [edɛ̃'bu:r] *Edinburgh.*

Edmond [ɛd'mɔ̃] *m Edmund.*

Édouard [e'dwa:r] *m Edward.*

Égypte [e'ʒipt] *f: l'~ Egypt.*

Eiffel [e'fɛl] *French engineer.*

Elbe [ɛlb] *f: l'île d'~ Elba (scene of Napoleon's exile).*

Éléonore [eleɔ'nɔ:r] *f Eleanor, Elinor.*

Élisabeth [eliza'bɛt] *f Elizabeth.*

Élysée [eli'ze] *m palace in Paris, official residence of the President of the Republic.*

Émile [e'mil] *m Christian name.*

Émilie [emi'li] *f* Emily.

Épinal [epi'nal] *capital of the department of Vosges.*

Équateur [ekwa'tœːr] *Ecuador.*

Escaut [ɛs'ko] *m the Scheldt.*

Ésope [e'zɔp] *m* Aesop (*Greek fabulist*).

Espagne [ɛs'paɲ] *f* Spain.

État français [etafrɑ̃'sɛ] *m name of the Pétain regime.*

États-Unis d'Amérique [etazynidame'rik] *m/pl. the* United States (of America), *the* U.S.A.

Éthiopie [etjɔ'pi] *f* Ethiopia.

Étienne [e'tjɛn] *m* Stephen.

Euclide [ø'klid] Euclid (*Greek mathematician*).

Eugène [ø'ʒɛn] *m* Eugene.

Eugénie [øʒe'ni] *f* Eugenia.

Euphrate [ø'frat] *m the* Euphrates.

Eure [œːr] *French river; department of northern France;* **~-et-Loir** [œre'lwaːr] *department of northern France.*

Europe [ø'rɔp] *f:* l'**~** Europe.

Eustache [øs'taʃ] *m* Eustace.

Ève [ɛːv] *f* Eve, Eva.

Évreux [e'vrø] *capital of the department of Eure.*

F

Faure [fɔːr] *French politician.*

Fauré [fo're] *French composer.*

Félix [fe'liks] *m* Felix.

Fénelon [fenɔ'lɔ̃] *French prelate and writer.*

Ferdinand [fɛrdi'nɑ̃] *m* Ferdinand.

Ferry [fɛ'ri] *French statesman.*

Finistère [finis'tɛːr] *m department of northwestern France.*

Finlande [fɛ̃'lɑ̃:d] *f* Finland.

Flandre [flɑ̃:dr] *f: la* **~** Flanders (*old province of France*).

Flaubert [flo'bɛːr] *French writer.*

Flessingue [fle'sɛ̃:g] Flushing.

Foch [fɔʃ] *French Marshal.*

Foix [fwa] *capital of the department of Ariège; former county and its capital; old province of France.*

Fontainebleau [fɔ̃tɛn'blo] *famous French castle.*

Fort-de-France [fɔrdə'frɑ̃:s] *capital of the overseas department of Martinique.*

Fouquet [fu'kɛ] *superintendant of finance.*

Fragonard [fragɔ'naːr] *French painter.*

France[1] [frɑ̃:s] *f: la* **~** France.

France[2] [frɑ̃:s] *French writer.*

Franche-Comté [frɑ̃ʃkɔ̃'te] *f old province of France.*

Franck [frɑ̃:k] *French composer.*

François [frɑ̃'swa] *m* Francis.

Françoise [frɑ̃'swaːz] *f* Frances.

Frédéric [frede'rik] *m* Frederick.

G

Gabriel [gabri'ɛl] *m* Gabriel.

Galles [gal] *f: le pays m de* **~** Wales.

Gambetta [gɑ̃be'ta] *French politician.*

Gamelin [gam'lɛ̃] *French general.*

Gand [gɑ̃] Ghent.

Gange [gɑ̃:ʒ] *m the* Ganges.

Gap [gap] *capital of the department of Hautes-Alpes.*

Gard [gaːr] *m French river; department of southern France.*

Garonne [ga'rɔn] *f French river;* **Haute-~** [otga'rɔn] *f department of southwestern France.*

Gascogne [gas'kɔɲ] *f: la* **~** Gascony; *see* Guyenne.

Gauguin [go'gɛ̃] *French painter.*

Gaule [goːl] *f: la* **~** Gaul.

Gaulle, de [də'goːl] *French general and president.*

Gautier [go'tje] *French poet.*

Gay-Lussac [gɛly'sak] *French scientist.*

Genève [ʒə'nɛːv] Geneva.

Geneviève [ʒən'vjɛːv] *f* Genevieve, Winifred.

Geoffroi [ʒɔ'frwa] *m* Geoffrey, Jeffery, Godfrey.

Georges [ʒɔrʒ] *m* George.

Gérard [ʒe'raːr] *m* Gerald.

Germaine [ʒɛr'mɛn] *f Christian name.*

Gers [ʒɛːr] *m French river; department of southwestern France.*

Gertrude [ʒɛr'tryd] *f* Gertrude.

Gévaudan [ʒevo'dɑ̃] *m former French county.*

Gide [ʒid] *French writer.*

Gilbert [ʒil'bɛːr] *m* Gilbert.

Gilles [ʒil] *m* Giles.

Giraud [ʒi'ro] *French general.*

Giraudoux [ʒiro'du] *French writer.*

Gironde [ʒiˈrɔ̃ːd] *f French river; department of southwestern France.*

Gobelins, les [legɔˈblɛ̃] *m/pl. famous tapestry factory in Paris.*

Goncourt [gɔ̃ˈkuːr] *name of two French writers.*

Gounod [guˈno] *French composer.*

Grande-Bretagne [grɑ̃dbrəˈtaɲ] *f: la ~ Great Britain.*

Grandlieu [grɑ̃ˈljø]: *lac m de ~ French lake.*

Grèce [grɛs] *f: la ~ Greece.*

Grégoire [greˈgwaːr] *m Gregory.*

Grenoble [grəˈnɔbl] *capital of the department of Isère; former capital of the province of Dauphiné.*

Greuze [grøːz] *French painter.*

Groenland [grɔɛnˈlɑ̃ːd] *m: le ~ Greenland.*

Groningue [grɔˈnɛ̃ːg] *Groningen.*

Guadeloupe [gwadˈlup] *f French overseas department.*

Guatemala [gwatemaˈla] *m: le ~ Guatemala.*

Guebwiller [gɛbviˈlɛːr]: *ballon m de ~ highest peak of the Vosges.*

Guéret [geˈrɛ] *capital of the department of Creuse; former capital of the province of Marche.*

Guernesey [gɛrnəˈzɛ] *Guernsey (one of the Channel Islands).*

Gui [gi] *m Guy.* [Will.]

Guillaume [giˈjoːm] *m William,*

Guillotin [gijɔˈtɛ̃] *French physician who first proposed the use of the guillotine.*

Guinée [giˈne] *f: la ~ Guinea.*

Guise, de [dəˈgiːz] *French noble family.*

Guitry [giˈtri] *French actor and playwright.*

Guizot [giˈzo] *French statesman and historian.*

Guy [gi] *m Guy.*

Guyane [gɥiˈjan] *f: la ~ Guiana; ~ française* [gɥijanfrɑ̃ˈsɛːz] *f French overseas department.*

Guyenne [gɥiˈjɛn] *f: la ~ Guienne; ~ et Gascogne* [gɥijɛnegasˈkɔɲ] *old province of France.*

H

Hainaut [*ɛˈno] *m province of southern Belgium.*

Haïti [aiˈti] *f Haiti.*

Halles [*al] *f/pl.: les ~ quarter of Paris with the principal market.*

Haussmann [osˈman] *French administrator.* [and town.]

Havre, Le [ləˈ*aːvr] *m French port*

Haye, La [laˈ*ɛ] *the Hague.*

Hélène [eˈlɛn] *f Helen.*

Helsinki [ɛlsiɲˈki] *capital of Finland.*

Henri [ɑ̃ˈri] *m Henry.*

Henriette [ɑ̃ˈrjɛt] *f Harriet.*

Hérault [eˈro] *m French river; department of southern France.*

Hercule [ɛrˈkyl] *m Hercules.*

Herriot [ɛˈrjo] *French politician.*

Hilaire [iˈlɛːr] *m Hilary.*

Hildegarde [ildəˈgard] *f Hildegard.*

Hippolyte [ipɔˈlit] *m Christian name.*

Hoche [*ɔʃ] *French revolutionary general.*

Hollande [*ɔˈlɑ̃ːd] *f: la ~ Holland.*

Homère [ɔˈmɛːr] *m Homer (Greek poet).*

Honduras [*ɔ̃duˈraːs] *m: le ~ Honduras.*

Hongrie [*ɔ̃ˈgri] *f: la ~ Hungary.*

Hortense [ɔrˈtɑ̃ːs] *f Hortense.*

Hôtel-Dieu [otɛlˈdjø] *m name of the oldest hospital in Paris.*

Hugo [*yˈgo] *French writer.*

Hugues [yg] *m Hugh.*

I

Ibert [iˈbɛːr] *French composer.*

If [if] *m small island near Marseilles, former state prison.*

Île-de-France [ildəˈfrɑ̃ːs] *f old province of France.*

Ille-et-Vilaine [ileviˈlɛn] *department of northwestern France.*

Inde [ɛ̃ːd] *f: l'~ India.*

Indien [ɛ̃ˈdjɛ̃]: *océan m ~ Indian Ocean.* [China.]

Indochine [ɛ̃dɔˈʃin] *f: l'~ Indo-*

Indonésie [ɛ̃dɔneˈzi] *f: l'~ Indonesia.*

Indre [ɛ̃ːdr] *French river; department of central France; ~-et-Loire* [ɛ̃dreˈlwaːr] *department of central France.*

Indus [ɛ̃ˈdys] *m the Indus.*

Ingres [ɛ̃ːgr] *French painter.*

---

* Before the so-called aspirate h, marked *, there is neither elision nor liaison.

Invalides, Les [lezɛ̃va'lid] *m/pl. army pensioners' hospital in Paris; its church contains the tomb of Napoleon.*
Iphigénie [ifiʒe'ni] *f* Iphigenia.
Irak, Iraq [i'rak] *m: l'~* Irak, Iraq.
Iran [i'rã] *m: l'~* Iran.
Irène [i'rɛn] *f* Irene.
Irlande [ir'lãːd] *f: l'~* Ireland.
Isabelle [iza'bɛl] *f* Isabel.
Isère [i'zɛːr] *French river; department of southeastern France.*
Islande [is'lãːd] *f: l'~* Iceland.
Israël [isra'ɛl] *m* Israel.
Italie [ita'li] *f: l'~* Italy.

J

Jacquard [ʒa'kaːr] *Frenchman, inventor of the loom named after him.*
Jacqueline [ʒa'klin] *f* Jacqueline.
Jacques [ʒaːk] *m* James.
Jamaïque [ʒama'ik] *f: la ~* Jamaica.
Japon [ʒa'põ] *m: le ~* Japan.
Jaurès [ʒɔ'rɛs] *French politician and orator.*
Jean [ʒã] *m* John; **~-Jacques** [~'ʒaːk] *m Christian name;* **~-Paul** [~'pɔl] *m Christian name;* **~ sans Terre** [~sã'tɛːr] *m* John Lackland *(English king).*
Jeanne [ʒaːn] *f* Jean, Joan; **~ d'Arc** [ʒan'dark] *f* Joan of Arc.
Jeanneton [ʒan'tõ] *f* Jenny.
Jeannette [ʒa'nɛt] *f* Jenny, Janet.
Jeannot [ʒa'no] *m* Jack, Johnny.
Jérôme [ʒe'roːm] *m* Jerome.
Jersey [ʒɛr'zɛ] *one of the Channel Islands.*
Jérusalem [ʒeryza'lɛm] Jerusalem.
Jésus [ʒe'zy], **Jésus-Christ** [ʒezy-'kri] *m* Jesus (Christ).
Joffre [ʒɔfr] *French Marshal.*
Joliot-Curie [ʒɔljoky'ri] *name of two French physicists.*
Jordanie [ʒɔrda'ni] *f: la ~* Jordan.
Joseph [ʒo'zɛf] *m* Joseph.
Joséphine [ʒoze'fin] *f* Josephine *(first wife of Napoleon I).*
Jouhaud [ʒu'o] *French general.*
Juin [ʒɥɛ̃] *French Marshal.*
Jules [ʒyl] *m* Julius.
Julie [ʒy'li] *f* Julia, Juliet, Gill, Jill.
Julien [ʒy'ljɛ̃] *m* Julian.
Julienne [ʒy'ljɛn] *f* Juliana; Gillian.
Juliette [ʒy'ljɛt] *f* Juliet.
Jura [ʒy'ra] *m mountain range; department of eastern France.*

K

Karpates [kar'pat] *f/pl.* Carpathians.
Kléber [kle'bɛːr] *French general.*
Kœnig [kœ'nig] *French general.*
Koweit [kɔ'wɛjt] Kuweit.
Kremlin [krɛm'lɛ̃] *m the* Kremlin.

L

La Boétie [labɔe'si] *French writer.*
La Bruyère [labry'jɛːr] *French moralist.*
La Chaise [la'ʃɛːz] *French Jesuit.*
Laclos [la'klo] *French writer.*
La Fayette, de [dəlafa'jɛt] *French general and statesman; French woman writer.*
Laffitte [la'fit] *French financier.*
La Fontaine [lafõ'tɛn] *French fabulist.*
Lamarck [la'mark] *French naturalist.*
Lamartine [lamar'tin] *French poet.*
Lamennais [lam'nɛ] *French philosopher.*
La Motte-Picquet [lamɔtpi'kɛ] *French naval commander.*
Landes [lãːd] *f/pl. department of southwestern France.*
Languedoc [lãg'dɔk] *m old province of France.*
Laon [lã] *capital of the department of Aisne.*
Laos [la'oːs] *m* Laos.
Laplace [la'plas] *French physicist.*
La Rochefoucauld [larɔʃfu'ko] *French moralist.*
Larousse [la'rus] *French lexicographer.*
Lattre de Tassigny, de [dəlatrdə-tasi'ɲi] *French Marshal.*
Laure [lɔːr] *f* Laura.
Laurent [lɔ'rã] *m* Laurence.
Lausanne [lo'zan] *Swiss town.*
Laval [la'val] *capital of the department of Mayenne; French politician.*
Lavoisier [lavwa'zje] *French chemist.*
Law [lo; *Fr.* laːs] *Scottish financier, controller-general of the French finances.*
Lazare [la'zaːr] *m* Lazarus.
Leconte de Lisle [ləkõtdə'lil] *French poet.*
Le Corbusier [ləkɔrby'zje] *French architect.*

Léman [le'mã] *m*: le lac *m* ~ the lake of Geneva, Lake Leman.

Leningrad [lenin'grad] *town of the U.S.S.R.*

Léon [le'ɔ̃] *m* Leo.

Léonard [leɔ'na:r] *m* Leonard.

Léopold [leɔ'pɔl] *m* Leopold.

Lesage [lɔ'sa:ʒ] *French writer.*

Lesseps [le'sɛps] *French diplomat who conceived the idea of the Suez Canal.*

Leyde [lɛd] Leyden.

Liban [li'bã] *m*: le ~ Lebanon.

Libye [li'bi] *f* Libya.

Liège [lje:ʒ] *Belgian town.*

Lille [lil] *capital of the department of Nord.*

Limoges [li'mɔ:ʒ] *capital of the department of Haute-Vienne; former capital of the province of Limousin; renowned for its porcelain.*

Limousin [limu'zɛ̃] *m old province of France.*

Lisbonne [liz'bɔn] Lisbon

Lise [li:z], **Lisette** [li'zɛt] *f* Betty; Lizzie.

Lisieux [li'zjø] *French town, place of pilgrimage.*

Littré [li'tre] *French lexicographer.*

Livourne [li'vurn] Leghorn.

Loire [lwa:r] *f French river; department of central France;* **Haute-~** [ot'lwa:r] *f department of central France;* **~-Atlantique** [lwaratlã-'tik] *f department of northwestern France.*

Loiret [lwa'rɛ] *m French river; department of central France.*

Loir-et-Cher [lware'ʃɛ:r] *department of central France.*

Londres [lɔ̃:dr] London.

Lons-le-Saunier [lɔ̃lɔso'nje] *capital of the department of Jura.*

Lorrain [lɔ'rɛ̃] *French painter.*

Lorraine [lɔ'rɛn] *f old province of France.*

Lot [lɔt] *m French river; department of southern France;* **~-et-Garonne** [~ega'rɔn] *department of southwestern France.*

Loti [lɔ'ti] *French writer.*

Louis [lwi] *m* Lewis.

Louise [lwi:z] *f* Louisa, Louise.

Lourdes [lurd] *French town, place of pilgrimage.*

Louvre [lu:vr] *m former royal palace in Paris, now famous museum.*

Lozère [lo'zɛ:r] *f department of southeastern France.*

Luc [lyk] *m* Luke.

Lucette [ly'sɛt] *f diminutive of Lucie.*

Lucie [ly'si] *f* Lucy; Lucia.

Lucien [ly'sjɛ̃] *m* Lucian.

Lucienne [ly'sjɛn] *f Christian name.*

Lully [lyl'li] *French composer.*

Lumière [ly'mjɛ:r] *name of two French chemists, inventors of the cinematograph.*

Luxembourg [lyksɑ̃'bu:r] *m* Luxemb(o)urg; *palace and gardens in Paris.*

Lyautey [ljo'tɛ] *French Marshal.*

Lydie [li'di] *f* Lydia.

Lyon [ljɔ̃] Lyons (*capital of the department of Rhône; former capital of the province of Lyonnais*).

Lyonnais [ljɔ'nɛ] *m old province of France.*

M

Mac-Mahon [makma'ɔ̃] *French Marshal.*

Mâcon [ma'kɔ̃] *capital of the department of Saône-et-Loire.*

Madeleine [mad'lɛn] *f* Madeleine; *bibl.* Magdalen.

Madelon [mad'lɔ̃] *f diminutive of Madeleine.*

Madère [ma'dɛ:r] *f* Madeira.

Madrid [ma'drid] *capital of Spain.*

Maeterlinck [meter'lɛ̃:k] *Belgian writer.*

Maginot [maʒi'no] *French politician.*

Mahomet [maɔ'mɛ] *m* Mahomet.

Maillol [ma'jɔl] *French sculptor.*

Maine [mɛn] *f French river; m old province of France;* **~-et-Loire** [~e'lwa:r] *department of western France.*

Mainfroi [mɛ̃'frwa] *m* Manfred.

Maintenon, de [dɔmɛt'nɔ̃] *French marquise, secret wife of Louis XIV.*

Malaisie [male'zi] *f: la Fédération f de ~ the Federation of Malaysia.*

Malebranche [mal'brã:ʃ] *French metaphysician.*

Malherbe [ma'lɛrb] *French poet.*

Mallarmé [malar'me] *French poet.*

Malmaison [malmɛ'zɔ̃] *residence of Joséphine after her divorce from Napoleon I.*

Malraux [mal'ro] *French writer.*

Malte [malt] *f* Malta.

Manche [mãːʃ] *f: la ~* the English Channel; *department of northwestern France.*

Manet [ma'nɛ] *French painter.*

Manon [ma'nɔ̃] *f* Moll.

Mans, Le [lə'mã] *capital of the department of Sarthe; former capital of the province of Maine.*

Marat [ma'ra] *French revolutionary.*

Marc [mark] *m* Mark.

Marcel [mar'sɛl] *m Christian name.*

Marche [marʃ] *f old province of France.*

Margot [mar'go] *f* Maggie, Margot, Peg(gy).*

Marguerite [margə'rit] *f* Margaret.

Marie [ma'ri] *f* Mary.

Maritain [mari'tɛ̃] *French philosopher.*

Marivaux [mari'vo] *French playwright.*

Marne [marn] *f French river; department of northeastern France;* **Haute-~** [ot'marn] *f department of northeastern France.*

Maroc [ma'rɔk] *m: le ~* Morocco.

Marseille [mar'sɛːj] Marseilles (*capital of the department of Bouches-du-Rhône*).

Marthe [mart] *f* Martha.

Martin du Gard [martɛ̃dy'gaːr] *French writer.*

Martinique [marti'nik] *f French overseas department.*

Massif central [masifsã'tral] *m upland area of France.*

Mathilde [ma'tild] *f* Mathilda, Maud.

Matignon [mati'nɔ̃]: *l'hôtel m ~ residence of the French Prime Minister.*

Matisse [ma'tis] *French painter.*

Mat(t)hieu [ma'tjø] *m* Mat(t)hew.

Maupassant [mopa'sã] *French writer.*

Mauriac [mɔ'rjak] *French writer.*

Maurice [mɔ'ris]: *l'île f ~* Mauritius.

Maurois [mɔ'rwa] *French writer.*

Maurras [mɔ'ras] *French writer.*

Maxime [mak'sim] *m Christian name.*

Maximilien [maksimi'ljɛ̃] *m* Maximilian.

Mayenne [ma'jɛn] *f French river; department of northwestern France.*

Médicis [medi'sis] Medici (*Florentine noble family*).

Méditerranée [meditɛra'ne] *f: la ~* the Mediterranean.

Melun [mə'lœ̃] *capital of the department of Seine-et-Marne.*

Mende [mãːd] *capital of the department of Lozère.*

Mendès-France [mɛ̃dɛs'frãːs] *French politician.*

Menton [mã'tɔ̃] *French tourist centre on the Mediterranean.*

Mérimée [meri'me] *French writer.*

Mérovingiens *hist.* [merɔvɛ̃'ʒjɛ̃] *m/pl.* Merovingians (*French royal family*). [*ment of Moselle.*

Metz [mɛs] *capital of the depart-*

Meurthe [mœrt] *f French river; former department of northeastern France;* **~-et-Moselle** [~ɛmɔ'zɛl] *department of northeastern France.*

Mexique [mɛk'sik] *m: le ~* Mexico.

Mézières [me'zjɛːr] *capital of the department of Ardennes.*

Michel [mi'ʃɛl] *m* Michael.

Michelet [miʃ'lɛ] *French historian.*

Millet [mi'lɛ; mi'jɛ] *French painter.*

Mirabeau [mira'bo] *revolutionary orator.*

Mistral [mis'tral] *Provençal poet.*

Mohammed [mɔa'mɛd] *see* Mahomet.

Molière [mɔ'ljɛːr] *French writer of comedies.*

Mollet [mo'lɛ] *French politician.*

Monaco [mɔna'ko] *m* Monaco.

Monet [mɔ'nɛ] *French painter.*

Mongolie [mɔ̃gɔ'li] *f: la ~* Mongolia.

Monique [mɔ'nik] *f* Monica.

Montaigne [mɔ̃'tɛɲ] *French moralist.*

Montalembert [mɔ̃talã'bɛːr] *French politician and writer.*

Montauban [mɔ̃to'bã] *capital of the department of Tarn-et-Garonne.*

Montcalm, de [dəmɔ̃'kalm] *French general in Canada.*

Mont-de-Marsan [mɔ̃dmar'sã] *capital of the department of Landes.*

Montespan [mɔ̃tɛs'pã] *mistress of Louis XIV.*

Montesquieu [mɔ̃tɛs'kjø] *French writer and constitutionalist.*

Montherlant [mɔ̃tɛr'lã] *French writer.*

Montmartre [mɔ̃'martr] *part of Paris famous for its night life.*

Montparnasse [mɔ̃par'naːs] *famous artistic quarter of Paris.*

Montpellier [mõpə'lje] *capital of the department of Hérault.*

Montréal [mõre'al] Montreal.

Morbihan [mɔrbi'ɑ̃] *m department of western France.*

Morvan [mɔr'vɑ̃] *m mountain range of France.*

Moscou [mɔs'ku] Moscow.

Moselle [mɔ'zɛl] *f French river; department of northeastern France.*

Moulins [mu'lɛ̃] *capital of the department of Allier; former capital of the province of Bourbonnais.*

Musset [my'sɛ] *French writer.*

N

Nancy [nã'si] *capital of the department of Meurthe-et-Moselle.*

Nanette [na'nɛt] *f Nancy.*

Nantes [nã:t] *French port; capital of the department of Loire-Atlantique.*

Napoléon [napɔle'ɔ̃]: ~ Iᵉʳ Napoleon I *(emperor of the French).*

Navarre [na'va:r] *f former kingdom.*

Necker [ne'kɛ:r] *French financier.*

Neige [nɛ:ʒ]: crêt *m* de la ~ *highest peak of the Jura.*

Népal [ne'pal] *m:* le ~ Nepal.

Nerval [nɛr'val] *French writer.*

Nevers [nə'vɛ:r] *capital of the department of Nièvre; former capital of the province of Nivernais.*

Nice [nis] *capital of the department of Alpes-Maritimes.*

Nicolas [nikɔ'la] *m Nicholas.*

Nicolette [nikɔ'lɛt] *f Christian name.*

Nièvre [njɛ:vr] *f French river; department of central France.*

Niger [ni'ʒɛ:r] *m Niger.*

Nil [nil] *m Nile.*

Nîmes [nim] *capital of the department of Gard.*

Ninon [ni'nɔ̃] *f Nina.*

Niort [njɔ:r] *capital of the department of Deux-Sèvres.*

Nivernais [nivɛr'nɛ] *m old province of France.*

Nord [nɔ:r] *m department of northern France.*

Normandie [nɔrmã'di] *f:* la ~ Normandy *(old province of France).*

Norvège [nɔr'vɛ:ʒ] *f:* la ~ Norway.

Notre-Dame [nɔtrə'dam] *metropolitan church of Paris.*

Nouvelle-Calédonie [nuvɛlkaledɔ-'ni] *f:* la ~ New Caledonia.

Nouvelle-France [nuvɛl'frã:s] *f name of French Canada in the 17th century.*

O

Océanie [ɔsea'ni] *f:* l'~ Oceania.

Oise [wa:z] *French river; department of northern France.*

Olivier [ɔli'vje] *m Oliver.*

Oran [ɔ'rã] *town and department of Algeria.*

Orléanais [ɔrlea'nɛ] *m old province of France.*

Orléans [ɔrle'ã] *capital of the department of Loiret; former capital of the province of Orléanais; hist. branch of the French royal house of Bourbon.*

Orly [ɔr'li] *airport of Paris.*

Orne [ɔrn] *French river; department of northern France.*

Orphée [ɔr'fe] *m Orpheus.*

Oslo [ɔs'lo] *capital of Norway.*

Ottawa [ɔta'wa] *capital of Canada.*

Oural [u'ral] Ural.

P

Pacifique [pasi'fik] *m:* le ~ the Pacific *(Ocean).*

Pagnol [pa'ɲɔl] *French writer.*

Pakistan [pakis'tã] *m:* le ~ Pakistan.

Panama [pana'ma] *m:* le ~ Panama.

Panthéon [pãte'ɔ̃] *m* Pantheon *(building in Paris in the crypt of which are buried some of France's greatest men).*

Papineau [papi'no] *Canadian politician.*

Paraguay [para'gɛ] *m:* le ~ Paraguay.

Paris [pa'ri] *m capital of France; capital of the department of Seine; former capital of the province of Ile-de-France.*

Parmentier [parmã'tje] *French economist and agronomist.*

Pascal [pas'kal] *French mathematician, physicist, and philosopher.*

Pas de Calais [pɑdka'lɛ] *m Straits pl. of Dover;* **Pas-de-Calais** [~] *m department of northern France.*

Pasteur [pas'tœ:r] *French chemist and biologist.*

Patrice [pa'tris], **Patrick** [pa'trik] *m Patrick.*

Pau [po] *capital of the department of*

Basses-Pyrénées; former capital of the province of Béarn.

Paul [pɔl] *m* Paul.

Pays-Bas [pei'bɑ] *m/pl.:* les ～ the Netherlands.

Père-Lachaise [perla'ʃɛːz] *m main cemetery of P̧aris, named after La Chaise.*

Périgord [peri'gɔːr] *m former county of France.*

Périgueux [peri'gø] *capital of the department of Dordogne; former capital of the county of Périgord.*

Pérou [pe'ru] *m:* le ～ Peru.

Perpignan [perpi'ɲɑ̃] *capital of the department of Pyrénées-Orientales; former capital of the province of Roussillon.*

Perrault [pɛ'ro] *French writer of fairy tales.*

Perrier [pɛ'rje] *French naturalist.*

Pétain [pe'tɛ̃] *French Marshal and politician.*

Peugeot [pø'ʒo] *French industrialist.*

Phèdre [fɛdr] *f* Phaedra.

Philippe [fi'lip] *m* Philip.

Picardie [pikar'di] *f old province of France.*

Picasso [pika'so] *Spanish painter.*

Piccard [pi'kaːr] *Swiss physicist.*

Pierre [pjɛːr] *m* Peter.

Pinay [pi'ne] *French politician.*

Pissarro [pisa'ro] *French painter.*

Platon [pla'tɔ̃] *m* Plato *(Greek philosopher).*

Pleyel [plɛ'jɛl] *family of musicians.*

Poincaré [pwɛ̃ka're] *French statesman.*

Poitiers [pwa'tje] *capital of the department of Vienne; former capital of the province of Poitou.*

Poitou [pwa'tu] *m old province of France.*

Pologne [pɔ'lɔɲ] *f:* la ～ Poland.

Pompadour [pɔ̃pa'duːr] *mistress of Louis XV.*

Pompidou [pɔ̃pi'du] *French politician.*

Port-Royal [pɔrrwa'jal] *French abbey, centre of Jansenism.*

Portugal [pɔrty'gal] *m:* le ～ Portugal.

Poussin [pu'sɛ̃] *French painter.*

Prague [prag] *capital of Czechoslovakia.*

Prévost [pre'vo] *French writer.*

Privas [pri'vɑ] *capital of the department of Ardèche.*

Proudhon [pru'dɔ̃] *French philosopher.*

Proust [prust] *French writer.*

Provence [prɔ'vɑ̃ːs] *f old province of France.*

Prud'hon [pry'dɔ̃] *French painter.*

Prusse [prys] *f:* la ～ Prussia.

Puy [pɥi]: Le ～ *capital of the department of Haute-Loire;* ～-de-Dôme [～d'doːm] *m department of central France.*

Pyrénées [pire'ne] *f/pl.* Pyrenees; **Basses-～** [bɑspire'ne] *f/pl. department of southwestern France;* **Hautes-～** [otpire'ne] *f/pl. department of southwestern France;* ～-**Orientales** [pirenezɔrjɑ̃'tal] *f/pl. department of southwestern France.*

Q

Quai d'Orsay [kedɔr'sɛ] *m French Ministry of Defence.*

Quartier latin [kartjela'tɛ̃] *m the student quarter of Paris.*

Quatre-Cantons [katrəkɑ̃'tɔ̃]: le lac *m des* ～ the Lake of Lucerne.

Québec [ke'bɛk] Quebec.

Quesnay [ke'nɛ] *French physiocrat.*

Quimper [kɛ̃'pɛːr] *capital of the department of Finistère; former capital of the county of Cornouaille.*

R

Rabelais [ra'blɛ] *French writer.*

Rachel [ra'ʃɛl] *f* Rachel.

Racine [ra'sin] *French classical dramatist.*

Rambouillet [rɑ̃bu'jɛ] *French town with a famous castle.*

Rameau [ra'mo] *French composer.*

Raoul [ra'ul] *m* Ralph; Rudolph.

Ravel [ra'vɛl] *French composer.*

Raymond [rɛ'mɔ̃] *m* Raymond.

Réaumur [reo'myːr] *French naturalist and physicist.*

Récamier [reka'mje] *French woman whose salon under the Restoration was famous.*

Reims [rɛ̃ːs] Rheims *(French town).*

Renan [rə'nɑ̃] *French writer.*

Renaud [rə'no] *m* Reginald.

Renault [rə'no] *French industrialist.*

René [rə'ne] *m Christian name.*

Renée [rə'ne] *f Christian name.*

Rennes [rɛn] *capital of the depart-*

ment of Ille-et-Vilaine; former capital of the province of Bretagne.

Renoir [rə'nwa:r] French painter.

Réunion [rey'njɔ̃] f French overseas department.   [Iceland.\

Reykjavik [rεkja'vik] capital of|

Reynaud [rε'no] French politician.

Rhénanie [rena'ni] f Rhineland.

Rhin [rε̃] m Rhine; **Bas-~** [ba'rε̃] m department of eastern France; **Haut-~** [o'rε̃] m department of eastern France.

Rhône [ro:n] m French river; department of southeastern France.

Richard [ri'ʃa:r] m Richard; **~ Cœur de Lion** [riʃarkœrdə'ljɔ̃] m Richard the Lionhearted.

Richelieu [riʃə'ljø] French cardinal and statesman.

Rimbaud [rε̃'bo] French poet.

Rivarol [riva'rɔl] French writer.

Robert [rɔ'bε:r] m Robert.

Robespierre [rɔbεs'pjε:r] French revolutionary.

Rochelle, La [larɔ'ʃεl] capital of the department of Charente-Maritime; former capital of the province of Aunis.

Roche-sur-Yon, La [larɔʃsy'rjɔ̃] capital of the department of Vendée.

Rodez [rɔ'dε:z] capital of the department of Aveyron; former capital of the province of Rouergue.

Rodin [rɔ'dε̃] French sculptor.

Rodolphe [rɔ'dɔlf] m Ralph, Rudolph.

Roger [rɔ'ʒe] m Roger.

Rohan [rɔ'ã] French general and Calvinist leader; French cardinal.

Roland [rɔ'lã] French woman and republican whose salon had considerable influence in the 18th century.

Rolland [rɔ'lã] French writer.

Romains [rɔ'mε̃] French writer.

Rome [rɔm] capital of Italy.

Ronsard [rɔ̃'sa:r] French poet.

Rostand [rɔs'tã] French dramatist.

Rouault [rwo] French painter.

Roubaix [ru'bε] French town.

Rouen [rwã] French port; capital of the department of Seine-Maritime; former capital of the province of Normandie.

Rouergue [rwεrg] m old province of France.

Rouget de Lisle [ruʒεd'lil] author of the Marseillaise.

Roumanie [ruma'ni] f: la ~ Rumania.

Rousseau [ru'so] Swiss-born French philosopher.   [France.\

Roussillon [rusi'jɔ̃] old province of|

Rude [ryd] French sculptor.

Russie [ry'si] f: la ~ Russia.

S

Sade [sad] French writer.

Sahara [saa'ra] m Sahara.

Saint-Barthélemy, la [lasε̃bartelə-'mi] f Massacre of St. Bartholomew.

Saint-Brieuc [sε̃bri'ə] capital of the department of Côtes-du-Nord.

Saint-Cloud [sε̃'klu] French town with famous race-course.

Saint-Denis-de-la-Réunion [sε̃dnidəlarey'njɔ̃] capital of the overseas department of Réunion.

Sainte-Beuve [sε̃t'bœ:v] French writer.

Saintes [sε̃:t] former capital of the province of Saintonge.

Saint-Étienne [sε̃te'tjεn] capital of the department of Loire.

Saint-Exupéry [sε̃tεksype'ri] French writer.

Saint-Germain-des-Prés [sε̃ʒεrmε̃de'pre] very old church and popular quarter of Paris; **Saint-Germain-en-Laye** [~ã'lε] French town with a famous castle.

Saint-Just [sε̃'ʒyst] French revolutionary.

Saint-Laurent [sε̃lɔ'rã] m the St. Lawrence.

Saint-Lô [sε̃'lo] capital of the department of Manche.

Saint-Malo [sε̃ma'lo] French port and town.

Saint-Marin [sε̃ma'rε̃] m San Marino.   [France.\

Saintonge [sε̃'tɔ̃:ʒ] old province of|

Saint-Pétersbourg [sε̃peter'sbu:r] St. Petersburg (former name of Leningrad).

Saint-Saëns [sε̃'sã:s] French composer.

Saint-Simon [sε̃si'mɔ̃] French economist and philosopher.

Salvador, El [εlsalva'dɔ:r] m El Salvador.

Sancy [sã'si]: puy m de ~ highest peak of the Massif central.

Sand [sã, sã:d] French woman writer.

Saône [so:n] *f French river;* **Haute-~** [ot'so:n] *f department of eastern France;* **~-et-Loire** [sone'lwa:r] *department of east-central France.*

Sarthe [sart] *f French river; department of northwestern France.*

Sartre [sartr] *French philosopher.*

Savoie [sa'vwa] *f: la ~* Savoy *(department of southeastern France; old province of France);* **Haute-~** [otsa'vwa] *f department of eastern France.*

Scandinavie [skădina'vi] *f: la ~* Scandinavia.

Scudéry [skyde'ri] *French woman writer.* [writer.|

Ségur [se'gy:r] *French woman|*

Seine [sɛn] *f French river; department of northern France;* **~-et-Marne** [~e'marn] *department of northern France;* **~-et-Oise** [~e-'wa:z] *department of northern France;* **~-Maritime** [~mari'tim] *department of northern France.*

Serbie [sɛr'bi] *f: la ~* Serbia.

Seurat [sø'ra] *French painter.*

Sévigné [sevi'ɲe] *French woman writer.*

Sèvres [sɛ:vr] *French town renowned for its porcelain;* **Deux-~** [dø'sɛ:vr] *m/pl. department of western France.*

Sicile [si'sil] *f: la ~* Sicily.

Sieyès [sje'jɛs] *French politician.*

Sisley [sis'lɛ] *French painter.*

Sluter [sly'tɛ:r] *Burgundian sculptor.*

Sofia [sɔ'fja] *capital of Bulgaria.*

Somme [sɔm] *f French river; department of northern France.*

Sophie [sɔ'fi] *f* Sophia, Sophy.

Sorbonne [sɔr'bɔn] *f seat of the faculties of letters and science of the University of Paris.*

Soubise [su'bi:z]: *hôtel m de ~ the National Archives in Paris.*

Soudan [su'dã] *m: le ~ the Sudan.*

Soustelle [sus'tɛl] *French politician.*

Staël [stal] *French woman writer.*

Stendhal [stɛ̃'dal] *French writer.*

Stockholm [stɔ'kɔlm] *capital of Sweden.*

Strasbourg [straz'bu:r] Strasb(o)urg *(capital of the department of Bas-Rhin; former capital of the province of Alsace).*

Suède [sɥɛd] *f: la ~* Sweden.

Suez [sɥe:z] *m* Suez.

Suisse [sɥis] *f: la ~* Switzerland.

Sully [syl'li] *French politician.*

Sully Prudhomme [syllipry'dɔm] *French poet.*

Suzanne [sy'zan] *f* Susan, F Sue.

Sylvestre [sil'vɛstr] *m* Sylvester.

Syrie [si'ri] *f: la ~* Syria.

T

Taine [tɛn] *French philosopher and historian.*

Talleyrand-Périgord [talerăperi-'gɔ:r] *French statesman.*

Tamise [ta'mi:z] *f: la ~ the* Thames.

Tanger [tă'ʒe] Tangier.

Tarbes [tarb] *capital of the department of Hautes-Pyrénées.*

Tardieu [tar'djø] *French politician.*

Tarn [tarn] *m French river; department of southern France;* **~-et-Garonne** [~ega'rɔn] *department of southwestern France.*

Tchécoslovaquie [tʃekɔslɔva'ki] *f: la ~* Czechoslovakia.

Teilhard de Chardin [tejardəʃar-'dɛ̃] *French Jesuit and philosopher.*

Thaïlande [taj'lã:d] *f: la ~* Thailand.

Théophile [teɔ'fil] *m* Theophilus.

Thérèse [te'rɛ:z] *f* Theresa.

Thibau(l)t [ti'bo] *m* Theobald.

Thierry [tje'ri] *m* Theodoric *(Christian name);* French historian.

Thiers [tjɛ:r] *French statesman and historian.*

Thomas [tɔ'ma] *m* Thomas.

Thorez [tɔ'rɛ:s] *French Communist politician.*

Tigre [tigr] *m the* Tigris.

Tirana [tira'na] *capital of Albania.*

Tocqueville [tɔk'vil] *French politician and writer.*

Toulon [tu'lɔ̃] *French port and town.*

Toulouse [tu'lu:z] *capital of the department of Haute-Garonne; former capital of the province of Languedoc;* **~-Lautrec** [tuluzlo-'trɛk] *French painter.*

Touraine [tu'rɛn] *f old province of France.*

Tours [tu:r] *capital of the department of Indre-et-Loire; former capital of the province of Touraine.*

Trianon [tria'nɔ̃] *m name of two castles in the grounds of Versailles.*

Trocadéro [trɔkade'ro] *m formerly building on the heights of Passy, Paris, replaced by the Palais de Chaillot.*

Trouville [tru'vil] *French health resort on the Channel.*

Troyes [trwa] *capital of the department of Aube; former capital of the province of Champagne.*

Tuileries [tɥil'ri] *f/pl.*: *les ~ gardens and former royal palace in Paris.*

Tulle [tyl] *capital of the department of Corrèze.*

Tunisie [tyni'zi] *f*: *la ~ Tunisia.*

Turgot [tyr'go] *French controller of finance.*

Turquie [tyr'ki] *f*: *la ~ Turkey.*

U

Union française [ynjõfrã'sɛːz] *f name given in 1946 to the French republic, its overseas possessions and associated states.*

Ursule [yr'syl] *f Ursula.*

Uruguay [yry'gɛ] *m*: *l'~ Uruguay.*

Utrillo [ytri'jo] *French painter.*

V

Valadon [vala'dõ] *French woman painter.*

Valence [va'lãːs] *m capital of the department of Drôme; f Valencia (Spain).*

Valéry [vale'ri] *French writer.*

Valois *hist.* [va'lwa] *m/pl. French royal house.*

Van Gogh [van'gɔg] *Dutch painter.*

Vanne [van] *f French river.*

Vannes [van] *f capital of the department of Morbihan.*

Var [vaːr] *m French river; department of southeastern France.*

Varsovie [varsɔ'vi] *Warsaw.*

Vatican [vati'kã] *m*: *le ~ the Vatican.*

Vaucluse [vo'klyːz] *department of southeastern France.*

Vaugelas [voʒ'la] *French grammarian.*

Vauvenargues [vov'narg] *French moralist.*

Vendée [vã'de] *f French river; department of western France.*

Venezuela [venezɥe'la] *m*: *le ~ Venezuela.*

Verdun [vɛr'dœ̃] *French town.*

Verhaeren [vɛ'rarən] *Belgian poet.*

Verlaine [vɛr'lɛn] *French poet.*

Véronique [verɔ'nik] *f Veronica.*

Versailles [vɛr'saːj] *capital of the department of Seine-et-Oise with famous royal palace.*

Vesoul [və'zul] *capital of the department of Haute-Saône.*

Vichy [vi'ʃi] *French health resort; seat of Pétain government.*

Victor [vik'tɔːr] *m Victor.*

Vidal de la Blache [vidaldəla'blaʃ] *French geographer.*

Vienne [vjɛn] *f Vienna (capital of Austria); French river; department of west-central France; m town of Isère, near Grenoble; Haute-~* [ot'vjɛn] *f department of central France.*

Viêt-nam [vjɛt'nam] *m*: *le ~ Vietnam.*

Vigny [vi'ɲi] *French writer.*

Vilaine [vi'lɛn] *f French river.*

Villon [vi'lõ, vi'jõ] *French poet.*

Vincennes [vɛ̃'sen] *suburb of Paris; famous castle and wood.*

Viollet-le-Duc [vjɔlel'dyk] *French writer and architect.*

Vlaminck [vla'mɛ̃ːk] *French painter.*

Voltaire [vɔl'tɛːr] *French philosopher.*

Vosges [voːʒ] *f/pl. mountain range; department of eastern France.*

W

Waldeck-Rousseau [valdɛkru'so] *French politician.*

Wallonie [walɔ'ni] *f French speaking part of Belgium.*

Waterloo [vater'lo] *Belgian village, scene of famous defeat of Napoleon.*

Watteau [va'to] *French painter.*

Weygand [ve'gã] *Belgian-born French general.*

Y

Yémen [je'mɛn] *m*: *le ~ Yemen.*

Yonne [jɔn] *f French river; department of central France.*

Yougoslavie [jugɔsla'vi] *f*: *la ~ Yugoslavia, Jugoslavia.*

Ypres [ipr] *Belgian town.*

Yves [iːv] *m Christian name.*

Z

Zambèze [zã'bɛːz] *m the Zambezi.*

Zola [zɔ'la] *French writer.*

Abréviations françaises usuelles

Common French abbreviations

A

A *ampère* ampere.
A. *Altesse* Highness.
A.A. *antiaérien* A.A., anti-aircraft.
ac., à cte. *acompte* payment on account.
a.c. *argent comptant* ready money.
A.C.F. *Automobile Club de France* Automobile Association of France.
act. *action* share.
A.D.A.V. *avion à décollage et atterrissage vertical* V.T.O.(L.), vertical take-off (and landing) (aircraft).
A.d.S. *Académie des Sciences* Academy of Science.
A.-E.F. *hist. Afrique-Équatoriale française* French Equatorial Africa.
AELE *Association européenne de libre échange* EFTA, European Free Trade Association.
AF *Air France (French airline)*.
A.F. *Allocations familiales* family allowance.
A.F.A.T. *Auxiliaire féminine de l'armée de terre (approx.)* W.R.A.C., Women's Royal Army Corps.
AIH *Association internationale de l'hôtellerie* IHA, International Hotel Association.
AME *Accord monétaire européen* EMA, European Monetary Agreement.
A.-O.F. *Afrique-Occidentale française* French West Africa.
A.P. *à protester* to be protested; *Assistance publique* Public Assistance.
API *Association phonétique internationale* IPA, International Phonetic Association.
ap. J.-C. *après Jésus-Christ* A.D., anno Domini.
A.R. *Altesse Royale* Royal Highness.
arr. *arrondissement* district.
A.S. *Assurances sociales* social insurance.

a/s. *aux soins de* c/o., care of.
av. *avenue* avenue; *avoir* credit.
av. J.-C. *avant Jésus-Christ* B.C., before Jesus Christ.

B

B *bougie* candle-power.
B. *balle* bale; *billet* bill.
B.C.G. *vaccin bilié Calmette-Guérin (antitubercular vaccine)*.
Bd. *boulevard* boulevard.
BENELUX *Belgique-Nederland-Luxembourg* BENELUX, Belgium, Netherlands, Luxemb(o)urg.
B. ès L. *(or* **Sc.***) Bachelier ès Lettres (or Sciences) (approx.)* Advanced Level of the General Certificate of Education in Arts (or Science).
B.F. *Banque de France* Bank of France.
B.I.T. *Bureau international du travail* I.L.O., International Labour Office.
B.O. *Bulletin officiel* Official Bulletin.
B.P.F. *bon pour francs* value in francs.
B.R.I. *Banque de règlements internationaux* B.I.S., Bank for International Settlements.
B.S.G.D.G. *breveté sans garantie du gouvernement* patent.

C

C *cent* hundred; *°C degré Celsius* degree centigrade.
c. *centime (hundredth part of a franc)*.
C.A. *courant alternatif* A.C., alternating current.
c.-à-d. *c'est-à-dire* i.e., that is to say.
C.A.F. *coût, assurance, fret* c.i.f., cost, insurance, freight.
cal *calorie* calory.
C.A.P. *Certificat d'aptitude profes-*

sionnelle (*certificate granted to a qualified apprentice*).

C.C. *corps consulaire* consular corps; *compte courant* a/c, current account.

CCI *Chambre de Commerce internationale* ICC, International Chamber of Commerce.

C.C.P. *compte chèques postaux* postal cheque account.

C.D. *corps diplomatique* diplomatic corps.

CE *Conseil de l'Europe* Council of Europe.

CECA *Communauté européenne du charbon et de l'acier* E.C.S.C., European Coal and Steel Community.

CED *Communauté européenne de défense* E.D.C., European Defence Community.

CEE *Communauté économique européenne* E.E.C., European Economic Community.

CEEA *Commission européenne de l'énergie atomique* EURATOM, European Atomic Energy Commission.

CERN *Organisation européenne pour la recherche nucléaire* European Organisation for Nuclear Research.

Cf. *conférez* cf., compare.

C.F.T.C. *Confédération française des travailleurs chrétiens* French Confederation of Christian Workers.

C.G.A. *Confédération générale de l'agriculture* General Confederation of Agriculture.

C.G.C. *Confédération générale des cadres* General confederation of higher administrative staffs.

C.G.T. *Confédération générale du travail* General confederation of Labour, (*approx.*) T.U.C., Trade Union(s) Congress.

ch *cheval(-vapeur)* H.P., h.p., horse-power.

ch.d.f. *chemin de fer* Ry., railway.

Ch(ev). *Chevalier* Knight (*of an Order*).

ch.-l. *chef-lieu* capital.

CICR *Comité international de la Croix-Rouge* ICRC, International Committee of the Red Cross.

Cie., Cie. *Compagnie* Co., Company.

CIO *Comité international olympique* IOC, International Olympic Committee.

CISL *Confédération internationale des syndicats libres* ICFTU, International Confederation of Free Trade Unions.

cl *centilitre* centilitre, *Am.* centiliter.

cm *centimètre* centimetre, *Am.* centimeter.

C.N.R. *Conseil national de la Résistance* National Resistance Council.

C.N.R.S. *Centre national de la recherche scientifique* (*approx.*) S.R.C., Scientific Research Centre.

COE *Conseil œcuménique des églises* WCC, World Council of Churches.

cour. *courant* inst., instant.

C.Q.F.D. *ce qu'il fallait démontrer* Q.E.D., quod erat demonstrandum, which was to be proved.

C.-R.F. *Croix-Rouge française* French Red Cross.

CRI *Croix-Rouge internationale* IRC, International Red Cross.

ct. *courant* inst., instant.

Cte(sse) *Comte(sse)* Count(ess).

C.V. *cheval-vapeur* H.P., h.p., horsepower; *cette ville* this town.

D

D.A.T. *Défense aérienne du territoire* Air Space Defence.

D.B. *division blindée* armoured division.

D.C.A. *défense contre avions* A.A., anti-aircraft (defence).

D.D.T. *Dichlorodiphényltrichloroéthane* DDT, dichlorodiphenyltrichloroethane.

der. *dernier* ult., ultimo.

dest. *destinataire* addressee, consignee.

D.I.T. *défense intérieure du territoire* (*Internal defence*).

div. *dividende* dividend.

D.M. *Docteur Médecin* Doctor of Medicine.

D.M.P. *Docteur Médecin de la Faculté de Paris* Doctor of Medicine, Paris.

do *dito* ditto.

D.P.L.G. *Diplômé par le gouvernement* state certificated.

Dr *Docteur* Dr., Doctor (*university degree*).
dr. *droit* right.
Dsse *Duchesse* Duchess.
dt *doit* debit.
dz *douzaine* doz., dozen.

E

E. *est* E., east.
E.D.F. *Électricité de France* (*French Electricity Board*).
Em. *Éminence* Eminence (*title*).
E.-M. *État-major* H.Q., Headquarters.
E.N.S. *École normale supérieure* Training College for secondary school teachers.
E.N.S.I. *Écoles nationales supérieures d'ingénieurs* state colleges of advanced engineering.
env. *environ* about,
e.o.o.e. *erreur ou omission exceptée* E. & O.E., errors and omissions excepted.
etc. *et cætera* etc., etcetera.
É.-U. *États-Unis* U.S.A., United States.
E.V. *en ville* Local (*on envelopes*).
ex. *exemple* example; *exercice* year's trading.
ex. att. *exercice attaché* cum dividend.
Exc. *Excellence* Excellency (*title*).
exD. *ex-dividende* ex div., ex dividend.
exp. *expéditeur* consigner.
ext. *externe* external; *extérieur* exterior.

F

F *franc* franc; °**F** *degré Fahrenheit* degree Fahrenheit.
F.A.B. *franco à bord* f.o.b., free on board.
f.c(t). *fin courant* at the end of this month.
Fco *franco* free, carriage paid.
F.E.N. *Fédération de l'éducation nationale* National Education Federation (*autonomous professional union*).
F.F.I. *Forces françaises de l'intérieur* French Forces of the Interior.
F.F.L. *Forces françaises libres* Free French Forces.
F.I.A.A. *Fédération internationale*

d'athlétisme amateur I.A.A.F., International Amateur Athletic Federation.
FIAJ *Fédération internationale des auberges de la jeunesse* IYHF, International Youth Hostels Federation.
FIFA *Fédération internationale de football association* (*federation controlling international football com-*)
fig. *figure* figure.   [*petitions*).]
FISE *Fonds des Nations Unies pour l'enfance* UNICEF, United Nations Children's Fund.
FIT *Fédération internationale des traducteurs* IFT, International Federation of Translators.
F.M. *franchise militaire* postage free (*for military personnel*).
FMI *Fond monétaire international* IMF, International Monetary Fund.
FMPA *Fédération mondiale pour la protection des animaux* WFPA, World Federation for the Protection of Animals.
F.O. *Force Ouvrière* (*a Socialist trade union*).
fo *franco* free, carriage paid.
F.O.Q. *franco à quai* f.a.s., free alongside ship.
F.O.R. *franco sur rail* f.o.r., free on rail.
F.O.T. *franco en wagon* f.o.t., free on truck.
f.p. *fin prochain* at the end of next month.
fque *fabrique* make.
fro *franco* free, carriage paid.
Frs *Frères* Bros., Brothers.
F.S. *faire suivre* please forward (*on letters*).

G

g *gramme* gramme, *Am.* gram; *gravité* gravity.
g. *gauche* left.
Gal *général* Gen., General.
G.C. (*route de*) *grande communication* (*approx.*) B-road.
G(r).C. *Grand'Croix* Grand Cross (*of the Legion of Honour*).
G.D.F. *Gaz de France* (*French Gas Board*).
G.Q.G. *Grand quartier général* G.H.Q., General Headquarters.
G.V. *grande vitesse* per passenger train.

H

h *heure* hour, o'clock.
ha *hectare* hectare.
H.B.M. *habitations à bon marché* property to let at low rents.
H.C. *hors concours* not competing.
H.E.C. *Hautes Études commerciales* School of Advanced Commercial and Management Studies, Paris; *heure de l'Europe Centrale* CET, Central European Time.
H.L.M. *habitations à loyer modéré* property to let at moderate rents.
H.T. *haute tension* high tension.

I

Ibid. *ibidem* ibid., in the same place, ibidem.
Id. *idem* id., same, idem.
ing(én.). *ingénieur* engineer.
int. *interne* internal; *intérieur* interior.
INTERPOL see OIPC.

J

j *jour* day.
J.A.C. *Jeunesse agricole chrétienne* Christian Agricultural Youth.
J.-B. *Jean-Baptiste* John the Baptist.
J.-C. *Jésus-Christ* J.C., Jesus (Christ).
Je *Jeune* Jun., Junior.
J.E.C. *Jeunesse étudiante chrétienne* Y.C.S., Young Christian Students.
J.-J. *Jean-Jacques* John James.
J.O. *Journal officiel* Official Gazette.
J.O.C. *Jeunesse ouvrière chrétienne* YCW, Young Christian Workers.

K

kg *kilogramme* kilogramme, *Am.* kilogram.
km *kilomètre* kilometre, *Am.* kilometer.
km:h *kilomètres par heure* kilometres (*Am.* -meters) per hour.
K.-o. *knock-out* k.o., KO, knock(ed) out.
kV *kilovolt* k.v., kilovolt.
kW *kilowatt* k.w., kilowatt.
kWh *kilowatt-heure* kilowatt-hour.

L

l *litre* litre, *Am.* liter.
lat. *latitude* latitude.

L. ès L. *licencié ès lettres* (*approx.*) B.A., Bachelor of Arts.
L. ès Sc. *licencié ès sciences* (*approx.*) B.Sc., Bachelor of Science.
Lieut. *lieutenant* Lieut., Lieutenant.
ll. *lignes* ll., lines.
LL.MM. *Leurs Majestés* T.M., Their Majesties.
loc. cit. *loco citato* at the place cited.
long. *longitude* longitude.
Lt *lieutenant* Lt., Lieutenant.
Lt-Col. *lieutenant-colonel* Lt.-Col., Lieutenant-Colonel.

M

M. *Monsieur* Mr., Mister.
m *mètre* metre, *Am.* meter.
m. *mort* died.
mA *milliampère* milliampere.
mb *millibar* millibar.
md(e) *marchand(e)* merchant.
Me *Maître* (*barrister's title of address*).
mg *milligramme* milligramme, *Am.* milligram.
Mgr *Monseigneur* Monsignor.
Mlle *Mademoiselle* Miss.
Mlles *Mesdemoiselles* the Misses.
MM. *Messieurs* Messrs.
mm *millimètre* millimetre, *Am.* millimeter.
Mme *Madame* Mrs., Mistress.
Mmes *Mesdames* Mesdames.
mn *minute* minute.
Mon *maison* firm.
M.R.P. *Mouvement Républicain Populaire* Popular Republican Movement.
M/S *navire à moteur Diesel* M.S., motorship.
ms *manuscrit* MS., manuscript.
mss *manuscrits* MSS, manuscripts.
M.T.S. *mètre-tonne-seconde* metre (*Am.* meter)-ton-second.
MV *maladie vénérienne* V.D., venereal disease.
mV *millivolt* millivolt.

N

N. *nord* N., North; *nom* name.
n/... *notre, nos* our.
n. *notre* our.
N.B. *notez bien* N.B., note well.
N.-D. *Notre-Dame* Our Lady.
N.D.L.R. *note de la rédaction* editor's note.
N.E. *nord-est* N.E., north-east.

N.F. *norme française* French Standard.

No., no *numéro* number.

N.O., N.W. *nord-ouest* N.W., Northwest.

N.-S.J.-C. *Notre-Seigneur Jésus-Christ* Our Lord Jesus Christ.

n/sr. *notre sieur...* our Mr. ...

N.U. *Nations Unies* U.N., United Nations.

n/v. *notre ville* our town.

op. cit. *opere citato* in the work quoted.

OTAN *Organisation du Traité de l'Atlantique Nord* NATO, North Atlantic Treaty Organization.

OTASE *Organisation du Traité de défense collective pour l'Asie du Sud-Est* SEATO, Southeast Asia Treaty Organization.

OTC *onde très courte* VHF, very high frequency.

O

O. *ouest* W., west; *officier* Officer (*of an Order*).

OAA *Organisation pour l'alimentation et l'agriculture* F.A.O., Food and Agriculture Organization.

OACI *Organisation de l'aviation civile internationale* ICAO, International Civil Aviation Organization.

OAS *Organisation de l'Armée Secrète* Secret Army Organization.

OCDE *Organisation de coopération et de développement économiques* O.E.C.D., Organization for Economic Co-operation and Development.

OECE *Organisation européenne de coopération économique* O.E.E.C., Organization for European Economic Co-operation.

OIC *Organisation internationale du commerce* ITO, International Trade Organization.

OIN *Organisation internationale de normalisation* ISO, International Organization for Standardization.

OIPC *Organisation internationale de police criminelle* ICPO, INTERPOL, International Criminal Police Organization.

OIR *Organisation internationale pour les réfugiés* IRO, International Refugee Organization.

OIT *Organisation internationale du travail* ILO, International Labour Organization.

OMS *Organisation mondiale de la santé* WHO, World Health Organization.

O.N.M. *Office national météorologique* Meteorological Office.

ONU *Organisation des Nations Unies* UNO, United Nations Organization.

P

P. *Père* Fr., Father.

p. *pour* per; *par* per; *page* page.

P.C. *Parti Communiste* Communist Party; *poste de commandement* Headquarters.

p.c. *pour cent* %, per cent.

p/c. *pour compte* on account.

P.C.B. *Certificat d'études physiques, chimiques et biologiques* (*approx.*) medical pre-registration requirement.

P.C.C., p.c.c. *pour copie conforme* true copy.

p.d. *port dû* carriage forward.

P. et T. *postes et télécommunications* (*approx.*) The Post Office.

p.ex. *par exemple* e.g., for example.

P.G. *Prisonnier de guerre* P.O.W., Prisoner of War.

P.J. *Police judiciaire* (*approx.*) C.I.D., Criminal Investigation Department. [tion.

pl. *planche* plate, full-page illustra-]

P.M. *police militaire* MP, M.P., Military Police.

p.m. *poids mort* dead weight.

PMI *Protection maternelle et infantile* MCH, Maternal and Child Health.

P.M.U. *Pari mutuel urbain* local tote.

P.O. *par ordre* by order.

pp. *pages* pages.

p.p. *port payé* carriage paid.

P.p.c. *pour prendre congé* to take leave.

P.R.E. *Programme de reconstruction européenne, plan Marshall* E.R.P., European Recovery Program(me).

prov. *province* province.

P.-S. *post-scriptum* P.S., postscript.

P.S.V. *pilotage sans visibilité* instrument flying, blind flying.

P.T.T. *Postes, Télégraphes, Télé-*

phones (*French*) G.P.O., General Post Office.
P.V. *petite vitesse* per goods train.
P.-V. *procès-verbal* (*see main dictionary*).

Q

q. *carré* square; *quintal* quintal.
Q.G. *Quartier général* H.Q., Headquarters.
qq. *quelque* some; *quelqu'un* someone.
qqf. *quelquefois* sometimes.
Q.S. *quantité suffisante* sufficient quantity.

R

R, r. *rue* Rd., road, street.
R.A.T.P. *régie autonome des transports parisiens* (*Paris Public Transport Board*).
R.A.U. *République arabe unie* United Arab Republic.
RB (*envoi*) *contre remboursement* C.O.D., cash on delivery.
R.C. *registre du commerce* register of trade.
r.d. *rive droite* right bank.
R.D.A. *République démocratique allemande* G.D.R., German Democratic Republic.
rel. *relié* bound.
Révd. *révérend* Rev., Reverend.
R.F. *République française* French Republic.
R.F.A. *République fédérale d'Allemagne* G.F.R., German Federal Republic.
r.g. *rive gauche* left bank.
R.N. *route nationale* (*approx.*) National Highway.
R.P. *réponse payée* R.P., reply paid; *Révérend Père* Rev. Fr., Reverend Father; *Représentation proportionnelle* P.R., proportional representation.
R.P.F. *Rassemblement du Peuple Français* Rally of the French People (*de Gaullist party*).
R.S.V.P. *répondez, s'il vous plaît* the favour of an answer is requested.
R.T.F. *Radiodiffusion-télévision française* French Radio and Television.

S

S. *sud* S., south; *Saint* St., Saint.
s. *seconde* s., second.

S.A. *Sociète anonyme* Co Ltd., limited company; *Am.* Inc., Incorporated.
S.A.R. *Son Altesse Royale* H.R.H., His (Her) Royal Highness.
S.A.R.L. *société à responsabilité limitée* limited liability company.
s.b.f. *sauf bonne fin* under usual reserve.
S.C.E. *service contre-espionnage* C.I.C., Counter Intelligence Corps.
SCI *Service civil international* IVS, International Voluntary Service.
s.d. *sans date* n.d., no date.
SDN *Société des Nations* L of N, League of Nations.
S.-E. *sud-est* S.E., southeast.
s.e. ou o. *sauf erreur ou omission* E. & O.E., errors and omissions excepted.
S.E. *Son Excellence* His Excellency (*Minister's title of address*).
S.Em. *Son Éminence* His Eminence.
S.Exc. *Son Excellence* His Excellency.
S.F. *sans frais* no expenses.
S.F.I.O. *Section française de l'internationale ouvrière* French section of the Workers' International (*unified Socialist Party*).
SG *Secrétaire général* SG, Secretary General.
S.G.D.G. *sans garantie du gouvernement* (*patent*) without government guarantee.
S.I. *Syndicat d'initiative* Travel and Tourist Bureau *or* Association.
S.J. *Société de Jésus* SJ, Society of Jesus.
s.l.n.d. *sans lieu ni date* n. p. or d., no place or date.
S.M. *Sa Majesté* H.M., His (Her) Majesty.
S.M.I.G. *salaire minimum interprofessionnel garanti* guaranteed minimum professional salary.
S.N.C.F. *Société nationale des chemins de fer français* French National Railways.
S.-O. *sud-ouest* S.W., southwest.
S.P.A. *Société protectrice des animaux* (*French*) Society for the Prevention of Cruelty to Animals.
S.R. *service de renseignement* Intelligence (Service *or* Department).
SS. *Saints* Saints.
S.S. *Sa Sainteté* His Holiness; *sécurité sociale* Social Security.

S/S *navire à vapeur* S.S., steamship.
st *stère* cubic metre, *Am.* meter.
St(e) *Saint(e)* St., Saint.
Sté *société* company.
S.V.P., s.v.p. *s'il vous plaît* please.

T

t *tonne* ton.
t. *tour* revolution; *tome* volume.
TB *tuberculose* TB, tuberculosis.
T.C.F. *Touring Club de France* Touring Club of France.
T.N.P. *Théâtre National Populaire* (*one of the Paris theatres subsidized by the State*).
T.N.T. *trinitrotoluène* TNT, trinitrotoluene.
T.O.E. *théâtre d'opérations extérieures* (*theatres of war on foreign soil*).
t.p.m. *tours par minute* r.p.m., revolutions per minute.
tr/s *tours par seconde* revolutions per second.
T.S.F. *Télégraphie sans fil f* wireless; *m* wireless operator.
T.S.V.P. *tournez, s'il vous plaît* P.T.O., please turn over.
T.U. *temps universel* G.M.T., Greenwich mean time.
T.V. *télévision* TV, television.
T.V.A. *taxe à la valeur ajoutée* P.T., purchase tax.

U

UEO *Union européenne occidentale* WEU, Western European Union.
UEP *Union européenne de paiements* EPU, European Payments Union.
UIE *Union internationale des étudiants* IUS, International Union of Students.
UIJS *Union internationale de la jeunesse socialiste* IUSY, International Union of Socialist Youth.
UIP *Union interparlementaire* IPU, Inter-parliamentary Union.
UIT *Union internationale des télécommunications* ITU, International Telecommunication Union.

U.N.C. *Union nationale des anciens combattants* National Union of Ex-Servicemen.
U.N.E.F. *Union nationale des étudiants de France* French National Union of Students.
UNESCO *Organisation des Nations Unies pour l'éducation, la science et la culture* UNESCO, United Nations Educational, Scientific, and Cultural Organization.
U.R.S.S. [y:rs] *Union des républiques socialistes soviétiques* U.S.S.R., Union of Soviet Socialist Republics.

V

V *volt* V, volt.
v. *votre, vos* your; *voir, voyez* see; *vers* verse; *verset* versicle.
v/ *votre, vos* your.
Var. *variante* variant.
Vcte(sse) *Vicomte(sse)* Viscount (-ess).
Ve *veuve* widow.
vo *verso* verso, back of the page.
vol. *volume* volume.
Vte(sse) *Vicomte(sse)* Viscount(ess)
vv. *vers* ll., lines.
Vve *veuve* widow.

W

W *watt* watt.
W. *ouest* W., west.
W.C. *water-closet* W.C., water-closet.
Wh *watt-heure* watt-hour.
W.L. *Wagons-lits* sleeping cars.
W.R. *Wagons-restaurants* dining cars.

X

X. *anonym* anonymous.
X.P. *exprès payé* express paid.

Z

Z.U.P. *zone à urbaniser en priorité* priority development area *or* zone.

Nombres
Numerals

Nombres cardinaux — Cardinal Numbers

0 zéro *nought, zero, cipher*
1 un, une *one*
2 deux *two*
3 trois *three*
4 quatre *four*
5 cinq *five*
6 six *six*
7 sept *seven*
8 huit *eight*
9 neuf *nine*
10 dix *ten*
11 onze *eleven*
12 douze *twelve*
13 treize *thirteen*
14 quatorze *fourteen*
15 quinze *fifteen*
16 seize *sixteen*
17 dix-sept *seventeen*
18 dix-huit *eighteen*
19 dix-neuf *nineteen*
20 vingt *twenty*
21 vingt et un *twenty-one*
22 vingt-deux *twenty-two*
30 trente *thirty*
40 quarante *forty*
50 cinquante *fifty*

60 soixante *sixty*
70 soixante-dix *seventy*
71 soixante et onze *seventy-one*
72 soixante-douze *seventy-two*
80 quatre-vingts *eighty*
81 quatre-vingt-un *eighty-one*
90 quatre-vingt-dix *ninety*
91 quatre-vingt-onze *ninety-one*
100 cent *a or one hundred*
101 cent un *one hundred and one*
200 deux cents *two hundred*
211 deux cent onze *two hundred and eleven*
1000 mille *a or one thousand*
1001 mille un *one thousand and one*
1100 onze cents *eleven hundred*
1967 dix-neuf cent soixante-sept *nineteen hundred and sixty-seven*
2000 deux mille *two thousand*
1 000 000 un million *a or one million* [*million*]
2 000 000 deux millions *two*
1 000 000 000 un milliard *one thousand millions,* Am. *one billion*

Nombres ordinaux — Ordinal Numbers

1er le premier, 1re la première *the first*
2e le deuxième, la deuxième *the second*
3e le *or* la troisième *the third*
4e quatrième *fourth*
5e cinquième *fifth*
6e sixième *sixth*
7e septième *seventh*
8e huitième *eighth*
9e neuvième *ninth*
10e dixième *tenth*
11e onzième *eleventh*
12e douzième *twelfth*
13e treizième *thirteenth*
14e quatorzième *fourteenth*

15e quinzième *fifteenth*
16e seizième *sixteenth*
17e dix-septième *seventeenth*
18e dix-huitième *eighteenth*
19e dix-neuvième *ninteenth*
20e vingtième *twentieth*
21e vingt et unième *twenty-first*
22e vingt-deuxième *twenty-second*
30e trentième *thirtieth*
31e trente et unième *thirty-first*
40e quarantième *fortieth*
41e quarante et unième *forty-firs'*
50e cinquantième *fiftieth*
51e cinquante et unième *fifty-first*
60e soixantième *sixtieth*

61ᵉ soixante et unième *sixty-first*
70ᵉ soixante-dixième *seventieth*
71ᵉ soixante et onzième *seventy-first*
72ᵉ soixante-douzième *seventy-second*
80ᵉ quatre-vingtième *eightieth*
81ᵉ quatre-vingt-unième *eighty-first*

90ᵉ quatre-vingt-dixième *ninetieth*
91ᵉ quatre-vingt-onzième *ninety-first*
100ᵉ centième *hundredth*
101ᵉ cent unième *hundred and first*
200ᵉ deux centième *two hundredth*
1000ᵉ millième *thousandth*

Fractions — Fractions

$1/2$ (un) demi *one half*; la moitié (*the*) *half*
$1^1/2$ un et demi *one and a half*
$1/3$ un tiers *one third*
$2/3$ (les) deux tiers *two thirds*
$1/4$ un quart *one quarter*
$3/4$ (les) trois quarts *three quarters*

$1/5$ un cinquième *one fifth*
$5/8$ (les) cinq huitièmes *five eighths*
$9/10$ (les) neuf dixièmes *nine tenths*
0,45 zéro, virgule, quarante-cinq *point four five*
17,38 dix-sept, virgule, trente-huit *seventeen point three eight*

Mesures françaises

French weights and measures

Mesures de longueur — Linear Measures

km	*kilomètre*	=	1 000 m = 0.6214 mi.
hm	*hectomètre*	=	100 m = 109 yd. 1 ft. 1 in.
dam	*décamètre*	=	10 m = 32.808 ft.
m	*mètre*	=	1 m = 3.281 ft.
dm	*décimètre*	=	$^1/_{10}$ m = 3.937 in.
cm	*centimètre*	=	$^1/_{100}$ m = 0.394 in.
mm	*millimètre*	=	$^1/_{1000}$ m = 0.039 in.
μm or **μ** }	*micron*	=	$^1/_{1000000}$ m = 0.000039 in.
	mille marin	=	1 852 m = 6080 ft.

Mesures de surface — Square Measures

km²	*kilomètre carré*	=	1 000 000 m² = 0.3861 sq. mi.
hm²	*hectomètre carré*	=	10 000 m² = 2.471 acres
dam²	*décamètre carré*	=	100 m² = 119.599 sq. yd.
m²	*mètre carré*	=	1 m² = 1.196 sq. yd.
dm²	*décimètre carré*	=	$^1/_{100}$ m² = 15.5 sq. in.
cm²	*centimètre carré*	=	$^1/_{10000}$ m² = 0.155 sq. in.
mm²	*millimètre carré*	=	$^1/_{1000000}$ m² = 0.002 sq. in.

Mesures de surfaces agraires — Land Measures

ha	*hectare*	=	100 a *or* 10 000 m² = 2.471 acres
a	*are*	=	dam² *or* 100 m² = 119.599 sq. yd.
ca	*centiare*	=	$^1/_{100}$ a *or* 1 m² = 1.196 sq. yd.

Mesures de volume — Cubic Measures

m³	*mètre cube*	=	1 m³ = 35.32 cu. ft.
dm³	*décimètre cube*	=	$^1/_{1000}$ m³ = 61.023 cu. in.
cm³	*centimètre cube*	=	$^1/_{1000000}$ m³ = 0.061 cu. in.
mm³	*millimètre cube*	=	$^1/_{1000000000}$ m³ = 0.00006 cu. in.

Mesures de capacité — Measures of Capacity

hl	*hectolitre*	=	100 l = 22.01 gals.
dal	*décalitre*	=	10 l = 2.2 gals.
l	*litre*	=	1 l = 1.76 pt.
dl	*décilitre*	=	$^1/_{10}$ l = 0.176 pt.
cl	*centilitre*	=	$^1/_{100}$ l = 0.018 pt.
ml	*millilitre*	=	$^1/_{1000}$ l = 0.002 pt.
st	*stère*	=	1 m³ = 35.32 cu. ft. (*of wood*)

Poids — Weights

t	tonne	=	1 t or 1 000 kg =	19.68 cwt.
q	quintal	= $^1/_{10}$ t or	100 kg =	1.968 cwt.
kg	kilogramme	=	1 000 g =	2.205 lb.
hg	hectogramme	=	100 g =	3.527 oz.
dag	décagramme	=	10 g =	5.644 dr.
g	gramme	=	1 g =	15.432 gr.
dg	décigramme	=	$^1/_{10}$ g =	1.543 gr.
cg	centigramme	=	$^1/_{100}$ g =	0.154 gr.
mg	milligramme	=	$^1/_{1000}$ g =	0.015 gr.

Anciennes mesures — Former Measures

aune f	= 1,188 m	ell*
pied m	= 0,3248 m	foot
pouce m	= $^1/_1$ pied or 27,07 mm	inch
ligne f	= $^1/_{12}$ pouce or 2,258 mm	line
livre f	= 489,50 g; F 500 g	pound
lieue f	= 4 km	league
arpent m	= 42,21 a	acre

Conjugaisons des verbes français

Conjugations of French verbs

In this section specimen verb-tables are set out. Within the body of the Dictionary every infinitive is followed by a number in brackets, e.g. (1a), (2b), (3c), etc. This number refers to the appropriate model or type in the following pages. (1a), (2a), (3a), (4a) are the **regular** verbs of their conjugation. Others have some irregularity or other special feature.

How to Form the Tenses

Impératif. Take the 2nd person singular and the 1st and 2nd persons plural of the *Indicatif présent*. In verbs of the 1st Conjugation the singular imperative has no final s unless followed by *en* or *y*.

Imparfait. From the 1st person plural of the *Indicatif présent*: replace -ons by -ais etc.

Participe présent. From the 1st person plural of the *Indicatif présent*: replace -ons by -ant.

Subjonctif présent. From the 3rd person plural of the *Indicatif présent*: replace -ent by -e etc.

Subjonctif imparfait. To the 2nd person singular of the *Passé simple* add -se etc.

Futur simple. To the *Infinitif présent* add -ai etc.

Conditionnel présent. To the *Infinitif présent* add -ais etc.

---

*The English 'translation' given does not mean that the English measure of that name is exactly the same length, etc., as the French, e.g. the French *pouce* is 27,07 mm and the English *inch* is 25,4 mm.

Auxiliary Verbs

(1) avoir

A. Indicatif

I. Simple Tenses

Présent

sg. j'ai
tu as
il a[1]

pl. nous avons
vous avez
ils ont

Imparfait

sg. j'avais
tu avais
il avait

pl. nous avions
vous aviez
ils avaient

Passé simple

sg. j'eus
tu eus
il eut

pl. nous eûmes
vous eûtes
ils eurent

Futur simple

sg. j'aurai
tu auras
il aura

pl. nous aurons
vous aurez
ils auront

Conditionnel présent

sg. j'aurais
tu aurais
il aurait

pl. nous aurions
vous auriez
ils auraient

Participe présent

ayant

Participe passé

eu (f eue)

II. Compound Tenses

Passé composé

j'ai eu

Plus-que-parfait

j'avais eu

Passé antérieur

j'eus eu

Futur antérieur

j'aurai eu

Conditionnel passé

j'aurais eu

Participe composé

ayant eu

Infinitif passé

avoir eu

B. Subjonctif

I. Simple Tenses

Présent

sg. que j'aie
que tu aies
qu'il ait

pl. que nous ayons
que vous ayez
qu'ils aient

Imparfait

sg. que j'eusse
que tu eusses
qu'il eût

pl. que nous eussions
que vous eussiez
qu'ils eussent

Impératif

aie — ayons — ayez

II. Compound Tenses

Passé

que j'aie eu

Plus-que-parfait

que j'eusse eu

[1] a-t-il?

(1) être

Auxiliary Verbs

A. Indicatif

I. Simple Tenses

Présent

sg. je suis
tu es
il est

pl. nous sommes
vous êtes
ils sont

Imparfait

sg. j'étais
tu étais
il était

pl. nous étions
vous étiez
ils étaient

Passé simple

sg. je fus
tu fus
il fut

pl. nous fûmes
vous fûtes
ils furent

Futur simple

sg. je serai
tu seras
il sera

pl. nous serons
vous serez
ils seront

Conditionnel présent

sg. je serais
tu serais
il serait

pl. nous serions
vous seriez
ils seraient

Participe présent

étant

Participe passé

été

II. Compound Tenses

Passé composé

j'ai été

Plus-que-parfait

j'avais été

Passé antérieur

j'eus été

Futur antérieur

j'aurai été

Conditionnel passé

j'aurais été

Participe composé

ayant été

Infinitif passé

avoir été

B. Subjonctif

I. Simple Tenses

Présent

sg. que je sois
que tu sois
qu'il soit

pl. que nous soyons
que vous soyez
qu'ils soient

Imparfait

sg. que je fusse
que tu fusses
qu'il fût

pl. que nous fussions
que vous fussiez
qu'ils fussent

Impératif

sois — soyons — soyez

II. Compound Tenses

Passé

que j'aie été

Plus-que-parfait

que j'eusse été

First Conjugation

(1a) blâmer

I. Simple Tenses

Présent

sg. je blâme
tu blâmes
il blâme[1]

pl. nous blâmons
vous blâmez
ils blâment

Passé simple

sg. je blâmai
tu blâmas
il blâma

pl. nous blâmâmes
vous blâmâtes
ils blâmèrent

Futur simple

sg. je blâmerai
tu blâmeras
il blâmera

pl. nous blâmerons
vous blâmerez
ils blâmeront

Participe passé

blâmé, e

Infinitif présent

blâmer

[1] blâme-t-il?

Impératif

blâme[2]
blâmons
blâmez

Imparfait

sg. je blâmais
tu blâmais
il blâmait

pl. nous blâmions
vous blâmiez
ils blâmaient

Participe présent

blâmant

[2] blâmes-en
blâmes-y

Conditionnel présent

sg. je blâmerais
tu blâmerais
il blâmerait

pl. nous blâmerions
vous blâmeriez
ils blâmeraient

Subjonctif présent

sg. que je blâme
que tu blâmes
qu'il blâme

pl. que nous blâmions
que vous blâmiez
qu'ils blâment

Subjonctif imparfait

sg. que je blâmasse
que tu blâmasses
qu'il blâmât

pl. que nous blâmassions
que vous blâmassiez
qu'ils blâmassent

II. Compound Tenses

(*Participe passé* with the help of avoir and être)

1. Actif

Passé composé: j'ai blâmé
Plus-que-parfait: j'avais blâmé
Passé antérieur: j'eus blâmé
Futur antérieur: j'aurai blâmé
Conditionnel passé: j'aurais blâmé

2. Passif

Présent: je suis blâmé
Imparfait: j'étais blâmé
Passé simple: je fus blâmé
Passé composé: j'ai été blâmé
Plus-que-parf.: j'avais été blâmé
Passé antérieur: j'eus été blâmé
Futur simple: je serai blâmé
Futur antérieur: j'aurai été blâmé
Conditionnel présent: je serais blâmé
Conditionnel passé: j'aurais été blâmé
Impératif: sois blâmé
Participe présent: étant blâmé
Participe composé: ayant été blâmé
Infinitif présent: être blâmé
Infinitif passé: avoir été blâmé

	Infinitif	Remarks	Présent de l'indicatif	Présent du subjonctif	Passé simple	Futur simple	Impératif	Participe passé
(1 b)	aimer	Unstressed *ai-* may be pronounced [ɛ] or [e]	aime aimes aime aimons aimez aiment	aime aimes aime aimions aimiez aiment	aimai aimas aima aimâmes aimâtes aimèrent	aimerai aimeras aimera aimerons aimerez aimeront	aime aimons aimez	aimé, e
(1 c)	appeler	The final consonant of the stem is doubled and [ə] becomes [ɛ] before a mute syllable (including the *fut.* and *cond.*)	appelle appelles appelle appelons appelez appellent	appelle appelles appelle appelions appeliez appellent	appelai appelas appela appelâmes appelâtes appelèrent	appellerai appelleras appellera appellerons appellerez appelleront	appelle appelons appelez	appelé, e
(1 d)	amener	The e [ə] of the stem becomes è when stressed and also in the *fut.* and *cond.*	amène amènes amène amenons amenez amènent	amène amènes amène amenions ameniez amènent	amenai amenas amena amenâmes amenâtes amenèrent	amènerai amèneras amènera amènerons amènerez amèneront	amène amenons amenez	amené, e
(1 e)	arguer	In this particular verb a mute e after the u is written ë and an ï after the u is written ï	arguë arguës arguë arguons arguez arguënt	arguë arguës arguë arguions arguiez arguënt	arguai arguas argua arguâmes arguâtes arguèrent	arguërai arguëras arguëra arguërons arguërez arguëront	arguë arguons arguez	argué, e

	Infinitif	Remarks	Présent de l'indicatif	Présent du subjonctif	Passé simple	Futur simple	Impératif	Participe passé
(1f)	céder	The é of the stem becomes è when stressed, i.e. **not** in the fut. or cond.	cède cèdes cède cédons cédez cèdent	cède cèdes cède cédions cédiez cèdent	cédai cédas céda cédâmes cédâtes cédèrent	céderai céderas cédera céderons céderez céderont	cède cédons cédez	cédé, e
(1g)	abréger	The é of the stem becomes è when stressed, i.e. **not** in the fut. or cond. In addition, between the **g** and a or o, an **e** is inserted in the spelling but is not pronounced	abrège abrèges abrège abrégeons abrégez abrègent	abrège abrèges abrège abrégions abrégiez abrègent	abrégeai abrégeas abrégea abrégeâmes abrégeâtes abrégèrent	abrégerai abrégeras abrégera abrégerons abrégerez abrégeront	abrège abrégeons abrégez	abrégé, e
(1h)	employer	The y of the stem becomes i when followed by a mute **e** (including the fut. and cond.)	emploie emploies emploie employons employez emploient	emploie emploies emploie employions employiez emploient	employai employas employa employâmes employâtes employèrent	emploierai emploieras emploiera emploierons emploierez emploieront	emploie employons employez	employé, e

	Infinitif	Remarks	Présent de l'indicatif	Présent du subjonctif	Passé simple	Futur simple	Impératif	Participe passé
(1i)	payer	The **y** of the stem may be written **y** or **i** when followed by a mute **e** (including the fut. and cond.)	paie, paye paies, payes paie, paye payons payez paient, -yent	paie, paye paies, payes paie, paye payions payiez paient, -yent	payai payas paya payâmes payâtes payèrent	paierai,paye.. paieras paiera paierons paierez paieront	paie, paye payons payez	payé, e
(1k)	menacer	**c** takes a cedilla (ç) before **a** and **o** to preserve the [s] sound	menace menaces menace menaçons menacez menacent	menace menaces menace menacions menaciez menacent	menaçai menaças menaça menaçâmes menaçâtes menacèrent	menacerai menaceras menacera menacerons menacerez menaceront	menace menaçons menacez	menacé, e
(1l)	manger	Between the **g** of the stem and an ending beginning a or **o**, a mute **e** is inserted to preserve the [ʒ] sound	mange manges mange mangeons mangez mangent	mange manges mange mangions mangiez mangent	mangeai mangeas mangea mangeâmes mangeâtes mangèrent	mangerai mangeras mangera mangerons mangerez mangeront	mange mangeons mangez	mangé, e
(1m)	conjuguer	The mute **u** at the end of the stem remains throughout, even before a and o.	conjugue conjugues conjugue conjuguons conjuguez conjuguent	conjugue conjugues conjugue conjuguions conjuguiez conjuguent	conjuguai conjuguas conjugua conjuguâmes conjuguâtes conjuguèrent	conjuguerai conjugueras conjuguera conjuguerons conjuguerez conjugueront	conjugue conjuguons conjuguez	conjugué, e

Infinitif	Remarks	Présent de l'indicatif	Présent du subjonctif	Passé simple	Futur simple	Impératif	Participe passé
(1n) saluer	The **u** of the stem, pronounced [u], becomes [y] when stressed and in the fut. and cond.	salue salues salue saluons saluez saluent	salue salues salue saluions saluiez saluent	saluai saluas salua saluâmes saluâtes saluèrent	saluerai salueras saluera saluerons saluerez salueront	salue saluons saluez	salué, e
(1o) châtier	The **i** of the stem, pronounced [j], becomes [i] when stressed and in the fut. and cond. The 1st and 2nd persons pl. of the *pres. sbj.* and of the *impf. ind.* are -iions, -iiez.	châtie châties châtie châtions châtiez châtient	châtie châties châtie châtiions châtiiez châtient	châtiai châtias châtia châtiâmes châtiâtes châtièrent	châtierai châtieras châtiera châtierons châtierez châtieront	châtie châtions châtiez	châtié, e
(1p) allouer	The **ou** of the stem, pronounced [w], becomes [u] when stressed and in the fut. and cond.	alloue alloues alloue allouons allouez allouent	alloue alloues alloue allouions allouiez allouent	allouai allouas alloua allouâmes allouâtes allouèrent	allouerai alloueras allouera allouerons allouerez alloueront	alloue allouons allouez	alloué, e
(1q) aller		vais vas va allons allez vont	aille ailles aille allions alliez aillent	allai allas alla allâmes allâtes allèrent	irai iras ira irons irez iront	va (vas-y) allons allez	allé, e

	Infinitif	Remarks	Présent de l'indicatif	Présent du subjonctif	Passé simple	Futur simple	Impératif	Participe passé
(1r)	envoyer	Like (1h) but with an irregular fut. and cond.	envoie envoies envoie envoyons envoyez envoient	envoie envoies envoie envoyions envoyiez envoient	envoyai envoyas envoya envoyâmes envoyâtes envoyèrent	enverrai enverras enverra enverrons enverrez enverront	envoie envoyons envoyez	envoyé, e
(1s)	léguer	The **é** of the stem becomes **è** when stressed, i.e. **not** in the fut. or cond. In addition, the mute **u** at the end of the stem remains throughout, even before **a** and **o**	lègue lègues lègue léguons léguez lèguent	lègue lègues lègue léguions léguiez lèguent	léguai léguas légua léguâmes léguâtes léguèrent	léguerai légueras léguera léguerons léguerez légueront	lègue léguons léguez	légué, e

Second Conjugation

(2a) **punir**[1]

Note the cases in which the verb stem is lengthened by ...iss...

I. Simple Tenses

Présent	Impératif	Futur simple	Subjonctif présent
sg. je punis		sg. je punirai	sg. que je punisse
tu punis		tu puniras	que tu punisses
il punit		il punira	qu'il punisse
pl. nous punissons	punis	pl. nous punirons	pl. que nous punissions
vous punissez	punissons	vous punirez	que vous punissiez
ils punissent	punissez	ils puniront	qu'ils punissent

Passé simple	Imparfait	Conditionnel présent	Subjonctif imparfait
sg. je punis	sg. je punissais	sg. je punirais	sg. que je punisse
tu punis	tu punissais	tu punirais	que tu punisses
il punit	il punissait	il punirait	qu'il punît
pl. nous punîmes	pl. nous punissions	pl. nous punirions	pl. que nous punissions
vous punîtes	vous punissiez	vous puniriez	que vous punissiez
ils punirent	ils punissaient	ils puniraient	qu'ils punissent

Participe passé	Participe présent
puni, e	punissant

Infinitif présent
punir

II. Compound Tenses

Participe passé with the help of **avoir** and **être**; *see* (1a)

P.-pr. saillant

---

[1] **saillir** is used only in the 3rd persons of the simple tenses.

Infinitif	Remarks	Présent de l'indicatif	Présent du subjonctif	Passé simple	Futur simple	Impératif	Participe passé
(2b) sentir	No stem lengthening by ...iss.... The last consonant of the stem is lost in the 1st and 2nd persons sg. of the *pres. ind.* and the *sg. imper.*	sens sens sent sentons sentez sentent	sente sentes sente sentions sentiez sentent	sentis sentis sentit sentîmes sentîtes sentirent	sentirai sentiras sentira sentirons sentirez sentiront	sens sentons sentez	senti, *e*
(2c) cueillir	*Pres., fut.* and derivatives like (1a)	cueille cueilles cueille cueillons cueillez cueillent	cueille cueilles cueille cueillions cueilliez cueillent	cueillis cueillis cueillit cueillîmes cueillîtes cueillirent	cueillerai cueilleras cueillera cueillerons cueillerez cueilleront	cueille cueillons cueillez	cueilli, *e*
(2d) fuir	No stem lengthening by ...iss.... Note the alternation between the **y** and **i**: **y** appears in 1st and 2nd persons pl. of *pres. ind., pres. sbj.,* and *imper.,* in the *p.pr.* and throughout the *impf. ind.*	fuis fuis fuit fuyons fuyez fuient	fuie fuies fuie fuyions fuyiez fuient	fuis fuis fuit fûmes fûtes fuirent	fuirai fuiras fuira fuirons fuirez fuiront	fuis fuyons fuyez	fui, *e*

	Infinitif	Remarks	Présent de l'indicatif	Présent du subjonctif	Passé simple	Futur simple	Impératif	Participe passé
(2e)	bouillir	*Pres. ind.* and derivatives like (4a)	bous bous bout bouillons bouillez bouillent	bouille bouilles bouille bouilliez bouilliez bouillent	bouillis bouillis bouillit bouillîmes bouillîtes bouillirent	bouillirai bouilliras bouillira bouillirons bouillirez bouilliront	bous bouillons bouillez	bouilli, e
(2f)	couvrir	*Pres.* and derivatives like (1a); *p.p.* in -ert	couvre couvres couvre couvrons couvrez couvrent	couvre couvres couvre couvrions couvriez couvrent	couvris couvris couvrit couvrîmes couvrîtes couvrirent	couvrirai couvriras couvrira couvrirons couvrirez couvriront	couvre couvrons couvrez	couvert, e
(2g)	vêtir	As (2b) but keeps the final consonant of the stem throughout the *pres. ind.* and the *imper.* and has *p.p.* in -u	vêts vêts vêt vêtons vêtez vêtent	vête vêtes vête vêtions vêtiez vêtent	vêtis vêtis vêtit vêtîmes vêtîtes vêtirent	vêtirai vêtiras vêtira vêtirons vêtirez vêtiront	vêts vêtons vêtez	vêtu, e
(2h)	venir	Note that the ...en... of the *inf.* becomes ...ien... in the *fut.* and *cond.*, and when stressed except in the *p.s.* where it becomes ...in... [ɛ̃]. Note too the ...d... inserted in the *fut.* and *cond.*	viens viens vient venons venez viennent	vienne viennes vienne venions veniez viennent	vins vins vint vînmes vîntes vinrent	viendrai viendras viendra viendrons viendrez viendront	viens venons venez	venu, e

	Infinitif	Remarks	Présent de l'indicatif	Présent du subjonctif	Passé simple	Futur simple	Impératif	Participe passé
(2i)	courir	Pres., p.p., fut. and derivatives as in (4a); p.s. like (3a); ...rr... in fut. and cond.	cours cours court courons courez courent	coure coures coure courions couriez courent	courus courus courut courûmes courûtes coururent	courrai courras courra courrons courrez courront	cours courons courez	couru, e
(2k)	mourir	Pres., fut. and derivatives as in (4a) with change of ...ou... to ...eu... in the sg. and the 3rd person pl. of the pres.; p.s. like (3a); ...rr... in fut. and cond.	meurs meurs meurt mourons mourez meurent	meure meures meure mourions mouriez meurent	mourus mourus mourut mourûmes mourûtes moururent	mourrai mourras mourra mourrons mourrez mourront	meurs mourons mourez	mort, e
(2l)	acquérir	Pres. and derivatives as in (4a) with change of ...ér... to ...ier... (ind.) and ...ièr... (sbj.) [je:r] [jɛ:r] when stressed; p.p. in ...is; fut. and cond. in ...err..., not ...érir...	acquiers acquiers acquiert acquérons acquérez acquièrent	acquière acquières acquière acquérions acquériez acquièrent	acquis acquis acquit acquîmes acquîtes acquirent	acquerrai acquerras acquerra acquerrons acquerrez acquerront	acquiers acquérons acquérez	acquis, e

	Infinitif	Remarks	Présent de l'indicatif	Présent du subjonctif	Passé simple	Futur simple	Impératif	Participe passé
(2m)	haïr	Regular except that it loses trema from the i in the sg. of the pres. ind. and of the imper. with a corresponding change of pronunciation	hais [e] hais hait haïssons haïssez haïssent	haïsse haïsses haïsse haïssions haïssiez haïssent	haïs [a'i] haïs haït haïmes haïtes haïrent	haïrai haïras haïra haïrons haïrez haïront	hais [e] haïssons haïssez	haï, e
(2n)	faillir	Defective verb			faillis faillis faillit faillîmes faillîtes faillirent	faillirai failliras faillira faillirons faillirez failliront		failli, e
(2o)	fleurir	Regular (like 2a) but in the sense of prosper has p.pr. florissant and impf. ind. florissais, etc.	fleuris fleuris fleurit fleurissons fleurissez fleurissent	fleurisse fleurisses fleurisse fleurissions fleurissiez fleurissent	fleuris fleuris fleurit fleurîmes fleurîtes fleurirent	fleurirai fleuriras fleurira fleurirons fleurirez fleuriront	fleuris fleurissons fleurissez	fleuri, e
(2p)	saillir	Defective verb. P.pr. saillant	saille saillent	saille saillent		saillera sailleront		sailli, e

	Infinitif	Remarks	Présent de l'indicatif	Présent du subjonctif	Passé simple	Futur simple	Impératif	Participe passé
(2q)	gésir	Defective verb. Used only in *pres.* and *impf. ind. P.pr.* **gisant**	— — gît gisons gisez gisent					
(2r)	ouïr	Defective verb						ouï, *e*
(2s)	assaillir	*Pres.* and occasionally *fut.* and their derivatives like (1a)	assaille assailles assaille assaillons assaillez assaillent	assaille assailles assaille assaillions assailliez assaillent	assaillis assaillis assaillit assaillîmes assaillîtes assaillirent	assaillirai assailliras assaillira assaillirons assaillirez assailliront	assaille assaillons assaillez	assailli, *e*
(2t)	défaillir	Like (2s). But there is an old 3rd person sg. *pres. ind.* **défaut** in addition	défaille défailles défaille défaillons défaillez défaillent	défaille défailles défaille défaillions défailliez défaillent	défaillis défaillis défaillit défaillîmes défaillîtes défaillirent	défaillirai défailliras défaillira défaillirons défaillirez défailliront	défaille défaillons défaillez	défailli, *e*
(2u)	férir	Defective verb						féru, *e*
(2v)	quérir	Defective verb						

Third Conjugation

(3a) recevoir

I. Simple Tenses

Présent
sg. je reçois
tu reçois
il reçoit
pl. nous recevons
vous recevez
ils reçoivent

Impératif
reçois
recevons
recevez

Futur simple
sg. je recevrai
tu recevras
il recevra
pl. nous recevrons
vous recevrez
ils recevront

Subjonctif présent
sg. que je reçoive
que tu reçoives
qu'il reçoive
pl. que nous recevions
que vous receviez
qu'ils reçoivent

Passé simple
sg. je reçus
tu reçus
il reçut
pl. nous reçûmes
vous reçûtes
ils reçurent

Imparfait
sg. je recevais
tu recevais
il recevait
pl. nous recevions
vous receviez
ils recevaient

Conditionnel présent
sg. je recevrais
tu recevrais
il recevrait
pl. nous recevrions
vous recevriez
ils recevraient

Subjonctif imparfait
sg. que je reçusse
que tu reçusses
qu'il reçût
pl. que nous reçussions
que vous reçussiez
qu'ils reçussent

Participe passé[1]
reçu, e

Participe présent
recevant

Infinitif présent
recevoir

II. Compound Tenses

Participe passé with the help of avoir and être; see (1a)

[1] **devoir** and its derivative **redevoir** have **dû**, **due**, m/pl. **dus** and **redû**, **redue**, m/pl. **redus**

Infinitif	Remarks	Présent de l'indicatif	Présent du subjonctif	Passé simple	Futur simple	Impératif	Participe passé
(3b) apparoir	Defective verb	il appert					
(3c) asseoir	There are alternative forms: *pres. ind.* assois etc.; *pres. sbj.* assoie etc.; *fut.* assoirai etc.; *imper.* assois, assoyons, assoyez; *p.pr.* assoyant; *impf. ind.* assoyais	assieds assieds assied asseyons asseyez asseyent	asseye asseyes asseye asseyions asseyiez asseyent	assis assis assit assîmes assîtes assirent	assiérai assiéras assiéra assiérons assiérez assiéront	assieds asseyons asseyez	assis, e
surseoir		sursois sursois sursoit sursoyons sursoyez sursoient	sursoie sursoies sursoie sursoyions sursoyiez sursoient	sursis sursis sursit sursîmes sursîtes sursirent	surseoirai surseoiras surseoira surseoirons surseoirez surseoiront	sursois sursoyons sursoyez	sursis, e
(3d) choir	Defective verb. No p.pr. There are alternative forms: *fut.* **cherrai** etc.	chois chois choit		chus chus chut chûmes chûtes churent	choirai choiras choira choirons choirez choiront		chu, e

Infinitif	Remarks	Présent de l'indicatif	Présent du subjonctif	Passé simple	Futur simple	Impératif	Participe passé
déchoir	Defective verb. No impf. ind. and no p.pr.	déchois déchois déchoit déchoyons déchoyez déchoient	déchoie déchoies déchoie déchoyions déchoyiez déchoient	déchus déchus déchut déchûmes déchûtes déchurent	déchoirai déchoiras déchoira déchoirons déchoirez déchoiront		déchu, e
échoir	Defective verb. P.pr. échéant. Impf. ind. il échoyait or échéait. There are alternative forms: fut. il écherra, ils écherront	il échoit ils échoient	qu'il échoie	il échut ils échurent	il échoira ils échoiront		échu, e
(3e) falloir	Impersonal verb	il faut	qu'il faille	il fallut	il faudra		fallu inv.
(3f) mouvoir	The ...ou... of the stem becomes...eu... when stressed. Promouvoir is used chiefly in the inf., p.p. (promu, e) and compound tenses; émouvoir has p.p. ému. e	meus meus meut mouvons mouvez meuvent	meuve meuves meuve mouvions mouviez meuvent	mus mus mut mûmes mûtes murent	mouvrai mouvras mouvra mouvrons mouvrez mouvront	meus mouvons mouvez	mû, mue

	Infinitif	Remarks	Présent de l'indicatif	Présent du subjonctif	Passé simple	Futur simple	Impératif	Participe passé
(3g)	pleuvoir	Impersonal verb	il pleut	qu'il pleuve	il plut	il pleuvra		plu *inv.*
(3h)	pouvoir	In the pres. *ind.* the 1st person can also be **je puis** and the interrogative is **puis-je** not **peux-je**. No *imper.* In the sg. and 3rd person pl. the ...**ou**... of the stem becomes ...**eu**... when stressed	peux peux peut pouvons pouvez peuvent	puisse puisses puisse puissions puissiez puissent	pus pus put pûmes pûtes purent	pourrai pourras pourra pourrons pourrez pourront		pu *inv.*
(3i)	savoir	*P.pr.* **sachant**	sais sais sait savons savez savent	sache saches sache sachions sachiez sachent	sus sus sut sûmes sûtes surent	saurai sauras saura saurons saurez sauront	sache sachons sachez	su, e
(3k)	seoir	Defective verb. *P.pr.* **seyant** or **séant.** *Impf. ind.* is **il seyait, ils seyaient**	il sied ils siéent	il siée ils siéent		il siéra ils siéront		sis, e

Infinitif	Remarks	Présent de l'indicatif	Présent du subjonctif	Passé simple	Futur simple	Impératif	Participe passé
(3 l) valoir	Prévaloir forms its pres. sbj. regularly: que je prévale, etc. Note the fut. and cond. with ...d...	vaux vaux vaut valons valez valent	vaille vailles vaille valions valiez vaillent	valus valus valut valûmes valûtes valurent	vaudrai vaudras vaudra vaudrons vaudrez vaudront		valu, e
(3 m) voir	Alternation between i and y as in (2d). Pourvoir and prévoir have fut. and cond. in ...oir...; pourvoir has p.s. pourvus	vois vois voit voyons voyez voient	voie voies voie voyions voyiez voient	vis vis vit vîmes vîtes virent	verrai verras verra verrons verrez verront	vois voyons voyez	vu, e
(3 n) vouloir	The ...ou... of the stem becomes ...eu... when stressed. Note the fut. and cond. with ...d...	veux veux veut voulons voulez veulent	veuille veuilles veuille voulions vouliez veuillent	voulus voulus voulut voulûmes voulûtes voulurent	voudrai voudras voudra voudrons voudrez voudront	veuille veuillons veuillez	voulu, e

Fourth Conjugation

(4a) vendre

In the regular 4th Conjugation verbs, the stem does not change

I. Simple Tenses

Présent[1]

sg. je vends
tu vends
il vend[2]

pl. nous vendons
vous vendez
ils vendent

Passé simple

sg. je vendis
tu vendis
il vendit

pl. nous vendîmes
vous vendîtes
ils vendirent

Participe passé

vendu, e

Infinitif présent

vendre

Impératif

vends
vendons
vendez

Imparfait

sg. je vendais
tu vendais
il vendait

pl. nous vendions
vous vendiez
ils vendaient

Participe présent

vendant

Futur simple

sg. je vendrai
tu vendras
il vendra

pl. nous vendrons
vous vendrez
ils vendront

Conditionnel présent

sg. je vendrais
tu vendrais
il vendrait

pl. nous vendrions
vous vendriez
ils vendraient

Subjonctif présent

sg. que je vende
que tu vendes
qu'il vende

pl. que nous vendions
que vous vendiez
qu'ils vendent

Subjonctif imparfait

sg. que je vendisse
que tu vendisses
qu'il vendît

pl. que nous vendissions
que vous vendissiez
qu'ils vendissent

II. Compound Tenses

Participe passé with the help of avoir and être; *see* (1a)

---

[1] **battre** and its derivatives have bats, bats, bat in the sg.; the pl. is regular: **battons**, etc.
[2] **rompre** and its derivatives have **il rompt**.

Infinitif	Remarks	Présent de l'indicatif	Présent du subjonctif	Passé simple	Futur simple	Impératif	Participe passé
(4b) boire	Note the ...v... in some forms and the ...u... [y] which appears instead of ...oi... The p.s. endings are as in (3a). P.pr. buvant	bois bois boit buvons buvez boivent	boive boives boive buvions buviez boivent	bus bus but bûmes bûtes burent	boirai boiras boira boirons boirez boiront	bois buvons buvez	bu, e
(4c) braire	Defective verb. Impf. ind. is il brayait	il brait ils braient			il braira ils brairont		brait
(4d) bruire	Defective verb. Impf. ind. is bruissait or bruyait	il bruit ils bruissent			il bruira		
(4e) circoncire	Goes like (4i) except for p.p. circoncis, e	circoncis circoncis circoncit circoncisons circoncisez circoncisent	circoncise circoncises circoncise circoncisions circoncisiez circoncisent	circoncis circoncis circoncit circoncîmes circoncîtes circoncirent	circoncirai circonciras circoncira circoncirons circoncirez circonciront	circoncis circoncisons circoncisez	circoncis, e
(4f) clore	Defective verb. Note the circumflex in the 3rd person sg. pres. ind. clôt. Enclore is conjugated like clore, but has all forms of the pres. ind.	je clos tu clos il clôt	close closes close closions closiez closent		clorai cloras clora clorons clorez cloront	clos	clos, e

Infinitif	Remarks	Présent de l'indicatif	Présent du subjonctif	Passé simple	Futur simple	Impératif	Participe passé
éclore	Defective verb	il éclôt ils éclosent	qu'il éclose qu'ils éclosent		il éclora ils écloront		éclos, e
(4g) conclure	P.s. as in (3a). **Reclure** is used only in the inf., the p.p. (reclus, e) and the compound tenses	conclus conclus conclut concluons concluez concluent	conclue conclues conclue concluions concluiez concluent	conclus conclus conclut conclûmes conclûtes conclurent	conclurai concluras conclura conclurons conclurez concluront	conclus concluons concluez	conclu, e
(4h) conduire	**Luire, reluire, nuire** have no t in the p.p.	conduis conduis conduit conduisons conduisez conduisent	conduise conduises conduise conduisions conduisiez conduisent	conduisis conduisis conduisit conduisîmes conduisîtes conduisirent	conduirai conduiras conduira conduirons conduirez conduiront	conduis conduisons conduisez	conduit, e
(4i) suffire	**Confire** has p.p. confit, e	suffis suffis suffit suffisons suffisez suffisent	suffise suffises suffise suffisions suffisiez suffisent	suffis suffis suffit suffîmes suffîtes suffirent	suffirai suffiras suffira suffirons suffirez suffiront	suffis suffisons suffisez	suffi inv.

Infinitif	Remarks	Présent de l'indicatif	Présent du subjonctif	Passé simple	Futur simple	Impératif	Participe passé
(4k) connaître	The î keeps its circumflex only in the 3rd person sg. pres. ind. and in the fut. and cond.; p.s. ends as in (3a). Repaître goes like connaître, paître has no p.s. and no p.p.	connais connais connaît connaissons connaissez connaissent	connaisse connaisses connaisse connaissions connaissiez connaissent	connus connus connut connûmes connûtes connurent	connaîtrai connaîtras connaîtra connaîtrons connaîtrez connaîtront	connais connaissons connaissez	connu, e
(4l) coudre	Note that ...s... replaces ...d... before a vowel	couds couds coud cousons cousez cousent	couse couses couse cousions cousiez cousent	cousis cousis cousit cousîmes cousîtes cousirent	coudrai coudras coudra coudrons coudrez coudront	couds cousons cousez	cousu, e
(4m) craindre	Note alternation of nasal n and n mouillé (gn); also ...d... before the ...r... only in the inf., fut. and cond. Oindre has only inf. and p.p.; poindre has only inf., 3rd person sg. pres. ind., fut. and cond., and the compound tenses	crains crains craint craignons craignez craignent	craigne craignes craigne craignions craigniez craignent	craignis craignis craignit craignîmes craignîtes craignirent	craindrai craindras craindra craindrons craindrez craindront	crains craignons craignez	craint, e

	Infinitif	Remarks	Présent de l'indicatif	Présent du subjonctif	Passé simple	Futur simple	Impératif	Participe passé
(4n)	croire	*P.s.* ends as in (3a). Accroire occurs only in the *inf.*	crois crois croit croyons croyez croient	croie croies croie croyions croyiez croient	crus crus crut crûmes crûtes crurent	croirai croiras croira croirons croirez croiront	crois croyons croyez	cru, e
(4o)	croître	The **î** keeps its circumflex only in the *pres. ind. sg., imper. sg.,* and the *fut.* and *cond.* **Décroître** and **accroître** have no circumflex in *p.s.* or *p.p.*	croîs croîs croît croissons croissez croissent	croisse croisses croisse croissions croissiez croissent	crûs crûs crût crûmes crûtes crûrent	croîtrai croîtras croîtra croîtrons croîtrez croîtront	croîs croissons croissez	crû, crue *m/pl.* crus
(4p)	dire	**Redire** is conjugated like **dire**. The other derivatives of **dire** have ...**disez** in the 2nd person pl. *pres. ind.* and *imper.,* except **maudire** which is conjugated like (2a) but has *p.p.* **maudit, e**	dis dis dit disons dites disent	dise dises dise disions disiez disent	dis dis dit dîmes dîtes dirent	dirai diras dira dirons direz diront	dis disons dites	dit, e

Infinitif	Remarks	Présent de l'indicatif	Présent du subjonctif	Passé simple	Futur simple	Impératif	Participe passé
(4q) écrire	Note the ...v... which appears when the verb-ending begins with a vowel	écris écris écrit écrivons écrivez écrivent	écrive écrives écrive écrivions écriviez écrivent	écrivis écrivis écrivit écrivîmes écrivîtes écrivirent	écrirai écriras écrira écrirons écrirez écriront	écris écrivons écrivez	écrit, *e*
(4r) faire	Malfaire is used only in the *inf.* and forfaire and parfaire only in the *inf.*, *p.p.* and compound tenses	fais fais fait faisons faites font	fasse fasses fasse fassions fassiez fassent	fis fis fit fîmes fîtes firent	ferai feras fera ferons ferez feront	fais faisons faites	fait, *e*
(4s) frire	Defective verb	fris fris frit			frirai friras frira frirons frirez friront	fris	frit, *e*
(4t) lire	*P.s.* ends as in (3a)	lis lis lit lisons lisez lisent	lise lises lise lisions lisiez lisent	lus lus lut lûmes lûtes lurent	lirai liras lira lirons lirez liront	lis lisons lisez	lu, *e*

Infinitif	Remarks	Présent de l'indicatif	Présent du subjonctif	Passé simple	Futur simple	Impératif	Participe passé
(4u) luire	See (4h). P.s. and impf. sbj. are rarely used						
(4v) mettre	Note that one t drops in the pres. ind. sg. and imper. sg.	mets mets met mettons mettez mettent	mette mettes mette mettions mettiez mettent	mis mis mit mîmes mîtes mirent	mettrai mettras mettra mettrons mettrez mettront	mets mettons mettez	mis, e
(4w) moudre	Note that ...l... replaces ...d... before a vowel	mouds mouds moud moulons moulez moulent	moule moules moule moulions mouliez moulent	moulus moulus moulut moulûmes moulûtes moulurent	moudrai moudras moudra moudrons moudrez moudront	mouds moulons moulez	moulu, e
(4x) naître	Note that ...ss... replaces ...t... in the pres. ind. pl. and its derivatives; note the circumflex in il naît and in the fut. and cond., and the p.p. né. In renaître the p.p. and the compound tenses are not used	nais nais naît naissons naissez naissent	naisse naisses naisse naissions naissiez naissent	naquis naquis naquit naquîmes naquîtes naquirent	naîtrai naîtras naîtra naîtrons naîtrez naîtront	nais naissons naissez	né, e

	Infinitif	Remarks	Présent de l'indicatif	Présent du subjonctif	Passé simple	Futur simple	Impératif	Participe passé
(4y)	occire	Defective verb						occis, *e*
(4z)	plaire	P.s. ends as in (3a). Taire has no circumflex in il tait; p.p. tu, e	plais plais plaît plaisons plaisez plaisent	plaise plaises plaise plaisions plaisiez plaisent	plus plus plut plûmes plûtes plurent	plairai plairas plaira plairons plairez plairont	plais plaisons plaisez	plu *inv.*
(4aa)	prendre		prends prends prend prenons prenez prennent	prenne prennes prenne prenions preniez prennent	pris pris prit prîmes prîtes prirent	prendrai prendras prendra prendrons prendrez prendront	prends prenons prenez	pris, *e*
(4bb)	résoudre	Absoudre has p.p. absous, absoute, but no p.s. or impf. sbj. Dissoudre goes like absoudre	résous résous résout résolvons résolvez résolvent	résolve résolves résolve résolvions résolviez résolvent	résolus résolus résolut résolûmes résolûtes résolurent	résoudrai résoudras résoudra résoudrons résoudrez résoudront	résous résolvons résolvez	résolu, *e* In ? résous
(4cc)	rire	P.p. as in (2a)	ris ris rit rions riez rient	rie ries rie riions riiez rient	ris ris rit rîmes rîtes rirent	rirai riras rira rirons rirez riront	ris rions riez	ri *inv.*

	Infinitif	Remarks	Présent de l'indicatif	Présent du subjonctif	Passé simple	Futur simple	Impératif	Participe passé
(4dd)	sourdre	Defective verb. The past tenses are rare	il sourd ils sourdent	qu'il sourde qu'ils sourdent	il sourdit ils sour- dirent	il sourdra ils sour- dront		
(4ee)	suivre	Note the *p.p.* **suivi,** **e.** **S'ensuivre** oc-curs only in the 3rd person of each tense	suis suis suit suivons suivez suivent	suive suives suive suivions suiviez suivent	suivis suivis suivit suivîmes suivîtes suivirent	suivrai suivras suivra suivrons suivrez suivront	suis suivons suivez	suivi, e
(4ff)	traire	Defective verb. No *impf. sbj.*; **raire** goes like **traire**; *p.p.* **rait** is *inv.*	trais trais trait trayons trayez traient	traie traies traie trayions trayiez traient		trairai trairas traira trairons trairez trairont	trais trayons trayez	trait, e
(4gg)	vaincre	No **t** in the 3rd per-son sg. *pres. ind.* Note **c** is replaced by **qu** before a vowel except in the *p.p.* **vaincu,** e	vaincs vaincs vainc vainquons vainquez vainquent	vainque vainques vainque vainquions vainquiez vainquent	vainquis vainquis vainquit vainquîmes vainquîtes vainquirent	vaincrai vaincras vaincra vaincrons vaincrez vaincront	vaincs vainquons vainquez	vaincu, e
(4hh)	vivre	Note omission of the final **v** of the stem in the *pres. ind. sg.*, the *p.s.* and the *p.p.*	vis vis vit vivons vivez vivent	vive vives vive vivions viviez vivent	vécus vécus vécut vécûmes vécûtes vécurent	vivrai vivras vivra vivrons vivrez vivront	vis vivons vivez	vécu, e

LANGENSCHEIDT'S
STANDARD DICTIONARY
OF THE FRENCH AND ENGLISH LANGUAGES

Second Part

English-French

by

KENNETH URWIN

Docteur de l'Université de Paris
Docteur de l'Université de Caen

HODDER AND STOUGHTON

Contents
Table des matières

© *1968 Langenscheidt KG, Berlin and Munich*

Printed in Great Britain

Preface

Like all living languages, English and French are subject to constant change: new terms come into being, antiquated words are replaced, regional and popular words and technical terms pass into ordinary speech.

The present dictionary has taken proper account of this. The words given are primarily from the common language, especially the modern language; there are also many idioms and technical and scientific terms; a large number of neologisms have been given, e.g. *heart transplant, mini-skirt, non-proliferation, with it.* Irregular forms of verbs and nouns have been put in their proper alphabetic position to help the beginner.

After each catchword the phonetic transcription has been given, using the system of the International Phonetic Association. For English catchwords syllabification has been indicated by centred dots. American English, both spelling and usage, has been the object of particular attention, under the direction of specialists in Germany.

We recommend the user to read carefully pages 589/590—instructions on how to use the dictionary, which should increase its practical value. On page 591 ff. there is the explanation of the devices used to save space without sacrificing clarity.

A series of appendices to the dictionary proper gives lists—of proper names, of common abbreviations, of numerals, weights and measures—as well as a list of irregular verbs and an introduction to the conjugations of English verbs.

The editor wishes to express his deep gratitude to the staff of the English Section of Langenscheidt who corrected the entire proofs, checked the translations and suggested the addition of many neologisms. Their work was extremely valuable to him.

K. U.

Préface

Comme toutes les langues vivantes, l'anglais et le français sont sujets à des changements incessants: des termes nouveaux prennent naissance, les mots désuets sont remplacés, des termes de patois et d'argot, ainsi que des termes techniques, passent dans le langage courant.

Le présent dictionnaire tient compte de cette évolution. Pour la plupart, les mots choisis viennent de la langue ordinaire, de la langue moderne en particulier; bon nombre d'idiotismes et de termes techniques et scientifiques s'y trouvent aussi; de nombreux néologismes y figurent, tels: *heart transplant*, *mini-skirt*, *non-proliferation*, *with it*. Les formes irrégulières des verbes et des substantifs sont mises à leur place alphabétique pour aider les débutants.

À la suite de chaque mot-souche la prononciation est indiquée entre crochets selon le système de l'Association Phonétique Internationale. En outre, pour les mots-souches anglais la division en syllabes est marquée par des points à l'intérieur des mots. L'américain, tant dans son orthographe que dans ses idiotismes, a été l'objet d'une attention spéciale et détaillée, sous la direction d'experts allemands.

Nous recommandons la lecture attentive des pages 589/590 — indications pour l'emploi du dictionnaire qui en révéleront la valeur pratique. A la page 591 ss. on trouvera l'explication des expédients auxquels on a eu recours pour gagner de la place sans nuire à la clarté.

En complément du dictionnaire proprement dit on trouvera des listes — de noms propres, d'abréviations usuelles, de nombres, de poids, de mesures, — ainsi qu'une liste des verbes irréguliers et une introduction aux conjugaisons des verbes anglais.

L'éditeur tient à exprimer sa très vive reconnaissance au personnel de la Section anglaise de Langenscheidt qui a revu toutes les épreuves du dictionnaire, vérifié les versions données et suggéré l'addition d'un grand nombre de néologismes. Leurs efforts ont été de la plus grande valeur.

K. U.

Directions for the use of this dictionary
Indications pour l'emploi de ce dictionnaire

1. Arrangement. The alphabetic order of the catchwords has been observed throughout. Hence you will find, in their proper alphabetic order:

a) the irregular forms of verbs, nouns, comparatives and superlatives;

b) the various forms of the pronouns;

c) compounds.

2. Homonyms of different etymologies have been subdivided by exponents;

e.g. *March¹* mars ...
march² marche ...
march³ marche ...

3. Vocabulary. Some of the numerous nouns ending in *...er*, *...ing*, *...ism*, *...ist* or *...ness* and adjectives formed with *in...* or *un...* have not been listed in this dictionary. In order to find out their meanings, look up the radical.

4. Differences in meaning. The different senses of English words have been distinguished by:

a) explanatory additions given in italics after a translation;

e.g. **a·bate** ...(ra)baisser (*le prix*); ... tomber (*vent*); ...
an·cient 2. the ~s *pl.* les anciens *m/pl.* (*grecs et romains*);

b) symbols and abbreviations before the particular meaning (see list on pages 591—592). If, however, the symbol or abbreviation applies to all translations alike, it is placed

1. Classement. L'ordre alphabétique des mots-souches a été rigoureusement observé. Ainsi on trouvera dans leur ordre alphabétique:

a) les formes irrégulières des verbes, des noms, des comparatifs et des superlatifs;

b) les formes diverses des pronoms;

c) les mots composés.

2. Les homonymes d'étymologie différente font l'objet d'articles différents distingués par un chiffre placé en haut derrière le mot en question;

p.ex. *March¹* mars ...
march² marche ...
march³ marche ...

3. Vocabulaire. De nombreux noms à terminaison en *...er*, *...ing*, *...ism*, *...ist* ou *...ness*, ainsi que beaucoup d'adjectifs formés à l'aide des préfixes *in...* ou *un...* n'ont pas été inclus dans ce dictionnaire. Pour trouver leurs sens il faut chercher les radicaux appropriés.

4. Distinction de sens. Les différents sens des mots anglais se reconnaissent grâce à:

a) des additions explicatives, en italique, placées à la suite des versions proposées;

p.ex. **a·bate** ...(ra)baisser (*le prix*); ... tomber (*vent*); ...
an·cient 2. the ~s *pl.* les anciens *m/pl.* (*grecs et romains*);

b) des symboles ou des définitions en abrégé qui les précèdent (voir liste pages 591—593). Si, cependant, les symboles ou abréviations se rapportent à l'ensemble des tra-

590

between the catchword and its phonetic transcription.

ductions, ils sont intercalés entre le mot-souche et la transcription phonétique.

A semicolon separates a given meaning from another one which is essentially different.

Le point-virgule sépare une acception d'une autre essentiellement différente.

5. **Letters in brackets** within a catchword indicate that in most cases in British English the word is spelt with the letter bracketed, in American English without.

5. **Les lettres entre parenthèses** dans les mots-souches indiquent que dans la plupart des cas en anglais britannique le mot s'écrit avec cette lettre, pendant qu'en anglais américain sans cette lettre.

6. The **indication of the parts of speech** has been omitted when it is obvious.

6. **L'indication des différentes fonctions des mots** est omise lorsqu'elle est évidente.

7. **Syllabification** has been indicated by centred dots in all catchwords of more than one syllable. If, however, a syllabification dot coincides with a stress mark the former is left out.

7. **Les points de séparation de syllabes** à l'intérieur des mots-souches de plus d'une syllabe indiquent après quelles syllabes le mot peut se diviser. Si, cependant, le point de séparation coïncide avec l'apostrophe d'accentuation, on laisse de côté le point.

8. In order to save space we have omitted:

8. Afin de gagner de la place, nous avons omis:

a) *to* before English infinitives;

a) *to* devant les infinitifs anglais;

b) the phonetic transcriptions of compounds whose component parts are seperate catchwords with transcriptions;

b) la transcription phonétique de mots composés dont les parties composantes sont données en tant que mots-souches individuels avec leurs transcriptions;

c) the phonetic transcriptions of catchwords having one of the endings listed on page 597. In this case the catchword itself takes the stress mark.

c) les transcriptions phonétiques de mots-souches possédant l'une des terminaisons mentionnées page 597. L'apostrophe d'accentuation de ces mots se trouve à l'intérieur même du mot-souche.

9. **Preterite and past participle** of irregular verbs have been given as separate entries. [*irr.*] given after the infinitive of each irregular verb refers to the list of the strong and irregular weak verbs at the end of this volume (pages 1213—1216). Irregular forms of compound verbs, however, have not been listed; instead, their infinitive has been supplemented by [*irr.*] and the respective radical in round brackets;

e.g. **un·der·stand** [*irr.* (*stand*)].

9. **Le prétérite et le participe passé** des verbes irréguliers se trouvent dans le vocabulaire sous forme de mots-souches individuels. [*irr.*] après l'infinitif de chaque verbe irrégulier renvoie à la liste des verbes forts et des verbes faibles irréguliers à la fin de ce dictionnaire (pages 1213—1216). Les formes irrégulières des verbes composés sont supprimées; au lieu de quoi leurs infinitifs sont supplémentés par [*irr.*] et leurs radicaux;

p.ex. **un·der·stand** [*irr.* (*stand*)].

Key to the symbols and abbreviations

Explication des symboles et des abréviations

1. Symbols

The tilde (~, ~) serves as a mark of repetition. To save space, compound catchwords are often given with a tilde replacing one part.

The tilde in bold type (~) replaces the catchword at the beginning of the entry;

e.g. **day** ...; '**~book** = daybook.

The simple tilde (~) replaces:

a) the catchword immediately preceding (which itself may contain a tilde in bold type);

e.g. **half** ...; ~ *a crown* = half a crown;
   day ...; '**~light** ...; ~-*saving time* = daylight-saving time;

b) within the phonetic transcription, the whole of the pronunciation of the preceding catchword, or of some part of it which remains unchanged;

e.g. **bill**[1] [bil] ...; **bill**[2] [~] ...;
   pil·lar ['pilə] ...; **pil·lared** ['~ləd] = ['piləd].

The tilde with a circle (⨂, ⨀).

When the first letter changes from small to capital or vice-versa, the usual tilde is replaced by a tilde with circle (⨂, ⨀);

e.g. **grand** ...; ⨀ *Duchess* = Grand Duchess; **can·dle** ...; '⨀**mas** = Candlemas.

□ after an adjective indicates that the adjective takes the regular adverbial form;

e.g. **bit·ter** □ = bitterly;
   a·ble □ = ably;
   hap·py □ = happily.

1. Symboles

Le tilde (~, ~) est le signe de la répétition. Afin de gagner de la place, souvent le mot-souche ou un de ses éléments a été remplacé par le tilde.

Le tilde en caractère gras (~) remplace le mot-souche qui se trouve au début de l'article;

p.ex. **day** ...; '**~book** = daybook.

Le tilde simple (~) remplace:

a) le mot-souche qui précède (qui d'ailleurs peut également être formé à l'aide du tilde en caractère gras);

p.ex. **half** ...; ~ *a crown* = half a crown;
   day ...; '**~light** ...; ~-*saving time* = daylight-saving time;

b) dans la transcription phonétique, la prononciation entière ou la partie qui demeure inchangée;

p.ex. **bill**[1] [bil] ...; **bill**[2] [~] ...;
   pil·lar ['pilə] ...; **pil·lared** ['~ləd] = ['piləd].

Le tilde avec cercle (⨂, ⨀).

Quand la première lettre se transforme de minuscule en majuscule ou vice versa, le tilde normal est remplacé par le tilde avec cercle (⨂, ⨀);

p.ex. **grand** ...; ⨀ *Duchess* = Grand Duchess; **can·dle** ...; '⨀**mas** = Candlemas.

□ placé après un adjectif signifie qu'à partir de lui un adverbe régulier peut se former;

p.ex. **bit·ter** □ = bitterly;
   a·ble □ = ably;
   hap·py □ = happily.

(⌣*ally*) after an adjective indicates that an adverb is formed by affixing -ally to the catchword;

e.g. **ar·o·mat·ic** (⌣*ally*) = aromatically.

When there is but one adverbial form for adjectives ending in both -*ic* and -*ical*, this is indicated in the following way:

his·tor·ic, his·tor·i·cal □,

i.e. historically is the adverb of both adjectives.

The other symbols used in this dictionary are:

(⌣*ally*) placé après un adjectif signifie qu'à partir de lui un adverbe peut se former en ajoutant -ally au mot-souche;

p.ex. **ar·o·mat·ic** (⌣*ally*) = aromatically.

Quand il n'y a qu'un seul adverbe pour des adjectifs à terminaison en -*ic* et -*ical*, c'est indiqué de manière suivante:

his·tor·ic, his·tor·i·cal □,

c.-à-d. historically est l'adverbe des deux adjectifs.

Les autres symboles employés dans ce dictionnaire sont:

F	*familier*, colloquial.		🚂	*chemin de fer*, railway, *Am.* railroad.
V	*vulgaire*, vulgar.		✈	*aviation*, aviation.
†	*vieilli*, obsolete.		♪	*musique*, music.
🌹	*botanique*, botany.		▲	*architecture*, architecture.
⊕	*technologie*, technology; *mécanique*, mechanics.		⚡	*électricité*, electricity.
⚒	*mines*, mining.		⚖	*droit*, law.
⚔	*militaire*, military.		∡	*mathématique*, mathematics.
⚓	*nautique*, nautical; *marine*, navy.		⚘	*agriculture*, agriculture.
♱	*commerce*, commercial; *finances*, finance.		♈	*chimie*, chemistry.
			💊	*médecine*, medicine.
			▨	*blason*, heraldry.

2. Abbreviations — Abréviations

a.	*aussi*, also.		*co.*	*comique*, comical.
abr.,	*abréviation*, abbreviation.		*coll.*	*collectif*, collective.
abbr.			*comp.*	*comparatif*, comparative.
adj.	*adjectif*, adjective.		*cond.*	*conditionnel*, conditional.
admin.	*administration*, administration.		*cons.*	*consonne*, consonant.
			cost.	*costume*, costume.
adv.	*adverbe*, adverb.		*cuis.*	*cuisine*, culinary art.
alp.	*alpinisme*, mountaineering.		*cycl.*	*cyclisme*, cycling.
Am.	*Americanism, américanisme.*		*dém.*	*démonstratif*, demonstrative.
anat.	*anatomie*, anatomy.			
Angl.	*Angleterre*, England.		*dial.*	*dialectal*, dialectal.
approx.	*approximativement*, approximately.		*eccl.*	*ecclésiastique*, ecclesiastical.
			écoss.	*écossais*, Scottish.
art.	*article*, article.		*enf.*	*enfantin*, childish speech.
astr.	*astronomie*, astronomy.		*équit.*	*équitation*, horsemanship.
attr.	*attribut*, attributively.		*etc.*	*et cætera*, and so on.
bibl.	*biblique*, biblical.		*É.-U.*	*États-Unis*, U.S.A.
biol.	*biologie*, biology.		*f*	*féminin*, feminine.
box.	*boxe*, boxing.		*fig.*	*figuratively*, *sens figuré*.
Brit.	*British, britannique.*		*foot.*	*football*, football.
cin.	*cinéma*, cinema.		*Fr.*	*French, français.*
cj.	*conjonction*, conjunction.		*fut.*	*futur*, future.

géog.	*géographie,* geography.	*p.pr.*	*participe présent,* present participle.
géol.	*géologie,* geology.		
gér.	*gérondif,* gerund.	*préf.*	*préfixe,* prefix.
gramm.	*grammaire,* grammar.	*prét.*	*prétérit,* preterite.
gymn.	*gymnastique,* gymnastics.	*pron.*	*pronom,* pronoun.
hist.	*histoire,* history.	*prov.*	*provincialisme,* provincialism.
icht.	*ichtyologie,* ichthyology.		
impér.	*impératif,* imperative.	*prp.*	*préposition,* preposition.
impf.	*imparfait,* imperfect.	*p.s.*	*passé simple,* past tense.
ind.	*indicatif,* indicative.	*psych.*	*psychologie,* psychology.
indéf.	*indéfini,* indefinite.	*q., q.*	*quelqu'un,* someone.
inf.	*infinitif,* infinitive.	*qch.,*	*quelque chose,* something.
int.	*interjection,* interjection.	*qch.*	
interr.	*interrogatif,* interrogative.	*qqfois*	*quelquefois,* sometimes.
inv.	*invariable,* invariable.	*rel.*	*relatif,* relative.
Ir.	Irish, *irlandais.*	*sbj.*	*subjonctif,* subjunctive.
iro.	*ironiquement,* ironically.	*sc.*	*scilicet,* namely, *c'est-à-dire.*
irr.	*irrégulier,* irregular; *see page 590.*	*sg.*	*singulier,* singular.
		sl.	slang, *argot.*
journ.	*journalisme,* journalism.	*s.o.*	someone, *quelqu'un.*
ling.	*linguistique,* linguistics.	*souv.*	*souvent,* often.
m	*masculin,* masculine.	*sp.*	*sport,* sports.
mes.	*mesure,* measure.	*s.th.*	something, *quelque chose.*
métall.	*métallurgie,* metallurgy.	*str.*	strictly taken, *au sens étroit.*
météor.	*météorologie,* meteorology.		
min.	*minéralogie,* mineralogy.	*su.*	*substantif,* substantive; *nom,* noun.
mot.	motoring, *automobilisme.*		
myth.	*mythologie,* mythology.	*sup.*	*superlatif,* superlative.
n	*neutre,* neuter.	*surt.*	*surtout,* especially.
nég.	*négatif,* negative.	*surv.*	surveying, *arpentage.*
npr.	*nom propre,* proper name.	*tél.*	*télégraphie,* telegraphy.
opt.	*optique,* optics.	*téléph.*	*téléphonie,* telephony.
orn.	*ornithologie,* ornithology.	*télév.*	*télévision,* television.
o.s.	oneself, *soi-même.*	*tex.*	*industries textiles,* textiles.
parl.	*parlement,* parliament.	*théâ.*	*théâtre,* theatre.
peint.	*peinture,* painting.	*typ.*	*typographie,* typography.
péj.	*sens péjoratif,* pejoratively.	*univ.*	*université,* university.
pers.	*personnel,* personal.	*usu.*	usually, *d'ordinaire.*
p.ex.	*par exemple,* for example.	*v/aux.*	*verbe auxiliaire,* auxiliary verb.
p.ext.	*par extension,* more widely taken.		
		vét.	*vétérinaire,* veterinary.
pharm.	*pharmacie,* pharmacy.	*v/i.*	*verbe intransitif,* intransitive verb.
phls.	*philosophie,* philosophy.		
phot.	*photographie,* photography.	*v/impers.*	*verbe impersonnel,* impersonal verb.
phys.	*physique,* physics.		
physiol.	*physiologie,* physiology.	*v/rfl.*	*verbe réfléchi,* reflexive verb.
pl.	*pluriel,* plural.	*v/t.*	*verbe transitif,* transitive verb.
poét.	*poétique,* poetic.		
pol.	*politique,* politics.	*vt/i.*	*verbe transitif et intransitif,* transitive and intransitive verb.
poss.	*possessif,* possessive.		
p.p.	*participe passé,* past participle.	*zo.*	*zoologie,* zoology.

The phonetic symbols
of the International Phonetic Association

Signes phonétiques
de l'Association Phonétique Internationale

A. Voyelles et Diphtongues

[ɑː] a long, clair, postérieur, comme dans pâte, âme, pâle: *far* [fɑː], *father* ['fɑːðə].

[ʌ] n'existe pas en français. A bref, obscur, sans que les lèvres ne s'arrondissent. Se forme à l'avant de la bouche, ouvertement: *butter* ['bʌtə], *come* [kʌm], *colour* ['kʌlə], *blood* [blʌd], *flourish* ['flʌriʃ], *twopence* ['tʌpəns].

[æ] clair, plutôt ouvert, pas trop bref. On relève la langue vers la partie antérieure du palais dur, en appliquant les lèvres contre les dents: *fat* [fæt], *man* [mæn].

[ɛə] e ouvert, semi-long, pas trop ouvert; ne se trouve en anglais que devant le r qui apparaît en tant que [ə] après l'e ouvert: *bare* [bɛə], *pair* [pɛə], *there* [ðɛə].

[ai] a clair entre le [ɑː] et le [æ], et un i plus faible, ouvert. La langue s'élève à demi comme pour prononcer l'i: *I* [ai], *lie* [lai], *dry* [drai].

[au] a clair entre le [ɑː] et le [æ], et un [u] plus faible, ouvert: *house* [haus], *now* [nau].

[e] e court à demi ouvert, un peu moins pur que l'e dans paix: *bed* [bed], *less* [les].

[ei] e à demi ouvert, tendant à finir en i; la langue se soulève à demi comme pour prononcer l'i: *date* [deit], *play* [plei], *obey* [o'bei].

[ə] son glissant, semblable à l'e muet du français debout, mais plus rapide: *about* [ə'baut], *butter* ['bʌtə], *connect* [kə'nekt].

[iː] i long, comme dans vie, bible, mais un peu plus ouvert qu'en français; se prononce avec redoublement dans le sud de l'Angleterre, la langue se soulevant lentement pour prononcer l'i: *scene* [siːn], *sea* [siː], *feet* [fiːt], *ceiling* ['siːliŋ].

[i] i court, ouvert, qui n'existe pas en français; s'articule avec les lèvres lâches: *big* [big], *city* ['siti].

[iə] i à demi ouvert, semi-long, finissant en [ə]: *here* [hiə], *hear* [hiə], *inferior* [in'fiəriə].

[ɔː] son ouvert, long, entre l'a et l'o: *fall* [fɔːl], *nought* [nɔːt], *or* [ɔː], *before* [bi'fɔː].

[ɔ] son ouvert, court, entre l'a et l'o, un peu comme [ɑː] très bref, les muscles peu tendus: *god* [gɔd], *not* [nɔt], *wash* [wɔʃ], *hobby* ['hɔbi].

[ɔi] o ouvert et i ouvert plus faible. La langue se soulève à demi comme pour prononcer l'i: *voice* [vɔis], *boy* [bɔi], *annoy* [ə'nɔi].

[o] o fermé rapide: *obey* [o'bei], *molest* [mo'lest].

[ou] o long, à demi ouvert, finissant en [u] faible; lèvres non arrondies, langue non soulevée: *note*

[nout], *boat* [bout], *below* [bi'lou].

[ə:] n'existe pas en français; un peu comme l'[œ:] dans peur, mais les lèvres ne s'avancent ni s'arrondissent: *word* [wə:d], *girl* [gə:l], *learn* [lə:n], *murmur* ['mə:mə].

[u:] [u] long comme dans poule, mais sans que les lèvres s'arrondissent; se prononce souvent comme [u] long, à demi ouvert, se terminant en [u] fermé: *fool* [fu:l], *shoe* [ʃu:],

you [ju:], *rule* [ru:l], *canoe* [kə'nu:].

[u] [u] rapide: *put* [put], *look* [luk], *careful* ['keəful].

[uə] [u] à demi ouvert et à demi long, se terminant en [ə]: *poor* [puə], *sure* [ʃuə], *allure* [ə'ljuə].

Parfois on emploie les nasales françaises suivantes: [ã] comme dans *détente*, [õ] comme dans *bonbon*, et [ɛ̃] comme dans *vin*.

La **longueur d'une voyelle** se traduit par [:], p.ex. *ask* [a:sk], *astir* [əs'tə:].

B. Consonnes

[r] ne se prononce que devant les voyelles. Tout à fait différent du r vélaire français. Le bout de la langue forme avec la partie antérieure du palais un passage étroit, par lequel le souffle, voisé, passe, sans pourtant que le son soit roulé. A la fin d'un mot, r ne se prononce qu'en liaison avec la voyelle initiale du mot suivant: *rose* [rouz], *pride* [praid], *there is* [ðeər'iz].

[ʒ] ch sonore, comme g dans génie, j dans journal: *gentle* ['dʒentl], *jazz* [dʒæz], *large* [la:dʒ], *azure* ['æʒə].

[ʃ] ch sourd, comme dans champ, cher: *shake* [ʃeik], *fetch* [fetʃ], *chivalrous* ['ʃivlrəs].

[θ] n'existe pas en français; résulte de l'application de la langue contre les incisives supérieures: *thin* [θin], *path* [pa:θ], *method* ['meθəd].

[ð] le même son sonorisé: *there* [ðeə], *breathe* [bri:ð], *father* ['fa:ðə].

[s] sifflante sourde, comme dans sourd, sot: *see* [si:], *hats* [hæts], *decide* [di'said].

[z] sifflante sonore, comme dans chose, zèle: *zeal* [zi:l], *rise* [raiz], *horizon* [hə'raizn].

[ŋ] n'existe pas en français (sauf dans quelques mots empruntés à l'anglais comme meeting); se prononce comme pour une voyelle nasale mais en abaissant le voile du palais vers la fin, de sorte à produire une espèce de n guttural: *ring* [riŋ], *singer* ['siŋə], *finger* ['fiŋgə], *ink* [iŋk].

[w] [u] rapide, prononcé lèvre contre lèvre; se forme avec la bouche dans la même position que si elle allait prononcer [u:]: *will* [wil], *swear* [sweə], *queen* [kwi:n].

[f] labiale sourde: *fat* [fæt], *tough* [tʌf], *effort* ['efət].

[v] labiale sonore: *vein* [vein], *velvet* ['velvit].

[j] son rapide comme l'i dans diable ou l'y dans yeux: *onion* ['ʌnjən], *yes* [jes], *filial* ['filjəl].

La prononciation des autres consonnes correspond à peu près à celle du français, mais en anglais les occlusives sont plus plosives.

C. Apostrophes d'accentuation

L'accentuation des mots anglais est indiquée par le signe ['] devant la syllabe à accentuer; p.ex. **on·ion** ['ʌnjən]. Si deux des syllabes d'un mot donné se trouvent pourvues d'une apostrophe d'accentuation, il faut les accentuer également tous les deux; p.ex. **up·stairs** ['ʌp'steəz];

cependant, souvent on n'accentue que l'une des deux syllabes, selon la position du mot dans l'ensemble de la phrase, ou en langue emphatique; p.ex. *upstairs* dans "*the upstairs rooms*" [ði ˈʌpstɛəz ˈrumz] et "*on going upstairs*" [ɔn ˈgouiŋ ʌpˈstɛəz].

Dans les mots-souches composés, dont les éléments sont donnés dans le dictionnaire en tant que mots-souches indépendants avec leurs transcriptions phonétiques, et dans les mots-souches qui possèdent l'une des terminaisons mentionnées sous D, l'apostrophe d'accentuation est

donnée dans le mot-souche lui-même. L'accentuation est indiquée également dans le mot-souche, si on ne donne qu'une partie de la transcription phonétique et que l'accent ne porte pas sur la première syllabe de la partie phonétique remplacée par un tilde; p.ex. **ad·min·is·tra·tor** [ˌˌtə]. Si, cependant, l'accent porte sur la première syllabe ou sur une partie phonétique transcrite, l'apostrophe d'accentuation n'est pas donnée dans le mot-souche, mais se trouve dans la partie entre crochets; p.ex. **ac·cu·rate** [ˈˌrit], **ad·a·man·tine** [ˌˈmæntain].

D. Syllabes finales sans symboles phonétiques

Afin de gagner de la place, nous donnerons ici les terminaisons les plus fréquentes des mots-souches avec leur transcription phonétique; par conséquent, ils figurent, sauf exception, dans le dictionnaire sans transcription phonétique. Ces terminaisons ne se trouvent pas trans-

crites non plus, quand elles sont précédées d'une consonne qui n'a pas été donnée dans les symboles phonétiques du mot précédent, mais qui en français, comme en anglais, demande le même signe phonétique; p.ex. -**tation**, -**ring**.

-ability [-əbiliti]	-ent [e(ə)nt]	-ize [-aiz]
-able [-əbl]	-er [-ə]	-izing [-aiziŋ]
-age [-idʒ]	-ery [-əri]	-less [-lis]
-al [-(ə)l]	-ess [-is]	-ly [-li]
-ally [-(ə)li]	-fication [-fikeiʃ(ə)n]	-ment(s) [-mənt(s)]
-an [-(ə)n]	-ial [-(ə)l]	-ness [-nis]
-ance [-(ə)ns]	-ible [-əbl]	-oid [-ɔid]
-ancy [-ənsi]	-ian [-(jə)n]	-oidic [-ɔidik]
-ant [-ənt]	-ic(s) [-ik(s)]	-or [-ə]
-ar [-ə]	-ical [-ik(ə)l]	-ous [-əs]
-ary [-(ə)ri]	-ily [-ili]	-ry [-ri]
-ation [-eiʃ(ə)n]	-iness [-inis]	-ship [-ʃip]
-cious [-ʃəs]	-ing [-iŋ]	-(s)sion [-ʃ(ə)n]
-cy [-si]	-ish [-iʃ]	-sive [-siv]
-dom [-dəm]	-ism [-iz(ə)m]	-ties [-tiz]
-ed [-d; -t; -id]*	-ist [-ist]	-tion [-ʃ(ə)n]
-edness [-dnis;	-istic [-istik]	-tious [-ʃəs]
-tnis; -idnis]	-ite [-ait]	-trous [-trəs]
-ee [-i:]	-ity [-iti]	-try [-tri]
-en [-n]	-ive [-iv]	-y [-i]
-ence [-(ə)ns]	-ization [-aizeiʃ(ə)n]	

Pour la prononciation de l'américain, voir à la page 599.

---

* [-d] après voyelles et consonnes sonores; [-t] après consonnes sourdes; [-id] après d et t finals.

The spelling of American English

L'orthographe de l'américain

L'orthographe de l'anglais de l'Amérique (AA) se distingue de l'anglais britannique (AB) par les particularités suivantes:

1. On abandonne fréquemment le **trait d'union**; p.ex. newsstand, breakdown, soapbox, coed, cooperate.

2. L'**u** tombe dans la terminaison **-our**; p.ex. col*o*r, hum*o*r, hon*o*rable, fav*o*r.

3. **-er** au lieu de l'AB **-re** dans les syllabes finales; p.ex. cent*er*, fib*er*, theat*er*, mais pas dans massacre.

4. Le redoublement de la consonne finale **l** ne se produit que quand l'accent principal porte sur la syllabe finale; d'où p.ex. AA counci*l*or, jewe*l*ry, quarre*l*ed, trave*l*ed, woo*l*en au lieu de l'AB councillor, jewellery, quarrelled, travelled, woollen; d'autre part on trouve en AA enro*ll*(s), fulfi*ll*(s), ski*ll*ful, insta*ll*ment au lieu de l'AB enrol(s), fulfil(s), skilful, instalment.

5. En AA **s** au lieu du **c** en AB, surtout dans la syllabe finale **-ence**; p.ex. defe*ns*e, offe*ns*e, lice*ns*e, mais aussi en AA practice et practise en tant que verbe.

6. On simplifie et on abandonne couramment les terminaisons d'origine étrangère; p.ex. dialog(*ue*), prolog(*ue*), catalog(*ue*), program(*me*), envelop(*e*).

7. La simplification d'**ae** et d'**œ** ou **oe** en **e** est également courante; p.ex. an(*a*)emia, an(*a*)esthesia, maneuvers = AB manœuvers, subp(*o*)ena.

8. On préfère la terminaison **-ction** à **-xion**; p.ex. conne*ction*, infle*ction*.

9. On trouve fréquemment une simplification des consonnes; p.ex. wa*g*on, kidna*p*er, worshi*p*er, benefi*t*ed pour l'AB waggon, kidnapper, worshipper, benefitted.

10. L'AA préfère **o** à **ou**; p.ex. m*o*(u)ld, sm*o*(u)lder, plow au lieu de l'AB plough.

11. L'**e** muet disparaît dans des mots comme abridg(*e*)ment, judg(*e*)ment, acknowledg(*e*)ment.

12. L'AA utilise le préfixe **in-** au lieu de **en-** plus souvent que l'AB; p.ex. *in*close, *in*case.

13. L'AA préfère l'orthographe suivante dans des cas particuliers: *check* = AB cheque, *hello* = AB hallo, *cozy* = AB cosy, *mustache* = AB moustache, *skeptic* = AB sceptic, *peddler* = AB pedlar, *gray* = AB grey, *tire* = AB tyre.

14. A côté de although, through, on trouve les formules familières altho, thru.

The pronunciation of American English

La prononciation de l'américain

L'anglais de l'Amérique (AA), en ce qui concerne l'intonation, le rythme et le son, se distingue de l'anglais britannique (AB) par les particularités suivantes:

1. **Intonation**: L'AA est plus monotone que l'AB.

2. **Rythme**: Des mots à une ou plusieurs syllabes après la syllabe principale accentuée ['] ont en AA un accent secondaire très marqué [ˌ], que les mots en AB n'ont pas ou n'ont que dans une faible mesure; p.ex. dictionary [AA 'dikʃəˌneri = AB 'dikʃənri], secretary [AA 'sekrəˌteri = AB 'sekrətri]; en AA, les voyelles courtes accentuées s'allongent (*American drawl*); p.ex. food [AA fu:d = AB fud], capital [AA 'kæ:pətəl = AB 'kæpitl]; en AA, la syllabe inaccentuée (après une syllabe accentuée) subit un affaiblissement qui adoucit p, t, k en b, d, g; p.ex. property [AA 'prabərti = AB 'prɔpəti], united [AA ju'naidid = AB ju:'naitid].

3. Une autre particularité courante dans la façon de parler américaine, par opposition à l'AB, c'est la **nasalisation** avant et après une consonne nasale [m, n, ŋ] (*nasal twang*), ainsi que la prononciation plus fermée de [e] et de [o] en tant que premier élément d'une diphtongue; p.ex. home [AA ho:m], take [AA te:k].

4. Le r écrit à la finale après une voyelle, ou entre une voyelle et une consonne, se prononce clairement (r rétrofléchi); p.ex. car [AA ka:r = AB ka:], care [AA kɛr = AB kɛə], border [AA 'bɔ:rdər = AB 'bɔ:də].

5. L'o [AB ɔ] se prononce en AA un peu comme l'a voilé [AA ɑ]; p.ex. dollar [AA 'dalər = AB 'dɔlə], college [AA 'kalidʒ = AB 'kɔlidʒ], lot [AA lɑt = AB lɔt], problem [AA 'prabləm = AB 'prɔbləm]; dans de nombreux cas [ɑ] et [ɔ] peuvent exister simultanément.

6. L'a [AB ɑ:] donne [æ] ou [æ:] en AA dans des mots du genre pass [AA pæ(:)s = AB pɑ:s], answer [AA 'æ(:)nsər = AB 'ɑ:nsə], dance [AA dæ(:)ns = AB dɑ:ns], half [AA hæ(:)f = AB hɑ:f], laugh [AA læ(:)f = AB lɑ:f].

7. L'u [AB ju:] après consonne dans les syllabes qui portent l'accent principal donne en AA [u:]; p.ex. Tuesday [AA 'tu:zdi = AB 'tju:zdi], student [AA 'stu:dənt = AB 'stju:dənt], mais pas dans music [AA, AB = 'mju:zik], fuel [AA, AB = 'fju:əl].

8. Le suffixe **-ile** (en AB de préférence [-ail]) s'abrège en AA très souvent en [-əl] ou [-il]; p.ex. futile [AA 'fju:təl = AB 'fju:tail], textile [AA 'tekstil = AB 'tekstail]; quant à [-əl] ou [-il] il n'y a pas de prononciation obligatoire.

9. La terminaison **-ization** (AB le plus souvent [-ai'zeiʃən]) se prononce en AA de préférence [-ə'zeiʃən]. Cette différence de sons correspond au rapport des prononciations AA (préférée) [ə] et AB (standard) [i]; p.ex. editor [AA 'edətər = AB 'editə], basket [AA 'bæ(:)skət = AB 'bɑ:skit].

A

A, a [ei] A *m*, a *m*.

a *gramm.* [ei; ə] *article*: un(e *f*); 20 *miles a day* 20 milles par jour; 2 *shillings a pound* 2 shillings la livre.

A 1 ['ei'wʌn] F de première qualité.

a·back [ə'bæk] masqué (*voile*); F *taken ~* déconcerté, interdit, étonné.

ab·a·cus ['æbəkəs], *pl.* **-ci** ['ˌsai] boulier *m* compteur; △ abaque *m*.

a·baft ⚓ [ə'baːft] **1.** *adv.* sur l'arrière; **2.** *prp.* en arrière de.

a·ban·don [ə'bændən] abandonner (*a. sp.*), délaisser (*q.*), renoncer à (*un projet*); *~ o.s. to* se livrer à; **a'ban·doned** *adj.* dévergondé; abandonné; **a'ban·don·ment** abandon (-nement) *m*.

a·base [ə'beis] abaisser; F ravaler (*q.*); **a'base·ment** abaissement *m*; humilité *f*.

a·bash [ə'bæʃ] confondre, déconcerter, interdire; *~ed at* confus de; **a'bash·ment** confusion *f*, embarras *m*.

a·bate [ə'beit] *v/t.* diminuer; faire cesser (*la douleur*); (r)abattre (*l'orgueil*); (ra)baisser (*le prix*); ⚖ annuler; mettre fin à (*un abus*); *v/i.* diminuer, s'affaiblir, s'apaiser, se modérer; tomber (*vent*); baisser (*prix*); **a'bate·ment** diminution *f*, affaiblissement *m*; *prix, eaux*: baisse *f*; *tempête*: apaisement *m*.

ab·a(t)·tis ⚔ [ə'bætis] abattis *m*.

ab·at·toir ['æbətwɑː] abattoir *m*.

ab·ba·cy ['æbəsi] dignité *f* d'abbé; **'ab·bess** abbesse *f*; **ab·bey** ['æbi] abbaye *f*; **ab·bot** ['æbət] abbé *m*, supérieur *m*.

ab·bre·vi·ate [ə'briːvieit] abréger (*a.* ♪); **ab·bre·vi'a·tion** abréviation *f*.

ABC ['ei'biː'siː] ABC *m*; 🚂 indicateur *m* alphabétique; abécédaire *m*; *~ warfare* guerre *f* atomique, bactériologique (*ou* microbienne) et chimique.

ab·di·cate ['æbdikeit] abdiquer (*le trône*); renoncer à (*un droit*); ré-

signer (*une fonction*); **ab·di·ca·tion** abdication *f*, démission *f*.

ab·do·men *anat.* ['æbdəmen; ♂ æb-'doumen] abdomen *m*; ventre *m*; **ab·dom·i·nal** [æb'dɔminl] abdominal (-aux *m/pl.*).

ab·duct [æb'dʌkt] enlever; **ab'duc·tion** enlèvement *m*; **ab'duc·tor** ravisseur *m*.

a·be·ce·dar·i·an [eibiːsiː'dɛəriən] **1.** abécédaire; ignorant; **2.** élève *mf* d'une classe élémentaire.

a·bed [ə'bed] au lit, couché.

ab·er·ra·tion [æbə'reiʃn] aberration *f*.

a·bet [ə'bet] encourager; prêter assistance à; (*usu. aid and ~*) être le complice de; **a'bet·ment** encouragement *m*; complicité *f* (dans, *in*); **a'bet·tor** complice *mf*; fauteur (-trice *f*) *m* (de, *in*).

a·bey·ance [ə'beiəns] suspension *f*; ⚖ *in ~* en suspens, pendant; vacant (*estate*).

ab·hor [əb'hɔː] abhorrer; **ab·hor·rence** [əb'hɔrns] horreur *f*, aversion *f* (pour, *of*); **ab'hor·rent** □ répugnant (à, *to*); incompatible (avec, *to*); contraire (à, *to*).

a·bide [ə'baid] [*irr.*] *v/i.* demeurer; *~ by* rester fidèle à (*une promesse*), maintenir; *v/t.* attendre; *I cannot ~ him* je ne peux pas le sentir *ou* supporter; **a'bid·ing** □ permanent.

a·bil·i·ty [ə'biliti] capacité *f*; *to the best of one's ~* de son mieux; **a'bil·i·ties** *pl.* intelligence *f*; aptitude *f*.

ab·ject □ ['æbdʒekt] misérable; servile; **ab'jec·tion**, **ab'ject·ness** abjection *f*, misère *f*.

ab·jure [əb'dʒuə] abjurer; renoncer à.

a·blaze [ə'bleiz] en flammes; *a. fig.* enflammé (de, *with*).

a·ble □ ['eibl] capable; habile; compétent; *~ to* apte; *be ~ to (inf.)* être à même de (*inf.*); pouvoir (*inf.*); *~ to pay* en mesure de payer; *~-bod·ied* ['ˌ'bɔdid] robuste; ⚔ bon pour le service; ⚓ ~ *seaman* matelot *m* de deuxième classe.

ab·lu·tion [ə'blu:ʃn] ablution *f*.

ab·ne·gate ['æbnigeit] renoncer à; faire abnégation de (*droits etc.*); **ab·ne'ga·tion** renoncement *m*; désaveu *m*; (*a. self-~*) abnégation *f* de soi.

ab·nor·mal □ [æb'nɔ:ml] anormal (*-aux m/pl.*); **ab·nor'mal·i·ty** caractère *m* anormal; difformité *f*.

a·board ⚓ [ə'bɔ:d] à bord (de); *Am.* 🚂, 🚋, *bus, tram: all~!* en voiture!; ⚓ embarquez!

a·bode [ə'boud] **1.** *prét. et p.p.* de *abide*; **2.** demeure *f*; résidence *f*; séjour *m*.

a·bol·ish [ə'bɔliʃ] abolir, supprimer; **a'bol·ish·ment, ab·o·li·tion** [æbə'liʃn] abolissement *m*, suppression *f*; **ab·o'li·tion·ist** abolitionniste *mf*.

A-bomb ['eibɔm] *see atomic bomb.*

a·bom·i·na·ble □ [ə'bɔminəbl] abominable; **a·bom·i'na·tion** abomination *f*, horreur *f*.

ab·o·rig·i·nal [æbə'ridʒənl] □ aborigène, indigène, primitif (*-ive f*); **ab·o'rig·i·nes** [~ni:z] *pl.* aborigènes *m/pl.*

a·bort *biol.* [ə'bɔ:t] avorter; **a'bor·tion** avortement *m*; *fig.* œuvre *f* manquée; monstre *m*; *procure ~* faire avorter; **a'bor·tive** □ abortif (*-ive f*); avorté (*projet*); mort-né (*projet*).

a·bound [ə'baund] abonder (*en with, in*); foisonner (*de with, in*).

a·bout [ə'baut] **1.** *prp.* autour de; environ, presque; au sujet de; *~ the house* quelque part dans la maison; *~ the streets* dans les rues; *I had no money ~* me je n'avais pas d'argent sur moi; *~ ten o'clock* vers 10 heures; *he is ~ my height* il a à peu près la même taille que moi; *talk ~ business* parler affaires; *what are you ~?* qu'est-ce que vous faites là?; *send s.o. ~ his business* envoyer promener q.; **2.** *adv.* tout autour; à l'entour; çà et là; de ci, de là; *be ~ to do* être sur le point de faire; *a long way ~* un long détour; *bring ~* accomplir; faire naître; *come ~* arriver; *right ~!* demi-tour!; *~ turn!* demi-tour à droite!

a·bove [ə'bʌv] **1.** *prp.* au-dessus de, par-dessus; au delà de; *fig.* supérieur à; *~ 300* plus de 300; *~ all*

(*things*) surtout; *be ~ s.o.* in surpasser q. par (*l'intelligence etc.*); *fig.* it *is ~* me cela me dépasse; **2.** *adv.* en haut; là-haut; au-dessus; *over and ~* en outre; **3.** *adj.* précédent; **4.** *su.:* *the ~* le susdit; **a'bove-'board** loyal (*-aux m/pl.*), franc(he *f*); **a'bove-'ground** au-dessus de terre; vivant.

ab·ra·ca·dab·ra [æbrəkə'dæbrə] baragouin *m*.

ab·rade [ə'breid] user par le frottement; écorcher (*la peau*).

ab·ra·sion [ə'breiʒn] frottement *m*; attrition *f*; ✶ écorchure *f*, excoriation *f*; *monnaies:* frai *m*; **ab'ra·sive** ⊕ abrasif *m*.

a·breast [ə'brest] de front; côte à côte; *~ of (ou with)* à la hauteur de; *keep ~ of* marcher de pair avec.

a·bridge [ə'bridʒ] abréger; *fig.* restreindre; **a'bridg(e)·ment** raccourcissement *m*; abrégé *m*, résumé *m*; restriction *f*.

a·broad [ə'brɔ:d] à l'étranger, en voyage; sorti (*de la maison*); *there is a report ~* le bruit court que; *the thing has got ~* la nouvelle s'est répandue; *F he is all ~* il est tout désorienté.

ab·ro·gate ['æbrogeit] abroger; **ab·ro'ga·tion** abrogation *f*.

ab·rupt □ [ə'brʌpt] brusque, précipité; saccadé, abrupt (*style*); à pic (*montagne*); **ab'rupt·ness** brusquerie *f*; chemin: raideur *f*.

ab·scess ['æbsis] abcès *m*.

ab·scond [əb'skɔnd] s'évader (de, *from*), s'enfuir; se soustraire à la justice; *F* décamper, filer.

ab·sence ['æbsns] absence *f*, éloignement *m* (de, *from*); *~ of mind* distraction *f*; *leave of ~* permission *f*, congé *m*.

ab·sent 1. □ ['æbsnt] absent, manquant; *fig. = '~-'mind·ed* □ distrait; **2.** [æb'sent]: *~ o.s.* s'absenter (de, *from*); **ab·sen·tee** [æbsn'ti] absent(e *f*) *m*; **ab·sen'tee·ism** absence *f* de l'atelier; absentéisme *m*; *F* carottage *m*.

ab·sinth ['æbsinθ] absinthe *f*.

ab·so·lute □ ['æbsəlu:t] absolu; autoritaire; ⚖ irrévocable; *F* achevé (*coquin etc.*); **'ab·so·lute·ness** caractère *m* absolu; **ab·so'lu·tion** absolution *f*; **'ab·so·lut·ism** *hist.* absolutisme *m*.

ab·solve [əbˈzɔlv] absoudre (de, from), remettre (*un péché*); dispenser, affranchir (de, from).

ab·sorb [əbˈsɔːb] absorber; amortir (*un choc*); résorber (*un excédent*); *fig.* engloutir; ~ed in absorbé dans; tout entier à; **abˈsorb·ent** absorbant (*a. su./m*).

ab·sorp·tion [əbˈsɔːpʃn] absorption *f*; *choc:* amortissement *m*; *fig.* engloutissement *m*; *esprit:* absorbement *m*.

ab·stain [əbˈstein] s'abstenir (de, from); ~ from meat faire maigre; **abˈstain·er** (*souv. total* ~) abstème *mf*.

ab·ste·mi·ous □ [əbˈstiːmiəs] sobre, tempérant.

ab·sten·tion [æbˈstenʃn] abstinence *f* (de, from); *parl.* abstention *f*.

ab·ster·gent [əbˈstɔːdʒnt] 1. abstergent (*a. su./m*); 2. ⚕ détersif *m*.

ab·sti·nence [ˈæbstinəns] abstinence *f* (de, from); total ~ abstinence *f* complète; **ˈab·sti·nent** □ abstinent, sobre.

ab·stract 1. [ˈæbstrækt] □ abstrait; F abstrus; 2. [~] abstrait *m*; résumé *m*, abrégé *m*; *gramm.* ~ (*noun*) nom *m* abstrait; *in the* ~ du point de vue abstrait, en théorie; 3. [æbˈstrækt] *v/t.* soustraire (à, from); détourner (*l'attention*); dérober (à, from); résumer (*un livre*); 🜍 extraire; **abˈstract·ed** □ *fig.* distrait, rêveur (-euse *f*); **abˈstrac·tion** *papiers etc.:* soustraction *f*; vol *m*; *phls.* abstraction *f*; distraction *f* (*d'esprit*); 🜍 extraction *f*.

ab·struse □ [æbˈstruːs] *fig.* abstrus, obscur; caché; **abˈstruse·ness** obscurité *f*, caractère *m* abstrus *etc.*

ab·surd □ [əbˈsɔːd] absurde, déraisonnable; F idiot; **abˈsurd·i·ty** absurdité *f*; absurde *m*.

a·bun·dance [əˈbʌndəns] abondance *f*, affluence *f*; épanchement *m* (*du cœur*); **aˈbun·dant** □ abondant, copieux (-euse *f*); ~ in abondant en; **aˈbun·dant·ly** abondamment.

a·buse 1. [əˈbjuːs] abus *m*; insultes *f/pl*; 2. [~z] abuser de, mésuser de, faire abus de; maltraiter (*q.*); dénigrer (*q.*); injurier; **aˈbu·sive** □ abusif (-ive *f*); injurieux (-euse *f*) (*propos*); *be* ~ dire des injures (à, to).

a·but [əˈbʌt] aboutir (à, upon), confiner (à, upon); ⚠ s'appuyer (contre on, against); **aˈbut·ment** ⚠ arc-boutant (*pl.* arcs-boutants) *m*; *pont:* butée *f*; *voûte:* pied-droit (*pl.* pieds-droits) *m*; **aˈbut·ter** propriétaire *m* limitrophe.

a·bysm [əˈbizm] *see* abyss; **aˈbys·mal** □ insondable; **a·byss** [əˈbis] abîme *m*, gouffre *m*.

a·ca·cia ♀ [əˈkeiʃə] acacia *m*.

ac·a·dem·ic, ac·a·dem·i·cal □ [ækəˈdemik(l)] académique; **a·cadˈe·mi·cian** [əkædəˈmiʃn] académicien *m*; **ac·aˈdem·ics** *pl.* discussion *f* abstraite.

a·cad·e·my [əˈkædəmi] académie *f*.

a·can·thus [əˈkænθəs] ♀ acanthe *f*; ⚠ (feuille *f* d')acanthe *f*.

ac·cede [ækˈsiːd]: ~ to accueillir (*une demande*); entrer en possession de (*une charge*); monter sur (*le trône*).

ac·cel·er·ate [ækˈseləreit] (s')accélérer; *v/t. fig.* activer; **acˈcel·erˈa·tion** accélération *f*; **acˈcel·er·a·tor** *mot.* accélérateur *m*.

ac·cent 1. [ˈæksnt] accent *m*; ♪ temps *m* fort; temps *m* marqué; ton *m*; voix *f*; 2. [ækˈsent] accentuer (*a. fig.*) appuyer sur, souligner.

ac·cen·tu·ate [ækˈsentjueit] accentuer; faire ressortir; **acˈcen·tuˈa·tion** accentuation *f*.

ac·cept [əkˈsept] accepter; agréer (*des vœux*); (*ou* ~ of) ✝ accepter, prendre en recette; admettre; **acˈcept·a·ble** □ [əkˈseptəbl] acceptable, agréable (à, to); **acˈcept·a·ble·ness** acceptabilité *f*; **acˈcept·ance** acceptation *f*; accueil *m* favorable; réception *f*; ✝ *article:* réception *f*; *traite:* acceptation *f*; **ac·cep·ta·tion** [æksepˈteiʃn] acception *f*, signification *f* (*d'un mot*); **acˈcept·ed** reconnu, admis; **acˈcept·er, acˈcept·or** acceptant(e *f*) *m*; ✝ tiré *m*; accepteur *m*.

ac·cess [ˈækses] accès *m* (*a.* ⚕); abord *m* (à, to); entrée *f*; *easy of* ~ abordable; ~ to power accession *f* au pouvoir; **acˈces·sa·ry** complice *m*, fauteur *m* (de, to); *see accessory 2*; **ac·ces·si·bil·i·ty** [ˌiˈbiliti] accessibilité *f*; **acˈces·si·ble** □ [~əbl] accessible (à, to); **acˈces·sion** admission *f* (*d'air*); entrée *f* en fonctions; arrivée *f* (*à un âge*); accroissement *m*; ~ to the throne avènement *m* au trône.

ac·ces·so·ry [ækˈsesəri] 1. □ accessoire, subsidiaire (à, *to*); **2.** ac-cessoire *m*; *accesories pl.* objets *m/pl.* de toilette; accessoires *m/pl.* (*a. théâ.*); *see* accessary.

ac·ci·dence *gramm.* ['æksidəns] morphologie *f*.

ac·ci·dent ['æksidənt] accident *m*; *terrain*: inégalité *f*; *machine*: avarie *f*; ~ insurance assurance *f* contre les accidents; *by* ~ accidentellement; par hasard; **ac·ci·den·tal** [æksi-'dentl] **1.** □ accidentel(le *f*), fortuit; accessoire; ~ death mort *f* accidentelle; **2.** accessoire *m*; ♪ signe *m* accidentel, accident *m*.

ac·claim [ə'kleim] acclamer.

ac·cla·ma·tion [æklə'meiʃn] acclamation *f*; *by* ~ par acclamation.

ac·cli·mate *surt. Am.* [ə'klaimit] *see* acclimatize.

ac·cli·ma·ti·za·tion [əklaimətai-'zeiʃn] acclimatation *f*; **ac·cli·ma·tize** acclimater; habituer.

ac·cliv·i·ty [ə'kliviti] montée *f*; côte *f*; rampe *f*; pente *f*.

ac·com·mo·date [ə'kɔmədeit] ac-commoder, conformer; adapter; ar-ranger (*une querelle*); prêter (qch. à q., *s.o. with s.th.*); recevoir, loger; ~ *o.s. to* s'accommoder à; **ac·com·mo·dat·ing** □ complaisant; peu dif-ficile (sur, *about*); **ac·com·mo·da·tion** adaptation *f*; arrangement *m*; *dispute*: ajustement *m*; compromis *m*; logement *m*; prêt *m* (*d'argent*); ✝ ~ bill billet *m* de complaisance; *seating* ~ nombre *m* de places as-sises; *Am.* ~ train train *m* omnibus.

ac·com·pa·ni·ment [ə'kʌmpəni-mənt] accompagnement *m*; acces-soires *m/pl.*; **ac·com·pa·nist** ♪ accompagnateur (-trice *f*) *m*; **ac·com·pa·ny** accompagner; *ac-companied with* accompagné de, par.

ac·com·plice [ə'kɔmplis] complice *mf* (de, *in*), fauteur (-trice *f*) *m* (de, *in*).

ac·com·plish [ə'kɔmpliʃ] accom-plir; venir à bout de; mener à bonne fin (*une tâche etc.*); réaliser (*un projet*); **ac·com·plished** achevé; doué; **ac·com·plish·ment** accom-plissement *m*; réalisation *f*; *usu.* ~s *pl.* talents *m/pl.*, arts *m/pl.* d'agré-ment.

ac·cord [ə'kɔːd] **1.** accord *m*, con-sentement *m*; ⚖ consentement *m*

mutuel; *with one* ~ d'un commun accord; *of one's own* ~ de sa propre volonté; **2.** *v/i.* concorder (avec, *with*); *v/t.* concéder; **ac·cord·ance** conformité *f*, accord *m*; *in* ~ *with* conformément à, suivant; **ac·cord·ant** □ (*with*, *to*) conforme (à), d'accord (avec); **ac·cord·ing**: ~ *to* selon, suivant, d'après; ~ *as* selon que; **ac·cord·ing·ly** en consé-quence; donc.

ac·cor·di·on ♪ [ə'kɔːdjən] accor-déon *m*.

ac·cost [ə'kɔst] aborder, accoster.

ac·cou·cheur [æku:'ʃəː], *f* **ac·cou·'cheuse** [~z] accoucheur (-euse *f*) *m*.

ac·count [ə'kaunt] **1.** calcul *m*, compte *m*, note *f*; récit *m*, relation *f*; valeur *f*; *blocked* ~ compte *m* bloqué; *current* ~ compte *m* cou-rant; ~ *agreed upon* compte *m* arrêté; *payment on* ~ acompte *m*, versement *m* à compte; *sale for the* ~ vente *f* à terme; *statement of* ~ relevé *m* de compte; *of no* ~ de peu d'importance; *on no* ~ dans aucun cas; *on his* ~ à cause de lui, pour lui; *on* ~ *of* à cause de; *sl.* be no ~ ne pas compter; *find one's* ~ *in* trouver son compte à; *lay one's* ~ *with* compter sur; *place to s.o.'s* ~ verser au compte de q.; *take into* ~, *take* ~ *of* tenir compte de; *leave out of* ~ négliger; *turn to* ~ tirer parti de; *keep* ~s tenir les livres; *call to* ~ demander compte (à q. *de* qch.); *give* (*ou render*) *an* ~ *of* rendre raison de; faire un rapport sur; expliquer (qch.); F *give a good* ~ *of o.s.* s'acquitter bien; *make* (*little*) ~ *of* faire (peu de) cas de; **2.** *v/i.* ~ *for* expliquer (qch.); rendre raison de; justifier (de); *sp.* avoir à son actif; *v/t.* estimer, tenir pour; *be much* (*little*) ~ *ed of* être beaucoup (peu) estimé; **ac·count·a·bil·i·ty** responsabilité *f*; **ac·count·a·ble** □ responsable; redevable (de, *for*); **ac·count·ant** comptable *m*; *char-tered* ~, *Am. certified public* ~ ex-pert *m* comptable diplômé; **ac-'count-book** livre *m* de comptes.

ac·cou·tred [ə'ku:təd] accoutré; équipé; **ac·cou·tre·ments** [ə'ku:tə-mənts] *pl.* équipement *m*.

ac·cred·it [ə'kredit] accréditer (q., qch., *a.* un ambassadeur auprès d'un gouvernement); ~ *s.th. to s.o.*, ~ *s.o.*

with s.th. mettre qch. sur le compte de q.

ac·cre·tion [æ'kri:ʃn] accroissement m.

ac·crue [ə'kru:] provenir, dériver (de, from); ✝ s'accumuler (intérêts).

ac·cu·mu·late [ə'kju:mjuleit] (s')accumuler; (s')amonceler; v/t. amasser (de l'argent); **ac·cu·mu·la·tion** accumulation f, amoncellement m; amas m; **ac·cu·mu·la·tive** □ [ə'kju:mjulətiv] qui s'accumule; **ac'cu·mu·la·tor** accumulateur (-trice f) m; phys. accumulateur m.

ac·cu·ra·cy [ˈækjurəsi] exactitude f; fidélité f; **ac·cu·rate** □ [ˈ‿rit] exact, juste; fidèle.

ac·curs·ed [ə'kɔ:sid], **ac·curst** [ə'kɔ:st] usu. F fig. maudit; exécrable.

ac·cu·sa·tion [ækju:'zeiʃn] accusation f; ⚖ incrimination f; **ac·cu·sa·tive** gramm. [ə'kju:zətiv] (a. ~ case) accusatif m; **ac·cu·sa·to·ry** [ə'kju:zətəri] accusateur (-trice f); **ac·cuse** [ə'kju:z] accuser (q. de qch., s.o. of s.th.), ⚖ incriminer (q.) (auprès de before, to); the ~d le (la) prévenu(e f) m; **ac'cus·er** accusateur (-trice f) m.

ac·cus·tom [ə'kʌstəm] accoutumer (à, to); **ac'cus·tomed** habitué (à, to).

ace [eis] as m (a. sl. fig., usu. un aviateur); Am. F ~ in the hole fig. encore une ressource; within an ~ of à deux doigts de.

a·cer·bi·ty [ə'sɔ:biti] aigreur f; ton: âpreté f.

ac·e·tate 🜕 [ˈæsiteit] acétate m; **a·cetic** [ə'si:tik] acétique; ~ acid acide m acétique; **a·cet·i·fy** [ə'seti-fai] (s')acétifier; **ac·e·tone** [ˈæsitoun] acétone f; **ac·e·tous** [ˈ‿təs] acéteux (-euse f); fig. aigre; **a·cet·y·lene** [ə'setili:n] acétylène m.

ache [eik] **1.** faire mal à m; **2.** douleur f.

a·chieve [ə'tʃi:v] atteindre à, parvenir à; réaliser (un but); accomplir (un exploit); acquérir (de l'estime); **a'chieve·ment** accomplissement m; projet: exécution f; exploit m.

ach·ing [ˈeikiŋ] **1.** □ douloureux (-euse f); **2.** douleur f, mal m.

ach·ro·mat·ic [ækro'mætik] (~ally) achromatique.

ac·id [ˈæsid] **1.** aigre; **2.** acide m; **a·cid·i·fy** [ə'sidifai] (s')acidifier; **a'cid·i·ty** acidité f; fig. aigreur f;

ac·i·do·sis [æsi'dousis] acidose f; **a·cid·u·late** [ə'sidjuleit] aciduler; ~d drops bonbons m/pl. acidulés ou anglais; **a·cid·u·lous** [ə'sidjuləs] acidulé.

ac·knowl·edge [ək'nɔlidʒ] reconnaître (pour, as); répondre à (un salut); accuser réception de (une lettre); s'avouer; **ac'knowl·edg(e)-ment** reconnaissance f; aveu m; ~s pl. remerciements m/pl.; usu. ✝ accusé m de réception; reçu m, quittance f.

ac·me [ˈækmi] comble m; apogée m.

a·cock [ə'kɔk] d'un air de défi.

ac·o·nite ♀ [ˈækonait] aconit m.

a·corn ♀ [ˈeikɔ:n] gland m.

a·cous·tic, a·cous·ti·cal [ə'ku:s-tik(l)] acoustique; sonore; **a'cous·tics** usu. sg. acoustique f.

ac·quaint [ə'kweint] informer; ~ s.o. with s.th. apprendre qch. à q.; be ~ed with connaître; become ~ed with faire ou lier connaissance avec; **ac'quaint·ance** connaissance f; ~ with connaissance de.

ac·qui·esce [ækwi'es] (in) acquiescer (à); accepter (qch.); **ac·qui'es·cence** (in) acquiescement m (à); assentiment m (à); soumission f (à); **ac·qui'es·cent** □ consentant; résigné.

ac·quire [ə'kwaiə] acquérir (a. fig.); ~d taste goût m acquis; **ac'quire·ment** acquisition f (de, of); talent m; usu. ~s pl. connaissances f/pl.

ac·qui·si·tion [ækwi'ziʃn] acquisition f; **ac·quis·i·tive** □ [æ'kwizitiv] apte ou âpre au gain.

ac·quit [ə'kwit] acquitter, absoudre (de, of); ~ o.s. of s'acquitter de; ~ o.s. well (ill) se bien (mal) acquitter; **ac'quit·tal** ⚖ décharge f; devoir: exécution f; **ac'quit·tance** ✝, ⚖ acquit m, acquittement m.

a·cre [ˈeikə] acre f; (approx.) arpent m; ✝ champ m.

ac·rid □ [ˈækrid] âcre; mordant (style).

ac·ri·mo·ni·ous □ [ækri'mounjəs] acrimonieux (-euse f), atrabilaire; **ac·ri·mo·ny** [ˈækriməni] acrimonie f, aigreur f.

ac·ro·bat [ˈækrobæt] acrobate mf; **ac·ro'bat·ic** (~ally) acrobatique; **ac·ro'bat·ics** pl. acrobatie f; ✈ acrobaties f/pl. aériennes.

a·cross [ə'krɔs] **1.** adv. à travers, en

travers; de l'autre côté; en croix; **2.** *prp.* à travers, sur; en travers de; **come** ~, **run** ~ rencontrer; tomber sur.

act [ækt] **1.** *v/i.* agir (en, *as;* sur, *on*); prendre les mesures; se comporter; fonctionner; opérer; *théâ.* jouer; ~ (*up*)*on* exercer une action sur, agir sur; *Am.* F ~ *up* devenir insoumis; *v/t.* représenter, jouer (*un rôle, une pièce*); **2.** acte *m;* action *f; théâ.* acte *m;* loi *f,* décret *m;* ~*s pl.* actes *m/pl.;* ♀ *of God* force *f* majeure; ♀*s pl. of the Apostles les* Actes *m/pl.* des Apôtres; **'act·a·ble** jouable; **'act·ing 1.** action *f; théâ.* acteur: jeu *m;* pièce: exécution *f;* **2.** suppléant; intérimaire; provisoire; gérant.

ac·tion ['ækʃn] action *f* (*a. théâ.*); acte *m;* cheval: allure *f;* procès *m;* combat *m,* bataille *f;* mécanisme *m; couleurs:* jeu *m;* gestes *m/pl.;* ~ *radius* rayon *m* d'action; **bring an** ~ *against* intenter une action *ou* un procès à *ou* contre; **take** ~ prendre des mesures; **'ac·tion·a·ble** actionnable, sujet(te *f*) à procès.

ac·tive □ ['æktiv] actif (-ive *f*); alerte; agile; vif (vive *f*); ✝ ~ *partner* commandité *m;* **ac·tiv·i·ty** [~'tiviti] (*souv. pl.*) activité *f;* occupation *f; surt.* ✝ mouvement *m; in full* ~ en pleine activité; *intense* ~ activité *f* intense.

ac·tor ['æktə] acteur *m;* **ac·tress** ['æktris] actrice *f.*

ac·tu·al □ ['æktjuəl] réel(le *f*), véritable; actuel(le *f*), présent; **ac·tu·al·i·ty** [æktju'æliti] réalité *f;* actualité *f;* **ac·tu·al·ize** ['æktjuəlaiz] réaliser.

ac·tu·ar·y ['æktjuəri] actuaire *m.*

ac·tu·ate ['æktjueit] mettre en action; animer (q. à, s.o. to).

a·cu·men [ə'kju:men] finesse *f* (d'esprit).

a·cute □ [ə'kju:t] aigu (-uë *f*) (*a.* ✚, *a.* angle, pointe, accent, *son*); vif (vive *f*) (*douleur*); fin (*ouïe, esprit*); qui sévit (*crise*); **a'cute·ness** angle: aiguïté *f; son:* acuité *f; douleur etc.:* intensité *f; ouïe:* finesse *f; esprit:* pénétration *f.*

ad F [æd] *see* advertisement.

ad·age ['ædidʒ] maxime *f.*

ad·a·mant ['ædəmənt] *fig.* inflexible; insensible (à, *to*); **ad·a·man·tine** [~'mæntain] adamantin; *fig. see* adamant.

a·dapt [ə'dæpt] adapter (à *to, for*); accommoder; adapter (*un texte*) (de, *from*); **a·dapt·a·bil·i·ty** souplesse *f;* **a'dapt·a·ble** adaptable; commode; **ad·ap·ta·tion** adaptation *f* (à, *to*); appropriation *f;* **a'dap·ter** *radio:* (bouchon *m* de) raccord *m; télév.* adaptateur *m.*

add [æd] *v/t.* ajouter; joindre; ~ *in* inclure; ~ *up* additionner; *v/i.* ~ *to* augmenter; accentuer; ~ *up to* se totaliser par.

ad·den·dum [ə'dendəm], *pl.* **-da** [~də] addenda *m;* supplément *m.*

ad·der ['ædə] vipère *f.*

ad·dict **1.** [ə'dikt]: ~ *o.s.* s'adonner (à, *to*), se livrer (à, *to*); **2.** ['ædikt] (*opium etc.* ~) -mane *mf;* **ad'dict·ed** adonné (à, *to*); ~ *to* abandonné à (*un vice*).

add·ing ['ædiŋ] (d')arithmétique.

ad·di·tion [ə'diʃn] addition *f;* adjonction *f; bâtiment:* rajout *m; ville:* extension *f; Am. terrain:* agrandissement *m;* ~ *to* addition à; **he had an** ~ *to his family* sa famille vient d'augmenter; *in* ~ en outre; *in* ~ *to* en plus de; **ad'di·tion·al** additionnel(le *f*), supplémentaire; nouveau (-el *devant une voyelle ou un h muet;* -elle *f;* -aux *m/pl.*); de plus.

ad·dle ['ædl] **1.** (se) pourrir (*œufs*); *v/t. fig.* troubler (*le cerveau, la tête etc.*); **2.** pourri (*œuf*); trouble, brouillé (*cerveau*).

ad·dress [ə'dres] **1.** adresser; haranguer (*une foule*); (*a.* ~ *o.s.* to) adresser la parole à (*q.*); ~ *o.s. to s.th.* entreprendre qch.; se mettre à qch.; **2.** adresse *f;* habileté *f; parl.* profession *f* de foi; supplique *f;* abord *m;* discours *m; give an* ~ faire une allocution; *pay one's* ~*es to* faire la cour à (*une femme*); **ad·dress·ee** [ædre'si:] destinataire *mf.*

ad·duce [ə'dju:s] apporter (*des preuves etc.*); alléguer; produire (*un témoin*).

ad·ept ['ædept] **1.** expert (à *at, in*); versé (dans *at, in*); **2.** adepte *mf;* initié(e *f*) *m;* expert *m* (en, *in*); *be an* ~ *at* être expert à.

ad·e·qua·cy ['ædikwəsi] suffisance *f;* **ad·e·quate** □ ['~kwit] suffisant; juste; raisonnable.

ad·here [əd'hiə] (to) adhérer (à), coller (à); *fig.* persister (dans), s'en tenir (à); observer (*une règle etc.*);

donner son adhésion (à) (*un parti* etc.); **ad'her·ence** (*to*) adhérence *f*, adhésion *f* (à); fidélité *f* (à) (*un parti*); observance *f* (de) (*une règle*); **ad'her·ent 1.** adhérent; **2.** adhérent(e *f*) *m*; partisan *m*.

ad·he·sion [əd'hi:ʒn] *see* adherence; *fig.* adhésion *f*; *phys.* adhérence *f*; *give one's* ～ donner son adhésion (à, *to*).

ad·he·sive [əd'hi:siv] adhésif (-ive *f*) collant; tenace; ～ *plaster*, ～ *tape* sparadrap *m*, emplâtre *m* adhésif.

a·dieu [ə'dju:] **1.** adieu!; **2.** adieu *m*.

ad·i·pose ['ædipous] adipeux (-euse *f*); gras(se *f*).

ad·it ['ædit] accès *m*; ✗ galerie *f*.

ad·ja·cen·cy [ə'dʒeisənsi] contiguïté *f*; *adjacencies pl.* voisinage *m* immédiat; **ad'ja·cent** □ (*to*) contigu (-uë *f*) (à), attenant (à); limitrophe (de).

ad·jec·ti·val □ [ædʒek'taivl] adjectif (-ive *f*); **ad·jec·tive** ['ædʒiktiv] adjectif *m*.

ad·join [ə'dʒɔin] avoisiner (*qch.*), toucher (à); **ad'join·ing** contigu (-uë *f*); avoisinant.

ad·journ [ə'dʒə:n] (s') ajourner; *v/t.* remettre, différer; lever (*une séance*) (jusque, *to*); **ad'journ·ment** ajournement *m*; remise *f*.

ad·judge [ə'dʒʌdʒ] juger; t̟t̟ décider, déclarer (*coupable* etc.); condamner (à, *to*); **ad'judge·ment** décision *f*.

ad·ju·di·cate [ə'dʒu:dikeit] *see* adjudge; **ad·ju·di·ca·tion** jugement *m*; décision *f*; arrêt *m*.

ad·junct ['ædʒʌŋkt] accessoire *m*; adjoint(e *f*) *m*; *gramm.* complément *m*.

ad·ju·ra·tion [ædʒuə'reiʃn] adjuration *f*; **ad·jure** [ə'dʒuə] conjurer (de, *to*).

ad·just [ə'dʒʌst] ajuster; arranger; arrêter (*un compte*); régler (*un différend*); agencer (*une machine*); ajuster (*une balance*); *fig.* ～ *to* adapter à; ～*ing screw* vis *f* de serrage; **ad'just·a·ble** □ réglable, ajustable; **ad'just·ment** ajustement *m*; arrangement *m*; règlement *m*; réglage *m*; correction *f*; accommodement *m*.

ad·ju·tan·cy ✗ ['ædʒutənsi] fonctions *f/pl.* de capitaine adjudant major; **ad·ju·tant** capitaine *m* adjudant major.

ad-lib *Am.* F [æd'lib] improviser.

ad-meas·ure·ment [æd'meʒəmənt] mensuration *f*; mesurage *m*.

ad·min·is·ter [əd'ministə] *v/t.* administrer (*pays, affaires, sacrement, médicament*); assermenter; appliquer (*la loi*); ～ *justice* the law dispenser *ou* rendre la justice; *v/i.* pourvoir aux besoins (de q., *to s.o.*); **ad·min·is·tra·tion** administration *f*; gestion *f*; prestation *f* (*d'un serment*); *surt. Am.* Administration *f*, Gouvernement *m*; ～ *of justice* administration *f* de la justice; **ad'min·is·tra·tive** [ˌtrətiv] administratif (-ive *f*); d'administration; **ad'min·is·tra·tor** [ˌtreitə] administrateur *m*; gérant *m*; t̟t̟ curateur *m*.

ad·mi·ra·ble □ ['ædmərəbl] admirable, excellent.

ad·mi·ral ['ædmərəl] amiral *m*; ♀ *of the Fleet* amiral *m* commandant en chef; **ad·mi·ral·ty** amirauté *f*; *First Lord of the* ♀ ministre *m* britannique de la marine.

ad·mi·ra·tion [ædmi'reiʃn] admiration *f*.

ad·mire [əd'maiə] admirer; s'extasier devant; **ad'mir·er** admirateur (-trice *f*) *m*; adorateur (-trice *f*) *m*.

ad·mis·si·bil·i·ty [ədmisə'biliti] admissibilité *f*; **ad'mis·si·ble** □ admissible; recevable; **ad'mis·sion** admission *f*, accès *m* (à, *to*); entrée *f*; confession *f*, aveu *m*; F prix *m* d'entrée.

ad·mit [əd'mit] *v/t.* admettre (à, dans *to*, *into*); laisser entrer; avoir de la place pour; reconnaître (*une faute* etc.); t̟t̟ *surt. Am.* ～ *to the bar* inscrire au tableau des avocats; *v/i.* ～ *of* permettre, comporter; *it* ～*s of no excuse* il est sans excuse; **ad'mit·tance** entrée *f*; accès *m*; *no* ～! entrée interdite!; **ad'mit·ted·ly** de l'aveu de tous; de son propre aveu.

ad·mix·ture [əd'mikstʃə] mélange *m*, dosage *m*; *pharm.* mixtion *f*.

ad·mon·ish [əd'mɔniʃ] admonester; exhorter (à, *to*); prévenir (de, *of*); **ad·mo·ni·tion** [ædmə'niʃn] remontrance *f*; avertissement *m*; **ad·mon·i·to·ry** □ [əd'mɔnitəri] de remontrances; d'avertissement.

a·do [ə'du:] agitation *f*, activité *f*,

embarras *m*, bruit *m*; difficulté *f*; *without much* ~ sans difficulté; sans embarras.

a·do·be [ə'doubi] adobe *m*.

ad·o·les·cense [ædo'lesns] adolescence *f*; **ad·o'les·cent** *adj.*, *a. su./mf* adolescent(e *f*) *m*.

a·dopt [ə'dɔpt] adopter; *fig.* choisir, adopter, embrasser; *fig.* F chiper; ~*ed country* pays *m* d'adoption; **a'dop·tion** adoption *f*; choix *m*; **a'dop·tive** adoptif (-ive *f*).

a·dor·a·ble [ə'dɔ:rəbl] adorable; **ad·o·ra·tion** [ædɔ:'reiʃn] adoration *f*, F amour *m*; **a·dore** [ə'dɔ:] adorer; **a'dor·er** adorateur (-trice *f*) *m*.

a·dorn [ə'dɔ:n] orner, parer; **a'dorn·ment** ornement *m*, parure *f*; ornementation *f*.

a·drift [ə'drift] ♻ à la dérive; *fig.* loin du compte; *turn s.o.* ~ abandonner q., mettre q. sur le pavé.

a·droit [ə'drɔit] adroit; **a'droit·ness** adresse *f*.

ad·u·late ['ædjuleit] aduler, flatter (*q.*); **ad·u'la·tion** adulation *f*; **'ad·u·la·tor** adulateur (-trice *f*) *m*; **'ad·u·la·to·ry** adulateur (-trice *f*).

a·dult ['ædʌlt] *adj.*, *a. su./mf* adulte *mf*.

a·dul·ter·ant [ə'dʌltərənt] adultérant *m*; **a'dul·ter·ate** 1. [~reit] adultérer; *fig.* altérer; 2. [~it] adultéré; falsifié; altéré; **a·dul·ter·a·tion** [ədʌltə'reiʃn] adultération *f*; altération *f*; **a'dul·ter·a·tor** falsificateur (-trice *f*) *m*; **a'dul·ter·er** adultère *m*; **a'dul·ter·ess** adultère *f*; **a'dul·ter·ous** □ adultère; **a'dul·ter·y** adultère *m*.

ad·um·brate ['ædʌmbreit] ébaucher, esquisser; laisser entrevoir; † voiler; **ad·um'bra·tion** ébauche *f*, esquisse *f*; pressentiment *m*.

ad·vance [əd'vɑ:ns] 1. *v/i.* s'avancer; avancer (*en âge*); monter (*en grade*); hausser (*prix*); *biol.* évoluer; *v/t.* avancer; mettre en avant (*des opinions*); augmenter, hausser (*le prix*); élever (*en grade*); faire avancer; 2. marche *f* en avant; ✕ avance *f*; progrès *m*; avancement *m* (*en grade*); *prix*: hausse *f*; *in* ~ d'avance, en avance; en avant; *be in* ~ *of s.o.* devancer q.; 3. avant-; **ad'vanced** *adj.* avancé; supérieur (*cours, école, etc.*); ~ *English* anglais *m* supérieur; **ad'vance·ment** avance-

ment *m*; progrès *m*; ♻ avance *f* d'hoirie.

ad·van·tage [əd'vɑ:ntidʒ] avantage *m* (*a. au tennis*); dessus *m*; profit *m*; *take* ~ *of.* profiter de (*qch.*); abuser de (la crédulité de) (*q.*); *to* ~ avantageusement; **ad·van·ta·geous** □ [ædvən'teidʒəs] avantageux (-euse *f*) (*pour, to*); utile.

ad·vent ['ædvənt] arrivée *f*; 2 *eccl.* Avent *m*; **ad·ven·ti·tious** □ [ædven'tiʃəs] adventice; accidentel(le *f*); accessoire.

ad·ven·ture [əd'ventʃə] 1. aventure *f*, entreprise *f*; ✝ spéculation *f* hasardée; 2. (se) hasarder; **ad'ven·tur·er** aventurier *m*; spéculateur *m*; **ad'ven·tur·ess** [~əris] intrigante *f*; **ad'ven·tur·ous** □ aventureux (-euse *f*); audacieux (-euse *f*); entreprenant (*personne*).

ad·verb ['ædvə:b] adverbe *m*; **ad'ver·bi·al** □ [əd'və:bjəl] adverbial (-aux *m/pl.*).

ad·ver·sar·y ['ædvəsəri] adversaire *m*; ennemi(e *f*) *m*; **ad·verse** □ ['~və:s] adverse; contraire; ennemi (*de, to*), hostile (*à, to*); opposé; défavorable; ~ *balance* déficit *m*; **ad·ver·si·ty** [əd'və:siti] adversité *f*, infortune *f*.

ad·vert [əd'və:t]: ~ *to* faire allusion à; parler de.

ad·ver·tise ['ædvətaiz] faire de la réclame (pour); *v/t.* annoncer, faire savoir, faire connaître; *v/i.* insérer une annonce; ~ *for* chercher par voie d'annonce; **ad'ver·tise·ment** [əd'və:tismənt] publicité *f*; *journal*: annonce *f*; affiche *f* (*sur un mur*); réclame *f*; **ad·ver·tis·er** ['ædvətaizə] auteur *m* d'une annonce; faiseur *m* de réclame; **'ad·ver·tis·ing**: ~ *agency* agence *f* de publicité; ~ *designer* dessinateur *m* publicitaire; ~ *film* film *m* publicitaire.

ad·vice [əd'vais] conseil *m*, -s *m/pl.*; avis *m*; ✝ lettre *f* ou note *f* d'avis; *usu.* ~*s pl.* nouvelles *f/pl.*; *take medical* ~ consulter un médecin; **ad'vice·boat** ♻ aviso *m*.

ad·vis·a·ble □ [əd'vaizəbl] recommandable; **ad'vise** *v/t.* recommander (*qch.*); conseiller (*q.*); conseiller (à q. de *inf.*, *s.o. to inf.*); prévenir (*de, of*; *que, that*); ✝ aviser de; *v/i.* se consulter; ~ *with* consulter (*q.*), se consulter avec (*q.*); ~ on renseigner (*q.*) sur; **ad'vised** □ réfléchi (*acte*); **ad'vis·ed·ly** [~idli] à dessein; **ad'vis·er** conseiller (-ère *f*) *m*; **ad'vi·so·ry** [~əri] consultatif (-ive *f*); ♀ *Board* conseil *m* consultatif.

ad·vo·ca·cy ['ædvəkəsi] fonction *f* d'avocat; appui *m* (donné à une cause); **ad·vo·cate** 1. ['~kit] avocat *m*; *fig.* défenseur *m*, partisan *m*; 2. ['~keit] plaider en faveur de (*qch.*); appuyer (*une cause*); préconiser.

adze ⊕ [ædz] (h)erminette *f*.

ae·gis ['i:dʒis] *fig.* égide *f*.

ae·on ['i:ən] *mst fig.* éternité *f*.

a·er·at·ed ['eiəreitid] aéré (*pain*); gazeux (-euse *f*) (*eau*).

a·e·ri·al ['ɛəriəl] 1. □ aérien(ne *f*); ~ *camera* aérophoto *m*; ~ *view* vue *f* aérienne; 2. *radio*, *télév.*: antenne *f*; *high* ~ antenne *f* haute; *mains* ~ antenne *f* secteur; *outdoor* ~ antenne *f* d'extérieur; ~ *mast* mât *m* d'antenne.

a·e·rie ['ɛəri] aire *f*.

aero... [ɛərə] aéro-; **a·er·o·bat·ics** [~'bætiks] *pl.* acrobaties *f/pl.* (aériennes); **a·er·o·drome** ['ɛərədroum] aérodrome *m*; **a·er·o·gram** ['~græm] radiogramme *m*; **a·er·o·lite** ['~lait] aérolithe *m*; **a·er·o·naut** ['~nɔ:t] aéronaute *m*; **a·er·o·nau·tic**, **a·er·o'nau·ti·cal** □ aéronautique; **a·er·o'nau·tics** *sg.* aéronautique *f*; **a·er·o·plane** ['~plein] aéroplane *m*, avion *m*; **a·er·o·stat** ['~oustæt] aérostat *m*; **a·er·o'sta·tic** aérostatique *f*.

aes·thete ['i:sθi:t] esthète *mf*; **aes·thet·ic**, **aes·thet·i·cal** □ [i:s-'θetik(l)] esthétique; **aes'thet·ics** *sg.* esthétique *f*.

a·far [ə'fɑ:] (*surt.* ~ *off*) au loin, éloigné; *from* ~ de loin.

af·fa·bil·i·ty [æfə'biliti] affabilité *f*; **af·fa·ble** □ ['æfəbl] affable, courtois.

af·fair [ə'fɛə] affaire *f*; *love* ~ affaire *f* de cœur; *F* affaire *f*, chose *f*; ~ *of honour* affaire *f* d'honneur; duel *m*.

af·fect [ə'fekt] atteindre, attaquer, toucher; influer sur (*qch.*); affliger; concerner; altérer (*la santé*); ♂♀ intéresser (*un organe*); affecter (*une manière*); *he* ~*s the freethinker* il pose au libre penseur; *he* ~*s to*

sleep il affecte de dormir; **af·fec·ta·tion** [æfek'teiʃn] affectation *f*, simulation *f* (de, *of*); *langage*: afféterie *f*; *style*: mièvrerie *f*; **af·fect·ed** □ [ə'fektid] atteint (*santé*); disposé (pour q., *towards* s.o.); ému; touché; affecté, maniéré (*style*, *maintien*, *etc.*); minaudier (-ère *f*) (*personne*); simulé; **af'fec·tion** affection *f* (a. ♂♀) (pour *for*, *towards*); tendresse *f* (pour, *for*); impression *f*; **af'fec·tion·ate** □ [~kʃnit] affectueux (-euse *f*), aimant; **af'fec·tive** affectif (-ive *f*).

af·fi·ance [ə'faiəns] 1. confiance *f* (en, *in*); 2. fiancer (avec, *to*).

af·fi·da·vit [æfi'deivit] attestation *f* par écrit; *make an* ~ faire une déclaration sous serment.

af·fil·i·ate [ə'filieit] affilier (*un membre*) (à une société *to*, *with a society*); ♂♀, *a. fig.* attribuer la paternité de (*q., a. qch.*) (à, *on*); ~ *o.s. with* s'affilier à; *Am.* fraterniser avec; ~*d company* filiale *f*; **af·fil·i·a·tion** affiliation *f* (à une société *etc.*); ♂♀ légitimation *f*; *Am. usu.* ~*s pl.* attaches *f/pl.* (*politiques*).

af·fin·i·ty [ə'finiti] parenté *f*; affinité *f* (a. ♂♀, *a. fig.*).

af·firm [ə'fə:m] affirmer, soutenir; ♂♀ confirmer; **af·fir·ma·tion** [æfə:'meiʃn] affirmation *f*; assertion *f*; ♂♀ confirmation *f*; **af·firm·a·tive** □ [ə'fə:mətiv] 1. affirmatif (-ive *f*); 2. affirmative *f*; *answer in the* ~ répondre affirmativement *ou* que oui.

af·fix 1. ['æfiks] addition *f*; 2. [ə'fiks] attacher (à, *to*); apposer (*un sceau*, *un timbre*) (sur, *to*).

af·flict [ə'flikt] affliger, tourmenter; ~*ed with* affligé de; **af'flic·tion** affliction *f*; calamité *f*; infirmité *f*.

af·flu·ence ['æfluəns] affluence *f*; abondance *f*; **'af·flu·ent** □ 1. abondant, riche (en, *in*); opulent, riche; 2. affluent *m*.

af·flux ['æflʌks] afflux *m*; concours *m* (*de gens*).

af·ford [ə'fɔ:d] avoir les moyens de; être en mesure de; disposer de (*le temps*); offrir; *I can* ~ *it* mes moyens me le permettent.

af·for·est [æ'fɔrist] (re)boiser; **af·for·est·a·tion** (re)boisement *m*.

af·fran·chise [ə'fræntʃaiz] affranchir.

af·fray [ə'frei] bagarre *f*; rixe *f*.

af·front [ə'frʌnt] **1.** offenser; faire rougir (q.); **2.** affront m, offense f; put an ~ upon, offer an ~ to faire (un) affront ou une avanie à (q.).

a·field [ə'fiːld] aux champs; à la campagne; far ~ très loin.

a·fire [ə'faiə] en feu, embrasé.

a·float ⚓ a. fig. [ə'flout] à flot (a. fig. = quitte de dettes); sur l'eau, à la mer; à bord; en circulation (idée, bruit); ✝ en cours; keep ~ se maintenir à flot; set ~ lancer (un navire, un journal, etc.).

a·foot [ə'fut] à pied; en mouvement, sur pied; be ~ être en route ou marche ou train.

a·fore ⚓ [ə'fɔː] see before; **a'fore·men·tioned** [ˌmenʃnd], **a'fore·named** [ˌneimd], **a'fore·said** susdit, précité; **a'fore·thought** prémédité; with malice ~ avec préméditation.

a·fraid [ə'freid] pris de peur, effrayé; be ~ of avoir peur de, craindre (q., qch.); F I am ~ I have to go je crains bien que je doive partir.

a·fresh [ə'freʃ] de ou à nouveau.

Af·ri·caans [æfri'kɑːns] africaans m (= patois hollandais parlé au Cap); **Af·ri·can** ['ˌkən] **1.** africain; **2.** Africain(e f) m; surt. Am. nègre; **Af·ri·can·der** [ˌ'kændə] Afrikander m.

aft ⚓ [ɑːft] à ou sur l'arrière.

aft·er ['ɑːftə] **1.** adv. après, plus tard; ensuite; **2.** prp. temps: après; lieu: après; à la suite de; manière: suivant, selon, d'après; ~ all après tout, enfin; I'll go ~ him j'irai le chercher; time ~ time à maintes reprises; ~ having seen him après l'avoir vu; **3.** cj. après que; **4.** adj. subséquent; futur; ⚓ arrière; '~·birth arrière-faix m/inv.; '~·crop regain m; seconde récolte f; '~·din·ner d'après dîner; '~·ef·fect répercussion f; '~·glow dernières lueurs f/pl. du couchant; '~·grass, '~·math ✒ regain m; fig. suites f/pl.; '~·hours le temps m après la fermeture (des magasins, cafés, etc.); '~·noon après-midi m/inv.; fig. ~ (of life) déclin m de la vie; '~·sea·son arrière-saison f; '~·taste arrière-goût m; '~·thought réflexion f après coup; '~·wards ['ˌwədz] après, plus tard, ensuite; par la suite.

a·gain [ə'gen] encore; encore une fois, de nouveau; en outre, d'autre part; ~ and ~, time and ~ maintes et maintes fois; as much (ou many) ~ deux fois autant; twice as much ~ trois fois autant; now and ~, ~ de temps en temps; de temps à autre.

a·gainst [ə'genst] prp. contre; à l'encontre de; fig. en prévision de; as ~ comparé à; ~ the wall contre le mur; ~ a background sur un fond; over ~ vis-à-vis de; F run ~ rencontrer (q.) par hasard.

a·gape [ə'geip] bouche f bée.

ag·ate min. ['ægət] agate f; Am. marbre m; Am. typ. see ruby.

a·ga·ve ♀ [ə'geivi] agave m.

age [eidʒ] **1.** âge m; époque f, siècle m; génération f; F éternité f; (old) vieillesse f; at the ~ of à l'âge de; in the ~ of Queen Anne à l'époque de ou du temps de la reine Anne; of ~ majeur; over ~ trop âgé; under ~ mineur; what is your ~? quel âge avez-vous?; F wait for ~s attendre des éternités; come of ~ atteindre sa majorité; **2.** vieillir; **a·ged** ['ˌid] âgé, vieux (vieil devant une voyelle ou un h muet; vieille f; vieux m/pl.) [eidʒd]: ~ twenty âgé de vingt ans; '**age-group** ✗ etc.: classe f; '**age·less** toujours jeune.

a·gen·cy ['eidʒənsi] action f, opération f; entremise f, intermédiaire m; agent m (naturel); agence f, bureau m.

a·gen·da [ə'dʒendə] sg. ordre m du jour.

a·gent ['eidʒənt] agent m, représentant(e f) m; régisseur m (d'une propriété); mandataire mf; commis m voyageur; 🚂 Am. chef m de gare; 🧪 agent m.

ag·glom·er·ate [ə'glɔməreit] (s')agglomérer; **ag·glom·er·a·tion** agglomération f.

ag·glu·ti·nate 1. [ə'gluːtineit] (s'ag-) glutiner (a. 🧪, gramm.); **2.** [ˌnit] agglutiné; **ag·glu·ti·na·tion** [ˌ'neiʃn] agglutination f (a. 🧪, gramm.).

ag·gran·dize [ə'grændaiz] agrandir; exagérer; **ag'gran·dize·ment** [ˌdizmənt] agrandissement m.

ag·gra·vate ['ægrəveit] aggraver; empirer; envenimer (une querelle); F agacer (q.); **ag·gra·va·tion** aggravation f; envenimement m; F agacement m.

ag·gre·gate 1. ['ægrigeit] (s')agréger

(à, to); v/i. F s'élever à ou au total de;
2. □ ['ˌgit] collectif (-ive f); global (-aux m/pl.), total (-aux m/pl.); ⚓, géol., etc. agrégé; **3.** [ˌ] ensemble m, total m; masse f; in the ~ dans l'ensemble; **ag·gre·ga·tion** [ˌ'geiʃn] agrégation f; assemblage m.

ag·gres·sion [ə'greʃn] agression f; **ag·gres·sive** □ [ə'gresiv] agressif (-ive f); militant; casseur (air); ~ war guerre f offensive; take (ou assume) the ~ prendre l'offensive; **ag·gres·sor** agresseur m.

ag·grieve [ə'griːv] chagriner, blesser.

a·ghast [ə'gɑːst] consterné; stupéfait (de, at).

ag·ile □ ['ædʒail] agile, leste.

a·gil·i·ty [ə'dʒiliti] agilité f

ag·i·o ✝ ['ædʒiou] agio m; **ag·i·o·tage** ['ædʒɔtidʒ] agiotage m.

ag·i·tate ['ædʒiteit] v/t. agiter, remuer; agiter (une question); fig. émouvoir, troubler; v/i. faire de l'agitation (en faveur de, for); **ag·i·'ta·tion** agitation f; mouvement m; émotion f, trouble m; discussion f; insidious ~ menées f/pl. insidieuses; **'ag·i·ta·tor** agitateur m; meneur m; fauteur m de troubles.

ag·let ['æglit] ferret m.

a·glow [ə'glou] enflammé; fig. resplendissant.

ag·nail ✝ ['ægneil] envie f.

ag·nate ['ægneit] **1.** agnat(e f) m; **2.** agnat.

a·go [ə'gou]: a year ~ il y a un an; it is a year ~ il y a un an (que, since); long ~ il y a longtemps.

a·gog [ə'gɔg] en émoi; dans l'expectative (de, for).

ag·o·nize ['ægənaiz] v/t. torturer, mettre au supplice; v/i. être au supplice ou au martyre; **'ag·o·niz·ing** □ atroce; navrant.

ag·o·ny ['ægəni] angoisse f; paroxysme m (de joie); (~ of death, mortal ~) agonie f; journ. F ~ column annonces f/pl. personnelles.

a·grar·i·an [ə'greəriən] **1.** agrarien(ne f) m; **2.** agraire.

a·gree [ə'griː] v/i. consentir; tomber d'accord; s'accorder; (upon, on) convenir (de), accepter (qch.); tomber d'accord (sur); admettre (que, that); être du même avis (que q., with s.o.); ~ to consentir à, accepter (qch.); ~ to differ différer à

l'amiable; v/t. ✝ faire accorder (les livres), faire cadrer (un compte); be ~d être d'accord (sur, on; que, that); ~d! d'accord!, soit!; **a·gree·a·ble** □ agréable (à, to); aimable (envers, to); F consentant (à, to); **a·gree·a·ble·ness** amabilité f; endroit: agrément m; **a·gree·ment** accord m; conformité f, concordance f; convention f, contrat m; traité m; come to an ~ arriver à une entente; make an ~ passer un contrat (avec q., with s.o.).

ag·ri·cul·tur·al [ægri'kʌltʃərəl] agricole (produit, nation); agriculteur (peuple); **ag·ri·cul·ture** ['ˌtʃə] agriculture f; **ag·ri·cul·tur·ist** [ˌtʃərist] agriculteur m, agronome m.

a·ground ⚓ [ə'graund] échoué; run ~ échouer; mettre (un navire) à la côte.

a·gue ['eigjuː] fièvre f (intermittente); **'a·gu·ish** fiévreux (-euse f); impaludé (personne); fig. frissonnant.

ah [ɑː] ah!, ha!, heu!

a·head [ə'hed] en avant, sur l'avant; straight ~ droit devant; ~ of s.o. en avant de q.; go ~ aller de l'avant; avancer; go ~! marchez!; allez-y!; continuez!

a·hoy ⚓ [ə'hɔi] ho ou ohé, du canot!

aid [eid] **1.** aider, secourir; venir en aide à; **2.** aide f, secours m; by (ou with) the ~ of avec l'aide de (q.); à l'aide de (qch.); ~s and appliances moyens m/pl.

aide-de-camp ✕ ['eiddə'kãːŋ], pl. **aides-de-camp** ['eidzdə'kãːŋ] officier m d'ordonnance.

ai·grette ['eigret] aigrette f.

ai·guil·lette ✕ [eigwi'let] aiguillette f.

ail [eil] v/i. être souffrant; v/t. faire souffrir (q.); what ~s him? qu'est-ce qu'il a?; **'ail·ing** souffrant, indisposé; **'ail·ment** mal m, maladie f.

aim [eim] **1.** v/i. viser (qch.); fig. ~ at viser (à inf.; qch., s.th.); surt. Am. ~ to (inf.) aspirer à (inf.); v/t. ~ a gun (ou blow) at viser (q.); ~ remarks at parler à l'adresse de; **2.** action f de viser; but m; fig. dessein m, visées f/pl., but m; take ~ viser; **'aim·less** □ sans but.

ain't F [eint] = are not, am not, is not, have not, has not.

air¹ [ɛə] **1.** air *m*; souffle *m*; brise *f*; by ~ en avion, par la voie des airs; *in the open* ~ au grand air; *castles in the* ~ châteaux *m/pl.* en Espagne; *be in the* ~ être en l'air; *fig.* se préparer; *war in the* ~ guerre *f* aérienne; *on the* ~ radiodiffusé; à la radio; *be on* (*off*) *the* ~ (ne pas) radiodiffuser; *go on* (*off*) *the* ~ commencer (terminer) une émission; *put on the* ~ mettre en ondes, émettre; ~ *supply* entrée *f* d'air; *take the* ~ prendre l'air; ✠ décoller; **2.** aérer (*une chambre, le linge*); mettre à l'air; bassiner (*un lit*); ventiler (*une question*); faire parade de (*son savoir, ses opinions*); ~ *o.s.* prendre l'air.

air² [~] air *m*, mine *f*, apparence *f*; *give o.s.* ~*s* se donner des airs; *with an* ~ d'un grand geste; ~*s and graces* minauderies *f/pl.*

air³ ♪ [~] air *m*, mélodie *f*.

air...: '~**-base** base *f* d'aviation; '~**-bath** bain *m* d'air; '~**-blad·der** vésicule *f* (aérienne); vessie *f* natatoire; '~**borne** ✠ en vol; ✠ aéroporté; '~**-brake** frein *m* à air comprimé; '~**-cham·ber** *biol.* chambre *f* à air; ⊕ cloche *f* d'air; '~**con·di·tioned** climatisé; '~**cooled** (*moteur*) à refroidissement par l'air; '~**craft** avion *m*, -s *m/pl.*; ~ *carrier* porte-avions *m/inv.*; '~**-cush·ion** coussin *m* à air; '~**field** champ *m* d'aviation; '~**-force** aviation *f*; ♀ **Force** armée *f* de l'air; '~**-gun** fusil *m* à vent; ~ *host·ess see* stewardess.

air·i·ness ['ɛərinis] situation *f* aérée; bonne ventilation *f*; *fig.* légèreté *f* d'esprit, gaieté *f*.

air·ing ['ɛəriŋ] ventilation *f*; aérage *m*; *vêtements*: éventage *m*; *take an* ~ faire un (petit) tour, prendre l'air.

air...: '~**-jack·et** gilet *m* de sauvetage; ⊕ chemise *f* d'air; '~**-lift** pont *m* aérien; '~**line** ligne *f* aérienne; service *m* de transports aériens; trajet *m* à vol d'oiseau; ~ **lin·er** avion *m* de ligne; ~ **mail** poste *f* aérienne; '~**-man** aviateur *m*; '~**-me'chan·ic** mécanicien *m* d'avion; '~**-mind·ed** ayant le sens de l'air; '~**-pas·sen·ger** passager (-ère *f*) *m*; '~**-pipe** ⊕ tuyau *m* d'air; '~**-plane** *surt. Am.* avion *m*; '~**-pock·et** ✠ trou *m* d'air; '~**-port**

aéroport *m*; '~**-pump** pompe *f* à air; '~**-raid** ✠ raid *m* aérien; ~ *precautions* défense *f* anti-aérienne; ~ *shelter* abri *m*; '~**-ship** dirigeable *m*; '~**-sick**: *be* ~ avoir la nausée; ~ **ter·mi·nal** ✠ aérogare *f*; '~**-tight** (à clôture) hermétique; *sl.* ~ *case* thèse *f* inébranlable; '~**-tube** tuyau *m* à air; '~**-way** voie *f* aérienne; '~**-wom·an** aviatrice *f*; '~**-wor·thy** navigable.

air·y □ ['ɛəri] bien aéré; léger (-ère *f*); désinvolte; *fig.* en l'air.

aisle △ [ail] nef *f* latérale; bas-côté *m*; passage *m* (*entre bancs*).

aitch [eitʃ] h *m*.

aitch·bone ['eitʃboun] culotte *f* (de bœuf).

a·jar [ə'dʒɑ:] entrouvert, entrebâillé; *fig.* en désaccord (avec, *with*).

a·kim·bo [ə'kimbou] (les poings) sur les hanches.

a·kin [ə'kin] apparenté (à, avec *to*).

al·a·bas·ter ['æləbɑ:stə] **1.** albâtre *m*; **2.** d'albâtre.

a·lack † [ə'læk] hélas!; ~*-a-day!* ô jour malheureux!

a·lac·ri·ty [ə'lækriti] empressement *m*, alacrité *f*; promptitude *f*.

a·larm [ə'lɑ:m] **1.** alarme *f*, alerte *f*; avertisseur *m*, signal *m*; *fig.* agitation *f*; réveille-matin *m/inv.*; ~*-gun* canon *m* d'alarme; *give the* ~, *raise an* ~ donner l'alarme, alerter; **2.** alarmer (*a. fig.*); alerter; a'**larm-bell** tocsin *m*; timbre *m* avertisseur; a'**larm-clock** réveille-matin *m/inv.*, réveil *m*; a'**larm-cord** cordon *m* de la sonnette d'alarme; a'**larm·ist** alarmiste *mf* (*a. adj.*).

a·lar·um [ə'lɛərəm] alerte *f*; réveille-matin *m/inv.*; timbre *m*.

a·las [ə'lɑ:s] hélas!, las!

alb *eccl.* [ælb] aube *f*.

Al·ba·ni·an [æl'beinjən] **1.** albanais; **2.** Albanais(e *f*) *m*.

al·be·it [ɔːl'bi:it] quoique, bien que.

al·bi·no *biol.* [æl'bi:nou] **1.** albinos *mf*; **2.** blanc(he *f*) (*animal*).

al·bum ['ælbəm] album *m*.

al·bu·men, **al·bu·min** ['ælbjumin] albumen *m*; blanc *m* d'œuf; **al·bu·mi·nous** albumineux (-euse *f*).

al·chem·ic, **al·chem·i·cal** □ [æl'kemik(l)] alchimique; **al·che·mist** ['ælkimist] alchimiste *m*; '**al·che·my** alchimie *f*.

al·co·hol ['ælkəhɔl] alcool *m*; **al·co·'hol·ic** alcoolique; **'al·co·hol·ism** alcoolisme *m*; **al·co·hol·ize** ['‿laiz] alcooliser.

al·cove ['ælkouv] alcôve *f*; niche *f*; tonnelle *f* (de jardin).

al·der ⚓ ['ɔːldə] aune *m*.

al·der·man ['ɔːldəmən] alderman *m*, magistrat *m* municipal; **al·der·man·ship**['‿mənʃip] fonctions *f/pl.* d'alderman; magistrature *f*.

ale [eil] ale *f*; bière *f* anglaise.

a·lee ⚓ [ə'liː] sous le vent.

a·lem·bic ⚗ [ə'lembik] alambic *m*.

a·lert [ə'ləːt] 1. □ alerte, éveillé; actif (-ive *f*); 2. alerte *f*; on the ‿ sur le qui-vive; éveillé; **a'lert·ness** vigilance *f*; promptitude *f*.

al·fal·fa ⚘ [æl'fælfə] luzerne *f*.

al·ga ⚘ ['ælgə], *pl.* -gae [‿dʒiː] algue *f*.

al·ge·bra ⚖ ['ældʒibrə] algèbre *f*; **al·ge·bra·ic** [‿'breiik] algébrique.

a·li·as ['eiliæs] 1. autrement nommé; 2. nom *m* d'emprunt. [excuse *f*.]

al·i·bi ['ælibai] alibi *m*; *Am.* F)

al·ien ['eiljən] 1. étranger (-ère *f*); *fig.* ‿ to contraire à; qui répugne à; 2. étranger (-ère *f*) *m*; **'al·ien·a·ble** aliénable, mutable; **al·ien·ate** ['‿eit] aliéner (*des biens*); *fig.* détacher, éloigner (de, *from*), (s')aliéner (*q.*); **al·ien·a·tion** biens, cœur: aliénation *f*; désaffection *f*; ‿ of mind égarement *m* d'esprit; **'al·ien·ist** ⚕ aliéniste *m*.

a·light¹ [ə'lait] allumé; en feu.

a·light² [‿] descendre; mettre pied à terre; se poser (*oiseau*); ✈ atterrir; amerrir.

a·lign [ə'lain] *v/t.* aligner (*a. surv.*); mettre en ligne; ‿ o.s. with se ranger du côté de; *v/i.* s'aligner; **a'lign·ment** alignement *m* (*a. surv.*).

a·like [ə'laik] 1. *adj.* semblable, pareil(le *f*); 2. *adv.* semblablement, de la même manière; de même.

al·i·ment ['ælimənt] aliment *m*; **al·i·men·ta·ry** [‿'mentəri] alimentaire; ‿ canal tube *m ou* canal *m* alimentaire; **al·i·men·ta·tion** alimentation *f*.

al·i·mo·ny ['æliməni] pension *f* alimentaire; aliments *m/pl.*

a·line(**·ment**) [ə'lain(mənt)] *see* align(ment).

al·i·quot ⚖ ['ælikwɔt] (partie *f*) aliquote *f*.

a·live [ə'laiv] vivant, en vie; sensible (à, *to*), conscient (de, *to*); *fig.* éveillé; ⚡ sous tension; no man ‿ personne au monde; F look ‿! dépêchez-vous!; F man ‿! par exemple!; grand Dieu!; be ‿ to avoir conscience de; be ‿ with grouiller de.

al·ka·li 🜔 ['ælkəlai] alcali *m*; **al·ka·line** ['‿lain] alcalin; make ‿ alcaliser.

all [ɔːl] 1. *adj.* tout; sans exception; entier (-ère *f*); ‿ day (long) (pendant) toute la journée; ‿ kind(s) of books toutes sortes de livres; for ‿ that toutefois, cependant; *see above*; after; 2. *su.* tout *m*; totalité *f*; my ‿ mon tout; ‿ of them eux tous; at ‿ quoi que ce soit; aucunement; not at ‿ (pas) du tout; for ‿ (that) I care pour ce que cela me fait; for ‿ I know autant que je sache; 3. *adv.* tout; entièrement; ‿ at once tout à coup; tout d'un coup; ‿ the better tant mieux; ‿ but à peu près, presque; ‿ right en règle; en bon état; entendu!; bon!; c'est ça!

all-A·mer·i·can [ɔːlə'merikən] 1. relevant entièrement des É.-U.; 2. *sp.* champion *m* américain.

al·lay [ə'lei] apaiser, calmer; modérer; dissiper (*des soupçons*); apaiser (*la faim, la soif*).

al·le·ga·tion [æle'geiʃn] allégation *f*; **al·lege** [ə'ledʒ] alléguer; prétendre; **al'leged** allégué; prétendu; présumé.

al·le·giance [ə'liːdʒns] fidélité *f* (à, *to*), obéissance *f* (à, *to*); oath of ‿ serment *m* d'allégeance.

al·le·gor·ic, al·le·gor·i·cal □ [æle'gɔrik(l)] allégorique; **al·le·go·rize** ['æligəraiz] allégoriser; **'al·le·go·ry** allégorie *f*.

al·le·lu·ia [æli'luːjə] alléluia *m*.

al·ler·gy ⚕ ['ælədʒi] allergie *f*.

al·le·vi·ate [ə'liːvieit] alléger, soulager; apaiser (*la soif*); **al·le·vi'a·tion** allègement *m*, soulagement *m*; adoucissement *m*.

al·ley ['æli] *jardin:* allée *f*; ruelle *f*, *ville:* passage *m*; *Am.* ruelle *f* latérale; *see* back ‿; *see* blind; *a.* skittle-‿; F that is right down his ‿ c'est son rayon; '‿way *Am.* ruelle *f*.

All Fools' Day ['ɔːl'fuːlzdei] le premier avril.

al·li·ance [ə'laiəns] alliance *f*; apparentage *m; form an* ~ s'allier (avec, with).

al·li·ga·tor zo.['æligeitə] alligator*m.*

all-in ['ɔːl'in] mixte; ... tous risques; tout compris; *Am.* F fini, *sl.* fichu.

al·lit·er·ate [ə'litəreit] allitérer; **al·lit·er'a·tion** allitération *f.*

all-met·al ⊕ ['ɔːl'metl] tout métal.

al·lo·cate ['æləkeit] allouer, assigner; distribuer; **al·lo'ca·tion** allocation *f*; répartition *f (des dépenses);* part *f* assignée.   [tion *f.*\

al·lo·cu·tion [ælo'kjuːʃn] allocu-⌉

al·lo·di·al □ [ə'loudjəl] allodial (-aux *m/pl.).*

al·lop·a·thist ⚕ [ə'lɔpəθist] allopathe *mf;* **al'lop·a·thy** allopathie *f.*

al·lot [ə'lɔt] assigner, attribuer; affecter *(qch.)* (à, for); répartir; **al'lot·ment** attribution *f; somme:* affectation *f;* ✂ délégation *f* de solde; partage *m;* distribution *f;* portion *f; terre:* lopin *m.*

all-out ['ɔːl'aut] avec toute son énergie, de toutes ses forces.

al·low [ə'lau] permettre; admettre; tolérer; laisser; *Am.* F opiner; *he is* ~*ed to be* on lui reconnaît *(su.);* ~ *for* tenir compte de; avoir égard à; F *it* ~*s of no excuse* cela n'est impardonnable; **al'low·a·ble** □ admissible, admis, légitime; **al'low·ance 1.** tolérance *f;* pension *f* alimentaire; rente *f;* argent *m* de poche; ✂ *nourriture:* indemnité *f;* frais *m/pl.;* rabais *m,* remise *f;* marge *f;* ⊕ tolérance *f; make* ~ *for s.o.* se montrer indulgent envers q.; *make* ~ *for s.th.* faire la part de qch.; **2.** faire une rente à; rationner *(le pain etc.).*

al·loy [ə'lɔi] **1.** alliage *m; fig.* mélange *m;* **2.** (s')allier; *v/t. fig.* altérer; diminuer, porter atteinte à.

all...: '~·'red entièrement britannique; '~·'round universel(le *f);* complet (-ète *f);* à tout usage; ✝ global (-aux *m/pl.).*

All Saints' Day ['ɔːl'seintsdei] la Toussaint *f.*

All Souls' Day ['ɔːl'soulzdei] la fête *f* des morts.

all-star *sp. Am.* ['ɔːl'staː] composé de joueurs de premier ordre.

al·lude [ə'luːd] faire allusion (à, to).

al·lure [ə'ljuə] attirer; séduire; **al'lure·ment** attrait *m;* appât *m;* séduction *f;* **al'lur·ing** □ attrayant, séduisant.

al·lu·sion [ə'luːʒn] allusion *f* (à, to); **al'lu·sive** □ allusif (-ive *f);* faisant allusion (à, to).

al·lu·vi·al □ [ə'luːvjəl] alluvial (-aux *m/pl.) (terrain);* alluvien(ne *f) (gîte);* **al·lu·vi·on** [~ən] alluvion *f;* **al'lu·vi·um** [~əm], *pl.* -ums, -vi·a [~vjə] alluvion *f;* lais *m.*

al·ly¹ 1. [ə'lai] (s')allier (à, avec to, with); *v/t.* apparenter *(des familles); allied to fig.* allié à *ou* avec; de la même nature que; **2.** ['ælai] allié *m,* coallié *m.*

al·ly² ['æli] grosse bille *f;* calot *m.*

al·ma·nac ['ɔːlmənæk] almanach *m.*

al·might·i·ness [ɔːl'maitinis] toute-puissance *f;* **al'might·y 1.** □ tout-puissant (toute-puissante *f);* **2.** F rudement; **3.** ♀ *le* Tout-Puissant.

al·mond ['ɑːmənd] amande *f.*

al·mon·er ['ɑːmənə] aumônier (-ère *f) m.*

al·most ['ɔːlmoust] presque, à peu près.

alms [ɑːmz] *usu. sg.* aumône *f;* '~·**bag** aumônière *f;* '~·**house** asile *m* de vieillards *ou* d'indigents.

al·oe ♀, *a. pharm.* ['ælou] aloès *m.*

a·loft [ə'lɔft] ♎ en haut *(dans la mâture); fig.* en l'air; ⚓ en l'air *(en levée).*

a·lone [ə'loun] seul; *let (ou leave)* ~ laisser *(q.)* tranquille; *let it* ~*!* n'y touchez pas!; *let* ~ sans compter; sans parler de.

a·long [ə'lɔŋ] **1.** *adv.: move* ~ avancer; *come* ~*!* venez donc; *stride* ~ avancer à grandes enjambées; *all* ~ depuis longtemps; tout le temps; ~ *with* avec; F *get* ~ *with you!* filez!; allons donc! **2.** *prp.* le long de; **a'long·shore** le long de la côte; **a'long·side 1.** ♎ *adv.* bord à bord, contre à contre; **2.** *prp.* ♎ accosté le long de; *fig.* tout près de.

a·loof [ə'luːf] à l'écart; distant; ♎ au large; *keep* ~ se tenir éloigné (de, from); *stand* ~ s'abstenir; **a'loof·ness** réserve *f* (à l'égard de, from).

a·loud [ə'laud] à haute voix; tout haut.

alp [ælp] **1.** alpe *f;* **2.** *the* ♀s *pl.* les Alpes *f/pl.;* **al·pen·stock** ['ælpinstɔk] alpenstock *m;* bâton *m* ferré.

al·pha·bet ['ælfəbit] alphabet *m;* **al·pha·bet·ic, al·pha·bet·i·cal** □ [~'betik(l)] alphabétique.

Al·pine ['ælpain] alpin; alpestre *(climat etc.);* ☀ ~ *sun* rayons *m/pl.*

ultraviolets; **al·pin·ist** ['ˌpinist] alpiniste *mf*.

al·read·y [ɔːl'redi] déjà; dès à présent.

Al·sa·tian [æl'seiʃən] **1.** alsacien (-ne *f*); **2.** Alsacien(ne *f*) *m*; (a. ~ *wolf-hound*) chien-loup (*pl.* chiens-loups) *m*.

al·so ['ɔːlsou] aussi; encore; également; *équit.* ~ *ran* non classé.

al·tar ['ɔːltə] autel *m*; '~**·piece** retable *m*; tableau *m* d'autel.

al·ter ['ɔːltə] changer; *v/t.* modifier; remanier (*un texte*); *Am.* F châtrer (*un animal*); '**al·ter·a·ble** variable; modifiable; **al·ter·a·tion** [ˌ'ə'reiʃn] changement *m*, modification *f* (à, to); remaniement *m*.

al·ter·cate ['ɔːltəːkeit] se quereller; **al·ter'ca·tion** dispute *f*, querelle *f*.

al·ter·nate 1. ['ɔːltəːneit] (faire) alterner; ⚡ *alternating current* courant *m* alternatif; **2.** □ [ɔːl'təːnit] alternatif (-ive *f*), alterné; *on ~ days* tous les deux jours; **3.** [ˌ] *Am.* suppléant(e *f*) *m*; remplaçant(e *f*) *m*; **al·ter·na·tion** [ˌ'neiʃn] alternation *f*; alternance *f*; **al'ter·na·tive** [ˌnətiv] **1.** □ alternatif (-ive *f*); second, autre; ⊕ d'emprunt (*route*); **2.** alternative *f*, autre parti *m* (*entre deux*); *I have no ~* je n'ai pas le choix; **al·ter·na·tor** ⚡ ['ˌneitə] alternateur *m*.

al·though [ɔːl'ðou] quoique, bien que.

al·tim·e·ter [æl'timitə] altimètre *m*.

al·ti·tude ['æltitjuːd] altitude *f*; élévation *f*; hauteur *f*; ~ *recorder* altitraceur *m*.

al·to ♪ ['æltou] alto *m*; *femme*: contralto *m*.

al·to·geth·er [ɔːltə'geðə] tout à fait, entièrement; en tout; somme toute; F tous ensemble.

al·tru·ism ['æltruizm] altruisme *m*; '**al·tru·ist** altruiste *mf*; **al·tru'is·tic** (ˌally) altruiste.

al·um 🜍 ['æləm] alun *m*; **a·lu·mi·na** [ə'ljuːminə] alumine *f*; **al·u·min·i·um** [ælju'minjəm], *Am.* **a·lu·mi·num** [ə'luːminəm] aluminium *m*; ~ *acetate* acétate *m* d'aluminium; **a'lu·mi·nous** [ə'ljuːminəs] alumineux (-euse *f*).

a·lum·nus [ə'lʌmnəs], *pl.* **-ni** [ˌnai] *m*; **a'lum·na** [ˌnə], *pl.* **-nae** [ˌniː]

f élève *mf* (*d'un collège*); étudiant(e *f*) *m* (*à une université*); gradué(e *f*) *m*; *Am. sp.* ancien équipier *m*.

al·ve·o·lar [æl'viələ] alvéolaire.

al·ways ['ɔːlwəz] toujours; tout le temps; *as* ~ comme toujours, F comme d'habitude.

a·mal·gam [ə'mælgəm] amalgame *m*; **a'mal·gam·ate** [ˌmeit] (s')amalgamer; fusionner; **a·mal·gam·a·tion** amalgamation *f*; mélange *m*; ✝ fusion *f*.

a·man·u·en·sis [əmænju'ensis], *pl.* **-ses** [ˌsiːz] secrétaire *mf*.

am·a·ranth ♀ ['æmərænθ] amarante *f*.

a·mass [ə'mæs] amasser, accumuler.

am·a·teur ['æmətə] amateur *m*; dilettante *m*; **am·a'teur·ish** d'amateur.

am·a·tive ['æmətiv], **am·a·to·ry** ['ˌtəri] amoureux (-euse *f*); érotique; d'amour.

a·maze [ə'meiz] stupéfier, confondre; **a'maze·ment** stupéfaction *f*, stupeur *f*; **a'maz·ing** □ stupéfiant, étonnant.

Am·a·zon ['æməzn] Amazone *f*; *fig.* ♀ femme *f* hommasse; **Am·a·zo·ni·an** [ˌ'zounjən] d'Amazone; *géog.* de l'Amazone.

am·bas·sa·dor [æm'bæsədə] ambassadeur *m*; **am·bas·sa·do·ri·al** [ˌ'dɔːriəl] ambassadorial (-aux *m/pl.*), d'ambassadeur; **am'bas·sa·dress** [ˌdris] ambassadrice *f*.

am·ber ['æmbə] **1.** ambre *m*; **2.** ambré; jaune; d'ambre; **am·ber·gris** ['ˌgriːs] ambre *m* gris.

am·bi·dex·trous □ ['æmbi'dekstrəs] ambidextre; *fig.* fourbe.

am·bi·ent ['æmbiənt] ambiant.

am·bi·gu·i·ty [æmbi'gjuiti] ambiguïté *f*; équivoque *f*; **am'big·u·ous** □ ambigu(ë *f*), équivoque; incertain; obscur.

am·bi·tion [æm'biʃn] ambition *f* (de, to); ~*s* *pl.* ambitions *f/pl.*; visées *f/pl.*; **am'bi·tious** □ ambitieux (-euse *f*) (de of, to); prétentieux (-euse *f*) (*style*).

am·ble ['æmbl] **1.** amble *m*, entrepas *m*; **2.** aller (à) l'amble; traquenarder; *fig.* marcher d'un pas tranquille; ~ *up* s'approcher d'un pas tranquille; '**am·bler** flâneur (-euse *f*) *m*; cheval *m* ambleur.

am·bro·si·a [æm'brouziə] ambroi-

sie *f*; **am·bro·si·al** □ ambrosiaque;
fig. délicieux (-euse *f*).

am·bu·lance ['æmbjuləns] ambulance *f*; hôpital *m* ambulant; *attr.*
sanitaire; ~ *box* infirmerie *f* portative; *Am.* F ~ *chaser* avoué qui
guette les accidents pour faire poursuivre le responsable en dommages-
intérêts; ~ *man* ambulancier *m*; ~
station poste *m* d'ambulance; poste
m de secours; **'am·bu·lant** ambulant.

am·bu·la·to·ry ['æmbjulətəri] **1.**
ambulant, mobile; ✍ ambulatoire;
2. promenoir *m*, préau *m*; *eccl.*
déambulatoire *m*.

am·bus·cade [æmbəs'keid], **am·
bush** ['æmbuʃ] **1.** guet-apens (*pl.*
guets-apens) *m*; embuscade *f*; *lay
(ou make) an* ~ dresser une embuscade (à q., *for s.o.*); *2. v/t.* attirer (*q.*)
dans un piège; *v/i.* s'embusquer.

a·mel·io·rate [ə'mi:liəreit] (s')améliorer; **a·mel·io·ra·tion** amélioration *f*.

a·men ['ɑ:'men] amen; ainsi soit-il.

a·me·na·ble □ [ə'mi:nəbl] soumis,
docile (à, *to*); ⚖ justiciable.

a·mend [ə'mend] *v/t.* amender; réformer; ⚖ corriger; *parl.* modifier,
amender; *v/i.* s'amender; **a·mend·
ment** modification *f*; ⚖ rectification *f*; *parl.* amendement *m* (*Am. a.
article ajouté à la Constitution des
É.-U.*); **a'mends** [~dz] *sg.* réparation *f*; *make* ~ *for* réparer (*un tort*);
compenser (*un défaut*).

a·men·i·ty [ə'mi:niti] *lieu:* aménité
f; charme *m*; amabilité *f*; *amenities
pl.* commodités *f/pl.* (*de l'existence*);
civilités *f/pl.*

a·merce † [ə'mə:s] confisquer (*des
terres*); mettre à l'amende.

A·mer·i·can [ə'merikən] **1.** américain; ~ *cloth* toile *f* cirée; ~ *leather*
molesquine *f*; *Am.* ~ *Legion* association *f* des anciens combattants des
deux guerres mondiales; *tourisme:*
~ *plan* pension *f* complète; **2.** Américain(e *f*) *m*; **a'mer·i·can·ism**
américanisme *m*; **a'mer·i·can·ize**
(s')américaniser.

Am·er·in·di·an [æmər'indjən], **Am·
er·ind** ['æmərind] Indien *m* indigène de l'Amérique.

am·e·thyst *min.* ['æmiθist] améthyste *f*.

a·mi·a·bil·i·ty [eimjə'biliti] amabi

lité *f* (envers, *to*); **'a·mi·a·ble** □
aimable (envers, *to*).

am·i·ca·ble □ ['æmikəbl] amical
(-aux *m/pl.*); bien disposé; **'am·i·
ca·ble·ness** disposition *f* amicale.

a·mid(st) [ə'mid(st)] *prp.* au milieu
de; parmi; entre.

a·mid·ships ⚓ [ə'midʃips] par le
travers, au milieu du navire.

a·miss [ə'mis] mal; de travers; mal
à propos; *take* ~ prendre (*qch.*) en
mauvaise part; *it would not be* ~ (*for
him*) *to* il ne (lui) ferait pas mal de;
what is ~ *with him?* qu'est-ce qu'il a?

a·mi·ty ['æmiti] amitié *f*; concorde *f*.

am·me·ter ⚡ ['æmitə] ampèremètre
m.

am·mo·ni·a [ə'mounjə] ammoniaque *f*; *liquid* ~ (solution *f* aqueuse
d')ammoniaque *f*; F alcali *m* volatil;
am'mo·ni·ac [~æk], **am·mo·ni·a·
cal** [æmo'naiəkl] ammoniac (-aque
f); *see sal.*

am·mu·ni·tion ✕ [æmju'niʃn]
munitions *f/pl.* de guerre; *2.* d'ordonnance; ~ *boots* chaussures *f/pl.*
de munition; ~ *bread* pain *m* de
guerre.

am·nes·ty ['æmnesti] **1.** amnistie *f*;
2. amnistier.

a·moe·ba *zo.* [ə'mi:bə] amibe *f*.

a·mong(st) [ə'mʌŋ(st)] *prp.* parmi,
entre; *from* ~ d'entre; *be* ~ être du
nombre de; *they have it* ~ *them* ils
l'ont en commun.

a·mor·al [æ'mɔrəl] amoral (-aux
m/pl.).

am·o·rous □ ['æmərəs] amoureux
(-euse *f*) (de, *of*); érotique (*poésie*).

a·mor·phous [ə'mɔ:fəs] *min.* amorphe; *fig.* sans forme; vague.

am·or·ti·za·tion [əmɔ:ti'zeiʃn]
amortissement *m*; **am'or·tize** [~
taiz] amortir.

a·mount [ə'maunt] **1.** : ~ *to* s'élever à,
monter à; revenir à, se réduire à;
2. somme *f*, montant *m*, total *m*;
quantité *f*; valeur *f*; *to the* ~ *of* à la
valeur de; jusqu'à concurrence de.

a·mour [ə'muə] intrigue *f* galante.

am·pere ⚡ ['æmpɛə] ampère *m*.

am·phib·i·an ✕, *zo.* [æm'fibiən]
1. amphibie *m*; **2.** = **am'phib·i·
ous** □ amphibie.

am·phi·the·a·tre ['æmfiθiətə] amphithéâtre *m*.

am·ple □ ['æmpl] ample, large;
vaste; gros(se *f*); grand; abondant;

'am·ple·ness ampleur *f*; abondance *f*.

am·pli·fi·ca·tion [æmplifi'keiʃn] amplification *f* (*a. poét., a. phys.*); *gramm. attribut*: extension *f*; am·pli·fi·er ['ˌfaiə] *radio*: amplificateur *m*; haut-parleur *m*; am·pli·fy ['ˌfai] *v/t.* amplifier (*a. radio*); développer; exagérer; *v/i.* discourir; *radio*: ~*ing valve* lampe *f* amplificatrice; am·pli·tude ['ˌtjuːd] amplitude *f* (*a. phys.*); abondance *f*; ampleur *f*.

am·poule ['æmpuːl] ampoule *f*.

am·pu·tate ♒ ['æmpjuteit] amputer, faire l'amputation de; am·pu·'ta·tion amputation *f*.

a·muck [ə'mʌk]: *run* ~ tomber dans la folie meurtrière de l'amok; *fig.* faire les cent coups; *run* ~ *at* (*ou on ou against*) *fig.* s'emballer contre.

am·u·let ['æmjulit] amulette *f*.

a·muse [ə'mjuːz] amuser, divertir, faire rire, égayer; distraire; a'muse·ment amusement *m*; divertissement *m*; distraction *f*; *for* ~ pour se distraire; *pour* (faire) *rire*; a'mus·ing □ amusant, divertissant (*pour, to*).

am·y·la·ceous [æmi'leiʃəs] amylacé.

an *gramm.* [æn; ən] *article*: un(e *f*).

an·a·bap·tist [ænə'bæptist] anabaptiste *mf*.

a·nach·ro·nism [ə'nækrənizm] anachronisme *m*.

a·n(a)e·mi·a [ə'niːmjə] anémie *f*; a'n(a)e·mic anémique.

an·(a)es·the·si·a [ænis'θiːzjə] anesthésie *f*; an·(a)es·thet·ic [ˌ'θetik] (*ˌally*) anesthésique (*a. su./m*).

an·a·log·ic, an·a·log·i·cal □ [ænə'lɔdʒik(l)] analogique; a·nal·o·gous [ə'næləgəs] analogue (*à with, to*); a'nal·o·gy analogie *f* (*avec with, to*; *entre, between*).

an·a·lyse ['ænəlaiz] analyser; faire l'analyse de (*a. gramm.*); a·nal·y·sis [ə'næləsis], *pl.* -ses [ˌsiːz] analyse *f*; *compte*: dépouillement *m*; *gramm.* analyse *f* logique; an·a·lyst ['ænəlist] analyste *mf*; *public* ~ analyste *m* officiel.

an·a·lyt·ic, an·a·lyt·i·cal □ [ænə-'litik(l)] analytique.

an·ar·chic, an·ar·chi·cal □ [æ-'nɑːkik(l)] anarchique; an·arch·ist ['ænəkist] anarchiste *mf*; 'an·arch·y anarchie *f*; désordre *m*.

a·nath·e·ma [ə'næθimə] anathème *m*; malédiction *f*; a'nath·e·ma·tize anathématiser, frapper d'anathème; *f* maudire.

an·a·tom·i·cal □ [ænə'tɔmikl] anatomique; a·nat·o·mist [ə'nætəmist] anatomiste *mf*; a'nat·o·mize anatomiser; disséquer; a'nat·o·my anatomie *f*; dissection *f*; *f fig.* squelette *m*.

an·ces·tor ['ænsistə] ancêtre *m*; aïeul (*pl.* -eux) *m*; an·ces·tral [ˌ'sestrəl] *biol.* ancestral (-aux *m/pl.*); héréditaire, de famille; an·ces·tress ['ænsistris] ancêtre *f*; aïeule *f*; 'an·ces·try race *f*; lignage *m*; aïeux *m/pl.*

an·chor ['æŋkə] ⚓, *a. fig.* 1. ancre *f*; *at* ~ à l'ancre; mouillé; 2. *v/t.* ancrer, mettre à l'ancre; *v/i.* jeter l'ancre, mouiller; 'an·chor·age ancrage *m*, mouillage *m*.

an·cho·ret ['æŋkəret], an·cho·rite ['ˌrait] anachorète *m*.

an·cho·vy [æn'tʃouvi] anchois *m*.

an·cient ['einʃnt] 1. ancien(ne *f*); antique; 2. *the* ~*s pl.* les anciens *m/pl.* (*grecs et romains*); 'an·cient·ly anciennement; jadis.

an·cil·lar·y [æn'siləri] *fig.* subordonné, ancillaire (*à, to*); accessoire (*à, to*).

and [ænd; ənd] et; *thousands* ~ *thousands* des milliers et des milliers; *there are flowers* ~ *flowers* il y a des fleurs et encore des fleurs; *try* ~ *take it* tâchez de le prendre.

and·i·ron ['ændaiən] landier *m*; chenet *m*.

an·ec·do·tal [ænek'doutl], an·ec·dot·i·cal [ˌ'dɔtikl] □ anecdotique; an·ec·dote ['ænikdout] anecdote *f*.

an·e·lec·tric *phys.* [æni'lektrik] anélectrique.

an·e·mom·e·ter [æni'mɔmitə] anémomètre *m*.

a·nem·o·ne [ə'neməni] anémone *f*.

an·er·oid ['ænərɔid] (*baromètre m*) anéroïde *m*.

a·new [ə'njuː] de nouveau; à nouveau.

an·gel ['eindʒl] ange *m*; an·gel·ic, an·gel·i·cal □ [æn'dʒelik(l)] angélique.

an·ger ['æŋgə] 1. colère *f*; emportement *m* (*contre, at*); 2. irriter, mettre (*q.*) en colère.

an·gi·na ♒ [æn'dʒainə] angine *f*; ~ *pectoris* angine *f* de poitrine.

an·gle ['æŋgl] **1.** angle *m*; *fig.* point *m* de vue; **2.** pêcher à la ligne; ~ *for* F quêter; **'an·gler** pêcheur (-euse *f*) *m* à la ligne.

An·gles ['æŋglz] *pl.* Angles *m/pl.*

An·gli·can ['æŋglikən] **1.** anglican; *Am. a.* anglais; **2.** anglican(e *f*) *m.*

An·gli·cism ['æŋglisizm] anglicisme *m*; idiotisme *m* anglais.

an·gling ['æŋliŋ] pêche *f* à la ligne.

An·glo-Sax·on ['æŋglou'sæksn] **1.** Anglo-Saxon(ne *f*) *m*; **2.** anglo-saxon(ne *f*).

an·gry ['æŋgri] fâché, irrité, courroucé (contre q., *with s.o.*; de qch. *about s.th.*); ✻ irrité, enflammé.

an·guish ['æŋgwiʃ] angoisse *f*; douleur *f*; *fig.* supplice *m.*

an·gu·lar ['æŋgjulə] angulaire; anguleux (-euse *f*) (*visage*); *fig.* maigre, décharné; ~ *point* ⚖ sommet *m*; **an·gu·lar·i·ty** [~'læriti] angularité *f*; *fig.* caractère *m* anguleux.

an·hy·drous ⚗ [æn'haidrəs] anhydre; sec (sèche *f*), tapé (*fruits*).

an·ile ['einail] de vieille femme.

an·i·line ⚗ ['ænili:n] aniline *f*; ~ *dyes pl.* colorants *m/pl.* d'aniline.

an·i·mad·ver·sion [ænimæd'və:ʃn] censure *f*, blâme *m*; **an·i·mad·vert** [~'və:t] critiquer, censurer, blâmer (qch., *on s.th.*).

an·i·mal ['æniməl] **1.** animal *m*; bête *f*; **2.** animal (-aux *m/pl.*); ~ *spirits pl.* verve *f*, entrain *m*; **an·i·mal·cule** [~'mælkju:l] animalcule *m*; **an·i·mal·ism** ['~məlizm] animalité *f*; *biol.* animalisme *m*; **an·i·mal·i·ty** animalité *f.*

an·i·mate 1. ['ænimeit] animer; stimuler; mouvementer; **2.** ['~mit], *usu.* **an·i·mat·ed** ['~meitid] animé (*a. fig.*); doué de vie.

an·i·ma·tion [æni'meiʃn] animation *f*; vivacité *f*; chaleur *f*; entrain *m*; stimulation *f.*

an·i·mos·i·ty [æni'mɔsiti], *a.* **an·i·mus** ['æniməs] animosité *f.*

an·ise ⚘ ['ænis] anis *m*; **an·i·seed** ['~si:d] (graine *f* d')anis *m*; *attr.* à l'anis.

an·kle ['æŋkl] cheville *f*; ~ *bone* astragale *m.*

an·klet ['æŋklit] bracelet *m* de jambe; manille *f* (de forçat); F socquette *f.*

an·nals ['ænlz] *pl.* annales *f/pl.*; *fig.* archives *f/pl.*

an·neal ⊕ [ə'ni:l] recuire, adoucir (*un métal etc.*); *fig.* tempérer.

an·nex 1. [ə'neks] annexer (à, *to*); ajouter; joindre; ~ *to* poser (*des conditions*) à; **2.** ['æneks] annexe *f*; dépendance *f*; adjonction *f*; **an·nex·a·tion** annexion *f* (de, *of*); mainmise *f* (sur, *of*).

an·ni·hi·late [ə'naiəleit] anéantir; annihiler; *see* annul; **an·ni·hi·la·tion** anéantissement *m*; annihilation *f*; *see* annulment.

an·ni·ver·sa·ry [æni'və:səri] anniversaire *m.*

an·no·tate ['ænouteit] annoter; commenter; accompagner de remarques; **an·no·ta·tion** annotation *f*; commentaire *m*; note *f.*

an·nounce [ə'nauns] annoncer; faire connaître; **an'nounce·ment** annonce *f*; avis *m*; faire-part *m/inv.*; **an'nounc·er** *radio:* speaker *m.*

an·noy [ə'nɔi] contrarier; gêner; molester; vexer; **an'noy·ance** contrariété *f*; chagrin *m*; ennui *m*; **an'noyed** contrarié, ennuyé, vexé; **an'noy·ing** ☐ contrariant, ennuyeux (-euse *f*), ennuyant.

an·nu·al ['ænjuəl] **1.** ☐ annuel(le *f*) (*a.* ⚘); ~ *ring* ⚘ couche *f* annuelle; **2.** ⚘ plante *f* annuelle; *livre:* annuaire *m.*

an·nu·i·tant [ə'njuitənt] rentier (-ère *f*) *m*; **an'nu·i·ty** rente *f* (annuelle); ⚓ (*a.* ~ *bond*) obligation *f*; *see* life.

an·nul [ə'nʌl] annuler, résilier; dissoudre (*un mariage*); abroger (*une loi*).

an·nu·lar ☐ ['ænjulə] annulaire.

an·nul·ment [ə'nʌlmənt] annulation *f*, résiliation *f*; dissolution *f*; abrogation *f.*

an·nun·ci·a·tion [ənʌnsi'eiʃn] proclamation *f*, annonce *f*; *eccl.* Annonciation *f*; **an'nun·ci·a·tor** [~ʃieitə] annonciateur *m*; *Am.* bouton *m* (*de sonnerie*).

an·ode ⚡ ['ænoud] **1.** anode *f*; **2.** de plaque; ~ *potential* tension *f* de plaque.

an·o·dyne ✻ ['ænodain] anodin (*a. su./m*); calmant (*a. su./m*).

a·noint [ə'nɔint] *surt. eccl.* oindre; sacrer; *fig.* graisser.

a·nom·a·lous ☐ [ə'nɔmələs] anomal (-aux *m/pl.*); F exceptionnel(le *f*), anormal (-aux *m/pl.*), irrégulier (-ère *f*); **a'nom·a·ly** anomalie *f*.

a·non [ə'nɔn] bientôt, tout à l'heure; *ever and* ~ de temps en temps.

an·o·nym·i·ty [ænə'nimiti] anonymat *m*, anonyme *m*; **a·non·y·mous** □ [ə'nɔniməs] anonyme; inconnu.

an·oth·er [ə'nʌðə] encore un(e); un(e) autre; un(e) second(e); *just such* ~ un autre du même genre.

an·swer ['ɑ:nsə] **1.** *v/t.* répondre (*qch.*) (*à* q., *s.o.*); faire réponse à; remplir (*un but*); obéir (*à la barre*); répondre à (*une accusation*); ~ *the bell* (*ou door*) aller *ou* venir ouvrir; *v/i.* répondre (*à* q., *to* s.o.; *à* qch., *to* s.th.; *à* une question, *to a question*); ne pas réussir; *sl.* ~ *back* répliquer; ~ *for* être responsable de; répondre de (*q.*), se porter garant de (*q.*, *qch.*); ~ *to the name of* s'appeler; **2.** réponse *f* (*à*, *to*); ♣ solution *f*; ♈ réplique *f*, réfutation *f*; **'an·swer·a·ble** □ responsable;

ant [ænt] fourmi *f*. [comptable.]

an't [ɑ:nt] F = *are not, am not; sl. ou prov.* ~ *is not.*]

an·tag·o·nism [æn'tægənizm] antagonisme *m* (*entre*, *de between*); opposition *f* (*à*, *to*; *avec*, *with*); **an'tag·o·nist** adversaire *m*; antagoniste *m*; **an·tag·o'nis·tic** (~*ally*) opposé, contraire (*à*, *to*); adverse; **an'tag·o·nize** éveiller l'hostilité de (*q.*); s'opposer à; contrarier (*une force*).

ant·arc·tic [ænt'ɑ:ktik] antarctique; ♋ *Circle* cercle *m* polaire antarctique.

an·te *Am.* ['ænti] *poker:* **1.** première mise *f*; **2.** F (*usu.* ~ *up*) *v/t.*, *a. v/i.* ouvrir (le jeu); *v/i. fig.* donner son obole.

an·te·ced·ence [ænti'si:dəns] priorité *f*; antériorité *f*; *astr.* antécédence *f*; **an·te'ced·ent 1.** □ antécédent; antérieur (*à*, *to*); **2.** antécédent *m* (*a. gramm.*); thème *m*; *his* ~*s pl.* ses ancêtres *m/pl.*; son passé *m*.

an·te·cham·ber ['æntitʃeimbə] antichambre *f*.

an·te·date ['ænti'deit] antidater (*un document*); précéder, venir avant.

an·te·di·lu·vi·an ['æntidi'lu:vjən] antédiluvien(ne *f*) (*a. su./mf*).

an·te·lope *zo.* ['æntiloup] antilope *f*.

an·ten·na [æn'tenə], *pl.* **-nae** [~ni:] *zo.*, *radio.*, *télév.*: antenne *f*; limaçon: corne *f*.

an·te·ri·or [æn'tiəriə] antérieur (*à*, *to*).

an·te·room ['æntirum] antichambre *f*, vestibule *m*.

an·them ['ænθəm] *eccl.* antienne *f*, motet *m*; hymne *m*.

ant-hill ['ænthil] fourmilière *f*.

an·thol·o·gy [æn'θɔlədʒi] *fig.* anthologie *f*, florilège *m*.

an·thra·cite *min.* ['ænθrəsait] anthracite *m*; F houille *f* sèche; **an·thrax** ['ænθræks] *vét.* charbon *m*.

an·thro·poid ['ænθrəpɔid] anthropoïde (*a. su./m*); **an·thro·pol·o·gist** [~'pɔlədʒist] anthropologiste *mf*, -logue *mf*; **an·thro·pol·o·gy** [~dʒi] anthropologie *f*; **an·thro·poph·a·gy** [ænθrə'pɔfədʒi] anthropophagie *f*.

an·ti... ['ænti] *préf.* anti-; anté-; contre-.

an·ti-air·craft ['ænti'ɛəkrɑ:ft]: ~ *alarm* alerte *f* (aux avions); ~ *defence* défense *f* contre avions; D.C.A.; ~ *gun* canon *m* antiaérien.

an·ti·bi·ot·ic ✱ ['æntibai'ɔtik] antibiotique (*a. su./m*).

an·tic ['æntik] **1.** □ † grotesque; **2.** bouffonnerie *f*, singerie *f*; ~*s pl.* gambades *f/pl.*

An·ti·christ ['æntikraist] Antéchrist *m*.

an·tic·i·pate [æn'tisipeit] anticiper (*un paiement*; *sur les événements*); devancer; prévoir; s'attendre à; se promettre; escompter (*un résultat*); *payment by* ~ paiement *m* par anticipation; *in* ~ *d'avance; Thanking you in* ~ Avec mes *ou* nos remerciements anticipés; **an'tic·i·pa·to·ry** [~peitəri] anticipé, anticipatif (-ive *f*); par anticipation.

an·tic·i·pa·tion anticipation *f*; prévision *f*; attente *f*; expectative *f*;

an·ti·cli·max ['ænti'klaimæks] anticlimax *m*.

an·ti·cor·ro·sive a·gent ['æntikə'rousiv'eidʒənt] antirouille *m*.

an·ti·cy·clone *météor.* ['ænti'saikloun] anticyclone *m*.

an·ti·daz·zle *mot.* ['ænti'dæzl] antiaveuglant; ~ *headlights pl.* pharescode *m/pl.*

an·ti·dote ['æntidout] antidote *m*, contrepoison *m* (*de*, *contre against*, *for*, *to*).

an·ti·freeze *mot.* ['ænti'fri:z] antigel *m*.

an·ti-fric·tion ['ænti'frikʃn] antifriction *f*; *attr.* ⊕ antifriction.
an·ti·ha·lo *phot.* ['ænti'heilou] antihalo *m* (*a. su./m*).
an·ti-ic·er ⊕, ✈ ['ænti'aisə] antigivreur *m*.
an·ti-knock *mot.* ['ænti'nɔk] (produit *m*) antidétonant.
an·ti·mo·ny *min.* ['æntiməni] antimoine *m*.
an·tip·a·thy [æn'tipəθi] antipathie *f* (pour, contre *against, to*); aversion *f* (pour q., *against s.th.*).
an·tip·o·dal [æn'tipədl] situé aux antipodes; **an·ti·pode** ['~poud], *pl.* **an·tip·o·des** [~'tipədi:z] chose *f* diamétralement opposée; rebours *m*; ~*s pl. géog.* antipodes *m/pl.*
An·ti·py·rin [ænti'paiərin] antipyrine *f*, analgésine *f*.
an·ti·quar·i·an □ [ænti'kwɛəriən] archéologique, de l'antique; **an·ti·quar·y** ['~kwəri] archéologue *m*; amateur *m* d'antiquités; antiquaire *m*; **an·ti·quat·ed** ['~kweitid] vieilli; désuet (-ète *f*); suranné, démodé.
an·tique [æn'ti:k] **1.** □ antique; ancien(ne *f*); suranné; **2.** antiquité *f*; objet *m* antique; **an·tiq·ui·ty** [~'tikwiti] antiquité *f* (*romaine etc.*); ancienneté *f*; *antiquities pl.* antiquités *f/pl.*
an·ti-rust ['ænti'rʌst] antirouille *m*.
an·ti-sem·ite [ænti'si:mait] antisémite (*a. su./mf*); **an·ti-sem·i·tism** [~'semitizm] antisémitisme *m*.
an·ti·sep·tic [ænti'septik] antiseptique (*a. su./m*).
an·ti-skid *mot.* ['ænti'skid] antidérapant.
an·tith·e·sis [æn'tiθisis], *pl.* **-ses** [~si:z] antithèse *f*; contraire *m*; **an·ti·thet·ic, an·ti·thet·i·cal** □ [~'θetik(l)] antithétique.
ant·ler ['æntlə] *cerf etc.*: andouiller *m*; ~s *pl.* bois *m* (*pl.*).
an·to·nym *gramm.* ['æntənim] antonyme *m*.
A num·ber 1 *Am.* F *see A 1*.
a·nus *anat.* ['einəs] anus *m*.
an·vil ['ænvil] enclume *f*; *fig.* chantier *m*, métier *m*.
anx·i·e·ty [æŋ'zaiəti] inquiétude *f*; soucis *m/pl.*; *fig.* désir *m* (de *inf.*; *to inf.*); *fig.* sollicitude *f* (pour, *for*); ⚕ anxiété *f*.
anx·ious □ ['æŋkʃəs] inquiet (-ète *f*), soucieux (-euse *f*) (sur, de, au sujet de *about*); désireux (-euse *f*) (de *inf.*, *to inf.*); impatient (de *inf.*, *to inf.*).
an·y ['eni] **1.** *adj.*, *a. pron.* un(e *f*); tout(e *f*); n'importe quel(le *f*); n'importe lequel (laquelle *f*); *are there ~ nails?* y a-t-il des clous?; *not ~* aucun, nul; **2.** *adv. ne se traduit pas d'ordinaire*; **'~·bod·y, '~·one** quelqu'un(e *f*); n'importe qui; tout le monde; quiconque; (*avec négation*) personne; *not ~* personne; **'~·how 1.** *cj.* en tout cas; **2.** *adv.* n'importe comment; **'~·thing** quelque chose; (*avec négation*) rien; *~ but* rien moins que; **'~·way** *see anyhow*; **'~·where** n'importe où.
a·pace [ə'peis] vite; à grands pas.
a·part [ə'pɑ:t] à part; de côté; écarté; *~ from* en dehors de; hormis que; *joking ~* plaisanterie à part; *set ~ for* mettre de côté pour; réserver à; **a'part·ment** salle *f*, chambre *f*; pièce *f*; *Am.* appartement *m*; ~*s pl.* logement *m*; *Am. ~ hotel* hôtel *m* meublé avec *ou* sans service; *Am. ~ house* maison *f* de rapport.
ap·a·thet·ic [æpə'θetik] (*~ally*) indifférent; **'ap·a·thy** apathie *f*, indifférence *f*; nonchalance *f*.
ape [eip] **1.** (grand) singe *m*; **2.** imiter, singer.
a·peak ⚓ [ə'pi:k] à pic, dérapé (*ancre*).
a·pe·ri·ent [ə'piəriənt] **1.** laxatif (-ive *f*); relâchant; **2.** laxatif *m*; relâchant *m*.
ap·er·ture ['æpətjuə] ouverture *f*.
a·pex ['eipeks], *pl.* **'a·pex·es, a·pi·ces** ['eipisi:z] sommet *m*; *fig.* apogée *m*.
aph·o·rism ['æfərizm] aphorisme *m*; **aph·o'ris·tic** (*~ally*) aphoristique.
a·pi·ar·y ['eipiəri] rucher *m*; **a·pi·cul·ture** ['~kʌltʃə] apiculture *f*.
a·piece [ə'pi:s] chacun(e *f*); la pièce.
ap·ish □ ['eipiʃ] simiesque; imitateur (-trice *f*).
A·poc·ry·pha *bibl.* [ə'pɔkrifə] *pl.* *les* Apocryphes *m/pl.*; **a'poc·ry·phal** apocryphe.
ap·o·gee *astr.* ['æpodʒi:] apogée *m*.
a·pol·o·get·ic [əpɔlə'dʒetik] **1.** (*~ally*) d'excuse; *eccl.* apologétique (*livre*); **2.** *eccl. usu.* ~*s pl.* apologétique *f*; **a-**

'**pol·o·gist** apologiste *m*, défenseur *m*; a'**pol·o·gize** s'excuser (de, *for*; auprès de, *to*); a'**pol·o·gy** excuses *f/pl.*; apologie *f*, justification *f* (de, *for*), *fig.* semblant *m* (de, *for*); F (mauvais) substitut *m* (de, *for*); *make an* ~ présenter des excuses.

ap·o·plec·tic, ap·o·plec·ti·cal □ [æpə'plektik(l)] apoplectique (*personne*); d'apoplexie; '**ap·o·plex·y** apoplexie *f*; congestion *f* cérébrale.

a·pos·ta·sy [ə'pɔstəsi] apostasie *f*; a'**pos·tate** [~stit] apostat (*a. su./m*); relaps(e *f*) *m*; a'**pos·ta·tize** [~stətaiz] apostasier (qch., *from s.th.*).

a·pos·tle [ə'pɔsl] apôtre *m*; ap·os·tol·ic, ap·os·tol·i·cal □ [æpə'stɔlik(l)] apostolique.

a·pos·tro·phe *gramm., a. rhétorique*: [ə'pɔstrəfi] apostrophe *f*; a'**pos·tro·phize** apostropher; *gramm.* mettre une apostrophe à.

a·poth·e·car·y † [ə'pɔθikəri] apothicaire *m*, pharmacien *m*.

a·poth·e·o·sis [əpɔθi'ousis] apothéose *f*.

ap·pal [ə'pɔːl] épouvanter; consterner; ap'**pall·ing** épouvantable, effroyable.

ap·pa·ra·tus [æpə'reitəs], *pl.* -tus·es [~təsiz] appareil *m*, dispositif *m*; attirail *m*; ~ *exercises pl.* gymnastique *f* aux agrès.

ap·par·el [ə'pærəl] : *wearing* ~ vêtements *m/pl.*, habits *m/pl.*

ap·par·ent □ [ə'pærənt] apparent, évident, manifeste; *see heir*; ap·pa·ri·tion [æpə'riʃn] apparition *f*; fantôme *m*, revenant *m*.

ap·peal [ə'piːl] 1. faire appel (à, *to*); demander (qch., *for s.th.*; à, *to*); interjeter appel; se pourvoir en cassation; ~ *to* attirer, séduire; ⚖ invoquer l'aide de (*la loi*); appeler de (*un jugement*); *see country*; 2. appel *m*; recours *m*; *fig.* prière *f*, supplication *f*; attrait *m*; ⚖ *notice of* ~ intimation *f*; ~ *for mercy* demande *f* de grâce; ap'**peal·ing** □ suppliant; émouvant; sympathique.

ap·pear [ə'piə] paraître (*a. livres*); se montrer; se présenter; apparaître; sembler; ⚖ comparaître; ~ *for* plaider pour (*q.*); ap'**pear·ance** apparition *f*; entrée *f*; *livre*: parution *f*; apparence *f*; ⚖ comparution *f*; ~*s pl.* dehors *m/pl.*; *keep up* (*ou save*) ~*s* sauver *ou* garder les apparences; *make one's* ~ débuter; paraître; *put in an* ~ faire acte de présence; *to all* ~*s* selon toute apparence.

ap·pease [ə'piːz] apaiser, calmer (*l'agitation, une douleur*); assouvir (*la faim*).

ap·pel·lant [ə'pelənt] appelant(e *f*) (*a.* su./mf); ap'**pel·late** [~lit] d'appel; ap·pel·la·tion [æpe'leiʃn] appellation *f*, nom *m*, désignation *f*, titre *m*; ap·pel·la·tive gramm. [ə'pelətiv] (*a.* ~ *name*) nom *m* commun *ou* générique.

ap·pend [ə'pend] attacher, joindre; apposer (*une signature, un sceau*); annexer (*un document*); ap'**pend·age** accessoire *m*, apanage *m* (de, *to*); annexe *f*; *anat.* appendice *m*; ap·pen·dec·to·my *Am.* [~'dektəmi] appendicectomie *f*; ap·pen·di·ci·tis [~di'saitis] appendicite *f*; ap'**pen·dix** [~diks], *pl.* -dix·es, -di·ces [~disiːz] appendice *m*; ♣ appendice *m* (vermiculaire).

ap·per·tain [æpə'tein] : ~ *to* appartenir à; incomber à; convenir à.

ap·pe·tence, ap·pe·ten·cy ['æpitəns(i)] (*for, after, of*) appétence *f*; désir *m* (de); convoitise *f* (pour).

ap·pe·tite ['æpitait] (*for*) appétit *m* (de); *fig.* désir *m* (de), soif *f* (de).

ap·pe·tiz·er ['æpitaizə] apéritif *m*; '**ap·pe·tiz·ing** alléchant, appétissant.

ap·plaud [ə'plɔːd] *v/i.* applaudir, battre des mains; *v/t.* applaudir (*q.; aux efforts de q.*).

ap·plause [ə'plɔːz] applaudissements *m/pl.*; approbation *f*.

ap·ple ['æpl] pomme *f*; '~**-cart** voiture *f* à bras; F *upset s.o.'s* ~ bouleverser les plans de q.; ~ *pie* tourte *f* aux pommes; '~**-pie** F *in* ~ *order* rangé en ordre parfait; '~**-pol·ish** *sl.* flatter, flagorner (*q.*); '~**-sauce** compote *f* de pommes; *Am. sl.* flagornerie *f*; *int.* chansons!; '~**-tree** pommier *m*.

ap·pli·ance [ə'plaiəns] appareil *m*; instrument *m*; dispositif *m*; ~*s pl.* attirail *m*.

ap·pli·ca·bil·i·ty [æplikə'biliti] applicabilité *f*; '**ap·pli·ca·ble** (à, *to*) applicable; approprié; '**ap·pli·cant** candidat(e *f*) *m* (à, *for*); postulant(e *f*) *m* (de, *for*); ap·pli·ca·tion (*to*) application *f* (à, *sur*); apposition f (à); *frein*: serrage m; assiduité f; demande f (de, *for*); sollicitation f (de, *for*); ~ *form* bulletin m de demande; ~ *for external* ~ pour l'usage externe; *make an* ~ formuler *ou* faire une demande.

ap·ply [əˈplai] *v/t.* (*to*) appliquer (*qch.* sur *qch.*); faire l'application de (*qch.* à *qch.*); coller (sur); serrer (*le frein*); mettre en pratique; affecter (*un paiement*) (à); ~ *o.s. to* s'attacher à; *v/i.* (*to*) s'appliquer (à); s'adresser (à); avoir recours (à); ~ *for* poser sa candidature à, solliciter (*qch.*); *applied science* science f appliquée *ou* expérimentale.

ap·point [əˈpɔint] nommer (q. gouverneur, *s.o. governor*); désigner(pour*inf., to inf.*); fixer, assigner (*l'heure, un endroit*); arrêter (*un jour*); prescrire (que, *that*); *well* ~*ed* bien installé, bien équipé; **ap'point·ment** rendez-vous m; entrevue f; nomination f; désignation f; charge f, emploi m; ~*s pl.* aménagement m, installation f; équipement m; † émoluments m/pl.; *by special* ~ to (*fournisseur*) breveté *ou* attitré de.

ap·por·tion [əˈpɔːʃn] répartir; assigner (à, *to*); **ap'por·tion·ment** partage m, répartition f; allocation f.

ap·po·site □ [ˈæpəzit] approprié (à, *to*); juste; *be* ~ *to* convenir à; **'ap·po·site·ness** justesse f; à-propos m.

ap·po·si·tion [æpəˈziʃn] apposition f.

ap·prais·al [əˈpreizl] évaluation f; **ap·praise** [~ˈpreiz] priser, estimer; **ap'praise·ment** évaluation f, estimation f; **ap'prais·er** estimateur m, priseur m.

ap·pre·ci·a·ble □ [əˈpriːʃəbl] appréciable; sensible; **ap'pre·ci·ate** [~ʃieit] *v/t.* apprécier, faire cas de; estimer; évaluer; hausser la valeur de; *v/i.* augmenter de valeur; **ap·pre·ci'a·tion** appréciation f (de, *of*); estimation f (de, *of*); évaluation f; amélioration f; hausse f; plus-value f; **ap'pre·ci·a·tive** □ [~ətiv], **ap'pre·ci·a·to·ry** [~ətəri] appréciateur (-trice f); sensible (à, *of*); *be* ~ *of* apprécier; être sensible à.

ap·pre·hend [æpriˈhend] arrêter; saisir; *poét.* comprendre; *poét.* redouter; **ap·pre·hen·si·ble** □ [~ˈhensəbl] appréhensible; percep-

tible; **ap·pre'hen·sion** arrestation f; prise f de corps; perception f; compréhension f; appréhension f, crainte f; **ap·pre'hen·sive** □ perceptif (-ive f); timide, craintif (-ive f); *be* ~ redouter (qch., *of s.th.*); craindre (qch., *of s.th.*; pour q., *for s.o.*; que, *that*).

ap·pren·tice [əˈprentis] **1.** apprenti(e f) m; **2.** placer en apprentissage (chez, *to*); ~*d to* en apprentissage chez; **ap'pren·tice·ship** [~tiʃip] apprentissage m.

ap·prise [əˈpraiz]: ~ *s.o. of s.th.* apprendre qch. à q.; prévenir q. de qch. [condition.]

ap·pro † [ˈæprou]: *on* ~ à l'essai, à

ap·proach [əˈproutʃ] **1.** *v/i.* (s')approcher; *fig.* approcher (de, *to*); ⚓ atterrir; *v/t.* (s')approcher de; aborder (q.); entrer en communication avec (q.); *fig.* faire une démarche auprès de (q.) (au sujet de, *about*); *fig.* s'attaquer à, aborder (*un problème*); **2.** approche f; approches f/pl.; venue f; voie f d'accès; accès m; abord m; *fig.* rapprochement m; **ap'proach·a·ble** accessible; abordable.

ap·pro·ba·tion [æproˈbeiʃn] approbation f; consentement m.

ap·pro·pri·ate 1. [əˈprouprieit] (s')approprier; s'emparer de; *parl.* affecter, consacrer (à to, *for*); **2.** □ [~iit] (*to*) approprié (à); convenable, propre (à); à propos; **ap·pro·pri'a·tion** appropriation f; crédit m, budget m; affectation f de fonds; *parl.* ♀ *Committee* commission f du budget.

ap·prov·a·ble [əˈpruːvəbl] louable; **ap'prov·al** approbation f; ratification f; *on* ~ à l'essai, à l'examen; **ap'prove** approuver; ratifier; (*a.* ~ *of*) agréer; ~ *o.s.* † faire ses preuves; **ap'proved** □ autorisé; approuvé; **ap'prov·er** ⚖ complice m qui dénonce ses camarades.

ap·prox·i·mate 1. [əˈprɔksimeit] (se) rapprocher (de, *to*); **2.** □ [~mit] rapproché, proche, voisin (de, *to*); approximatif (-ive f); **ap·prox·i·ma·tion** [~ˈmeiʃn] rapprochement m; approximation f; **ap'prox·i·ma·tive** □ [~mətiv] approximatif (-ive f).

ap·pur·te·nance [əˈpəːtinəns] *usu.* ~*s pl.* accessoires m/pl., attirail m.

a·pri·cot ⚕ ['eiprikɔt] abricot *m*; *arbre*: abricotier *m*.

A·pril ['eiprəl] avril *m*; *make an* ~*-fool of s.o.* faire un poisson d'avril à q.

a·pron ['eiprən] tablier *m* (*a. mot.*); *théâ.* avant-scène *f*; '~*-string* cordon *m* de tablier; *fig.* be tied to her ~s être pendu à ses jupes; être tenu en laisse.

ap·ro·pos ['æprəpou] **1.** à propos (de, *of*), opportun; **2.** à-propos *m*.

apt □ [æpt] juste, fin; heureux (-euse *f*) (*expression etc.*); enclin (à, *to*); susceptible (de, *to*); habile (à, *at*); intelligent; apte, propre (à, *to*); ~ *to take fire* sujet à prendre feu; qui prend feu facilement; **ap·ti·tude** ['~titju:d], '**apt·ness** justesse *f*, à-propos *m*; penchant *m*, tendance *f* (à, *to*); talent *m* (pour, *for*).

aq·ua for·tis 🜍 ['ækwə'fɔ:tis] eauforte (*pl.* eaux-fortes) *f*.

aq·ua·ma·rine *min.* [ækwəmə'ri:n] aigue-marine (*pl.* aigues-marines) *f*.

aq·ua·relle [ækwə'rel] aquarelle *f*.

a·quar·i·um [ə'kwεəriəm], *pl.* **-ums**, **-i·a** [~iə] aquarium *m*.

a·quat·ic [ə'kwætik] **1.** aquatique; ~ *sports see aquatics*; **2.** plante *f ou* animal *m* aquatique; **a'quat·ics** *pl.* sports *m/pl.* nautiques.

aq·ua·tint ['ækwətint] aquatinte *f*.

aq·ue·duct ['ækwidʌkt] aqueduc *m*.

a·que·ous ['eikwiəs] □ aqueux (-euse *f*); *géol.* sédimentaire.

aq·ui·line nose ['ækwilain'nouz] nez *m* aquilin *ou* busqué.

Ar·ab ['ærəb] Arabe *mf*; (cheval *m*) arabe *m*; *sl. street* ♀ gamin *m* des rues; gavroche *m*; **ar·a·besque** [~'besk] **1.** *usu. pl.* arabesque *f*, -s *f/pl.*; **2.** arabesque, dans le style arabe; **A·ra·bi·an** [ə'reibjən] **1.** arabe; *The* ~ *Nights* les Mille et Une Nuits; **2.** Arabe *mf*; **Ar·a·bic** ['ærəbik] **1.** arabe; *gum* ♀ gomme *f* arabique; **2.** *ling.* arabe *m*.

ar·a·ble ['ærəbl] **1.** labourable; **2.** (*ou* ~ *land*) terre *f* arable *ou* labourable.

a·rach·nid [ə'ræknid] arachnide *m*.

ar·bi·ter ['ɑ:bitə] arbitre *m* (*a. fig.*); **ar·bi·trage** [ɑ:'bi'trɑ:ʒ] arbitrage *m*; '**ar·bi·tral** **tri'bu·nal** tribunal *m* arbitral; **ar'bit·ra·ment** [~trəmənt] arbitrage *m*; '**ar·bi·trar·i·ness** arbitraire *m*; '**ar·bi-**

trar·y □ arbitraire; **ar·bi·trate** ['~treit] arbitrer (*a. v/i.*); juger; trancher (*un différend*); **ar·bi'tra·tion** arbitrage *m*; procédure *f* arbitrale; ~ *court* tribunal *m* arbitral; ✝ ~ *of exchange* arbitrage *m* du change; '**ar·bi·tra·tor** ['~ treitə] ⚖ arbitre *m*; arbitre-juge *m*; **ar·bi·tress** ['~tris] *femme*: arbitre *m*.

ar·bor ['ɑ:bə] ⊕, *roue, meule*: arbre *m*; *tour*: mandrin *m*; ♀ *Day Am.* jour *m* où on est tenu de planter un arbre; **ar·bo·re·al** [ɑ:'bɔ:riəl], **ar'bo·re·ous** d'arbre(s); arboricole (*animal*); **ar·bo·res·cent** □ [ɑ:bo'resnt] arborescent; **ar·bo·ri·cul·ture** ['ɑ:borikʌltʃə] arboriculture *f*.

ar·bour ['ɑ:bə] tonnelle *f*, charmille *f*; *vine* ~ treille *f*.

arc ⚡, *astr., etc.* [ɑ:k] arc *m* (⚡ électrique); **ar·cade** [ɑ:'keid] arcade *f*, -s *f/pl.*; galerie *f*, -s *f/pl.*; passage *m*.

ar·ca·num [ɑ:'keinəm], *pl.* **-na** [~nə] arcane *m*, secret *m*.

arch[1] [ɑ:tʃ] **1.** *surt.* △ voûte *f*, arc *m*; cintre *m*; *pont*: arche *f*; ~*-support* cambrure *f*; **2.** (se) voûter; *v/t.* bomber (*a. v/i.*); arquer, cintrer; cambrer.

arch[2] [~] □ espiègle; malin (-igne *f*); malicieux (-euse *f*).

arch[3] [~] insigne, grand; archi-.

ar·chae·ol·o·gist [ɑ:ki'ɔlədʒist] archéologue *su./mf*; **ar·chae·ol·o·gy** archéologie *f*.

ar·cha·ic [ɑ:'keiik] (~*ally*) archaïque; '**ar·cha·ism** archaïsme *m*.

arch·an·gel ['ɑ:keindʒl] archange *m*.

arch·bish·op ['ɑ:tʃ'biʃəp] archevêque *m*; **arch'bish·op·ric** [~rik] archevêché *m*; archiépiscopat *m*.

arch·dea·con ['ɑ:tʃ'di:kən] archidiacre *m*.

arch·duch·ess ['ɑ:tʃ'dʌtʃis] archiduchesse *f*; '**arch'duch·y** archiduché *m*.

arch·duke ['ɑ:tʃ'dju:k] archiduc *m*.

arch·er ['ɑ:tʃə] archer *m*; '**arch·er·y** tir *m* à l'arc.

ar·chi·di·ac·o·nal [ɑ:kidai'ækənl] d'archidiacre.

ar·chi·e·pis·co·pal [ɑ:kii'piskəpl] archiépiscopal (-aux *m/pl.*); métropolitain.

ar·chi·pel·a·go [ɑ:ki'peligou] *géog.* archipel *m*.

ar·chi·tect ['ɑ:kitekt] architecte *m*; *fig.* auteur *m*, artisan *m*; **ar·chi·tec-**

ton·ic [ˌˈtɔnik] (ˌ*ally*) architectonique; architectural (-aux *m/pl.*); *fig.* directeur (-trice *f*); **ar·chi·tec·ture** [ˈˌtʃə] architecture *f*.

ar·chives [ˈɑːkaivz] *pl.* archives *f/pl.*

arch·ness [ˈɑːtʃnis] ɜspièglerie *f*; malice *f*.

arch·way [ˈɑːtʃwei] passage *m* voûté; porte *f* cintrée; portail *m*.

arc·lamp ⚡ [ˈɑːklæmp] lampe *f* à arc.

arc·tic [ˈɑːktik] **1.** arctique; *fig.* glacial (-als *m/pl.*); ♀ *Circle* cercle *m* polaire; ♀ *Ocean* (océan *m*) Arctique *m*; **2.** ⌀s *pl.* snowboots *m/pl.*

ar·den·cy [ˈɑːdənsi] ardeur *f*; **'ar·dent** □ *usu. fig.* ardent; *fig.* fort; ⌀ *spirits pl.* alcool *m*, spiritueux *m/pl.*

ar·do(u)r [ˈɑːdə] *fig.* ardeur *f*; chaleur *f*.

ar·du·ous [ˈɑːdjuəs] ardu (*sentier, travail*); rude (*travail*); escarpé (*chemin*); pénible; laborieux (-euse *f*).

a·re·a [ˈɛəriə] aire *f*, superficie *f*; surface *f*; région *f*, territoire *m*; terrain *m* vide; *cinéma etc.*: parterre *m*; cour *f* d'entrée en sous-sol; zone *f*; *danger* ⌀ zone *f* dangereuse; ⚖ᵗˢ *judicial* ⌀ ressort *m* judiciaire; *prohibited* ⌀ zone *f* interdite; ⌀ *bell* sonnette *f* de la porte de service.

a·re·na [əˈriːnə] arène *f*; champ *m* (*a. fig.*); *fig.* théâtre *m*.

aren't F [ɑːnt] = *are not.*

a·rête *alp.* [æˈreit] arête *f*.

ar·gent [ˈɑːdʒənt] argenté; ⌀ (d')argent.

Ar·gen·tine [ˈɑːdʒəntain] argentin; Argentin(e *f*) *m*.

ar·gil [ˈɑːdʒil] argile *f*; **ar·gil·la·ceous** [ˌˈleiʃəs] argileux (-euse *f*), argillacé.

Ar·go·naut [ˈɑːgənɔːt] argonaute *m*; *Am.* chercheur *m* d'or en Californie.

ar·gu·a·ble [ˈɑːgjuəbl] discutable; soutenable; **ar·gue** [ˈˌgjuː] *v/t.* discuter, débattre; raisonner sur; prouver, démontrer; ⌀ *s.o. into doing s.th.* persuader à q. de faire qch.; ⌀ *s.o. out of doing s.th.* dissuader q. de faire qch.; *v/i.* argumenter (sur, *about*); discuter; raisonner; (se) disputer; plaider; ⌀ *from* tirer argument de.

ar·gu·ment [ˈɑːgjumənt] argument *m*; raisonnement *m*; débat *m*, discussion *f*, dispute *f*; **ar·gu·men·ta-**

tion [ˌmenˈteiʃn] argumentation *f*.

ar·gu·men·ta·tive □ [ˌˈtətiv] disposé à argumenter; critique.

a·ri·a ♪ [ˈɑːriə] aria *f*.

ar·id [ˈærid] aride (*a. fig.*); **a'rid·i·ty** aridité *f*.

a·right [əˈrait] bien, correctement.

a·rise [əˈraiz] [*irr.*] *fig.* s'élever, surgir (de, *from*); se produire; *bibl.* ressusciter; **a'ris·en** *p.p. de arise.*

ar·is·toc·ra·cy [ærisˈtɔkrəsi] aristocratie *f*; *fig.* élite *f*; **a·ris·to·crat** [ˈˌtəkræt] aristocrate *mf*; **a·ris·to·'crat·ic**, **a·ris·to·'crat·i·cal** □ aristocratique.

a·rith·me·tic [əˈriθmətik] arithmétique *f*, calcul *m*; **ar·ith·met·i·cal** □ [ˌˈmetikl] arithmétique; **a·rith·me·ti·cian** [ˌˈməˈtiʃən] arithméticien(ne *f*) *m*.

ark [ɑːk] arche *f*; *bibl.* ♀ *of the Covenant* Arche *f* d'alliance.

arm[1] [ɑːm] bras *m*; *fauteuil*: accoudoir *m*; *within* ⌀'s *reach* à portée de la main; *keep s.o. at* ⌀'s *length* tenir q. à distance; *infant in* ⌀s bébé *m*; F poupon *m*; *take s.o. to* (*ou in*) *one's* ⌀s prendre q. dans ses bras.

arm[2] [⌀] **1.** arme *f*; ⌀s *pl.* armes *f/pl.*; ⚔ armes *f/pl.*, armoiries *f/pl.*; *see coat* 1; *be* (*all*) *up in* ⌀s être en révolte; se dresser (contre, *against*); *take up* ⌀s prendre les armes; **2.** (s')armer; *fig.* (se) nantir de; *v/t.* ⊕ armer; renforcer; ♀ ⌀*ed* spinifère.

ar·ma·da [ɑːˈmɑːdə] flotte *f* de guerre; *hist.* the (*Invincible*) ♀ l'(Invincible) Armada *f*.

ar·ma·ment [ˈɑːməmənt] armement *m*; munitions *f/pl.* de guerre; ⚓ artillerie *f*; (*a. naval* ⌀) armements *m/pl.* navals; flotte *f* navale.

ar·ma·ture [ˈˌtjuə] armure *f* (*a.* ♀, *zo.*); ⚡, *phys.* armature *f*; *phys.* induit *m*.

arm·chair [ˈɑːmˈtʃɛə] fauteuil *m*; ⌀ *strategist*, ⌀ *politician* stratège *m* du café du commerce.

armed [ɑːmd] à *ou* aux bras ...

Ar·me·ni·an [ɑːˈmiːnjən] **1.** arménien(ne *f*); **2.** Arménien(ne *f*) *m*.

arm·ful [ˈɑːmful] brassée *f*.

ar·mi·stice [ˈɑːmistis] armistice *m* (*a. fig.*).

arm·let [ˈɑːmlit] bracelet *m*; brassard *m* (*de parti politique etc.*).

ar·mo·ri·al [ɑːˈmɔːriəl] armorial (-aux *m/pl.*), héraldique.

ar·mo(u)r [ˈɑːmə] **1.** ✗ armure *f*, blindés *m/pl.*; cuirasse *f* (*a. fig.*, *zo.*); scaphandre *m*; **2.** cuirasser; blinder; ‿*ed car* automitrailleuse *f*, char *m* blindé; ‿*ed train* train *m* blindé; ‿*ed turret* tourelle *f* blindée; '‿**clad**, '‿**plat·ed** blindé, cuirassé; '**ar·mo(u)r·er** armurier *m* (*a.* ✗, ⚓); '**ar·mo(u)r·y** magasin *m* d'armes; *caserne:* armurerie *f*; *fig.* arsenal *m*; *Am.* fabrique *f* d'armes; *Am.* salle *f* d'exercice.

arm·pit [ˈɑːmpit] aisselle *f*; '**arm·rest** accoudoir *m*, accotoir *m*.

ar·my [ˈɑːmi] armée *f*; *fig.* foule *f*; ~ **chaplain** aumônier *m* militaire; ~ **command staff** état-major *m* (*pl.* états-majors) *m*; *Salvation* ♀ Armée *f* du Salut; *see service;* '‿**a·gent**, '‿**bro·ker**, '‿**con·trac·tor** fournisseur *m* de l'armée; '‿**corps** corps *m* d'armée; '‿**list** ✗ Annuaire *m* militaire.

a·ro·ma [əˈroumə] arôme *m*; bouquet *m*; **ar·o·mat·ic** [æroˈmætik] (‿*ally*) aromatique; balsamique.

a·rose [əˈrouz] *prét. de* arise.

a·round [əˈraund] **1.** *adv.* autour, à l'entour; d'alentour; *Am.* F par ici, dans ces parages; *Am.* sur pied; **2.** *prp.* autour de; *surt. Am.* F environ, presque.

a·rouse [əˈrauz] *usu. fig.* éveiller; stimuler (*q.*); soulever (*une passion*).

ar·rack [ˈærək] arac(k) *m*.

ar·raign [əˈrein] accuser, inculper; traduire en justice; *fig.* s'en prendre à; **ar'raign·ment** mise *f* en accusation; interpellation *f* de l'accusé.

ar·range [əˈreindʒ] *v/t.* arranger; ranger; régler (*des affaires*); ♪ adapter, arranger; fixer (*un jour*); ménager (*des effets*); ♫ ordonner; *v/i.* prendre des dispositions (pour *for*, *to*); convenir (de, *to*); s'arranger (pour *for, to*); ~ *for s.th. to be there* prendre les mesures pour que qch. soit là; **ar'range·ment** arrangement *m*, disposition *f*, aménagement *m*; ♪ arrangement *m*, adaptation *f*; accord *m*; ♫ compromis *m*; *make one's* ‿*s* prendre ses dispositions.

ar·rant □ [ˈærənt] insigne, achevé; ~ *knave* franc coquin *m*.

ar·ray [əˈrei] **1.** rangs *m/pl.*; *fig.* étalage *m*, rangée *f*; *poét.* atours *m/pl.*, parure *f*; **2.** ranger, mettre en ordre;

déployer (*des troupes etc.*); *poét.* revêtir, parer (de, *in*).

ar·rear [əˈriə] arrérages *m/pl.*; arriéré *m*; ‿*s of rent* arriéré *m* de loyer; *be in* ‿*s* s'arriérer; **ar'rear·age** retard *m*; *Am.* ‿*s pl.* arrérages *m/pl.*, dettes *f/pl.*

ar·rest [əˈrest] **1.** arrestation *f*; prise *f* de corps; ✗, ⚓ arrêts *m/pl.*; suspension *f*, *mouvement:* arrêt *m*; *under* ~ aux arrêts; **2.** arrêter (*criminel, mouvement, regard, attention, etc.*); appréhender (*q.*) au corps; fixer (*l'attention, le regard*); surseoir à (*un jugement*).

ar·riv·al [əˈraivl] arrivée *f*; ♈ arrivage *m*; ⚓ entrée *f* (*du vaisseau*); ‿*s pl.* nouveaux venus *m/pl. ou* arrivés *m/pl.*; ~ *platform* quai *m* de débarquement; *on* ~ à l'arrivée; *To await* ~ ne pas faire suivre; **ar'rive** arriver; parvenir; ~ *at* arriver à; atteindre (*a. un âge*); parvenir à.

ar·ro·gance [ˈærəgəns] arrogance *f*, morgue *f*; '**ar·ro·gant** □ arrogant; **ar·ro·gate** [ˈærogeit] (s')attribuer (*qch.*) (à tort); (*usu.* ~ *to o.s.*) s'arroger, usurper (*qch.*).

ar·row [ˈærou] flèche *f*; *surv.* flèche *f* d'arpenteur; '‿**head** pointe *f* de flèche; *broad* ~ marque *f* de l'État (*britannique*); '‿**root** [ˈærɔruːt] ♀ marante *f*; *cuis.* arrow-root *m*; **ar·row·y** [ˈæroui] en forme de flèche.

arse *sl.* [ɑːs] derrière *m*; *sl.* cul *m*.

ar·se·nal [ˈɑːsinl] arsenal *m*.

ar·se·nic [ˈɑːsnik] arsenic *m*; **ar·sen·ic** [ɑːˈsenik] arsénique; **ar'sen·i·cal** arsenical (*-aux m/pl.*).

ar·son [ˈɑːsn] crime *m* d'incendie.

art¹ [ɑːt] art *m*; adresse *f*, habileté *f*; *fig.* artifice *m*; finesse *f*; *péj* astuce *f*; *Master of* ♀*s* (*abbr.* M.A.) maître *m* ès arts, agrégé *m* de lettres; *applied* ‿*s* arts *m/pl.* industriels; *fine* ‿*s les* beaux-arts *m/pl.*; *liberal* ‿*s* arts *m/pl.* libéraux; ‿*s and crafts* arts *m/pl.* et métiers *m/pl.*; *Faculty of* ♀*s* Faculté *f* des Lettres.

art² † [∧] *tu* es.

ar·te·ri·al [ɑːˈtiəriəl] artériel(le *f*); ~ *road* artère *f*, grande voie *f* de communication; **ar·te·ri·o·scle·ro·sis** [ɑːˈtiəriouskliˈrousis] artériosclérose *f*; **ar·ter·y** [ˈɑːtəri] artère *f* (*a. fig.*); *traffic* ~ artère *f* de circulation.

ar·te·sian well [ɑː'tiːzjən'wel] puits *m* artésien.

art·ful ['ɑːtful] adroit, habile, ingénieux (-euse *f*); rusé.

ar·thrit·ic ⚕ [ɑː'θritik] arthritique; **ar·thri·tis** [ɑː'θraitis] arthrite *f*.

ar·ti·choke ['ɑːtitʃouk] artichaut *m*; Jerusalem ~ topinambour *m*.

ar·ti·cle ['ɑːtikl] 1. ♀, ⚖, ✝, eccl., gramm., etc. article *m*; ✕, ⚓ code *m*; objet *m*; ~s *pl.* of apprenticeship contrat *m* d'apprentissage; ~s *pl.* of association acte *m* de société; contrat *m* de société; 2. placer comme apprenti (chez, to); accuser (de, for); be ~ed faire son apprentissage (chez to, with).

ar·tic·u·late 1. [ɑː'tikjuleit] v/t. articuler (anat., a. mots); énoncer (des mots); v/i. s'articuler (os); 2. □ [~lit], a. **ar'tic·u·lat·ed** [~leitid] net(te *f*), distinct, surt. zo. articulé (a. langage); **ar·tic·u·la·tion** articulation *f*; netteté *f* d'énonciation.

ar·ti·fice ['ɑːtifis] artifice *m*, ruse *f*; adresse *f*, habileté *f*; **ar'tif·i·cer** artisan *m*, ouvrier *m*; ✕ artificier *m*; ⚓ mécanicien *m*; **ar·ti·fi·cial** □ [~'fiʃəl] artificiel(le *f*); simili-; factice (larmes); ~ manure engrais *m/pl.* chimiques; ⚖ ~ person personne *f* juridique *ou* morale; ~ silk soie *f* artificielle; ~ stone simili *m*.

ar·til·ler·y [ɑː'tiləri] artillerie *f*; **ar'til·ler·y·man** artilleur *m*.

ar·ti·san [ɑːti'zæn] artisan *m*, ouvrier *m*.

art·ist ['ɑːtist] artiste *mf*, surt. (artiste-)peintre [pl. (artistes-)peintres] *m*; **ar·tiste** [ɑː'tiːst]artiste *mf*; **ar·tis·tic, ar·tis·ti·cal** □ [~'tistik(l)] artistique; artiste (tempérament).

art·less □ ['ɑːtlis] sans art; naturel (-le *f*), sans artifice; naïf (-ïve *f*), candide; **'art·less·ness** naturel *m*, simplicité *f*; naïveté *f*, candeur *f*.

art·y ['ɑːti] prétentieux (-euse *f*); péj. pseudo-artistique.

Ar·y·an ['ɛəriən] 1. aryen(ne *f*), japhétique; 2. Aryen(ne *f*) *m*.

as [æz, əz] 1. adv., a. cj. aussi, si; comme; puisque, étant donné que; tout ... que; au moment où; (au-)tant que; ~ good ~ aussi bon que; ~ far ~ aussi loin que; autant que; ~ if, ~ though comme si; as if (gér.) comme pour (inf.); ~ it were pour ainsi dire; ~ well aussi, également;

opportun; ~ well ~ de même que; comme; ~ yet jusqu'ici, jusqu'à présent; (~) cold ~ ice glacé, glacial (-als *m/pl.*); fair ~ she is si belle qu'elle soit; so kind ~ to do assez aimable pour faire; such ~ to (inf.) de sorte à (inf.), de façon que; such ~ tel que, tel; par exemple; 2. prp. ~ for, ~ to quant à; ~ from à partir de (telle date), depuis; ✝ ~ per conformément à, suivant.

as·bes·tos [æz'bestɔs] asbeste *m*, amiante *m*.

as·cend [ə'send] v/i. monter, s'élever (à, jusqu'à to); remonter (généalogie); v/t. monter (un escalier); gravir (une colline etc.); monter sur (le trône); remonter (un fleuve); **as'cend·an·cy, as'cend·en·cy** ascendant *m*, pouvoir *m*, influence *f* (sur, over); suprématie *f*; **as'cend·ant, as'cend·ent** 1. ascendant; 2. see ascendancy; astr. ascendant *m*; F position *f* prééminente; be in the ~ être à l'ascendant; prédominer.

as·cen·sion [ə'senʃn] surt. astr., Am. a. montagne, ballon, etc.: ascension *f*; ♀ (Day) jour *m* de l'Ascension.

as·cent [ə'sent] montagne, ballon: ascension *f*; montée *f*; pente *f*, rampe *f*.

as·cer·tain [æsə'tein] constater; s'informer de; **as·cer'tain·a·ble** □ vérifiable; dont on peut s'assurer; **as·cer'tain·ment** constatation *f*; vérification *f*.

as·cet·ic [ə'setik] 1. (~ally) ascétique; 2. ascète *mf*; **as'cet·i·cism** [~tisizəm] ascétisme *m*.

as·crib·a·ble [əs'kraibəbl] imputable, attribuable; **as'cribe** imputer, attribuer. [su./m).]

a·sep·tic ⚕ [æ'septik] aseptique (a.)[

ash¹ [æʃ] ♀ frêne *m*; mountain ~ sorbier *m* sauvage.

ash² [~] usu. ~es *pl.* cendre *f*, -s *f/pl.*; Ash Wednesday mercredi *m* des Cendres.

a·shamed [ə'ʃeimd] honteux (-euse *f*), confus; be (ou feel) ~ of avoir honte de; être honteux (-euse *f*) de; be ~ of o.s. avoir honte.

ash-can Am. ['æʃkæn] boîte *f* à ordures, poubelle *f*.

ash·en¹ ['æʃn] de frêne, en frêne.

ash·en² [~] de cendres; cendré; gris; terreux (-euse *f*) (visage); blême.

ash·lar ['æʃlə] pierre *f* de taille; moellon *m* d'appareil.

a·shore [ə'ʃɔː] à terre; échoué; *run ~*, *be driven ~* s'échouer; faire côte.

ash-tray ['æʃtrei] cendrier *m*.

ash·y ['æʃi] cendreux (-euse *f*); couvert de cendres; gris; blême.

A·si·at·ic [eiʃi'ætik] 1. asiatique, d'Asie; 2. Asiatique *mf*.

a·side [ə'said] 1. de côté; à part; à l'écart; *théâ.* en aparté; *~ from Am.* à part, en plus de; 2. à-côté *m*; *théâ.* aparté *m*.

as·i·nine ['æsinain] asine; F stupide.

ask [ɑːsk] *v/t.* demander (qch., *s.th.*, qch. à q., *s.o. s.th.*; que *that*); *a.* inviter (à, *to*); solliciter (qch. de q., *s.o. for s.th.*); prier (q. de *inf.*, *s.o. to inf.*); *~ (s.o.) a question* poser une question (à q.); *v/i.*: *~ about* se renseigner sur; *~ after* s'informer de, demander des nouvelles de; *~ for* demander (*qch.*); demander à voir (*q.*); *sl. he ~s for it* il ne l'a pas volé; *it is ~ to be had for the ~ing* il n'y a qu'à le demander.

a·skance [əs'kæns], **a·skant**, **as·kew** [əs'kjuː] de côté, de travers, obliquement; *fig.* de guingois.

a·slant [ə'slɑːnt] de biais, de travers.

a·sleep [ə'sliːp] endormi, plongé dans le sommeil; engourdi (*pied etc.*); *be ~* être endormi, dormir; *see fall.*

a·slope [ə'sloup] en pente, en talus.

asp[1] *zo.* [æsp] aspic *m*.

asp[2] [~] *see* aspen.

as·par·a·gus ♀ [əs'pærəgəs] asperge *f*, *cuis.* -s *f/pl.*

as·pect ['æspekt] exposition *f*, vue *f*; aspect *m*, air *m*; point *m* de vue; *the house has a southern ~* la maison est exposée au sud *ou* a une exposition sud.

as·pen ['æspən] tremble *m*; *attr.* de tremble.

as·per·gill ['æspədʒil], **as·per·gil·lum** *eccl.* [~'dʒiləm] goupillon *m*.

as·per·i·ty [æs'periti] âpreté *f*; sévérité *f*; rudesse *f*; aspérité *f* (*du style*, *a. fig.*).

as·perse [əs'pəːs] asperger; *fig.* calomnier, dénigrer; salir (*la réputation*); **as·per·sion** [əs'pəːʃn] aspersion *f*; *fig.* calomnie *f*.

as·phalt ['æsfælt] 1. asphalte *m*; F bitume *m*; 2. d'asphalte; bitumé.

as·phyx·i·a ⚕ [æs'fiksiə] asphyxie *f*;

as·phyx·i·ate [~ieit] asphyxier; **as·phyx·i·a·tion** asphyxie *f*.

as·pic ['æspik] aspic *m*; ♀ grande lavande *f*.

as·pi·rant [əs'paiərənt] aspirant(e *f*) *m* (à *to*, *after*, *for*); candidat(e *f*) *m*; *~ officer* candidat *m* au rang d'officier.

as·pi·rate ['æspərit] 1. *gramm.* aspiré; 2. *gramm.* aspirée *f*; 3. ['~reit] aspirer (*a.* ⊕, ⚕); **as·pi·ra·tion** aspiration *f* (*a.* ⊕, ⚕); ambition *f*; visée *f*; **as·pire** [əs'paiə] aspirer, viser (à *to*, *after*, *at*); ambitionner (*qch.*).

as·pi·rin *pharm.* ['æspərin] aspirine *f*; F comprimé *m* d'aspirine.

as·pir·ing □ [əs'paiəriŋ] ambitieux (-euse *f*).

ass [æs] âne(sse *f*) *m*; *make an ~ of o.s.* faire des âneries; se donner en spectacle.

as·sail [ə'seil] assaillir, attaquer; *fig.* s'attaquer à; accabler de; *crainte, doute, etc.*: saisir, envahir (*q.*); frapper (*l'œil etc.*); **as·sail·a·ble** attaquable; mal défendable; **as·sail·ant**, **as·sail·er** assaillant(e *f*) *m*; agresseur *m*.

as·sas·sin [ə'sæsin] assassin *m*; **as·sas·si·nate** [~neit] assassiner; **as·sas·si·na·tion** assassinat *m*.

as·sault [ə'sɔːlt] 1. assaut *m* (*a.* ✗); ✗ attaque *f*; ⚖ tentative *f* de voie de fait; agression *f*; *see* battery; *indecent ~*; 2. attaquer, assaillir; ⚖ se livrer à des voies de fait sur (*q.*); ✗ livrer l'assaut à.

as·say [ə'sei] 1. *métal etc.*: essai *m*; 2. *v/t.* essayer, titrer; *v/i. Am.* titrer; **as·say·er** essayeur *m*.

as·sem·blage [ə'semblidʒ] réunion *f*; rassemblement *m*, ⊕ montage *m*, assemblage *m*; **as·sem·ble** (s')assembler; (se) rassembler (*troupes*); (se) réunir; *v/t.* ⊕ assembler, monter; **as·sem·bler** ⊕ monteur (-euse *f*) *m*; ajusteur (-euse *f*) *m*; **as·sem·bly** assemblée *f*; assemblement *m*, réunion *f*; ✗ (sonnerie *f* du) rassemblement *m*; ⊕ montage *m*, assemblage *m*; (*a. ~ shop*) salle *f ou* atelier *m* de montage; *moving ~ belt* chaîne *f* de montage; *Am. ~ line* banc *m* de montage; *Am. pol. ~ man* député *m*.

as·sent [ə'sent] 1. assentiment *m*, consentement *m*; 2.: *~ to* acquiescer, accéder à; admettre (*qch.*).

as·sert [ə'sə:t] affirmer (que, *that*); (*surt.* ~ *o.s.*) soutenir ses droits; (~ *o.s.* s') imposer; **as'ser·tion** assertion *f*, affirmation *f*, revendication *f* (*de droits*); **as'ser·tive** □ péremptoire; *gramm.* assertif (-ive *f*); impérieux (-euse *f*); **as'ser·tor** celui (celle *f*) qui affirme; défenseur *m*.

as·sess [ə'ses] estimer, évaluer; répartir (*un impôt*); fixer (*une somme*); coter, taxer (à *in, at*); **as'sess·a·ble** □ évaluable (*dommage*); imposable (*propriété*); **as'sess·ment** répartition *f*; évaluation *f*; cotisation *f*; côte *f*; **as'ses·sor** assesseur *m*; contrôleur *m* (*des contributions*).

as·set ['æset] † avoir *m*, actif *m*; ~s *pl.* biens *m/pl.*; † actifs *m/pl.*

as·sev·er·ate [ə'sevəreit] affirmer; **as·sev·er'a·tion** affirmation *f*.

as·si·du·i·ty [æsi'djuiti] assiduité *f*, diligence *f* (à, *in*); *assiduities pl.* petits soins *m/pl.*; **as·sid·u·ous** assidu; diligent.

as·sign [ə'sain] **1.** assigner; consacrer; attribuer; donner (*la raison de qch.*); ⚖ transférer, céder; **2.** ⚖ ayant droit (*pl.* ayants droit) *m*; **as·'sign·a·ble** □ assignable, attribuable; cessible; **as·sig·na·tion** [æsig'neiʃn] attribution *f*; rendez-vous *m*; *see assignment*; **as·sign·ee** [æsi'ni:] *see assign* 2; délégué(e *f*) *m*; ⚖ syndic *m*; ⚖ séquestre *m*; **as·sign·ment** [ə'sainmənt] allocation *f*; citation *f*; *surt. Am.* désignation *f*, nomination *f*; *univ.* tâche *f* assignée, devoir *m*; ⚖ transfert *m*, cession *f*; **as·sign·or** [æsi'nɔ:] ⚖ cédant(e *f*) *m*.

as·sim·i·late [ə'simileit] (*to, with*) (s')assimiler (à) (*a. physiol.*); *v/t.* comparer (à); **as·sim·i·la·tion** assimilation *f* (*a. physiol.*); comparaison *f*.

as·sist [ə'sist] *v/t.* aider; prêter assistance à; secourir; *v/i.* ~ *at* prendre part à; assister à; **as·sist·ance** aide *f*, secours *m*, assistance *f*; **as·sist·ant 1.** qui aide; adjoint (à, *to*); sous-; **2.** adjoint(e *f*) *m*, auxiliaire *mf*; † commis *m*, employé(e *f*) *m*.

as·size ⚖ [ə'saiz] assises *f/pl.*; ~s *pl.* (cour *f* d')assises *f/pl.*

as·so·ci·a·ble [ə'souʃjəbl] associable (à, *with*); **as·so·ci·ate 1.** [~ʃieit] (s')associer (avec, *with*); *v/i.* s'affilier

(à, *with*); ~ *in* s'associer pour (*qch.*); fréquenter (*q.*); **2.** [~ʃiit] associé; adjoint; **3.** [~] associé *m* (*a.* †); adjoint *m*; compagnon *m*, camarade *mf*; membre *m* correspondant (*d'une académie*); professeur *m* adjoint; **as·so·ci·a·tion** [~si'eiʃən] association *f* (*a. d'idées*); fréquentation *f*; société *f*, amicale *f* (*d'étudiants etc.*); ~ *football* football *m* association.

as·so·nance ['æsənəns] assonance *f*.

as·sort [ə'sɔ:t] *v/t.* assortir; classer, ranger; † assortir; *v/i.* (*with*) (s')assortir (avec); aller ensemble; **as'sort·ment** assortiment *m*; classement *m*; † assortiment *m*, choix *m*.

as·suage [ə'sweidʒ] apaiser (*la faim, un désir, etc.*); calmer; soulager; assoupir (*la souffrance*); **as·'suage·ment** apaisement *m*, soulagement *m*, adoucissement *m*.

as·sume [ə'sju:m] prendre; affecter; revêtir; assumer (*une charge etc.*); simuler; présumer, supposer; **as'sum·ing** □ présomptueux (-euse *f*); **as·sump·tion** [ə'sʌmpʃn] action *f* de prendre; entrée *f* en fonctions; affectation *f*; arrogance *f*; hypothèse *f*; *eccl.* ♀ Assomption *f*; *on the* ~ *that* en supposant que; **as'sump·tive** □ hypothétique; admis; arrogant.

as·sur·ance [ə'ʃuərəns] affirmation *f*; promesse *f*; assurance *f* (*a.* = *sûreté; aplomb*); *péj.* hardiesse *f*; assurance *f* sur la vie; **as'sure** assurer; assurer la vie de; s'assurer sur la vie; ~ *s.o. of s.th.* assurer q. de qch., assurer qch. à q.; **as'sured 1.** (*adv.* **as'sur·ed·ly** [~ridli]) assuré (*a.* = *certain; a.* = *sûr de soi*); *péj.* affronté; **2.** assuré(e *f*) *m*; **as'sur·er** [~rə] assuré(e *f*) *m*.

As·syr·i·an [ə'siriən] **1.** assyrien(ne *f*); **2.** Assyrien(ne *f*) *m*.

as·ter ♀ ['æstə] aster *m*; **as·ter·isk** ['æərisk] *typ.* astérisque *m*.

a·stern ⚓ [ə'stə:n] à *ou* sur l'arrière.

asth·ma ['æsmə] asthme *m*; **asth·mat·ic** [~'mætik] **1.** *a.* **asth'mat·i·cal** □ asthmatique; **2.** asthmatique *mf*.

as·tig·mat·ic [æstig'mætik] (~*ally*) *opt.* astigmate; **a·stig·ma·tism** [~'mətizm] astigmatisme *m*.

a·stir [əs'tə:] animé; debout; agité.

as·ton·ish [əs'tɔniʃ] étonner, surprendre; *be ~ed* être étonné, s'étonner (de *at*, *to*); **as'ton·ish·ing** □ étonnant, surprenant; **as'ton·ish·ment** étonnement *m*, surprise *f*.

as·tound [əs'taund] confondre; stupéfier.

as·tra·gal △ ['æstrəgəl] astragale *m*, chapelet *m*.

as·tra·khan [æstrə'kæn] *fourrure*: astrakan *m*.

as·tral ['æstrəl] astral (-aux *m/pl.*).

a·stray [ə'strei] égaré; *péj.* dévoyé; *go ~* s'égarer; *péj.* se dévoyer.

a·stride [ə'straid] à califourchon (*sur*, *of*); *ride ~* aller jambe deçà, jambe delà (*sur un cheval etc.*).

as·trin·gent □, *s* [əs'trindʒənt] astringent (*a. su./m*); styptique (*a. su./m*).

as·trol·o·ger [əs'trɔlədʒə] astrologue *m*; **as·trol·o·gy** [əs'trɔlədʒi] astrologie *f*; **as·tro·naut** ['æstronɔːt] astronaute *mf*; **as·tron·o·mer** [əs'trɔnəmə] astronome *m*; **as·tronom·i·cal** □ [æstrə'nɔmikl] astronomique; **as·tron·o·my** [əs'trɔnəmi] astronomie *f*.

as·tute □ [əs'tjuːt] avisé, fin; *péj.* rusé, astucieux (-euse *f*); **as'tute·ness** finesse *f*, pénétration *f*; *péj.* astuce *f*.

a·sun·der [ə'sʌndə] éloignés l'un de l'autre; en deux.

a·sy·lum [ə'sailəm] asile *m*, refuge *m*; hospice *m*; F maison *f* d'aliénés.

at [æt; ət] *prp.* à; en (*guerre*, *mer*); (au)près de; sur (*demande*); *après certains verbes comme rire, se réjouir, s'étonner*: de; ~ *the door* à la porte; *sur le seuil*; ~ *my expense* à mes frais; ~ *my aunt's* chez ma tante; *run ~ s.o.* se jeter sur q.; ~ *day-break* au jour levant; ~ *night* la nuit; ~ *table* à table; ~ *a low price* à un bas prix; ~ *all events* en tout cas; ~ *school* à l'école; 2 ~ *a time* 2 par 2; ~ *peace* en paix; ~ *the age of* à l'âge de; ~ *one blow* d'un seul coup; ~ *five o'clock* à cinq heures; ~ *Christmas* à Noël.　　　　　　　　[visme *m*.]

at·a·vism *biol.* ['ætəvizm] ata-]

a·tax·y *s* [ə'tæksi] ataxie *f*, incoordination *f*.

ate [et] *prét. de eat 1*.

a·the·ism ['eiθiizm] athéisme *m*; **'a·the·ist** athée *mf*; **a·the'is·tic**, **a·the'is·ti·cal** □ athéistique; athée.

ath·lete ['æθliːt] athlète *m*; *s* ~*'s foot* pied *m* de l'athlète; ~*'s heart* cardiectasie *f*; **ath·let·ic** [~'letik] athlétique; F sportif (-ive *f*); ~ *heave* effort *m* vigoureux; ~ *sports pl.* sports *m/pl.* athlétiques; **ath'let·ics** *pl.*, **ath'let·i·cism** [~'tisizm] athlétisme *m*.

at-home [ət'houm] réception *f*; soirée *f*.

a·thwart [ə'θwɔːt] **1.** *prp.* en travers de; **2.** *adv.* en travers (*a.* ♣); ♣ par le travers.

a·tilt [ə'tilt] incliné, penché; sur l'oreille (*chapeau*).

At·lan·tic [ət'læntik] **1.** atlantique; **2.** (*a. ~ Ocean*) (océan *m*) Atlantique *m*.

at·las ['ætləs] atlas *m*; △ atlante *m*.

at·mos·phere ['ætməsfiə] atmosphère *f* (*a. fig.*); **at·mos·pher·ic**, **at·mos·pher·i·cal** □ [~'ferik(l)] atmosphérique; **at·mos'pher·ics** *pl. radio*: parasites *m/pl.*, perturbations *f/pl.* atmosphériques.

at·oll *géog.* [ə'tɔl] atoll *m*; île *f* de corail.

at·om ⌒, *phys.* ['ætəm] atome *m* (*a. fig.*); **a·tom·ic** [ə'tɔmik] atomique; ~ *age* (*bomb, energy, number, warfare, weight*) âge *m* (bombe *f*, énergie *f*, nombre *m*, guerre *f*, poids *m*) atomique; ~ *fission* fission *f* de l'atome; ~*-powered* actionné par l'énergie atomique; ~ *pile* (*ou reactor*) pile *f* atomique, réacteur *m* nucléaire; ~ *research* recherche *f* atomique, recherches *f/pl.* nucléaires; **at·om·ism** ['ætəmizm] atomisme *m*; **at·om·is·tic** [~'istik] atomistique; **'at·om·ize** pulvériser (*un liquide*); vaporiser; **'at·om·iz·er** pulvérisateur *m*, atomiseur *m*; **'at·o·my** *surt. fig.* squelette *m*.

a·tone [ə'toun]: ~ *for* expier (*qch.*), racheter (*qch.*); **a'tone·ment** expiation *f*, réparation *f*.

a·ton·ic [æ'tɔnik] *s* atonique; *gramm.* atone; **at·o·ny** ['ætəni] atonie *f*; F aveulissement *m*.

a·top F [ə'tɔp] en haut, au sommet; ~ *of* en haut de.

a·tro·cious □ [ə'trouʃəs] atroce; F affreux (-euse *f*); **a·troc·i·ty** [ə'trɔsiti] atrocité *f* (*a. fig.*).

at·ro·phy ☞ ['ætrəfi] **1.** atrophie f; contabescence f; **2.** (s')atrophier.

at·tach [ə'tætʃ] v/t. (to) attacher (*chose, valeur, sens, etc.*) (à); lier, fixer (à); annexer (*un document*) (à); imputer (*une responsabilité*) (à); ajouter (*de la foi*) (à); prêter (*de l'importance*) (à); ⚖ arrêter (*q.*); saisir (*qch*); ~ o.s. to s'attacher à; ~ value to attacher du prix à; v/i. s'attacher (à, to); **at·tach·a·ble** qui peut être attaché (à, to); ⚖ saisissable; **at·ta·ché** [ə'tæʃei] attaché m; ~ case mallette f (*pour documents*); **at·tach·ment** action f d'attacher; attachement m (pour, for); attache f, lien m; affection f (pour, for); ⊕, *machine*: accessoire m; attelage m; ⚖ saisie-arrêt (*pl.* saisies-arrêts) f; contrainte f par corps.

at·tack [ə'tæk] **1.** attaquer (*a. fig.*); s'attaquer à (*un travail, un repas, etc.*); *maladie*: s'attaquer à (*q.*); **2.** assaut m; attaque f (*a.* ☞); attentat m (*à la vie*); ☞ crise f; accès m; **at·tack·er** agresseur m; attaquant(e f) m.

at·tain [ə'tein] v/t. atteindre, arriver à (*a. fig.*); acquérir (*des connaissances*); v/i.: ~ to atteindre à; atteindre (*un âge*) (à); **at·tain·a·ble** accessible; **at·tain·der** ⚖ confiscation f de biens et mort f civile; **at·tain·ment** arrivée f; *fig.* réalisation f; ~s *pl.* connaissance f, -s f/pl., savoir m.

at·taint ⚖ [ə'teint] frapper (*q.*) de mort civile; *fig.* attaquer; souiller.

at·tar ['ætə] essence f de roses.

at·tem·per [ə'tempə] tremper; adoucir; modérer; accorder (avec, to).

at·tempt [ə'tempt] **1.** essayer (de, to), tâcher (de, to); ~ the life of attenter à la vie de; **2.** tentative f, essai m, effort m (de, to); attentat m (contre la vie de q., [up]on s.o.'s life).

at·tend [ə'tend] v/t. assister à; aller à; servir; visiter; soigner (*un malade*); accompagner; suivre (*un cours*); v/i. faire attention; assister; se charger (de, to); s'appliquer (à, to); ~ on visiter, soigner (*un malade*); ~ to s'occuper de (*affaires etc.*); **at·tend·ance** hôtel, magasin, *etc.*: service m; présence f; assistance f (à, at); ☞ soins m/pl. (pour, on), visites f/pl. (à, on); assiduité f

(*aux cours, à l'école*); hours *pl.* of ~ heures f/pl. de présence; be in ~ être de service (auprès de, on); F dance ~ faire les trente-six volontés (de, on); **at·tend·ant 1.** qui accompagne, qui sert, qui suit (q., [up]on s.o.); qui assiste; concomitant; **2.** serviteur m, domestique mf; surveillant(e f) m; *théâ.* ouvreuse f; gardien(ne f) m; appariteur m; ⊕ surveillant m, soigneur m; ~s *pl.* personnel m.

at·ten·tion [ə'tenʃn] attention f (*a. fig.* = civilité); ✕ ~! garde à vous!; *see* call; give; pay; **at·ten·tive** □ attentif (-ive f) (à, to); soucieux (-euse f) (de, to); *fig.* empressé (auprès de, to).

at·ten·u·ate [ə'tenjueit] atténuer (*a. fig.*); amincir; raréfier (*un gaz etc.*); **at·ten·u·at·ed** atténué; amaigri; ténu; **at·ten·u·a·tion** atténuation f; amaigrissement m.

at·test [ə'test] attester, certifier (*a. fig.*); (*a.* v/i. ~ to) témoigner de; affirmer sous serment; ⚖ assermenter (*q.*); *surt.* ✕ faire prêter serment à (*q.*); **at·tes·ta·tion** [ætes'teiʃn] attestation f; témoignage m; prestation f de serment; *surt.* ✕ assermentation f; **at·test·er, at·test·or** [ə'testə] témoin m (⚖ instrumentaire); ⚖ certificateur m.

At·tic ['ætik] **1.** attique; **2.** ♀ mansarde f, F grenier m; ♀s *pl.* combles m/pl.; étage m mansardé.

at·tire *poét.* [ə'taiə] **1.** vêtir; parer; **2.** costume m, vêtements m/pl.

at·ti·tude ['ætitjuːd] attitude f (envers, to[wards]); pose f; position f (*d'un avion en vol*); strike an ~ poser, prendre une attitude dramatique; ~ of mind disposition f d'esprit; manière f de penser; **at·ti·tu·di·nize** poser; faire des grâces.

at·tor·ney [ə'tɜːni] mandataire mf; *Am.* avoué m; ⚖ *Am.* circuit ~, district ~ procureur m de la République; letter (*ou* warrant) of ~ procuration f; power of ~ pouvoirs m/pl.; ♀ General avocat m du Gouvernement; procureur m général; *Am.* chef m du Ministère de Justice.

at·tract [ə'trækt] attirer (*a. l'attention*); *fig.* séduire; avoir de l'attrait pour; **at·trac·tion** [~kʃn] attraction f; *fig.* attrait m; *théâ.* attraction f; clou m (*du spectacle*); **at'trac-**

tive [ˏtiv] □ *usu. fig.* attrayant, attirant; *théâ.* alléchant; **at'trac·tive·ness** attrait *m*, charme *m*.

at·trib·ut·a·ble [ə'tribjutəbl] imputable; **at·tri·bute 1.** [ə'tribju:t] imputer, attribuer; prêter (*une qualité, des vertus*); **2.** ['ætribju:t] attribut *m*, qualité *f*; apanage *m*; symbole *m*; *gramm.* épithète *f*; **at·tri·bu·tion** [ætri'bju:ʃn] attribution *f*, imputation *f* (à, to); affectation *f* (*à un but*); compétence *f*; **at·trib·u·tive** *gramm.* [ə'tribjutiv] **1.** □ qualificatif (-ive *f*); **2.** épithète *f*.

at·tri·tion [ə'triʃn] attrition *f*; usure *f* par le frottement; ⊕ usure *f*, *machine*: fatigue *f*; war of ~ guerre *f* d'usure.

at·tune [ə'tju:n] ♪ accorder, *fig.* harmoniser (avec, to).

au·burn ['ɔ:bən] châtain roux, blond ardent; acajou.

auc·tion ['ɔ:kʃn] **1.** (*a. sale by* ~) vente *f* aux enchères; vente *f* à l'encan; *sell by* (*Am.* at) ~, *put up for* ~ vendre aux enchères; vendre à la criée (*du poisson etc.*); **2.** (*usu.* ~ *off*) vendre aux enchères; **auc·tion·eer** [ˏʃə'niə] commissaire-priseur (*pl.* commissaires-priseurs) *m*.

au·da·cious [ɔ:'deiʃəs] audacieux (-euse *f*), hardi; *péj.* effronté, cynique; **au·dac·i·ty** [ɔ:'dæsiti] audace *f*; hardiesse *f* (*a. péj.*); *péj.* effronterie *f*, cynisme *m*.

au·di·bil·i·ty [ɔ:di'biliti] perceptibilité *f*; **au·di·ble** ['ɔ:dəbl] perceptible; intelligible (*voix etc.*).

au·di·ence ['ɔ:djəns] audience *f* (avec *of*, with); assistance *f*, assistants *m/pl.* (*à une réunion*); public *m*, spectateurs *m/pl.* (*au théâtre*); auditeurs *m/pl.* (*au concert*).

au·di·o-fre·quen·cy ['ɔ:dio'fri:kwənsi] *radio*: audiofréquence *f*.

au·dit ['ɔ:dit] **1.** *comptes*: vérification *f*; **2.** vérifier, apurer (*des comptes*); *univ.* † assister à (*un cours*); **au·di·tion** audition *f*; '**au·di·tor** commissaire *m* aux comptes; expert *m* comptable; auditeur *m* (*surt. univ.*); **au·di·to·ri·um** [ˏ'tɔ:riəm] salle *f*; *eccl.* parloir *m*; *Am.* salle *f* (*de concert, de conférence, etc.*); **au·di·to·ry** ['ˏtəri] **1.** auditif (-ive *f*); de l'ouïe; **2.** auditoire *m*; auditeurs *m/pl.*; *see* auditorium.

au·ger ⊕ ['ɔ:gə] perçoir *m*; tarière *f*.

aught [ɔ:t] quelque chose *m*; *for* ~ *I care* pour ce qui m'importe; *for* ~ *I know* autant que je sache.

aug·ment [ɔ:g'ment] *v/t.* augmenter, accroître; *v/i.* augmenter, s'accroître; **aug·men'ta·tion** augmentation *f*, accroissement *m*; **aug'ment·a·tive** □ [ˏtətiv] augmentatif (-ive *f*).

au·gur ['ɔ:gə] **1.** augure *m*; **2.** augurer; prédire; *v/i.* être de bon ou de mauvais augure; **au·gu·ry** ['ɔ:gjuri] augure *m*; F présage *m*; science *f* des augures.

Au·gust 1. ['ɔ:gəst] août *m*; **2.** ♀ ~ [ɔ:'gʌst] auguste, imposant; **Au·gus·tan** [ɔ:'gʌstən] d'Auguste; *littérature anglaise:* de la reine Anne.

auk *orn.* [ɔ:k] pingouin *m*.

aunt [ɑ:nt] tante *f*; ♀ *Sally* jeu *m* de massacre; **aunt·ie, aunt·y** F [ˏti] tata *f*; ma tante.

au·ral ['ɔ:rəl] de l'oreille.

au·re·ole ['ɔ:rioul] *eccl.*, *astr.* auréole *f*; *saint*: gloire *f*.

au·ri·cle *anat.* ['ɔ:rikl] auricule *f*; **au·ric·u·la** ♀ [ə'rikjulə] auricule *f*; **au·ric·u·lar** □ [ɔ:'rikjulə] auriculaire; de l'oreille, des oreillettes du cœur; ~*witness* témoin *m* auriculaire.

au·rif·er·ous [ɔ:'rifərəs] aurifère.

au·rist ♀ ['ɔ:rist] auriste *m*.

au·rochs *zo.* ['ɔ:rɔks] bœuf *m* urus.

au·ro·ra [ɔ:'rɔ:rə] Aurore *f* (*fig.* ♀); ~ *borealis* aurore *f* boréale; **au'ro·ral** auroral (-aux *m/pl.*); de l'aurore.

aus·cul·ta·tion ♀ [ɔ:skəl'teiʃn] auscultation *f*.

aus·pice ['ɔ:spis] augure *m*; ~*s pl.* auspices *m/pl.*; **aus·pi·cious** □ [ˏ'piʃəs] propice; prospère, heureux (-euse *f*).

aus·tere □ [ɔs'tiə] austère; frugal (-aux *m/pl.*) (*repas*); sans luxe (*chambre etc.*); cénobitique (*vie*); **aus·ter·i·ty** [ˏ'teriti] austérité *f*; sévérité *f* de goût; absence *f* de luxe.

aus·tral ['ɔ:strəl] austral (-als *ou* -aux *m/pl.*).

Aus·tra·lian [ɔs'treiljən] **1.** australien (-ne *f*); **2.** Australien(ne *f*) *m*.

Aus·tri·an ['ɔstriən] **1.** autrichien (-ne *f*); **2.** Autrichien(ne *f*) *m*.

au·tarch·y ['ɔ:ta:ki] autarchie *f* (= *souveraineté*); *Am. see* autarky.

au·tark·y ['ɔ:ta:ki] autarcie *f*.

au·then·tic [ɔ:'θentik] (~*ally*) authentique; digne de foi; **au'then-**

ti·cate [‿‿keit] certifier, légaliser, valider, viser (*un acte etc.*); établir l'authenticité de; **au·then·ti·ca·tion** certification *f*; validation *f*; **au·then·tic·i·ty** [‿'tisiti] authenticité *f*; crédibilité *f*.

au·thor ['ɔ:θə] auteur *m* (*a. fig.*); écrivain *m*; **au·thor·ess** ['ɔ:θəris] femme *f* auteur; femme *f* écrivain; **au·thor·i·tar·i·an** [ɔ:θɔri'tɛəriən] autoritaire (*a. su./m*); **au·thor·i·ta·tive** □ [‿‿tətiv] autoritaire; péremptoire; qui fait autorité (*document*); de bonne source; **au·thor·i·ta·tive·ness** autorité *f*; ton *m* autoritaire; **au·thor·i·ty** autorité *f* (sur, over); ascendant *m* (sur, over); domination *f*; autorisation *f*, mandat *m* (de *inf.*, to *inf.*); qualité *f* (pour *inf.*, to *inf.*); expert *m* (dans qch., on s.th.); source *f* (*de renseignements*); surt. ‿s *pl.* l'administration *f*; on good ‿ de bonne source; on the ‿ of sur la foi de (q.); I have it on the ‿ of Mr. X je le tiens de Monsieur X; **au·thor·i·za·tion** [ɔ:θərai'zeiʃn] autorisation *f*; pouvoir *m*; mandat *m*; **'au·thor·ize** autoriser, sanctionner; donner mandat à; **'au·thor·ship** profession *f* ou qualité *f* d'auteur; *livre*: paternité *f*.

au·to ['ɔ:tou] auto(mobile) *f*.

auto... [ɔ:to] auto-.

au·to·bi·og·ra·pher [ɔ:tobai'ɔgrəfə] autobiographe *m*; **'au·to·bi·o·'graph·ic, 'au·to·bi·o'graph·i·cal** □ [‿o'græfik(l)] autobiographique; **au·to·bi·og·ra·phy** [‿'ɔgrəfi] autobiographie *f*. [torcade.]

au·to·cade *Am.* [ɔ:toukeid] *see* mo-

au·to·car ['ɔ:touka:] autocar *m*.

au·toch·thon [ɔ:'tɔkθən] autochthone *m* (= *aborigène*); **au'toch·tho·nous** autochthone.

au·toc·ra·cy [ɔ:'tɔkrəsi] autocratie *f*; **au·to·crat** ['ɔ:təkræt] autocrate *m*; **au·to'crat·ic, au·to'crat·i·cal** □ autocratique; autocrate (*personne*); absolu (*caractère*).

au·tog·e·nous weld·ing ⊕ [ɔ:'tɔ-dʒənəs'weldiŋ] soudure *f* (à l')autogène.

au·to·gi·ro ⚜ ['ɔ:tou'dʒaiərou] autogyre *m*.

au·to·graph ['ɔ:təgrɑ:f] 1. autographe *m*; ‿ *album* keepsake *m*; 2. signer, dédicacer; ⊕ autographier; **au·to·graph·ic** [‿'græfik]

(‿ally) autographe; ⊕ autographique; **au·tog·ra·phy** [ɔ:'tɔgrəfi] autographe *m*; ⊕ autographie *f*.

au·to·mat·ic [ɔ:tə'mætik] (‿ally) 1. automatique; inconscient; ‿ *machine* distributeur *m*; ‿ *tele·phone* (téléphone *m*) automatique *m*; 2. *Am.* automatique *m*; **au·tom·a·tion** ⊕ automatisation *f*; **au·tom·a·ton** [ɔ:'tɔmətən], *pl.* -tons, -ta [‿tə] automate *m* (*a. fig.*).

au·to·mo·bile *surt. Am.* ['ɔ:təmə-bi:l] automobile *f*; F voiture *f*.

au·ton·o·mous [ɔ:'tɔnəməs] autonome; **au'ton·o·my** autonomie *f*.

au·top·sy ['ɔ:təpsi] autopsie *f*.

au·to·type ⊕ ['ɔ:tətaip] fac-similé *m*.

au·tumn ['ɔ:təm] automne *m*; **au·tum·nal** [ɔ:'tʌmnəl] automnal (-aux *m/pl.*); d'automne.

aux·il·ia·ry [ɔ:g'ziljəri] 1. auxiliaire, subsidiaire (à, to); 2. (*a.* ‿ *verb*) *gramm.* verbe *m* auxiliaire; *auxiliaries pl.* (troupes *f/pl.*) auxiliaires *m/pl.*

a·vail [ə'veil] 1. servir (à), être utile (à) (q.); ‿ *o.s. of* profiter de (*qch.*); user de (*qch.*); saisir (*une opportunité*); 2. avantage *m*, utilité *f*; of no ‿ inutile; of what ‿ is it? à quoi bon?; à quoi sert (de *inf.*, to *inf.*); **a·vail·a·bil·i·ty** disponibilité *f*; *billet*: durée *f*, validité *f*; **a·vail·a·ble** □ disponible; libre; accessible; valable, bon(ne *f*), valide; **a·vail·ments** *pl.* disponibilités *f/pl.*

av·a·lanche ['ævəlɑ:nʃ] avalanche *f*.

av·a·rice ['ævəris] avarice *f*; mesquinerie *f*; **av·a·ri·cious** □ avare, avaricieux (-euse *f*).

a·venge [ə'vendʒ] venger; prendre la vengeance de (q.); ‿ *o.s.* (*ou be* ‿*d*) (up)on se venger de *ou* sur; *aveng·ing angel* divinité *f* vengeresse; **a'veng·er** vengeur (-eresse *f*) *m*.

av·e·nue ['ævinju:] avenue *f*; chemin *m* d'accès; promenade *f* plantée d'arbres; *Am.* boulevard *m*.

a·ver [ə'və:] avérer, affirmer, déclarer; ⚖ prouver; alléguer.

av·er·age ['ævəridʒ] 1. moyenne *f*; ⚓ avarie *f*; ⚓ *general* ‿ avaries *f/pl.* communes; ⚓ *particular* ‿ avarie *f* particulière; on an ‿ en moyenne; 2. □ moyen(ne *f*); *fig.* ordinaire, normal (-aux *m/pl.*); 3. prendre *ou* faire *ou* établir la moyenne (de, of); donner une moyenne (de, at).

azure

a·ver·ment [ə'vəːmənt] affirmation f; ᵗᵗ allégation f; preuve f.

a·verse □ [ə'vəːs] opposé (à to, from); ennemi (de); **a'verse·ness**, **a'ver·sion** aversion f (pour to, from); répugnance f (à); he is my aversion il est mon cauchemar.

a·vert [ə'vəːt] détourner (a. fig.); écarter.

a·vi·ar·y ['eivjəri] volière f.

a·vi·ate ⚒ ['eivieit] voler; **a·vi·a·tion** aviation f; vol m; ~ ground aérodrome m; **'a·vi·a·tor** aviateur (-trice f) m.

av·id □ ['ævid] avide (de of, for); **a·vid·i·ty** [ə'viditi] avidité f (de, pour for).

av·o·ca·tion [ævo'keiʃn] occupation f; vocation f; profession f; métier m.

a·void [ə'vɔid] éviter; se soustraire à; se dérober à; ᵗᵗ résoudre, annuler, résilier (un contrat etc.); **a'void·a·ble** évitable; **a'void·ance** action f d'éviter; usu. eccl. vacance f; ᵗᵗ contrat etc.: résolution f, annulation f, résiliation f.

av·oir·du·pois ✝ [ævədə'pɔiz] poids m du commerce; Am. sl. poids m, pesanteur f.

a·vouch [ə'vautʃ] garantir; reconnaître; see avow.

a·vow [ə'vau] reconnaître; s'avérer; déclarer; **a'vow·al** aveu m; **a'vow·ed·ly** [~idli] franchement, ouvertement.

a·wait [ə'weit] attendre (a. fig.).

a·wake [ə'weik] 1. éveillé; attentif (-ive f); be ~ to avoir conscience de; wide ~ bien ou tout éveillé; fig. averti, avisé; 2. [irr.] v/t. (usu. a'wak·en) éveiller; réveiller; ~ s.o. to ouvrir les yeux à q. sur; v/i. se réveiller, s'éveiller; prendre conscience (de qch., s.th.).

a·ward [ə'wɔːd] 1. adjudication f, sentence f arbitrale; récompense f; Am. bourse f; ᵗᵗ dommages-intérêts m/pl.; 2. adjuger, décerner; accorder; conférer (un titre etc.).

a·ware [ə'wɛə]: be ~ avoir connaissance (de, of); avoir conscience (de, of); ne pas ignorer (qch., of s.th.; que, that); become ~ of prendre connaissance ou conscience de; se rendre compte de; **a'ware·ness** conscience f.

a·wash ⚓ [ə'wɔʃ] à fleur d'eau; ras (écueil); fig. inondé.

a·way [ə'wei] (au) loin; dans le lointain; absent; à une distance de; ~ with it! emportez-le!; ~ with you! allez-vous-en!; Am. F ~ back il y a (déjà) longtemps; dès (une date); I cannot ~ with it je ne peux pas sentir cela.

awe [ɔː] crainte f, terreur f (de, of); qqfois respect m (pour, of); terreur f religieuse; effroi m religieux; **awe·some** ['~səm] see awful; **'awe-struck** frappé d'une terreur profonde religieuse ou mystérieuse; intimidé.

aw·ful □ ['ɔːful] redoutable, effroyable; F fameux (-euse f); fier (-ère f), affreux (-euse f); **'aw·ful·ness** caractère m terrible; solennité f.

a·while [ə'wail] un moment; pendant quelque temps.

awk·ward □ ['ɔːkwəd] gauche, maladroit; gêné; fâcheux (-euse f), gênant; incommode, peu commode; **'awk·ward·ness** gaucherie f; maladresse f; manque m de grâce; embarras m; inconvénient m.

awl [ɔːl] alêne f, poinçon m.

awn ♣ [ɔːn] barbe f, barbelure f.

awn·ing ['ɔːniŋ] ⚓, a. voiture: tente f; boutique: banne f; théâtre, hôtel: marquise f; ⚓ tendelet m.

a·woke [ə'wouk] prét. et p.p. de awake 2.

a·wry [ə'rai] de travers; de guingois; go ~, turn ~ aller de travers.

axe [æks] 1. hache f; F the ~ coupe f; traitement, personnel, etc.: réductions f/pl.; have an ~ to grind avoir un intérêt personnel à servir; 2. v/t. F faire des coupes dans; mettre à pied (des fonctionnaires).

ax·i·om ['æksiəm] principe: axiome m; **ax·i·o·mat·ic** [~ætik] axiomatique; F évident.

ax·is ['æksis], pl. **ax·es** ['~siːz] axe m.

ax·le ⊕ ['æksl] tourillon m; arbre m; (a. ~-tree) essieu m.

ay(e) [ai] 1. parl. oui; ⚓ ~, ~! bien (monsieur)!; 2. oui m; parl. voix f pour; the ~s have it le vote est pour.

a·za·lea ♣ [ə'zeiljə] azalée f.

az·i·muth astr. ['æzimuθ] azimut m; ~ instrument compas m de relèvement; **az·i·muth·al** [~'mjuːθl] azimutal (-aux m/pl.).

a·zo·ic géol. [ə'zouik] azoïque.

az·ure ['æʒə] 1. d'azur, azuré; 2. azur m.

B

B, b [biː] B *m*, b *m*.
baa [baː] **1.** bêler; **2.** bêlement *m*.
Bab·bitt *Am.* ['bæbit] philistin *m*;
affreux bourgeois *m*; ⊕ ♀ metal
métal *m* blanc antifriction.
bab·ble ['bæbl] **1.** babiller; jaser;
murmurer; gazouiller; raconter
(*qch.*) en babillant; **2.** babil(lage)
m, babillement *m*; bavardage *m*, jaserie *f*; murmure *m*; '**bab·bler** ba-
vard(e *f*) *m*; jaseur (-euse *f*) *m*.
babe [beib] *poét.* petit(e *f*) enfant *m*(*f*).
Ba·bel ['beibl] *bibl.* Tour *f* de Babel;
fig. brouhaha *m*, vacarme *m*.
ba·boon *zo.* [bə'buːn] babouin *m*.
ba·by ['beibi] **1.** bébé *m*; poupon(ne
f) *m*; poupard *m*; **2.** d'enfant, de
bébé, petit; ~ **act** *usu.* plead (*ou*
play) the ~ *Am.* plaider son inexpérience; appuyer sa défense sur sa
minorité; '~**-car·riage** *Am. see*
perambulator; '~**-farm·er** personne *f* qui prend des enfants en
nourrice; *péj.* faiseuse *f* d'anges; ~
grand ♪ piano *m* (à) demi-queue;
'**ba·by·hood** ['‿hud] première enfance *f*; bas âge *m*; '**ba·by·ish** □
puéril; de bébé.
Bab·y·lo·ni·an [bæbi'lounjən] **1.**
babylonien(ne *f*); **2.** Babylonien(ne
f) *m*.
ba·by-sit *usu. Am.* F ['beibisit] [*irr.*
(*sit*)] veiller sur un enfant; '**ba·by-**
'**sit·ter** gardienne *f* d'enfants.
bac·ca·lau·re·ate [bækə'lɔːriit] baccalauréat *m*; *univ. usu.* licence *f* (*ès
lettres, ès sciences, etc.*).
Bac·cha·nal ['bækənl] *see Bacchant*;
'**Bac·cha·nals** *pl.*, **Bac·cha·na·**
li·a [‿'neiljə] *pl.* bacchanales *f*/*pl.*;
Bac·cha·na·li·an 1. bachique;
2. *fig.* noceur *m*.
Bac·chant ['bækənt] adorateur *m* de
Bacchus; (*a.* **Bac·chante** [bə-
'kænti]) bacchante *f*.
bach·e·lor ['bætʃələ] célibataire *m*,
garçon *m*; *hist.* bachelier *m*; *univ.*
licencié(e *f*) *m*; ~ **girl** garçonne *f*;
bach·e·lor·hood ['‿hud] célibat *m*;
vie *f* de garçon.
bac·il·la·ry [bə'siləri] bacillaire; **ba-**
'**cil·lus** [‿əs], *pl.* **-li** [‿lai] bacille *m*.
back [bæk] **1.** *su. personne, animal*:
dos *m*; reins *m*/*pl.*; revers *m*; *chaise*:
dossier *m*; *salle, armoire, scène*:

fond *m*; *tête, maison*: derrière *m*;
foot., maison: arrière *m*; (*at the*) ~ of
au fond de; *put one's* ~ *into it* y
aller de tout son cœur; F *put s.o.'s* ~
up mettre q. en colère; faire rebiffer
q.; **2.** *adj.* arrière, de derrière; sur
le derrière (*pièce*); sur la cour (*chambre d'hôtel*); *gramm.* vélaire; ~ *formation* dérivation *f* régressive; ~
issue ancien numéro *m*, ancien volume *m*; ~ *pay* (*ou salary*) rappel *m*
de traitement; **3.** *adv.* en arrière; de
retour; **4.** *v/t.* renforcer (*un mur,
une carte*); endosser (*un livre*);
parier sur, miser sur (*un cheval*);
appuyer, (*a.* ~ *up*) soutenir; servir de
fond à; reculer (*une charrette*); faire
(re)culer (*un cheval*); refouler (*un
train*); mettre en arrière (*une machine*); ⚓ endosser (*un effet*); financer (*q.*); ⚓ ~ *the sails* masquer les
voiles; ~ *water*, ~ *the oars* ramer à
rebours; scier; ~ *up* prêter son appui à (*qch., q.*); *v/i.* aller en arrière;
marcher à reculons; reculer (*che
val*); faire marche arrière (*voiture*);
ravaler (*vent*); F se dégager (de, *out
of*); F ~ *down* en rabattre; rabattre
(de, *from*); ~ **al·ley** *Am.* rue *f* misérable (*dans le bas quartier*); '~**-ba-**
ket hotte *f*; '~**-bend** *sp.* pont *m*;
'~**-bite** [*irr.* (*bite*)] médire de (*q.*);
'~**-board** dossier *m*; ✂ planche *f* à
dos; '~**-bone** échine *f*; colonne *f*
vertébrale; *fig.* caractère *m*, fermeté *f*; *to the* ~ *fig.* à la moelle des
os; '~**-cloth** *théâ.* toile *f* de fond;
'~**-door** porte *f* de derrière; *fig.*
petite porte (*f*); '~**backed** à dos, à dossier; *phot.* ocré (*plaque*); '**back·er**
parieur (-euse *f*) *m*; partisan *m*; ⚓
donneur *m* d'aval; commanditaire
m.
back...: '~**-fire** *mot.* **1.** pétarde *f*;
2. pétarder; '~**-gam·mon** trictrac *m*;
jacquet *m*; '~**-ground** fond *m*, ar-
rière-plan *m*; '~**-'hand 1.** coup *m*
fourré; *tennis*: revers *m*; **2.** déloyal
(-aux *m*/*pl.*); de revers; '~**-'hand·ed**
renversé; *fig.* équivoque; '~**-'hand-**
er *see back-hand 1*; riposte *f* inattendue; '~**-log** réserve *f*; arriéré *m*;
'~**-'ped·al** contre-pédaler; ~*ling*
brake frein *m* par contre-pédalage;
'~**-side** derrière *m*; '~**-sight** hausse

f; *surv.* coup *m* arrière; '⁓**slap·per** *Am.* luron *m*; '⁓'**slide** [*irr.* (*slide*)] retomber dans l'erreur; rechuter; '⁓'**slid·er** relaps(e *f*) *m*; '⁓'**slid·ing** récidive *f*; '⁓'**stairs** escalier *m* de service; '⁓-**stitch** 1. point *m* arrière; 2. coudre à points de piqûre; '⁓-**stroke** (*ou* ⁓ *swimming*) nage *f* sur le dos; ⁓ **talk** *Am.* impertinence *f*; ⁓ **to back** *sp. Am.* F l'un après l'autre; '⁓-**track** *Am.* F *fig.* s'en retourner (*chez soi etc.*).

back·ward ['bækwəd] 1. *adj.* attardé, arrière (*personne*); en arrière, rétrograde; en retard; peu empressé (à *inf.*, *in gér.*); 2. *adv.* (*a.* '**back·wards**) en arrière; *walk backwards and forwards* aller et venir; **back·ward'a·tion** † *Br.* déport *m*; '**back·ward·ness** retard *m*; hésitation *f*, lenteur *f* (*a. d'intelligence*); tardiveté *f*.

back...: '⁓-**wa·ter** eau *f* arrêtée; bras *m* de décharge; remous *m*; '⁓-**wheel** roue *f* arrière; roue *f* motrice; ⁓ **drive** pont *m* arrière; '⁓-**woods** *pl.* forêts *f/pl.* de l'intérieur (de l'Amérique du Nord); '⁓-**woods·man** colon *m* des forêts (de l'Amérique du Nord).

ba·con ['beikən] lard *m*; F *save one's* ⁓ sauver sa peau; se tirer d'affaire; *sl. bring home the* ⁓ revenir triomphant; décrocher la timbale.

bac·te·ri·al □ [bæk'tiəriəl] bactérien(ne *f*); **bac·te·ri·o·log·i·cal** □ [bæktiəriə'lɔdʒikl] bactériologique; **bac·te·ri·ol·o·gist** [⁓'ɔlədʒist] bactériologiste *mf*; **bac'te·ri·um** [⁓iəm], *pl.* **-ri·a** [⁓riə] bactérie *f*.

bad □ [bæd] mauvais; triste (*affaire*); avarié (*viande*); piteux (*-euse f*) (*état*); méchant (*enfant*); grave (*accident*); malade; faux (fausse *f*) (*monnaie*); vilain (*mot. a. Am.*); F *not* ⁓ pas mal du tout; *not too* ⁓ comme ci comme ça; *things are not so* ⁓ ça ne marche pas si mal; *he is* ⁓*ly off* il est mal loti; ⁓*ly wounded* gravement blessé; F *want* ⁓*ly* avoir grand besoin de.

bade [beid] *prét. de* bid 1.

badge [bædʒ] insigne *m*; *fig.* symbole *m*.

badg·er ['bædʒə] 1. *zo.* blaireau *m*; 2. tracasser, harceler, importuner.

bad·lands *Am.* ['bæd'lændz] *pl.* terres *f/pl.* incultivables.

bad·min·ton *sp.* ['bædmintən] badminton *m*.

bad·ness ['bædnis] mauvaise qualité *f*; mauvais état *m*; méchanceté *f* (*d'une personne*).

baf·fle ['bæfl] dérouter (*q., des soupçons*); faire échouer (*un projet etc.*); confondre; dépister; *it* ⁓*s description* il défie toute description.

bag [bæg] 1. sac *m*; sacoche *f*; bourse *f*; F poche *f* (*sous l'œil*); *chasse*: tableau *m*; *sl.* ⁓*s pl.* pantalon *m*; *Am.* F *it's in the* ⁓ c'est dans le sac; *depart* ⁓ *and baggage* emporter ses cliques et ses claques; 2. (se) gonfler, bouffer; *v/t.* mettre en sac; F chiper, voler; *chasse*: abattre, tuer.

bag·a·telle [bægə'tel] bagatelle *f*; billard *m* anglais.

bag·gage ['bægidʒ] ✕ *Am.* bagage *m*; F effrontée *f*; *péj.* prostituée *f*; ⁓-**car** ⇄ *Am.* fourgon *m* aux bagages; '⁓-**check** *Am.* bulletin *m* de bagages.

bag·ging ['bægiŋ] mise *f* en sac; toile *f* à sac.

bag·gy ['bægi] bouffant; pendant (*joues*); formant poches (*pantalon*).

bag...: '⁓-**man** F commis *m* voyageur; '⁓-**pipe** cornemuse *f*; '⁓-**snatch·er** voleur *m* à la tire.

bail[1] [beil] 1. garant *m*; caution *f*; 🏛 *admit to* ⁓ accorder la liberté provisoire sous caution à (*q.*); *be* (*ou go ou stand*) ⁓ *for* fournir caution pour; 2. cautionner; ⁓ *out* se porter caution pour (*q.*).

bail[2] ⚓ [⁓] écoper.

bail[3] [⁓] *cricket*: ⁓*s pl.* bâtonnets *m/pl.*, barrettes *f/pl.*

bail[4] [⁓] *baquet etc.*: poignée *f*.

bail·a·ble 🏛 ['beiləbl] admettant l'élargissement *m* sous caution.

bail·ee 🏛 [bei'li:] dépositaire *m*; emprunteur (-euse *f*) *m*.

bail·er ⚓ ['beilə] 1. écope *f*; 2. écoper.

bail·iff ['beilif] 🏛 régisseur *m*, intendant *m*; 🏛 agent *m* de poursuites, huissier *m*.

bail·ment 🏛 ['beilmənt] dépôt *m* (*de biens*); mise *f* en liberté sous caution.

bail·or ['beilə] déposant *m*; prêteur (-euse *f*) *m*; 🏛 caution *f*.

bairn *écoss.* [bɛən] enfant *mf*.

bait [beit] **1.** amorce f; appât m (a. fig.); **2.** v/t. amorcer (un piège, une ligne, etc.); faire manger (un cheval pendant une halte); fig. harceler; importuner; v/i. se restaurer; s'arrêter pour se rafraîchir.

bait·ing ['beitiŋ] harcelage m; amorcement m.

baize † [beiz] serge f; tapis m vert.

bake [beik] **1.** (faire) cuire; v/i. boulanger; F brûler; **2.** soirée f; '~·house fournil m, boulangerie f.

ba·ke·lite ⊕ ['beikəlait] bakélite f.

bak·er ['beikə] boulanger m; 'bak·er·y boulangerie f; 'bak·ing rôtissant, desséchant (soleil); F brûlant; ~ hot torride; 'bak·ing-pow·der poudre f à lever.

bak·sheesh ['bækʃiːʃ] bakchich m.

bal·a·lai·ka ♪ [bælə'laikə] balalaïka f.

bal·ance ['bæləns] **1.** balance f; fig. équilibre m, aplomb m; montre: balancier m, a. horloge: régulateur m; † solde m; bilan m; surt. Am. F reste m; ~ in hand solde m créditeur; ~ of payments balance f des paiements; ~ of power balance f politique; ~ of trade balance f commerciale; see strike 2; **2.** v/t. balancer; équilibrer, stabiliser; compenser; faire contrepoids à; † balancer, solder; dresser le bilan de; v/i. se faire équilibre; se balancer; '~-sheet † bilan m.

bal·co·ny ['bælkəni] balcon m; théâ. deuxième balcon m.

bald [bɔːld] chauve; fig. nu; dénudé.

bal·da·chin ['bɔːldəkin] baldaquin m.

bal·der·dash ['bɔːldədæʃ] bêtises f/pl., balivernes f/pl.

bald...: '~-head, '~-pate tête f chauve; '~-head·ed à la tête chauve; go ~ into faire (qch.) tête baissée; 'bald·ness calvitie f; fig. nudité f; surt. style: sécheresse f.

bal·dric ['bɔːldrik] baudrier m.

bale[1] † [beil] balle f, ballot m.

bale[2] ⊕ [~] v/t. écoper; v/i. ✕ ~ out sauter en parachute.

bale·fire ['beilfaiə] † feu m d'alarme; see bonfire; bûcher m funéraire.

bale·ful □ ['beilful] sinistre; funeste.

balk [bɔːk] **1.** bande f de délimitation; billon m; fig. obstacle m; **2.** v/t. contrarier; entraver; éviter (un sujet); se soustraire à; frustrer;

v/i. refuser; reculer (devant, at); regimber (contre, at).

Bal·kan ['bɔːlkən] balkanique, des Balkans.

ball[1] [bɔːl] **1.** cricket, tennis, hockey, fusil, etc.: balle f; croquet, neige: boule f; foot., enfant: ballon m; billard: bille f; laine, ficelle: pelote f, peloton m; canon: boulet m; Am. baseball: coup m manqué; keep the ~ rolling soutenir la conversation; Am. F play ~ coopérer (avec, with); **2.** (s')agglomérer.

ball[2] [~] bal (pl. -s) m; open the ~ ouvrir le bal (a. fig.).

bal·lad ['bæləd] ballade f; ♪ romance f; '~-mon·ger chansonnier m.

ball-and-sock·et ⊕ ['bɔːlən'sɔkit]: ~ joint joint m à rotule.

bal·last ['bæləst] **1.** ⊕ lest m; fig. esprit m rassis; 🚂 ballast m, empierrement m; mental ~ sens m rassis; **2.** lester; 🚂 ballaster.

ball...: '~-bear·ing(s pl.) ⊕ roulement m à billes; '~-boy tennis: ramasseur m de balles.

bal·let ['bælei] ballet m.

bal·lis·tics [bə'listiks] usu. sg. balistique f.

bal·loon [bə'luːn] **1.** 🎈, a. 🔬 ballon m; 🔺 pomme f; mot. ~ tyre pneu m ballon ou confort; **2.** monter en ballon; bouffer, se ballonner; **bal·loon fab·ric** entoilage m; **bal·loon·ist** aéronaute m, aérostier m.

bal·lot ['bælət] **1.** (tour m de) scrutin m; vote m; parl. tirage m au sort; **2.** voter au scrutin; tirer au sort; ~ for tirer (qch.) au sort; tirer au sort pour; '~-box urne f.

ball-point-pen ['bɔːlpɔint'pen] stylo m à bille.

ball-room ['bɔːlrum] salle f de bal; hôtel: salle f de danse.

bal·ly·hoo Am. [bæli'huː] grosse réclame f; battage m.

bal·ly·rag F ['bæliræg] faire endêver (q.).

balm [baːm] baume m (a. fig.).

bal·mor·al [bæl'mɔrl] (béret m) balmoral m; (brodequin m) balmoral m.

balm·y □ ['baːmi] balsamique; fig. embaumé, doux (douce f); F toqué.

ba·lo·ney Am. sl. [bə'louni] sottises f/pl.; foutaise f.

bal·sam ['bɔːlsəm] baume m; **bal·sam·ic** [~'sæmik] (~ally) balsamique.

bal·us·ter ['bæləstə] balustre *m*.

bal·us·trade [bæləs'treid] balustrade *f*; *fenêtre etc.*: accoudoir *m*; garde-corps *m*/*inv*.

bam·boo [bæm'bu:] bambou *m*.

bam·boo·zle F [bæm'bu:zl] frauder (de, out *of*); amener par ruse (à, *into*).

ban [bæn] **1.** ban *m*, proscription *f*; *eccl.* interdit *m*; **2.** interdire (qch. à q., *s.o. from s.th.*); mettre (*un livre*) à l'index.

ba·nan·a ♀ [bə'nɑ:nə] banane *f*; *Am.* ~ split banane *f* à la glace.

band [bænd] **1.** bande *f*; lien *m*; *chapeau etc.*, *frein*: ruban *m*; raie *f*; *deuil*: brassard *m*; ⊕ *roue*: bandage *m*; *reliure*: nerf *m*, nervure *f*; *radio*: bande *f*; ♪ orchestre *m*, musique *f* (*militaire*); **2.** bander; fretter (*un four etc.*); ~ o.s., be ~ed se bander; *péj.* s'ameuter.

band·age ['bændidʒ] **1.** bandage *m*; bande *f*; bandeau *m*; pansement *m*; *first aid* ~ bandage *m*; pansement *m*; **2.** bander; mettre un pansement à (*une plaie*).

ban·dan·(n)a [bæn'dɑ:nə] foulard *m*; F mouchoir *m*.

band·box ['bændbɔks] carton *m* à chapeaux; carton *m* de modiste; *look as if one came out of a* ~ être tiré à quatre épingles.

ban·dit ['bændit] bandit *m*, brigand *m*; '**ban·dit·ry** brigandage *m*.

band·mas·ter ['bændmɑ:stə] chef *m* d'orchestre *ou* de musique *etc.*

ban·dog † ['bændɔg] mâtin *m*.

ban·do·leer [bændə'liə] bandoulière *f*; cartouchière *f*.

bands·man ['bændzmən] musicien *m*; fanfariste *m*; '**band·stand** kiosque *m* à musique; '**band·wag·on** *Am.* F *pol.* char *m* des musiciens; *fig.* cause *f* victorieuse; *get into* (*ou on*) *the* ~ se ranger du bon côté.

ban·dy ['bændi] **1.** *sp.* jeu *m* de crosse; ~*-ball* hockey *m*; **2.** (se) renvoyer (*balle, paroles, reproches, etc.*); échanger (*des coups, des plaisanteries*); (*a.* ~ *about*) faire courir (*des bruits*); '~·**leg·ged** bancal (-als *m*/*pl.*).

bane [bein] *fig.* tourment *m*, malheur *m*; † poison *m*; **bane·ful** □ ['beinful] *fig.* funeste; pernicieux (-euse *f*).

bang [bæŋ] **1.** boum! pan! **2.** exactement; **3.** coup *m*; détonation *f*;

porte: claquement *m*; **4.** frapper; (faire) claquer *ou* heurter à (*la porte*); F faire baisser (*le prix*).

ban·gle ['bæŋgl] bracelet *m* de poignet *ou* de cheville.

bang-up *Am. sl.* ['bæŋʌp] première classe; chic *adj./inv.* en genre.

ban·ish ['bæniʃ] bannir; proscrire; '**ban·ish·ment** exil *m*, proscription *f*.

ban·is·ters ['bænistəz] *pl.* balustres *m*/*pl.*; rampe *f*.

ban·jo ♪ ['bændʒou] banjo *m*.

bank [bæŋk] **1.** talus *m*; terrasse *f*; *sable, brouillard, huîtres*: banc *m*; *rivière*: berge *f*; *nuages*: couche *f*; ✝, *a. jeu*: banque *f*; ~ *of deposit* banque *f* de dépôt; ~ *of issue* banque *f* d'émission; *joint-stock* ~ banque *f* sous forme de société par actions; **2.** *v/t.* endiguer; terrasser; ⊕ surhausser (*un virage*); ✝ déposer en banque; ✈ pencher, incliner sur l'aile; *v/i.* s'entasser, s'amonceler; avoir un compte de banque (chez, *with*); ✈ virer, pencher l'avion; ~ *on* compter sur, miser sur; ~ *up* (s')amonceler; '**bank·a·ble** bancable, négociable en banque; '**bank-ac·count** compte *m* en banque; '**bank-bill** effet *m*; *Am. see banknote*; '**bank·er** banquier *m* (*a. jeu*); *jeu*: tailleur *m*; '**bank·ing 1.** (*affaires f*/*pl.* de) banque *f*; ✈ virage *m* incliné; **2.** de banque, en banque; '**bank·inghouse** maison *f* de banque; '**banknote** billet *m* de banque; '**bankrate** taux *m* officiel *ou* de la Banque *ou* de l'escompte; **bank·rupt** ['~rəpt] **1.** (*commerçant m*) failli *m*; *frauduleux* ~ banqueroutier (-ère *f*) *m*; ~'*s estate* masse *f* des biens (de la faillite); *go* ~ faire faillite; **2.** failli, banqueroutier (-ère *f*); *fig.* ~ *in* (*ou of*) dépourvu de (*une qualité*); **3.** mettre (*q.*) en faillite; **bank·ruptcy** ['~rəptsi] faillite *f*; *frauduleut* ~ banqueroute *f*; *declaration of* ~ déclaration *f* de faillite.

ban·ner ['bænə] **1.** bannière *f* (*a. eccl.*); étendard *m*; **2.** *Am.* excellent, de première classe; principal (-aux *m*/*pl.*).

banns [bænz] *pl.* bans *m*/*pl.* (*de mariage*); *put up the* ~ (faire) publier les bans; *call the* ~ *of* annoncer le mariage de (*q.*).

ban·quet ['bæŋkwit] **1.** banquet *m*; dîner *m* de gala; **2.** *v/t.* offrir un banquet *etc.* à (*q.*); *v/i.* F faire festin; ⁓*ing hall* salle *f* de banquet; **'ban·quet·er** banqueteur (-euse *f*) *m*.

ban·shee *écoss.*, *Ir.* [bæn'ʃiː] fée *f* de mauvais augure.

ban·tam ['bæntəm] coq *m* (poule *f*) Bantam; *fig.* nain *m*; *sp.* ⁓ *weight* poids *m* coq.

ban·ter ['bæntə] **1.** badinage *m*; raillerie *f*; **2.** badiner; railler; **'ban·ter·er** railleur (-euse *f*) *m*.

bap·tism ['bæptizm] baptême *m*; ⁓ *of fire* baptême *f* du feu; **bap·tis·mal** [bæp'tizməl] de baptême; baptistaire (*registre*).

bap·tist ['bæptist] (*ana*)baptiste *mf*; **bap·tis·ter·y** ['⁓tistri] baptistère *m*; **bap·tize** [⁓'taiz] baptiser (*a. fig.*).

bar [baː] **1.** barre *f* (*a. métal, a. sable, port*); traverse *f*; bar *m*, estaminet *m*; *savon:* brique *f*; *or:* lingot *m*; ♪ barre *f*; mesure *f*; ⚔ lame *f*; ⚖ barre *f* (*des accusés*), barreau *m* (*des avocats*); *théâ. etc.:* buvette *f*; *fig.* empêchement *m*; *sp.* horizontal ⁓ barre *f* fixe; ⚖ *be called to the* ⁓ être reçu avocat; *prisoner at the* ⁓ accusé(e *f*) *m*; *stand at the* ⁓ paraître à la barre; **2.** barrer; griller (*une fenêtre*); bâcler (*une porte*); interdire, exclure (*de, from*); rayer (*de lignes*); empêcher (q. de *inf.*, s.o. *from gér.*); ⁓ *out* barrer la porte à.

barb [baːb] *hameçon:* barbillon *m*; *flèche:* barbelure *f*; *plume:* barbe *f*; *fig.* trait *m* acéré; ⚓ ⁓*s pl.* arêtes *f/pl.*; **barbed** ⚓ hameçonné; aristé; ⁓ *wire* (fil *m* de fer) barbelé *m*.

bar·bar·i·an [baː'bɛəriən] barbare (*a. su./mf*); **bar·bar·ic** [⁓'bærik] (⁓*ally*) barbare; rude; **bar·ba·rism** ['⁓bərizm] barbarie *f*, rudesse *f*, grossièreté *f*; *ling.* barbarisme *m*; **bar·bar·i·ty** [⁓'bæriti] barbarie *f*, cruauté *f*; **bar·ba·rize** ['⁓bəraiz] barbariser; **bar·ba·rous** □ barbare; cruel(le *f*), inhumain.

bar·be·cue ['baːbikjuː] **1.** grand châssis *m* pour le rôtissage; animal *m* rôti tout entier; *Am.* grande fête *f* (*en plein air*) où on rôtit des animaux tout entiers; **2.** rôtir tout entier (*un animal*).

bar·bel *icht.* ['baːbl] barbeau *m*.

bar·bell *sp.* ['baːbel] barre *f* à sphères *ou* à boules.

bar·ber ['baːbə] coiffeur *m*; barbier *m*; *surt. Am.* ⁓ *shop* salon *m* de coiffure.

bard [baːd] barde *m*; F poète *m*.

bare [bɛə] **1.** nu; dénudé; dégarni; sec (sèche *f*) (*as, valet, etc.*); *the* ⁓ *idea* la seule pensée; **2.** mettre à nu, découvrir; '⁓*backed*) à nu, à poil; '⁓*faced* □ F éhonté, cynique; '⁓*fac·ed·ness* effronterie *f*, cynisme *m*; '⁓*foot·ed* aux pieds nus; nu-pieds; '⁓*head·ed* nu-tête, (la) tête nue; **'bare·ly** à peine, tout juste; **'bare·ness** nudité *f*, dénuement *m*; *style:* pauvreté *f*.

bar·gain ['baːgin] **1.** marché *m*, affaire *f*; emplette *f*; occasion *f*; ⁓ *price* prix *m* de solde; *une* véritable occasion; F *it's a* ⁓! entendu!, convenu!; *into the* ⁓ en plus, pardessus le marché; *make (ou strike) a* ⁓ conclure un marché (*avec, with*); ⁓ *sale* soldes *m/pl.*; **2.** négocier; traiter (*de, for*); marchander (qch., *about s.th.*); ⁓ *for* F s'attendre à.

barge [baːdʒ] **1.** chaland *m*, péniche *f*; gabare *f* (*à voiles*); barge *f* de parade; ⚓ deuxième canot *m*; **2.** F se heurter (contre, *into*); bousculer (*q.*); **bar'gee**, **'barge·man** chalandier *m*; gabarier *m*; F batelier *m*.

bar·i·ron ['baːaiən] fer *m* en barres.

bar·i·tone ♪ ['bæritoun] baryton *m*.

bar·i·um ⚗ ['bɛəriəm] baryum *m*.

bark[1] [baːk] **1.** écorce *f*; *inner* ⁓ liber *m*; ⊕ tan *m*; **2.** écorcer, décortiquer; F écorcher (*la peau*).

bark[2] [⁓] **1.** aboyer (après, contre at); glapir (*renard*); F tousser; **2.** aboiement *m*, aboi *m*; glapissement *m*; F toux *f*.

bark[3] [⁓] ⚓ *see* barque; *poét.* barque *f*.

bar·keep(·er) ['baːkiːp(ə)] cabaretier *m*; tenancier *m* d'un bar.

bark·er ['baːkə] aboyeur (-euse *f*) *m* (*a. fig.*); F revolver *m*.

bar·ley ['baːli] orge *f*.

barm [baːm] levure *f*, levain *m* de bière.

bar·maid ['baːmeid] barmaid *f*.

bar·man ['baːmən] *see* bartender.

barm·y ['baːmi] en fermentation; *sl.* toqué.

barn [baːn] grange *f*; *Am.* étable *f*, écurie *f*.

bar·na·cle[1] ['bɑːnəkl] *orn.* bernacle *f*; oie *f* marine; *zo.* bernache *f*; anatife *m*; *fig.* individu *m* cramponnant.

bar·na·cle[2] [~] *vét. usu.* ~s *pl.* morailles *f/pl.*; *iro.* ~s *pl.* besicles *f/pl.*

barn·storm *Am. pol.* ['bɑːnstɔːm] faire une tournée de discours électoraux.

ba·rom·e·ter [bə'rɔmitə] baromètre *m*; **bar·o·met·ric, bar·o·met·ri·cal** □ [bærə'metrik(l)] barométrique.

bar·on ['bærən] baron *m*; ~ of beef selle *f* de bœuf; *coal etc.* ~ (haut) baron *m* du charbon *etc.*; '**bar·on·age** baronnage *m*; barons *m/pl.*; annuaire *m* de la noblesse; '**bar·on·ess** baronne *f*; **bar·on·et** ['~it] baronnet; **bar·on·et·cy** ['~si] dignité *f* de baronnet; **ba·ro·ni·al** [bə'rouniəl] de baron; F seigneurial (-aux *m/pl.*); **bar·o·ny** ['bærəni] baronnie *f*.

ba·roque [bə'rouk] baroque (*a. su.*/ *m*), rococo (*a. su./m*).

barque ⚓ [bɑːk] trois-mâts barque *m*.

bar·rack ['bærək] **1.** *usu.* ~s *pl.* caserne *f*; ~ room chambrée *f*; **2.** *v/t. sl.* conspuer (*q.*); *v/i.* chahuter; '~ **square**, '~**yard** cour *f* du quartier.

bar·rage ['bæraːʒ] barrage *m*; ⚔ tir *m* de barrage *ou* sur zone; *creeping* ~ barrage *m* rampant.

bar·rel ['bærl] **1.** tonneau *m*, futaille *f*, *vin etc.*: fût *m*; *fusil etc.*: canon *m*; *serrure*: cylindre *m*; *montre*: barillet *m*; ♪ cylindre *m* noté; *anat.* caisse *f* (du tympan); *harengs*: caque *f*; **2.** mettre (*qch.*) en fût; enfûtailler; (*souv.* ~ *off,* ~*up*) encaquer; '**bar·relled** en tonneau(x); en caque (*harengs*); bombé; '**bar·rel·or·gan** ♪ orgue *m* mécanique *ou* de Barbarie, piano *m* mécanique.

bar·ren □ ['bærən] stérile; aride (*a. fig.*); peu fertile (*a. fig.*); ✝ improductif (-ive *f*) (*argent*); '**bar·ren·ness** stérilité *f*; *fig.* aridité *f*.

bar·ri·cade [bæri'keid] **1.** barricade *f*; **2.** barricader.

bar·ri·er ['bæriə] barrière *f*; obstacle *m* (*a. fig.*); muraille *f* (*de glace*); 🚇 portillon *m* d'accès.

bar·ring ['bɑːriŋ] *prp.* excepté, sauf; à part.

bar·ris·ter ['bæristə] (*a.* ~*-at-law*) avocat *m*.

bar·row[1] ['bærou] tumulus *m*; tertre *m* funéraire.

bar·row[2] [~] *see hand-*~, *wheel-*~; ~**·man** marchand *m* des quatre saisons.

bar·tend·er ['bɑːtendə] buvetier *m*; garçon *m* de comptoir, barman *m*.

bar·ter ['bɑːtə] **1.** échange *m*; troc *m*; ~ shop boutique *f* pour l'échange de marchandises; **2.** échanger, troquer (*contre, for*); *péj.* faire trafic de.

bar·y·tone ♪ ['bæritoun] baryton *m*.

ba·salt ['bæsɔːlt] basalte *m*.

base[1] □ [beis] bas(se *f*), vil; indigne, ignoble; faux (fausse *f*) (*monnaie*).

base[2] [~] **1.** base *f* (*a.* ⚗, ♙); fondement *m*; △ soubassement *m*; ⊕ socle *m*; *phot.* support *m*; *lampe, cartouche*: culot *m*; **2.** *fig.* baser, fonder (*sur,* [up]*on*); ⚔ baser; ~ *o.s. on* se baser *ou* fonder sur; *be* ~*d* (*up*)*on* dépendre de; être fondé sur.

base...: '~**ball** *Am.* base-ball *m*; '~**less** sans base *ou* fondement; '~**line** ⚔ base *f* d'approvisionnement; *sp.* ligne *f* de fond; *surv.* base *f*; '**base·ment** soubassement *m*; sous-sol *m*.

base·ness ['beisnis] bassesse *f* (*a. fig.*).

bash·ful □ ['bæʃful] timide; modeste.

bas·ic ['beisik] (~*ally*) fondamental (-aux *m/pl.*); de base; ⚗ basique; ✌ English (= British, American, Scientific, International, Commercial English) l'anglais *m* basique, le basic *m*; ~ *iron* fer *m* basique.

ba·sil·i·ca △ [bə'zilikə] basilique *f*.

bas·i·lisk ['bæzilisk] **1.** basilic *m*; **2.** de basilic.

ba·sin ['beisn] bassin *m*; *soupe*: écuelle *f*, bol *m*; *lait*: jatte *f*; cuvette *f*; lavabo *m*; ⚓, *géog.* bassin *m*.

ba·sis ['beisis], *pl.* -ses ['~siːz] base *f*; fondement *m*; *impôt*: assiette *f*; ⚔ base *f*; ⚓ station *f*; *take as* ~ se baser sur.

bask [bɑːsk] se chauffer au soleil, prendre un bain de soleil; F jouir (*de, in*).

bas·ket ['bɑːskit] corbeille *f*; panier *m*; '~**·ball** basket-ball *m*; ~**·din·ner** *m*; ~ **sup·per** *Am.* souper *m* en pique-nique; '**bas·ket·ful** plein panier *m*; '**bas·ket-work** vannerie *f*.

bass¹ ♪ [beis] basse *f*.

bass² [bæs] liber *m*; tille *f*, filasse *f*; '**~-broom** balai *m*.

bas·si·net [bæsi'net] berceau *m*; voiture *f* d'enfant.

bas·so ♪ ['bæsou] basse *f*.

bas·soon ♪ [bə'su:n] basson *m*.

bast [bæst] liber *m*; tille *f*.

bas·tard ['bæstəd] **1.** □ bâtard; faux (fausse *f*), corrompu; **2.** bâtard(e *f*) *m*; enfant *mf* naturel(le *f*); '**bas·tar·dy** bâtardise *f*.

baste¹ [beist] arroser (de graisse) (*un rôti*); F bâtonner (*q.*).

baste² [beist] liber *m*; baguer.

bas·ti·na·do [bæsti'neidou] **1.** bastonnade *f*; **2.** donner la bastonnade à (*q.*).

bas·tion ✕ ['bæstiən] bastion *m*.

bat¹ [bæt] chauve-souris (*pl.* chauves-souris) *f*; *be blind as a* ~ ne pas y voir plus clair qu'une taupe.

bat² [~] **1.** *cricket:* batte *f*; *ping-pong:* raquette *f*; *baseball: at* ~ (*être*) à la batte; *Am.* F *come* (*go*) *to* ~ *for* porter secours à; *off one's own* ~ *fig.* de sa propre initiative; **2.** manier la batte; être au guichet.

batch [bætʃ] *pain, a. fig.:* fournée *f*; *papiers:* paquet *m*; lot *m*.

bate [beit] diminuer; rabattre (*le prix*); baisser (*la voix*).

Bath¹ [ba:θ]: ~ *brick* brique *f* anglaise; ~ *chair* fauteuil *m* roulant.

bath² [~] **1.** (*pl.* **baths** [ba:ðz]) bain *m* (*de boue, de pieds, de soleil, de trempe, de vapeur,* ~ *douche*); ~*house* cabines *f/pl.* de bains; **2.** (se) baigner.

bathe [beið] **1.** (se) baigner; **2.** bain *m* (*de mer etc.*); baignade *f*.

bath·ing ['beiðiŋ] bains *m/pl.* (*de mer etc.*); baignades *f/pl.*; *attr.* de bain(s); '**~-cap** bonnet *m* de bain; '**~-cos'tume** costume *m* de bain; maillot *m*; '**~-hut** cabine *f* de bains (de plage); '**~-ma'chine** † cabine *f* roulante; '**~-suit** costume *m* de bain; '**~-trunks** *pl.* caleçon *m* de bain. [flure *f*; anticlimax *m.*]

ba·thos ['beiθɔs] ampoulé *m*; en-]

bath...: '**~-robe** *Am.* peignoir *m* de bain; '**~-tow·el** serviette *f* de bain.

ba·tiste ✝ [bæ'ti:st] batiste *f*.

bat·man ['bætmən] brosseur *m*; ordonnance *mf*.

ba·ton ['bætən] *maréchal, chef d'orchestre, police:* bâton *m*; *police:* matraque *f*.

ba·tra·chi·an [bə'treikjən] batracien *m*.

bats·man ['bætsmən] *cricket etc.:* batteur *m*.

bat·tal·ion [bə'tæljən] bataillon *m*.

bat·ten ['bætn] **1.** couvre-joint *m*; latte *f* (*a.* ♏); **2.** *v/t.* latter; (♏ ~*down*) assujettir; *v/i.* repaître (*de,* [*up*]*on*).

bat·ter ['bætə] **1.** *cricket:* batteur *m*; *cuis.* pâte *f* lisse; **2.** battre; (*a.* ~ *at*) frapper avec violence; bossuer (*un chapeau etc.*); rouer (*q.*) de coups; ✕ battre en brèche; ∆ *a. critique:* démolir (*q.*); '**bat·ter·ed** délabré, bossué; '**bat·ter·ing-ram** bélier *m*; '**bat·ter·y** batterie *f*; *Am. baseball: the* ~ le lanceur et le batteur; ✕ *a.* ⊕ batterie *f*; ⚡ pile *f*; accumulateur *m*; ⚖ voie *f* de fait; rixe *f*; *assault and* ~ (menaces *f/pl.* et) voies *f/pl.* de fait; '**bat·ter·y-charg·ing 'sta·tion** ⚡ station *f* de charge.

bat·tle ['bætl] **1.** bataille *f*, combat *m*; ~ *royal* bataille *f* en règle; mêlée *f* générale; **2.** se battre, lutter (pour, *for*; avec, *with*; contre, *against*); '**~-axe** hache *f* d'armes; *Am. fig.* mégère *f*.

bat·tle·dore ['bætldɔ:] *lessive:* battoir *m*; raquette *f*.

bat·tle-field ['bætlfi:ld] champ *m* de bataille.

bat·tle·ments ['bætlmənts] *pl.* créneaux *m/pl.*; parapet *m*.

bat·tle...: '**~-plane** ✕ avion *m* de combat; '**~-ship** ✕ cuirassé *m* (de ligne).

bat·tue [bæ'tu:] battue *f*; F carnage *m*.

bau·ble ['bɔ:bl] babiole *f*; fanfreluche *f*.

baulk [bɔ:k] *see* balk.

baux·ite *min.* ['bɔ:ksait] bauxite *f*.

baw·bee *écoss.* [bɔ:'bi:] *see* half-penny.

bawd [bɔ:d] procureuse *f*; '**bawd·y** obscène; ordurier (-ère *f*) (*propos*).

bawl [bɔ:l] brailler; hurler; crier à tue-tête; F beugler; ~*out* brailler *etc.*; gueuler; *Am. sl.* injurier; F engueuler (*q.*).

bay¹ [bei] **1.** bai (*cheval*); isabelle; **2.** cheval *m* bai; isabelle *m*.

bay² [~] baie *f*; golfe *m*; anse *f*; échancrure *f*; ~ *salt* sel *m* de mer; *cuis.* gros sel *m*.

bay³ △ [~] travée *f*; claire-voie (*pl.* claires-voies) *f*; enfoncement *m*; 🚢 quai *m* subsidiaire.

bay⁴ [~] laurier *m*.

bay⁵ [~] **1.** aboyer; hurler (*chien*); ~ *at* hurler *etc.* à; **2.** *stand at* ~ s'acculer à *ou* contre (*qch.*); être aux abois; *bring to* ~, *keep* (*ou hold*) *at* ~ acculer (*un cerf*).

bay·o·net ⚔ ['beiənit] **1.** baïonnette *f*; **2.** percer d'un coup de baïonnette; passer (*des gens*) à la baïonnette; '~-**catch** ⊕ encliquetage *m*.

bay·ou *géog.* *Am.* ['baiu:] bras *m* marécageux (*de rivière*).

bay win·dow [bei'windou] fenêtre *f* en saillie; *Am. sl.* bedaine *f*.

ba·zaar [bə'zɑ:] bazar *m*; vente *f* de charité.

be [bi:; bi] (*irr.*) **1.** être; se trouver; *there is*, *there are* il y a; *here's to you(r health)*! à votre santé!; *here you are again*! vous revoilà! ~ *about* (*gér.*) être occupé à (*inf.*), de (*qch.*); ~ *after* venir après (*q.*); F être en quête de (*q.*); ~ *at* s'occuper de (*qch.*); ~ *off* s'en aller; partir; finir; couper (*courant*); ~ *off with you*! allez-vous-en!; filez!; **2.** *v/aux. et p.pr. pour exprimer la durée ou une action incomplète:* ~ *reading* (être en train de) lire; **3.** *v/aux. et inf. pour exprimer le devoir, l'intention ou la possibilité: I am to inform you je suis chargé de vous faire savoir; it is (not) to* ~ *seen on* (ne) peut (pas) le voir *ou* visiter; *if he were to die s'il mourait*; **4.** *v/aux. et p.p. à la voix passive: se rend ordinairement par on et la voix active, ou par la voix passive, ou par un verbe réfléchi; I am asked on me demande.*

beach [bi:tʃ] **1.** plage *f*, grève *f*; **2.** 🚢 échouer; tirer à sec; '~-**comb·er** F rôdeur *m* de grève; *sl.* propre *m* à rien; '~-**head** ⚔ tête *f* de pont.

bea·con ['bi:kn] **1.** † feu *m* d'alarme; feu *m* de joie; 🚢 phare *m*, fanal *m*; balise *f*; **2.** baliser; éclairer.

bead [bi:d] **1.** perle *f* (*d'émail etc.*); goutte *f* (*de sueur etc.*); *pneu:* talon *m*; *chapelet:* grain *m*; *fusil:* guidon *m*; ~*s pl. a.* chapelet *m*; **2.** *v/t.* couvrir *ou* orner de perles; ⊕

appliquer une baguette sur; *v/i.* perler; '**bead·ing** ⊕, △ baguette *f*.

bea·dle ['bi:dl] bedeau *m*; *univ.* appariteur *m*.

bead·y ['bi:di] qui perle; percé en vrille (*yeux*).

beak [bi:k] bec *m*; F nez *m* crochu; '**beaked** à bec; crochu (*nez*).

beak·er ['bi:kə] gobelet *m*; coupe *f*.

beam [bi:m] *bois:* poutre *f*; solive *f*; *charrue:* flèche *f*; *fig.* rayon *m*; éclat *m*; ⊕ balancier *m*; 🚢 bau *m*, barrot *m* de pont; *chasse:* merrain *m* (*bois de cerf*); *radio:* (*wireless* ~) faisceau *m* hertzien; *phare:* faisceau *m*; '~-**'ends** *pl.: the ship is on her* ~ le navire est engagé; F *fig. be on one's* ~ F être à la côte.

bean [bi:n] fève *f*; grain *m* (*de café*); *Am. sl.* tête *f*, caboche *f*; F *full of* ~*s* plein d'entrain; *sl. give s.o.* ~*s* laver la tête à q.; '~-**feast**, **bean·o** *sl.* ['bi:nou] régal *m*; *sl.* bombe *f*.

bear¹ [bɛə] **1.** ours(e *f*) *m*; *fig.* homme *m* maussade; † *sl.* baissier *m*; **2.** † spéculer à la baisse; prendre position à la baisse.

bear² [~] (*irr.*) **1.** *v/t.* porter (*qch., épée, nom, date, amour etc.*); jouir de (*une réputation*); supporter (*poids, frais, conséquences*); soutenir (*un poids*); souffrir (*une douleur etc.*); tolérer, supporter, souffrir; ~ *away* (r)emporter, enlever; ~ *down* vaincre; accabler; ~ *out* emporter; confirmer (*une assertion*); ~ *up* soutenir; résister à; **2.** *v/i.* endurer; avoir rapport (à, *upon*); porter; 🚢 (*avec adv.*) faire route; 🚢 ~ *down upon* courir sur (*qch.*); ~ *to the right* prendre à droite; ~ *up* tenir bon; ~ *up*! courage!; ~ (*up*)*on* porter sur; peser sur; ~ *with* se montrer indulgent pour; supporter; *bring to* ~ mettre (*qch.*) en action; braquer (*une lunette*) (sur, *[up]on*).

beard [biəd] **1.** barbe *f*; 🌾 arête *f*; **2.** *v/t.* braver, défier, narguer (*q.*); '**beard·ed** barbu; '**beard·less** imberbe; sans barbe.

bear·er ['bɛərə] porteur (-euse *f*) *m*; *passeport:* titulaire *mf*; † *chèque:* porteur *m*; ⊕ support *m*.

bear·ing ['bɛəriŋ] port *m* (*d'armes, de nouvelles*; *a.* = *maintien*); allure *f*, maintien *m*; capacité *f* de supporter; appui *m*; 🚢 relèvement *m*; ⊕ *souv.* ~*s pl.* palier *m*; coussinet *m*,

-s *m/pl.*; ~s *pl.* ▱ armoiries *f/pl.*, blason *m*; *take one's* ~s s'orienter, se repérer.

bear·ish [ˈbɛəriʃ] d'ours; bourru (*personne*); à la baisse (*tendance*).

beast [biːst] bête *f*; *fig. a.* animal *m*, brute *f*; ~s *pl.* bétail *m*; **'beast·li·ness** bestialité *f*, brutalité *f*; F saleté *f*; **'beast·ly** bestial (-aux *m/pl.*), brutal (-aux *m/pl.*); F sale, dégoûtant; *fig. adv.* terriblement.

beat [biːt] **1.** [*irr.*] *v/t.* battre (*a. chasse: un bois; a. ♪ la mesure*); donner des coups de bâton à; cogner à (*une porte*); *oiseau*: battre de (*l'aile*); dépasser (*q.*); (*a.* ~ *out*) aplatir, marteler (*un métal*); frayer, battre (*un chemin*); F assommer; F devancer (*q.*); *Am.* F rouler, refaire (*q.*); *Am. sl.* ~ *it!* filez!; ~ *the air* F taper dans le vide; *Am.* F *it* ~s *the band* ça c'est le comble; ~ *one's brains* se creuser la cervelle; ✕ ~ *a retreat* battre en retraite; *Am.* F ~ *one's way to* gagner (*un endroit, souv. sans payer*); ~ *down* (r)abattre; donner à plomb (sur, [*up*]on); *↑* faire baisser le prix à (*q.*); marchander (avec) ~ *up* fouetter (*œufs, crème etc.*); recruter (*des partisans*); *Am.* F rosser (*q.*); *v/i.* battre; ~ *about the bush* tourner autour du pot; **2.** battement *m* (*a. phys.*); pulsation *f*; *tambour*: batterie *f*; ♪ mesure *f*, temps *m*; *police*: ronde *f*; *chasse*: battue *f*; *radio*: battement *m*; *Am.* reportage *m* sensationnel que l'on est le premier à publier; *fig.* domaine *m*; **3.** F battu, confondu; F ~ *out* épuisé; **'beat·en** *p.p. de beat 1*; *adj.* battu (*chemin, métal*); **'beat·er** batteur (-euse *f*) *m*; battoir *m* (*de laveuse*); *chasse*: rabatteur *m*, traqueur *m*.

be·at·i·fi·ca·tion *eccl.* [biːætifiˈkeiʃn] béatification *f*; **be·at·i·fy** *eccl.* béatifier; **be·at·i·tude** [~tjuːd] béatitude *f*.

beau [bou], *pl.* **beaux** [bouz] galant *m*, prétendant *m*; dandy *m*, élégant *m*; ~ *ideal* idéal *m*.

beau·ti·ful ▱ [ˈbjuːtəful] beau (bel *devant une voyelle ou un h muet*; belle *f*; beaux *m/pl.*).

beau·ti·fy [ˈbjuːtifai] embellir.

beau·ty [ˈbjuːti] beauté *f* (*a. = belle femme*); F drôle *m* de type; *Sleeping* ♀ *Belle f au bois dormant*; ~ *parlo(u)r*, ~ *shop* institut *m* de beauté;

~ *spot* mouche *f* (*collée sur le visage*); *lieu*: coin *m* pittoresque.

bea·ver [ˈbiːvə] *zo.* castor *m*; † chapeau *m* de castor; F barbu *m*; *casque*: visière *f*.

be·calm [biˈkɑːm] abriter, déventer (*un navire*); *poét.* calmer; ⚓ ~*ed* accalminé.

be·came [biˈkeim] *prét. de become.*

be·cause [biˈkɔz] parce que; ~ *of* à cause de.

beck [bek] signe *m* (*de tête etc.*).

beck·on [ˈbekn] faire signe (à *q.*).

be·cloud [biˈklaud] ennuager, voiler.

be·come [biˈkʌm] [*irr.* (*come*)] *v/i.* devenir; se faire; advenir (de *q.*, *of s.o.*); *v/t.* convenir à, aller (bien) à; **be·com·ing** ▱ convenable, bienséant; seyant (*costume etc.*).

bed [bed] **1.** lit *m* (*a. d'un fleuve etc.*); banc *m* (*d'huîtres*); tanière *f* (*d'un animal*); *✿ fleurs*: parterre *m*; *légumes*: planche *f*; ⊕ sommier *m*; assise *f*; *chaussée etc.*: assiette *f*; *be brought to* ~ *of* accoucher de; **2.** mettre au lit; faire la litière à (*un cheval etc.*); *✿* ~ (*out*) dépoter.

be·daub [biˈdɔːb] barbouiller (*de peinture*).

be·daz·zle [biˈdæzl] aveugler, éblouir.

bed-clothes [ˈbedklouðz] *pl.* draps *m/pl.* de lit.

bed·ding [ˈbediŋ] literie *f*; litière *f*; ~(*-out*) *plantes*: dépotage *m*.

be·deck [biˈdek] parer, orner.

be·dev·il [biˈdevl] ensorceler; *fig.* tourmenter, lutiner; **be·dev·il·ment** ensorcellement *m*; vexation *f*.

be·dew [biˈdjuː] humecter de rosée; *poét.* baigner.

bed·fel·low [ˈbedfelou] compagnon *m* de lit.

be·dim [biˈdim] obscurcir.

be·diz·en [biˈdaizn] attifer; chamarrer (*a. fig.*).

bed·lam [ˈbedləm] F maison *f* de fous; **bed·lam·ite** [ˈ~mait] F fou *m*, folle *f*.

bed·lin·en [ˈbedlinin] draps *m/pl.* de lit et taies *f/pl.*

bed·ou·in [ˈbeduin] **1.** bédouin(e *f*); **2.** Bédouin(e *f*) *m*.

bed-pan [ˈbedpæn] bassin *m* de lit.

be·drag·gle [biˈdrægl] tacher de boue; crotter.

bed...: **'~·rid(·den)** cloué au lit; **'~-**

'**rock** *géol.* roche *f* de fond; tuf *m*; *fig.* fondement *m*, fond *m*; '~**room** chambre *f* (à coucher); '~**side:** *at the* ~ au chevet (*de q.*); ✠ *good* ~ *manner* bonne manière *f* professionnelle; ~ *lamp* lampe *f* de chevet; ~ *rug* descente *f* de lit; '~**sit·ting-room** pièce *f* unique avec lit *ou* divan; '~**sore** *f* escarre *f*; '~**spread** dessus *m* de lit; '~**stead** châlit *m*; '~**straw** ♀ gaillet *m*; '~**tick** toile *f* à matelas; '~**time** heure *f* du coucher.

bee [bi:] abeille *f*; *Am.* réunion *f* pour travaux en commun; F *have a* ~ *in one's bonnet* avoir une araignée au plafond.

beech ♀ [bi:tʃ] hêtre *m*; '~**nut** faîne *f*.

beef [bi:f] **1.** bœuf *m*; F muscle *m*; **2.** *Am.* F grommeler, se plaindre; '~**eat·er** hallebardier *m* (*à la Tour de Londres*); ~**steak** ['bi:f'steik] bifteck *m*; ~ *tea* *cuis.* jus *m* de viande de bœuf; consommé *m*; '**beef·y** F musculeux (-euse *f*).

bee...: '~**hive** ruche *f*; '~**keep·er** apiculteur *m*; '~**keep·ing** apiculture *f*; '~**line** ligne *f* à vol d'oiseau; *Am.* *make a* ~ *for* aller droit vers (qch.); '~**mas·ter** apiculteur *m*.

been [bi:n, bin] *p.p. de* be.

beer [biə] bière *f*; *small* ~ petite bière *f*; F détail *m*, petite affaire *f*; '~**en·gine** pompe *f* à bière; '**beer·y** F un peu gris.

bees·wax ['bi:zwæks] cire *f* d'abeilles.

beet ♀ [bi:t] betterave *f*; *white* ~ bette *f*, poirée *f*; betterave *f* à sucre; *red* ~ betterave *f* rouge.

bee·tle[1] ['bi:tl] **1.** mailloche *f*; maillet *m*; **2.** damer.

bee·tle[2] [~] coléoptère *m*.

bee·tle[3] [~] **1.** bombé (*front*); touffu (*sourcils*); **2.** *v/i.* surplomber.

beet·root ['bi:tru:t] *Brit.* betterave *f*.

beet·sug·ar ['bi:tʃugə] sucre *m* de betterave.

be·fall [bi'fɔ:l] [*irr.* (*fall*)] arriver *ou* survenir à (*q.*).

be·fit [bi'fit] convenir *ou* seoir à (*q., qch.*).

be·fog [bi'fɔg] envelopper de brouillard; *fig.* obscurcir.

be·fool [bi'fu:l] duper, mystifier.

be·fore [bi'fɔ:] **1.** *adv.* *lieu:* en avant; devant; *temps:* auparavant; avant; **2.** *cj.* avant que; **3.** *prp.* *lieu:* devant; *temps:* avant; *be* ~ *one's time* être en avance; *be* ~ *s.o.* être en présence de *q.*; *fig.* attendre *q.*; devancer *q.*; ~ *long* avant longtemps; ~ *now* déjà; **be'fore·hand** préalablement; d'avance.

be·foul [bi'faul] souiller, salir.

be·friend [bi'frend] venir en aide à (*q.*); secourir (*q.*).

beg [beg] *v/t.* mendier; solliciter; prier; supplier (*q. de faire qch.*); I ~ *your pardon* je vous demande pardon; plaît-il?; ~ *the question* supposer vrai ce qui est en question; *v/i.* mendier; demander, prier; faire le beau (*chien*); ✠ *I* ~ *to inform you* j'ai l'honneur de vous faire savoir.

be·gan [bi'gæn] *prét. de* begin.

be·get [bi'get] [*irr.* (*get*)] engendrer; **be'get·ter** père *m*; F auteur *m* (de, of).

beg·gar ['begə] **1.** mendiant(e *f*) *m*; F individu *m*; pauvre *m* de mendiant; **3.** réduire (*q.*) à la mendicité; *it* ~*s all description* cela ne peut pas se décrire, cela défie toute description; '**beg·gar·ly** chétif (-ive *f*); mesquin; '**beg·gar·y** mendicité *f*, misère *f*; *reduce to* ~ réduire à la mendicité.

be·gin [bi'gin] [*irr.*] *v/i.* commencer (à, de to; par, à at); se mettre (à *inf.*, to *inf.*); ~ (*up*)*on s.th.* entamer qch.; *to* ~ *with* pour commencer (tout) d'abord; *to* ~ *by* (*gér.*) commencer par (*inf.*); *v/t.* commencer; **be'gin·ner** commençant(e *f*) *m*; **be'gin·ning** commencement *m*; début *m*; *from the* ~ dès le commencement.

be·gird [bi'gə:d] [*irr.* (*gird*)] ceindre, entourer (de, with).

be·gone [bi'gɔn] partez!, hors d'ici!

be·go·ni·a ♀ [bi'gounjə] bégonia *m*.

be·got, be·got·ten [bi'gɔt(n)] *prét. et p.p. de* beget.

be·grime [bi'graim] noircir, salir.

be·grudge [bi'grʌdʒ] envier, mesurer (qch. à q., s.o. s.th.).

be·guile [bi'gail] enjôler, tromper; distraire; soutirer (qch. à q., s.o. out of s.th.); faire passer (*le temps*); ~ *s.o. into* (*gér.*) induire q. à (*inf.*).

be·gun [bi'gʌn] *p.p. de* begin.

be·half [bi'hɑ:f]: *on* (*ou in*) ~ *of* au nom de; de la part de; en faveur de; ✠ au compte de.

be·have [bi'heiv] se conduire, se comporter (*bien, mal, etc.*); ~ yourself (yourselves)! sois (soyez) sage(s)!; **be'hav·io(u)r** [~jə] conduite *f* (avec, envers to[wards]); tenue *f* (*a. d'une voiture*); *machine:* allure *f*, fonctionnement *m*; be on one's best ~ se surveiller.

be·head [bi'hed] décapiter; **be'head·ing** décapitation *f*.

be·hest *poét.* [bi'hest] ordre *m*.

be·hind [bi'haind] **1.** *adv.* (par) derrière; en arrière; en retard; **2.** *prp.* derrière; en arrière de; en retard sur; *see* time; **be'hind·hand** en retard; attardé.

be·hold [bi'hould] [*irr.* (*hold*)] voir, apercevoir; ~! voyez!; **be'hold·en** redevable (à, to); **be'hold·er** témoin *m*; spectateur (-trice *f*) *m*.

be·hoof [bi'hu:f]: to (for, on) (the) ~ of au profit de, à l'avantage de.

be·hove [bi'houv]: it ~s s.o. to (*inf.*) il appartient à q. de (*inf.*).

beige [beiʒ] **1.** *tex.* beige *f*; **2.** beige; blond.

be·ing [bi:iŋ] être *m*; existence *f*; in ~ vivant; existant; come into ~ prendre naissance; se produire.

be·la·bo(u)r F [bi'leibə] rouer (*q.*) de coups.

be·laid [bi'leid] *prét. et p.p. de* belay.

be·lat·ed [bi'leitid] attardé (*personne*); tardif (-ive *f*) (*regret, heure, etc.*).

be·laud [bi'lɔ:d] combler (*q.*) de louanges.

be·lay [bi'lei] [*irr.*] ⚓ tourner, amarrer; *alp.* assurer; **be'lay·ing** tournage *m*.

belch [beltʃ] éructer; *sl.* roter; ~ forth (*ou* out) vomir (*des flammes etc.*).

bel·dam ['beldəm] mégère *f*; vieille sorcière *f*.

be·lea·guer [bi'li:gə] assiéger.

bel·fry ['belfri] beffroi *m*, clocher *m*.

Bel·gian ['beldʒən] **1.** belge, de Belgique; **2.** Belge *mf*.

be·lie [bi'lai] démentir; donner un démenti à; faire mentir.

be·lief [bi'li:f] croyance *f* (à, in; en Dieu, in God); *fig.* confiance *f*; past all ~ incroyable; to the best of my ~ autant que je sache.

be·liev·a·ble [bi'li:vəbl] croyable.

be·lieve [bi'li:v] *v/i.* croire (à, en in); F (not) ~ in (ne pas) être partisan de (*qch.*); (ne pas) avoir confiance dans

(*qch.*); *v/t.* croire; **be'liev·er** croyant(e *f*) *m*.

be·lit·tle [bi'litl] *fig.* décrier, amoindrir.

bell¹ [bel] **1.** cloche *f*; sonnette *f*; timbre *m*; sonnerie *f* (*électrique*); 🕭 clochette *f*; △ campane *f*; vase *m*; ⚓ coup *m*; ♪ *trompette:* pavillon *m*; **2.** *v/t.* ~ the cat attacher le grelot.

bell² *chasse:* [~] **1.** bramer; **2.** bramement *m*.

bell·boy *Am.* ['belbɔi] *see* bellhop.

belle [bel] beauté *f*.

bell...: '~-flow·er campanule *f*; '~-found·er fondeur *m* de cloches; '~-hop *Am. sl.* chasseur *m*.

bel·li·cose ['belikous] belliqueux (-euse *f*); **bel·li·cos·i·ty** [~'kɔsiti] bellicosité *f*; humeur *f* belliqueuse.

bel·lied ['belid] ventru.

bel·lig·er·ent [bi'lidʒərənt] belligérant(e *f*) (*a. su./mf*).

bel·low ['belou] **1.** beugler; mugir (*a.* F); **2.** beuglement *m*; F hurlement *m*.

bel·lows ['belouz] *pl.:* (a pair of) ~ (un) soufflet *m*; *sg. phot.* soufflet *m*.

bell...: '~-pull cordon *m* de sonnette; '~-push poussoir *m*; bouton *m*; '~-weth·er sonnailler *m*; '~-wire fil *m* à sonnerie.

bel·ly ['beli] **1.** ventre *m*; ✈ ~ landing atterrissage *m* sur le ventre; **2.** (s')enfler, (se) gonfler.

be·long [bi'lɔŋ] appartenir (à, to); faire partie (de, to); être (à, de to *a place*); *Am.* ~ with aller avec; **be'long·ings** [~iŋz] *pl.* affaires *f/pl.*; effets *m/pl.*

be·lov·ed [bi'lʌvd] **1.** aimé; **2.** chéri (-e *f*) *m*; bien-aimé(e *f*) *m*.

be·low [bi'lou] **1.** *adv.* en bas, (au-)dessous; *poét.* ici-bas; **2.** *prp.* au-dessous de; *fig.* ~ me indigne de moi (*de inf.*, to *inf.*).

belt [belt] **1.** ceinture *f*; porte-jarretelles *m*; *fig.* zone *f*, bande *f*; ✂ ceinturon *m*; ⊕ courroie *f*; ⚓ ceinture *f* cuirassée; *box.* below the ~ déloyal (-aux *m/pl.*) (*coup*); green ~ ceinture *f* verte; *mot.* seat~ ceinture *f* de sécurité; **2.** ceindre; entourer (*qch.*) d'une ceinture; *Am.* F ~ out faire retentir *ou* éclater.

bel·ve·dere ['belvidiə] △ belvédère *m*; mirador *m*; pavillon *m*.

be·moan [bi'moun] pleurer, déplorer (*qch.*).

bench [bentʃ] banc *m*; banquette *f*; siège *m* (*du juge*); magistrature *f*; menuiserie: établi *m*; *see* treasury; **'bench·er** membre *m* du conseil d'une École de droit.

bend [bend] **1.** tournant *m*; *chemin*: coude *m*; courbure *f*; courbe *f*; *fleuve*: sinuosité *f*; ⌀ bande *f*; ⚓ nœud *m*; **2.** [*irr.*] (se) courber; *v/i.* tourner (*route*); *v/t.* plier; fléchir; baisser (*la tête*); tendre (*un arc*); fixer (*les regards*); porter (*les pas vers qch.*); appliquer (*l'esprit*); ⚓ enverguer.

be·neath [bi'ni:θ] *see* below.

ben·e·dick ['benidik] nouveau marié *m* (*surt. vieux garçon*).

Ben·e·dic·tine [beni'diktin] *eccl.* Bénédictin(e *f*) *m*; [ˌ·ti:n] *liqueur*: Bénédictine *f*.

ben·e·dic·tion *eccl.* [beni'dikʃn] bénédiction *f*; bénédicité *m* (*avant les repas*).

ben·e·fac·tion [beni'fækʃn] bienfait *m*; donation *f*; œuvre *f* de charité; **'ben·e·fac·tor** bienfaiteur *m*; **ben·e·fac·tress** ['ˌtris] bienfaitrice *f*.

ben·e·fice ['benifis] bénéfice *m*; **benef·i·cence** [bi'nefisns] bienfaisance *f*; **be'nef·i·cent** □ bienfaisant; salutaire.

ben·e·fi·cial □ [beni'fiʃl] avantageux (-euse *f*), salutaire, utile; ~ interest usufruit *m*; ˌˌ ~ owner usufruitier (-ère *f*) *m*; **ben·e'fi·ci·ar·y** ˌˌ, *eccl.* bénéficier (-ère *f*) *m*; bénéficiaire *mf*; ayant droit (*pl.* ayants droit) *m*.

ben·e·fit ['benifit] **1.** avantage *m*, profit *m*; *théâ.* représentation *f* au bénéfice (*de q.*); indemnité *f* (*de chômage*); ~ of the doubt bénéfice *m* du doute; for the ~ of à l'intention de; au bénéfice de; **2.** *v/t.* profiter à; être avantageux (-euse *f*) à; faire du bien à; *v/i.* profiter (*de by, from*).

be·nev·o·lence [bi'nevələns] bienveillance *f*, bonté *f*; **be'nev·o·lent** □ (*envers, to*) bienveillant; charitable.

Ben·gal [beŋ'gɔ:l] du Bengale; **Ben'gal·i** [ˌ·li] **1.** bengali; **2.** *ling.* bengali *m*; Bengali *mf*.

be·night·ed [bi'naitid] anuité *m*; surpris par la nuit; *fig.* aveugle; plongé dans l'ignorance.

be·nign □ [bi'nain] bénin (-igne *f*) (*a.* ⚕); doux (douce *f*); favorable; **be·nig·nant** □ [bi'nignənt] bénin (-igne *f*); bienveillant; **be'nig·ni·ty** bienveillance *f*, bonté *f*; ⚕, *a.* climat: bénignité *f*.

bent¹ [bent] **1.** *prét. et p.p. de* bend 2; ~ on acharné à; **2.** penchant *m*, disposition *f* (*pour, for*); to the top of one's ~ tant qu'on peut.

bent² ♀ [ˌ] jonc *m*; agrostide *f*; prairie *f*. [transir.]

be·numb [bi'nʌm] engourdir (*a.* F).

ben·zine ⚗ ['benzi:n] benzine *f*.

ben·zol(e) ⚗ ['benzɔl] benzol *m*.

be·queath [bi'kwi:ð] léguer.

be·quest [bi'kwest] legs *m*.

be·reave [bi'ri:v] [*irr.*] priver; be ~d of perdre (*q. par la mort*); ~d affligé; **be'reave·ment** perte *f* (*d'un père etc.*); deuil *m*.

be·reft [bi'reft] *prét. et p.p. de* bereave.

be·ret ['berei] béret *m*.

Ber·lin [bə:'lin] **1.** de Berlin; ~ black vernis *m*; **2.** *voiture*: berline *f*; (*usu.* ~ glove) gant *m* de laine de Berlin; (*usu.* ~ wool) laine *f* de Berlin.

ber·ry ['beri] ♀ baie *f*.

berth [bə:θ] **1.** ⚓ évitée *f*; couchette *f*; *fig.* place *f*; emploi *m*; give s.o. a wide ~ éviter q.; **2.** *v/t.* accoster (*un navire*) le long du quai; *v/i.* mouiller; aborder à quai.

ber·yl *min.* ['beril] béryl *m*.

be·seech [bi'si:tʃ] [*irr.*] supplier (*q. de inf., s.o. to inf.*); implorer; **be'seech·ing** □ suppliant.

be·seem [bi'si:m]: *it* ~s il sied (à q. de *inf., s.o. to inf.*).

be·set [bi'set] [*irr.* (set)] assaillir; serrer de près; assiéger; ~ting sin péché *m* d'habitude.

be·side [bi'said] **1.** *adv. see* besides; **2.** *prp.* à côté de (*a. fig.*); auprès de; ~ o.s. transporté (*de joie etc.*, *with*); be ~ the purpose ne pas entrer dans les intentions (*de q.*); ~ the question en dehors du sujet; **be'sides** [ˌ·dz] **1.** *adv.* en plus, en outre; d'ailleurs; **2.** *prp. fig.* sans compter; en plus de; excepté.

be·siege [bi'si:dʒ] assiéger (*a. fig.*); faire le siège de; *fig.* entourer; **be'sieg·er** assiégeant *m*.

be·slav·er [bi'slævə] baver sur; *fig.* flagorner.

be·slob·ber [bi'slɔbə] prodiguer des baisers à (*q.*).

be·smear [bi'smiə] barbouiller.

be·smirch [bi'smə:tʃ] salir.

be·som ['bi:zm] balai *m*.

be·sot·ted [bi'sɔtid] assoté; abruti (par, with) (*a. fig.*).

be·sought [bi'sɔ:t] *prét. et p.p. de* beseech.

be·spat·ter [bi'spætə] éclabousser; *fig.* salir le nom de; accabler (de, with).

be·speak [bi'spi:k] [*irr.* (speak)] commander; retenir; *fig.* annoncer; *usu. poét.* s'adresser à, parler à.

be·spoke [bi'spouk] 1. *prét. de* bespeak; 2. *adj.*: ~ tailor tailleur *m* à façon; ~ work travail *m* sur commande; **be'spoken** *p.p. de* bespeak.

be·sprin·kle [bi'spriŋkl] arroser.

best [best] 1. *adj.* meilleur; F *la* crème de; ~ man garçon *m* d'honneur; *at* ~ *price* au mieux; *see* seller; 2. *adv.* le mieux; 3. *su.* meilleur *m*; mieux *m*; *Sunday* ~ habits *m/pl.* du dimanche; *for the* ~ pour le mieux; *to the* ~ *of my knowledge* autant que je sache; *make the* ~ *of* s'accommoder de; *make the* ~ *of a bad job* faire bonne mine à mauvais jeu; *the* ~ *of the way* la plus grande partie du chemin; *at* ~ pour dire le mieux; 4. *v/t.* F l'emporter sur (*q.*).

be·stead [bi'sted] [*irr.*] aider.

be·ste(a)d [⸏]: *hard* ~ serré de près; *ill* ~ F en mauvaise passe.

bes·tial □ ['bestjəl] bestial (-aux *m/pl.*); **bes·ti·al·i·ty** [besti'æliti] bestialité *f*.

be·stir [bi'stə:]: ~ *o.s.* se remuer.

be·stow [bi'stou] accorder, octroyer (à, [up]on); † déposer; **be'stow·al**, **be'stow·ment** don *m*, octroi *m*.

be·strew [bi'stru:] [*irr.*] joncher, parsemer (de, with).

be·strid·den [bi'stridn] *p.p. de* bestride.

be·stride [bi'straid] [*irr.*] être à cheval sur; enjamber (*un endroit*); enfourcher (*un cheval*).

be·strode [bi'stroud] *prét. de* bestride.

bet [bet] 1. pari *m*; 2. [*irr.*] parier; F *you* ~ pour sûr; *I* ~ *you a shilling* F je vous parie 50 francs.

be·take [bi'teik] [*irr.* (take)]: ~ *o.s.* to se rendre à; *fig.* se livrer à.

be·think [bi'θiŋk] [*irr.* (think)]: ~ *o.s.* se rappeler (qch. *of s.th.*); ~ *o.s. to* (*inf.*) s'aviser de (*inf.*).

be·tide [bi'taid]: *whate'er* ~ advienne que pourra; *woe* ~ *him!* gare à lui!

be·times [bi'taimz] de bonne heure.

be·to·ken [bi'toukn] être signe de, révéler; présager.

be·tray [bi'trei] trahir (*a. fig.* = *laisser voir*); séduire (*une femme*); **be'tray·al** trahison *f*; ~ *of trust* abus *m* de confiance; **be'tray·er** traître(sse *f*) *m*; trompeur (-euse *f*) *m*.

be·troth [bi'trouð] fiancer (à, avec to); *the* ~*ed* le fiancé *m*; la fiancée *f*; *pl.* les fiancés *m/pl.*; **be'troth·al** fiançailles *f/pl.*

bet·ter[1] ['betə] 1. *adj.* meilleur; mieux; *he is* ~ il va mieux; *get* ~ s'améliorer; se remettre; 2. *su.* meilleur *m*; mieux *m*; ~*s pl.* supérieurs *m/pl.*; *get the* ~ *of* l'emporter sur (*q.*); rouler (*q.*) (= *duper*); surmonter (*un obstacle*); maîtriser (*une émotion*); *he is my* ~ il est plus fort que moi; 3. *adv.* mieux; *be* ~ *off* être plus à son aise (*matériellement*); *so much the* ~ tant mieux; *you had* ~ *go* vous feriez mieux de vous en aller *ou* de partir; *I know* ~ j'en sais plus long; *think* ~ *of it* se raviser; revenir de; 4. *v/t.* améliorer; surpasser; ~ *o.s.* améliorer (*sa position etc.*); *v/i.* s'améliorer.

bet·ter[2] [⸏] parieur (-euse *f*) *m*.

bet·ter·ment ['betəmənt] amélioration *f*.

bet·ting ['betiŋ] paris *m/pl.*; cote *f*; mise *f*; ~*-debt* dette *f* d'honneur.

be·tween [bi'twi:n] (*poét. et prov. a.* **be·twixt** [bi'twikst]) 1. *adv.* entre les deux; *betwixt and between* entre les deux; 2. *prp.* entre; ~ *ourselves* entre nous, de vous à moi; *they bought it* ~ *them* ils l'ont acheté à eux deux (trois *etc.*); **be'tween-decks** ⚓ entrepont *m*; *adv.* sous barrots; **be'tween-maid** aide *f* de maison.

bev·el ['bevl] 1. oblique; 2. ⊕ biseau *m*, biais *m*; conicité *f*; 3. *v/t.* biseauter; *v/i.* biaiser; aller de biais; aller en biseau; ~*-wheel* ⊕ roue *f* dentée conique; pignon *m* conique.

bev·er·age ['bevəridʒ] boisson *f*.

bev·y ['bevi] bande *f*, troupe *f*.

be·wail [bi'weil] *v/t.* pleurer (qch.); *v/i.* se lamenter.

be·ware [bi'wɛə] se méfier (de q., of s.o.); se garder (de qch., of s.th.).

be·wil·der [bi'wildə] égarer, désorienter; F ahurir; abasourdir; **be'wil·der·ment** trouble *m*, confusion *f*; ahurissement *m*; abasourdissement *m*.

be·witch F [bi'witʃ] ensorceler; F enchanter; **be'witch·ment** ensorcellement *m*; charme *m*.

be·yond [bi'jɔnd] **1.** *adv.* au-delà, par-delà, plus loin; **2.** *prp.* au-delà de; par-delà; au-dessus de; excepté; en dehors de; autre ... que; ~ en·durance intolérable; ~ measure outre mesure; ~ dispute incontestable; ~ words au-delà de toute expression; get ~ *s.o.* dépasser q.; go ~ one's depth ne pas avoir pied; it is ~ me cela me dépasse; je n'y comprends rien.

bi... [bai bi(s)-; di(s)-; semi-.

bi·as ['baiəs] **1.** *adj. et adv.* oblique (-ment); en biais; de biais; *couture:* coupé de biais, en biais; **2.** *couture:* biais *m*; *boules:* décentrement *m*; déviation *f*; *radio:* polarisation *f*; *fig.* parti *m* pris; penchant *m*; **3.** décentrer (*une boule*); *fig.* rendre partial; prévenir (contre, *against*; en faveur de, *towards*); ~sed partial (-aux *m/pl.*).

bib [bib] bavette *f* (*d'enfant*); *tablier:* baverette *f*.

bib·cock ['bibkɔk] robinet *m* coudé.

Bi·ble ['baibl] Bible *f*.

bib·li·cal □ ['biblikl] biblique.

bib·li·og·ra·pher [bibli'ɔgrəfə] bibliographe *m*; **bib·li·o·graph·ic**, **bib·li·o·graph·i·cal** [ˌ·o'græfik(l)] bibliographique; **bib·li·og·ra·phy** [ˌ·'ɔgrəfi] bibliographie *f*; **bib·li·o·ma·ni·a** [ˌ·o'meinjə] bibliomanie *f*; **bib·li·o·ma·ni·ac** [ˌ·niæk] bibliomane *m*; **bib·li·o·phile** ['ˌ·ofail] bibliophile *m*.

bib·u·lous □ ['bibjuləs] adonné à la boisson; absorbant (*chose*).

bi·car·bon·ate ⚗ [bai'kɑːbənit] bicarbonate *m*.

bi·ceps *anat.* ['baiseps] biceps *m*.

bick·er ['bikə] se quereller; être toujours en zizanie; trembloter (*lumière*); murmurer (*ruisseau etc.*); **'bick·er·ing(s** *pl.*) querelles *f/pl.*; bisbille *f*.

bi·cy·cle ['baisikl] **1.** bicyclette *f*, F vélo *m*; **2.** faire de la bicyclette; aller à bicyclette; **'bi·cy·clist** (bi-) cycliste *mf*.

bid [bid] **1.** [*irr.*] *v/t.* commander, ordonner; inviter (*à dîner*); *cartes:* appeler; *fig.* ~ farewell faire ses adieux; ~ up surenchérir; ~ welcome souhaiter la bienvenue; *v/i.* (*prét. et p.p.* bid) faire une offre (pour, *for*); **2.** offre *f*, mise *f*, enchère *f*; *cartes:* appel *m*; a ~ to (*inf.*) un effort pour (*inf.*); *cartes:* no ~ Parole!; **'bid·den** *p.p. de* bid 1; **'bid·der** enchérisseur *m*; *cartes:* demandeur (-euse *f*) *m*; see high 1, low[1] 1; **'bid·ding** ordre *m*; invitation *f*; enchères *f/pl.*; *cartes:* enchère *f*.

bide [baid] attendre (*le moment*).

bi·en·ni·al [bai'enjəl] **1.** biennal (-aux *m/pl.*); **2.** ♀ plante *f* bisannuelle.

bier [biə] civière *f* (*pour un cercueil*).

bi·fur·cate ['baifəːkeit] (se) bifurquer; **bi·fur'ca·tion** bifurcation *f*.

big [big] grand; gros(se *f*); *fig.* lourd, gros(se *f*) (de, *with*); enceinte(*grosse d'enfant*); *fig.* hautain, fanfaron (-ne *f*); F ♀ Ben grosse cloche *du Palais du Parlement à Londres*; ~ business grosses affaires *f/pl.*; F *fig.* ~ shot chef *m* de file; personnage *m* important; *Am.* ~ stick *fig.* F trique *f*; *Am.* ~ top *cirque:* chapiteau *m*, *a. fig.* cirque *m*; talk ~ faire l'important; fanfaronner.

big·a·mous ['bigəməs] bigame; **'big·a·my** bigamie *f*.

bight [bait] crique *f*; golfe *m*.

big·ness ['bignis] grandeur *f*; grosseur *f*.

big·ot ['bigət] bigot(e *f*) *m*; *fig.* fanatique *mf*; sectaire *mf*; **'big·ot·ed** fanatique *m*; *fig.* à l'esprit sectaire; **'big·ot·ry** fanatisme *m*; zèle *m* outré.

big·wig F ['bigwig] gros bonnet *m*; *sl.* grosse légume *f*.

bike F [baik] vélo *m*.

bi·lat·er·al □ [bai'lætərl] bilatéral (-aux *m/pl.*).

bil·ber·ry ♀ ['bilbəri] airelle *f*, myrtille *f*.

bile [bail] bile *f* (*fig.* = colère).

bilge [bildʒ] bouge *m* (*de barrique*); ⚓ fond *m* de cale; bouchain *m*; *sl.* bêtises *f/pl*.

bi·lin·gual [bai'liŋgwəl] bilingue.

bil·ious □ ['biljəs] bilieux (-euse *f*); *fig.* colérique.

bilk [bilk] F tromper, escroquer.

bill[1] [bil] **1.** *oiseau, ancre, géog.*: bec *m*; serpette *f* (*pour tailler*); **2.** (*a. fig.* ~ *and coo*) se becqueter.

bill[2] [~] **1.** note *f*, facture *f*; *restaurant*: addition *f*; ♦ effet *m*; ♦ (*a.* ~ *of exchange*) traite *f*; *Am.* billet *m* (*de banque*); *théâ. etc.* affiche *f*; *parl.* projet *m* de loi; ~ *of costs* compte *m* de frais; ~ *of expenses* note *f* de(s) frais; ~ *of fare* carte *f* du jour; ⚓ ~ *of health* patente *f* de santé; ~ *of lading* connaissement *m*, police *f* de chargement; 𝔱𝔥 ~ *of sale* acte *m* de vente; ♦ ~ *of sight* déclaration *f* d'entrée; ♀ *of Rights Brit.* Déclaration *f* des Droits du citoyen (*1689*); *Am. les* amendements *m/pl.* (*1791*) à la constitution des É.-U.; **2.** facturer (*des marchandises*); afficher.

bill·board *Am.* ['bil'bɔːd] panneau *m* d'affichage.

bil·let ['bilit] **1.** ✕ (billet *m* de) logement *m*; bûche *f*; billette *f* (*a. métall.*); **2.** ✕ loger (*des troupes*) (*chez un, with*).

bill·fold ['bilfould] porte-billets *m/inv.*

bil·liard ['biljəd] *attr.* de billard; '~-cue queue *f* de billard; '**bil·liards** *sg. ou pl.* (jeu *m* de) billard *m*.

bil·lion ['biljən] billion *m*; *Am.* milliard *m*.

bil·low ['bilou] **1.** lame *f* (de mer), grande vague *f*; **2.** se soulever en vagues; ondoyer (*foule etc.*); '**bil·low·y** houleux (-euse *f*).

bill-stick·er ['bilstikə] afficheur *m*; placardeur *m*.

bil·ly *Am.* ['bili] bâton *m* (*de police*); '~-cock chapeau *m* melon; '~-goat F bouc *m*.

bi·mo·tored ✈ ['baimoutəd] bimoteur.

bin [bin] coffre *m*; casier *m*; F poubelle *f*.

bi·na·ry ['bainəri] binaire.

bind [baind] [*irr.*] *v/t.* lier, attacher; (res)serrer; garrotter; rendre constipé; ratifier, confirmer (*un marché*); border (*une étoffe*); relier (*des livres*); fixer (*un ski*); bander (*une blessure*); lier, agglutiner (*le sable*); ~ *over* sommer (*q.*) d'observer une bonne conduite; *fig.* be bound with être engagé (*à to, with*); ~ *s.o. apprentice to* mettre q. en apprentissage chez; *I'll be bound* je m'engage-

rai (*à, to*); F j'en suis sûr!; *v/i.* lier; durcir; '**bind·er** lieur (-euse *f*) *m*; lien *m*; ceinture *f*; ⊕ liant *m*; relieur *m* (*de livres*); '**bind·ing** **1.** obligatoire (*pour, on*); aggloméaratif (-ive *f*); **2.** agglutination *f*; serrage *m*; lien *m*; étoffe: bordure *f*; *livres*: reliure *f*; '**bind·weed** ♣ liseron *m*.

binge *sl.* [bindʒ] bombe *f*, ribote *f*.

bin·na·cle ⚓ ['binəkl] habitacle *m*.

bin·o·cle ['binɔkl] binoculaire *m*; **bin·oc·u·lar** **1.** [bai'nɔkjulə] binoculaire; **2.** [bi'nɔkjulə] jumelle *f*, -s *f/pl.*

bi·o·chem·i·cal ['baio'kemikl] biochimique; '**bi·o'chem·is·try** biochimie *f*.

bi·og·ra·pher [bai'ɔgrəfə] biographe *m*; **bi·o·graph·ic, bi·o·graph·i·cal** □ [~o'græfik(l)] biographique; **bi·og·ra·phy** [~'ɔgrəfi] biographie *f*.

bi·o·log·ic, bi·o·log·i·cal □ [baio'lɔdʒik(l)] biologique; **bi·ol·o·gist** [~'ɔlədʒist] biologiste *mf*; **bi'ol·o·gy** biologie *f*.

bi·par·tite [bai'pɑːtait] biparti(te *f*); 𝔱𝔥 rédigé en double. [*su./m*).\]

bi·ped *zo.* ['baiped] bipède (*a.*)

bi·plane ✈ ['baiplein] biplan *m*.

birch [bəːtʃ] **1.** ♣ (*ou* ~-tree) bouleau *m*; (*a.* ~-rod) verge *f*; **2.** de bouleau; '**birch·en** de bouleau.

bird [bəːd] oiseau *m*; *kill two* ~s *with one stone* faire d'une pierre deux coups; '~-**fan·ci·er** oiselier *m*; marchand *m* d'oiseaux; connaisseur (-euse *f*) *m* en oiseaux; '~-**lime** glu *f*; '~-**nest 1.** *see* bird's nest; **2.** dénicher des oiseaux; '**bird's-eye view** perspective *f* à vol d'oiseau; '**bird's nest** nid *m* d'oiseaux.

birth [bəːθ] naissance *f*; accouchement; *animaux*: mise *f* bas; *bring to* ~ faire naître, engendrer; *come to* ~ naître, prendre naissance; '~-**con·trol** limitation *f* des naissances; '~-**day** anniversaire *m*; jour *m* natal; '~-**place** lieu *m* de naissance; '~-**rate** natalité *f*; '~-**right** droit *m* de naissance; droit *m* d'aînesse.

bis·cuit ['biskit] biscuit *m* (*a. poterie*).

bi·sect ⚟ [bai'sekt] bissecter (*un angle*); couper en deux parties égales (*une ligne, un angle*); **bi'sec·tion** bissection *f*.

bish·op ['biʃəp] évêque m; échecs: fou m; '**bish·op·ric** évêché m.

bis·muth ⚗ ['bizməθ] bismuth m.

bi·son zo. ['baisn] bison m.

bis·sex·tile [bi'sekstail] **1.** bissextil; ~ year = **2.** année f bissextile.

bit [bit] **1.** morceau m; bout m (de papier etc.); monnaie: pièce f; cheval, tenaille: mors m; ⊕ mèche f; perçoir m; ~ by ~ peu à peu; F be a ~ of a coward être plutôt lâche; **2.** mettre le mors à, brider; **3.** prét. de bite 2.

bitch [bitʃ] **1.** chienne f; sl. garce f; renarde f; louve f; **2.** F gâcher.

bite [bait] **1.** coup m de dent; morsure f; sauce: piquant m; poisson: touche f; ⊕ mordant m; **2.** [irr.] mordre (a. poisson, ancre, outil, acide, etc.); piquer (insecte, poivre); ronger (rouille); v/i. adhérer (roues); ⚓ crocher (ancre); ~ at rembarrer (q.); '**bit·er** animal etc. qui mord; the ~ bit le trompeur trompé.

bit·ing □ ['baitiŋ] mordant; perçant (froid); cinglant (vent).

bit·ten ['bitn] p.p. de bite 2; be ~ fig. se faire attraper; F be ~ with s'enticher de; once ~ twice shy chat échaudé craint l'eau froide.

bit·ter ['bitə] **1.** □ amer (-ère f); aigre; glacial (-als m/pl.) (vent); ~ sweet aigre-doux (-douce f); **2.** bière f piquante.

bit·tern orn. ['bitə:n] butor m.

bit·ter·ness ['bitənis] amertume f; âpreté f; rancune f.

bit·ters ['bitəz] pl. bitter m, -s m/pl., amer m, -s m/pl.

bitts ⚓ [bits] pl. bittes f/pl.

bi·tu·men ['bitjumin] bitume m; **bi·tu·mi·nous** [.'tju:minəs] bitumineux (-euse f); gras(se f) (houille).

biv·ouac ['bivuæk] **1.** bivouac m; **2.** bivouaquer.

biz F [biz] affaire f, -s f/pl.

bi·zarre [bi'za:] bizarre.

blab F [blæb] **1.** (a. '**blab·ber**) jaseur (-euse f) m; indiscret (-ète f) m; **2.** v/i. jaser, bavarder; v/t. divulguer (un secret).

black [blæk] **1.** □ noir; fig. sombre, triste; ~ cattle bœufs m/pl. de race écossaise ou galloise; ~ eye œil m poché; see frost; ~ market marché m noir; ~ marketeer profiteur (-euse f) m; ~ marketing vente f ou achats m/pl. au marché noir; ~ sheep fig.

brebis f galeuse; **2.** noircir; v/t. cirer (des bottes); F pocher (l'œil); ~ out v/t. obscurcir; v/i. couper la lumière; **3.** noir m (a. vêtements); noir(e f) m (= nègre); flocon m de suie.

black...: ~·a·moor ['~əmuə] nègre m, négresse f; sl. bamboula m; '~·ball blackbouler; '~·ber·ry ♀ mûre f (sauvage); '~·bird merle m; '~·board tableau m noir; '~·coat·ed vêtu de noir; '~·cock orn. tétras m; '**black·en** v/t. noircir (a. fig.); fig. calomnier; v/i. (se) noircir; s'assombrir.

black...: ~·guard ['blægɑ:d] **1.** vaurien m; ignoble personnage m; **2.** (a. '~·guard·ly) □ ignoble, canaille; **3.** adjective (q.); '~·head ['blækhed] comédon m; '**black·ing** cirage m; '**black·ish** □ noirâtre, tirant sur le noir.

black...: '~·jack **1.** surt. Am. assommoir m; **2.** assener un coup d'assommoir à (q.); '~·lead **1.** plombagine f; crayon m (de mine de plomb); **2.** passer à la mine de plomb; '~·leg renard m; jaune m; '~·let·ter typ. caractères m/pl. gothiques; '~·list mettre sur la liste des suspects; mettre à l'index; '~·mail **1.** extorsion f sous menace; F chantage m; **2.** F faire chanter (q.); '~·mail·er maître m chanteur; '**black·ness** noirceur f; obscurité f.

black...: '~·out black-out m; fig. syncope f, amnésie f passagère; '~·smith forgeron m; '~·thorn ♀ épine f noire; '**black·y** F nègre m; moricaud m.

blad·der ['blædə] anat., a. foot. vessie f; anat., ♀ vésicule f.

blade [bleid] herbe: brin m; couteau, rasoir, scie, épée: lame f; langue: plat m; aviron: pale f; hélice: aile f; ventilateur: vanne f; F gaillard m; (a. ~·bone) anat. omoplate f.

blain [blein] pustule f.

blam·a·ble □ ['bleiməbl] blâmable; répréhensible; '**blam·a·ble·ness** caractère m répréhensible.

blame [bleim] **1.** reproches m/pl.; blâme m; faute f; **2.** blâmer; he is not to ~ for il n'y a pas de faute de sa part; he is to ~ for il y a de sa faute; il est responsable de; ~ s.th. on s.o. imputer (la faute de) qch. à q.

blame·ful ['bleimful] blâmable; répréhensible; **'blame·less** ☐ innocent; irréprochable; **'blame·less·ness** innocence *f*; irréprochabilité *f*; **'blame·wor·thi·ness** caractère *m* blâmable *ou* répréhensible; **'blame·wor·thy** blâmable; répréhensible.

blanch [blɑ:ntʃ] blanchir; pâlir; ~ *over* pallier; F blanchir.

blanc-mange *cuis.* [bləˈmɒnȝ] blanc-manger (*pl.* blancs-mangers) *m*.

bland ☐ [blænd] doux (douce *f*); débonnaire; narquois (*sourire*); **'blan·dish** cajoler, flatter; **'blan·dish·ment** flatterie *f*.

blank [blæŋk] 1. ☐ blanc(he *f*); vierge (*page*); sans expression, étonné (*regard*); ✝ en blanc; F carte blanche; fire ~ *cartridge* cartouche *f* à blanc; fire ~ tirer à blanc; 2. blanc *m*; vide *m*; lacune *f*; *mémoire:* trou *m*; *loterie:* billet *m* blanc; ⊕ flan *m*.

blan·ket ['blæŋkit] 1. *lit, cheval:* couverture *f*; F *neige, fumée:* manteau *m*; *typ.* blanchet *m*; *fig.* wet ~ trouble-fête *m/inv.*; rabat-joie *m/inv.*; 2. mettre une couverture à; ⚓ déventer; F étouffer, supprimer; *Am.* éclipser; 3. *Am.* général (-aux *m/pl.*), d'une portée générale.

blank·ness ['blæŋknis] vide *m*; air *m* confus.

blare [blɛə] *v/i.* sonner, cuivrer (*trompette*); *v/t.* faire retentir.

blar·ney ['blɑ:ni] 1. patelinage *n*; 2. cajoler, enjôler.

blas·pheme [blæsˈfi:m] blasphémer; ~ *against* outrager; **blas·phem·er** blasphémateur (-trice *f*) *m*; **blas·phe·mous** ☐ ['blæsfiməs] blasphémateur (-trice *f*) (*personne*); blasphématoire (*propos*); **'blas·phe·my** blasphème *m*.

blast [blɑ:st] 1. *vent:* rafale *f*; *vent, explosion:* souffle *m*; *trompette:* sonnerie *f*; *sifflet, sirène, mot.* coup *m*; explosion *f*; ⊕ soufflerie *f*; ♀ cloque *f*; *at full* ~ en pleine activité; 2. *v/t.* faire sauter, pétarder; flétrir; *fig.* ruiner, briser; *v/i.* cuivrer; ~(*it*)! sacrebleu!; **'~·fur·nace** ⊕ haut fourneau *m*; **'blast·ing** abattage *m* à la poudre; travail *m* aux explosifs.

bla·tan·cy ['bleitənsi] vulgarité *f* criarde; **'bla·tant** ☐ d'une vulgarité criarde; criant (*tort etc.*).

blath·er *Am.* ['blæðə] 1. bêtises *f/pl.*; 2. débiter des inepties.

blaze [bleiz] 1. flamme *f*; feu *m*; conflagration *f*; éclat *m*; étoile *f* (*au front d'un cheval*); *arbre:* griffe *f*; *pl.* F enfer *m*; 2. *v/i.* flamber; flamboyer (*soleil, couleurs*); étinceler; F ~ *away* tirer sans désemparer (sur, *at*); *chasse:* blazing scent piste *f* toute fraîche; *v/t.* (*usu.* ~ *abroad*) répandre, publier; griffer (*un arbre*); **'blaz·er** blazer *m*.

bla·zon ['bleizn] 1. blason *m*; armoiries *f/pl.*; 2. ⊘ blasonner; marquer (*qch.*) aux armoires (*de q.*); *fig.* célébrer, exalter; F publier; **'bla·zon·ry** blasonnement *m*; science *f* héraldique; *fig.* ornementation *f*.

bleach [bli:tʃ] 1. blanchir; *v/i.* blondir (*cheveux*); 2. décolorant *m*; **'bleach·er** blanchisseur (-euse *f*) *m*; *Am.* ~*s pl.* places *f/pl.* découvertes d'un terrain de baseball; **'bleach·ing** blanchiment *m*; **'bleach·ing-pow·der** poudre *f* à blanchir.

bleak ☐ [bli:k] sans abri, exposé au vent; *fig.* froid; triste, morne; **'bleak·ness** froidure *f*; aspect *m* morne.

blear [bliə] 1. chassieux (-euse *f*) (*surt. des yeux*); 2. rendre trouble; estomper (*des couleurs*); **~·eyed** ['bliəraid]; **'blear·y** aux yeux chassieux.

bleat [bli:t] 1. bêlement *m*; 2. bêler.

bleb [bleb] bouton *m*, (petite) ampoule *f*.

bled [bled] *prét. et p.p. de* bleed.

bleed [bli:d] [*irr.*] *v/i.* saigner, perdre du sang; *v/t.* saigner; ~ *white* saigner (*q.*) à blanc; **'bleed·ing** écoulement *m* de sang; ⚔ saignée *f*.

blem·ish ['blemiʃ] 1. défaut *m*, imperfection *f*; tache *f*; 2. tacher, souiller; abîmer.

blench [blentʃ] blêmir, pâlir.

blend [blend] 1. (se) mêler (à, avec *with*); (se) mélanger (*thé, café*); *v/t.* couper (*le vin*); *fig. v/i.* s'allier; se marier (*voix, couleurs*); 2. mélange *m*.

blende *min.* [blend] blende *f*.

bless [bles] bénir; consacrer; ~ *s.o. with* accorder à q. le bonheur de; F ~ *me!,* ~ *my soul!* tiens, tiens!; **blessed** ☐ [*p.p.* blest] *adj.* 'blesid] bienheureux (-euse *f*); saint; *sl.* fichu; be ~ *with* jouir de; ~ *event* heureux événement *m* (= *naissance*); **'blessed·ness** ['~sidnis] félicité *f*, béatitude *f*; live in single ~ vivre dans le bonheur du célibat; '**bless·ing** bénédiction *f*; bienfait *m*; *aux repas:* bénédicité *m*.

blest *poét.* [blest] *see* blessed.

bleth·er ['bleðə] *see* blather.

blew [blu:] *prét. de* blow² *et* blow³ 1.

blight [blait] 1. ✠ nielle *f* (*des céréales*); cloque *f* (*du fruit*); *fig.* influence *f* néfaste; 2. nieller; brouir; *fig.* flétrir; '**blight·er** *sl.* bon *m* à rien; individu *m*; *poor* ~ pauvre hère *m*; *lucky* ~ veinard *m*.

Blight·y ✠ *sl.* ['blaiti] la patrie (*usu. l'Angleterre*); *a* ~ (one) la bonne blessure.

blind □ [blaind] 1. aveugle; sans issue (*chemin*); faux (fausse *f*) (*porte*); *be* ~ *to* ne pas voir (*qch.*); *the* ~ *pl.* les aveugles *m/pl.*; ~ *alley* impasse *f* (*a. fig.*); ~ *corner* tournant *m* encaissé; virage *m* masqué; ✈ ~ *flying* vol *m* sans visibilité, vol *m* en P.S.V.; *anat.* ~ *gut* cæcum *m*; ♣, ✠ ~ *shell* obus *m* qui a raté; ~ *story* conte *m* en l'air; ~*ly fig.* aveuglément; *à* l'aveuglette; 2. store *m*; jalousie *f*; abat-jour *m/inv.*; banne *f*; ✠ blinde *f*; *Am. cheval:* œillère *f*; masque *m*, prétexte *m*; 3. aveugler (*sur, to*); *fig.* éblouir; *min.* blinder.

blind...: '~·fold 1. aveuglément; 2. bander les yeux (à *ou* de q., *s.o.*); '~-man's-buff colin-maillard *m*; '**blind·ness** cécité *f*.

blink [bliŋk] 1. clignotement *m* des paupières; lueur *f* momentanée; signal *m* optique; 2. *v/i.* ♣ battre *ou* cligner des paupières; papilloter (*lumière*); *v/t. fig.* fermer les yeux sur; dissimuler; '**blink·er** clignotant *m*; *cheval:* œillère *f*; '**blink·ing** F sacré.

bliss [blis] félicité *f*, béatitude *f*.

bliss·ful □ ['blisful] bienheureux (-euse *f*); serein; '**bliss·ful·ness** félicité *f*, béatitude *f*; bonheur *m*.

blis·ter ['blistə] 1. ampoule *f*; *peint., peau:* cloque *f*; ✠ vésicatoire *m*; 2. (se) couvrir d'ampoules; (se) cloquer (*peinture*).

blithe □ [blaið], ~·**some** ['blaiðsəm] *surt. poét.* joyeux (-euse *f*), gai.

blith·er *sl.* ['bliðə] dire des bêtises; ~*ing* F sacré.

blitz [blits] 1. F bombardement *m* aérien; 2. détruire par un bombardement.

bliz·zard ['blizəd] tempête *f* de neige.

bloat [blout] gonfler; boursoufler; bouffir (*a. fig.*), saurer (*des harengs*); ~*ed* boursouflé, gonflé; bouffi (*a. fig.*); '**bloat·er** hareng *m* bouffi.

blob [blɔb] tache *f*; pâté *m*; goutte *f* d'eau.

block [blɔk] 1. *marbre, fer, papier, etc.:* bloc *m*; *bois:* tronçon *m*; *roche:* quartier *m*; *mot.* tin *m*; sabot *m* (*de frein*); pâté *m* (*de maisons*); (*a. dead* ~) embouteillage *m*; blocus *m*; ~-buster ✠ *sl.* bombe *f* de très gros calibre; ~ *letter typ.* caractère *m* gras; majuscule *f*; 2. bloquer; entraver; fermer (*une voie, un jeu*); ~ *in* esquisser à grands traits; (*usu.* ~ *up*) bloquer, obstruer; murer (*une porte*); ♣ bâcler (*un port*); ~ *out* caviarder (*une censure*).

block·ade [blɔ'keid] 1. blocus *m*; 2. bloquer; faire le blocus de; '**block·ade-run·ner** forceur *m* de blocus.

block...: '~·head sot *m*; tête *f* de bois; '~·house blockhaus *m*.

bloke F [blouk] type *m*, individu *m*.

blond(e *f*) [blɔnd] 1. blond; 2. blondin(e *f*) *m*; ✝ (*a.* blonde *lace*) blonde *f*.

blood [blʌd] sang *m* (*a.* = *descendance*); race *f*; ✝ dandy *m*; *in cold* ~ de sang-froid; *see* run.

blood...: '~·guilt·i·ness culpabilité *f* d'avoir versé du sang; '~·heat température *f* du sang; '~·horse cheval *m* de race, pur-sang *m/inv.*; '~·hound limier *m*; '**blood·i·ness** état *m* sanglant; disposition *f* sanguinaire; '**blood·less** □ exsangue, anémié; sans effusion de sang; *fig.* pâle; sans énergie; sans courage.

blood...: '~·let·ting saignée *f*; '~·poi·son·ing ☤ empoisonnement *m* du sang; '~·pres·sure pression *f* vasculaire; '~·shed carnage *m*; '~·shot éraillé (*œil*); '~·stanch·ing styptique; '~·thirst·y avide de sang; '~·ves·sel vaisseau *m* sanguin; '**blood·y 1.** □ ensanglanté; sanguinaire; *sl.* sacré; 2. bougrement.

bloom¹ [blu:m] 1. fleur *f* (*a. fig.*); épanouissement *m*; duvet *m* (*d'un fruit*); *fig.* incarnat *m*; 2. fleurir.

bloom² *métall.* [~] loupe *f*.

bloom·er *sl.* ['blu:mə] gaffe *f*, bévue *f*; *usu.* ~*s pl.* culotte *f* bouffante.

bloom·ing □ ['blu:miŋ] fleurissant, en fleur; florissant, prospère; *sl.* sacré; *souv. ne se traduit pas.*

blos·som ['blɔsəm] 1. fleur *f* (*surt. des arbres*); 2. fleurir; ~ *into* devenir.

blot [blɔt] 1. tache *f* (*a. fig.*); pâté *m* (*d'encre*); 2. *v/t.* tacher; ternir (*a. fig.*); sécher, passer le buvard sur (*l'encre*); (*usu.* ~ *out*) effacer, *fig.* masquer; *v/i.* faire des pâtés (*plume*); boire l'encre (*buvard*).

blotch [blɔtʃ] tache *f*; pustule *f*; *peau:* tache *f* rouge.

blot·ter ['blɔtə] buvard *m*; *Am.* registre *m* d'arrestations *etc.*; livre *m* d'écrou.

blot·ting...: '~-book bloc *m* buvard; '~-pad bloc *m* buvard, sous-main *m/inv.*; '~-pa·per papier *m* buvard.

blot·to *sl.* ['blɔtou] soûl perdu.

blouse [blauz] blouse *f*; ✕ *a. Am.* vareuse *f*.

blow[1] [blou] coup *m* (de poing, de bâton, *etc.*); *at one* ~ d'un (seul) coup; *come to* ~s en venir aux coups.

blow[2] [~] *irr.* s'épanouir.

blow[3] [~] 1. [*irr.*] *v/i.* souffler; faire du vent; claquer (*ampoule*); sauter (*plomb*); ~ *in* entrer; ~ *over* se calmer; ~ *up* éclater, sauter; *Am.* F entrer en colère; *v/t.* souffler (*a. un verre*); *vent:* pousser; vider (*un œuf*); sonner (*un instrument*); *mouches:* gâter (*la viande*); évacuer (*une chaudière*); ⚡ faire sauter (*les plombs*); *sl.* manger (*son argent*); *sl.* ~ *me!*, *I'm* ~*ed!* zut alors!; F *s.o. a kiss* envoyer un baiser à q.; ~ *one's nose* se moucher; ~ *up* faire sauter; gonfler (*un pneu*); *sl.* semoncer, tancer; *phot.* agrandir; 2. coup *m* de vent, souffle *m*; '**blow·er** souffleur (-euse *f*) *m*; rideau *m* (de cheminée); ⊕ machine *f* à vent; *sl.* téléphone *m*.

blow...: '~-fly mouche *f* à viande; '~-hole évent *m* (*de baleine*; *a.* ⊕); ventilateur *m*.

blown [bloun] *p.p. de* blow[3] 1.

'**blow-out** *mot.* éclatement *m* (*de pneu*); '**blow-pipe** sarbacane *f*; *métall.* chalumeau *m*; '**blow·y** venteux (-euse *f*); tempétueux (-euse *f*).

blowz·y ['blauzi] rougeaud; ébouriffé.

blub·ber ['blʌbə] 1. graisse *f* de baleine; 2. *v/i.* pleurnicher; *v/t.* dire en pleurant; barbouiller de larmes.

bludg·eon ['blʌdʒən] 1. matraque *f*; 2. assener un coup de matraque à.

blue [blu:] 1. □ bleu; F triste, sombre; 2. bleu (*pl.* -s) *m*; azur *m*; *pol.* conservateur (-trice *f*) *m*; 3. bleuir; azurer (*le linge*); '~-book *Am.* registre *m* des employés de l'État; '~-bot·tle ⚘ bl(e)uet *m*; mouche *f* à viande; ~ dev·ils F *pl.* cafard *m*; '~-jack·et col-bleu (*pl.* cols-bleus) *m* (= *matelot*); ~ laws *Am.* lois *f/pl.* inspirées par le puritanisme; '**blue·ness** couleur *f* bleue; '**blue·print** dessin *m* négatif; *fig.* projet *m*; **blues** *pl., a. sg.* humeur *f* noire, cafard *m*; ♪ *Am.* blues *m*; '**blue·stock·ing** *fig.* bas-bleu *m*.

bluff [blʌf] 1. □ escarpé (*falaise etc.*); brusque (*personne*); 2. falaise *f*; menaces *f/pl.* exagérées; *géog.* cap *m* à pic; 3. bluffer; *v/i.* faire du bluff.

blu·ish ['blu:iʃ] bleuâtre; bleuté.

blun·der ['blʌndə] 1. bévue *f*; erreur *f*; faux pas *m*; 2. faire une bévue ou une gaffe; ~ *into* heurter (*q.*), se heurter contre (*q.*); F ~ *out* laisser échapper (*un secret*) par maladresse; '**blun·der·er**, '**blun·der·head** maladroit(e *f*) *m*; lourdaud (-e *f*) *m*.

blunt [blʌnt] 1. □ émoussé; épointé; obtus (*angle*); *fig.* brusque, carré; 2. émousser (*un couteau*); épointer (*un crayon*); '**blunt·ness** état *m* épointé; manque *m* de tranchant; *fig.* franchise *f*.

blur [blə:] 1. tache *f*; *fig.* brouillard *m*; apparence *f* confuse; 2. *v/t.* barbouiller; brouiller; troubler; estomper (*les lignes*); ~red *surt. phot.* mal réussi, flou.

blurb [blə:b] *livre:* bande *f* de publicité.

blurt [blə:t]: ~ *out* trahir (*qch.*) par maladresse.

blush [blʌʃ] 1. rougeur *f*; incarnat *m* (*d'une rose*); prémices *f/pl.* (*de la jeunesse*); *at the first* ~ à l'abord; 2. rougir (*de* for, *with*, *at*); ~ *to* (*inf.*) avoir honte de (*inf.*); '**blush·ing** □ rougissant.

blus·ter ['blʌstə] 1. fureur *f*, fracas *m*; rodomontades *f/pl.*; 2. souffler en rafales (*vent*); faire du fracas; faire le rodomont; '**blus·ter·er** rodomont *m*, bravache *m*.

bo·a *zo.*, ⚘ ['bouə] boa *m*.

boar [bɔ:] verrat *m*; sanglier *m*.

board [bɔːd] **1.** planche *f*; madrier *m*; tableau *m* (*d'annonces etc.*); carton *m*; *reliure*: emboîtage *m*; table *f*; pension *f*; *admin.* commission *f*; ✝ conseil *m*; *pol.* ministère *m*; ⚓ bord *m*; ⚓s *pl.* box. canevas *m*; *théâ.* scène *f*, tréteaux *m/pl.*; see director; ♀ of Trade Ministère *m* du Commerce; on ⚓ a ship (*a train etc.*) à bord d'un navire (dans un train, en wagon, *etc.*); **2.** *v/t.* planchéier; cartonner (*un livre*); nourrir (*des élèves*); (*a. ⚓ out*) mettre en pension; ⚓ aller à bord de (*un navire*); ⚓ accoster; *surt. Am.* monter (en, dans); ⚓ up boucher (*une fenêtre*); couvrir *ou* entourer de planches; *v/i.* être en pension (chez, with); '**board·er** pensionnaire *mf*.

board·ing ['bɔːdiŋ] planchéiage *m*; cartonnage *m*; planches *f/pl.*; pension *f*; ⚓ accostage *m*; '⚓**-house** pension *f* de famille; '⚓**-school** pensionnat *m*, internat *m*.

board...: '⚓**-wag·es** *pl.* indemnité *f* de logement *ou* de nourriture; '⚓**-walk** *surt. Am.* trottoir *m* (en planches), caillebotis *m*.

boast [boust] **1.** vanterie *f*; *fig.* orgueil *m*; **2.** *v/i.* (of, about de) se vanter, se faire gloire; *v/t. fig.* (se glorifier de) posséder (*qch.*); '**boast·er** vantard(e *f*) *m*, fanfaron(ne *f*) *m*; **boast·ful** □ ['⚓ful] vantard.

boat [bout] **1.** bateau *m*; embarcation *f*; navire *m* (*marchand*); be in the same ⚓ être logé(s) à la même enseigne; **2.** aller en bateau; faire du canotage; '**boat·ing** canotage *m*; '**boat-race** régate *f*, -s *f/pl.*; **boat·swain** ['bousn] maître *m* d'équipage.

bob [bɔb] **1.** *pendule*: lentille *f*; plomb *m*; *pêche*: bouchon *m*; *cheval*: queue *f* écourtée; *sl.* shilling *m*; *Am. traîneau*: patin *m*; chignon *m*; petite révérence *f*; see ⚓bed hair; **2.** *v/t.* écourter; couper (*les cheveux*); ⚓bed hair cheveux *m/pl.* à la Jeanne d'Arc; *v/i.* s'agiter, danser; faire une petite révérence; *fig.* ⚓ for chercher à saisir avec les dents.

bob·bin ['bɔbin] bobine *f*; ⚡ corps *m* de bobine; fuseau *m* pour dentelles; '⚓**-lace** dentelle *f* aux fuseaux.

bob·ble *Am.* ['bɔbl] gaffe *f*.

bob·by *Brit. sl.* ['bɔbi] agent *m* de police; '⚓**-pin** pince *f* à cheveux;

'⚓**-socks** *pl.* socquettes *f/pl.*; '⚓**-sox·er** *Am. sl.* adolescente *f*.

bob·sled ['bɔbsled], **bob·sleigh** ['bɔbslei] bobsleigh *m*.

bob·tail ['bɔbteil] queue *f* écourtée; cheval *m ou* chien *m* à queue écourtée; F canaille *f*.

bode [boud] présager; ⚓ well (ill) être de bon (mauvais) augure.

bod·ice ['bɔdis] corsage *m*; brassière *f* (*d'enfant*).

bod·i·less ['bɔdilis] sans corps.

bod·i·ly ['bɔdili] corporel(le *f*), physique; ⚡ ⚓ harm lésion *f* corporelle.

bod·kin ['bɔdkin] passe-lacet *m*; poinçon *m*; grande épingle *f*; F sit ⚓ être en lapin.

bod·y ['bɔdi] **1.** corps *m*; consistance *f*; *vin*: sève *f*; foule *f*; *église*: vaisseau *m*; fond *m* (*de chapeau*); (*a.* dead ⚓) cadavre *m*; ✈ fuselage *m*; ⊕ bâti *m*, corps *m*; *mot.* (*a.* ⚓-work) carrosserie *f*; ✂ troupe *f*, bande *f*; *astr.* astre *m*; F personne *f*, type *m*; ⚓ odo(u)r odeur *f* corporelle; in a ⚓ en masse, en corps; **2.** ⚓ forth donner une forme à; '⚓**-guard** garde *f* du corps.

Boer [buə] **1.** Boer *mf*; **2.** boer.

bog [bɔg] **1.** marécage *m*; **2.** embourber; be ⚓ged s'embourber.

bog·gle ['bɔgl] rechigner (devant at, over; à *inf.* at, about gér.).

bog·gy ['bɔgi] marécageux (-euse *f*).

bo·gie ['bougi] ⚡ bog(g)ie *m*; *a.* see bogy.

bo·gus ['bougəs] faux (fausse *f*); feint.

bo·gy ['bougi] épouvantail *m*; croque-mitaine *m*.

bo(h) [bou] bou.

Bo·he·mi·an [bou'hiːmjən] **1.** bohémien(ne *f*); **2.** Bohémien(ne *f*) *m*; *fig.* bohème *m*.

boil [bɔil] **1.** *v/i.* bouillir (*a. fig.*); *v/t.* faire bouillir; cuire à l'eau; ⚓ed egg œuf *m* à la coque; **2.** ébullition *f*; furoncle *m*, F clou *m*; '**boil·er** chaudière *f*; bain-marie (*pl.* bains-marie) *m*; '**boil·ing** ébullition *f*; *sl.* the whole ⚓ tout le bazar.

bois·ter·ous □ ['bɔistərəs] bruyant; violent; tumultueux (-euse *f*); tempétueux (-euse *f*); '**bois·ter·ous·ness** violence *f*; turbulence *f*.

bold □ [bould] hardi, courageux (-euse *f*); assuré; à pic, escarpé (*côte etc.*); *péj.* effronté; *typ.* en vedette; *make* (*so*) ~ (*as*) *to* (*inf.*) s'enhardir jusqu'à (*inf.*); '**bold·ness** hardiesse *f etc.*; *péj.* effronterie *f*.

bole [boul] fût *m*, tronc *m* (*d'arbre*).

boll ♣ [boul] capsule *f*.

bol·lard ⚓ ['bɔləd] pieu *m* d'amarrage; *à bord:* bitte *f*.

bo·lo·ney [bə'louni] *see* baloney.

Bol·she·vism ['bɔlʃivizm] bolchevisme; '**Bol·she·vist** bolchevik (*a. su./mf*), bolcheviste (*a. su./mf*).

bol·ster ['boulstə] **1.** traversin *m*; ⊕ matrice *f*; coussinet *m*; **2.** (*usu.* ~ *up*) soutenir; F appuyer.

bolt[1] [boult] **1.** *arbalète:* carreau *m*; *porte:* verrou *m*; *serrure:* pêne *m*, *fig., a. poét.* coup *m* de foudre; *fig.* élan *m* soudain, fuite *f*; ~ *upright* tout droit; **2.** *v/t.* verrouiller; bâcler; F gober; *Am. pol.* abandonner (*son parti, q.*); *v/i.* partir au plus vite; F s'emballer (*cheval*); filer, décamper (*personne*).

bolt[2] [~] tamiser.

bolt·er[1] ['boultə] cheval *m* porté à s'emballer; déserteur *m*.

bolt·er[2] [~] blutoir *m*.

bolt-hole ['boulthoul] *animal:* trou *m* de refuge; F fig. échappée *f*.

bomb [bɔm] **1.** *surt.* ✗ bombe *f*; F grenade *f* à main; *hydrogen* ~ bombe *f* H; *incendiary* ~ bombe *f* incendiaire; **2.** lancer des bombes sur; ~*ed out* sinistré par suite des bombardements.

bom·bard [bɔm'bɑːd] bombarder (*a. fig.*); **bom'bard·ment** bombardement *m*.

bom·bast ['bɔmbæst] emphase *f*, enflure *f*; **bom'bas·tic, bom'bas·ti·cal** □ enflé, ampoulé (*style*).

bomb·er ✈ ['bɔmə] bombardier *m* (*a. personne*).

bomb-proof ['bɔmpruːf] à l'épreuve des bombes; blindé (*abri*).

bo·nan·za F [bo'nænzə] **1.** *fig.* vraie mine *f* d'or; **2.** prospère, favorable.

bon-bon ['bɔnbɔn] bonbon *m*.

bond [bɔnd] **1.** lien *m* (*a. fig.*); attache *f* (*a. fig.*); contrat *m*; ⊕ joint *m*; ♦ bon *m*; ♦ *in* ~ entreposé; **2.** liaisonner; appareiller (*un mur*); ♦ entreposer, mettre en dépôt; ~*ed warehouse* entrepôt *m* de la douane; '**bond·age** esclavage *m*, servitude *f*, asservissement *m*; † servage *m*; *fig. in* ~ *to s.o.* sous la férule de q.; '**bond(s)·man** *hist.* serf *m*; F

esclave *m*; '**bond(s)·wom·an** *hist.* serve *f*; F esclave *f*.

bone [boun] **1.** os *m*; arête *f* (*de poisson*); ~*s pl. a.* ossements *m/pl.* (*des morts*); ~ *of contention* pomme *f* de discorde; *feel in one's* ~*s en avoir le pressentiment*; F *have a* ~ *to pick with* avoir maille à partir avec (*q.*); F *make no* ~*s about* (*gér.*) ne pas se gêner pour (*inf.*); **2.** désosser; ôter les arêtes de; garnir de baleines (*un corset*); *Am.* F (*a.* ~ *up*) potasser; **3.** d'os; **boned** (à) os ...; désossé *etc.*; '**bone-meal** engrais *m* d'os; '**bon·er** *Am. sl.* bourde *f*; '**bone-set·ter** rebouteur *m*; F renoueur *m*.

bon·fire ['bɔnfaiə] feu *m* de joie; feu *m* (*de jardin*); F conflagration *f*.

bon·net ['bɔnit] **1.** bonnet *m*; béret *m*; chapeau *m* à brides (*de femme*); béguin *m* (*d'enfant*); capote *f* de cheminée; ⊕ capot *m*; *fig.* compère *m*, complice *mf*; ♣ bonnette *f* maillée; **2.** mettre un béret *ou* chapeau à; F enfoncer le chapeau sur la tête à (*q.*).

bon·ny *surt. écoss.* ['bɔni] joli, gentil(le *f*).

bo·nus † ['bounəs] prime *f*; boni *m*; *actions:* bonus *m*.

bon·y ['bouni] osseux (-euse *f*); anguleux (-euse *f*), décharné (*personne*); plein d'os *ou* d'arêtes.

boo [buː] huer, conspuer (*q.*).

boob *Am.* [buːb] rigaud(e *f*) *m*, benêt *m*.

boo·by ['buːbi] *orn.* fou *m*; *a. see* boob; ~ *prize* prix *m* décerné à celui qui vient en dernier; ~ *trap* attrape-niais *m/inv.*; ✗ mine-piège *f*.

boo-hoo F [buː'huː] pleurnicher.

book [buk] livre *m*; volume *m*; tome *m*; registre *m*; carnet *m* (*de billets etc.*); cahier *m* (*d'écolier*); † *stand in the* ~*s at ...* être porté sur ... dans les livres; *fig. be in s.o.'s good (bad)* ~*s* être bien (mal) dans les papiers de q.; **2.** *v/t.* inscrire (*une commande, un voyageur à l'hôtel*); délivrer un billet à (*q.*); prendre (*un billet*); retenir (*une chambre, une place*); louer (*une place*); enregistrer; *v/i.* s'inscrire; prendre un billet; ~ *through* prendre un billet direct (*pour, to*); '**book·er** relieur (-euse *f*) *m*; '~**-bind·er** *Am.* F fanatique *mf*; zélateur (-trice *f*) *m*; '~**·case** bibliothèque *f*; ~ **end**

serre-livres *m/inv.*; **book·ie** F *sp.*
['buki] bookmaker *m*; **'book·ing-**
clerk employé(e *f*) *m* du guichet;
'book·ing-of·fice 🚂, *théâ.* guichet
m; guichets *m/pl.*; **'book·ish** □ studieux (-euse *f*); livresque (*style*);
'book-keep·er comptable *m*, teneur
m de livres; **'book-keep·ing** tenue *f*
des livres; comptabilité *f*; **book·let**
['ᵕlit] livret *m*; opuscule *m*.

book...: **'ᵕmak·er** *sp.* bookmaker
m; **'ᵕmark** signet *m*; **'ᵕmo·bile**
['ᵕməbiːl] bibliobus *m*; **'ᵕplate**
ex-libris *m*; **'ᵕsell·er** libraire *m*;
wholesale ᵕ libraire-éditeur (*pl.* li-
braires-éditeurs) *m*; **'ᵕworm** *fig.*
rat *m* de bibliothèque.

boom¹ ⚓ [buːm] bout-dehors (*pl.*
bouts-dehors) *m*; gui *m*; *port:* barrage *m*.

boom² [ᵕ] **1.** 🌱 hausse *f* rapide;
boom *m*; vogue *f*; ᵕ *and bust* prospérité *f* économique suivie d'une
crise sévère; **2.** *v/i.* être en hausse;
fig. aller très fort; *v/t.* faire du battage autour de (*q., qch.*).

boom³ [ᵕ] gronder, mugir; bourdonner (*insectes*).

boon¹ [buːn] faveur *f*; bienfait *m*.

boon² [ᵕ] gai, joyeux (-euse *f*); ᵕ
companion bon vivant *m*.

boor *fig.* [buə] rustre *m*, rustaud *m*;
butor *m*.

boor·ish □ ['buəriʃ] rustre, rustaud,
grossier (-ère *f*); malappris; **'boor-**
ish·ness grossièreté *f*; manque *m*
de savoir-vivre.

boost [buːst] faire de la réclame
pour; F chauffer; ⚡ survolter; ᵕ
business augmenter les affaires.

boot¹ [buːt]: *to* ᵕ en sus, de plus.

boot² [ᵕ] chaussure *f*; *mot.* caisson
m; **'ᵕblack** *Am. see* shoeblack;
'boot·ed chaussé; **boot·ee** ['buːtiː]
bottine *f* (*d'intérieur*) (*de dame*);
bottine *f* d'enfant.

booth [buːð] baraque *f*, tente *f* (*de
marché etc.*).

boot...: **'ᵕjack** tire-botte *m*; **'ᵕlace**
lacet *m*; **'ᵕleg** *surt. Am.* **1.** de contrebande (*alcool*); **2.** faire la contrebande de l'alcool; **'ᵕleg·ger** contrebandier *m* de boissons alcooliques; *p.ext.* profiteur *m*.

boots [buːts] *sg. hôtel:* garçon *m*
d'étage.

boot-tree ['buːttriː] tendeur *m*.

boo·ty ['buːti] butin *m*.

booze *sl.* [buːz] **1.** faire ribote;
2. boisson *f* alcoolique; **'booz·y** *sl.*
soûlard; pompette.

bo·rax 🜹 ['bɔːræks] borax *m*.

bor·der ['bɔːdə] **1.** bord *m*; *bois:*
lisière *f*; *chemin:* marge *f*; *région:*
frontière *f*, confins *m/pl.*; *tableau:*
bordure *f*, platebande *f* (*de gazon*);
ᵕ *state* état *m* limitrophe; **2.** *v/t.*
border; encadrer; *v/i.* confiner (à,
[*up*] *on*); **'bor·der·er** frontalier
(-ère *f*) *m*; **'bor·der·land** *usu. fig.*
pays *m* limitrophe *ou* frontière.

bore¹ [bɔː] **1.** *tuyau, arme à feu:* calibre *m*; *min.* trou *m* de sonde *ou* de
mine; **2.** creuser.

bore² [ᵕ] **1.** importun(e *f*) *m*; ennui
m; **2.** ennuyer, F raser, assommer.

bore³ [ᵕ] mascaret *m*; raz *m* de
marée.

bore⁴ [ᵕ] *prét. de* bear². [*m/pl.*).\

bo·re·al ['bɔːriəl] boréal (-aux)

bore·dom ['bɔːdəm] ennui *m*.

bor·er ['bɔːrə] perceur *m*; outil *m* de
perforation.

bo·ric 🜹 ['bɔːrik] borique.

bor·ing ['bɔːriŋ] d'alésage; de perçage; à aléser.

born [bɔːn] *p.p. de* bear² naître.

borne [bɔːn] *p.p. de* bear² porter.

bo·ron 🜹 ['bɔːrɔn] bore *m*.

bor·ough ['bʌrə] bourg *m*; commune *f*; *Am. a.* quartier *m* de *New
York City*; *municipal* ᵕ ville *f* (avec
municipalité).

bor·row ['bɔrou] emprunter (à,
from); **'bor·row·er** emprunteur
(-euse *f*) *m*; **'bor·row·ing** em-
prunts *m/pl.*; *ling.:* emprunt *m*.

Bor·stal in·sti·tu·tion ['bɔːstl in-
sti'tjuːʃn] maison *f* de redressement,
école *f* de réforme.

bos·cage ['bɔskidʒ] *poét.* bocage *m*.

bosh F [bɔʃ] bêtises *f/pl.*; blague *f*.

bos·om ['buzəm] sein *m*, giron *m*;
poitrine *f*; *fig.* cœur *m*; **'ᵕfriend**
ami(e *f*) *m* de cœur; intime *mf*.

boss¹ [bɔs] **1.** protubérance *f*; 🔺
bosse *f*; ⊕ mamelon *m*; moyeu *m*
de l'hélice; **2.** relever en bosse.

boss² [ᵕ] **1.** F patron *m*, chef *m*;
pol. Am. grand manitou *m* (*d'un
parti*); **2.** mener; *sl.* commander,
régenter.

boss·y ['bɔsi] F autoritaire, tyrannique.

Bos·ton ['bɔstən] *cartes, danse:* bos-
ton *m*.

bo·tan·ic, bo·tan·i·cal ☐ [bo-
'tænik(l)] botanique; **bot·a·nist**
['bɔtənist] botaniste *mf*; **bot·a·nize**
['ᵕnaiz] botaniser, herboriser; '**bot-
a·ny** botanique *f*.

botch [bɔtʃ] **1.** F travail *m* mal fait;
travail *m* bousillé; **2.** bousiller, saboter; rafistoler (*des souliers*);
'**botch·er** bousilleur (-euse *f*) *m*;
fig. savetier *m*.

both [bouθ] tous (toutes *f*) (les)
deux; l'un(e) et l'autre; ~ ... and ...
et ... et ...; ~ of them tous (toutes)
(les) deux.

both·er F ['bɔðə] **1.** ennui *m*; tracas
m; **2.** *v/t.* gêner, tracasser; *v/i.*
s'inquiéter (de, *about*); ~ it! zut!;
quelle scie!; **both·er'a·tion** F ennui
m, vexation *f*; ~! zut!

bot·tle ['bɔtl] **1.** bouteille *f*; flacon
m; botte *f* (*de foin*); **2.** mettre en
bouteille(s); *fig.* ~ up embouteiller
(*une flotte etc.*); F étouffer (*des sentiments*); ~d beer bière *f* en canette;
'~neck *fig. circulation:* embouteillage *m*; ⚓ col *m* de bouteille.

bot·tom ['bɔtəm] **1.** *colline, escalier,
page:* bas *m*; *boîte, mer, cœur, navire, jardin:* fond *m*; *chaussée:* assiette *f*; *verre, assiette:* dessous *m*;
classe: queue *f*; *chaise:* siège *m*;
terrain: creux *m*; F derrière *m*;
postérieur m; at the ~ (of) au fond
(de); au bas bout (de); *fig.* (*a. at* ~)
au fond; *get to the* ~ *of a matter*
aller au fond d'une chose; examiner
une chose à fond; *jealousy is at the* ~
of it c'est la jalousie qui en est la
cause; **2.** inférieur; en bas; du bas;
dernier (-ère *f*); ~ *drawer* trousseau
m (de mariage), F trésor *m*, cache *f*;
3. (re)mettre un fond à; fonder (*sur,
upon*); ⚓ toucher le fond; '**bot-
tomed** à fond ..., à siège (de)...;
'**bot·tom·less** sans fond; *fig.* insondable; '**bot·tom·ry** ⚓ (emprunt *m* à la) grosse aventure *f*.

bough [bau] branche *f*, rameau *m*.

bought [bɔːt] *prét. et p.p. de* buy.

bou·gie ['buːʒi:] bougie *f* (*a.* ⚕).

boul·der ['bouldə] bloc *m* de pierre
roulé; *géol.* bloc *m* erratique.

bounce [bauns] **1.** rebond *m*; bond
m; rebondissement *m*; F jactance *f*,
vantardise *f*; bluff *m*; **2.** *v/i.* rebondir; F faire de l'épate; *v/t.* faire rebondir; ~ *in (out)* entrer (sortir) en coup
de vent; ~ *s.o. out of s.th.* obtenir

qch. de q. à force de bluff *ou*
d'intimidation; **3.** boum!, v(')lan!;
'**bounc·er** F vantard *m*, épateur *m*;
mensonge *m* effronté; *sl.* chèque *m*
sans provision; *Am. sl.* agent *m* du
service d'ordre; '**bounc·ing** F plein
de vie, plein de santé.

bound¹ [baund] **1.** *prét. et p.p. de*
bind; **2.** *adj.* obligé; *be* ~ *to do* être
obligé de faire, devoir faire; *I will
be* ~ je vous le promets.

bound² [~] en partance, en route
(pour, *for*).

bound³ [~] **1.** limite *f*, borne *f*; *in* ~s
accès permis (à, *to*); *out of* ~s accès
interdit (à, *to*), *sp.* hors du jeu;
2. borner, limiter.

bound⁴ [~] **1.** bond *m*, saut *m*;
2. bondir, sauter; *fig.* sursauter.

bound·a·ry ['baundəri] limite *f*;
frontière *f*; ~ *line* ligne *f* frontière.

bound·less ☐ ['baundlis] sans bornes; illimité.

boun·te·ous ☐ ['bauntiəs], **boun-
ti·ful** ☐ ['ᵕtiful] généreux (-euse *f*);
libéral (-aux *m/pl.*).

boun·ty ['baunti] générosité *f*; libéralité *f*; don *m*; ✝ indemnité *f*;
prime *f* (*a.* ✕, ⚓).

bou·quet ['bukei] *fleurs etc., vin:*
bouquet *m*.

bour·geois¹ *péj.* ['buəʒwaː] bour-
geois(e *f*) (*a. su./mf*).

bour·geois² *typ.* [bəː'dʒɔis] petit
romain *m*.   [geoisie *f*.\

bour·geoi·sie [buəʒwaːˈziː] bour-

bout [baut] *tour m, jeux:* reprise *f*;
lutte: assaut *m*; *maladie:* accès *m*,
attaque *f*, crise *f*.

bo·vine ['bouvain] **1.** bovin; F
lourd; **2.** ~s *pl.* bovidés *m/pl.*

bow¹ [bau] **1.** révérence *f*; salut *m*;
inclination *f* de tête; **2.** *v/i.* s'incliner (devant, *to*); saluer (q., *to
s.o.*); *fig.* se plier (à, *to*); *have a*
~*ing acquaintance* connaître (*q.*)
pour lui dire bonjour; *v/t.* incliner,
baisser (*la tête*); fléchir (*le genou*);
voûter (*le dos*).

bow² [~] ⚓ avant *m*; *poét.* proue *f*;
dirigeable: nez *m*.

bow³ [bou] arc *m*; *ruban:* nœud *m*;
♪ archet *m*; **2.** ♪ gouverner l'archet;
faire des coups d'archet.

bowd·ler·ize ['baudləraiz] expurger
(*un texte*).

bow·els ['bauəlz] *pl.* intestins *m/pl.*;
entrailles *f/pl.* (*a. fig.*); *fig.* sein *m*.

bow·er ['bauə] tonnelle *f*; *poét.* boudoir *m*; ⚓ ancre *f* de bossoir.

bow·ie-knife ['bouinaif] couteau *m* de chasse.

bow·ing ♪ ['bouiŋ] manière *f* de gouverner l'archet *m*.

bowl[1] [boul] bol *m*, jatte *f*; sébile *f* (*de mendiant*); coupe *f*; *pipe*: fourneau *m*; *lampe*: culot *m*.

bowl[2] [~] 1. boule *f*; ~s *pl.* (jeu *m* de) boules *f*/*pl.*; *Am.* (jeu *m* de) quilles *f*/*pl.*; 2. *v*/*t.* rouler; *cricket*: bôler; ~ out renverser (*q., le guichet de q.*); *v*/*i.* rouler rapidement; servir la balle; rouler la boule; '**bowl·er** *cricket*: bôleur *m*; joueur *m* de boules; (chapeau *m*) melon *m*.

bow...: ~**line** ⚓ ['boulin] bouline *f*; '~**man** archer *m*; '~**sprit** ⚓ beaupré *m*; '~**string** corde *f* d'arc.

bow-wow ['bau'wau] ouâ-ouâ!

box[1] [boks] 1. boîte *f* (*a. d'essieu*); coffret *m*; caisse *f*; *voyage*: malle *f*; *chapeaux*: carton *m*; siège *m* (*de cocher*); 🚂 cabine *f* (*de signaleur*), wagon *m* à chevaux; ⊕ moyeu *m* de roue; *mot.* carter *m*; *théâ.* loge *f*; ⚖ banc *m* (*du jury*), barre *f* (*des témoins*); *écurie*: stalle *f*; 2. emboîter, encaisser; mettre en boîte; *fig.* (*a.* ~**up**) serrer, renfermer.

box[2] [~] 1. *sp.* boxer; ~ s.o.'s ear gifler *q.*; 2. ~ on the ear gifle *f*, claque *f*; '~'**calf** ⊕, ♈ veau *m* chromé; '**box·er** boxeur *m*, pugiliste *m*.

Box·ing-day ['boksiŋdei] lendemain *m* de Noël.

box...: ~'**keep·er** ouvreuse *f* de loges; '~**of·fice** bureau *m* de location; caisse *f*.

boy [boi] 1. garçon *m*; *école*: élève *m*; domestique *m*; 2. garçon ...; jeune; ~ scout boy-scout *m*.

boy·cott ['boikət] 1. boycotter; 2. mise *f* en interdit; boycottage *m*.

boy·hood ['boihud] enfance *f*, (première) jeunesse *f*.

boy·ish □ ['boiiʃ] puéril, enfantin, d'enfant, de garçon.

bra F [braː] *see* brassière.

brace [breis] 1. ⊕ vilebrequin *m*; armature *f*; *mur*: bracon *m*; ancre *f*; ♪, *typ.* accolade *f*; *chasse*: couple *f* (*de perdrix etc.*); laisse *f* (*de lévriers*); paire *f* (*de pistolets*); ⚓ bras *m* (*de vergue*); ~s *pl.* pantalon: bretelles *f*/*pl.*; *tambour*: corde *f*;

2. ancrer; accolader; tendre (*les jarrets*); ⚓ brasser; *fig.* fortifier.

brace·let ['breislit] bracelet *m*.

brack·en ♣ ['brækn] fougère *f* arborescente.

brack·et ['brækit] 1. △ corbeau *m*; console *f*; support *m*; *typ.* [ ] crochet *m*; ( ) parenthèse *f*; applique *f* (*électrique, à gaz, etc.*); ⚓ courbaton *m*; support *m*; 2. mettre entre crochets *etc.*; *fig.* placer ex aequo.

brack·ish ['brækiʃ] saumâtre.

bract ♣ [brækt] bractée *f*.

brad [bræd] pointe *f*, clou *m* étêté.

brag [bræg] 1. vanterie *f*; 2. se vanter (de *of, about*).

brag·gart ['brægət] fanfaron (*a. su.*/*m*); vantard (*a. su.*/*m*).

Brah·man ['braːmən], *usu.* **Brahmin** ['~min] brahmane *m*, brame *m*.

braid [breid] 1. *cheveux*: tresse *f*; galon *m* (*a.* ✄), ganse *f*; 2. tresser; galonner; passementer.

brail ⚓ [breil] cargue *f*.

braille [breil] alphabet *m* des aveugles; système *m* Braille.

brain [brein] 1. *anat.* cerveau *m*; F cervelle *f* (*a. cuis.*); *p.ext. usu.* ~s *pl.* tête *f*, intelligence *f*, esprit *m*; have s.th. on the ~ être hanté par qch.; avoir l'obsession de qch.; F pick (*ou* suck) s.o.'s ~ exploiter les connaissances de q.; 2. défoncer le crâne à (*q.*); **brained**: dull-~ à l'esprit lourd.

brain...: '~**fag** épuisement *m* cérébral; ~ **fe·ver** fièvre *f* cérébrale; '~**less** sans cervelle, stupide; *fig.* irréfléchi; '~**pan** (boîte *f* du) crâne *m*; '~**storm** transport *m* au cerveau; **brain**(s) **trust** brain-trust *m*.

brain...: '~**twist·er** problème *m* à faire casser la tête à q.; '~**wave** F idée *f* lumineuse; '~**work** travail *m* cérébral; '**brain·y** intelligent.

braise [breiz] *cuis.* braiser; **braised** *cuis.* en daube, en casserole.

brake[1] [breik] fougère *f* arborescente *ou* impériale; fourré *m*.

brake[2] [~] 1. *lin etc.*: brisoir *m*; ⊕ frein *m* (*a. fig.*); ~-**pedal** pédale *f* de frein; 2. briser, broyer (*le lin etc.*); *mot.* serrer le frein; '**brake**(s)·**man** 🚂 serre-freins *m*/*inv.*; *Am.* chef *m* de train.

bram·ble ♣ ['bræmbl] ronce *f* sauvage; mûrier *m* sauvage.

bran [bræn] son *m.*

branch [brɑ:ntʃ] 1. *arbre, famille, fleuve*: branche *f*; *arbre, montagnes*: rameau *m*; *fleuve*: bras *m*; 🚢, *route*: embranchement *m*; (*ou local* ~) succursale *f*, filiale *f*; chief of ~ chef *m* de service; 2. (*a.* ~ out) se ramifier; (*a.* ~ off) (se) bifurquer (sur, *from*), se partager (à, *at*); '**branch-line** embranchement *m*; **branch of-fice** agence *f*; bureau *m* de quartier; '**branch·y** branchu; rameux (-euse *f*).

brand [brænd] 1. brandon *m*, tison *m*; fer *m* chaud; marque *f*; stigmate *m*; ♀ rouille *f*; *poét.* flambeau *m*; *poét.* glaive *m*; 2. marquer au fer chaud; *fig.* flétrir, stigmatiser (*q.*).

bran·dish ['brændiʃ] brandir.

bran(d)-new ['bræn(d)'nju:] tout (battant) neuf (neuve *f*).

bran·dy ['brændi] cognac *m*, eau-de-vie *m* (*pl.* eaux-de-vie) *f*.

brass [brɑ:s] cuivre *m* jaune; laiton *m*; *fig.* impertinence *f*, *sl.* toupet *m*; F argent *m*, galette *f*; ♪ *les cuivres m/pl.*; ~ band fanfare *f*; ~ hat ✕ *sl.* officier *m* d'état-major; *Am.* ~ knuckles *pl.* coup-de-poing (*pl.* coups-de-poing) *m* américain; *sl.* ~ tacks *pl.* les faits *m/pl.*; get down to ~ tacks en venir au fait.

bras·sière ['bræsiə] soutien-gorge (*pl.* soutiens-gorge) *m.*

bras·sy ['brɑ:si] qui ressemble au cuivre; *usu. fig.* cuivré; *sl.* effronté.

brat F [bræt] marmot *m*, mioche *mf.*

bra·va·do [brə'vɑ:dou], *pl.* -dos, does [~douz] bravade *f.*

brave [breiv] 1. courageux (-euse *f*), brave; 2. braver; défier (*q.*); '**brav·er·y** courage *m*, bravoure *f*; vaillance *f.*

bra·vo ['brɑ:'vou] 1. (*pl.* -vos, -voes ['~vouz]) bravo *m*; spadassin *m*; 2. bravo!

brawl [brɔ:l] 1. rixe *f*, bagarre *f*, querelle *f*; 2. brailler; se chamailler; '**brawl·er** braillard(e *f*) *m*; tapageur (-euse *f*) *m.*

brawn [brɔ:n] *cuis.* fromage *m* de cochon; muscles *m/pl.*; *fig.* force *f* corporelle; '**brawn·i·ness** carrure *f* musclée; force *f*; '**brawn·y** musculeux (-euse *f*); musclé (*personne*).

bray¹ [brei] 1. *âne*: braiment *m*; fanfare *f*; *trompette*: son *m* strident;

2. braire (*âne*); émettre un son strident.

bray² [~] broyer, piler.

braze ⊕ [breiz] souder au laiton.

bra·zen ☐ ['breizn] d'airain; *fig.* (*a.* ~-faced) effronté.

bra·zier ['breiziə] *personne*: chaudronnier *m*; brasero *m* (*à charbon de bois*).

Bra·zil·ian [brə'ziljən] 1. brésilien (-ne *f*); 2. Brésilien(ne *f*) *m.*

Bra·zil-nut [brə'zil'nʌt] noix *f* du Brésil.

breach [bri:tʃ] 1. rupture *f*; *fig.* infraction *f* (à, *of*); ✕ brèche *f*; ~ of contract rupture *f* de contrat; ~ of duty violation *f* des devoirs; ~ of peace attentat *m* contre l'ordre public; 2. *v/t.* ouvrir une brèche dans; ✕ battre en brèche.

bread [bred] pain *m* (*a.* = *subsistance*); ~ and butter pain *m* beurré; take the ~ out of s.o.'s mouth ôter le pain à q.; know which side one's ~ is buttered savoir d'où vient le vent; '**~-bas·ket** corbeille *f* à pain; *sl.* estomac *m*; '**~-crumb** *cuis.* 1. paner (*une escalope etc.*), gratiner (*une sole etc.*); 2. miette *f.*

breadth [bredθ] largeur *f* (*a. de pensées, d'esprit*); *style*: ampleur *f*; *étoffe*: lé *m.*

bread-win·ner ['bredwinə] gagne-pain *m/inv.*; chef *m* de famille.

break [breik] 1. rupture *f*; fracture *f*; percée *f*, brèche *f*; éclaircie *f* (*à travers les nuages*); lacune *f*; ♰ *Am.* baisse *f* (*de prix*); *voitures*: break *m*; voiture *f* de dressage (*des chevaux*); *billard*: série *f* de caramboles; ⚡ rupture *f* (*du circuit*); *école*: récréation *f*; *voix*: mue *f* (*dans la puberté*), *émotion*: altération *f*; *temps*: changement *m*; répit *m*; ~ of day point *m* du jour; *see* brake² 1; F a bad ~ une sottise (*f*); F give s.o. a ~ agir loyalement avec q.; mettre q. à l'essai; 2. [*irr.*] *v/t.* briser, casser; enfoncer (*une porte*); rompre (*chose, pain, rangs, cheval*); entamer (*la peau*); résilier (*un contrat*); faire sauter (*la banque*); s'évader de (*la prison*); ⚡ interrompre (*le courant*), rompre (*un circuit*); ♂ défricher; ✕ casser (*un officier*); violer (*une loi, une trêve*); ✈ down abattre, démolir; ♒ décomposer; ~ in enfoncer; défoncer (*un tonneau*); dresser (*un*

bridesmaid

cheval); rompre (**à**, **to**); ~ *up* mettre (*qch.*) en morceaux; disperser (*une foule*); rompre; démolir; **3.** [*irr.*] *v*/*i.* (se) casser, se briser, se rompre; déferler (*vagues*); crever (*abcès*); se dissiper (*nuages*); se briser, se fendre (*cœur*); changer (*temps*); s'altérer (*voix*); ~ *away* se détacher (**de**, **from**); s'évader (*de prison*); ~ *down* échouer (*projet*); fondre en larmes; *mot.* avoir une panne; ~ *up* entrer en vacances; *see a.* broken; 'break·a·ble fragile; 'break·age rupture *f*; *verre*: fracture *f*; ⚓ *a.* ~s *pl.* casse *f*; 'break-down rupture *f*; *service*: arrêt *m* complet; insuccès *m*; débâcle *f* de la santé; *mot.* panne *f*; 'break·er casseur (-euse *f*) *m etc.* ⚓ brisant *m*.

break...: ~·fast ['brekfəst] **1.** petit déjeuner *m*; **2.** déjeuner; ~·neck ['breiknek] à se casser le cou; '~-out évasion *f*; '~-through percée *f*; '~-'up dissolution *f*, fin *f*; affaisement *m*; *école*: entrée *f* en vacances; *temps*: changement *m*; '~·wa·ter brise-lames *m*/*inv.*; môle *m*.

bream *icht.* [bri:m] brème *f*.

breast [brest] **1.** sein *m*; mamelle *f*; poitrine *f*; *make a clean* ~ *of it* dire ce qu'on a sur la conscience; **2.** affronter; lutter contre, faire front à; 'breast·ed à poitrine ...

breast...: '~-pin épingle *f* de cravate; '~-stroke brasse *f* sur le ventre; '~-work ✕ parapet *m*.

breath [breθ] haleine *f*, souffle *m*; respiration *f*; *under* (*ou below*) *one's* ~ à voix basse, à mi-voix; breathe [bri:ð] *v*/*i.* respirer, souffler; *fig.* vivre; *v*/*t.* respirer; exhaler (*un soupir*); murmurer (*une prière*); aspirer (*l'air, un son*); 'breath·er *F* moment *m* de repos; brin *m* d'air; répit *m*.

breath·ing ['bri:ðiŋ] **1.** vivant (*portrait*); **2.** respiration *f*; souffle *m*; '~-space, '~-time répit *m*; intervalle *m* de repos.

breath·less □ ['breθlis] essoufflé; *fig.* fiévreux (-euse *f*); 'breath·less·ness essoufflement *m*.

breath-tak·ing ['breθteikiŋ] *F* ahurissant.

bred [bred] *prét. et p.p. de* breed 2.

breech ⊕ [bri:tʃ] *fusil, canon*: culasse *f*, tonnerre *m*; breech·es

['~iz] *pl.*: (*a pair of*) ~ (une) culotte *f*; *F* (un) pantalon *m*; 'breech-load·er ⊕ fusil *m* se chargeant par la culasse.

breed [bri:d] **1.** race *f*; *péj.* espèce *f*; *Am.* métis(se *f*) *m*; **2.** [*irr.*] *v*/*t.* produire, engendrer; élever (*du bétail*); *v*/*i.* se reproduire; multiplier; 'breed·er reproducteur (-trice *f*) *m*; éleveur *m* (*d'animaux*); 'breed·ing reproduction *f*; élevage *m* (*d'animaux*); bonnes manières *f*/*pl.*

breeze¹ [bri:z] **1.** brise *f*; *F* querelle *f*; altercation *f*; **2.** *Am. F* s'en aller (à la hâte).

breeze² *zo.* [~] œstre *m*.

breeze³ ⊕ [~] braise *f* de houille; fraisil *m*.

breez·y ['bri:zi] venteux (-euse *f*); jovial (-als, -aux *m*/*pl.*) (*personne*).

breth·ren *eccl.* ['breðrin] *pl.* frères *m*/*pl.*; *my* ~ mes très chers frères.

breve [bri:v] *syllabe*: brève *f*.

bre·vet ✕ ['brevit] brevet *m* (*avancement d'un officier sans augmentation de solde*); ~ *rank* grade *m* honoraire; ~ *colonel* lieutenant-colonel *m* faisant fonction de colonel.

bre·vi·ar·y *eccl.* ['bri:vjəri] bréviaire *m*.

brev·i·ty ['breviti] brièveté *f*.

brew [bru:] **1.** *v*/*t.*/*i.* brasser; *fig.* (se) tramer; *v*/*i.* s'infuser; couver (*orage, tempête*); **2.** brassage *m*; brassin *m*; infusion *f*; 'brew·age *poét.* see brew 2; 'brew·er brasseur *m*; 'brew·er·y brasserie *f*.

bri·ar ['braiə] *see* brier¹ *et* brier².

bribe [braib] **1.** paiement *m* illicite; **2.** corrompre, acheter (*pour que*, **to**); 'brib·er corrupteur (-trice *f*) *m*; 'brib·er·y corruption *f*.

brick [brik] **1.** brique *f*; *F a regular* ~ un chic type; *sl. drop a* ~ faire une gaffe; **2.** briqueter; ~ *up* murer (*une fenêtre etc.*); '~·bat briqueton *m*; '~-kiln four *m* à briques; '~·lay·er maçon *m*; '~-works *usu. sg.* briqueterie *f*; 'brick·y de *ou* en brique; comme une brique.

brid·al ['braidl] **1.** □ nuptial (-aux *m*/*pl.*), de noce(s); **2.** *usu. poét.* noce *f*, -s *f*/*pl.*

bride [braid] future *f* (*sur le point de se marier*); (nouvelle) mariée *f*; '~·groom futur *m* (*sur le point de se marier*); (nouveau) marié *m*; 'brides·maid demoiselle *f* d'honneur; '**brides·man** garçon *m* d'honneur.

bride·well *Brit.* ['braidwəl] maison *f* de correction.

bridge¹ [bridʒ] **1.** pont *m*; ⚓ passerelle *f*; **2.** jeter un pont sur; *fig.* relier, combler.

bridge² [～] *cartes*: bridge *m*.

bridge...: '**～-head** tête *f* de pont; '**～-work** bridge-work *m* (*dentaire*).

bri·dle ['braidl] **1.** bride *f*; *fig.* frein *m*; **2.** *v/t.* brider (*a. fig.*); *v/i.* (*a. ～ up*) redresser la tête; se rebiffer; '**～-path** piste *f* cavalière.

bri·doon [bri'du:n] bridon *m*.

brief [bri:f] **1.** □ bref (brève *f*); court; passager (-ère *f*); **2.** dossier *m* (*d'avocat*); abrégé *m*; *p.ext.* ordres *m/pl.*; *eccl.* bref *m*; hold a ～ for défendre; prendre le parti de; ⚖ take a ～ for accepter de représenter (*q.*) en justice; **3.** ⚖ confier une cause à (*un avocat*); munir d'instructions; fournir des directives à; '**～-bag**, '**～-case** serviette *f*; '**brief·ness** brièveté *f*.

bri·er¹ ⚘ ['braiə] bruyère *f* arborescente; églantier *m*.

bri·er² [～] (*a. ～ pipe*) pipe *f* en bruyère.

brig ⚓ [brig] brick *m*.

bri·gade ✗ [bri'geid] **1.** brigade *f*; **2.** embrigader; **brig·a·dier** [brigə-'diə] général *m* de brigade.

brig·and ['brigənd] brigand *m*, bandit *m*; '**brig·and·age** brigandage *m*; briganderie *f*.

bright □ [brait] brillant; éclatant; vif (vive *f*); clair; animé; F intelligent; '**bright·en** *v/t.* faire briller; fourbir (*un métal*); *fig.* égayer; *v/i.* s'éclaircir; *yeux*: s'allumer; '**bright·ness** éclat *m*; clarté *f*; vivacité *f*; intensité *f*; intelligence *f*.

brill *icht.* [bril] barbue *f*.

bril·lian·cy ['briljənsi] brillant *m*; éclat *m*; '**bril·liant 1.** □ brillant, éclatant; lumineux (-euse *f*) (*idée*); **2.** brillant *m*.

brim [brim] **1.** bord *m*; **2.** *v/t.* remplir jusqu'au bord; *v/i.* déborder (de, *with*); '**～-ful**, '**～-full** plein jusqu'aux bords; débordant (de, *of*).

brim·stone ['brimstən] ⚘ soufre *m* (brut); *zo.* (*ou ～ butterfly*) papillon *m* citrin.

brin·dle(d) ['brindl(d)] tacheté, tavelé.

brine [brain] **1.** saumure *f*; eau *f* salée; *poét.* mer *f*, océan *m*; **2.** saumurer.

bring [briŋ] [*irr.*] amener; apporter; intenter (*un procès*); avancer (*des arguments*); ～ *about* amener, occasionner; (*a. ～ to pass*) entraîner; ～ *along* amener (*q.*), apporter (*qch.*); ～ *down* faire baisser (*le prix*); avilir (*les prix*); *théâ.* ～ *down the house* faire crouler la salle; ～ *forth* produire; mettre au monde; mettre bas (*des petits*); ～ *forward* (faire) avancer; produire; † reporter; ～ *s.th. home to s.o.* faire sentir qch. à q.; prouver qch. contre q.; ～ *in* introduire; rapporter (*une somme*); ～ *in guilty* déclarer coupable; ～ *off* ramener à terre *ou* à bord; réussir; ～ *on* occasionner; faire pousser (*une plante*); ～ *out* apporter dehors; publier; mettre en relief; faire valoir; lancer (*une actrice etc.*); ～ *round* ramener à la vie; convertir (*q.*); ～ *s.o. to* (*inf.*) amener q. à (*inf.*); ⚓ ～ *to* mettre en panne; ～ *s.o. to himself* faire reprendre connaissance à q.; ranimer q.; ～ *under* assujettir; ～ *up* approcher; élever (*un enfant*); citer en justice; vomir; (faire) monter; ⚓ mouiller.

bring·er ['briŋə] porteur (-euse *f*) *m*.

brink [briŋk] bord *m*.

brin·y ['braini] **1.** saumâtre, salé; **2.** F mer *f*.

bri·quette [bri'ket], **bri·quet** ['bri-kit] briquette *f*; aggloméré *m*.

brisk [brisk] **1.** □ vif (vive *f*), alerte, plein d'entrain, animé; *feu*: vif (vive *f*); ✗ nourri; *air*: vivifiant; **2.** (*usu. ～ up*) (s')animer.

bris·ket ['briskit] poitrine *f* (*de bœuf*).

brisk·ness ['brisknis] vivacité *f*, entrain *m*; *air*: fraîcheur *f*.

bris·tle ['brisl] **1.** soie *f*; *barbe*: poil *m* raide; **2.** (*souv. ～ up*) se hérisser; F se rebiffer (*personne*); *fig.* ～ *with* être hérissé de; '**bris·tled**, '**bris·tly** hérissé; poilu; garni de soies.

Bri·tan·nic [bri'tænik] britannique.

Brit·ish ['britiʃ] **1.** anglais; britannique; **2.** *the ～ pl.* les Britanniques *m/pl.*; '**Brit·ish·er** *surt. Am.* natif (-ive *f*) *m* de la Grande-Bretagne.

Brit·on *hist.*, *poét.* ['britən] Anglais(e *f*) *m*.

brit·tle ['britl] fragile, cassant;

cendreux (-euse f) (acier); '**britt-
le·ness** fragilité f etc.
broach [brout∫] **1.** broche f; ⚓
flèche f, aiguille f; **2.** percer, entamer (un fût); aborder (un sujet);
entrer en (matière).
broad □ [brɔːd] large; plein, grand
(jour); peu voilé (avis, allusion);
hardi, risqué (histoire); épanoui (sourire); prononcé (accent); ⁓ly speaking généralement parlant; '⁓axe ⊕
doloire f; '⁓·cast **1.** ✍ semé à la
volée; fig. (radio)diffusé; répandu;
2. (irr. [cast]) v/t. ✍ semer à la
volée; fig. répandre; radiodiffuser;
transmettre; v/i. parler etc. à la
radio; ⁓(ing) station poste m
émetteur; station f de radiodiffusion; **3.** émission f; '⁓·cloth
drap m noir fin; Am. popeline f;
'**broad·en** (s')élargir; '**broad-
'mind·ed** tolérant; à l'esprit large;
'**broad·ness** largeur f; grossièreté
f; ⁓ of speech accent m prononcé.
broad...: '⁓·sheet placard m; hist.
canard m; '⁓·side ♱ flanc m, travers m; bordée f, feu m de travers; a. see broadsheet; '⁓·sword
latte f; sabre m.
bro·cade ✝ [bro'keid] brocart m;
bro·cad·ed broché; de brocart.
broc·co·li ♀ ['brɔkəli] brocoli m.
bro·chure [bro'∫juə] brochure f.
brock zo. [brɔk] blaireau m.
brogue [broug] soulier m de golf;
accent m (surt. irlandais).
broil [brɔil] **1.** querelle f, bagarre f;
2. griller (a. fig.); (faire) cuire sur
le gril; ⁓ing brûlant; torride;
'**broil·er** gril m.
broke [brouk] prét. de break 2.
bro·ken ['broukn] p.p. de break 2;
⁓ health santé f délabrée ou ruinée;
⁓ stones pl. pierraille f, cailloutis m;
⁓ weather temps m variable; speak
⁓ English écorcher l'anglais; '⁓-
'heart·ed navré de douleur; au
cœur brisé; '**bro·ken·ly** par saccades; sans suite; à mots entre-
coupés; '**bro·ken·wind·ed** vét.
poussif (-ive f).
bro·ker ['broukə] ✝ courtier m;
agent m de change; '**bro·ker·age**
✝ courtage m; frais m/pl. de courtage.
bro·mide 🜶 ['broumaid] bromure
m; sl. banalité f; **bro·mine** 🜶
['⁓miːn] brome m.

bron·chi·al anat. ['brɔŋkjəl] bron-
chial (-aux m/pl.); des bronches;
bron·chi·tis 𝒔 [brɔŋ'kaitis] bronchite f.
Bronx cheer Am. sl. ['brɔŋks't∫iə]
sifflement m (de mépris).
bronze [brɔnz] **1.** bronze m; **2.** de
ou en bronze; **3.** (se) bronzer; (se)
brunir.
brooch [brout∫] broche f, épingle f.
brood [bruːd] **1.** couvée f; volée f;
F enfants m/pl.; ⁓·hen couveuse f;
⁓·mare poulinière f; **2.** couver; v/i.
F broyer du noir; v/t. F ruminer (une
idée); fig. planer sur; '**brood·er**
couveuse f (Am. artificielle).
brook¹ [bruk] ruisseau m.
brook² [⁓] usu. au nég. souffrir.
brook·let ['bruklit] ruisselet m.
broom ♀ [bruːm] genêt m; [brum]
balai m; ⁓·stick ['brumstik] manche
m à balai.
broth [brɔθ] bouillon m.
broth·el ['brɔθl] bordel m, maison f
de tolérance.
broth·er ['brʌðə] frère m; younger ⁓
cadet m; ⁓·hood ['⁓hud] fraternité
f; confraternité f; eccl. confrérie f;
'⁓-in-law beau-frère (pl. beaux-
frères) m; '**broth·er·ly** frater-
nel(le f).
brougham ['bruːəm] coupé m;
mot. coupé m (de ville).
brought [brɔːt] prét. et p.p. de
bring; ⁓-in capital capital m
d'apport.
brow [brau] sourcil m; arcade f
sourcilière; front m; précipice: bord
m; colline: croupe f; '⁓·beat [irr.
(beat)] rabrouer; rudoyer.
brown [braun] **1.** brun, marron(ne
f); châtain (cheveux); jaune (chaussures); ⁓ bread pain m bis; ⁓
paper papier m gris; be in a ⁓ study
être plongé dans ses réflexions;
2. brun m, marron m; **3.** (se)
brunir; **brown·ie** ['⁓i] farfadet
m; '**brown·ish** brunâtre; '**brown-
ness** couleur f brune; '**brown-
stone** Am. **1.** grès m de construction; **2.** ... des gens prospères.
browse [brauz] **1.** jeunes pousses
f/pl.; **2.** (a. ⁓ on) brouter, paître;
fig. feuilleter (des livres).
bruise [bruːz] **1.** bleu m, meurtrissure f; fruit: talure f; **2.** (se)
meurtrir; v/t. broyer (une substance);
'**bruis·er** sl. boxeur m (brutal).

Brum·ma·gem [ˈbrʌmədʒəm] de camelote, en toc.

bru·nette [bruːˈnet] brunette f.

brunt [brʌnt] choc m; attaque f; violence f; the ~ of le plus fort de.

brush [brʌʃ] **1.** brosse f; pinceau m; renard: queue f; coup m de brosse (aux vêtements); échauffourée f (avec un ennemi); ⚡ faisceau m de rayons; commutateur: balai m; Am. see ~wood; see backwoods; give s.o. a ~ brosser q.; have a ~ with s.o. froisser les opinions de q.; **2.** v/t. brosser; balayer (un tapis etc.); frôler, toucher légèrement; ~ away (ou off) enlever (qch.) d'un coup de brosse ou de balai; essuyer (des larmes); écarter (un avis, une pensée); ~ down donner un coup de brosse à (q.); ~ up donner un coup de brosse à (qch.); fig. se remettre à, dérouiller; v/i. ~ against frôler ou froisser (q.) en passant; ~ by (ou past) passer rapidement auprès de (q.); frôler (q.) en passant; **'~·wood** broussailles f/pl.; bois m taillis; menu bois m.

brusque □ [brusk] brusque; ton: bourru.

Brus·sels [ˈbrʌslz]: ♀ ~ sprouts pl. choux m/pl. de Bruxelles.

bru·tal □ [ˈbruːtl] brutal (-aux m/pl.); de brute; animal (-aux m/pl.); **bru·tal·i·ty** [bruːˈtæliti] brutalité f; **bru·tal·ize** [ˈbruːtəlaiz] abrutir; animaliser; **brute** [bruːt] **1.** brut; vif (vive f), brutal (-aux m/pl.) (force); **2.** bête f brute; brute f (a. fig. = homme brutal); F animal m; a ~ of a ... un(e) ... de chien; **'brut·ish** □ see brute 1; **'brut·ish·ness** bestialité f; abrutissement m.

bub·ble [ˈbʌbl] **1.** bulle f; fig. projet m chimérique; tromperie f; **2.** bouillonner; glouglouter (en versant).

buc·ca·neer [bʌkəˈniə] **1.** F pirate m; flibustier m (a. hist); **2.** faire le boucanier; flibuster.

buck [bʌk] **1.** zo. daim m; chevreuil m; mâle (du lapin etc.); Am. sl. dollar m; Am. F pass the ~ passer la décision (à, to); se débrouiller sur le voisin; **2.** Am. F résister, opposer; Am. F chercher à prendre le dessus de; Am. ~ for viser; essayer d'obtenir (qch.); F ~ up (se) ragaillardir.

buck·et [ˈbʌkit] seau m; a mere drop in the ~ une goutte d'eau dans la mer; **2.** surmener (un cheval); **'~·ful** plein seau m; **'~·shop** bureau m d'un courtier marron.

buck·le [ˈbʌkl] **1.** boucle f, agrafe f; **2.** v/t. boucler; attacher; ceindre (l'épée); v/i. ⊕ (se) gondoler, arquer; se voiler (tôle); ~ to v/t. s'appliquer à (un travail); v/i. s'y atteler; **'buck·ler** bouclier m.

buck·ram [ˈbʌkrəm] bougran m; fig. raideur f.

buck...: '**~·skin** (peau f de) daim m; '**~·wheat** ♀ blé m noir.

bud [bʌd] **1.** ♀ bourgeon m; œil (pl. yeux) m; bouton m; fig. germe m; Am. débutante f; sl. jeune fille f; in ~ qui bourgeonne; fig. in the ~ en germe, en herbe; **2.** v/t. écussonner; v/i. bourgeonner; boutonner (fleur); ~ding lawyer juriste m en herbe.

bud·dy Am. F [ˈbʌdi] ami m; copain m.

budge [bʌdʒ] v/i. bouger, céder; reculer; v/t. bouger.

budg·et [ˈbʌdʒit] collection f; recueil m; budget m; usu. fig. plein sac m; draft ~ budget m du ménage; open the ~ présenter le budget; **'budg·et·ar·y** budgétaire.

buff [bʌf] **1.** (peau f de) buffle m; cuir m épais; couleur f chamois; in (one's) ~ tout nu; **2.** jaune clair; **3.** polir (au buffle).

buf·fa·lo zo. [ˈbʌfələu], pl. -loes [ˈ~ləuz] buffle m; Am. F bison m.

buff·er [ˈbʌfə] 🚂 tampon m; (a. ~ stop) butoir m; tampon m d'arrêt; sl. vieux bonze m; ~ state état m tampon.

buf·fet¹ [ˈbʌfit] **1.** coup m (de poing); poét. soufflet m; **2.** flanquer une torgn(i)ole à (q.); bourrer (q.) de coups.

buf·fet² [meuble: ˈbʌfit; autres sens: ˈbufei] buffet m.

buf·foon [bʌˈfuːn] bouffon m, paillasse m; **buf·foon·er·y** bouffonneries f/pl.

bug [bʌg] punaise f; Am. insecte m; bacille m; loup m (de fabrication); Am. sl. fou m, folle f; maboul(e f) m; **bug·a·boo** [ˈ~əbuː], **'bug·bear** objet m d'épouvante; F cauchemar m; F bête f noire; **bug·gy** [ˈbʌgi] boghei m.

bu·gle¹ [ˈbjuːgl] (a. ~-horn) clairon m.

bu·gle² [⌣] verroterie *f* noire.
bu·gler ✕ ['bju:glə] (sonneur *m* de) clairon *m*.
buhl [bu:l] *meubles:* boul(l)e *m*.
build [bild] **1.** [*irr.*] bâtir; édifier; construire; *fig.* fonder (sur, [up]on); faire construire; ∼ *in* murer, boucher; ∼ *up* affermir (*la santé*); bâtir; *be* ∼*ing* être en construction; **2.** construction *f*; taille *f*; **'build·er** entrepreneur *m* en bâtiments; constructeur *m*; **'build·ing** construction *f*; bâtiment *m*; maison *f*; édifice *m*; *attr.* de construction; ∼ *contractor* entrepreneur *m* en *ou* de bâtiment(s); ∼ *site* terrain *m* à bâtir; ∼*society Brit.* coopérative *f* de construction; ∼ *trade* industrie *f* du bâtiment; **'build-up** construction *f*; échafaudage *m*.
built [bilt] **1.** *prét. et p.p. de* build 1; **2.** *adj.* ... bâti; de construction ...; **'built-'up** **'a·re·a** agglomération *f* urbaine.
bulb [bʌlb] ♀ bulbe *m*, oignon *m*; *thermomètre,* ∮ ampoule *f*; **'bulb·ous** ♀ bulbeux (-euse *f*).
Bul·gar ['bʌlgɑ:] Bulgare *mf*; **Bul·gar·i·an** [bʌl'gɛəriən] **1.** bulgare; **2.** *ling.* bulgare *m*; Bulgare *mf*.
bulge [bʌldʒ] **1.** bombement *m*; saillie *f*; ✝, *a. fig.* hausse *f*; **2.** bomber; faire saillie; se déjeter (*mur etc.*).
bulk [bʌlk] masse *f*, grosseur *f*, volume *m*; *fig.* gros *m* (*a.* ✝); ✤ charge *f*; chargement *m* arrimé; *in* ∼ en bloc, en vrac; *in the* ∼ en bloc, en gros; ∼ *goods* marchandise *f ou* marchandises *f/pl.* en masse; **'∼·head** ✤ cloison *f*; **'bulk·i·ness** grosseur *f*; volume *m* (excessif); **'bulk·y** gros(se *f*); volumineux (-euse *f*), encombrant.
bull¹ [bul] **1.** taureau *m*; ✝ *sl.* haussier *m*; F ∼ *session* réunion *f* d'hommes; **2.** ✝ *sl.* spéculer à la hausse; chercher à faire hausser (*les cours*).
bull² *eccl.* [⌣] bulle *f*.
bull³ [⌣] bévue *f*; F, *a. Am.* bêtises *f/pl.*; *Irish* ∼ inconséquence *f*.
bull·dog ['buldɔg] bouledogue *m*; chienne *f* de bouledogue; F *univ.* appariteur *m*.
bull·doze *Am.* F ['buldouz] intimider; **'bull·doz·er** ⊕ machine *f* à cintrer; bulldozer *m*.
bul·let ['bulit] *fusil, revolver:* balle *f*.

bul·le·tin ['bulitin] bulletin *m*, communiqué *m*; *radio:* informations *f/pl.*; *Am.* ∼ *board* tableau *m* d'affichage (*des nouvelles du jour*).
bull...: '∼·fight course *f* de taureaux; '∼·finch *orn.* bouvreuil *m*; haie *f* (*avec fossé*); '∼·frog *zo.* grenouille *f* mugissante.
bul·lion ['buljən] or *m* en barres; or *m ou* argent *m* en lingot; ✕ franges *f/pl.*
bull·ock ['buløk] bœuf *m*.
bull·pen *Am.* ['bul'pen] F salle *f* de détention.
bull's-eye ['bulzai] ✤ (verre *m* de) hublot *m*; *cible:* noir *m*, centre *m*, blanc *m*; ∼ *pane* carreau *m* à boudine.
bul·ly¹ ['buli] **1.** brute *f*, brutal *m*, tyran *m*; *école:* brimeur *m*; bravache *m*; **2.** bravache; *surt. Am.* F fameux (-euse *f*); *a. int.* bravo; **3.** brutaliser, rudoyer, intimider.
bul·ly² [⌣] (*a.* ∼ *beef*) bœuf *m* en conserve; F singe *m*.
bul·rush ♀ ['bulrʌʃ] jonc *m*.
bul·wark ['bulwøk] *usu. fig.* rempart *m*; ∼*s pl.* ✤ pavois *m*.
bum¹ *sl.* [bʌm] derrière *m*, cul *m*.
bum² *Am.* F [⌣] **1.** fainéant *m*; chemineau *m*; (*be*) *go on the* ∼ fainéanter; vagabonder; **2.** *v/t.* mendier; resquiller (*le trajet*); **3.** misérable.
bum·ble-bee ['bʌmblbi:] bourdon *m*.
bum·boat ['bʌmbout] bateau *m* à provisions.
bump [bʌmp] **1.** choc *m*; coup *m*, heurt *m*; *fig.* bosse *f* (de, of); **2.** (se) cogner; (se) heurter; *v/t.* entrer en collision avec (*qch.*); *Am. sl.* ∼ *off* assassiner, supprimer (*q.*); *v/i.* ∼ *against* buter contre; F ∼ *into* s.o. rencontrer q. par hasard.
bump·er ['bʌmpə] **1.** verre *m* plein; rasade *f*, *mot.* pare-chocs *m/inv.*; *théâ.* (*a.* ∼ *house*) salle *f* comble *ou* bondée; **2.** plein ...; magnifique; F exceptionnel(le *f*) (*récolte*).
bump·kin ['bʌmpkin] rustre *m*.
bump·tious □ F ['bʌmpʃəs] arrogant, présomptueux (-euse *f*), suffisant.
bump·y ['bʌmpi] cahoteux (-euse *f*); couvert de bosses; ✈ chahuté.
bun [bʌn] petit pain *m* au lait; *cheveux:* chignon *m*.
bunch [bʌntʃ] **1.** botte *f*; *fleurs:* bouquet *m*; *personnes:* groupe *m*; ∼ *of*

grapes grappe *f* de raisin; 2. (se) grouper; *v/t.* lier.

bun·combe *Am.* ['bʌŋkəm] blague *f*; paroles *f/pl.* vides.

bun·dle ['bʌndl] 1. paquet *m*; ballot *m*; *bois:* fagot *m*; 2. *v/t.* (*a.* ~ *up*) empaqueter; F ~ *away ou off* se débarrasser de (*q.*); *v/i.* ~ *off* s'en aller sans cérémonie.

bung [bʌŋ] 1. *fût:* bondon *m*; 2. bondonner (*un fût*); boucher (*un trou*); F ~*ed up* poché (*œil*).

bun·ga·low ['bʌŋgəlou] bungalow *m*.

bung-hole ['bʌŋhoul] bonde *f*.

bun·gle ['bʌŋgl] 1. gâchis *m*; maladresse *f*; 2. bousiller; *sl.* rater; '**bun·gler** bousilleur (-euse *f*) *m*; maladroit(e *f*) *m*; '**bun·gling** 1. □ maladroit; 2. *see* bungle 1.

bun·ion 💊 ['bʌnjən] oignon *m* (*callosité au gros orteil*).

bunk[1] *surt. Am. sl.* [bʌŋk] blague *f*; balivernes *f/pl.*

bunk[2] [~] 🕮, 🚂 couchette *f*.

bunk·er 🕮 ['bʌŋkə] 1. soute *f* (*à charbon*); 2. mettre en soute; F *fig.* be ~*ed* se trouver dans une impasse.

bun·kum ['bʌŋkəm] *see* buncombe.

bun·ny ['bʌni] F Jeannot lapin *m*.

bunt *Am.* [bʌnt] *baseball:* coup *m* qui arrête la balle.

bun·ting[1] *orn.* ['bʌntiŋ] bruant *m*.

bun·ting[2] [~] *tex.* étamine *f*; *p.ext.* pavillons *m/pl.*

buoy 🕮 [bɔi] 1. bouée *f*; 2. baliser (*le chenal*); (*usu.* ~ *up*) faire flotter; *fig.* soutenir, appuyer.

buoy·an·cy ['bɔiənsi] flottabilité *f*; *fig.* élasticité *f* de caractère; *fig.* entrain *m*; '**buoy·ant** □ flottable; léger (-ère *f*); *fig.* allègre, optimiste; *fig.* élastique (*pas*); ✝ soutenu.

bur 💊 [bə:] capsule *f* épineuse; teigne *f* (*de bardane*); *personne:* crampon *m*.

Bur·ber·ry ['bə:bəri] imperméable *m* (*marque Burberry*).

bur·bot *icht.* ['bə:bət] lotte *f*, barbot *m*.

bur·den[1] ['bə:dn] refrain *m*.

bur·den[2] ['bə:dn] 1. fardeau *m*, charge *f* (*a.* ⚖); 🕮 charge *f*, contenance *f*; *discours:* substance *f*; 2. charger; *fig.* accabler; '**bur·den·some** onéreux (-euse *f*); fâcheux (-euse *f*).

bur·dock 💊 ['bə:dɔk] bardane *f*.

bu·reau [bjuə'rou], *pl.* **-reaux** [~'rouz] *surt. Am.* bureau *m*; service *m* (*du gouvernement*); *meuble:* secrétaire *m*; bureau *m*; *Am.* commode *f*; **bu·reauc·ra·cy** [~'rɔkrəsi] bureaucratie *f*; **bu·reau·crat** ['bjuərokræt] bureaucrate *mf*; **bu·reau·'crat·ic** (~ally) bureaucratique; **bu·reauc·ra·tize** [bjuə'rɔkrətaiz] bureaucratiser.

bur·gee ⚓ [bə:'dʒi:] guidon *m*.

bur·geon *poét.* ['bə:dʒən] 1. bourgeon *m*; bouton *m*; 2. bourgeonner; commencer à éclore.

bur·gess ['bə:dʒis] bourgeois *m*, citoyen *m*; *hist.* représentant *m* d'un bourg (*au Parlement*).

burgh *écoss.* ['bʌrə] bourg *m*.

bur·glar ['bə:glə] cambrioleur *m* (*nocturne*); **bur·glar·i·ous** [bə:-'glɛəriəs] de cambriolage; **bur·gla·ry** ['~əri] vol *m* nocturne avec effraction; **bur·gle** ['bə:gl] cambrioler.

bur·gun·dy ['bə:gəndi] (vin *m* de) bourgogne *m*.

bur·i·al ['beriəl] enterrement *m*; '~**ground** cimetière *m*.

bu·rin ⊕ ['bjuərin] burin *m*.

burke [bə:k] étouffer (*un scandale*); escamoter (*une question*).

burl *tex.* [bə:l] nope *f*.

bur·lap ['bə:ləp] toile *f* d'emballage.

bur·lesque [bə:'lesk] 1. burlesque; 2. burlesque *m*; parodie *f*; 3. travestir, parodier; tourner (*qch.*) en ridicule. (*dement bâti.*)

bur·ly ['bə:li] de forte carrure; soli-⟩

Bur·mese [bə:'mi:z] 1. birman; 2. Birman(e *f*) *m*.

burn [bə:n] 1. brûlure *f*; 2. [*irr.*] brûler; cuire; '**burn·er** brûleur (-euse *f*) *m*; bec *m* de gaz; '**burning** □ brûlant, ardent.

bur·nish ['bə:niʃ] brunir, (se) polir; '**bur·nish·er** *personne:* brunisseur (-euse *f*) *m*; ⊕ brunissoir *m*.

burnt [bə:nt] *prét. et p.p. de* burn 2; ~ *almond* amande *f* grillée; praline *f*; *mot.* ~ *gas* gaz *m* d'échappement; ~ *offering* holocauste *m*.

burr [bə:] 1. r *m* de la gorge; 2. prononcer l'r de la gorge.

bur·row ['bʌrou] 1. terrier *m* (*de lapin, de renard*); 2. *v/t.* creuser; *v/i.* se terrer; *fig.* fouiller.

bur·sa·ry ['bə:səri] bourse *f* (*d'études*).

burst [bə:st] **1.** éclat(ement) *m*; jaillissement *m*; coup *m*; *fig.* poussée *f*; rafale *f*; emballage *m* (*de vitesse*); **2.** [*irr.*] *v/i.* éclater, exploser; crever (*abcès, pneu, rire, boîte, etc.*); *fig.* déborder (de, *with*); ⚓ éclore (*bouton*); s'épanouir (*fleur*); ~ *from* s'affranchir de; ~ *forth* (*ou out*) jaillir; s'exclamer; apparaître (*soleil*); ~ *into a gallop* prendre le galop; ~ *into flame* s'enflammer brusquement; ~ *into leaf* (se) feuiller; ~ *into tears* fondre en larmes; ~ *out laughing* éclater de rire; *v/t.* faire éclater; enfoncer (*une porte*). [tenance *f*.]

bur·then ['bə:ðn] charge *f*, con-

bur·y ['beri] enterrer, ensevelir; inhumer; ⚓ immerger; *fig.* plonger.

bus F [bʌs] **1.** autobus *m*; *sl.* bagnole *f*; *sl. fig.* miss the ~ laisser échapper l'occasion; *Am.* ~ *boy* garçon *m* de restaurant qui débarrasse la table après le repas; **2.** ~ *it* aller *ou* venir *ou* voyager en autobus.

bus·by ✗ ['bʌzbi] colback *m*.

bush [buʃ] buisson *m*; fourré *m*; ⊕ fourrure *f* métallique; **bush·el** ['buʃl] boisseau *m* (*a. mesure*); F (grande) quantité *f*; **bush league** *Am. baseball:* ligue *f* de second ordre; **'bush-rang·er** broussard *m*.

bush·y ['buʃi] touffu; broussailleux (-euse *f*); buissonnant (*arbrisseau*).

busi·ness ['biznis] affaire *f*, besogne *f*; occupation *f*; devoir *m*; affaires *f/pl.* (*a. ✝*); ✝ entreprise *f*; maison *f* (*de commerce*); fonds *m* de commerce; ~ *of the day* ordre *m* du jour; agenda *m*; ~ *hours pl.* heures *f/pl.* d'ouverture; ~ *man* homme *m* d'affaires; ~ *quarter* quartier *m* commerçant; ~ *research* étude *f* du mouvement des prix ou des cycles économiques; *surt. Am.* ~ *suit see lounge suit*; ~ *tour*, ~ *trip* voyage *m* d'affaires; *on* ~ *pour affaires*; have no ~ *to* (*inf.*) ne pas avoir le droit de (*inf.*); mind one's own ~ s'occuper de ses affaires; send s.o. about his ~ F envoyer promener q.; **'~-like** pratique; sérieux (-euse *f*) (*manière*); capable.

bus·kin ['bʌskin] *antiquité, théâ.:* cothurne *m*; *fig.* tragédie *f*.

bus·man ['bʌsmən] conducteur *m ou* receveur *m* d'autobus; ~'s holiday congé *m* passé à exercer son métier.

bust[1] [bʌst] buste *m*, gorge *f*, poitrine *f*.

bust[2] *Am.* F [bʌst] faillite *f*; *Am.* F ribote *f*, bombe *f*.

bus·tard *orn.* ['bʌstəd] outarde *f*.

bus·tle ['bʌsl] **1.** mouvement *m*, confusion *f*, remue-ménage *m/inv.*; va-et-vient *m/inv.*; *cost.* tournure *f*; **2.** *v/i.* s'affairer; s'activer; faire l'empressé; se dépêcher; *v/t.* faire dépêcher (q.); bousculer; **'bus·tler** personne *f* très active; homme *m* expéditif; **'bus·tling** □ affairé; empressé.

bust-up F ['bʌstʌp] faillite *f*.

bus·y □ ['bizi] **1.** occupé (à, de *at, with*); affairé; actif (-ive *f*); mouvementé (*rue*); diligent; ~ *packing* occupé à faire ses malles; ~ *body* officieux (-euse *f*) *m*; **2.** (*usu.* ~ *o.s.*) s'occuper (à *with*, in, about; à, de *inf. with gér.*); **'bus·y·ness** affairement *m*; activité *f*.

but [bʌt] **1.** *cj.* mais; or; sauf que; (*a.* ~ *that*) sans que; et cependant; toutefois; **2.** *prp.* sans; the last ~ one l'avant-dernier (-ère *f*); the next ~ one le (la) deuxième; ~ *for* sans; ne fût-ce pour; **3.** *après négation:* que (*sbj.*); qui (*sbj.*); there is no one ~ knows il n'y a personne qui ne sache (*qch.*); **4.** *adv.* ne ... que; seulement; ~ *just* tout à l'heure; tout récemment; ~ *now* à l'instant; il n'y a qu'un instant que; *all* ~ presque; *nothing* ~ rien que; *I cannot* ~ (*inf.*) il m'est impossible de ne pas (*inf.*); je ne peux m'empêcher de (*inf.*).

butch·er ['butʃə] **1.** boucher *m* (*a. fig.*); *fig.* massacreur *m*; 🔫 *Am.* F vendeur *m* de fruits *etc.*; **2.** égorger; massacrer (*a. fig.*); **'butch·er·y** (*a.* ~ *business*) boucherie *f* (*a. fig.*); F massacre *m*; abattoir *m*.

but·ler ['bʌtlə] maître *m* d'hôtel; † sommelier *m*.

butt[1] [bʌt] **1.** coup *m* de corne (*d'un bélier*); (*a.* ~*-end*) gros bout *m*; arbre, chèque: souche *f*; fusil: couche *f*, crosse *f*; ✗ butte *f*; *fig.* souffre-douleur *m/inv.*; F mégot *m*; ⊕ bout *m*; about *m*; ~ *s pl.* butte *f*; *fig.* but *m*; *fig.* objectif *m*; **2.** *v/t.* donner un coup de corne *ou* de tête à; *v/i.* F ~ *in* intervenir sans façon.

butt[2] [~] futaille *f*; (gros) tonneau *m*.

but·ter ['bʌtə] **1.** beurre *m*; *fig.* flatterie *f*, F pommade *f*; F he looks *as if ~ would not melt in his mouth* il fait la sainte nitouche; **2.** beurrer; (*a. ~ up*) F flatter; '**~·cup** bouton-d'or (*pl.* boutons-d'or) *m*; '**~·dish** beurrier *m*; '**~·fin·gered** maladroit, empoté; '**~·fly** papillon *m* (*a. fig.*); '**but·ter·y 1.** de beurre; butyreux (-euse *f*); graisseux (-euse *f*); **2.** *univ.* dépense *f*.

but·tock ['bʌtək] fesse *f*; *usu.* ~s *pl.* fesses *f/pl.*, derrière *m*.

but·ton ['bʌtn] **1.** bouton *m* (*a.* ☿); **2.** (se) boutonner; (*usu.* ~ *up*) *fig.* renfermer; mettre les boutons à; '**~·hole 1.** boutonnière *f*; (fleur *f* portée à la) boutonnière *f*; **2.** festonner; F accrocher (*q.*) au passage; '**~·hook** tire-bouton *m*.

but·tress ['bʌtris] contrefort *m*; butoir *m* (*d'une chaîne de monta-gnes*); *fig.* pilier *m*.

bux·om ['bʌksəm] dodu; ronde-let(te *f*) (*femme*); grassouillet(te *f*).

buy [bai] [*irr.*] *v/t.* acheter (à, *from*); prendre (*un billet*); *fig.* payer, F su-borner; ~ *back* racheter; *v/i.* (*a.* ~ *and sell*) brocanter; *order to* ~ ordre *m* d'achat; '**buy·er** acheteur (-euse *f*) *m*; acquéreur *m*; ✝ acquisiteur *m*, acheteur *m*, chef *m* de rayon.

buzz [bʌz] **1.** bourdonnement *m*; conversation: brouhaha *m*; ⚡ ron-flement *m*; *Am.* ~ *saw* scie *f* circu-laire; **2.** *v/i.* bourdonner, vrombir; *v/t.* lancer, jeter.

buz·zard *orn.* ['bʌzəd] buse *f*, bu-sard *m*.

buzz·er ⚡ ['bʌzə] appel *m*; sonne-rie *f*.

by [bai] **1.** *prp. lieu:* (au)près de, à côté de; au bord de (*la mer*); *direc-tion:* par; *temps:* avant, pour; *moyen:* par, de; à (*la main, la ma-chine, bicyclette, cheval, etc.*); en (*auto, tramway*); *auteur:* de; *ser-ment:* au nom de; par (*qch.*); *mesu-res:* sur; selon; *North* ~ *East* nord quart nord-est; *side* ~ *side* côte à côte; ~ *day* de jour, le jour; ~ *name*

de nom; (connu) sous le nom de; ~ *now* déjà, à l'heure qu'il est; ~ *the time* (*that*) quand; avant que (*sbj.*); *a play* ~ *Shaw* une pièce de Shaw; ~ *lamplight* à (la lumière de) la lampe; ~ *the dozen* à la douzaine; ~ *far* de beaucoup; *50 feet* ~ *20* cinquante pieds sur vingt; ~ *half* de moitié; F beaucoup; ~ *o.s.* seul; à l'écart; ~ *land* par terre; ~ *rail* par le chemin de fer; *day* ~ *day* de jour en jour; ~ *twos* deux par deux; **2.** *adv.* près; de côté; ~ *and* ~ tout à l'heure, tan-tôt, bientôt, par la suite; ~ *the* ~ à propos ...; *close* ~ tout près; *go* ~ passer; ~ *and large* à tout prendre; **3.** *adj.* latéral (-aux *m/pl.*); écarté; supplémentaire.

bye [bai] *cricket:* balle *f* passée; *tennis:* exemption *f* (*d'un match dans un tournoi, accordée à un joueur qui ne tire pas d'adversaire*); *be a* ~ se trouver exempt d'un match.

bye-bye F ['bai'bai] au revoir!; adieu!; *go to* ~ F aller faire dodo.

by...: '**~·e·lec·tion** élection *f* par-tielle; '**~·gone 1.** écoulé, d'autre-fois; **2.** ~s *pl.* passé *m*; *let* ~s *be* ~s oublions le passé!; sans rancune!; '**~·law** arrêté *m* municipal; '**~·line** *Am.* rubrique *f* d'un article qui en nomme l'auteur; '**~·name** sobri-quet *m*; '**~·pass 1.** *gaz:* veilleuse *f*; route *f* de contournement; **2.** F évi-ter; dévier (*la circulation*); '**~·path** sentier *m* écarté; '**~·play** *théâ.* jeu *m* accessoire; aparté *m* mimé; '**~·prod·uct** dérivé *m*; '**~·road** chemin *m* détourné; chemin *m* vicinal.

By·ron·ic [bai'rɔnik] (~*ally*) byro-nien.

by...: '**~·stand·er** assistant *m*; spec-tateur (-trice *f*) *m*; '**~·street** ruelle *f*; rue *f* écartée; '**~·way** chemin *m* dé-tourné; détour *m* (*a. péj.*); *fig.* à-côté *m*; '**~·word** proverbe *m*; *be a* ~ *for* être passé en proverbe pour; *be the* ~ *of* être la fable de.

By·zan·tine [bi'zæntain] **1.** byzan-tin; **2.** Byzantin(e *f*) *m*.

C

C, c [siː] C *m*, c *m*.

cab [kæb] **1.** taxi *m*; fiacre *m*; *camion, grue, etc.*: guérite *f*; 🚋 poste *m* de conduite; **2.** de fiacres, de taxis; **3.** F ~ *it* aller *ou* venir en taxi.

ca·bal [kəˈbæl] **1.** cabale *f*, brigue *f*; **2.** cabaler; comploter.

cab·a·ret [ˈkæbərei] cabaret *m*; concert *m* genre music-hall.

cab·bage [ˈkæbidʒ] chou *m*; ~ *butterfly* piéride *f* du chou; ~ *lettuce* laitue *f* pommée.

cab·by F [ˈkæbi] cocher *m*.

cab·in [ˈkæbin] **1.** cabane *f*; ⚓ cabine *f*; 🚋 guérite *f*; **2.** enfermer; '~boy** mousse *m*.

cab·i·net [ˈkæbinit] meuble *m* à tiroirs; *étalage etc.*: vitrine *f*; *radio*: coffret *m*; *phot.* format *m* album; *pol.* cabinet *m*, ministère *m*; ♀ *Council* conseil *m* des ministres; '~mak·er** ébéniste *m*.

ca·ble [ˈkeibl] **1.** ⚓, *a. tél.* câble *m*; ⚓ chaîne *f*; câble-chaîne (*pl.* câbles-chaînes) *m*; *buried* ~ câble *m* souterrain; **2.** *tél.* câbler; '~gram** câblogramme *m*.

cab·man [ˈkæbmən] cocher *m* de fiacre.

ca·boo·dle *sl.* [kəˈbuːdl]: *the whole* ~ tout le bazar.

ca·boose [kəˈbuːs] ⚓ cuisine *f*; 🚋 *Am.* fourgon *m*.

cab·ri·o·let *surt. mot.* [kæbrioˈlei] cabriolet *m*.

cab·stand [ˈkæbstænd] station *f* de voitures.

ca'can·ny [kɔːˈkæni] faire la grève perlée.

ca·ca·o [kəˈkɑːou] cacao *m*; *arbre*: cacaotier *m*.

cache [kæʃ] cache *f*, cachette *f*.

cack·le [ˈkækl] **1.** caquet *m* (*a. fig.*); ricanement *m*; **2.** caqueter (*a. fig.*); ricaner; cacarder (*oie*); '**cack·ler** poule *f* qui caquette; *fig.* caqueteur (-euse *f*) *m*; ricaneur (-euse *f*) *m*.

cac·tus ♀ [ˈkæktəs] cactus *m*.

cad F [kæd] goujat *m*; canaille *f*.

ca·das·tre [kəˈdæstə] cadastre *m*.

ca·dav·er·ous [kəˈdævərəs] cadavéreux (-euse *f*); *fig.* exsangue.

cad·die [ˈkædi] *golf*: cadet *m*.

cad·dish F □ [ˈkædiʃ] voyou; digne d'un goujat.

cad·dy [ˈkædi] boîte *f* à thé.

ca·dence [ˈkeidəns] ♪ cadence *f*; intonation *f*; rythme *m*.

ca·det [kəˈdet] cadet *m*; ~ *corps* bataillon *m* scolaire.

cadge [kædʒ] colporter; mendier; chiner (*qch.*); '**cadg·er** colporteur *m*; mendiant(e *f*) *m*; chineur (-euse *f*) *m*.

ca·du·cous ♀, *a. zo.* [kəˈdjuːkəs] caduc (-uque *f*).

cae·cum *anat.* [ˈsiːkəm] cæcum *m*.

Cae·sar [ˈsiːzə] César *m*; **Cae·sar·i·an** [siːˈzɛəriən] césarien(ne *f*).

cae·su·ra [siːˈzjuərə] césure *f*.

ca·fé [ˈkæfei] café(-restaurant) *m*.

caf·e·te·ri·a *Am.* [kæfiˈtiəriə] cafeteria *f*, restaurant *m* de libre service *m*.

caf·e·to·ri·um *Am.* [kæfiˈtɔːriəm] salle *f* des festins, restaurant *m*.

caf·fe·ine 🜍 [ˈkæfiiːn] caféine *f*.

cage [keidʒ] **1.** cage *f*; *oiseau*: cage *f*, volière *f*; ⚒ cage *f* (de puits); **2.** encager (*a. fig.*); mettre en cage.

cage·y □ *surt. Am.* F [ˈkeidʒi] rusé, malin (-igne *f*).

cairn [kɛən] cairn *m*.

cais·son [kəˈsuːn] ⚔ caisson *m* (à munitions); *hydraulique*: caisson *m*, batardeau *m*.

ca·jole [kəˈdʒoul] enjôler; cajoler; persuader (à q. de *inf.*, *s.o. into gér.*); **ca'jol·er** cajoleur (-euse *f*) *m*; **ca·'jol·er·y** cajolerie *f*, -s *f/pl.*; enjôlement *m*.

cake [keik] **1.** gâteau *m*; pâtisserie *f*; *chocolat*: tablette *f*; *savon*: pain *m*; **2.** faire croûte; se coller, se cailler (*sang*).

cal·a·bash [ˈkæləbæʃ] calebasse *f*.

cal·a·mine *min.* [ˈkæləmain] calamine *f*.

ca·lam·i·tous □ [kəˈlæmitəs] calamiteux (-euse *f*), désastreux (-euse *f*); **ca'lam·i·ty** calamité *f*, infortune *f*; désastre *m*; catastrophe *f*; **ca'lam·i·ty-howl·er** *surt. Am.* pessimiste *mf*; prophète *m* de malheur; **ca'lam·i·ty-howl·ing** *surt. Am.* défaitisme *m*; prophéties *f/pl.* de malheur.

ca·lash [kəˈlæʃ] calèche *f*.

cal·car·e·ous *min.* [kælˈkɛəriəs] calcaire.

cal·ci·fi·ca·tion [kælsifiˈkeiʃn] calcification *f*; **cal·ci·fy** [ˈ‿fai] (se) calcifier; **cal·ci·na·tion** ♒ [kælsiˈneiʃn] calcination *f*; cuisson *f*; **cal·cine** [ˈkælsain] *v/t.* ♒ calciner; cuire; *v/i.* se calciner; **ˈcal·cite** *min.* calcite *f*; **cal·ci·um** ♒ [ˈ‿siəm] calcium *m*.

cal·cu·la·ble [ˈkælkjuləbl] calculable; **cal·cu·late** [ˈ‿leit] *v/t.* calculer; estimer; faire le compte de; ‿d propre (à, to), fait (pour, to); *v/i.* compter (sur, on); *Am.* F supposer; *calculating-machine* machine *f* à calculer; **cal·cu·la·tion** calcul *m*.

cal·dron [ˈkɔːldrən] *see* cauldron.

cal·en·dar [ˈkælində] **1.** calendrier *m*; ♃ rôle *m* des assises; *univ.* annuaire *m*; **2.** inscrire sur un calendrier *ou* sur une liste.

cal·en·der ⊕ [‿] **1.** calandre *f*; laminoir *m*; **2.** calandrer; laminer.

calf [kɑːf], *pl.* **calves** [kɑːvz] veau *m*; *fig.* petit(e *f*) *m*; (*a.* ‿-*leather*) veau *m*, vachette *f*; ⊕ reliure *f* en veau; *anat.* mollet *m*; ‿ with ‿ pleine (*vache*); F ‿-*love* amours *f/pl.* enfantines; **ˈ‿-skin** (cuir *m* de) veau *m*.

cal·i·brate ⊕ [ˈkælibreit] étalonner; calibrer (*un tube*); **cal·i·bre** [ˈ‿bə] calibre *m* (*a. fig.*); alésage *m*.

cal·i·co ♥ [ˈkælikou] calicot *m*; *surt. Am.* indienne *f*.

Cal·i·for·nian [kæliˈfɔːnjən] **1.** californien(ne *f*); de Californie; **2.** Californien(ne *f*) *m*.

ca·liph [ˈkælif] calife *m*; **cal·iph·ate** [ˈ‿eit] califat *m*.

calk¹ [kɔːk] *peint.* décalquer.

calk² [‿] *see* caulk.

calk³ [‿] **1.** *a.* **calk·in** [ˈkælkin] crampon *m*, clou *m* à glace; **2.** ferrer (*un cheval*) à glace.

call [kɔːl] **1.** appel *m* (*a. téléph., bridge, etc.*); cri *m* (*a. oiseau*); *téléph., clairon, etc.*: coup *m*; *théâ.* rappel *m*; *bridge*: annonce *f*; visite *f*; demande *f* (de, for); vocation *f*; invitation *f*, nomination *f* (*à un poste, à une chaire, etc.*); *Bourse*: appel *m* de fonds; option *f*; ♥ ‿-*money* prêts *m/pl.* au jour le jour; *port of* ‿ port *m* d'escale; ♥ on ‿ sur demande; au jour le jour; **2.** *v/t.* appeler (*a.* ♃), crier, convoquer (*une réunion*); héler (*un taxi*); faire venir (*un médecin*); appeler, attirer (*l'attention*) (sur, to); *théâ.* rappeler; réveiller;

cartes: déclarer; décréter (*une grève*); qualifier de (*un titre*); injurier; *fig.* nommer (à, to); be ‿ed s'appeler; ‿ *s.o. names* injurier q.; *Am.* F ‿ *down* injurier; reprendre (*q.*); ‿ *forth* produire, évoquer; faire appel à (*le courage*); ‿ *in* retirer (*une monnaie*) de la circulation; faire (r)entrer (*q.*); ‿ *over* faire l'appel de (*les noms*); ‿ *up* évoquer; ✕ mobiliser, appeler sous les drapeaux; appeler au téléphone; **3.** *v/i.* téléphoner; faire une visite, passer (chez *at*, on); ‿ *at a port* faire escale; ‿ *for* faire venir (*q.*) *ou* apporter (*qch.*); commander; *théâ.* rappeler, réclamer; venir chercher (*q., qch.*); *to be* (*left till*) ‿ed for à remettre au messager; poste restante; ‿ *on* invoquer; réclamer (qch., à *q.*, *s.o. for s.th.*) requérir (*q.*) (de, *to inf.*) ‿ *to* crier à (*q.*); ‿ *upon see* ‿ on; **ˈcall·a·ble** ✝ au jour le jour (*prêt*); **ˈcall-box** cabine *f* téléphonique; **ˈcall·er** personne *f* qui appelle; visiteur (-euse *f*) *m*; *téléph.* demandeur (-euse *f*) *m*.

cal·li·graph·ic [kæliˈɡræfik] (‿*ally*) calligraphique; **cal·lig·ra·phy** [kəˈliɡrəfi] calligraphie *f*, belle écriture *f*.

call·ing [ˈkɔːliŋ] appel *m*; convocation *f*; métier *m*; visite *f* (à, on); *Am.* ‿ *card* carte *f* de visite.

cal·(l)i·pers *pl.* [ˈkælipəz] compas *m* d'épaisseur.

cal·lis·then·ics [kælisˈθeniks] *usu. sg.* callisthénie *f*.

call-of·fice [ˈkɔːlɔfis] bureau *m* téléphonique.

cal·los·i·ty [kæˈlɔsiti] callosité *f*; cal (*pl.* -s) *m*; *fig.* dureté *f*; **ˈcal·lous** ☐ calleux (-euse *f*); *fig.* insensible, dur.

cal·low [ˈkælou] sans plumes; *fig.* imberbe, sans expérience.

call-up [kɔlˈʌp] appel *m* (✕ sous les drapeaux).

calm [kɑːm] **1.** ☐ calme, tranquille (*a. fig.*); **2.** tranquillité *f*; calme *m* (*a. fig., a.* ♄); sérénité *f*; **3.** (‿ *down* se) calmer; apaiser; adoucir; **ˈcalm·ness** tranquillité *f*; calme *m*; sérénité *f*.

ca·lor·ic *phys.* [kəˈlɔrik] calorique *m*; **cal·o·rie** *phys.* [ˈkæləri] calorie *f*; **cal·o·rif·ic** [kæləˈrifik] calorifique, calorifiant.

cal·trop ['kæltrəp] ♀ chardon *m* étoilé; ✗ *hist.* chausse-trape *f*.

ca·lum·ni·ate [kə'lʌmnieit] calomnier; **ca'lum·ni·a·tion** calomnie *f*; **ca'lum·ni·a·tor** calomniateur (-trice *f*) *m*; **ca'lum·ni·ous** ☐ calomnieux (-euse *f*); **cal·um·ny** ['kæləmni] calomnie *f*.

Cal·va·ry ['kælvəri] *le* Calvaire *m*.

calve [kɑːv] vêler (*a. géol.*); **calves** [kɑːvz] *see* calf.

Cal·vin·ism ['kælvinizm] calvinisme *m*.

ca·lyx ['keiliks], *pl. a.* **ca·ly·ces** ['ˌ‿lisiːz] ♀, *a. zo.* calice *m*.

cam ⊕ [kæm] came *f*; excentrique *m*; ‿ gear distribution *f* à came(s).

cam·ber ⊕ ['kæmbə] 1. *poutre:* cambrure *f*; *chaussée:* bombement *m*; 2. (se) cambrer; bomber.

cam·bric ✝ ['keimbrik] batiste *f*.

came [keim] *prét. de* come.

cam·el *zo., a.* ⚓ ['kæml] chameau *m*.

ca·mel·li·a ♀ [kə'miːljə] camélia *m*.

cam·e·o ['kæmiou] camée *m*.

cam·er·a ['kæmərə] *phot.* appareil *m*; ⚖ *in* ‿ à huis clos.

cam·i·knick·ers [kæmi'nikəz] *pl.* chemise-culotte (*pl.* chemises-culottes) *f*.

cam·o·mile ♀ ['kæməmail] camomille *f*; ‿ tea (tisane *f* de) camomille *f*.

cam·ou·flage ✗ ['kæmuflɑːʒ] 1. camouflage *m*; 2. camoufler.

camp [kæmp] 1. camp *m*; campement *m*; ‿-bed lit *m* de camp; ‿-chair, ‿-stool chaise *f* pliante; pliant *m*; 2. camper; ‿ out camper, faire du camping.

cam·paign [kæm'pein] 1. campagne *f* (*a. pol., a. fig.*); election ‿ campagne *f* électorale; 2. faire une (des) campagne(s); **cam'paign·er:** F *old* ‿ vieux routier *m*; vétéran *m*.

cam·phor ['kæmfə] camphre *m*; **cam·phor·at·ed** ['ˌ‿reitid] camphré.

camp·ing ['kæmpiŋ] camping *m*; ✗ campement *m*.

cam·pus *Am.* ['kæmpəs] terrains *m/pl.* (*d'une université*).

cam·shaft ⊕ ['kæmʃɑːft] arbre *m* à cames.

can¹ [kæn] [*irr.*] *v/aux.* (*défectif*) je peux *etc.*, je suis *etc.* capable de (*inf.*).

can² [ˌ‿] 1. bidon *m*, broc *m*, pot *m*; *Am. conserves:* boîte *f*; canette *f*

en métal; 2. *Am.* conserver (*qch.*) en boîte.

Ca·na·di·an [kə'neidjən] 1. canadien(ne *f*); 2. Canadien(ne *f*) *m*.

ca·nal [kə'næl] canal *m* (*a.* ⚕); **ca·nal·i·za·tion** [kænəlai'zeiʃn] canalisation *f*; **'ca·nal·ize** (se) canaliser.

ca·nard [kæ'nɑːd] canard *m*, fausse nouvelle *f*.

can·cel ['kænsl] biffer; annuler; *fig.* (*a.* ‿ out) éliminer; **can·cel·la·tion** [kænse'leiʃn] annulation *f*; résiliation *f*; révocation *f*.

can·cer ['kænsə] *astr. le* Cancer *m*; ⚕ cancer *m*; *attr.* cancéreux (-euse *f*); **'can·cer·ous** cancéreux (-euse *f*).

can·did ☐ ['kændid] franc(he *f*); sincère; impartial (-aux *m/pl.*).

can·di·date ['kændidit] candidat *m*, aspirant *m* (à, for); **can·di·da·ture** ['ˌ‿fə] candidature *f*.

can·died ['kændid] candi; confit.

can·dle ['kændl] bougie *f*; chandelle *f*; cierge *m*; ‿-power bougie *f*, -s *f/pl.*; ⚖ **mas** *eccl.* [ˌ‿məs] la Chandeleur *f*; **'‿-stick** chandelier *m*; bougeoir *m*.

can·dy ['kændi] 1. sucre *m* candi; *Am.* bonbons *m/pl.*; confiseries *f/pl.*; 2. *v/t.* faire candir (*du sucre*); glacer (*des fruits*); *v/i.* se cristalliser.

cane [kein] 1. ♀ jonc *m*; canne *f*; *pour sièges:* rotin *m*; 2. battre à coups de canne; canner (*une chaise*).

ca·nine ['keinain] 1. de chien, canin; 2. ['kænain] *a.* ‿ tooth canine *f*.

can·is·ter ['kænistə] boîte *f* (*en fer blanc*).

can·ker ['kæŋkə] 1. ⚕, *a.* ♀ chancre *m* (*a. fig.* = *influence corruptrice*); 2. ronger; *fig.* corrompre; **'can·kered** *fig.* plein d'amertume; **'can·ker·ous** chancreux (-euse *f*).

canned *Am.* [kænd] (conservé) en boîte.

can·ner·y *Am.* ['kænəri] conserverie *f*.

can·ni·bal ['kænibl] cannibale (*a. su./mf.*).

can·non ['kænən] 1. ✗ canon *m*; pièce *f* d'artillerie; *billard:* carambolage *m*; 2. caramboler; *fig.* ‿ against (*ou* with) se heurter contre; **can·non·ade** [ˌ‿'neid] canonnade *f*.

can·not ['kænɔt] *je ne peux pas etc.*

can·ny □ *écoss.* ['kæni] prudent, finaud.

ca·noe [kə'nuː] **1.** canoë *m*; pirogue *f*; périssoire *f*; **2.** faire du canoë *ou* de la périssoire; aller en canoë.

can·on ['kænən] *eccl.*, *a.* ♪ canon *m*; F règle *f*, critère *m*; canon *m*; *eccl. personne:* chanoine *m*; *typ.* gros canon *m*; ⚖ ~ *law* droit *m* canon; **can·on·i·za·tion** [‿nai'zeiʃn] canonisation *f*; **can·on·ize** canoniser (*q.*); sanctionner (*un usage*); **can·on·ry** canonicat *m*.

can·o·py ['kænəpi] **1.** dais *m*; baldaquin *m*; marquise *f*; *fig.* voûte *f*; △ gable *m*; **2.** couvrir d'un dais *etc.*

cant¹ [kænt] **1.** inclinaison *f*, dévers *m*; △ pan *m* coupé; **2.** (s')incliner; pencher; *v/i.* ⚓ éviter; ~ *over* se renverser.

cant² [‿] **1.** jargon *m*, argot *m* (*des mendiants, criminels, etc.*); langage *m* hypocrite; boniments *m/pl.*; **2.** faire le cafard; parler avec hypocrisie (*de, about*).

can't F [kɑːnt] *see* cannot.

can·ta·loup ⚘ ['kæntəluːp] cantaloup *m*.

can·tan·ker·ous F □ [kən'tænkərəs] revêche, acariâtre.

can·teen [kæn'tiːn] cantine *f*; *coutellerie:* service *m* de table en coffre; ⚔ bidon *m*; ⚔ gamelle *f*.

can·ter ['kæntə] **1.** petit galop *m*; **2.** aller au petit galop.

can·ter·bur·y ['kæntəbəri] casier *m* à musique; ♫ *bell* ⚘ campanule *f*.

can·tha·ris *zo.* ['kænθəris], *pl.* **-thar·i·des** [‿'θæridiːz] cantharide *f*.

can·ti·cle ['kæntikl] cantique *m*; *bibl.* ♫*s pl.* le Cantique des Cantiques.

can·ti·le·ver △ ['kæntiliːvə] encorbellement *m*; cantilever *m*.

can·to ['kæntou] chant *m* (*d'un poème*).

can·ton 1. ['kæntɔn] canton *m*; **2.** ⚔ [kən'tuːn] cantonner; **'can·tonment** ⚔ cantonnement *m*.

can·vas ['kænvəs] (*grosse*) toile *f*; toile *f* de tente; *navire:* voiles *f/pl.*; *peint.* toile *f*; *p.ext.* tableau *m*.

can·vass [‿] **1.** sollicitation *f* de suffrages; tournée *f* électorale; *Am. a.* dépouillement *m* (*des voix*); **2.** *v/t.* discuter; solliciter (*des suffrages,* ✝

des commandes); *v/i. pol.* faire une tournée électorale; ✝ faire la place; **'can·vass·er** solliciteur (-euse *f*) *m*; ✝ placier *m*; *pol.* courtier *m* électoral; *Am. a.* scrutateur *m* (*du scrutin*).

caou·tchouc ['kautʃuk] caoutchouc *m*.

cap [kæp] **1.** casquette *f*; béret *m*; *univ.* toque *f*, mortier *m*; ⊕ *etc.* chapeau *m*, capuchon *m*; ⊕ *pompe:* calotte *f*; ~ *and gown* toque *f* et toge *f*, costume *m* académique; ~ *in hand* le bonnet à la main; *set one's* ~ *at s.o.* entreprendre la conquête de *q.*; **2.** *v/t.* coiffer; choisir comme membre de la première équipe; capsuler (*une bouteille etc.*); *fig.* couronner; F surpasser; *v/i.* F se découvrir (*devant q.*, [*to*] *s.o.*).

ca·pa·bil·i·ty [keipə'biliti] capacité *f* (*pour inf.*, *of gér.*); faculté *f* (*de inf.*, *of gér.*); **'ca·pa·ble** capable, susceptible (*de, of*).

ca·pa·cious □ [kə'peiʃəs] vaste; ample; **ca·pac·i·tate** [‿'pæsiteit] rendre capable (*de, for*); **ca'pac·i·ty** capacité *f* (*pour inf.* for *gér.*); volume *m*, contenance *f*; *locomotive:* rendement *m*; *rivière:* débit *m*; qualité *f* (*professionnelle*); *disposing* (*ou legal*) ~ capacité *f* juridique; *in my* ~ *as* en ma qualité de.

cap-à-pie [kæpə'piː] de pied en cap.

ca·par·i·son [kə'pærisn] caparaçon *m*; *fig.* parure *f* somptueuse.

cape¹ [keip] cap *m*, promontoire *m*.

cape² [‿] pèlerine *f*, cape *f*.

ca·per¹ ⚘ ['keipə] câpre *f*; *plante:* câprier *m*.

ca·per² [‿] **1.** cabriole *f*, entrechat *m* (*a. fig.*); *cut* ~*s* = **2.** faire des entrechats *ou* des cabrioles; gambader.

ca·pi·as ⚖ ['keipiæs]: *writ of* ~ mandat *m* d'arrêt.

cap·il·lar·i·ty [kæpi'læriti] capillarité *f*; **cap·il·lar·y** [kə'piləri] **1.** capillaire; **2.** *anat.* (vaisseau *m*) capillaire *m*.

cap·i·tal ['kæpitl] **1.** □ capital (-aux *m/pl.*) (*lettre, peine, crime, ville*); le plus haut; F excellent, fameux (-euse *f*); **2.** capitale *f*; ✝ capital *m*, fonds *m/pl.*; *typ.* (*ou* ~ *letter*) majuscule *f*, capitale *f*; **3.** △ chapiteau *m*; **'cap·i·tal·ism** capitalisme *m*; **'cap·i·tal·ist** capitaliste *mf*; **cap·i-**

tal·is·tic capitaliste; **cap·i·tal·i·za-tion** [kəpitəlai'zeiʃn] capitalisation *f*; **cap·i·tal·ize** capitaliser; écrire avec une majuscule.

cap·i·ta·tion [kæpi'teiʃn] capitation *f* (*a.* 🐎); *attr.* par tête.

Cap·i·tol ['kæpitl] Capitole *m*.

ca·pit·u·late [kə'pitjuleit] capituler; **ca·pit·u·la·tion** capitulation *f*, reddition *f*.

ca·pon ['keipən] chapon *m*, poulet *m*.

ca·price [kə'pri:s] caprice *m* (*a.* ♪), lubie *f*; **ca·pri·cious** [kə'priʃəs] capricieux (-euse *f*); **ca·pri·cious-ness** humeur *f* capricieuse.

Cap·ri·corn *astr.* ['kæprikɔ:n] le Capricorne *m*.

cap·ri·ole ['kæprioul] cabriole *f*.

cap·size ⚓ [kæp'saiz] *v/i.* chavirer; *fig.* se renverser; *v/t.* faire chavirer.

cap·stan ⚓ ['kæpstən] cabestan *m*.

cap·su·lar ['kæpsjulə] capsulaire; **cap·sule** ⚕, ⚗ ['ˌsju:l] capsule *f*.

cap·tain ['kæptin] capitaine *m*, chef *m*; *sp.* chef *m* d'équipe; ✕, ⚓ capitaine *m*; ✕ *group ~* colonel *m*; *~ of horse* capitaine *m* de cavalerie; *~ of industry* chef *m* de l'industrie; **'cap·tain·cy**, **'cap·tain·ship** grade *m* de capitaine; *sp.* commandement *m* de l'équipe; *entreprise:* conduite *f*.

cap·tion ['kæpʃn] **1.** en-tête *m*; légende *f*; *journal:* rubrique *f*; *cin.* sous-titre *m*; **2.** *v/t. Am.* fournir d'en-têtes *etc.*

cap·tious □ ['kæpʃəs] captieux (-euse *f*); pointilleux (-euse *f*) (*personne*).

cap·ti·vate ['kæptiveit] *fig.* captiver, charmer; **cap·ti·va·tion** séduction *f*; **'cap·tive 1.** captif (-ive *f*); *~ balloon* ballon *m* captif; **2.** captif (-ive *f*) *m*; prisonnier (-ère *f*) *m*; **cap·tiv·i·ty** [ˌ'tiviti] captivité *f*.

cap·tor ['kæptə] preneur *m*; ⚓ capteur *m*; **cap·ture** ['ˌtʃə] **1.** capture *f*; prise *f* (*a.* ⚓); **2.** capturer, s'emparer de (*un malfaiteur*); prendre (*une ville*); ⚓ capturer.

Cap·u·chin *eccl.* ['kæpjuʃin] capucin *m*.

car [kɑː] *mot.* automobile *f*; 🚂 *Am.* voiture *f*, wagon *m*; *Am.* ascenseur: cabine *f*; *poét.* char *m*; *ballon:* nacelle *f*.

car·a·cole ['kærəkoul] *équit.* **1.** caracole *f*; **2.** caracoler.

ca·rafe [kə'rɑːf] carafe *f*.

car·a·mel ['kærəmel] caramel *m*; bonbon *m* au caramel.

car·at ['kærət] *mesure:* carat *m*.

car·a·van [kærə'væn] caravane *f* (*a. mot.*); roulotte *f*; **car·a·van·se-rai** [ˌserai] caravansérail *m*.

car·a·way ♣ ['kærəwei] carvi *m*.

car·bide ⚗ ['kɑːbaid] carbure *m*.

car·bine ['kɑːbain] carabine *f*.

car·bo·hy·drate ⚗ ['kɑːbou'haidreit] hydrate *m* de carbone.

car·bol·ic ac·id ⚗ [kɑː'bɔlik'æsid] phénol *m*.

car·bon ['kɑːbən] ⚗ carbone *m*; ⚡ charbon *m*; *~ copy* copie *f ou* double *m* au carbone; (*ou ~ paper*) papier *m* carbone; **car·bo·na·ceous** [ˌ'neiʃəs] *géol.* charbonneux (-euse *f*); **car·bon·ate** [ˌ'bənit] carbonate *m*; **car·bon·ic** [ˌ'bɔnik] carbonique; *~ acid* anhydride *m* carbonique; **car·bon·i·zation** [ˌbənai'zeiʃn] carbonisation *f*; **car·bon·ize** carboniser.

car·boy ['kɑːbɔi] bonbonne *f*.

car·bun·cle ['kɑːbʌŋkl] *min.* escarboucle *f*; ⚕ anthrax *m*.

car·bu·ret ⚗ ['kɑːbjuret] carburer; **'car·bu·ret·ter**, *usu.* **'car·bu·ret·tor** *mot.* carburateur *m*.

car·case, **car·cass** ['kɑːkəs] *homme, animal:* cadavre *m*; *animal, maison:* carcasse *f*; *fig.* squelette *m*, carcasse *f*.

card¹ ⊕ [kɑːd] **1.** carde *f*, peigne *m*; **2.** carder, peigner (*la laine*).

card² [ˌ] carte *f*; *~ catalogue* fichier *m*; F *house of ~s* château *m* de cartes; *sl. queer ~* drôle *m* de type *ou* de numéro.

car·dan ⊕ ['kɑːdən]: *~ joint* joint *m* de cardan, joint *m* universel; *~ shaft* arbre *m* à cardan.

card...: **'~·board** carton *m*; cartonnage *m*; *~ box* carton *m*; **'~·case** porte-cartes *m/inv.*

car·di·ac ⚕ ['kɑːdiæk] **1.** cardiaque, cardiaire; **2.** cordial *m*.

car·di·gan ['kɑːdigən] cardigan *m*.

car·di·nal □ ['kɑːdinl] **1.** cardinal (-aux *m/pl.*); principal (-aux *m/pl.*); *~ number* nombre *m* cardinal; **2.** *eccl.* cardinal *m* (*a. orn.*); **car·di·nal·ate** [ˌ'eit] cardinalat *m*.

card...: **'~·in·dex** fichier *m*, classeur *m*; **'~·sharp·er** tricheur *m*, escroc *m*.

care [kɛə] **1.** souci *m*; soin *m*, attention *f*; charge *f*; tenue *f*; *medical ~*

soins *m/pl.* médicaux; ~ of the mouth hygiène *f* orale; ~ of the nails soin *m* des ongles; ~ of *(abbr. c/o)* aux bons soins de; chez; take ~ (of *o.s.*) prendre attention, prendre des précautions; take ~ of prendre soin de, soigner; with ~! fragile!; 2. se soucier; s'inquiéter; ~ for soigner; aimer; se soucier de; *usu. au nég.*: tenir à; être important à (*q.*); F I don't ~ (if I do)! ça m'est égal; I don't ~ what he said peu m'importe ce qu'il a dit.

ca·reen ⚓ [kə'ri:n] *v/t.* caréner; *v/i.* donner de la bande.

ca·reer [kə'riə] 1. carrière *f*; *fig.* course *f* précipitée; ~ diplomat diplomate *m* de carrière; 2. *fig.* courir rapidement; ca·reer·ist [kə'riərist] arriviste *mf*.

care·free ['kɛəfri:] insouciant; exempt de soucis.

care·ful □ ['kɛəful] soigneux (-euse *f*) (de of, for); attentif (-ive *f*) (à, of); prudent; soigné; be ~ to (*inf.*) avoir soin de (*inf.*); be ~ not to fall! prenez garde de tomber; 'care·ful·ness soin *m*, attention *f*; prudence *f*.

care·less □ ['kɛəlis] sans soin; négligent; inconsidéré; nonchalant; insouciant (de of, about); 'care·less·ness inattention *f*; insouciance *f*; manque *m* de soin.

ca·ress [kə'res] 1. caresse *f*; 2. caresser; *fig.* mignoter.

care·tak·er ['kɛəteikə] concierge *mf*; gardien(ne *f*) *m*; *école:* dépensier (-ère *f*) *m*.

care·worn ['kɛəwɔ:n] usé par le chagrin.

car·fare *Am.* ['ka:fɛə] prix *m* du voyage.

car·go ⚓ ['ka:gou] cargaison *f*; mixed (*ou* general) ~ cargaison *f* mixte; shifting ~ cargaison *f* volante.

car·i·ca·ture [kærikə'tjuə] 1. caricature *f*; 2. caricaturer; car·i·ca·tur·ist [kærikə'tjuərist] caricaturiste *m*.

car·i·es ⚕ ['kɛərii:z] carie *f*; 'car·i·ous carié; gâté (*dent etc.*).

car·man ['ka:mən] charretier *m*.

car·mine ['ka:main] 1. carmin *m*; 2. *adj./inv.*, carminé.

car·nage ['ka:nidʒ] carnage *m*; 'car·nal □ charnel(le *f*); de la chair; sen-

suel(le *f*); sexuel(le *f*); mondain; car·nal·i·ty [~'næliti] sensualité *f*; car·na·tion [~'neiʃn] 1. incarnat *m*; ⚜ œillet *m*; 2. incarnat.

car·ni·val ['ka:nivl] carnaval (*pl.* -s) *m*; *fig.* réjouissances *f/pl.*

car·ni·vore ['ka:nivɔ:] carnassier *m*; car·niv·o·rous [~'nivərəs] carnassier (-ère *f*) (*animal*); carnivore (*plante, personne*).

car·ol ['kærl] 1. chant *m*, chanson *f*; noël *m*; 2. chanter joyeusement.

ca·rot·id *anat.* [kə'rɔtid] (*a. ~ artery*) carotide *f*.

ca·rouse [kə'rauz] 1. *a.* ca'rous·al buverie *f*; F bombe *f*; 2. faire la fête.

carp¹ [ka:p] carpe *f*.

carp² [~] gloser, épiloguer; ~ at trouver à redire à.

car·pen·ter ['ka:pintə] 1. charpentier *m*; menuisier *m*; 2. *v/i.* faire de la charpenterie; *v/t.* charpenter; 'car·pen·try charpente(rie) *f*.

car·pet ['ka:pit] 1. tapis *m* (*a. fig.*); bring on the ~ soulever (*une question*); F ~-dance sauterie *f*; 2. recouvrir d'un tapis; F mettre (*q.*) sur la sellette; '~-bag·ger *parl.* candidat *m* étranger à la circonscription; '~-beat·er tapette *f*.

car·pet·ing ['ka:pitiŋ] tapis *m/pl.* en pièce; pose *f* de tapis.

car·pet-sweep·er ['ka:pitswi:pə] balai *m* mécanique.

car·riage ['kæridʒ] port *m*; transport *m*; (*a.* ⊕) voiture *f*, wagon *m*; ✗ affût *m*; *personne:* allure *f*; *machine à écrire:* chariot *m*; *voiture:* train *m*; 'car·riage·a·ble charriable (*objet*); praticable (*chemin*).

car·riage...: '~-and-'pair voiture *f* à deux chevaux; '~-door porte *f* cochère; '~-drive allée *f*; avenue *f* pour voitures; '~-free, ~'paid franc(he *f*) *ou* franco de port, envoi franco; '~-road, '~-way chaussée *f*; route *f* carrossable.

car·ri·er ['kæriə] porteur (-euse *f*) *m* (*a.* ⚕); ✗ ravitailleur *m*; ♱ camionneur *m*, voiturier *m*; *bicyclette:* porte-bagages *m/inv.*; '~-pi·geon pigeon *m* voyageur.

car·ri·on ['kæriən] 1. charogne *f*; 2. pourri.

car·rot ['kærət] carotte *f*; 'car·rot·y F roux (rousse *f*).

car·ry ['kæri] 1. *v/t.* porter; transporter; conduire (*q.*); mener (*q.*);

mener à bonne fin (*une entreprise*); (rap)porter (*intérêt*); remporter (*un prix*); élever (*un mur*); (sup)porter (*une poutre*); faire adopter (*une proposition*); ⅄ retenir (*un chiffre*); bien supporter (*du vin*); avoir en magasin (*des marchandises*); ⚔ enlever (*une forteresse*); be carried être voté; être adopté; *univ.* ∼ *a course* suivre un cours; ∼ *away* emmener (*q.*); emporter (*a. fig.*); ∼ *everything before one* triompher sur toute la ligne; ✝ ∼ *forward* (*ou over*) reporter (*une somme*); transporter (*un solde*); ∼ *on* continuer; entretenir; exercer (*un métier*); poursuivre (*un procès*); ∼ *out* porter dehors; exécuter; mener à bonne fin; ∼ *through* exécuter, réaliser; 2. *v/i.* porter (*son, fusil*); faire une trajectoire (*balle*); ∼ *on* persister; F faire des scènes; F se comporter; F ∼ *on with* flirter avec (*q.*); ∼*ing capacity* charge *f* utile; 3. *fusil:* portée *f*; trajet *m*.

cart [ka:t] 1. charrette *f*; ⚔ fourgon *m*; ∼ *grease* cambouis *m*; *fig.* put the ∼ *before the horse* mettre la charrue devant les bœufs; *sl.* in the ∼ dans le pétrin; 2. charrier, charroyer; '**cart·age** charroi *m*; (prix *m* du) charriage *m*.

car·tel [ka:'tel] cartel *m*; ✝ syndicat *m* de producteurs; ⚔ convention *f* pour l'échange de prisonniers.

car·ter ['ka:tə] charretier *m*, camionneur *m*.

car·ti·lage ['ka:tilidʒ] cartilage *m*; **car·ti·lag·i·nous** [∼'lædʒinəs] cartilagineux (-euse *f*).

cart·load ['ka:tloud] charretée *f*; *charbon:* tombereau *m*.

car·tog·ra·pher [ka:'tɔgrəfə] cartographe *m*; **car·tog·ra·phy** cartographie *f*.

car·ton ['ka:tən] carton *m*.

car·toon [ka:'tu:n] 1. *peint.* carton *m*; ⊕ dessin *m* (*sur page entière*), *surt.* portrait *m* caricaturé; *cin.* dessin *m* animé; 2. faire la caricature de.

car·touche [ka:'tuʃ] cartouche *m*.

car·tridge [ka:'tridʒ] cartouche *f*; '∼-**belt** *ceinture:* cartouchière *f*.

cart-wheel ['ka:twi:l] roue *f* de charrette; *gymn.* roue *f*; *co. Am.* dollar *m* d'argent.

cart·wright ['ka:trait] charron *m*.

carve [ka:v] *v/t.* découper (*de la viande*); tailler; se frayer (*un chemin*); *v/t./i.* sculpter (*dans, in*); graver (*sur, in*); '**carv·er** couteau *m* à découper; *personne:* découpeur *m*; serveur *m*; ciseleur *m*; ∼*s pl.* service *m* à découper.

carv·ing ['ka:viŋ] 1. sculpture *f*, gravure *f*; découpage *m* de la viande; 2. à découper; à sculpter.

cas·cade [kæs'keid] chute *f* d'eau; cascade *f*.

case¹ [keis] 1. caisse *f*; colis *m*; (*a. cartridge-*∼) étui *m*; *instruments:* trousse *f*; *violon:* boîte *f*; *montre:* boîtier *m*; *magasin:* vitrine *f*; *livre:* couverture *f*; *typ.* casse *f*; 2. encaisser; cartonner (*un livre*); ⊕ chemiser (*une chaudière*); envelopper (*de, with*).

case² [∼] cas *m* (*a.* ⚔, ⚖, *gramm.*); ⚕ *a.* malade *mf*; *Am.* F original *m*; ⚖ *a.* cause *f*, affaire *f*; exposé *m* des faits; réclamation *f*; *a* ∼ *for* (*gér.*) des raisons de (*inf.*); *have a strong* ∼ être dans son droit; avoir des raisons sérieuses (*pour, for*); *as the* ∼ *may be* selon le cas; *in* ∼ au cas où; *à tout hasard; in any* ∼ en tout cas.

case-hard·en ⊕ ['keishɑ:dn] aciérer; *fig.* ∼ed endurci.

ca·se·in ⚗ ['keisii:n] caséine *f*.

case-knife ['keisnaif] couteau *m* à gaine.

case·mate ⚔ ['keismeit] casemate *f*.

case·ment ['keismənt] fenêtre *f* à deux battants; croisée *f*; ∼ *cloth* tissu *m* de rideaux.

case-shot ['keisʃɔt] mitraille *f*.

cash [kæʃ] 1. *money f/pl.*; argent *m* comptant; ∼ *down, for* ∼ argent comptant; *in* ∼ en espèces; *be in* (*out of*) ∼ (ne pas) être en fonds; ∼ *payment* paiement *m* (au) comptant; ∼ *on delivery* livraison *f* contre remboursement; ∼ *price* prix *m* au comptant; ∼ *register* caisse *f* enregistreuse; 2. encaisser (*un coupon*); toucher (*un chèque*); '∼-**book** livre *m* de caisse; sommier *m*; '∼-**cheque** chèque *m* ouvert; **cash·ier** [kæ'ʃiə] 1. caissier (-ère *f*) *m*; 2. ⚔ casser (*un officier*); '**cash·less** sans argent; F à sec. [*m*.]

cash·mere [kæʃ'miə] *tex.* cachemire]

cas·ing ['keisiŋ] encaissement *m*; enveloppe *f*; *livre:* cartonnage *m*; *cylindre:* chemise *f*; *turbine:* bâche *f*; △ revêtement *m*.

ca·si·no [kə'si:nou] casino m.

cask [ka:sk] fût m, tonneau m.

cas·ket ['ka:skit] cassette f, coffret m; Am. cercueil m (de luxe).

cas·sa·tion ₰₮ [kæ'seiʃn] cassation f.

cas·se·role ['kæsəroul] cuis. daubière f; ⚔ casserole f; ~ of chicken poulet m en cocotte.

cas·si·a ♀ ['kæsiə] casse f (a. pharm.); arbre: cassier m.

cas·sock ['kæsək] soutane f.

cas·so·war·y orn. ['kæsəwɛəri] casoar m; New Holland ~ émeu m.

cast [ka:st] **1.** jet m; coup m; ⊕ metall. coulée f; moulage m; ⚓ coup m (de sonde); bas m de ligne; théâ. troupe f; distribution f des rôles; ✝ additon f; fig. trempe f, tournure f (d'esprit); **2.** [irr.] v/t. jeter (a. ⚓ l'ancre), lancer; donner (son suffrage); zo. jeter (sa dépouille); orn. (usu. ~ its feathers) muer; perdre (les dents); jeter (un regard); projeter (une lumière, une ombre, etc.); métall. couler; typ. clicher (une page); théâ. distribuer les rôles de (une pièce), assigner (un rôle à q., s.o. for a part); ✝, ⅍ (a. ~ up) additonner, faire le total; ~ iron fonte f (de fer); ~ steel fonte f d'acier; ₰₮ be ~ in costs être condamné aux frais; ₰₮ be ~ in a lawsuit perdre un procès, être débouté; ~ lots tirer au sort (pour, for); ~ one's skin se dépouiller; ~ s.th. in s.o.'s teeth reprocher qch. à q.; ~ away rejeter; ⚓ be ~ away faire naufrage; ~ down jeter bas; baisser (les yeux); be ~ down être découragé; ~ up lever au ciel; ⚡ rejeter; ✝ ~ up (accounts) additonner, faire le total; **3.** v/i. se voiler; ⊕ se couler; ~ about for chercher; briguer; ⚓ ~ off abattre sous le vent; démarrer.

cas·ta·net [kæstə'net] castagnette f.

cast·a·way ['ka:stəwei] **1.** rejeté; naufragé; **2.** naufragé(e f) m; fig. proscrit(e f) m; exilé(e f) m.

caste [ka:st] caste f; fig. rang m, classe f; ~ feeling esprit m de caste.

cas·tel·lan ['kæstələn] châtelain m; **cas·tel·lat·ed** ['kæsteleitid] crénelé; bâti dans le style féodal.

cas·ter ['ka:stə] see castor[2].

cas·ti·gate ['kæstigeit] châtier; fig. critiquer sévèrement; **cas·ti·ga·tion** châtimént m, correction f; fig. critique f sévère.

cast·ing ['ka:stiŋ] **1.** ~ vote voix f prépondérante; **2.** jet m; moulage m, fonte f; théâ. distribution f des rôles; ✝ addition f; ~s pl. pièces f/pl.

cast-i·ron ['ka:st'aiən] en fonte; fig. de fer, rigide; ~ alibi alibi m de fer.

cas·tle ['ka:sl] **1.** château m (fort); échecs: tour f; **2.** échecs: roquer.

cas·tor[1] ['ka:stə] pharm. castoréum m; F chapeau m castor; ~ oil huile f de ricin.

cas·tor[2] [~] roulette f (de meuble); sucre etc.: saupoudroir m; ~s pl. huilier m; ✝ ~ sugar sucre m en poudre.

cas·trate [kæs'treit] châtrer; **cas·tra·tion** castration f; éviration f; fig. émasculation f.

cas·u·al ['kæʒjuəl] **1.** □ fortuit, accidentel(le f); F insouciant; ~ labo(u)rer homme m à l'heure, manœuvre m d'emploi intermittent; ~ pauper = **2.** indigent(e f) m de passage; **'cas·u·al·ty** accident m; ⚔ casual·ties pl. pertes f/pl.

cas·u·ist ['kæzjuist] casuiste m (a. péj.); **'cas·u·ist·ry** casuistique f (a. péj.).

cat [kæt] **1.** chat(te f) m; Am. sl. fanatique mf du jazz; **2.** sl. renarder.

cat·a·clysm ['kætəklizm] cataclysme m.

cat·a·comb ['kætəkoum] catacombe f.

cat·a·logue, Am. a. **cat·a·log** ['kætələg] **1.** catalogue m, répertoire m; univ. Am. annuaire m; prospectus m; **2.** cataloguer.

cat·a·pult ['kætəpʌlt] catapulte f (a. ⚔); ~ launching catapultage m.

cat·a·ract ['kætərækt] cataracte f (a. fig., a. ⚕).

ca·tarrh [kə'ta:] catarrhe m; F surt. rhume m de cerveau; **ca·tarrh·al** [kə'ta:rəl] catarrhal (-aux m/pl.).

ca·tas·tro·phe [kə'tæstrəfi] catastrophe f, désastre m; **cat·a·stroph·ic** [kætə'strɔfik] (~ally) désastreux (-euse f).

cat...: '~·bur·glar cambrioleur m par escalade; '~·call **1.** théâ. etc. sifflet m; **2.** siffler; chahuter.

catch [kætʃ] **1.** prise f; porte, fenêtre: loqueteau m; attrape f, tromperie f; fig. aubaine f; F bon parti m (à épouser); ♪ chant m à reprises, canon m; ⊕ crochet m d'arrêt; cliquet

m; *cricket*: prise *f* au vol; *see* ∼
word; 2. [*irr.*] *v/t.* attraper, prendre;
saisir; F obtenir, gagner; rencontrer
(*un regard*); *son*: frapper (*l'oreille*);
recueillir (*de l'eau*); prendre; ne pas
manquer (*le train etc.*); attraper,
être atteint de (*une maladie*); flanquer (*un coup*) à (*q.*); prendre (*un
poisson*); accrocher (*sa robe*); attirer (*l'attention*); contracter (*une
habitude*); *orage etc.*: surprendre
(*q.*); *fig.* entendre, comprendre; F ∼
it se faire attraper (*par, from*); ∼ *in
the act* prendre (*q.*) en flagrant délit;
prendre (*q.*) sur le fait; ∼ **me!** F pas
si bête!; ∼ **cold** prendre froid; s'enrhumer; ∼ **one's breath** avoir un
sursaut; ∼ *s.o.'s* **eye** attirer l'attention de q.; *parl.* ∼ *the Speaker's eye*
obtenir la parole; ∼ **up** ramasser
vivement; F couper la parole à (*q.*),
interrompre; rattraper (*q.*); 3. [*irr.*]
v/i. prendre, ⊕ s'engager
(*verrou etc.*); *cuis.* attacher; ∼ **at**
s'accrocher à; saisir; F ∼ **on** avoir du
succès, prendre; *Am.* F comprendre;
∼ **up** with rattraper (*q.*) **'∼-all** *Am.*
fourre-tout *m/inv.*; **'∼-as-catch-
can** *sp.* catch *m*; **'catch-er** *baseball*: rattrapeur *m*; **'catch-ing** ♪ entraînant; ⚕ contagieux (-euse *f*);
infectieux (-euse *f*); **'catch-ment
ba-sin** bassin *m* de réception.
catch...: **'∼-pen-ny** ✝ 1. d'attrape;
2. camelote *f* de réclame; attrape-
nigaud *m*; **'∼-phrase** F scie *f*, rengaine *f*; devise *f*; **'∼-pole** huissier *m*;
'∼-word *pol.* mot *m* de ralliement;
F scie *f*; *théâ.* réplique *f*; *typ.* mot-
souche (*pl.* mots-souches); **'catch-y** *fig.* F entraînant; insidieux (-euse *f*) (*question etc.*).
cat-e-chism [ˈkætikizm] catéchisme
m; **cat-e-chize** [ˈ∼kaiz] catéchiser;
cat-e-chu-men [∼ˈkjuːmən] caté-
chumène *mf*.
cat-e-gor-i-cal □ [kætiˈgɔrikl] catégorique; **cat-e-go-ry** [ˈ∼gəri] catégorie *f*.
cat-e-nar-y [kəˈtiːnəri] 1. caténaire
f; ∼ *curve* funiculaire *f*; 2. caténaire
f; chaînette *f*.
ca-ter [ˈkeitə]: ∼ **for** approvisionner;
fig. pourvoir à; **'ca-ter-er** approvi-
sionneur (-euse *f*) *m*; fournisseur
m; *banquet*: traiteur *m*; **'ca-ter-ing**
approvisionnement *m*.
cat-er-pil-lar [ˈkætəpilə] chenille *f*;

⊕ ∼ *tractor* autochenille *f*; ∼ **wheel**
roue *f* à chenille.
cat-er-waul [ˈkætəwɔːl] miauler.
cat-gut [ˈkætgʌt] corde *f* à boyau.
ca-the-dral [kəˈθiːdrl] 1. *su.* cathédrale *f*; 2. *adj.* cathédral (-aux *m/pl.*).
Cath-er-ine-wheel ⚠ [ˈkæθərin-
wiːl] rosace *f* rayonnante; *pièce
d'artifice*: soleil *m*; roue *f* à feu.
cath-ode ⚡ [ˈkæθoud] 1. cathode *f*;
2. cathodique.
cath-o-lic [ˈkæθəlik] 1. (∼[al]ly) uni-
versel(le *f*); catholique; 2. catholique *mf*; **ca-thol-i-cism** [kəˈθɔli-
sizm] catholicisme *m*.
cat-kin ♀ [ˈkætkin] chaton *m*.
cat's-paw [ˈkætspɔː] *fig.* dupe *f*; be
s.o.'s ∼ tirer les marrons du feu
pour q.
cat-tle [ˈkætl] bétail *m*; bestiaux
m/pl.; **'∼-plague** peste *f* bovine;
'∼-rus-tler *Am.* voleur *m* de bétail;
'∼-show comice *m* agricole; concours *m* d'élevage.
Cau-ca-sian [kɔːˈkeiziən] 1. cauca-
sien(ne *f*); du Caucase; 2. Cauca-
sien(ne *f*) *m*.
cau-cus [ˈkɔːkəs] comité *m* électoral;
usu. péj. clique *f* politique; *po.* Am.
réunion *f* préliminaire (*d'un comité
électoral*).
cau-dal *zo.* [ˈkɔːdl] caudal (-aux
m/pl.); **cau-date** [ˈ∼deit] caudifère.
cau-dle [ˈkɔːdl] chaudeau *m*.
caught [kɔːt] *prét. et p.p. de catch* 2, 3.
cau(l)-dron [ˈkɔːldrən] chaudron *m*;
⊕ chaudière *f*.
cau-li-flow-er ♀ [ˈkɔliflauə] chou-
fleur (*pl.* choux-fleurs) *m*.
caulk ⚓ [kɔːk] calfater; **'caulk-er**
calfat *m*.
caus-al □ [ˈkɔːzl] causal (*sg. seulement*); causatif (-ive *f*); **cau-sal-i-ty**
[∼ˈzæliti] causalité *f*; **'caus-a-tive**
causatif (-ive *f*); cause [kɔːz] 1. cause
f; raison *f*, motif *m*; ⚖ cause *f*;
procès *m*; *fig.* querelle *f*; *with
good* ∼ pour cause; 2. occasionner,
causer; faire (faire qch. à q., *s.o. to
do s.th.*); **'cause-less** □ sans cause,
sans motif.
cause-way [ˈkɔːzwei], *a.* **cau-sey**
[ˈ∼zei] chaussée *f*, digue *f* (*à travers
des marécages*).
caus-tic [ˈkɔːstik] 1. caustique *m*;
phys. caustique *f*; 2. (∼ally) caustique; *fig. a.* mordant.
cau-ter-i-za-tion ⚕ [kɔːtəraiˈzeiʃn]

cautérisation f; **'cau·ter·ize** cautériser; **'cau·ter·y** cautère m.

cau·tion ['kɔːʃn] 1. précaution f; prudence f; avertissement m; réprimande f; F drôle m de pistolet; ₰ caution f, garant m; ~ money cautionnement m; 2. avertir (contre, against); **'cau·tion·ar·y** d'avertissement, avertisseur (-euse f).

cau·tious □ ['kɔːʃəs] prudent, circonspect; **'cau·tious·ness** prudence f, circonspection f.

cav·al·cade [kævl'keid] cavalcade f.

cav·a·lier [kævə'liə] 1. cavalier m; F galant m; 2. □ désinvolte, cavalier (-ère f).

cav·al·ry ✕ ['kævlri] cavalerie f.

cave [keiv] 1. caverne f, antre m; grotte f; 2. des cavernes; 3. : ~ in v/i. s'effondrer; F céder (personne); v/t. F aplatir.

ca·ve·at ₰ ['keiviæt] opposition f.

cave-man ['keivmən] troglodyte m; F homme m à la manière forte.

cav·en·dish ['kævəndiʃ] tabac m foncé édulcoré.

cav·ern ['kævən] caverne f (a. ✱); souterrain m; **'cav·ern·ous** caverneux (-euse f) (a. fig.).

cav·i·ar(e) ['kæviɑː] caviar m.

cav·il ['kævil] 1. argutie f; 2. pointiller (sur at, about); **'cav·il·ler** chicaneur (-euse f) m.

cav·i·ty ['kæviti] cavité f; creux m; trou m.

ca·vort Am. F [kə'vɔːt] cabrioler; faire des galopades.

caw [kɔː] 1. croasser; 2. croassement m.

cay·enne [kei'en], **cay·enne pep·per** ['keien] poivre m de Cayenne.

cay·man zo. ['keimən], pl. **-mans** caïman m.

cay·use Am. ['kaijuːs] petit cheval m (indien).

cease [siːs] v/i. cesser (de, from); v/t. cesser (a. ✕ le feu); arrêter; **'~-'fire** ✕ cessez-le-feu m/inv.; **'cease·less** □ incessant; sans arrêt.

ce·dar ♀ ['siːdə] cèdre m.

cede [siːd] céder.

ceil [siːl] plafonner (une pièce); † lambrisser; **'ceil·ing** plafond m (a. fig.); ⚓ vaigrage m; ~ lighting illumination f de plafond; ~ price prix m maximum.

cel·an·dine ♀ ['seləndain] éclaire f.

cel·e·brate ['selibreit] célébrer (a.

eccl., a. fig. = glorifier); **'cel·e·brat·ed** célèbre (par, for); renommé (pour, for); **cel·e'bra·tion** célébration f (a. eccl.); in ~ of pour commémorer ou fêter (qch.); ~ of May-day fête f du premier mai; **'cel·e·bra·tor** célébrateur m.

ce·leb·ri·ty [si'lebriti] célébrité f (a. personne).

ce·ler·i·ty [si'leriti] célérité f.

cel·er·y ♀ ['seləri] céleri m.

ce·les·tial □ [si'lestjəl] céleste.

cel·i·ba·cy ['selibəsi] célibat m; **cel·i·bate** ['~bit] 1. célibataire, de célibataire; 2. célibataire mf.

cell [sel] cellule f; ⚡ élément m de pile.

cel·lar ['selə] 1. cave f; 2. mettre en cave ou en chai; **'cel·lar·age** emmagasinage m; caves f/pl.; **'cel·lar·et** cave f à liqueurs.

celled [seld] à cellule(s); ⚡ à pile(s).

cel·list ♪ ['tʃelist] violoncelliste mf; **cel·lo** ['tʃelou] violoncelle m.

cel·lo·phane ['selofein] cellophane f.

cel·lu·lar ['seljulə] cellulaire; **cel·lule** ['~juːl] cellule f; **cel·lu·loid** ['~juloid] celluloïd m; **cel·lu·lose** ['~lous] cellulose f.

Celt [kelt] Celte mf; **'Celt·ic** celte; celtique.

ce·ment [si'ment] 1. ciment m; anat., a. métall. cément m; 2. cimenter (a. fig.); coller; métall. cémenter; **ce·men·ta·tion** [siːmen'teiʃn] cimentage m; collage m; métall. cémentation f.

cem·e·ter·y ['semitri] cimetière m.

cen·o·taph ['senətɑːf] cénotaphe m.

cense [sens] encenser; **'cen·ser** encensoir m.

cen·sor ['sensə] 1. censeur m; 2. interdire; expurger; **cen·so·ri·ous** □ [sen'sɔːriəs] porté à censurer; sévère; **cen·sor·ship** ['~səʃip] censure f; contrôle m.

cen·sur·a·ble □ ['senʃərəbl] censurable, blâmable; **cen·sure** ['senʃə] 1. censure f, blâme m; réprimande f; 2. censurer; blâmer publiquement.

cen·sus ['sensəs] recensement m.

cent [sent] Am. cent m (= $1/100$ dollar); F sou m; per ~ pour cent.

cen·taur myth. ['sentɔː] centaure m.

cen·tau·ry ♀ ['sentɔːri] centaurée f.

cen·te·nar·i·an [senti'nɛəriən] centenaire (a. su./mf); **cen·te·nar·y** [sen'ti:nəri] centenaire m.

cen·ten·ni·al [sen'tenjəl] centennal (-aux m/pl.); Am. see centenary.

cen·tes·i·mal □ [sen'tesiml] centésimal (-aux m/pl.).

centi... [senti]: '**~grade** centigrade; '**~gramme** centigramme m; '**~me·tre** centimètre m; **~pede** zo. ['~pi:d] centipède m; F mille-pattes m/inv.

cen·tral ['sentrəl] □ central (-aux m/pl.); **~** heating chauffage m central; **~** office, ⚡ **~** station centrale f; téléph. Am. central m; **cen·tral·i·za·tion** [~lai'zeiʃn] centralisation f; **cen·tral·ize** (se) centraliser.

cen·tre, Am. **cen·ter** ['sentə] 1. centre m (a. ⚔, pol.), milieu m; foot. **~** forward avant-centre m; foot. **~** half demi-centre m; 2. central (-aux m/pl.), du centre; 3. v/t. placer au centre; centrer (a. foot.); concentrer; v/i. se concentrer (dans, in; sur, on; autour de, round); '**~bit** ⊕ mèche f anglaise.

cen·tric, **cen·tri·cal** □ ['sentrik(l)] central (-aux m/pl.), du centre; **cen·trif·u·gal** [sen'trifjugl] centrifuge; **cen'trip·e·tal** [~pitl] centripète.

cen·tu·ple ['sentjupl] 1. □ centuple (a. su./m); 2. centupler.

cen·tu·ry ['sentʃuri] siècle m; cricket: centaine f.

ce·ram·ic [si'ræmik] céramique; **ce'ram·ics** pl. céramique f.

ce·re·al ['siəriəl] 1. céréale; 2. céréale f; usu. **~s** pl. céréales f/pl. en flocons.

cer·e·bral anat. ['seribrəl] cérébral (-aux m/pl.).

cere·cloth ['siəkləθ] toile f d'embaumement.

cer·e·mo·ni·al [seri'mounjəl] 1. □ (a. **cer·e·mo·ni·ous** □) cérémonieux (-euse f), de cérémonie; 2. cérémonial (pl. -s) m; **cer·e·mo·ny** ['seriməni] cérémonie f; formalité f; Master of Ceremonies maître m des cérémonies; without **~** sans cérémonie, sans façon; stand on **~** faire des façons.

cer·tain □ ['sə:tn] certain, sûr; infaillible; see some 2; '**cer·tain·ty** certitude f; chose f certaine; conviction f.

cer·tif·i·cate 1. [sə'tifikit] certificat

m, attestation f; diplôme m; brevet m; **~** of birth (death, marriage) acte m de naissance (de décès, de mariage); **~** of employment certificat m de travail; medical **~** certificat m médical; 2. [~keit] diplômer, breveter; délivrer un certificat etc. à (q.); **~ed** diplômé; **cer·ti·fi·ca·tion** certification f; **cer·ti·fy** ['~fai] certifier, attester; diplômer; authentiquer; this is to **~** je soussigné certifie; **cer·ti·tude** ['~tju:d] certitude f.

cer·vi·cal ['sə:vikl] cervical (-aux m/pl.).

ces·sa·tion [se'seiʃn] cessation f, arrêt m.

ces·sion ['seʃn] cession f; abandon m.

cess·pool ['sespu:l] fosse f d'aisance.

ce·ta·cean zo. [si'teiʃiən] 1. cétacé m; 2. [a. **ce'ta·ceous**) cétacé.

chafe [tʃeif] v/t. frictionner; user par le frottement; écorcher (la peau); irriter; v/i. s'user par le frottement; s'écorcher; s'irriter (contre, against); s'érailler (corde); chafing dish réchaud m (de table).

chaff [tʃɑ:f] 1. balle f (de grain); menue paille f; paille f hachée; fig. vétilles f/pl.; F raillerie f; 2. hacher (de la paille); F railler, plaisanter (q.); '**~cut·ter** hache-paille m/inv.

chaf·fer ['tʃæfə] marchander (q., with s.o.).

chaf·finch zo. ['tʃæfintʃ] pinson m.

cha·grin ['ʃægrin] 1. chagrin m; 2. chagriner.

chain [tʃein] 1. chaîne f (a. fig.); suite f (des événements); chaînette f; surt. Am. **~-store** succursale f de grand magasin; mot. **~** drive transmission f par chaînes; 2. attacher par des chaînes; enchaîner; **~ re·ac·tion** phys. réaction f en chaîne.

chair [tʃɛə] 1. chaise f, siège m; fauteuil m; (a. professorial **~**) chaire f; 🛋 coussinet m; ⚡ Am. fauteuil m éléctrique; see chair(wo)man; **~!** **~!** à l'ordre! à l'ordre!; be in the **~** présider; 2. v/i. prendre la présidence; v/t. porter (q.) en triomphe; '**~man** président m; '**~wom·an** présidente f.

chaise [ʃeiz] cabriolet m, chaise f.

chal·dron ['tʃɔ:ldrən] mesure à charbon de 36 boisseaux (72 à Newcastle) anglais.

chal·ice ['tʃælis] calice m.

chalk [tʃɔːk] 1. craie f; billard: blanc m; red ~ sanguine f; F by a long ~ de beaucoup; 2. marquer à la craie; talquer; (usu. ~ up) écrire à la craie; ~ out tracer (un plan); '**chalk·y** crayeux (-euse f), crétacé; terreux (-euse f) (teint).

chal·lenge ['tʃælindʒ] 1. défi m; provocation f (en duel, to a duel); ⚖ interpellation f; récusation f; 2. défier, provoquer (q.); sp. porter un défi à; ⚖ interpeller; récuser; disputer; mettre en doute; '**challeng·er** provocateur (-trice f) m; sp. lanceur m d'un challenge.

cha·lyb·e·ate ⚕ [kə'libiit] ferrugineux (-euse f).

cham·ber ['tʃeimbə] ♀, ⊕, poét., parl., zo., Am. chambre f; ~s pl. appartement m de garçon; cabinet m, étude f; see ~-pot; **cham·berlain** ['~lin] chambellan m; '**chamber·maid** hôtel: femme f de chambre; '**cham·ber·pot** vase m de nuit.

cha·me·le·on zo. [kə'miːljən] caméléon m.

cham·fer ⚗ ['tʃæmfə] 1. biseau m; 2. biseauter; canneler (une colonne).

cham·ois ['ʃæmwɑ:; pl. ~wɑ:z] zo. chamois m; ⊕ (ou ~ leather) [souv. 'ʃæmi] (peau f de) chamois m.

champ[1] [tʃæmp] (at) mâcher bruyamment; ronger (le mors).

champ[2] Am. sl. [~] see champion 1.

cham·pagne [ʃæm'pein] champagne m.

cham·paign ['tʃæmpein] campagne f ouverte.

cham·pi·on ['tʃæmpjən] 1. champion m (a. sp.); sp. recordman (pl. recordmen) m; 2. soutenir, défendre; '**cham·pi·on·ship** défense f; sp. championnat m.

chance [tʃɑːns] 1. chance f, hasard m; occasion f (de, of); surt. Am. risque m; by ~ par hasard; take a (ou one's) ~ encourir un risque; 2. fortuit, accidentel(le f); de rencontre; 3. v/i.: ~ to see voir par hasard; avoir l'occasion de voir; ~ upon rencontrer par hasard; v/t. F risquer.

chan·cel ['tʃɑːnsəl] chœur m; sanctuaire m; '**chan·cel·ler·y** chancellerie f; '**chan·cel·lor** chancelier m; see exchequer; '**chan·cel·lorship** dignité f de chancelier.

chan·cer·y ⚖ ['tʃɑːnsəri] cour f de la chancellerie; fig. in ~ en danger; dans une situation difficile.

chanc·y F ['tʃɑːnsi] risqué.

chan·de·lier [ʃændi'liə] lustre m.

chan·dler ['tʃɑːndlə] marchand m (de couleurs), droguiste m; '**chandler·y** épicerie-droguerie f.

change [tʃeindʒ] 1. changement m; revirement m (d'opinion etc.); monnaie f; Bourse: change m; 2. v/t. changer (de) (qch.); échanger; modifier; relever (la garde); échanger (contre, for); ~one's mind changer d'avis; v/i. (se) changer (en, into); varier; changer de vêtements; 🚂 (ou ~ trains) changer de] '**Change** [~] Bourse f. [train.]

change·a·bil·i·ty [tʃeindʒə'biliti] temps: variabilité f; versatilité f; caractère: mobilité f; '**change-a·ble** □ changeant; variable; mobile; '**change·less** □ immuable; fixe; '**change·ling** enfant m changé en nourrice; '**change-'o·ver** changement m; pol. renversement m.

chan·nel ['tʃænl] 1. géog. canal m; conduit m; rivière: lit m· port: passe f; irrigation: rigole f; télév. chaîne f; fig. voie f (diplomatique); artère f; by the official ~s par (la) voie hiérarchique; 2. creuser des rigoles dans; canneler.

chant eccl. [tʃɑːnt] 1. plain-chant (pl. plains-chants) m; psalmodie f; chant m monotone; 2. psalmodier; fig. chanter (des louanges); '**chantry** eccl. chapelle f, chantrerie f.

cha·os ['keiɔs] chaos m; **cha'ot·ic** (~ally) chaotique, sans ordre.

chap[1] [tʃæp] 1. gerçure f, crevasse f; 2. gercer, crevasser.

chap[2] [~] bajoue f (d'un animal, F d'une personne).

chap[3] F [~] garçon m, type m, individu m.

chap-book ['tʃæpbuk] livre m de colportage.

chap·el ['tʃæpl] chapelle f; oratoire m; typ. atelier m (syndiqué).

chap·er·on ['ʃæpəroun] 1. chaperon m; 2. chaperonner.

chap-fall·en ['tʃæpfɔːlən] abattu.

chap·lain ['tʃæplin] aumônier m; '**chap·lain·cy** aumônerie f.

chap·let ['tʃæplit] guirlande f; eccl. chapelet m.

chap·ter ['tʃæptə] chapitre m (a.

eccl.); *Am.* filiale *f* (*d'une société*); régionale *f*.

char[1] *icht.* [tʃɑ:] ombre *m*.

char[2] [⌣] (se) carboniser.

char-à-banc ['ʃærəbæŋ] autocar *m*; F car *m*.

char·ac·ter ['kærɪktə] caractère *m* (*a. typ.*); marque *f* distinctive; réputation *f*; genre *m*; *domestique*: certificat *m* de moralité; *métier*: qualité *f*; *typ. a.* lettre *f*; *théâ.*, *roman*: personnage *m*; *théâ. a.* rôle *m*; F personnalité *f*; F type *m*, original *m*; F mauvais sujet *m*; **char·ac·ter·is·tic 1.** (⌣ally) caractéristique (*de*, *of*); particulier(-ère *f*) (*signe*); ♪♫ diacritique; ♪ de genre; **2.** trait *m* caractéristique *ou* de caractère; propre *m*; **char·ac·ter·i·za·tion** [⌣rai'zeiʃn] caractérisation *f*; '**char·ac·ter·ize** caractériser; être caractéristique de.

cha·rade [ʃə'rɑ:d] charade *f*.

char·coal ['tʃɑ:koul] charbon *m* (de bois); *peint.* fusain *m*; '**⌣-burn·er** charbonnier *m*.

chare [tʃɛə] **1.** faire des ménages en ville; travailler à la journée; **2.** *usu.* ⌣s *pl.* travaux *m/pl.* domestiques.

charge [tʃɑ:dʒ] **1.** ⚔, ⚒, ⚗, ♪, *foot.*, *wagon*, *cartouche*: charge *f* (*a. fig.*) (*de*, *of*); emploi *m*, fonction *f*; *eccl.* cure *f*; devoir *m*; soin *m*, garde *f*; recommandation *f*; *arme à feu*: décharge *f*; ⚔ *a.* attaque *f*; *foot. a.* choc *m*; ⚖ plainte *f*, chef *m* d'accusation, réquisitoire *f*; *fig.* privilège *m* (*sur*, *on*); prix *m*; *admin.* droits *m/pl.*; ✝ ⌣s *pl.* frais *m/pl.*; tarif *m*; *be in* ⌣ *of* être préposé à la garde de (*qch.*); *take* ⌣ *of* se charger de; *free of* ⌣ gratuit; franco; à titre gratuit; **2.** *v/t.* charger (*a.* ⚔); passer (à, *to*) (*dépense*); débiter (des marchandises à un client, *goods to a customer*); accuser, inculper (q. de qch., *s.o. with s.th.*); ⚖ ⌣ *the jury* faire le résumé des débats; ⌣ *on*, *upon* foncer sur (*q.*), porter sur (*la note*); ⌣ *s.o. a price* demander un prix à q. (pour qch., *for s.th.*); *fig.* saturer (de, *with*); '**charge·a·ble** □ inculpable (de, *with*); imputable (à, *to*); à la charge (de *to*, *on*); grevé (*d'un impôt*).

char·gé d'af·faires *pol.* ['ʃɑ:ʒei dæ'fɛə] chargé *m* d'affaires.

charg·er ⚔, *poét.* ['tʃɑ:dʒə] cheval *m* de bataille, cheval *m* d'armes.

char·i·ot *poét.*, *hist.* ['tʃærɪət] char *m*; **char·i·ot·eer** [⌣'tiə] conducteur *m* de char.

char·i·ta·ble □ ['tʃærɪtəbl] charitable; indulgent (*personne*); de charité (*œuvre*); ⌣ *society* société *f* de bienfaisance.

char·i·ty ['tʃærɪti] charité *f*; bienfaisance *f*, aumônes *f/pl.*; œuvre *f* de bienfaisance; fondation *f* pieuse; *sister of* ⌣ fille *f* de la Charité, sœur *f* de charité; ⌣ *begins at home* charité bien ordonnée commence par soi-même; '**⌣-child** enfant *mf* élevé(e) dans un orphelinat; '**⌣-school** orphelinat *m*.

char·la·tan ['ʃɑ:lətən] charlatan *m*; '**char·la·tan·ry** charlatanerie *f*.

char·lotte *cuis.* ['ʃɑ:lət] charlotte *f*.

charm [tʃɑ:m] **1.** charme *m* (*a. fig.*); porte-bonheur *m/inv.*; sortilège *m*; **2.** jeter un sort sur; *fig.* charmer; ⌣ *away etc.* charmer (*les ennuis etc.*); *bear a* ⌣*ed life* F être verni; '**charm·er** *fig.* charmeur (-euse *f*) *m*; F jolie femme *f*; '**charm·ing** □ charmant, ravissant.

char·nel-house ['tʃɑ:nlhaus] charnier *m*, ossuaire *m*.

chart [tʃɑ:t] **1.** ⊕ carte *f* marine; ⊕ graphique; tableau *m*; **2.** dresser la carte de; porter sur une carte.

char·ter ['tʃɑ:tə] **1.** charte *f*; privilège *m* (*a. fig.*); ⚓ affrètement *m*; (*usu.* ⌣-*party*) charte-partie (*pl.* chartes-parties) *f*; **2.** instituer (*une compagnie*) par charte; ⌣*ed account-ant* expert *m* comptable.

char·wom·an ['tʃɑ:wumən] femme *f* de journée *ou* de ménage.

char·y □ ['tʃɛəri] (*of*) circonspect; chiche (de); sobre (de).

chase[1] [tʃeis] **1.** chasse *f* (*a.* = *proie*), poursuite *f* (*a. fig.*); *beasts of* ⌣ bêtes *f/pl.* fauves; **2.** chasser; poursuivre (*a. fig.*); *fig.* donner la chasse à (*q.*); *v/i.* (*usu.* ⌣ *off*) partir à la hâte.

chase[2] [⌣] ciseler; sertir (*un bijou*).

chase[3] *typ.* [⌣] châssis *m*.

chas·er[1] ['tʃeisə] chasseur (-euse *f*) *m* (*a.* ⚔); ⚓ (navire *m*) chasseur *m*.

chas·er[2] [⌣] ciseleur *m*.

chasm ['kæzm] gouffre *m* béant; gorge *f*; fissure *f*; abîme *m* (*a. fig.*); *fig.* immense lacune *f*.

chas·sis ['ʃæsi], *pl.* **-sis** [-siz] châssis *m.*

chaste □ [tʃeist] chaste, pudique; pur (*a. style*).

chas·ten ['tʃeisn] châtier (*q., son style, ses passions*); assagir (*q.*).

chas·tise [tʃæs'taiz] corriger; **chastise·ment** ['ᴗtizmənt] châtiment *m.*

chas·ti·ty ['tʃæstiti] chasteté *f*; *fig.* pureté *f.*

chas·u·ble *eccl.* ['tʃæzjubl] chasuble *f.*

chat [tʃæt] **1.** causerie *f*; **2.** causer, bavarder.

chat·tels ['tʃætlz] *pl.* (*usu. goods and* ᴗ) biens *m/pl.* et effets *m/pl.*; meubles *m/pl.*

chat·ter ['tʃætə] **1.** bavarder; caqueter (*personne, a. oiseau*); jaser (*oiseau, a. personne*); claquer (*dents*); **2.** caquet(age) *m*; bavardage *m*; '**ᴗ-box** F babillard(e *f*) *m*; '**chatter·er** bavard(e *f*) *m.*

chat·ty ['tʃæti] causeur (-euse *f*) (*personne*); sur le ton de la conversation (*article*).

chauf·feur ['ʃoufə] chauffeur *m*; **chauf·feuse** ['ᴗfəːz] chauffeuse *f.*

chau·vin·ism ['ʃouvinizm] chauvinisme *m*; '**chau·vin·ist** chauvin(e *f*) *m*; '**chau·vin·is·tic** (ᴗally) chauvin, chauviniste.

chaw *sl.* [tʃɔː] mâcher; *Am. sl.* ᴗ *up usu. fig.* démolir; massacrer.

cheap □ [tʃiːp] bon marché, pas cher (chère *f*); à prix réduits; *fig.* trivial (-aux *m/pl.*), vulgaire; F *feel* ᴗ ne pas être dans son assiette; *hold* ᴗ faire peu de cas de; F *on the* ᴗ à peu de frais; ₤ *jack* camelot *m*; ♥ ᴗ *money policy* politique *f* de facilités d'escompte; '**cheap·en** *v/t.* baisser le prix de; *v/i.* diminuer de prix; '**cheap·skate** *Am. sl.* radin *m.*

cheat ['tʃiːt] **1.** trompeur (-euse *f*) *m*; escroc *m*; *jeux*: tricheur (-euse *f*) *m*; **2.** tromper; frauder; frustrer (*q. de qch., s.o.* [*out*] *of s.th.*); *fig.* échapper à; '**cheat·ing** tromperie *f*; *jeux*: tricherie *f.*

check [tʃek] **1.** échec *m* (*a. jeu, a.* ✕); revers *m* (*a.* ✕); arrêt *m*; frein *m*; contrôle *m*; billet *m*, ticket *m*; *Am.* bulletin *m* (de bagages); ♥ *Am. see cheque*; *Am. restaurant*: addition *f*; *tex.* étoffe *m* en damier; carreau *m*; ᴗ *pattern* damier *m*; *Am.* F *pass* (*ou hand*) *in one's* ᴗs mourir, avaler

sa chique; *keep s.o. in* ᴗ tenir q. en échec; **2.** faire échec à (*a. jeu*); contenir; arrêter; retenir; refréner; vérifier (*un compte*); pointer (*des noms*); *surt. Am.* (*souv.* ᴗ *up on*) contrôler, vérifier; (*faire*) enregistrer (*ses bagages*); *Am.* déposer (*son chapeau au vestiaire*); *v/i.* s'arrêter (devant, *at*); refuser (*cheval*); ᴗ *in* descendre à un hôtel; s'inscrire sur le registre d'un hôtel; ᴗ *out* régler son compte *ou* la note en quittant un hôtel; ᴗ *up v/t.* contrôler (*des renseignements*); *v/i.* faire la vérification; ᴗed à carreaux; *gramm.* entravé; '**check·er** contrôleur *m*; ᴗs *pl. Am.* jeu *m* de dames; *see chequer*; '**check·ing** répression *f*; contrôle *m*; enregistrement *m*; '**check(·ing)-room** vestiaire *m*; ⛟ *Am.* consigne *f*; '**check·mate 1.** échec et mat *m*; **2.** mater; faire échec et mat à (*a. fig.*); '**check·up** *Am.* vérification *f*, F visite *f* médicale.

cheek [tʃiːk] **1.** joue *f*; F toupet *m*; ⊕ *poulie*: joue *f*; *manivelle*: bras *m*; *étau*: mâchoire *f*; *see jowl*; **2.** F faire l'insolent avec; '**cheek·y** F insolent, effronté.

cheep [tʃiːp] piauler.

cheer [tʃiə] **1.** (bonne) disposition *f*; encouragement *m*; bonne chère *f*; hourra *m*; bravos *m/pl.*; applaudissements *m/pl.*; *be of good* ᴗ prendre courage; *three* ᴗs! un ban (pour, *for*)!; *vive* (*q.*)!; **2.** *v/t.* applaudir (*q.*); (*a.* ᴗ *up*) égayer, relever le moral de; (*a.* ᴗ *on*) encourager; *v/i.* applaudir; pousser des vivats; (*a.* ᴗ *up*) reprendre sa gaieté; '**cheer·ful** □ ['ᴗful] gai; allègre; riant; '**cheer·ful·ness**, '**cheer·iness** gaieté *f*; **cheer·i·o** ['ᴗri'ou] F à bientôt!; à la vôtre!; □ '**cheer·less** triste, sombre; '**cheer·y** □ gai, joyeux (-euse *f*).

cheese [tʃiːz] fromage *m*; *hard* ᴗ *sl.* ça, c'est de la déveine; '**ᴗ-cake** talmouse *f*; '**ᴗ-mon·ger** marchand(e *f*) *m* de fromage; '**ᴗ-par·ing** pelure *f* de fromage; *fig.* lésine *f.*

chees·y ['tʃiːzi] caséeux (-euse *f*); de fromage.

chef [ʃef] chef *m* de cuisine.

chem·i·cal ['kemikl] **1.** □ chimique; **2.** ᴗs *pl.* produits *m/pl.* chimiques.

che·mise [ʃi'miːz] chemise *f* (*de femme*).

chem·ist ['kemist] chimiste *mf*; (*ou pharmaceutical* ⁓) pharmacien (-ne *f*) *m*; '**chem·is·try** chimie *f*.

chem·o·ther·a·py ☞ [kemo'θerəpi] chimiothérapie *f*.

cheque ✝ [tʃek] chèque *m*; *not negotiable* (*ou crossed*) ⁓ chèque *m* barré; '⁓**book** carnet *m* de chèques.

cheq·uer ['tʃekə] **1.** *usu.* ⁓s *pl.* quadrillage *m*; **2.** quadriller; '**cheq·uered** à carreaux; diapré; *fig.* accidenté (*vie*).

cher·ish ['tʃeriʃ] chérir; *fig.* caresser.

che·root [ʃə'ruːt] manille *m*.

cher·ry ['tʃeri] **1.** cerise *f*; *arbre:* cerisier *m*; **2.** cerise *adj./inv.*; vermeil(le *f*) (*lèvres*).

cher·ub ['tʃerəb], *pl.* **-ubs, -u·bim** ['⁓əbim] chérubin *m*; **che·ru·bic** [tʃe'ruːbik] chérubique; de chérubin.

cher·vil ♧ ['tʃəːvil] cerfeuil *m*.

chess [tʃes] (jeu *m* d'échecs *m/pl.*; '⁓**board** échiquier *m*; '⁓**man** jeu d'échecs: pièce *f*.

chest [tʃest] caisse *f*, coffre *m*; *anat.* poitrine *f*; ⁓ *of drawers* commode *f*; ♩ ⁓ *note* note *f* de poitrine; *get it off one's* ⁓ dire ce qu'on a sur le cœur.

chest·nut ['tʃesnʌt] **1.** châtaigne *f*; marron *m*; *arbre:* châtaignier *m* (*commun*); marronnier *m*; *fig.* vieille histoire *f*; **2.** châtain (-aine *f*).

che·val-glass [ʃə'vælɡlɑːs] psyché *f*.

chev·a·lier [ʃevə'liə] chevalier *m*.

chev·i·ot *tex.* ['tʃeviət] cheviotte *f*.

chev·ron ✕ ['ʃevrən] chevron *m* (*d'ancienneté de service*); galon *m* (*de grade*).

chev·y F ['tʃevi] **1.** poursuite *f*; *sp.* (jeu *m* de) barres *f/pl.*; **2.** poursuivre; relancer (*q.*).

chew [tʃuː] *v/t.* mâcher; *Am. sl.* ⁓ *the fat* (*ou rag*) ronchonner; *v/i. fig.* méditer (*sur* [up]*on*, *over*); '**chew·ing-gum** chewing-gum *m*.

chi·cane [ʃi'kein] **1.** chicane *f*; **2.** chicaner; '**chi·can·er·y** chicanerie *f*; *fig.* arguties *f/pl.*

chick, chick·en ['tʃik(in)] poussin *m*, poulet *m*.

chicken...: '⁓**-feed** *Am.* mangeaille *f*; *sl.* petite monnaie *f*; '⁓**-pox** ☞ varicelle *f*.

chick...: '⁓**-pea** ♧ pois *m* chiche; '⁓**-weed** ♧ mouron *m* des oiseaux.

chic·o·ry ['tʃikəri] chicorée *f*.

chid [tʃid] *prét. et p.p.*, '**chid·den** *p.p.* de chide.

chide *poét.* [tʃaid] [*irr.*] gronder.

chief [tʃiːf] **1.** ◻ principal (-aux *m/pl.*); premier (-ère *f*); en chef; ⁓ *clerk* chef *m* de bureau; premier clerc *m*; **2.** chef *m*; F patron *m*; ...*-in-*⁓ ... en chef; **chief·tain** ['⁓tən] chef *m* de clan.

chil·blain ['tʃilblein] engelure *f*.

child [tʃaild] enfant *mf*; *be a good* ⁓ être sage; *from a* ⁓ dès mon *etc.* enfance; *with* ⁓ enceinte; ⁓*-bed* couches *f/pl.*; '⁓*-birth* accouchement *m*; '**child·hood** enfance *f*; '**child·ish** ◻ enfantin *péj.* puéril; '**child·ish·ness** *péj.* enfantillage *m*; puérilité *f*; '**child·less** sans enfant(s); '**child·like** enfantin; *fig.* naïf (-ïve *f*); **chil·dren** ['tʃildrən] *pl.* de child.

chill [tʃil] **1.** froid, glacé; **2.** froideur *f*; froid *m* (*a. fig.*); ☞ coup *m* de froid; *take the* ⁓ *off* dégourdir (*un liquide*), chambrer (*le vin*); **3.** *v/t.* refroidir, glacer; *fig.* donner le frisson à (*q.*); *métall.* tremper en coquille; ⁓*ed meat* viande *f* frigorifiée; *v/i.* se refroidir, se glacer; '**chill·ness**, '**chill·i·ness** froid *m*, fraîcheur *f*; (*a. fig.*) froideur *f*; '**chill·y** froid; frais (fraîche *f*).

chime [tʃaim] **1.** carillon *m*; *fig.* harmonie *f*; **2.** carillonner; *v/i. fig.* s'accorder, s'harmoniser (avec, *with*); ⁓ *in* intervenir.

chi·me·ra [kai'miərə] chimère *f*; **chi·mer·i·cal** ◻ [⁓'merikl] chimérique, imaginaire.

chim·ney ['tʃimni] cheminée *f* (*a. alp.*); *lampe:* verre *m*; '⁓*-piece* (chambranle *m* de) cheminée *f*; '⁓*-pot* mitre *f ou* pot *m* de cheminée; F *fig. chapeau:* tuyau *m* de poêle; '⁓*-stack*, '⁓*-stalk* souche *f*; (corps *m* de) cheminée *f*; cheminée *f* d'usine; '⁓*-sweep*(*er*) ramoneur *m*.

chim·pan·zee *zo.* [tʃimpən'ziː] chimpanzé *m*.

chin¹ [tʃin] **1.** menton *m*; **2.** *gymn. Am.* (*usu.* ⁓ *o.s.*) faire une traction à la barre fixe.

chin² *sl.* [⁓] discourir, jaboter.

chi·na ['tʃainə] porcelaine *f*; **2·man** Chinois *m*.

chine [tʃain] *anat.* échine *f*; *cuis.* échinée *f*; *géog.* arête *f*.

Chi·nese ['tʃai'niːz] **1.** chinois; **2.** *ling.* chinois *m*; Chinois(e *f*) *m*.

chink[1] [tʃiŋk] fente *f*; *mur*: lézarde *f*; *porte*: entrebâillement *m*.

chink[2] [~] 1. *métal, verre*: tintement *m*; 2. (faire) sonner (*son argent*); (faire) tinter.

chink[3] *sl.* [~] Chinois *m*.

chintz *tex.* [tʃints] perse *f*, indienne *f*.

chip [tʃip] 1. éclat *m*; *bois*: copeau *m*; *cuis.* frite *f*; *jeu*: jeton *m*; *Am.* F have a ~ on one's shoulder chercher noise à tout le monde; 2. *v/t.* tailler par éclats; doler (*du bois*); ébrécher (*un couteau*); enlever un morceau à (*qch.*); ~ped potatoes, potato ~s *pl.* chips *m/pl.*, (pommes *f/pl.* de terre) frites *f/pl.*; *v/i.* s'écailler, s'ébrécher; F ~ in(to) intervenir dans; se mêler à; **chip·muck** ['tʃipmʌk], **chip·munk** ['tʃipmʌŋk] tamias *m*; **'chip·py** sec (sèche *f*); sans saveur.

chi·rop·o·dist [ki'rɔpədist] pédicure *mf*; **chi'rop·o·dy** chirurgie *f* pédicure.

chirp [tʃə:p] 1. gazouiller, pépier, ramager; grésiller (*grillon*); 2. gazouillement *m*; *grillon*: grésillement *m*; **'chirp·y** F d'humeur gaie.

chirr [tʃə:] grésiller.

chir·rup ['tʃirəp] 1. gazouillement *m etc.*; 2. gazouiller *etc.*

chis·el ['tʃizl] 1. ciseau *m*; burin *m*; 2. ciseler; buriner (*du métal*); *sl.* filouter; **'chis·el·er** ciseleur *m*; *sl.* escroc *m*.

chit [tʃit] mioche *mf*; a ~ of a girl une simple gosse *f*.

chit-chat ['tʃittʃæt] bavardages *m/pl.*

chiv·al·rous □ ['ʃivlrəs] chevaleresque; courtois; **'chiv·al·ry** chevalerie *f*; courtoisie *f*.

chive ♀ [tʃaiv] ciboulette *f*.

chiv·y F ['tʃivi] *see* chevy.

chlo·ral ♔ ['klɔ:rl] chloral *m*; **chlo·ride** ['~aid] chlorure *m*; **chlo·rine** ['~i:n] chlore *m*; **chlo·ro·form** ['~əfɔ:m] 1. chloroforme *m*; 2. chloroformer.

chock ⊕ [tʃɔk] 1. cale *f*; 2. caler; '~-a-'block F bondé (de, *with*); '~-'full comble.

choc·o·late ['tʃɔkəlit] chocolat *m*; ~ cream chocolat *m* fourré à la crème.

choice [tʃɔis] 1. choix *m*; for ~ de préférence; *leave s.o. no* ~ ôter à q. toute alternative; *make* (*ou take*) one's ~ faire son choix; 2. □ (bien) choisi; d'élite; de choix; surfin;

✝ surchoix; ✝ ~ quality première qualité *f*.

choir ♔, ♪ ['kwaiə] chœur *m*.

choke [tʃouk] 1. *v/t.* étouffer; suffoquer (*a. fig.*); étrangler; ⊕ engorger; (*usu.* ~ up) obstruer, boucher; (*usu.* ~ down) étouffer, ravaler; fermer (*le gaz*); ~ off se débarrasser de; décourager; *v/i.* étouffer, se boucher; 2. étranglement *m*; ⊕ étrangleur *m*; starter *m*; ⚡ ~ coil bobine *f* de réactance; self *f*; '~-bore ⊕ (fusil *m* de chasse à) choke-bore *m*; '~-damp ♔ mofette *f*; '**chok·er** F *co.* foulard *m* (*d'ouvrier*); cravate *f* de fourrure; col *m* montant; *perles*: collier *m* court.

chol·er·a ♔ ['kɔlərə] choléra *m*; '**chol·er·ic** colérique; irascible.

choose [tʃu:z] [*irr.*] choisir; *v/t.* opter pour; *v/i.* ~ to (*inf.*) vouloir que (*sbj.*), aimer mieux (*inf.*); '**choos·y** F difficile.

chop[1] [tʃɔp] 1. coup *m* de hache; *cuis.* côtelette *f*; ~s *pl.* bajoues *f/pl.*; babines *f/pl.*; ⊕ mâchoires *f/pl.*; ~s and changes vicissitudes *f/pl.*; girouetteries *f/pl.*; 2. *v/t.* couper, fendre, hacher; (*souv.* ~ up) couper en morceaux; ~ down abattre; *v/i.* clapoter (*mer*); ~ about changer; ~ and change girouetter; tergiverser; ~ping sea mer *f* clapoteuse.

chop[2] ✝ [~] marque *f*; first ~ (de) première qualité *f*.

chop-house ['tʃɔphaus] restaurant *m* populaire; '**chop·per** couperet *m*; '**chop·ping-block** hachoir *m*; '**chop·py** variable; clapoteux (-euse *f*) (*mer*); '**chop·stick** baguette *f*, bâtonnet *m* (*des Chinois*).

cho·ral □ ['kɔ:rl] choral (-als *ou* -aux *m/pl.*); chanté en chœur; **cho·ral(e)** ♪ [kɔ'rɑ:l] choral (*pl.* -als) *m*.

chord [kɔ:d] ♪, ♔, *poét., fig.* corde *f*; ♪ accord *m*; *anat.* corde *f* (vocale), cordon *m*.

chore *surt. Am.* [tʃɔ:] *see* chare.

chor·is·ter ['kɔristə] choriste *mf*; *eccl.* enfant *m* de chœur; *Am. a.* chef *m* de chœur.

cho·rus ['kɔ:rəs] 1. chœur *m*; refrain *m*; 2. répéter en chœur.

chose [tʃouz] *prét.*, '**cho·sen** *p.p.* de choose.

chough *orn.* [tʃʌf] crave *m*.

chouse F [tʃaus] 1. filouterie *f*; 2. filouter.

cinematograph

chow *Am. sl.* [tʃau] mangeaille *f.*
chrism ['krizm] chrême *m.*
Christ [kraist] le Christ *m*, Jésus-Christ *m.*
chris·ten ['krisn] baptiser; **Christen·dom** ['‿dəm] chrétienté *f.*; **'chris·ten·ing 1.** de baptême; **2.** baptême *m.*
Chris·tian ['kristjən] **1.** □ chrétien(ne) *m/f*; ~ *name* prénom *m*, nom *m* de baptême; **2.** chrétien (ne *f*) *m*; **Chris·ti·an·i·ty** [‿ti'æniti] christianisme *m*; **Chris·tian·ize** ['‿tjənaiz] convertir au christianisme; christianiser.
Christ·mas ['krisməs] **1.** Noël *m*, (fête *f* de) Noël *f*; **2.** de Noël; ~*-Day* le jour de Noël; la Noël; **'~-box** étrennes *f/pl.*; gratification *f.*
chro·mat·ic ♪, *phys.* [krə'mætik] **1.** (~*ally*) chromatique; **2.** ~*s sg.* chromatique *f.*
chrome ♫ₘ [kroum] *teinture*: bichromáte *m* de potasse; **chro·mi·um** ['‿jəm] chrome *m*; **'chro·mi·um-plat·ed** chromé; **chro·mo·lith·o·graph** ['kroumou'liθəgra:f] chromolithographie *f.*
chron·ic ['krɔnik] (~*ally*) (*usu.* 📖ᵗ) chronique, constant; *sl.* insupportable; **chron·i·cle** ['‿kl] **1.** chronique *f*; enregistrer, faire la chronique de; **'chron·i·cler** chroniqueur *m.*
chron·o·log·i·cal □ [krɔnə'lɔdʒikl] chronologique; ~*ly* par ordre de dates; **chro·nol·o·gy** [krə'nɔlədʒi] chronologie *f.* [nomètre *m.*]
chro·nom·e·ter [krə'nɔmitə] chro-\
chrys·a·lis *zo.* ['krisəlis], *pl. a.* **chrys·al·i·des** [‿'sælidi:z] chrysalide *f.*
chrys·an·the·mum ♣ [kri'sænθəməm] chrysanthème *m.*
chub *icht.* [tʃʌb] chabot *m* de rivière; **'chub·by** F potelé; joufflu (*visage*); rebondi (*joues*).
chuck¹ [tʃʌk] **1.** gloussement *m*; *my* ~! mon petit chou!; **2.** glousser; **3.** petit!, petit! (*appel aux poules*).
chuck² [~] **1.** lancer; ~ *out* flanquer (*q.*) à la porte; ~ *under the chin* donner une tape sous le menton; **2.** congé *m*; lancement *m.*
chuck³ ⊕ [~] mandrin *m.*
chuck·le ['tʃʌkl] rire tout bas.
chum F [tʃʌm] **1.** camarade *mf*; copain *m*, copine *f*; *be great* ~*s* être (amis) intimes; **2.** se lier d'amitié (avec, *with*).

chump F [tʃʌmp] tronçon *m* de bois; tête *f*; nigaud(e *f*) *m*; *Brit. sl.* *off one's* ~ timbré; fou (fol *devant une voyelle ou un h muet*; folle *f*); déboussolé.
chunk F [tʃʌŋk] gros morceau *m*; *pain a.* quignon *m.*
church [tʃə:tʃ] **1.** église *f*; *protestantisme*: temple *m*; *attr.* d'église; de l'Église, ♀ *of England* Église *f* anglicane; ~ *rate* dîme *f*; ~ *service* office *m*; **2.** *be* ~*ed* faire ses relevailles (*femme après ses couches*); **'~-go·er** pratiquant(e *f*) *m*; **'church·ing** relevailles *f/pl.* (*d'une femme après ses couches*); **'church·ward·en** marguillier *m*; pipe *f* hollandaise; **'church·y** F bigot; **'church·yard** cimetière *m.*
churl [tʃə:l] manant *m*; *fig.* rustre *m*; F grincheux (-euse *f*) *m*; **'churl·ish** □ mal élevé; grincheux (-euse *f*), hargneux (-euse *f*).
churn [tʃə:n] **1.** baratte *f*; **2.** *v/t.* baratter; *fig.* agiter (*qch.*); *v/i.* faire du beurre.
chute [ʃu:t] chute *f* d'eau; *sp.* glissière *f*; ⚡ couloir *m.*
chut·ney ['tʃʌtni] chutney *m.*
chyle *physiol.* [kail] chyle *m.*
chyme 💊 [kaim] chyme *m.*
ci·ca·da *zo.* [si'ka:də] cigale *f.*
cic·a·trice ['sikətris] cicatrice *f*; **'cic·a·trize** (se) cicatriser.
ci·ce·ro·ne [tʃitʃə'rouni], *pl.* **-ni** [‿ni:] cicérone *f.*
ci·der ['saidə] cidre *m.*
ci·gar [si'ga:] cigare *m*; **ci'gar-case** étui *m* à cigares; **ci'gar-cut·ter** coupe-cigares *m/inv.*
cig·a·rette [sigə'ret] cigarette *f*; **cig·a'rette-case** étui *m* à cigarettes.
ci·gar-hold·er [si'ga:houldə] fume-cigare *m/inv.*
cil·i·ar·y ['siliəri] ciliaire.
cinch *Am. sl.* [sintʃ] certitude *f*; chose *f* certaine.
cinc·ture ['siŋktʃə] ceinture *f.*
cin·der ['sində] cendre *f*; ~*s pl. a.* escarbilles *f/pl.*; **Cin·der·el·la** [‿'relə] Cendrillon *f* (*a. fig.*); **'cinder-track** *sp.* piste *f* cendrée.
cin·e·cam·er·a ['sini'kæmərə] caméra *f.*
cin·e·ma ['sinimə] cinéma *m*; F ciné *m*; **cin·e·mat·o·graph** [‿'mætəgra:f] **1.** cinématographe *m*, F ciné-

ma *m*; 2. filmer; **cin·e·mat·o·graph·ic** [͵mætə'græfik] (͵ally) cinématographique.

cin·er·ar·y ['sinərəri] cinéraire.

cin·na·bar ['sinəba:] cinabre *m*; vermillon *m*.

cin·na·mon ['sinəmən] 1. cannelle *f*; *arbre*: cannelier *m*; 2. cannelle *adj.*/ *inv.* (*couleur*).

cinque [siŋk] *dés*: cinq *m*.

ci·pher ['saifə] 1. zéro *m* (*a. fig.*); *fig.* nullité *f*; *code secret*: chiffre *m*; message *m* chiffré; 2. chiffrer.

cir·cle ['sə:kl] 1. cercle *m* (*a. fig.*); *fig.* milieu *m*, monde *m*, coterie *f*; *théât.* galerie *f*; 👁 ceinture *f*; 2. *v/t.* ceindre; *v/i.* tournoyer, circuler; **cir·clet** ['͵klit] petit cercle *m*; anneau *m*.

circs F [sə:ks] *see* circumstances.

cir·cuit ['sə:kit] ⚡, *sp.* circuit *m*; ⚖ tournée *f*, circonscription *f*; *soleil*: révolution *f*; *ville*: pourtour *m*; 🏃 parcours *m*; *radio*: ⚡ short ~ court-circuit (*pl.* courts-circuits) *m*; ⚡ ~ breaker coupe-circuit *m*/*inv.*; **cir·cu·i·tous** □ [sə:'kju:itəs] détourné, sinueux (-euse *f*).

cir·cu·lar ['sə:kjulə] 1. □ circulaire; de cercle; ~ letter (lettre *f*) circulaire *f*; ✝ ~ note lettre *f* de crédit circulaire; ~ railway chemin *m* de fer de ceinture; ~ saw scie *f* circulaire; 2. (lettre *f*) circulaire *f*.

cir·cu·late ['sə:kjuleit] *v/i.* circuler; *v/t.* faire circuler (*un bruit, l'air, le vin*); mettre en circulation; ✝ transmettre par voie d'endossement; **'cir·cu·lat·ing**: ~ decimal fraction *f* périodique; ~ library bibliothèque *f* circulante; **cir·cu·la·tion** circulation *f*; *fonds*: roulement *m*; *journal*: tirage *m*.

circum... [sə:kəm] circon..., circum...; **cir·cum·cise** [͵saiz] circoncire (*le prépuce*); **cir·cum·ci·sion** [͵'siʒn] circoncision *f*; **cir·cum·fer·ence** [sə'kʌmfərəns] circonférence *f*; périphérie *f*; **cir·cum·flex** *gramm.* ['sə:kəmfleks] accent *m* circonflexe; **cir·cum·ja·cent** [͵'dʒeisnt] circonjacent; **cir·cum·lo·cu·tion** [͵lə'kju:ʃn] circonlocution *f*; ambages *f*/*pl.*; **cir·cum·nav·i·gate** [͵'nævigeit] faire le tour de; **cir·cum'nav·i·ga·tor** circumnavigateur *m*; **cir·cum·scribe** Ⓐ [͵'skraib] circonscrire; *fig.* limiter;

cir·cum·scrip·tion [͵'skripʃn] Ⓐ circonscription *f*; *fig.* restriction *f*; **cir·cum·spect** □ ['͵spekt] circonspect; prudent; **cir·cum·spec·tion** [͵'spekʃn] circonspection *f*; prudence *f*; **cir·cum·stance** ['͵stəns] circonstance *f*; détail *m*; *in* (*ou under*) *the* ~s puisqu'il en est ainsi; ~*d* dans une ... situation; **cir·cum·stan·tial** [͵'stænʃl] circonstanciel(le *f*); détaillé; ⚖ ~ *evidence* preuves *f*/*pl.* indirectes; **cir·cum·stan·ti·al·i·ty** [͵'stænʃi'æliti] abondance *f* de détails; détail *m*; **cir·cum·val·la·tion** [͵və'leiʃn] retranchements *m*/*pl.*; **cir·cum·vent** [͵'vent] circonvenir.

cir·cus ['sə:kəs] cirque *m*; *place*: rond-point (*pl.* ronds-points) *m*.

cir·rous ['sirəs] cirreux (-euse *f*); **cir·rus** ['͵rəs], *pl.* -**ri** ['͵rai] *nuages*: cirrus *m*; ⚘ vrille *f*.

cis·tern ['sistən] réservoir *m* à eau; citerne *f* (*souterraine*).

cit·a·del ['sitədl] citadelle *f*.

ci·ta·tion [sai'teiʃn] citation *f* (*a.* ⚖); *Am. souv.* citation *f* à l'ordre du jour; **cite** [sait] citer; assigner (*un témoin*).

cit·i·zen ['sitizn] citoyen(ne *f*) *m*; bourgeois(e *f*) *m*; *a. Am.* civil *m*; *attr.* civique; **'cit·i·zen·ship** droit *m* de cité; nationalité *f*.

cit·ric ac·id ['sitrik'æsid] acide *m* citrique; **cit·ron** ['͵rən] cédrat *m*; *arbre*: cédratier *m*; **cit·rus** ['͵rəs] agrumes *m*/*pl.*

cit·y ['siti] 1. ville *f*; *Londres*: *the* ♀ la Cité; *fig.* les affaires *f*/*pl.*; 2. urbain, municipal (-aux *m*/*pl.*); *Am.*: ~ *editor* rédacteur *m* chargé des nouvelles locales; ~ *hall* hôtel *m* de ville; *Am.* ~ *manager* chef *m* des services municipaux.

civ·ic ['sivik] 1. civique; municipal (-aux *m*/*pl.*); ~ *rights pl.* droits *m*/*pl.* de citoyen, droits *m*/*pl.* civiques; 2. ~*s pl.* instruction *f* civique.

civ·il □ ['sivl] civil (*a.* ⚖); poli, courtois; civique (*droits*); ♀ *Servant* fonctionnaire *mf*; ♀ *Service* Administration *f*; **ci·vil·ian** ⚔ [si'viljən] civil *m*; ~ *population* civils *m*/*pl.*; **ci·vil·i·ty** civilité *f*; politesse *f*; **civ·i·li·za·tion** [͵lai'zeiʃn] civilisation *f*; *fig.* culture *f* civique; **'civ·i·lize** civiliser.

clack [klæk] 1. claquement *m*; *fig.*

caquet *m*; ⊕ (soupape *f* à) clapet *m*; **2.** claquer; *fig.* caqueter.

clad [klæd] *prét. et p.p. de* clothe.

claim [kleim] **1.** demande *f*; revendication *f*; droit *m*, titre *m* (à, to); 🇽 réclamation *f*; *dette*: créance *f*; 🇽 concession *f*; *surt. Am.* terrain *m* revendiqué par un chercheur d'or *etc.*; *lay* ~ *to* prétendre à; **2.** réclamer; revendiquer; prétendre à; ~ *to be* se prétendre (*qch.*); '**claim·a·ble** revendicable, exigible; '**claim·ant** prétendant(e *f*) *m*; réclamant(e *f*) *m*.

clair·voy·ance [klɛə'vɔiəns] voyance *f*; *fig.* clairvoyance *f*; **clair'voy·ant** voyant(e *f*) *m*.

clam *zo.* [klæm] peigne *m*.

cla·mant *poét.* ['kleimənt] criant; urgent.

clam·ber ['klæmbə] grimper.

clam·mi·ness ['klæminis] moiteur *f* froide; '**clam·my** □ moite; froid et humide; collant.

clam·or·ous □ ['klæmərəs] bruyant; vociférant (*foule etc.*); **'clam·o(u)r 1.** clameur *f*; cris *m/pl.*; **2.** vociférer; réclamer à grands cris (qch., for *s.th.*).

clamp ⊕ [klæmp] **1.** crampon *m*; *étau*: mordache *f*; **2.** agrafer; cramponner; *fig.* fixer.

clan [klæn] clan *m*; *p.ext.* tribu *f*; *fig.* coterie *f*.

clan·des·tine □ [klæn'destin] clandestin.

clang [klæŋ] **1.** bruit *m* métallique *ou* retentissant; **2.** (faire) retentir; (faire) résonner; **clang·or·ous** ['klæŋgərəs] retentissant, strident; '**clang·o(u)r** *see* clang 1.

clank [klæŋk] **1.** bruit *m* sec; cliquetis *m*; **2.** *v/i.* rendre un bruit métallique; *v/t.* faire sonner.

clan·nish *péj.* ['klæniʃ] imbu de l'esprit de coterie; exclusif (-ive *f*).

clap [klæp] **1.** battement *m* de mains; applaudissements *m/pl.*; **2.** *vt/i.* applaudir; *v/t.* donner à (*q.*) une tape (dans le dos, *on the back*); ~ *one's hands* battre des mains; '~**board** *Am.* bardeau *m*; '~**net** *chasse:* tirasse *f*; '**clap·per** claquet *m*; *cloche:* battant *m*; '**clap·trap 1.** boniment *m*; phrases *f/pl.* à effet; **2.** sans sincérité; creux (creuse *f*).

clar·et ['klærət] bordeaux *m* (rouge); *sl.* sang *m* (*usu. du nez*).

clar·i·fi·ca·tion [klærifi'keiʃn] clari-

fication *f*; *fig.* mise *f* au point; **clar·i·fy** ['~fai] *v/t.* clarifier; *fig.* éclaircir; *v/i.* s'éclaircir.

clar·i·(o·)net [klæri(o)'net] clarinette *f*.

clar·i·ty ['klæriti] clarté *f*.

clash [klæʃ] **1.** choc *m*; fracas *m*; *couleurs:* disparate *f*; **2.** (faire) résonner; (se) heurter; (s')entrechoquer; *v/i.* faire disparate (*couleurs*).

clasp [klɑːsp] **1.** *médaille, broche:* agrafe *f*; *livre, bourse:* fermoir *m*; *collier:* fermeture *f*; *fig.* étreinte *f*; serrement *m* de mains; **2.** *v/t.* agrafer; *fig.* étreindre; serrer (*les mains*); ~ *s.o.'s hand* serrer la main à q.; *v/i.* s'agrafer; '~**knife** couteau *m* pliant; F eustache *m*.

class [klɑːs] **1.** classe *f*; cours *m*; genre *m*, sorte *f*, catégorie *f*; *univ. Am.* année *f*; **2.** classer; ranger par classes; ~ *with* assimiler à; '~**con·scious** conscient de sa classe; imbu de l'esprit de caste.

clas·sic ['klæsik] **1.** classique *m*; humaniste *mf*; ~*s pl.* études *f/pl.* classiques, humanités *f/pl.*; **2.** = '**clas·si·cal** □ classique.

clas·si·fi·ca·tion [klæsifi'keiʃn] *plantes etc.*: classification *f*; codification *f*; *navire*: cote *f*; *papiers*: classement *m*; **clas·si·fy** ['~fai] classifier; classer; ranger par classes.

class·room ['klɑːsrum] salle *f* de classe.

clat·ter ['klætə] **1.** vacarme *m*; bruit *m* (*de tasses etc.*); *fig.* brouhaha *m*; **2.** *v/i.* faire du bruit; retentir; *fig.* bavarder; *v/t.* faire retentir.

clause [klɔːz] clause *f*, article *m*; *gramm.* membre *m* de phrase; proposition *f*.

claus·tral ['klɔːstrəl] claustral (-aux *m/pl.*).

clav·i·cle *anat.* ['klævikl] clavicule *f*.

claw [klɔː] **1.** griffe *f*; *aigle etc.:* serre *f*; *écrevisse:* pince *f*; ⊕ *étau:* mordache *f*; coup *m* de griffe *etc.*; **2.** griffer; s'accrocher à (*qch.*); **clawed** [~d] armé de griffes *etc.*

clay [klei] argile *f*; glaise *f*; *sp.* ~ *pigeon* pigeon *m* artificiel; **clay·ey** ['klei] argileux (-euse *f*), glaiseux (-euse *f*).

clean [kliːn] **1.** *adj.* □ propre; net (-te *f*) (*assiette, cassure, a. fig.*);

2. *adv.* tout à fait, absolument;
3. *v/t.* nettoyer; balayer; faire (*une chambre*); cirer (*les souliers*); ~ up nettoyer; *v/i.* faire le nettoyage; F se débarbouiller; '**clean·ing** nettoyage *m*; dégraissage *m*; ~ woman femme *f* de ménage; **clean·li·ness** ['klenlinis] propreté *f*; netteté *f*; **clean·ly 1.** *adv.* ['kli:nli] proprement, nettement; **2.** *adj.* ['klenli] propre; **clean·ness** ['kli:nnis] propreté *f*; netteté *f*; **cleanse** [klenz] nettoyer (*a. ⚙*); assainir; purifier. **clean-up** ['kli:n'ʌp] nettoyage *m*; *pol.* épuration *f* (*de personnel etc.*). **clear** [kliə] **1.** □ *usu.* clair; net(te *f*) (*idée, vision, conscience*); évident; dégagé; lucide; certain (de, *about*); *fig.* libre (de, *of*); débarrassé (de, *of*); disculpé (de, *of*) (*un soupçon*); ✝ net(te *f*); ~ *of* libre de; exempt de; as ~ as day clair comme le jour; get ~ *of* quitter, sortir de; se dégager de; steer ~ *of* éviter, s'écarter de; **2.** △ in the ~ en terrain découvert; **3.** *v/t.* éclaircir (*a. fig.*); nettoyer; *fig.* dépeupler; déblayer (*le terrain*) (*a. fig.*); rafraîchir (*l'air*); écarter (*un obstacle*); désencombrer (*une salle*); défricher (*un terrain*); dégager (*une route, une voie*); acquitter (*une dette*); clarifier (*un liquide*); (*a. ~ away*) enlever, ôter; disculper (de *of, from*); ✝ *see ~ off*; ✝ faire (*un bénéfice net*); arrêter (*un compte*); ⚖ innocenter (de *of, from*); ✝ ~ *off* solder (*des marchandises*); ~ *a port* sortir d'un port; ~ *a ship for action* faire le branle-bas de combat; ~ *one's throat* s'éclaircir la voix; se racler la gorge; *v/i.* (*a. ~ up*) s'éclaircir; (*a. ~ off*) se dissiper (*nuages, brouillard*); '**clear·ance** dégagement *m*; déblaiement *m*; *boîte à lettres*: levée *f*; ✝ compensation *f* (*d'un chèque*); ♕, ✝ dédouanement *m*; ♕ départ *m*; ~ solde *m*; ⊕ jeu *m*, espace *m* libre; ~ *sale* vente *f* de soldes; '**clear·cut** net(te *f*); '**clear·ing** éclaircissement *m etc.* (*see clear 3*); *forêt*: clairière *f*; ✝ *see clearance*; ~ *procedure* voie *f* de compensation; ~ *bank* banque *f* de virement; ♀ *House* chambre *f* de compensation. **cleat** ♕ [kli:t] agrafe *f*; taquet *m*. **cleav·age** ['kli:vidʒ] fendage *m*; *fig.* scission *f*; *min.* clivage *m*.

cleave[1] [kli:v] [*irr.*] (se) fendre (*a. eau, air*). **cleave**[2] *fig.* [ᴗ] adhérer, être fidèle (à, *to*); ~ *together* rester fidèles l'un à l'autre. **cleav·er** ['kli:və] fendoir *m*; couperet *m* (*de viande*). **cleek** *sp.* [kli:k] cleek *m*. **clef** ♩ [klef] clef *f*, clé *f*. **cleft** [kleft] **1.** fente *f*, fissure *f*, crevasse *f*; **2.** *prét. et p.p.* de *cleave*[1]. **clem·en·cy** ['klemənsi] clémence *f*; '**clem·ent** □ clément. **clench** [klentʃ] (se) serrer (*lèvres, dents, poings*); (se) crisper (*mains*). **cler·gy** ['klə:dʒi] (membres *m/pl.* du) clergé *m*; '~·man ecclésiastique *m*; *protestantisme*: pasteur *m*. **cler·i·cal** ['klerikl] **1.** □ *eccl.* clérical (-aux *m/pl.*); de bureau; ~ *error* faute *f* de copiste; **2.** *pol.* clérical *m*. **clerk** [klɑ:k] employé(e *f*) *m* de bureau; ✝ commis *m*, employé(e *f*) *m* de magasin; *surt. Am.* vendeur (-euse *f*) *m* (*de magasin*); *eccl.* clerc *m*. **clev·er** □ ['klevə] habile, adroit; intelligent. **clew** [klu:] *see* clue. **cli·ché** ['kli:ʃei] cliché *m*. **click** [klik] **1.** cliquetis *m*, bruit *m* sec; ⊕ cliquet *m*; déclic *m*; **2.** *v/i.* cliqueter; faire tic tac; se plaire du premier coup; *v/t.* (faire) claquer (*les talons*). **cli·ent** ['klaiənt] client(e *f*) *m*; **cli·en·tele** [kli:ã:n'teil] clientèle *f*. **cliff** [klif] falaise *f*; escarpement *m*. **cli·mate** ['klaimit] climat *m*; **cli·mat·ic** [klai'mætik] (~*ally*) climat(ér)ique. **cli·max** ['klaimæks] gradation *f*; *fig.* apogée *m*, plus haut point *m*. **climb** [klaim] monter; gravir, grimper à; escalader; '**climb·er** ascensionniste *m/f*; *fig.* arriviste *m/f*; ♀ plante *f* grimpante; '**climb·ing** montée *f*, escalade *f*; '**climb·ing·i·ron** crampon *m*. **clinch** [klintʃ] **1.** ⊕ rivet *m*, accrochage *m*; *fig.* étreinte *f*; *box.* corps-à-corps *m*; **2.** *v/t.* river; confirmer (*un argument etc.*); conclure (*un marché*); *see* clench; *v/i.* s'accrocher; '**clinch·er** ⊕ crampon *m*; *fig.* argument *m* sans réplique. **cling** [kliŋ] [*irr.*] (à, *to*) s'accrocher, se cramponner, s'attacher; adhérer;

coller (*robe*); '**cling·ing** qui s'accro-che *etc.*; collant (*robe*).

clin·ic ['klinik] **1.** clinique *f*; **2.** = '**clin·i·cal** □ clinique; ~ thermome-ter thermomètre *m* médical.

clink [kliŋk] **1.** tintement *m*, choc *m*; épées: cliquetis *m*; **2.** *v/i.* tinter (*verres*); *v/t.* faire tinter, faire ré-sonner; ~ *glasses with* trinquer avec; '**clink·er** escarbilles *f/pl.*; sl. personne *f* ou chose *f* épatante; '**clink·ing** *Brit.* sl. **1.** *adj.* épatant; **2.** *adv. sl.* très.

clip[1] [klip] **1.** tonte; *Am.* F *at one* ~ d'un seul coup; **2.** tondre; rogner; tailler; écourter (*un mot*).

clip[2] [~] attache, pince *f*; *paper-*~ agrafe *f* de bureau; trombone *m*.

clip·per ['klipə] tondeur (-euse *f*) *m*; (*a pair of*) ~*s pl.* (une) tondeuse *f*; F cheval *m* qui va comme le vent; ♣ fin voilier *m*; ✈ (*flying* ~) clipper *m*; sl. type *m* épatant; '**clip·pings** *pl.* tonte *f*; *ongles etc.*: rognures *f/pl.*; *Am. presse:* coupures *f/pl.*

clique [kli:k] coterie *f*; F clan *m*.

cloak [klouk] **1.** manteau *m* (*a. fig.*); *fig.* voile *m*; **2.** revêtir d'un man-teau; *fig.* masquer, voiler; '~**-room** vestiaire *m*; ⚓ consigne *f*.

clock [klɔk] **1.** horloge *f*; *moins grand:* pendule *f*; *bas:* coin *m*; *sp. sl.* chronomètre *m* à déclic; **2.** *v/t.* sp. sl. chronométrer; *v/i.:* ~ *in* (*out*) pointer à l'arrivée (au départ) (*ou-vrier etc.*); '~**wise** dans le sens des aiguilles d'une montre.

clod [klɔd] motte *f* (de terre); *fig.* terre *f*; (*a.* ~*-hopper*) lourdaud *m*.

clog [klɔg] **1.** entrave *f*; *fig.* em-pêchement *m*; galoche *f*; sabot *m*; **2.** entraver; *fig.* (se) boucher, (s')obs-truer; '**clog·gy** collant.

clois·ter ['klɔistə] **1.** cloître *m*; **2.** cloîtrer.

close 1. [klouz] fin *f*, conclusion *f*; clôture *f*; [klous] clos *m*, enclos *m*; *cathédrale:* enceinte *f*; **2.** [klouz] *v/t.* fermer; barrer; terminer; ar-rêter (*un compte*); ~*d shop* atelier *etc.* qui n'admet pas de travailleurs non syndiqués; ~ *down* fermer (*une usine etc.*); ~ *one's eyes to* fermer les yeux sur; *v/i.* (se) fermer; se ter-miner, finir; se prendre corps à corps (avec, *with*); ✝ ~ *with* con-clure le marché avec; ~ *in* cer-ner de près; tomber (*nuit*); ~ *on*

(*prp.*) se (re)fermer sur; *closing time* heure *f* de la fermeture; **3.** □ [klous] bien fermé; clos; avare; peu communicatif (-ive *f*); étroit (*vête-ment etc.*); exclusif (-ive *f*) (*société*); serré (*style, rangs, lutte*); *typ.* com-pact; soutenu (*attention*); minutieux (-euse *f*) (*étude*); vivement contesté (*lutte*); lourd (*temps*); impénétrable (*secret*); intime (*ami*); fidèle (*tra-duction*); ~ *by* (*ou to*) tout près (de); ~ *fight* (*ou combat ou quarters*) com-bat *m* corps à corps; *at* ~ *quarters* de près; ~(*d*) *season* (*ou time*) chasse: chasse *f* fermée; *shave* ~*ly* (se) raser de près; '~**-meshed** à petites mailles; '**close·ness** proximité *f*; exactitude *f*; *temps:* lourdeur *f*; manque *m* d'air; réserve *f*.

clos·et ['klɔzit] **1.** cabinet *m*; armoire *f*, placard *m*; *see water-*~; **2.** *be* ~*ed with* être enfermé avec (*q.*), être en tête avec (*q.*).

close-up *cin.* ['klousʌp] premier plan *m*; gros plan *m*.

clo·sure ['klouʒə] **1.** fermeture *f*; clôture *f*; *parl. move the* ~ voter la clôture; *apply the* ~ clôturer le dé-bat; **2.** clôturer (*un débat etc.*).

clot [klɔt] **1.** sang: caillot *m*; *encre:* bourbillon *m*; **2.** figer (*le sang*); cailler (*le lait*).

cloth [klɔθ], *pl.* **cloths** [klɔθs] étoffe *f* de laine; drap *m*; toile *f*; linge *m*; tapis *m*; (*a. table-*~) nappe *f*; habit *m* (*surt.* ecclésias-tique); F *the* ~ le clergé; *lay the* ~ mettre la nappe *ou* le couvert; *bound in* ~ relié toile; ~*-binding* re-liure *f* en toile.

clothe [klouð] [*irr.*] vêtir, habiller (de *in, with*); revêtir (de, *with*) (*a. fig.*).

clothes [klouðz] *pl.* vêtements *m/pl.*, habits *m/pl.*; (*a. suit of* ~) complet *m*; linge *m* (*propre, sale, etc.*); '~**-bas·ket** panier *m* à linge; '~**-brush** brosse *f* à habits; '~**-line** corde *f* à linge; '~**-peg** pince *f*; fichoir *m*; '~**-pin** surt. Am. pince *f*; '~**-press** armoire *f* à linge.

cloth·ier ['klouðiə] drapier *m*; mar-chand *m* de confections.

cloth·ing ['klouðiŋ] vêtements *m/pl.*

cloud [klaud] **1.** nuage *m* (*a. fig.*); *fig.* voile *m*; *liquide:* turbidité *f*; *poét., a. sauterelle:* nuée *f*; *be under a* ~ être l'objet de soupçons; **2.** (se) couvrir, (se) voiler; *fig.* s'assombrir; ⊕ ~ed nuageux (-euse *f*) (*joyau*); nuagé (*poil*); tacheté (*marbre*); '~burst rafale *f* de pluie; trombe *f*; 'cloud·less □ sans nuages; cloud·let ['~lit] petit nuage *m*; 'cloud·y □ nuageux (-euse *f*), assombri; couvert (*temps*); trouble (*liquide*); *fig.* fumeur (-euse *f*).

clout [klaut] **1.** rapiécer; F flanquer une taloche à (*q.*); **2.** chiffon *m*, torchon *m*; F taloche *f*, claque *f*.

clove[1] [klouv] clou *m* de girofle; gousse *f* (*d'ail*).

clove[2] [~] *prét. de* cleave[1]; 'clo·ven **1.** *p.p. de* cleave[1]; **2.** *adj.* fendu, fourchu.

clo·ver ♣ ['klouvə] trèfle *m*; '~·leaf (cross·ing) *mot.* croisement *m* en trèfle.

clown [klaun] *théâ.* bouffon *m*; *cirque:* clown *m*; rustre *m*; *poét.* paysan *m*; 'clown·ish □ de bouffon; de clown; gauche; grossier (-ère *f*).

cloy [klɔi] rassasier (de, *with*) (*a. fig.*); affadir.

club [klʌb] **1.** massue *f*, assommoir *m*; *sp.* crosse *f*; cercle *m*, club *m*; ~*s pl.* cartes: trèfle *m*; **2.** *v/t.* frapper avec une massue; ~ together mettre en commun; *v/i.* (*usu.* ~ together) s'associer (*pour faire qch.*); 'club·ba·ble sociable; 'club·'foot ♣ pied-bot (*pl.* pieds-bots) *m*; 'club·'law la loi du plus fort.

cluck [klʌk] glousser (*poule*).

clue [klu:] *fig.* indication *f*, indice *m*; *mots croisés:* définition *f*.

clump [klʌmp] **1.** bloc *m*; *arbres:* groupe *m*; *fleurs:* massif *m*; F taloche *f*; (*a.* ~-sole) semelle *f* supplémentaire; **2.** marcher lourdement; ajouter des patins à (*des chaussures*).

clum·si·ness ['klʌmzinis] gaucherie *f*, maladresse *f*; 'clum·sy □ gauche, maladroit; informe.

clung [klʌŋ] *prét. et p.p. de* cling.

clus·ter ['klʌstə] **1.** ♣ *fleurs:* massif *m*, bouquet *m*; *arbres:* groupe *m*; *raisins:* grappe *f*; **2.** (se) grouper; (se) rassembler.

clutch [klʌtʃ] **1.** griffe *f*; aigle etc.: serre *f*; ⊕ embrayage *m*; in his ~es dans ses griffes, sous sa patte; *mot.* ~ pedal pédale *f* d'embrayage; **2.** *v/t.* saisir, empoigner; *v/i.* se raccrocher (à, *at*).

clut·ter ['klʌtə] **1.** méli-mélo (*pl.* mélis-mélos) *m*, encombrement *m*; désordre *m*; **2.** (*a.* ~ up) encombrer (de, *with*); mettre le désordre dans.

clys·ter ['klistə] clystère *m*.

coach [koutʃ] **1.** carrosse *m*; 🚂 voiture *f*, wagon *m*; *Am.* autocar *m*; *univ.* répétiteur *m*; *sp.* entraîneur *m*; **2.** *v/i.* aller en carrosse; *v/t. univ.* donner des leçons particulières à; *sp.* entraîner; '~-box siège *m* (du cocher); '~-build·er carrossier *m*; '~-house remise *f*; '~-man cocher *m*.

co·ad·ju·tor *surt. eccl.* [kou'ædʒutə] coadjuteur *m*.

co·ag·u·late [kou'ægjuleit] (se) figer; (se) cailler (*lait*); co·ag·u'la·tion coagulation *f*, figement *m*.

coal [koul] **1.** charbon *m*; houille *f*; morceau *m* de charbon; carry ~s to Newcastle porter de l'eau à la mer; haul (*ou* call) s.o. over the ~s *fig.* semoncer *q.*; **2.** ♣ (s')approvisionner de charbon; ~ing station port *m* à charbon; '~-dust charbon *m* en poussière.

co·a·lesce [kouə'les] se fondre; se combiner; fusionner; co·a'les·cence coalescence *f*; fusion *f*; combinaison *f*.

co·a·li·tion [kouə'liʃn] coalition *f*; *pol.* cartel *m*.

coal-field ['koulfi:ld] bassin *m* houiller.

coal...: '~-pit houillère *f*; '~-scut·tle seau *m* à charbon.

coarse □ [kɔ:s] grossier (-ère *f*) (*a. fig.*); gros(se *f*); rude.

coast [koust] **1.** côte *f*, rivage *m*; plage *f*; littoral *m*; *cycl.* descente *f* en roue libre; *surt. Am.* piste *f* (*de toboggan*); **2.** suivre la côte; descendre (en toboggan, en roue libre, *mot.* le moteur débrayé); 'coast·er *Am.* bobsleigh *m*; ♣ caboteur *m*; coast·er brake *Am.* frein *m* à contre-pédalage; 'coast-guard garde-côte (*pl.* gardes-côtes) *m*; 'coast·ing navigation *f* côtière; cabotage *m*; ~ trade commerce *m* caboteur; cabotage *m*.

coat [kout] **1.** *hommes:* habit *m*; *femmes:* manteau *m*, jaquette *f* (*courte*); robe *f*, poil *m*; *animaux:* peau *f*, fourrure *f*; *peinture:* couche *f*; ~ of arms armoiries *f/pl.*; écusson *m*; ~ of mail cotte *f* de mailles; *cut the ~ according to the cloth* subordonner ses dépenses à son revenu; **2.** enduire (de, *with*); revêtir, couvrir (de, *with*); '**~-hang·er** cintre *m*; '**coat·ing** enduit *m*, revêtement *m*; enveloppe *f*; couche *f*; *tex.* étoffe *f* pour habits; '**coat·rack** portemanteau *m*.

coax [kouks] cajoler, enjôler; encourager (*q.*) à force de cajoleries (à *inf.*, *into gér.*); ~ *s.th. out of s.o.* soutirer qch. à q. en le cajolant.

cob [kɔb] cob *m*, bidet *m*; cygne *m* mâle; △ pisé *m*; *Am.* épi *m* de maïs; *see ~nut*; ~*s pl.* charbon: gaillette *f*; **~-loaf** miche *f*.

co·balt *min.* [kə'bɔ:lt] cobalt *m*.

cob·ble ['kɔbl] **1.** galet *m*; ~*s pl.* gaillette *f*, -s *f/pl.*; **2.** paver en cailloutis; carreler (*des chaussures*); '**cob·bler** cordonnier *m*; *fig.* rapetasseur *m*; *Am.* boisson *f* rafraîchissante.

cob·nut ♀ ['kɔbnʌt] grosse noisette *f*.

cob·web ['kɔbweb] toile *f* d'araignée.

co·caine ⚕ [kə'kein] cocaïne *f*.

coch·i·neal ['kɔtʃiniːl] cochenille *f*.

cock [kɔk] **1.** coq *m* (*a. fig.*); oiseau *m* mâle; chien *m* (*de fusil*); meulon *m* (*de foin*); robinet *m*; **2.** (*souv. ~ up*) (re)lever; dresser (*les oreilles*); armer le chien de (*un fusil*); retrousser (*le chapeau*); mettre (*le chapeau*) de travers; ~ *one's eye at s.o.* lancer une œillade à q.; ~ *one's nose at s.o.* toiser q.; ~*ed hat* tricorne *m*.

cock·ade [kɔ'keid] cocarde *f*.

Cock·aigne [kɔ'kein] pays *m* de cocagne.

cock-and-bull sto·ry ['kɔkənd'bulstɔ:ri] histoire *f* de pure invention.

cock·a·too [kɔkə'tu:] cacatoès *m*.

cock·a·trice ['kɔkətrais] basilic *m*.

cock·boat ⚓ ['kɔkbout] petit canot *m*.

cock·chaf·er ['kɔktʃeifə] hanneton *m*.

cock-crow(·ing) ['kɔkkrou(iŋ)] (premier) chant *m* du coq; aube *f*.

cock·er¹ ['kɔkə]: ~ *up* câliner.

cock·er² [~] (épagneul *m*) cocker *m*.

cock...: '**~-eyed** ['kɔkaid] *sl.* qui louche; de biais; *Am.* gris (*ivre*); '**~-fight(·ing)** combat, -s *m/pl.* de coqs; '**~-'horse** cheval *m* de bois.

cock·le¹ ♀ ['kɔkl] nielle *f* des blés.

cock·le² [~] **1.** *zo.* bucarde *f*; pli *m*; **2.** *v/t.* recoquiller (*les pages d'un livre*); faire goder (*une étoffe*); *v/i.* se recroqueviller; goder.

cock·ney ['kɔkni] londonien(ne *f*) (*a. su./mf.*); '**cock·ney·ism** locution *f* *ou* prononciation *f* londonienne.

cock·pit ['kɔkpit] arène *f* de combats de coqs; ⚓ poste *m* des blessés; ✈ baquet *m*, carlingue *f*; poste *m* du pilote.

cock·roach *zo.* ['kɔkroutʃ] blatte *f*; *F* cafard *m*.

cocks·comb ['kɔkskoum] crête *f* de coq; ♀ crête-de-coq (*pl.* crêtes-decoq) *f*; '**cock·'sure** *F* outrecuidant; '**cock·tail** demi-sang *m/inv.* † parvenu *m*; cocktail *m*; '**cock·y** □ *F* outrecuidant, suffisant, effronté.

co·co ['koukou] cocotier *m*.

co·coa ['koukou] cacao *m*.

co·co·nut ['koukənʌt] noix *f* de coco.

co·coon *zo.* [kə'ku:n] cocon *m*.

cod *icht.* [kɔd] morue *f*; *dried ~* merluche *f*; *cured ~* morue *f* salée.

cod·dle ['kɔdl] gâter, câliner; douilletter; ~ *up* élever dans la ouate.

code [koud] **1.** code *m*; *secret:* chiffre *m*; **2.** *tél.* codifier; chiffrer.

co·de·ine ⚕ ['koudi:n] codéine *f*.

cod·fish ['kɔdfiʃ] *see* cod.

codg·er *F* ['kɔdʒə] vieux bonhomme *m*.

cod·i·cil ['kɔdisil] codicille *m*; **cod·i·fi·ca·tion** [~fi'keiʃn] codification *f*; **cod·i·fy** [~fai] codifier (*des lois*).

cod·ling ['kɔdliŋ] ♀ pomme *f* à cuire; *icht.* petite morue *f*.

cod-liv·er oil ['kɔdlivər'ɔil] huile *f* de foie de morue.

co·ed *Am.* ['kou'ed] élève *f* d'une école coéducationelle.

co·ed·u·ca·tion [kouedju'keiʃn] *école mixte:* coéducation *f*.

co·ef·fi·cient [koui'fiʃnt] coefficient *m*; *facteur m* (*de sûreté*).

co·erce [kou'ɔ:s] contraindre; forcer; **co·er·ci·ble** contraignable; coercible (*gaz*); **co·er·cion** [~ʃn] contrainte *f*; *under ~* par contrainte; *à son corps défendant;* **co·er·cive** □ [~siv] coercitif (-ive *f*).

co·e·val □ [kou'i:vəl] (*with*) de l'âge (de); contemporain (de).

co·ex·ist ['kouig'zist] coexister (avec, *with*); '**co·ex·ist·ence** coexistence *f*; '**co·ex·ist·ent** coexistant.

cof·fee ['kɔfi] café *m*; '**~-'bean**

grain *m* de café; '~-**grounds** *pl.*
marc *m* de café; '~-**pot** cafetière *f*;
'~-**room** *hôtel*: salle *f* à manger.

cof·fer ['kɔfə] coffre *m*; △ caisson
m; ~s *pl.* coffres *m/pl.*; fonds *m/pl.*

cof·fin ['kɔfin] **1.** cercueil *m*;
2. mettre en bière.

cog ⊕ [kɔg] dent *f* (*d'une roue*).

co·gen·cy ['koudʒənsi] force *f*;
'**co·gent** □ valable, incontestable.

cogged ⊕ [kɔgd] à dents, denté.

cog·i·tate ['kɔdʒiteit] *v/i.* réfléchir,
méditer (sur, [up]on); *v/t.* méditer
(*qch.*); **cog·i'ta·tion** réflexion *f*.

co·gnac ['kounjæk] cognac *m*.

cog·nate ['kɔgneit] **1.** (*with*) parent
(de), analogue (à); **2.** cognat *m*.

cog·ni·tion [kɔg'niʃn] connaissance *f*.

cog·ni·za·ble ['kɔgnizəbl] (re)con-
naissable; ⚖ du ressort du tribunal;
'**cog·ni·zance** connaissance *f* (*a.*
⚖); compétence *f*, ressort *m* (*de
la cour*); '**cog·ni·zant** (*of*) ayant
connaissance (de); instruit (de).

cog·no·men [kɔg'noumen] nom *m*
de famille; sobriquet *m*, surnom *m*.

cog-wheel ⊕ ['kɔgwi:l] roue *f*
dentée.

co·hab·it [kou'hæbit] cohabiter;
co·hab·i'ta·tion cohabitation *f*.

co·heir ['kou'ɛə] cohéritier *m*;
co·heir·ess ['kou'ɛəris] cohéri-
tière *f*.

co·here [kou'hiə] se tenir (ensemble); **co'her·en·cy** cohérence *f*;
co'her·ent □ cohérent; conséquent; **co'her·er** cohéreur *m*.

co·he·sion [kou'hi:ʒn] cohésion *f*;
co'he·sive cohésif (-ive *f*).

coif·feur [kwa'fə:] coiffeur *m*;
coif·fure [~'fjuə] **1.** coiffure *f*;
2. coiffer.

coign of van·tage [kɔinəv'va:ntidʒ]
position *f* avantageuse.

coil [kɔil] **1.** *corde, fil métallique,
cheveux*: rouleau *m*; *câble*: roue *f*;
⚡ bobine *f*; *serpent*: repli *m*; ⊕
tube: serpentin *m*; ~ *spring* ressort
m en spirale; **2.** (*souv.* ~ *up*) *v/t.*
(en)rouler; *v/i.* serpenter; s'enrouler.

coin [kɔin] **1.** (*pièce f de*) monnaie *f*;
false ~ fausse monnaie *f*; *small* ~
monnaie *f* divisionnaire; **2.** frapper
(*de la monnaie*); *fig.* inventer; *fig.*
~ *money* faire des affaires d'or; ~*ed
money* argent *m* monnayé; '**coin-**

age monnayage *m*; monnaie *f*, ~s
f/pl.; *fig.* invention *f*.

co·in·cide [kouin'said] (*with*) coïncider (avec); *fig.* s'accorder (avec);
co·in·ci·dence [kou'insidəns] coïncidence *f*; *fig.* rencontre *f*, concours
m; **co'in·ci·dent** □ coïncident; *fig.*
d'accord.

coin·er [kɔinə] monnayeur *m*; *souv.*
faux-monnayeur *m*; *fig.* inventeur
(-trice *f*) *m*.

coir ['kɔiə] fibre *f* de coco; coir *m*.

coke [kouk] **1.** coke *m* (*a. sl.* =
cocaïne); *Am.* F Coca-Cola *f*;
2. (se) cokéfier.

col·an·der ['kʌləndə] *cuis.* passoire *f*.

cold [kould] **1.** □ froid (*a. fig.*); ~
meat viande *f* froide; *give s.o. the* ~
shoulder see ~-*shoulder*; F *have* ~ *feet*
avoir le trac (= *avoir peur*); **2.** froid
m; froideur *f*; (*souv.* ~ *in the head*)
rhume *m*; '**cold·ness** froideur *f*;
climat: froidure *f*.

cold...: '~-**shoul·der** battre froid à
(*q.*); tourner le dos à (*q.*); ~ *storage* conservation *f* par le froid;
glacière *f*; '~'-**stor·age** frigorifique;
~ **store** entrepôt *m* frigorifique.

cole ⚘ [koul] chou-marin (*pl.*
choux-marins) *m*.

cole-seed ⚘ ['koulsi:d] (graine *f* de)
colza *m*.

cole·slaw ['koul'slɔ:] *Am.* salade *f*
de choux.

col·ic ⚕ ['kɔlik] colique *f*.

col·lab·o·rate [kə'læbəreit] collaborer; **col·lab·o'ra·tion** collaboration *f*; **col'lab·o·ra·tor** collaborateur (-trice *f*) *m*.

col·lapse [kə'læps] **1.** s'affaisser;
s'écrouler; s'effondrer (*prix, a.
personne*); **2.** affaissement *m etc.*;
col'laps·i·ble pliant, démontable;
~ *boat* canot *m* pliant, berthon *m*.

col·lar ['kɔlə] **1.** *robe*: col *m*;
manteau: collet *m*; *chemise*: (faux)
col *m*; *ordre*: collier *m*; ⊕ anneau
m, collet *m*; **2.** saisir au collet; ⊕
baguer; *cuis.* rouler (*de la viande*)
pour la ficeler; '~-**bone** *anat.*
clavicule *f*.

col·late [kɔ'leit] collationner (*des
textes*).

col·lat·er·al [kɔ'lætərəl] **1.** □ collatéral (-aux *m/pl.*); accessoire; ad-
ditionnel(le *f*); concomitant; **2.** garantie *f* accessoire.

col·la·tion [kɔ'leiʃn] *textes, cuis., a. eccl.* collation *f.*

col·league ['kɔliːg] collègue *mf.*

col·lect 1. ['kɔlekt] *prière:* collecte *f;* **2.** [kə'lekt] *v/t.* (r)assembler; amasser; collectionner (*des timbres*); percevoir (*des impôts*); faire rentrer (*une créance*); quêter (*pour les pauvres*); ⁓ one's thoughts se reprendre; se recueillir; ⁓ing business service *m* d'encaissement; *v/i.* s'assembler; **col'lect·ed** □ *fig.* plein de sang-froid; **col'lect·ed·ness** *fig.* sang-froid *m;* **col'lec·tion** rassemblement *m;* recouvrement *m;* perception *f; billet:* encaissement *m; eccl.* quête *f; forcible:* ⁓ réquisition *f;* **col'lec·tive** collectif (-ive *f*); multiple (*fruit*); ⁓ ownership possession *f* en commun; ⁓ bargaining convention *f* collective; **col'lec·tive·ly** collectivement; en commun; **col'lec·tiv·ism** collectivisme *m;* **col'lec·tor** quêteur (-euse *f*) *m;* encaisseur *m;* collectionneur (-euse *f*) *m; contributions indirectes:* receveur *m, directes:* percepteur *m;* 🚂 contrôleur *m* de billets; ⚡ prise *f* de courant.

col·leen *Ir.* ['kɔliːn; *Ir.* kɔ'liːn] jeune fille *f.*

col·lege ['kɔlidʒ] collège *m; souv.* université *f;* école *f* secondaire, lycée *m;* école *f* (*militaire ou navale*); **col·le·gi·an** [kə'liːdʒiən] étudiant(e *f*) *m;* lycéen(ne *f*) *m;* élève *mf;* **col'le·gi·ate** [⸝dʒiit] collégial (-aux *m/pl.*); de collège.

col·lide [kə'laid] se heurter; entrer en collision (avec, with); ⁓ with heurter (*qch.*) (*a. fig.*).

col·lie ['kɔli] colley *m.*

col·lier ['kɔliə] houilleur *m,* mineur *m;* ⚓ charbonnier *m;* **col·lier·y** ['kɔljəri] houillère *f;* mine *f* de charbon.

col·li·sion [kə'liʒn] collision *f* (*a. fig.*); rencontre *f; fig.* conflit *m.*

col·lo·ca·tion [kɔlo'keiʃn] collocation *f,* arrangement *m.*

col·lo·di·on [kə'loudiən] collodion *m.*

col·lo·qui·al □ [kə'loukwiəl] familier (-ère *f*); de (la) conversation; **col'lo·qui·al·ism** expression *f* familière.

col·lo·quy ['kɔləkwi] colloque *m.*

col·lude [kə'ljuːd] s'entendre (avec, with); **col·lu·sion** [kə'luːʒn] col-

lusion *f;* ⚖ complicité *f,* connivence *f*

col·o·cynth ♀ ['kɔləsinθ] coloquinte *f.*

co·lon ['koulən] *typ.* deux-points *m/inv.; anat.* côlon *m.*

colo·nel ⚔ ['kɔːnl] colonel *m;* **'colo·nel·cy** grade *m* de colonel.

co·lo·ni·al [kə'lounjəl] colonial (-aux *m/pl.*) (*a. su./m*); **col·o·nist** ['kɔlənist] colon *m;* **col·o·ni·za·tion** colonisation *f;* **'col·o·nize** *v/t.* coloniser; *v/i.* former une colonie.

col·on·nade [kɔlə'neid] colonnade *f.*

col·o·ny ['kɔləni] colonie *f* (*a. fig.*).

col·o·pho·ny [kə'lɔfəni] colophane *f.*

Col·o·ra·do bee·tle [kɔlə'rɑːdou'biːtl] doryphore *m.*

co·los·sal □ [kə'lɔsl] colossal (-aux *m/pl.*).

col·o(u)r ['kʌlə] **1.** couleur *f;* pigment *m; visage:* teint *m; nuance:* teinte *f; fig.* couleur *f,* prétexte *m;* ⚔ ⁓s *pl.* drapeau *m; local:* ⁓ couleur *f* locale; **2.** *v/t.* colorer; colorier; teindre; *fig.* imager (*son style*); présenter sous un faux jour; *v/i.* se colorer; rougir (*personne*); **'col·o(u)r·a·ble** □ plausible; trompeur; **'col·o(u)red** coloré; de couleur; en couleurs; ⁓ film film *m* en couleurs; ⁓ pencil crayon *m* de couleur; ⁓ (wo)man homme *m* (femme *f*) de couleur; **col·o(u)r·ful** ['⸝ful] coloré; **'col·o(u)r·ing 1.** colorant; ⁓ matter colorant *m;* **2.** coloration *f; peint.* coloris *m; visage:* teint *m; nuance:* teinte *f; fig.* apparence *f;* **'col·o(u)r·ist** coloriste *m;* **'col·o(u)r·less** □ sans couleur; terne; pâle; **col·o(u)r line** *surt. Am.* distinction *f* entre les blancs et les nègres.

colt [koult] poulain *m,* pouliche *f; fig.* débutant(e *f*) *m;* **'colts·foot** ♀ tussilage *m.*

col·um·bine ♀ ['kɔləmbain] ancolie *f.*

col·umn ['kɔləm] colonne *f* (*a. typ., a.* ⚔); *journ. a.* rubrique *f;* **co·lum·nar** [kə'lʌmnə] en forme de colonne; en colonnes; **col·um·nist** ['kɔləmnist] *Am. journ.* collaborateur *m* régulier d'un journal.

col·za ♀ ['kɔlzə] colza *m.*

co·ma¹ ⚕ ['koumə] coma *m.*

co·ma² [⸝], *pl.* **-mae** ['⸝miː] ♀ barbe *f, astr.* chevelure *f.*

comb [koum] **1.** peigne *m*; coq, vague, colline: crête *f*; ⊕ peigne *m*, carde *f*; curry-~ see honey ~; **2.** v/t. peigner; a. carder (*la laine*); ~ out fig. F éplucher; v/i. déferler (*vague*).

com·bat ['kɔmbət] **1.** combat *m*; **2.** combattre (contre, with; pour, for); **'com·bat·ant** combattant *m*; **'com·bat·ive** ⌐ combattif (-ive *f*); agressif (-ive *f*).

comb·er ['koumə] ⊕ peigneuse *f*; ⚓ vague *f* déferlante.

com·bi·na·tion [kɔmbi'neiʃn] combinaison *f*; association *f*; ⚒ combiné *m*; fig. mélange *m*; usu. ~s pl. cost. combinaison *f*; ~ lock serrure *f* à combinaison; **com·bine 1.** [~'bain] (se) réunir; (s')allier; **2.** ['~bain] ✝ entente *f* industrielle; cartel *m*; surt. Am. moissonneuse-batteuse (*pl.* moissonneuses-batteuses) *f*.

comb·ings ['koumiŋz] *pl.* peignures *f/pl.*

com·bus·ti·ble [kəm'bʌstəbl] **1.** combustible, comburable; inflammable (*foule etc.*); **2.** ~s pl. matière *f* inflammable; mot. combustibles *m/pl.*; **com·bus·tion** [kəm'bʌstʃn] combustion *f*.

come [kʌm] [*irr.*] venir, arriver; ~! allons!; voyons!; to ~ futur, à venir, qui vient; F how ~? comment ça?; ~ about arriver, se passer; ~ across s.o. tomber sur q.; ~ along se dépêcher; arriver; ~ at se jeter sur; parvenir à (*la vérité*); ~ by passer par; obtenir; ~ down descendre; fig. s'abaisser; déchoir; ~ down upon s.o. blâmer q. sévèrement; ~ down with F se fendre de (*une somme*); Am. F être frappé par (*une maladie*); ~ for venir chercher; ~ in entrer; ⚓ arriver; être de saison; devenir la mode; ~ in! entrez!; ~ off tomber (de); se détacher (*bouton*); s'enlever (*tache*); avoir lieu; réussir; tomber (*cheveux*); ~ on s'avancer; survenir; ~ on! allons-y!; ~ out sortir (de, of); se développer; débuter; ~ out right donner la solution juste; ~ round fig. reprendre connaissance; ~ to adv. see ~ to o.s.; ⚓ venir sur bâbord ou tribord; prp. arriver à; ~ to o.s. (ou to one's senses) revenir à soi; reprendre ses sens; ~ to anchor s'ancrer, mouiller; ~ to know ou venir à connaître ou savoir; ~ up

monter; surgir; pousser (*plante*); paraître; ~ up to répondre à (*une attente*); s'élever jusqu'à; s'approcher de (*q.*); égaler; ~ up with rattraper, rejoindre (*q.*); ~ upon tomber sur (*q.*); rencontrer par hasard; venir à l'esprit de (*q.*); ~·'at·a·ble F accessible; **'~-back** F retour *m* en vogue ou au pouvoir; Am. revanche *f*; Am. sl. réplique *f*.

co·me·di·an [kə'mi:djən] comédien(ne *f*) *m*; music-hall: comique *m*.

com·e·dy ['kɔmidi] comédie *f*.

come·li·ness ['kʌmlinis] mine *f* avenante; **'come·ly** avenant.

come-off F ['kʌmɔ:f] résultat *m*; issue *f*.

com·er ['kʌmə] arrivant(e *f*) *m*; venant(e *f*) *m*.

co·mes·ti·ble [kə'mestibl] usu. ~s pl. comestible *m*, -s *m/pl.*

com·et ['kɔmit] comète *f*.

com·fort ['kʌmfət] **1.** soulagement *m*; consolation *f*; bien-être *m*; confort *m*; aisance *f*; agrément *m*; fig. réconfort *m*; **2.** soulager; consoler; réconforter; **'com·fort·a·ble** ⌐ confortable; à son aise (*personne*); tranquille; I am ~ je suis à mon aise; je suis bien; **'com·fort·er** consolateur (-trice *f*) *m*; fig. cachenez *m/inv.*; Am. couvre-pied *m* piqué; Brit. sucette *f*; **'com·fort·less** ⌐ incommode; dépourvu de confort.

com·frey ♣ ['kʌmfri] consoude *f*.

com·fy ⌐ F ['kʌmfi] see comfortable.

com·ic ['kɔmik] (~ally) comique ou drôle; fig. (usu. 'com·i·cal ⌐) ~ journal (ou paper) journal *m* pour rire; **'com·ics** pl. journ. Am. bandes *f/pl.* dessinées (*souvent humoristiques*).

com·ing ['kʌmiŋ] **1.** futur, qui vient; ~, Sir! tout de suite, monsieur!; **2.** venue *f*; approche *f*.

com·i·ty ['kɔmiti] ~ of nations bon accord *m* entre les nations; courtoisie *f* internationale.

com·ma ['kɔmə] virgule *f*; inverted ~s pl. guillemets *m/pl.*

com·mand [kə'mɑ:nd] **1.** ordre *m*; maîtrise *f* (*d'une langue*); ⚔ commandement *m* (*souv.* ♀, *p.ex.* Southern ♀); at (ou by) ~ d'après les ordres de, suivant l'ordre de; have ~ of commander; dominer; be (*have*) at ~ être à la (avoir à sa) disposition; ✗ *be in* ~ *of* commander; 2. ordonner; commander, inspirer (*un sentiment*); forcer (*l'attention*); dominer (*une vallée*); commander; *fig.* être maître de, maîtriser; disposer de; **com·mand·ant** ✗ [kɔmən'dænt] commandant *m*; **com·man·deer** [‿'diə] ✗ réquisitionner; **com·mand·er** ✗ [kə'mɑːndə] commandant *m*; chef *m* de corps; ⚓ capitaine *m* de frégate; *ordres*: commandeur; **com'mand·er-in-'chief** commandant *m* en chef; **com'mand·ing** commandant; en chef; *fig.* d'autorité; imposant; éminent (*lieu*); ~ *point* point *m* stratégique; **com·'mand·ment** commandement *m*.

com·mem·o·rate [kə'meməreit] commémorer; célébrer le souvenir de; **com·mem·o·ra·tion** commémoration *f*; **com'mem·o·ra·tive** [‿rətiv] □ commémoratif (-ive *f*) (de, of).

com·mence [kə'mens] commencer; initier; entamer; ⚖ intenter (*un procès*); **com'mence·ment** commencement *m*, début *m*.

com·mend [kə'mend] recommander; confier; louer; F ~ *me to* ... saluez ... de ma part; **com'mend·a·ble** □ louable; digne d'éloges; **com·men·da·tion** [kɔmen'deiʃn] éloge *m*, louange *f*; **com'mend·a·to·ry** [‿ətəri] élogieux (-euse *f*).

com·men·su·ra·ble □ [kə'menʃərəbl] commensurable (avec *with*, to); *see* commensurate; **com'men·su·rate** □ [‿rit] proportionné (à *with*, to); coétendu (à, *with*).

com·ment ['kɔmənt] 1. commentaire *m*; critique *f*, glose *f*, observation *f* (sur, on); 2. (*upon*) commenter, critiquer (*qch.*); faire le commentaire (de); **com·men·tar·y** ['‿təri] commentaire *m*, glose *f*; radioreportage *m*; **'com·men·ta·tor** ['‿teitə] commentateur (-trice *f*) *m*; radioreporter *m*.

com·merce ['kɔmə:s] commerce *m*; affaires *f/pl.*; *Chamber of* ♀ Chambre *f* de Commerce; **com·mer·cial** □ [kə'mə:ʃəl] 1. commercial (-aux *m/pl.*); mercantile; marchand; de (du) commerce; ~ *traveller* commis *m* voyageur; représentant(e *f*) *m*; 2. *Brit.* F *see* ~ *traveller*;

surt. *Am. radio*: réclame *f*; **com·'mer·cial·ism** esprit *m* commercial; **com'mer·cial·ize** commercialiser.

com·mis·er·ate [kə'mizəreit] s'apitoyer sur le sort de (*q.*); **com·mis·er·a·tion** compassion *f* (pour, *with*).

com·mis·sar·i·at ✗ [kɔmi'sɛəriət] intendance *f*; **com·mis·sar·y** ['‿səri] commissaire *m*; ✗ intendant *m* général d'armée.

com·mis·sion [kə'miʃn] 1. commission *f*; ordre *m*, mandat *m*; délégation *f* (*d'autorité, de devoirs*); *crime*: perpétration *f*; ✗ brevet *m* (*d'officier*), grade *m* d'officier; ⚓ *navire*: armement *m*; commission *f*, pourcentage *m*; *on* ~ à la commission; 2. commissionner; déléguer; charger; ✗ nommer (*un officier*); ⚓ armer; **com·mis·sion·aire** [‿ʃə·'nɛə] commissionnaire *m*; *hôtel*: chasseur *m*; **com'mis·sion·er** [‿ʃnə] commissaire *m*; délégué *m* d'une commission.

com·mit [kə'mit] commettre (*a. un crime, une erreur*); confier; engager (*sa parole*); coucher (*par écrit*); *pol.* renvoyer à une commission; ~ (*o.s.*) s')engager (à, to); se compromettre; ~ (*to prison*) envoyer en prison, écrouer (*q.*); ~ *for trial* renvoyer aux assises; **com'mit·ment** délégation *f*; *pol.* renvoi *m* à une commission; mise *f* en prison; renvoi *m* aux assises; engagement *m* financier; **com'mit·tal** *see* commitment; mise *f* en terre (*d'un cadavre*); *crime*: perpétration *f*; ~ *order* mandat *m* de dépôt; **com'mit·tee** comité *m*, commission *f*.

com·mode [kə'moud] commode *f*; chaise *f* percée; **com'mo·di·ous** □ [‿djəs] spacieux (-euse *f*); **com·mod·i·ty** [kə'mɔditi] (*usu.* ~*s pl.*) marchandise *f*, -s *f/pl.*; denrée *f*, -s *f/pl.*; ~ *value* valeur *f* vénale.

com·mo·dore ⚓ ['kɔmədɔ:] chef *m* de division; commodore *m*.

com·mon ['kɔmən] 1. □ commun; public (-ique *f*); courant; ordinaire; vulgaire; trivial (-aux *m/pl.*); *gramm.* ~ *noun* nom *m* commun; ♀ *Council* conseil *m* municipal; *Book of* ♀ *Prayer* rituel *m* de l'Église anglicane; ~ *law* droit *m* commun *ou* coutumier; ~ *room* salle *f* commune; salle *f* des professeurs; ~ *sense* sens *m* commun, bon sens *m*; ~ *weal* bien *m* public; *in* ~ en commun (avec, *with*); **2.** pâtis *m*; terrain *m* communal; **com·mon·al·ty** ['ɔnlti] le commun des hommes; **'com·mon·er** homme *m* bourgeois *m*; homme *m* du peuple; *qqfois* membre *m* de la Chambre des Communes; *univ.* étudiant *m* ordinaire; **'com·mon·place 1.** lieu *m* commun; **2.** banal (-aux *m/pl.*); terre à terre; médiocre; **com·mons** ['ɔnz] *pl.* le peuple *m*; le tiers état *m*; ordinaire *m* (*de la table*); *short* ~ maigre chère *f*; (*usu.* House *of*) ♀ Chambre *f* des Communes; **'com·mon·wealth** État *m*; *souv.* république *f*; chose *f* publique; *the* British ♀ l'Empire *m* Britannique; *the* ♀ *of* Australia le Commonwealth *m* d'Australie.

com·mo·tion [kə'mouʃn] agitation *f*; troubles *m/pl.*; brouhaha *m*.

com·mu·nal □ ['kɔmjunl] communal (-aux *m/pl.*); ~ *estate* ⚖ communauté *f* de biens; **com·mu·nal·ize** ['~nəlaiz] mettre en commun.

com·mu·ni·ca·bil·i·ty [kəmju:nikə'biliti] communicabilité *f*; **com·'mu·ni·ca·ble** □ communicable; ⚕ contagieux (-euse *f*); **com·'mu·ni·cant** *eccl.* communiant(e *f*) *m*; **com·'mu·ni·cate** [~keit] *v/t.* communiquer (à, *to*); *v/i.* communiquer (avec, *with*; par, *by*); *eccl.* recevoir la communion; **com·mu·ni·'ca·tion** communication *f* (*a.* ✗, *téléph., voie*); voie *f* d'accès; 🎗 ~ *cord* signal *m* d'alarme; *be in* ~ *with* être en relation avec; **com·'mu·ni·ca·tive** □ communicatif (-ive *f*); expansif (-ive *f*); **com·'mu·ni·ca·tor** débiteur (-euse *f*) *m* (*de nouvelles*); ⊕ communicateur *m*.

com·mun·ion [kə'mju:njən] rapport *m*; relations *f/pl.*; *eccl.* communion *f*.

com·mu·ni·qué [kəm'ju:nikei] communiqué *m*.

com·mu·nism ['kɔmjunizm] communisme *m*; **'com·mu·nist 1.** communiste *mf*; **2.** = **com·mu·'nis·tic** (~ally) communiste.

com·mu·ni·ty [kəm'ju:niti] communauté *f* (*a. eccl.*); solidarité *f*; *the* ~ l'État *m*; le public *m*; ~ *ownership* collectivité *f*; ~ *service*

service *m* public; ~ *spirit* sens *m* du groupe; ~ *work* travail *m* en commun.

com·mut·a·ble [kəm'ju:təbl] permutable; commuable (*peine*); **com·mu·ta·tion** [kɔmju:'teiʃn] commutation *f* (en *into, for*); *Am.* ~ *ticket* carte *f* d'abonnement; **com·mu·ta·tive** [kə'mju:tətiv] commutatif (-ive *f*); **com·mu·ta·tor** ⚡ ['kɔmju:teitə] commutateur *m*; **com·mute** [kə'mju:t] *v/t.* échanger (pour, contre *for, into*); commuer (*une peine*) (en, *into*); racheter (*qch.*) (par, *into*) (*une rente, une servitude*); *v/i.* *Am.* prendre un abonnement; **com·'mut·er** *Am.* abonné(e *f*) *m*.

com·pact 1. ['kɔmpækt] convention *f*; poudrier *m*; **2.** [kəm'pækt] compact; serré; formé (de, *of*); **3.** [~] *v/t.* rendre compact; **com·'pact·ness** compacité *f*; *style:* concision *f*.

com·pan·ion [kəm'pænjən] compagnon *m*, compagne *f*; manuel *m*; pendant *m*; *ordre:* compagnon *m*; ⚓ capot *m* (d'échelle); ~ *in arms* compagnon *m* d'armes; **com·'pan·ion·a·ble** □ sociable; **com·'pan·ion·ship** camaraderie *f*; compagnie *f*.

com·pa·ny ['kʌmpəni] compagnie *f* (*a.* ♥, *a.* ✗); assemblée *f*; bande *f*; *invités:* monde *m*; ✝ *a.* société *f*; ⚓ équipage *m*; *théâ.* troupe *f*; *good* (*bad*) ~ bonne (mauvaise) compagnie *f*; *bear s.o.* ~ tenir compagnie à q.; *have* ~ avoir du monde; *keep* ~ *with* sortir avec.

com·pa·ra·ble □ ['kɔmpərəbl] comparable (avec, *a. with, to*); **com·par·a·tive** [kəm'pærətiv] **1.** □ comparatif (-ive *f*); comparé; relatif (-ive *f*); ~ *degree* = **2.** *gramm.* comparatif *m*; **com·pare** [~'pɛə] **1.:** *beyond* (*ou* without *ou* past) ~ sans pareil(le *f*) *m*; **2.** *v/t.* comparer (avec, à *with, to*); confronter (avec, *with*); *gramm.* former les degrés de comparaison de; (*as*) ~*d with* en comparaison de; *v/i.* être comparable (à, *with*); **com·par·i·son** [~'pærisn] comparaison *f* (*a. gramm.*); confrontation *f*; *in* ~ *with* en comparaison de; auprès de.

com·part·ment [kəm'pɑ:tmənt] compartiment *m* (*a.* △, *a.* 🚃); *tiroir:* case *f*; *bagages:* soute *f*.

com·pass ['kʌmpəs] **1.** boussole *f*;

limite *f*, -s *f*/*pl*.; ♪ registre *m*; (*a pair of*) ~es *pl*. (un) compas *m*; 2. faire le tour de; entourer; comploter (*la mort, la ruine*); atteindre (*un but*).

com·pas·sion [kəmˈpæʃn] compassion *f*; *have* ~ *on* avoir compassion de; **com'pas·sion·ate** □ [~ʃənit] compatissant (à, pour to[*wards*]).

com·pat·i·bil·i·ty [kəmpætəˈbiliti] compatibilité *f*; **com'pat·i·ble** □ compatible (avec, with).

com·pa·tri·ot [kəmˈpætriət] compatriote *mf*.

com·peer [kəmˈpiə] égal *m*, pair *m*; compagnon *m*.

com·pel [kəmˈpel] contraindre, forcer, obliger (q. à *inf.*, *s.o. to inf.*).

com·pen·di·ous □ [kəmˈpendiəs] abrégé, concis; **com'pen·di·ous·ness** concision *f*; forme *f* succincte.

com·pen·di·um [kəmˈpendiəm] abrégé *m*; recueil *m*.

com·pen·sate [ˈkompenseit] *v/t.* dédommager (de, for); compenser (*a.* ⊕) (avec with, by); *v/i.* ~ *for* racheter (*qch.*); compenser (*qch.*); **com·pen·sa·tion** compensation *f*; dédommagement *m*; indemnité *f*; réparation *f*; *Am.* appointements *m*/*pl.*; ⊕ compensation *f*, rattrapage *m*; **'com·pen·sa·tive**, **'com·pen·sa·to·ry** compensatoire, -teur (-trice *f*).

com·pete [kəmˈpiːt] concourir (pour qch., for s.th.); disputer (qch. à q., with s.o. for s.th.); rivaliser (avec q. de qch., with s.o. in s.th.); faire concurrence (à q., with s.o.).

com·pe·tence, **com·pe·ten·cy** [ˈkompitəns(i)] compétence *f* (en in, at) (*a.* ⚖); moyens *m*/*pl.* (*d'existence*); attributions *f*/*pl.*; **'com·pe·tent** □ capable; compétent (*a.* ⚖); suffisant (*connaissances*).

com·pe·ti·tion [kompiˈtiʃn] rivalité *f*; concurrence *f* (*a.* ✝); concours *m*; *échecs*: tournoi *m*; *sp.* meeting*m*; *rifle* ~ concours *m* de tir; **com·pet·i·tive** □ [kəmˈpetitiv] de concurrence; de concours; **com'pet·i·tor** concurrent(e *f*) *m*; rival(e *f*) *m*; compétiteur (-trice *f*) *m*.

com·pi·la·tion [kompiˈleiʃn] compilation *f*; recueil *m*; **com·pile** [kəmˈpail] compiler; composer, établir (de, from); recueillir.

com·pla·cence, **com·pla·cen·cy** [kəmˈpleisns(i)] satisfaction *f*; con-

tentement *m* de soi-même; **com'pla·cent** □ content de soi-même; suffisant.

com·plain [kəmˈplein] se plaindre (de of, about; à, to; que, that); porter plainte (contre against, about); *poét.* se lamenter; **com'plain·ant** plaignant(e *f*) *m*; **com'plain·er** réclamant(e *f*) *m*; mécontent(e *f*) *m*; **com'plaint** grief *m*; plainte *f*; doléances *f*/*pl.*; maladie *f*, mal *m*.

com·plai·sance [kəmˈpleizns] complaisance *f*, obligeance *f*; **com'plai·sant** □ complaisant, obligeant.

com·ple·ment 1. [ˈkomplimənt] effectif *m* (complet); plein *m*; *gramm.* attribut *m*; *livre, a.* ⚓ complément *m*; 2. [~ment] compléter; **com·ple'men·tal**, **com·ple'men·ta·ry** complémentaire; *be* ~ (*to*) compléter.

com·plete [kəmˈpliːt] **1.** □ complet (-ète *f*); entier (-ère *f*); total (-aux *m*/*pl.*); achevé, parfait; **2.** compléter; achever; remplir (*un bulletin*); **com'ple·tion** achèvement *m*; *contrat*: signature *f*; réalisation *f*; accomplissement *m*.

com·plex [ˈkompleks] **1.** □ complexe; *fig.* compliqué; **2.** tout *m*, ensemble *m*; *psych.* complexe *m*; **com·plex·ion** [kəmˈplekʃn] teint *m*; aspect *m*, caractère *m*, jour *m*; **com'plex·i·ty** complexité *f*.

com·pli·ance [kəmˈplaiəns] acquiescement *m* (à, with); obéissance *f*; *péj.* basse complaisance *f*; *in* ~ *with* en conformité de; suivant; **com'pli·ant** □ accommodant, obligeant.

com·pli·cate [ˈkomplikeit] compliquer; **com·pli'ca·tion** complication *f* (*a.* ⚕).

com·plic·i·ty [kəmˈplisiti] complicité *f* (à, in).

com·pli·ment 1. [ˈkomplimənt] compliment *m*; honneur *m*; ~s *pl. a.* hommages *m*/*pl.*, amitiés *f*/*pl.*; galanteries *f*/*pl.*; **2.** [~ment] *v/t.* féliciter, complimenter (de, on); **com·pli'men·ta·ry** flatteur (-euse *f*); ✝ à titre gracieux, en hommage; ~ *copy* livre *m* offert en hommage; *give s.o. a* ~ *dinner* donner un dîner *m* en l'honneur de q.; ~ *ticket* billet *m* de faveur.

com·ply [kəmˈplai] *v/i.* ~ *with* se conformer à; se soumettre à;

accéder à; accomplir (*une condition*); observer (*une règle*).

com·po·nent [kəm'pounənt] **1.** partie *f* constituante; composant *m*; **2.** constituant; composant; ~ *part* see ~ *1*.

com·port [kəm'pɔːt] *v/i.* convenir (à, *with*); *v/t.:* ~ *o.s.* se comporter.

com·pose [kəm'pouz] composer (*a. typ.*); arranger; disposer; régler (*un différend*); calmer (*l'esprit*); rasseoir; **com'posed**, *adv.* **com'pos·ed·ly** [~zidli] calme, tranquille; composé (*visage*); **com'pos·er** auteur *m*; ♪ compositeur (-trice *f*) *m*; **com'pos·ing 1.** calmant; **2.** composition *f*; ~*machine* composeuse *f*; ~*room* atelier *m* de composition; **com·pos·ite** ['kɔmpəzit] **1.** composé; mixte; ⚠ composite; **2.** (*corps m*) composé; ♀ composée *f*; **com·po'si·tion** composition *f* (*a.* ♪, *peint.*, ♫); mélange *m*; *exercice:* dissertation *f*, rédaction *f*; thème *m*; *fig.* caractère *m*; ♱ arrangement *m*; **com·pos·i·tor** [kəm'pɔzitə] compositeur *m*, typographe *m*; **com·post** ['kɔmpɔst] compost *m*; **com·po·sure** [kəm'pouʒə] sangfroid *m*, calme *m*.

com·pote ['kɔmpout] compote *f*.

com·pound[1] ['kɔmpaund] composé; ♫ ~ *fracture* fracture *f* compliquée; ~ *interest* intérêts *m/pl.* composés; **2.** composé *m* (*a.* ♫); ⊕ mastic *m*; *gramm.* (*a.* ~ *word*) mot *m* composé; **3.** [kəm'paund] *v/t.* mélanger; arranger (*un différend*); *v/i.* s'arranger; transiger (*avec q., avec sa conscience*); ♱ se rédimer (de, *for*); s'accommoder.

com·pound[2] ['kɔmpaund] enceinte *f*; ✕ camp *m* de concentration.

com·pre·hend [kɔmpri'hend] comprendre; se rendre compte de.

com·pre·hen·si·ble □ [kɔmpri'hensəbl] compréhensible; **com·pre'hen·sion** compréhension *f*; entendement *m*; **com·pre'hen·sive** □ compréhensif (-ive *f*); **com·pre'hen·sive·ness** étendue *f*.

com·press 1. [kəm'pres] comprimer; condenser (*un discours*); **2.** ['kɔmpres] ✚ compresse *f*; **com·press·i·bil·i·ty** [kəmpresi'biliti] compressibilité *f*; **com'press·i·ble** [~presəbl] compressible; **com·pres·sion** [~'preʃn] compression *f* (*a.*

phys.); **com·pres·sor** [~'presə] ⊕ compresseur *m*. [dre, contenir.)

com·prise [kəm'praiz] comprendre;|

com·pro·mise ['kɔmprəmaiz] **1.** compromis *m*; *fig.* accommodement *m*; **2.** *v/t.* compromettre; arranger (*un différend*); *v/i.* aboutir à un compromis; transiger (sur, *on*); s'accommoder.

com·pul·sion [kəm'pʌlʃn] contrainte *f*; **com'pul·so·ry** [~səri] obligatoire; forcé; par contrainte.

com·punc·tion [kəm'pʌŋkʃn] remords *m*; componction *f*.

com·put·a·ble [kəm'pjuːtəbl] calculable; **com·pu·ta·tion** [kɔmpju'teiʃn] calcul *m*, estimation *f*; **com·pute** [kəm'pjuːt] calculer, computer, estimer (à, *at*); **com·put·er** ⊕ [kəm'pjuːtə] ordinateur *m*.

com·rade ['kɔmrid] camarade *m*, compagnon *m*. [leçon).)

con[1] [kɔn] étudier; répéter (*une*|

con[2] ⚓ [~] gouverner (*un navire*); diriger la manœuvre.

con[3] [~] *abr. de contra; pro and* ~ pour le pour et contre; *the pros and* ~*s* le pour et le contre.

con[4] *Am. sl.* [~] **1.** *mots composés:* *abr. de confidence;* **2.** duper, tromper.

con·cat·e·nate [kɔn'kætineit] *usu. fig.* enchaîner; **con·cat·e'na·tion** enchaînement *m*; *circonstances:* concours *m*.

con·cave □ ['kɔn'keiv] concave, incurvé; **con·cav·i·ty** [~'kæviti] concavité *f*; *qqfois* creux *m*.

con·ceal [kən'siːl] cacher (*a. fig.*); celer; taire (à, *from*); masquer; voiler; **con'ceal·ment** dissimulation *f*; action *f* de (se) cacher; (*a. place of* ~) cachette *f*, retraite *f*.

con·cede [kən'siːd] concéder; admettre; **con'ced·ed·ly** [~idly] *Am.* reconnu (pour, comme).

con·ceit [kən'siːt] vanité *f*, suffisance *f*; (*ou self-*~) amour-propre (*pl.* amours-propres) *m*, infatuation *f*; *out of* ~ *with* dégoûté de; **con'ceit·ed** □ vaniteux (-euse *f*), prétentieux (-euse *f*); **con'ceit·ed·ness** vanité *f*, suffisance *f*.

con·ceiv·a·ble □ [kən'siːvəbl] imaginable, concevable; **con'ceive** *v/i.* devenir enceinte; ~ *of s.th.* (s')imaginer qch.; *v/t.* concevoir (*un enfant, un projet, de l'amour*); rédiger.

con·cen·trate 1. ['kɔnsentreit] v/t. concentrer (a. fig.); ⚔ faire converger (les feux); v/i. se concentrer; **2.** ['⸝trit] concentré m; **con·cen·'tra·tion** concentration f (a. 🔊); ⚔ convergence f; **con'cen·tre, con·'cen·ter** [⸝tə] (se) réunir; (se) concentrer; **con'cen·tric** (⸝ally) concentrique.

con·cep·tion [kən'sepʃn] biol. enfant, idée: conception f; idée f, imagination f.

con·cern [kən'sə:n] **1.** rapport m; affaire f; intérêt m (dans, in); souci m, inquiétude f (à l'égard de, about); ✝ entreprise f; maison f de commerce; F appareil m; **2.** concerner, regarder, intéresser (q., qch.); ~ o.s. with s'occuper de; ~ o.s. about (ou for) s'intéresser à, s'inquiéter de; **con'cerned** □ inquiet (-ète f) (de at, about; au sujet de about, for); soucieux (-euse f); impliqué (dans, in); those ~ les intéressés; be ~ être en cause; be ~ that s'inquiéter que (sbj.); be ~ to (inf.) tâcher de (inf.), chercher à (inf.); be ~ with s'occuper de; s'intéresser à; **con'cern·ing** prp. au sujet de, concernant, touchant, en ce qui concerne.

con·cert 1. ['kɔnsət] concert m (a. ♪); accord m; **2.** [kən'sə:t] v/t. concerter; fig. arranger; v/i. se concerter (avec, with); ♪ ~ed concertant, d'ensemble; **con·cer·ti·na** ♪ [kɔnsə'ti:nə] accordéon m hexagonal, concertina f; **'con·cert·pitch** ♪ diapason m de concert.

con·ces·sion [kən'seʃn] opinion, terrain: concession f; make ~s to sacrifier à; **con·ces·sion·aire** [kənseʃə'nɛə] concessionnaire m.

con·ces·sive □ [kən'sesiv] concessif.
conch [kɔŋk] conque f. [(-ive f).]
con·cil·i·ate [kən'silieit] (ré)concilier; gagner (q.) à son parti; se concilier (la faveur de q.); **con·cil·i·'a·tion** conciliation f; arbitrage m; **con'cil·i·a·tor** conciliateur (-trice f) m; **con'cil·i·a·to·ry** [⸝ətəri] conciliant, conciliatoire; ~ proposal offre f de conciliation.

con·cin·ni·ty [kən'siniti] élégance f (de style).

con·cise □ [kən'sais] concis; bref (brève f); serré (style); **con'cise·ness** concision f.

con·clave ['kɔnkleiv] eccl. conclave m; fig. conseil m; assemblée f.

con·clude [kən'klu:d] v/t. conclure; terminer, achever; arranger, régler (une affaire); to be ~d in our next la fin au prochain numéro; v/i. conclure, estimer; Am. ~ to (inf.) décider de (inf.); **con'clud·ing** final (-als m/pl.).

con·clu·sion [kən'klu:ʒn] conclusion f, fin f; séance: clôture f; conclusion f, décision f; try ~s with se mesurer contre ou avec; **con·clu·sive** □ concluant, décisif (-ive f).

con·coct [kən'kɔkt] confectionner; fig. imaginer; tramer; **con'coc·tion** confection f; mixtion f; fig. plan etc.: élaboration f.

con·com·i·tance, con·com·i·tan·cy [kən'kɔmitəns(i)] concomitance f (a. eccl.); **con'com·i·tant 1.** □ concomitant (de, with); **2.** accessoire m, accompagnement m.

con·cord 1. ['kɔŋkɔ:d] concorde f; harmonie f (a. ♪); gramm. concordance f; fig. accord m; **2.** [kən'kɔ:d] concorder, s'accorder; être d'accord, **con'cord·ance** accord m (avec, with); concordance f (a. eccl.); **con'cord·ant** concordant (avec, with); qui s'accorde (avec, with); ♪ consonant; **con'cor·dat** eccl. [⸝dæt] concordat m.

con·course ['kɔŋkɔ:s] foule f; rassemblement m; carrefour m; concours m; Am. hall m (de gare).

con·crete ['kɔnkri:t] **1.** □ concret (-ète f); de ou en béton; **2.** △ béton m, ciment m; phls., gramm. concret m; in the ~ sous forme concrète; **3.** [kən'kri:t] (se) concréter; (se) solidifier; ['kɔnkri:t] v/t. bétonner; **con·cre·tion** [kən'kri:ʃn] concrétion f.

con·cu·bi·nage [kən'kju:binidʒ] concubinage m; **con·cu·bine** ['kɔŋkjubain] concubine f.

con·cu·pis·cence [kən'kju:pisns] concupiscence f; **con'cu·pis·cent** libidineux (-euse f), lascif (-ive f).

con·cur [kən'kə:] coïncider; être d'accord (avec, with); concourir (à, in); contribuer (à, to); **con·cur·rence** [⸝'kʌrəns] concours m; coopération f; simultanéité f; accord m; approbation f; in ~ with en commun avec; d'accord avec;

con·cur·rent □ concourant; si-multané; unanime.

con·cus·sion [kən'kʌʃn] secousse *f*; commotion *f* (cérébrale).

con·demn [kən'dem] condamner (*a. fig.*); condamner à mort; dé-clarer coupable; *fig.* blâmer; ~ed cell cellule *f* des condamnés; con-'dem·na·ble condamnable, blâ-mable; con·dem·na·tion [kən-dem'neiʃn] condamnation *f*; cen-sure *f*; blâme *m*; con·dem·na-to·ry □ [kən'demnətəri] con-damnatoire.

con·den·sa·ble [kən'densəbl] con-densable; con·den·sa·tion [kɔn-den'seiʃn] condensation *f*; liquide *m* condensé; con·dense [kən'dens] (se) condenser; *v/t.* concentrer; con-'dens·er condenseur *m* (*a.* ⊕); ⊕, *a. ⚡* condensateur *m*.

con·de·scend [kɔndi'send] s'abais-ser; condescendre; con·de'scend-ing □ condescendant (envers, to); con·de'scen·sion condescendance *f*; complaisance *f*.

con·dign □ [kən'dain] mérité; exemplaire.

con·di·ment ['kɔndimənt] condi-ment *m*.

con·di·tion [kən'diʃn] **1.** condition *f*; stipulation *f*; état *m*, situation *f*; on ~ that à condition que; **2.** sou-mettre à une condition; stipuler; conditionner (*l'air, la laine; a. psych.*); con·di'tion·al [~ʃənl] **1.** □ conditionnel(le *f*); dépendant (de, [up]on); ~ mood = **2.** *gramm.* condi-tionnel *m*; *in the* ~ au conditionnel; con·di·tion·al·i·ty [~'æliti] état *m* conditionnel; con·di'tion·al·ly [~ʃnəli] sous certaines conditions; con'di·tioned conditionné; en ... état.

con·dole [kən'doul] (*with s.o.*) par-tager la douleur (de q.); exprimer ses condoléances (à q.); con'do-lence condoléance *f*.

con·do·min·i·um [kɔndə'miniəm] condominium *m*.

con·do·na·tion [kɔndou'neiʃn] par-don *m*; indulgence *f* (pour, of); con·done [kən'doun] pardonner; *action*: racheter (*une offense*).

con·duce [kən'dju:s] contribuer (à, to); favoriser (qch., to s.th.); con-'du·cive (to) favorable (à); qui con-tribue (à).

con·duct **1.** ['kɔndʌkt] conduite *f*; *affaire:* gestion *f*; manière *f* de se conduire; **2.** [kən'dʌkt] conduire; (a)mener (*q.*); accompagner (*une excursion*); diriger (*♪, une opéra-tion*); mener, gérer (*une affaire*); *phys.* être conducteur (-trice *f*) de; ~ o.s. se comporter (*bien, mal, etc.*); con·duct·i·bil·i·ty [kəndʌkti'biliti] *phys.* conductibilité *f*; con'duct·i-ble [~təbl] *phys.* conductible; con-'duct·ing conducteur (-trice *f*); con·duc·tion conduction *f*; con-'duc·tive □ *phys.* conducteur (-trice *f*); con·duc·tiv·i·ty [kɔn-dʌk'tiviti] *phys.* conductivité *f*; conductibilité *f*; con·duc·tor [kən-'dʌktə] conducteur *m* (*a. phys.*); accompagnateur *m*; *tramway etc.:* receveur; *Am.* 🚂 chef *m* de train; ♪ chef *m* d'orchestre; ⚡ (conduc-teur *m* de) paratonnerre *m*; con-'duc·tress conductrice *f*; *tramway etc.:* receveuse *f*.

con·duit ['kɔndit] conduit *m*; tuyau *m* conducteur.

cone [koun] cône *m*; ⊕ cloche *f*; ♀ pomme *f*, cône *m*; *glace:* cornet *m*.

co·ney ['kouni] (peau *f* de) lapin *m*.

con·fab F ['kɔnfæb] **1.** (= con·fab-u·late [kən'fæbjuleit]) causer (*entre intimes*); **2.** (= con·fab·u'la·tion) causerie *f* intime.

con·fec·tion [kən'fekʃn] confection *f* (*de qch., a. pharm.*); *cost.* (vêtement *m* de) confection *f*; friandise *f*; con'fec·tion·er confiseur (-euse *f*) *m*; con'fec·tion·er·y confiserie *f*; bonbons *m/pl.*

con·fed·er·a·cy [kən'fedərəsi] con-fédération *f*; *fig.* entente *f*; *surt. Am.* the ♀ les Confédérés *m/pl.* (= *les sudistes pendant la guerre de Séces-sion 1860—65*); ⚖ conspiration *f*; con'fed·er·ate [~rit] **1.** confédéré; **2.** confédéré *m*; complice *m*; **3.** [~reit] (se) confédérer; confed-er'a·tion confédération *f*; *surt. Am.* the ♀ la Confédération *f* des 11 États sécessionistes.

con·fer [kən'fə:] *v/t.* (à, on) conférer; accorder (*une faveur*); décerner (*un honneur*); *v/i.* conférer; en-trer en consultation (avec, with; sur about, on); con·fer·ence ['kɔnfərəns] conférence *f*; consul-tation *f*; entretien *m*; congrès *m*.

con·fess [kən'fes] *v/t.* confesser;

avouer (qch.; que, that; inf., to gér.); v/i. eccl. se confesser; con·'fess·ed·ly [⌣idli] de l'aveu général; franchement; con·fes·sion [⌣'feʃn] confession f (a. eccl.); aveu m; go to ⌣ aller à confesse; con·fes·sion·al **1.** confessionnel(le f); **2.** confessionnal m; con·'fes·sor [⌣sə] celui (celle) qui avoue; confesseur m.

con·fi·dant [kɔnfi'dænt] confident m; con·fi·'dante [⌣] confidente f.

con·fide [kən'faid] confier; se (con)fier (à q., in s.o.); avouer (qch.) en confidence (à q., to s.o.); con·fi·dence ['kɔnfidəns] confiance f (en, in); assurance f, hardiesse f; confidence f; ⌣ man escroc m; ⌣ trick vol m à l'américaine; man of ⌣ homme m de confiance; 'con·fi·dent □ assuré, sûr (de, of); péi. effronté; con·fi·den·tial [⌣'denʃl] □ confidentiel(le f); ⌣ clerk clerc m de confiance; ⌣ agent homme m de confiance.

con·fig·u·ra·tion [kɔnfigju'reiʃn] configuration f.

con·fine **1.** ['kɔnfain] usu. ⌣s pl. confins m/pl.; **2.** [kən'fain] (r)enfermer (dans, to); borner, limiter (à, to); be ⌣d to être alité, garder le lit; be ⌣d faire ses couches, accoucher (d'un fils etc.); con·'fine·ment emprisonnement m, réclusion f; alitement m; restriction f; femme: couches f/pl., accouchement m.

con·firm [kən'fɔ:m] confirmer (a. eccl.); affermir (un pouvoir); ♀♀ entériner; con·fir·ma·tion [kɔnfə-'meiʃn] confirmation f; affermissement m; con·firm·a·tive □ [kən-'fɔ:mətiv], con·'firm·a·to·ry [⌣təri] confirmatif (-ive f); confirmatoire; con·'firmed invétéré, endurci; incorrigible; (surt. ♀♀) chronique.

con·fis·cate ['kɔnfiskeit] confisquer; F voler; con·fis·'ca·tion confiscation f; F fig. vol m; con·'fis·ca·to·ry [⌣kətəri] de confiscation.

con·fla·gra·tion [kɔnflə'greiʃn] conflagration f; incendie m.

con·flict **1.** ['kɔnflikt] conflit m, lutte f; intérêts: antagonisme m; **2.** [kən'flikt] (with) être en conflit ou désaccord ou contradiction (avec); se heurter (à).

con·flu·ence ['kɔnfluəns], con·flux ['⌣flʌks] voies, rivières, etc.: confluent m; concours m (d'hommes

etc.); con·'flu·ent ['⌣fluənt] **1.** qui confluent; qui se confondent; **2.** fleuve: affluent m.

con·form [kən'fɔ:m] v/t. conformer; v/i.: ⌣ to se conformer à; obéir à; s'adapter à; ⌣ with se soumettre à; con·'form·a·ble □ (to) conforme (à); docile, soumis (à); con·for·ma·tion [kɔnfɔ:'meiʃn] conformation f, structure f; con·form·ist [kən'fɔ:mist] conformiste m; adhérent m de l'Église anglicane; con·'form·i·ty conformité f (à with, to); in ⌣ with conformément à.

con·found [kən'faund] confondre (q., un plan); déconcerter; bouleverser; F ⌣ it! zut!; con·'found·ed □ F maudit, sacré.

con·fra·ter·ni·ty [kɔnfrə'tə:niti] confrérie f; confraternité f.

con·front [kən'frʌnt] être en face de; faire face à; confronter (avec, with); find o.s. ⌣ed with se trouver en présence de; con·fron·ta·tion [kɔnfrʌn'teiʃn] confrontation f.

con·fuse [kən'fju:z] confondre (a. fig.); mêler, brouiller; embrouiller; troubler; con·'fus·ed □ embrouillé; bouleversé; confus; interdit; con·'fu·sion confusion f; désordre m; poét. déconfiture f.

con·fut·a·ble [kən'fju:təbl] réfutable; con·fu·ta·tion [kɔnfju:'teiʃn] réfutation f; con·'fute [kən'fju:t] réfuter; convaincre (q.) d'erreur.

con·gé ['kɔ̃:nʒei] congé m.

con·geal [kən'dʒi:l] (se) congeler; (se) cailler; (se) figer; geler; con·'geal·a·ble congelable.

con·ge·la·tion [kɔndʒi'leiʃn] congélation f.

con·ge·ner ['kɔndʒinə] congénère (a. su./m/f) (de, to).

con·gen·ial □ [kən'dʒi:njəl] sympathique (esprit); agréable; convenable (à, to); ⌣ with du même caractère que; con·ge·ni·al·i·ty [⌣ni'æliti] communauté f de goûts; accord m d'humeur etc.

con·gen·i·tal [kən'dʒenitl] congénital (-aux m/pl.), de naissance; con·'gen·i·tal·ly de naissance.

con·ge·ri·es [kɔn'dʒiəri:z] sg. et pl. amas m, accumulation f.

con·gest [kən'dʒest] ♀♀ (se) congestionner; v/t. encombrer; con·'ges·tion encombrement m; ♀♀ congestion f; ⌣ of population surpeuplement *m*; ~ *of traffic* encombrement *m* de circulation.

con·glo·bate ['kɔŋglobeit] **1.** (se) conglober; **2.** conglobé.

con·glom·er·ate [kən'glɔmərit] **1.** congloméré; **2.** conglomérat *m*; aggloméré *m*; **3.** [~reit] (se) conglomérer; **con·glom·er'a·tion** conglomération *f*; *roches*: agrégation *f*.

con·grat·u·late [kən'grætjuleit] féliciter (q. de qch., s.o. [up]on s.th.); **con·grat·u·la·tion** félicitation *f*; **con'grat·u·la·tor** congratulateur (-trice *f*) *m*; **con'grat·u·la·to·ry** [~lətəri] de félicitation(s).

con·gre·gate ['kɔŋgrigeit] (se) rassembler; **con·gre'ga·tion** *eccl.* assistance *f*, paroissiens *m/pl.*; **con·gre'ga·tion·al** en assemblée; *eccl.* congrégationaliste.

con·gress ['kɔŋgres] réunion *f*; congrès *m*; ⃝ Congrès *m* (*assemblée des représentants aux É.-U.*); **con·gres·sion·al** [~'grefənl] du congrès; congressionnel(le *f*).

con·gru·ence, con·gru·en·cy ['kɔŋgruəns(i)] *see* congruity; ⅄ congruence *f*; **'con·gru·ent** *see* congruous; ⅄ congruent; **con'gru·i·ty** conformité *f*, convenance *f*; **con'gru·ous** ☐ conforme (à *to*, *usu.* with).

con·ic ['kɔnik] conique; ⅄ ~ section section *f* conique; **'con·i·cal** ☐ *see* conic.

co·ni·fer ['kounifə] conifère *m*; **co'nif·er·ous** conifère.

con·jec·tur·al ☐ [kən'dʒektʃərəl] conjectural (-aux *m/pl.*); **con'jec·ture 1.** hypothèse *f*, supposition *f*; conjecture *f*; **2.** conjecturer; supposer.

con·join [kən'dʒɔin] *v/t.* conjoindre; *v/i.* s'unir; **con'joint** conjoint, associé; **con'joint·ly** conjointement, ensemble.

con·ju·gal ☐ ['kɔndʒugl] conjugal (-aux *m/pl.*); **con·ju·gate 1.** ['~geit] *v/t.* conjuguer; *v/i. biol.* se conjuguer; **2.** ['~git] ♀ conjugué; **con·ju·ga·tion** [~'geiʃn] conjugaison *f*.

con·junct ☐ [kən'dʒʌŋkt] conjoint, associé; **con'junc·tion** conjonction *f* (*a. astr., a. gramm.*); **con·junc·ti·va** *anat.* [kɔndʒʌŋk'taivə] conjonctive *f*; **con·junc·tive** [kən'dʒʌŋktiv] conjonctif (-ive *f*); ~ *mood* gramm. (mode *m*) conjonctif *m*; **con-**

'junc·tive·ly conjointement, ensemble; **con·junc·ti·vi·tis** [~'vaitis] conjonctivite *f*; **con'junc·ture** [~tʃə] conjoncture *f*, circonstance *f*, occasion *f*, rencontre *f*.

con·ju·ra·tion [kɔndʒuə'reiʃn] conjuration *f*; **con·jure** [kən'dʒuə] *v/t.* conjurer (q. de *inf.*, *s.o. to inf.*); ['kʌndʒə] *v/t.* conjurer (*un démon*); ~ *up* évoquer (*a. fig.*); *v/i.* faire des tours de passe-passe; **'con·jur·er, 'con·jur·or** † conjurateur *m*; prestidigitateur *m*, illusionniste *mf*; **con·jur·ing trick** tour *m* de passe-passe.

conk F [kɔŋk] avoir des ratés; flancher (*moteur*); ~ *out* (se) caler.

con·nate ['kɔneit] ♂ inné; ♀, *a. anat.* conné, coadné; **con·nat·u·ral** [kə'nætʃrl] de la même nature (que, to).

con·nect [kə'nekt] (se) (re)lier, (se) joindre; *v/t.* ♀ (inter)connecter; brancher (*une lampe*); **con'nect·ed** ☐ connexe; apparenté (*personne*); suivi (*discours*); be ~ with être allié à *ou* avec; se rattacher à; avoir des rapports avec; be well ~ être de bonne famille; **con'nect·ing** de connexion (*fil*); de communication; qui relie; ~ *rod* bielle *f* (motrice); **con'nec·tion** *see* connexion; **con'nec·tive** ☐ connectif (-ive *f*); *anat.* ~ *tissue* tissu *m* cellulaire connectif.

con·nex·ion [kə'nekʃn] rapport *m*, liaison *f*; *idées*: suite *f*; ⚡ connexion *f*; ⚡ contact *m*; prise *f* de courant; ⊕ raccord *m*; 🚂 correspondance *f*; *eccl.* secte *f*; *famille*: parenté *f*, parent(e *f*) *m*; allié(e *f*) *m*; *personne*: relations *f/pl.*; ♁ clientèle *f*; relation *f* (entre, between); ~s *pl.* belles relations *f/pl.*; amis *m/pl.* influents.

conn·ing-tow·er ⚓ ['kɔniŋtauə] *sous-marin*: capot *m*, *cuirassé*: tourelle *f* de commandement.

con·niv·ance [kə'naivəns] complicité *f* (dans *at*, *in*); connivence *f* (avec, with); **con'nive**: ~ *at* fermer les yeux sur; être fauteur de (*un crime*).

con·nois·seur [kɔni'sə:] connaisseur (-euse *f*) *m* (en *of*, in).

con·no·ta·tion [kɔnou'teiʃn] signification *f*; *phls.* compréhension *f*; **'con·no·ta·tive** ☐ compréhensif

(-ive *f*); **con'note** *phls.* comporter; F signifier.

con·nu·bi·al □ [kə'nju:bjəl] conjugal (-aux *m/pl.*).

con·quer ['kɔŋkə] vaincre; *v/t.* conquérir; *fig.* subjuguer; **'con·quer·a·ble** qui peut être vaincu *ou* conquis; **'con·quer·or** conquérant(e *f*) *m*; vainqueur *m*; *cartes*: la belle *f*.

con·quest ['kɔŋkwest] conquête *f*.

con·san·guin·e·ous [kɔnsæŋ'gwiniəs] consanguin; F parent; **con·san·guin·i·ty** consanguinité *f*; parenté *f* (du côté du père).

con·science ['kɔnʃns] conscience *f*; F *in all* ~ certes, en vérité; *have the* ~ *to* (*inf.*) avoir l'audace de (*inf.*); ~ *money* restitution *f* anonyme au fisc; **'con·science·less** sans conscience.

con·sci·en·tious □ [kɔnʃi'enʃəs] consciencieux (-euse *f*); de conscience; ~ *objector* objecteur *m* de conscience; **con·sci·en·tious·ness** conscience *f*; droiture *f*.

con·scious □ ['kɔnʃəs] conscient; *be* ~ *of* avoir conscience de; *be* ~ *that* sentir que; **'con·scious·ness** conscience *f*; ⚕ connaissance *f*.

con·script 1. ✗ [kən'skript] (*ou* **con·scribe** [~'skraib]) enrôler par la conscription; **2.** ['kɔnskript] conscrit (*a.* ✗ *su./m*); **con·scrip·tion** ✗ [kən'skripʃn] conscription *f*; *industrial* ~ conscription *f* industrielle.

con·se·crate ['kɔnsikreit] consacrer (*a. fig.*); bénir; sacrer (*un évêque, un roi*); **con·se'cra·tion** consécration *f*; *fig.* dévouement *m*; *roi:* sacre *m*; **'con·se·cra·tor** consacrant *m*.

con·sec·u·tive [kən'sekjutiv] consécutif (-ive *f*) (*a.* ♪, *a. gramm.*); de suite; qui se suivent; **con·sec·u·tive·ly** de suite; consécutivement.

con·sen·sus [kən'sensəs] consensus *m*; unanimité *f*.

con·sent [kən'sent] **1.** consentement *m*, assentiment *m* (à, *to*); accord *m*; *with one* ~ d'un commun accord; **2.** consentir (à, *to*); accepter (qch. *to*, *in* s.th.); **con·sen·ta·ne·ous** □ [kɔnsen'teiniəs] (*to*) d'accord (avec); en harmonie (avec); **con·sen·tient** [kən'senʃnt] unanime (sur, *in*); consentant (à, *to*).

con·se·quence ['kɔnsikwəns] (*to*) conséquence *f*; suites *f/pl.*; impor-

tance *f* (pour *q.*, à *qch.*); *in* ~ *of* par suite de; en conséquence de; **'con·se·quent 1.** résultant; logique; *be* ~ *on* résulter de; **2.** ⅋ conséquent *m*; *phls.* conclusion *f*; **con·se·quen·tial** □ [~'kwenʃl] conséquent (à *to*, [*up*]*on*); consécutif (-ive *f*) (à, *to*); *personne:* suffisant; **con·se·quent·ly** ['~kwəntli] par conséquent; donc.

con·ser·va·tion [kɔnsə'veiʃn] conservation *f*; **con·serv·a·tism** [kən-'sə:vətizm] conservatisme *m*; **con·serv·a·tive** □ **1.** conservateur (-trice *f*) (*a. pol.*) (de, *of*); préservateur (-trice *f*) (de, *from*); prudent (*évaluation*); **2.** conservateur (-trice *f*) *m*; **con·ser·va·toire** [~'twa:] ♪ conservatoire *m*; **con·ser·va·tor** conservateur (-trice *f*) *m*; **con·serv·a·to·ry** [~tri] serre *f*; conservatoire *m*; **con·serve** conserver; préserver.

con·sid·er [kən'sidə] *v/t.* considérer (*une question*); envisager (*une possibilité*); étudier, examiner (*une proposition*); estimer, regarder (= *penser*); prendre en considération; avoir égard à; *v/i.* réfléchir; **con·sid·er·a·ble** □ considérable, important; **con·sid·er·ate** [~rit] □ plein d'égards (pour, envers *to*[*wards*]); **con·sid·er·a·tion** [~'reiʃn] considération *f*; égard *m*, -s *m/pl.*; compensation *f*, rémunération *f*; pourboire *m*; *fig.* importance *f*; ✝ prix *m*; cause *f* (*d'un billet*); *be under* ~ être en délibération *ou* à l'examen; *take into* ~ prendre en considération; tenir compte de; *money is no* ~ l'argent n'est rien; l'argent n'entre pas en ligne de compte; *on no* ~ sous aucun prétexte; **con·sid·er·ing** □ **1.** *prp.* en égard à, étant donné ...; **2.** F *adv.* somme toute, malgré tout.

con·sign [kən'sain] remettre, livrer; reléguer; déposer (*de l'argent*); **con·sig·na·tion** [kɔnsai'neiʃn], **con·sign·ment** [kən'sainmənt] ✝ expédition *f*; envoi *m*; consignation *f*; **con·sign·ee** [kɔnsai'ni:] destinataire *m*; **con·sign·er, con·sign·or** [kən'sainə] consignateur *m*, expéditeur *m*.

con·sist [kən'sist] consister (en, dans *of*; à *inf.*, *in* gér.); se composer (de, *of*); **con'sist·ence, con-**

'sist·en·cy *sirop, esprit:* consistance *f; sol:* compacité *f; conduite:* uniformité *f;* logique *f;* **con'sist·ent** ☐ conséquent; logique; compatible (avec, *with*); ~ly *a.* uniformément; **con'sis·to·ry** [~təri] *eccl.* consistoire *m.*

con·sol·a·ble [kən'souləbl] consolable; **con·so·la·tion** [kɔnsə'leiʃn] consolation *f.*

con·sole 1. ['kɔnsoul] console *f (a.* ⚙); ~*-table* (table *f)* console *f;* 2. [kən'soul] consoler; **con'sol·er** consolateur (-trice *f) m.*

con·sol·i·date [kən'sɔlideit] (se) consolider *(a. fig.);* (se) tasser *(chaussée); v/t.* affermir; solidifier; unir *(des entreprises, des propriétés, etc.);* **con·sol·i·da·tion** consolidation *f;* affermissement *m;* tassement *m;* unification *f.*

con·sols [kən'sɔlz] *pl.* fonds *m/pl.* consolidés; *3 per cent* ~ consolidés *m/pl.* trois pour cent.

con·so·nance ['kɔnsənəns] consonance *f;* accord *m (a.* ♪); **'con·so·nant** 1. ☐ ♪ harmonieux (-euse *f);* consonant; conforme (à *with, to);* 2. consonne *f;* ~ *shift* mutation *f* consonantique.

con·sort 1. ['kɔnsɔːt] époux *m,* épouse *f; reine:* consort *m;* ⚓ conserve *f;* 2. [kən'sɔːt] (*with*) fréquenter *(q.);* frayer (avec).

con·spic·u·ous ☐ [kən'spikjuəs] apparent, bien visible, manifeste; *fig.* frappant; insigne; *be* ~ *by one's absence* briller par son absence.

con·spir·a·cy [kən'spirəsi] conspiration *f;* **con'spir·a·tor** [~tə] conspirateur (-trice *f) m;* **con'spir·a·tress** [~tris] conspiratrice *f;* **con·spire** [~'spaiə] conspirer (contre, *against);* comploter (de, *to); fig.* concourir (à, *to).*

con·sta·ble ['kʌnstəbl] gardien *m* de la paix; *château:* gouverneur *m; hist.* connétable *m; chief* ~ commissaire *m* de police; **con·stab·u·lar·y** [kən'stæbjuləri] police *f; county* ~ gendarmerie *f.*

con·stan·cy ['kɔnstənsi] constance *f,* fermeté *f;* fidélité *f;* régularité *f;* **'con·stant** 1. ☐ constant; ferme; fidèle; invariable; continuel(le *f);* assidu; 2. Å constante *f.*

con·stel·la·tion *astr.* [kɔnstə'leiʃn] constellation *f (a. fig.).*

con·ster·na·tion [kɔnstə'neiʃn] consternation *f;* atterrement *m.*

con·sti·pate ☐ ['kɔnstipeit] constiper; **con·sti·pa·tion** ☐ constipation *f.*

con·stit·u·en·cy [kən'stitjuənsi] circonscription *f* électorale; électeurs *m/pl.;* **con'stit·u·ent** 1. constituant, constitutif (-ive *f);* composant; ~ *body see constituency;* 2. élément *m* (constitutif); ᵗᵗ constituant *m; pol.* électeur (-trice *f) m;* ~s *pl.* commettants *m/pl.,* électeurs *m/pl.*

con·sti·tute ['kɔnstitjuːt] constituer; faire *(le bonheur de q.);* constituer, nommer (q. arbitre, s.o. *judge);* **con·sti·tu·tion** constitution *f (de qch., a. = santé, a. pol.); chose:* composition *f;* ~s *pl. hist.* arrêts *m/pl.;* **con·sti·tu·tion·al** 1. ☐ constitutionnel(le *f) (a.* ⚙); *fig.* hygiénique; naturel(le *f);* ~ *law* droit *m* constitutionnel; 2. F promenade *f* hygiénique *ou* quotidienne; **con·sti·tu·tion·al·ist** historien *m* des constitutions politiques; *pol.* constitutionnel *m;* **con·sti·tu·tive** ☐ [kən'stitjutiv] constitutif (-ive *f).*

con·strain [kən'strein] contraindre (à, de *inf. to inf.);* retenir de force; **con'straint** contrainte *f (a.* ᵗᵗ); retenue *f.*

con·strict [kən'strikt] (res)serrer; rétrécir; gêner; **con'stric·tion** resserrement *m;* ⚙ *artères:* strangulation *f;* **con'stric·tor** *anat.* constricteur *m; zo. (a. boa* ~) boa *m* constricteur.

con·strin·gent [kən'strindʒnt] constringent; ⚙ astringent.

con·struct [kən'strʌkt] construire; bâtir; établir *(un chemin de fer); fig.* confectionner; **con'struc·tion** construction *f; machine:* établissement *m;* édifice *m,* bâtiment *m; fig.* interprétation *f; under* ~ en construction; **con'struc·tive** ☐ constructif (-ive *f); esprit:* créateur; de construction; ᵗᵗ implicite; par interprétation; **con'struc·tor** constructeur *m; constructions navales:* ingénieur *m.*

con·strue [kən'struː] *gramm.* analyser; décomposer *(une phrase);* faire le mot à mot de *(un texte);* interpréter *(une conduite, des paroles, etc.).*

con·sue·tu·di·nar·y [kɔnswi'tjuːdinəri] coutumier (-ère *f).*

con·sul ['kɔnsl] consul *m;* ~ *general*

consul *m* général; **con·su·lar** ['kɔn-sjulə] consulaire; de *ou* du consul; **con·su·late** ['ˌlit] consulat *m* (*a. bâtiment*); ~ *general* consulat *m* général; **con·sul·ship** ['kɔnslʃip] consulat *m*.

con·sult [kən'sʌlt] *v/t.* consulter (*a. fig.*); avoir égard à (*la sensibilité*); ~*ing engineer* ingénieur-conseil (*pl.* ingénieurs-conseils) *m*; *v/i.* consulter (avec q., *s.o.*); (*a.* ~ *together*) délibérer; **con'sult·ant** médecin *m etc.* consultant; ⊕ expert-conseil (*pl.* experts-conseils) *m*; **con·sul·ta·tion** [kɔnsəl'teiʃn] ⚕, ⚖, *livre*: consultation *f*; délibération *f*; **con·sul·ta·tive** [kən'sʌltətiv] consultatif (-ive *f*); **con'sult·ing** consultant; ~*hours* heures *f/pl.* de consultation; ~ *physician* médecin *m* consultant; ~ *room* cabinet *m* de consultation.

con·sum·a·ble [kən'sjuːməbl] consumable (*feu*); consommable; **con'sume** *v/t.* consumer (*a. feu*), dévorer; consommer (*des vivres*); *fig.* absorber, brûler; dévorer; *v/i.* se consumer; **con'sum·er** consommateur (-trice *f*) *m*; abonné(e *f*) *m* (*au gaz etc.*); ~(*s'*) *goods pl.* biens *m/pl.* de consommation.

con·sum·mate 1. □ [kən'sʌmit] achevé; **2.** ['kɔnsʌmeit] consommer (*un sacrifice, le mariage*); **con·sum·ma·tion** [ˌˈmeiʃn] *mariage, crime*: consommation *f*; achèvement *m*; fin *f*; *fig.* but *m*, comble *m*.

con·sump·tion [kən'sʌmpʃn] *vivres, charbon*: consommation *f*; *charbon, chaleur*: dépense *f*; ⚕ phtisie *f*; tuberculose *f*; **con'sump·tive** □ poitrinaire (*a. su./mf*); tuberculeux (-euse *f*); phtisique (*a. su./mf*).

con·tact 1. ['kɔntækt] contact *m* (*a. ⚡*); *opt.* ~ *lenses pl.* lentilles *f/pl.* cornéennes, verres *m/pl.* de contact; ⚡ *make* (*break*) ~ établir (rompre) le contact; **2.** [kən'tækt] contacter (*q.*).

con·ta·gion ⚕ [kən'teidʒn] contagion *f*; maladie *f* contagieuse; **con'ta·gious** □ contagieux (-euse *f*).

con·tain [kən'tein] contenir; renfermer; ✕ maintenir (*l'ennemi*); *fig.* retenir, maîtriser; ~ *o.s.* se contenir; **con'tain·er** récipient *m*; ✝ boîte *f*; **con'tain·ment** *conduite*: retenue *f*; ✕ échec *m*.

con·tam·i·nate [kən'tæmineit] con-

taminer; *fig.* corrompre; vicier; **con·tam·i·na·tion** *textes, a. ling.*: contamination *f*; souillure *f*.

con·tan·go † [kən'tæŋgou] intérêt *m* de report.

con·tem·plate ['kɔntempleit] *v/t.* contempler, considérer; *v/i.* méditer; **con·tem·pla·tion** contemplation *f*; méditation *f*; *have in* ~ projeter; **con·tem·pla·tive** □ [kən-'templətiv] contemplatif (-ive *f*); recueilli; songeur (-euse *f*).

con·tem·po·ra·ne·ous □ [kəntem-pə'reinjəs] contemporain; ⚖ ~ *performance* exécution *f* simultanée; **con·tem·po·rar·y 1.** contemporain (de, *with*); **2.** contemporain(e *f*) *m*; confrère *m*.

con·tempt [kən'tempt] mépris *m*, dédain *m*; ~ *of court* contumace *f*, outrage *m* à la Cour; *hold in* ~ mépriser; *in* ~ *of* au *ou* en mépris de; **con·tempt·i·ble** □ méprisable; bas(se *f*); indigne; **con'temp·tu·ous** □ [ˌjuəs] dédaigneux (-euse *f*) (de, *of*); méprisant, de mépris.

con·tend [kən'tend] *v/i.* lutter; contester (qch., *for s.th.*; à q., *with s.o.*); *v/t.* soutenir (que, *that*).

con·tent¹ ['kɔntent] *vase etc.*: contenance *f*; *min.*: teneur *f*; ~*s pl.* contenu *m*.

con·tent² [kən'tent] **1.** satisfait (de, *with*); *parl.* pour; oui; *not* ~ contre; non; **2.** contenter, satisfaire; ~ *o.s.* se contenter (de, *with*); se borner à; **3.** contentement *m*; *to one's heart's* ~ à souhait; **con'tent·ed** □ content, satisfait (de, *with*); *be* ~ *to* (*inf.*) se contenter de (*inf.*).

con·ten·tion [kən'tenʃn] dispute *f*, débat *m*; affirmation *f*, prétention *f*; **con'ten·tious** □ contentieux (-euse *f*); disputeur (-euse *f*) (*personne*); **con·tent·ment** [kən'tentmənt] contentement *m* (de son sort).

con·ter·mi·nous [kən'təːminəs] limitrophe (de *to*, *with*); de même étendue *ou* durée (que, *with*).

con·test 1. ['kɔntest] lutte *f*; concours *m*; *sp.* match (*pl.* matchs, matches) *m*; **2.** [kən'test] (se) disputer; contester, débattre; *pol.* ~ *a seat* se poser candidat pour un siège; **con'test·a·ble** contestable; débattable; **con'test·ant** contestant(e *f*) *m*; concurrent(e *f*) *m*; **con'test·ed** disputé.

con·text ['kɔntekst] *texte*: contexte *m*; **con·tex·tu·al** □ [kɔn'tekstjuəl] d'après le contexte; **con'tex·ture** [˗tʃə] *os, tissu*: texture *f*; *poème, discours*: facture *f*.

con·ti·gu·i·ty [kɔnti'gjuiti] contiguïté *f*; **con·tig·u·ous** □ [kən'tigjuəs] contigu(ë *f*), attenant (à, to).

con·ti·nence ['kɔntinəns] continence *f*, chasteté *f*; **'con·ti·nent 1.** □ continent, chaste; **2.** continent *m*; the ♂ l'Europe *f* (continentale); **con·ti·nen·tal** □ [˗'nentl] continental (-aux *m/pl.*); ♀ F de l'Europe; **con·ti·nen·tal·ize** continentaliser.

con·tin·gen·cy [kən'tindʒənsi] éventualité *f*; cas *m* imprévu; **con'tin·gen·cies** *pl.* imprévu *m*; ♰ faux frais *m/pl.*; **con'tin·gent 1.** □ éventuel(le *f*); accidentel(le *f*); aléatoire; conditionnel(le *f*); be ∼ on dépendre de; **2.** ✕ contingent *m*.

con·tin·u·al □ [kən'tinjuəl] continuel(le *f*), incessant; **con'tin·u·ance** continuation *f*; durée *f*; **con·tin·u·a'tion** continuation *f*; suite *f*; prolongement *m*; ♰ report *m*; *sl.* ∼s *pl.* pantalon *m*; guêtres *f/pl.*; ∼ *school* école *f* du soir, cours *m* complémentaire; **con'tin·ue** *v/t.* continuer; prolonger; reprendre; maintenir; ∼ *reading* continuer à ou de lire; *to be* ∼*d* à suivre; *v/i.* (se) continuer; se prolonger; persévérer; se poursuivre; ∼ *(in) a business* continuer dans une affaire; **con·ti·nu·i·ty** [kɔnti'nju:iti] continuité *f*; ∼ *girl* script-girl *f*; **con·tin·u·ous** □ [kən'tinjuəs] continu; suivi; ♂ ∼ *current* courant *m* continu.

con·tort [kən'tɔ:t] tordre; contourner; **con'tor·tion** contorsion *f*; **con'tor·tion·ist** contorsionniste *m*.

con·tour ['kɔntuə] contour *m*, profil *m*; *plan*: tracé *m*; ∼ *line* courbe *f* de niveau.

con·tra ['kɔntrə] contre; ♰ per ∼ par contre.

con·tra·band ['kɔntrəbænd] **1.** de contrebande; **2.** contrebande *f*.

con·tract 1. [kən'trækt] *v/t.* contracter (*habitudes, maladie, dettes, mariage, muscles*); prendre (*des habitudes, un goût*); *v/i.* se resserrer, se contracter (*a. ling.*); traiter (*pour, for*); entreprendre (*de, to*); ∼ *for* entreprendre (*qch.*); ∼*ing party* con-

tractant(e *f*) *m*; **2.** ['kɔntrækt] pacte *m*, contrat *m*; entreprise *f*; *by* ∼ par contrat; *under* ∼ engagé par contrat; ∼ *work* travail *m* à forfait; **con·tract·ed** □ [kən'træktid] contracté; *fig.* rétréci; **con·tract·i·'bil·i·ty** contractilité *f*; **con·tract·i·ble** contractile; **con'trac·tile** ♀ [˗tail] contractile; de contraction; **con'trac·tion** contraction *f* (*a. gramm.*), rétrécissement *m*; *crédit*: amoindrissement *m*; *habitudes*: prise *f*; **con'trac·tor** bâtiments: entrepreneur *m*; *armée, gouvernement*: fournisseur *m*; *anat.* (*muscle m*) fléchisseur *m*; **con'trac·tu·al** [˗tjuəl] contractuel(le *f*).

con·tra·dict [kɔntrə'dikt] contredire (*q., qch.*); **con·tra'dic·tion** contradiction *f*; **con·tra·dic·tious** contredisant; ergoteur (-euse *f*); **con·tra'dic·to·ri·ness** [˗tərinis] nature *f* contradictoire; esprit *m* de contradiction; **con·tra'dic·to·ry** □ contradictoire; opposé (à, to).

con·tra·dis·tinc·tion [kɔntrədis-'tiŋkʃn] opposition *f*, contraste *m*.

con·trap·tion *sl.* [kən'træpʃn] dispositif *m*, machin *m*; invention *f* baroque.

con·tra·ri·e·ty [kɔntrə'raiəti] contrariété *f*; **con·tra·ri·ly** ['˗rili] contrairement; **'con·tra·ri·ness** esprit *m* contrariant ou de contradiction; contrariété *f*; **con·tra·ri·wise** ['˗waiz] au contraire; d'autre part; en sens opposé; **'con·tra·ry 1.** contraire, opposé; F [*a.* kən-'treəri] indocile, revêche; ∼ *to* contraire à, contre, à l'encontre de; **2.** contraire *m*; *on* (*ou to*) *the* ∼ au contraire; *to the* ∼ *a.* à l'encontre.

con·trast 1. ['kɔntræst] contraste *m* (*avec to, with*); *in* ∼ *to* par contraste avec; *by* ∼ en opposition; comme contraste; **2.** [kən'træst] *v/t.* faire contraster (avec, with); opposer; mettre en contraste (avec, with); *v/i.* contraster, faire contraste (avec, with).

con·tra·vene [kɔntrə'vi:n] enfreindre, transgresser; contrevenir à; aller à l'encontre de; **con·tra·ven·tion** [˗'venʃn] contravention *f*, infraction *f* (à, of); violation *f* (de, of).

con·trib·ute [kən'tribju:t] *v/t.* contribuer pour (*une somme*); payer; écrire (*des articles*); *v/i.* contribuer, aider (à, *to*); collaborer (*à un journal*); **con·tri'bu·tion** [kɔntri'bjuːʃn] contribution *f*; cotisation *f*; ⚕ apport *m* (*de capitaux*); versement *m*; *journal*: article *m*; ✕ contribution *f*, réquisition *f*; **con'trib·u·tor** [kən-'tribjutə] contribuant(e *f*) *m*; collaborateur (-trice *f*) *m* (*d'un journal*, *to a newspaper*); **con'trib·u·to·ry** contribuant.

con·trite □ ['kɔntrait] contrit, pénitent; **con·tri·tion** [kən'triʃn] contrition *f*, pénitence *f*.

con·triv·ance [kən'traivəns] invention *f*; combinaison *f*; artifice *m*; appareil *m*, dispositif *m*; F truc *m*; **con'trive** *v/t.* inventer, imaginer, combiner; pratiquer; *v/i.* se débrouiller; se tirer d'affaire; s'arranger; trouver moyen (*de inf.*, *to inf.*); **con'triv·er** inventeur (-trice *f*) *m*; *péj.* machinateur (-trice *f*) *m*.

con·trol [kən'troul] **1.** autorité *f*; maîtrise *f*, contrainte *f*; empire *m*; contrôle *m*; *train, navire*: manœuvre *f*; *mot.* (*a.* ~ *lever*) manette *f* de commande; surveillance *f*; ⊕ commande *f*; contrôleur (-euse *f*) *m* (*d'un médium*); *exchange* ~ contrôle *m* des changes; *attr.* de commande, de contrôle; ✕ ~ *surfaces pl.* empennage *m*; *remote* (*ou distant*) ~ commande *f* à distance; ~ *board* ✍ commutateur *m*; ✕ ~ *column* levier *m* de commande; ~ *knob* bouton *m* de réglage; ~ *tower* ✕ tour *f* de contrôle; *be in* ~ commander (*qch.*, *of s.th.*); avoir de l'autorité (*sur, of*); *put s.o. in* ~ charger q. du contrôle *ou* de la direction (*de, of*); **2.** diriger; régler; tenir (*ses élèves*); maîtriser; gouverner (*a. fig.*); dompter (*ses passions*); réglementer (*la circulation*); retenir (*ses larmes*); ⊕ commander (*a.* ✍); **con'trol·la·ble** contrôlable; maniable, manœuvrable; maîtrisable; **con'trol·ler** contrôleur (-euse *f*) *m*; *appareil*, *a.* ✍ contrôleur *m*; *affaire*: gérant *m*.

con·tro·ver·sial □ [kɔntrə'vəːʃl] controversable; polémique; *personne*: disputailleur (-euse *f*) *m*; **con·tro·ver·sy** ['~si] controverse *f*; polémique *f*; **con·tro·vert** ['~vəːt] controverser (*une question*); disputer (*qch.*); **con·tro'vert·i·ble** □ controversable.

con·tu·ma·cious □ [kɔntjuː'meiʃəs] rebelle, récalcitrant; ⚖ contumace; **con·tu·ma·cy** ['kɔntjuməsi] obstination *f*, entêtement *m*; ⚖ contumace *f*.

con·tu·me·li·ous [kɔntjuː'miːliəs] insolent, dédaigneux (-euse *f*); **con·tu·me·ly** ['kɔntjumili] insolence *f*; mépris *m*; honte *f*.

con·tuse ✍ [kən'tjuːz] contusionner; **con'tu·sion** contusion *f*.

co·nun·drum [kə'nʌndrəm] devinette *f*; *fig.* énigme *f*.

con·va·lesce [kɔnvə'les] être en convalescence; **con·va'les·cence** convalescence *f*; **con·va'les·cent** □ convalescent(e *f*) *m* (*a. su./mf*).

con·vec·tion [kən'vekʃn] *phys.* convection *f*.

con·vene [kən'viːn] (s')assembler, (se) réunir; *v/t.* convoquer (*une assemblée*); ⚖ citer (devant, *before*).

con·ven·ience [kən'viːnjəns] commodité *f*, convenance *f*; plaisir *m*; (*a. public* ~) cabinets *m/pl.* d'aisance, commodités *f/pl.*; *at your earliest* ~ au premier moment favorable; *make a* ~ *of s.o.* abuser de la bonté de q.; *marriage of* ~ mariage *m* de convenance; **con'ven·ient** □ commode; à proximité (*de to, for*).

con·vent ['kɔnvənt] couvent *m* (*surt. de femmes*); **con·ven·ti·cle** [kən'ventikl] conciliabule *m*; conventicule *m* (*surt. de dissidents*); **con'ven·tion** convention *f*; accord *m*; *usu.* ~*s pl.* bienséances *f/pl.*; **con·ven·tion·al** conventionnel(le *f*); *de* convention; courant (*a.* ✕ *armes*); **con'ven·tion·al·ism** respect *m* des convenances; *art*: formalisme *m*; **con·ven·tion·al·i·ty** [~'næliti] convention *f*; conventions *f/pl.* sociales; **con'ven·tu·al** [~'tjuəl] □ conventuel(le *f*) (*a. su./mf*).

con·verge [kən'vəːdʒ] *v/i.* converger (sur, on); *v/t.* faire converger; **con'ver·gence, con'ver·gen·cy** convergence *f*; **con'ver·gent, con'verg·ing** convergent.

con·vers·a·ble [kən'vəːsəbl] sociable; de commerce agréable; **con·ver·sant** familier (-ère *f*) (avec q., *with s.o.*); versé (dans *with*, in); compétent (en *with*, in); **con·ver·sa·tion** [~və'seiʃn] conversation *f*, entretien *m*; **con·ver·sa·tion·al**

de (la) conversation; **con·verse** ['kɔnvəːs] 1. contraire; 2. conversation f; relations f/pl., commerce m; ♣ proposition f réciproque; phls. proposition f converse; 3. [kən'vəːs] causer; s'entretenir (avec, with); **con'ver·sion** ⊕, phls., eccl., pol., ✝ rentes: conversion f (à, to; en into); transformation f (a. ♪); ⚖ détournement m (de fonds); ✝ accommodation f (d'une usine aux usages de qch.).

con·vert 1. ['kɔnvəːt] converti(e f) m; 2. [kən'vəːt] transformer (a. ♪); changer; convertir (a. ⊕, eccl., pol., phls.); sp. transformer (un essai); ✝ affecter (des fonds); ⚖ détourner (des fonds); ✝ accommoder (une usine etc.); **con'vert·er** convertisseur (-euse f) m; ⊕, a. ⚡ convertisseur m; radio: adapteur m; **con·vert·i·bil·i·ty** [‿ə'biliti] convertibilité f; **con'vert·i·ble** □ convertissable (personne); convertible (en, into) (chose); interchangeable (termes), réciproque; mot. décapotable, transformable.

con·vex □ ['kɔn'veks] convexe; **con'vex·i·ty** convexité f.

con·vey [kən'vei] (trans)porter; conduire; (a)mener (q.); communiquer (une pensée, une nouvelle, etc.); transmettre (phys., a. odeur, son, ordre, remerciements, etc.); ⚖ faire cession de; dresser l'acte translatif de propriété de; **con'vey·ance** transport m; moyen(s) m(pl.) de transport; transmission f (a. ⚖, a. phys.); communication f; voiture f; véhicule m; ⚖ transfert m, cession f; ⚖ acte m translatif de propriété; ⚡ transmission f; transport m (d'énergie); public ∼ voiture f publique; **con'vey·anc·er** notaire m (qui dresse des actes translatifs de propriété); **con'vey·or** ⊕ (a. ∼ belt) bande f transporteuse.

con·vict 1. ['kɔnvikt] forçat m; 2. [kən'vikt] convaincre (de, of); **con'vic·tion** conviction f; ⚖ condamnation f; previous ∼s dossier m du prévenu.

con·vince [kən'vins] persuader, convaincre (q. de qch., s.o. of s.th.).

con·viv·i·al [kən'viviəl] joyeux (-euse f), jovial (-als ou -aux m/pl.), bon

vivant; **con·viv·i·al·i·ty** [‿vi'æliti] franche gaieté f; sociabilité f.

con·vo·ca·tion [kɔnvə'keiʃn] convocation f; eccl. assemblée f.

con·voke [kən'vouk] convoquer.

con·vo·lu·tion [kɔnvə'luːʃn] ⚡ circonvolution f; fig. repli m, sinuosité f. [volubilis m.\]

con·vol·vu·lus ♣ [kən'vɔlvjuləs]⟩

con·voy 1. ['kɔnvɔi] convoi m; escorte f; 2. [kən'vɔi] convoyer, escorter.

con·vulse [kən'vʌls] fig. bouleverser; be ∼d with laughter se tordre de rire; **con'vul·sion** usu. ∼s pl. convulsion f, ∼s f/pl.; fig. bouleversement m; go off in ∼s of laughter se tordre de rire; **con'vul·sive** □ convulsif (-ive f).

coo [kuː] 1. roucouler; 2. roucoulement m.

cook [kuk] 1. cuisinier (-ère f) m; (a. head ∼) chef m; 2. v/t. (faire) cuire; F cuisiner (les comptes etc.); v/i. faire la cuisine; **'cook·er** cuisinière f; pomme f ou fruit m à cuire; F falsificateur (-trice f) m des comptes; pressure-∼ marmite f express; **'cook·er·y** cuisine f; **cook·ie** ['‿i] Am. galette f; **'cook·ing** cuisson f; cuisine f; attr. de cuisine.

cool [kuːl] 1. □ frais (fraîche f); froid, tiède (sentiments); fig. calme, de sang-froid; péj. sans gêne, peu gêné; F a ∼ thousand pounds mille livres bien comptées; 2. frais m; 3. (se) rafraîchir; **'cool·er** rafraîchisseur m; vin: glacière f; sl. prison f; **'cool-'head·ed** à l'esprit calme; de sang-froid; imperturbable.

coo·lie ['kuːli] coolie m.

cool·ing ⊕ ['kuːliŋ] refroidissement m; attr. de réfrigération; **'cool·ness** fraîcheur f; fig. personne: froideur f; sang-froid m; flegme m; **coolth** F ou co. Brit. [kuːlθ] frais m.

coomb(e) géog. [kuːm] combe f.

coon Am. F [kuːn] zo. abr. de rac(c)oon; nègre m; type m; he is a gone ∼ c'en est fait de lui; ∼ song chanson f nègre.

coop [kuːp] 1. cage f à poules; poussinière f; 2. ∼ up (ou in) enfermer; tenir enfermé.

co-op F [kou'ɔp] see co(-)operative store; co(-)operative society.

coop·er ['kuːpə] tonnelier m; dry ∼

boissilier *m*; *vins:* embouteilleur *m*; **'coop·er·age** tonnellerie *f*.

co(-)op·er·ate [kou'ɔpəreit]coopérer (avec, with); concourir (à, in); *ready to ~* prêt à aider; **co(-)op·er·'a·tion** coopération *f*, concours *m* (à, in); **co(-)'op·er·a·tive** [ʌ'pərətiv] **1.** coopératif (-ive *f*); *~ society* société *f* coopérative; *~ store* société *f* coopérative de consommation; F coopérative *f*; **2.** *see ~ store*; **co·'op·er·a·tor** [ʌreitə] coopérateur (-trice *f*) *m*.

co-opt [kou'ɔpt] coopter; **co-op'ta·tion** cooptation *f*.

co·or·di·nate [kou'ɔ:dinit] **1.** □ coordonné *m*; **2.** A coordonnée *f*; **3.** [ʌʌneit] coordonner (à, with); **co·or·di·na·tion** coordination *f*.

coot [ku:t] *orn.* foulque *f* noire; F niais(e *f*) *m*; **coot·ie** ['ʌi] *sl.* pou (*pl.* poux) *m*.

cop *sl.* [kɔp] **1.** pincer (=*attraper*); *~ it* (se faire) attiger; recevoir un savon; **2.** sergot *m*, flic *m*.

co·par·ce·nar·y ['kou'pɑ:sinəri] copartage *m*; copropriété *f*; **'co·par·ce·ner** indivisaire *mf*.

co·part·ner ['kou'pɑ:tnə] coassocié(-e *f*) *m*; **'co·part·ner·ship** coassociation *f*; coparticipation *f*; actionnariat *m* ouvrier.

cope[1] [koup] **1.** *eccl.* chape *f*; *fig.* voile *m*, manteau *m*; voûte *f* (*céleste*); **2.** recouvrir d'une voûte; chaperonner (*un mur*).

cope[2] [ʌ]: *~ with* tenir tête à, faire face à. [couronnement *m*.]

cope·stone ['koupstoun] *usu. fig.*

cop·ing A ['koupiŋ] chaperon *m* (*d'un mur*).

co·pi·ous □ ['koupjəs] copieux (-euse *f*), abondant; **'co·pi·ous·ness** profusion *f*, abondance *f*.

cop·per[1] ['kɔpə] **1.** cuivre *m* (rouge); pièce *f* de deux sous; lessiveuse *f*; *~s pl.* petite monnaie *f*; **2.** de *ou* en cuivre; **3.** cuivrer; doubler (*un navire*).

cop·per[2] [ʌ] *Brit. sl. see* cop 2.

cop·per·as ⌒ ['kɔpərəs] couperose *f* verte...

cop·per...: '*~·plate* plaque *f* de cuivre; *~ writing* écriture *f* moulée; '*~·works usu. sg.* fonderie *f* de cuivre; **'cop·per·y** cuivreux (-euse *f*).

cop·pice ['kɔpis], **copse** [kɔps] taillis *m*, hallier *m*.

cop·u·late *zo.* ['kɔpjuleit] s'accoupler; **cop·u·'la·tion** coït *m*; *zo.* accouplement *m*; **cop·u·la·tive** ['ʌlətiv] **1.** *anat., physiol.* copulateur (-trice *f*); *gramm.* copulatif(-ive *f*); **2.** copulative *f*.

cop·y ['kɔpi] **1.** copie *f*; reproduction *f*; transcription *f*; *livre:* exemplaire *m*; *journal:* numéro *m*; *écriture:* modèle *m*; *imprimerie:* manuscrit *m*; *journ.* matière *f* à reportage; (*a. carbon ~*) double *m*; *fair* (*ou clean*) *~* copie *f* au net; *fig.* corrigé *m*; *rough* (*ou foul*) *~* brouillon *m*; **2.** copier; reproduire; transcrire; *~ fair* mettre au net; *phot. ~ing stand* porte-copie *m/inv.*; '*~·book* cahier *m* d'écriture; '*~·hold* ⚖ tenure *f* censitaire; **'cop·y·ing-ink** encre *f* à copier; **'cop·y·ing-press** presse *f* à copier; **'cop·y·ist** copiste *mf*; scribe *m*; **'cop·y·right** propriété *f* littéraire; droit *m* d'auteur; *attr.* protégé par des droits d'auteur; qui n'est pas dans le domaine public (*livre*).

co·quet [kou'ket] faire la coquette; **co·quet·ry** ['ʌkitri] coquetterie *f*; **co·quette** [ʌ'ket] coquette *f*; **co·'quet·tish** □ provocant; coquet(te *f*) (*chapeau etc.*); flirteur (-euse *f*) (*femme*).

cor·al ['kɔrəl] **1.** corail (*pl.* -aux) *m*; anneau *m* de corail (*pour bébé*); **2.** (*a.* **cor·al·line** ['ʌlain]) corallien (-ne *f*); corallin (*couleur*).

cor·bel A ['kɔ:bl] corbeau *m*, console *f*.

cord [kɔ:d] **1.** corde *f*; cordon *m* (*a.* ⚡); ficelle *f*; *bois de chauffage:* corde *f*; *fig.* lien *m*; *anat.* corde *f* (*vocale*); cordon *m* (*médullaire, ombilical*); *see* corduroy; **2.** corder; attacher *ou* lier avec une corde; **'cord·ed** *tex.* côtelé; **'cord·age** cordages *m/pl.*

cor·dial ['kɔ:djəl] **1.** □ cordial (-aux *m/pl.*); chaleureux (-euse *f*); **2.** cordial *m*; **cor·dial·i·ty** [ʌdi'æliti] cordialité *f*.

cord-mak·er ['kɔ:dmeikə] cordier *m*.

cor·don ['kɔ:dən] **1.** A, ✗, *etc.* cordon *m*; **2.** *~ off* isoler par un cordon (*de police etc.*).

cor·do·van ['kɔ:dəvən] (cuir *m*) de Cordoue.

cor·du·roy ['kɔ:dərɔi] *tex.* velours *m*

côtelé; ~s *pl.* pantalon *m ou* culotte *f* de velours à côtes; ~ *road Am.* chemin *m* de rondins.

core [kɔ:] 1. ⚘ *pomme:* trognon *m*; *bois:* cœur *m*; *fig.* cœur *m*; *intérieur m*; *abcès:* bourbillon *m*; ✗ carotte *f*; ⊕ noyau *m*; 2. enlever le cœur de *(une pomme)*; '**cor·er** (*a.* apple-~) vide-pomme *m/inv.*

co·re·li·gion·ist ['kouri'lidʒənist] coreligionnaire *mf.*

Co·rin·thi·an [kə'rinθiən] 1. corinthien(ne *f*); 2. Corinthien(ne *f*) *m.*

cork [kɔ:k] 1. liège *m*; *bouteille:* bouchon *m*; 2. boucher; *fig.* (*a.* ~ up) étouffer; '**cork·age** bouchage *m*; débouchage *m*; *restaurant:* droit *m* de débouchage; '**corked** qui sent le bouchon (*vin*); '**cork·er** *sl.* dernier cri *m*; type *m etc.* épatant; mensonge *m* un peu fort; '**cork·ing** *Am.* F fameux (-euse *f*); bath.

cork...: ~ **jack·et** gilet *m* de sauvetage; '~**screw** 1. tire-bouchon *m*; ~ *curl cheveux:* tire-bouchon *m*; 2. *v/i.* vriller (*fil*); tourner en vrille (*escalier*); '~**tree** ⚘ chêne-liège (*pl.* chênes-lièges) *m*; '**cork·y** semblable au liège; *fig.* enjoué.

cor·mo·rant *orn.* ['kɔ:mərənt] cormoran *m*, F corbeau *m* de mer.

corn¹ [kɔ:n] 1. grain *m*; blé *m*; *Am.* (*a. Indian* ~) maïs *m*; *Am.* ~ *bread* pain *m* de maïs; *Am.* ~*flakes* paillettes *f/pl.* de maïs; 2. saler; ~*ed beef* bœuf *m* de conserve.

corn² 𝔰 [~] *orteil:* cor *m*; *pied:* oignon *m.*

corn...: '~**chan·dler** *Brit.* marchand *m* de grains; '~**cob** *Am.* épi *m* de maïs.

cor·ne·a *anat.* ['kɔ:niə] œil: cornée *f.*

cor·nel ⚘ ['kɔ:nl] cornouille *f*; *arbre:* cornouiller *m.*

cor·nel·ian *min.* [kɔ:'ni:ljən] cornaline *f.*

cor·ne·ous ['kɔ:niəs] corné.

cor·ner ['kɔ:nə] 1. coin *m*, angle *m*; *tournant m*; *mot.* virage *m*; *fig.* dilemme *m*, impasse *f*; ✝ monopole *m*; ✝ trust *m* d'accapareurs; *foot.* (*a.* ~ *kick*) corner *m*; 2. mettre dans un coin (*fig.* une impasse); acculer (*q.*); mettre (*un animal*) à l'accul; ✝ accaparer; '**cor·nered** à angles, à coins.

corner...: '~**house** maison *f* du

coin; '~**stone** pierre *f* angulaire (*a. fig.*).

cor·net ['kɔ:nit] ♩ cornet *m* à pistons; *papier:* cornet *m*; *glaces:* plaisir *m.*

corn...: '~**ex·change** bourse *f* des céréales; halle *f* aux blés; '~**flow·er** bl(e)uet *m.*

cor·nice ['kɔ:nis] △, *alp.* corniche *f*; chapiteau *m* d'armoire.

Cor·nish ['kɔ:niʃ] cornouaillais, de Cornouailles.

corn...: '~**juice** *Am.* whisky *m* de maïs; '~**pop·py** ⚘ coquelicot *m*; pavot *m* rouge.

cor·nu·co·pi·a [kɔ:nju'koupjə] corne *f* d'abondance.

corn·y ['kɔ:ni] abondant en blé; *sl.* suranné, rebattu; *surt. Am.* ♩ sentimental (-aux *m/pl.*); gnangnan *inv.*

co·rol·la ⚘ [kə'rɔlə] corolle *f*; **cor·ol·la·ry** corollaire *m*; *fig.* conséquence *f.*

co·ro·na [kə'rounə], *pl.* -**nae** [~ni:] *astr.* couronne *f*; △ larmier *m*; **co·ro·nal** ['kɔrənl] *anat.* coronal (-aux *m/pl*); **cor·o·na·tion** couronnement *m*, sacre *m*; '**cor·o·ner** 🏛 coroner *m*; **cor·o·net** ['~nit] cercle *m*, couronne *f*; *dame:* diadème *m.*

cor·po·ral ['kɔ:pərəl] 1. □ corporel (-le *f*); 2. ✗ *infanterie:* caporal *m*; *artillerie:* cavalerie: brigadier *m*; **cor·po·rate** ['~rit] □ constitué; ~ *body* corps *m* constitué; personne *f* civile; **cor·po·ra·tion** corporation *f*, corps *m* constitué; personne *f* civile; municipalité *f*; *Am.* société *f* par actions; F gros ventre *m*; **cor·po·ra·tive** ['~rətiv] corporatif (-ive *f*); **cor·po·re·al** □ [~'pɔ:riəl] corporel(le *f*); matériel(le *f*) (*a.* 🏛); **cor·po·re·i·ty** [~pə'ri:iti] corporéité *f.*

corps [kɔ:], *pl.* **corps** [kɔ:z] corps *m.*

corpse [kɔ:ps] cadavre *m*; corps *m.*

cor·pu·lence, **cor·pu·len·cy** ['kɔ:pjuləns(i)] corpulence *f*; '**cor·pu·lent** corpulent.

cor·pus ['kɔ:pəs], *pl.* -**po·ra** ['~pərə] corpus *m*, recueil *m*; ♀ **Chris·ti** ['kɔ:pəs'kristi] *la* Fête-Dieu *f*; **cor·pus·cle** ['kɔ:pʌsl] corpuscule *m*; *sanguin:* globule *m*; *fig.* atome *m.*

cor·ral *surt. Am.* [kɔ'rɑ:l] 1. corral *m* (*pl.* -als) *m*; 2. renfermer dans un corral; *fig.* s'emparer de; parquer (*des chariots*) en rond.

cor·rect [kə'rekt] **1.** *adj.* □ correct;
juste; bienséant; *be* ~ avoir raison;
fig. être en règle; **2.** *v/t.* corriger;
rectifier (*une erreur*); neutraliser
(*une influence*); reprendre (*un enfant*);
cor'rec·tion correction *f*; rectification *f*; châtiment *m*, punition *f*;
house of ~ maison *f* de correction;
I speak under ~ je le dis sous toutes
réserves, sauf correction; **cor'rect-
i·tude** [͜·itjuːd] correction *f*; **cor-
'rec·tive 1.** correctif (-ive *f*), rectificatif (-ive *f*); punitif (-ive *f*);
2. correctif *m*; **cor'rec·tor** correcteur (-trice *f*) *m*; *typ.* corrigeur
(-euse *f*) *m*; ⊕ appareil *m etc.* correcteur.

cor·re·late ['kɔrileit] **1.** *v/t.* mettre
en corrélation (avec, with); *v/i.* correspondre (à with, to); **2.** corrélatif
m; **cor·re'la·tion** corrélation *f*;
cor·rel·a·tive □ ['͜·relətiv] corrélatif (-ive *f*); en corrélation (avec,
with).

cor·re·spond [kɔris'pɔnd] (*with, to*)
correspondre (à); être con-
forme (à); (s')écrire (à); **cor·re-
'spond·ence** correspondance *f*;
courrier *m*; **cor·re'spond·ent 1.** □
conforme; **2.** correspondant(e *f*) *m*
(*a.* ✝); *journ.* envoyé(e *f*) *m*.

cor·ri·dor ['kɔridɔː] couloir *m*, corridor *m*; 🚄 ~ *train* train *m* à inter-
circulation.

cor·ri·gi·ble □ ['kɔridʒəbl] corrigible.

cor·rob·o·rant [kə'rɔbərənt] **1.** corroborant; corroboratif (-ive *f*);
2. corroborant *m*; fortifiant *m*; **cor-
'rob·o·rate** [͜·reit] corroborer, confirmer; **cor·rob·o'ra·tion** corrobo-
ration *f*, confirmation *f*; **cor'rob·o-
ra·tive** [͜·rətiv] corroboratif (-ive
f); corroborant.

cor·rode [kə'roud] corroder, ronger
(*un métal, a. fig.*); **cor'ro·dent** corrodant (*a. su./m*); **cor'ro·sion** corrosion *f*; *qqfois* rouille *f*; ⚡ sulfatage
m (*des bornes*); **cor'ro·sive** [͜·siv]
1. □ corrosif (-ive *f*) (*a. fig.*); corrodant; **2.** corrosif *m*, corrodant *m*;
cor'ro·sive·ness corrosivité *f*; mordant *m*.

cor·ru·gate ['kɔrugeit] ⊕ strier de
nervures; ~*d cardboard* carton *m*
ondulé; ~*d iron* tôle *f* ondulée.

cor·rupt [kə'rʌpt] **1.** □ corrompu,
altéré (*a. texte*); *fig.* dépravé;

vénal (-aux *m/pl.*) (*presse*); *pol.*
practices brigues *f/pl.*; abus *m*,
trafic *m* d'influence; **2.** *v/t.* corrompre, altérer (*a. texte*); *fig.* dépraver,
dévoyer; *v/i.* se corrompre; s'altérer; **cor'rupt·er** corrupteur (-trice
f) *m*; démoralisateur (-trice *f*) *m*;
cor·rupt·i·bil·i·ty [͜·ə'biliti] cor-
ruptibilité *f*; vénalité *f*; **cor'rupt·i-
ble** □ corruptible; vénal (-aux
m/pl.); **cor'rup·tion** corruption *f*
(*a. fig.*); dépravation *f*; subornation
f (*d'un témoin*); **cor'rup·tive** □ cor-
ruptif (-ive *f*).   [bouquet *m.*]

cor·sage [kɔː'sɑːʒ] corsage *m*; *Am.*]
cor·sair ['kɔːsɛə] *homme, vaisseau:*
corsaire *m*; pirate *m*.

cors(e)·let ['kɔːslit] corselet *m*.
cor·set ['kɔːsit] corset *m*; **'cor·set-
ed** corseté.

cor·ti·cal ['kɔːtikl] cortical (-aux
m/pl.); *fig.* extérieur.

cor·ti·sone ['kɔːtizoun] cortisone *f*.

co·run·dum *min.* [kə'rʌndəm] corindon *m*.

cor·us·cate ['kɔrəskeit] scintiller;
briller; **cor·us'ca·tion** vif éclat *m*;
fig. ~*s of wit* paillettes *f/pl.* d'esprit.

cor·vette ⚓ [kɔː'vet] corvette *f*.

cor·vine ['kɔːvain] *orn.* corvin.

cor·y·phae·us [kɔri'fiːəs], *pl.* **-phae·i**
[͜·fiːai] coryphée *m* (*a. fig.*); *fig.*
chef *m* de secte *etc.*; **co·ry·phée**
[͜·'fei] *ballet:* première danseuse *f*.

cosh·er ['kɔʃə] dorloter, gâter.

co·sig·na·to·ry ['kou'signətəri] co-
signataire (*a. su.*).

co·sine ℝ ['kousain] cosinus *m*.

co·si·ness ['kouzinis] confortable *m*;
chaleur *f* agréable.

cos·met·ic [kɔz'metik] (~*ally*) cosmétique (*a. su./m*).

cos·mic, cos·mi·cal □ ['kɔzmik(l)]
cosmique.   [naute *m.*]

cos·mo·naut ['kɔzmənɔːt] cosmo-]
cos·mo·pol·i·tan [kɔzmə'pɔlitən],
cos·mop·o·lite [͜·'mɔpəlait] cosmo-
polite (*a. su./mf*).

Cos·sack ['kɔsæk] cosaque (*a. su.*).

cos·set ['kɔsit] **1.** (agneau *m*) favori
m; **2.** dorloter, gâter.

cost [kɔst] **1.** coût *m*; frais *m/pl.*;
dépens *m/pl.*; prix *m*; 🏛 ~*s pl.* frais
m/pl. d'instance; *les* frais *m/pl.* et
dépens *m/pl.*; *first* (*ou* *prime*) ~ prix
m coûtant; prix *m* de revient; ~ *of
living* coût *m* de la vie; *to my* ~ à mes
dépens; *as I know to my* ~ (comme)

je l'ai appris pour mon malheur;
2. [*irr.*] coûter; ✝ établir le prix de
revient de (*un article*); ~ *dear* coûter
cher (à q., *s.o.*).

co-star ['kou'staː] *cin.* partenaire
mf.

cos-ter F ['kɔstə], '~·**mon-ger** marchand *m* des quatre-saisons.

cost-ing ['kɔstiŋ] établissement *m* du
prix de revient.

cos-tive □ ['kɔstiv] constipé.

cost-li-ness ['kɔstlinis] prix *m* élevé;
meubles: somptuosité *f*; '**cost-ly** de
grand prix; riche (*meubles*); coûteux
(-euse *f*).

cost-price ✝ ['kɔstprais] prix *m*
coûtant, prix *m* de revient, prix *m*
de fabrique.

cos-tume ['kɔstjuːm] **1.** costume *m*
(*pour dames*: tailleur); ~ *play* pièce *f*
historique; **2.** costumer; **cos'tum-**
i-er [~miə] costumier *m*.

co-sy ['kouzi] **1.** □ chaud, commode,
confortable; **2.** cosy *m* (*pour œufs à
la coque*); couvre-théière *m*; molleton *m*.

cot [kɔt] lit *m* d'enfants; lit *m* de
camp; ⚓ hamac *m* à cadre.

co-te-rie ['koutəri] coterie *f*; cénacle
m (*littéraire etc.*).

cot-tage ['kɔtidʒ] chaumière *f*; petite maison *f* de campagne; *Am.* résidence *f* d'été; *Am.* ~ *cheese* fromage *m* blanc; ~ *piano* petit piano *m*
droit; '**cot-tag-er** paysan(ne *f*) *m*;
habitant(e *f*) *m* d'une chaumière;
Am. estivant(e *f*) *m*.

cot-ter ⊕ ['kɔtə] clavette *f*, goupille *f*.

cot-ton ['kɔtn] **1.** coton *m*; *arbre*: cotonnier *m*; toile *f* *ou* fil *m* de coton;
fil *m* à coudre; *%* de coton; ~ *wool*
ouate *f*; **3.** F s'accorder, faire bon
ménage (avec, *with*); se sentir attiré
(par, *to*); ~ *to s.th.* s'accommoder à
qch.; ~ *up* faire des avances (à *to*,
with); '~**grass** linaigrette *f*; '**cot-**
ton-y cotonneux (-euse *f*).

couch [kautʃ] **1.** canapé *m*, divan *m*;
chaise *f* longue; *poét.* lit *m*; **2.** *v/t.*
coucher; mettre (*sa lance*) en arrêt;
envelopper (*sa pensée*); rédiger
(*une lettre, une réclamation*); abaisser (*une cataracte*); *v/i.* se coucher;
se tapir; '~**grass** ♣ chiendent *m*.

cou-gar *zo.* ['kuːgaː] couguar *m*,
puma *m*.

cough [kɔf] **1.** toux *f*; **2.** *v/i.* tousser;

v/t. ~ *down* réduire (*q.*) au silence
à force de tousser; ~ *up* cracher
(*a. sl.* = *payer*).

could [kud] *prét. de can*[1].

couldn't ['kudnt] = *could not*.

coul-ter ['koultə] coutre *m* (*de charrue*).

coun-cil ['kaunsl] conseil *m*; *eccl.*
concile *m*; **coun-ci(l)-lor** ['~ilə]
conseiller *m*; membre *m* du conseil.

coun-sel ['kaunsəl] **1.** consultation *f*;
conseil *m*; dessein *m*; *t͡t* avocat *m*;
conseil *m*; ~ *for the defence* défenseur *m*; avocat *m* du défendeur; ~
for the prosecution avocat *m* de la
partie publique; *keep o.'s (own)* ~
observer le silence; *take* ~ *with*
consulter avec; **2.** conseiller, recommander (à q. de *inf.*, *s.o.* to
inf.); **coun-se(l)-lor** ['~lə] conseiller *m*.

count[1] [kaunt] **1.** compte *m*, calcul
m; *votes*: dépouillement *m*; dénombrement *m*; *t͡t* chef *m* (*d'accusation*); *box.* compte *m*; *parl.* (*a.* ~
out) ajournement *m*; *lose* ~ perdre le
compte (de, *of*); **2.** *v/t.* compter;
dénombrer; *fig.* tenir (*q.*) pour; *box.*
be ~*ed out* rester sur le plancher
pour le compte; F être compté dehors; *v/i.* compter (sur, *on*; pour
as, *for*); au nombre de, *among*);
avoir de l'importance; ~ *for little*
compter pour peu, ne compter
guère.

count[2] [~] *titre étranger*: comte *m*.

count-down ['kauntdaun] *fusée*:
compte *m* à rebours.

coun-te-nance ['kauntinəns] **1.** visage *m*, figure *f*, mine *f*; expression *f*
(du visage); faveur *f*; **2.** approuver;
encourager, appuyer.

count-er[1] ['kauntə] compteur (-euse
f) *m*; ⊕ compteur *m*; *jeux*: fiche *f*
(*carrée*), jeton *m* (*rond*); *boutique*:
comptoir *m*; *banque etc.*: guichets
m/pl.; caisse *f*; *phys.* *Geiger* ~
compteur *m* Geiger.

count-er[2] [~] **1.** *adj.* contraire, opposé (à, *to*); **2.** *adv.* à contresens;
contrairement; **3.** *su.* contre *m*; *box.*
coup *m* d'arrêt; **4.** *v/t.* aller à
l'encontre de; contrecarrer (*des
desseins*); *box.* parer.

coun-ter-act [kauntə'rækt] neutraliser; parer à; **coun-ter'ac-tion**
action *f* contraire; neutralisation *f*;
contre-mesure *f*.

coun·ter·at·tack [ˈkauntərətæk] contre-attaque f.

coun·ter·bal·ance 1. [ˈkauntəbæləns] contrepoids m; **2.** [ˌ⁓ˈbæləns] contrebalancer; compenser; ✝ équilibrer.   [poste f.\

coun·ter·blast [ˈkauntəbla:st] ri-\

coun·ter·change [kauntəˈtʃeindʒ] échanger (pour, contre for).

coun·ter·charge [ˈkauntətʃɑ:dʒ] contre-accusation f.

coun·ter·check [ˈkauntətʃek] force f opposée ou antagoniste; riposte f.

coun·ter·clock·wise [ˈkauntəˈklɔkwaiz] en sens inverse des aiguilles d'une montre.

coun·ter·cur·rent [ˈkauntəˈkʌrənt] contre-courant m.

coun·ter·es·pi·o·nage [ˈkauntərespiəˈnɑ:ʒ] contre-espionnage m.

coun·ter·feit [ˈkauntəfit] **1.** ☐ contrefait; faux (fausse f); simulé; **2.** contrefaçon f; document: faux m; F fausse monnaie f; **3.** contrefaire; simuler, feindre (une émotion); **'coun·ter·feit·er** contrefacteur m; faux-monnayeur m; simulateur (-trice f) m.

coun·ter·foil [ˈkauntəfɔil] souche f, chèque: talon m.

coun·ter·fort △ [ˈkauntəfɔ:t] contrefort m.

coun·ter·in·tel·li·gence [ˈkauntərintelidʒəns]see counter-espionage.

coun·ter·jump·er F [ˈkauntədʒʌmpə] commis m; calicot m.

coun·ter·mand [kauntəˈmɑ:nd] **1.** contrordre m, contremandement m; **2.** contremander; révoquer; ✝ décommander.

coun·ter·march [ˈkauntəmɑ:tʃ] **1.** contremarche f; **2.** (faire) contremarcher.

coun·ter·mark [ˈkauntəmɑ:k] contremarque f.

coun·ter·meas·ure [ˈkauntəmeʒə] contre-mesure f.

coun·ter·mine [ˈkauntəmain] **1.** contre-mine f; **2.** contre-miner (a. fig.).

coun·ter·or·der [ˈkauntərɔ:də] contrordre m.

coun·ter·pane [ˈkauntəpein] couvre-lit m; courtepointe f.

coun·ter·part [ˈkauntəpɑ:t] contrepartie f; double m.

coun·ter·point ♩ [ˈkauntəpɔint] contrepoint m.

coun·ter·poise [ˈkauntəpɔiz] **1.** contrepoids m; équilibre m; **2.** contrebalancer; faire contrepoids à (a. fig.).   [contrescarpe f.\

coun·ter·scarp ✕ [ˈkauntəskɑ:p]\

coun·ter·sign [ˈkauntəsain] **1.** contreseing m; mot m d'ordre; **2.** contresigner.

coun·ter·sink ⊕ [kauntəˈsiŋk] [irr.] fraiser; noyer (la tête d'une vis); encastrer (la tête d'un rivet).

coun·ter·stroke [ˈkauntəstrouk] retour m offensif.

coun·ter·ten·or ♩ [ˈkauntəˈtenə] haute-contre (pl. hautes-contre) f; alto m.

coun·ter·vail [ˈkauntəveil] v/t. compenser; v/t. prévaloir (contre, against).

coun·ter·weight [ˈkauntəweit] contrepoids m (à, to).

coun·ter·work [ˈkauntəwə:k] contrarier; contrecarrer.

count·ess [ˈkauntis] comtesse f.

count·ing·house [ˈkauntiŋhaus] (bureau m de la) comptabilité f.

count·less [ˈkauntlis] innombrable

coun·tri·fied [ˈkʌntrifaid] aux allures agrestes; province inv. (personne).

coun·try [ˈkʌntri] **1.** pays m; région f; patrie f; campagne f; province f; appeal (ou go) to the ⁓ en appeler au pays; **2.** campagnard; de ou à la campagne; ⁓ policeman garde m champêtre; ⁓ **dance** dance f rustique; '⁓**man** campagnard m, paysan m; compatriote m; '⁓**side** campagnes f/pl.; (population f de la) région f; '⁓**wom·an** campagnarde f, paysanne f; compatriote f.

coun·ty [ˈkaunti] comté m; ⁓ **town**, Am. ⁓ **seat** chef-lieu (pl. chefs-lieux) m de comté.

coup [ku:] coup m (audacieux).

cou·ple [ˈkʌpl] **1.** couple m, deux ...; couple f (a. d'œufs, de pigeons); **2.** v/t. coupler; associer; ⊕ engrener; 🚃 atteler, accrocher; ⚡ brancher (sur, to), interconnecter; v/i. s'accoupler (personne); ⁓ **back** coupler à réaction; '**cou·pler** radio: accouplement m; **cou·plet** [ˈ⁓lit] distique m.

cou·pling ⊕ [ˈkʌpliŋ] accouplement m; 🚃 accrochage m; ⚡ couplage m; radio: accouplement m; attr. d'accouplement.

cou·pon [ˈkuːpɔn] coupon *m* (*a.* ✝); ticket *m* (*de carte alimentaire*).

cour·age [ˈkʌridʒ] courage *m*; **cou·ra·geous** □ [kəˈreidʒəs] courageux (-euse *f*).

cour·i·er [ˈkuriə] courrier *m*, messager *m*.

course [kɔːs] 1. *événements, fleuve, temps, univ.*: cours *m*; *événements*: marche *f*; direction *f*, route *f* (*a.* ♒); *affaires*: courant *m*; *balle*: trajet *m*; *repas*: plat *m*, service *m*; *fig.* chemin *m*; *fig.* parti *m*; *sp.* piste *f*; *sp.* champ *m* de course(s); *golf*: parcours *m*; ♒ cap *m*; ♒ basse voile *f*; ✝ cote *f* (*des changes*); ✽ traitement *m*; ⊕ *piston*: course *f*; ▲ assise *f*; *cours d'eau*: lit *m*; ~ *of action* ligne *f* de conduite; *in due* ~ en temps utile; *of* ~ (bien) entendu, naturellement; *be a matter of* ~ aller de soi; ~ *of exchange* cote *f* des changes; 2. *v/t.* *chasse*: (faire) courir; *v/i.* courir, couler (*liquide, surt. sang*).

cours·ing [ˈkɔːsiŋ] chasse *f* (à courre) au lièvre.

court [kɔːt] 1. cour *f* (*royale, a.* ⚖); ⚖ tribunal *m*; ruelle *f*; ✕, ♒ commission *f* (*d'enquête*); *sp.* court *m* (*de tennis*), terrain *m*; *Am.* Gene-ral ♀ Parlement *m* (*des États de Vermont et New Hampshire*); *at* ~ à la cour; *pay* (*one's*) ~ *to* faire la cour (à, *to*); 2. courtiser; faire la cour à (*une femme*); solliciter (*qch.*); rechercher (*qch.*); aller au-devant de (*un échec, un danger*); 'ᴗ-card *cartes*: figure *f*, carte *f* peinte; 'ᴗ-day jour *m* d'audience; **court·e·ous** □ [ˈkəːtiəs] courtois, poli (envers, *to*); **cour·te·san, a. cour·te·zan** [kɔːtiˈzæn] courtisane *f*; **cour·te·sy** [ˈkəːtisi] courtoisie *f*, politesse *f*; **court-house** [ˈkɔːtˈhaus] palais *m* de justice; *Am. a.* administration *f* (*d'un département*); **cour·ti·er** [ˈᴗjə] courtisan *m*; **'court·li·ness** courtoisie *f*; élégance *f*; **'court·ly** courtois; élégant.

court...: ~ **mar·tial,** *pl.* ~s **mar·tial** ✕ conseil *m* de guerre; 'ᴗ-**mar·tial** faire passer en conseil de guerre; 'ᴗ-**plas·ter** taffetas *m* gommé; 'ᴗ-**ship** cour *f* (*faite à une femme*); 'ᴗ-**yard** cour *f* (*d'une maison*).

cous·in [ˈkʌzn] cousin(e *f*) *m*; *first* ~, ~ *german* cousin(e *f*) *m* germain(e *f*);

'cous·in·ly de bon cousinage; **cous·in·hood** [ˈᴗhud], **'cous·in·ship** cousinage *m*; parenté *f*.

cove[1] [kouv] 1. anse *f*; petite baie *f*; ▲ grande gorge *f*; voûte *f* (*de plafond*); 2. voûter.

cove[2] *sl.* [~] type *m*, individu *m*.

cov·e·nant [ˈkʌvinənt] 1. ⚖ convention *f*, contrat *m*; *bibl.* alliance *f*; *pol.* pacte *m*; 2. *v/t.* accorder par contrat; stipuler (*de l'argent*); *v/i.* convenir (de qch. avec q., *with s.o. for s.th.*).

Cov·en·try [ˈkɔvəntri]: *send s.o. to* ~ mettre q. en quarantaine.

cov·er [ˈkʌvə] 1. couverture *f*; *table*: tapis *m*; *buffet*: dessus *m*; couvercle *m*; abri *m*; *poste*: enveloppe *f*; *fig.* masque *m*, voile *m*; *mot., bicyclette, etc.*: bâche *f*; ✝ provision *f*, marge *f*; *repas*: couvert *m*; (*ou* ~ *address*) adresse *f* de convenance; *Am.* ~ *charge* couvert *m*; 2. recouvrir; couvrir (de, *with*) (q., qch., ✝ *risque*, ✕ *retraite, dépenses*); envelopper; revêtir; dominer (*une vue, un terrain*); parcourir (*une distance*); tapisser (*un mur*); combler (*un déficit*); ⚡ guiper (*un fil*); assurer le compte-rendu de (*un journal*); F couvrir, dissimuler; *fig.* tenir compte de, comprendre; ~ed *button* bouton *m* d'étoffe; ~ed *court tennis*: court *m* couvert; ~ed *wire* fil *m* guipé; **'cov·er·ing** recouvrement *m*; couverture *f* (*a. de lit*); enveloppe *f*; ⚡ *fil etc.*: guipage *m*; *meubles*: housse *f*; ♒ bâche *f*; *floor* ~ linoléum *m*; **cov·er·let** [ˈᴗlit] couvre-lit *m*; dessus *m* de lit.

cov·ert [ˈkʌvət] 1. □ voilé, caché; secret (-ète *f*); ⚖ en puissance de mari; 2. *chasse*: abri *m*, couvert *m*, fourré *m*; retraite *f*; **cov·er·ture** [ˈᴗtjuə] abri *m*; ⚖ condition *f* de la femme mariée.

cov·et [ˈkʌvit] convoiter; aspirer à; **'cov·et·ous** □ avide (de, *of*); avare; cupide; **'cov·et·ous·ness** convoitise *f*; cupidité *f*.

cov·ey [ˈkʌvi] vol *m* *ou* couvée *f* (*de perdrix etc.*).

cov·ing ▲ [ˈkouviŋ] *plafond etc.*: voussure *f*; saillie *f*.

cow[1] [kau] vache *f*.

cow[2] [~] intimider, dompter.

cow·ard [ˈkauəd] 1. □ lâche; 2. lâche *mf*; **'cow·ard·ice, 'cow-**

ard·li·ness lâcheté *f*; **'cow·ard-ly 1.** lâche; **2.** lâchement.

cow·boy ['kaubɔi] jeune vacher *m*; *Am.* cow-boy *m*; **'cow-catch·er** ⚙ *Am.* chasse-pierres *m/inv.*

cow·er ['kauə] se blottir, se tapir; *fig.* trembler (devant, *before*).

cow·herd ['kauhə:d] vacher *m*; bouvier *m*; **'cow·hide 1.** (peau *f* de) vache *f*; **2.** *Am.* donner le fouet à (*q.*).

cowl [kaul] moine, cheminée: capuchon *m*; cheminée: mitre *f*; ✂, ⚓ capot *m*.

cow...: **'~·man** *Am.* éleveur *m* de bétail; **'~-'pars·ley** □ cerfeuil *m* sauvage; **'~-'pars·nip** ⚘ berce *f*; **'~-pox** variole *f* des vaches; **'~-punch·er** *Am.* F cow-boy *m*.

cow·rie ['kauri] porcelaine *f*; *argent*: cauris *m*.

cow...: **'~-shed** étable *f*; **'~·slip** ⚘ (fleur *f* de) coucou *m*.

cox F [kɔks] **1.** *see* coxswain; **2.** diriger, gouverner.

cox·comb ['kɔkskoum] petit-maître (*pl.* petits-maîtres) *m*; fat *m*; **cox·comb·i·cal** □ fat.

cox·swain ['kɔkswein; 'kɔksn] barreur *m*; ⚓ patron *m* (*d'une chaloupe*).

coy [kɔi] □ modeste, farouche, réservé; **'coy·ness** modestie *f*, réserve *f*.

coz·en ['kʌzn] tromper; **'coz·en·age** tromperie *f*.

co·zy ['kouzi] *see* cosy.

crab¹ [kræb] crabe *m*, cancre *m*; *astr.* le Cancer *m*; ⊕ treuil *m*; chèvre *f*; *sl. see* crab-louse; *catch a* ~ faire fausse rame; F *turn out* ~s échouer.

crab² [~] **1.** pomme *f* sauvage; F personne *f* revêche; critique *f*; grognon(ne *f*) *m*; **2.** *v/t.* dénigrer; *v/i.* trouver à redire (à, *about*); **crab·bed** ['kræbid] □ maussade, grognon(ne *f*); pénible (*style*); illisible (*écriture*); **crab-louse** ['kræblaus] pou *m* du pubis.

crack [kræk] **1.** craquement *m*; fente *f*; fissure *f*; lézarde *f*; *cloche, verre, porcelaine, etc.*: fêlure *f*; F coup *m* sec; *écoss.* F cousette *f*; *sp. sl.* crack *m*, as *m*; *sl.* cambriolage *m*; *sl.* toqué(e *f*) *m*; *surt. Am. sl.* remarque *f* mordante, observation *f* satirique; plaisanterie *f*; *in a* ~ en

un clin d'œil; **2.** F fameux (-euse *f*), de premier ordre; **3.** clac!; pan!; **4.** *v/t.* faire claquer (*un fouet*); fêler; crevasser; fendre; casser (*une noisette*); ⚗ fractionner (*une huile lourde*); ~ *a bottle* déboucher *ou* entamer *ou* boire une bouteille; ~ *a joke* faire une plaisanterie; F ~ *up* vanter (*q., qch.*); *v/i.* craquer; claquer; se fêler; se crevasser; se lézarder; se gercer (*peau*); se casser (*voix etc.*); *Am. sl.* ~ *down on s.o.* F laver la tête à q.; prendre des mesures sévères contre q.; **'~-brained** (au cerveau) timbré; **'~-down** *Am. sl.* razzia *f*; **'cracked** fêlé, fendu *etc.*; F timbré, toqué; **'crack·er** papillote *f* à pétard; pétard *m*; F mensonge *m*; *Am.* craquelin *m*, croquet *m*; biscuit *m* dur; **'crack·er·jack** *Am.* F as *m*, expert *m*; **'crack-jaw** F (mot *m*) à vous décrocher la mâchoire; **'crack·le** craqueter; crépiter; pétiller (*feu*); (se) fendiller; **'crack·ling** porc rôti: peau *f* croquante; couenne *f*; **crack·nel** ['~nl] craquelin *m*; **'crack-up** collision *f*; ✈ crash *m*; **'crack·y** *see* cracked.

cra·dle ['kreidl] **1.** berceau *m* (*a. fig.*); *fig.* première enfance *f*; ⚓ ber *m* (*de lancement*); chantier *m*; *téléph.* étrier *m* du récepteur; **2.** mettre dans un berceau *etc.*

craft [krɑ:ft] habileté *f*; ruse *f*, artifice *m*; métier *m* manuel; profession *f*; corps *m* de métier; *coll. pl.* embarcations *f/pl.*, petits navires *m/pl.*; *the gentle* ~ la pêche à la ligne, *fig. co.* le noble art; **'craft·i·ness** ruse *f*, astuce *f*; **'crafts·man** artisan *m*, ouvrier *m*; artiste *m* dans son métier; **'crafts·man·ship** exécution *f* merveilleuse; dextérité *f* manuelle; **'craft·y** □ astucieux (-euse *f*), rusé.

crag [kræg] rocher *m* à pic; *alp.* varappe *f*; **'crag·gy** rocailleux (-euse *f*); escarpé; **'crags·man** varappeur *m*.

crake *orn.* [kreik] (cri *m* du) râle *m*.

cram [kræm] **1.** fourrer, bourrer; empâter (*de la volaille*); *fig.* empiffrer; F bûcher (*un sujet*), bourrer; *v/i.* s'entasser; se gorger de nourriture; préparer un examen; **2.** F chauffage *m* (*pour un examen*);

F mensonge m; '~-'**full** regorgeant (de, of), bondé; '**cram·mer** chauffeur m; F mensonge m.

cramp [kræmp] 1. ⚕ crampe f; ⊕ crampon m; presse f à vis; fig. contrainte f; 2. ⊕ cramponner, agrafer; serrer à (l'étau); fig. gêner; '**cramped** gêné; à l'étroit; '**cramp-frame** ⊕ serre-joint m; presse f à main; '**cramp-i-ron** crampon m, agrafe f. [à glace.﹜

cram·pon ['kræmpən] crampon m﹜

cran·ber·ry ♣ ['krænbəri] airelle f; canneberge f.

crane [krein] 1. grue f (a. ⊕); 2. tendre ou allonger (le cou); ⊕ hisser ou descendre au moyen d'une grue; ~ at refuser ou reculer devant; **crane·fly** zo. ['‿flai] tipule f; **crane's-bill** ♣ bec-de-grue (pl. becs-de-grue) m.

cra·ni·um anat. ['kreiniəm] crâne m.

crank [kræŋk] 1. ⊕ détraqué, délabré; ⚓ instable, mal équilibré; 2. manivelle f; meule à aiguiser: cigogne f; coude m; cloche: bascule f; starting ~ mot. (manivelle f de) mise f en marche; 3. v/t. ~ off bobiner (un film); mot. ~ up lancer (une auto, un moteur); '~-case carter m (du moteur); '**crank·i·ness** humeur f difficile; excentricité f; **crank-shaft** ⊕ vilebrequin m; '**crank·y** d'humeur difficile; excentrique; capricieux (-euse f).

cran·nied ['krænid] lézardé, crevassé; '**cran·ny** fente f, crevasse f; niche f.

crape [kreip] 1. crêpe m noir; 2. draper de crêpe.

craps Am. [kræps] pl. dés m/pl.

crap·u·lence ['kræpjuləns] crapule f; F débauche f.

crash[1] [kræʃ] 1. fracas m; catastrophe f; ✈ krach m; ✈ crash m; ~-helmet casque m protecteur; ~-landing atterrissage m brutal, crash m; 2. v/i. retentir; éclater avec fracas; ✈ s'écraser, atterrir brutalement; v/t. jeter avec fracas; 3. Am. F à exécuter rapidement.

crash[2] [‿] toile f à serviettes.

crass [kræs] grossier (-ère f); stupide.

crate [kreit] caisse f à claire-voie.

cra·ter ['kreitə] volcan, a. ✗ cratère m; ✗ entonnoir m.

cra·vat [krə'væt] foulard m; † cravate f.

crave [kreiv] v/t. implorer a ec instance (de, from), solliciter; v/i. (for) désirer avidement (qch.).

cra·ven ['kreivn] 1. poltron(ne f), lâche; 2. poltron(ne f) m, lâche mf.

crav·ing ['kreiviŋ] désir m ardent, besoin m, passion f, appétit m insatiable (de, for).

craw [krɔː] jabot m (d'oiseau).

craw·fish ['krɔːfiʃ] 1. eau douce: écrevisse f; mer: langouste f; 2. Am. F se dérober; sl. caner.

crawl [krɔːl] 1. rampement m; personne: mouvement m traînant; nage: crawl m; 2. ramper; se traîner; grouiller (de, with); marauder; '**crawl·er** reptile m; personne: traînard(e f) m; fig. plat valet m; taxi m en maraude; nage: crawleur m; vêtement pour enfants: barboteuse f.

cray·fish ['kreifiʃ] eau douce: écrevisse f; mer: langouste f.

cray·on ['kreiən] 1. craie f à dessiner; surt. (crayon m de) pastel m; fusain m; blue (red) ~ crayon m bleu (rouge); 2. dessiner au pastel; crayonner.

craze [kreiz] manie f (de, for); fig. fureur f (de); be the ~ faire fureur; '**crazed** affolé (de, with); '**cra·zi·ness** folie f, démence f; maison: délabrement m; '**cra·zy** □ fou (fol devant une voyelle ou un h muet; folle f) (de with, about, for); affolé (de, with); branlant; délabré (maison); irrégulier (-ère f); en pièces rapportées.

creak [kriːk] 1. grincement m; 2. grincer, crier; '**creak·y** □ qui crie, qui grince.

cream [kriːm] 1. crème f (a. fig.); fig. le plus beau (de l'histoire); cold ~ crème f, cold-cream m; ~ of tartar crème f de tartre; 2. (souv. ~-colo(u)red) crème inv.; 3. v/t. écrémer; ajouter de la crème à; battre (du beurre) en crème; v/i. se couvrir de crème; mousser; '**cream·er·y** crémerie f; '**cream·y** □ crémeux (-euse f); fig. velouté.

crease [kriːs] 1. (faux) pli m; tex. ancrure f; papier: fronce f; cricket: ligne f de limite; 2. (se) plisser; (se) froisser.

cre·ate [kriː'eit] v/t. créer (qch., q. chevalier, théâ. rôle, difficulté, mode); faire; produire; faire naître; v/i. sl.

faire une scène (à propos de, *about*); **cre·a·tion** création *f* (*a. mode*); **cre·a·tive** créateur (-trice *f*); **cre·a·tor** créateur (-trice *f*) *m*; **cre·a·tress** créatrice *f*; **crea·ture** ['kriːtʃə] créature *f* (*a. péj.*); être *m* (vivant); animal *m*, bête *f*; ~ *comforts pl.* l'aisance *f* matérielle.

cre·dence ['kriːdəns] foi *f*, croyance *f*; *give* ~ *to* ajouter foi à; *letter of* ~ lettre *f* de créance; **cre·den·tials** [kri'denʃlz] *pl.* lettres *f/pl.* de créance; *domestique*: certificat *m*; papiers *m/pl.* d'identité.

cred·i·bil·i·ty [kredi'biliti] crédibilité *f*; **cred·i·ble** □ ['kredəbl] croyable; digne de foi.

cred·it ['kredit] **1.** foi *f*, croyance *f*, créance *f*; réputation *f*, crédit *m* (*a.* ✝); mérite *m*; honneur *m*; *banque*: crédit *m*, actif *m*; ✝ *on* ~ à crédit, à terme; *Am. école*: mention *f* bien; ✝ ~ *note* note *f ou* facture *f* d'avoir; *do s.o.* ~ honorer q., faire honneur à q.; *get* ~ *for s.th.* se voir attribuer le mérite de qch.; *give s.o.* ~ *for s.th.* attribuer (le mérite de) qch. à q.; *put* (*ou place ou pass*) *to s.o.'s* ~ porter (*qch.*) au crédit de q.; **2.** ajouter foi à; attribuer, prêter (une qualité à q., *s.o. with a quality*); ✝ créditer (q. d'une somme *s.o. with a sum, a sum* to *s.o.*); porter (*une somme*) au crédit; ~ *s.o. with s.th.* prêter qch. à q.; **'cred·it·a·ble** □ honorable, estimable; *be* ~ *to* faire honneur à; **'cred·i·tor 1.** créancier (-ère *f*) *m*; **2.** créditeur (-trice *f*).

cre·du·li·ty [kri'djuːliti] crédulité *f*; **cred·u·lous** □ ['kredjuləs] crédule.

creed [kriːd] crédo *m* (*a. pol.*); croyance *f*. [*m*; petite vallée *f*.]

creek [kriːk] crique *f*; *Am.* ruisseau|

creel [kriːl] panier *m* de pêche; casier *m* à homards; ⊕ râtelier *m* (à bobines).

creep [kriːp] **1.** [*irr.*] ramper; se traîner; se glisser (*a. fig.*); *fig.* entrer doucement; ⊕ glisser; **2.** glissement *m*; ~*s pl.* chair *f* de poule; **'creep·er** F homme *m* rampant; femme *f* rampante; ♀ plante *f* rampante *ou* grimpante; **'creep·y** rampant; qui donne la chair de poule.

creese [kriːs] criss *m* (= *poignard malais*).

cre·mate [kri'meit] incinérer (*un mort*); **cre·ma·tion** incinération *f*; crémation *f*; **crem·a·to·ri·um** [kremə'tɔːriəm], *pl.* **-ums**, **-ri·a** [~riə], **cre·ma·to·ry** ['~təri] crématorium *m*; four *m* crématoire.

cren·el·(l)at·ed ['krenileitid] crénelé.

cre·ole ['kriːoul] créole (*a. su.*).

cre·o·sote ♠ ['kriəsout] créosote *f*.

crep·i·tate ['krepiteit] crépiter; **crep·i·ta·tion** crépitation *f*.

crept [krept] *prét. et p.p. de* creep **1**.

cre·pus·cu·lar [kri'pʌskjulə] crépusculaire, du crépuscule.

cres·cent ['kresnt] **1.** (en forme de) croissant; **2.** croissant *m* (*a. pâtisserie*); rue *f* en arc de cercle; ☾ *City* la Nouvelle-Orléans *f*.

cress ♀ [kres] cresson *m*.

cres·set ['kresit] *tour*, *phare*: fanal *m*.

crest [krest] △, *casque*, *coq*, *montagne*, *vague*: crête *f*; *arête f*, *colline*: sommet *m*; *alouette*: huppe *f*; *paon*: aigrette *f*; *blason*: timbre *m*; *sceau*: armoiries *f/pl.*; *casque*: cimier *m*; **'crest·ed** à crête *etc.*; *casque*: orné d'un cimier; ~ *lark* cochevis *m*; **'crest·fall·en** abattu, découragé; penaud (*air*).

cre·ta·ceous [kri'teiʃəs] crétacé, crayeux (-euse *f*).

cre·tin ['kretin] crétin(e *f*) *m*.

cre·vasse [kri'væs] crevasse *f* (*glaciaire*); *Am.* fissure *f*.

crev·ice ['krevis] fente *f*; lézarde *f*; fissure *f*.

crew[1] [kruː] **1.** ⚓ équipage *m*; *ouvriers*: équipe *f*; *péj.* bande *f*.

crew[2] [~] *prét. de* crow **2**.

crew·el ✝ ['kruːil] laine *f* à broder *ou* à tapisserie.

crib [krib] **1.** mangeoire *f*; lit *m* d'enfant; *eccl.* crèche *f*; F *école*: clef *f*; F plagiat *m*; *sl.* emploi *m*; *surt. Am.* huche *f* (*pour le maïs etc.*); *sl. crack a* ~ cambrioler une maison; **2.** ✝ enfermer; F plagier (*qch.*); F copier; ✝ tuyauter; **'crib·bage** cribbage *m*; **'crib·ble** crible *m*; **crib·bit·er** ['~baitə] tiqueur (-euse *f*) *m*.

crick [krik] **1.** crampe *f*; ~ *in the neck* torticolis *m*; **2.** se donner un torticolis *ou* un coup de reins.

crick·et[1] *zo.* ['krikit] grillon *m*.

crick·et[2] [~] **1.** *sp.* cricket *m*; F *not* ~ déloyal (-aux *m/pl.*); ne pas (être) de jeu; **2.** jouer au cricket; **'crick·et·er** joueur *m* de cricket, cricketeur *m*.

cri·er ['kraiə] crieur *m* (public).

crime [kraim] crime *m*, délit *m*.

Cri·me·an War [krai'miən wɔ:] guerre *f* de Crimée.

crim·i·nal ['kriminl] criminel(le *f*) (*a. su./mf*); **crim·i·nal·i·ty** [ˌ~'næliti] criminalité *f*; **crim·i·nate** ['ˌ~neit] incriminer, accuser; convaincre d'un crime; **crim·i·na·tion** incrimination *f*.

crimp¹ ⚓, ✂ [krimp] **1.** racoleur *m*, embaucheur *m*; **2.** racoler, embaucher.

crimp² [ˌ~] gaufrer, friser.

crim·son ['krimzn] **1.** cramoisi (*a. su./m*); **2.** *v/t.* teindre en cramoisi; *v/i.* s'empourprer.

cringe [krind3] **1.** se faire tout petit, se blottir; *fig.* s'humilier, ramper (devant **to**, *before*); **2.** *fig.* courbette *f* servile.

crin·kle ['kriŋkl] **1.** pli *m*, ride *f*; **2.** (se) froisser; onduler (*a. cheveux*).

crin·o·line ['krinəli:n] crinoline *f*.

crip·ple ['kripl] **1.** boiteux (-euse *f*) *m*, estropié(e *f*) *m*; **2.** estropier; *fig.* disloquer.

cri·sis ['kraisis], *pl.* **-ses** ['ˌ~si:z] crise *f*.

crisp [krisp] **1.** crêpé, frisé (*cheveux etc.*); croquant (*biscuit*); vif (vive *f*), froid (*air*, *vent*); net(te *f*) (*profil*); tranchant (*ton*); nerveux (-euse *f*) (*style*); **2.** (se) crêper (*cheveux*); (se) froncer; *v/t.* donner du croustillant à.

criss-cross ['kriskrɔs] **1.** entre-croisement *m*; enchevêtrement *m*; **2.** entrecroisé; **3.** (s')entrecroiser.

cri·te·ri·on [krai'tiəriən], *pl.* **-ri·a** [ˌ~riə] critérium *m*, critère *m*.

crit·ic ['kritik] critique (*littéraire etc.*) *m*; censeur *m* (*de conduite*); critiqueur *m*; **'crit·i·cal** □ critique; ✍ dangereux (-euse *f*); **be ~ of** critiquer; regarder d'un œil sévère; **crit·i·cism** ['ˌ~sizm], **cri·tique** [kri'ti:k] critique *f* (**de**, sur *of*); **crit·i·cize** ['ˌ~saiz] critiquer, faire la critique de; censurer.

croak [krouk] **1.** *v/i.* coasser (*grenouille*); croasser (*corbeau*); *fig.* grogner; *F* casser sa pipe (= *mourir*); *v/t. sl.* descendre (= *tuer*);

2. c(r)oassement *m*; **'croak·er** *fig.* prophète *m* de malheur; **'croak·y** □ rauque, enroué (*voix*).

Cro·at ['krouət] **1.** croate; **2.** Croate *mf*.

cro·chet ['krouʃei] **1.** crochet *m*; **2.** *v/t.* faire (*qch.*) au crochet; *v/i.* faire du crochet.

crock [krɔk] **1.** pot *m* de terre; cruche *f*; *F* cheval *m* claqué; *F auto*: tacot *m*; *F* bonhomme *m* fini; *F* patraque *f* (= *personne maladive*); **2.** *sl.* (*usu.* **~ up**) tomber malade, se faire abîmer; **'crock·er·y** faïence *f*, poterie *f*.

croc·o·dile *zo.* ['krɔkədail] crocodile *m*; *fig.* **~ tears** *pl* larmes *f/pl.* de crocodile.

cro·cus ♀ ['kroukəs] crocus *m*.

croft·er *Brit.* ['krɔftə] petit fermier *m*.

crom·lech ['krɔmlek] dolmen *m*.

crone *F* [kroun] commère *f*, vieille *f*.

cro·ny *F* ['krouni] copain *m*; ami(e *f*) *m* intime.

crook [kruk] **1.** croc *m*, crochet *m*; *berger*: houlette *f*; *eccl.* crosse *f*; *fig.* angle *m*; *chemin etc.*: détour *m*, coude *m*; *sl.* escroc *m*; *sl.* fraude *f*; **on the ~** malhonnête(ment); **2.** (se) recourber; **crooked** ['ˌ~kt] (re-)courbé; à béquille (*canne*); ['ˌ~kid] □ *fig.* tordu; tortueux (-euse *f*) (*chemin*); contourné (*jambe*, *arbre*); *F* déshonnête; oblique (*moyen*).

croon [kru:n] fredonner, chanter à demi-voix; **'croon·er** chanteur (-euse *f*) *m* de charme.

crop [krɔp] **1.** *oiseau*: jabot *m*; *fouet*: manche *m*; stick *m* (de chasse); récolte *f*, moisson *f*; *fruits*: cueillette *f*; *fig.* tas *m*; *cheveux*: coupe *f*; *F* **~ of hair** chevelure *f*; **2.** *v/t.* tondre, tailler, couper; brouter, paître (*l'herbe*); *v/i.* donner une récolte; **~ up** *géol.* affleurer; *F* surgir; **'~-eared** essorillé (*chien*); *hist.* aux cheveux coupés ras; **'crop·per** tondeur *m* etc. (*see crop 2*); (*pigeon m*) boulant *m*; *F* plante *f* qui donne bien *ou* mal; *F* culbute *f*; *Am. sl.* métayer *m*.

cro·quet ['kroukei] **1.** (jeu *m* de) croquet *m*; **2.** (*a. tight-~*) croquer; (*a. loose-~*) roquer.

cro·sier *eccl.* ['krouʒə] crosse *f*.

cross [krɔs] **1.** croix *f* (*a. médaille*,

a. fig.); croisement *m* (*de races*); métis(se *f*) *m*; *sl.* escroquerie *f*; **2.** □ (entre)croisé; mis en travers; oblique; contraire; maussade (*personne*); fâché (*de qch.*, *at s.th.*; contre q., *with s.o.*); de mauvaise humeur; *sl.* illicite, déshonnête; be at ~ *purposes* y avoir malentendu; **3.** *v/t.* croiser (*deux choses*, *races*, *q. dans la rue*); traverser; passer (*la mer*); franchir (*le seuil*); barrer (*un chèque*); mettre les barres à (*ses t*); *fig.* contrarier, contrebarrer (*q.*, *un projet*); ~ *o.s.* se signer, faire le signe de la croix; ~ *out* biffer, rayer (*un mot etc.*); *v/i.* se croiser; passer; faire la traversée; '~-**bar** *foot.* barre *f*; '~-**beam** △ sommier *m*; '~-**bench** *parl.* Centre *m*; '~-**bow** arbalète *f*; '~-**breed** race *f* croisée; F métis(se *f*) *m*; '~-**coun·try** à travers champs; ~ *running* le cross-country *m*; ~ *runner* crossman (*pl.* -men) *m*; '~-**cut** *saw* scie *f* de travers; '~-**ex·am·i'na·tion** interrogatoire *m* contradictoire; '~-**ex·am·ine** [ˈkrɒsigˈzæmin] contre-interroger; '~-**grained** tortillard (*bois*); *fig.* revêche; bourru; '**cross·ing** passage *m* (*pour piétons*); intersection *f* (*de voies*); ⑯ passage *m* à niveau; croisement *m* (*de lignes*); traversée *f*; '**cross·legged** les jambes croisées; '**cross·ness** mauvaise humeur *f*.

cross...: '~-**patch** F grincheux (-euse *f*); grognon *mf*; '~-**road** chemin *m* de traverse; ~*s pl. ou sg.* carrefour *m* (*a. fig.*); croisement *m* de routes; '~-**sec·tion** coupe *f* en travers; '~-**wise** en croix, en travers; '~-**word** *puz·zle* mots *m/pl.* croisés.

crotch [krɒtʃ] fourche *f*; **crotch·et** [ˈ~it] crochet *f*; ♪ noire *f*; F lubie *f*; '**crotch·et·y** F capricieux (-euse *f*); (à l'humeur) difficile.

crouch [krautʃ] se blottir, s'accroupir (devant, *to*).

croup[1] [kruːp] croupe *f* (*de cheval*).

croup[2] 🐎 [~] croup *m*.

crou·pi·er [ˈkruːpiə] croupier *m*.

crow [krou] **1.** corneille *f*; chant *m* du coq; *Am.* F *eat* ~ avaler des couleuvres; *have a* ~ *to pick with* avoir maille à partir avec; *as the* ~ *flies* à vol d'oiseau; **2.** [*irr.*] chanter; *fig.* chanter victoire (sur, *over*); gazouiller (*enfant*); '~-**bar** levier *m*,

pied-de-biche (*pl.* pieds-de-biche) *m*.

crowd [kraud] **1.** foule *f*, rassemblement *m*, affluence *f*; F tas *m*; F bande *f*; *péj.* monde *m*; **2.** *v/t.* serrer; remplir (de, *with*); *v/i.* se presser (en foule); s'attrouper; ~ *out* *v/t.* ne pas laisser de place à; *v/i.* sortir en foule; ⚓ ~ *sail* (*on*) faire force de voiles; ~*ed hours pl.* heures *f/pl.* de pointe.

crow·foot ♀ [ˈkroufut] renoncule *f*.

crown [kraun] **1.** roi, dent, fleurs, monnaie, *etc.*: couronne *f*; bonheur *etc.*: comble *m*; *carrière*: couronnement *m*; *chapeau*: forme *f*; *tête*: sommet *m*; *arbre*: cime *f*; *mot.* axe *m* (de la chaussée); **2.** couronner; sacrer (*roi*); F mettre le comble à; '**crown·ing** *fig.* suprême; final (-als *m/pl.*).

crow's... [krouz]: '~-**foot** patte *f* d'oie (*au coin de l'œil*); '~-**nest** ⚓ nid *m* de pie.

cru·cial □ [ˈkruːʃjəl] décisif (-ive *f*); critique; **cru·ci·ble** [ˈkruːsibl] creuset *m* (*a. fig.*); **cru·ci·fix** [ˈ~fiks] crucifix *m*; **cru·ci·fix·ion** [~ˈfikʃn] crucifixion *f*; mise *f* en croix; **cru·ci·form** cruciforme; **cru·ci·fy** [ˈ~fai] crucifier (*a. fig.*).

crude □ [kruːd] (à l'état) brut (*métal*, *matériel*, *huile*, *etc.*); cru (*a. lumière*, *couleur*); vert, aigre (*fruit*); brutal (-aux *m/pl.*); grossier (-ère *f*) (*style*); fruste (*manières*); 🐎 non encore développé (*maladie*); non assimilé (*aliment*); '**crude·ness**, **cru·di·ty** [ˈ~iti] crudité *f* (*a. fig.*).

cru·el □ [ˈkruəl] cruel(le *f*) (*a. fig.*); '**cru·el·ty** cruauté *f*.

cru·et [ˈkruːit] burette *f*; '~-**stand** ménagère *f*.

cruise ⚓ [kruːz] **1.** croisière *f*; voyage *m* d'agrément; **2.** ⚓ croiser; *cruising speed* vitesse *f* économique; '**cruis·er** ⚓ croiseur *m*; *light* ~ contre-torpilleur *m*; *Am.* voiture *f* cellulaire; *box.* ~ *weight* poids *m* mi-lourd.

crul·ler *Am.* [ˈkrʌlə] *cuis.* roussette *f*.

crumb [krʌm] **1.** *pain*: miette *f*; *fig.* brin *m*; **2.** *cuis.* paner (*la viande etc.*); *a.* = **crum·ble** [ˈ~bl] (s')émietter (*pain*); *v/t.* *fig.* réduire en miettes; *v/i.* s'écrouler (*maison etc.*); s'ébouler (*sol*); '**crum·bling**,

crum·bly friable, ébouleux (-euse *f*); **crumb·y** ['krʌmi] qui s'émiette; couvert de miettes.

crum·my *sl.* ['krʌmi] avenante, bien en chair (*femme*); riche.

crump *sl.* [krʌmp] chute *f*; coup *m* violent; ✗ obus *m* qui éclate.

crum·pet ['krʌmpit] *sorte de brioche grillée (plate et poreuse)*; *sl.* caboche *f* (= *tête*); be off one's ~ être maboul (= *fou*).

crum·ple ['krʌmpl] *v/t.* froisser, friper; *v/i.* se froisser; se recroqueviller (*parchemin, feuilles*); *fig.* s'effondrer.

crunch [krʌntʃ] *v/t.* croquer, broyer (*avec les dents*); écraser; *v/i.* craquer; s'écraser. [*m/pl.*).\

cru·ral ['kruərəl] *anat.* crural (-aux)

cru·sade [kruː'seid] **1.** croisade *f* (*a. fig.*); **2.** aller *ou* être en croisade; *fig.* mener une campagne (*contre qch.*); **cru'sad·er** croisé *m*.

crush [krʌʃ] **1.** écrasement *m*; F presse *f*, foule *f*; *sl.* have a ~ avoir un béguin (pour, on); ~ hat claque *m*; *Am.* chapeau *m* mou; **2.** *v/t.* écraser, aplatir; froisser (*une robe*); *fig.* anéantir; accabler (*de douleur etc.*); † vider (*une bouteille*); ~ out *fig.* étouffer; *v/i.* se presser en foule; *Am. sl.* flirter; **'crush·er** broyeur *m*; F malheur *m* etc. accablant; coup *m* d'assommoir; **'crush-room** *théâ.* foyer *m*.

crust [krʌst] **1.** croûte *f*; *Am. sl.* toupet *m*; **2.** (se) couvrir d'une croûte; **'crust·ed** qui a du dépôt (*vin*); *fig.* invétéré; **'crust·y** □ qui a une forte croûte; *fig.* bourru.

crutch [krʌtʃ] béquille *f*; **'crutched** à béquille; à poignée à croisillon.

crux [krʌks] *fig.* nœud *m*; point *m* capital.

cry [krai] **1.** cri *m*; plainte *f*; pleurs *m/pl.*; it is a far ~ from ... to il y a loin de ... à (*a. fig.*); within ~ à portée de voix; **2.** crier; *v/i.* s'écrier, pousser un cri *ou* des cris; pleurer; ~ for demander en pleurant; crier à (*le secours*); réclamer; ~ off se dédire; s'excuser; annuler (*une affaire*); ~ out *v/t.* crier; *v/i.* s'écrier, pousser des cris; se récrier (contre, *against*); ~ up prôner, vanter; **'~-ba·by** pleurard(e *f*) *m*; **'cry·ing** *fig.* criant, urgent; scandaleux (-euse *f*).

crypt [kript] crypte *f*; **'cryp·tic** occulte, secret (-ète *f*); énigmatique.

crys·tal ['kristl] **1.** cristal *m*; *surt. Am.* verre *m* de montre; **2.** cristallin, limpide; **crys·tal·line** ['⁓təlain] cristallin, de cristal; **crys·tal·li·za·tion** cristallisation *f*; **'crys·tal·lize** cristalliser; ~d candi (*fruits*).

cub [kʌb] **1.** petit *m* (*d'un animal*); *ours:* ourson *m*; lionceau *m*, louveteau *m*, renardeau *m*, etc.; **2.** *v/t.* mettre bas (*des petits*); *v/i.* faire des petits.

cu·bage ['kjuːbidʒ] cubage *m*.

cub·by-hole ['kʌbihoul] retraite *f*; placard *m*.

cube ⚭ ['kjuːb] **1.** cube *m*; ~ root racine *f* cubique; **2.** cuber.

cub·hood ['kʌbhud] adolescence *f*.

cu·bic, cu·bi·cal □ ['kjuːbik(l)] cubique.

cu·bi·cle ['kjuːbikl] *dortoir:* alcôve *f*; *piscine etc.:* cabine *f*.

cuck·old ['kʌkəld] **1.** cocu *m*; **2.** cocufier (*son mari*).

cuck·oo ['kuku] **1.** coucou *m*; **2.** *sl.* maboul, loufoque (= *fou*).

cu·cum·ber ['kjuːkʌmbə] concombre *m*.

cu·cur·bit [kjuːˈkəːbit] ⚭ courge *f*; *alambic:* cucurbite *f*.

cud [kʌd] bol *m* alimentaire; chew the ~ ruminer (*a. fig.*).

cud·dle ['kʌdl] **1.** F embrassade *f*; **2.** *v/t.* serrer doucement dans ses bras; *v/i.* se peloter.

cudg·el ['kʌdʒl] **1.** gourdin *m*; take up the ~s for prendre fait et cause pour; **2.** bâtonner; ~ one's brains se creuser la cervelle (pour *inf.*, for *ger.*; pour, about).

cue [kjuː] *billard:* queue *f*; *surt. théâ.* réplique *f*; avis *m*, mot *m*; take the ~ from s.o. prendre exemple sur q.

cuff[1] [kʌf] **1.** calotte *f*, taloche *f*; **2.** calotter, flanquer une taloche à (*q.*).

cuff[2] [⁓] *chemise:* poignet *m*; manchette *f* (*empesée*); *jaquette etc.:* parement *m*; *Am. pantalon:* bord *m* relevé.

cui·rass [kwiˈræs] cuirasse *f*.

cui·sine [kwiˈziːn] cuisine *f*.

cu·li·nar·y ['kʌlinəri] culinaire.

cull [kʌl] (re)cueillir; choisir (dans, from).

cul·ly sl. ['kʌli] copain m, camaro m.
culm [kʌlm] ♣ chaume m, tige f.
cul·mi·nate ['kʌlmineit] astr. culminer; fig. atteindre son apogée; fig. terminer (par, in); **cul·mi·na·tion** astr. culmination f; fig. point m culminant.
cul·pa·bil·i·ty [kʌlpə'biliti] culpabilité f; **'cul·pa·ble** □ coupable; digne de blâme.
cul·prit ['kʌlprit] coupable mf; prévenu(e f) m.
cult [kʌlt] culte m.
cul·ti·va·ble ['kʌltivəbl] cultivable.
cul·ti·vate ['kʌltiveit] usu. cultiver; biol. faire une culture de (un bacille); **cul·ti'va·tion** culture f; **'cul·ti·va·tor** personne: cultivateur (-trice f) m; machine: cultivateur m, extirpateur m; fig. ami m.
cul·tur·al □ ['kʌltʃərəl] culturel (-le f); ✍ cultural (-aux m/pl.).
cul·ture ['kʌltʃə] culture f; **'cul·tured** cultivé, lettré; **cul·ture me·di·um**, pl. -di·a biol. bouillon m de culture; **'cul·ture-pearl** perle f japonaise.
cul·vert ['kʌlvət] ponceau m, canal m; ⚡ conduit m souterrain.
cum·ber ['kʌmbə] encombrer, gêner (de, with); **~some** ['~səm], **cum·brous** □ ['~brəs] encombrant, gênant; difficile à remuer; lourd; entravant.
cum·in ♣ ['kʌmin] cumin m.
cu·mu·la·tive □ ['kju:mjulətiv] cumulatif (-ive f); **cu·mu·lus** ['~ləs], pl. -li ['~lai] cumulus m.
cu·ne·i·form ['kju:niifɔ:m] cunéiforme.
cun·ning ['kʌniŋ] 1. □ rusé; astucieux (-euse f); malin (-igne f); Am. mignon(ne f); 2. ruse f; péj. astuce f.
cup [kʌp] 1. tasse f; métal: gobelet m; soutien-gorge: bonnet m; Am. cuis. demi-pinte f; calice m (a. ♀, a. fig.); sp. coupe f; 2. ⚕ ventouser; mettre (la main) en cornet ou en porte-voix; **~board** ['kʌbəd] armoire f; mur: placard m; F ~ love amour m intéressé.   [Amour m.\
Cu·pid ['kju:pid] Cupidon m,/
cu·pid·i·ty [kju'piditi] cupidité f.
cu·po·la ['kju:pələ] coupole f (a. ✕, ♣); dôme m.
cup·ping-glass ⚕ ['kʌpiŋgla:s] ventouse f.

cu·pre·ous ['kju:priəs] cuivreux (-euse f).
cur [kə:] roquet m; chien m sans race; F cuistre m.
cur·a·bil·i·ty [kjuərə'biliti] curabilité f; **'cur·a·ble** guérissable.
cu·ra·cy ['kjuərəsi] vicariat m; **cu·rate** ['~rit] vicaire m; **cu·ra·tor** ['~reitə] musée: conservateur m.
curb [kə:b] 1. gourmette f; fig. frein m; (a. ~stone) bordure f (de trottoir); margelle f (de puits); 2. gourmer (un cheval); fig. contenir, refréner; ~ **mar·ket** Am. Bourse: coulisse f; ~ **roof** toit m en mansarde.
curd [kə:d] 1. (lait m) caillé m; 2. (usu. **cur·dle** ['~dl]) se cailler (lait); F se figer (sang).
cure [kjuə] 1. guérison f; cure f (de raisins, de lait, etc.); remède m; ~ of souls cure f d'âmes; 2. guérir; saurer (des harengs); saler (les peaux, la viande); fumer (la viande).
cur·few ['kə:fju:] couvre-feu m (a. pol.); ring the ~(-bell) sonner le couvre-feu.
cu·ri·o ['kjuəriou] curiosité f; bibelot m; **cu·ri·os·i·ty** ['~ɔsiti] curiosité f; F excentricité f; **'cu·ri·ous** □ curieux (-euse f); singulier (-ère f); péj. indiscret (-ète f).
curl [kə:l] 1. cheveux: boucle f, fumée, vague: spirale f; 2. boucler; v/t. friser; ~ one's lip faire la moue; v/i. s'élever en spirales (fumée); ~ up (ou ~ o.s. up) se mettre en boule (chat etc.).
curl·ing ['kə:liŋ] sp. curling m; '**~-i·ron**, '**~-tongs** pl. fer m à friser, frisoir m; **'curl·y** bouclé, frisé; en spirale.
cur·mudg·eon [kə:'mʌdʒn] bourru m; grippe-sou (pl. grippe-sou[s]) m.
cur·rant ['kʌrənt] groseille f; (a. dried ~) raisin m de Corinthe.
cur·ren·cy ['kʌrənsi] circulation f, cours m; ✝ (terme m d')échéance f; ✝ espèces f/pl. de cours; monnaie f; fig. vogue f, idées: crédit m; '**cur·rent** 1. □ en cours, courant (argent, compte, mois, prix, opinion, etc.); reçu (opinion); qui court (bruit); ~ events pl. actualités f/pl.; ~ hand (-writing) (écriture f) courante f; pass ~ avoir cours, être accepté ou en vogue; ~ issue dernier numéro m (d'une publication); ~ problem question f d'actualité; 2. courant

m (*a.* ♫, *a. d'air*); fil *m* de l'eau; *fig.* cours *m*, marche *f*; ⊕ jet *m* (*d'air*); ⚡ ~ *impulse* impulsion *f* de courant; ~ *junction* prise *f* de courant.

cur·ric·u·lum [kə'rikjuləm], *pl.* **-la** [⸦lə] programme *m ou* plan *m* d'études.

cur·ri·er ['kʌriə] corroyeur *m*.

cur·rish □ ['kəːriʃ] *fig.* chien *m* de; qui ne vaut pas mieux qu'un roquet.

cur·ry¹ ['kʌri] **1.** *poudre, plat:* cari *m*, curry *m*; **2.** apprêter au cari; *curried eggs pl.* œufs *m/pl.* à l'indienne.

cur·ry² [~] corroyer (*le cuir*); étriller (*un cheval*); ~ *favo(u)r with* s'insinuer dans les bonnes grâces de (*q.*); '~-**comb** étrille *f*.

curse [kəːs] **1.** malédiction *f*, anathème *m*; juron *m*; *fig.* fléau *m*; **2.** *v/i.* blasphémer, jurer; *v/t.* maudire; **curs·ed** □ ['kəːsid] maudit; F sacré.

cur·sive ['kəːsiv] cursif (-ive *f*); *handwriting* cursive *f*.

cur·so·ry □ ['kəːsəri] rapide; superficiel(le *f*).

curt □ [kəːt] brusque; sec (sèche *f*); cassant.

cur·tail [kəː'teil] raccourcir; tronquer; *fig.* restreindre; *fig.* enlever (de, *of*); **cur'tail·ment** raccourcissement *m*; restriction *f*.

cur·tain ['kəːtn] **1.** rideau *m* (*a. fig.*); *fig.* voile *m*; ✕ courtine *f*; rideau *m* (*de feu*); **2.** garnir de rideaux; ~ *off* séparer *ou* dissimuler par des rideaux; '~-**fire** ✕ (tir *m* de) barrage *m*; ~ *lec·ture* F semonce *f* conjugale; '~-**rais·er** *théâ., a. fig.* lever *m* de rideau.

curt·s(e)y ['kəːtsi] **1.** révérence *f*; *drop a ~* **2.** faire une révérence (à, *to*).

cur·va·ture ['kəːvətʃə] courbure *f*; ~ *of the spine* déviation *f* de la colonne vertébrale.

curve [kəːv] **1.** courbe *f*; *rue:* tournant *m*; *mot.* virage *m*; *Am. baseball:* balle *f* qui a de l'effet; **2.** (se) courber; *v/i.* décrire une courbe.

cush·ion ['kuʃn] **1.** coussin *m*; bourrelet *m*; *billard:* bande *f*; *mot.* ~ *tyre* bandage *m* plein avec canal à air; **2.** garnir de coussins; rembourrer; *fig.* amortir (*des coups*); ⊕ matelasser.

cush·y *sl.* ['kuʃi] facile; F pépère.

cusp [kʌsp] pointe *f*; *lune:* corne *f*; ♃ cuspide *f*; ⚕ point *m* de rebroussement, sommet *m*.

cuss *Am.* F [kʌs] **1.** juron *m*; *co.* type *m*; *it's not worth a ~* ça ne vaut pas chipette; **2.** jurer; '**cuss·ed** ['kʌsid] sacré; têtu.

cus·tard ['kʌstəd] crème *f*; œufs *m/pl.* au lait.

cus·to·di·an [kʌs'toudjən] gardien (-ne *f*) *m*; *musée:* conservateur *m*; **cus·to·dy** ['kʌstədi] garde *f*; emprisonnement *m*, détention *f*.

cus·tom ['kʌstəm] coutume *f*, usage *m*, habitude *f*; ⚖ droit *m* coutumier; ✝ clientèle *f*; patronage *m* (*du client*); ~*s pl.* douane *f*; **cus·tom·ar·y** ['~əri] □ habituel(le *f*); d'usage; coutumier (-ère *f*) (*droit*); '**cus·tom·er** client(e *f*) *m*; *boutique:* chaland(e *f*) *m*; F type *m*; '**cus·tom-house** (bureau *m* de la) douane *f*; ~ *officer* douanier *m*; '**cus·tom-made** *Am.* fait sur commande.

cut [kʌt] **1.** coupe *f* (*a. vêtements*); coupure *f* (*théâ., a. blessure*); *sp., épée, fouet:* coup *m*; *pierre,* ⊕ *lime:* taille *f*; réduction *f* (*de salaire*); gravure *f* (*sur bois*); *cuis.* morceau *m*; *unkindest ~ of all* coup *m* de pied de l'âne; (*a. short-~*) raccourci *m*; *cheveux:* taille *f*, coupe *f*; ⚡ coupure *f* (*de courant*); ⚕ tranchée *f*; ✕ havage *m*; ⚕ incision *f*; ⚑ enture *f*; *cartes:* tirage *m* (*pour les places*); F revers *m*; F absence *f* sans permission; *iro.* sarcasme *m* blessant; *fig.* refus *m* de saluer; *cuis. cold ~s pl.* tranches *f/pl.* de viande froide; F *give s.o. the ~* (*direct*) passer près de *q.*; tourner le dos à *q.*; **2.** [*irr.*] *v/t.* couper (*a. cartes*), tailler; (*a. ~ in slices*) trancher; hacher (*le tabac*); ⚓ filer (*le câble*); réduire (*le prix*); *mot.* prendre (*un virage*); F manquer exprès à; F sécher (*une classe*); F abandonner; ~ *s.o. dead* passer *q.* sans le saluer, tourner le dos à *q.*; *one's finger* se couper le *ou* au doigt; *he is ~ting his teeth* ses dents percent; F ~ *a figure* faire figure; ~ *short* couper la parole à (*q.*); *to ~ a long story short* pour abréger, en fin de compte; *v/i.* (se) couper; percer (*dent*); ~ *and come again* revenir au plat; F ~ *and run* déguerpir, filer; ~ *back* rabattre (*un arbre*); F rebrousser chemin; ~

down abattre; couper (*un arbre, le blé*); réduire (*une distance, le prix*); (ra)baisser (*le prix*); restreindre (*la production*); raccourcir (*une jupe*); abréger (*un livre etc.*); ~ *in* v/i. intervenir; *mot.* couper; ~ *off* couper (*a. fig., a. téléph.*) (de, from); trancher; *fig.* priver; *fig.* déshériter; ~ *out* couper; découper (*des images*); tailler (*une robe, une statue*); *fig.* détacher (*des bêtes*) d'un troupeau; *fig.* supplanter (*q.*); évincer (auprès de, with); *fig.* cesser; supprimer; abandonner; ⚡ mettre hors circuit; faire taire (*la radio*), supprimer; ♫ exciser; be ~ *out for* être taillé pour (*qch.*); *have one's work* ~ *out* avoir de quoi faire; *he had his work* ~ *out for him* on lui avait taillé de la besogne; *sl.* ~ *it out!* pas de ça!; ça suffit!; ~ *up* (dé)couper; tailler (*par morceaux, en pièces*); *fig.* affliger; critiquer sévèrement; ~ *up rough* se fâcher; **3.** coupé *etc.*; *sl.* ivre; ~ *flowers pl.* fleurs *f/pl.* coupées; ~ *glass* cristal *m* taillé; ~ *and dry* (*ou* dried) tout fait; tout taillé (*travail*).

cu·ta·ne·ous [kju'teinjəs] cutané.

cut·a·way ['kʌtəwei] (*a.* ~ *coat*) jaquette *f*.

cut-back ['kʌtbæk] *cin.* retour *m* en arrière.

cute □ F [kju:t] malin (-igne *f*); *Am.* F gentil(le *f*), coquet(te *f*).

cu·ti·cle ['kju:tikl] *anat.* épiderme *m*; cuticule *f*; ~ *scissors pl.* ciseaux *m/pl.* de manucure.

cut-in ['kʌt'in] *cin.* scène *f* raccord; ♫ conjoncteur *m*.

cut·lass ['kʌtləs] ⚓ sabre *m* d'abordage; *Am.* couteau *m* de chasse.

cut·ler ['kʌtlə] coutelier *m*; '**cut·ler·y** coutellerie *f* (✝ et argenterie *f* de table); *canteen of* ~ ménagère *f*.

cut·let ['kʌtlit] *mouton, agneau*: côtelette *f*; *veau*: escalope *f*.

cut...: '~**-off** *Am.* raccourci *m*; *attr.* ⊕ de détente; *cin.* de sûreté; d'obscuration; '~**-out** *mot.* clapet *m* d'échappement libre; ♫ coupe-circuit *m/inv.*; *cin.* déchet *m* de film; *Am.* décor *m etc.* découpé; '~**-purse** coupeur *m* de bourses; '**cut·ter** coupeur *m* (*a.* de vêtements); pierre *etc.*: tailleur *m*; *cin.* monteur (-euse *f*) *m*; ⚒ *personne*: abatteur *m* (*de charbon*); haveur *m*; *machine:* ha-

veuse *f*; ⊕ coupoir *m*, couteau *m*; ⚓ canot *m*; patache *f* (*de la douane*); *Am.* traîneau *m*; '**cut-throat 1.** coupe-jarret *m*; F rasoir *m* à manche; **2.** de coupe-jarret; *fig.* acharné; ~ *bridge* bridge *m* à trois; '**cut·ting 1.** □ tranchant; cinglant (*vent*); ⊕ *a.* de coupe, à couper; ~ *edge* coupant *m*; *outil:* fil *m*; ~ *nippers pl.* pinces *f/pl.* coupantes; **2.** coupe *f*; ⊕ cisaillage *m*; *bijou, vêtement:* taille *f*; 🚂 déblai *m*; tranchée *f*; ♀ bouture *f*; *journal:* coupure *f*; ~*s pl.* bouts *m/pl.*; ⊕ copeaux *m/pl.*; rognures *f/pl.*

cut·tle *zo.* ['kʌtl] (*usu.* ~-*fish*) seiche *f*, sépia *f*; '~-**bone** os *m* de seiche; biscuit *m* de mer.

cy·a·nide 🜩 ['saiənaid] cyanure *m*; ~ *of potassium* prussiate *m* de potasse.

cyc·la·men ['sikləmən] cyclamen *m*.

cy·cle ['saikl] **1.** cycle *m*; période *f*; ⊕ cycle *m* (d'opérations); ✝ *a.* ~*s pl.* (periode *f* de) vogue *f*; bicyclette *f*; *mot.* four-~ engine moteur *m* à quatre temps; **2.** faire de la *ou* aller à bicyclette; '**cy·clic, cy·cli·cal** □ ['siklik(l)] cyclique; '**cy·cling** ['saiklin] **1.** cycliste *ou* cyclisme; **2.** cyclisme *m*; '**cy·clist** cycliste *mf*.

cy·clone ['saikloun] cyclone *m*.

cy·clo·p(a)e·di·a [saiklə'pi:djə] encyclopédie *f*.

cyg·net ['signit] jeune cygne *m*.

cyl·in·der ['silində] cylindre *m*; *revolver:* barillet *m*; *machine à écrire:* rouleau *m* porte-papier; '**cy·lin·dric, cy·lin·dri·cal** □ cylindrique.

cym·bal ♪ ['simbl] cymbale *f*.

cyn·ic ['sinik] **1.** (*a.* '**cyn·i·cal** □) cynique; sceptique; **2.** *phls.* cynique *m*; sceptique *m*; **cyn·i·cism** ['~sizm] *phls.* cynisme *m*; scepticisme *m* railleur.

cy·no·sure *fig.* ['sinəsjuə] point *m* de mire.

cy·press ♀ ['saipris] cyprès *m*.

cyst [sist] sac *m*; ♫, *a.* ♀ kyste *m*; '**cyst·ic** kystique, cystique; **cys·ti·tis** [sis'taitis] cystite *f*.

Czar [za:] tsar *m*.

Czech [tʃek] **1.** tchèque; **2.** *ling.* tchèque *m*; Tchèque *mf*.

Czech·o-Slo·vak ['tʃekou'slouvæk] **1.** tchécoslovaque; **2.** Tchécoslovaque *mf*.

D

D, d [di:] D *m*, d *m*.
'd F *see* had; would.
dab [dæb] **1.** coup *m* léger; tape *f*;
tache *f*; petit morceau *m* (*de beurre*);
icht. limande *f*; F expert *m*; *sl.* ~s *pl.*
empreintes *f/pl.* digitales; *be a ~*
(*hand*) *at* être passé maître en (*qch.*);
2. lancer une tape à; tapoter; appliquer légèrement (*des couleurs*); *typ.*
clicher.
dab·ble ['dæbl] *v/t.* humecter,
mouiller; *v/i.* ~ *in* barboter dans;
fig. s'occuper un peu de; **'dab·bler**
dilettante *mf*.
dac·ty·lo·gram [dæk'tilogræm]
dactylogramme *m*.
dad(·**dy**) F ['dæd(i)] papa *m*.
dad·dy-long·legs *zo.* F ['dædi'lɔŋ-
legz] tipule *f*.
daf·fo·dil ['dæfədil] narcisse *m*
sauvage *ou* des bois.
dag·ger ['dægə] poignard *m*; *be at*
~*s drawn* être à couteaux tirés.
dag·gle ['dægl] (se) mouiller.
da·go *Am. sl. péj.* ['deigou] Espagnol
m, Portugais *m*, *surt.* Italien *m*.
dahl·ia ♀ ['deiljə] dahlia *m*.
Dail Eir·eann ['dail'ɛərən] *Chambre
des députés de l'État libre d'Irlande.*
dai·ly ['deili] **1.** quotidien(ne *f*);
2. quotidien *m*, journal *m*; domestique *f* à la journée.
dain·ti·ness ['deintinis] délicatesse
f, raffinement *m*; *taille:* mignon-
nesse *f*; **'dain·ty** □ **1.** délicat (*personne, a. chose*); friand (*mets*); exquis (*personne*); F mignon(ne *f*);
2. friandise *f*; morceau *m* de choix.
dair·y ['dɛəri] laiterie *f* (*a. boutique*);
crèmerie *f*; '~-**farm** vacherie *f*; '~-
maid fille *f* de laiterie; '~-**man**
nourrisseur *m*; ✝ laitier *m*, crémier
m.
da·is ['deiis] estrade *f*; dais *m*.
dai·sy ['deizi] ♀ marguerite *f*; F
pâquerette *f*; F personne *f* ou
chose *f* épatante.
dale [deil] vallée *f*, vallon *m*.
dal·li·ance ['dæliəns] échange *m* de
tendresses; flirtage *m*; badinage *m*;
dal·ly ['~li] flirter (avec, *with*); caresser (qch., *with s.th.*); badiner; *fig.*
tarder.
dam[1] [dæm] mère *f* (*d'animaux*).
dam[2] [~] **1.** barrage *m* de retenue;

digue *f*; ⚒ serrement *m*; *rivière:*
décharge *f*; **2.** (*a.* ~ *up*) contenir,
endiguer; obstruer.
dam·age ['dæmidʒ] **1.** dégâts *m/pl.*;
⚖ ~s *pl.* dommages-intérêts *m/pl.*;
2. endommager; abîmer; *fig.* nuire à
(*q.*); **'dam·age·a·ble** avariable.
dam·a·scene ['dæməsi:n] damas-
quiner; **dam·ask** ['dæməsk] **1.** damas *m*; *couleur:* incarnat *m*; **2.** rose
foncé *adj./inv.*; vermeil(le *f*); **3.** da-
masquiner (*l'acier*); damasser (*une
étoffe*).
dame [deim] dame *f* (*a. titre*); *sl.*
femme *f*; madame *f*.
damn [dæm] **1.** condamner; ruiner;
eccl. damner; *théâ.* éreinter (*une
pièce*); ~ *it!* zut!, sapristi!; **2.** juron
m, gros mot *m*; *I don't care a* ~*!* je
m'en moque pas mal!, je m'en
fiche!; **dam·na·ble** □ ['~nəbl]
damnable, F maudit; **dam·na·tion**
[~'neiʃn] damnation *f*; *théâ.* éreintement *m*; ~*!* sacrebleu!; **dam·na·to-
ry** ['~nətəri] □ qui condamne;
damned ['dæmd] *adj. et adv.*
damné, F sacré (*a.* = *très, bigrement*); **damn·ing** ['dæmiŋ] accablant (*fait*).
damp [dæmp] **1.** humide; moite;
2. humidité *f*; *peau:* moiteur *f*;
fig. froid *m*; nuage *m* de tristesse;
⚒ (*a. choke-*~) mofette *f*; **3.** (*a.*
'**damp·en**) mouiller; humecter;
assourdir (*un son*); étouffer (*le feu*);
refroidir (*le courage etc.*); décourager; **'damp·er** rabat-joie *m/inv.*;
fig. froid *m*; *mot.* amortisseur *m*;
♪ étouffoir *m*; *foyer:* registre *m*;
'damp·ish un peu humide *ou*
moite; **'damp-proof** imperméable.
dam·son ♀ ['dæmzn] prune *f* de
Damas.
dance [dɑːns] **1.** danse *f*; bal (*pl.* -s) *m*;
F sauterie *f*; *lead s.o. a* ~ donner du
fil à retordre à q.; faire danser q.;
2. danser; **'danc·er** danseur (-euse
f) *m*.
danc·ing ['dɑːnsiŋ] danse *f*; *attr.* de
danse; '~-**girl** bayadère *f*; '~-**lesson** leçon *f* de danse; '~-**room**
dancing *m*.
dan·de·li·on ♀ [dændi'laiən] pissenlit *m*.
dan·der *sl.* ['dændə]: *get s.o.'s* ~ *up*

mettre q. en colère; *get one's ~ up* prendre la mouche.

dan·dle ['dændl] dodeliner (*un enfant*); faire sauter (*un enfant sur ses genoux*).

dan·driff ['dændrif], **dan·druff** ['dændrəf] pellicules *f/pl.*

dan·dy ['dændi] **1.** dandy *m*, gommeux *m*; **2.** *int. surt. Am.* F chic *inv. en genre*, chouette, *sl.* bath; **dan·dy·ish** ['~diiʃ] élégant, gommeux (-euse *f*); **'dan·dy·ism** dandysme *m*. [danois *m*.]

Dane [dein] Danois(e *f*) *m*; *chien:*\

dan·ger ['deindʒə] danger *m*, péril *m*; ~ *list:* F *be on the* ~ être dans un état grave; **'dan·ger·ous** □ dangereux (-euse *f*); **dan·ger sig·nal** 🚦 (signal *m* à l')arrêt *m*.

dan·gle ['dæŋgl] (faire) pendiller, pendre; balancer (*~ about (ou after ou round)* tourner autour de (*q.*); **'dan·gler** (*ou ~ after women*) soupirant *m*.

Dan·ish ['deiniʃ] **1.** danois; **2.** *ling.* danois *m*; *the ~ pl.* les Danois *m/pl.*

dank [dæŋk] humide.

dap·per □ F ['dæpə] pimpant, coquet(te *f*), correct; sémillant.

dap·ple ['dæpl] **1.** (se) tacheter; *v/i.* se pommeler (*ciel*); **2.** tache(ture) *f*; **'dap·pled** tacheté, pommelé; **'dap·ple-'grey** (cheval *m*) gris pommelé.

dare [deə] *v/i.* oser; *I ~ say* je (le) crois bien; sans doute; peut-être bien; *v/t.* oser faire; braver, risquer (*la mort*); défier (*q.*); **'~dev·il** casse-cou *m/inv.*; **'dar·ing** □ **1.** audacieux (-euse *f*); **2.** audace *f*, hardiesse *f*.

dark [dɑːk] **1.** □ *usu.* sombre; obscur; triste; foncé (*couleur*); basané (*teint*); ténébreux (-euse *f*); *the ~ ages* l'âge *m* des ténèbres; *~ horse* cheval *m* dont on ne sait rien; *fig.* concurrent *m* que l'on ne croyait pas dangereux; *~ lantern* lanterne *f* sourde; *~ room* chambre *f* noire; **2.** obscurité *f*, ténèbres *f/pl.*; *fig.* ignorance *f*; *leap in the ~* saut *m* dans l'inconnu; **'dark·en** (s')obscurcir; (s')assombrir; *v/t.* attrister; embrumer; *never ~ s.o.'s door* ne plus remettre les pieds chez q.; **'dark·ish** un peu sombre; **'dark·ness** obscurité *f*, ténèbres *f/pl.*; **dark·some** *poét.* ['~səm] *see* dark 1; **'dark·y** F moricaud(e *f*) *m*.

dar·ling ['dɑːliŋ] **1.** bien-aimé(e *f*) *m*; chéri(e *f*) *m*; **2.** bien-aimé; favori(te *f*).

darn[1] *sl.* [dɑːn] *see* damn 1; *a. int.* sacré.

darn[2] [~] **1.** reprise *f*; **2.** repriser, raccommoder; (*a. fine-~*) stopper; **'darn·er** repriseur (-euse *f*) *m etc.*

darn·ing ['dɑːniŋ] reprise *f*; '~-**nee·dle** aiguille *f* à repriser; '~-**wool** laine *f* à repriser.

dart [dɑːt] **1.** dard *m*, trait *m* (*a. fig.*); *couture:* pince *f*, suçon *m*; élan *m*, mouvement *m* soudain en avant; **2.** *v/t.* darder; lancer; *v/i. fig.* se précipiter, foncer (*sur at*, [*up*]*on*).

Dar·win·ism ['dɑːwinizm] darwinisme *m*.

dash [dæʃ] **1.** coup *m*, heurt *m*; attaque *f* soudaine; *trait m* (*de plume, a. tél.*); ♪ brio *m*; *typ.* tiret *m*; ♩ prime; *couleur:* touche *f*, tache *f*; *fig.* brillante figure *f*; *fig.* entrain *m*, fougue *f*; élan *m* (*vers for,* to); *fig. sel etc.:* soupçon *m*, *liquide:* goutte *f*; *cut a ~* faire de l'effet; *at first ~* du premier coup; **2.** *v/t.* lancer violemment; éclabousser (*de boue, with mud*); (*usu. ~ to pieces*) fracasser; anéantir (*une espérance*); jeter, flaquer; déconcerter, confondre; abattre (*le courage, l'entrain*); *~ down* (*ou off*) enlever, exécuter à la vavite (*une lettre etc.*); *sl. ~ it!* zut!; *v/i.* se précipiter, s'élancer (*sur, at*); courir; se jeter (*contre, against*); *~ off* partir en vitesse; *~ through* traverser (*une pièce etc.*) en toute hâte; *~ up* monter à toute vitesse; '~-**board** garde-boue *m/inv.*; 🚗, *mot.* tableau *m* de bord; **'dash·er** F élégant *m*, *péj.* épateur *m*; **'dash·ing** □ plein d'élan; fougueux (-euse *f*) (*cheval*); *fig.* brillant, beau (bel *devant une voyelle ou un h muet*; belle *f*; beaux *m/pl.*).

das·tard ['dæstəd] **1.** □ (*a.* '**das·tard·ly**) lâche, ignoble; **2.** lâche *m*; personnage *m* ignoble.

da·ta ['deitə] *pl.*, *Am. a. sg.* donnée *f*, -s *f/pl.*; éléments *m/pl.* d'information; *personal ~* détails *m/pl.* personnels.

date[1] [deit] ♣ datte *f*; *arbre:* dattier *m*.

date[2] [~] **1.** date *f*; jour *m*, temps *m*; ✝ terme *m*, échéance *f*; *surt. Am.* F rendez-vous *m*; celui *m ou* celle *f*

avec qui on a rendez-vous; *make a ~*
fixer un rendez-vous; *out of ~* démodé; *to ~* à ce jour; *up to ~* au courant, à jour; F à la page; **2.** dater;
assigner une date à; *surt. Am.* F
fixer un rendez-vous avec; *~ back*
v/t. antidater; *v/i.* remonter à; *that*
is ~d ça commence à dater; '*~-block*
calendrier *m* à effeuiller; '*~-less*
sans date; '*~-line* ligne *f* de changement de date; '*~-stamp* (timbre *m*)
dateur *m*.

da·tive *gramm.* ['deitiv] (*ou ~ case*)
datif *m*.

da·tum ['deitəm], *pl.* **-ta** ['~tə] donnée *f*; *~-point* point *m* de repère.

daub [dɔ:b] **1.** enduit *m*; *peint.*
croûte *f*; **2.** barbouiller (de, *with*)
(*a. peint.*); '**daub·(st)er** barbouilleur (-euse *f*) *m*.

daugh·ter ['dɔ:tə] fille *f*; *~-in-law*
['dɔ:tərinlɔ:] belle-fille (*pl.* belles-filles) *f*; '**daugh·ter·ly** filial (-aux
m/pl.).

daunt [dɔ:nt] intimider, décourager;
'**~·less** intrépide.

dav·it ⚓ ['dævit] bossoir *m*, davier
m.

da·vy[1] ⚒ ['deivi] (*a. ~-lamp*) lampe *f*
Davy (= *lampe de sûreté*).

da·vy[2] *sl.* [~] *see* affidavit; *take one's*
~ donner sa parole *ou* son billet.

daw *orn.* [dɔ:] choucas *m*.

daw·dle F['dɔ:dl] *v/i.* flâner; *v/t.* gaspiller (*son temps*); '**daw·dler** F flâneur (-euse *f*) *m*; *fig.* lambin(e *f*) *m*.

dawn [dɔ:n] **1.** aube *f* (*a. fig.*), aurore *f*; point *m* du jour; **2.** poindre;
se lever (*jour*); *fig.* venir à l'esprit
(de, *upon*).

day [dei] jour *m* (*a. = aube*); journée
f; *souv. ~s pl.* temps *m*; vivant *m*,
âge *m*; *~ off* jour *m* de congé; *carry*
(*ou win*) *the ~* remporter la victoire;
this ~ aujourd'hui; *the other ~*
l'autre jour; *this ~ week* (d')aujourd'hui en huit; *the next ~* le
lendemain; *the ~ before* la veille (de
qch., s.th.); '*~·book* ⳼ journal
m; '*~·break* point *m* du jour; aube
f; '*~·dream* rêverie *f*; '*~·fly* éphémère *m*; '*~·la·bo(u)r·er* journalier *m*; '*~·light* (lumière *f* du)
jour *m*; *~-saving time* heure *f* d'été;
'*~·nur·se·ry* garderie *f*, crèche *f*;
'*~·star* étoile *f* du matin; soleil *m*;
'*~·time* jour *m*, journée *f*; '*~·times*
de jour.

daze [deiz] **1.** étourdir (*coup*); stupéfier (*narcotique*); **2.** étourdissement
m, stupéfaction *f*.

daz·zle ['dæzl] éblouir, aveugler.

dea·con ['di:kn] diacre *m*; **dea·con·ess** ['di:kənis] diaconesse *f*; '**dea·con·ry** diaconat *m*.

dead [ded] **1.** *adj. usu.* mort; de mort
(*silence, sommeil*); sourd (*douleur,*
son); engourdi (*par le froid*); subit
(*halte*); profond (*secret*); perdu
(*puits*); terne (*couleur*); mat (*or*);
aveugle (*fenêtre*); sans éclat (*yeux*);
éventé (*boissons*); éteint (*charbon*);
sl. vide (*bouteille*); ⊕ fixe (*essieu*);
sourd (à, *to*), mort (à, *to*); ⚡ hors
courant; sans courant; épuisé (*pile*
etc.); *~ bargain* véritable occasion *f*;
at a ~ bargain à un prix risible; *~*
calm calme *m* plat; *fig.* silence *m* de
mort; ⊕ *~ centre* (*ou point*) point *m*
mort; centre *m* fixe; *~ heat* manche
f nulle; course *f* à égalité; *~ letter*
lettre *f* de rebut; *fig.* lettre morte
(*loi etc.*); *~-letter office* bureau *m*
des rebuts; *~ level* niveau *m* parfait; *~ lift* effort *m* extrême; *~ load*
poids *m* mort; charge *f* constante;
~ loss perte *f* sèche; *sl.* crétin *m*;
~ man mort *m*; *sl.* bouteille *f* vide;
~ march marche *f* funèbre; *~ set*
fig. attaque *f* furieuse; F *make a ~*
set at se jeter à la tête de (*q.*); *a ~*
shot tireur *m* sûr de son coup;
tireur *m* qui ne rate jamais son
coup; ⳼ *~ stock* fonds *m/pl.* de
boutique; *~ wall* mur *m* orbe; *~*
water remous *m* de sillage; *~ weight*
poids *m* mort; *fig.* poids *m* inutile;
cut out the ~ wood élaguer le personnel; **2.** *adv.* absolument; complètement; *~ against* absolument
opposé à; *~ asleep* profondément
endormi; *~ drunk* ivre mort; *~ sure*
absolument certain; *~ tired* mort
de fatigue; **3.** *su. the ~ pl.* les morts
m/pl.; les trépassés *m/pl.*; *in the ~ of*
winter au cœur de l'hiver; *in the ~*
of night au plus profond de la nuit;
'*~-a'live* (à moitié) mort; sans
animation; '*~-'beat* **1.** épuisé; ⚡
apériodique (*instrument*); **2.** *Am. sl.*
chemineau *m*; quémandeur *m*;
filou *m*; chevalier *m* d'industrie;
'**dead·en** amortir (*un coup*); assourdir (*un son*); *fig.* feutrer (*le pas*);
émousser (*les sens*); ⊕ hourder (*le*
plancher etc.); '**dead-'end**: *~*

(street) cul-de-sac (*pl.* culs-de-sac) *m*; *Am.* ~ *kids pl.* gavroches *m/pl.*; **'dead-'end·ed sid·ing** voie *f* (de garage) à bout fermé.

dead...: **'~-head** personne *f* munie d'un billet de faveur; *métall.* masselotte *f*; ⊕ contre-pointe *f*; **'~-line** *Am.* limites *f/pl.* (*d'une prison pour forçats etc.*); date *f* limite; délai *m* de rigueur; **'~-lock** impasse *f* (*a. fig.*); situation *f* insoluble; **'dead·ly** mortel(le *f*); ~ *pale* d'une pâleur mortelle; **'dead·ness** torpeur *f*; *membres*: engourdissement *m*; indifférence *f* (envers, to); † stagnation *f*.

dead...: **'~-net·tle** ortie *f* blanche; ~ **pan** *Am. sl.* acteur *m etc.* sans expression.

deaf □ [def] sourd (à, to); *turn a* ~ *ear* faire la sourde oreille (à, to); **'deaf·en** rendre sourd; assourdir; **'deaf-'mute** sourd(e *f*)-muet(te *f*) *m*.

deal¹ [di:l] madrier *m*; planche *f*; (bois *m* de) sapin *m*.

deal² [~] 1. *cartes*: donne *f*, main *f*; *fig.* marché *m*, affaire *f*, † coup *m* (*de Bourse*); *Am. usu. péj.* tractation *f*; *a good* ~ quantité *f*, beaucoup; *a great* ~ (grande) quantité *f*, beaucoup; *give a square* ~ *to* agir loyalement envers; 2. [*irr.*] *v/t.* distribuer, répartir, partager (entre to, among); *cartes*: donner, distribuer; porter, donner (*un coup*) (à, to); *v/i.* faire le commerce (de, in); *cartes*: donner; en user (*bien ou mal*) (avec q., by s.o.); ~ *with* avoir affaire à *ou* avec (q.); s'occuper de; conclure (*une affaire*); faire justice à, négocier avec; *have a* ~*t with* avoir pris des mesures à l'égard de (q.); **'deal·er** *cartes*: donneur *m*; † négociant(e *f*) *m* (en, in); marchand(e *f*) *m* (de, in); *plain* ~ homme *m* franc et loyal; *sharp* ~ un fin matois; **'deal·ing** *usu.* ~*s pl.* distribution *f*; commerce *m*; conduite *f*; relations *f/pl.*; *péj.* tractations *f/pl.*

dealt [delt] *prét. et p.p. de* deal² 2.

dean [di:n] doyen *m*; **'dean·er·y** doyenné *m*; résidence *f* du doyen.

dear [diə] 1. □ cher (chère *f*); coûteux (-euse *f*); 2. F *o(h)* ~! oh là là!; hélas; ~ *me!* mon Dieu!; vraiment?; **'dear·ness** cherté *f*; tendresse *f*; **dearth** [də:θ] disette *f*;

fig. dénuement *m*; **dear·y** ['diəri] F mon chéri *m*, ma chérie *f*.

death [deθ] mort *f*; décès *m*; *journ.* ~*s pl.* nécrologie *f*; ~ *penalty* peine *f* capitale; *tired to* ~ mort de fatigue; épuisé; **'~-bed** lit *m* de mort; **'~-blow** coup *m* fatal *ou* mortel; **'~-du·ty** droit *m* de succession; **'~-less** □ immortel(le *f*); **'~-like** de mort; semblable à la mort; **'death-ly** 1. *adj. see* deathlike; 2. *adv.* comme la mort; **'death-rate** (taux *m* de la) mortalité *f*; **'death-roll** liste *f* des morts; **'death's-head** tête *f* de mort; **'death-war·rant** *tʃt* ordre *m* d'exécution.

dé-bâ-cle [dei'bɑ:kl] débâcle *f*.

de·bar [di'bɑ:] exclure, priver (q. de qch., s.o. from s.th.); défendre (à q. de *inf.*, s.o. from gér.).

de·bar·ka·tion [di:bɑ:'keiʃn] débarquement *m*.

de·base [di'beis] avilir; rabaisser (*son style*); altérer (*la monnaie*); **de·'base·ment** avilissement *m*, dégradation *f*; *monnaie*: altération *f*.

de·bat·a·ble □ [di'beitəbl] discutable; contestable; **de'bate** 1. débat *m*, discussion *f*; 2. débattre, disputer (sur qch., [on] s.th.); avec q., with s.o.); **de'bat·er** orateur *m*.

de·bauch [di'bɔ:tʃ] 1. débauche *f*; 2. débaucher; *fig.* corrompre; **de·au'chee** débauché(e *f*) *m*; **de·'bauch·er·y** débauche *f*.

de·ben·ture [di'bentʃə] obligation *f*; certificat *m* de drawback.

de·bil·i·tate [di'biliteit] débiliter; **de·bil·i·ta·tion** [di'biliteitn] débilitation *f*; **de·'bil·i·ty** débilité *f*.

deb·it † ['debit] 1. débit *m*, doit *m*; ~ *balance* solde *m* débiteur; 2. débiter; porter (*une somme*) au débit (de q. *to*, against *s.o.*).

de·bouch [di'bautʃ] déboucher (dans, into).

de·bris ['debri:] débris *m/pl.*; *géol.* détritus *m/pl.*

debt [det] dette *f*; créance *f*; *active* ~ dette *f* active; *pay the* ~ *of nature* payer le tribut à l'humanité (= *mourir*); **'debt·or** débiteur (-trice *f*) *m*.

de·bunk F *surt. Am.* [di:'bʌŋk] débronzer; déboulonner.

de·bus [di:'bʌs] (faire) débarquer d'un autobus; (faire) descendre.

dé·but ['deibu:] début *m*; entrée *f* dans le monde.

dec·ade ['dekəd] décade *f*; (période *f* de) dix ans *m/pl. ou* jours *m/pl.*

de·ca·dence ['dekədəns] décadence *f*; **'de·ca·dent** décadent; en décadence.

dec·a·log(ue) ['dekələg] décalogue *m*; *les* dix commandements *m/pl.*

de·camp [di'kæmp] ✕ lever le camp; F décamper, filer.

de·cant [di'kænt] décanter, transvaser; tirer au clair; **de'cant·er** carafe *f*; carafon *m*. [*obus*).\

de·cap [di'kæp] désamorcer (*un*\

de·cap·i·tate [di'kæpiteit] décapiter; *Am.* congédier, F liquider; **de·cap·i'ta·tion** décapitation *f*.

de·cath·lon *sp.* [di'kæθlɔn] décathlon *m*.

de·cay [di'kei] **1.** décadence *f*; délabrement *m*; déclin *m*; pourriture *f*; *dents*: carie *f*; **2.** tomber en décadence; pourrir; se carier (*dents*); *fig.* décliner, se perdre; ~ed with age rongé par le temps.

de·cease *surt.* ✝ [di'si:s] **1.** décès *m*; **2.** décéder; *the* ~d le défunt *m*, la défunte *f*; *pl.* les défunts *m/pl.*

de·ceit [di'si:t] tromperie *f*; fourberie *f*; **de'ceit·ful** ☐ trompeur (-euse *f*); faux (fausse *f*); mensonger (-ère *f*) (*regard etc.*); **de'ceit·ful·ness** fausseté *f*; nature *f* trompeuse.

de·ceiv·a·ble [di'si:vəbl] facile à tromper; **de·ceive** [di'si:v] tromper; en imposer à (*q.*); amener (*q.*) par supercherie (à *inf.*, *into gér.*) *be* ~d se tromper; **de'ceiv·er** trompeur (-euse *f*) *m*; fourbe *m*.

de·cel·er·ate [di:'seləreit] ralentir.

De·cem·ber [di'sembə] décembre *m*.

de·cen·cy ['di:snsi] bienséance *f*; pudeur *f*; *decencies pl.* les convenances *f/pl.*

de·cen·ni·al [di'senjəl] décennal (-aux *m/pl.*); **de'cen·ni·um** [~jəm] décennie *f*, période *f* de dix ans.

de·cent ☐ ['di:snt] convenable; honnête; assez bon(ne *f*); *sl.* très bon(ne *f*), brave.

de·cen·tral·i·za·tion [di:sentrəlai-'zeiʃn] décentralisation *f*; **de'central·ize** décentraliser.

de·cep·tion [di'sepʃn] tromperie *f*; fraude *f*; supercherie *f*; **de'ceptive** ☐ trompeur (-euse *f*); mensonger (-ère *f*).

de·cide [di'said] *v/i.* décider (de, *to*);

se décider (pour *in favour of*, *for*; à *inf.*, *on* gér.); prendre son parti; *v/t.* trancher (*une question*); (*a.* ~ *on*) déterminer (qch.); **de'cid·ed** ☐ décidé; arrêté (*opinion*); résolu; **de'cid·er** *sp.* course *f ou* match *m* de décision; *la* belle *f*.

de·cid·u·ous ♀, *zo.* ☐ [di'sidjuəs] caduc (-uque *f*); ~ *tree* arbre *m* à feuilles caduques.

dec·i·mal ['desiml] **1.** décimal (-aux *m/pl.*); ↑ ~ *point* virgule *f*; **2.** décimale *f*; **dec·i·mate** ['~meit] décimer; **dec·i'ma·tion** décimation *f*.

de·ci·pher [di'saifə] déchiffrer; transcrire en clair; **de'ci·pher·a·ble** [~rəbl] déchiffrable; **de'ci·pher·ment** déchiffrement *m*.

de·ci·sion [di'siʒn] décision *f* (*a.* ♟); ♟ jugement *m*, arrêt *m*; *fig. caractère*: fermeté *f*, résolution *f*; *take a* ~ prendre une décision *ou* un parti; **de·ci·sive** [di'saisiv] ☐ décisif (-ive *f*); tranchant (*ton*).

deck [dek] **1.** ♣ pont *m*; tillac *m*; *top* ~ impériale *f*; *surt. Am.* paquet *m* de cartes; *Am.* F *on* ~ prêt; **2.** parer, orner; ♣ ponter; '~-'chair chaise *f* longue; F transat(lantique) *m*; **'deck·er**: *double-* (*single-*)~ autobus *m etc.* à (sans) impériale.

de·claim [di'kleim] déclamer (contre, *against*).

dec·la·ma·tion [deklə'meiʃn] déclamation *f*; **de·clam·a·to·ry** [di-'klæmətəri] déclamatoire.

de·clar·a·ble [di'klɛərəbl] déclarable; à déclarer; **dec·la·ra·tion** [deklə'reiʃn] déclaration *f* (en douane); *make a* ~ déclarer, proclamer; émettre une déclaration; **de·clar·a·tive** [di'klærətiv] qui déclare, qui annonce (qch.); **de'clar·a·to·ry** [~təri] déclaratoire; **de·clare** [di'klɛə] *v/t.* déclarer (*qch. à q.*, *la guerre*, *qch. en douane*, *q. coupable*, *etc.*); annoncer; ~ *o.s.* prendre parti; faire sa déclaration (*amant*); ~ *off* rompre (*un marché*); *v/i.* se déclarer, se prononcer (pour, *for*; contre, *against*); F *well*, *I* ~*!* par exemple!; eh bien, alors!; **de'clared** ☐ ouvert, avoué, déclaré.

de·clen·sion [di'klenʃn] déclin *m*, décadence *f*; *caractère etc.*: altération *f*; *gramm.* déclinaison *f*.

de·clin·a·ble [di'klainəbl] décli-

nable; **dec·li·na·tion** [dekli'neiʃn]
† pente *f*, déclin *m*; *Am.* refus *m*;
astr., *phys.* déclinaison *f*; **de·cline**
[di'klain] **1.** déclin *m* (*a. fig.*); *prix*:
baisse *f*; ⚕ consommation *f*; **2.** *v/t.*
refuser (courtoisement); *gramm.*
décliner; *v/i.* décliner (*santé*,
soleil); baisser; s'incliner (*terrain*);
tomber en décadence; s'excuser.
de·cliv·i·ty [di'kliviti] pente *f*, déclivité *f*; **de'cliv·i·tous** [‿təs]
escarpé.
de·clutch ['di:'klʌtʃ] *mot.* débrayer.
de·coct [di'kɔkt] faire bouillir; **de-
'coc·tion** décoction *f*; *pharm.*
décocté *m*.
de·code ['di:'koud] déchiffrer.
dé·colle·té [dei'kɔltei] **1.** décol-
letage *m*; **2.** décolleté.
de·col·o(u)r·ize [di:'kʌləraiz] dé-
colorer.
de·com·pose [di:kəm'pouz] (se) décomposer; *v/t.* analyser; *v/i.* pourrir; **de·com·po·si·tion** [di:kɔmpə-
'ziʃn] décomposition *f*; désintégration *f*; putréfaction *f*.
de·com·pres·sor *mot.* [di:kəm'pres-
sə] décompresseur *m*.
de·con·tam·i·nate [di:kən'tæmi-
neit] désinfecter, **de·con·tam·i-
'na·tion** désinfection *f*.
de·con·trol ['di:kən'troul] libérer
(*qch.*) des contraintes du gouvernement; ~ the price of détaxer (*qch.*).
dec·o·rate ['dekəreit] décorer (*a.
d'une médaille*); orner; pavoiser
(*une rue*); remettre une décoration
à (*q.*); **dec·o'ra·tion** décoration *f*;
remise *f* d'une décoration (*à q.*);
appartement etc.: décor *m*; *Am.* ⚓
Day le 30 mai; **dec·o·ra·tive** ['dek-
ərətiv] décoratif (-ive *f*); **dec·o-
ra·tor** ['‿reitə] décorateur (-trice *f*)
m; (*a. house* ~) peintre *m* décorateur.
dec·o·rous □ ['dekərəs] bienséant;
de·co·rum [di'kɔ:rəm] bienséance *f*.
de·cor·ti·cate [di'kɔ:tikeit] décortiquer.
de·coy [di'kɔi] **1.** leurre *m*, appât *m*;
(*a.* ~-*duck*) oiseau *m* de leurre;
moquette *f*; canard *m* privé; *fig.*
compère *m* (*d'un escroc*); **2.** piper;
leurrer (*a. fig.*).
de·crease 1. ['di:kri:s] diminution *f*;
2. [di:'kri:s] diminuer; (s')amoin-
drir.
de·cree [di'kri:] **1.** *admin.*, *a. eccl.*:

décret *m*; arrêté *m*; ordonnance *f*
(*royale*); ⚖ jugement *m*; **2.** décréter, ordonner.
dec·re·ment ['dekrimənt] décroissement *m*; perte *f*.
de·crep·it [di'krepit] décrépit (*personne*); qui tombe en ruine (*chose*);
de'crep·i·tude [‿tju:d] décrépitude
f; vermoulure *f*.
de·cres·cent [di'kresnt] en décroissance.
de·cry [di'krai] dénigrer, décrier.
de·cu·ple ['dekjupl] **1.** décuple (*a.
su./m*); **2.** (se) décupler.
ded·i·cate ['dedikeit] dédier (*a. fig.*);
ded·i'ca·tion dédicace *f*; **'ded·i·ca-
tor** dédicateur (-trice *f*) *m*;
'ded·i·ca·to·ry dédicatoire.
de·duce [di'dju:s] déduire, conclure
(de, *from*); **de'duc·i·ble** que l'on
peut déduire.
de·duct [di'dʌkt] retrancher (de,
from); **de'duc·tion** déduction *f*;
salaire: retenue *f*; imputation *f*
(sur, *from*); **de'duc·tive** déductif
(-ive *f*).
deed [di:d] **1.** action *f*, acte *m*; fait
m; ⚖ acte *m* (notarié); **2.** *Am.*
transférer par un acte.
deem [di:m] *v/t.* juger; *v/i.* croire;
~ of estimer.
deep [di:p] **1.** □ profond (*a. fig.*);
foncé, sombre (*couleur*); *fig.* vif
(vive *f*); difficile à pénétrer; malin
(-igne *f*) (*personne*); plongé (dans,
in); *box.* ~ hit coup *m* bas; **2.** abîme
m; *poét.* océan *m*; **'~-breath·ing**
respiration *f* à pleins poumons;
'deep·en (s')approfondir; rendre
ou devenir plus profond; rendre *ou*
devenir plus intense (*sentiment*);
v/t. foncer; *v/i.* devenir plus foncé
(*couleur*); **'deep·ness** profondeur *f*;
'deep-'root·ed profondément enraciné; **'deep-'seat·ed** enraciné.
deer [diə] cerf *m*; *coll.* cervidés
m/pl.; **'~-lick** *Am.* roches *f/pl.*
couvertes de sel; **'~-skin** *cuir*: daim
m; **'~-stalk·er** chasseur *m* à
l'affût.
de·face [di'feis] défigurer; mutiler;
oblitérer (*un timbre*); **de'face-
ment** défiguration *f* etc.
de·fal·cate [di:'fælkeit] détourner
des fonds; **de·fal'ca·tion** détournement *m* de fonds; fonds *m/pl.* man-
quants; **'de·fal·ca·tor** détourneur
m de fonds.

def·a·ma·tion [defə'meiʃn] diffamation *f*; **de·fam·a·to·ry** [di'fæmətəri] diffamatoire; diffamant; **de·fame** [di'feim] diffamer; **de·fam·er** diffamateur (-trice *f*) *m*.

de·fault [di'fɔːlt] **1.** manquement *m*; ♱, ⚖ défaut *m*; *droit criminel:* contumace *f*; *sp.* forfait *m*; ⚖ *judgement by* ~ jugement *m* par défaut; *in* ~ *of which* faute de quoi; au défaut duquel *etc.*; *make* ~ faire défaut; être en état de contumace; **2.** *v/i.* manquer à ses engagements; ⚖ faire défaut; être en état de contumace; *v/t.* condamner (*q.*) par défaut; **de·fault·er** délinquant(e *f*) *m*; ♱ défaillant(e *f*) *m*; auteur *m* de détournements de fonds; ⚖ contumace *mf*; ⚔ retardataire *m*; consigné *m*.

de·fea·sance [di'fiːzns] annulation *f*.

de·feat [di'fiːt] **1.** défaite *f*; insuccès *m*; *suffer a* ~ essuyer une défaite; **2.** ⚔ battre, vaincre; faire échouer; *parl. qqfois* renverser; mettre en minorité; **de·feat·ist** défaitiste *mf*.

de·fect [di'fekt] défaut *m*; manque *m*; imperfection *f*; **de·fec·tion** défection *f*; *eccl.* apostasie *f*; **de·fec·tive** □ défectueux (-euse *f*); imparfait; anormal (-aux *m/pl.*); en mauvais état; *gramm.* défectif (-ive *f*); *be* ~ *in* manquer de.

de·fence [di'fens] défense *f*; protection *f*; *witness for the* ~ témoin *m* à décharge; **de·fence·less** sans défense; désarmé.

de·fend [di'fend] défendre, protéger (*contre against, from*); justifier (*une opinion*); **de·fend·ant** défendeur (-eresse *f*) *m*; accusé(e *f*) *m*; **de·fend·er** défenseur *m*.

de·fense(·less) [di'fens(lis)] *Am. see* defence(less).

de·fen·si·ble [di'fensəbl] défendable; soutenable (*opinion*); **de·fen·sive 1.** □ défensif (-ive *f*); de défense; **2.** défensive *f*; *be* (*ou stand*) *on the* ~ se tenir sur la défensive.

de·fer¹ [di'fəː] différer; *v/t. a.* remettre; ajourner; ⚔ mettre en sursis; ~*red annuity* rente *f* à paiement différé; ~*red payment* paiement *m* par versements échelonnés.

de·fer² [~] (*to*) déférer (à); se soumettre (à); s'incliner (devant); **def-**

er·ence ['defərəns] déférence *f*; respect *m*; *in* ~ *to*, *out of* ~ *to* par déférence pour; **def·er·en·tial** □ [ˌ'renʃl] de déférence.

de·fer·ment [di'fəːmənt] ajournement *m* (*a.* ⚔); remise *f*; ⚔ *be on* ~ être en sursis.

de·fi·ance [di'faiəns] défi *m*; *bid* ~ *to* porter un défi à; *in* ~ *of* en dépit de (*q.*); **de·fi·ant** □ provocant; intraitable; *be* ~ *of* braver (*qch.*).

de·fi·cien·cy [di'fiʃənsi] manque *m*, défaut *m*; insuffisance *f*; *a. see* deficit; **de·fi·cient** défectueux (-euse *f*); insuffisant; à petite mentalité (*personne*); *be* ~ *in* manquer de; être au-dessous de.

def·i·cit ['defisit] déficit *m*.

de·fi·er [di'faiə] provocateur (-trice *f*) *m*.

de·file¹ 1. ['difail] défilé *m*; gorge *f*; **2.** [di'fail] défiler (*troupes etc.*).

de·file² [di'fail] souiller, salir; polluer (*une église, les mœurs*); **de·file·ment** souillure *f*; pollution *f*.

de·fin·a·ble [di'fainəbl] définissable; **de·fine** définir; délimiter (*un territoire*); **def·i·nite** ['definit] □ défini; bien déterminé; **def·i·ni·tion** définition *f*; ♱ délimitation *f*; *opt.* netteté *f*; *by* ~ par définition; **de·fin·i·tive** □ [di'finitiv] définitif (-ive *f*).

de·flate [di:'fleit] dégonfler (*un ballon, fig. une personne*); ♱ amener la déflation de (*la monnaie*); **de·fla·tion** dégonflement *m*; ♱ déflation *f*; **de·fla·tion·a·ry** de déflation.

de·flect [di'flekt] dévier, défléchir; **de·flec·tion**, *souv.* **de·flexion** [di'flekʃn] *lumière:* déflexion *f*; *compas:* déviation *f*; déformation *f*; ⊕ flèche *f*.

de·flow·er [di:'flauə] défleurir (*une plante*); *fig.* déflorer (*un paysage, un sujet, une jeune fille*).

de·form [di'fɔːm] déformer; ~*ed* contrefait, difforme; **de·for·ma·tion** [difɔː'meiʃn] déformation *f*; **de·form·i·ty** [di'fɔːmiti] difformité *f*; ♱ *caractère etc.:* laideur *f*.

de·fraud [di'frɔːd] frustrer (*q.* de *qch., s.o. of s.th.*); ♱ frauder.

de·fray [di'frei] couvrir (*les frais de q.*); défrayer (*q.*). [givreur *m.*]

de·freez·er *mot.* [di:'friːzə] dé-]

de·frost·er *mot.* [di:'frɔstə] dégivreur *m*.

deft □ [deft] adroit, habile.
de·funct [di'fʌŋkt] **1.** défunt; décédé; *fig.* désuet (-ète *f*); **2.** défunt(e *f*) *m*.
de·fy [di'fai] défier; mettre (*q.*) au défi.

de·gen·er·a·cy [di'dʒenərəsi] dégénération *f*; **de'gen·er·ate 1.** [~reit] dégénérer (en, *into*); **2.** □ [~rit] dégénéré; **de·gen·er·a·tion** [~'reiʃn] dégénération *f*; dégénérescence *f*.

deg·ra·da·tion [degrə'deiʃn] dégradation *f*; avilissement *m*; ✕ cassation *f*; **de·grade** [di'greid] *v/t.* dégrader (*a. fig.*, ✕ *géol.*); ✕ casser (*un officier*); *géol.* effriter; *fig.* avilir; *v/i.* dégénérer; *géol.* se dégrader.

de·gree [di'gri:] degré *m* (*a.* ♈, *géog.*, *gramm.*, *phys.*); ♪ *gamme:* échelon *m*; *autel:* marche *f*; *univ.* grade *m*; *fig.* rang *m*, condition *f*; *by* ~s petit à petit; par degrés; *in no* ~ pas le moins du monde; *in some* ~ dans une certaine mesure; *F to a* ~ éminemment; *take one's* ~ prendre ses grades.

de·hy·drat·ed [di:'haidreitid] déshydraté (*pommes de terre, légumes, etc.*); en poudre (*œufs*).

de·ice ✈ ['di:'ais] dégivrer; **de'ic·er** dégivreur *m*.

de·i·fi·ca·tion [di:ifi'keiʃn] déification *f*; **de·i·fy** ['di:ifai] déifier.

deign [dein] daigner (à, *to*).

de·ism ['di:izm] déisme *m*; '**de·ist** déiste *mf*; **de'is·tic, de'is·ti·cal** □ déiste.

de·i·ty ['di:iti] divinité *f*; dieu *m*, déesse *f*.

de·ject [di'dʒekt] décourager; **de'ject·ed** □ abattu, déprimé; **de'ject·ed·ness, de'jec·tion** découragement *m*, tristesse *f*.

de·la·tion [di'leiʃn] dénonciation *f*.

de·lay [di'lei] **1.** délai *m*, retard *m*; arrêt *m*; sursis *m*; **2.** *v/t.* retarder, différer; retenir; arrêter; *v/i.* tarder (à *inf.*, *in gér.*); s'attarder.

de·lec·ta·ble *co.* □ [di'lektəbl] délicieux (-euse *f*); **de·lec·ta·tion** [di:lek'teiʃn] délectation *f*.

del·e·ga·cy ['deligəsi] délégation *f*; **del·e·gate 1.** ['~geit] déléguer; **2.** ['~git] délégué(e *f*) *m*; **del·e·ga·tion** [~'geiʃn] délégation *f* (*a. parl. Am.*); députation *f*.

de·lete [di'li:t] rayer, supprimer; **del·e·te·ri·ous** □ [deli'tiəriəs] nuisible (à la santé); **de·le·tion** [di'li:ʃn] suppression *f*; passage *m* supprimé.

delf(t) ✝ [delf(t)] faïence *f* de Delft.

de·lib·er·ate 1. [di'libəreit] *v/i.* délibérer (de, sur *on*); *v/t.* délibérer au sujet de; **2.** □ [~rit] prémédité, voulu; réfléchi, avisé (*personne*); lent, mesuré (*pas etc.*); **de'lib·er·ate·ness** intention *f* marquée; mesure *f*; **de·lib·er·a·tion** [~'reiʃn] délibération *f*; circonspection *f*; lenteur *f* réfléchie; **de·'lib·er·a·tive** □ [~rətiv] de réflexion; délibératif (-ive *f*); délibérant.

del·i·ca·cy ['delikəsi] délicatesse *f* (*a. fig.*); sensibilité *f*; *santé:* faiblesse *f*; friandise *f*; *fig.* scrupule *m*; *touche:* légèreté *f*; **del·i·cate** ['~kit] □ délicat (*a. fig.*); fin (*esprit*); raffiné (*sentiment*); léger (-ère *f*) (*touche*); épineux (-euse *f*) (*question*); faible (*santé*); **del·i·ca·tes·sen** *Am.* [delikə'tesn] *pl.* charcuterie *f*.   [(-euse *f*).)

de·li·cious [di'liʃəs] délicieux

de·light [di'lait] **1.** délices *f/pl.*, délice *m*; joie *f*; **2.** *v/t.* enchanter, ravir; *v/i.* se délecter (à, *in*); se complaire (à *inf.*, *in gér.*); ~ *to* (*inf.*) mettre son bonheur à (*inf.*); **de'light·ful** □ [~ful] ravissant; charmant; délicieux (-euse *f*); **de'light·ful·ness** délices *f/pl.*; charme *m*.

de·lim·it [di:'limit], **de·lim·i·tate** [~teit] délimiter; **de·lim·i'ta·tion** délimitation *f*.

de·lin·e·ate [di'linieit] tracer; dessiner; délinéer; **de·lin·e'a·tion** tracé *m*; délinéation *f*; **de'lin·e·a·tor** dessinateur *m*; instrument *m* traceur.

de·lin·quen·cy [di'liŋkwənsi] culpabilité *f*; délit *m*; délinquance *f*; **de·'lin·quent 1.** délinquant; coupable; **2.** délinquant(e *f*) *m*.

del·i·quesce [deli'kwes] fondre; ⌃ se liquéfier; *fig.* tomber en déliquescence.

de·lir·i·ous □ [di'liriəs] en délire; délirant; F fou (fol *devant une voyelle ou un h muet*; folle *f*) (de, *with*); **de'lir·i·ous·ness** délire *m*; **de'lir·i·um** [~əm] délire *m*; fièvre *f* délirante; ~ *tremens* [~'tri:menz] delirium *m* tremens.

de·liv·er [di'livə] délivrer (de, from); (*a.* ~ up) restituer, rendre, livrer; faire (*une commission, une conférence*); exprimer (*une opinion*); prononcer (*un discours*); livrer (*un assaut, des marchandises*); 🏥 (faire) accoucher (de, of); distribuer (*des lettres*), remettre (*un paquet*); porter, donner (*un coup*); lancer (*une attaque, une balle*); ~ be ~ed of accoucher de; **de·liv·er·a·ble** [~rəbl] livrable; **de·liv·er·ance** délivrance *f*; libération *f*; expression *f*; **de·liv·er·er** libérateur (-trice *f*) *m*; ✝ livreur (-euse *f*) *m*; **de·liv·er·y** remise *f*; *discours*: prononciation *f*; *orateur*: diction *f*; 🏥 accouchement *m*; *lettres*: distribution *f*; *colis, a.* ✝ livraison *f*; 🏛 signification *f* (*d'un acte*); *cricket*: envoi *m* (*de la balle*); ⚔ *ville, prisonnier*: reddition *f*; *special* ~ envoi *m* par exprès; *on* ~ *of* au reçu de; **de·liv·er·y-note** bulletin *m* de livraison; **de·liv·er·y-truck**, **de·liv·er·y-van** voiture *f* de livraison.

dell [del] vallon *m*, combe *f*.

de·louse [di:'laus] épouiller.

del·ta ['deltə] delta *m*.

de·lude [di'lu:d] abuser (au point de *inf.*, *into gér.*); tromper; duper.

de·luge ['delju:dʒ] **1.** déluge *m* (*a. fig.*); ♀ *le* Déluge *m*; **2.** inonder (de, with) (*a. fig.*).

de·lu·sion [di'lu:ʒn] illusion *f*, erreur *f*; action *f* de duper; **de·lu·sive** [~siv] ☐, **de·lu·so·ry** [~səri] illusoire; trompeur (-euse *f*).

dem·a·gog·ic, **dem·a·gog·i·cal** [demə'gɔgik(l)] démagogique; **dem·a·gogue** ['~gɔg] démagogue *m*; '**dem·a·gog·y** démagogie *f*.

de·mand [di'mɑ:nd] **1.** demande *f*, réclamation *f*; 🏛 requête *f* (à on, to); ✝ *in* ~ très demandé; *on* ~ à vue, sur demande; *make* ~*s* faire des demandes (à q., on s.o.); ~ *note* avertissement *m*; **2.** demander (formellement); exiger (de, from); insister (pour *inf.*, to *inf.*); 🏛 réclamer (à, from).

de·mar·ca·tion [di:mɑ:'keiʃn] démarcation *f*; (*usu. line of* ~) ligne *f* de démarcation; délimitation *f*.

de·mean¹ [di'mi:n] (*usu.* ~ o.s. s')abaisser.

de·mean² [~]: ~ *o.s.* se comporter; **de'mean·o(u)r** [~ə] air *m*, tenue *f*.

de·ment·ed [di'mentid] (fol *devant une voyelle ou un h muet*; folle *f*).

de·mer·it [di:'merit] démérite *m*.

de·mesne [di'mein] possession *f*; domaine *m* (*a. fig.*).

demi... [demi] demi-.

dem·i·john ['demidʒɔn] dame-jeanne (*pl.* dames-jeannes) *f*; bouteille *f* clissée; bac *m* à acide.

de·mil·i·ta·ri·za·tion ['di:militərai'zeiʃn] démilitarisation *f*; **de'mil·i·ta·rize** démilitariser.

de·mise [di'maiz] **1.** F décès *m*; 🏛 cession *f*; transfert *m*; *terrain*: affermage *m*; **2.** céder, transmettre.

de·mob *sl.* [di:'mɔb] *see* demobilize; **de·mo·bi·li·za·tion** ['di:moubilai'zeiʃn] démobilisation *f*; **de'mo·bi·lize** démobiliser.

de·moc·ra·cy [di'mɔkrəsi] démocratie *f*; **dem·o·crat** ['demokræt] démocrate *mf*; **dem·o'crat·ic**, **dem·o'crat·i·cal** ☐ démocratique; **de·moc·ra·tize** [di'mɔkrətaiz] (se) démocratiser.

de·mol·ish [di'mɔliʃ] démolir (*a. fig.*); F dévorer, avaler; **dem·o·li·tion** [demo'liʃn] démolition *f*.

de·mon ['di:mən] démon *m*; diable *m*; **de·mo·ni·ac** [di:'mouniæk]**1.**(*a.* **de·mo·ni·a·cal** ☐ [di:mə'naiəkl]) démoniaque; diabolique; **2.** démoniaque *mf*; **de·mon·ic** [di:'mɔnik] diabolique; du Démon.

de·mon·stra·ble ☐ ['demənstrəbl] démontrable; **dem·on·strate** ['~streit] *v/t.* démontrer; expliquer; décrire (*un système*); *v/i.* manifester; ⚔ faire une démonstration; **dem·on'stra·tion** démonstration *f* (*a.* ⚔); *sentiments*: témoignage *m*, démonstration *f*, effusion *f*; *pol.* manifestation *f*; **de·mon·stra·tive** [di'mɔnstrətiv] **1.** ☐ démonstratif (-ive *f*) (*a. gramm.*); *a.* expansif (-ive *f*) (*personne*); démontrable (*vérité etc.*); **2.** *gramm.* pronom *m* etc. démonstratif; **dem·on·stra·tor** ['demənstreitə] démonstrateur *m* (*a. anat.*); *univ.* préparateur *m*; *pol.* manifestant *m*.

de·mor·al·i·za·tion [dimɔrəlai'zeiʃn] démoralisation *f*; **de'mor·al·ize** corrompre; démoraliser.

de·mote *Am.* [di:'mout] réduire à

un grade inférieur *ou* à une classe inférieure; *école:* faire descendre d'une classe; **de·mo·tion** réduction *f* à un grade inférieur *etc.*

de·mur [di'mə:] **1.** hésitation *f*; objection *f*; **2.** hésiter; soulever des objections (contre *to, at*).

de·mure [di'mjuə] grave; réservé; d'une modestie affectée; F (*air*) de sainte nitouche; **de'mure·ness** gravité *f*; modestie *f* (affectée); air *m* de sainte nitouche.

de·mur·rage [di'mʌridʒ] ♫ surestarie *f*, -s *f*/*pl.*; 🚂 magasinage *m*; **de'mur·rer** ⚖ fin *f* de non-recevoir.

de·my ✝ [di'mai] *papier:* coquille *f*.

den [den] tanière *f*, antre *m*; *fig.* retraite *f*; F cabinet *m* de travail; F bouge *m*.

de·na·tion·al·ize [di:'næʃnəlaiz] dénationaliser.

de·na·ture [di'neitʃə] dénaturer.

de·ni·a·ble [di'naiəbl] niable; **de-'ni·al** déni *m*, refus *m*; dénégation *f*, démenti *m*; **de'ni·er** dénégateur (-trice *f*) *m*.

den·i·grate ['denigreit] diffamer (*q.*); noircir (*la réputation*); dénigrer (*q., un projet*).

den·im ['denim] *tex.* étoffe *f* croisée de coton (*pour salopette*); F ~s *pl.* bleus *m*/*pl.*

den·i·zen ['denizn] habitant(e *f*) *m*.

de·nom·i·nate [di'nɔmineit] dénommer; **de·nom·i'na·tion** dénomination *f*; catégorie *f*; *eccl.* secte *f*, culte *m*; **de·nom·i'na·tion·al** confessionnel(le *f*), sectaire; **de'nom·i·na·tive** [ʌnətiv] dénominatif (-ive *f*); **de'nom·i·na·tor** & [ʌneitə] dénominateur *m*; common ~ dénominateur *m* commun.

de·no·ta·tion [di:nou'teiʃn] désignation *f*; signification *f*; *fig.* indication *f*; **de·no·ta·tive** [di'noutətiv] indicatif (-ive *f*) (de, *of*); **de'note** dénoter; signifier; indiquer.

de·nounce [di'nauns] dénoncer (*q., un traité, etc.*); démasquer (*un imposteur*); s'élever contre (*un abus*); ✝ prononcer (*un jugement*); **de-'nounce·ment** dénonciation *f*.

dense ☐ [dens] épais(se *f*); profond (*obscurité etc.*); lourd (*esprit*); *fig.* stupide; *phot.* opaque; **'dense·ness** épaisseur *f*; *population:* densité *f*;

fig. stupidité *f*; **'den·si·ty** *phys.* densité *f*; *a. see* denseness.

dent [dent] **1.** bosselure *f*; *lame:* brèche *f*; **2.** bosseler, bossuer; ébrécher (*une lame*).

den·tal ['dentl] **1.** dentaire; *gramm.* dental (-aux *m*/*pl.*); ~ science chirurgie *f* dentaire; **2.** *gramm.* dentale *f*; **den·tate** ['ʌteit] ⚘ denté; dentelé; **den·ti·frice** ['ʌtifris] dentifrice *m*; **'den·tist** dentiste *mf*; **'den·tist·ry** art *m* dentaire; **den·ti·tion** dentition *f*; **den·ture** ['ʌtʃə] dentier *m*; *zo.* denture *f*.

den·u·da·tion [di:nju:'deiʃn] dénudation *f*; *géol.* érosion *f*; **de'nude** (*of*) dénuder; dépouiller (de); *fig.* dégarnir (de).

de·nun·ci·a·tion [dinʌnsi'eiʃn] dénonciation *f*; condamnation *f*; accusation *f* publique; **de'nun·ci·a·tor** dénonciateur (-trice *f*) *m*.

de·ny [di'nai] nier (*un crime*); repousser (*une accusation*); démentir (*une nouvelle*); renier (*sa foi*); refuser (qch. à *q. s.o. s.th., s.th. to s.o.*); ~ *o.s. s.th.* se refuser qch.; ~ *o.s.* fermer sa porte (à *q., to s.o.*).

de·o·dor·ant [di:'oudərənt] désodorisant *m*; **de·o·dor·ize** [di:'oudəraiz] désodoriser; **de'o·dor·iz·er** désodorisateur *m*.

de·part [di'pa:t] *v*/*i.* partir (pour, *for*), s'en aller (à, *for*); quitter (un lieu, *from a place*); F sortir (de, *from*); s'écarter (de, *from*); démordre (de, *from*); mourir; *the* ~*ed* le défunt *m*, la défunte *f*; *pl.* les morts *m*/*pl.*; *v*/*t.* ~ *this life* quitter ce monde; **de'part·ment** département *m* (*a. géog.*); service *m*; ✝ rayon *m*, comptoir *m*; *Am.* ministère *m*; *State* ♀ Ministère *m* des Affaires étrangères; ~ *store* grand magasin *m*; **de·part·men·tal** [ʌ'mentl] départemental (-aux *m*/*pl.*); **de'par·ture** [ʌtʃə] départ *m* (*a.* ♫, ♫); déviation (de, *from*); *a new* ~ une nouvelle tendance *f*; une nouveauté *f*; une nouvelle orientation *f*; ~ *platform* (quai *m* de) départ *m*; embarcadère *m*.

de·pend [di'pend] ✝ pendre (à, *from*); ⚖ être pendant; ~ (*up*)*on* dépendre de; se trouver à la charge de; compter sur; se fier à (qch.); F *it* ~*s* cela dépend, F c'est selon; **de'pend·a·ble** bien fondé; digne de confiance (*personne*); **de'pend-ant** protégé(e *f*) *m*; pensionnaire *mf*; ~s *pl.* charges *f/pl.* de famille; **de'pend·ence** dépendance *f* (de, [up]on); confiance *f* (en, on); **de-'pend·en·cy,** *souv.* dependencies *pl.* dépendance *f*; **de'pend·ent 1.** □ (on) dépendant (de); à la charge (de); be ~ on charity subsister d'aumônes; **2.** *see* dependant; **de'pend·ing** ‡‡ be ~ être pendant.

de·pict [di'pikt] (dé)peindre.

de·pil·a·to·ry [de'pilətəri] **1.** (d)épilatoire; **2.** dépilatoire *m.*

de·plane [di'plein] descendre d'avion.

de·plete [di'pli:t] épuiser (*a. fig.*); ✕ dégarnir (*une garnison*); **de'ple·tion** épuisement *m*; ✕ dégarnissement *m*; **de'ple·tive** épuisant, qui épuise.

de·plor·a·ble □ [di'plɔ:rəbl] déplorable, lamentable; **de·plore** [di-'plɔ:] déplorer; regretter vivement.

de·ploy ✕ [di'plɔi] (se) déployer; **de'ploy·ment** ✕ déploiement *m.*

de·plume [di'plu:m] déplumer.

de·po·nent [di'pounənt] ‡‡ déposant *m*; *gramm.* (verbe *m*) déponent *m.*

de·pop·u·late [di:'pɔpjuleit] (se) dépeupler; **'de·pop·u'la·tion** *pays*: dépopulation *f*; *forêt:* dépeuplement *m.*

de·port [di'pɔ:t] expulser (*un étranger*); ~ o.s. se conduire; **de·por'ta·tion** expulsion *f*; **de·port·ee** [di:pɔ:'ti:] détenu(e *f*) *m*; **de'port-ment** tenue *f*; conduite *f.*

de·pos·a·ble [di'pouzəbl] capable d'être déposé; **de'pose** déposer; ‡‡ témoigner (que, *that*; de qch., *to* s.th.).

de·pos·it [di'pɔzit] **1.** *géol.* gisement *m*, couche *f*; ✿ encroûtement *m*; ⌒ₘ précipité *m*, sédiment *m*; ✝ acompte *m*, somme *f* en gage, arrhes *f/pl.*; dépôt *m* (*en banque*); **2.** de dépôts; **3.** déposer (*qch. sur qch., des œufs, de l'argent, a.* ⌒ₘ); consigner (*de l'argent*); cautionner (*des droits de douane*); **de'pos·i·ta·ry** dépositaire *m*; **dep·o·si·tion** [depə'ziʃn] déposition *f*; témoignage *m*; ⌒ₘ dépôt *m*; *eccl.* Descente *f* de Croix; **de·pos·i·tor** [di'pɔzitə] déposant *m*; **de'pos·i·to·ry** dépôt *m*, entrepôt *m*; garde-meuble (*pl.* gar-

de-meuble[s]) *m*; *fig.* mine *f*, trésor *m.*

de·pot ['depou] ✕, ⚓, ✝ dépôt *m*; ✝ entrepôt *m*; *Am.* gare *f.*

dep·ra·va·tion [deprə'veiʃn] dépravation *f*; *see* depravity; **de·prave** [di'preiv] dépraver; **de'praved** dépravé (*a. goût*); **de·prav·i·ty** [di-'præviti] perversité *f*; dépravation *f.*

dep·re·cate ['deprikeit] désapprouver, désavouer, déconseiller (*une action*); **dep·re'ca·tion** désapprobation *f*; désaveu *m*; *eccl.* ✝ déprécation *f*; **dep·re·ca·to·ry** ['⌣kətəri] déprécatif (-ive *f*).

de·pre·ci·ate [di'pri:ʃieit] *v/t.* déprécier (*a. fig.*); avilir; *fig.* dénigrer; *v/i.* se déprécier; diminuer de valeur; **de·pre·ci·a·tion** dépréciation *f* (*a.* ✝); dénigrement *m*; ✝ amortissement *m*; **de'pre·ci·a·to·ry** [⌣ətəri] dépréciateur (-trice *f*).

dep·re·da·tion [depri'deiʃn] déprédation *f*; pillage *m*; **'dep·re·da·tor** déprédateur (-trice *f*) *m*; **dep·re-da·to·ry** [di'predətəri] de déprédation.

de·press [di'pres] abaisser (*a.* ✿); baisser; abattre (*les forces*); faire languir (*le commerce*); faire baisser (*le prix*); baisser le ton de (*la voix*); appuyer sur (*la pédale*); *fig.* attrister, décourager; **de'pressed** *fig.* triste, abattu; **de·pres·sion** [di-'preʃn] abaissement *m* (*a. phys.*); ✝, *astr., géog., météor.* dépression *f*; ₰ abattement *m*; ₰ affaissement *m* (*a.* ✝); ⊕ trou *m*, godet *m*; *géog.* creux *m*; *météor.* baisse *f*; *tir:* pointage *m* négatif; *fig.* découragement *m.*

dep·ri·va·tion [depri'veiʃn] privation *f*; ✕, *admin.* retrait *m* (*d'emploi*); *eccl.* révocation *f*, destitution *f*; **dep·ri·ve** [di'praiv] priver (q. de qch., s.o. of s.th.); déposséder (*q.*) d'une charge; *eccl.* destituer.

depth [depθ] profondeur *f*; *forêt, eau:* fond *m*; *couche:* épaisseur *f*; *couleur:* intensité *f*; *son:* gravité *f*; *intelligence:* portée *f*; ~ bomb (*ou* charge) grenade *f* sous-marine; ~ of focus *phot.* profondeur *f* de foyer; go beyond one's ~ perdre fond; *a.* be out of one's ~ avoir perdu pied; *fig.* sortir de sa compétence.

dep·u·ta·tion [depju'teiʃn] délégation *f*, députation *f*; **de·pute** [di-

'pju:t] déléguer, députer; **dep·u·tize** ['depjutaiz] remplacer (q.); ~ for faire l'intérim de; **'dep·u·ty 1.** remplaçant(e f) m; ⚖ fondé m de pouvoir; substitut m (d'un juge); suppléant(e f) m; délégué(e f) m; **2.** sous-; suppléant.

de·rac·i·nate [di'ræsineit] déraciner.

de·rail 🚒 [di'reil] (faire) dérailler; **de'rail·ment** déraillement m.

de·range [di'reindʒ] déranger; désorganiser; ⊕ fausser (une machine); aliéner (l'esprit); **de'ranged** détraqué (cerveau); dérangé (estomac); **de'range·ment** dérèglement m (de l'esprit); dérangement m; troubles m/pl. (de digestion).

de·rate [di:'reit] dégrever.

Der·by sp. ['da:bi] le Derby m; **'der·by** Am. chapeau m melon.

der·e·lict ['derilikt] **1.** abandonné, délaissé; surt. Am. négligent; **2.** objet m abandonné; épave f; **der·e·lic·tion** [deri'likʃn] abandon m, délaissement m; ~ of duty manquement m au devoir.

de·ride [di'raid] tourner en dérision; se moquer de; railler.

de·ri·sion [di'riʒn] dérision f; ridicule m; **de·ri·sive** [di'raisiv] □, **de'ri·so·ry** [ˌsəri] moqueur (-euse f); fig. dérisoire (offre).

de·riv·a·ble □ [di'raivəbl] dérivable; que l'on peut tirer (de, from); **der·i·va·tion** [deri'veiʃn] dérivation f (a. 🅐, ✏); **de·riv·a·tive** [di'rivətiv] **1.** □ dérivé; **2.** dérivé m; 🅐 dérivée f; **de·rive** [di'raiv] (from) tirer (de); prendre (du plaisir etc.) (à); devoir (qch.) (à); be ~ed from dériver de.

der·ma·tol·o·gy [də:mə'tɔlədʒi] dermatologie f.

der·o·gate ['derəgeit] déroger (à sa dignité, from one's dignity); diminuer (qch., from s.th.); **der·o'ga·tion** dérogation f (à une loi, of a law); atteinte f (portée à qch., from s.th.); **de·rog·a·to·ry** □ [di'rogətəri] (to) dérogatoire (à); attentatoire (à); qui déroge (à).

der·rick ['derik] ⊕ chevalement m; ⚓ mât m de charge; ⚒ chevalement m de sondage.

des·cant ['deskænt] discourir, s'étendre (sur, [up]on).

de·scend [di'send] descendre; v/i.

tomber (pluie); s'abaisser; tirer son origine (de, from); ~ (up)on s'abattre sur, tomber sur, descendre sur; ~ to passer à (q. par héritage); descendre jusqu'à (bassesse etc.); ~ (a. be ~ed) from descendre de; **de'scend·ant** descendant(e f) m.

de·scent [di'sent] usu. descente f; pente f; chute f; abaissement m; déchéance f; descendance f; ⚖ transmission f par héritage; atterrissage m (p.ex. forcé, d'un avion).

de·scrib·a·ble [dis'kraibəbl] descriptible; **de'scribe** [dis'kraib] décrire, dépeindre.

de·scrip·tion [dis'kripʃn] description f; police etc.: signalement m; ⚓ désignation f; espèce f, sorte f; **de'scrip·tive** □ descriptif (-ive f); raisonné (catalogue).

de·scry [dis'krai] apercevoir, aviser.

des·e·crate ['desikreit] profaner; **des·e'cra·tion** profanation f.

de·seg·re·gate Am. [di'segrigeit] abolir les distinctions légales ou sociales entre les blancs et les races de couleur dans (une école etc.).

des·ert¹ ['dezət] **1.** désert; désertique (flore); aride (sujet); **2.** désert m; **3.** [di'zə:t] v/t. déserter; fig. abandonner, délaisser (q.); v/i. faire défection; ⚔ déserter.

de·sert² [di'zə:t], a. ~s pl. mérite m, -s m/pl.; dû m; ce qu'on mérite.

de·sert·er [di'zə:tə] déserteur m; pol. F saxon m; **de'ser·tion** abandon m; ⚖ abandon m criminel; ⚔ désertion f; pol. défection f.

de·serve [di'zə:v] mériter (de, of); être digne de; **de'serv·ed·ly** [ˌvidli] à juste titre; **de'serv·ing** méritant (qch., of s.th.); méritoire (action).

des·ic·cate ['desikeit] dessécher; **des·ic'ca·tion** dessèchement m; **'des·ic·ca·tor** dessiccateur m.

de·sid·er·ate [di'zidəreit] soupirer après; sentir le besoin de; **de·sid·er·a·tum** [ˌ'reitəm], pl. -ta [ˌtə] desiderata m/pl.

de·sign [di'zain] **1.** dessein m (péj. a. ~s pl.); projet m; intention f; dessin m d'ornement; plan m; modèle m (a. mot., ⊕); ⊕ dessin m, étude f; by ~ à dessein; with the ~ dans le dessein (de inf., of gér.); **2.** préparer; construire; étudier (une machine); destiner (à, for); projeter (de inf., to *inf.*); créer (*des modes*); ~ed to (*inf.*) conçu pour, fait pour (*inf.*).

des·ig·nate 1. ['dezigneit] nommer; désigner (pour, comme *as*, *for*); qualifier (de, *as*); indiquer (*qch.*); **2.** ['~nit] *après le su.* (*p.ex. bishop* ~): désigné; **des·ig·na·tion** désignation *f*; nomination *f*; nom *m*.

de·sign·ed·ly [di'zainidli] à dessein; **de'sign·er** dessinateur (-trice *f*) *m*; inventeur (-trice *f*) *m*; *théâ.* décorateur *m*; *fig.* intrigant(e *f*) *m*; **de'sign·ing** □ artificieux (-euse *f*).

de·sir·a·ble □ [di'zaiərəbl] désirable; avantageux (-euse *f*); attrayant; **de·sire** [di'zaiə] **1.** désir *m* (de, *for*; de *inf.*, *to inf.*); souhait *m*; envie *f* (de *inf.*, *to inf.*); at s.o.'s ~ selon le désir de q.; **2.** désirer; avoir envie de; vouloir (que q. *sbj.*, *s.o. to inf.*); ~ to (*inf.*) désirer (*inf.*); **de·sir·ous** □ [di'zaiərəs] désireux (-euse *f*) (de *inf.* of *gér.*, *to inf.*).

de·sist [di'zist] cesser (de *inf.*, *from gér.*); renoncer (à qch., *from s.th.*).

desk [desk] pupitre *m*; bureau *m*; ✝ caisse *f*.

des·o·late 1. ['desəleit] ravager; affliger (*q.*); **2.** □ ['~lit] désert, morne; affligé (*personne*); **des·o·la·tor** ['~leitə] dévastateur (-trice *f*) *m*; **des·o'la·tion** désolation *f* (*a. fig.*).

de·spair [dis'pɛə] **1.** désespoir *m*; **2.** désespérer (de, *of*); **de·spair·ing** □ [dis'pɛəriŋ] désespéré.

des·patch *see* dispatch.

des·per·a·do [despə'rɑːdou] risquetout *m/inv.*; tête *f* brûlée; bandit *m*.

des·per·ate □ ['despərit] *adj.* désespéré; *fig.* acharné; *fig.* épouvantable; **des·per·a·tion** [despə'reiʃn] désespoir *m*.

des·pi·ca·ble □ ['despikəbl] méprisable.

de·spise [dis'paiz] mépriser; dédaigner.

de·spite [dis'pait] **1.** *poét.* dépit *m*; in ~ of en dépit de; **2.** *prp.* (*a.* ~ of) en dépit de; **de'spite·ful** □ [~ful] *poét.* dédaigneux (-euse *f*).

de·spoil [dis'poil] dépouiller (de, *of*); **de'spoil·ment** spoliation *f*.

de·spond [dis'pond] perdre courage; ~ of envisager (*qch.*) sans espoir; **de'spond·en·cy** [~dənsi] découragement *m*, abattement *m*; **de'spond·ent** □, **de'spond·ing** □ découragé, abattu.

des·pot ['despot] despote *m*; tyran *m*; **des'pot·ic** (~ally) despotique; **des·pot·ism** ['~pətizm] despotisme *m*.

des·qua·ma·tion [deskwə'meiʃn] exfoliation *f*.

des·sert [di'zəːt] dessert *m*; *Am.* entremets *m*.

des·ti·na·tion [desti'neiʃn] destination *f*; **des·tine** ['~tin] destiner (à *for*, *to*); be ~d to (*inf.*) être destiné à (*inf.*); **'des·ti·ny** destin *m*, destinée *f*; sort *m*.

des·ti·tute □ ['destitjuːt] dépourvu, dénué (de, *of*); sans ressources; **des·ti'tu·tion** dénuement *m*; misère *f*.

de·stroy [dis'troi] détruire; anéantir; tuer; **de'stroy·er** destructeur (-trice *f*) *m*; ⚓ torpilleur *m*.

de·struct·i·bil·i·ty [distrʌkti'biliti] destructibilité *f*; **de'struct·i·ble** [~əbl] destructible; **de'struc·tion** destruction *f*; anéantissement *m*; *feu, tempête:* ravages *m/pl.*; *fig.* perte *f*; **de'struc·tive** □ destructeur (-trice *f*); destructif (-ive *f*); fatal (à, *of*); **de'struc·tive·ness** effet *m* destructeur; penchant *m* à tout briser; **de'struc·tor** incinérateur *m* (*d'ordures*).

des·ue·tude [di'sjuːitjuːd] désuétude *f*.

des·ul·to·ri·ness ['desəltərinis] manque *m* de méthode *ou* de suite; décousu *m*; **'des·ul·to·ry** □ décousu, sans suite.

de·tach [di'tætʃ] détacher (*a.* ✗); séparer; dételer (*des wagons*); **de'tach·a·ble** détachable; amovible; mobile; **de'tached** détaché (*a. maison*); à part; séparé; désintéressé (*personne*); désinvolte (*manière*); ✗ isolé (*poste*); **de'tach·ment** séparation *f* (de, *from*); indifférence *f* (envers, *from*); détachement *m* (*d'esprit*; *a.* ✗).

de·tail ['diːteil] **1.** détail *m*; particularité *f*; ⊕ organe *m*; ✗ détachement *m* (*de corvée*); ~s *pl.* détails *m/pl.*; accessoires *m/pl.*; in ~ de point en point, en détail; go into ~ entrer dans tous les détails; **2.** détailler; raconter en détail; ✗ affecter (à un service, *for a duty*); **'de·tailed** détaillé.

de·tain [di'tein] retenir; arrêter; empêcher de partir; consigner (*un* *élève*); ⚖ détenir; **de·tain·ee** [‿'ni:] détenu(e f) m; **de'tain·er** détention f; ⚖ ordre m d'incarcération.

de·tect [di'tekt] découvrir; apercevoir; détecter (*radio*); **de'tect·a·ble** discernable; **de'tec·tion** découverte f; *radio*: détection f; **de'tec·tive 1.** révélateur (-trice f); de détective; policier (-ère f) (*roman etc.*); **2.** agent m de la sûreté; policier m; **de'tec·tor** découvreur (-euse f) m; signal m d'alarme; ⊕, a. *radio*: détecteur m.

de·tent ⊕ [di'tent] détente f, arrêt m.

dé·tente [dei'tã:nt] *pol.* détente f.

de·ten·tion [di'tenʃn] détention f; arrêt m; retenue f (*d'un élève*); retard m; ∼ *camp* camp m d'internement; *house of* ∼ maison f d'arrêt.

de·ter [di'tə:] détourner (de, *from*).

de·ter·gent [di'tə:dʒənt] **1.** détersif (-ive f), détergent; **2.** détersif m, détergent m.

de·te·ri·o·rate [di'tiəriəreit] (se) détériorer; *v/i.* diminuer de valeur; dégénérer (*race*); **de·te·ri·o'ra·tion** détérioration f; diminution f de valeur; *race*: dégénération f.

de·ter·ment [di'tə:mənt] action f de détourner.

de·ter·mi·na·ble □ [di'tə:minəbl] déterminable; ⚖ résoluble; **de'ter·mi·nant** déterminant (a. *su./m*); **de'ter·mi·nate** □ [‿nit] déterminé; défini; définitif (-ive f); **de·ter·mi'na·tion** détermination f, résolution f (a. *d'un contrat etc.*); décision f; délimitation f; **de'ter·mi·na·tive 1.** déterminant; *gramm.* déterminatif (-ive f); **2.** *gramm.* déterminatif m; **de'ter·mine** [‿min] *v/t.* déterminer, fixer; décider (de, to); *surt.* ⚖ décider (*une question*), résoudre (*un contrat*); *v/i.* décider (de *inf.* on gér., to *inf.*); se décider (à *inf.* on gér., to *inf.*); **de'ter·mined** déterminé; résolu (*personne*).

de·ter·rent [di'terənt] **1.** préventif (-ive f); ✕ ∼*weapon* arme f de dissuasion; **2.** préventif m.

de·test [di'test] détester; **de'test·a·ble** □ détestable; **de·tes'ta·tion** détestation f (de, *of*); horreur f; *he is my* ∼ c'est ma bête noire.

de·throne [di'θroun] détrôner; **de'throne·ment** détrônement m.

det·o·nate ['detouneit] (faire) détoner; **'det·o·nat·ing** détonant, explosif (-ive f); **det·o'na·tion** détonation f; explosion f; **det·o·na·tor** ['‿tə] 🔫 pétard m; ✕ détonateur m; amorce f.

de·tour [di'tuə], **dé·tour** ['deituə] détour m; *Am.* déviation f (*d'itinéraire*).

de·tract [di'trækt] diminuer, amoindrir (qch., *from* s.th.); **de'trac·tion** détraction f; dénigrement m; **de'trac·tive** détracteur (-trice f); **de'trac·tor** détracteur (-trice f) m.

de·train [di:'trein] débarquer.

det·ri·ment ['detrimənt] détriment m, dommage m; préjudice m (de, to); **det·ri·men·tal** □ [detri'mentl] nuisible (à, to).

de·tri·tus *géol.* [di'traitəs] détritus m.

deuce [dju:s] *jeu*: deux m; *tennis*: égalité f; F diable m; *the* ∼*!* diable!; (*the*) ∼ *a one* personne, pas un; **'deu·ced** F satané, fichu.

de·val·u·a·tion [di:vælju'eiʃn] dévaluation f; **de'val·ue** [‿ju:] dévaluer.

dev·as·tate ['devəsteit] dévaster, ravager; **dev·as'ta·tion** dévastation f.

de·vel·op [di'veləp] (se) développer; *v/t.* manifester; exploiter (*une région*); contracter (*une habitude, une maladie*); *Am.* mettre à jour; *v/i.* prendre une nouvelle tournure; apprendre (que, *that*); **de'vel·op·er** *phot.* révélateur m; **de'vel·op·ing** *phot.* développement m; *attr.* de ou à développement; **de'vel·op·ment** développement m; exploitation f; événement m, fait m nouveau; déroulement m (*des événements*).

de·vi·ate ['di:vieit] (*from*) s'écarter (de); dévier (de); **de·vi'a·tion** déviation f (a. *boussole*); écart m.

de·vice [di'vais] expédient m, moyen m; ruse f, stratagème m; plan m; appareil m; emblème m, devise f; *leave s.o. to his own* ∼*s* livrer q. à lui-même.

dev·il ['devl] **1.** diable m (a. *fig.*); démon m; F mauvaise passion f, élan m; bruit m infernal; *fig.* nègre m; ⊕ dispositif m à dents *ou* à pointes; *cuis.* plat m grillé et poivré; *the* ∼*!* diable!; *play the* ∼ *with* ruiner; **2.** *v/t.* faire griller et poivrer fortement; ⊕ effilocher; *Am.* harceler (de, with); v/i. F servir de nègre (à, for); **'dev·il·ish** □ diabolique; F maudit; **'dev·il-may-'care 1.** F insouciant; téméraire (a. su./m); **2.** tête f brûlée; **'dev·il·(t)ry** diablerie f; magie f (noire); fig. mauvais coup m.

de·vi·ous □ ['di:viəs] tortueux (-euse f); détourné (a. fig.); ~ path détour m; chemin m tortueux.

de·vis·a·ble [di'vaizəbl] imaginable; **de'vise 1.** ⚖ legs m (immobilier); dispositions f/pl. testamentaires de biens immobiliers; **2.** imaginer, combiner; ⚖ disposer par testament de (biens immobiliers); **de·vi·see** ⚖ [devi'zi:] légataire mf; **de·vis·er** [di'vaizə] inventeur (-trice f) m; **de·vi·sor** ⚖ [devi'zɔ:] testateur (-trice f) m. [ser.]

de·vi·tal·ize [di:'vaitəlaiz] dévitali-]

de·void [di'vɔid] dénué, dépourvu, exempt (de, of).

dev·o·lu·tion [di:və'lu:ʃn] ⚖ dévolution f; transmission f; parl. délégation f; décentralisation f administrative; biol. dégénération f; **de·volve** [di'vɔlv] (upon, to) v/t. déléguer, transmettre (qch. à q.); v/i. incomber (à); ⚖ être dévolu (à).

de·vote [di'vout] consacrer, vouer; **de'vot·ed** □ dévoué, attaché; **dev·o·tee** [devou'ti:] fervent(e f) m; fanatique m (de, of); **de·vo·tion** [di'vouʃn] dévouement m (à, pour q., to s.o.); dévotion f (à Dieu); assiduité f (au travail); ~s pl. dévotions f/pl., prières f/pl.; **de'vo·tion·al** □ de dévotion, de prière.

de·vour [di'vauə] dévorer (a. fig.); ~ed with dévoré de, rongé de; **de'vour·ing** □ dévorateur (-trice f).

de·vout □ [di'vaut] dévot, pieux (-euse f); fervent; **de'vout·ness** dévotion f, piété f.

dew [dju:] **1.** rosée f; **2.** humecter de rosée; fig. mouiller (de, with); **'~drop** goutte f de rosée; **'~lap** fanon m (de la vache); **'dew·y** humecté ou couvert de rosée.

dex·ter·i·ty [deks'teriti] dextérité f; **dex·ter·ous** □ ['~tərəs] adroit, habile (à inf., in gér.).

di·a·be·tes ⚕ [daiə'bi:ti:z] diabète m; glycosurie f.

di·a·bol·ic, di·a·bol·i·cal □ [daiə-'bɔlik(l)] diabolique; infernal (-aux m/pl.).

di·a·dem ['daiədem] diadème m.

di·ag·nose ⚕ ['daiəgnouz] diagnostiquer; **di·ag'no·sis** [~sis], pl. -ses [~si:z] diagnostic m.

di·ag·o·nal [dai'ægənl] **1.** □ diagonal (-aux m/pl.); **2.** diagonale f (a. tex.).

di·a·gram ['daiəgræm] diagramme m, tracé m, schéma m; graphique m; **di·a·gram·mat·ic** [daiəgrə'mætik] (~ally) schématique.

di·al ['daiəl] **1.** usu. cadran m; téléph. tabulateur m; sl. visage m; ⚓ rose f (des vents); ~ light lampe f de cadran; **2.** téléph. v/i. composer un numéro; v/t. appeler.

di·a·lect ['daiəlekt] dialecte m, parler m, idiome m; **di·a'lec·tic, di·a·'lec·ti·cal** □ de dialecte, dialectal (-aux m/pl.); **di·a'lec·tics** usu. sg. dialectique f.

di·a·logue, Am. a. di·a·log ['daiəlɔg] dialogue m.

di·al...: '~-plate téléph. tabulateur m; montre: cadran m; **'~-sys·tem** téléphone m automatique; **'~-tone** téléph. signal m de numérotage.

di·am·e·ter [dai'æmitə] diamètre m; **di·a·met·ri·cal** □ [daiə'metrikl] diamétral (-aux m/pl.).

di·a·mond ['daiəmənd] **1.** diamant m; losange m; Am. baseball: terrain m (de baseball); cartes: carreau m; ~ cut ~ à malin malin et demi; **2.** de diamant; à diamants; en losange; **'~-'cut·ter** tailleur m de diamants.

di·a·pa·son ♪ [daiə'peisn] voix, ton: diapason m; orgue: principaux jeux m/pl. de fond; poét. harmonie f.

di·a·per ['daiəpə] **1.** toile f gaufrée; serviette f ouvrée; couche f, maillot m (des bébés); **2.** ouvrer (le linge); gaufrer (la toile); emmailloter (un bébé).

di·aph·a·nous [dai'æfənəs] diaphane.

di·a·phragm ['daiəfræm] diaphragme m (a. ⊕, a. opt.); téléph. membrane f.

di·a·rist ['daiərist] personne f qui tient un journal; **'di·a·rize** v/i. tenir son journal; v/t. noter (qch.) dans son journal.

di·ar·rhoe·a ⚕ [daiə'riə] diarrhée f.

di·a·ry ['daiəri] journal m intime; agenda m.

di·a·ther·my ⚕ ['daiəθə:mi] diathermie f.

di·a·tribe ['daiətraib] diatribe f.

dib·ble ['dibl] 1. plantoir m; 2. repiquer au plantoir.

dibs sl. [dibz] pl. argent m; sl. pépette f.

dice [dais] 1. pl. de die²; 2. v/i. jouer aux dés; v/t. cuis. couper en cubes.

dick Am. sl. [dik] agent m de la sûreté; policier m; take one's ~ jurer.

dick·ens F ['dikinz] diable m.

dick·er Am. ['dikə] marchander.

dick·(e)y ['diki] âne m; (a. ~-bird) F petit oiseau m; siège m de derrière; mot. spider m; chemise: faux plastron m.

dic·ta·phone ['diktəfoun] dictaphone m (marque); machine f à dicter.

dic·tate 1. ['dikteit] commandement m, ordre m; dictamen m; 2. [dik'teit] dicter; fig. prescrire; **dic·ta·tion** dictée f; ordres m/pl.; **dic·ta·tor** celui m ou celle f qui dicte; pol. dictateur m; **dic·ta·to·ri·al** □ [diktə'tɔːriəl] dictatorial(-aux m/pl.); impérieux (-euse f) (ton etc.); **dic·ta·tor·ship** [dik'teitəʃip] dictature f.

dic·tion ['dikʃn] style m; diction f; **dic·tion·ar·y** ['dikʃənri] dictionnaire m; glossaire m.

dict·um ['diktəm], pl. ~ta ['~tə] affirmation f; maxime f, dicton m.

did [did] prét. de do 1, 2, 3.

di·dac·tic [di'dæktik] (~ally) didactique.

did·dle ['didl] duper; rouler (q. de qch, s.o. out of s.th.).

didn't ['didnt] = did not.

die¹ [dai] (p.pr. dying) mourir (de of, from); périr; crever (animal); brûler (de inf., to inf.); tomber, languir (de, of); ~ away s'éteindre (voix); s'affaiblir (son); s'effacer (couleur); disparaître (lumières); ~ down s'éteindre; se calmer; baisser; ~ out s'éteindre; disparaître; F ~ hard vendre chèrement sa vie; être dur à tuer (abus); F never say ~! il ne faut pas jeter le manche après la cognée.

die² [~] (pl. dice) dé m.

die³ [~], pl. **dies** [daiz] matrice f; étampe f; monnaie: coin m; lower ~ matrice f; as straight as a ~ d'une droiture absolue.

die...: '~·a'way langoureux (-euse

f); '~-cast·ing ⊕ moulage m sous pression; '~-hard conservateur m à outrance; jusqu'au-boutiste m.

di·e·lec·tric [daii'lektrik] diélectrique (a. su./m).

Die·sel en·gine ['diːzl'endʒin] moteur m Diesel.

die-sink·er ['daisiŋkə] graveur m d'étampes.

di·et ['daiət] 1. nourriture f; régime m; diète f (a. pol.); 2. v/t. mettre (q.) au régime; v/i. être au régime; '**di·e·tar·y** 1. régime m; 2. diététique; alimentaire.

dif·fer ['difə] différer (de in, from); être différent (de); ne pas s'accorder (sur, about); **dif·fer·ence** ['difrəns] différence f (a. ♓), écart m (entre, between); dispute f; différend m (a. ♈), théâ., etc. supplément m; split the ~ partager la différend; '**dif·fer·ent** □ différent (de from, to); divers; autre (que, from); **dif·fer·en·ti·a** [ˌfə'renʃiə], pl. ~ti·ae [ˌʃii] attribut m distinctif; **dif·fer·en·tial** [ˌʃl] 1. différentiel(le f); distinctif (-ive f); ~ calculus calcul m différentiel; 2. mot. différentiel m; ♓ différentielle f; **dif·fer·en·ti·ate** [ˌʃieit] (se) différencier; ♓ différentier.

dif·fi·cult □ ['difikəlt] difficile (a. caractère etc.); malaisé; **dif·fi·cul·ty** difficulté f; obstacle m; ennui m; embarras m.

dif·fi·dence ['difidəns] manque m. d'assurance; '**dif·fi·dent** □ qui manque d'assurance.

dif·frac·tion [di'frækʃn] phys. diffraction f.

dif·fuse 1. [di'fjuːz] fig. (se) répandre; (se) diffuser; 2. □ [~s] diffus (lumière, style, etc.); prolixe (style); **dif·fu·sion** [~ʒn] diffusion f (a. ♓); phys. dispersion f; **dif·fu·sive** □ [~siv] diffusif (-ive f); diffus (style).

dig [dig] 1. [irr.] vt/i. creuser; v/t. bêcher, retourner (la terre); enfoncer; F cogner; F loger en garni; ~ in enterrer; ~ into creuser (qch.); mordre dans; ~ up déraciner, arracher; (fig. a. ~ out) mettre à jour; v/i. travailler la terre; ~ for fouiller pour trouver (qch.); ~ in ✕ se terrer; fig. s'assurer; 2. F coup m (de coude etc.); sarcasme m.

di·gest 1. [di'dʒest] v/t. mettre en

ordre; faire un résumé de; digérer; élaborer (*un projet*); ⚕ digérer (*a. une insulte*); *v/i.* se digérer; 2. ['daidʒest] abrégé *m*, résumé *m*, sommaire *m*; ⚖ recueil *m* de lois, digeste *m*; **di·gest·er** [di'dʒestə] rédacteur *m* d'un résumé *etc.*; marmite *f* (*de Papin*); **di·gest·i·bil·i·ty** [ˌ⸜ə'biliti] digestibilité *f*; **'di·gest·i·ble** digestible; **di·ges·tion** digestion *f*; **di·ges·tive** digestif *m*.

dig·ger ['digə] bêcheur *m*; *Am. sl.* exploiteuse *f* d'hommes riches; **dig·gings** F ['ˌ⸜iŋz] *pl.* logement *m*, garni *m*; *Am.* placer *m*.

dig·it ['didʒit] doigt *m* (*a.* de pied); ⚕ chiffre *m*; **'dig·it·al** digital (-aux *m/pl.*).

dig·ni·fied ['dignifaid] digne; plein de dignité; **dig·ni·fy** ['ˌ⸜fai] revêtir d'un air de majesté; donner de la dignité à; *fig.* décorer (d'un titre).

dig·ni·tar·y *usu. eccl.* ['dignitəri] dignitaire *m*; **'dig·ni·ty** dignité *f*.

di·gress [dai'gres] faire une digression (de, *from*); **di·gres·sion** [ˌ⸜ʃn] digression *f*, écart *m*; **di·gres·sive** □ digressif (-ive *f*).

dike [daik] 1. digue *f*, levée *f*; chaussée *f* surélevée; 2. protéger par des digues.

di·lap·i·date [di'læpideit] (se) délabrer; **di·lap·i·dat·ed** délabré, décrépit; **di·lap·i·da·tion** délabrement *m*; ⸜s *pl.* ⚖ détériorations *f/pl.*

di·lat·a·bil·i·ty *phys.* [daileitə'biliti] dilatabilité *f*; **di·lat·a·ble** dilatable; **dil·a'ta·tion** dilatation *f*; **di·late** (se) dilater; ⸜ *upon* s'étendre sur (*qch.*); **di·la·tion** *see* dilatation; **dil·a·to·ri·ness** ['dilətərinis] lenteur *f* (à agir); **'dil·a·to·ry** □ lent (à agir); tardif (-ive *f*) (*action*).

di·lem·ma *phls.* [di'lemə] dilemme *m*; *fig.* embarras *m*.

dil·et·tan·te [dili'tænti], *pl.* **-ti** [ˌ⸜tiː] dilettante *mf*.

dil·i·gence ['dilidʒəns] assiduité *f*; **'dil·i·gent** □ assidu, diligent, appliqué.

dill ⚘ [dil] aneth *m*.

dil·ly-dal·ly F ['dilidæli] traînasser.

dil·u·ent ['diljuənt] délayant (*a. su./m*); **di·lute** [dai'ljuːt] 1. diluer; arroser; délayer; *fig.* atténuer; couper avec de l'eau; 2. dilué; délayé; *fig.* atténué; **di'lu·tion** dilution *f*;

délayage *m*; *fig.* atténuation *f*; mouillage *m*.

di·lu·vi·al [dai'luːvjəl], **di·lu·vi·an** *géol.* diluvien(ne *f*); diluvial (-aux *m/pl.*).

dim [dim] 1. □ faible; effacé (*couleur*); vague (*mémoire*); 2. *v/t.* obscurcir; réduire (*la lumière*); ternir (*un miroir, a. fig.*); *mot.* baisser (*les phares*); *v/i.* s'obscurcir; baisser.

dime *Am.* [daim] dime *f*; ⸜ *novel* roman *m* à quatre sous; ⸜ *store* magasin *m* uniprix.

di·men·sion [di'menʃn] dimension *f*; ⊕ cote *f*; ⸜s *pl. a.* encombrement *m* hors tout.

di·min·ish [di'miniʃ] (se) réduire *vt/i.* diminuer; **dim·i·nu·tion** [dimi'njuːʃn] diminution *f*; amoindrissement *m* (de, *in*); **di·min·u·tive** [ˌ⸜jutiv] 1. □ *gramm.* diminutif (-ive *f*); *fig.* minuscule; 2. *gramm.* diminutif *m*.

dim·ple ['dimpl] 1. fossette *f*; ride *f* (*dans l'eau*); 2. *v/t.* former des fossettes dans; *v/i.* se former en fossettes; onduler (*eau*); **'dim·pled** à fossette(s).

din [din] 1. fracas *m*, vacarme *m*; 2. *v/i.* retentir; *v/t.* ⸜ *s.th. into s.o.* ('s ears) corner qch. aux oreilles à q.

dine [dain] dîner; ⸜ *out* dîner en ville; **'din·er** dîneur (-euse *f*) *m*; ⚙ *surt. Am.* wagon-restaurant (*pl.* wagons-restaurants) *m*; **di·nette** [dai'net] aire *f* de repas.

ding [diŋ] retentir, résonner; ⸜**dong** ['ˌ⸜dɔŋ] 1. digue-don; 2. digue-don *m/inv.*; 3. *sp.* durement disputé.

din·gey, **din·ghy** ['diŋgi] canot *m*, youyou *m*; *rubber* ⸜ berthon *m*.

din·gle ['diŋgl] vallon *m* (boisé).

din·gus *Am. sl.* ['diŋgəs] machin *m*, truc *m*.

din·gy □ ['dindʒi] qui manque d'éclat; terne; sale; défraîchi (*meubles*).

din·ing... ['dainiŋ]: **'⸜-car** ⚙ wagon-restaurant (*pl.* wagons-restaurants) *m*; **'⸜-room** salle *f* à manger.

dink·ey *Am.* ['diŋki] locomotive *f* de manœuvres.

dink·y ['diŋki] F coquet(te *f*), mignon(ne *f*).

din·ner ['dinə] dîner *m*; banquet *m*; F déjeuner *m*; **'⸜-jack·et** smoking *m*; **'⸜-pail** *Am.* potager *m* (*d'ouvrier*); **'⸜-par·ty** dîner *m* (par invitations); '~-**set** service *m* de table; '~-**suit** smoking *m*; '~-**wag·(g)on** *fourniture:* servante *f*.

dint [dint] **1.** marque *f* de coup; creux *m; by* ~ *of* à force de; **2.** bosseler; ébrécher (*une lame*).

di·o·ce·san *eccl.* [dai'ɔsisn] diocésain (*a. su./m*); **di·o·cese** ['daiǝsis] diocèse *m*.

di·op·tric *opt.* [dai'ɔptrik] **1.** dioptrique; **2.** dioptrie *f;* ~*s pl.* dioptrique *f*.

di·o·ra·ma [daiǝ'rɑːmǝ] diorama *m*.

dip [dip] **1.** *v/t.* plonger; tremper; immerger; baisser subitement; écoper (dans *from, out of*); teindre (*une étoffe*); baigner (*les moutons*); ⚓ saluer avec (*son pavillon*); *mot.* baisser, faire basculer (*les phares*); *v/i.* plonger; baisser (*soleil*); incliner; s'abaisser (*terrain*); *géol.* s'incliner; ~ *into* puiser dans (*une bourse*); effleurer (*un sujet*); feuilleter (*un livre*); **2.** plongement *m,* immersion *f;* pente *f,* déclivité *f;* chandelle *f* plongée; ⚓ salut *m; géol.* pendage *m;* dépression *f* (*de l'horizon*); bain *m* parasiticide (*pour moutons*); aiguille aimantée: inclinaison *f;* F coup *m* d'œil; F baignade *f;* ⚓ *at the* ~ à mi-drisse.

diph·the·ri·a [dif'θiǝriǝ] diphtérie *f*.

diph·thong ['difθɔŋ] diphtongue *f*.

di·plo·ma [di'ploumǝ] diplôme *m;* **di'plo·ma·cy** diplomatie *f;* **di'plomaed** [~mǝd] diplômé; **dip·lo·mat** ['diplǝmæt] diplomate *m;* **dip·lo'mat·ic, dip·lo'mat·i·cal** □ diplomatique; **dip·lo'mat·ics** *pl.* diplomatique *f;* **di·plo·ma·tist** [di'ploumǝtist] diplomate *m*.

dip·per ['dipǝ] plongeur (-euse *f*) *m; orn.* merle *m* d'eau; *mot.* basculeur *m; Am.* cuiller *f* à pot; *Am.* **Great** (*ou* **Big**) ♀ *astr.* la Grande Ourse; **'dip·py** *sl.* maboul.

dip·so·ma·ni·a ♀ [dipsou'meinjǝ] dipsomanie *f;* **dip·so'ma·ni·ac** [~niæk] dipsomane *mf*.

dire ['daiǝ] néfaste; affreux (-euse *f*).

di·rect [di'rekt] **1.** □ direct; absolu; franc(he *f*) (*personne*); catégorique (*réponse*); ⚔ de plein fouet (*tir*); ⚡ ~ *current* courant *m* à continu; *gramm.* ~ *speech* discours *m* ou style *m* direct; ~ *train* train *m* direct; **2.** tout droit; *see* ~*ly 1;* **3.** diriger (vers *at,* to[*wards*]); con-

duire (*les affaires, un orchestre*); gérer, régir, administrer; adresser (*une lettre* à q., *to s.o.*); ordonner (à q. de *inf., s.o. to inf.*); indiquer (qch. à q., *s.th. to s.o.*); **di'rec·tion** direction *f;* administration *f;* sens *m;* adresse *f;* instruction *f;* **di'rec·tion·al** dirigeable (*radio*); radiogoniométrique; **di'rec·tion-find·er** *radio:* radiogoniomètre *m;* **di'rec·tion-find·ing** *radio:* radiogoniométrie *f; attr.* radiogoniométrique; ~ *set* radiogoniomètre *m;* **di'rec·tion-in·di·ca·tor** *mot.* clignotant *m;* flèche *f* lumineuse; signalisateur *m* de direction; ⚡ indicateur *m* de direction; **di'rec·tive** [~tiv] directif (-ive *f*); **di'rect·ly 1.** *adv.* directement, tout droit; tout de suite; tout à fait; **2.** *cj.* aussitôt que; **di'rect·ness** direction *f ou* mouvement *m* en droite ligne; *fig.* franchise *f*.

di·rec·tor [di'rektǝ] directeur *m,* administrateur *m;* membre *m* d'un conseil d'administration; *théâ., cin.* metteur *m* en scène; *cin.* réalisateur *m;* **di'rec·to·rate** [~rit] (conseil *m* d')administration *f;* (*a.* **di'rec·tor·ship**) directorat *m;* **di'rec·to·ry** répertoire *m* d'adresses; *téléph.* annuaire *m; en France: le* Bottin *m*.

di·rec·tress [di'rektris] directrice *f*.

dire·ful □ ['daiǝful] néfaste.

dirge [dǝːdʒ] hymne *m* funèbre.

dir·i·gi·ble ['diridʒǝbl] dirigeable *m* (*a. adj.*).

dirk [dǝːk] **1.** poignard *m;* **2.** poignarder.

dirt [dǝːt] saleté *f;* boue *f* (*surt. fig. péj.*); langage *m* ordurier; terre *f,* sol *m; Am. sl. do* (one) ~ jouer un vilain tour (à q.); '~**-'cheap** F à vil prix; donné; '~-**track** *sp.* (piste *f* en)cendrée *f;* '**dirt·y 1.** □ sale (*a. fig.*); **2.** (se) salir.

dis·a·bil·i·ty [disǝ'biliti] incapacité *f;* infirmité *f;* ⚖ inhabilité *f; admin.* invalidité *f*.

dis·a·ble [dis'eibl] mettre hors de service *ou* de combat; mettre (*q.*) hors d'état (de *inf., from, for gér.*); **dis'a·bled** estropié, mutilé; hors de service *ou* de combat *ou* d'état; **dis'a·ble·ment** mise *f* hors de combat; incapacité *f;* invalidité *f*.

dis·a·buse [disǝ'bjuːz] désabuser (de, *of*).

dis·ac·cord [disə'kɔːd] être en désaccord (avec, *with*).

dis·ac·cus·tom ['disə'kʌstəm] déshabituer (q. de qch., *s.o. to s.th.*).

dis·ad·van·tage [disəd'vɑːntidʒ] désavantage *m*, inconvénient *m*; *sell to ~* vendre à perte; **dis·ad·van·ta·geous** □ [disædvɑːn'teidʒəs] défavorable.

dis·af·fect·ed □ [disə'fektid] désaffectionné, mal disposé (à l'égard de, envers *to, towards*); **dis·af·fec·tion** désaffection *f*.

dis·af·firm ᵗᵗ [disə'fəːm] annuler.

dis·a·gree [disə'griː] (*with*) ne pas être d'accord, être en désaccord (avec); donner tort (à); ne pas convenir (à *q.*); se brouiller (avec); **dis·a·gree·a·ble** □ désagréable (*a. fig.*); **dis·a'gree·ment** différence *f*; désaccord *m* (avec q. sur qch., *with s.o. in s.th.*); querelle *f*, différend *m*; mésentente *f*.

dis·al·low ['disə'lau] ne pas admettre; ne pas permettre; interdire.

dis·ap·pear [disə'piə] disparaître; **dis·ap·pear·ance** [~'piərəns] disparition *f*.

dis·ap·point [disə'pɔint] décevoir; désappointer; manquer de parole à; **dis·ap'point·ment** déception *f*; mécompte *m*.

dis·ap·pro·ba·tion [disæpro'beiʃn], **dis·ap·prov·al** [disə'pruːvl] désapprobation *f*; **dis·ap'prove** désapprouver (qch., *of s.th.*).

dis·arm [dis'ɑːm] *vt/i.* désarmer (*a. fig.*); **dis'ar·ma·ment** [~məmənt] désarmement *m*.

dis·ar·range ['disə'reindʒ] mettre en désordre; déranger; **dis·ar·'range·ment** désordre *m*; dérangement *m*.

dis·as·sem·bly ⊕ [disə'sembli] démontage *m*.

dis·as·ter [di'zɑːstə] désastre *m*; sinistre *m*; catastrophe *f*; **dis'as·trous** ⃞ désastreux (-euse *f*).

dis·a·vow ['disə'vau] désavouer; renier; **dis·a'vow·al** désaveu *m*; reniement *m*.

dis·band [dis'bænd] ✕ *v/t.* licencier; *v/i.* se débander; être licencié; **dis'band·ment** licenciement *m*.

dis·bar [dis'bɑː] rayer (*un avocat*) du tableau de l'ordre.

dis·be·lief ['disbi'liːf] incrédulité *f* (à l'égard de, *in*); refus *m* de croire (à, *in*); **dis·be·lieve** ['disbi'liːv] *v/i.* ne pas croire (à, *in*); *v/t.* refuser créance à (*q.*); incrédule *mf*; **'dis·be'liev·er** incrédule *mf*.

dis·bur·den [dis'bəːdn] décharger (d'un fardeau, *of a burden*); déposer (*un fardeau*); ouvrir (*son cœur*); *fig.* décharger.

dis·burse [dis'bəːs] débourser; **dis·'burse·ment** déboursement *m*; *~s pl.* débours *m/pl.*

disc [disk] *see* disk.

dis·card [dis'kɑːd] **1.** se défaire de; abandonner (*une théorie etc.*); laisser de côté, mettre au rebut (*des vêtements*); *bridge:* se défausser (de qch., *s.th.*); **2.** *bridge:* défausse *f*; *surt. Am.* (pièce *f* de) rebut *m*.

dis·cern [di'səːn] discerner, distinguer; apercevoir; **dis'cern·i·ble** □ perceptible; **dis'cern·ing 1.** □ pénétrant; judicieux (-euse *f*) (*personne*); **2.** discernement *m*; pénétration *f*; **dis'cern·ment** discernement *m*; jugement *m*.

dis·charge [dis'tʃɑːdʒ] **1.** *v/t.* décharger (*a. ⚓ un navire, ⚡, ᵗᵗ un failli*); ⚓ débarquer (*un équipage*); lancer (*un projectile*); jeter (*du pus*); renvoyer (*un malade*); congédier (*un employé*), débaucher (*un ouvrier*); s'acquitter de (*un devoir*); verser (*du chagrin*); déverser (*du mépris*); acquitter (*un accusé, une dette, etc.*); libérer (*q. d'une obligation*); payer, apurer (*un compte*); *v/i.* se dégorger; suppurer; se déverser; partir (*fusil*); **2.** décharge *f* (*a. ⚡*); ⚓ déchargement *m*; *cargaison:* débardage *m*; *employé:* renvoi *m*; démobilisation *f*; *prisonnier:* élargissement *m*; *accusé:* acquittement *m*; *dette:* paiement *m*; *devoir:* accomplissement *m*; *fonctions:* exercise *m*; ⚡ écoulement *m*; **dis·'charg·er** ⚡ excitateur *m*.

dis·ci·ple [di'saipl] disciple *mf*; élève *mf*; **dis'ci·ple·ship** qualité *f* de disciple.

dis·ci·plin·a·ble ['disiplinəbl] disciplinable; docile; **'dis·ci·pli·nal** disciplinaire; **dis·ci·pli·nar·i·an** [~'neəriən] **1.** (*a.* **dis·ci·pli·nar·y** ['~əri]) disciplinaire; de discipline; **2.** disciplinaire *mf*; **dis·ci·pline** ['~plin] **1.** discipline *f* (*a. = sujet d'étude*); **2.** discipliner; former, élever; dresser (*un animal*).

dis·claim [dis'kleim] renoncer à; renier; désavouer; **dis'claim·er** renonciation *f*; déni *m*; désaveu *m*.

dis·close [dis'klouz] révéler, découvrir; divulguer; **dis'clo·sure** [~ʒə] révélation *f*; divulgation *f*.

dis·col·o(u)r·a·tion [diskʌlə'reiʃn] décoloration *f*; **dis'col·o(u)r** (se) décolorer; (se) ternir.

dis·com·fit [dis'kʌmfit] déconfire; F déconcerter; **dis'com·fi·ture** [~tʃə] déconfiture *f* (*d'une armée*); *personne*: déconvenue *f*.

dis·com·fort [dis'kʌmfət] **1.** inconfort *m*; malaise *m*, gêne *f*; **2.** incommoder.

dis·com·pose [diskəm'pouz] troubler; **dis·com'po·sure** [~ʒə] trouble *m*; perturbation *f*.

dis·con·cert [diskən'sə:t] déconcerter; troubler.

dis·con·nect ['diskə'nekt] disjoindre (de *from*, *with*); ⊕ débrayer; ⚡ déconnecter; couper; **'dis·con'nect·ed** □ détaché; décousu (*style etc.*); **'dis·con'nec·tion** séparation *f*; ⊕ débrayage *m*.

dis·con·so·late □ [dis'kɔnsəlit] désolé; triste.

dis·con·tent ['diskən'tent] **1.** † *see* ~ed; **2.** mécontentement *m*; **'dis·con'tent·ed** □ mécontent (de, *with*); peu satisfait.

dis·con·tin·u·ance ['diskən'tinjuəns] discontinuation *f*; abandon *m*; **'dis·con'tin·ue** [~nju:] discontinuer; cesser (*a. v*/*i.*); se désabonner à (*un journal*); **'dis·con'tin·u·ous** □ discontinu; ♪ discret (-ète *f*).

dis·cord ['diskɔ:d], **dis'cord·ance** discorde *f*; ♪ dissonance *f*, accord *m* dissonant; **dis'cord·ant** □ discordant; en désaccord (avec *to*, *from*, *with*); ♪ dissonant.

dis·count ['diskaunt] **1.** ✝ remise *f*, rabais *m*; *banque etc.*: escompte *m*; ~ *rate* taux *m* de l'escompte; *at a* ~ en perte; *fig.* en défaveur, peu estimé; **2.** ✝ escompter; faire l'escompte de; *fig.* ne pas tenir compte de; faire peu de cas de; envisager (*un événement*); **dis'count·a·ble** escomptable; à négliger.

dis·coun·te·nance [dis'kauntinəns] déconcerter; désapprouver; **dis'coun·te·nanced** décontenancé.

dis·cour·age [dis'kʌridʒ] décourager (de, *from*); abattre; détourner

(de, *from*); **dis'cour·age·ment** découragement *m*; désapprobation *f*.

dis·course [dis'kɔ:s] **1.** allocution *f*; discours *m*; dissertation *f*; **2.** (on, upon, about) discourir (sur); s'entretenir (de).

dis·cour·te·ous □ [dis'kə:tiəs] impoli; **dis'cour·te·sy** [~tisi] impolitesse *f*.

dis·cov·er [dis'kʌvə] trouver, découvrir; *poét.* révéler; **dis'cov·er·a·ble** □ que l'on peut découvrir; **dis'cov·er·er** découvreur (-euse *f*) *m*; **dis'cov·er·y** découverte *f*; *poét.* révélation *f*.

dis·cred·it [dis'kredit] **1.** discrédit *m*; doute *m*; **2.** mettre en doute; ne pas croire; discréditer; **dis'cred·it·a·ble** □ (to) indigne, peu digne (de); qui ne fait pas honneur (à).

dis·creet □ [dis'kri:t] discret (~ète *f*); avisé.

dis·crep·an·cy [dis'krepənsi] divergence *f*; désaccord *m*; écart *m*.

dis·crete □ † [dis'kri:t] discret (-ète *f*); distinct; *phls.* abstrait.

dis·cre·tion [dis'kreʃn] discrétion *f*; sagesse *f*, jugement *m*, prudence *f*; silence *m* judicieux; *at s.o.'s* ~ à la discrétion de q.; *age* (*ou years*) *of* ~ âge *m* de raison; *surrender at* ~ se rendre à discrétion; **dis'cre·tion·al** □, **dis'cre·tion·ar·y** discrétionnaire.

dis·crim·i·nate [dis'krimineit] distinguer; ~ *against* faire des distinctions contre (*q.*); **dis'crim·i·nat·ing** □ avisé; plein de discernement; différentiel(le *f*) (*tarif*); **dis·crim·i'na·tion** discernement *m*; jugement *m*; distinction *f*; **dis'crim·i·na·tive** [~nətiv] □ avisé; plein de discernement; différentiel(le *f*); **dis'crim·i·na·to·ry** ᵗᵗ, † [dis'kriminətəri] qui fait la distinction des personnes.

dis·cur·sive □ [dis'kə:siv] décousu, sans suite; *phls.* discursif (-ive *f*).

dis·cus ['diskəs] *sp.* disque *m*.

dis·cuss [dis'kʌs] discuter; délibérer; *co.* expédier (*un plat*), vider (*une bouteille*); **dis'cuss·i·ble** [~əbl] discutable; **dis'cus·sion** discussion *f*; débat *m*.

dis·dain [dis'dein] **1.** dédain *m* (de, *of*); mépris *m*; **2.** dédaigner; **dis'dain·ful** □ [~ful] dédaigneux (-euse *f*) (de, *of*).

dis·ease [di'zi:z] maladie *f*; mal *m*; **dis'eased** malade; morbide.

dis·em·bark ['disim'ba:k] débarquer; **dis·em·bar·ka·tion** [disemba:'keiʃn] débarquement *m*.

dis·em·bar·rass ['disim'bærəs] débarrasser (de, *of*); dégager (de, *from*).

dis·em·bod·y ['disim'bɔdi] désincorporer; ✕ licencier (*des troupes*).

dis·em·bogue [disim'boug] *v/t.* verser; ⊕ (se) déclencher; déboucher (*rivière*); débouquer (*navire*).

dis·em·bow·el [disim'bauəl] éviscérer.

dis·en·chant ['disin'tʃa:nt] désenchanter; désabuser.

dis·en·cum·ber ['disin'kʌmbə] débarrasser (de *of*, *from*); désencombrer (*q*.).

dis·en·gage ['disin'geidʒ] (se) dégager; ⊕ (se) déclencher; *v/t.* débrayer; **'dis·en'gaged** libre; **dis·en'gage·ment** dégagement *m*; rupture *f* de fiançailles.

dis·en·tan·gle ['disin'tæŋgl] (se) démêler; *fig.* dépêtrer (de, *from*); **dis·en'tan·gle·ment** débrouillement *m*.

dis·en·tomb [disin'tu:m] exhumer.

dis·es·tab·lish ['disis'tæbliʃ] séparer (*l'Église*) de l'État; **dis·es'tab·lish·ment** séparation *f* de l'Église et de l'État.

dis·fa·vo(u)r ['dis'feivə] **1.** défaveur *f*; disgrâce *f*; désapprobation *f*; **2.** voir avec défaveur; désapprouver.

dis·fig·ure [dis'figə] défigurer; gâter; **dis'fig·ure·ment** défiguration *f*.

dis·fran·chise ['dis'fræntʃaiz] priver (*q*.) du droit électoral; priver (*un bourg*) de ses droits de représentation; **dis'fran·chise·ment** [dis'fræntʃizmənt] privation *f* du droit de vote *ou* des droits civiques.

dis·gorge [dis'gɔ:dʒ] rendre (= *vomir*); (*a. ~ o.s.*) dégorger; décharger (*rivière*).

dis·grace [dis'greis] **1.** disgrâce *f*; honte *f*; déshonneur *m*; **2.** déshonorer; disgracier (*q*.); be ~ed être disgracié; **dis'grace·ful** □ [~ful] honteux (-euse *f*); scandaleux (-euse *f*).

dis·grun·tled [dis'grʌntld] maussade; mécontent (de, *at*).

dis·guise [dis'gaiz] **1.** déguiser; masquer (*une odeur*); dissimuler

(*une émotion*); **2.** déguisement *m*; fausse apparence *f*; feinte *f*; *blessing in ~* bienfait *m* insoupçonné.

dis·gust [dis'gʌst] **1.** (*at, for*) dégoût *m* (pour); répugnance *f* (pour); *fig. in ~* dégoûté; **2.** dégoûter, écœurer; ~ed with profondément mécontent de; **dis'gust·ing** □ dégoûtant.

dish [diʃ] **1.** plat *m*; récipient *m*; *cuis.* plat *m* (*de viande etc.*), mets *m*; *fig. standing ~* plat de tous les jours; **2.** (*usu. ~ up*) servir (*a. fig.*), dresser; *sl.* enfoncer, rouler (*q*.).

dis·ha·bille [disæ'bi:l] négligé *m*, déshabillé *m*; *in ~* en déshabillé.

dish-cloth ['diʃklɔθ] torchon *m*; lavette *f*.

dis·heart·en [dis'ha:tn] décourager.

di·shev·el·(l)ed [di'ʃevld] échevelé; ébouriffé; en désordre.

dis·hon·est □ [dis'ɔnist] malhonnête; déloyal (-aux *m/pl.*); **dis'hon·es·ty** malhonnêteté *f*.

dis·hon·o(u)r [dis'ɔnə] **1.** déshonneur *m*; honte *f*; **2.** déshonorer; manquer à (*sa parole*); ✝ ne pas honorer; **dis'hon·o(u)r·a·ble** □ déshonorant, honteux (-euse *f*); sans honneur (*personne*).

dish...: '~**pan** *Am.* cuvette *f*; '~**rag** *Am. see* dish-cloth; '~**wa·ter** eau *f* de vaisselle; *sl.* lavasse *f*.

dis·il·lu·sion [disi'lu:ʒn] **1.** désillusion *f*, désabusement *m*; **2.** *a.* **dis·il'lu·sion·ize** désillusionner, désabuser; **dis·il'lu·sion·ment** *see* disillusion 1.

dis·in·cli·na·tion [disinkli'neiʃn] répugnance *f* (pour *for*, *to*); manque *m* d'empressement (à, *to*); **dis·in·cline** ['~'klain] détourner (de *for*, *to*); **'dis·in'clined** peu disposé (à *for*, *to*).

dis·in·fect ['disin'fekt] désinfecter; **dis·in'fect·ant** désinfectant (*a. su./m*); **dis·in'fec·tion** désinfection *f*.

dis·in·gen·u·ous □ [disin'dʒenjuəs] sans franchise; faux (fausse *f*).

dis·in·her·it ['disin'herit] déshériter; **dis·in'her·it·ance** déshéritement *m*; ✝✝ exhérédation *f*.

dis·in·te·grate [dis'intigreit] (se) désagréger; (se) désintégrer (*minerai*); **dis·in·te'gra·tion** désagrégation *f*; effritement *m*.

dis·in·ter ['disin'tə:] déterrer, exhumer.

dis·in·ter·est·ed □ [dis'intristid] désintéressé.

dis·join [dis'dʒɔin] disjoindre; **dis·'joint** [ʌt] démembrer, disjoindre; désassembler; ♣ désarticuler; **dis·'joint·ed** disjoint, disloqué; *fig.* décousu.

dis·junc·tion [dis'dʒʌŋkʃn] disjonction *f*; **dis·'junc·tive** □ 1. disjonctif (-ive *f*) (*a. gramm.*); 2. *gramm.* disjonctive *f*.

disk [disk] disque *m*; plaque *f* (*d'identité*); *mot.* ~ brakes freins *m/pl.* à disque; *mot.* ~ clutch embrayage *m* par disque unique; ♣ slipped ~ hernie *f* discale; *Am. sl.* ~ jockey radio: présenteur *m ou* présentatrice *f* du disque des auditeurs.

dis·like [dis'laik] 1. aversion *f*, répugnance *f* (pour *for*, of, to); 2. ne pas aimer; détester; trouver mauvais; ~d mal vu.

dis·lo·cate ['dislokeit] disloquer; déboîter (*un membre*); *fig.* désorganiser; **dis·lo·ca·tion** dislocation *f* (*a. géol., a. anat.*); *fig.* désorganisation *f*. [tacher.)

dis·lodge [dis'lɔdʒ] déloger; dé-)

dis·loy·al □ ['dis'lɔiəl] infidèle; déloyal (-aux *m/pl.*); **dis·'loy·al·ty** infidélité *f*; déloyauté *f*.

dis·mal □ ['dizməl] 1. *fig.* sombre, triste; morne; lugubre; 2.: the ~s *pl.* le cafard *m*.

dis·man·tle [dis'mæntl] dégarnir, dépouiller (de, *of*); démanteler (*une forteresse*, ♣ *un vaisseau de guerre*); ♣ dégréer (*un navire*); ⊕ démonter (*une machine*), déséquiper (*un grue etc.*); **dis·'man·tling** dégarnissement *m etc.*; ⊕ démontage *m*.

dis·mast ♣ [dis'mɑːst] démâter.

dis·may [dis'mei] 1. consternation *f*; épouvante *f*; 2. consterner; épouvanter.

dis·mem·ber [dis'membə] démembrer; écarteler (*un corps*); **dis·'mem·ber·ment** démembrement *m*.

dis·miss [dis'mis] *v/t.* congédier; renvoyer; éconduire (*un importun etc.*); relever (*q.*) de ses fonctions; quitter (*un sujet*); *cricket:* mettre hors jeu; ♣ acquitter (*un accusé*), rejeter (*une demande*); be ~ed the service être renvoyé du service; ✗ ~! rompez (les rangs)!; **dis·'miss·al** congédiement *m*; renvoi

m; ♣♣ acquittement *m* (*d'un accusé*); fin *f* de non-recevoir.

dis·mount [dis'maunt] *v/t.* faire descendre (*q.*) de cheval; ⊕ démonter (*a. un canon*); *v/i.* descendre (de cheval, de voiture).

dis·o·be·di·ence [disə'biːdjəns] désobéissance *f* (à to, *of*); **dis·o·'be·di·ent** □ désobéissant; **'dis·o·'bey** désobéir à; enfreindre; *I will not be ~ed* je ne veux pas qu'on me désobéisse.

dis·o·blige ['disə'blaidʒ] désobliger (*q.*); **'dis·o·'blig·ing** □ désobligeant, peu complaisant (envers, to); **'dis·o·'blig·ing·ness** désobligeance *f*.

dis·or·der [dis'ɔːdə] 1. désordre *m* (*a.* ♣); confusion *f*; tumulte *m*; ♣ affection *f*; *mental* ~ dérangement *m* d'esprit; 2. déranger (*a.* ♣); mettre le désordre dans; **dis·'or·dered** □ en désordre; désordonné; ♣ dérangé (*estomac etc.*); **dis·'or·der·ly** en désordre; désordonné (*a. personne*); qui manque d'ordre; turbulent (*foule etc.*).

dis·or·gan·i·za·tion [disɔːgənai'zeiʃn] désorganisation *f*; **dis·'organ·ize** désorganiser.

dis·own [dis'oun] désavouer; renier.

dis·par·age [dis'pæridʒ] déprécier, dénigrer; discréditer; **dis·'par·age·ment** dénigrement *m*, dépréciation *f*; déshonneur *m*; **dis·'par·ag·ing** □ dépréciateur (-trice *f*); peu flatteur (-euse *f*).

dis·pa·rate □ ['dispərit] 1. disparate *f*; 2. ~s *pl.* disparates *f/pl.*; **dis·par·i·ty** [dis'pæriti] inégalité *f*; différence *f*.

dis·part [dis'pɑːt] *poét. ou* † (se) fendre; (se) séparer; *v/t.* ⊕ distribuer.

dis·pas·sion·ate □ [dis'pæʃnit] impartial (-aux *m/pl.*); calme; sans passion.

dis·patch [dis'pætʃ] 1. expédition *f*; envoi *m*; promptitude *f*, diligence *f*; dépêche *f*; mise *f* à mort; *bearer of ~es* messager *m*; *mentioned in ~es* cité à l'ordre du jour; *by* ~ par exprès; 2. expédier (*a.* = *mettre à mort*); envoyer; dépêcher (*un courrier*); ~-**box** valise *f* diplomatique; ~-**rid·er** ✗ estafette *f*.

dis·pel [dis'pel] dissiper, chasser (*a. fig.*).

dis·pen·sa·ble [dis'pensəbl] dont on peut se passer; *eccl.* dispensable; **dis'pen·sa·ry** pharmacie *f*; policlinique *f*; *hôpital*: dépense *f*; **dis·pen·sa·tion** [dispen'seiʃn] distribution *f*; décret *m*; *eccl.* dispense *f*; fait *m* d'être dispensé (de, *from*).

dis·pense [dis'pens] *v/t.* dispenser; distribuer; administrer (*la loi*); préparer (*un médicament*); exécuter (*une ordonnance*); ∼ *from* dispenser de; *v/i.* ∼ *with* se passer de; supprimer (*une main-d'œuvre*); ne pas exiger (*une main-d'œuvre*); **dis'pens·er** dispensateur (-trice *f*) *m*; pharmacien(ne *f*) *m*.

dis·perse [dis'pə:s] (se) disperser; *v/t.* dissiper; répandre; *⚗️* résoudre; **dis'per·sion**, **dis'per·sal** dispersion *f* (*a.* opt.); **dis'per·sive** □ dispersif (-ive *f*) (*a.* opt.).

dis·pir·it [dis'pirit] décourager; **dis'pir·it·ed** □ découragé, abattu.

dis·place [dis'pleis] déplacer; évincer (*q.*); supplanter, remplacer; ∼d *person* (*abr.* D.P.) personne *f* déplacée; **dis'place·ment** déplacement *m* (*a.* ⚓); changement *m* de place; remplacement *m*; *géol.* dislocation *f*.

dis·play [dis'plei] 1. étalage *m* (*a.* ✝); manifestation *f*; exposition *f*; parade *f*, apparat *m*; 2. étaler, exposer; afficher; montrer; faire preuve de; révéler.

dis·please [dis'pli:z] déplaire (à q., *s.o.*); *fig.* contrarier; **dis'pleased** □ mécontent (de *at*, *with*); **dis'pleas·ing** □ désagréable, déplaisant (à, *to*); **dis·pleas·ure** [∼'pleʒə] mécontentement *m* (de *at*, *over*); déplaisir *m*.

dis·port [dis'pɔ:t]: ∼ *o.s.* se divertir; s'ébattre.

dis·pos·a·ble [dis'pouzəbl] disponible; **dis'pos·al** disposition *f*; action *f* de disposer (de, *of*); expédition *f* (*d'une affaire*); résolution *f* (*d'une question*); ✝ délivrance *f*; *at s.o.'s* ∼ à la disposition de q.; **dis'pose** *v/t.* disposer (*a.* q. à, *s.o. to*); arranger; incliner (q. à, *s.o. to*; q. à qch., *s.o. for s.th.*); *v/i.* ∼ *of* disposer de; se défaire de; vaincre; expédier; ✝ vendre, écouler; trancher (*une question*); résoudre (*un problème*); **dis'posed** □ porté, enclin (à *to*, *for*); disposé (à, *to*); (*bien*, *mal*) intentionné (envers, pour, à

l'égard de *towards*); **dis'pos·er** dispensateur (-trice *f*) *m*; ordonnateur (-trice *f*) *m*; vendeur (-euse *f*) *m*; **dis·po·si·tion** [∼pə'ziʃn] disposition *f* (*a.* testamentaire); arrangement *m*; humeur *f*, naturel *m*, caractère *m*; tendance *f* (à, *to*); *at my* ∼ à ma disposition, à mon service; *make* ∼s prendre des dispositions (pour, *to*).

dis·pos·sess [dispə'zes] (*of*) déposséder (de); exproprier; ✝ délivrer (de); *⚖️* dessaisir (de); **dis·pos·ses·sion** [∼'zeʃn] dépossession *f*; expropriation *f*; *⚖️* dessaisissement *m*.

dis·praise [dis'preiz] 1. blâme *m*; dépréciation *f*; 2. blâmer; dénigrer.

dis·proof ['dis'pru:f] réfutation *f*.

dis·pro·por·tion ['disprə'pɔ:ʃn] disproportion *f*; **dis·pro'por·tion·ate** □ [∼it] disproportionné (à, *to*); hors de proportion (avec, *to*); **dis·pro'por·tion·ate·ness** disproportion *f*.

dis·prove ['dis'pru:v] réfuter.

dis·pu·ta·ble [dis'pju:təbl] contestable; **dis'pu·tant** discuteur (-euse *f*) *m*; *écoles*: disputant *m*; **dis·pu·ta·tion** [∼'teiʃn] débat *m*; discussion *f*; **dis·pu'ta·tious** □ chicanier (-ère *f*); **dis'pute** 1. contestation *f*, controverse *f*; querelle *f*; *beyond* ∼ incontestable; *in* ∼ contesté; 2. *v/t.* contester; débattre; disputer (qch. à q., *s.th. with s.o.*); *v/i.* se disputer (sur, au sujet de *about*).

dis·qual·i·fi·ca·tion [diskwɔlifi'keiʃn] incapacité *f*; mise *f* en état *ou* cause *f* d'incapacité; *sp.* disqualification *f*; *⚖️* inhabilité *f*; **dis'qual·i·fy** [∼fai] rendre incapable (de *inf.*, *for gér.*); *sp.* disqualifier.

dis·qui·et [dis'kwaiət] 1. inquiétude *f*; agitation *f*; 2. inquiéter; troubler; **dis·qui·e·tude** [∼'kwaiitju:d] inquétude *f*; agitation *f*.

dis·qui·si·tion [diskwi'ziʃn] dissertation *f* (sur, *on*).

dis·re·gard ['disri'gɑ:d] 1. indifférence *f* (à l'égard de of, *for*); inobservation *f* (*de la loi*); 2. ne tenir aucun compte de; négliger.

dis·rel·ish [dis'reliʃ] 1. dégoût *m*, aversion *f* (pour, *for*); 2. éprouver du dégoût pour; trouver mauvais.

dis·re·pair ['disri'pɛə] délabrement *m*; *fall into* ∼ tomber en ruines; *in* ∼ en mauvais état.

dis·rep·u·ta·ble □ [dis'repjutəbl] honteux (-euse *f*); minable; de mauvaise réputation (*personne*); **dis·re·pute** ['∼ri'pju:t] discrédit *m*, mépris *m*.

dis·re·spect ['disris'pekt] manque *m* de respect *ou* d'égards (envers, for); **dis·re·spect·ful** [∼'pektful] □ irrespectueux (-euse *f*), irrévérencieux (-euse *f*).

dis·robe ['dis'roub] (aider à) se dévêtir de sa robe; (se) déshabiller.

dis·root [dis'ru:t] déraciner.

dis·rupt [dis'rʌpt] rompre, disloquer; démembrer; **dis'rup·tion** rupture *f*; dislocation *f*; démembrement *m*.

dis·sat·is·fac·tion ['dissætis'fækʃn] mécontentement *m* (de with, at); dissatisfaction *f*; **dis·sat·is·fac·to·ry** [∼təri] peu satisfaisant; **dis·'sat·is·fy** [∼fai] mécontenter; . ne pas satisfaire (*q.*).

dis·sect [di'sekt] disséquer (*a. anat.*); découper; ⚗ exciser (*une tumeur etc.*); **dis'sec·tion** [di'sekʃn] dissection *f*; découpage *m*.

dis·semble [di'sembl] *v/t.* dissimuler; passer sous silence; feindre; *v/i.* déguiser sa pensée; user de dissimulation.

dis·sem·i·nate [di'semineit] disséminer; **dis·sem·i·na·tion** dissémination *f*.　　　　[désaccord *m.*]

dis·sen·sion [di'senʃn] dissension *f*,)

dis·sent [di'sent] 1. dissentiment *m*; avis *m* contraire; *eccl.* dissidence *f*; 2. différer (de, from); *eccl.* être dissident; **dis'sent·er** dissident(e *f*) *m*; **dis·sen·tient** [di'senʃiənt] dissident(e *f*) *m* (*a. adj.*).

dis·ser·ta·tion [disə'teiʃn] dissertation *f* (sur, on).

dis·serv·ice ['dis'sə:vis] mauvais service *m* (rendu à, to).

dis·sev·er [dis'sevə] (se) séparer, (se) désunir; **dis'sev·er·ance** [∼ərəns] séparation *f*.

dis·si·dence ['disidəns] dissidence *f*; **'dis·si·dent** 1. dissident; 2. membre *m* dissident; dissident(e *f*) *m*.

dis·sim·i·lar □ ['di'similə] (to) différent (de); dissemblable (à); **dis·sim·i·lar·i·ty** [∼'læriti] dissemblance *f*, dissimilitude *f* (de, to).

dis·sim·u·late [di'simjuleit] *see* dissemble; **dis·sim·u·la·tion** dissimulation *f*.

dis·si·pate ['disipeit] (se) dissiper; *v/i.* F mener une vie dissipée; **'dis·si·pat·ed** dissipé; **dis·si'pa·tion** dissipation *f*; gaspillage *m*; divertissement *m*; F vie *f* désordonnée.

dis·so·ci·ate [di'souʃieit] désassocier; ⚗ dissocier; ∼ *o.s.* se désintéresser (de, from); **dis·so·ci·a·tion** désassociation *f*; ⚗ dissociation *f*; *psych.* dédoublement *m* de la personnalité.

dis·sol·u·bil·i·ty [disəlju'biliti] dissolubilité *f*; **dis·sol·u·ble** [di'soljubl] dissoluble (dans, in).

dis·so·lute □ ['disəlu:t] dissolu, débauché; **dis·so'lu·tion** dissolution *f*; fonte *f*; mort *f*.

dis·solv·a·ble [di'zolvəbl] dissoluble; **dis'solve** 1. *v/t.* (faire) dissoudre (*a. fig.*); *v/i.* se dissoudre; fondre (*a. fig.*); se dissiper; 2. *Am. cin.* fondu *m*; **dis'solv·ent** 1. † dissolvant; 2. dissolvant *m*.

dis·so·nance ['disənəns] ♪ dissonance *f*; désaccord *m*; **'dis·so·nant** ♪ dissonant; en désaccord (avec, from, to).

dis·suade [di'sweid] dissuader, détourner (de, from); **dis·sua·sion** [di'sweiʒn] dissuasion *f*; **dis·sua·sive** [di'sweisiv] □ dissuasif (-ive *f*).

dis·taff ['dista:f] quenouille *f*; *attr.* *fig.* du côté féminin.

dis·tance ['distəns] 1. *lieu, temps:* distance *f*; éloignement *m*; lointain *m*; intervalle *m*; *fig.* réserve *f*; *at a* ∼ de loin; à une distance (de, of); dans le lointain; *in the* ∼ au loin, dans le lointain; de loin; *a great* ∼ *away* très loin, à une grande distance; *striking* ∼ portée *f* (de la main); 2. éloigner; *fig.* reculer; **'∼-con'trolled** commandé à distance; **'dis·tant** □ éloigné; lointain; à distance; réservé, distant (*personne*); *two miles* ∼ à deux milles de distance; ∼ *control* commande *f* à distance.

dis·taste ['dis'teist] dégoût *m* (de, for); aversion *f* (pour, for); **dis·'taste·ful** □ [∼ful] désagréable, antipathique (à, to).

dis·tem·per¹ [dis'tempə] 1. détrempe *f*; badigeon *m*; 2. peindre (*un tableau, un mur*) en détrempe; badigeonner (*un mur*) en couleur.

dis·tem·per² [∼] † maladie *f*; *vét.* maladie *f* des chiens; *pol.* † désordre *m*; **dis'tem·pered** troublé, dérangé (*esprit*).

dis·tend [dis'tend] (se) dilater; (se) distendre; *v/t.* gonfler; *v/i.* enfler; **dis'ten·sion** dilatation *f*.

dis·tich ['distik] distique *m*.

dis·til(l) [dis'til] *usu.* (se) distiller; (laisser) tomber goutte à goutte; *v/t.* raffiner (*le pétrole*); *fig.* faire couler; **dis·til·late** ['‿it] distillat *m*; **dis·til·la·tion** [‿'leiʃn] distillation *f*; **dis'till·er** distillateur *m*; **dis'till·er·y** distillerie *f*.

dis·tinct □ [dis'tiŋkt] distinct (de, *from*); net(te *f*); clair; marqué; **dis'tinc·tion** distinction *f*; *draw a ‿ between* faire une distinction entre; *have the ‿ of* (*gér.*) avoir l'honneur de (*inf.*); **dis'tinc·tive** □ distinctif (-ive *f*); d'identification; **dis'tinct·ness** clarté *f*, netteté *f*; différence *f* totale.

dis·tin·guish [dis'tiŋgwiʃ] *v/t.* distinguer; différencier (de, *from*); *v/i.* faire une *ou* la distinction (entre, *between*); **dis'tin·guish·a·ble** que l'on peut distinguer; perceptible; **dis'tin·guished** distingué; de distinction *ou* marque; remarquable (par, *for*); ‿ *by* connu pour; reconnu à (*sa marche etc.*).

dis·tort [dis'tɔːt] tordre; déformer; *fig.* fausser, défigurer; ‿*ing mirror* miroir *m* déformant; **dis'tor·tion** distorsion *f*; déformation *f* (*a. opt., a. tél.*).

dis·tract [dis'trækt] distraire, détourner; affoler (*q.*); brouiller (*l'esprit*); **dis'tract·ed** □ affolé, éperdu (de, *with*); **dis'tract·ing** □ affolant; tourmentant; **dis'trac·tion** distraction *f*; confusion *f*; affolement *m*, folie *f*.

dis·train [dis'trein]: ‿ *upon* saisir; exécuter (*q.*); **dis'train·a·ble** saisissable; **dis'traint** saisie *f*.

dis·tress [dis'tres] **1.** détresse *f*, angoisse *f*; embarras *m*; gêne *f*; *see distraint*; ⚓ ‿ *rocket* signal *m* de détresse; **2.** affliger, chagriner; épuiser; **dis'tressed** affligé, désolé; épuisé; *fig.* ruiné, réduit à la misère; **dis'tress·ing** □, *poét.* **dis'tress·ful** □ [‿ful] angoissant; affligeant.

dis·trib·ut·a·ble [dis'tribjutəbl] répartissable, partageable; **dis'trib·ute** [‿juːt] distribuer (*a. typ.*); répartir; **dis·tri'bu·tion** (mise *f* en)

distribution *f*; répartition *f* (*a. des dettes*); *typ.* mise *f* en casse; **dis'trib·u·tive 1.** □ distributif (-ive *f*) (*a. gramm.*); **2.** *gramm.* distributif *m*; **dis'trib·u·tor** distributeur *m* (*a.* ⊕); ⌷ concessionnaire *m*.

dis·trict ['distrikt] région *f*, contrée *f*; district *m* (*a. admin.*); quartier *m* (*de ville*); circonscription *f* (*électorale*).

dis·trust [dis'trʌst] **1.** méfiance *f*, défiance *f* (de, *of*); **2.** se méfier *ou* défier de; **dis'trust·ful** □ [‿ful] méfiant, défiant; soupçonneux (-euse *f*); ‿ *of o.s.* timide.

dis·turb [dis'təːb] déranger; troubler; agiter; inquiéter; **dis'turb·ance** trouble *m*; agitation *f*; tapage *m*; émeute *f*; ⚖ trouble *m* de jouissance.

dis·un·ion ['dis'juːnjən] désunion *f*; séparation *f*; **dis·u·nite** ['disjuː'nait] (se) désunir; (se) séparer.

dis·use 1. ['dis'juːs] désuétude *f*; *fall into* ‿ tomber en désuétude; F être mis au rancart; **2.** ['dis'juːz] cesser d'employer; abandonner.

di·syl·lab·ic ['disi'læbik] (‿*ally*) dissyllabe (*mot*); dissyllabique (*vers*); **di·syl·la·ble** [di'siləbl] dissyllabe *m*.

ditch [ditʃ] **1.** fossé *m*; *Am.* Canal *m* de Panama; *die in the last* ‿ résister jusqu'à la dernière extrémité; **2.** *v/t.* entourer de fossés; *sl.* se débarrasser de, plaquer; *mot.* verser dans le fossé; *v/i.* curer les fossés; *sl.* faire un amerrissage forcé; **'ditch·er** cureur *m* de fossés.

dith·er F ['diðə] trembloter; s'agiter sans but.

dith·y·ramb ['diθiræmb] dithyrambe *m*.

dit·to ['ditou] **1.** idem; de même; **2.** ⌷ dito *m/inv.*; (*suit of*) ‿*s pl.* complet *m*.

dit·ty ['diti] chanson(nette *f*) *f*.

di·ur·nal □ [dai'əːnl] diurne *f*.

di·va·ga·tion [daivə'geiʃn] divagation *f*.

di·van [di'væn] divan *m*.

di·var·i·cate [dai'værikeit] diverger; bifurquer.

dive [daiv] **1.** plonger (dans, *into*); ✈, *a. fig.* piquer (du nez); F ‿ *into* s'enfoncer dans, entrer précipitamment dans; plonger (la main) dans (*la poche*); **2.** plongeon *m*;

sous-marin: plongée *f*; ⚓ (vol *m*)
piqué *m*; *Am.* F cabaret *m* borgne;
gargote *f*; boîte *f*; '**div·er** plongeur
m; scaphandrier *m*; *orn.* plongeon
m.

di·verge [dai'vɔ:dʒ] diverger, s'écarter; **di'ver·gence**, **di'ver·gen·cy**
divergence *f*; écart *m*; *biol.* variation *f*; **di'ver·gent** □ divergent.

di·verse □ [dai'vɔ:s] divers, différent; varié; **di·ver·si·fi·ca·tion**
[⁓sifi'keiʃn] variation *f*; **di'ver·
si·fy** [⁓fai] diversifier, varier; **di·
'ver·sion** [⁓ʃn] détournement *m*;
✗ diversion *f* (*a. de l'esprit*); *fig.*
divertissement *m*, distraction *f*; **di·
'ver·si·ty** [⁓siti] diversité *f*.

di·vert [dai'vɔ:t] détourner; écarter;
divertir; distraire.

di·vest [dai'vest] dévêtir; *fig.* dépouiller, priver; ⁓ *o.s. of* renoncer
à; **di'vest·ment** dévêtement *m*;
fig. privation *f*.

di·vide [di'vaid] **1.** *v/t.* diviser (*a.*
♈); (*souv.* ⁓ *up*) démembrer;
partager, répartir (*entre*, *among*);
séparer (*de*, *from*); *parl.* ⁓ *the house*
aller aux voix; *v/i.* se diviser, se
partager (*en*, *into*); se séparer; ♈
être divisible (*par*, *by*); fourcher
(*chemin*); *parl.* aller aux voix; **2.** *Am.*
ligne *f* de partage des eaux; **div·i·
dend** ['dividend] ✝, *a.* ♈ dividende
m; **di·vid·ing** [di'vaidiŋ] de démarcation; mitoyen(ne *f*) (*mur*).

div·i·na·tion [divi'neiʃn] divination
f; **di·vine** [di'vain] **1.** □ divin (*a.
fig.*); ⁓ *service* office *m* divin;
2. théologien *m*; **3.** deviner, prédire
(*l'avenir*); **di'vin·er** devin(eresse *f*)
m; divinateur (-trice *f*) *m*.

div·ing ['daiviŋ] action *f* de plonger;
attr. à *ou* de plongeurs; à plonger;
'⁓-bell cloche *f* à *ou* de plongeur.

di·vin·ing-rod [di'vainiŋrɔd] baguette *f* divinatoire.

di·vin·i·ty [di'viniti] divinité *f* (*a.
= dieu*); théologie *f*.

di·vis·i·bil·i·ty [divizi'biliti] divisi-
bilité *f*; **di·vis·i·ble** □ [⁓zəbl] divisible; **di'vi·sion** [⁓ʒn] division *f*
(*a. = désunion, a.* ✗, ♈); partage
m (*en*, *into*); *biol.* classe *f*; *parl.*
vote *f*; *parl.* circonscription *f*
(*électorale*); **di'vi·sion·al** ✗ *etc.*
divisionnaire; **di·vi·sive** [di'vaisiv]
qui désunit; qui sème la discorde;
di'vi·sor ♈ [⁓zə] diviseur *m*.

di·vorce [di'vɔ:s] **1.** divorce *m* (*a.
fig.*); **2.** divorcer d'avec (*sa femme,
son mari*); *fig.* séparer (*de,
from*), détacher (*de, from*); **di·vor·
'cee** divorcé(e *f*) *m*.

di·vulge [dai'vʌldʒ] divulguer; révéler.

dix·ie ✗ *sl.* ['diksi] gamelle *f*; *Am.* ♀
États *m/pl.* du Sud; ♀crat *Am. pol.*
démocrate *m* dissident des États
du Sud.

diz·zi·ness ['dizinis] vertige *m*;
'**diz·zy 1.** □ pris de vertige (*personne*); *sl.* étourdi, écervelé; vertigineux (-euse *f*) (*chose*); **2.** étourdir.

do [du:] (*see a.* done) **1.** *v/t.* [*irr.*] *usu.*
faire; (faire) cuire; s'acquitter de;
finir; jouer (*une pièce*); F duper,
refaire (*q.*); *sl.* ⁓ *London* visiter
Londres; *sl.* ⁓ *s.o.* traiter, soigner
q.; fêter *q.*; *what is to be done?* que
faire?; ⁓ *the polite etc.* faire
l'aimable *etc.*; *have done reading*
avoir fini de lire; ⁓ (*over*) *again*
refaire; F ⁓ *down* rouler, enfoncer
(*q.*); F ⁓ *in* tuer; ⁓ *into* traduire en
(*une langue*); ⁓ *out* nettoyer; ⁓ *over*
couvrir (*de peinture etc.*); ⁓ *up*
envelopper, ficeler; emballer; boutonner; décorer, réparer; F éreinter
(*q.*); F ⁓ *o.s. up* faire toilette; **2.** *v/i.*
[*irr.*] faire l'affaire; aller; suffire;
convenir; *that will* ⁓ c'est bien;
cela va; cela suffira; *that won't* ⁓
cela ne va *ou* n'ira pas; *how* ⁓
you ⁓? comment allez-vous?
comment vous portez-vous?; F ça
va?; ⁓ *well* aller bien; réussir;
⁓ *badly* aller mal; ne pas réussir;
have done! finissez donc!; cela
suffit!; ⁓ *away with* abolir; détruire; F tuer; ⁓ *for* faire le ménage
de (*q.*); tuer (*q.*); ⁓ *with* s'accommoder de; *I could* ⁓ *with some
coffee* je prendrais volontiers du
café; *I have done with him* j'ai
rompu avec lui; ⁓ *without* se passer
de; **3.** *v/aux.* [*irr.*] *interr.*: ⁓ *you
know him?* le connaissez-vous?;
avec not: *I* ⁓ *not know him* je ne
le connais pas; *accentué*: *I* ⁓ *feel
better* je me sens vraiment mieux;
⁓ *come and see me* venez me voir,
je vous en prie; ⁓ *be quick* dépêchez-vous donc; *remplaçant un
verbe déjà exprimé*: *do you like
London? — I* ⁓ aimez-vous Londres?
— Oui; *you write better than I* ⁓

vous écrivez mieux que moi; *I take
a bath every day.* — *So* ~ *I* je prends
un bain tous les jours. — Moi aussi;
4. F *su.* attrape *f*; réception *f*, dîner
m; *make* ~ *with* s'accommoder de.
doc F [dɔk] *abr. de doctor 1.*
doc·ile ['dousail] docile; **do·cil·i·ty**
[dou'siliti] docilité *f*.
dock[1] [dɔk] écourter; *fig.* diminuer;
retrancher (qch. à q., *s.o. of s.th.*).
dock[2] [~] **1.** ⚓ bassin *m*; *surt. Am.*
quai *m*; ⚖ banc *m* des prévenus;
⚓ ~s *pl.* docks *m/pl.*; *dry* ~ cale *f*
sèche; *floating* ~ dock *m* flottant;
wet ~ bassin *m* à flot; **2.** ⚖ (faire)
entrer au bassin; '**dock·er** travailleur *m* aux docks.
dock·et ['dɔkit] **1.** fiche *f*; étiquette
f; ⚖ registre *m* des jugements
rendus, *Am.* rôle *m* des causes; ⊕
bordereau *m*; **2.** étiqueter; classer.
dock·yard ['dɔkjɑːd] chantier *m* de
construction de navires; arsenal *m*
maritime.
doc·tor ['dɔktə] **1.** docteur *m*; médecin *m*; **2.** F soigner; F droguer;
(*a.* ~ *up*) réparer, fausser; frelater
(*du vin*); **doc·tor·ate** ['~rit] doctorat *m*.
doc·tri·naire [dɔktri'nɛə] **1.** idé-
ologue *m*; **2.** pédant; de théoricien;
doc·tri·nal □ [~'trainl] doctrinal
(-aux *m/pl.*); **doc·trine** ['~trin]
doctrine *f*; dogme *m*.
doc·u·ment 1. ['dɔkjumənt] document *m*; pièce *f*; **2.** ['~ment] documenter; **doc·u·men·tal** *see documentary 1*; **doc·u·men·ta·ry 1.** □
documentaire; **2.** (*a.* ~ *film*) documentaire *m*; **doc·u·men'ta·tion**
documentation *f*.
dod·der ['dɔdə] **1.** ♀ cuscute *f*;
2. trembloter; branler.
dodge [dɔdʒ] **1.** mouvement *m* de
côté; *sp.* esquive *f*; ruse *f*, F truc *m*;
2. *v/t.* esquiver; éviter; éluder (*une
question*); *v/i.* se jeter de côté; *sp.*
éviter; *fig.* user d'artifices; '**dodg·er**
malin *m*; *Am.* prospectus *m*; *Am.*
(*sorte de*) biscuit *m* dur.
doe [dou] daine *f*; lapine *f*; hase *f*.
do·er ['duːə] faiseur (-euse *f*) *m*;
auteur *m*.
does [dʌz] (*il, elle*) fait.
doe·skin ['douskin] (peau *f* de)
daim *m*.
dog [dɔg] **1.** chien *m* (*qqfois a.*
chienne *f*); renard *m etc.* mâle; ⊕

cliquet *m*; agrafe *f*, serre *f*; (*a.
fire-*~) chenet *m*; 𝕏 (*landing-*~) ta-
quets *m/pl.*; (*safety* ~) chambrière*f*;
F type *m*; *Am.* F épate *f*; *Am.* F ♱
billet *m* à ordre; *go to the* ~*s*
marcher à la ruine; se débaucher;
♱ aller à vau-l'eau; **2.** filer (*q.*);
suivre (*q.*) à la piste; '~**cart** charrette *f* anglaise; '~**cheap** à vil prix;
'~**days** *pl.* canicule *f*.
doge [doudʒ] doge *m*.
dog-eared □ ['dɔgid] tenace.
dog·ger·el ['dɔgərəl] **1.** (*a.* ~ *rhymes
pl.*) vers *m/pl.* de mirliton; **2.** de
mirliton.
dog·gish ['dɔgiʃ] qui ressemble à un
chien; qui a un air de chien;
dog·go *sl.* ['dɔgou]: *lie* ~ se tenir
coi; '**dog·gy 1.** toutou *m*; **2.** de
chien; canin; *Am.* F affichant; à
effet; **dog lat·in** latin *m* de
cuisine.
dog·ma ['dɔgmə] dogme *m*; **dog-
mat·ic**, **dog·mat·i·cal** □ [dɔg-
'mætik(l)] dogmatique; *fig.* autoritaire, tranchant; **dog'mat·ics** *sg.*
dogmatique *f*; **dog·ma·tism** ['~mə-
tizm] dogmatisme *m*; *fig.* ton
m ou esprit *m* autoritaire; '**dog-
ma·tist** dogmatiste *m*; *fig.* individu
m positif; **dog·ma·tize** ['~taiz]
dogmatiser.
dog('s)-ear F ['dɔg(z)iə] corne *f*
(*dans un livre*).
dog-tired ['dɔg'taiəd] éreinté.
doi·ly ['dɔili] dessus *m* d'assiette;
petit napperon *m*.
do·ing ['duːiŋ] **1.** *p.pr. de do 1, 2*;
nothing ~ rien à faire; ♱ le marché
est mort; **2.** action *f* de faire; fait
m; ~*s pl.* faits *m/pl.*; événements
m/pl.; conduite *f*; *péj.* agissements
m/pl.; *sl.* machin *m*, truc *m*.
doit [dɔit] F sou *m*, liard *m*; bagatelle *f*.
dol·drums ['dɔldrəmz] *pl.* cafard *m*;
♱ marasme *m*; ⚓ zone *f* des calmes.
dole [doul] **1.** aumône *f*; † portion *f*;
F allocation *f* de chômage; *be* (*ou
go*) *on the* ~ ne vivre que des
allocations de chômage; **2.** (*usu.* ~
out) distribuer avec parcimonie.
dole·ful □ ['doulful] lugubre;
douloureux (-euse *f*); triste; '**dole-
ful·ness** tristesse *f*, chagrin *m*;
caractère *m* contristant.
doll [dɔl] **1.** poupée *f*; *Am.* jeune
fille *f*; **2.** F ~*ed up* en grand tralala.

dol·lar ['dɔlə] dollar *m*; *Am*. F ~s to *doughnuts* très probable.

dol·lop F ['dɔləp] morceau *m* informe.

doll·y ['dɔli] poupée *f*.

dol·o·mite *min*. ['dɔləmait] dolo-mi(t)e *f*.

dol·o·rous □ ['dɔlərəs] *usu*. *poét*., *co*. douloureux (-euse *f*); plaintif (-ive *f*); triste.

dol·phin *icht*. ['dɔlfin] dauphin *m*.

dolt [doult] benêt *m*; *sl*. cruche *f*; **'dolt·ish** □ lourdaud, sot(te *f*).

do·main [də'mein] domaine *m* (*a*. *fig*.); propriété *f*; terres *f/pl*.

dome [doum] dôme *m* (*a*. *fig*.); ⊕ couronne *f*, dôme *m*.

do·mes·tic [də'mestik] **1.** (~ally) domestique; de ménage; de fa-mille; intérieur (*commerce etc*.); casanier (-ère *f*); ~ *coal* houille *f* de ménage; ~ *science* enseignement *m* ménager; **2.** domestique *mf*; **do'mes·ti·cate** [~keit] apprivoiser, domestiquer (*un animal*); ♀ *zo*. acclimater; rendre (*q*.) casanier (-ère *f*); **do·mes·ti·ca·tion** domes-tication *f*; acclimatation *f*; **do·mes·tic·i·ty** [doumes'tisiti] vie *f* de famille; goûts *m/pl*. domestiques.

dom·i·cile ['dɔmisail] **1.** *surt*. ⚖ domicile *m*; **2.** ♱ domicilier (*un effet*); F résider, s'établir (dans); **'dom·i·ciled** domicilié, demeurant (à, *at*); **dom·i·cil·i·ar·y** [dɔmi-'siljəri] domiciliaire (*visite etc*.).

dom·i·nance ['dɔminəns] (pré-) dominance *f*; **'dom·i·nant 1.** do-minant; **2.** ♪ dominante *f*.

dom·i·nate ['dɔmineit] dominer; **dom·i'na·tion** domination *f*; **'dom·i·na·tor** dominateur (-trice *f*) *m*; **dom·i·neer** [dɔmi'niə] se montrer autoritaire; ~ *over* tyran-niser; **dom·i'neer·ing** □ autori-taire; tyrannique.

do·min·i·cal [də'minikl] dominical (-aux *m/pl*.) (*oraison*).

Do·min·i·can [də'minikən] domini-cain(e *f*) *m* (*a*. *adj*.).

do·min·ion [də'minjən] domination *f*, maîtrise *f*; *souv*. ~s *pl*. dominion *m*, -s *m/pl*.; possessions *f/pl*.; colonie *f*, -s *f/pl*.; ♀ Dominion *m*.

dom·i·no ['dɔminou], *pl*. -noes ['~nouz] domino *m*; ~s *sg*. jeu: dominos *m/pl*.

don [dɔn] professeur *m* d'université.

do·nate *Am*. [dou'neit] donner; faire un don à; **do'na·tion, don·a-tive** ['dounətiv] don *m*, donation *f*.

done [dʌn] **1.** *p.p. de do* 1, 2; *be* ~ *souv*. se faire; **2.** *adj*. fait; cuit; (*ou* ~ *up*) éreinté, fourbu; *well* ~ bien cuit; *he is* ~ *for* c'est un homme coulé; **3.** *int*. d'accord!

do·nee ⚖ [dou'ni:] donataire *mf*.

don·jon ['dɔndʒən] cachot *m*.

don·key ['dɔŋki] âne(sse *f*) *m*; *attr*. *qqfois* auxiliaire.

do·nor ['dounə] donateur (-trice *f*) *m*; ♱ donneur (-euse *f*) *m* de sang.

do-noth·ing F ['du:nʌθiŋ] fainé-ant(e *f*) (*a*. *su*./*mf*.).

don't [dount] **1.** = *do not*; *impér*. ne fai(te)s pas ça!; **2.** défense *f*.

doom [du:m] **1.** *surt*. *péj*. sort *m*, destin *m*; mort *f*; ruine *f*; **2.** con-damner; **dooms·day** ['du:mzdei] (jour *m* du) jugement *m* dernier.

door [dɔ:] porte *f*; *auto*, *wagon*, *etc*.: portière *f*; *next* ~ (*to*) à côté (de); *fig*. approchant (de); *two* ~s *off* deux portes plus loin; (*with*)*in* ~s chez soi; *out of* ~s dehors; en plein air; *turn s.o. out of* ~s mettre q. à la porte; *lay s.th. to* (*ou at*) *s.o.'s* ~ imputer qch. à q.; **'~·han·dle** poignée *f* de port(ièr)e; **'~·keep·er** concierge *mf*; portier *m*; **'~·man** concierge *m*; portier *m*; **'~·way** porte *f*; portail *m*.

dope [doup] **1.** liquide *m* visqueux; ⚡ enduit *m*; *mot*. laque *f*; F stupéfiant *m*; narcotique *m*; *Am*. *sl*. tuyau *m*; renseignement *m*; imbécile *mf*; idiot(e *f*) *m*; type *m*; **2.** *v/t*. enduire; administrer un narcotique à; *sp*. doper (*a*. *un combustible*); narcotiser (*une ciga-rette*); *v/i*. F prendre des stupé-fiants; **'dope·y** *Am*. *sl*. stupide; hébété.

dor·mant ['dɔ:mənt] *usu*. *fig*. endormi, assoupi; en repos; tombé en désuétude; ♀, ⧄ dormant; ♱ ~ *partner* commanditaire *m*.

dor·mer ['dɔ:mə] (*a*. ~-*window*) lu-carne *f*; (fenêtre *f* en) mansarde *f*.

dor·mi·to·ry ['dɔ:mitri] dortoir *m*; *surt*. *Am*. maison *f* d'étudiants.

dor·mouse ['dɔ:maus], *pl*. -mice [~mais] loir *m*; lérot *m*.

dor·sal □ ['dɔ:sl] dorsal (-aux *m/pl*.); **'dor·ser** hotte *f*.

dose [dous] **1.** dose *f*; **2.** médicamenter (q. avec qch.; *s.o. with s.th.*); doser (*le vin etc.*).

doss-house *sl.* ['dɔshaus] asile *m* de nuit.

dos·si·er ['dɔsiei] dossier *m*, documents *m/pl.*

dot [dɔt] **1.** point *m*; mioche *mf*; on the ~ F à l'heure tapante; argent comptant; **2.** mettre un point sur; pointiller; (*a.* ~ *about*) *fig.* (par-) semer (de, *with*); ♪ pointer; marquer (*une surface*) avec des points.

dot·age ['dɔutidʒ] seconde enfance *f*; radotage *m*; **do·tard** ['dɔutəd] radoteur (-euse *f*) *m*; gâteux (-euse *f*) *m*; **dote** [dɔut] radoter; tomber dans la sénilité; ~ (*upʃon*) aimer (*q.*) à la folie; **'dot·ing** sénile; qui aime follement (q., *on s.o.*).

dot·ty *sl.* ['dɔti] toqué, maboul.

dou·ble □ ['dʌbl] **1.** double; à deux personnes *ou* lits (*chambre*); deux (*lettres*); ~ tooth grosse dent *f*; **2.** double *m* (*a.* tennis); deux fois autant; *fleuve, lièvre:* détour *m*; ✗ pas *m* de course; **3.** ~ double (*a.* ♣); serrer (*le poing*); *bridge:* contrer; plier en deux (*un papier*); *théâ.* jouer deux (*rôles*); ~ *up* replier; faire plier (*q.*) en deux; ~*d up* ployé; *v/i.* (se) doubler; ✗ prendre le pas de course; (*a.* ~ *back*) faire un brusque crochet (*animal*); *cartes:* contrer; '~-**bar·relled** à deux coups (*fusil*); *fig.* (*nom*) à charnière; ~ **bass** ♪ contrebasse *f*; '~-'**breast·ed** croisé (*gilet etc.*); '~-'**cross** *Am. sl.* tromper, duper; '~-'**deal·er** homme *m* à deux visages; fourbe *m*; '~-'**deal·ing** duplicité *f*, fourberie *f*; '~-'**edged** à deux tranchants; ~ **en·try** † comptabilité *f* en partie double; ~ **fea·ture** *cin. Am.* programme *m* double; '~-'**head·er** *Am. baseball:* deux parties *f/pl.* de suite; ~ **line** ⚑ ligne *f* à voie double; '**dou·ble·ness** état *m* double; duplicité *f* (*a. fig.*); *fig.* mauvaise foi *f*, fausseté *f*; '**dou·ble-'park** *Am.* stationner contrairement à la loi; '**dou·ble-'quick** ✗ (au) pas *m* gymnastique.

dou·blet ['dʌblit] pourpoint *m*; doublet *m* (*a. gramm.*); ~*s pl.* doublet *m* (*aux dés*).

dou·ble...: ~ **time** ✗ pas *m* gymnastique; '~-'**track** à voie double.

doub·ling ['dʌbliŋ] doublement *m*; doublage *m*; détour *m*, crochet *m*.

doubt [daut] **1.** *v/i.* hésiter; douter; *v/t.* douter de (*q., qch.*); révoquer (*qch.*) en doute; **2.** doute *m*; incertitude *f*; no ~ sans (aucun) doute; '**doubt·er** sceptique *mf*, douteur (-euse *f*) *m*; **doubt·ful** □ ['~ful] douteux (-euse *f*); incertain; équivoque; suspect; '**doubt·ful·ness** incertitude *f*; ambiguïté *f*; irrésolution *f*; '**doubt·less** sans doute.

douche [du:ʃ] **1.** douche *f* (*a.* ✗); **2.** (se) doucher.

dough [dou] pâte *f* (*à pain*); *Am. sl.* argent *m*; '~-**boy** *Am.* F simple soldat *m*; '~-**nut** pet *m* de nonne; '**dough·y** pâteux (-euse *f*); *fig.* terreux (-euse *f*).

dour *écoss.* ['dua] austère; obstiné.

douse [daus] tremper; arroser; doucher.

dove [dʌv] colombe *f* (*a. fig.*); '~-**cot** colombier *m*; '~-**tail 1.** queue-d'aronde (*pl.* queues-d'aronde) *f*; **2.** *v/t.* adenter; *fig.* opérer le raccord entre; *v/i.* se raccorder.

dow·a·ger ['dauədʒə] douairière *f*.

dow·dy F ['daudi] **1.** sans élégance; **2.** femme *f* mal habillée.

dow·el ⊕ ['dauəl] goujon *m*; cheville *f* (en bois).

dow·er ['dauə] **1.** douaire *m*; *fig.* don *m*, apanage *m*; **2.** assigner un douaire à (*une veuve*); doter (*une jeune fille*).

dow·las ['dauləs] toile *f* commune.

down[1] [daun] duvet *m*; *oreiller:* plume *f*.

down[2] [~] *see* dune; ~*s pl.* hautes plaines *f/pl.* du Sussex *etc.*

down[3] [~] **1.** *adv.* vers le bas; en bas; (*vu*) d'en haut; par terre; ~ *and out fig.* ruiné, à bout de ressources; ~*-and-out* clochard *m*; be ~ être en baisse (*prix*); être de chute (*cartes*); F be ~ *upon* en vouloir à (*q.*); être toujours sur le dos de (*q.*); ~ *in the country* à la campagne; **2.** *prp.* vers le bas de; en bas de; au fond de; en descendant; le long de; ~ *the river* en aval; ~ *the wind* à vau-vent; **3.** *int.* à bas!; **4.** *adj.* ~ *platform* quai *m* montant; ~ *train* train *m* montant; **5.** F *v/t.* abattre; terrasser; ~ *tools* se mettre en grève; **6.** *su. see up 5*; '~-**cast** abattu; baissé *(regard)*; ♀-**'East·er** *Am.* habitant(e *f*) *m* de la Nouvelle-Angleterre, *surt.* du Maine; '**~·fall** chute *f* (*a. fig.*); *fig.* ruine *f*; écroulement *m*; '**~·grade** *Am.* déprécier; dégrader; '**~·'heart·ed** déprimé, découragé; '**~·hill** 1. en descendant; 2. incliné, en pente; '**~·pour** grosse averse *f*; déluge *m*; '**~·right** □ 1. *adv.* tout à fait; carrément; nettement; 2. *adj.* franc(he *f*); direct; carré; éclatant *(mensonge)*; pur *(bêtises)*; véritable; '**~·right·ness** franchise *f*; droiture *f*; '**~·'stairs** 1. d'en bas, du rez-de-chaussée *(pièce)*; 2. en bas (de l'escalier); '**~·stream** en aval, à l'aval; '**~·stroke** *écriture*: jambage *m*; ⊕ mouvement *m* de descente; '**~·town** *surt. Am.* centre *m* des affaires municipales; '**~·ward** 1. de haut en bas; descendant; *fig.* fatal, vers la ruine; dirigé en bas *(regard)*; 2. (*a.* '**~·wards**) de haut en bas; '**~·wash** ✈ etc. remous *m* d'air descendant.

down·y ['dauni] duveteux (-euse *f*); velouté *(fruit)*; *sl.* rusé.

dow·ry ['dauəri] dot *f* (*a. fig.*).

dowse [dauz] 1. *see* **douse**; 2. faire de l'hydroscopie; '**dows·er** hydroscope *m*; homme *m* à baguette; radiesthésiste *mf*; '**dows·ing-rod** baguette *f* divinatoire.

doze [douz] 1. sommeiller; **~** *away* passer *(le temps)* à sommeiller; 2. petit somme *m*.

doz·en ['dʌzn] douzaine *f*.

drab [dræb] 1. gris brunâtre; beige; *fig.* terne; 2. drap *m* beige; toile *f* bise; *couleur:* gris *m* brunâtre; *fig.* monotonie *f*.

drachm [dræm] *(poids)*, **drach·ma** ['drækmə] *(monnaie)* drachme *f*.

draff [dræf] † lie *f* de vin; † lavure *f*; drêche *f*.

draft [drɑ:ft] 1. *see* **draught**; ✝ traite *f*; lettre *f* de change; ✕ détachement *m*; *Am.* conscription *f*; **~** *agreement* projet *m* de contract; 2. rédiger; faire le brouillon de; désigner (à, pour to); ✕ détacher; envoyer *(des troupes)* en détachement; *Am.* appeler sous les armes; **draft·ee** ✕ [drɑ:f'ti:] *Am.* conscrit *m*; '**drafts·man** dessinateur *m*, traceur *m*.

drag [dræg] 1. filet *m* à la trôle; drague *f*; traîneau *m*; herse *f*; sabot *m*; drag *m*; résistance *f*; *fig.* obstacle *m*, entrave *f*; 2. *v/t.* (en-)traîner, tirer; ⚓ chasser sur *(ses ancres)*; draguer; ✗ herser; enrayer *(une roue)*; *see* **dredge**[1] 2; **~** *along* (en)traîner; **~** *out one's life* traîner sa vie *(jusqu'à sa fin)*; *v/i.* traîner; draguer (à la recherche de, for); pêcher à la drague; ✝ languir.

drag·gle ['drægl] traîner dans la boue; '**~·tail** F souillon *f*.

drag·on ['drægən] dragon *m*; '**~·fly** libellule *f*.

dra·goon [drə'gu:n] 1. dragon *m*; 2. dragonner; *fig.* tyranniser.

drain [drein] 1. tranchée *f*; caniveau *m*; égoût *m*; F saignée *f*, fuite *f*; 2. *v/t.* assécher, dessécher; vider *(un étang, un verre, etc.)*; égoutter *(des légumes)*; *fig.* épuiser; (*a.* **~** *off*) faire écouler; évacuer (de, of); *v/i.* s'écouler; '**drain·age** écoulement *m*; ✗ drainage *m*; '**drain·ing** 1. d'écoulement; 2. *see* **drainage**; **~s** *pl.* égoutture *f*.

drake [dreik] canard *m*, malard *m*.

dram [dræm] *poids:* drachme *f*; goutte *f*; petit verre *m*.

dra·ma ['drɑ:mə] drame *m*; **dra·mat·ic** [drə'mætik] (**~**ally) dramatique; **dram·a·tist** ['dræmətist] auteur *m* dramatique; '**dram·a·tize** dramatiser; adapter (qch.) à la scène; **dram·a·tur·gy** ['~tə:dʒi] dramaturgie *f*.

drank [dræŋk] *prét. de* **drink** 2.

drape [dreip] *v/t.* draper, tendre (de with, in); *v/i.* se draper; '**drap·er** marchand *m* d'étoffes; '**dra·per·y** draperie *f*; nouveautés *f*/*pl.*

dras·tic ['dræstik] (**~**ally) énergique.

draught [drɑ:ft] tirage *m*; pêche *f*; courant *m* d'air; plan *m*, tracé *m*, ébauche *f*; *boisson:* coup *m*, trait *m*; ✗ potion *f*; ⚓ tirant *m* d'eau; **~s** *pl.* dames *f*/*pl.*; *see* **draft**; **~** *beer* bière *f* au tonneau; *at a* **~** d'un seul trait; '**~·board** damier *m*; '**~·horse** cheval *m* de trait; '**draughts·man** dessinateur *m*, traceur *m*; '**draught·y** exposé; plein de courants d'air.

draw [drɔ:] 1. [*irr.*] *v/t. souv.* tirer; attirer *(une foule)*; tracer; dessiner; établir *(une distinction)*; faire infuser *(le thé)*; *chasse:* battre *(le couvert)*; vider *(un poulet)*; toucher *(de l'argent)*; dresser, rédiger *(un contrat, un acte)*; aspirer *(l'air)*; arracher (*des larmes*) (à, *from*); *sp.* faire partie nulle; *v/i.* s'approcher de; ⚓ tirer; *the battle was* ~*n* la bataille resta indécise; ~ *away* entraîner; détourner; ~ *down* baisser; faire descendre; ~ *forth* faire paraître; susciter; ~ *near* s'approcher (de); ~ *on* mettre; *fig.* attirer; ~ *out* tirer; allonger; prolonger; ~ *up* tirer en haut; faire monter; ✗ ranger; ⚖ dresser, rédiger; ~ (*up*)*on* fournir (*une traite*) sur (*q.*); tirer (*un chèque*); *fig.* faire appel à; 2. tirage *m*; loterie *f*, tombola *f*; *sp.* partie *f* nulle; F attraction *f*; '**~·back** désavantage *m*, inconvénient *m*; ♱ drawback *m*; *Am.* remboursement *m*; '**~·bridge** pont-levis (*pl.* ponts-levis) *m*; **draw·ee** ♱ tiré *m*; payeur *m*; '**draw·er** dessinateur *m*; tireur *m* (*a.* ♱); tiroir *m*; (*a pair of*) ~*s pl.* (un) pantalon *m* (*de femme*); (un) caleçon *m* (*d'homme*); (*usu. chest of* ~*s*) commode *f*.

draw·ing ['drɔːiŋ] tirage *m*; puisement *m*; attraction *f*; tirage *m* au sort, loterie *f*; dessin *m*; ébauche *f*; ♱ *effets*: traite *f*; *chèque*: tirage *m*; *out of* ~ mal dessiné; ~ *instruments pl.* instruments *m/pl.* de dessin; '**~·ac·count** compte *m* en banque; '**~·board** planche *f* à dessin; '**~·pen** tire-ligne *m*; '**~·pin** punaise *f*; '**~·room** salon *m*; réception *f*.

drawl [drɔːl] 1. *v/t.* (*souv.* ~ *out*) dire (*qch.*) avec une nonchalance affectée; *v/i.* parler d'une voix traînante; 2. voix *f* traînante; débit *m* traînant.

drawn [drɔːn] 1. *p.p* de *draw* 1; 2. *adj.* tiré; ⊕ étiré; *sp.* égal.

draw-well ['drɔːwel] puits *m* à poulie.

dray [drei] (*a.* ~*-cart*) camion *m* (*surt.* de brasseur); '**~·man** livreur *m* de brasserie.

dread [dred] 1. terreur *f*, épouvante *f*; 2. redouter; **dread·ful** □ ['~ful] 1. redoutable; terrible; atroce; 2. *penny* ~ roman *m* à sensation; **dread·nought** ['~nɔːt] *tex.* frise *f*; ⚓ dreadnought *m*.

dream [driːm] 1. rêve *m*; songe *m*; 2. [*irr.*] rêver (de, *of*); ~ *away* passer à rêver; '**dream·er** rêveur (-euse *f*) *m*; '**dream-read·er** interprète *m* des rêves; **dreamt** [dremt] *prét. et p.p.* de *dream* 2; **dream·y**

['driːmi] □ rêveur (-euse *f*); langoureux (-euse *f*).

drear·i·ness ['driərinis] tristesse *f*; aspect *m* morne; '**drear·y** □ triste; morne.

dredge[1] [dredʒ] 1. (filet *m* de) drague *f*; 2. draguer (*fig.* à la recherche de); (*a.* ~ *up*, ~ *out*) dévaser.

dredge[2] [~] *cuis.* saupoudrer.

dredg·er[1] ['dredʒə] drague *f*; *personne*: dragueur *m*.

dredg·er[2] [~] saupoudroir *m*.

dregs [dregz] *pl.* lie *f*.

drench [drentʃ] 1. *vét.* breuvage *m*, purge *f*; F see *drencher*; 2. tremper, mouiller (de, *with*); *vét.* donner un breuvage à; '**drench·er** F pluie *f* battante.

dress [dres] 1. robe *f*, toilette *f*, costume *m*; *fig.* habillement *m*, habits *m/pl.*; *théâ.* ~ *rehearsal* répétition *f* générale; *full* ~ grande tenue *f*; 2. (s')habiller, (se) vêtir; ✗ (s')aligner; *v/t.* orner; panser (*une blessure*); tailler (*une vigne*); ⊕ dresser, parer (*des pierres*); *cuis.* apprêter; ✗ donner une façon à (*un champ*); *théâ.* costumer; *v/i.* faire sa toilette; ~ *circle théâ.* (premier) balcon *m*; '**~·coat** frac *m*; '**dress·er** ⊕, *cuis.* apprêteur (-euse *f*) *m*; buffet *m* de cuisine; panseur (-euse *f*) *m*; *théâ.* habilleur (-euse *f*) *m*; *Am.* dressoir *m*.

dress·ing ['dresiŋ] habillement *m*, toilette *f*; pansement *m* (*d'une blessure*); ✗ alignement *m*; *cuis.* sauce *f* mayonnaise; ⊕ apprêt *m*; dressage *m* (*de pierres*); ✗ façon *f*; fumages *m/pl.*; ~*s pl.* △ moulures *f/pl.*; ✚ pansements *m/pl.*; ~ *down* F semonce *f*; '**~·case** mallette *f* garnie; sac *m* de toilette; ✚ trousse *f* de pansement; '**~·glass** miroir *m* de toilette; psyché *f*; '**~·gown** robe *f* de chambre; '**~·jack·et** camisole *f*; '**~·ta·ble** (table *f* de) toilette *f*.

dress...: '**~·mak·er** couturier (-ère *f*) *m*; '**~·mak·ing** couture *f*; '**~·shield** dessous-de-bras *m/inv.*; '**~·suit** habit *m* (de soirée); '**dress·y** F élégant; chic *inv.* en genre; coquet(te *f*) (*femme*).

drew [druː] *prét. de draw* 1.

drib·ble ['dribl] dégoutter; baver (*enfant etc.*); *foot.* dribbler.

drib·(b)let ['driblit] chiquet *m*; in ~s petit à petit.

dried [draid] (des)séché; ~ *fruit* fruits *m/pl.* secs; ~ *vegetables pl.* légumes *m/pl.* déshydratés.

drift [drift] 1. mouvement *m*; direction *f*, sens *m*; ♣ dérive *f*; *fig.* cours *m*; *fig.* portée *f*, tendance *f*; *neige*: amoncellement *m*; *pluie*: rafale *f*; ⊕ poinçon *m*; *géol.* apport *m*, -s *m/pl.*; ✕ galerie *f* (chassante); ~ *from the land* dépeuplement *m* des campagnes; 2. *v/t.* flotter; entasser; *v/i.* flotter; être entraîné; ♣ dériver; se laisser aller (*a. fig.*); 'drift·er chalutier *m*; 'drift-ice glaces *f/pl.* flottantes.

drill[1] [dril] 1. foret *m*; perçoir *m*; vilebrequin *m*; ⚲ rayon *m*; semeuse *f*; ✕ manœuvre *f*, -s *f/pl.*; exercice *m*, -s *m/pl.* (*a. fig.*); ~ *ground* terrain *m* d'exercice; 2. ✕ (faire) faire l'exercice (*a. fig.*); *v/t.* forer; percer; buriner (*une dent*); ⚲ semer en rayons.

drill[2] [~], **drill·ing** ['~iŋ] *tex.* coutil *m*, treillis *m*.

drink [driŋk] 1. boire *m*; boisson *f*; consommation *f*; in ~ ivre; 2. [*irr.*] *vt/i.* boire *m*; ~ être adonné à la boisson; ~ *s.o.'s health* boire à la santé de q.; ~ *away* boire; ~ *in* absorber; ~ *to* boire à; ~ *off*, ~ *out*, ~ *up* vider; achever de boire; avaler; 'drink·a·ble buvable; potable (*eau*).

drink·ing ['driŋkiŋ] boire *m*; *fig.* boisson *f*; ivrognerie *f*; '~-bout ribote *f*; '~-foun·tain borne-fontaine (*pl.* bornes-fontaines) *f*; poste *m* d'eau potable; '~-song chanson *f* à boire; '~-wa·ter eau *f* potable.

drip [drip] 1. (d)égouttement *m*; goutte *f*; 2. (laisser) tomber goutte à goutte; *v/i.* dégoutter, ~ping *wet* trempé; 'drip·ping (d)égouttement *m*; *cuis.* ~s *pl.* graisse *f* (de rôti).

drive [draiv] 1. promenade *f* en voiture; course *f*; avenue *f*; *tennis*: drive *m*; *cartes*: tournoi *m*; *sp.* coup *m* droit; *mot.* prise *f*; traction *f*; ⊕ attaque *f*; commande *f*; propulsion *f*; *chasse*: battue *f*; *fig.* énergie *f*; urgence *f*; *Am.* campagne *f* de propagande; 2. [*irr.*] *v/t.* chasser, passer; conduire; faire marcher; surmener; exercer (*un métier*); contraindre (à, [*in*]to); (*a.* ~ *away*)

éloigner; *v/i.* chasser; ♣ dériver; *chasse*: battre un bois; *mot.* rouler; ~ *at* viser (*qch.*); travailler à (*qch.*) sans relâche; ~ *on v/t.* pousser; *v/i.* continuer sa route; ~ *up* to s'approcher de (*qch.*) en voiture.

drive-in *Am.* ['draiv'in] &su. *attr.* (restaurant *m ou* cinéma *m*) où l'on accède en voiture.

driv·el ['drivl] 1. baver; 2. bave *f*; F balivernes *f/pl.*

driv·en ['drivn] *p.p. de* drive 2.

driv·er ['draivə] conducteur (-trice *f*) *m* (*a. mot.*); 👷 mécanicien *m*; *tramway*: wattman (*pl.* -men) *m*; ⊕ poinçon *m*; heurtoir *m* (*d'une soupape*).

driv·ing ['draiviŋ] conduite *f etc.*; *attr.* de transmission; conducteur (-trice *f*); ~ *instructor* professeur *m* de conduite; ~ *licence* permis *m* de conduire; ~ *mirror* rétroviseur *m*; ~ *school* auto-école *f*; '~-belt courroie *f* de commande; '~-gear transmission *f*; '~-wheel roue *f* motrice.

driz·zle ['drizl] 1. bruine *f*; 2. bruiner.

droll [droul] (*adv.* drolly) drôle; 'droll·er·y drôlerie *f*.

drom·e·dar·y *zo.* ['drʌmədəri] dromadaire *m*.

drone[1] [droun] 1. *zo.* faux bourdon *m*; *fig.* fainéant *m*; 2. fainéanter.

drone[2] [~] 1. bourdonnement *m*; ♪ bourdon *m*; 2. bourdonner; parler d'un ton monotone.

drool [dru:l] 1. baver; F radoter; 2. *Am.* F radotage *m*.

droop [dru:p] *v/t.* baisser; laisser pendre; *v/i.* pendre; languir; s'affaisser; (se) pencher; 'droop·ing □ (re)tombant; (a)baissé; languissant.

drop [drɔp] 1. goutte *f*; *bonbon*: pastille *f*; chute *f*; pendant *m*; *échafaud*: trappe *f*; *théâ.* rideau *m* d'entracte; 👆 baisse *f*; *Am.* F *get* (*ou have*) *the* ~ *on* prendre (*q.*) au dépourvu; ~ *light* lampe *f* suspendue; 2. *v/t.* lâcher; laisser tomber (*qch.*, *une question*, *la voix*); mouiller (*l'ancre*); lancer (*une bombe*); jeter à la poste (*une lettre*); verser (*des larmes*); laisser (*un sujet*); glisser (*un mot à q.*); laisser échapper (*une remarque*); déposer (*un passager*); baisser (*la voix, les yeux, le rideau*);

supprimer (*une lettre, une syllabe*); abattre (*le gibier*); tirer (*une révérence*); perdre (*de l'argent*); ~ s.o. a line écrire un mot à q.; F~ it! assez!; v/i. tomber; dégoutter; s'égoutter; s'abaisser (*terrain*); se laisser tomber (*dans un fauteuil*); baisser (*prix, température*); se calmer; ~ in entrer en passant (à, chez *at*, [*up*]*on*); attraper (q., [*up*]*on s.o.*); ~ off tomber, se détacher; F s'endormir; ~ out v/t. omettre; v/i. tomber dehors; renoncer; rester en arrière; 'drop·ping dégouttement m; abandon m; ~s pl. fiente f (*d'animaux*); 'drop-scene théâ. toile f de fond; rideau m d'entracte; fig. dernier acte m.

drop·si·cal □ ['drɔpsikl] hydropique; 'drop·sy hydropisie f.

dross [drɔs] scories f/pl.; déchet m; fig. rebut m.

drought [draut] sécheresse f; 'drought·y aride, sec (sèche f).

drove [drouv] 1. troupeau m (*de bœufs*) (en marche); fig. bande f, foule f; 2. *prét. de* drive 2; 'dro·ver conducteur m ou marchand m de bestiaux.

drown [draun] v/t. noyer (*a. fig.*); submerger; étouffer, couvrir (*un son*); v/i. (*ou be ~ed*) se noyer; être noyé.

drowse [drauz] v/i. somnoler, s'assoupir; v/t. assoupir; 'drow·si·ness somnolence f; 'drow·sy somnolent, assoupi; soporifique.

drub [drʌb] battre, rosser; 'drub·bing volée f de coups; F tripotée f.

drudge [drʌdʒ] 1. fig. cheval m de bât; esclave mf; 2. peiner; mener une vie d'esclave; 'drudg·er·y travail m ingrat; fig. esclavage m.

drug [drʌg] 1. drogue f; stupéfiant m; be a ~ in the market être invendable; 2. v/t. donner ou administrer des stupéfiants à (q.); v/i. s'adonner aux stupéfiants; **drug·gist** ['drʌgist] *Am., a. écoss.* pharmacien m; **drug·gist's shop**, *Am.* 'drug·store pharmacie f; *Am. p.ext.* débit m de boissons non alcoolisés et de casse-croûte.

drum [drʌm] 1. tambour m (*a.* ⊕); tonneau m; *anat.* tympan m; 2. battre du tambour; tambouriner (*a. fig.*); '~·fire ⚔ tir m de barrage; '~·head peau f de tambour; 'drum·mer tambour m; *Am.* F commis m

voyageur; 'drum·stick baguette f de tambour; *cuis.* pilon m.

drunk [drʌŋk] 1. *p.p. de* drink 2; 2. ivre, soûl (de, with); get ~ s'enivrer, se soûler; **drunk·ard** ['~əd] ivrogne(sse f) m; 'drunk·en ivrogne; 'drunk·en·ness ivresse f; ivrognerie f.

drupe ⚘ [dru:p] drupe m.

dry [drai] 1. □ *usu.* sec (sèche f) (F *a.* = *prohibitionniste*); aride (*sujet, terrain*); tari; à sec (*maçonnerie, puits, etc.*); mordant, caustique (*esprit*); be ~ F avoir le gosier sec; ⚡ ~ cell pile f sèche; ~ goods pl. F *Am.* tissus m/pl.; articles m/pl. de nouveauté; 2. *Am.* F prohibitionniste m; 3. vt/i. sécher; v/t. faire sécher; essuyer (*les yeux*); v/i. (*a.* ~ up) tarir, se dessécher; F~ up! taisez-vous!

dry·ad ['draiəd] dryade f.

dry-clean ['drai'kli:n] nettoyer à sec; 'dry-'clean·ing nettoyage m à sec.

dry...: '~-nurse 1. nourrice f sèche; 2. élever au biberon; '~-'rot carie f sèche; fig. désintégration f; '~-'shod à pied sec.

du·al □ ['dju:əl] 1. double; jumelé (*pneus*); 2. *gramm.* duel m; 'du·al·ism dualité f; *phls.* dualisme m.

dub [dʌb] adouber (q.) chevalier; donner l'accolade à; F qualifier (q.) de (*qch.*); préparer (*le cuir*) avec le dégras; *cin.* doubler; **dub·bing** ['~iŋ] *hist.* adoubement m; (*a.* **dub·bin** ['~in]) dégras m.

du·bi·ous □ ['dju:bjəs] douteux (-euse f); incertain (de of, about, over); 'du·bi·ous·ness incertitude f.

du·cal ['dju:kl] de duc; ducal (-aux m/pl.).

duc·at ['dʌkət] ducat m.

duch·ess ['dʌtʃis] duchesse f.

duch·y ['dʌtʃi] duché m.

duck¹ [dʌk] canard m; cane f; *Am. sl.* type m, individu m; *cricket:* zéro m; ⚔ camion m amphibie.

duck² [~] 1. plongeon m; courbette f; *box.* esquive f; 2. plonger dans l'eau; faire (faire) une courbette; v/t. *Am.* éviter; v/i. F partir, quitter.

duck³ F [~] (mon) petit chou m; poulet(te f) m; chat(te f) m.

duck⁴ [~] toile f fine (*pour voiles*).

duck·ling ['dʌkliŋ] caneton m.

duck·y F ['dʌki] 1. *see* duck³; 2. mignon(ne f); chic *inv. en genre.*

duct [dʌkt] conduit *m*; ♀, *anat.* canal *m*.

duc·tile □ ['dʌktail] malléable; *fig. a.* docile; **duc·til·i·ty** [ˌ'tiliti] malléabilité *f*; *fig.* souplesse *f*.

dud *sl.* [dʌd] **1.** ♀ obus *m* non éclaté; type *m* nul; raté *m*; chèque *m* sans provision; fausse monnaie *f*; crétin *m*; ~s *pl.* frusques *f/pl.*; *sl.* moche (fausse *f*); *sl.* moche.

dude *Am.* [dju:d] gommeux *m*; *Am.* ~ *ranch* ranch *m* d'opérette.

dudg·eon ['dʌdʒn] colère *f*.

due [dju:] **1.** échu; exigible; mérité; *in ~ time* en temps utile; *the train is* ~ *at* le train arrive *ou* doit arriver à; *in* ~ *course* en temps et lieu; *be* ~ *to* être dû (due *f*) à, être causé par; *be* ~ *to* (*inf.*) devoir (*inf.*); *Am.* être sur le point de (*inf.*); ♀ *fall* ~ échoir, venir à échéance; ~ *date* échéance *f*; **2.** *adv.* ⚓ droit; ~ *east* est franc, droit vers l'est; **3.** dû *m*; droit *m*; *usu.* ~s *pl.* droits *m/pl.*; frais *m/pl.*; cotisation *f*.

du·el ['dju:əl] **1.** duel *m*; **2.** se battre en duel; **'du·el·list** duelliste *m*.

du·et(t) [dju'et] duo *m*.

duff·er F ['dʌfə] cancre *m*; *sp.* maladroit(e *f*).

dug [dʌg] **1.** *prét. et p.p. de dig* 1; **2.** mamelle *f*; **'~-out** ♀ abri *m* (blindé); canot: pirogue *f*; *Am. baseball:* (*sorte de*) fosse *f* où se tiennent les joueurs en attendant leur tour. [duché *m*; titre *m* de duc.]

duke [dju:k] duc *m*; **'duke·dom**╵

dull [dʌl] **1.** □ terne (*a. style*), mat (*couleur*); sans éclat (*œil*); atone (*regard*); dur (*oreille*); peu sensible (*ouïe*); sourd (*bruit, douleur*); lourd (*esprit, temps*); sombre (*temps*); émoussé (*ciseau*); ♀ inactif (-ive *f*) (*marché*); triste, ennuyeux (-euse *f*); ⚓ calme; **2.** *v/t.* émousser; assourdir; ternir; amortir (*une douleur*); engourdir (*l'esprit*); hébéter (*q.*); *v/i.* se ternir; s'engourdir; **dull·ard** ['ˌəd] lourdaud(e *f*) *m*; **'dull·ness** manque *m* d'éclat *ou* de tranchant; lenteur *f* de l'esprit; dureté *f* (*d'oreille*); tristesse *f*, ennui *m*; bruit *m* sourd; ♀ marasme *m*, inactivité *f*.

du·ly ['dju:li] *see* due 1; dûment; convenablement; en temps voulu.

dumb □ [dʌm] muet(te *f*); interdit; *Am.* F sot(te *f*); bête; *deaf and* ~ sourd(e *f*)-muet(te *f*); *see show* 2;

strike ~ rendre muet; ~-*waiter* meuble: servante *f*; *Am.* monte-plats *m/inv.*; '~-**bell** haltère *m*; *Am. sl.* imbécile *m/f*; ~'**found** F interdire; abasourdir; **'dumb·ness** mutisme *m*; silence *m*.

dum·my ['dʌmi] chose *f* factice; mannequin *m*; *fig.* muet(te *f*) *m*; *fig.* homme *m* de paille; *fig.* sot(te *f*) *m*; *cartes:* mort *m*; sucette *f* (*de bébé*); *attr.* faux (fausse *f*); factice; ~ *whist* whist *m* avec un mort.

dump [dʌmp] **1.** déposer (*a. fig.*); jeter (*des ordures*); décharger, vider; ♀ écouler à perte, faire du dumping; *fig.* laisser lourdement; **2.** coup *m* sourd; tas *m*; ✕ *etc.*: halde *f*; chantier *m*; décharge *f*; dépôt *m* (*de vivres, a.* ✕ *de munitions*); (*a. refuse* ~) voirie *f*; *see* ~*ing; fig.* ~s *pl.* cafard *m*; **'dump·ing** basculage *m*; dépôt *m*; ♀ dumping *m*; **'dump·ing-ground** (lieu *m* de) décharge *f*; dépotoir *m* (*a. fig.*); **'dump·ling** boulette *f*; **'dump·y** trapu, replet (-ète *f*).

dun¹ [dʌn] **1.** brun foncé; **2.** (cheval *m*) gris louvet *m*.

dun² [~] **1.** demande *f* pressante; créancier *m* importun; **2.** importuner, harceler (*un débiteur*); ~*ning letter* demande *f* pressante.

dunce [dʌns], **dun·der·head** ['dʌndəhed] F crétin(e *f*) *m*; lourdaud(e *f*) *m*.

dune [dju:n] dune *f*.

dung [dʌŋ] **1.** fiente *f*; ♦ engrais *m*; **2.** fumer (*un champ*).

dun·geon ['dʌndʒn] cachot *m*.

dung·hill ['dʌŋhil] fumier *m*.

dunk *Am.* F [dʌŋk] *v/t.* tremper (dans son café *etc.*); *v/i.* faire la trempette.

du·o ['dju:ou] duo *m*.

du·o·dec·i·mal [dju:ou'desiml] duodécimal (-aux *m/pl.*); **du·o·dec·i·mo** [~mou] *typ.* in-douze *m/inv.*

dupe [dju:p] **1.** dupe *f*; **2.** duper, tromper; **'dup·er·y** duperie *f*.

du·plex ⊕ ['dju:pleks] double; *tél.* duplex; *Am.* maison *f* comprenant deux appartements indépendants.

du·pli·cate ['dju:plikit] **1.** double; en double; **2.** double *m*; *cin., phot.* contretype *m*; **3.** ['ˌkeit] reproduire; copier; **du·pli·ca·tion** [~'keiʃn] reproduction *f*; dédoublement *m*; **'du·pli·ca·tor** duplicateur *m*; **du·plic·i·ty** [dju:'plisiti] duplicité *f*; mauvaise foi *f*.

du·ra·bil·i·ty [djuərə'biliti] durabilité *f*; stabilité *f*; ⊕ résistance *f*; **'du·ra·ble** □ durable; résistant; **'dur·ance** *poét.* captivité *f*; **du·ra·tion** [ˌ'reiʃn] durée *f*.

du·ress(e) ᵗₐ [djuə'res] contrainte *f*, violence *f*; captivité *f*.

dur·ing ['djuəriŋ] *prp.* pendant.

durst [dəːst] *prét.* de dare.

dusk [dʌsk] demi-jour *m/inv.*; crépuscule *m*; (*a.* **'dusk·i·ness**) obscurité *f*; **'dusk·y** □ obscur, sombre; noirâtre; brun foncé (*teint*); moricaud.

dust [dʌst] 1. poussière *f*; 2. épousseter (*la table, une pièce*); saupoudrer (de, with); **'~·bin** boîte *f* à ordures; poubelle *f*; **'~·bowl** *Am.* étendue *f* désertique et inculte (*États de la Prairie*); **'~·cart** tombereau *m* aux ordures; **'~·cloak**, **'~·coat** cache-poussière *m/inv.*; **'dust·er** torchon *m*; chiffon *m*; ⚓ F pavillon *m*; *Am.* cache-poussière *m/inv.*; **'dust·i·ness** état *m* poudreux *ou* poussiéreux; **'dust·ing** *sl.* raclée *f*, frottée *f*; **'dust·jack·et** *Am. livre:* jaquette *f*; **'dust·man** boueur *m*; F marchand *m* de sable; **'dust·pan** pelle *f* à ordures *ou* à poussière; **'dust·up** F querelle *f*; scène *f*; **'dust·y** □ poussiéreux (-euse *f*), poudreux (-euse *f*).

Dutch [dʌtʃ] 1. hollandais, de Hollande ~ *courage* courage *m* puisé dans la bouteille; *Am.* F ~ *treat* repas *m* où chacun paie sa part; 2. *ling.* hollandais *m*; the ~ *pl.* les Hollandais *m/pl.*; *double* ~ baragouin *m*; F hébreu *m*; **'Dutch·man** Hollandais *m*; **'Dutch wom·an** Hollandaise *f*.

du·ti·a·ble ['djuːtjəbl] taxable; F déclarable; **du·ti·ful** □ ['ˌtiful] respectueux (-euse *f*); soumis; obéissant; **'du·ti·ful·ness** soumission *f*, obéissance *f*.

du·ty ['djuːti] devoir *m* (envers, to); respect *m*; obéissance *f*; fonction *f*, -s *f/pl.*; douane etc.: droit *m*, -s *m/pl.*; service *m*; on ~ de service; off ~ libre; ~ *call* visite *f* obligée *ou* de politesse; in ~ *bound* de (*mon*) devoir; do ~ *for* remplacer; *fig.* servir de; **'~-free** exempt de droits.

dwarf [dwɔːf] 1. nain(e *f*) *m*; 2. rabougrir; *fig.* rapetisser; **'dwarf·ish** □ (de) nain; chétif (-ive *f*); **'dwarf·ish·ness** nanisme *m*; petite taille *f*.

dwell [dwel] [*irr.*] habiter; demeurer (dans, à); se fixer; ~ (*up*)on s'étendre sur, insister sur; **'dwell·ing** demeure *f*; **'dwell·ing-house** maison *f* d'habitation.

dwelt [dwelt] *prét. et p.p* de dwell.

dwin·dle ['dwindl] diminuer; dépérir; se réduire (à, [in]to); **'dwin·dling** diminution *f*.

dye [dai] 1. teint(ure *f*) *m*; *fig.* of *deepest* ~ fieffé; endurci; 2. teindre; **'dy·er** teinturier *m*; **'dye-stuff** matière *f* colorante; **'dye-works** *usu. sg.* teinturerie *f*.

dy·ing ['daiiŋ] (*see die¹*) 1. mourant, moribond; 2. mort *f*.

dy·nam·ic [dai'næmik] 1. (*a.* **dy'nam·i·cal** □) dynamique; 2. force *f* dynamique; **dy'nam·ics** *usu. sg.* dynamique *f*; **dy·na·mite** ['dainəmait] 1. dynamite *f*; 2. faire sauter à la dynamite; **'dy·na·mit·er** dynamiteur *m*; **dy·na·mo** ['dainəmou] dynamo *f*.

dy·nas·tic [di'næstik] (~*ally*) dynastique; **dy·nas·ty** ['dinəsti] dynastie *f*.

dyne *phys.* [dain] dyne *f*.

dys·en·ter·y ᵍ ['disntri] dysenterie *f*.

dys·pep·sia ᵍ [dis'pepsiə] dyspepsie *f*; **dys'pep·tic** (~*ally*) dyspepsique, dyspeptique (*a. su./mf*).

E

E, e [iː] E *m*, e *m*.

each [iːtʃ] *adj.* chaque; *pron.* chacun (-e *f*); ~ other l'un(e) l'autre, les un(e)s les autres; *devant verbe:* se; *they cost a shilling* ~ ils coûtent un shilling chacun.

ea·ger □ ['iːgə] passionné; avide (de *after, for*); *fig.* vif (vive *f*); acharné; **'ea·ger·ness** ardeur *f*; vif désir *m*; empressement *m*.

ea·gle ['iːgl] aigle *mf*; pièce *f* de 10 dollars; **ea·glet** ['iːglit] aiglon *m*.

ea·gre ['eigə] mascaret *m*.

ear¹ [iə] *blé:* épi *m*.

ear² [~] oreille *f*; *sens:* ouïe *f*; ⊕ anse *f*; be all ~s être tout oreilles; *surt. Am.* keep an ~ to the ground se tenir aux écoutes; ~-**ache** ['iəreik] mal *m ou* maux *m/pl.* d'oreille; ~-**deaf·en·ing** ['~defniŋ] assourdissant; '~-**drum** *anat.* tympan *m*.

earl [əːl] comte *m* (*d'Angleterre*); ⚹ Marshal grand maréchal *m*; **earl·dom** ['~dəm] comté *m*.

ear·li·ness ['əːlinis] heure *f* peu avancée; précocité *f*.

ear·ly ['əːli] **1.** *adj.* matinal (-aux *m/pl.*); premier (-ère *f*); précoce; ~ *life* jeunesse *f*; **2.** *adv.* de bonne heure; tôt; *as* ~ *as* dès; pas plus tard que.

ear·mark ['iəmɑːk] **1.** *bétail:* marque *f* à l'oreille; *fig.* marque *f* distinctive; **2.** marquer (*les bestiaux*) à l'oreille; *fig.* faire une marque distinctive à; affecter (*qch. à une entreprise*); réserver (*une somme*).

earn [əːn] gagner; acquérir (de, *for*); ~*ed income* revenu *m* du travail.

ear·nest¹ ['əːnist] (*a.* ~-*money*) arrhes *f/pl.*; garantie *f*, gage *m*.

ear·nest² [~] **1.** sérieux (-euse *f*); sincère; délibéré; **2.** sérieux *m*; be in ~ être sérieux; **'ear·nest·ness** (caractère *m*) sérieux *m*; ardeur *f*.

earn·ings ['əːniŋz] *pl.* gages *m/pl.*, salaire *m*; gain *m*; profits *m/pl*.

ear...: '~-**phones** *pl. radio:* casques *m/pl.* (d'écoute); '~-**pick** cure-oreille *m*; '~-**piece** *téléph.* écouteur *m*; '~-**pierc·ing** qui vous perce les oreilles; '~-**ring** boucle *f* d'oreille; '~-**shot** portée *f* de la voix; *within* ~ à portée de voix; '~-**split·ting** as-

sourdissant, à vous fendre les oreilles.

earth [əːθ] **1.** terre *f* (*a.* ⚡); sol *m*; monde *m*; *renard etc.:* terrier *m*; *radio:* (*a.* earth-connection) contact *m* à la terre; **2.** *v/t.* ⚡ relier à la terre *ou mot.* à la masse; ~ *up* butter, terrer; *v/i.* se terrer; **'earth·en** de *ou* en terre; **'earth·en·ware** poterie *f*; **'earth·i·ness** nature *f* terreuse; **'earth·ing** ⚡ mise *f* à la terre (*mot.* à la masse); **'earth·li·ness** nature *f* terrestre; mondanité *f*; **'earth·ly** terrestre; F imaginable; no ~ pas le *ou* la moindre; **'earth·quake** tremblement *m* de terre; **'earth·worm** lombric *m*; *fig.* piètre personnage *m*; **'earth·y** terreux (-euse *f*); de terre; *fig.* grossier (-ère *f*); terre à terre *inv*.

ear...: '~-**trum·pet** cornet *m* acoustique; '~-**wax** cérumen *m*.

ease [iːz] **1.** repos *m*, bien-être *m*, aise *f*; tranquillité *f* (*d'esprit*); soulagement *m*; loisir *m*; oisiveté *f*; *manières:* aisance *f*; facilité *f*; simplicité *f*; *at* ~ tranquille; ⚔ *son etc.* aise; *ill at* ~ mal à l'aise; ⚔ *stand at* ~! repos!; *take one's* ~ prendre ses aises; *with* ~ facilement; *live at* ~ vivre à l'aise; **2.** adoucir, soulager (*la douleur*); calmer; ♧ larguer (*une amarre*), mollir (*une barre*); débarrasser (de, *of*); *it* ~*d the situation* la situation se détendit; ~ *nature* faire ses besoins; **ease·ful** □ ['~ful] tranquille; calmant; doux (douce *f*).

ea·sel ['iːzl] chevalet *m*.

ease·ment ⚖ ['iːzmənt] *charges:* servitude *f*.

eas·i·ness ['iːzinis] commodité *f*, bien-être *m*; aisance *f*; facilité *f*; douceur *f*; complaisance *f*; ~ *of belief* facilité *f* à croire.

east [iːst] **1.** *su.* est *m*, orient *m*; the ⚹ *Am.* les États *m/pl.* de l'Est (*des É.-U.*); **2.** *adj.* d'est, de l'est; oriental (-aux *m/pl.*); **3.** *adv.* à *ou* vers l'est.

East·er ['iːstə] Pâques *m/pl.*; *attr.* de Pâques; ~ *egg* œuf *m* de Pâques.

east·er·ly ['iːstəli] de *ou* à l'est; **east·ern** ['~tən] de l'est; oriental (-aux *m/pl.*); **'east·ern·er** oriental(e *f*) *m*; habitant(e *f*) *m* de l'est; **east-**

ern·most ['iːstənmoust] *le plus à l'est*.

east·ing ⚓ ['iːstiŋ] chemin *m* est; route *f* vers l'est.

east·ward ['iːstwəd] **1.** *adj.* à *ou* de l'est; **2.** *adv. a.* **east·wards** ['~dz] vers l'est.

eas·y □ ['iːzi] **1.** à l'aise; tranquille; aisé (*air, style, tâche*); libre; facile (*personne, style, tâche*); doux (douce *f*); ample (*vêtement*); ✝ calme; *in ~ circumstances* dans l'aisance; *Am. on ~ street* très à l'aise, F bien renté; ✝ *on ~ terms* avec facilités de paiement; *make o.s. ~* se rassurer (sur, *about*); *take it ~!* F se la couler douce; *take it ~!* ⚔ *Brit. stand ~ repos!*; **2.** halte *f*; **~ chair** fauteuil *m*; bergère *f*; **'~-go·ing** *fig.* accommodant; insouciant; d'humeur facile.

eat [iːt] **1.** [*irr.*] *v/t.* manger; déjeuner, dîner, souper; prendre (*un plat*); *~ up* manger jusqu'à la dernière miette; consumer; dévorer (*a. fig.*); *v/i.* manger; déjeuner *etc.*; **2.** *Am. sl. ~s pl.* manger *m*; mangeaille *f*; **'eat·a·ble 1.** mangeable; **2.** *~s pl.* comestibles *m/pl.*; **'eat·en** *p.p. de* **eat 1**; **'eat·er** mangeur (-euse *f*) *m*; *be a great* (*poor*) *~* être gros(petit) mangeur; **'eat·ing** manger *m*; **'eat·ing-house** restaurant *m*.

eaves [iːvz] *pl.* avance *f*; gouttières *f/pl.*; **'~·drop** écouter à la porte; être aux écoutes; **'~·drop·per** écouteur (-euse *f*) *m* aux portes.

ebb [eb] **1.** (*a. ~-tide*) reflux *m*; *fig.* déclin *m*; *at a low ~* très bas; **2.** baisser (*a. fig.*); refluer; *fig.* décroître; être sur le déclin.

eb·on·ite ['ebənait] ébonite *f*; **'eb·on·y** (bois *m* d')ébène *f*.

e·bri·e·ty [iːˈbraiəti] ivresse *f*.

e·bul·li·ent [iˈbʌljənt] bouillonnant; *fig.* débordant (de, *with*); **eb·ul·li·tion** [ebəˈliʃn] ébullition *f*; *surt. fig.* débordement *m*; insurrection *f*.

ec·cen·tric [ikˈsentrik] **1.** (*a.* **ec·cen·tri·cal** □) excentrique (*a. fig.*); *fig.* original (-aux *m/pl.*); **2.** ⊕ excentrique *m*; original(e *f*) *m*; **ec·cen·tric·i·ty** [eksenˈtrisiti] excentricité *f*.

ec·cle·si·as·tic [ikliːziˈæstik] **1.** †, *usu.* **ec·cle·si·as·ti·cal** □ ecclésiastique; **2.** ecclésiastique *m*.

ech·e·lon ⚔ ['eʃəlɔn] **1.** échelon *m*; **2.** échelonner.

e·chi·nus *zo.* [eˈkainəs] oursin *m*.

ech·o ['ekou] **1.** écho *m*; **2.** *v/t.* répéter; *fig.* se faire l'écho de; *v/i.* faire écho; retentir; **~-sound·er** ['~saundə] sondeur *m* acoustique.

é·clat ['eiklaː] éclat *m*, gloire *f*.

ec·lec·tic [ekˈlektik] éclectique (*a. su./mf*); **ec'lec·ti·cism** [~tisizm] éclectisme *m*.

e·clipse [iˈklips] **1.** éclipse *f* (*a. fig.*); *fig.* ombre *f*; *in ~* éclipsé; *orn.* dans son plumage d'hiver; **2.** *v/t.* éclipser; *v/i.* être éclipsé; **e'clip·tic** *astr.* écliptique (*a. su./f*).

ec·logue ['eklɔg] églogue *f*.

e·co·nom·ic, e·co·nom·i·cal □ [iːkəˈnɔmik(l)] économique; économe (*personne*); **e·co'nom·ics** *sg.* économie *f* politique; **e·con·o·mist** [iˈkɔnəmist] économiste *m*; personne *f* économe (de, *of*); **e'con·o·mize** économiser (qch. *in, on, with* s.th.); **e'con·o·my** économie *f*; economies *pl.* économies *f/pl.*; épargnes *f/pl.*; *political ~* économie *f* politique.

ec·sta·size ['ekstəsaiz] *v/t.* ravir; *v/i.* s'extasier (devant, *over*); **'ec·sta·sy** transport *m*; extase *f* (*religieuse etc.*); *go into ecstasies* s'extasier (devant, *over*); **ec·stat·ic** [eksˈtætik] (*~ally*) extatique.

ec·ze·ma 🗲 ['eksimə] eczéma *m*.

e·da·cious [iˈdeiʃəs] vorace.

ed·dy ['edi] **1.** remous *m*; tourbillon *m*; **2.** faire des remous; tourbillonner.

e·den·tate *zo.* [iˈdenteit] édenté (*a. su./m*).

edge [edʒ] **1.** tranchant *m*; angle *m*; crête *f*; *livre, shilling*: tranche *f*; *forêt*: lisière *f*, orée *f*; *étoffe, table, lac, etc.*: bord *m*; *be on ~* être nerveux (-euse *f*); *surt. Am.* F *have the ~ on* être avantagé par rapport à; *put an ~ on* aiguiser; *lay on ~* mettre de champ; *set s.o.'s teeth on ~* faire grincer les dents à q.; énerver q.; *stand on ~* mettre de champ; **2.** *v/t.* aiguiser; border; *v/i.* (se) faufiler; *~ in* (se) glisser dans; *~ forward* avancer tout doucement; *~ off v/t.* amincir; *v/i. fig.* s'écarter tout doucement; **edged** [edʒd] tranchant, acéré; *à ... tranchant(s)*.

edge ...: '**~·less** dépourvu de bords;

émoussé; '~·tool outil *m* tranchant; '~·ways, '~·wise de côté; de *ou* sur champ.

edg·ing ['edʒiŋ] bordure *f*; *robe*: liséré *m*, ganse *f*.

edg·y ['edʒi] anguleux (-euse *f*); F énervé, agacé.

ed·i·ble ['edibl] 1. bon(ne *f*) à manger; 2. ~s *pl.* comestibles *m/pl.*

e·dict ['iːdikt] édit *m*.

ed·i·fi·ca·tion [edifi'keiʃn] édification *f*; **ed·i·fice** ['~fis] édifice *m*; **ed·i·fy** ['~fai] édifier; '**ed·i·fy·ing** □ édifiant.

ed·it ['edit] éditer (*un livre*); diriger (*un journal, une série*); **e·di·tion** [i'diʃn] édition *f*; *fig.* double *m*; **ed·i·tor** ['editə] éditeur *m*; directeur *m*; rédacteur *m* en chef; **ed·i·to·ri·al** [~'tɔːriəl] 1. éditorial (-aux *m/pl.*) (*a. su./m*); 2. article *m* de fond; **ed·i·tor·ship** ['~təʃip] direction *f*; travail *m* d'éditeur.

ed·u·cate ['edjukeit] instruire; pourvoir à l'instruction de; former; éduquer (*un animal*); **ed·u·ca·tion** éducation *f*; enseignement *m*; instruction *f*; *elementary* ~ enseignement *m* primaire; *secondary* ~ enseignement *m* secondaire; *Ministry of* ~ Ministère *m* de l'Éducation nationale; **ed·u·ca·tion·al** □ d'enseignement; pédagogique; ~ *film* film *m* éducatif; **ed·u·ca·tion(·al)·ist** [~'keiʃn(əl)ist] pédagogue *mf*; spécialiste *mf* de pédagogie; **ed·u·ca·tive** ['~kətiv] *see educational*; **ed·u·ca·tor** ['~keitə] éducateur (-trice *f*) *m*.

e·duce [i'djuːs] dégager (*a.* 🜍); déduire; évoquer.

e·duc·tion [i'dʌkʃn] extraction *f*; déduction *f*; ⊕ échappement *m*.

eel [iːl] anguille *f*.

e'en [iːn] *see even[1] 2.*

e'er [ɛə] *see ever.*

ee·rie, ee·ry ['iəri] mystérieux (-euse *f*); étrange; qui donne le frisson.

ef·face [i'feis] effacer (*a. fig.*); *fig.* éclipser; **ef'face·a·ble** effaçable; **ef'face·ment** effacement *m*.

ef·fect [i'fekt] 1. effet *m*; action *f* (*a.* ⊕); conséquence *f*; vigueur *f* (🜊 *d'une loi*); réalisation *f*; sens *m*, teneur *f*; ~s *pl.* effets *m/pl.* (*théâ., a. d'un mort*); 🜊 provision *f*; *bring to* ~ exécuter; *take* ~, *be of* ~ produire un effet; *entrer en vigueur*; *deprive of* ~ rendre ineffectif (-ive *f*); *of no* ~ sans effet, inefficace; *in* ~ en effet; en réalité; *to the* ~ portant (*que, that*); *to this* ~ dans ce sens; 2. réaliser, effectuer; *be* ~ed s'opérer, intervenir; **ef'fec·tive** 1. □ efficace; utile; effectif (-ive *f*) (*a.* ⊕); 🜊 en vigueur; *fig.* frappant; ✕, ⚓ valide; ⊕ ~ *capacity* rendement *m*; ~ *date* date *f* d'entrée en vigueur; ~ *range* portée *f* utile; 2. ✕ *usu.* ~s *pl.* effectifs *m/pl.*; **ef'fec·tu·al** [~juəl] efficace; valide; en vigueur; **ef'fec·tu·ate** [~jueit] effectuer; réaliser.

ef·fem·i·na·cy [i'feminəsi] caractère *m* efféminé; **ef'fem·i·nate** [~nit] □ efféminé.

ef·fer·vesce [efə'ves] entrer en effervescence, mousser; **ef·fer·'ves·cence** effervescence *f*; **ef·fer·'ves·cent** effervescent; ~ *drink* boisson *f* gazeuse.

ef·fete [e'fiːt] caduc (-uque *f*); épuisé.

ef·fi·ca·cious □ [efi'keiʃəs] efficace; **ef·fi·ca·cy** ['~kəsi] efficacité *f*.

ef·fi·cien·cy [e'fiʃnsi] efficacité *f*; capacité *f*; valeur *f*; ⊕ rendement *m*; bon fonctionnement *m*; *Am.* ~ *expert* expert *m* de l'organisation rationnelle (*de l'industrie*); **ef'fi·cient** [~ʃnt] □ efficace; effectif (-ive *f*); à bon rendement.

ef·fi·gy ['efidʒi] effigie *f*.

ef·flo·resce [eflo'res] 🜎 fleurir (*a. fig.*); 🜋 (s')effleurir; **ef·flo·'res·cence** efflorescence *f* (*a.* 🜋); fleuraison *f*; **ef·flo·'res·cent** efflorescent; 🜎 en fleur.

ef·flu·ence ['efluəns] émanation *f*, effluence *f*; **ef·flu·ent 1.** effluent (*a. su./m.*); 2. cours *m* d'eau dérivé; **ef·flu·vi·um** [e'fluːvjəm], *pl.* -vi·a [~vjə] effluve *m*; exhalaison *f*; **ef·flux** ['eflʌks] flux *m*, écoulement *m*.

ef·fort ['efət] effort *m* (*pour inf., at gér.*); *fig.* œuvre *f*; '**ef·fort·less** □ sans effort; facile.

ef·fron·ter·y [e'frʌntəri] effronterie *f*; *fig.* toupet *m*.

ef·ful·gence [e'fʌldʒəns] splendeur *f*; éclat *m*; **ef'ful·gent** □ resplendissant.

ef·fuse [e'fjuːz] (se) répandre; **ef·fu·sion** [i'fjuːʒn] effusion *f*, épanchement *m* (*a. fig.*); **ef'fu·sive** □

[∼siv] expansif (-ive *f*); **ef'fu·sive·ness** effusion *f*; volubilité *f*.

eft [eft] *see* newt.

egg[1] [eg] (*usu.* ∼ *on*) pousser, inciter.

egg[2] [∼] œuf *m*; *buttered* (*ou scrambled*) ∼s *pl.* œufs *m*/*pl.* brouillés; *boiled* ∼s *pl.* œufs *m*/*pl.* à la coque; *fried* ∼s *pl.* œufs *m*/*pl.* sur le plat; *sl. bad* ∼ vaurien *m*, bon *m* à rien; *as sure as* ∼s aussi sûr que deux et deux font quatre; '∼-**cup** coquetier *m*; '∼-**flip**, '∼-**nog** flip *m*; '∼-**head** *Am. sl.* intellectuel *m*.

eg·lan·tine ♀ [ˈegləntain] églantine *f*; *buisson*: églantier *m*.

e·go [ˈegou] *le* moi; **'e·go·ism** égotisme *m*; culte *m* du moi; *phls.* égoïsme *m*; **e·go·ist** égotiste *mf*; égoïste *mf*; **e·go·is·tic**, **e·go·is·ti·cal** □ égotiste; *fig.* vaniteux (-euse *f*); **e·go·tism** [ˈegoutizm] égotisme *m*; **'e·go·tist** égotiste *mf*; **e·go·'tis·tic**, **e·go·'tis·ti·cal** □ égotiste.

e·gre·gious *iro.* □ [iˈgriːdʒəs] insigne; fameux (-euse *f*).

e·gress [ˈiːgres] sortie *f*, issue *f*; ⊕ échappement *m*.

e·gret [ˈiːgret] *orn.* aigrette *f* (*a.* ♀); héron *m* argenté.

E·gyp·tian [iˈdʒipʃn] **1.** égyptien(ne *f*); **2.** Égyptien(ne *f*) *m*.

eh [ei] eh!; hé!; hein?

ei·der [ˈaidə] (*a.* ∼-**duck**) eider *m*; '∼-**down** duvet *m* d'eider; (*a.* ∼ *quilt*) édredon *m* piqué.

eight [eit] **1.** huit; **2.** huit *m*; ⚓ équipe *f* de huit rameurs; huit *m* de pointe; *Am. fig. behind the* ∼ *ball* dans une position précaire; **eight·een** [ˈeiˈtiːn] dix-huit; **'eight·'eenth** [∼θ] dix-huitième; **'eight·fold** octuple; *adv.* huit fois autant; **eighth** [eitθ] huitième (*a. su.*/*m*); **'eighth·ly** en huitième lieu; **'eight·hour day** [ˈ∼ˈauədei] journée *f* de huit heures; **eight·i·eth** [ˈ∼iiθ] quatre-vingtième; **'eight·y** quatre-vingt(s); ∼-*two* quatre-vingt-deux; ∼-*first* quatre-vingt-unième.

ei·ther [ˈaiðə, ˈiːðə] **1.** *adj.* chaque; l'un(e *f*) et l'autre de; l'un(e *f*) ou l'autre de; **2.** *pron.* chacun(e *f*); l'un(e) et *ou* ou l'autre; **3.** *cj.* ∼ ... *or* ... ou ... ou ...; soit ... soit ...; *not* (...) ∼ ne ... non plus.

e·jac·u·late [iˈdʒækjuleit] éjaculer; lancer; proférer; **e·jac·u·la·tion** ✶, *eccl.* éjaculation *f*; exclamation *f*.

e·ject [iˈdʒekt] émettre; expulser (*un agitateur, un locataire*); **e'jec·tion** *flammes*: jet *m*; expulsion *f*; *éviction f*; **e'ject·ment** ⚖ réintégrande *f*; expulsion *f*; **e'jec·tor** ⊕ éjecteur *m*.

eke [iːk]: ∼ *out* suppléer à l'insuffisance de (en y ajoutant, *with*); allonger (*un liquide*); faire du remplissage (avec, *with*); ∼ *out a miserable existence* gagner une maigre pitance.

el *Am.* F [el] *abr. de* elevated 2.

e·lab·o·rate **1.** [iˈlæbərit] □ compliqué; travaillé (*style*); recherché; soigné; **2.** [∼reit] élaborer (*a. physiol.*) (en, *into*); travailler (*son style*); **e'lab·o·rate·ness** [∼ritnis] soin *m*, minutie *f*; **e·lab·o·ra·tion** [∼ˈreiʃn] élaboration *f*.

e·lapse [iˈlæps] (se) passer; s'écouler.

e·las·tic [iˈlæstik] **1.** (∼*ally*) élastique (*a. fig.*); flexible; *he is* ∼ il a du ressort; **2.** élastique *m*; **e·las·tic·i·ty** [∼ˈtisiti] élasticité *f*; souplesse *f*; *fig.* ressort *m*.

e·late [iˈleit] **1.** □ élevé; (*usu.* ∼*ed*) transporté (de, *with*); **2.** exalter, transporter; **e'la·tion** exaltation *f*; gaieté *f*.

el·bow [ˈelbou] **1.** coude *m* (*a.* ⊕); *route*: tournant *m*; ⊕ genou *m*, jarret *m*; *at one's* ∼ tout à côté; tout près; *out at* ∼s troué aux coudes; *fig.* déguenillé; **2.** coudoyer; pousser du coude; ∼ *one's way through* se frayer un passage à travers; ∼ *out* évincer (de, *of*); '∼-**chair** fauteuil *m*; '∼-**grease** F huile *f* de bras (= *travail, énergie*); '∼-**room**: *have* ∼ avoir du champ.

eld·er[1] [ˈeldə] **1.** plus âgé, aîné; *cartes*: ∼ *hand* premier *m* en main; **2.** plus âgé(e *f*) *m*; aîné(e *f*) *m*; *eccl.* ancien *m*; *my* ∼s *pl.* mes aînés *m*/*pl.*

eld·er[2] ♀ [∼] sureau *m*.

eld·er·ly [ˈeldəli] assez âgé.

eld·est [ˈeldist] aîné.

e·lect [iˈlekt] **1.** élu (*a. eccl.*); futur; *bride* ∼ la future *f*; **2.** élire; *eccl.* mettre parmi les élus; choisir (de *inf.*, *to inf.*); **e·lec·tion** élection *f*; **e·lec·tion·eer** [∼ʃəˈniə] solliciter des voix; **e·lec·tion·'eer·ing** propagande *f* électorale; **e'lec·tive 1.** □ électif (-ive *f*); électoral (-aux *m*/*pl.*); *Am. univ. etc.* facultatif

(-ive *f*); **2.** *Am.* cours *m ou* sujet *m* facultatif; **e'lec·tive·ly** par choix; **e'lec·tor** électeur *m*; *Am.* membre *m* du Collège électoral; **e'lec·tor·al** électoral (-aux *m/pl.*); ~ *address* profession *f* de foi; ~ *roll* liste *f* électorale; **e'lec·tor·ate** [⸗rit] corps *m* électoral; votants *m/pl.*; **e'lec·tress** électrice *f*.

e·lec·tric [i'lektrik] électrique; *fig.* électrisant; ⚡ ~ *arc* arc *m* voltaïque; ~ *blue* bleu électrique; ~ *circuit* circuit *m*; **e'lec·tri·cal** □ électrique; ~ *engineer* ingénieur *m* électricien; ~ *engineering* technique *f* électrique; **e·lec·tri·cian** [⸗'triʃn] (monteur-)électricien *m*; **e·lec'tric·i·ty** [⸗siti] électricité *f*; ~ *works* centrale *f* électrique; **e·lec·tri·fi·ca·tion** [⸗fi'keiʃn] électrisation *f*; 🚂 électrification *f*; **e'lec·tri·fy** [⸗fai], **e'lec·trize** électriser (*a. fig.*); 🚂 électrifier.

electro... [ilektrou] électro-; **e'lec·tro·cute** [⸗trəkju:t] électrocuter; **e·lec·tro'cu·tion** électrocution *f*; **e'lec·trode** [⸗troud] électrode *f*; **e·lec·tro·dy'nam·ics** *usu. sg.* électrodynamique *f*; **e·lec·tro·lier** [⸗'liə] lustre *m* électrique; **e'lec·tro·lyse** [⸗trolaiz] électrolyser; **e·lec'trol·y·sis** [⸗'trolisis] électrolyse *f*; **e'lec·tro'mag·net** électro-aimant *m*; **e·lec·tro'met·al·lur·gy** électrométallurgie *f*; **e'lec·tro'mo·tor** électromoteur *m*.

e·lec·tron [i'lektrɔn] électron *m*; *attr.* à électrons, électronique; ~ *ray tube* oscillographe *m* cathodique; **e·lec'tron·ic 1.** électronique; **2.** ~*s sg.* électronique *f*.

e·lec·tro·plate [i'lektroupleit] **1.** plaquer; argenter; **2.** articles *m/pl.* argentés *ou* plaqués; **e·lec·tro·type** [i'lektrotaip] électrotype *m*; (cliché *m*) galvano *m*.

e·lec·tu·ar·y 💊 [i'lektjuəri] électuaire *m*.

el·e·gance ['eligəns] élégance *f*; **'el·e·gant** □ élégant; *Am.* excellent.

el·e·gi·ac [eli'dʒaiæk] élégiaque.

el·e·gy ['elidʒi] élégie *f*.

el·e·ment ['elimənt] élément *m* (*a.* ⚡, *eccl.*, *temps*, *fig.*); partie *f*; 🜍 corps *m* simple; ~*s pl.* rudiments *m/pl.*, éléments *m/pl.*; **el·e·men·tal** [⸗'mentl] □ élémentaire; des élé-

ments; *fig.* premier (-ère *f*); **el·e·'men·ta·ry** [⸗təri] □ élémentaire; simple; ~ *school* école *f* primaire.

el·e·phant ['elifənt] éléphant *m* (*mâle, femelle*); *white* ~ objet *m* inutile qui occupe trop de place; **el·e·phan·tine** [⸗'fæntain] éléphantin; éléphantesque; *fig.* lourd.

el·e·vate ['eliveit] élever; lever; relever; **'el·e·vat·ed 1.** élevé, haut; F un peu ivre; **2.** (*a.* ~ *railroad ou train*) *Am.* F chemin *m* de fer aérien; **el·e·'va·tion** élévation *f* (*a.* ⊕, △, *astr., eccl., colline*); altitude *f*, hauteur *f*; *fig.* noblesse *f*; **'el·e·va·tor** ⊕ élévateur *m*; *Am.* ascenseur *m*; ✈ gouvernail *m* d'altitude; *Am.* (*grain*) ~ silo *m* à élévateur pneumatique.

e·lev·en [i'levn] onze (*a. su./m*); **e'lev·enth** [⸗θ] onzième.

elf [elf], *pl.* **elves** [elvz] elfe *m*; lutin(e *f*) *m*; **elf·in** ['⸗in] d'elfe, de lutin; **'elf·ish** des elfes, de lutin; espiègle (*enfant*).

e·lic·it [i'lisit] faire jaillir, faire sortir; obtenir.

e·lide *gramm.* [i'laid] élider.

el·i·gi·bil·i·ty [elidʒə'biliti] acceptabilité *f*; éligibilité *f*; **'el·i·gi·ble** □ admissible; éligible; F bon(ne *f*) (*parti*), acceptable.

e·lim·i·nate [i'limineit] éliminer (*surt.* 🜍, 🜪, 🜨); supprimer; **e·lim·i'na·tion** élimination *f*.

e·li·sion [i'liʒn] *gramm.* élision *f*.

é·lite [ei'li:t] élite *f*, (fine) fleur *f*, choix *m*.

e·lix·ir [i'liksə] élixir *m*.

E·liz·a·be·than [ilizə'bi:θn] élisabéthain.

elk *zo.* [elk] élan *m*.

ell *hist.* [el] aune *f*; aunée *f* (*de drap*).

el·lipse 🔷 [i'lips] ellipse *f*; *gramm.* **el'lip·sis** [⸗sis], *pl.* **-ses** [⸗si:z] ellipse *f*; **el'lip·tic, el'lip·ti·cal** □ elliptique.

elm ♣ [elm] orme *m*.

el·o·cu·tion [elə'kju:ʃn] élocution *f*, diction *f*; **el·o'cu·tion·ar·y** de diction; oratoire; **el·o'cu·tion·ist** déclamateur *m*; professeur *m* d'élocution.

e·lon·gate ['i:lɔŋgeit] (s')allonger; **e·lon'ga·tion** allongement *m*; prolongement *m*; *astr.* élongation *f*.

e·lope [i'loup] s'enfuir (avec un

amant); ~ *with* se faire enlever par; **e'lope·ment** fuite *f* amoureuse; enlèvement *m* (consenti).

el·o·quence ['eləkwəns] éloquence *f*; **'el·o·quent** □ éloquent.

else [els] **1.** *adv.* autrement; ou bien; **2.** *adj.* autre; encore; *all* ~ tout le reste; *anyone* ~ quelqu'un d'autre; *what* ~? quoi encore?; *or* ~ ou bien; **'else'where** ailleurs.

e·lu·ci·date [i'lu:sideit] éclaircir, élucider; **e·lu·ci·da·tion** éclaircissement *m*, élucidation *f*; **e'lu·ci·da·to·ry** [~təri] éclaircissant.

e·lude [i'lu:d] éviter; échapper à; éluder (*une question*).

e·lu·sion [i'lu:ʒn] esquive *f*; évasion *f*; **e'lu·sive** [~siv] insaisissable; évasif (-ive *f*) (*réponse*); **e'lu·sive·ness** nature *f* insaisissable; caractère *m* évasif; **e'lu·so·ry** [~səri] évasif (-ive *f*).

elves [elvz] *pl. de* elf.

E·ly·si·um [i'liziəm] l'Élysée *m*.

em *typ.* [em] cadratin *m*.

e·ma·ci·ate [i'meiʃieit] amaigrir; émacier; **e·ma·ci·a·tion** [imeisi'eiʃn] amaigrissement *m*, émaciation *f*.

em·a·nate ['eməneit] émaner (de, *from*); **em·a'na·tion** émanation *f* (*a. phys., a. fig.*); effluve *m*.

e·man·ci·pate [i'mænsipeit] émanciper; affranchir; **e·man·ci·pa·tion** émancipation *f*; affranchissement *m*; **e'man·ci·pa·tor** émancipateur (-trice *f*) *m*; affranchisseur *m*.

e·mas·cu·late **1.** [i'mæskjuleit] émasculer, châtrer (*a. un texte*); efféminer (*le style*); **2.** [~lit] émasculé, châtré; énervé; **e·mas·cu·la·tion** [~'leiʃn] émasculation *f*.

em·balm [im'ba:m] embaumer (*a. fig.*); *fig.* parfumer; *be* ~*ed in fig.* être perpétué par *ou* dans.

em·bank [im'bæŋk] endiguer; remblayer (*une route*); **em'bank·ment** endiguement *m*; remblayage *m*; digue *f*; talus *m*; remblai *m*; quai *m*.

em·bar·go [em'ba:gou] **1.** *pl.* -goes [~gouz] embargo *m*, séquestre *m*, arrêt *m*; *put an* ~ *on fig.* interdire; **2.** mettre l'embargo sur, séquestrer (*un navire etc.*); réquisitionner.

em·bark [im'ba:k] (s')embarquer (*a. fig.* dans, [*up*]on); *v/t.* prendre (*qch.*) à bord; *v/i.*: ~ (*up*)on *s.th.*

entreprendre qch.; **em·bar·ka·tion** [emba:'keiʃn] embarquement *m*.

em·bar·rass [im'bærəs] embarrasser, gêner; déconcerter; ~*ed* embarrassé, gêné; dans l'embarras; **em'bar·rass·ing** □ embarrassant; gênant; **em'bar·rass·ment** embarras *m*, gêne *f*.

em·bas·sy ['embəsi] ambassade *f*.

em·bat·tle ⚔ [im'bætl] ranger en bataille; ~*d* crénelé. (*châsser.*)

em·bed [im'bed] enfoncer; en-]

em·bel·lish [im'beliʃ] embellir, orner; enjoliver (*un conte*); **em'bellish·ment** embellissement *m*, ornement *m*; enjolivure *f*.

em·ber-days ['embədeiz] *pl. les* Quatre-Temps *m/pl.*

em·bers ['embəz] *pl.* cendres *f/pl.* ardentes; *fig.* cendres *f/pl.*

em·bez·zle [im'bezl] détourner, s'approprier; **em'bez·zle·ment** détournement *m* de fonds; **em'bez·zler** détourneur *m* de fonds.

em·bit·ter [im'bitə] remplir d'amertume; envenimer (*une querelle etc.*).

em·bla·zon(·ry) [im'bleizn(ri)] *see* blazon(ry).

em·blem ['embləm] emblème *m*; *sp.* insigne *m*; ▯ devise *f*; **em·blem·at·ic, em·blem·at·i·cal** □ [embli'mætik(l)] emblématique.

em·bod·i·ment [im'bɔdimənt] incorporation *f*; personnification *f*; incarnation *f*; **em'bod·y** incarner; personnifier; incorporer (dans, *in*); réaliser; ⚔ rassembler.

em·bog [im'bɔg] embourber (dans, *in*).

em·bold·en [im'bouldn] enhardir.

em·bo·lism ♈ ['embəlizm] embolie *f*.

em·bos·om [im'buzəm] cacher dans son sein; serrer contre son sein.

em·boss [im'bɔs] graver en relief; repousser (*du métal, du cuir*); **em'bossed** gravé en relief; repoussé, estampé.

em·bow·el [im'bauəl] éventrer.

em·brace [im'breis] **1.** *v/t.* embrasser (*a. une carrière*); saisir, profiter de (*une occasion*); adopter (*une cause, une philosophie*); contenir (dans, *in*); comprendre; envisager tous les aspects de; *v/i.* s'embrasser; **2.** étreinte *f*.

em·bra·sure [im'breiʒə] embrasure *f*.

em·bro·cate ['embrokeit] frictionner (à, with); **em·bro'ca·tion** embrocation f.

em·broi·der [im'brɔidə] broder (a. fig.); **em'broi·der·y** broderie f (a. fig.).

em·broil [im'brɔil] brouiller; embrouiller; **em'broil·ment** brouillement m; embrouillement m; brouille f (entre personnes).

em·bry·o ['embriou] 1. embryon m; in ~ embryonnaire; F en herbe; 2. (ou **em·bry·on·ic** [~'ɔnik]) fig. F en germe.

em·bus [im'bʌs] v/t. embarquer en autobus; v/i. s'embarquer dans un autobus.

e·men·da·tion [iːmen'deiʃn] émendation f; correction f; **'e·men·da·tor** correcteur m; **e'men·da·to·ry** [~dətəri] rectificatif (-ive f).

em·er·ald ['emərəld] 1. émeraude f; 2. vert d'émeraude.

e·merge [i'məːdʒ] émerger, surgir, déboucher (de, from); fig. apparaître, surgir; **e'mer·gence** émergence f; **e'mer·gen·cy** urgence f; cas m imprévu; circonstance f critique; ~ brake frein m de secours; téléph. ~ call appel m urgent; ~ exit sortie f de secours; ~ fund masse f de secours; ~ house habitation f provisoire; ✈ ~ landing atterrissage m forcé; ~ man ouvrier m supplémentaire; remplaçant m; ~ measure mesure f extraordinaire; **e'mer·gent** 1. émergent; surgissant; 2. résultat m.

e·mer·sion [i'məːʃn] émersion f.

em·er·y ['eməri] émeri m; '~-pa·per papier m d'émeri. [su./m.]

e·met·ic [i'metik] émétique (a)

em·i·grant ['emigrənt] émigrant(e f) (a. su./mf); **em·i·grate** ['~greit] (faire) émigrer; **em·i'gra·tion** émigration f; **em·i·gra·to·ry** ['~grətəri] émigrant.

em·i·nence ['eminəns] éminence f (titre: ♀); grandeur f; élévation f; monticule m; saillie f; **'em·i·nent** □ fig. éminent, célèbre (pour in, for); **'em·i·nent·ly** par excellence.

em·is·sar·y ['emisəri] émissaire m; **e·mis·sion** [i'miʃn] émission f (a. phys., ♥); lancement m.

e·mit [i'mit] dégager; lancer; laisser échapper; émettre (une opinion, a. ♥).

e·mol·li·ent [i'mɔliənt] émollient (a. su./m).

e·mol·u·ment [i'mɔljumənt] émolument m; ~s pl. appointements m/pl.

e·mo·tion [i'mouʃn] émotion f; émoi m; **e'mo·tion·al** □ émotionnable; facile à émouvoir; ✾ émotif (-ive f); **e·mo·tion·al·i·ty** [~'næliti] émotivité f; **e'mo·tive** émotif (-ive f); émouvant.

em·pan·el [im'pænl] inscrire (q.) sur la liste du jury.

em·per·or ['empərə] empereur m.

em·pha·sis ['emfəsis], pl. **-ses** [~siːz] force f; accentuation f; insistance f; accent m (a. gramm.); **em·pha·size** ['~saiz] accentuer; appuyer sur; souligner; faire ressortir; **em·phat·ic** [im'fætik] (~ally) énergique; positif (-ive f); autoritaire; be ~ that faire valoir que.

em·pire ['empaiə] empire m.

em·pir·ic [em'pirik] 1. empirique m, empiriste m; péj. charlatan m; 2. (usu. **em'pir·i·cal** □) empirique.

em·place·ment ⚔ [im'pleismənt] emplacement m. [en avion.]

em·plane [im'plein] (faire) monter

em·ploy [im'plɔi] 1. employer; faire usage de; ~ oneself s'occuper (à in, on, for); 2. emploi m; in the ~ of au service de; **em·ploy·é** [ɔm'plɔiei] employé m; **em·ploy·ée** [~] employée f; **em·ploy·ee** [emplɔi'iː] employé(e f) m; ~s' spokesman porte-parole m des employés; **em·ploy·er** [im'plɔiə] patron(ne f) m; maître(sse f) m; employeur m; **em'ploy·ment** emploi m; occupation f; situation f, place f; travail m; ~ agency bureau m de placement; full ~ plein(-)emploi m; place of ~ emploi m; bureau m, atelier m etc.; ♀ Exchange Bourse f du Travail.

em·po·ri·um [em'pɔːriəm] entrepôt m; marché m; F grand magasin m.

em·pow·er [im'pauə] autoriser; donner (plein) pouvoir à (q.) (pour inf., to inf.); rendre capable (de inf., to inf.).

em·press ['empris] impératrice f.

emp·ti·er ['emptiə] videur m; **'emp·ti·ness** vide m; fig. néant m, vanité f; **emp·ty** □ 1. vide; fig. vain; F creux (creuse f), affamé; 2. (se) vider; (se) décharger; 3. bouteille f ou caisse f ou ♥ emballage m vide.

em·pur·ple [im'pəːpl] empourprer.
e·mu orn. ['iːmjuː] émeu m.
em·u·late ['emjuleit] imiter; rivaliser avec; **em·u·la·tion** émulation f; **'em·u·la·tive** ['∼lətiv] qui tente de rivaliser (avec, of); **em·u·la·tor** ['∼leitə] émule mf; **'em·u·lous** □ émulateur (-trice f) (de, of).
e·mul·sion ♫ [i'mʌlʃn] émulsion f.
en·a·ble [i'neibl] rendre capable, mettre à même (de, to); donner pouvoir à (q.) (de inf., to inf.).
en·act [i'nækt] décréter (une loi, une mesure); théâ. jouer, représenter; be ∼ed se dérouler; **en'ac·tive** décrétant; représentant; **en'act·ment** promulgation f; loi f; décret m.
en·am·el [i'næml] 1. émail (pl. -aux) m; (peinture f au) vernis m; F ripolin m; 2. émailler; peindre au ripolin; poét. embellir, orner.
en·am·o·u(r) [i'næmə] rendre amoureux (-euse f); ∼d épris, amoureux (-euse f) (de, of).
en·cage [in'keidʒ] mettre en cage.
en·camp ✗ [in'kæmp] camper; **en'camp·ment** camp(ement) m.
en·case [in'keis] enfermer (dans, in); F revêtir (de, with); **en'case·ment** revêtement m; enveloppe f.
en·cash·ment † [in'kæʃmənt] recette f; encaissement m.
en·caus·tic [en'kɔːstik] encaustique (a. su./f).
en·chain [in'tʃein] enchaîner.
en·chant [in'tʃɑːnt] ensorceler; fig. enchanter, ravir; **en'chant·er** enchanteur m; **en'chant·ment** enchantement m; **en'chant·ress** enchanteresse f.
en·chase [in'tʃeis] enchâsser (a. fig.); sertir (une pierre précieuse); graver; incruster.
en·cir·cle [in'səːkl] ceindre; entourer; surt. ✗ envelopper; **en'cir·cle·ment** pol. encerclement m.
en·close [in'klouz] enclore; entourer; renfermer; joindre (à une lettre, in a letter); eccl. cloîtrer; ∼d herewith sous ce pli, ci-joint; **en'clo·sure** [∼ʒə] clôture f (a. eccl.); (en)clos m; † pièce f annexée ou jointe.
en·co·mi·ast [en'koumiæst] panégyriste m; **en'co·mi·um** [∼mjəm] panégyrique m, éloge m.
en·com·pass [in'kʌmpəs] entourer; renfermer.

en·core [ɔŋ'kɔː] 1. bis!; 2. bisser; crier bis; 3. bis m.
en·coun·ter [in'kauntə] 1. rencontre f; duel m; combat m; fig. assaut m (d'esprit); 2. rencontrer; éprouver (des difficultés); affronter.
en·cour·age [in'kʌridʒ] encourager; inciter; aider, soutenir; favoriser; **en'cour·age·ment** encouragement m; **en'cour·ag·er** celui (celle f) qui encourage.
en·croach [in'krout ʃ] empiéter (sur, [up]on); léser (les droits de q.); ∼ upon s.o.'s kindness abuser de la bonté de q.; **en'croach·ment** ([up]on) empiétement m (sur); anticipation f (sur), usurpation f (de).
en·crust [in'krʌst] (s')incruster.
en·cum·ber [in'kʌmbə] encombrer (de, with); gêner; grever (une propriété); **en'cum·brance** embarras m; charge f (a. fig.); servitude f; without ∼ sans charges de famille.
en·cy·clo·p(a)e·di·a [ensaiklo'piːdiə] encyclopédie f; **en·cy·clo·'p(a)e·dic** encyclopédique.
end [end] 1. bout m, extrémité f; fin f; limite f; but m, dessein m; be at an ∼ être au bout (de qch., of s.th.); être fini; no ∼ of une infinité de, infiniment de, ... sans nombre; have s.th. at one's fingers' ∼s savoir qch. sur le bout du doigt; in the ∼ à la fin, enfin; à la longue; on ∼ de suite; debout; stand on ∼ se dresser (sur la tête); to the ∼ that afin que (sbj.), afin de (inf.); to no ∼ en vain; to this ∼ dans ce but; make an ∼ of, put an ∼ to mettre fin à, achever; make both ∼s meet joindre les deux bouts; s'en tirer; 2. finir, (se) terminer, (s')achever.
en·dan·ger [in'deindʒə] mettre en danger.
en·dear [in'diə] rendre cher; **en'dear·ing** qui rend sympathique; attirant; **en'dear·ment** (ou term of ∼) mot m tendre; attrait m.
en·deav·o·u(r) [in'devə] 1. effort m, tentative f; 2. (to inf.) essayer (de inf.); chercher (à inf.); s'efforcer (de inf.).
en·dem·ic ✍ [en'demik] 1. (a. en'dem·i·cal □) endémique; 2. maladie f endémique.
end·ing ['endiŋ] fin f; achèvement m; gramm. terminaison f.

en·dive ♀ ['endiv] chicorée *f*; *a.* endive *f*.

end·less □ ['endlis] sans fin (*a.* ⊕); infini; continuel(le *f*).

en·dorse † [in'dɔːs] endosser (*un document*); mentionner (*qch.*) au verso de; avaliser (*un effet*); viser (*un passeport*); *fig.* appuyer; **en·dorsing ink** encre *f* à tampon; **en·dor·see** † [endɔː'siː] endossataire *mf*; **en·dorse·ment** [in'dɔːsmənt] † endos(sement) *m*; *fig.* approbation *f*; adhésion *f*; **en'dors·er** † endosseur *m*.

en·dow [in'dau] doter (*une église etc.*); fonder; *fig.* douer; **en'dow·ment** dotation *f*; fondation *f*; *fig.* don *m* (= *qualité*); ~ **assurance** assurance *f* à terme fixe.

en·due [in'djuː] revêtir (*un vêtement*; *q.* de, *with*); *usu. fig.* investir; douer.

en·dur·a·ble [in'djuərəbl] supportable; **en'dur·ance** endurance *f*, résistance *f*; patience *f*; *past* ~ insupportable; ~ **flight** vol *m* d'endurance; ~ **run** course *f* d'endurance; **en·dure** [in'djuə] *v/t.* supporter, souffrir (*qch.*); *v/i.* durer, rester, persister.

end·way(s) ['endwei(z)], **end·wise** ['~waiz] debout; bout à bout.

en·e·ma ✿ ['enimə] lavement *m*; irrigateur *m*.

en·e·my ['enimi] **1.** ennemi(e *f*) *m*; *the* ♀ *le diable m*; *sl.* how goes the ~? quelle heure est-il?; **2.** ennemi(e *f*).

en·er·get·ic [enə'dʒetik] (~*ally*) énergique; **'en·er·gize** stimuler; ⚡ aimanter; amorcer (*un dynamo*); **'en·er·gy** énergie *f* (*a. phys.*); force *f*; vigueur *f*.

en·er·vate ['enə:veit] énerver, affaiblir; **en·er'va·tion** affaiblissement *m*; mollesse *f*.

en·fee·ble [in'fiːbl] affaiblir; **en·'fee·ble·ment** affaiblissement *m*.

en·feoff [in'fef] investir d'un fief; inféoder (*une terre*); **en'feoff·ment** inféodation *f*.

en·fi·lade ⚔ [enfi'leid] **1.** enfilade *f*; **2.** battre d'enfilade.

en·fold [in'fould] envelopper.

en·force [in'fɔːs] faire valoir (*un argument*); exécuter (*une loi*); rendre effectif (-ive *f*); faire observer; imposer (à *q.*, *upon s.o.*); **en'force-**

ment application *f*; exécution *f*; contrainte *f*; mise *f* en force.

en·fran·chise [in'fræntʃaiz] donner le droit de vote à (*q.*) *ou* de cité à (*une ville*); affranchir (*un esclave*); **en'fran·chise·ment** [~tʃizmənt] admission *f* au suffrage; affranchissement *m*.

en·gage [in'geidʒ] *v/t.* engager (*l'honneur, la parole, un domestique*); embaucher (*un ouvrier*); retenir, réserver, louer (*une place*); mettre en prise (*un engrenage*); fixer (*l'attention*); attaquer (*l'ennemi*); attirer (*l'affection*); *be* ~*d* être fiancé; être pris; être occupé (*a. téléph.*); *be* ~*d in* être occupé à; prendre part à; lier (*une conversation*); *v/i.* s'engager; s'obliger (à, *to*); s'embarquer (dans, *in*); ⚔ livrer combat, en venir aux mains; **en'gage·ment** engagement *m*; promesse *f*; poste *m*, situation *f*; rendez-vous *m*; invitation *f*; fiançailles *f/pl.*; ⊕ mise *f* en prise; ⚔ action *f*, combat *m*.

en·gag·ing □ [in'geidʒiŋ] *fig.* attrayant, séduisant.

en·gen·der [in'dʒendə] *fig.* faire naître; engendrer; produire.

en·gine ['endʒin] machine *f*, appareil *m*; 🚂 locomotive *f*; ⊕ moteur *m*; *fig.* engin *m*, instrument *m*; **'en·gined** 🚂 à ... moteurs.

en·gine...: **'~-driv·er** 🚂 mécanicien *m*; **'~-fit·ter** ajusteur *m* mécanicien.

en·gi·neer [endʒi'niə] **1.** ingénieur *m*; *fig.* agenceur (-euse *f*) *m*, *péj.* machinateur (-trice *f*) *m*; ⚔ soldat *m* du génie, ~*s pl. le génie m*; 🚂 *Am.* mécanicien *m*; **2.** construire; F machiner, manigancer; **en·gi'neer·ing** art *m* de l'ingénieur; génie *m*; technique *f*; construction *f* mécanique; F manœuvres *f/pl.*; *attr.* du génie; ~ **college** école *f* des arts et métiers.

en·gine·man ['endʒinmən] machiniste *m*; 🚂 mécanicien *m*; **en·gine·ry** ['~nəri] machines *f/pl.*; *fig.* machinations *f/pl.*

en·gird [in'gəːd] [*irr.* (*gird*)] ceindre (de, *with*).

Eng·lish ['iŋgliʃ] **1.** anglais; **2.** *ling.* anglais *m*; *the* ~ *pl.* les Anglais *m/pl.*; **'Eng·lish·man** Anglais *m*; **'Eng·lish·wom·an** Anglaise *f*.

en·gorge [in'gɔːdʒ] dévorer, engloutir

en·graft ✗ [in'grɑːft] greffer (sur *in*[*to*], [*up*]*on*); *fig.* inculquer (à, *in*).

en·grain [in'grein] teindre grand teint; *fig.* enraciner; **en'grained** encrassé; enraciné.

en·grave [in'greiv] graver (*a. fig.*); **en'grav·er** *personne:* graveur *m*; *outil:* burin *m*; ~ *on copper* chalcographe *m*; **en'grav·ing** gravure *f* (*sur bois, acier*); estampe *f*.

en·gross [in'grous] écrire en grosse; rédiger; absorber (*l'attention, q.*); s'emparer de; ~*ing hand* écriture *f* en grosse; **en'gross·ment** ₁₂ (rédaction *f* de la) grosse *f*; absorption *f* (dans, *in*).

en·gulf [in'gʌlf] *fig.* engloutir, engouffrer; *be* ~*ed a.* être sombré.

en·hance [in'hɑːns] rehausser; augmenter; relever; **en'hance·ment** rehaussement *m*; augmentation *f*; ✝ *prix:* hausse *f*.

e·nig·ma [i'nigmə] énigme *f*; **e·nig·mat·ic, e·nig·mat·i·cal** □ [enig'mætik(l)] énigmatique.

en·join [in'dʒɔin] enjoindre, imposer; recommander (à q., [*up*]*on s.o.*); ~ *s.o. from* (*gér.*) interdire à q. de (*inf.*).

en·joy [in'dʒɔi] prendre plaisir à; goûter; jouir de; ~ *o.s.* s'amuser; se divertir; *I* ~ *my dinner* je trouve le dîner bon; **en'joy·a·ble** agréable; excellent; **en'joy·ment** plaisir *m*; ₁₂ jouissance *f*.

en·kin·dle [in'kindl] allumer; *fig.* enflammer.

en·lace [in'leis] enlacer.

en·large [in'lɑːdʒ] *v/t.* agrandir (*a. phot.*); élargir; augmenter; *v/i.* s'agrandir, s'élargir, s'étendre (sur, [*up*]*on*); **en'large·ment** agrandissement *m* (*a. phot.*); élargissement *m*; accroissement *m*; **en'larg·er** *phot.* agrandisseur *m*.

en·light·en [in'laitn] *fig.* éclairer (q. sur qch., *s.o. on s.th.*); **en'light·en·ment** éclaircissements *m/pl.*

en·list [in'list] *v/t.* enrôler (*un soldat*); engager, rattacher (à, *in*); ✗ ~*ed man* (*simple*) soldat *m*; *v/i.* s'enrôler; s'engager (dans *in*).

en·liv·en [in'laivn] animer; *fig.* égayer, stimuler (*surt.* ✝).

en·mesh [in'meʃ] prendre dans un piège; empêtrer.

en·mi·ty ['enmiti] inimitié *f*.

en·no·ble [i'noubl] anoblir; *fig.* ennoblir.

e·nor·mi·ty [i'nɔːmiti] énormité *f*; **e'nor·mous** □ énorme.

e·nough [i'nʌf] assez; *sure* ~*!* assurément*!*; *c'est bien vrai!*; *well* ~ passablement; très bien; *be kind* ~ *to* (*inf.*) avoir la bonté de (*inf.*).

e·nounce [i'nauns] *see* enunciate.

en·quire [in'kwaiə] *see* inquire.

en·rage [in'reidʒ] enrager, rendre furieux (-euse *f*); **en'raged** furieux (-euse *f*) (contre, *at*).

en·rap·ture [in'ræptʃə] ravir.

en·rich [in'ritʃ] enrichir; ✗ fertiliser (*le sol*); **en'rich·ment** enrichissement *m*.

en·rol(l) [in'roul] *v/t.* immatriculer (*un étudiant*); inscrire (*dans une liste*); engager (*des ouvriers*); ✗ enrôler, encadrer; *v/i.* (*ou* ~ *o.s.*) ✗ s'engager; s'inscrire (à une société, *in a society*); se faire inscrire; **en·'rol(l)·ment** enrôlement *m*; engagement *m*.

en·sconce [in'skɔns] cacher; ~ *o.s.* se camper, se blottir (dans, *in*).

en·shrine [in'ʃrain] enchâsser (*a. fig.*) (dans, *in*). [ensevelir.

en·shroud [in'ʃraud] envelopper,]

en·sign ['ensain] étendard *m*, drapeau *m*; ⚓ ['ensn] pavillon *m*; *Am.* enseigne *m*.

en·si·lage ['ensilidʒ] **1.** ensil(ot)age *m*; **2.** (*a.* **en·sile** [in'sail]) ensil(ot)er.

en·slave [in'sleiv] réduire à l'esclavage; asservir; **en'slave·ment** asservissement *m*; **en'slav·er** *surt. fig.* ensorceleuse *f*.

en·snare [in'snɛə] prendre au piège (*a. fig.*); *fig.* séduire (*une femme*).

en·sue [in'sjuː] s'ensuivre (de *from*, *on*).

en·sure [in'ʃuə] (*against*, *from*) garantir (de), assurer (contre).

en·tab·la·ture △ [en'tæblətʃə] entablement *m*.

en·tail [in'teil] **1.** substitution *f*; *bien m substitué*; **2.** (*on*) substituer (*un bien*) (au profit de); entraîner (*des conséquences*) (pour); comporter (*des difficultés*) (pour).

en·tan·gle [in'tæŋgl] emmêler; enchevêtrer (*a. fig.*); *fig.* empêtrer; **en'tan·gle·ment** embrouillement *m*, enchevêtrement *m*; embarras *m*; ✗ barbelé *m*, -s *m/pl.*

en·ter ['entə] *v/t.* entrer dans, pénétrer dans; monter dans (*un taxi etc.*); inscrire, porter (*un nom*) dans une liste; entrer à (*l'armée, une école*); s'inscrire à (*une université etc.*); prendre part à (*une discussion, une querelle*); ♱ déclarer en douane, ♱ inscrire (*au grand livre*); faire (*des protestations*); dresser (*un animal*); ♱ ~ *up v/t.* inscrire (à un compte); *v/i.* entrer, s'inscrire, *sp.* s'engager (pour, *for*); entrer (à, *at school etc.*); ~ **into** entrer dans (*les affaires, les détails*); entrer en (*conversation*); prendre part à; partager (*des idées, des sentiments*); *fig.* contracter (*un mariage*), conclure (*un marché*), fournir (*des explications*); ~ (**up**)**on** entrer en (*fonctions*); entreprendre; embrasser (*une carrière*); entrer dans (*une année*); entamer (*un sujet*); s'engager dans (*qch.*); ⚖ entrer en possession de (*qch.*); *théâ.* ~ Macbeth entre Macbeth; **'en·ter·a·ble** ♱ importable; **'en·ter·ing** entrée *f*; inscription *f*; *attr.* d'entrée, d'attaque, de pénétration.

en·ter·ic ⚕ [en'terik] entérique; **en·ter·i·tis** [ˌtə'raitis] entérite *f*.

en·ter·prise ['entəpraiz] entreprise *f*; *fig.* initiative *f*; **'en·ter·pris·ing** □ entreprenant.

en·ter·tain [entə'tein] *v/t.* amuser, divertir; recevoir (*des invités*), fêter; accepter, accueillir (*une proposition etc.*); entretenir (*la correspondance*); avoir (*des doutes, une opinion*); être animé de (*un sentiment*); *v/i.* recevoir, donner une réception; **en·ter'tain·er** hôte(sse *f*) *m*; comique *m*; diseur (-euse *f*) *m*; **en·ter'tain·ing** □ amusant, divertissant; **en·ter'tain·ment** hospitalité *f*; soirée *f*; spectacle *m*; divertissement *m*, *a.* accueil *m*; ~ tax taxe *f* sur les spectacles.

en·thral(l) [in'θrɔːl] asservir; *fig.* captiver, charmer.

en·throne [in'θroun] mettre sur le trône; introniser (*un roi, un évêque*); **en'throne·ment**, **en·thron·i·za·tion** *f* [enθronai'zeiʃn] intronisation *f*.

en·thuse F [in'θjuːz] s'enthousiasmer (de, pour *about*, over).

en·thu·si·asm [in'θjuːziæzm] enthousiasme *m*; **en'thu·si·ast** [ˌæst] enthousiaste *mf* (de, for); **en·thusi'as·tic** (ˌally) enthousiaste (de *at, about*); passionné.

en·tice [in'tais] séduire, attirer; **en'tice·ment** séduction *f*; attrait *m*; **en'tic·er** séducteur (-trice *f*) *m*; **en'tic·ing** □ séduisant; attrayant.

en·tire [in'taiə] **1.** □ entier (-ère *f*) (*a.* cheval), complet (-ète *f*), tout; intact; **2.** entier *m*; totalité *f*; **en'tire·ly** entièrement, tout entier; du tout au tout; **en'tire·ness** intégralité *f*; **en'tire·ty** intégr(al)ité *f*.

en·ti·tle [in'taitl] intituler; donner à (q.) le droit (à, to).

en·ti·ty *phls.* ['entiti] entité *f*; *legal* ~ personne *f* juridique.

en·tomb [in'tuːm] ensevelir; **en'tomb·ment** ensevelissement *m*.

en·to·mol·o·gy *zo.* [entə'mɔlədʒi] entomologie *f*. [*f/pl.*]

en·trails ['entreilz] *pl.* entrailles⌡

en·train ✕ [in'trein] (s')embarquer en chemin de fer.

en·trance¹ ['entrəns] entrée *f* (dans, *into*; *a.* en fonctions, into [*ou* upon] office); accès *m*; pénétration *f*; (*a.* ~ fee) prix *m* d'entrée; *théâ.* entrée *f* en scène; ~ *examination* examen *m* d'entrée.

en·trance² [in'traːns] ravir, extasier.

en·trant ['entrənt] débutant(e *f*) *m*; *sp.* inscrit(e *f*) *m*.

en·trap [in'træp] prendre au piège; amener (*q.*) par ruse (à *inf.*, *into* gér.).

en·treat [in'triːt] supplier, prier; demander instamment (à, of); **en'treat·y** prière *f*, supplication *f*.

en·trench ✕ [in'trentʃ] retrancher; ~ *upon* empiéter sur; **en'trench·ment** retranchement *m*.

en·trust [in'trʌst] confier (qch. à q., *s.th. to s.o.*); charger (q. de qch., *s.o. with s.th.*).

en·try ['entri] entrée *f*; inscription *f*; ⚖ prise *f* de possession, entrée *f* en jouissance (de, [up]on); ♱ *comptabilité*: partie *f*, compte: article *m*; *sp.* liste *f* des inscrits; *sp.* inscription *f*; ⚓ élément *m* (*du journal*); *Am.* commencement *m*; *no* ~ entrée interdite; *rue*: sens interdit; ~ *permit* permis *m* d'entrée; *make an* ~ *of s.th.* passer qch. en écriture; *bookkeeping by double (single)* ~ tenue *f* des livres *ou* comptabilité *f* en partie double (simple).

en·twine [in'twain], en·twist [in-'twist] (s')entrelacer.

e·nu·mer·ate [i'nju:məreit] énumérer; e·nu·mer'a·tion énumération f.

e·nun·ci·ate [i'nʌnsieit] prononcer, articuler; énoncer, exprimer (une opinion); e·nun·ci·a'tion prononciation f, articulation f; opinion: énonciation f; problème: énoncé m.

en·vel·op [in'veləp] envelopper (a. ✕); fig. voiler; en·ve·lope ['enviloup], Am. a. en·vel·op [in'veləp] enveloppe f; ♀, biol. tunique f; in an ~ sous enveloppe; en·vel·op·ment [in'veləpmənt] enveloppement m; biol. enveloppe f.

en·ven·om [in'venəm] empoisonner; fig. envenimer.

en·vi·a·ble □ ['enviəbl] enviable, digne d'envie; 'en·vi·er envieux (-euse f) m; 'en·vi·ous envieux (-euse f) (de, of).

en·vi·ron [in'vaiərən] entourer, environner (de with); en'vi·ron·ment environnement m; milieu m; ambiance f; en·vi·rons ['environz] pl. environs m/pl., alentours m/pl.; voisinage m.

en·vis·age [in'vizidʒ] envisager (un danger); faire face à; se proposer (un but).

en·voy ['envɔi] envoyé m.

en·vy ['envi] 1. envie f (au sujet de qch. of, at s.th.; de q., of s.o.); 2. envier (qch. à q., s.o. s.th.); porter envie à (q.).

en·wrap [in'ræp] envelopper, enrouler.

e·pergne [i'pə:n] surtout m (de table).

e·phem·er·a zo. [i'femərə], e'phem·er·on [‿rɔn], pl. a. -er·a [‿ərə] éphémère m; fig. chose f éphémère; e'phem·er·al éphémère; passager (-ère f).

ep·ic ['epik] 1. (a. 'ep·i·cal □) épique; 2. épopée f.

ep·i·cure ['epikjuə] gourmet m, gastronome m; ep·i·cu·re·an [‿-'riən] épicurien(ne f) (a. su./mf).

ep·i·dem·ic ✂ [epi'demik] 1. (‿ally) épidémique; ~ disease = 2. épidémie f.

ep·i·der·mis anat. [epi'də:mis] épiderme m.

ep·i·gram ['epigræm] épigramme f; ep·i·gram·mat·ic, ep·i·gram-

mat·i·cal □ [‿grə'mætik(l)] épigrammatique.

ep·i·lep·sy ✂ ['epilepsi] épilepsie f; ep·i'lep·tic ✂ épileptique (a. su./mf).

ep·i·logue ['epilɔg] épilogue m.

E·piph·a·ny [i'pifəni] Épiphanie f; F jour m des Rois.

e·pis·co·pa·cy [i'piskəpəsi] épiscopat m; gouvernement m par les évêques; e'pis·co·pal épiscopal (-aux m/pl.); e·pis·co·pa·li·an [‿-'peiljən] membre m de l'Église épiscopale; e'pis·co·pate [‿pit] épiscopat m; évêques m/pl.; évêché m.

ep·i·sode ['episoud] épisode m; ep·i·sod·ic, ep·i·sod·i·cal □ [‿'sɔd-ik(l)] épisodique.

ep·is·tle [i'pisl] épître f; fig. lettre f; e'pis·to·lar·y [‿tələri] épistolaire.

ep·i·taph ['epitɑ:f] épitaphe f.

ep·i·thet ['epiθet] épithète f.

e·pit·o·me [i'pitəmi] abrégé m, résumé m; e'pit·o·mize abréger, résumer.

ep·och ['i:pɔk] époque f.

Ep·som salts ['epsəm'sɔ:lts] pl. sulfate m de magnésie; sels m/pl. anglais.

eq·ua·bil·i·ty [ekwə'biliti] uniformité f, égalité f; 'eq·ua·ble □ uniforme; égal (-aux m/pl.) (a. fig.).

e·qual ['i:kwl] 1. □ égal (-aux m/pl.); ~ to à la hauteur de; égal à; 2. égal (-e f) m; my ~s pl. mes pareil(le)s; 3. égaler; not to be ~led sans égal; e·qual·i·ty [i'kwɔliti] égalité f; e·qual·i·za·tion [i:kwɔlai'zeiʃn] égalisation f; compensation f; 'e·qual·ize v/t. égaliser (avec to, with); v/i. sp. marquer égalité de points.

e·qua·nim·i·ty [i:kwə'nimiti] sérénité f; tranquillité f d'esprit.

e·quate [i'kweit] égaler (à to, with); ♐ mettre en équation; e'qua·tion égalisation f; ♐, astr. équation f; e'qua·tor équateur m; at the ~ sous l'équateur; e·qua·to·ri·al □ [ekwə-'tɔ:riəl] équatorial (-aux m/pl.).

eq·uer·ry [i'kweri] écuyer m.

e·ques·tri·an [i'kwestriən] 1. équestre; d'équitation; 2. cavalier (-ère f) m.

e·qui·lat·er·al □ ['i:kwi'lætərəl] équilatéral (-aux m/pl.).

e·qui·li·brate [i:kwi'laibreit] v/t. mettre en équilibre; contrebalancer; *v/i.* être en équilibre; **e·quil·i·brist** [iːˈkwilibrist] équilibriste *mf*; danseur (-euse *f*) *m* de corde; **e·qui·lib·ri·um** [ˌəm] équilibre *m*.

e·quine [ˈiːkwain] équin; du cheval; chevalin (*race*).

e·qui·noc·tial [iːkwiˈnɔkʃl] équinoxial (-aux *m*/*pl.*); **e·qui·nox** [ˈ~nɔks] équinoxe *m*.

e·quip [iˈkwip] équiper; monter (*une maison, une usine*); **eq·ui·page** [ˈekwipidʒ] équipement *m*; *véhicule*: équipage *m*; † suite *f*; **e·quip·ment** [iˈkwipmənt] équipement *m*; *maison*: aménagement *m*; ⊕ outillage *m*.

e·qui·poise [ˈekwipɔiz] **1.** équilibre *m*; poids *m* égal; **2.** équilibrer.

eq·ui·ta·ble □ [ˈekwitəbl] équitable; **'eq·ui·ty** justice *f*; ⚖ équité *f*, droit *m* équitable.

e·quiv·a·lence [iˈkwivələns] équivalence *f*; **e·quiv·a·lent** équivalent (à, to) (*a. su.*/*m*).

e·quiv·o·cal □ [iˈkwivəkl] équivoque; ambigu(ë *f*); **e·quiv·o·cal·i·ty** [ˌkæliti] caractère *m* ou expression *f* équivoque; **e·quiv·o·cate** [ˌkeit] équivoquer; tergiverser; **e·quiv·o·ca·tion** tergiversation *f*.

eq·ui·voque, eq·ui·voke [ˈekwivouk] équivoque *f*; jeu *m* de mots.

e·ra [ˈiərə] ère *f*; époque *f*; âge *m*.

e·rad·i·cate [iˈrædikeit] déraciner; **e·rad·i·ca·tion** déracinement *m*; *fig.* extirpation *f*.

e·rase [iˈreiz] effacer (*a. fig.*), gratter, raturer; *fig.* oblitérer; **e·ras·er** grattoir *m*; gomme *f*; **e·ra·sure** [ˌʒə] rature *f*; suppression *f*.

ere † [eə] **1.** *cj.* avant que (*sbj.*); **2.** *prp.* avant; ~ this déjà; ~ long sous peu; ~ now déjà, auparavant.

e·rect [iˈrekt] **1.** □ droit; debout; **2.** dresser; ériger; élever (*une statue*); édifier (*une théorie etc.*); **e·rec·tion** dressage *m*; construction *f*; érection *f*; édifice *m*; **e·rect·ness** attitude *f* droite; position *f* perpendiculaire; **e·rec·tor** constructeur *m*; ⊕ monteur *m*; *anat.* érecteur *m*.

er·e·mite [ˈerimait] ermite *m*; **er·e·mit·ic** [ˌˈmitik] érémitique.

erg *phys.* [əːg] *mesure*: erg *m*.

er·got ♀ [ˈəːgət] ergot *m*.

er·mine *zo.* [ˈəːmin] hermine *f* (*a. fourrure*); *fig.* (dignité *f* de) juge *m*.

e·rode [iˈroud] éroder; ronger.

e·ro·sion [iˈrouʒn] érosion *f*; *mer etc.*: affouillement *m*; *chaudière*: usure *f*; **e·ro·sive** [ˌsiv] érosif (-ive *f*).

e·rot·ic [iˈrɔtik] (poème *m*) érotique; **e·rot·i·cism** [ˌsizm] érotisme *m*.

err [əː] errer, se tromper; s'égarer (de, *from*).

er·rand [ˈerənd] commission *f*, course *f*, message *m*; go (on) ~s faire des commissions; **'~-boy** garçon *m* de courses; *hôtel*: chasseur *m*.

er·rant ☐ [ˈerənt] errant; *see* knight-~; **'er·rant·ry** vie *f* errante (*des chevaliers*).

er·rat·ic [iˈrætik] (ˌally) capricieux (-euse *f*); irrégulier (-ère *f*); *géol.*, 🚑 erratique; ~ fever fièvre *f* intermittente; **er·ra·tum** [iˈreitəm], *pl.* **-ta** [ˌtə] erratum *m* (*pl.* -ta).

er·ro·ne·ous ☐ [iˈrounjəs] erroné.

er·ror [ˈerə] erreur *f*, faute *f*; ~ of judgement erreur *f* de jugement; ~s and omissions excepted sauf erreur ou omission.

e·ruc·ta·tion [iːrʌkˈteiʃn] éructation *f*, renvoi *m*.

er·u·dite [ˈerudait] érudit, savant; **er·u·di·tion** [ˌˈdiʃn] érudition *f*.

e·rupt [iˈrʌpt] entrer en éruption (*volcan etc.*); percer (*dent*); **e·rup·tion** *volcan, a. fig., a.* 🚑 éruption *f*; *fig.* éclat *m*, accès *m*; **e·rup·tive** éruptif (-ive *f*).

er·y·sip·e·las 🚑 [eriˈsipiləs] érysipèle *m*, érésipèle *m*.

es·ca·lade ✕ [eskəˈleid] escalade *f*.

es·ca·la·tor [ˈeskəleitə] escalier *m* roulant, escalator *m*.

es·ca·pade [eskəˈpeid] escapade *f*; **es·cape** [isˈkeip] **1.** *v/t.* échapper à, éviter; faillir (*inf., gér.*); *v/i.* s'échapper, s'évader (de, *from*); se dégager (*gaz etc.*); **2.** évasion *f*, fuite *f*; *vapeur*: échappement *m*; *attr.* d'échappement; have a narrow ~ l'échapper belle; **es·cape·ment** ⊕ *pendule etc.*: échappement *m*.

es·carp [isˈkaːp] **1.** (*a.* es·carp·ment) talus *m*; escarpement *m*; **2.** escarper; taluter.

es·cheat ⚖ [isˈtʃiːt] **1.** déshérence *f*; dévolution *f* d'héritage à l'État; **2.** *v/i.* tomber en déshérence; *v/t.* confisquer.

es·chew [isˈtʃuː] éviter, renoncer à.

es·cort 1. [ˈeskɔːt] escorte *f*; *bal*:

cavalier *m*; 2. [is'kɔːt] escorter; accompagner.

es·cri·toire [eskri'twaː] secrétaire *m*.

es·cu·lent ['eskjulənt] comestible (*a. su./m*).

es·cutch·eon [is'kʌtʃn] écusson *m* (*a.* ⊕, ♣).

Es·ki·mo ['eskimou] Esquimau (*pl.* -aux) *m*, Esquimaude *f*.

es·pal·ier [is'pæljə] espalier *m*.

es·pe·cial [is'peʃl] spécial (-aux *m/pl.*); particulier (-ère *f*); **es'pe·cial·ly** particulièrement, surtout; spécialement.

es·pi·al [is'paiəl] espionnage *m*; vue *f*.

es·pi·o·nage [espiə'naːʒ] espionnage *m*.

es·pous·al [is'pauzl] *fig.* adoption *f* (de, *of*); **es'pouse** [‿z] † donner en mariage; épouser (*a. fig.*); *fig.* embrasser.

es·py [is'pai] apercevoir, entrevoir.

es·quire [is'kwaiə] † écuyer *m*; *adresse*: Monsieur.

es·say 1. [e'sei] essayer; mettre à l'épreuve; 2. ['esei] essai *m*; tentative *f* (de, *at*); *école*: composition *f*, dissertation *f*; **'es·say·ist** essayiste *mf*.

es·sence ['esns] essence *f*; extrait *m*; *fig.* fond *m*; **es·sen·tial** [i'senʃl] 1. □ essentiel(le *f*), indispensable; ~ likeness ressemblance *f* fondamentale; ~ oil huile *f* essentielle; 2. essentiel *m*; qualité *f* indispensable.

es·tab·lish [is'tæbliʃ] établir; fonder; créer; confirmer (*dans un emploi*); ratifier; démontrer; ~ *o.s.* s'établir; ~ed Church Église *f* Établie; ~ed merchant marchand *m* patenté; **es'tab·lish·ment** établissement *m* (*a.* ✝); création *f*; fondation *f*; ✝ maison *f*; confirmation *f*; ménage *m*; ✕, ♣ effectif *m*.

es·tate [is'teit] état *m* (*a. pol.*), condition *f*; terre *f*, propriété *f*; ✝✝ immeuble *m*, bien *m*, domaine *m*; ✝✝ succession *f*; rang *m*; personal ~ biens *m/pl.* mobiliers; real ~ biens-fonds *m/pl.*, propriété *f* immobilière; ~ agent agent *m* de location; administrateur *m* foncier; ~ duty droits *m/pl.* de succession.

es·teem [is'tiːm] 1. estime *f*, considération *f*; 2. estimer; priser; considérer (comme, *as*).

Es·tho·ni·an [es'tounjən] 1. Estonien(ne *f*) *m*; 2. estonien(ne *f*).

es·ti·ma·ble ['estiməbl] estimable, digne d'estime.

es·ti·mate 1. ['estimeit] estimer; évaluer (à, *at*); 2. ['‿mit] calcul *m*, estimation *f*; évaluation *f*; appréciation *f*; ✝ devis *m*; *parl.* ~s *pl.* prévisions *f/pl.* budgétaires; **es·ti·ma·tion** [‿'meiʃn] jugement *m*; opinion *f*; considération *f*; **'es·ti·ma·tor** appréciateur *m*; estimateur *m*.

es·trange [is'treindʒ] aliéner l'estime (de q., *from s.o.*); **es'trange·ment** aliénation *f*; brouille *f*.

es·tu·ar·y ['estjuəri] estuaire *m*.

et·cet·er·as [it'setrəz] *pl.* extra *m/inv.*

etch [etʃ] *v/t.* graver à l'eau-forte; *v/i.* faire de la gravure à l'eau-forte; **'etch·ing** (gravure *f* à l')eau-forte (*pl.* eaux-fortes) *f*; art *m* de graver à l'eau-forte.

e·ter·nal □ [i'təːnl] éternel(le *f*); *fig.* sans fin; **e'ter·nal·ize** [‿nəlaiz] éterniser; **e'ter·ni·ty** éternité *f*; **e·ter·nize** [i:'təːnaiz] éterniser.

e·ther ['iːθə] éther *m* (*a.* ♒); **e·the·re·al** □ [i:'θiəriəl] éthéré; *fig.* impalpable; **'e·ther·ize** éthériser; endormir.

eth·i·cal □ ['eθikl] éthique; moral (-aux *m/pl.*); **'eth·ics** *usu. sg.* morale *f*, éthique *f*.

E·thi·o·pi·an [iːθi'oupjən] 1. éthiopien(ne *f*); 2. Éthiopien(ne *f*) *m*.

eth·nog·ra·phy [eθ'nɔgrəfi] ethnographie *f*; **eth'nol·o·gy** [‿lədʒi] ethnologie *f*.

e·ti·o·late ['iːtioleit] (s')étioler.

et·i·quette [eti'ket] étiquette *f*; protocole *m*; cérémonial *m* (*souv.* de cour).

E·ton crop ['iːtn'krɔp] cheveux *m/pl.* à la garçonne; cheveux *m/pl.* garçon.

et·y·mo·log·i·cal □ [etimə'lɔdʒikl] étymologique; **et·y·mol·o·gy** [‿'mɔlədʒi] étymologie *f*.

eu·cha·rist ['juːkərist] eucharistie *f*.

Eu·clid ♈ ['juːklid] géométrie *f*.

eu·gen·ic *biol.* ['juː'dʒenik] 1. (~ally) eugénésique; 2. ~s *sg.* eugénique *f*; eugénisme *m*.

eu·lo·gist ['juːlədʒist] panégyriste *m*; **eu·lo·gize** ['‿dʒaiz] faire l'éloge de, louer; **eu·lo·gy** ['‿dʒi] éloge *m*.

eu·nuch ['juːnək] eunuque *m*, castrat *m*.

eu·phe·mism ['ju:fimizm] euphémisme *m*; **eu·phe'mis·tic**, **eu·phe'mis·ti·cal** ☐ euphémique.

eu·phon·ic, **eu·phon·i·cal** ☐ [ju:'fɔnik(l)] euphonique; **eu·pho·ny** ['ju:fəni] euphonie *f*.

eu·phu·ism ['ju:fjuizm] euphuisme *m*; *fig.* préciosité *f*.

Eu·ro·pe·an [juərə'pi:ən] **1.** européen (*ne f*); **2.** Européen(ne *f*) *m*.

eu·tha·na·si·a [ju:θə'neizjə] euthanasie *f*.

e·vac·u·ate [i'vækjueit] évacuer (*région, ville, blessés, ventre*); *mot.* expulser (*des gaz brûlés*); **e·vac·u'a·tion** évacuation *f*; **e·vac·u'ee** évacué(e *f*) *m*.

e·vade [i'veid] éviter, échapper à; éluder (*question, justice, obstacle*).

e·val·u·ate surt. Å [i'væljueit] évaluer; **e·val·u·a'tion** évaluation *f*.

ev·a·nesce [i:və'nes] s'effacer; **ev·a'nes·cence** évanouissement *m*; nature *f* éphémère; **ev·a'nes·cent** évanescent.

e·van·gel·ic, **e·van·gel·i·cal** ☐ [i:væn'dʒelik(l)] évangélique; **e·van·ge·list** [i'vændʒilist] évangéliste *m*; **e'van·ge·lize** prêcher l'évangile (à *q.*).

e·vap·o·rate [i'væpəreit] *v/t.* (faire) évaporer; *v/i.* s'évaporer (*a. fig.*); ⹁d fruit fruits *m/pl.* secs; ⹁d milk lait *m* concentré; **e·vap·o'ra·tion** évaporation *f*, vaporisation *f*.

e·va·sion [i'veiʒn] évasion *f*, évitement *m*; subterfuge *m*; **e'va·sive** ☐ [⹁siv] évasif (-ive *f*); *fig.* be ⹁ faire une réponse évasive.

eve [i:v] veille *f*; *poét.* soir *m*; on the ⹁ of sur le point de; à la veille de.

e·ven[1] ['i:vn] **1.** *adj.* ☐ égal (-aux *m/pl.*); uni; plat, uniforme, régulier (-ère *f*); calme; pair (*nombre*); ⹁ with the ground au ras du sol, à fleur de terre; be ⹁ with être quitte avec (*q.*); odd or ⹁ pair ou impair; ✝ of ⹁ date de même date; **2.** *adv.* même; *devant comp.*: encore; *avec négation*: seulement, même; not ⹁ pas même; ⹁ though, ⹁ if quand même; **3.** *v/t.* égaliser, rendre égal.

e·ven[2] *poét.* [⹁] soir *m*.

e·ven...: '⹁'hand·ed impartial (-aux *m/pl.*); '⹁·tem·pered d'humeur égale.

eve·ning ['i:vniŋ] soir *m*; soirée *f*; ⹁ dress tenue *f* ou toilette *f* de soirée; habit *m* (à queue).

e·ven·ness ['i:vənnis] égalité *f*; régularité *f*; sérénité *f*; impartialité *f*.

e·ven·song ['i:vənsɔŋ] office *m* du soir; vêpres *f/pl.*

e·vent [i'vent] événement *m*; cas *m*; *fig.* résultat *m*, issue *f*; *sp.* réunion *f* sportive; *sp.* épreuve *f*; *box.* rencontre *f*; *athletic* ⹁s *pl.* concours *m* athlétique; *table of* ⹁s programme *m*; *at all* ⹁s en tout cas; quoi qu'il arrive; *in any* ⹁ en tout cas; *in the* ⹁ of dans le cas où (*cond.*); **e'vent·ful** [⹁ful] mémorable.

e·ven·tu·al ☐ [i'ventjuəl] éventuel (-le *f*); définitif (-ive *f*); ⹁ly à la fin, en fin de compte; par la suite; **e·ven·tu·al·i·ty** [⹁'æliti] éventualité *f*; **e'ven·tu·ate** [⹁eit] se terminer (par, *in*); aboutir (à, *in*).

ev·er ['evə] jamais; toujours; ⹁ so très, infiniment; ... as possible; as soon as ⹁ I can aussitôt que je pourrai; le plus vite possible; ⹁ after, ⹁ since depuis lors; depuis le jour où ...; ⹁ and anon de temps en temps; for ⹁, a. for ⹁ and ⹁, for ⹁ and a day à tout jamais; liberty for ⹁! vive la liberté!; F ⹁ so much infiniment; for ⹁ so much pour rien au monde; I wonder who ⹁ je me demande qui donc ou diable; F the best ⹁ le meilleur etc. du monde; *formule finale d'une lettre*: ⹁ yours bien cordialement; '⹁·glade *Am.* région *f* marécageuse; '⹁·green (arbre *m*) toujours vert; ⹁'last·ing **1.** ☐ éternel(le *f*); inusable; **2.** éternité *f*; ❧ immortelle *f*; '⹁·more toujours; éternellement.

ev·er·y ['evri] chaque; tous (toutes *f/pl.*) *m/pl.* les; ⹁ bit as much tout autant que; ⹁ now and then de temps à autre; par moments; ⹁one chacun(e *f*); ⹁ other day tous les deux jours; un jour sur deux; ⹁ twenty years tous les vingt ans; her ⹁ movement son moindre mouvement; '⹁·bod·y, '⹁·one chacun; tout le monde; '⹁·day de tous les jours; '⹁·thing tout; '⹁·way sous tous les rapports; de toutes les manières; '⹁·where partout.

e·vict [i'vikt] évincer, expulser; **e'vic·tion** éviction *f*, expulsion *f*.

ev·i·dence ['evidəns] **1.** évidence *f*;

preuve *f*; témoignage *m*; *fig.* signe *m*; *in* ~ présent, en évidence; *furnish* ~ *of* fournir des preuves de; *give* ~ témoigner (de, *of*); en faveur de, *for*; contre, *against*); 2. *v/t.* manifester, prouver (*qch.*); *v/i.* porter témoignage; **'ev·i·dent** □ évident, clair; patent; **ev·i·den·tial** □ [~-'denʃl] indicateur (-trice *f*) (de, *of*).

e·vil ['i:vl] 1. □ mauvais; méchant; sinistre; malfaisant; *the* ~ *eye* le mauvais œil *m*; *the* ♀ *One* le Malin *m*, le Mauvais *m*, le diable *m*; 2. mal *m*; malheur *m*; '~-'do·er malfaiteur (-trice *f*) *m*. [moigner.]

e·vince [i'vins] manifester, té-]

e·vis·cer·ate [i'visəreit] éviscérer.

ev·o·ca·tion [evo'keiʃn] évocation *f*; **e·voc·a·tive** [i'vɔkətiv] évocateur (-trice *f*).

e·voke [i'vouk] évoquer.

ev·o·lu·tion [i:və'lu:ʃn] développement *m*; évolution *f* (*a.* ✕); ♀ extraction *f* (*d'une racine*).

e·volve [i'vɔlv] (se) développer; (se) dérouler; (se) dégager (*gaz*).

ewe [ju:] brebis *f*.

ew·er ['ju:ə] pot *m* à eau; broc *m*.

ex [eks] 1. ♣ dégagé de, hors de; ~ *store* en magasin; *bourse:* ex-; ~ *officio* de droit, (à titre) d'office; 2. *devant su.:* ancien(ne *f*); *ex-minister* ex-ministre *m*.

ex·ac·er·bate [eks'æsəbeit] exaspérer, irriter; aggraver.

ex·act [ig'zækt] 1. □ exact; précis; juste; 2. exiger (*un impôt*); extorquer; réclamer; **ex'act·ing** exigeant; astreignant (*travail*); **ex'ac·tion** exaction *f*; **ex'ac·ti·tude** [~ti-tju:d] exactitude *f*; **ex'act·ly** exactement; à vrai dire, ~! précisément!; *not* ~ ne ... pas à proprement parler; **ex'act·ness** *see* exactitude.

ex·ag·ger·ate [ig'zædʒəreit] exagérer; **ex·ag·ger·a·tion** exagération *f*; **ex'ag·ger·a·tive** □ [~ətiv] exagératif (-ive *f*); exagéré (*personne*).

ex·alt [ig'zɔ:lt] élever; louer; **ex·al·ta·tion** [egzɔ:l'teiʃn] élévation *f*; exaltation *f*; émotion *f* passionnée; **ex·alt·ed** [ig'zɔ:ltid] élevé; haut; exalté.

ex·am F [ig'zæm] *école:* examen *m*.

ex·am·i·na·tion [igzæmi'neiʃn] examen *m*; *douane:* visite *f*; interrogatoire *m*; inspection *f*; épreuve *f* (*écrite, orale*); *competitive* ~ *examen:*

concours *m*; **ex'am·ine** [~min] examiner (*q., qch.*); faire une enquête sur (*qch.*); visiter; contrôler; interroger; **ex·am·i·nee** candidat(e *f*) *m*; **ex'am·in·er** examinateur (-trice *f*) *m*.

ex·am·ple [ig'za:mpl] exemple *m*; précédent *m*; *beyond* ~ sans précédent; *for* ~ par exemple; *make an* ~ *of* faire un exemple de (*q.*).

ex·as·per·ate [ig'za:spəreit] exaspérer; irriter; aggraver (*la douleur etc.*); **ex·as·per·a·tion** exaspération *f*; aggravation *f* (de, *of*).

ex·ca·vate ['ekskəveit] *v/t.* creuser; approfondir; *v/i.* faire des fouilles; **ex·ca·va·tion** excavation *f*; fouille *f*; **'ex·ca·va·tor** excavateur *m*; fouilleuse *f*.

ex·ceed [ik'si:d] *v/t.* excéder, dépasser, outrepasser; surpasser (en, *in*), *v/i.* prédominer; **ex'ceed·ing** excessif (-ive *f*); **ex'ceed·ing·ly** extrêmement, excessivement.

ex·cel [ik'sel] *v/t.* surpasser; *v/i.* exceller (à *in, at*); **ex·cel·lence** ['eksələns] excellence *f*; perfection *f*; mérite *m*; **'Ex·cel·len·cy** Excellence *f*; **'ex·cel·lent** □ excellent, parfait.

ex·cept [ik'sept] 1. *v/t.* excepter, exclure; *v/i.* faire des objections; 2. *cj.* à moins que; excepté que; 3. *prp.* excepté, à l'exception de, sauf; ~ *for* à part; **ex'cept·ing** *prp.* à l'exception de; **ex'cep·tion** exception *f*; objection *f* (à, *to*); *take* ~ *to* s'offenser de; objecter (*qch.*) (à *q., in s.o.*); **ex'cep·tion·a·ble** récusable; blâmable; **ex'cep·tion·al** □ exceptionnel(le *f*); ~*ly* par exception.

ex·cerpt 1. [ek'sə:pt] extraire (*un passage*) (de, *from*); 2. ['eksə:pt] extrait *m* (de, *from*); emprunt *m* (à).

ex·cess [ik'ses] excès *m*; excédent *m*; surpoids *m*; *attr.* en surpoids; en excédent; *in* ~ *of* au-dessus de; *carry to* ~ pousser (*qch.*) trop loin; ~ *fare* supplément *m*; ~ *luggage* excédent *m* de bagages; ~ *money* argent *m* en surplus; ~ *postage* surtaxe *f* postale; ~ *profit* surplus *m* des bénéfices; **ex'ces·sive** □ excessif (-ive *f*); immodéré; ~*ly* à l'excès.

ex·change [iks'tʃeindʒ] 1. échanger (contre, *for*); faire un échange de; 2. échange *m*; ♣ change *m*; (*bill* of ~) traite *f*; (a. ♀) Bourse *f*; *téléph.* central *m*; *foreign* ~(*s pl.*) devises *f/pl.* étrangères *ou* sur l'étranger; *in* ~ *for* en échange de; ~ *control* contrôle *m* des changes; ~ *list* bulletin *m* des changes; ~ *market* marché *m* des changes; ~ *office* bureau *m* de change; *free* ~ libre-échange *m*; *par of* ~ pair *m* du change; (*rate of*) ~ cours *m ou* taux *m* du change; ex-'change·a·ble échangeable (contre, pour *for*); ~ *value* valeur *f* d'échange; ✝ contre-valeur *f*.

ex·cheq·uer [iks'tʃekə] Trésor *m* public; F budget *m*; Ministère *m* des Finances; *Chancellor of the* ♀ Ministre *m* des Finances (*britannique*); ~ *bill* bon *m* du Trésor.

ex·cise¹ [ek'saiz] 1. régie *f*; contributions *f/pl.* indirectes; 2. imposer; frapper d'une imposition.

ex·cise² [~] retrancher; **ex·ci·sion** [ek'siʒn] excision *f*; incision *f*.

ex·cit·a·bil·i·ty [iksaitə'biliti] émotivité *f*; **ex·cit·a·ble** émotionnable; mobile (*foule*); **ex·cit·ant** ['eksitənt] stimulant *m*; **ex·ci·ta·tion** [eksi'teiʃn] excitation *f*; **ex·cite** [ik'sait] provoquer, soulever, exciter; animer; **ex·cite·ment** agitation *f*; émotion *f*; excitation *f*; **ex·cit·er** instigateur (-trice *f*) *m*; ⚡ excitant *m*; ⚡ excitateur *m*.

ex·claim [iks'kleim] *v/i.* s'exclamer; s'écrier; ~ *against* se récrier contre; *v/t.* crier.

ex·cla·ma·tion [eksklə'meiʃn] exclamation *f*; *note* (*ou mark ou point*) *of* ~, ~ *mark* point *m* d'exclamation; **ex·clam·a·to·ry** [~-'klæmətəri] exclamatif (-ive *f*).

ex·clude [iks'klu:d] exclure; *fig.* écarter.

ex·clu·sion [iks'klu:ʒn] exclusion *f*; refus *m* d'admission (à, *from*); **ex·clu·sive** [~siv] exclusif (-ive *f*); en exclusivité (*film*); seul, unique; très fermé (*cercle*); ~ *of* non compris.

ex·cog·i·tate [eks'kɔdʒiteit] combiner; *péj.* machiner; **ex·cog·i·ta·tion** excogitation *f*; méditation *f*.

ex·com·mu·ni·cate [ekskə'mju:nikeit] excommunier; **ex·com·mu·ni·ca·tion** excommunication *f*.

ex·co·ri·ate [eks'kɔ:rieit] excorier; écorcher (*la peau*).

ex·cre·ment ['ekskrimənt] excrément *m*; **ex·cre·men·tal** [~'mentl], **ex·cre·men·ti·tious** [~'tiʃəs] excrémen(ti)tiel(le *f*).

ex·cres·cence [iks'kresns] excroissance *f*; excrescence *f*; **ex·cres·cent** qui forme une excroissance; superflu.

ex·crete [eks'kri:t] excréter; sécréter; **ex·cre·tion** excrétion *f*; sécrétion *f*; **ex·cre·tive**, **ex·cre·to·ry** [~təri] excréteur (-trice *f*); excrétoire.

ex·cru·ci·ate [iks'kru:ʃieit] torturer; **ex·cru·ci·at·ing** □ atroce; **ex·cru·ci·a·tion** torture *f*, supplice *m*.

ex·cul·pate ['ekskʌlpeit] disculper, exonérer; justifier (*q.*); **ex·cul·pa·tion** exonération *f*; justification *f*; **ex·cul·pa·to·ry** [~pətəri] justificatif (-ive *f*).

ex·cur·sion [iks'kə:ʃn] excursion *f*; partie *f* de plaisir; *mot.* randonnée *f*; ~ *train* train *m* de plaisir; **ex·cur·sion·ist** excursionniste *mf*.

ex·cur·sive □ [eks'kə:siv] digressif (-ive *f*); vagabond.

ex·cus·a·ble □ [iks'kju:zəbl] excusable; **ex·cuse** [~'kju:z] 1. excuser; pardonner (qch. à q., *s.o. s.th.*); 2. [~'kju:s] excuse *f*, prétexte *m*.

ex·e·cra·ble □ ['eksikrəbl] exécrable; **ex·e·crate** ['~kreit] exécrer, détester; **ex·e·cra·tion** exécration *f*; malédiction *f*.

ex·e·cu·tant ♪ [ig'zekjutənt] exécutant(e *f*) *m*; **ex·e·cute** ['eksi-kju:t] exécuter (*projet, ordre, testament, ♪, ✝✝*); ✝ effectuer (*un transfert*); ✝✝ souscrire (*un acte*); **ex·e·cu·tion** exécution *f* (*see execute*); ✝✝ souscription *f* (*d'un acte*), saisie-exécution (*pl.* saisies-exécutions) *f*; jeu *m* (*d'un musicien*); *fig.* carnage *m*; *a man of* ~ un homme *m* énergique; *take out an* ~ *against* faire une exécution sur; ✕, *a. fig. do* ~ causer des ravages; **ex·e·cu·tion·er** bourreau *m*; **ex·ec·u·tive** [ig'zekjutiv] 1. □ exécutif (-ive *f*); ~ *committee* bureau *m* (*d'une société*), commission *f* exécutive (*d'un parti*); ~ *editor* rédacteur *m* en chef; 2. (*pouvoir m*) exécutif *m*; bureau *m*; *Am.* président *m*; *pol.* gouverneur *m*; ✝ directeur *m* (*commercial*); **ex·ec·u·tor** [~tə] exécuteur *m* testamentaire; **ex·ec·u·to·ry** exécutif (-ive *f*); ⚖ exécutoire, en vigueur; non encore exécuté.

ex·em·plar [ig'zemplə] exemplaire *m*; **ex·em·pla·ri·ness** exemplarité *f*; **ex·em·pla·ry** exemplaire; typique.

ex·em·pli·fi·ca·tion [igzemplifi-'keiʃn] démonstration *f*; exemple *m*; ⚖ copie *f* authentique; **ex·em·pli·fy** [‿fai] démontrer, expliquer; servir d'exemple; donner un exemple de; ⚖ faire une ampliation de.

ex·empt [ig'zempt] **1.** exempt, franc(he *f*), dispensé (de, *from*); **2.** exempter, dispenser (de, *from*); **ex'emp·tion** exemption *f*, dispense *f* (de, *from*).

ex·e·quies ['eksikwiz] *pl.* convoi *m* funèbre; obsèques *f*/*pl.*

ex·er·cise ['eksəsaiz] **1.** exercice *m* (*d'une faculté, a. école, ♪, etc.*); ✗, ♣ évolution *f*; *école:* devoir *m*, thème *m*; *take* ‿ prendre de l'exercice; *Am.* ‿*s pl.* cérémonies *f*/*pl.*; **2.** *v/t.* exercer (*corps, esprit, influence, métier, faculté*); pratiquer; user de; promener (*un cheval*); tracasser; *v/i.* s'entraîner; ✗ faire l'exercice.

ex·ert [ig'zə:t] exercer (*de l'influence etc.*); employer (*de la force*); ‿ *o.s.* s'employer; s'efforcer (de, *to*); **ex'er·tion** effort *m*; emploi *m*.

ex·e·unt *théâ.* ['eksiʌnt] ... sortent.

ex·fo·li·ate [eks'foulieit] (s')exfolier; (se) déliter (*pierre*).

ex·ha·la·tion [ekshə'leiʃn] exhalaison *f*; *souffle:* expiration *f*; **ex·hale** [‿'heil] *v/t.* exhaler (*odeur, souffle, prière, rage*); *fig.* respirer; *v/i.* s'exhaler.

ex·haust [ig'zɔ:st] **1.** épuiser (*a. fig.*); vider (de, *of*); aspirer (*l'air, du gaz, etc.*); vider faire le vide (dans, *in*); **2.** ⊕ échappement *m*; ‿ *box* pot *m* d'échappement; silencieux *m*; ‿ *cut-out* (*ou muffler*) soupape *f* d'échappement libre; silencieux *m*; ‿*gas* gaz *m* d'échappement; ‿*pipe* tuyau *m* d'échappement; ‿*steam* vapeur *f* d'échappement; ‿*valve* soupape *f* d'échappement; **ex'haust·ed** *usu.* épuisé (*a. fig.*), usé; vide d'air; **ex'haust·i·ble** épuisable; **ex'haust·ing** ☐ épuisant; ⊕ d'épuisement; **ex'haus-**

tion épuisement *m*; **ex'haus·tive** ☐ *see exhausting*; approfondi.

ex·hib·it [ig'zibit] **1.** exhiber (*a.* ⚖); montrer; offrir; exposer; **2.** objet *m* exposé; exposition *f*; ⚖ pièce *f* à l'appui; *on* ‿ exposé; **ex·hi·bi·tion** [eksi'biʃn] exposition *f*; démonstration *f*; *cin.* présentation *f*; ⚖ exhibition *f*; *make an* ‿ *of o.s.* faire spectacle; *on* ‿ exposé; **ex·hi-'bi·tion·er** boursier (-ère *f*) *m*; **ex·hib·i·tor** [ig'zibitə] exposant(e *f*) *m*; *cin.* exploitant *m* d'un cinéma.

ex·hil·a·rate [ig'ziləreit] égayer; ranimer; **ex·hil·a·ra·tion** gaieté *f*, joie *f* de vivre.

ex·hort [ig'zɔ:t] exhorter; **ex·hor·ta·tion** [egzɔ:'teiʃn] exhortation *f*; **ex·hor·ta·tive** [ig'zɔ:tətiv], **ex'hor·ta·to·ry** [‿təri] exhortatif(-ive *f*), exhortatoire.

ex·hu·ma·tion [ekshju:'meiʃn] exhumation *f*; **ex·hume** déterrer.

ex·i·gence, ex·i·gen·cy ['eksidʒəns(i)] exigence *f*; nécessité *f*; situation *f* critique; **'ex·i·gent** urgent, pressant; exigeant; *be* ‿ *of* exiger.

ex·ile ['eksail] **1.** exil *m*; *personne:* exilé(e *f*) *m*; **2.** exiler, bannir.

ex·ist [ig'zist] exister; être; se trouver; vivre; **ex'ist·ence** existence *f*; vie *f*; *phls.* être *m*; *in* ‿ = **ex'ist·ent** existant; actuel(le *f*).

ex·it ['eksit] **1.** sortie *f*; *fig.* fin *f*, mort *f*; ‿ *permit* permis *m* de sortie; **2.** *théâ.* ... sort.

ex·o·dus ['eksədəs] *bibl.* exode *m*; *fig.* sortie *f*.

ex·on·er·ate [ig'zɔnəreit] exonérer, disculper; décharger (de, *from*); **ex·on·er·a·tion** exonération *f*, décharge *f*.

ex·or·bi·tance, ex·or·bi·tan·cy [ig-'zɔ:bitəns(i)] énormité *f*; **ex·or·bi·tant** ☐ exorbitant, excessif (-ive *f*).

ex·or·cism ['eksɔ:sizm] exorcisme *m*; **'ex·or·cist** exorciste *m*; **ex·or·cize** ['‿saiz] exorciser (*un démon, un possédé*); chasser (de, *from*).

ex·ot·ic [eg'zɔtik] (plante *f*) exotique.

ex·pand [iks'pænd] (s')étendre; (se) déployer (*ailes*); (se) dilater (*yeux, gaz, solide*); (se) développer (*abrégé, poitrine, formule*); amplifier; (s')élargir; **ex'pand·er** extenseur *m*; ⊕ mécanisme *m* d'expansion; **ex·panse** [‿'pæns] étendue *f*; **ex·pan-**

si·bil·i·ty [‿sə'biliti] expansibilité f; *phys.* dilatabilité f; **ex'pan·si·ble** expansible; *phys.* dilatable; **ex'pan·sion** expansion f (a. *pol.*); dilatation f; ⊕ détente f; **ex'pan·sive** □ expansif (-ive f) (a. *fig.*); dilatable; étendu; **ex'pan·sive·ness** expansibilité f (a. *d'une personne*); dilatabilité f.

ex·pa·ti·ate [eks'peiʃieit] s'étendre (sur, *on*); **ex·pa·ti·a·tion** long discours m; prolixité f.

ex·pa·tri·ate [eks'pætrieit] expatrier, bannir; **ex·pa·tri·a·tion** expatriation f.

ex·pect [iks'pekt] attendre (de *of*, *from*); compter sur; s'attendre à; F penser, croire; **ex'pect·an·cy** attente f, espoir m; **ex'pect·ant 1.** qui attend; *be* ‿ *of* attendre (qch.); *be* ‿ attendre un bébé; ‿ *mother* future maman f; **2.** aspirant (-e f) m; **ex·pec'ta·tion** attente f; espérance f; probabilité f; ⚄ expectative f d'héritage; *beyond* ‿ au-delà de mes *etc.* espérances; *on* (*ou in*) ‿ *of* dans l'attente de; **ex'pect·ing** *see* expectant 1.

ex·pec·to·rate [eks'pektəreit] v/t. expectorer; v/i. cracher; **ex·pec·to·'ra·tion** expectoration f; crachat m.

ex·pe·di·ence, **ex·pe·di·en·cy** [iks'pi:djəns(i)] convenance f, à-propos m; *péj.* opportunisme m; **ex'pe·di·ent 1.** □ expédient, avantageux (-euse f); pratique; **2.** expédient m, moyen m, ressource f; **ex·pe·dite** ['ekspidait] expédier, accélérer, hâter; **ex·pe·di·tion**[‿'diʃn] promptitude f; diligence f; ✕ *etc.*: expédition f; **ex·pe'di·tion·a·ry** expéditionnaire; **ex·pe'di·tious** □ prompt; rapide; expéditif (-ive f).

ex·pel [iks'pel] expulser, chasser; renvoyer (q. de l'école, *s.o.* [*from*] *the school*).

ex·pend [iks'pend] dépenser (*de l'argent*); consacrer (*le temps*) (à *on s.th.*, *in inf.*); épuiser (*les forces, les ressources*); **ex'pend·a·ble** dépensable; **ex'pend·i·ture** [‿itʃə] dépense f (*d'argent etc.*); consommation f; dépense f, -s f/pl.; **ex·pense** [‿'pens] dépense f; frais m/pl.; F prix m; dépens m/pl.; ‿s *pl.* dépenses f/pl., frais m/pl.; indemnité f; *at my* ‿ à mes frais; à mes dépens; *at the* ‿ *of* aux dépens de;

at great ‿ à grands frais; **ex'pen·sive** □ coûteux (-euse f), cher (chère f).

ex·pe·ri·ence [iks'piəriəns] **1.** expérience f; aventure f; **2.** éprouver; essuyer (*des insultes*); **ex'pe·ri·enced** éprouvé; averti; expérimenté; exercé (à, *in*); consommé.

ex·per·i·ment 1. [iks'perimənt] expérience f; épreuve f; **2.** [‿ment] expérimenter (sur, avec *on*, *with*); faire des expériences; **ex·per·i·men·tal** □ [eksperi'mentl] expérimental (-aux m/pl.); d'expérience; d'essai; d'épreuve; **ex·per·i'men·tal·ist** [‿təlist] expérimentateur (-trice f) m; **ex·per·i·men·ter** [iks'perimentə] expérimentaliste m f; expérimentateur (-trice f) m.

ex·pert ['ekspə:t] **1.** □ [*préd.* eks-'pə:t] expert (en *at*, *in*) adroit, habile; ‿ *worker* ouvrier m spécialisé; homme m du métier; **2.** expert m; spécialiste m; **'ex·pert·ness** adresse f (à, *in*); expertise f.

ex·pi·a·ble ['ekspiəbl] expiable; **ex·pi·ate** ['‿pieit] expier; **ex·pi·'a·tion** expiation f; **ex·pi·a·to·ry** ['‿piətəri] expiatoire.

ex·pi·ra·tion [ekspai'reiʃn] expiration f; cessation f; fin f; ⚕ échéance f; **ex·pir·a·to·ry** [iks'paiərətəri] expirateur; **ex'pire** v/t. expirer; v/i. expirer (*a. temps, contrat, etc.*); mourir; s'éteindre (*feu*); *fig.* s'évanouir.

ex·plain [iks'plein] expliquer; éclaircir; élucider; justifier (*une conduite*); **ex'plain·a·ble** explicable; justifiable (*conduite*).

ex·pla·na·tion [eksplə'neiʃn] explication f, éclaircissement m; **ex·plan·a·to·ry** □ [iks'plænətəri] explicatif (-ive f).

ex·ple·tive [eks'pli:tiv] **1.** □ explétif (-ive f); **2.** *gramm.* explétif m; *fig.* juron m.

ex·pli·ca·ble ['eksplikəbl] explicable; justifiable (*conduite*); **ex·pli·cate** ['‿keit] développer; **ex·pli·ca·tive** ['‿kətiv], **ex·pli·ca·to·ry** ['‿təri] explicatif (-ive f).

ex·plic·it □ [iks'plisit] explicite; formel(le f), clair; *fig.* franc(he f).

ex·plode [iks'ploud] (faire) sauter; (faire) éclater (de, *with*); v/t. discréditer; **ex'plod·ed** éclaté; discrédité (*théorie*).

ex·ploit 1. [iks'plɔit] exploiter (*a.*

fig.); **2.** ['eksplɔit] exploit *m*; **ex·ploi·ta·tion** exploitation *f*.

ex·plo·ra·tion [eksplɔ:'reiʃn] exploration *f* (*a.* ⚙); reconnaissance *f* (*du terrain*); **ex'plor·a·to·ry** [∼rətəri] d'exploration; de découverte; **ex·plore** [iks'plɔ:] explorer; aller à la découverte dans (*un pays*); reconnaître (*un terrain*); **ex'plor·er** explorateur (-trice *f*) *m*.

ex·plo·sion [iks'plouʒn] explosion *f* (*a. fig.*); détonation *f*; **ex'plo·sive** [∼siv] **1.** □ explosif (-ive *f*); explosible (*arme etc.*); **2.** explosif *m*.

ex·po·nent [eks'pounənt] interprète *mf*; explicateur (-trice *f*) *m*; Ⱥ exposant *m*.

ex·port 1. [eks'pɔ:t] exporter; **2.** ['ekspɔ:t] marchandise *f* exportée; exportation *f*; ∼s *pl.* articles *m/pl.* d'exportation; exportation *f*; **ex'port·a·ble** exportable; **ex·por·ta·tion** [∼'teiʃn] exportation *f*; **ex'port·er** exportateur (-trice *f*) *m*.

ex·pose [iks'pouz] exposer (*a. phot.*); étaler; démasquer; mettre à découvert; dévoiler; **ex·po·si·tion** [ekspə'ziʃn] exposition *f*; exposé *m*; **ex·pos·i·tive** [∼'pozitiv] expositoire; **ex'pos·i·tor** interprète *mf*; commentateur (-trice *f*) *m*.

ex·pos·tu·late [iks'pɔstjuleit] reprocher (amicalement) (*qch.* à *q.*, *with s.o. for s.th*); sermonner (sur, [up]on); **ex·pos·tu·la·tion** remontrance *f*, -s *f/pl.*

ex·po·sure [iks'pouʒə] exposition *f* (*au danger, au froid, d'un bébé*); étalage *m* (*d'articles*); *fig.* dévoilement *m*, mise *f* à nu; *phot.* pose *f*; ∼ *meter* photomètre *m*; ∼ *time* temps *m* de pose; ∼ *table* tableau *m* de temps de pose; *death from* ∼ mort *f* de froid.

ex·pound [iks'paund] expliquer; exposer (*une doctrine*).

ex·press [iks'pres] **1.** □ exprès (-esse *f*); formel(le *f*); 🚂 rapide; ∼ *company* *Am.* compagnie *f* de messageries; *Am.* ∼*way* autostrade *f*; **2.** exprès *m*; (*a* ∼ *train*) rapide *m*, express *m*; *by* ∼ = **3.** *adv.* en toute hâte; sans arrêt; **4.** exprimer (*un sentiment, du jus, etc.*); énoncer (*un principe*); émettre (*une opinion*); *not* ∼*ed* sous-entendu; **ex'press·i·ble** exprimable; **ex'pres·sion** [∼preʃn] ♪, Ⱥ, *gramm., peint., visage*:

expression *f*, **ex'pres·sive** □ [∼siv] expressif (-ive *f*); *be* ∼ *of* exprimer (*qch.*); **ex'press·ly** expressément; exprès.

ex·pro·pri·ate [eks'prouprieit] exproprier (*q. de qch., s.o. from s.th.*); **ex·pro·pri·a·tion** expropriation *f*.

ex·pul·sion [iks'pʌlʃn] expulsion *f*; **ex'pul·sive** expulsif (-ive *f*).

ex·punge [eks'pʌndʒ] effacer, biffer.

ex·pur·gate ['ekspə:geit] expurger (*un livre*); épurer (*un texte*); supprimer (*un passage*); **ex·pur·ga·tion** expurgation *f*; épuration *f*.

ex·qui·site ['ekskwizit] **1.** □ exquis; ravissant; délicieux (-euse *f*); délicat; vif (vive *f*), atroce (*douleur etc.*); **2.** dandy *m*; **'ex·qui·site·ness** perfection *f*; exquisité *f*; finesse *f*; *douleur etc.*: acuité *f*.

ex·serv·ice·man ✕ ['eks'sə:vismən] ancien combattant *m*.

ex·tant [eks'tænt] existant, qui existe.

ex·tem·po·ra·ne·ous □ [ekstempə-'reinjəs], **ex·tem·po·rar·y** [iks-'tempərəri], **ex·tem·po·re** [eks-'tempəri] impromptu, improvisé; **ex·tem·po·rize** [iks'tempəraiz] improviser; **ex'tem·po·riz·er** improvisateur (-trice *f*) *m*.

ex·tend [iks'tend] *v/t.* étendre (*a. fig., la bonté, etc.*); tendre (*la main*); agrandir (*un territoire*); reculer (*des frontières*); prolonger (*une ligne, un billet, une période*); transcrire (*de la sténographie*); ✝ proroger; ✕ déployer; *in* ∼*ed order* en fourrageurs; *v/i.* s'étendre, se prolonger; continuer.

ex·ten·si·bil·i·ty [ikstensə'biliti] extensibilité *f*; **ex'ten·si·ble** extensible; **ex'ten·sion** extension *f*; prolongation *f*; *table:* (r)allonge *f*; *gramm.* complément *m*; annexe *f*; *téléph.* poste *m*; 🗲 ∼ *cord* allonge *f* de câble; *University* ♀ cours *m* populaire organisé par une université; **ex'ten·sive** □ [∼siv] étendu, vaste; **ex'ten·sive·ness** étendue *f*.

ex·tent [iks'tent] étendue *f*; importance *f*; *to the* ∼ *of* au point de; *prêt d'argent etc.*: jusqu'à concurrence de; *to a certain* ∼ jusqu'à un certain point; *to some* ∼ dans une certaine mesure; *to that* ∼ à ce point-là; *grant* ∼ *for* atermoyer.

ex·ten·u·ate [eks'tenjueit] atténuer;

† amaigrir; **ex·ten·u·a·tion** atténuation *f*; affaiblissement *m* extrême.

ex·te·ri·or [eks'tiəriə] **1.** □ extérieur (à, *to*); en dehors (de, *to*); ♈ externe; **2.** extérieur *m* (*a. cin.*).

ex·ter·mi·nate [eks'tə:mineit] exterminer; **ex·ter·mi·na·tion** extermination *f*; **ex·ter·mi·na·tor** exterminateur (-trice *f*) *m*.

ex·ter·nal [eks'tə:nl] **1.** □ extérieur (à, *to*); du dehors; ♈, ♈ externe; ~ *to* en dehors de; **2.** ~*s pl.* dehors *m* (*a. pl.*); *fig.* apparence *f*; **ex·ter·nal·ize** extérioriser.

ex·tinct [iks'tiŋkt] éteint (*a. fig.*); **ex'tinc·tion** extinction *f* (*a. fig.*).

ex·tin·guish [iks'tiŋgwiʃ] éteindre (*a. fig.*); abolir (*un office, une loi, etc.*); exterminer; réduire (*q.*) au silence; **ex'tin·guish·er** lampe etc.: éteignoir *m*; *personne*: éteigneur (-euse *f*) *m*; *see* fire-~; **ex'tin·guish·ment** extinction *f*.

ex·tir·pate ['ekstə:peit] extirper, déraciner (*a.* ♈); **ex·tir·pa·tion** extirpation *f*, éradication *f*; **ex·tir·pa·tor** extirpateur (-trice *f*) *m*.

ex·tol [iks'tɔl] louer, vanter.

ex·tort [iks'tɔ:t] extorquer, arracher (à, *from*); **ex'tor·tion** extorsion *f*; **ex'tor·tion·ate** [~ʃnit] exorbitant; **ex'tor·tion·er** extorqueur (-euse *f*) *m*; exacteur *m*.

ex·tra ['ekstrə] **1.** *adj.* en plus, à part; supplémentaire ~ *pay* salaire *m etc.* supplémentaire; **2.** *adv.* extra-; plus que d'ordinaire; **3.** *su.* supplément *m*; numéro *m etc.* supplémentaire; *cin.* figurant(e *f*) *m*; *journ.* édition *f* spéciale; ~*s pl.* frais *m/pl. ou* dépenses *f/pl.* supplémentaires; ~ *special* deuxième édition *f* spéciale (*d'un journal du soir*); ~*-special* F d'extra; supérieur.

ex·tract 1. ['ekstrækt] extrait *m*; concentre *m* (*a.* ♈); **2.** [iks'trækt] extraire (*a.* ♈, ♈, *une dent, un passage*); tirer (*argent, aveu, doctrine, plaisir, sons*) (de, *from*); arracher (*argent, aveu, dent*) (à, *from*); **ex'trac·tion** extraction *f*; origine *f*; **ex'trac·tive 1.** extractif (-ive *f*); **2.** extractif; **ex'trac·tor** arracheur (-euse *f*) *m*; ⊕ pince *f*; extracteur *m*.

ex·tra·dit·a·ble ['ekstrədaitəbl] qui justifie l'extradition; passible d'ex-

tradition (*personne*); **ex·tra·dite** ['~dait] extrader; obtenir l'extradition de; **ex·tra·di·tion** [~'diʃn] extradition *f*.

extra...: '~·ju·di·cial officieux (-euse *f*); extra-légal (-aux *m/pl.*); '~'mu·ral en dehors de la ville; *univ.* hors faculté (*professeur, cours, etc.*).

ex·tra·ne·ous [eks'treinjəs] étranger (-ère *f*) (à, *to*).

ex·traor·di·nar·y [iks'trɔ:dnri] extraordinaire; remarquable; F prodigieux (-euse *f*).

ex·trav·a·gance [iks'trævigəns] extravagance *f*, exagération *f*; prodigalité *f*, gaspillage *m* (*d'argent*); **ex'trav·a·gant** □ extravagant, exagéré; prodigue (*personne*); exorbitant (*prix*); **ex·trav·a·gan·za** [ekstrævə'gænzə] œuvre *f* (*musicale*) fantaisiste.

ex·treme [iks'tri:m] **1.** □ extrême; très grand *ou* haut; dernier (-ère *f*) (*point, supplice*); *eccl.* ~ *unction* extrême onction *f*; **2.** extrême *m*; *in the* ~ au dernier degré; **ex'trem·ist** extrémiste *mf*, ultra *m*; **ex'trem·i·ty** [~'tremiti] extrémité *f*, bout *m*, point *m* extrême; gêne *f*; extremities *pl.* extrémités *f/pl.* (*du corps*); *be reduced to extremities* être dans la plus grande gêne.

ex·tri·cate ['ekstrikeit] dégager, tirer; ♏ libérer; **ex·tri·ca·tion** dégagement *m*, délivrance *f*; ♏ libération *f*.

ex·trin·sic [eks'trinsik] (~*ally*) extrinsèque; ~ *to* en dehors de.

ex·tro·vert ['ekstrouvə:t] extroverti(e *f*) *m*.

ex·trude [eks'tru:d] *v/t.* expulser; ⊕ refouler; *v/i. géol.* s'épancher.

ex·u·ber·ance [ig'zju:bərəns] exubérance *f*; richesse *f*; surabondance *f* (*en idées*); **ex'u·ber·ant** exubérant; débordant, surabondant; riche.

ex·u·da·tion [eksju:'deiʃn] exsudation *f*; écoulement *m*; **ex·ude** [ig'zju:d] exsuder; s'écouler (*sève*).

ex·ult [ig'zʌlt] exulter, se réjouir (de qch. *at, in s.th.*); triompher (de qch., *at s.th.*; sur q., *over s.o.*); **ex'ult·ant** exultant; triomphant; **ex·ul·ta·tion** [egzʌl'teiʃn] exultation *f*; triomphe *m*.

ex·u·vi·ate [ig'zju:vieit] (se) dépouiller (*peau etc.*).

eye [ai] **1.** œil (*pl.* yeux) *m* (*a.* ⚓, *outil*); regard *m*; *aiguille*: trou *m*; have an ~ for s'y connaître en; *sl.* my ~(s)! mince alors!; *sl.* it's all my ~! c'est de la blague!; *mind your* ~! gare à vous!; *with an* ~ to en vue de; **2.** observer, regarder; suivre des yeux; mesurer (*q.*) des yeux; '~·ball prunelle *f*; globe *m* de l'œil; '~·brow sourcil *m*; '~·catch·er F attraction *f*; eyed [aid] aux yeux ...; ocellé (*plume*, *aile*).

eye ...: '~·glass monocle *m*; (*a pair of*) ~es *pl.* (un) pince-nez *m*/*inv.*, (un) binocle *m*, (un) lorgnon *m*; '~·hole œillet *m*; ⚕ judas *m*; ⚕ cavité *f* de l'œil; '~·lash cil *m*; **eye·let** ['ailit]

œillet *m*; petit trou *m*; *aile*: ocelle *m*.

eye ...: '~·lid paupière *f*; '~·o·pen·er révélation *f*; surprise *f*; '~·piece *opt.* oculaire *m*; '~·shot portée *f* de (la) vue; '~·sight vue *f*; portée *f* de la vue; '~·sore *fig.* chose *f* qui offense les regards; horreur *f*; '~·tooth dent *f* œillère; '~·wash **1.** collyre *m*; *sl.* boniment *m*, bourrage *m* de crâne; **2.** *sl.* jeter de la poudre aux yeux de (*q.*); '~·'wit·ness témoin *m* oculaire.

ey·ot [eit] îlot *m*.

eyre *hist.* [ɛə]: *justices in* ~ juges *m*/*pl.* en tournée.

ey·rie, ey·ry ['aiəri] *see* aerie.

F

F, f [ef] F *m*, f *m*.

fa·ble ['feibl] **1.** fable *m*, conte *m*; *fig.* mythe *m*, invention *f*.

fab·ric ['fæbrik] édifice *m*, bâtiment *m*; *eccl.* fabrique *f*, étoffe *f*, tissu *m*; **fab·ri·cate** ['~keit] fabriquer (*usu. fig.*); inventer; **fab·ri·ca·tion** fabrication *f*; *fig.* invention *f*; contrefaçon *f*; '**fab·ri·ca·tor** inventeur *m*; *mensonge*: forgeur *m*; *document*: contrefacteur *m*.

fab·u·list ['fæbjulist] fabuliste *m*; *fig.* menteur (-euse *f*) *m*; '**fab·u·lous** □ légendaire.

fa·çade ⚕ [fa'sɑːd] façade *f*.

face [feis] **1.** face *f*; visage *m*, figure *f*; air *m*, mine *f*; *horloge*: cadran *m*; *étoffe*: endroit *m*; aspect *m*; *fig.* impudence *f*, front *m*; *in* (*the*) ~ *of* devant; en présence de; ~ *to* ~ *with* vis-à-vis de; *save one's* ~ sauver la face; *on the* ~ *of it* à première vue; *set one's* ~ *against* s'opposer à, s'élever contre; ♀ ~ *value* valeur *f* nominale; **2.** *v/t.* affronter, braver; donner sur (*la cour etc.*); parer (*un habit*); envisager (*les faits*); revêtir (*un mur*); faire face à (*q.*); *be* ~*d with* être menacé de, se heurter à; *v/i.* être exposé *ou* tourné *ou* orienté; ~ *about* faire demi-tour; ⚕ *left* ~! à gauche, gauche!; *about* ~! volte-face!; ~ *up to* affronter (*un danger etc.*); **face card** *cartes*: figure *f*; **faced** (*with*) à revers (de *qch.*); contre-plaqué (de *bois*); '**face-lift·ing**

remontée *f* du visage; lifting *m*; '**fac·er** gifle *f*, F tuile *f*.

fac·et ⊕ ['fæsit] facette *f*; '**fac·et·ed** à facettes.

fa·ce·tious □ [fə'siːʃəs] facétieux (-euse *f*), plaisant. [visage.]

fa·cial ['feiʃl] facial (-aux *m*/*pl.*); du]

fac·ile ['fæsail] facile; complaisant (*personne*); **fa·cil·i·tate** [fə'siliteit] faciliter; **fa·cil·i·ta·tion** action *f* de faciliter; **fa·cil·i·ty** facilité *f*; souplesse *f* de caractère.

fac·ing ['feisiŋ] ⊕ revêtement *m*; *moule*: poncif *m*; ⚔ conversion *f* (à droite *etc.*); ~s *pl.* ⚔ parement *m*.

fac·sim·i·le [fæk'simili] fac-similé *m*; 🖨 copie *f* figurée; ~ *broadcast* (-*ing*) téléphotographie *f*.

fact [fækt] fait *m*, action *f*; réalité *f*; ~s *pl.* (*of the case*) faits *m*/*pl.* (de la cause), vérité *f*; *after the* ~ par assistance; *before the* ~ par instigation; *in* (*point of*) ~ au fait, en vérité; '~·find·ing pour établir les faits.

fac·tion ['fækʃn] *péj.* cabale *f*, faction *f*; dissension *f*; '**fac·tion·ist** factieux (-euse *f*) *m*, partisan *m*.

fac·tious □ ['fækʃəs] factieux (-euse *f*); '**fac·tious·ness** esprit *m* factieux.

fac·ti·tious □ [fæk'tiʃəs] factice, contrefait; faux (fausse *f*).

fac·tor ['fæktə] ♀, *fig.* facteur *m*; ♥ agent *m*, commissionnaire *m* en gros; '**fac·to·ry** fabrique *f*, usine *f*.

fac·to·tum [fæk'toutəm] factotum *m*, homme *m* à tout faire.

fac·tu·al ['fæktjuəl] effectif (-ive *f*), positif (-ive *f*), réel(le *f*); ～ *knowl-edge* connaissance *f* des faits.

fac·ul·ty ['fækəlti] pouvoir *m*; faculté *f* (*a. univ.*); *fig.* talent *m*; *eccl.* autorisation *f*; ⚖ droit *m*; *Am.* corps *m* enseignant.

fad F [fæd] lubie *f*, marotte *f*, dada *m*; **'fad·dish**, **'fad·dy** maniaque; capricieux (-euse *f*); **'fad·dist** maniaque *mf*.

fade [feid] (se) faner, flétrir; (se) dé-colorer (*tissu*); s'affaiblir; (*a. ～ out*) s'évanouir, s'éteindre; (*a. ～ down* (*ou out*) *cin.* (faire) partir dans un fondu; *radio*: faire fondre dans le lointain; ～ *in* (faire) arriver dans un fondu; **'fade·less** ineffaçable; *tex.* bon teint; **'fad·ing 1.** □ qui se fane *etc.*; **2.** *radio*: fading *m*, évanouissement *m*; *cin.* fondu *m*.

fae·ces *pl.* ['fiːsiːz] fèces *f/pl.*; ma-tières *f/pl.* fécales.

fag F [fæg] **1.** corvée *f*, travail *m* pénible; *école*: petit *m* (*élève*) qui fait les corvées d'un grand; *sl.* sèche *f*, cigarette *f*; **2.** *v/i.* travailler dur; faire les corvées d'un grand élève; *v/t.* éreinter, fatiguer; **'～-'end** F bout *m*; queue *f*; *sl.* mégot *m*.

fag·ot, **fag·got** ['fægət] fagot *m*; ⊕ faisceau *m*, paquet *m*.

Fahr·en·heit ['færənhait]: ～ *thermo-meter* thermomètre *m* Fahrenheit.

fail [feil] **1.** *v/i.* faire défaut, faillir; manquer (*cœur, force, pluie, voix, etc.*); diminuer; être refusé, échouer (*à un examen*); faire faillite; *mot.* rester en panne; baisser (*jour, lumière, santé*); *he ～ed to do* (*a. in doing*) manquer de faire; omettre de faire; *he cannot ～ to* il ne peut manquer de; *v/t.* manquer (à); abandonner; manquer à ses en-gagements envers (*q.*); refuser (*un candidat*); *his heart ～ed him* le cœur lui manqua; **2.** *without ～* sans faute; à coup sûr; **'fail·ing 1.** *su.* défaut *m*; faiblesse *f*; **2.** *prp.* faute de, à défaut de; ～ *which* faute de quoi; **fail·ure** ['feiljə] manque *m*; défaut *m*; insuccès *m*; *mot.* panne *f*; affaiblissement *m*; fiasco *m*; faillite *f*; *personne*: raté(e *f*) *m*.

fain [fein] **1.** *adj.* bien disposé, trop

heureux (-euse *f*) (de, *to*); **2.** *adv.* avec plaisir.

faint [feint] **1.** □ faible; léger (-ère *f*); *feel ～* se sentir mal; **2.** s'éva-nouir; *fig.* mourir (de, *with*); **3.** évanouissement *m*; **'～-'heart·ed** □ ['~'haːtid] timide; lâche; **'heart·ed·ness** pusillanimité *f*; **'faint·ness** faiblesse *f*.

fair¹ [fɛə] **1.** *adj.* beau (bel *devant une voyelle ou un h muet*); belle *f*; beaux *m/pl.*); juste; blond; ✝ loyal; assez bon(ne *f*); **2.** *adj., a. adv.* poli(ment); doux (douce *f*), *adv.* doucement; favorable(ment); loyal(ement); *école*: passable, assez bien (*mention*); passablement; ～ *copy* copie *f* au net; corrigé *m*; ～ *dealing* probité *f*, loyauté *f*; ～ *play* jeu *m* loyal, franc jeu *m*; traitement *m* juste; *our ～ readers* nos aimables lectrices *f/pl.*; *the ～ pl.* (*a. the ～ sex*) le beau sexe; ～ *and softly* tout doucement; ✝ ～ *trade* système *réciproque de libre échange*; *bid ～ to* promettre de; *speak s.o. ～* parler poliment à q.; *strike ～* frapper carrément.

fair² [~] foire *f*; grand marché *m*; **'～-ground** champ *m* de foire; **'fair-ing** † cadeau *m* acheté à la foire; ⊕ entoilage *m*; profilage *m*.

fair·ly ['fɛəli] *adv. de fair¹*; honnête-ment, loyalement; avec impartialité; passablement, assez; **'fair·ness** beauté *f*; *cheveux*: couleur *f* blonde; teint *m* blond; blancheur *f*; loyauté *f*; probité *f*; *sp.* franc jeu *m*; **'fair-spo·ken** à la parole courtoise; **'fair·way** ♣ passage *m*, chenal *m*; **'fair-weath·er friend** ami *m* jusqu'à la bourse.

fair·y ['fɛəri] **1.** féerique; des fées; ～ *lamp*, ～ *light* lampion *m*; **2.** fée *f*; **'fair·y·land** pays *m ou* royaume *m* des fées; *fig.* pays *m* enchanté; **'fair·y·like** féerique; de fée; **'fair-y-tale** conte *m* de fées; *fig.* conte *m* bleu.

faith [feiθ] foi *f* (à *qch.*, en *Dieu*); confiance *f* (en, *in*); croyance *f*; religion *f*; parole *f*; *in good ～* de bonne foi; **'～-cure** guérison *f* par (auto)suggestion; **faith·ful** □ ['～-ful] fidèle; loyal (-aux *m/pl.*); exact; *the ～ pl.* les fidèles *m/pl.*; *yours ～ly* Agréez l'expression de mes senti-ments distingués; **'faith·ful·ness** loyauté *f* (envers, *to*), fidélité *f*;

exactitude *f*; '**faith·less** ☐ infidèle;
perfide; incrédule; '**faith·less·ness**
infidélité *f*; déloyauté *f*; perfidie *f*.
fake *sl.* [feik] **1.** chose *f* truquée;
article *m* faux; (*Am. a.* '**fak·er**)
personne: simulateur (-trice *f*) *m*;
2. (*a.* ~ *up*) truquer.
fal·con ['fɔ:lkən] faucon *m*; '**fal-**
con·er fauconnier *m*; '**fal·con·ry**
fauconnerie *f*.
fald·stool ['fɔ:ldstu:l] prie-dieu
m/inv.; siège *m* d'évêque; pliant *m*.
fall [fɔ:l] **1.** chute *f* (*a. d'eau, du jour,
d'une ville*); *baromètre, eaux, théâ.,
rideau, température:* baisse *f*; *nuit:*
tombée *f*; pente *f*; descente *f*;
arbres: abattis *m*; *surt. Am.* automne
m; *pluie, neige, etc.:* quantité *f*;
usu. ~*s pl.* chute *f* d'eau, cascade *f*;
voix: cadence *f*; perte *f*, ruine *f*; ⊕
usu. ~*s pl.* garants *m/pl.*; the ♀ (*of
Man*) la chute de l'homme; have a ~
tomber; **2.** [*irr.*] tomber (*a. gouvernement, nuit, vent*); baisser (*jour,
prix, etc.*); arriver; capituler (*ville*);
(*avec adj.*) devenir, tomber; naître
(*animal*); (se) calmer (*mer*); retomber (*blâme, responsabilité, etc.*);
s'effondrer (*bâtiment*); aller en
pente, descendre; se projeter
(*ombre*); *his countenance fell* sa
figure s'allongea; *his spirits fell* il
perdit courage; ~ *asleep* s'endormir; ~ *away* s'abaisser; déserter;
~ *back* tomber en arrière; reculer;
se rabattre (sur, *upon*); ~ *behind*
rester en arrière; se laisser devancer; ~ *between two stools* demeurer
entre deux selles; ~ *down* tomber
(par terre), s'écrouler; F échouer;
~ *due* venir à échéance; *surt. Am.* F
~ *for* tomber amoureux de; adopter
(*qch.*) avec enthousiasme; ~ *from*
(re)tomber de; ~ *ill* (*ou* ~ *sick*) tomber
malade; ~ *in* s'effondrer; ✕ former
les rangs; ⚖ expirer (*bail*); arriver à
échéance (*dette*); ~ *in with* se prêter
à (*un projet*); rencontrer (*q.*); s'accorder avec; ~ *in love with* tomber
amoureux de; ~ *into* tomber dans
(*l'eau*); contracter (*une habitude*);
être induit en (*erreur*); dégénérer
en; ~ *into line* se mettre en rangs;
rentrer dans les rangs; ~ *off* tomber;
faire défection; *fig.* décliner, diminuer; ~ *on* ✕ attaquer; fondre
sur; se jeter sur; tomber sur (*q.*);
~ *out* se brouiller (avec, *with*); se

passer, arriver; ✕ quitter les rangs;
~ *short* tomber en deçà (de, *of*); ~
short of ne pas atteindre, être au-
dessous de; ~ *to see* ~ *on*; *a.* se
mettre au travail; commencer; ~
under entrer dans (*une catégorie*).
fal·la·cious ☐ [fə'leiʃəs] illusoire;
trompeur (-euse *f*); **fal·la·cious-**
ness fausseté *f*.
fal·la·cy ['fæləsi] sophisme *m*; erreur *f*; faux raisonnement *m*.
fall·en ['fɔ:lən] *p.p. de fall* 2.
fall guy *Am. sl.* ['fɔ:l'gai] bouc *m*
émissaire.
fal·li·bil·i·ty [fæli'biliti] faillibilité
f; **fal·li·ble** ☐ ['fæləbl] faillible.
fall·ing ['fɔ:liŋ] baisse *f*; chute *f*
etc.; '~**-off** chute *f*; défection *f*;
décroissement *m*; déclin *m*; ~ **star**
étoile *f* filante.
fal·low ['fælou] **1.** *zo.* fauve; ✍ en
friche; **2.** ✍ jachère *f*, friche *f*; **3.** ✍
jachérer, défricher; '~**-deer** *zo.*
daim *m*.
false ☐ [fɔ:ls] **1.** *adj.* faux (fausse *f*);
artificiel(le *f*); erroné; infidèle (à,
to); *be* ~ *to* trahir; tromper; ~ *imprisonment* détention *f* illégale; ~ *key*
crochet *m*, rossignol *m*; **2.** *adv. play*
s.o. ~ trahir q.; **false·hood** ['~hud]
mensonge *m*; fausseté *f*; faux *m*;
'**false·ness** fausseté *f*; *femme etc.:*
infidélité *f*.
fal·set·to ♪ [fɔ:l'setou] fausset *m*.
fal·si·fi·ca·tion ['fɔ:lsifi'keiʃn] falsification *f*; altération *f*; **fal·si·fi·er**
['~faiə] falsificateur (-trice *f*) *m*;
fal·si·fy ['~fai] falsifier; altérer;
rendre vain; tromper; **fal·si·ty**
['~ti] fausseté *f*.
fal·ter ['fɔ:ltə] *v/i.* chanceler; *fig.*
hésiter, trembler (*voix*); défaillir
(*courage, personne*); *v/t.* balbutier.
fame [feim] renom(mée *f*) *m*;
famed célèbre, renommé (pour,
for).
fa·mil·iar [fə'miljə] **1.** ☐ familier
(-ère *f*) (à, *to*); intime; bien connu
(de, *to*); au courant (de, *with*);
2. ami(e *f*) *m* intime; (*a.* ~ *spirit*)
démon *m* familier; **fa·mil·i·ar·i·ty**
[~iæriti] familiarité *f*; connaissance *f* (de, *with*); **fa·mil·iar·i·za-**
tion [~ljərai'zeiʃn] accoutumance *f*
(à, *with*), habitude *f* (de, *with*);
fa·mil·iar·ize rendre familier.
fam·i·ly ['fæmili] **1.** famille *f*; **2.** de
famille, familial (-aux *m/pl.*); *in the*

~ *way* enceinte (*f*); ~ *allowance* allocation *f* familiale; ~ *doctor* médecin *m* de famille; ~ *man* père *m* de famille; ~ *tree* arbre *m* généalogique.

fam·ine ['fæmin] famine *f*; disette *f*.

fam·ish ['fæmiʃ] *v/t.* affamer; réduire à la famine; *v/i.* être affamé.

fa·mous □ ['feiməs] célèbre (pour, *for*); F fameux (-euse *f*), parfait.

fan¹ [fæn] **1.** éventail *m* (*a.* ♣); ventilateur *m*; ✎ van *m*; **2.** éventer; ✎ vanner; souffler (*le feu*); *fig.* exciter.

fan² F [~] *sp. etc.* fervent(e *f*) *m*; *cin.* fanatique *mf*; *radio:* sans-filiste *mf*; *mots composés:* -ophile *mf*.

fa·nat·ic [fə'nætik] **1.** (*a.* **fa'nat·i·cal** □ [~kl]) fanatique; **2.** fanatique *mf*; **fa'nat·i·cism** [~isizm] fanatisme *m*.

fan·ci·er ['fænsiə] amateur (-trice *f*) *m* (*d'oiseaux etc.*).

fan·ci·ful □ ['fænsiful] fantastique; fantasque, imaginaire (*personne*).

fan·cy ['fænsi] **1.** fantaisie *f*, imagination *f*; idée *f*; caprice *m*, goût *m*; lubie *f*; *the* ~ les amateurs *m/pl.* de boxe; *take a* ~ *to* prendre goût à (*qch.*); s'éprendre de (*q.*); **2.** de fantaisie; de luxe; de pure imagination; ~ *apron* tablier *m* de fantaisie; ~ *ball* bal *m* travesti; ~ *dress* travesti *m*, costume *m*; ~ *fair* vente *f* de charité; ~ *goods pl.* nouveautés *f/pl.*, articles *m/pl.* de fantaisie; *sl.* ~ *man* souteneur *m*; ~ *price* prix *m* exagéré *ou* de fantaisie; **3.** s'imaginer, se figurer; croire, penser; avoir envie de (*qch.*); se sentir attiré vers (*q.*); *just* ~*!* figurez-vous (ça)!; '~-**work** broderie *f*; ouvrages *m/pl.* de dames.

fan·fare ['fænfɛə] fanfare *f*; sonnerie *f*; **fan·fa·ron·ade** [~færə-'naːd] fanfaronnade *f*, vanterie *f*.

fang [fæŋ] *chien:* croc *m*; *vipère:* crochet *m*; ⊕ soie *f*.

fan·ner ['fænə] ✎ van *m* mécanique; ⊕ ventilateur *m*.

fan·ta·sia ♪ [fæn'teiziə] fantaisie *f*; **fan·tas·tic** [~'tæstik] (~*ally*) fantastique, bizarre; **fan'tas·ti·cal·ness** [~klnis] bizarrerie *f*; **fan·ta·sy** ['~təsi] fantaisie *f*, caprice *m*.

far [faː] *adj.* lointain, éloigné; *adv.* loin, au loin; beaucoup, fort, bien; ~ *better* beaucoup mieux; ~ *the best* de beaucoup le meilleur; *as* ~ *as* jusqu'à; *by* ~ de beaucoup; ~ *from* (*gér.*) loin de (*inf.*); *in so* ~ *as* dans la mesure où; ~**-a·way** ['faːrəwei] lointain; *fig.* vague.

farce *théâ.* [faːs] farce *f* (*a. cuis.*); **far·ci·cal** □ ['~ikl] burlesque; *fig.* grotesque.

fare [fɛə] **1.** prix *m* (du voyage, de la place, *etc.*); chère *f*, manger *m*; *personne:* client(e *f*) *m*; **2.** voyager; aller (*bien ou mal*); ~ *well!* adieu!; '~'**in·di·ca·tor** tarif *m*; '~'**well 1.** adieu!; **2.** adieu *m*, -x *m/pl.*; **3.** d'adieu; ~ *party* soirée *f* d'adieu.

far... [faː:]: '~'**fetched** *fig.* tiré par les cheveux, recherché, forcé; '~'**flung** *fig.* vaste, très étendu; ~ **gone** F (dans un état) avancé.

far·i·na·ceous [færi'neiʃəs] farinacé; ~ *food* (aliment *m*) farineux *m*.

farm [faːm] **1.** ferme *f*; *see* ~ *house*; élevage *m* de volaille en grand; **2.** *v/t.* cultiver; (*a.* ~ *out*) donner à ferme, affermer; exploiter (*un terrain*); mettre en nourrice (*des enfants*); *v/i.* cultiver la terre; '**farm·er** fermier *m*; '**farm·hand** ouvrier (-ère *f*) *m* agricole; '**farm·house** (maison *f* de) ferme *f*; '**farm·ing 1.** cultivateur (-trice *f*); à ferme; aratoire; **2.** agriculture *f*; exploitation *f*; culture *f*; '**farm·stead** ['~sted] ferme *f*; '**farm·yard** basse-cour (*pl.* basses-cours) *f*; cour *f* de ferme.

far·o ['fɛərou] *cartes:* pharaon *m*.

far-off ['faːr'ɔːf] lointain, éloigné.

far·ra·go [fə'reigou] méli-mélo (*pl.* mélis-mélos) *m*; fatras *m*.

far·ri·er ['færiə] vétérinaire *m*; ✗ maréchal-ferrant (*pl.* maréchaux-ferrants) *m*; '**far·ri·er·y** art *m* vétérinaire; ✗ maréchalerie *f*.

far·row ['færou] **1.** cochonnée *f*; **2.** *vt/i.* mettre bas; *v/i.* cochonner.

far-sight·ed ['faː'saitid] ✗ presbyte; *fig.* prévoyant.

far·ther ['faːðə], **far·thest** ['~ðist] *comp.*, *a. sup. de far*.

far·thing ['faːðiŋ] F sou *m* (¹/₄ penny).

fas·ci·a ['fæʃiə], *pl.* **fas·ci·ae** ['~ii] *anat.* fascia *m*; △ fasce *f*, bande (-lette) *f*.

fas·ci·nate ['fæsineit] fasciner, charmer; **fas·ci'na·tion** fascination *f*; charme *m*, attrait *m*.

fas·cine [fæ'siːn] fascine *f*.

Fas·cism *pol.* [ˈfæʃizm] fascisme *m*; **ˈFas·cist** fasciste (*a. su./mf*).

fash·ion [ˈfæʃn] **1.** mode *f*; vogue *f*; façon *f*, manière *f*; forme *f*; habitude *f*; *sl. rank and ~ le* gratin *m*; *in ~* à la mode; *out of ~* démodé; *set the ~* mener la mode; donner le ton; **2.** façonner, former; confectionner (*une robe*); **ˈfash·ion·a·ble** □ à la mode, de bon ton; élégant; **ˈfash·ion·a·ble·ness** vogue *f*; élégance *f*; **ˈfash·ion·pa·ˈrade** présentation *f* de collections; **ˈfash·ion-plate** gravure *f* de modes.

fast¹ [fɑːst] **1.** *adj.* rapide; résistant, bon teint (*drap etc.*); en avance (*montre etc.*); fidèle, constant (*ami*); dissolu (*vie*); ~ *to light* résistant; 🚂 ~ *train* rapide *m*, train *m* express; **2.** *adv.* ferme; vite.

fast² [~] **1.** jeûne *m*; **2.** jeûner; **ˈ~-day** jour *m* maigre.

fas·ten [ˈfɑːsn] *v/t.* attacher (à, *to*); amarrer (*un bateau*); fermer (*la porte*); assurer; fixer (*a. les yeux sur, one's eyes* [*up*]*on*); *v/i.* s'attacher; se fixer; se fermer; ~ *upon fig.* saisir (*qch.*); s'arrêter sur; **ˈfas·ten·er** (*a.* **ˈfas·ten·ing**) attache *f*; *robe:* agrafe *f*; *bourse, livre:* fermoir *m*; *fenêtre etc.:* fermeture *f*; *patent ~* bouton-pression (*pl.* boutons-pression) *m*.

fas·tid·i·ous □ [fæsˈtidiəs] difficile; délicat; exigeant; blasé; **fasˈtid·i·ous·ness** délicatesse *f*; goût *m* difficile.

fast·ness [ˈfɑːstnis] fermeté *f*; *couleurs:* solidité *f*; vitesse *f*; légèreté *f* de conduite; ✕ forteresse *f*.

fat [fæt] **1.** gras(se *f*); gros(se *f*); **2.** graisse *f*; *viande:* gras *m*; **3.** (s')engraisser.

fa·tal □ [ˈfeitl] fatal (-als *m/pl.*); mortel(le *f*); funeste (à, *to*); **fa·tal·ism** [ˈ~əlizm] fatalisme *m*; **ˈfa·tal·ist** fataliste *mf*; **fa·tal·i·ty** [fəˈtæliti] fatalité *f*; mort *f*; destin *m*; accident *m* mortel, sinistre *m*.

fate [feit] destin *m*; sort *m*; fatalité *f*; *the ♀s* les Parques *f/pl.*; **fat·ed** [ˈ~id] destiné; fatal (-als *m/pl.*); infortuné; **fate·ful** □ [ˈ~ful] décisif (-ive *f*).

fa·ther [ˈfɑːðə] **1.** père *m*; **2.** engendrer; adopter; avouer la paternité de; servir de père à; ~ *s.th. upon s.o.* imputer qch. à q.; **fa-**

ther·hood [ˈ~hud] paternité *f*; **ˈfa·ther-in-law** beau-père (*pl.* beaux-pères) *m*; **ˈfa·ther·land** patrie *f*; **ˈfa·ther·less** sans père; **ˈfa·ther·ly** paternel(le *f*).

fath·om [ˈfæðəm] **1.** *mes.* toise *f*; ⚓ brasse *f*; ✝ 216 pieds *m/pl.* cubes; **2.** ⚓ (*a. fig.*) sonder; *fig.* approfondir; **ˈfath·om·less** sans fond.

fa·tigue [fəˈtiːg] **1.** fatigue *f*; ✕ corvée *f*; ~*s pl.* ✕ tenue *f* de corvée; **2.** fatiguer, lasser; **faˈtigue-par·ty** ✕ (détachement *m* de) corvée *f*.

fat·ling [ˈfætliŋ] jeune bête *f* engraissée; **ˈfat·ness** graisse *f*; *personne:* embonpoint *m*; *sol:* fertilité *f*; **ˈfat·ten** (s')engraisser; devenir *ou* rendre gras; *v/t.* fertiliser (*le sol*); **ˈfat·ty** **1.** graisseux (-euse *f*); gras(se *f*) (*sol*); ~ *degeneration* stéatose *f*; **2.** F gros (bonhomme) *m*.

fa·tu·i·ty [fəˈtjuiti] sottise *f*; imbécillité *f*; **fat·u·ous** □ [ˈfætjuəs] sot(te *f*), imbécile.

fau·cet ⊕ *surt. Am.* [ˈfɔːsit] robinet *m*.

faugh [fɔː] pouah!

fault [fɔːlt] faute *f* (*a. tennis*); imperfection *f*; défaut *m* (*a.* ⚒, ⊕); ⊕ *métal:* paille *f*; *géol.* faille *f*; *to ~* à l'excès; *find ~ with* trouver à redire à; *be at ~* être en défaut; *be his ~* être (de) sa faute; **ˈ~find·er** épilogueur (-euse *f*); censeur (-euse *f*); **ˈ~find·ing 1.** sermonneur (-euse *f*); grondeur (-euse *f*); **2.** censure *f*, critique *f*; disposition *f* à critiquer; **ˈfault·i·ness** imperfection *f*; **ˈfault·less** □ sans défaut; sans faute; parfait; **ˈfaults·man** *tel., téléph.* surveillant *m* de ligne (*qui recherche les dérangements*); **ˈfault·y** □ défectueux (-euse *f*) imparfait.

fa·vo(u)r [ˈfeivə] **1.** faveur *f*; permission *f*; bonté *f*; nœud *m* de rubans, couleurs *f/pl.*; ✝ *your ~* votre honorée *f ou* estimée *f*; *in great ~* très recherché; *in ~ of* en faveur de; *I am (not) in ~ of it* moi je suis pour (contre); *under ~ of night* à la faveur de la nuit; **2.** être en faveur de; approuver; honorer (de, *with*); **fa·vo(u)r·a·ble** □ [ˈ~vərəbl] (*to*) favorable à; propice (à); bon(ne *f*); **ˈfa·vo(u)r·a·ble·ness** caractère *m* favorable; **fa-**

vo(u)red ['ˌvəd] favorisé; well-~ beau (bel *devant une voyelle ou un* h *muet;* belle *f;* beaux *m/pl.*); **fa·vo(u)r·ite** ['ˌvərit] **1.** favori(te *f*), préféré; **2.** favori(te *f*) *m; sp.* favori *m;* '**fa·vo(u)r·it·ism** favoritisme *m; sl.* piston *m*.

fawn[1] [fɔ:n] **1.** *zo.* faon *m;* (couleur *f*) fauve *m;* **2.** mettre bas (un faon).

fawn[2] [ˌ] *chien:* caresser (q., [up]on *s.o.); personne:* aduler (q.); '**fawn·er** adulateur (-trice *f*) *m;* '**fawn·ing** caressant; servile.

faze *surt. Am.* F [feiz] bouleverser.

fe·al·ty ['fi:əlti] féauté *f;* fidélité *f*.

fear [fiə] **1.** peur *f*, crainte *f; through* (*ou from*) ~ *of* de peur de; *for* ~ *of* (*gér.*) de crainte de (*inf.*); *go in* ~ *of one's life* craindre pour sa vie; **2.** craindre; *v/t.* redouter, avoir peur de; *v/i.* avoir peur; **fear·ful** □ ['ˌful] craintif (-ive *f*); timide; affreux (-euse *f*); '**fear·ful·ness** caractère *m* épouvantable; timidité *f;* '**fear·less** □ intrépide; sans peur (de, of); '**fear·less·ness** intrépidité *f*, courage *m*.

fea·si·bil·i·ty [fi:zə'biliti] possibilité *f;* '**fea·si·ble** possible, faisable.

feast [fi:st] **1.** fête *f* (*a. eccl.*); festin *m; fig.* régal *m;* **2.** *v/t.* fêter; ~ *one's eyes on* assouvir ses yeux de; *v/i.* faire bonne chère; se régaler (de, [up]on).

feat [fi:t] exploit *m*, haut fait *m*.

feath·er ['feðə] **1.** plume *f; aile, queue:* penne *f; chasse:* gibier *m* à plumes; ✕ plumet *m;* F *show the white* ~ caner, manquer de courage; *that is a* ~ *in his cap* c'est une perle à sa couronne; *in high* ~ d'excellente humeur; **2.** *v/t.* emplumer; empenner (*une flèche*); ⚓ ramener à plat (*l'aviron*); *v/i.* nager plat; ~ *one's nest* faire sa pelote; '**~-brained**, '**~-head·ed** étourdi, écervelé; '**feath·ered** emplumé; empenné (*flèche*); '**feath·er·edge** ⊕ biseau *m;* morfil *m* (*d'un outil*); '**feath·er·ing** plumage *m;* empennage *m;* biseautage *m;* nage *f* plate; '**feath·er·stitch** point *m* d'arêtes; '**feath·er·weight** *box.* poids *m* plume; '**feath·er·y** plumeux (-euse *f*); léger (-ère *f*.)

fea·ture ['fi:tʃə] **1.** trait *m* (*a. du visage*); caractéristique *f;* spécialité *f; cin.* film *m; journ. Am.* article

m; ~s *pl.* physionomie *f; pays:* topographie *f; œuvre:* caractère *m;* **2.** marquer, caractériser; dépeindre; *journ.* mettre en manchette; *cin.* tourner (*un rôle*), représenter (*q.*); mettre en vedette; *a film featuring N.N.* un film avec N.N. en vedette; ~ **film** grand film *m* du programme; '**fea·ture·less** sans traits bien marqués; peu intéressant.

feb·ri·fuge ['febrifju:dʒ] fébrifuge *m*.

fe·brile ['fi:brail] fiévreux (-euse *f*).

Feb·ru·ar·y ['februəri] février *m*.

feck·less ['feklis] propre à rien, incapable.

fec·u·lence ['fekjuləns] féculence *f;* saleté *f;* '**fec·u·lent** féculent; sale.

fe·cun·date ['fi:kʌndeit] féconder; **fe·cun·da·tion** fécondation *f;* **fe·cun·di·ty** [fi'kʌnditi] fécondité *f*.

fed [fed] *prét. et p.p. de* feed 2; *be* ~ *up with* en avoir assez de; *well* ~ bien nourri.

fed·er·al ['fedərəl] fédéral (-aux *m/pl.*); '**fed·er·al·ism** fédéralisme *m;* '**fed·er·al·ist** fédéraliste *mf;* '**fed·er·al·ize** (se) fédérer; **fed·er·ate 1.** ['ˌreit] (se) fédérer; **2.** ['ˌrit] fédéré; allié; **fed·er·a·tion** fédération *f; ouvriers etc.:* syndicat *m;* **fed·er·a·tive** ['ˌrətiv] fédératif (-ive *f*).

fee [fi:] **1.** honoraires *m/pl.; école:* frais *m/pl.;* droit *m;* taxe *f; hist.* fief *m;* pourboire *m;* ~ *simple* propriété *f* libre; **2.** payer des honoraires (à q., *s.o.*); donner un pourboire à (*q.*).

fee·ble □ ['fi:bl] faible; '**~-'mind·ed** à l'esprit faible; '**fee·ble·ness** faiblesse *f*.

feed [fi:d] **1.** alimentation *f* (*a.* ⊕); pâturage *m; cheval:* fourrage *m; avoine etc.:* picotin *m;* nourriture *f;* F repas *m;* ⊕ entraînement *m; attr.* d'alimentation *etc.;* auxiliaire; **2.** [*irr.*] *v/t.* nourrir (*q.*, *l'esprit*); alimenter (⊕, *sp., machine, chaudière, feu, famille*); faire paître (*les vaches etc.*); manger (*a. q. des yeux, one's eyes on s.o.*); introduire (*des matières premières dans une machine*); *théa.* donner la réplique à; ~ *off* (*ou down*) pâturer (*un pré*); ~ *up* engraisser; *see* fed; *v/i.* manger, paître, se nourrir (de, [up]on); '**~·back 1.** ⚡ réaction *f;* **2.** ⊕ alimenter en retour; **'feed·er** mangeur (-euse *f*) *m*; *surt. Am.* nourrisseur *m* de bestiaux; *enfant:* bavette *f*; *bébé:* biberon *m*; canal *m* d'alimentation; ⊕ alimentateur *m*; ⚡ artère *f ou* conducteur *m* alimentaire; **feed·er line** 🚆 embranchement *m*; **'feed·ing** alimentation *f*; pâture *f*; ⊕, ⚡ avance *f*; *attr.* du repas; alimentateur (-trice *f*); *high* ~ vie *f* de luxe; **'feed·ing-bottle** biberon *m*; **'feed·ing-stuff** fourrage *m*.

fee-faw-fum ['fi:'fɔ:'fʌm] pouah!

feel [fi:l] **1.** [*irr.*] *v/t.* sentir; tâter (*a.* ✗); ressentir (*une douleur, une émotion*); éprouver; penser; être sensible à; avoir conscience de; *v/i.* être ... au toucher (*chose*); sembler, paraître; se sentir (*personne*); se trouver; ~ *cold* avoir froid (*personne*), être froid (au toucher) (*chose*); *I* ~ *like* (*gér.*) j'ai envie de (*inf.*); *je me sens d'humeur à* (*inf.*); ~ *for* avoir de la sympathie pour; **2.** toucher *m*; sensation *f*; **'feel·er** *fig.* ballon *m* d'essai; *zo.* antenne *f*; *escargot:* corne *f*; *mollusque etc.:* tentacule *f*; *chat:* moustache *f*; ✗ éclaireur *m*; **'feel·ing 1.** □ sensible; ému; **2.** toucher *m*; émotion *f*; sentiment *m*; sensibilité *f*; *good* ~ bonne entente *f*; sympathie *f*.

feet [fi:t] *pl. de* **foot 1.**

feign [fein] feindre, faire semblant (*de inf.*, *to inf.*); ~ *mad* faire semblant d'être fou; **'feigned** feint, simulé; contrefait; déguisé; **feign·ed·ly** ['⁓idli] avec feinte.

feint [feint] **1.** feinte *f*; ✗ fausse attaque *f*; **2.** feinter; ✗ faire une fausse attaque.

fe·lic·i·tate [fi'lisiteit] féliciter (de, sur on); **fe·lic·i·ta·tion** félicitation *f*; **fe·lic·i·tous** □ heureux (-euse *f*); à propos; **fe·lic·i·ty** félicité *f*, bonheur *m*; à-propos *m*.

fe·line ['fi:lain] félin, de chat.

fell[1] [fel] **1.** *prét. de* **fall 2**; **2.** abattre; assommer.

fell[2] *poét.* [⁓] cruel(le *f*); funeste.

fell[3] [⁓] peau *f*; toison *f*.

fell[4] [⁓] colline *f* rocheuse.

fel·loe ['felou] jante *f*.

fel·low ['felou] personne *f*; camarade *m*; compagnon *m*, compagne *f*; collègue *m*; semblable *m*, pareil *m*; *univ.* agrégé(e *f*) *m*; *société:* membre *m*; F homme *m*, type *m*; *péj.* in-

dividu *m*; *attr.* compagnon de; co(n)-; F *a* ~ on; F *old* ~ mon vieux *m*; *the* ~ *of a glove* l'autre gant *m*; *he has not his* ~ il n'a pas son pareil *ou* de rival; **'⁓-be·ings** *pl.* semblables *m/pl.*; **'⁓-'cit·i·zen** concitoyen(ne *f*) *m*; **'⁓-'coun·try·man** compatriote *mf*; **'⁓-'crea·ture** semblable *m*; prochain *m*; **'⁓-'feel·ing** sympathie *f*; **'⁓-ship** ['⁓ʃip] communauté *f*; association *f*; (*a. good* ~) camaraderie *f*, solidarité *f*; association *f*, société *f*; fraternité *f*; *univ.* dignité *f* d'agrégé (*d'un collège universitaire*); titre *m* de membre (*d'une société savante*); ~ **sol·dier** compagnon *m* d'armes; **'⁓-'stu·dent** camarade *mf* d'études; **'⁓-'trav·el·ler** compagnon *m* (compagne *f*) de voyage; *pol.* communisant(e *f*) *m*.

fel·ly ['feli] jante *f*.

fel·on ['felən] ⚖ criminel(le *f*) *m*; 🗲 panaris *m*; **fe·lo·ni·ous** □ ⚖ [fi-'lounjəs] criminel(le *f*); délictueux (-euse *f*); **fel·o·ny** ⚖ ['feləni] crime *m*.

felt[1] [felt] *prét. et p.p. de* **feel 1.**

felt[2] [⁓] **1.** feutre *m*; **2.** (se) feutrer.

fe·male ['fi:meil] **1.** féminin (*personne*); femelle (*animal*); ~ *child* enfant *m* du sexe féminin; ~ *screw* vis *f* femelle; **2.** femme *f*; *animal:* femelle *f*.

fem·i·nine □ ['feminin] féminin; *gramm.* du féminin; *souv. péj.* de femme; **fem·i'nin·i·ty** féminité *f*; *péj.* caractère *m* féminin; **'fem·i·nism** féminisme *m*; **'fem·i·nist** féministe (*a. su. mf*); **fem·i·nize** ['⁓naiz] (se) féminiser.

fen [fen] marais *m*, marécage *m*.

fence [fens] **1.** clôture *f*; palissade *f*; ⊕ guide *m*; garde *f*; *sp.* haie *f*; *Am.* mur *m* de clôture; *sl.* receleur (-euse *f*) *m*; *sit on the* ~ attendre d'où vient le vent; **2.** *v/t.* (*a.* ~ *in*) enclore, entourer; protéger (contre, from); *sl.* receler; *v/i.* faire de l'escrime; *fig.* parer (qch., *with* s.th.); *sp.* sauter les haies; *sl.* faire le recel; **'fence·less** ouvert, sans clôture.

fenc·ing ['fensiŋ] clôture *f*, palissade *f*; escrime *f*; ⊕ garde *f*; *attr.* d'armes; **'⁓-foil** fleuret *m*; **'⁓-mas·ter** maître *m* d'armes.

fend [fend]: ~ *off* détourner; F ~ *for*

pourvoir à; ~ for o.s. se débrouiller; 'fend·er △ bouteroue f; garde-feu m/inv.; mot. Am. aile f; mot. pare-chocs m/inv.; ⚓ défense f.

Fe·ni·an ['fi:niən] 1. fénian; 2. fénian m (membre d'une association d'Irlandais aux É.-U. partisans de l'Indépendance de l'Irlande).

fen·nel ♀ ['fenl] fenouil m.

fen·ny ['feni] marécageux (-euse f).

feoff [fef] fief m; feoff·ee [fe'i:] fieffataire mf; 'feoff·ment inféodation f; don m en fief; feof·for [fe'fɔ:] fieffant(e f) m.

fer·ment 1. ['fə:ment] ferment m; fig. agitation f; 2. [fə'ment] (faire) fermenter; fig. (s')échauffer; fer-'ment·a·ble fermentable; fer·men·ta·tion [fə:men'teiʃn] fermentation f; fig. effervescence f; fer-'ment·a·tive [ˌtətiv] fermentatif (-ive f).

fern [fə:n] fougère f.

fe·ro·cious □ [fə'rouʃəs] féroce; fe·roc·i·ty [fə'rɔsiti] férocité f.

fer·ret ['ferit] 1. zo. furet m (a. fig.); 2. v/t. fureter (un terrier); prendre au furet; ~ out découvrir, dénicher; fig. déterrer; v/i. chasser au furet.

fer·ric ⚗ ['ferik] ferrique; fer·rif·er·ous [fe'rifərəs], fer·ru·gi·nous [fe'ru:dʒinəs] ferrifère, fer·ro·con·crete ⊕ ['ferou'kɔŋkri:t] béton m armé; fer·rous ⚗ ['ferəs] ferreux (-euse f).   [virole f.\

fer·rule ['feru:l] bout m ferré; ⊕↓

fer·ry ['feri] 1. passage m; bac m; 2. passer la rivière en bac; '~-boat bac m; 'fer·ry·man passeur m.

fer·tile □ ['fə:tail] (a. fig.) fertile, fécond (en of, in); fer·til·i·ty [fə:'tiliti] fertilité f (a. fig.); fer·ti·li·za·tion [ˌtilai'zeiʃn] fertilisation f; ♀ pollinisation f; 'fer·ti·lize (a. ♀) fertiliser, féconder; amender (la terre); 'fer·ti·liz·er engrais m.

fer·ule † ['feru:l] férule f (a. ♀).

fer·ven·cy ['fə:vənsi] (usu. fig.) ferveur f; ardeur f; 'fer·vent ardent (a. fig.); fig. fervent, vif (vive f).

fer·vid □ ['fə:vid] see fervent.

fer·vo(u)r ['fə:və] see fervency.

fes·tal □ ['festl] de fête; joyeux (-euse f).

fes·ter ['festə] 1. (faire) suppurer; (s')ulcérer; fig. couver; 2. inflammation f avec suppuration

fes·ti·val ['festəvl] fête f; ♪, théâ. festival m; fes·tive □ ['ˌiv] de fête, joyeux (-euse f); fes·tiv·i·ty [fes'tivəti] fête f, réjouissance f, festivité f.

fes·toon [fes'tu:n] 1. feston m; 2. festonner.

fetch [fetʃ] v/t. apporter (qch.); amener (q.); aller chercher; rapporter (un prix); F captiver; F flanquer (un coup); pousser (un soupir); tirer (des larmes); ~ up faire monter; vomir; v/i.: ~ and carry être aux ordres (de q., for s.o.); ~ up s'arrêter; usu. Am. aboutir (à, at); 'fetch·ing F □ ravissant, séduisant.

fête [feit] 1. fête f (a. eccl.); 2. fêter.

fet·id □ ['fetid] fétide, puant.

fet·ish ['fi:tiʃ] fétiche m.

fet·lock ['fetlɔk] fanon m.

fet·ter ['fetə] 1. chaîne f; 2. enchaîner.   [dition f.\

fet·tle ['fetl] forme f; bonne con-}

fe·tus ['fi:təs] see foetus.

feud [fju:d] inimitié f; fief m; feu·dal □ ['ˌdl] féodal (-aux m/pl.); feu·dal·ism ['ˌdəlizm] féodalité f; feu·dal·i·ty [ˌ'dæliti] féodalité f; fief m; feu·da·to·ry ['ˌdətəri] feudataire (a. su./m), vassal (-aux m/pl.) (a. su./m).

fe·ver ['fi:və] fièvre f; fe·vered ['fi:vəd] surt. fig. fiévreux (-euse f); 'fe·ver·ish □ fiévreux (-euse f) (a. fig.).

few [fju:] 1. adj. peu de; quelques; 2. pron.: a ~ quelques-uns (-unes f); a good ~ pas mal (de); 3. su. petit nombre m; the ~ la minorité.

fi·at ['faiæt] décret m; consentement m; Am. ~ money monnaie f fiduciaire (billets de banque).

fib [fib] 1. petit mensonge m; blague f; 2. mentir; blaguer; 'fib·ber menteur (-euse f) m; blagueur (-euse f) m.

fi·bre, Am. fi·ber ['faibə] fibre f (a. ⊕); ♀ radicelle f; fig. nature f, trempe f; fi·brin ['ˌbrin] ⚗, physiol. fibrine f; fi·bro·si·tis ['ˌbrou'saitis] cellulite f; 'fi·brous □ fibreux (-euse f).

fib·u·la anat. ['fibjulə], pl. -lae [ˌli:], -las péroné m.

fick·le ['fikl] inconstant, volage; changeant; 'fick·le·ness inconstance f; humeur f volage.

fic·tile □ ['fiktail] plastique, céramique (argile).

fic·tion ['fikʃn] fiction *f* (*a.* 𝔤𝔱𝔱); (*a.* works of ∼) romans *m/pl.*, littérature *f* d'imagination; '**fic·tion·al** □ de romans; d'imagination.

fic·ti·tious □ [fik'tiʃəs] fictif (-ive *f*); imaginaire; inventé; feint; '**fic·tive** fictif (-ive *f*), imaginaire.

fid·dle ['fidl] **1.** violon *m*; **2.** *v/i.* jouer du violon; tripoter; *v/t.* jouer (*un air*) sur le violon; *souv.* Am. truquer; ∼ away perdre (*son temps*); **fid·dle·de·dee** ['∼di'di:] quelle blague!; **fid·dle·fad·dle** F ['∼fædl] **1.** fadaises *f/pl.*; ∼! quelle blague!; **2.** musard; **3.** baguenauder; '**fid·dler** joueur *m* du violon; '**fid·dle·stick** archet *m*; ∼s! quelle bêtise!

fi·del·i·ty [fi'deliti] fidélité *f*, loyauté *f* (à, envers *f*, towards).

fidg·et F ['fidʒit] **1.** *usu.* ∼s *pl.* agitation *f*, énervement *m*; *personne:* énervé(e *f*) *m*; have the ∼s ne pas tenir en place; **2.** (s')énerver, (se) tourmenter; *v/i.* s'agiter; '**fidg·et·y** agité, nerveux (-euse *f*), impatient.

fi·du·ci·ar·y [fi'dju:ʃiəri] **1.** fiduciaire; **2.** héritier (-ère *f*) *m* fiduciaire; dépositaire *mf*.

fie [fai] fi (donc)!

fief [fi:f] fief *m*.

field [fi:ld] **1.** champ *m*; pré *m*; *sp.* terrain *m*; *course:* champ *m*; *fig.* domaine *m*; ✝ marché *m*; ✗ champ *m* de bataille; *glace:* banc *m*; hold the ∼ ✗ se maintenir sur ses positions; *fig.* être toujours en faveur; **2.** *cricket: v/i.* tenir le champ; *v/t.* arrêter et relancer (*la balle*); '∼-day ✗ jour *m* de grandes manœuvres *ou* de revue; *fig.* grande occasion *f*, grand jour *m*; Am. réunion *f* athlétique; Am. journée *f* d'expédition en pleine campagne; '**field·er** *cricket:* chasseur *m*.

field ...: '∼-fare litorne *f*; '∼-glass jumelle *f*, -s *f/pl.*; '∼-jack·et anorak *m*; '2-Mar·shal feld-maréchal *m*; '∼-sports *pl.* chasse *f* et pêche *f*.

fiend [fi:nd] démon *m*, esprit *m* malin; diable *mf*; *fig.* monstre *m*; *fig.* fanatique *mf* (de); '**fiend·ish** diabolique; infernal (-aux *m/pl.*).

fierce □ [fiəs] féroce; violent; furieux (-euse *f*); '**fierce·ness** férocité *f*; violence *f*; fureur *f*.

fi·er·i·ness ['faiərinis] ardeur *f* (*a.*

fig.); '**fi·er·y** □ de feu; enflammé; ardent; emporté (*personne*).

fife [faif] **1.** fifre *m*; **2.** *v/t.* fifrer; *v/i.* jouer du fifre; '**fif·er** (joueur *m* de) fifre *m*.

fif·teen ['fif'ti:n] quinze; '**fif'teenth** [∼θ] quinzième (*a. su./m*); **fifth** [fifθ] cinquième (*a. su./m*); '**fifth·ly** en cinquième lieu; **fif·ti·eth** ['∼tiiθ] cinquantième (*a. su./m*); '**fif·ty** cinquante; '**fif·ty-'fif·ty** chacun(e *f*) la moitié; go ∼ être de moitié.

fig¹ [fig] figue *f*; arbre: figuier *m*; a ∼ for ...! zut pour ...!; I don't care a ∼ for him je m'en fiche (de lui).

fig² F [∼] **1.** forme *f*; gala *f*; in full ∼ en grande toilette *ou* tenue; in good ∼ en bonne forme; **2.** ∼ out attifer.

fight [fait] **1.** combat *m*, bataille *f*; *box.* assaut *m*; (*a.* free ∼) bagarre *f*; *fig.* lutte *f*; make a ∼ for lutter pour; put up a good ∼ se bien acquitter; show ∼ offrir de la résistance; **2.** [*irr.*] *v/t.* se battre avec *ou* contre; combattre; lutter contre; ∼ repousser, résister à; *v/i.* se battre; combattre; lutter; ∼ against combattre (*q., qch.*); ∼ back résister à, repousser; ∼ for se battre pour; ∼ shy of éviter; ∼ing fit frais et dispos; en parfaite santé; '**fight·er** combattant *m*, guerroyeur *m*; ∼ plane avion *m* de chasse, chasseur *m*; '**fight·ing** combat *m*; *attr.* de combat.

fig·ment ['figmənt] fiction *f*, invention *f*.

fig-tree ['figtri:] figuier *m*.

fig·u·rant ['figjurənt] figurant *m*.

fig·u·ra·tion [figju'reiʃn] (con-) figuration *f*; ♪ embellissement *m*; **fig·ur·a·tive** □ ['∼rətiv] figuratif (-ive *f*); figuré; en images.

fig·ure ['figə] **1.** figure *f* (*a.* ♪, danse, géométrie, livre); taille *f*, forme *f*; ♪ chiffre *m*; image *f*; *tissu:* dessin *m*; F what's the ∼? ça coûte combien?; at a high ∼ à un prix élevé; **2.** *v/t.* écrire en chiffres, ♪ chiffrer; brocher (*un tissu*); (*a.* ∼ to o.s.*, se) figurer, représenter; Am. estimer; ∼ up (*ou* out) calculer; ∼ out résoudre (*un problème*); *v/i.* chiffrer, calculer; ∼ as représenter; ∼ on se trouver sur; Am. compter sur; ∼ out at (se) monter à; '∼-head ⚓ figure *f* de proue; *fig.* personnage

fine

m purement décoratif; prête-nom *m*; '~-**skat·ing** tracé *m* des figures sur la glace.

fig·u·rine ['figjuri:n] figurine *f*.

fil·a·ment ['filəmənt] filament *m* (*a*. ⚡); ⚕, *zo.*, *phys.* filet *m*; *attr.* ⚡, *radio*: de chauffage.

fil·bert ⚕ ['filbə:t] aveline *f*; *arbre*: avelinier *m*.

filch [filtʃ] chiper (à, *from*).

file[1] [fail] **1.** dossier *m* (*a*. ⚖), *lettres*: classeur *m*; *papiers*: liasse *f*; crochet *m* à papiers; fichier *m*; ✂ file *f*; *in single* ~ en file indienne; ~-*leader* chef *m* de file **2.** ✕ (faire) marcher en ligne de file; ✕ ~ *off* (faire) défiler; *v/t.* enfiler; classer; ranger; joindre au dossier; enregistrer (*une enquête*); *Am.* déposer (*une plainte*); *filing cabinet* fichier *m*; classeur *m*.

file[2] [~] **1.** lime *f*; *sl.* deep ~ fin matois *m*; **2.** limer; '~-**cut·ter** tailleur *m* de limes.

fil·i·al □ ['filjəl] filial (-aux *m/pl.*); **fil·i·a·tion** [fili'eiʃn] filiation *f*.

fil·i·bus·ter ['filibʌstə] **1.** (*ou* **fil·i-**'**bus·ter·er**) flibustier *m*; *Am.* obstructionniste *m*; **2.** flibuster; *Am.* faire de l'obstruction.

fil·i·gree ['filigri:] filigrane *m*.

fil·ings *pl.* ['failiŋz] limaille *f*.

fill [fil] **1.** (se) remplir (de, *with*); (se) combler; *v/t.* plomber (*une dent*); occuper (*un poste*); charger, satisfaire (*un besoin*, *un désir*); *Am.* ⚕, *pharm.* exécuter; *Am.* répondre à; ~ *s.o.'s glass* verser à boire à q.; ~ *in* combler (*un trou etc.*); remplir (*un bulletin*, *une formule*); libeller (*un chèque*); ~ *out* (s')enfler; grossir; ~ *up* (se) ᵣremplir, (se) combler; libeller (*un chèque*); **2.** suffisance *f*; soûl *m*; plein *m* de pipe; plumée *f*; *eat* (*drink*) *one's* ~ manger à sa faim (boire à sa soif).

fill·er ['filə] remplisseur (-euse *f*) *m*; remplissage *m*.

fil·let ['filit] **1.** △, *cheveux*: filet *m*; *cuis.* filet *m* (*de bœuf etc.*); ✄ bandelette *f*; ruban *m*; *veau*: rouelle *f*; △ fasce *f*; **2.** orner d'un filet; *cuis.* détacher les filets de.

fill·ing ['filiŋ] remplissage *m*; charge *f*; *dent*: plombage *m*; *mot.* ~ *station* poste *m* d'essence.

fil·lip ['filip] **1.** *doigt*: chiquenaude *f*; encouragement *m*, stimulant *m*;

2. donner une chiquenaude à; stimuler.

fil·ly ['fili] pouliche *f*; F jeune fille *f*.

film [film] **1.** pellicule *f* (*a*. *phot.*); voile *m*; peau *f* (*du lait chaud*); *cin.* film *m*, bande *f*; *œil*: taie *f*; ~ *car-toon* dessin *m* animé; ~ *cartridge phot.* (pellicule *f* en) bobine *f*; *take a* ~ tourner un film; **2.** (se) couvrir d'une pellicule *ou* d'un voile; *v/t. phot.*, *cin.* filmer; *v/i. fig.* se voiler; '**film·y** □ *fig.* voilé; transparent.

fil·ter ['filtə] **1.** filtre *m*; **2.** *v/t.* filtrer; *v/i. fig.* s'infiltrer; ~ *in* changer de file; '**fil·ter·ing** filtrage *m*.

filth [filθ] saleté *f*; '**filth·y** □ sale, dégoûtant; crapuleux (-euse *f*).

fil·trate ['filtreit] **1.** (s'in)filtrer; **2.** ⚗ filtrat *m*; **fil·tra·tion** filtration *f*; *pharm.* colature *f*.

fin [fin] nageoire *f*; *sl.* main *f*; ✈ plan *m* fixe; *mot.* ailette *f*.

fi·nal ['fainl] **1.** ᴏ final (-als *m/pl.*) (*a*. *gramm.*); dernier (-ère *f*); définitif (-ive *f*); sans appel; **2.** *a.* ~*s pl.* examen *m* final; *sp.* finale *f*; **fi·nal·ist** ['~nəlist] *sp.* finaliste *mf*; **fi·nal·i·ty** [~'næliti] caractère *m* définitif; décision *f*.

fi·nance [fai'næns] **1.** finance *f*; **2.** *v/t.* financer; *v/i.* être dans la finance; **fi·nan·cial** □ [~ʃl] financier (-ère *f*); **fin·an·cier** [~siə] financier *m*; *fig.* bailleur *m* de fonds.

finch *orn.* [fintʃ] pinson *m*.

find [faind] **1.** [*irr.*] trouver; découvrir; constater; retrouver; croire; fournir, procurer; ⚖ déclarer, prononcer (*coupable etc.*); ~ *o.s.* se trouver; se pourvoir soi-même; *all found* tout fourni; ~ *out* découvrir; se renseigner (sur, *about*); inventer; *I cannot* ~ *it in my heart* je n'ai pas le cœur (de *inf.*, *to inf.*); **2.** trouvaille *f*, découverte *f*; '**find·er** trouveur (-euse *f*) *m*; *phot.* viseur *m*; *opt.* chercheur *m*; *a.* ~*s pl.* trouvaille *f*; ⚖ conclusion *f*; verdict *m*.

fine[1] □ [fain] **1.** fin, pur; raffiné; subtil; bon(ne *f*); excellent; petit; beau (bel *devant une voyelle ou un h muet*); belle *f*; beaux *m/pl.*) (*a*. *temps*); joli; élégant; *you are a* ~ *fellow! iro.* vous êtes joli, vous!; ~ *arts pl.* beaux arts *m/pl.*; **2.** *adv.* finement; admirablement; *cut* ~ tout juste (*temps*); au plus bas (*prix*); 3. *météor.* beau temps *m*; 4. (se) clarifier (*bière*); ~ away (*ou* down *ou* off) (s')amincir; rendre *ou* devenir effilé.

fine² [~] 1. amende *f*; in ~ bref; enfin; 2. frapper (*q.*) d'une amende (d'une livre, *a pound*).

fine-draw ['fain'drɔː] rentraire; ~n *fig.* amaigri; subtil.

fine·ness ['fainnis] finesse *f*; pureté *f*; subtilité *f*; beauté *f*; élégance *f*.

fin·er·y ['fainəri] parure *f*; atours *m/pl.*; ⊕ (af)finerie *f*.

fi·nesse [fi'nes] finesse *f*; ruse *f*; *cartes:* impasse *f*.

fin·ger ['fiŋgə] 1. doigt *m*; have a ~ in the pie être mêlé à *ou* se mêler de l'affaire; *see* end 1; 2. manier, toucher; tâter; ♪ doigter; tapoter sur (*un piano*); '~-board ♪ *piano etc.:* clavier *m*; *violon etc.:* touche *f*; 'fin·gered aux doigts ...; 'fin·ger·ing maniement *m*; ♪ doigté *m*; grosse laine *f* à tricoter.

fin·ger...: '~-lan·guage langage *m* mimique; '~-post poteau *m* indicateur; '~-print 1. empreinte *f* digitale; 2. prendre les empreintes digitales de (*q.*); '~-stall doigtier *m*.

fin·i·cal □ ['finikl], **fin·ick·ing** ['~kiŋ], **fin·ick·y** ['~ki], **fin·i·kin** ['~kin] difficile; méticuleux (-euse *f*) (*personne*).

fin·ish ['finiʃ] 1. *v/t.* finir; terminer; casser; (*a.* ~ off, up) achever, mener à terme; ⊕ usiner; *tex.* apprêter; ~ed goods *pl.* articles *m/pl.* apprêtés; ~ing touch dernière main *f*; *v/i.* finir; se terminer; prendre fin; 2. achèvement *m*; ⊕ apprêtage *m*; ⊕ finissage *m*; ✝ fini *m*, apprêt *m*; 'fin·ish·er ⊕ finisseur (-euse *f*) *m*, apprêteur (-euse *f*) *m*; F coup *m* de grâce.

fi·nite □ ['fainait] borné, limité; fini (*a.* ♉); *gramm.* ~ verb verbe *m* à un mode fini; 'fi·nite·ness nature *f* limitée.

fink *Am. sl.* [fiŋk] jaune *m*.

Fin·land·er ['finləndə], **Finn** [fin] Finlandais(e *f*) *m*; Finnois(e *f*) *m*.

Finn·ish ['finiʃ] finlandais; *ling.* finnois *m*.

fin·ny ['fini] à nageoires.

fir [fəː] sapin *m*; *Scotch* ~ pin *m* rouge; '~-cone pomme *f* de sapin.

fire ['faiə] 1. feu *m*; incendie *m*; ✕ tir *m*; *fig.* ardeur *f*; radiateur *m* (à

gaz, électrique); ~! au feu!; on ~ en flammes, en feu; 2. *v/t.* mettre le feu à; (*a.* ~ off) ✕ tirer; cuire (*des briques etc.*); *fig.* enflammer; F congédier, renvoyer; ⊕ chauffer (*le four etc.*); ~ up allumer; chauffer; *v/i.* prendre feu; s'enflammer (*a. fig.*); partir; tirer (sur *at*, [*up*]on); F ~ away! allez-y!; ~ up s'emporter (contre, *at*); '~-a·larm signal *m* d'incendie; '~-arms *pl.* armes *f/pl.* à feu; '~-ball *météor.* aérolithe *m*; éclair *m* en boule; ✕ balle *f* à feu; '~-box ⊕ boîte *f* à feu; '~-brand brandon *m* (de discorde); '~-bri·gade sapeurs-pompiers *m/pl.*; '~-bug *Am.* F incendiaire *m*; '~-crack·er pétard *m*; '~-cur·tain *théâ.* rideau *m* métallique; '~-damp ⚒ grisou *m*; '~-de·part·ment *Am.* sapeurs-pompiers *m/pl.*; '~-dog chenet *m*; landier *m*; '~-en·gine ⊕ pompe *f* à incendie; '~-es·cape échelle *f* *ou* escalier *m* de sauvetage; '~-ex·tin·guish·er extincteur *m* (d'incendie); '~-fly luciole *f*; F mouche *f* à feu; '~-gre·nade grenade *f* extinctrice; '~-in·sur·ance assurance *f* contre l'incendie; '~-i·rons *pl.* garniture *f* de foyer; '~-light·er allume-feu *m/inv.*; '~-man (sapeur-)pompier *m*; ⊕ chauffeur *m*; '~-of·fice bureau *m* d'assurance contre l'incendie; '~-place cheminée *f*; foyer *m*; '~-plug bouche *f* d'incendie; '~-proof ignifuge; '~-screen devant *m* de cheminée; '~-side 1. cheminée *f*, foyer *m*; coin *m* du feu; 2. de *ou* au coin du feu; '~-sta·tion poste *m* de pompiers; '~-wood bois *m* à brûler; '~-work(s *pl. fig.*) feu *m* d'artifice; '~-work pièce *f* d'artifice.

fir·ing ['faiəriŋ] chauffage *m*; ⊕ chauffe *f*; *brisques etc.:* cuite *f*; ✕ tir *m*; ~ squad peleton *m* d'exécution.

fir·kin ['fəːkin] *mesure:* quartaut *m* (45,5 litres); tonnelet *m*.

firm [fəːm] 1. □ ferme; solide; inébranlable; 2. maison *f* (de commerce); raison *f* sociale.

fir·ma·ment ['fəːməmənt] firmament *m*.

firm·ness ['fəːmnis] fermeté *f*; solidité *f*.

first [fəːst] 1. *adj.* premier (-ère *f*);

~ *aid* premiers soins *m/pl.*; ♱ ~ *cost* prix *m* coûtant *ou* initial *ou* de revient; *Am.* ~ *floor see ground floor*; ~ *name* prénom *m*; ~ *night théâ.* première *f*; *Am.* ~ *papers pl.* déclaration *f* de naturalisation; **2.** *adv.* premièrement; pour la première fois; plutôt; *at* ~, ~ *of all* pour commencer; tout d'abord; ~ *and last* en tout et pour tout; **3.** *su.* premier (-ère *f*) *m*; ♱ ~ *of exchange* première *f* de change; *from the* ~ dès le premier jour; *go* ~ passer devant; prendre le devant; 🚢 voyager en première; '~-'aid post poste *m* de secours; '~-born premier-né (premier-née *ou* première-née *f*); '~-class de première classe; de première qualité; '~-fruits *pl.*, firstlings *pl.* ['~liɳz] prémices *f/pl.*; 'first-ly premièrement; d'abord; 'first-rate de premier ordre; *see first-class.*

firth [fə:θ] estuaire *m*, golfe *m*.

fis-cal ['fiskl] fiscal (-aux *m/pl.*); financier (-ère *f*).

fish [fiʃ] **1.** poisson *m*; *coll.* poissons *m/pl.*; 🚢 éclisse *f*; F type *m*; *odd* ~ drôle *m* de type; *have other* ~ *to fry* avoir d'autres chats à fouetter; **2.** *v/i.* pêcher (qch., *for* s.th.); aller à la pêche (de, *for*) *v/t.* pêcher; 🚢 éclisser; ~ *out* tirer; sortir; '~-bone arête *f*.

fish-er-man ['fiʃəmən] pêcheur *m*; 'fish-er-y pêche *f*; *lieu*: pêcherie *f*. fish-hook ['fiʃhuk] hameçon *m*. fish-ing ['fiʃiɳ] pêche *f*; '~-line ligne *f* de pêche; '~-rod canne *f* à pêche; '~-tack-le attirail *m* de pêche.

fish...: '~-mon-ger marchand(e *f*) *m* de poisson; '~-wife marchande *f* de poisson; 'fish-y de poisson; vitreux (-euse *f*) (*œil*); F louche; véreux (-euse *f*).

fis-sion ['fiʃn] fission *f*; *see atomic*; fis-sion-a-ble *phys.* ['~əbl] fissile; fis-sure ['fiʃə] **1.** fissure *f*, fente *f*; **2.** fendre.

fist [fist] poing *m*; F main *f*; F écriture *f*; fist-i-cuffs ['~ikʌfs] *pl.* coups *m/pl.* de poing.

fis-tu-la 🞄 ['fistjulə] fistule *f*.

fit¹ [fit] **1.** □ bon, propre, convenable (à, *for*); digne (de); en bonne santé; capable; F prêt (à, *for*); *sp.* en forme, en bonne santé; *it is not* ~ il

ne convient pas; F ~ *as a fiddle* en parfaite santé; **2.** *v/t.* adapter, ajuster, accommoder (à *to*, *for*); préparer; s'accorder avec; aller à (q.), (a. ~ *together*) assembler (*des pièces*); ⊕ (a. ~ *in*) emboîter; pourvoir (de, *with*); ~ *out* équiper (de, *with*); ~ *up* monter; établir; appareiller; *v/i.* s'ajuster; aller (*robe etc.*); convenir; **3.** coupe *f*, costume *etc.*: ajustement *m*; *it is a bad* ~ il est mal ajusté.

fit² [~] 🞄 attaque *f*, crise *f*, colère: accès *m*; *by* ~*s and starts* par boutades, à bâtons rompus; *give* s.o. *a* ~ F donner un coup de sang à q.

fitch-ew *zo.* ['fitʃu:] putois *m*.

fit-ful □ ['fitful] irrégulier (-ère *f*); capricieux (-euse *f*); d'humeur changeante; 'fit-ment meuble *m*; ⊕ montage *m*; 'fit-ness convenance *f*; aptitude *f*; justesse *f*; santé *f*; 'fit-out équipement *m*; 'fit-ter monteur *m*; appareilleur *m*; *cost. etc.* essayeur (-euse *f*) *m*; 'fit-ting **1.** □ convenable, propre; **2.** montage *m*; *cost. etc.* essayage *m*; ~*s pl.* chambre: garniture *f*; installations *f/pl.*; *gaz, électricité*: appareillage *m*; 'fit-up F scène *f* démontable; accessoires *m/pl.*

five [faiv] **1.** cinq (a. *su./m*); **2.** ~*s sg.* (jeu *m* de) balle *f* au mur; 'five-fold quintuple.

fix [fiks] **1.** *v/t.* fixer (a. *phot.*, a. *les yeux sur* q.); attacher (a. *un regard sur* q.); nommer (*un jour*); régler; déterminer; *surt. Am.* F arranger, faire (*le lit etc.*); réduire à quia; graisser la patte à; ~ o.s. s'établir; ~ *up* arranger; installer; *Am.* s'arranger; *v/i.* s'installer; se fixer; se décider (pour, *on*); **2.** F embarras *m*, difficulté *f*; fix-a-tion fixation *f*; *phot.* fixage *m*; fix-a-tive ['~ətiv], fix-a-ture ['~ətʃə] fixatif *m*; fixed ['~t] (*adv.* fix-ed-ly ['~idli]) fixe); arrêté; permanent; invariable; figé (*sourire*); ~ *quota* contingent *m* (déterminé); ~ *star* étoile *f* fixe; fix-ed-ness ['~idnis] fixité *f*; constance *f*; 'fix-er *phot.* fixateur *m*; bain *m* de fixage; 'fix-ing fixage *m*; *tex.* bousage *m*; *Am.* ~*s pl.* équipement *m*; garniture *f*; 'fix-i-ty fixité *f*; fermeté *f*; fix-ture ['~tʃə] meuble *m* fixe; appareil *m* fixe; *sp.* engagement *m*; ~*s pl.* meubles *m/pl.* fixes; appareil *m* (*à gaz etc.*).

fizz [fiz] **1.** pétiller; cracher (*vapeur*); **2.** pétillement *m*; F champagne *m*; mousseux *m*; **'fiz·zle 1.** pétiller; siffler; (*usu.* ~ *out*) faire fiasco, avorter; **2.** pétillement *m*; fiasco *m*.

flab·ber·gast F ['flæbəɡɑːst] abasourdir; *be* ~*ed* (*en*) rester interdit.

flab·by □ ['flæbi] flasque, mou (mol *devant une voyelle ou un h muet*; molle *f*).

flac·cid □ ['flæksid] flasque, mou (mol *devant une voyelle ou un h muet*; molle *f*).

flag¹ [flæg] **1.** drapeau *m*; ♣ pavillon *m*; ~ *of truce* drapeau *m* parlementaire; *black* ~ pavillon *m* noir; **2.** pavoiser; transmettre par signaux; *sp.* ~ *out* jalonner.

flag² [~] **1.** carreau *m*; dalle *f*; **2.** paver; daller.

flag³ ♣ [~] iris *m*.

flag⁴ [~] languir; traîner.

flag-day ['flægdei] jour *m* de quête; *Am. Flag Day* le quatorze juin (*anniversaire de l'adoption du drapeau national*).

flag·el·late ['flædʒeleit] flageller; **flag·el·la·tion** flagellation *f*.

fla·gi·tious □ [flə'dʒiʃəs] infâme, abominable.

flag·on ['flægən] flacon *m*; ♣ vin: pot *m* à anse; *bière*: grosse bouteille *f*.

fla·grant □ ['fleigrənt] infâme; flagrant, énorme.

flag...: '~**·ship** vaisseau *m* amiral; '~**·staff** mât *m* ou hampe *f* de drapeau; ♣ mât *m* de pavillon; '~**·stone** pierre *f* à paver; dalle *f*; '~**·wag·ging** ✕, ♣ signalisation *f*; *sl.* chauvinisme *m*.

flail ✗ [fleil] fléau *m*.

flair [flɛə] flair *m*; F aptitude *f* (à, *for*).

flake [fleik] **1.** flocon *m*; *savon*: paillette *f*; *métal*: écaille *f*; **2.** (s')écailler; (s')épaufrer (*pierre*); **'flak·y** floconneux (-euse *f*); écailleux (-euse *f*); feuilleté (*pâte*).

flam F [flæm] blague *f*; charlatanerie *f*.

flame [fleim] **1.** flamme *f*; feu *m*; *fig.* passion *f*; F béguin *m*; flamber (*a. fig.*), s'enflammer; ~ *out* (*ou up*) jeter des flammes; s'enflammer.

flange ⊕ [flændʒ] *roue*: boudin *m*; *pneu*: talon *m*; *poutre*: semelle *f*.

flank [flæŋk] **1.** flanc *m* (*a.* ✕, *a. fig.*); **2.** flanquer (de *by*, *with*); ✕ prendre de flanc.

flan·nel ['flænl] *tex.* flanelle *f*; *attr.* de flanelle; ~*s pl.* flanelles *f/pl.*; pantalon *m* de flanelle; *face*-~ gant *m* de toilette.

flap [flæp] **1.** patte *f*; pan *m*; *table*: battant *m*; *chaussure*: oreille *f*; léger coup *m*; clapotement *m*; **2.** *v/t.* frapper légèrement; battre de (*les ailes*, *les bras*, *etc.*); *v/i.* battre; claquer; ballotter; **'flap·per** battoir *m*; claquette *f*; *sl.* jeune fille *f*; *see* flap 1.

flare [flɛə] **1.** flamboyer; brûler avec une lumière inégale; s'évaser (*jupe*, *tube*, *etc.*); ~ *up* s'enflammer; s'emporter (*personne*); **2.** flamme *f* vacillante; ✕ fusée *f* éclairante; ✗ feu *m*; *jupe*: godet *m*.

flash [flæʃ] **1.** voyant; contrefait, faux (fausse *f*); **2.** éclair *m*; éclat *m*; *fig.* saillie *f*; rayon *m*; *surt. Am.* dernière nouvelle *f*; nouvelle *f* brève; *in a* ~ en un clin d'œil; ~ *of wit* boutade *f*; ~ *in the pan* feu *m* de paille; **3.** *v/i.* lancer des étincelles; briller; étinceler; *v/t.* faire étinceler; faire parade de; diriger, projeter (*un rayon de lumière*); darder (*un regard*); télégraphier; riposter; *it* ~*ed on me* l'idée me vint tout d'un coup; '~·**back** *cin.* scène *f* de rappel; '~·**light** *phot.* lumière-éclair *f*; *Am.* lampe *f* de poche; '~·**point** point *m* d'inflammabilité; **'flash·y** □ voyant; superficiel(le *f*); à toilette tapageuse.

flask [flɑːsk] flacon *m*; poire *f* à poudre; *vacuum* ~ thermos *m*.

flat [flæt] **1.** □ plat, uni; étendu; insipide; catégorique; ✗ net(te *f*); languissant; mat (*peinture*); ♪ faux (fausse *f*); ♪ bémol *inv.*; calme (*bourse*); ~ *price* prix *m* unique; *fall* ~ rater, manquer; *sing* ~ chanter faux; **2.** pays *m* plat; plaine *f*; *théâ.* ferme *f*; paroi *f*; appartement *m*; ♣ bas-fond *m*; ♪ bémol *m*; F benêt *m*, niais(e *f*) *m*; *mot. sl.* pneu *m* à plat; '~·**foot** pied *m* plat; *souv. Am.* agent *m*, flic *m*; '~·'**foot·ed** à pieds plats; *Am.* F formel(le *f*); franc(he *f*); '~·**i·ron** fer *m* à repasser; **'flat·ness** nature *f* plate; égalité *f*; *fig.* monotonie *f*; franchise *f*; ✗ langueur *f*, marasme *m*; **'flat·ten** (s')aplatir; ✇ ~ *out* se redresser; allonger le vol.

flat·ter ['flætə] flatter; '**flat·ter·er** flatteur (-euse *f*) *m*; '**flat·ter·y** flatterie *f*.

flat·u·lence, flat·u·len·cy ['flætjuləns(i)] flatuosité *f*, flatulence *f*; '**flat·u·lent** ☐ flatulent.

flaunt [flɔ:nt] faire étalage (de).

fla·vo(u)r ['fleivə] 1. saveur *f*; goût *m*; arome *m*; *vin*: bouquet *m*; *fig.* atmosphère *f*; 2. assaisonner (de, with); parfumer; '**fla·vo(u)red**: *vanilla-~* (parfumé) à la vanille; '**fla·vo(u)r·less** insipide, fade.

flaw [flɔ:] 1. défaut *m*, défectuosité *f*; imperfection *f*; ⊕ paille *f*; ⚏ vice *m* de forme; *fig.* tache *f*; ⚓ grain *m*; 2. (se) fêler; *fig.* (s')endommager; '**flaw·less** ☐ sans défaut; parfait.

flax ⚡ [flæks] lin *m* (*a. tex.*); '**flax·en**, '**flax·y** de lin; F blond.

flay [flei] écorcher; *fig.* rosser; '**flay·er** écorcheur *m*.

flea [fli:] puce *f*; '**~·bane** ⚡ érigéron *m*; '**~·bite** morsure *f* de puce.

fleck [flek] 1. petite tache *f*; 2. tacheter (de, with).

flec·tion ['flekʃn] see flexion.

fled [fled] *prét. et p.p. de* flee.

fledge [fledʒ] *v/i.* s'emplumer; *v/t.* pourvoir de plumes; **fledg(e)·ling** ['ˈliŋ] oisillon *m*; *fig.* novice *mf*.

flee [fli:] [*irr.*] *v/i.* s'enfuir (de, from); *v/t.* (*a. ~ from*) fuir.

fleece [fli:s] 1. toison *f*; *tex.* nappe *f*; ✝ molleton *m*; 2. tondre; écorcher; '**fleec·y** floconneux (-euse *f*); moutonné (*nuage, vagues*).

fleer [fliə] 1. † ricanement *m*; 2. se moquer (de, *at*), railler (q., *at s.o.*).

fleet [fli:t] 1. ☐ *poét.* rapide; léger (-ère *f*); 2. flotte *f*; *fig.* série *f*; ♀ *Street* la presse *f* (*à Londres*); 3. passer rapidement; '**fleet·ing** ☐ fugitif (-ive *f*); passager (-ère *f*).

Flem·ing ['flemiŋ] Flamand(e *f*) *m*; '**Flem·ish** 1. flamand; 2. *ling.* flamand *m* (*inv.*); Flamand(e *f*) *m*.

flesh [fleʃ] 1. chair *f* (*a. eccl., a. des fruits*); viande *f*; *make s.o.'s ~ creep* donner le frisson à q.; 2. donner le goût à (*fig.* le baptême) du sang à; '**~·brush** brosse *f* à friction; **flesh·ings** ['ˈliŋz] *pl. théâ.* maillot chair *m/inv.*; '**flesh·ly** charnel(le *f*); sensuel(le *f*); '**flesh·y** charnu; gras(se *f*).

flew [flu:] *prét. de* fly 2.

flex ⚡ [fleks] flexible *m*, cordon *m* souple; **flex·i·bil·i·ty** [ˌˈbiliti] souplesse *f* (*a. fig.*); '**flex·i·ble** ☐ flexible; souple; pliant; **flex·ion** ['flekʃn] flexion *f*; courb(ur)e *f*; *gramm.* (in)flexion *f*; **flex·or** ['ˈksə] *anat.* (muscle *m*) fléchisseur *m*; **flex·u·ous** ['fleksjuəs] flexueux (-euse *f*); **flex·ure** ['flekʃə] flexion *f*; *géol.* pli *m*.

flick [flik] 1. effleurer (*un cheval etc.*); (*a. ~ at*) donner une chiquenaude à; 2. petit coup *m*; chiquenaude *f*; *~s pl. sl.* ciné *m*.

flick·er ['flikə] 1. trembler, vaciller; clignoter; 2. tremblement *m*; battement *m*; *Am.* évanouissement *m*.

fli·er ['flaiə] see flyer.

flight [flait] vol *m* (*a. ✇*); essor *m* (*a. fig.*); *abeilles*: essaim *m*; *oiseaux*: volée *f*; fuite *f* (*a. ✕*); ✇ ligne *f*; (~ *of stairs*) escalier *m*, perron *m*; *put to ~* mettre (*q.*) en déroute; *take (to) ~* prendre la fuite; '**~·com·mand·er** commandant *m* de groupe; '**~·lieu'ten·ant** capitaine *m* aviateur; '**flight·y** ☐ frivole, étourdi; volage; inconstant.

flim·sy ['flimzi] 1. tenu; fragile; léger (-ère *f*); frivole; 2. papier *m* pelure; F fafiot *m* (*=billet de banque*); télégramme *m*; *journ.* copie *f*.

flinch [flintʃ] broncher; reculer (devant, from); tressaillir.

fling [fliŋ] 1. coup *m*, jet *m*; *cheval*: ruade *f*; *fig.* essai *m*; *have one's ~* jeter sa gourme; 2. [*irr.*] *v/i.* s'élancer, se précipiter; (*a. ~ out*) ruer (*cheval*); s'étendre; *v/t.* jeter, lancer; *~ o.s.* se précipiter; *~ away* jeter de côté; gaspiller (*l'argent*); *~ forth* jeter dehors; F flanquer à la porte; *~ open* ouvrir tout grand; *~ out* étendre (*les bras*).

flint [flint] caillou (*pl. -x*) *m*; *géol.* silex *m*; pierre *f* à briquet; '**flint·y** caillouteux (-euse *f*); *fig.* insensible.

flip [flip] 1. chiquenaude *f*; petite secousse *f* vive; ✇ *sl.* petit tour *m* de vol; *boisson:* flip *m*; 2. donner une chiquenaude à; donner une petite secousse à; claquer (*le fouet*).

flip-flap ['flipflæp] 1. *su.* saut *m* périlleux; 2. *adv.* flic flac.

flip·pan·cy ['flipənsi] légèreté *f*; '**flip·pant** ☐ léger (-ère *f*); irrévérencieux (-euse *f*).

flip·per ['flipə] *zo.* nageoire *f*; *sl.* main *f*.

flirt [flə:t] **1.** coquette *f*; flirteur *m*; **2.** *v/i.* flirter; faire la coquette; *v/t. see flip* 2; **flir'ta·tion** flirt *m*; coquetterie *f*.

flit [flit] voltiger; s'en aller; passer rapidement; déménager.

flitch [flitʃ] flèche *f* de lard.

flit·ter ['flitə] voltiger.

fliv·ver *Am.* F ['flivə] **1.** voiture *f* bon marché, F tacot *m*; **2.** subir un échec.

float [flout] **1.** ⊕, *pêche:* flotteur *m*; *filet:* galet *m*; masse *f* flottante; *théâ.* paroi *f* mobile; *théâ.* rampe *f*; radeau *m*; wagon *m* en plateforme; char *m* de cortège; **2.** *v/t.* flotter; transporter dans les airs; inonder (*un terrain*); *fig.* émettre, faire circuler; ♦ lancer, fonder, monter; *v/i.* flotter, nager; ⚓ être à flot; *nage:* faire la planche; **'float·a·ble** flottable; **'float·age** flottement *m*; **float'a·tion** *see* flotation; **'float·ing** flottant; à flot; sur mer; ♦ courant (*dette*); ~ *bridge* pont flottant; ♦ ~ *capital* capital disponible; ~ *ice* glace *f* flottante; ~ *kidney* rein *m* mobile; ~ *light* bateau-feu (*pl.* bateaux-feux) *m*.

flock[1] [flɔk] **1.** bande *f* (*a. fig.*); troupeau *m*; *oiseaux:* volée *f*; *eccl.* ouailles *f/pl.*; *fig.* foule *f*; **2.** s'attrouper; aller (entrer *etc.*) en foule.

flock[2] [~] flocon *m*; *coussin etc.*: bourre *f* de laine.

floe [flou] glaçon *m* (flottant).

flog [flɔg] fouetter; battre à coups de verge; **'flog·ging** (coups *m/pl.* de) fouet *m*; F bastonnade *f*.

flood [flʌd] **1.** (*a.* ~*-tide*) marée *f* montante; flux *m*; déluge *m*; inondation *f*; *rivière:* débordement *m*; *the* ♀ le Déluge; **2.** *v/t.* inonder (de, with); noyer (*a. mot.*); *v/i.* déborder; **'~·dis·as·ter** inondation *f*; **'~·gate** écluse *f*; vanne *f*; **'~·light** **1.** lumière *f* à grands flots; illumination *f* par projecteurs; **2.** [*irr.* (*light*)] illuminer par projecteurs.

floor [flɔ:] **1.** plancher *m*; parquet *m* (*a. parl., a. sl.* Bourse); salle *f*: airée *f*; *maison:* étage *m*; *Am.* ~ *leader* chef *m* de parti (*qui dirige les votes dans l'hémicycle*); ~ *price* prix *m* minimum; *restaurant etc.*: ~ *show* attractions *f/pl.*; *hold the* ~ *parl.*

avoir la parole; F accaparer la conversation; *take the* ~ prendre la parole; se joindre aux danseurs; **2.** planchéier; terrasser; F réduire à quia; '~·**cloth** linoléum *m*; torchon *m* à laver; **'floor·er** coup *m* qui (*vous etc.*) terrasse; **'floor·ing** planchéiage *m*; plancher *m*; dallage *m*; renversement *m*; **'floor·walk·er** *Am. see* shopwalker; **'floor·wax** cire *f* (à parquet), encaustique *f*.

flop F [flɔp] **1.** faire floc; se laisser tomber; pendre (*bords d'un chapeau*); *sl.* échouer; *Am. pol.* tourner casaque; **2.** bruit *m* sourd; coup *m* mat; fiasco *m*; *Am. sl.* lit *m*; *Am. sl.* ~ *house see* doss-house; hôtel *m* borgne; **3.** patapouf!; **'flop·py** pendant, flasque; lâche; F veule.

flo·ral ['flɔ:rəl] floral (-aux *m/pl.*).

flo·res·cence [flɔ:'resns] floraison *f*.

flor·id □ ['flɔrid] fleuri; flamboyant; rubicond (*visage*); **'flor·id·ness** style *m* fleuri; flamboyant *m*; *teint:* rougeur *f*.   [deux shillings.]

flor·in ['flɔrin] florin *m*; pièce *f* de]

flo·rist ['flɔrist] fleuriste *mf*.

floss [flɔs] (*a.* ~ *silk*) bourre *f* de soie; soie *f* floche; **'floss·y** soyeux (-euse *f*).

flo·ta·tion [flou'teiʃn] ⚓ flottaison *f*; flottage *m*; ♦ lancement *m*.

flot·sam ['flɔtsəm] épave(s) *f(pl.)* flottante(s).

flounce[1] [flauns] **1.** *cost. etc.* volant *m*; **2.** garnir de volants.

flounce[2] [~] s'élancer; se débattre; ~ *in* (*out*) entrer (sortir) brusquement.

floun·der[1] *icht.* ['flaundə] flet *m*.

floun·der[2] [~] patauger (*a. fig.*).

flour ['flauə] **1.** farine *f*; **2.** saupoudrer de farine.

flour·ish ['flʌriʃ] **1.** geste *m*; *discours:* fleurs *f/pl.*; brandissement *m*; trait *m* de plume; ♪ fanfare *f*; ornement *m*; **2.** *v/i.* fleurir; prospérer; *v/t.* brandir; agiter; *fig.* faire parade de.

flout [flaut] *v/t.* narguer; se moquer de; *v/i.* se railler (de, at).

flow [flou] **1.** (é)coulement *m*; courant *m*; cours *m*; passage *m*; flux *m*; ~ *of spirits* fonds *m* de gaieté; **2.** couler; s'écouler; monter (*marée*); circuler; flotter (*cheveux*); découler (de, with); ~ *from* dériver de.

flow·er ['flauə] **1.** fleur *f*; élite *f*; *plantes*: fleuraison *f*; *say it with* ~s exprimez vos sentiments avec des fleurs; **2.** fleurir; '**flow·er·i·ness** style *m* fleuri; fleurs *f/pl.* de rhétorique; '**flow·er·y** fleuri, de fleurs.

flown [floun] *p.p. de fly* 2.

flu F [flu:] *see* influenza.

flub·dub *Am.* ['flʌbdʌb] **1.** radotage *m*; **2.** ridicule.

fluc·tu·ate ['flʌktjueit] varier; **fluc·tu·a·tion** fluctuation *f*.

flue[1] [flu:] conduite *f*; tuyau *m*; cheminée *f*; ♪ *tuyau d'orgue*: bouche *f*.

flue[2] [~] duvet *m*, peluches *f/pl.*

flu·en·cy ['fluənsi] *parole etc.*: facilité *f*; '**flu·ent** □ courant, facile.

fluff [flʌf] peluche *f*; duvet *m*; '**fluff·y** pelucheux (-euse *f*); duveteux (-euse *f*); *sl.* pompette (= *ivre*); ~ *hair* cheveux *m/pl.* flous.

flu·id ['flu:id] **1.** fluide; liquide; **2.** liquide *m*, fluide *m*; **flu·id·i·ty** fluidité *f*.

fluke[1] [flu:k] *ancre*: patte *f*.

fluke[2] F [~] coup *m* de veine.

flum·mer·y ['flʌməri] *cuis.* crème *f* aux œufs; F flagornerie *f*.

flung [flʌŋ] *prét. et p.p. de fling* 2.

flunk *Am.* F [flʌŋk] *v/i.* échouer (à *un examen*); *v/t.* recaler (*q.*).

flunk·(e)y ['flʌŋki] laquais *m*; '**flunk·ey·ism** servilité *f*; flagornerie *f*.

flu·o·res·cence *phys.* [fluə'resns] fluorescence *f*.

flur·ry ['flʌri] **1.** agitation *f*; ⚓ brise *f* folle; *Am.* rafale *f* (de neige); averse *f*; **2.** agiter; bouleverser.

flush [flʌʃ] **1.** ⊕ de niveau, affleuré; très plein; abondant; F en fonds; **2.** rougeur *f*; abondance *f*; *W.-C.*: chasse *f* d'eau; *fig.* fraîcheur *f*; transport *m*; *cartes*: flush *m*; **3.** *v/t.* inonder; laver à grande eau; lever (*le gibier*); donner une chasse à; rincer; *v/i.* rougir; jaillir.

flus·ter ['flʌstə] **1.** confusion *f*; **2.** *v/t.* agiter, ahurir; † griser; *v/i.* s'agiter; s'énerver.

flute [flu:t] **1.** ♪ flûte *f*; △ cannelure *f*; *linge*: tuyau *m*; **2.** jouer de la flûte; flûter; jouer (*qch.*) sur la flûte; parler d'une voix flûtée; '**flut·ist** flûtiste *mf*.

flut·ter ['flʌtə] **1.** *ailes*: battement *m*; palpitation *f*; agitation *f*; F petit pari *m*; spéculation *f*; **2.** *v/t.*

agiter; *v/i.* battre des ailes; s'agiter; palpiter.

flux [flʌks] *fig.* flux *m* (*a.* 🜨); *fig.* changement *m* continuel; ~ *and reflux* flux *m* et reflux *m*.

fly [flai] **1.** mouche *f*; voiture *f* de place; *pantalon*: braguette *f*; *Am. mot.* volant *m*; *Am. baseball*: balle *f* lancée en chandelle; *théâ.* flies *pl.* cintres *m/pl.*; **2.** [*irr.*] *v/i.* voler; voyager en avion; flotter (*pavillon*); passer rapidement (*temps*); courir; ~ *at* s'élancer sur; ~ *in s.o.'s face* défier *q.*; ~ *into a passion* se mettre en colère; ~ *off* s'envoler; ~ *on instruments* piloter sans visibilité; ~ *out at* s'emporter contre; ~ *open* s'ouvrir subitement; *v/t.* battre (*un pavillon*); *see flee*; ~ *the Atlantic* survoler l'Atlantique.

fly-blow ['flaiblou] **1.** *fig.* souillures *f/pl.*; œufs *m/pl.* de mouche; **2.** couvrir d'œufs de mouche; *fig.* souiller.

fly·er ['flaiə] *surt.* ✈ aviateur (-trice *f*) *m*; bon coureur *m*; oiseau *m* qui vole; *Am.* express *m*; *take a* ~ être projeté; *Am. sl.* s'engager dans une opération risquée à la Bourse.

fly-flap ['flaiflæp] tue-mouches *m/inv.*

fly·ing ['flaiiŋ] volant; d'aviation; rapide; ~ *boat* hydravion *m* (à coque); △ ~ *buttress* arc-boutant (*pl.* arcs-boutants) *m*; ~ *deck* pont *m* d'atterrissage; ~ *field* champ *m* d'aviation; ~ *jump* saut *m* avec élan; ~ *machine* avion *m*; ~ *school* école *f* de pilotage; *police*: ~ *squad* brigade *f* mobile; ~ *start* départ *m* lancé; ~ *visit* courte visite *f*; ♀ *Of·fi·cer* lieutenant *m* aviateur.

fly...: '~-**leaf** *typ.* feuille *f* de garde; '~-**sheet** feuille *f* volante; '~-**weight** *box.* poids *m* mouche; '~-**wheel** volant *m* (de commande).

foal [foul] **1.** poulain *m*, pouliche *f*; **2.** *v/t.* mettre bas (*un poulain*); *v/i.* pouliner.

foam [foum] **1.** écume *f*; mousse *f*; **2.** écumer; mousser; ~ *rub·ber* caoutchouc *m* mousse; '**foam·y** écumeux (-euse *f*); mousseux (-euse *f*).

fob[1] [fob] *pantalon*: gousset *m*; (*ou* ~-*seal*) breloque *f*; (*ou* ~-*chain*) régence *f*.

fob² [~]: ~ off *fig.* refiler (qch. à q., s.th. on s.o.).

fo·cal ['foukl] focal (-aux *m/pl.*); *phot.* ~ *distance* distance *f* focale; *phot.* ~ *plane shutter* obturateur *m* à rideau.

fo·cus ['foukəs] **1.** foyer *m*; *fig. a.* siège *m*; **2.** (faire) converger; *v/t.* concentrer (*des rayons, a. l'attention*); *opt.* mettre au point.

fod·der ['fodə] **1.** fourrage *m*; **2.** donner le fourrage à.

foe *poét.* [fou] ennemi(e *f*) *m*, adversaire *m*.

foe·tus *biol.* ['fi:təs] fœtus *m*.

fog [fog] **1.** brouillard *m* (*a. fig.*); ⊕ brume *f*; *phot.* voile *m*; **2.** *v/t.* embrumer; *fig.* embrouiller; *phot.* voiler; *v/i.* se voiler.

fo·g(e)y F ['fougi]: *old ~* ganache *f*; vieille baderne *f*.

fog·gy □ ['fogi] brumeux (-euse *f*); *phot.* voilé; *fig.* confus; **'fog-horn** corne *f* de brume; [marotte *f*.]

foi·ble ['foibl] *fig.* faible *m*, F

foil¹ [foil] feuille *f*; lame *f*; *glace:* tain *m*; *escrime:* fleuret *m*; *fig.* repoussoir *m*.

foil² [~] faire échouer; déjouer.

foist [foist] imposer (à, on); refiler (qch. à q., s.th. on s.o.).

fold¹ [fould] **1.** enclos *m*; *fig.* sein *m*; (*a. sheep-~*) parc *m* à moutons; **2.** (em)parquer.

fold² [~] **1.** pli *m*, repli *m*; *porte:* battant *m*; **2.** -uple; **3.** *v/t.* plier; plisser; croiser (*les bras*); serrer (*dans, in*); ~ *in three* plier en trois doubles; ~ *down* retourner; plier; ~ *up* plier; fermer; *v/i.* se (re)plier; *Am.* F fermer boutique; **'fold·er** plieur (-euse *f*) *m*; ploir *m*; dépliant *m*; chemise *f*; (*a pair of*) ~s *pl.* (un) pince-nez *m/inv.* pliant.

fold·ing ['fouldiŋ] pliant; repliable; **'~-bed** lit *m* pliant; **'~-boat** canot *m* pliable; **'~-cam·er·a** *phot.* appareil *m* pliant; **'~-chair** pliant *m*; **'~-door(s** *pl.*) porte *f* à deux battants; **'~-hat** (chapeau *m*) claque *m*; **'~-screen** paravent *m*; **'~-seat** pliant *m*; *théâ. etc.* strapontin *m*.

fo·li·age ['fouliidʒ] feuillage *m*; **fo·li·at·ed** ['~eitid] feuilleté, folié; lamellaire, lamelleux (-euse *f*); **fo·li·a·tion** *plante:* frondaison *f*; *miroir:* étamage *m*; *métal:* laminage *m*.

fo·li·o ['fouliou] folio *m*; feuille *f*; *volume:* in-folio *m/inv.*

folk [fouk] peuple *m*; gens *mf/pl.*; F ~s *pl.* famille *f*.

folk·lore ['fouklɔ:] folklore *m*; légendes *f/pl.* populaires; **'folk-song** chanson *f* populaire.

fol·low ['folou] *v/t.* suivre; poursuivre (*a. les plaisirs*); succéder à; exercer (*un métier*); être partisan de; comprendre; *it* ~s *that* il s'ensuit que; ~ *out* poursuivre (qch.) jusqu'à sa conclusion; *cartes:* ~ *suit* jouer dans la couleur; *fig.* en faire autant; ~ *up* (pour)suivre; *v/i.* (s'en)suivre; *to* ~ à suivre; **'fol·low·er** serviteur *m*; disciple *m*; sectateur (-trice *f*) *m*; ⊕ plateau *m*; F amoureux (-euse *f*) *m*; **'fol·low·ing** suite *f*; partisans *m/pl.*; *the* ~ *pl.* les suivant(e)s *mf/pl.*; ~ *wind* vent *m* arrière.

fol·ly ['foli] folie *f*, sottise *f*.

fo·ment [fou'ment] ⚕ fomenter (*a. une discorde*); *fig.* exciter; **fo·men·ta·tion** fomentation *f*; stimulation *f*; **fo'ment·er** *fig.* fauteur (-trice *f*) *m*.

fond □ [fond] affectueux (-euse *f*); amateur (*de, of*); *be* ~ *of* aimer; *be* ~ *of dancing* aimer danser.

fon·dle ['fondl] caresser, câliner.

fond·ness ['fondnis] (*pour, for*) tendresse *f*; penchant *m*; goût *m*.

font *eccl.* [font] fonts *m/pl.* baptismaux.

food [fu:d] nourriture *f* (*a. fig.*); vivres *m/pl.*; aliment(s) *m(/pl.)*; manger *m*; *fig.* matière *f*; **'~-stuffs** *pl.* produits *m/pl.* alimentaires; **'~-val·ue** valeur *f* nutritive.

fool¹ [fu:l] **1.** fou (folle *f*) *m*; sot(te *f*) *m*; imbécile *mf*; idiot(e *f*) *m*; *make a* ~ *of s.o.* se moquer de q.; duper q.; *make a* ~ *of o.s.* se rendre ridicule; *live in a* ~'s *paradise* se bercer d'un bonheur illusoire; *on a* ~'s *errand* pour des prunes; **2.** *Am.* F stupide; imbécile de; **3.** *v/t.* duper, berner; escamoter (qch. à q., s.o. out of s.th.); F ~ *away* gaspiller; *v/i.* faire la bête; ~ *about*, *surt. Am.* ~ *(a)round* baguenauder; gâcher son temps.

fool² [~] marmelade *f* à la crème.

fool·er·y ['fu:ləri] bêtise *f*; **'fool-hard·y** □ téméraire; **'fool·ish** □ insensé, étourdi; **'fool·ish·ness** folie *f*, sottise *f*; **'fool-proof** ⊕

indétraquable; à toute épreuve;
fool's-cap ['ˏzkæp] bonnet *m* de
fou; **fools·cap** ['ˏskæp] papier *m*
ministre.

foot [fut] **1.** (*pl.* feet) *homme, bas,
échelle, lit, arbre:* pied *m* (*a.*
mesure 30,48 cm); *chat, chien, insecte, oiseau:* patte *f*; marche *f*; ✗
infanterie *f*; *page:* bas *m*; on ~ à
pied; sur pied, en train (*affaire*);
put one's ~ down faire acte d'autorité; opposer son veto (à, *upon*);
F *I have put my ~ into it* j'ai mis le
pied dans le plat; j'ai dit *ou* fait une
sottise; set on ~ mettre en train; set
~ on mettre pied sur; **2.** *v/t.* mettre
un pied à; (*usu.* ~ *up*) additionner (*le
compte*); F ~ *the bill* payer la note;
v/i. ~ *it* danser; marcher; '**foot·age**
longueur *f* en pieds; métrage *m*;
'**foot-and-'mouth dis·ease** fièvre *f*
aphteuse; '**foot·ball** ballon *m*;
football *m*; *Am.* rugby *m*; '**foot·
board** *mot.* marchepied *m*; '**foot·
boy** *hôtel:* chasseur *m*; '**foot-brake**
frein *m* à pied; '**foot-bridge** passerelle *f*; '**foot·ed:** swift-~ aux pieds
légers; '**foot·fall** (bruit *m* de) pas
m; '**foot-gear** chaussures *f/pl.*;
'**foot-guards** ✗ *pl.* gardes *m/pl.* à
pied; '**foot-hills** *pl.* collines *f/pl.*
avancées; '**foot-hold** prise *f* pour
le pied; *fig.* pied *m*.

foot·ing ['futiŋ] place *f* pour le pied;
point *m* d'appui; situation *f* sûre;
condition *f*; △ base *f*; *fig.* entrée *f*;
♥ addition *f*; *upon the same* ~ *as* sur
un pied d'égalité avec; *get a* ~
prendre pied; *lose one's* ~ perdre
pied; *pay* (for) *one's* ~ payer sa
bienvenue.

foo·tle F ['fu:tl] **1.** *v/t.* gâcher (*le
temps*); *v/i.* s'occuper à des futilités; **2.** bêtise *f*, niaiserie *f*.

foot ...: '~**lights** *pl.* *théâ.* rampe *f*;
'~**man** laquais *m*; ✗ † fantassin *m*;
'~**note** note *f* au bas d'une page;
'~**pace** pas *m*; '~**pas·sen·ger**
piéton *m*; '~**path** sentier *m*; *ville:*
trottoir *m*; '~**print** empreinte *f* de
pas; pas *m*; '~**race** course *f* à
pied; '~**rule** règle *f*; '~**slog** *sl.*
marcher; '~**sore** aux pieds endo-
loris; '~**stalk** ⧫ pétiole *m*; pé-
doncule *m*; '~**step** pas *m*; trace *f*;
⊕ butée *f*; '~**stool** tabouret *m*;
'~**wear** *see* foot-gear; '~**work** *sp.*
jeu *m* de pieds *ou* de jambes.

fop [fɔp] fat *m*, dandy *m*; '**fop·per·y**
dandysme *m*; '**fop·pish** □ fat;
affecté.

for [fɔː; fə] **1.** *prp. usu.* pour (*a. destination*); comme; à cause de; de
(*peur, joie, etc.*); par (*exemple, charité, etc.*); avant (*3 jours*), d'ici (à)
(*2 mois*); pendant (*une semaine*);
depuis, il y a (*un an*); *distance:* jusqu'(à), pendant (*10 km*); contre, en
échange de; en, dans; malgré, en
dépit de; *destination:* à (*Londres*);
vers, envers, ⚓ allant à; *he is* ~ *London* il va à Londres; ~ *example* (*ou
instance*) par exemple; *were it not* ~
that sans cela; *he is a fool* ~ *doing
that* il est sot de faire cela; *I walked*
~ *a mile* j'ai fait un mille; ~ *3 days*
pour *ou* pendant 3 jours; ~ *all that*
en dépit de *ou* malgré tout; *come* ~
dinner venir dîner; *I* ~ *one* moi entre
autres; *go* ~ aller chercher (*q.*); *it is
good* ~ *us to* (*inf.*) il est bon que nous
(*sbj.*); *the snow was too deep* ~ *them
to come* la neige était trop profonde
pour qu'ils viennent; *it is* ~ *you to
decide* c'est à vous à décider; ~ *sure!*
bien sûr! *pour for* après *verbe voir le
verbe simple;* **2.** *cj.* car.

for·age ['fɔridʒ] **1.** fourrage *m*;
2. fourrager (pour, for).

for·as·much [fərəz'mʌtʃ]: ~ *as* puisque, vu que, d'autant que.

for·ay ['fɔrei] incursion *f*, raid *m*.

for·bade [fə'beid] *prét. de* forbid.

for·bear[1] ['fɔːbɛə] ancêtre *m*.

for·bear[2] [fɔː'bɛə] [*irr.*] *v/t.* s'abstenir de; *v/i.* s'abstenir (de, from);
montrer de la patience; **for'bear-
ance** patience *f*, indulgence *f*;
abstention *f*.

for·bid [fə'bid] [*irr.*] défendre (qch.
à q., s.o. s.th.); interdire (qch. à q.,
s.o. s.th.); *God* ~*!* à Dieu ne plaise!;
for'bid·den *p.p. de* forbid; **for'bidding** □ sinistre; menaçant.

for·bore, for·borne [fɔː'bɔː(n)]
prét. et p.p. de forbear[2].

force [fɔːs] **1.** force *f*, violence *f*;
puissance *f*, autorité *f*; intensité *f*;
effort *m*; énergie *f*; *the* ~ la police;
armed ~*s pl.* forces *f/pl.* armées; *by* ~
de vive force; *come* (*put*) *in* ~ entrer
(mettre) en vigueur; **2.** *usu.* forcer;
contraindre, obliger; prendre par
force; violer (*une femme*); faire
avancer; pousser (*a.* F *un élève*);
imposer (qch. à q., s.th. [*up*]on s.o.);

~ one's way se frayer un chemin; ~ *back* repousser; ✈ ~ *down* forcer à atterrir; ~ *on* forcer à avancer; ~ *open* enfoncer; ouvrir de force; **'forced** (*adv.* **forc·ed·ly** ['~idli]) forcé; obligatoire; contraint; ~ *loan* emprunt *m* forcé; ~ *landing* atterrissage *m* forcé; ~ *march* marche *f* forcée; ~ *sale* vente *f* forcée; **force·ful** □ ['~ful] énergique; plein de force; vigoureux (-euse *f*); violent. **'force-meat** ['fɔ:smi:t] *cuis.* farce *f*.

for·ceps ♉, *zo.* ['fɔ:seps] *sg. ou pl.* pince *f*; *dentiste:* davier *m*.

force-pump ['fɔ:spʌmp] pompe *f* foulante.

forc·er ⊕ ['fɔ:sə] plongeur *m*.

for·ci·ble □ ['fɔ:səbl] de force, forcé; vigoureux (-euse *f*); énergique.

forc·ing-house ['fɔ:siŋhaus] forcerie *f*.

ford [fɔ:d] **1.** gué *m*; **2.** passer à gué; **'ford·a·ble** guéable.

fore [fɔ:] **1.** *adv.* ♉ ♉ ~ *and aft* de l'avant à l'arrière; *to the* ~ en évidence; présent; *bring* (*come*) *to the* ~ (se) mettre en évidence; **2.** *adj.* de devant; antérieur; pré-; '~**arm** avant-bras *m*; ~'**bode** présager; pressentir (*personne*); ~'**bod·ing** présage *m*; pressentiment *m*; ~'**cast 1.** prévision *f*; *weather* ~ prévisions *f/pl.* météorologiques; **2.** [*irr.* (*cast*)] prédire; prévoir; '~**cas·tle** ♉ ['fouksl] gaillard *m* d'avant; poste *m* de l'équipage; ~'**close** exclure (de, *from*), empêcher (*from*, *to*); saisir (*un immeuble hypothéqué*); ~'**date** antidater; ~**'doom** condamner d'avance; présager; '~**fa·ther** aïeul *m* (*pl.* -eux *m*); '~**fin·ger** index *m*; '~**foot** pied *m* antérieur; '~**front** F premier rang *m*; ~'**go** [*irr.* (*go*)] aller devant; ~*ing* précédent; ~'**gone** passé; ~ *conclusion* chose *f* prévue; '~**ground** premier plan *m*; '~**hand** avant-main *f*; ~**head** ['fɔrid] front *m*.

for·eign ['fɔrin] étranger (-ère *f*) (*a. fig.*); *the* ♀ *Office* le Ministère des Affaires étrangères; ~ *policy* politique *f* extérieure; ~ *trade* commerce *m* extérieur; **'for·eign·er** étranger (-ère *f*) *m*; **'for·eign·ness** caractère *m ou* air *m* étranger.

fore...: ~'**judge** préjuger; ~'**know** [*irr.* (*know*)] prévoir; savoir d'a-

vance; '~**land** promontoire *m*; '~**leg** patte *f ou* jambe *f* de devant; '~**lock** mèche *f* sur le front; *take time by the* ~ saisir l'occasion aux cheveux; '~**man** ♉ chef *m* du jury; ⊕ chef *m* d'équipe; contremaître *m*; '~**mast** ♉ mât *m* de misaine; '~**most 1.** *adj.* premier (-ère *f*), le plus avancé; **2.** *adv.* tout d'abord; '~**noon** matinée *f*.

fo·ren·sic [fə'rensik] judiciaire; légal (-aux *m/pl.*).

fore...: '~**run·ner** avant-courrier (-ère *f*) *m*, -coureur *m*, précurseur *m*; ~**sail** ['~seil, ♉ '~sl] (voile *f* de) misaine *f*; ~'**see** [*irr.* (*see*)] prévoir; ~'**see·a·ble** qu'on peut prévoir; prévisible; ~'**shad·ow** présager, laisser prévoir; '~**shore** plage *f*; ~'**short·en** dessiner en raccourci; ~'**show** [*irr.* (*show*)] préfigurer; '~**sight** prévoyance *f*; prévision *f*; *arme à feu:* guidon *m*; '~**skin** prépuce *m*.

for·est ['fɔrist] **1.** forêt *f*; **2.** boiser.

fore·stall [fɔ:'stɔ:l] anticiper, prévenir.

for·est·er ['fɔristə] (garde-)forestier *m*; habitant(e *f*) *m* d'une forêt; **'for·est·ry** sylviculture *f*.

fore...: '~**taste** avant-goût *m*; ~'**tell** [*irr.* (*tell*)] prédire, présager; '~**thought** prévoyance *f*; préméditation *f*; ~'**top** ♉ hune *f* de misaine; ~'**warn** avertir, prévenir; '~**wom·an** première ouvrière *f*; contremaîtresse *f*; '~**word** avant-propos *m/inv.*; préface *f*.

for·feit ['fɔ:fit] **1.** confisqué; **2.** confiscation *f*; amende *f*; gage *m*; punition *f*; ♱ dédit *m*; *sp.* forfait *m*; *jeu:* ~ *pl.* gages *m/pl.*; **3.** confisquer, perdre; forfaire à (*l'honneur*); **'for·feit·a·ble** confiscable; **for·fei·ture** ['~tʃə] confiscation *f*, perte *f*.

for·gath·er [fɔ:'gæðə] s'assembler.

for·gave [fə'geiv] *prét. de* forgive.

forge¹ [fɔ:dʒ] (*usu.* ~ *ahead*) avancer à toute vitesse *ou* à travers les obstacles.

forge² [fɔ:dʒ] **1.** forge *f*; **2.** forger (*a. fig. une excuse etc.*); contrefaire (*une signature etc.*); inventer; **'forg·er** forgeron *m*; faussaire *mf*; faux-monnayeur *m*; **'for·ger·y** falsification *f*; contrefaçon *f*; faux *m*.

for·get [fə'get] [*irr.*] oublier; F *I* ~ j'ai oublié, ça m'échappe; **for'get-**

ful □ [ˌful] oublieux (-euse *f*);
for·get·ful·ness oubli *m*; négligence *f*; **for·get-me-not** ♥ myosotis *m*, F ne-m'oubliez-pas *m*.

for·give [fəˈgiv] [*irr.*] pardonner
(à q., *s.o.*); faire remise de (*une dette*); **for·giv·en** *p.p. de* forgive; **for·give·ness** pardon *m*; clémence *f*; **for·giv·ing** □ clément; peu rancunier (-ère *f*).

for·go [fɔːˈgou] [*irr.* (go)] renoncer
à; s'abstenir de.

for·got [fəˈgɔt], **for·got·ten** [ˌn]
prét. et p.p. de forget.

fork [fɔːk] **1.** *table*: fourchette *f*;
♪, *routes*: fourche *f*; *tuning* ∼ diapason *m*; **2.** fourcher; **'forked** fourchu; en fourche.

for·lorn [fəˈlɔːn] abandonné, perdu,
désespéré; ∼ *hope* ✗ enfants *m/pl.* perdus; troupe *f* sacrifiée; *fig.* tentative *f* désespérée.

form [fɔːm] **1.** forme *f*; taille *f*;
formule *f*, bulletin *m*, feuille *f* (*d'impôts*); *école*: classe *f*; banc *m*; *lièvre*: gîte *m*; *sp. in* ∼ en forme; *in good* ∼ en haleine; *that is bad* ∼ c'est de mauvais ton; cela ne se fait pas; **2.** *v/t.* former, faire; organiser; établir; contracter (*une alliance, une habitude*); arrêter (*un plan*); ✗ se mettre en; *v/i.* se former; prendre forme; ✗ se ranger; ∼ *up* se former en rangs.

for·mal □ [ˈfɔːml] cérémonieux
(-euse *f*); formel(le *f*); en règle; régulier (-ère *f*) (*jardin*); **'for·mal·ist** formaliste *mf*; **for·mal·i·ty** [fɔːˈmæliti] formalité *f*; *maintien*: raideur *f*; cérémonie *f*; **for·mal·ize** [ˈfɔːməlaiz] donner une forme (conventionnelle) à.

for·ma·tion [fɔːˈmeiʃn] formation *f*
(*a.* ✗, *a. géol.*); disposition *f*, ordre *m*; ✗ vol *m* de groupe; **form·a·tive** [ˈfɔːmətiv] formateur (-trice *f*).

form·er¹ [ˈfɔːmə] façonneur (-euse
f) *m*; ⊕ gabarit *m*.

for·mer² [ˌ] précédent; ancien(ne
f); antérieur; premier (-ère *f*); **'for·mer·ly** autrefois, jadis.

for·mic [ˈfɔːmik]: ∼ *acid* acide *m*
formique.

for·mi·da·ble □ [ˈfɔːmidəbl] formidable (*a. fig.*), redoutable.

form·less □ [ˈfɔːmlis] informe.

for·mu·la [ˈfɔːmjulə], *pl.* **-lae** [ˌliː],
-las formule *f*; **for·mu·lar·y**

[ˈˌləri] **1.** rituel(le *f*); prescrit;
2. formulaire *m*; **for·mu·late** [ˈˌleit] formuler; **for·mu·la·tion** formulation *f*.   [cation *f*.]

for·ni·ca·tion [fɔːniˈkeiʃn] forni-]

for·sake [fəˈseik] [*irr.*] abandonner,
délaisser; renoncer à; **for·sak·en** *p.p. de* forsake.

for·sook [fəˈsuk] *prét. de* forsake.

for·sooth *iro.* [fəˈsuːθ] ma foi!

for·swear [fɔːˈswɛə] [*irr.* (swear)]
renier; répudier; ∼ *o.s.* se parjurer; **for·sworn** parjure.

fort [fɔːt] ✗ fort *m*; forteresse *f*.

forte [ˌ] *fig.* fort *m*.

forth [fɔːθ] *lieu*: en avant; *temps*:
désormais; *and so* ∼ et ainsi de suite; *from this day* ∼ à partir de ce jour; dès maintenant; **∼'com·ing** qui arrive; futur; prochain; prêt à paraître; *be* ∼ paraître; ne pas se faire attendre; **'∼'right 1.** *adj.* franc(he *f*); **2.** *adv.* carrément; **'∼'with** tout de suite.

for·ti·eth [ˈfɔːtiiθ] quarantième (*a. su./m*).

for·ti·fi·ca·tion [fɔːtifiˈkeiʃn] fortification *f* (*a.* ✗); **for·ti·fi·er** [ˈˌfaiə] fortificateur *m*; *boisson etc.*: fortifiant *m*; **for·ti·fy** [ˈˌfai] ✗ fortifier (*a. fig.*); **for·ti·tude** [ˈˌtjuːd] courage *m*, fortitude *f*.

fort·night [ˈfɔːtnait] quinze jours
m/pl.; quinzaine *f*; *this day* ∼ d'aujourd'hui en quinze; **'fort·night·ly 1.** *adj.* bimensuel(le *f*); **2.** *adv.* tous les quinze jours.

for·tress [ˈfɔːtris] forteresse *f*.

for·tu·i·tous □ [fɔːˈtjuitəs] fortuit;
for·tu·i·tous·ness, **for·tu·i·ty** fortuité *f*; casualité *f*.

for·tu·nate [ˈfɔːtʃnit] heureux (-euse
f); ∼*ly usu.* par bonheur, heureusement.

for·tune [ˈfɔːtʃn] fortune *f*; sort *m*,
destinée *f*; chance *f*; richesses *f/pl.*; ♀ [ˈfɔːtjuːn] Fortune *f*, Destin *m*; *good* ∼ bonheur *m*; *bad* ∼, *ill* ∼ malheur *m*, mauvaise chance *f*; *marry a* ∼ faire un riche mariage; **'∼-hunt·er** coureur *m* de dots; **'∼-tel·ler** diseur (-euse *f*) *m* de bonne aventure.

for·ty [ˈfɔːti] quarante (*a. su./m*);
Am. ∼*-niner* chercheur *m* d'or de 1849; F ∼ *winks pl.* petit somme *m*.

fo·rum [ˈfɔːrəm] forum *m*; F
tribunal *m*.

for·ward ['fɔ:wəd] **1.** *adj.* de devant, d'avant; avancé; précoce; effronté; impatient; ✝ à terme; **2.** *adv.* en avant; sur l'avant; ✝ *carried* ~ à reporter; *from this time* ~ désormais, à l'avenir; **3.** *su. foot.* avant *m*; **4.** *v/t.* avancer, favoriser; expédier; faire suivre; *poste: please* ~ prière de faire suivre; **'for·ward·er** expéditeur (-trice *f*) *m*.

for·ward·ing ['fɔ:wədiŋ] expédition *f*, avancement *m*; **'~-a·gent** expéditeur *m*; entrepreneur *m* de transports.

for·ward·ness ['fɔ:wədnis] empressement *m*; précocité *f*; hardiesse *f*; présomption *f*; **for·wards** ['fɔ:-wədz] en avant.

fosse [fɔs] ✗ fossé *m*; *anat.* fosse *f*.

fos·sil ['fɔsl] fossile (*a. su./m.*).

fos·ter ['fɔstə] **1.** *fig.* nourrir, encourager; ~ *up* élever; **2.** adoptif (-ive *f*) (*p.ex.* ~-*brother*); **'fos·ter·age** mise *f* en nourrice; fonctions *f/pl.* de nourrice; **'fos·ter·er** parent *m* adoptif; *fig.* promoteur (-trice *f*) *m*; **'fos·ter·ling** nourrisson(ne *f*) *m*.

fought [fɔ:t] *prét. et p.p. de* fight.

foul [faul] **1.** ☐ infect (*a.* haleine); sale (*a. temps, a.* ⚓ carène); *fig.* dégoûtant; ⚓ engagé (*ancre etc.*); ⚓ gros(se *f*) (*temps*); ⚓ contraire (*vent*); *box.* bas(se *f*) (*coup*); encrassé (*fusil*); déloyal (-aux *m/pl.*) (*jeu*); bourbeux (-euse *f*) (*eau*); atroce, infâme (*action*); impur (*pensée*); grossier (-ère *f*) (*mot. etc.*); ~ *tongue* langage *m* ordurier; *fall* (*ou run*) ~ *of* ⚓ entrer en collision avec; *fig.* se brouiller avec; **2.** ☐ collision *f*; *sp.* faute *f*; *box.* coup *m* bas; *foot.* poussée *f* irrégulière; **3.** (s')engager; (s')encrasser; *v/t.* salir; souiller; *sp.* commettre une faute contre; ⚓ entrer en collision avec; **~-mouthed** ['~'mauðd] mal embouché; au langage ordurier.

found¹ [faund] *prét. et p.p. de* find.

found² [~] fonder (*a. fig.*); établir.

found³ ⊕ [~] fondre; mouler (*la fonte*).

foun·da·tion [faun'deiʃn] fondation *f*; ⚓, *a. fig.* fondement *m*; base *f*; établissement *m*; **foun·da·tion-school** école *f* dotée; **foun·da·tion-stone** première pierre *f*.

found·er¹ ['faundə] fondateur *m*; auteur *m*.

found·er² [~] *v/i.* ⚓ sombrer, couler à fond; *fig.* échouer; s'effondrer (*cheval, maison, etc.*); s'enfoncer; *v/t.* ⚓ couler; outrer (*un cheval*).

found·ling ['faundliŋ] enfant *mf* trouvé(e).

found·ress ['faundris] fondatrice *f*.

found·ry ⊕ ['faundri] fonderie *f*.

fount [faunt] *poét.* source *f*; *typ.* [*usu.* fɔnt] fonte *f*.

foun·tain ['fauntin] fontaine *f*; jet *m* d'eau; *fig.* source *f*; ⊕ distributeur *m*; **'~-head** source *f* (*a. fig.*); **'~-pen** stylographe *m*, F stylo *m*.

four [fɔ:] quatre (*a. su./m*); **'four-'flush·er** *Am. sl.* bluffeur *m*, vantard *m*; **'four-'square** carré(ment *adv.*); *fig.* inébranlable (*devant, to*); **'four-'stroke** *mot.* à quatre temps; **four·teen** ['~'ti:n] quatorze (*a. su./m*); **four·teenth** ['~'ti:nθ] quatorzième (*a. su./m*); **fourth** [fɔ:θ] quatrième (*a. su./m*); ♩ quart *m*; **'fourth·ly** en quatrième lieu; **'four·wheel·er** fiacre *m*.

fowl [faul] **1.** poule *f*; volaille *f* (*a. cuis.*); **2.** faire la chasse au gibier; oiseler (*au filet*); **'fowl·er** oiseleur *m*.

fowl·ing ['fauliŋ] chasse *f* aux oiseaux; **'~-piece** fusil *m* de chasse.

fox [fɔks] **1.** renard *m*; **2.** *sl.* tromper; **'~-brush** queue *f* de renard; **'~-earth** terrier *m*; **foxed** ['~t] piqué (*papier, bière, etc.*).

fox···: **'~-glove** ♀ digitale *f*; F gantelée *f*; **'~-hole** ✗ nid *m* d'embusqués; **'~-hound** chien *m* courant; fox-hound *m*; **'~-hunt** chasse *f* au renard; **'~-trot** fox-trot *m/inv.*; **'fox·y** rusé; astucieux (-euse *f*); roux (rousse *f*); piqué.

fra·cas ['fræka:] fracas *m*; *sl.* bagarre *f*.

frac·tion ♩ ['frækʃn] fraction *f*; *fig.* fragment *m*; **'frac·tion·al** ☐ fractionnaire; ♩ fractionnel.

frac·tious ☐ ['frækʃəs] revêche; difficile; maussade.

frac·ture ['fræktʃə] **1.** fracture *f* (*souv.* ✚); **2.** briser; ✚ fracturer.

frag·ile ☐ ['frædʒail] fragile; *fig.* faible; **fra·gil·i·ty** [frə'dʒiliti] fragilité *f*; faiblesse *f*.

frag·ment ['frægmənt] fragment *m*;

morceau *m*; 'frag·men·tar·y □ fragmentaire; *géol.* clastique.

fra·grance ['freigrəns] parfum *m*; bonne odeur *f*; 'fra·grant □ parfumé, odoriférant.

frail¹ □ [freil] peu solide; fragile; frêle (*personne*), délicat; 'frail·ty *fig.* faiblesse *f* morale; défaut *m*.

frail² [~] cabas *m*.

frame [freim] **1.** construction *f*, forme *f*; cadre *m* (a. ♣ *de l'hélice*); ⊕ charpente *f*; métier *m*; ✗ fuselage *m*; ♣ carcasse *f* (*d'un navire*); ♣ couple *m*; *fenêtre*: chambranle *m*; ✗ châssis *m*; *télév.* trame *f*; ~ *aerial* antenne *f* en cadre; ~ *of mind* état *m* d'esprit; **2.** former, construire; encadrer (a. *fig.*); ⊕ faire la charpente de (*un toit*); *fig.* imaginer; fabriquer; *surt. Am. sl.* ~ *up* monter une accusation contre (*q.*); truquer (*qch.*); 'fram·er auteur *m*; encadreur *m*; 'frame-up *surt. Am.* F coup *m* monté; 'frame·work ⊕ squelette *m*; ♣ bâti *m*; charpente *f*; *fig.* cadre *m*.

fran·chise ⚖ ['fræntʃaiz] franchise *f*, privilège *m*; *pol.* droit *m* de vote; *admin.* droit *m* de cité.

Fran·cis·can *eccl.* [fræn'siskən] franciscain(e *f*) *m* (a. *adj.*).

fran·gi·ble ['frændʒibl] frangible, fragile.

Frank¹ [fræŋk] Franc (Franque *f*) *m*; *npr.* François *m*.

frank² □ [~] franc(he *f*); sincère; ouvert.

frank·furt·er *Am.* ['fræŋkfətə] saucisse *f* de Francfort.

frank·in·cense ['fræŋkinsens] encens *m*. [sincérité *f*.]

frank·ness ['fræŋknis] franchise *f*,⌉

fran·tic ['fræntik] (~ally) frénétique; fou (fol *devant une voyelle ou un h muet*; folle *f*) (de, with).

fra·ter·nal □ [frə'tə:nl] fraternel(le *f*); fra·ter·ni·ty fraternité *f*; confrérie *f*; *Am. univ.* association *f* estudiantine; frat·er·ni·za·tion [frætənai'zeiʃn] fraternisation *f*; 'frat·er·nize fraterniser (avec, with).

frat·ri·cide ['freitrisaid] fratricide *m*; *personne*: fratricide *mf*.

fraud [frɔ:d] fraude *f*; F déception *f*, duperie *f*; imposteur *m*; fraud·u·lence ['~juləns] caractère *m* frauduleux; 'fraud·u·lent □ frauduleux (-euse *f*).

fraught *poét.* [frɔ:t]: ~ *with* plein de; gros(se *f*) de; fertile en.

fray¹ [frei] (s')érailler; (s')effiler; s'effranger (*faux col*).

fray² [~] bagarre *f*.

fraz·zle *surt. Am.* F ['fræzl] **1.** état *m* usé; *beat to a* ~ battre (*q.*) à plates coutures; **2.** (s')érailler.

freak [fri:k] caprice *m*; tour *m*; ~ *of nature* F monstre *m*; phénomène *m*; 'freak·ish □ capricieux (-euse *f*); fantasque.

freck·le ['frekl] **1.** tache *f* de rousseur; *fig.* point *m*; **2.** marquer *ou* se couvrir de taches de rousseur.

free [fri:] **1.** □ libre; en liberté; franc(he *f*); gratuit; exempt, débarrassé, affranchi (de *from*, of); prodigue (de, with); ♣ franco; ~ *of debt etc.* exempt ou quitte de dettes *etc.*; *he is* ~ *to* (*inf.*) il lui est permis de (*inf.*); ~ *and easy* sans gêne; ~ *fight* mêlée *f* générale; bagarre *f*; ~ *port* port *m* franc; ~ *trade* libre échange *m*; ~ *wheel* roue *f* libre; *make* ~ prendre des libertés (avec q., with s.o.); *make* ~ *to* (*inf.*) se permettre de (*inf.*); *make* ~ *with s.th.* se servir de qch. sans se gêner; *make s.o.* ~ *of a city* créer q. citoyen d'honneur; ⊕ *run* ~ marcher à vide; *set* ~ libérer; **2.** (*from*, of) libérer (de); dégager (de); débarrasser (de); exempter (de), affranchir (*un esclave*); '~boot·er flibustier; F maraudeur *m*; 'free·dom liberté *f*; indépendance *f*; franchise *f*; facilité *f*; familiarité *f*; ~ *of a city* citoyenneté *f* d'honneur d'une ville; ~ *of a company* maîtrise *f* d'une corporation; ~ *of speech* franc-parler *m*.

free...: '~hold ⚖ propriété *f* foncière (perpétuelle et libre); '~hold·er propriétaire *m* foncier; '~kick *foot.* coup *m* franc; '~man homme *m* libre; citoyen *m* (d'honneur); '~ma·son franc-maçon (*pl.* francs-maçons) *m*; '~ma·son·ry franc-maçonnerie *f*; '~stone grès *m*; '~style nage *f* libre; '~think·er libre penseur (-euse *f*) *m*; '~'think·ing, '~thought libre pensée *f*.

freeze [fri:z] [*irr.*] *v/i.* (se) geler; se figer; ~ *to death* mourir de froid; *v/t.* (con)geler; glacer; bloquer (*les prix, les fonds*); geler (*des capitaux*); *sl.* ~ *out* évincer; 'freez·er sorbetière *f*; 'freez·ing □ réfrigérant; glacial (-als *m/pl.*); ~ *of prices* blocage *m* des prix; ~*mixture phys.* mélange *m* réfrigérant; ~*point* point *m* de congélation.

freight [freit] 1. fret *m* (*a. prix*); cargaison *f*; *attr. Am.* de marchandises; ~ *out* (*home*) fret *m* de sortie (de retour); 2. (af)fréter; '**freight-age** *see* freight 1; '**freight-car** *Am.* ⚒ wagon *m* de marchandises; '**freight-er** affréteur *m*; navire *m* de charge; *Am.* consignateur (-trice *f*) *m*; *Am.* convoi *m*; *Am. see* freight-car.

French [frentʃ] 1. français; ~ *beans* haricots *m/pl.* verts; *take* ~ *leave* filer à l'anglaise; ~ *window* porte-fenêtre (*pl.* portes-fenêtres) *f*; 2.*ling.* français *m*, langue *f* française; *the* ~ *pl.* les Français *m/pl.*; '~**man** Français *m*; '~**wom-an** Française *f*.

fren-zied ['frenzid] forcené; fou (fol *devant une voyelle ou un h muet*); folle *f*); '**fren-zy** frénésie *f*; *fig.* transport *m*; ⚕ délire *m*.

fre-quen-cy ['friːkwənsi] fréquence *f* (*a.* ⚡); **fre-quent** 1. □ ['friːkwənt] fréquent; très répandu; 2. [~'kwent] fréquenter; hanter; **fre-quen'ta-tion** fréquentation *f* (de, *of*); **fre-'quent-er** habitué(e *f*) *m*; familier (-ère *f*) *m*.

fres-co ['freskou], *pl.* -**co(e)s** ['~kouz] (peinture *f* à) fresque *f*.

fresh [freʃ] 1. □ frais (fraîche *f*); récent; nouveau (-el *devant une voyelle ou un h muet*); -elle *f*; -eaux *m/pl.*); éveillé; *Am. sl.* effronté; ~ *water* eau *f* fraîche; eau *f* douce (= *non salée*); 2. fraîcheur *f* (*du matin etc.*); crue *f*; '**fresh-en** *vt/i.* rafraîchir; '**fresh-er** *Am. sl. pour* freshman; **fresh-et** ['~it] courant *m* d'eau douce; inondation *f*; '**fresh-fro-zen** frais (fraîche *f*) frigorifié; '**fresh-man** *univ.* étudiant(e *f*) *m* de première année; '**fresh-ness** fraîcheur *f*; nouveauté *f*; '**fresh-wa-ter** d'eau douce; *Am.* ~ *college* petit collège *m* de province.

fret[1] [fret] 1. agitation *f*; irritation *f*; 2. (se) ronger; (se) frotter; (s')irriter, (s')inquiéter; *v/i.* s'agiter (*eau*); *v/t.* érailler (*un cordage*); ~ *away*, ~ *out* éroder.

fret[2] [~] 1. △ frette *f*; 2. sculpter; *fig.* bigarrer.

fret[3] [~] ♪ touche(tte) *f*; ~*ted instrument* instrument *m* à touchettes.

fret-ful □ ['fretful] chagrin.

fret-saw ['fretsɔː] scie *f* à découper.

fret-work ['fretwɔːk] ouvrage *m* à claire-voie; découpage *m*.

fri-a-bil-i-ty [fraiə'biliti] friabilité *f*; '**fri-a-ble** friable.

fri-ar ['fraiə] moine *m*, frère *m*; '**fri-ar-y** monastère *m*; couvent *m*.

frib-ble ['fribl] 1. baguenauder; gaspiller (*de l'argent*); 2. frivolité *f*; *personne*: baguenaudier *m*.

fric-as-see [frikə'siː] 1. fricassée *f*; 2. fricasser.

fric-tion ['frikʃn] friction *f* (⚕, *a. fig.*); frottement *m*; '**fric-tion-al** à *ou* de frottement *ou* friction; '**fric-tion-less** □ sans frottement.

Fri-day ['fraidi] vendredi *m*.

friend [frend] ami(e *f*) *m*; connaissance *f*; ⚥ Quaker(esse *f*) *m*; *his* ~*s pl.* souv. ses connaissances *f/pl.*; *make* ~*s with* se lier d'amitié avec; '**friend-less** sans ami(s); abandonné; '**friend-ly** amical (-aux *m/pl.*); ami; bienveillant; *fig.* intime; ⚥ *Society Brit.* société *f* de secours mutuel; '**friend-ship** amitié *f*.

frieze [friːz] frise *f* (*tex.*, *a.* △).

frig-ate ⚓ ['frigit] frégate *f*.

fright [frait] peur *f*, effroi *m*, épouvante *f*; F épouvantail *m*; '**fright-en** effrayer, faire peur à; *be* ~*ed at* (*ou of*) avoir peur de; **fright-ful** □ ['~ful] affreux (-euse *f*); '**fright-ful-ness** horreur *f*.

frig-id □ ['fridʒid] glacial (-als *m/pl.*); froid (*a. fig.*); **fri'gid-i-ty** frigidité *f*; (grande) froideur *f*.

frill [fril] 1. ruche *f*; jabot *m*; F *fig. put on* ~*s* faire des façons; 2. plisser, rucher.

fringe [frindʒ] 1. frange *f*; bord (-ure *f*) *m*; *forêt*: lisière *f*; *a.* ~*s pl.* cheveux *m/pl.* à la chien; 2. franger; border.

frip-per-y ['fripəri] 1. camelote *f*; faste *m*; 2. sans valeur; de camelote.

frisk [frisk] 1. gambade *f*, cabriole *f*; 2. gambader; '**frisk-i-ness** vivacité *f*; '**frisk-y** □ vif (vive *f*); fringant (*cheval*); animé.

frith [friθ] *see* firth.

frit-ter ['fritə] 1. beignet *m*; 2. ~ *away* gaspiller.

friv-ol-i-ty [fri'vɔliti] frivolité *f*; légèreté *f* d'esprit; **friv-o-lous** □

['frivələs] frivole; léger (-ère *f*); futile, vain; évaporé (*personne*).

frizz [friz] frisotter; *cuis.* faire frire; *a. see* frizzle 2; **friz·zle** ['~l] 1. cheveux *m/pl.* crêpelés; 2. (*a.* ~ up) frisotter; *v/t. cuis.* griller (*qch.*); *v/i.* grésiller; **'friz·z(l)y** crêpelé, frisotté.

fro [frou]: *to and* ~ çà et là, de long en large.

frock [frɔk] moine: froc *m*; (*usu.* ~*-coat*) *femme, enfant*: robe *f*; redingote *f*; ✕ tunique *f* de petite tenue.

frog [frɔg] grenouille *f*; *cost.* soutache *f*; 🐎 (cœur *m* de) croisement *m*; ✕ porte-épée *m/inv.*; **'~·man** homme-grenouille (*pl.* hommes-grenouilles) *m*.

frol·ic ['frɔlik] 1. gambades *f/pl.*; ébats *m/pl.*, jeu *m*; escapade *f*; divertissement *m*; 2. folâtrer, gambader; **frol·ic·some** □ ['~səm] folâtre, gai, joyeux (-euse *f*).

from [frɔm; frəm] *prp.* de; depuis; à partir de; par suite de; de la part de; par; *defend* ~ protéger contre; *draw* ~ *nature* dessiner d'après nature; *drink* ~ boire dans; *hide* ~ cacher à; *remove* ~ enlever à; ~ *above* d'en haut; ~ *amidst* d'entre; ~ *before* dès avant.

front [frʌnt] 1. devant *m*; premier rang *m*; façade *f*; *boutique*: devanture *f*; promenade *f* (*au bord de la mer*); ✕ front *m*; *chemise*: plastron *m*; *in* ~ *of* devant, en face de; *two-pair* ~ chambre *f* sur le devant au deuxième; *fig. come to the* ~ se faire connaître; arriver au premier rang; 2. antérieur, de devant; *surt. Am.* F ~ *man fig.* homme *m* de paille; prête-nom *m*; *mot.* ~ *wheel drive* traction *f* avant; ~ *yard Am.* jardin *m* de devant; 3. *v/t.* (*a.* ~ *on, towards*) faire face à; donner sur; braver; *Am.* F prêter son nom à, agir en homme de paille pour; *v/i.* faire front; **'front·age** 🔺 façade *f*; **'fron·tal** 1. frontal (-aux *m/pl.*); de face; de front; 2. 🔺 façade *f*; *eccl.* devant *m* d'autel; **fron·tier** ['~jə] frontière *f*; *surt. Am. hist.* frontière *f* des États occidentaux; **'fron·tier·run·ner** passeur *m* de frontière; **fron·tiers·man** ['~jezmən] frontalier *m*; *hist. Am.* broussard *m*; **fron·tis·piece** ['~ispi:s] 🔺, *a. typ.* frontispice *m*;

front·let ['~lit] *cost.* bandeau *m*; **front page** *journ.* première page *f*; **'front-page** en première page.

frost [frɔst] 1. (*a. hoar* ~, *white* ~) gelée *f* blanche, givre *m*; F fiasco *m*, déception *f*; *black* ~ froid *m* noir; 2. geler; saupoudrer; givrer; dépolir (*un verre*); ⊕ glacer (*le métal*); ~*ed glass* verre *m* dépoli; **'~-bite** gelure *f*; **'frost-bit·ten** gelé; 🐎 brûlé par le froid; **'frost·i·ness** froid *m* glacial; *fig.* froideur *f*; **'frost·y** □ gelé; glacial (-als *m/pl.*) (*a. fig.*); couvert de givre.

froth [frɔθ] 1. écume *f*; mousse *f*; *fig.* paroles *f/pl.* creuses; 2. écumer, mousser; moutonner (*mer*); **'froth·i·ness** état *m* écumeux *etc.*; *fig.* manque *m* de substance; **'froth·y** □ écumeux (-euse *f*); moutonneux (-euse *f*) (*mer*); vide, creux (creuse *f*).

frown [fraun] 1. froncement *m* de sourcils; air *m* désapprobateur; 2. *v/t.* ~ *down* imposer le silence à (*q.*) d'un regard sévère; *v/i.* froncer les sourcils; se renfrogner; avoir l'air menaçant (*montagne etc.*); ~ *at*, ~ (*up*)*on* regarder en fronçant les sourcils; *fig.* désapprouver.

frowst F [fraust] odeur *f* de renfermé; atmosphère *f* qui sent le renfermé; **'frowst·y** □, **frowz·y** ['frauzi] qui sent le renfermé; mal tenu, sale.

froze [frouz] *prét. de* freeze; **'fro·zen** 1. *p.p. de* freeze; 2. *a. adj.* gelé; frigorifié; bloqué (*capital*); ~ *locker Am.* chambre *f* frigorifique; ~ *meat* viande *f* frigorifiée.

fruc·ti·fi·ca·tion [frʌktifi'keiʃn] fructification *f*; **fruc·ti·fy** ['~fai] *v/t.* féconder; *v/i.* fructifier (*a. fig.*).

fru·gal □ ['fru:gəl] frugal (-aux *m/pl.*); économe; simple; **fru·gal·i·ty** [fru'gæliti] frugalité *f*; sobriété *f*.

fruit [fru:t] 1. fruit *m* (*a. fig.* = résultat); *coll.* fruits *m/pl.*; 2. porter des fruits; **'fruit·age** fructification *f*; *coll.* fruits *m/pl.*; **frui·ta·ri·an** [fru:'tɛərjən] fruitarien(ne *f*) *m*; **'fruit·er** arbre *m* fruitier; **'fruit·er·er** fruitier (-ère *f*) *m*; **fruit·ful** □ ['~ful] fructueux (-euse *f*); (*a. fig.* = *profitable*); fécond, fertile (*en of, in*); **fru·i·tion** [fru'iʃn] *pro-*

jet etc.: réalisation f ; *come to ~* porter fruit; **'fruit·less** □ stérile; *fig.* vain; **'fruit·y** de fruit; fruité; *fig.* corsé.

frump [frʌmp] *fig.* femme f fagotée; **'frump·ish**, **'frump·y** mal attifée (*femme*).

frus·trate [frʌs'treit] frustrer; déjouer; **frus·tra·tion** frustration f; anéantissement m.

fry [frai] **1.** *cuis.* friture f ; **2.** frai m, fretin m; F *small ~* petites gens f/pl.; gosses m/pl.; **3.** (faire) frire; *see egg*; *fried potatoes* (pommes f/pl. de terre) frites f/pl.; **'fry·ing-pan** poêle f; *get out of the ~ into the fire* sauter de la poêle sur la braise.

fuch·sia ♀ ['fjuːʃə] fuchsia m.

fud·dle ['fʌdl] **1.** *v/t.* griser; hébéter; *v/i.* riboter; F se pocharder; **2.** ribote f.

fudge F [fʌdʒ] **1.** bousiller; cuisiner (*les comptes*); **2.** bousillage m; *bon-bon*: fondant m; *~!* quelle blague!

fu·el ['fjuəl] **1.** combustible m; carburant m; *mot.* essence f; *~ oil* fuel-oil m; mazout m; **2.** *v/t.* pourvoir de combustibles; *v/i.* obtenir du combustible; *mot.* s'approvisionner en essence.

fug [fʌg] **1.** touffeur f; forte odeur f de renfermé; **2.** rester enfermé.

fu·ga·cious [fjuː'geiʃəs] fugace; éphémère.

fu·gi·tive ['fjuːdʒitiv] **1.** fugitif (-ive f) (*a. fig.*); **2.** fugitif (-ive f) m; exilé(e f) m.

fu·gle·man ⚔ ['fjuːglmæn] chef m de file; *fig.* chef m; porte-parole m/inv.

fugue ♪ [fjuːg] fugue f.

ful·crum ['fʌlkrəm], *pl.* **-cra** ['~krə] ⊕ pivot m; *fig.* point m d'appui.

ful·fil [ful'fil] remplir; accomplir; s'acquitter de; réaliser; **ful'fil·ler** celui (celle f) m qui remplit *etc.*; **ful'fil·ment** accomplissement m.

ful·gent *poét.* ['fʌldʒənt] resplendissant.

full¹ [ful] **1.** *adj.* □ plein; rempli; entier (-ère f); complet (-ète f); comble; *cost.* large, ample; *at ~ length* tout au long, *~ employment* plein-emploi m; *of ~age* majeur; *~ stop* *gramm.* point m; **2.** *adv.* tout à fait; en plein; précisément; parfaitement; bien; *~ nigh* tout près; F *~ up*

au complet, comble; **3.** *su.* plein m; cœur m, fort m; apogée f; *in ~* intégralement; *in extenso*; en toutes lettres; *pay in ~* payer intégralement; *to the ~* complètement, tout à fait.

full² ⊕ [~] (re)fouler.

full...: *'~'blown* épanoui; *'~'bodied* corsé (*vin*); *~ dress* grande tenue f; *'~-dress* de cérémonie; solennel(le f); *~ rehearsal* répétition f générale *ou* des couturières.

full·er ⊕ ['fulə] fouleur (-euse f) m.

full-fledged ['ful'fledʒd] F achevé.

full·ing-mill ['fuliŋmil] foulon m.

full-length ['ful'leŋθ] (portrait m) en pied; *~ film* film m principal.

ful(l)·ness ['fulnis] plénitude f.

full...: *'~-orbed* dans son plein (*lune*); *'~-time* de toute la journée; à pleines journées; à temps plein.

ful·mi·nate ['fʌlmineit] fulminer (*a. fig.* contre, *against*); faire explosion; **ful·mi·na·tion** fulmination f (*a. fig.*); **ful·mi·na·to·ry** ['~ətəri] fulminatoire.

ful·some □ ['fulsəm] excessif (-ive f); répugnant (*flatterie*).

fum·ble ['fʌmbl] fouiller, tâtonner; **'fum·bler** maladroit(e f) m.

fume [fjuːm] **1.** fumée f, vapeur f; *in a ~* en rage, furieux (-euse f); **2.** *v/i.* fumer (*a. fig.*); s'exhaler; *v/t.* exposer à la fumée.

fu·mi·gate ['fjuːmigeit] fumiger; désinfecter; **fu·mi·ga·tion** fumigation f.

fum·ing □ ['fjuːmiŋ] *fig.* enragé, bouillonnant de colère.

fun [fʌn] amusement m, gaieté f; *make ~ of* se moquer de.

func·tion ['fʌŋkʃn] **1.** fonction f (*a. physiol., a.* ∮); réception f, soirée f; cérémonie f; **2.** fonctionner; **'func·tion·al** □ fonctionnel(le f); **'func·tion·ar·y** fonctionnaire m.

fund [fʌnd] **1.** fonds m; *fig.* trésors m/pl.; *~s pl.* fonds m(pl.); capital m; ressources f/pl. pécuniaires; *banque:* provision f; **2.** consolider (*une dette*); placer (*de l'argent*) dans les fonds publics.

fun·da·ment ['fʌndəmənt] fondement m; **fun·da·men·tal 1.** □ [~'mentl] fondamental (-aux m/pl.); essentiel(le f); **2.** *~s pl.* principe m; premiers principes m/pl.

fu·ner·al ['fju:nərəl] 1. funérailles f/pl., obsèques f/pl.; 2. funèbre; des morts; ~ pile bûcher m funéraire; **fu·ne·re·al** □ [~'niəriəl] funéraire; fig. lugubre, funèbre.

fun-fair ['fʌnfɛə] foire f aux plaisirs; parc m d'attractions.

fun·gous ['fʌŋgəs] fongueux (-euse f); **fun·gus** [~], pl. -gi ['~gai] ♣ champignon m mycète; ♣ fongus m.

fu·nic·u·lar [fju'nikjulə] 1. funiculaire; ~ railway = 2. funiculaire m.

funk sl. [fʌŋk] 1. frousse f, trac m; personne: caneur (-euse f) m; blue ~ peur f bleue; 2. caner; avoir peur de (qch.); **'funk·y** sl. froussard.

fun·nel ['fʌnl] entonnoir m; ⊕ trémie f; ♨, 🚂 cheminée f.

fun·ny □ ['fʌni] 1. drôle, comique; curieux (-euse f); 2. funnies pl. see comics; **'~·bone** ♣ F petit juif m.

fur [fə:] 1. fourrure f; lapin: pelage m; bouilloire: dépôt m; langue: enduit m; ~s pl. peaux f/pl.; 2. à ou en ou de fourrure; 3. ⊕ (s')incruster; v/t. fourrer, garnir de fourrure; ~red tongue langue f chargée.

fur·be·low ['fə:bilou] falbala m; usu. ~s pl. iro. fanfreluches f/pl.

fur·bish ['fə:biʃ] polir, nettoyer; mettre à neuf.

fur·ca·tion [fə:'keiʃn] bifurcation f.

fu·ri·ous □ ['fjuəriəs] furieux (-euse f).

furl [fə:l] v/t. ferler (une voile); rouler (un parapluie); replier (les ailes); v/i. se rouler.

fur·long ['fə:lɔŋ] mesure: furlong m (201 mètres).

fur·lough ['fə:lou] 1. permission f, congé m; 2. ✕ envoyer (q.) en permission; Am. accorder un congé à.

fur·nace ['fə:nis] four(neau) m; chaudière: foyer m; fig. brasier m.

fur·nish ['fə:niʃ] fournir, munir, pourvoir (de, with); meubler, garnir (une maison); ~ed rooms meublé m; **'fur·nish·er** fournisseur m; marchand m d'ameublement; **'furnish·ing** fourniture f; provision f; ~s pl. ameublement m.

fur·ni·ture ['fə:nitʃə] meubles m/pl.; ameublement m; mobilier m; typ. garniture f; ♣ matériel m.

fur·ri·er ['fʌriə] pelletier m; **'fur·ri·er·y** pelleterie f.

fur·row ['fʌrou] 1. sillon m (a. fig.); ⊕ cannelure f; 2. labourer; sillonner; ⊕ canneler; rider profondément.

fur·ry ['fə:ri] qui ressemble à (de) la fourrure.

fur·ther ['fə:ðə] 1. adj. et adv. plus éloigné; see furthermore; 2. avancer; servir; **'fur·ther·ance** avancement m; appui m; **'fur·ther·er** celui (celle f) m qui aide à l'avancement (de qch.); **'fur·ther·more** en outre, de plus, d'autre part; **'further·most** le plus lointain, le plus éloigné.

fur·thest ['fə:ðist] see furthermost; at (the) ~ au plus tard.

fur·tive □ ['fə:tiv] furtif (-ive f).

fu·ry ['fjuəri] furie f, fureur f; acharnement m.

furze ♣ [fə:z] ajonc m, genêt m épineux.

fuse [fju:z] 1. (se) fondre; (se) réunir par fusion; v/t. pourvoir d'une fusée; v/i. ⚡ sauter (plombs); 2. ⚡ plomb m; fusible m; ✕ fusée f.

fu·see [fju:'zi:] montre etc.: fusée f; tison m.

fu·se·lage ['fju:zila:ʒ] ✈ fuselage m.

fu·si·bil·i·ty [fju:zə'biliti] fusibilité f; **fu·si·ble** ['fju:zəbl] fusible.

fu·sil·ier ✕ [fju:zi'liə] fusilier m.

fu·sil·lade [fju:zi'leid] fusillade f.

fu·sion ['fju:ʒn] fusion f; fonte f.

fuss F [fʌs] 1. agitation f, F potin m; façons f/pl.; kick up a ~ faire un tas d'histoires; 2. v/t. tracasser, agiter; v/i. se tracasser (de, over); faire des histoires; faire l'empressé; **'fuss·y** □ F tracassier (-ère f) tatillon(ne f).

fus·tian ['fʌstiən] ♣ futaine f; fig. emphase m.

fust·i·ness ['fʌstinis] odeur f de renfermé; fig. caractère m démodé; **'fust·y** □ qui sent le renfermé ou moisi; fig. démodé.

fu·tile □ ['fju:tail] futile; vain; puéril; **fu·til·i·ty** [fju'tiliti] futilité f; vanité f; puérilité f.

fu·ture ['fju:tʃə] 1. futur; à venir; 2. avenir m; in the ~ à l'avenir; ♣ ~s pl. livraisons f/pl. à terme; **'fu·tur·ism** peint. futurisme m; **fu·tu·ri·ty** [fju'tjuəriti] avenir m.

fuzz [fʌz] 1. duvet m; a ~ of hair des cheveux bouffants; 2. (faire) bouffer; (faire) frisotter; **'fuzz·y** □ bouffant; frisotté; flou (a. phot.).

G

G, g [dʒiː] G *m*, g *m*.

gab F [gæb] faconde *f*; *the gift of the*
~ la langue bien pendue.

gab·ble ['gæbl] **1.** bredouillement *m*;
caquet *m*; **2.** bredouiller; caqueter;
'gab·bler bredouilleur (-euse *f*) *m*;
caquetage *m*.

gab·by ['gæbi] bavard.

gab·er·dine ['gæbədiːn] *tex.* gabar-
dine *f*.

ga·ble ['geibl] (*a.* ~-*end*) pignon *m*.

ga·by ['geibi] nigaud *m*, benêt *m*.

gad [gæd]: ~ *about* courir (le monde
etc.); ♀ *poét.* errer; **'gad·a·bout** F
coureur (-euse *f*) *m*.

gad·fly *zo.* ['gædflai] taon *m*; œstre
m.

gadg·et F ['gædʒit] dispositif *m*;
machin *m*, truc *m*.

Gael·ic ['geilik] gaélique (*a. ling.*
su./m).

gaff [gæf] gaffe *f*; ♉ corne *f*; *sl.* théâtre *m* de bas étage; *blow the* ~ *sl.*
vendre la mèche.

gaffe F [gæf] bêtise *f*; faux pas *m*.

gaf·fer F ['gæfə] † ancien *m*; contremaître *m*; patron *m*.

gag [gæg] **1.** bâillon *m* (*a. fig.*); *parl.*
clôture *f*; *théâ.* improvisation *f*;
plaisanterie; F blague *f*; *sl. what's*
the ~? à quoi vise tout cela?;
2. *v/t.* bâillonner (*a. fig. la presse*);
pol. clôturer (*un débat*); *v/i. théâ.*
improviser; plaisanter.

gage [geidʒ] gage *m*, garantie *f*;
F défi *m*.

gai·e·ty ['geiəti] gaieté *f*; réjouissances *f/pl*.

gai·ly ['geili] *adv. de gay*.

gain [gein] **1.** gain *m*; *surt.* ♉ ~s *pl.*
profit *m*; **2.** gagner, profiter; ~ *on*
gagner sur; ~ *s.o. over* gagner q. à
sa cause; **'gain·er** gagnant(e *f*) *m*;
gagneur (-euse *f*) *m* (*d'argent*);
gain·ful □ ['~ful] profitable; ~
employment travail *m* rémunéré; *be*
~*ly occupied* avoir un travail rémunéré; **gain·ings** ['~iŋz] *pl.* gain *m*,
-s *m/pl*.; profit *m*.

gain·say † [gein'sei] contredire;
nier (*qch.*).

gait [geit] allure *f*; *cheval*: train *m*.

gai·ter ['geitə] guêtre *f*.

gal *Am. sl.* [gæl] jeune fille *f*.

ga·la ['gɑːlə] fête *f*, gala *m*.

gal·ax·y ['gæləksi] *astr.* voie *f* lactée;
fig. essaim *m*; constellation *f*.

gale [geil] grand vent *m*; tempête *f*.

gall¹ [gɔːl] fiel *m* (*a. fig.*); *surt. Am.*
sl. audace *f*; toupet *m*.

gall² ♀ [~] galle *f*.

gall³ [~] **1.** écorchure *f*; *fig.* blessure *f*; **2.** écorcher; *fig.* froisser,
blesser; irriter;

gal·lant ['gælənt] **1.** □ vaillant; superbe; galant; **2.** galant *m*; *péj.*
coureur *m* de femmes; **3.** faire le
galant; **'gal·van·try** vaillance *f*; ga-
lanterie *f* (*auprès des femmes*).

gal·ler·y ['gæləri] galerie *f* (*a.* ✕).

gal·ley ['gæli] ♉ † galère *f*; ♉ cuisine *f*; *typ.* galée *f*; '~**-proof** *typ.*
placard *m*.

Gal·lic ['gælik] gaulois; **Gal·li·can**
['~kən] *eccl.* gallican.

gal·li·vant [gæli'vænt] courailler.

gall-nut ♀ ['gɔːlnʌt] noix *f* de galle.

gal·lon ['gælən] gallon *m* (*4,54 litres*,
Am. 3,78 litres).

gal·loon [gə'luːn] galon *m*.

gal·lop ['gæləp] **1.** galop *m*; **2.** (faire)
aller au galop.

gal·lows ['gæləuz] *usu. sg.* potence *f*.

ga·lore [gə'lɔː] à foison.

ga·losh [gə'lɔʃ] galoche *f*; ~*s pl.*
caoutchoucs *m/pl*.

gal·van·ic [gæl'vænik] (~*ally*) gal-
vanique; **gal·va·nism** ['gælvə-
nizm] galvanisme *m*; **'gal·va·nize**
galvaniser (*a. fig.*); **gal·va·no·plas-
tic** [gælvənəʊ'plæstik] galvanoplas-
tique.

gam·ble ['gæmbl] **1.** *v/i.* jouer de
l'argent; *v/t.* ~ *away* perdre (*qch.*)
au jeu; **2.** F jeu *m* de hasard; *affaire f de chance*; **'gam·bler** joueur
(-euse *f*) *m*; ♉ spéculateur (-trice *f*)
m; **'gam·bling-house** maison *f* de
jeu.

gam·boge ♀ [gæm'buːʒ] gomme-
gutte (*pl.* gommes-guttes) *f*.

gam·bol ['gæmbl] **1.** cabriole *f*;
2. cabrioler; s'ébattre.

game [geim] **1.** jeu *m*; amusement
m; *cartes*: partie *f*; *péj.* manège *m*;
cuis. etc. gibier *m*; *play the* ~ jouer
franc jeu; *fig.* agir loyalement;
2. F courageux (-euse *f*); *die* ~
mourir crânement; **3.** jouer; '~-
cock coq *m* de combat; '~**-keep·er**

garde-chasse (*pl.* gardes-chasse[s]) *m*; '**~·li·cence** permis *m* de chasse; **game·ster** ['~stə] joueur (-euse *f*) *m*.

gam·mer ['gæmə] vieille *f*.

gam·mon[1] ['gæmən] 1. quartier *m* de lard fumé; jambon *m* fumé; 2. saler et fumer.

gam·mon[2] [~] 1. bredouille *f* (*au jeu*); blague *f*; *sl.* ~! quelle bêtise!; 2. blaguer.

gam·ut ♪ ['gæmət] gamme *f* (*a. fig.*).

gam·y ['geimi] giboyeux (-euse *f*); *cuis.* faisandé.

gan·der ['gændə] jars *m*; *Am. sl.* coup *m* d'œil.

gang [gæŋ] 1. groupe *m*; troupe *f*; bande *f*; équipe *f*; péj. clique *f*; 2. ~ **up** se liguer (contre *against*, on); '**~·board** ♣ planche *f* à débarquer; **gang·er** ['gæŋə] chef *m* d'équipe.

gan·grene ♗ ['gæŋgri:n] gangrène *f*, mortification *f*.

gang·ster *Am.* ['gæŋstə] bandit *m*, gangster *m*.

gang·way ['gæŋwei] passage *m*, couloir *m*; ♣ passerelle *f* de service; ♣ coupée *f*.

gaol [dʒeil] see jail.

gap [gæp] trou *m* (*a. fig.*); ouverture *f*; brèche *f*; interstice *m*.

gape [geip] rester bouche bée (devant, *at*); s'ouvrir tout grand (*abîme*).

ga·rage ['gærɑːʒ; 'gærɪdʒ] 1. garage *m*; 2. mot. garer.

garb [gɑːb] costume *m*, vêtement *m*.

gar·bage ['gɑːbɪdʒ] ordures *f/pl.*; immondices *f/pl.*; *Am.* ~ can boîte *f* aux ordures; ~ pail poubelle *f*.

gar·ble ['gɑːbl] fausser; tronquer.

gar·den ['gɑːdn] 1. jardin *m*; 2. *v/i.* jardiner, faire du jardinage; *v/t.* entretenir; '**gar·den·er** jardinier *m*; '**gar·den·ing** jardinage *m*; horticulture *f*.

gar·gle ['gɑːgl] 1. se gargariser; 2. gargarisme *m*.

gar·goyle △ ['gɑːgɔil] gargouille *f*.

gar·ish ☐ ['gɛərɪʃ] voyant; cru (*lumière*).

gar·land ['gɑːlənd] 1. guirlande *f*, couronne *f*; 2. (en)guirlander.

gar·lic ♗ ['gɑːlik] ail (*pl.* aulx, ails) *m*.

gar·ment ['gɑːmənt] vêtement *m*.

gar·ner ['gɑːnə] 1. grenier *m*; *fig.* recueil *m*; 2. mettre en grenier.

gar·net *min.* ['gɑːnit] grenat *m*.

gar·nish ['gɑːnɪʃ] garnir, orner, embellir (de, *with*); '**gar·nish·ing** garnissage *m*; *cuis.* garniture *f*.

gar·ni·ture ['gɑːnitʃə] garniture *f*.

gar·ret ['gærit] mansarde *f*.

gar·ri·son ✗ ['gærisn] 1. garnison *f*; 2. mettre une garnison dans; mettre (*des troupes*) en garnison; garnir; be ~ed être en garnison.

gar·ru·li·ty [gæ'ruːliti] loquacité *f*; *style:* verbosité *f*; **gar·ru·lous** ☐ ['gærʊləs] loquace; verbeux (-euse *f*).

gar·ter ['gɑːtə] jarretière *f*; *Am.* jarretelles *f/pl.*; *Order of the* ♘ Ordre *m* de la jarretière.

gas [gæs] 1. gaz *m*; F bavardage *m*; *Am.* see gasoline; *mot.* step on the ~ appuyer sur le champignon; *fig.* se dépêcher; 2. asphyxier; ✗ gazer; F jaser; '**~·bag** ✗ enveloppe *f* à gaz; F grand parleur *m*; phraseur *m*; ~ **brack·et** applique *f* à gaz; '**~·burn·er** bec *m* de gaz; **gas·e·lier** [~ə'liə] ['gærʊləs] lustre *m* à gaz; '**gas-en·gine** moteur *m* à gaz; **gas·e·ous** ['geiziəs] gazeux (-euse *f*); '**gas-fit·ter** gazier *m*; poseur *m* d'appareils à gaz; '**gas-fit·tings** *pl.* appareillage *m* pour le gaz.

gash [gæʃ] 1. entaille *f* (*dans la chair*); taillade *f*; balafre *f* (*dans la figure*); coup *m* de couteau *etc.*; 2. entailler.

gas·ket ['gæskit] ♣ garcette *f*; ⊕ joint *m* en étoupe *etc.*

gas...: '**~·light** lumière *f* du gaz; '**~·light·er** allume-gaz *m/inv.*; '**~·man·tle** manchon *m*; '**~·mask** masque *m* à gaz; '**~·me·ter** compteur *m* (à gaz); **gas·o·line** *Am.* mot. ['gæsəliːn] essence *f*; **gas·om·e·ter** [gæ'sɔmitə] gazomètre *m*, réservoir *m* à gaz; '**gas-ov·en** four *m* à gaz.

gasp [gɑːsp] 1. sursaut *m*; *fig.* souffle *m*; 2. sursauter; (*ou* ~ for breath) suffoquer.

gas-proof ['gæs'pruːf] à l'épreuve du *ou* des gaz; '**gas-range** cuisinière *f* à gaz; **gassed** [gæst] asphyxié; ✗ gazé; '**gas-sta·tion** *Am.* poste *m* d'essence; '**gas-stove** four *m* ou réchaud *m* à gaz; F radiateur *m* à gaz; '**gas·sy** gazeux (-euse *f*); mousseux (-euse *f*) (*vin*); *fig.* bavard.

gas·tric ♗ ['gæstrik] gastrique; **gas·tri·tis** [gæs'traitis] gastrite *f*.

gas·tron·o·mist [gæs'trɔnəmist]
gastronome *m*; **gas'tron·o·my**
gastronomie *f*.

gas-works ['gæswə:ks] *usu. sg.* usine
f à gaz.

gate [geit] porte *f* (*a. fig.*); barrière *f*;
grille *f*; *sp.* public *m*; *see* ~-money;
'~-**crash·er** *sl.* intrus(e *f*) *m*; '~-
leg(ged) ta·ble table *f* à abattants;
'~-**man** 🚇 garde-barrière (*pl.* gar-
des-barrière[s]) *m*; '~-**mon·ey** *sp.*
recette *f*; '~-**way** entrée *f*, porte
f.

gath·er ['gæðə] **1.** *v/t.* (r)assembler;
ramasser; (re)cueillir; retrousser
(*ses jupes*); percevoir (*des impôts*);
conclure; *cost.* froncer; *see* information; ~ speed prendre de la
vitesse; *v/i.* se rassembler; se réunir; s'accumuler; se préparer (*orage*); 🩹 abcéder; (🩹 *a.* ~ to a head)
mûrir (*a. fig.*); **2.** ~s *pl.* fronces
f/pl.; '**gath·er·ing** rassemblement
m; cueillette *f*; accumulation *f*;
froncement *m*; assemblée *f*.

gaud·y ['gɔ:di] **1.** □ voyant, criard;
fastueux (-euse *f*); **2.** *univ.* banquet
m anniversaire.

gauge [geidʒ] **1.** calibre *m*; jauge *f*;
vérificateur *m*; indicateur *m*; 🚇 largeur *f* de la voie; ⚓ tirant *m* d'eau;
2. calibrer; mesurer; *fig.* estimer;
'**gaug·er** jaugeur *m*, mesureur *m*.

Gaul [gɔ:l] Gaulois(e *f*) *m*; *pays*:
la Gaule *f*.

gaunt □ [gɔ:nt] décharné; désolé.

gaunt·let ['gɔ:ntlit] gant *m* à cris-
pins; *fig.* gant *m*; *run the* ~ ✗
passer par les bretelles; *fig.* soutenir
un feu roulant (de, of).

gauze [gɔ:z] gaze *f*; *wire* ~ tissu *m*
métallique; '**gauz·y** diaphane.

gave [geiv] *prét.* de give 1, 2.

gav·el *Am.* ['gævl] marteau *m* (*du
commissaire-priseur*).

gawk F [gɔ:k] godiche *mf*; personne *f*
gauche; '**gawk·y** gauche; godiche.

gay □ [gei] gai, allègre; brillant;
Am. sl. effronté.

gaze [geiz] **1.** regard *m* (fixe); **2.** regarder fixement; ~ *at* (*ou* on) contempler, considérer.

ga·zelle *zo.* [gə'zel] gazelle *f*.

gaz·er ['geizə] contemplateur (-trice
f) *m*; curieux (-euse *f*) *m*.

ga·zette [gə'zet] **1.** journal *m* officiel; **2.** publier dans un journal officiel; *be* ~*d* être publié à l'Officiel;

gaz·et·teer [gæzi'tiə] répertoire *m*
géographique.

gear [giə] **1.** accoutrement *m*; effets
m/pl. personnels; ustensiles *m/pl.*;
attirail *m*, appareil *m*; harnais *m*;
⊕ transmission *f*, commande *f*;
mot. (*low première, high* grande)
vitesse *f*; *top* ~ prise *f* directe; *in* ~
en jeu; *mot.* engrené; *out of* ~ hors
d'action; *mot.* débrayé, désengrené;
2. *v/t.* gréer; engrener; ⊕ ~ *up* (down)
multiplier (démultiplier); ~ *into*
engrener (*qch.*) dans; *v/i.* s'engrener; ~ *with* (s')engrener dans; '~-
box, '~-**case** ⊕ carter *m*; *mot.* boîte
f de vitesses; '**gear·ing** ⊕ engrenage *m*; transmission *f*; *cycl.* développement *m*; '**gear·le·ver**, *surt.*
Am. '**gear-shift** levier *m* de(s) vi-
tesse(s).

gee [dʒi:] hue!, huhau!; *Am.* sapristi!; sans blague!

geese [gi:s] *pl.* de goose.

gee·zer *sl.* ['gi:zə] bonhomme *m*;
vieille taupe *f*.

gei·sha ['geiʃə] geisha *f*.

gel·a·tin(e) ['dʒeləti:n] gélatine *f*;
ge·lat·i·nize [dʒi'lætinaiz] (se) gé-
latiniser; **ge'lat·i·nous** gélatineux
(-euse *f*).

geld [geld] [*irr.*] hongrer (*un cheval*);
châtrer; '**geld·ing** (cheval *m*) hongre *m*.

gel·id ['dʒelid] glacial (-als *m/pl.*).

gelt [gelt] *prét. et p.p.* de geld.

gem [dʒem] **1.** pierre *f* précieuse;
gemme *f*; joyau *m* (*a. fig.*); **2.** orner
de pierres précieuses.

gen·der *gramm.* ['dʒendə] genre *m*;
F sexe *m*.

gen·e·a·log·i·cal □ [dʒi:niə'lɔdʒikl]
généalogique; **gen·e·al·o·gy** [dʒi:-
ni'ælədʒi] généalogie *f*.

gen·er·a ['dʒenərə] *pl.* de genus.

gen·er·al ['dʒenərəl] **1.** □ général
(-aux *m/pl.*); commun; grand (*public etc.*); en chef; ~ *election* élec-
tions *f/pl.* générales; ~ *practitioner*
médecin *m* de médecine générale;
2. ✗ général *m*; F (= ~ *servant*)
bonne *f* à tout faire; **gen·er·al·i·ty**
[~'ræliti] généralité *f*; *la* plupart;
gen·er·al·i·za·tion [~rəlai'zeiʃn]
généralisation *f*; '**gen·er·al·i·ze**
généraliser; populariser; '**gen·er-
al·ly** généralement; universelle-
ment; F pour la plupart; '**gen·er-
al·ship** ✗ généralat *m*; stratégie *f*.

gen·er·ate ['dʒenəreit] engendrer; produire; *generating station* station *f* génératrice; **gen·er'a·tion** génération *f*; ⅄ engendrement *m*; '**gen·er·a·tive** [.ətiv] générateur (-trice *f*); producteur (-trice *f*); '**gen·er·a·tor** ['.eitə] générateur (-trice *f*) *m*; ⊕ générateur *m*; *surt. mot. Am.* dynamo *f* d'éclairage.

ge·ner·ic [dʒi'nerik] générique.

gen·er·os·i·ty [dʒenə'rɔsiti] générosité *f*; libéralité *f*; '**gen·er·ous** □ généreux (-euse *f*) (*a. vin*); libéral (-aux *m/pl.*); magnanime; riche.

gen·e·sis ['dʒenisis] genèse *f*; origine *f*; *bibl.* ♀ (la) Genèse; **ge·net·ic** [dʒi'netik] **1.** (.ally) génétique; génésique (*instinct*); F *see generative*; **2.** .s *sg.* génétique *f*.

gen·ial □ ['dʒi:njəl] doux (douce *f*) (*climat*); propice; génial (-aux *m/pl.*) (*talent*); jovial (-als *ou* -aux *m/pl.*) (*personne*); **ge·ni·al·i·ty** [.ni-'æliti] douceur *f*; bienveillance *f*.

gen·i·tals *anat.* ['dʒenitlz] *pl.* organes *m/pl.* génitaux.

gen·i·tive *gramm.* ['dʒenitiv] (*ou* ~ *case*) génitif *m*.

gen·ius ['dʒi:njəs] génie *m*; *pl.* **gen·i·i** [.iai] démon *m*, esprit *m*; *pl.* ~ius·es ['.jəsiz] génie *m*; F don *m*, aptitudes *f/pl.* naturelles.

gen·o·cide ['dʒenousaid] extermination *f* d'une race.

gent F [dʒent] homme *m*, monsieur *m*.

gen·teel □ *sl. ou iro.* [dʒen'ti:l] comme il faut; maniéré.

gen·tian ♀ ['dʒenʃiən] gentiane *f*.

gen·tile ['dʒentail] **1.** gentil *m*; **2.** païen(ne *f*); *Am.* non mormon.

gen·til·i·ty *souv. iro.* [dʒen'tiliti] prétention *f* au bon ton; haute bourgeoisie *f*.

gen·tle □ ['dʒentl] *usu.* doux (douce *f*); modéré; léger (-ère *f*); cher (chère *f*) (*lecteur*); *co.* noble; † bien né; bon(ne *f*) (*naissance*); '~**folk(s)** personnes *f/pl.* de bonne famille; '~**man** monsieur *m* (*pl.* messieurs) *m*; homme *m* comme il faut; ⚖ rentier *m*; *sp.* amateur *m*; *bal:* cavalier *m*; † gentilhomme (*pl.* gentilshommes) *m*; *gentlemen!* messieurs!; ~'s *agreement* convention *f* verbale (*qui n'engage que la parole d'honneur des partis*); '~**man·like**, '~**man·ly** comme il faut; bien élevé; '**gen·tle-**

ness douceur *f*; '**gen·tle·wom·an** dame *f* ou demoiselle *f* bien née.

gen·try ['dʒentri] petite noblesse *f*; *péj.* individus *m/pl.*

gen·u·flec·tion, **gen·u·flex·ion** [dʒenju'flekʃn] génuflexion *f*.

gen·u·ine □ ['dʒenjuin] authentique; véritable; franc(he *f*); sincère.

ge·nus ['dʒi:nəs] (*pl. genera*) genre *m* (*a. fig.*).

ge·od·e·sy [dʒi'ɔdisi] géodésie *f*.

ge·og·ra·pher [dʒi'ɔgrəfə] géographe *m*; **ge·o·graph·i·cal** □ [dʒiə-'græfikl] géographique; **ge·og·ra·phy** [.'ɔgrəfi] géographie *f*.

ge·o·log·ic, **ge·o·log·i·cal** □ [dʒiə-'lɔdʒik(l)] géologique; **ge·ol·o·gist** [dʒi'ɔlədʒist] géologue *mf*; **ge·ol·o·gy** géologie *f*.

ge·om·e·ter [dʒi'ɔmitə] géomètre *m*; **ge·o·met·ric**, **ge·o·met·ri·cal** □ [dʒiə'metrik(l)] géométrique; **ge·om·e·try** [.'ɔmitri] géométrie *f*.

ge·o·phys·ics [dʒiə'fiziks] *usu. sg.* géophysique *f*.

ge·ra·ni·um ♀ [dʒi'reinjəm] géranium *m*.

germ [dʒə:m] **1.** germe *m*; **2.** germer.

Ger·man[1] ['dʒə:mən] **1.** allemand; ⚕ ~ *measles* rubéole *f*; ~ *Ocean* mer *f* du Nord; ⊕ ~ *silver* argentan *m*, maillechort *m*; ~ *steel* acier *m* brut; ~ *text* caractères *m/pl.* gothiques; ~ *toys pl.* jouets *m/pl.* de Nuremberg; **2.** *ling.* allemand *m*; Allemand(e *f*) *m*.

ger·man[2] [.]: *brother etc.* ~ frère *m etc.* germain; **ger·mane** [dʒə:'mein] (*to*) approprié (à); se rapportant (à).

Ger·man·ic [dʒə:'mænik] allemand; *hist.* germanique.

germ-car·ri·er ['dʒə:mkæriə] porteur *m* de bacilles.

ger·mi·nal ['dʒə:minl] germinal (-aux *m/pl.*); *fig.* en germe; **ger·mi·nate** ['.neit] (faire) germer; **ger·mi·na·tion** germination *f*.

germ-proof ['dʒə:mpru:f] aseptique.

ger·ry·man·der *pol.* ['dʒerimændə] truquage *m* électoral.

ger·und *gramm.* ['dʒerənd] gérondif *m*.

ges·ta·tion ⚕, *vet.* [dʒes'teiʃn] gestation *f*.

ges·tic·u·late [dʒes'tikjuleit] *v/i.* gesticuler; *v/t.* exprimer par des gestes; **ges·tic·u·la·tion** gesticulation *f.*

ges·ture ['dʒestʃə] geste *m*; signe *m*.
get [get] [*irr.*] **1.** *v/t.* obtenir, procurer; gagner; prendre; se faire (*une réputation etc.*); recevoir; aller chercher; attraper (*un coup, une maladie*); faire parvenir; faire (*inf., p.p.*); *Am.* F saisir; ~ *a wife* prendre femme; *have got* avoir; F *you have got to obey* il faut que vous obéissiez; ~ *one's hair cut* se faire couper les cheveux; ~ *me the book!* allez me chercher le livre!; ~ *by heart* apprendre par cœur; ~ *with child* faire un enfant à; ~ *away* arracher; éloigner; ~ *down* descendre (*qch.*); avaler (*une pilule etc.*); mettre (*qch.*) par écrit; ~ *in* rentrer; placer (*un mot*); donner (*un coup*); ~ *off* ôter (*un vêtement*); expédier (*une lettre*); ~ *on* mettre (*qch.*); ~ *out* arracher, tirer; (faire) sortir; faire passer (*qch.*) par-dessus; en finir avec (*qch.*); ~ *through* terminer; assurer le succès de; *parl.* faire adopter; ~ *up* faire monter; organiser; préparer; F (*se*) faire beau (belle); ~ *up steam* faire monter la pression; chauffer; **2.** *v/i.* devenir, se faire; aller, se rendre (à, *to*); en arriver (à *inf.*, *to inf.*); se mettre; ~ *ready* se préparer; ~ *about* circuler; être sur pied; ~ *abroad* se répandre; ~ *ahead* prendre de l'avance; ~ *along* s'avancer; faire du chemin; ~ *along with* s'accorder avec, s'entendre bien avec; ~ *around to* en venir à, trouver le temps de; ~ *at* atteindre; parvenir à; ~ *away* partir; s'échapper; ~ *away with it* réussir; faire accepter la chose; ~ *down to* descendre jusqu'à; *fig.* en venir à; F se mettre à; ~ *in* rentrer; placer (*un coup*); ~ *into* entrer ou monter dans; mettre (*une robe etc.*); ~ *off* descendre (*de qch.*); se tirer d'affaire; F attraper un mari; ✂ décoller; ~ *off with* faire la conquête de; ~ *on* monter sur; s'avancer (vers *qch.*); s'approcher (de, *to*); prendre de l'âge; s'entendre (bien), s'accommoder (avec, *with*); ~ *out* (of, *from*) sortir (de); s'échapper (de); se soustraire (à); ~ *over* franchir; passer par-dessus; *fig.* guérir de (*une maladie*); ~ *through* passer; *téléph.* obtenir la communication;

~ *to hear* (*ou know ou learn*) apprendre; ~ *up* se lever; grossir (*mer*); monter; s'élever (*prix etc.*); **get-at-a-ble** [get'ætəbl] accessible; d'accès facile; **get-a-way** ['getəwei] *sp.* départ *m*; démarrage *m*; *Am.* fuite *f*; *make one's* ~ s'échapper; **'get·ter** acquéreur *m*; *zo.* reproducteur *m*; **'get·ting** acquisition *f*; mise *f*; ⚒ extraction *f*; **get-'up** tenue *f*; 🕇 habillage *m*; *Am.* F entrain *m*; esprit *m* entreprenant.
gew-gaw ['gjuːgɔː] babiole *f*, bagatelle *f*; ~*s pl.* afféteries *m/pl.*
gey·ser ['gaizə] *géog.* geyser *m*; ['giːzə] chauffe-bain *m*; chauffe-eau *m/inv.* à gaz.
ghast·li·ness ['gɑːstlinis] horreur *f*; pâleur *f* mortelle; **'ghast·ly** horrible; affreux (-euse *f*); blême.
gher·kin ['gəːkin] cornichon *m*.
ghost [goust] fantôme *m*, spectre *m*, revenant *m*; F nègre *m* (*d'un auteur*); *Holy* ♀ Saint-Esprit *m*; **'ghost·like**, **'ghost·ly** spectral (-aux *m/pl.*); **'ghost·write** *Am.* écrire un article *etc.* qui paraîtra sous la signature d'autrui.
gi·ant ['dʒaiənt] géant (*a. su./m*).
gib·ber ['dʒibə] baragouiner; **'gibber·ish** baragouin *m*, charabia *m*.
gib·bet ['dʒibit] **1.** gibet *m*; ⊕ flèche *f* de grue; **2.** pendre; *fig.* clouer au pilori.
gib·bos·i·ty [gi'bɔsiti] gibbosité *f*, bosse *f*; **gib·bous** ['gibəs] gibbeux (-euse *f*); bossu (*personne*).
gibe [dʒaib] **1.** railler (q., *at s.o.*); se moquer (de q., *at s.o.*); **2.** raillerie *f*; moquerie *f*; brocard *m*.
gib·lets ['dʒiblits] *pl.* abatis *m*.
gid·di·ness ['gidinis] vertige *m*; *fig.* étourderie *f*; frivolité *f*; **'gid·dy** ☐ pris de vertige (*personne*); étourdi (*a. fig.*); *fig.* frivole; vertigineux (-euse *f*), qui donne le vertige.
gift [gift] **1.** don *m*; cadeau *m*, présent *m*; 🕇 prime *f* (*à un acheteur*); *deed of* ~ (*acte m de*) donation *f* entre vifs; ~ *shop surt. Am.* magasin *m* de nouveautés; **2.** douer (de, *with*); donner en présent; **'gift·ed** bien doué de talent.   [canot *m.*\
gig [gig] cabriolet *m*; ⚓ petit/
gi·gan·tic [dʒai'gæntik] (~*ally*) géant, gigantesque.
gig·gle ['gigl] **1.** rire nerveusement; **2.** petit rire *m* nerveux.

gild [gild] [*irr.*] dorer; **'gild·er** doreur (-euse *f*) *m*; **'gild·ing** dorure *f*.

gill[1] [dʒil] (*approx.*) huitième *m* de litre.

gill[2] [gil] *icht.* ouie *f*; *fig. usu.* ⁓s *pl.* bajoue *f*, -s *f*/*pl.*; *champignon:* lame *f*; *tex.* peigne *m*; ⊕ ailette *f*.

gill[3] [dʒil] jeune fille *f*; bonne amie *f*.

gilt [gilt] **1.** *prét. et p.p. de* gild; **2.** dorure *f*, doré *m*; '⁓-edged doré sur tranche; ✝ *sl.* de premier ordre.

gim·crack ['dʒimkræk] **1.** article *m* de pacotille *ou* en toc; **2.** de pacotille (*meuble*); en toc (*bijou*); de carton (*maison*).

gim·let ⊕ ['gimlit] vrille *f*.

gim·mick *Am. sl.* ['gimik] truc *m*; tour *m*.

gin[1] [dʒin] genièvre *m*.

gin[2] [⁓] **1.** piège *m*, trébuchet *m*; ⊕ chèvre *f*; **2.** ⊕ égrener.

gin·ger ['dʒindʒə] **1.** gingembre *m*; F entrain *m*, énergie *f*; **2.** F (*souv.* ⁓ up) secouer; mettre du cœur au ventre de; **3.** roux (rousse *f*) (*cheveux*); ⁓ ale, ⁓ beer boisson *f* gazeuse au gingembre; '⁓-bread pain *m* d'épice; '**gin·ger·ly 1.** *adj.* délicat; **2.** *adv.* délicatement; '**gin·ger-nut** biscuit *m* au gingembre.

gip·sy ['dʒipsi] bohémien(ne *f*) *m*.

gi·raffe *zo.* [dʒi'rɑ:f] girafe *f*.

gir·an·dole ['dʒirəndoul] girandole *f*.

gird[1] [gə:d] **1.** raillerie *f*; brocard *m*; **2.** railler (q., *at* s.o.); se moquer (de, *at*).

gird[2] [⁓] [*irr.*] ceindre (de, *with*); encercler (de, *with*).

gird·er ⊕ ['gə:də] poutre *f*.

gir·dle ['gə:dl] **1.** ceinture *f*; gaine *f*; **2.** entourer, ceindre.

girl [gə:l] jeune fille *f*; F employée *f*; domestique *f*; **girl·hood** ['⁓hud] jeunesse *f*; adolescence *f*; '**girl·ish** □ de jeune *ou* petite fille; '**girl·ish·ness** air *m* de petite fille; '**girl·y** *Am.* F magazine *m* (*de beautés léger-vêtues*).

girt [gə:t] **1.** *prét. et p.p. de* gird[2]; **2.** ⊕ circonférence *f*.

girth [gə:θ] **1.** sangle *f* (de selle); circonférence *f*; **2.** sangler (*un cheval*).

gist [dʒist] ⚖ principal motif *m*; F essence *f*; point *m* essentiel; fond *m*.

give [giv] **1.** [*irr.*] *v*/*t. usu.* donner; remettre; causer; faire (*attention, aumône, peine, plaisir, saut, etc.*); pousser (*un soupir etc.*); présenter (*des compliments*) porter (*un coup*); prononcer (*un arrêt*); céder (*une place*); ⁓ attention to faire attention à; ⁓ battle donner bataille; ⁓ birth to donner le jour à; donner naissance à (*a. fig.*); ⁓ chase to donner la chasse à; ⁓ credit to ajouter foi à; ⁓ ear to prêter l'oreille à; ⁓ one's mind to s'appliquer à; ⁓ it to s.o. rosser q.; ⁓ s.o. semoncer vertement q.; ⁓ away donner; F trahir; ⁓ away the bride conduire la mariée à l'autel; ⁓ back rendre; ⁓ forth émettre; dégager; ⁓ in donner re- mettre; ⁓ out distribuer; annoncer; exhaler (*une odeur etc.*); émettre; ⁓ over abandonner; remettre; ⁓ up rendre (*une proie*); abandonner (*affaire, malade, prétention*); ⁓ o.s. up se livrer (à, to); se constituer prisonnier; **2.** [*irr.*] *v*/*i.* ⁓ (*in*) céder; se rendre; ⁓ into, ⁓ (up)on donner sur (*la rue etc.*); ⁓ out manquer; faire défaut; être à bout; s'épuiser; ⁓ over finir; **3.** *su.* élasticité *f*; **give-and-take** ['givən'teik] concessions *f*/*pl.* mutuelles; **give-a·way** ['givə'wei] F trahison *f*; *radio, télév., surt. Am.* ⁓ show (*ou* program) audition *f* où on décerne des prix à des con- currents; '**giv·en** *p.p. de* give; ⁓ name *Am.* nom *m* de baptême; ⁓ to adonné à; ⁓ (*that*) étant donné (que); '**giv·er** donneur (-euse *f*) *m*; ✝ lettre de change: tireur *m*.

giz·zard ['gizəd] gésier *m*.

gla·ci·al □ ['gleisiəl] glacial (-als *m*/*pl.*); *géol.* glaciaire; ⚛ cristallisé; **gla·cier** ['glæsjə] glacier *m*; **gla·cis** ⚔ ['glæsis] glacis *m*.

glad □ [glæd] heureux (-euse *f*), content, bien aise (de of, *at*, to); joyeux (-euse *f*); ⁓ly volontiers, avec plaisir; F give s.o. the ⁓ eye lancer des œillades à q.; **glad·den** ['⁓dn] réjouir.

glade [gleid] clairière *f*; *Am.* région *f* marécageuse.

glad·i·a·tor ['glædieitə] gladiateur *m*.

glad·ness ['glædnis] joie *f*; **glad·some** ['⁓səm] heureux (-euse *f*), joyeux (-euse *f*).

Glad·stone ['glædstən] (*a.* ⁓ bag) sac *m* américain.

glair [glɛə] 1. glaire *f*; 2. glairer.

glam·or·ous ['glæmərəs] enchanteur (-eresse *f*); *fig.* éblouissant; **glam·o(u)r** ['‿mə] 1. charme *m*, enchantement *m*; ~ *girl* jeune beauté *f* fascinante; 2. fasciner.

glance [glɑːns] 1. ricochet *m*; regard *m*; coup *m* d'œil; 2. jeter un regard (sur, *at*); lancer un coup d'œil (à, *at*); refléter; ~ *aside* (*ou off*) ricocher, dévier; ~ *over* parcourir, examiner rapidement.

gland *anat.*, ♀ [glænd] glande *f*; **glan·dered** *vét.* ['‿əd] morveux (-euse *f*); **glan·ders** *vét.* ['‿əz] *sg.* morve *f*; **glan·du·lar** ['‿julə] glandulaire.

glare [glɛə] 1. éclat *m*, clarté *f*; éblouissement *m*; regard *m* fixe et furieux; 2. briller d'un éclat éblouissant; lancer un regard furieux (à, *at*); **glar·ing** □ ['‿riŋ] éblouissant, aveuglant; *fig.* manifeste; flagrant.

glass [glɑːs] 1. verre *m*; miroir *m*, glace *f*; (*a. reading-*~) loupe *f*; baromètre ⊕ *m*; *coll.* verrerie *f*; (*a pair of*) ~*es pl.* (*des*) lunettes *f/pl.*; 2. de *ou* en verre; 3. vitrer; '~**blow·er** souffleur *m* de verre; verrier *m*; **glass·ful** ['‿ful] (plein) verre *m*; '**glass·i·ness** aspect *m* vitreux.

glass...: '~**roofed court** cour *f* vitrée; '~**shade** cloche *f*; '~**works** ⊕ *usu. sg.* verrerie *f*; '**glass·y** □ vitreux (-euse *f*).

glaze [gleiz] 1. vernis *m*; *cuis.* glace *f*; *peint.* glacis *m*; 2. (se) glacer; *v/t.* vitrer; vernir; lisser; *v/i.* devenir vitreux (*œil*); ~*d paper* papier *m* brillant; ~*d veranda* véranda *f* vitrée; **gla·zier** ['‿iə] vitrier *m*; '**glaz·ing** pose *f* des vitres; vernissage *m*; vitrerie *f*; '**glaz·y** glacé.

gleam [gliːm] 1. lueur *f* (*a. fig.*); reflet *m*; 2. (re)luire; miroiter (*eau*).

glean [gliːn] *v/t.* glaner; *v/i.* faire la glane; '**glean·er** glaneur (-euse *f*) *m*; **glean·ings** ['‿iŋz] *pl.* glanure *f*, -s *f/pl.*

glebe [gliːb] terre *f* assignée à un bénéfice; *poét.* terrain *m*, glèbe *f*.

glee [gliː] joie *f*, allégresse *f*; ♪ petit chant *m* (à 3 *ou* 4 parties) sans accompagnement; (*male*) ~ *club* chorale *f*; **glee·ful** □ ['‿ful] allègre, joyeux (-euse *f*).

glen [glen] vallon *m*.

glib □ [glib] † glissant; *péj.* spécieux (-euse *f*); beau parleur (*personne*); '**glib·ness** spéciosité *f*; faconde *f*.

glide [glaid] 1. glissement *m*; *danse*: glissade *f*; ✈ vol *m* plané; *gramm.* son *m* transitoire; 2. (faire) glisser, couler; *v/i.* ✈ faire du vol plané; '**glid·er** planeur *m*, glisseur *m*; ~ *pilot* pilote *m* de planeur; '**glid·ing** glissement *m*; vol *m* plané.

glim·mer ['glimə] 1. faible lueur *f*; miroitement *m*; *min.* ✻ mica *m*; 2. entreluire, jeter une faible lueur; miroiter (*eau*).

glimpse [glimps] 1. vision *f* momentanée; 2. entrevoir; ~ *at* avoir la vision fugitive de; jeter un rapide coup d'œil sur.

glint [glint] 1. étinceler, entreluire; 2. éclair *m*, reflet *m*.

glis·sade *alp.* [gli'sɑːd] 1. faire une descente en glissade; 2. glissade *f*.

glis·ten ['glisn], **glit·ter** ['glitə] étinceler, (re)luire; scintiller; *fig.* briller.

gloam·ing ['gloumiŋ] crépuscule *m*.

gloat [glout] ([*up*]*on*, *over*) savourer (*qch.*); se réjouir (de); triompher (de).

glob·al ['gloubl] global (-aux *m/pl.*); mondial (-aux *m/pl.*); universel(le *f*); **globe** [gloub] globe *m* (*a. anat.*); sphère *f*; terre *f*; '**globe-trot·ter** globe-trotter *m*; **glo·bose** ['‿ous], ♀ globeux (-euse *f*); **glo·bos·i·ty** [‿'bositi] caractère *m* globuleux *etc.*; **glob·u·lar** □ ['globjulə] globuleux (-euse *f*); globulaire; **glob·ule** ['‿juːl] globule *m*.

gloom [gluːm] 1. obscurité *f*, ténèbres *f/pl.*; mélancolie *f*; 2. *v/i.* se renfrogner; s'assombrir; *v/t.* obscurcir; assombrir; '**gloom·i·ness** obscurité *f*; mélancolie *f*, tristesse *f*; '**gloom·y** □ sombre, obscur, ténébreux (-euse *f*); morne.

glo·ri·fi·ca·tion [glɔːrifi'keiʃn] glorification *f*; **glo·ri·fy** ['‿fai] glorifier; '**glo·ri·ous** □ glorieux (-euse *f*); resplendissant; *fig.* magnifique.

glo·ry ['glɔːri] 1. gloire *f*; renommée *f*; splendeur *f*, éclat *m*; *Am.* F *Old* ♀ drapeau *m* des É.-U.; 2. (*in*) se glorifier (de); être fier (-ère *f*) (de); F se réjouir (de).

gloss[1] [glɔs] **1.** glose *f*; commentaire *m*; **2.** gloser sur; F expliquer.
gloss[2] [~] **1.** vernis *m*, lustre *m*; *high ~ painting* ripolin *m*; **2.** lustrer, glacer; *~ over* glisser sur, farder.
glos·sa·ry [ˈglɔsəri] glossaire *m*, lexique *m*.
gloss·i·ness [ˈglɔsinis] vernis *m*, lustre *m*; ˈ**gloss·y** □ lustré, brillant, glacé.
glot·tis *anat.* [ˈglɔtis] glotte *f*.
glove [glʌv] gant *m*; *see hand 1*; ˈ**glov·er** gantier (-ère *f*) *m*.
glow [glou] **1.** lueur *f*; chaleur *f*; **2.** rayonner; rougir; ˈ**~-worm** ver *m* luisant; luciole *f*.
gloze [glouz] (*usu. ~ over*) glisser sur, pallier.
glu·cose ⚗ [ˈglu:kous] glucose *m*.
glue [glu:] **1.** colle *f*; **2.** coller (*a. fig.*); *~ one's eyes on* ne pas quitter (*qch.*) des yeux; ˈ**glue·y** gluant, poisseux (-euse *f*).
glum □ [glʌm] renfrogné, maussade, morne.
glut [glʌt] **1.** excès *m*; surabondance *f*; ⚚ encombrement *m* (du marché); **2.** inonder, encombrer; *~ o.s.* se rassasier.
glu·ten ⚘ [ˈglu:tən] gluten *m*; **glu·ti·nous** □ [ˈglu:tinəs] glutineux (-euse *f*).
glut·ton [ˈglʌtn] gourmand(e *f*) *m*; glouton(ne *f*) *m*, goulu(e *f*) *m*; *zo.* glouton *m*; *~ for work* bourreau *m* de travail; ˈ**glut·ton·ous** □ glouton(ne *f*); ˈ**glut·ton·y** gourmandise *f*.
G-man *Am.* [ˈdʒi:mæn] agent *m* armé du F.B.I.
gnarl [nɑ:l] nœud *m*, loupe *f*; **gnarled**, *a.* ˈ**gnarl·y** noueux (-euse *f*); tordu.
gnash [næʃ] grincer (*les dents*).
gnat [næt] moustique *m*, moucheron *m*.
gnaw [nɔ:] ronger; ˈ**gnaw·er** rongeur *m*.
gnome[1] [ˈnoumi:] maxime *f*, aphorisme *m*.
gnome[2] [noum] gnome *m*; gobelin *m*; ˈ**gnom·ish** de gnome.
go [gou] **1.** [*irr.*] aller; se rendre; faire une promenade *ou* un voyage; marcher (*machine, cœur, affaire*); visiter (qch., *to s.th.*); sonner (*cloche*); passer (*temps*); aboutir (*affaire, guerre*); partir (de, *from*); s'en aller; disparaître; se casser; s'épuiser; *avec adj.*: devenir; se rendre; s'étendre (jusqu'à, *to*); adjuger (à, *for*) (*lot*); *~ bad* se gâter; *see mad, sick*; (*this dog etc.*) *must ~* il faut absolument qu'on se débarrasse de (*ce chien etc.*); *the story ~es that* on dit que; *sl. here ~es!* allons-y!; *sl. ~ it!* vas-y!; allez-y!; *as men etc. ~* étant donné les hommes *etc.*; *let ~* lâcher; laisser aller; *~ shares* partager; *~ to* (*ou and*) *see* aller voir; *just ~ and try!* essayez toujours!; *~ about* circuler, aller çà et là; se mettre à (*une tâche*); *~ abroad* voyager à l'étranger; émigrer; *~ ahead* avancer; faire des progrès; persister; *~ at* s'attaquer à; *~ back* rentrer; retourner; *~ back from* (*ou* F *on*) revenir sur (*une promesse*); *~ before fig.* devancer; *~ behind* revenir sur (*qch.*); *~ between* servir de médiateur entre (*... et ...*); passer entre; *~ by* (*adv.*) passer; (*prp.*) se régler sur; *~ by the name of* être connu sous le nom de; *~ down* descendre; F prendre (avec, *with*), être (*bien ou mal*) reçu (de, *with*); *~ for* aller chercher; F tomber sur; F s'en prendre à (*q.*); *~ for* (aller) faire (*une promenade, un voyage, etc.*); *~ in* entrer, rentrer; se cacher (*soleil*); *~ in for* se mêler de, s'adonner à; *~ in for an examination* se présenter à *ou* passer un examen; *~ into* entrer dans; examiner (*une question*); ℞ diviser; *~ off* partir (*a. fusil etc.*), s'en aller; s'écarter; se passer; se détériorer; passer (*beauté*); tourner (*lait*); *~ on* continuer sa route; continuer (de *inf., gér.*); marcher; passer (à, *to*); F se passer; F se conduire; *~ on!* avancez!; *iro.* allons donc!; *~ out* sortir; disparaître; baisser (*marée*); s'éteindre (*feu*); *pol.* quitter le pouvoir; *~ over* passer (à, *to*) (*un parti etc.*); traverser; examiner; *~ through* passer par; traverser; remplir; subir (*une épreuve*); examiner; *~ through with* aller jusqu'au bout de; *~ to* aller à; *~ to expense* se mettre en dépense; *~ up* monter; sauter; ⚚ subir une hausse; *~ up to town* aller à la ville; *~ with* accompagner; s'accorder avec; ~

without se passer de; **2.** F aller *m*; entrain *m*, coup *m*, essai *m*; F ♀ accès *m*; *sl.* dernier cri *m*; *sl.* affaire *f*; *univ. sl.* little ~ premier examen *m*; *great* ~ examen *m* final; *on the* ~ à courir, remuant; *it is no* ~ ça ne prend pas; *is it a* ~? entendu?; *in one* ~ d'un seul coup; *have a* ~ essayer (de *inf.*, *at gér.*).

goad [goud] **1.** aiguillon *m* (*a. fig.*); **2.** aiguillonner, piquer (*a. fig.*).

go·a·head F ['gouəhed] **1.** entreprenant; actif (-ive *f*); **2.** *surt. Am.* F esprit *m* entreprenant; *Am. sl.* voie *f* libre.

goal [goul] but *m* (*a. sp., a. foot.*); '~**-keep·er** *foot.* gardien *m* de but; F goal *m*.

goat [gout] *zo.* chèvre *f*; *he-*~ bouc *m*; *fig.* imbécile *m*; *sl.* get s.o.'s ~ irriter q.; **goat'ee** barbiche *f*; bouc *m*; '**goat·ish** de bouc; lascif.

gob [gɔb] *sl.* crachat *m*; ✂ remblai *m*; *Am.* F marin *m*; **gob·bet** ['~it] grosse bouchée *f*.

gob·ble ['gɔbl] dévorer; glouglouter (*dindon*); **gob·ble·dy·gook** *Am. sl.* ['gɔbldiguk] style *m* ampoulé; jargon *m* (*des fonctionnaires*); '**gob·bler** avaleur (-euse *f*) *m*; dindon *m*.

go·be·tween ['goubitwi:n] intermédiaire *mf*.

gob·lin ['gɔblin] gobelin *m*, lutin *m*.

go·by ['goubai]: *give s.o. the* ~ éviter q.; se dérober à q.

go·cart ['goukɑ:t] poussette *f*, charrette *f* (*pour bébés*).

god [gɔd] *eccl.* ♀ dieu *m*; *fig.* idole *f*; '**god·child** filleul(e *f*) *m*; '**god·dess** déesse *f*; '**god·fa·ther** parrain *m*; '**god·less** impie; athée; '**god·like** de dieu; divin; '**god·li·ness** piété *f*; '**god·ly** saint; pieux (-use *f*), dévot; '**god·moth·er** marraine *f*; '**god·send** aubaine *f*; bienfait *m* du ciel; '**god'speed** bon voyage *m*, adieu *m*.

go·er ['gouə] passant *m*; *play*~ habitué(e *f*) *m* du cinéma *ou* théâtre; *cheval:* marcheur *m*; F homme *m* énergique.

gof·fer ['goufə] gaufrer; tuyauter.

go·get·ter *Am. sl.* ['gou'getə] arriviste *mf*; homme *m* d'affaires *etc.* énergique.

gog·gle ['gɔgl] **1.** (*a.* ~ *one's eyes*) rouler de gros yeux; **2.** (*a pair of*) ~*s* *pl.* lunettes *f/pl.*

go·ing ['gouiŋ] **1.** qui marche; qui va (sur); qui soit; F actuel(le *f*); *be* ~ *to* (*inf.*) être sur le point de (*inf.*); aller (*inf.*); avoir l'intention de (*inf.*); *keep* ~ aller toujours; *set* (*a*-)~ mettre en train; *a* ~ *concern* une affaire *etc.* en pleine activité; ~, ~, *gone!* une fois, deux fois, adjugé! **2.** allée *f*; départ *m*; recours *m*; *sp.* état *m* du sol; '**go·ings-'on** *pl.* F conduite *f*.

goi·tre ♀ ['gɔitə] goitre *m*; **goi·trous** ['gɔitrəs] goitreux (-euse *f*).

gold [gould] **1.** or *m*; **2.** d'or; ~ *brick* escroquerie *f*; attrape-nigaud *m*; *Am. sl.* ~*brick* se défiler, tirer au flanc; '~**-dig·ger** *Am.* chercheur *m* d'or; *sl.* maîtresse *f* coûteuse; '**gold·en** † d'or; *fig.* précieux (-euse *f*); '**gold·finch** *orn.* chardonneret *m*; '**gold·smith** orfèvre *m*.

golf [gɔlf] *sp.* golf *m*; '**golf·er** golfeur (-euse *f*) *m*; joueur (-euse *f*) *m* de golf; '**golf-links** *pl.* terrain *m* de golf.

gol·li·wog(g) ['gɔliwɔg] poupée *f* grotesque; *fig.* objet *m* d'épouvante.

go·losh [gə'lɔʃ] caoutchouc *m*.

gon·do·la ⚓, ♬ ['gɔndələ] gondole *f*.

gone [gɔn] **1.** *p.p. de* go 1; **2.** *adj.* absent; mort; F épris, amoureux (-euse *f*) (de, *on*); F désespéré; *be*~*! get you* ~*!* allez-vous-en!; *sl.* filez!; *sl.* ~ *on* épris de (*q.*), emballé sur (*q.*); '**gon·er** *sl.* homme *m* fichu *ou* mort.

gong [gɔŋ] gong *m*.

good [gud] **1.** *usu.* bon(ne *f*); valable (*excuse*); excellent; avantageux (-euse *f*) (*mariage, prix, etc.*); ~ *and Am.* très, tout à fait; ♀ *Friday* (le) Vendredi *m* saint; *the* ~ *Samaritan* le bon Samaritain; ~ *at* bon *ou* fort en; *in* ~ *earnest* pour (tout) de bon; **2.** bien *m*; ~*s pl.* articles *m/pl.*; marchandises *f/pl.*; ♯♯ biens *m/pl.*; *Am.* F avantage *m* (sur, *on*); *that's no* ~ cela ne vaut rien; *it is no* ~ *talking* inutile de parler; *for* ~ pour de bon; ~*s station* (*train*) gare *f* (train *m*) de marchandises; ~*s in process* produits *m/pl.* semi-fabriqués; ~*s in short supply* marchandises *f/pl.* qui manquent; ~**-bye 1.** [gud'bai] adieu *m*; **2.** ['gud'bai] adieu!; '~-

for-noth·ing 1. bon(ne *f*) à rien; sans valeur; **2.** bon(ne *f*) *m* à rien; vaurien(ne *f*) *m*; **'good·li·ness** beauté *f*; **'good·ly** beau (bel *devant une voyelle ou un h muet*; belle *f*; beaux *m/pl.*); ample; considérable; **'good-'na·tured** bon(ne *f*); au bon naturel; **'good·ness** bonté *f*; bonne qualité *f*; *int.* dieu m!; *see gracious;* **'good·wife** maîtresse *f* de la maison; **'good·will** bonne volonté *f*; bienveillance *f* (envers, pour *towards*); ✝ clientèle *f*; ✝ achalandage *m*.

good·y¹ ['gudi] bonbon *m*.

good·y² [∼] **1.** *adj.* édifiant; d'une piété affectée; **2.** *int.* *Am.* F chouette!

goon *Am. sl.* [gu:n] voyou *m*.

goose [gu:s] (*pl.* geese) oie *f*; *fig.* sot(te *f*) *m*; (*pl.* gooses) carreau *m* (à *repasser*).

goose·ber·ry ['guzbəri] groseille *f* verte; *buisson:* groseillier *m*; F *play* ∼ se trouver en tiers; *sl.* faire sandwich.

goose...: '∼**-flesh,** *surt. Am.* '∼**pim·ples** *pl. fig.* chair *f* de poule; '∼**-step** pas *m* de l'oie; **'goos·ey, 'goos·ie** F oison *m*.

go·pher *surt. Am.* ['goufə] saccophore *m*; chien *m* de prairie.

Gor·di·an ['gɔ:diən] gordien; *fig.* difficile, compliqué.

gore¹ [gɔ:] sang *m* coagulé.

gore² [∼] **1.** *cost.* godet *m*; soufflet *m*; ⚓ pointe *f*; **2.** blesser avec les cornes; découdre; *cost.* faire goder.

gorge [gɔ:dʒ] **1.** gorge *f* (*a. géog.*); gosier *m*; *my* ∼ *rises* at it j'en ai des nausées; **2.** (se) rassasier; (se) gorger.

gor·geous □ ['gɔ:dʒəs] magnifique; superbe; **'gor·geous·ness** splendeur *f*.

gor·get ⚔ ['gɔ:dʒit] hausse-col *m*.

gor·mand·ize ['gɔ:məndaiz] *vt/i.* bâfrer; *v/i.* goinfrer.

gorse ♣ [gɔ:s] genêt *m* épineux.

gor·y □ ['gɔ:ri] ensanglanté.

gosh F [gɔʃ] sapristi!

gos·hawk *orn.* ['gɔshɔ:k] autour *m*.

gos·ling ['gɔzliŋ] oison *m*.

gos·pel ['gɔspl] évangile *m*.

gos·sa·mer ['gɔsəmə] filandres *f/pl.*; ✝ gaze *f* légère.

gos·sip ['gɔsip] **1.** causerie *f*; *péj.* cancans *m/pl.*; *personne:* bavard(e*f*)

m; **2.** bavarder; faire des cancans (sur, *about*).

got [gɔt] *prét. et p.p. de get.*

Goth [gɔθ] *hist.* Goth *m* (*a. fig.*); *fig.* vandale *m*; **'Goth·ic** gothique.

got·ten † *ou Am.* ['gɔtn] *p.p. de get.*

gouge [gaudʒ] **1.** ⊕ gouge *f*; **2.** (*usu.* ∼ *out*) creuser à la gouge; *fig.* faire sauter (un œil à *q.*); *Am.* F duper, refaire.

gourd ♣ ['guəd] courge *f*; gourde *f* (*a. bouteille*).

gout ♣ [gaut] goutte *f*; podagre *f*; **'gout·y** □ goutteux (-euse *f*); podagre.

gov·ern ['gʌvən] *v/t.* gouverner, régir (*a. gramm.*); *fig.* maîtriser; *v/i.* gouverner; ∼*ing body* conseil *m* d'administration; **'gov·ern·a·ble** □ gouvernable; **'gov·ern·ess** gouvernante *f*; institutrice *f*; **'gov·ern·ment** gouvernement *m*; régime *m*; ministère *m*; *Am.* conseil *m* municipal; *attr.* public, d'État, gouvernemental (-aux *m/pl.*); **gov·ern·men·tal** [∼'mentl] gouvernemental (-aux *m/pl.*); **'gov·er·nor** gouverneur *m* (*Am. d'un État des É.-U.*); F patron *m*; F vieux *m*; ⊕ régulateur *m*.

gown [gaun] **1.** robe *f*; *univ., 🕮* toge *f*; **2.** *v/t.* revêtir d'une robe; *v/i.* revêtir sa robe; **gowns·man** ['∼zmən] étudiant *m*; civil *m*.

grab F [græb] **1.** *v/t.* saisir, empoigner; *v/i.* ∼ *at* s'agripper à; **2.** mouvement *m* vif de la main (*pour saisir q. etc.*); ⊕ benne *f* preneuse; *surt. Am.* ∼*-bag* sac *m* à surprise; **'grab·ber** accapareur (-euse *f*) *m*.

grace [greis] **1.** grâce *f*; bénédicité *m*; † délai *m*; *style:* aménité *f*; ∼*s pl.* † agréments *m/pl.*; ♪ ∼*-note* note *f* d'agrément; *myth. the* 2*s pl.* les Grâces *f/pl.*; *act of* ∼ faveur *f*; *with* (*a*) *good* (*bad*) ∼ avec bonne (mauvaise) grâce; *Your* 2 votre Grandeur *f*; *good* ∼*s pl.* bonnes grâces *f/pl.*; **2.** embellir, orner; honorer (de, *with*); **grace·ful** □ [∼ful] gracieux (-euse *f*); **'grace·ful·ness** élégance *f*, grâce *f*; **'grace·less** □ impie; F effronté; inélégant.

gra·cious □ ['greiʃəs] gracieux (-euse *f*); bienveillant; miséricordieux (-euse *f*); *good(ness)* ∼! bonté divine!; mon Dieu!; **'gra·cious·ness** grâce *f*; bienveillance *f*.

gra·da·tion [grə'deiʃn] gradation *f*.

grade [greid] **1.** grade, rang *m*, degré *m*; qualité *f*; *surt. Am. see gradient*; *Am.* classe *f*; *Am. make the ~ arriver*; surmonter les difficultés; *surt. Am. ~ crossing* passage *m* à niveau; *surt. Am.* ~(d) *school* école *f* primaire; **2.** classer; graduer; 🚂 ménager la pente de; améliorer (*le bétail*) par le métissage.

gra·di·ent ['greidiənt] 🚂 *etc.* rampe *f*, pente *f*.

grad·u·al ☐ ['grædjuəl] progressif (-ive *f*); graduel(le *f*); doux (douce *f*); **grad·u·ate 1.** ['ˌeit] *v/t.* graduer; *v/i. Am.* recevoir son diplôme; *univ.* passer sa licence; prendre ses grades; **2.** ['ˌit] *univ.* gradué(e *f*) *m*; **grad·u·a·tion** [ˌ'eiʃn] gradation *f*; 🜊, ⚕ graduation *f*; *Am.* remise *f* d'un diplôme; *univ.* réception *f* d'un grade.

graft[1] [gra:ft] **1.** 🌿 greffe *f*; **2.** 🌿 greffer (*a.* 🖋), enter (*a. fig.*) (sur *in, upon*). -

graft[2] *Am.* [ˌ] **1.** corruption *f*, gratte *f*; rabiot *m*; **2.** F rabioter, gratter; **'graft·er** F *surt. pol.* rapineur *m*, F tripoteur *m*.

grail [greil] *a.* ♀ [greil] (Saint-)Graal *m*.

grain [grein] grain *m* (*a. fig., a. mesure, a. bois*); *coll.* grains *m/pl.*, céréales *f/pl.*; *fig.* brin *m*; *in ~* invétéré, fieffé; *dyed in the ~* (teint) grand teint; *against the ~* contre le fil; *fig.* à contrecœur.

gram·i·na·ceous ♣ [greimi'neiʃəs] graminé.

gram·ma·logue ['græməlɔg] sténogramme *m*.

gram·mar ['græmə] grammaire *f* (*a. livre*); *~-school* école *f* secondaire, collège *m*, lycée *m*; *Am.* école *f* primaire; **gram·mar·i·an** [grə'mɛəriən] grammairien *m*; **gram·mat·i·cal** ☐ [grə'mætikl] grammatical (-aux *m/pl.*).

gram(me) [græm] gramme *m*.

gram·o·phone ['græməfoun] phonographe *m*; ~ *pick-up* pick-up *m/inv.*; ~ *record* disque *m*.

gran·a·ry ['grænəri] grenier *m*.

grand ☐ [grænd] **1.** *fig.* grand; grandiose, magnifique; principal (-aux *m/pl.*); F excellent; ♀ *Duchess* grande-duchesse (*pl.* grandes-duchesses) *f*; ♀ *Duke* grand-duc (*pl.* grands-ducs) *m*; *Am.* ♀ *Old Party* parti *m* républicain; *sp.* ~ *stand* grande *f* tribune; **2.** ♪ (*a.* ~ *piano*) piano *m* à queue; *Am. sl.* mille dollars *m/pl.*; *miniature* ~ piano *m* demi-queue; **gran·dam(e)** ['ˌdæm] † grand-mère (*pl.* grand[s]-mères) *f*; **'grand·child** petit-fils (*pl.* petits-fils) *m*; petite-fille (*pl.* petites-filles) *f*; *~·ren pl.* petits-enfants *m/pl.*; **gran(d)·dad** F ['grændæd] bonpapa (*pl.* bons-papas) *m*, grandpapa (*pl.* grands-papas) *m*; **'grand·daugh·ter** petite-fille (*pl.* petites-filles) *f*; **gran·dee** [græn'di:] grand *m* (*d'Espagne*); *fig.* grand personnage *m*.

gran·deur ['grændʒə] grandeur *f*; noblesse *f*; splendeur *f*; **'grand·fa·ther** grand-père (*pl.* grands-pères) *m*; *~'s clock* horloge *f* de parquet.

gran·dil·o·quence [græn'diləkwəns] emphase *f*; **gran'dil·o·quent** ☐ grandiloquent; emphatique.

gran·di·ose ☐ ['grændious] grandiose, magnifique; pompeux (-euse *f*); **gran·di·os·i·ty** [ˌ'ɔsiti] grandiose *m*; caractère *m* pompeux.

grand·moth·er ['grænmʌðə] grandmère (*pl.* grand[s]-mères) *f*; **'grand·ness** *see* grandeur.

grand...: '~·par·ents *pl.* grandsparents *m/pl.*; **~·sire** ['ˌsaiə] † *ou animal:* grand-père (*pl.* grands-pères) *m*; aïeul (*pl.* -eux) *m*; '~·son petit-fils (*pl.* petits-fils) *m*.

grange [greindʒ] manoir *m*, château *m*; *Am.* fédération *f* agricole.

gran·ite ['grænit] granit *m*; **gra·nit·ic** [græ'nitik] granitique, graniteux (-euse *f*).

gran·ny F ['græni] bonne-maman (*pl.* bonnes-mamans) *f*.

grant [gra:nt] **1.** concession *f*; subvention *f* (*pécuniaire*); 🜊 don *m*, cession *f*; **2.** accorder; céder; admettre; 🜊 faire cession de; *take for ~ed* prendre pour avéré, présupposer; ~*ing this* (*to*) *be so* admettant qu'il en soit ainsi; ceci posé; *God* ~...! Dieu veuille ...!; **gran'tee** 🜊 cessionnaire *m*; **grant-in-aid** ['gra:ntin'eid] subvention *f* de l'État; **grant·or** 🜊 [ˌ'tɔ:] donateur (-trice *f*) *m*.

gran·u·lar ['grænjulə] granuleux

(-euse *f*); **gran·u·late** ['leit] (se) cristalliser; (se) grenailler; **gran·u·'la·tion** granulation *f*; **gran·ule** ['~ju:l] granule *m*; **gran·u·lous** ['~juləs] granuleux (-euse *f*), granulaire.

grape [greip] (grain *m* de) raisin *m*; *unfermented* ~ *juice* jus *m* de raisin (*infermenté*); '~**fruit** ♀ pamplemousse *m* ou *f*; ⚘ grape-fruit *m*; '~**sug·ar** sucre *m* de raisin; '~**vine** vigne *f*; *Am. sl.* rumeur *f* publique.

graph [græf] graphique *m*, courbe *f*; '**graph·ic**, '**graph·i·cal** □ graphique; *fig.* pittoresque, vivant; ~ *arts pl.* graphique *f*; **graph·ite** *min.* ['~fait] graphite *m*; **graph·ol·o·gy** [~'folədʒi] graphologie *f*.

grap·nel ['græpnəl] ⚓ grappin *m*; ✂ ancre *f*.

grap·ple ['græpl] 1. ⚓ grappin *m*; ⊕ araignée *f*; 2. *v/t.* accrocher; *v/i.* *fig.* en venir aux prises (avec, *with*), s'attaquer (à, *with*).

grasp [grɑːsp] 1. poigne *f*; prise *f*; étreinte *f*; *fig.* compréhension *f*; 2. *v/t.* saisir; empoigner; *fig.* comprendre; *v/i.*: ~ *at* chercher à saisir (*qch.*); saisir avidement (*une offre etc.*); '**grasp·ing** ☐ tenace; F avare.

grass [grɑːs] herbe *f*; pâture *f*; gazon *m*; *at* ~ au vert (*a. fig.* = *en congé*); *send to* ~ F étendre (*q.*) par terre; '~**hop·per** sauterelle *f*; '~'**plot** pelouse *f*; '~**roots** *Am. pol.* émanant du peuple, populaire; *Am.* F *get down to* ~ en venir aux faits, arriver à la réalité; '~'**wid·ow·er** veuf *m* temporaire; '**grass·y** herbeux (-euse *f*), herbu.

grate[1] [greit] grille *f* (*du foyer, a.* ⊕); âtre *m*; *fig.* foyer *m*.

grate[2] [~] *v/t.* râper; grincer de (*ses dents*); *v/i.* grincer, crier; ~ (*up*)*on fig.* choquer (*les oreilles*), agacer (*les nerfs*).

grate·ful ☐ ['greitful] reconnaissant; agréable (*chose*); bienfaisant.

grat·er ['greitə] râpe *f*.

grat·i·fi·ca·tion [grætifi'keiʃn] satisfaction *f*, plaisir *m*; **grat·i·fy** ['~fai] satisfaire; faire plaisir à; '**grat·i·fy·ing** flatteur (-euse *f*), agréable.

grat·ing ['greitiŋ] 1. ☐ grinçant, discordant; 2. treillis *m*; grillage *m*; grincement *m*.

gra·tis ['greitis] gratuit, gratis.

grat·i·tude ['grætitjuːd] reconnaissance *f*, gratitude *f* (envers, to).

gra·tu·i·tous ☐ [grə'tjuːitəs] gratuit; sans motif; bénévole; injustifié; **gra·tu·i·ty** gratification *f*; F pourboire *m*.

gra·va·men ⚖ [grə'veimen] fond *m*, fondement *m*.

grave[1] ☐ [greiv] grave; sérieux (-euse *f*); *gramm.* ~ *accent* accent *m* grave.

grave[2] [~] 1. tombe(au *m*) *f*; 2. [*irr.*] *usu. fig.* graver; '~**dig·ger** fossoyeur *m*.

grav·el ['grævl] 1. gravier *m*; ⚕ gravelle *f*; 2. graveler; sabler; F réduire (*q.*) à quia; '**grav·el·ly** graveleux (-euse *f*).

grav·en [greivən] *p.p. de* grave[2] 2.

grav·er ⊕ ['greivə] échoppe *f*.

grave...: '~**side**: *at his* ~ au bord de son tombeau; '~**stone** pierre *f* tombale; '~**yard** cimetière *m*.

grav·ing dock ⚓ ['greiviŋ'dɔk] cale *f* sèche; bassin *m* de radoub.

grav·i·tate ['græviteit] graviter (vers, to[*wards*]); **grav·i·'ta·tion** 1. (*a.* **grav·i·'ta·tion·al pull**) gravitation *f*; 2. *attr.* ⚛ à chute libre.

grav·i·ty ['græviti] gravité *f* (*phys., a. fig.*); *fig.* sérieux *m*; *centre of* ~ centre *m* de gravité; *phys. specific* ~ poids *m* spécifique.

gra·vy ['greivi] jus *m*; sauce *f* au jus; '~**boat** saucière *f*.

gray [grei] gris; blême (*teint*); *Am.* F moyen(ne *f*).

graze[1] [greiz] 1. *vt/i.* paître; *v/t.* vaches: pâturer (*un champ*).

graze[2] [~] 1. écorcher; *fig.* raser; 2. écorchure *f*.

gra·zier ['greiziə] éleveur *m*.

grease 1. [griːz] graisser; 2. [griːs] graisse *f*; *wool* ~ suint *m*; '~**cup** *mot.* graisseur *m*; '~**gun** *mot.* pompe *f* à graisse; '~**proof** parcheminé; **greas·er** *Am. sl.* ['griːzə] Mexicain *m*, Américain *m* du Sud; **greas·y** ☐ ['griːzi] graisseux (-euse *f*); taché de graisse; gras(se *f*).

great ☐ [greit] 1. *usu.* grand; *qqfois* magnifique; important; F fameux (-euse *f*); ~ *grandchild* arrière-petit-fils *m*, arrière-petite-fille *f* (*pl.* ~*grandchildren* arrière-petits-enfants *m/pl.*) ~ *grandfather* arrière-grand-père (*pl.* arrière-grands-pères) *m*; *see deal, many*; 2. *the* ~ *pl.* les grands (hommes) *m/pl.*, les célébrités *f/pl.*; *Am.* no ~ nullement; '**~coat** pardessus *m*; '**great·ly** beaucoup, fortement; '**great·ness** grandeur *f*; importance *f*.

greave [gri:v] jambière *f*.

greaves [gri:vz] *pl. cuis.* cretons *m/pl.*

Gre·cian ['gri:ʃn] grec(que *f*).

greed [gri:d], '**greed·i·ness** cupidité *f*; gourmandise *f*; '**greed·y** □ avide (de *of, for*); gourmand.

Greek [gri:k] **1.** grec(que *f*); **2.** *ling.* grec *m*; Grec(que *f*) *m*; *that is* ~ *to me* c'est de l'hébreu pour moi.

green [gri:n] **1.** □ vert (*a.* ⊕); inexpérimenté, jeune; naïf (-ïve *f*); frais (fraîche *f*); blême (*teint*); **2.** vert *m*; gazon *m*, pelouse *f*; *fig.* première jeunesse *f*; ~*s pl.* légumes *m/pl.* verts; '**~back** *Am.* billet *m* d'un dollar *m*; '**~baize ta·ble** tapis *m* vert, table *f* de jeu; '**green·er·y** verdure *f*, feuillage *m*.

green...: '**~gage** ♀ reine-claude (*pl.* reines-claudes) *f*; '**~gro·cer** marchand(e *f*) *m* de légumes; fruitier (-ère *f*) *m*; '**~gro·cer·y** commerce *m* de légumes; légumes *m/pl.* et fruits *m/pl.*; '**~horn** F blanc-bec (*pl.* blancs-becs) *m*, bleu *m*; '**~house** serre *f* (chaude); '**green·ish** verdâtre.

Green·land·er ['gri:nləndə] Groenlandais(e *f*) *m*; **Green·land·man** ⚓ ['~ləndmən] baleinière *f* (*des pêcheries du Groenland*).

green light F voie *f* libre; *fig.* permission *f*; '**green·ness** verdeur *f*; verdure *f*; immaturité *f*; naïveté *f*; **green...**: '**~room** *théâ.* foyer *m* des artistes; '**~sick·ness** ⚕ chlorose *f*; '**~sward** gazon *m*.

greet [gri:t] saluer; accueillir; '**greet·ing** salut(ation *f*) *m*; accueil *m*. [gaire.]

gre·gar·i·ous □ [gre'gɛəriəs] gré-]

gre·nade ⚔ [gri'neid] grenade *f* (à main, extinctrice); **gren·a·dier** [grenə'diə] grenadier *m*.

grew [gru:] *prét. de* grow.

grey □ [grei] **1.** gris; ⚥ *Friar* frère *m* mineur; Franciscain *m*; **2.** gris *m*; cheval *m* gris; **3.** grisailler; *v/i.* grisonner (*cheveux*); **grey·cing** F ['~siŋ] courses *f/pl.* de lévrier; '**grey·hound** lévrier *m*, levrette *f*.

grid [grid] grille *f*, grillage *m*; réseau *m*; treillis *m*; *national* ~ caisse *f* nationale de l'énergie; *foot. Am.* (*a.* ~ *iron*) terrain *m* de rugby; *see a.* gridiron; '**grid·i·ron** *cuis.* gril *m*; *cycl.* F bicyclette *f*.

grief [gri:f] douleur *f*, chagrin *m*; *fig.* accident *m*.

griev·ance ['gri:vəns] grief *m*; injustice *f*; **grieve** [gri:v] (s')affliger; (se) chagriner; '**griev·ous** □ pénible; cruel(le *f*); grave; '**griev·ous·ness** gravité *f*.

grif·fin ['grifin] *myth.* griffon *m* (*a.* chien). [*m.*]

grig [grig] petite anguille *f*; grillon]

grill [gril] **1.** griller; *v/t. sl.* cuisiner (*q.*); **2.** gril *m*; *cuis.* grillade *f*; '**~room** grill-room *m*.

grim □ [grim] sinistre; sévère; farouche; ~ *facts* faits *m/pl.* brutaux; ~ *humo(u)r* humour *m* macabre.

gri·mace [gri'meis] **1.** grimace *f*; **2.** grimacer.

gri·mal·kin [gri'mælkin] mistigri *m*; *femme*: mégère *f*.

grime [graim] **1.** saleté *f*; poussière *f* de charbon *etc.*; **2.** noircir, salir; '**grim·y** □ noirci, sale; barbouillé.

grin [grin] **1.** large sourire *m*; **2.** sourire d'une oreille à l'autre; ~ *at* adresser un large sourire à (*q.*).

grind [graind] **1.** [*irr.*] *v/t.* moudre; broyer; dépolir (*un verre*); ⊕ meuler; aiguiser (*une lame*); *fig.* opprimer; *Am. sl.* faire enrager; *sl.* faire travailler; ~ *one's teeth* grincer des dents; ~ *out* tourner (*un air*); dire entre les dents; *v/i.* grincer, crisser; *sl.* potasser; bûcher; **2.** grincement *m*; *sl.* turbin *m*; '**grind·er** pileur (-euse *f*) *m*; (*dent f*) molaire *f*; moulin *m* (à café); ⊕ rectifieuse *f*; *sl.* joueur *m* d'orgue de Barbarie; '**grind·ing** *fig.* déchirant, rongeur (-euse *f*); ⊕ à roder; '**grind·stone** meule *f* à aiguiser; *keep s.o.'s nose to the* ~ faire travailler q. sans relâche.

grip [grip] **1.** empoigner; saisir (*a. fig.*); **2.** prise *f*, serrement *m*; poignée *f* (*a. cycl.*); *Am. see* gripsack; *get to* ~*s with* en venir aux prises avec.

gripe [graip] **1.** saisissement *m*; étreinte *f*; poignée *f*, ~*s pl.* colique *f*; *surt. Am.* plaintes *f/pl.*; **2.** *v/t.* saisir, empoigner; donner la colique à; *v/i. surt. Am.* F rouspéter, se plaindre.

grip·sack *Am.* ['gripsæk] petite valise *f* à main.   [frayant.\
gris·ly ['grizli] affreux (-euse *f*); ef-\
grist [grist] blé *m* moulu *ou* à moudre; *fig. bring* ~ *to the mill* faire venir l'eau au moulin.

gris·tle ['grisl] cartilage *m*; '**gris·tly** cartilagineux (-euse *f*).

grit [grit] **1.** grès *m*; sable *m*; *pierre:* grain *m*; ⊕ impuretés *f/pl.*; F courage *m*; **2.** ~ *one's teeth* grincer des dents; '**grit·ty** sablonneux (-euse *f*); graveleux (-euse *f*) (*a. poire*); *Am.* sl. qui a du cran.

griz·zle F ['grizl] grognonner; pleurnicher; '**griz·zled** *see* grizzly 1; '**griz·zly 1.** grisonnant (*cheveux etc.*); ~ *bear* = ours *m* grizzlé.

groan [groun] **1.** gémissement *m*, plainte *f*; **2.** gémir; pousser des gémissements; † ~ *for* languir après.

groat [grout]: *not worth a* ~ qui ne vaut pas un liard.

groats [grouts] *pl.* gruau *m* d'avoine *ou* de froment.

gro·cer ['grousə] épicier (-ère *f*) *m*; '**gro·cer·y** épicerie *f*; *Am.* boutique *f* d'épicier; *Am.* débit de boissons; **groceries** *pl.* (articles *m/pl.* d')épicerie *f*.   [celant; soûl.\
grog [grog] grog *m*; '**grog·gy** chan-\
groin [groin] **1.** *anat.* aine *f*; △ arête *f*; nervure *f*; **2.** △ fournir d'arêtes; tailler les nervures sur.

groom [grum] **1.** valet *m* (*du roi etc*); valet *m* d'écurie; laquais *m*; *see* bridegroom; **2.** panser (*un cheval*); *Am. pol.* dresser (*un candidat*); *well* ~*ed* bien entretenu; élégant, bien soigné (*personne*); '**grooms·man** ['~zmən] garçon *m* d'honneur.

groove [gru:v] **1.** rainure *f*; cannelure *f*; *vis:* creux *m*; *disque:* sillon *m*; *fig.* routine *f*; ~*s pl. canon etc.*: rayures *f/pl.*; *fig. in the* ~ rangé; dans la bonne voie; **2.** rainer, canneler; rayer.

grope [group] tâtonner.

gross [grous] **1.** ☐ gros(se *f*); gras (-se *f*); grossier (-ère *f*); global (-aux *m/pl.*); ⊹ brut; **2.** grosse *f* (*12 douzaines*); *Am.* recette *f* brute; *in the* ~ à tout prendre; '**gross·ness** grossièreté *f*; énormité *f*.

gro·tesque ☐ [grou'tesk] grotesque.

grot·to ['grɔtou] grotte *f*.

grouch *Am.* F [grautʃ] **1.** rouspéter; ronchonner; **2.** maussaderie *f*;

plainte *f*; *personne:* grogneur (-euse *f*) *m*; '**grouch·y** grognon(ne *f*).

ground[1] [graund] *prét. et p.p. de* grind[1]; ~ *glass* verre *m* dépoli; *phot.* (châssis *m* à) glace *f* dépolie.

ground[2] [~] **1.** fond *m*; terre *f*; terrain *m* (*a. sp.*); raison *f*, cause *f*; base *f*; sol *m*; ⚡ terre *f*, masse *f*; ~*s pl.* parc *m*, terrains *m/pl.*; motifs *m/pl.*; raisons *f/pl.*; *marc m de café*; *on the* ~(*s*) *of* pour *ou* en raison de; *fall to the* ~ tomber par *ou* à terre; *fig.* ne pas aboutir; *give* ~ lâcher pied; *stand one's* ~ tenir bon; **2.** *v/t.* fonder, baser; enseigner à fond; ⊕ donner la première couche de peinture à; préparer; ⚡ mettre à la terre *ou* masse; ⚓ jeter à la côte; *v/i.* ⚓ (s')échouer; *well* ~*ed* bien fondé; '**ground·age** ⚓ droits *m/pl.* de mouillage *ou* d'ancrage.

ground...: '~**-con·nex·ion** ⚡ prise *f* de terre; *mot.* mise *f* à la masse; '~**floor** rez-de-chaussée *m/inv.*; '~**hog** *surt. Am.* marmotte *f* d'Amérique; '~**less** ☐ sans fondement; '~**nut** arachide *f*; '~**plan** plan *m* de fondation.

ground·sel ['graunsl] séneçon *m*.

ground...: ~ *staff* ⚡ personnel *m* rampant *ou* non-navigant; ~ *swell* houle *f* de fond; ~ *wire* ⚡ fil *m* de terre *ou* masse; '~**work** fond(ement) *m*; *poét.* canevas *m*.

group [group] **1.** groupe *m*; peloton *m*; **2.** (se) grouper.

grouse[1] *orn.* [graus] tétras *m*; lagopède *m* rouge.

grouse[2] F [~] ronchonner, grogner (*contre at, about*).

grout [graut] **1.** △ coulis *m*; **2.** jointoyer (*avec du mortier liquide*).

grove [grouv] bosquet *m*, bocage *m*.

grov·el ['grɔvl] *usu. fig.* ramper; '**grov·el·(l)er** *usu. fig.* flagorneur (-euse *f*) *m*; '**grov·el·(l)ing 1.** rampant (*usu. fig.*); *fig.* abject; **2.** rampement *m*; *fig.* aplatissement *m*.

grow [grou] [*irr.*] *v/i.* croître, pousser; devenir; grandir (*personne*); ~ *in* s'incarner (*ongle*); ~ *into fashion* devenir de mode; ~ *out of use* se perdre; être abandonné; ~ (*up*)*on s.o.* plaire à q. de plus en plus; ~ *up* grandir; *fig.* naître, se répandre; *v/t.* cultiver; faire venir; laisser pousser; '**grow·er** cultivateur (-trice *f*) *m*; planteur *m*.

growl [graul] **1.** grondement *m*, grognement *m*; **2.** gronder, grogner.
growl·er ['graulə] *fig.* grognon(ne *f*) *m*; *Am. sl.* cruche *f* à bière.
grown [groun] **1.** *p.p. de* grow; **2.** *adj.* (*a.* ~-*up*) grand, fait; (*a.* ~-*over*) (re)couvert; **growth** [grouθ] croissance *f*; accroissement *m*; augmentation *f*; extension *f*; poussée *f*; *g* tumeur *f*; *of one's own* ~ indigène; *qu'on a cultivé* soi-même.
grub [grʌb] **1.** larve *f*; ver *m*; *péj.* gratte-papier *m/inv.*; *sl.* mangeaille *f*; **2.** *v/i.* (*a.* ~ *away*) fouiller (pour trouver qch., *for s.th.*); *sl.* bouffer (= *manger*); *v/t.* ~ *up* essarter; déraciner; (*usu.* ~ *out*) arracher; '**grub·by** malpropre; '**grub·stake** *Am.* avances *f/pl.*; équipement *m* (*que fournit un commanditaire à un prospecteur*); fonds *m/pl.* (*fournis à un entrepreneur*).
grudge [grʌdʒ] **1.** rancune *f*; **2.** accorder à contrecœur; voir d'un mauvais œil; ~ *no pains* ne pas marchander sa peine; '**grudg·er** envieux (-euse *f*) *m*; **grudg·ing·ly** ['~iŋli] à contrecœur, en rechignant.
gru·el ['gruəl] gruau *m* (d'avoine); *sl.* get (*ou* have) one's ~ avaler sa médecine; '**gru·el·(l)ing** éreintant.
grue·some □ ['gru:səm] macabre.
gruff □ [grʌf] bourru, revêche, rude.
grum·ble ['grʌmbl] grommeler; grogner; gronder (*tonnerre*); '**grum·bler** *fig.* mécontent(e *f*) *m*.
grump·y □ F ['grʌmpi] maussade; grincheux (-euse *f*).
grunt [grʌnt] **1.** grognement *m*; **2.** grogner; '**grunt·er** porc *m*.
guar·an·tee [gærən'ti:] **1.** garant(e *f*) *m*, caution *f*; garanti(e *f*) *m*; see *guaranty*; **2.** garantir; se porter caution pour; **guar·an·tor** [~'tɔ:] garant(e *f*) *m*; '**guar·an·ty** garantie *f*; caution *f*, gage *m*.
guard [gɑ:d] **1.** garde *f* (*a.* ⚔); ⊕ protecteur *m* (*d'une machine*), carter *m* (*d'engrenages*); 🚂 chef *m* de train; ⚔ ~s *m.* Garde *f*; be off ~ être pris au dépourvu; ~ *of honour* haie *f* d'honneur; ⚔ *mount* ~ monter la garde; ⚔ *relieve* ~ relever la garde; **2.** *v/t.* protéger (*a.* ⊕); garder (de *from*, *against*); *v/i.* se garder (de,

against); '**guard·ed** □ prudent, réservé, mesuré; '**guard·i·an** gardien(ne *f*) *m*; ⚖⚖ tuteur (-trice *f*) *m*; *attr.* tutélaire; ~ *of the poor* administrateur (-trice *f*) *m* de l'Assistance publique; '**guard·i·an·ship** garde *f*; tutelle *f*; '**guards·man** ⚔ ['gɑ:dzmən] officier *m ou* soldat *m* de la Garde. [*m*; *fig.* benêt *m.*]
gudg·eon ['gʌdʒən] *icht.*, ⊕ goujon]
guer·don *poét.* ['gə:dən] **1.** récompense *f*; **2.** récompenser.
gue(r)·ril·la [gə'rilə] (*souv.* ~ *war*) guerre *f* d'embuscades *ou* de partisans.
guess [ges] **1.** conjecture *f*; **2.** *v/t.* deviner; *surt. Am.* croire, supposer; *v/i.* deviner; estimer (qch., *at s.th.*); '**guess·work** conjecture *f*, estime *f*.
guest [gest] invité(e *f*) *m*; pensionnaire *mf*; '**guest-house** pension *f* de famille.
guf·faw [gʌ'fɔ:] **1.** gros rire *m*; **2.** pouffer de rire.
guid·a·ble ['gaidəbl] dirigeable; **guid·ance** ['gaidəns] conduite *f*; gouverne *f*; direction *f*; orientation *f*.
guide [gaid] **1.** guide *m* (*a.* ⊕); see ~-*book*; (*ou* girl ~) éclaireuse *f*; *attr.* directeur (-trice *f*); **2.** guider; conduire; diriger; '~-**book** guide *m*; '~-**post** poteau *m* indicateur; '~-**rope** 🎈 guiderope *m*.
gui·don ⚔ ['gaidən] guidon *m*.
guild [gild] association *f*; corps *m* (*de métier*); *hist.* corporation *f*; '**Guild·hall** hôtel *m* de ville.
guile [gail] ruse *f*, astuce *f*; '**guile·ful** □ ['~ful] rusé; '**guile·less** □ candide; franc(he *f*); '**guile·less·ness** candeur *f*; franchise *f*.
guil·lo·tine [gilə'ti:n] guillotine *f*; ⊕ presse *f* à rogner.
guilt [gilt], a. '**guilt·i·ness** culpabilité *f*; '**guilt·less** □ innocent (de, of); *fig.* vierge (de, of); '**guilt·y** □ coupable; *plead* ~ s'avouer coupable.
guin·ea ['gini] guinée *f* (21 *shillings*); '~-**fowl** pintade *f*; '~-**pig** cobaye *m*, cochon *m* d'Inde.
guise [gaiz] † costume *m*; forme *f*; apparence *f* (*a. fig.*).
gui·tar ♪ [gi'tɑ:] guitare *f*.
gulch *Am.* [gʌltʃ] ravin *m* étroit.
gulf [gʌlf] *géog.* golfe *m*; abysse *m* (*de la mer*); abîme *m*, gouffre *m*.
gull¹ *orn.* [gʌl] mouette *f*, goéland *m*.

gull² [⁀] **1.** jobard *m*, dupe *f*; **2.** jobarder, duper; amener (*q.*) par ruse (à *inf.*, *into gér.*). [*m*; † ravin *m.*]
gul·let ['gʌlit] œsophage *m*; F gosier
gul·li·bil·i·ty [gʌli'biliti] crédulité *f*; **gul·li·ble** □ ['ˌ‿əbl] crédule; facile à duper.
gul·ly ['gʌli] ravine *f*; ruisseau: ru *m*; ⊕ caniveau *m*; (*a.* ‿-hole) bouche *f* d'égout.
gulp [gʌlp] **1.** coup *m* (de gosier); **2.** avaler (à pleine gorge).
gum¹ [gʌm] *usu.* ‿s *pl.* gencive *f.*
gum² [⁀] **1.** gomme *f*; colle *f*; Am. gomme à mâcher; ‿s *pl.* Am. caoutchoucs *m/pl.*, bottes *f/pl.* de caoutchouc; **2.** gommer; coller.
gum·boil ['gʌmbɔil] abcès *m* à la gencive, ✴ parulie *f.*
gum·my ['gʌmi] gommeux (-euse *f*); gluant; chassieux (-euse *f*) (*yeux*).
gump·tion ['gʌmpʃn] jugeotte *f*; sens *m* pratique.
gun [gʌn] **1.** canon *m*; fusil *m* (de chasse); ⊕ injecteur *m* (à graisse); *peint.* pistolet *m*; *surt.* Am. revolver *m*, pistolet *m*; Am. *mot. sl.* accélérateur *m*; F big (*ou* great) ‿ grand personnage *m*; **2.** Am. chasser au tir; *fig.* pourchasser; '‿-boat (chaloupe *f*) canonnière *f*; '‿-car·riage ⚔ affût *m*; '‿-cot·ton coton *m* azotique; ‿-li·cence Am. permis *m* de port d'armes; '‿-man *surt.* Am. bandit *m*, gangster *m*, terroriste *m*; 'gun·ner ⚔, ⚓ canonnier *m.*
gun...: '‿-pow·der poudre *f* (à *canon*); '‿-run·ning contrebande *f* d'armes; '‿-shot coup *m* de fusil *ou* de feu; portée *f* de fusil; '‿-shy qui a peur du coup de fusil; '‿-smith armurier *m*; Am. *sl.* professeur *m* de vol à la tire; '‿-stock fût *m* (de *fusil*); '‿-tur·ret tourelle *f.*
gur·gle ['gəːgl] glouglouter.
gush [gʌʃ] **1.** jaillissement *m*; jet *m*; débordement *m* (sentimental); **2.** jaillir (de, *from*); bouillonner; *fig.* sortir à flots; *fig.* faire de la sensiblerie; 'gush·er *fig.* personne *f* expansive; puits *m* jaillissant; 'gush·ing □ exubérant, expansif (-ive *f*).   [gousset *m.*]
gus·set ['gʌsit] *cost.* soufflet *m*;
gust [gʌst] rafale *f*, bourrasque *f*, coup *m* de vent; bouffée *f* (*de colère*).
gus·ta·to·ry ['gʌstətəri] gustatif (-ive *f*).

gus·to ['gʌstou] délectation *f*; entrain *m.*
gus·ty ['gʌsti] à rafales; venteux (-euse *f*).
gut [gʌt] **1.** boyau *m*, intestin *m*; ♪ corde *f* de boyau; *fig.* passage *m* étroit; ‿s *pl. sl.* cran *m* (= *courage*); **2.** vider (*un poisson*); *fig.* résumer; *incendie:* ne laisser que les murs de (*une maison*); piller.
gut·ter ['gʌtə] **1.** gouttière *f* (*d'un toit*); *rue:* ruisseau *m*; *chaussee:* caniveau *m*; **2.** *v/t.* sillonner, raviner; rainer (*une tôle etc.*); *v/i.* couler (*bougie*); ‿ press bas-fonds *m/pl.* du journalisme; '‿-snipe gavroche *m*; gamin(e *f*) *m* des rues.
gut·tur·al *anat., a. gramm.* ['gʌtərəl] **1.** □ guttural (-aux *m/pl.*); **2.** gutturale *f.*
guy¹ [gai] **1.** F épouvantail *m*; *surt.* Am. F type *m*, individu *m*; **2.** se moquer de; travestir.
guy² [⁀] retenue *f*; ⚓ étai *m*, hauban *m.*
guz·zle ['gʌzl] boire avidement; *v/t.* bouffer; *v/i.* goinfrer.
gym *sl.* [dʒim] *abr. de gymnasium, gymnastics.*
gym·kha·na [dʒim'kɑːnə] gymkhana *m.*
gym·na·si·um [dʒim'neizjəm] gymnase *m*; **gym·nast** ['dʒimnæst] gymnaste *m*; **gym·nas·tic 1.** (‿ally) gymnastique; ‿ *competition* concours *m* de gymnastique; **2.** ‿s *pl.* gymnastique *f*; éducation *f* physique; *heavy* ‿s *pl.* gymnastique *f* aux agrès; *light* ‿s callisthénie *f.*
gyn·ae·col·o·gist ✴ [gaini'kɔlədʒist] gynécologiste *m*; **gyn·ae'col·o·gy** gynécologie *f.*
gyp *sl.* [dʒip] Am. voler; tromper.
gyp·se·ous ['dʒipsiəs] gypseux (-euse *f*).
gyp·sum *min.* ['dʒipsəm] gypse *m.*
gy·rate [dʒaiə'reit] tourn(oy)er.
gy·ra·tion giration *f*, révolution *f*; **gy·ra·to·ry** ['dʒaiərətəri] giratoire *f.*
gy·ro-com·pass *phys.* ['gaiərou-'kʌmpəs] gyrocompas *m*; **gy·ro-scope** ['gaiərəskoup] gyroscope *m*; **gy·ro·scop·ic sta·bi·liz·er** [gaiərəs'kɔpik'steibilaizə] gyrostat *m* (*de bateau*); toupie *f* gyroscopique.
gyve *poét.* [dʒaiv] **1.:** ‿s *pl.* fers *m/pl.*, chaînes *f/pl.*; **2.** enchaîner, mettre les fers à.

H

H, h [eitʃ] *H m, h m; drop one's hs* ne pas aspirer les h.

ha [hɑː] ha!; ah!

ha·be·as cor·pus ⚖ ['heibjəs-'kɔːpəs] (*a. writ of ~*) habeas corpus *m*.

hab·er·dash·er ['hæbədæʃə] mercier (-ère *f*) *m; surt. Am.* chemisier *m;* **'hab·er·dash·er·y** mercerie *f; surt. Am.* chemiserie *f.*

ha·bil·i·ments [hə'bilimənts] *pl.* vêtements *m/pl.* de cérémonie.

hab·it ['hæbit] **1.** habitude *f;* disposition *f* (*d'esprit*); habit *m* (*de moine*); *be in the ~ of* (*gér.*) avoir l'habitude de (*inf.*); *see riding-~;* **2.** vêtir; **'hab·it·a·ble** habitable; **hab·i·tat** ♀, *zo.* ['~tæt] habitat *m;* aire *f* d'habitation; **hab·i·ta·tion** habitation *f;* demeure *f.*

ha·bit·u·al □ [hə'bitjuəl] habituel(le *f*); invétéré; **ha'bit·u·ate** [~eit] habituer (à, to); **hab·i·tude** ['hæbitjuːd] habitude *f.*

hack[1] [hæk] **1.** ⊕ pic *m*, pioche *f;* taillade *f; foot.* coup *m* de pied; **2.** hacher; couper; *foot.* (*ou v/i. ~ at*) donner à (*q.*) un coup de pied sur le tibia; *~ing cough* toux *f* sèche.

hack[2] [~] **1.** cheval *m* de louage *ou* de selle à toutes fins; *fig.* homme *m* de peine; (*souv. ~ writer*) nègre *m;* **2.** à la tâche; *fig.* banal (-als *m/pl.*); **3.** banaliser.

hack·le ['hækl] **1.** ⊕ peigne *m; orn.* plume *f* de cou *ou* de dos; **2.** (se) tailler; *v/t.* peigner.

hack·ney ['hækni] *see hack*[2]; *~ coach* voiture *f* de louage; **'hack·neyed** banal (-als *m/pl.*).

had [hæd, həd] *prét. et p.p. de* **have** *1, 2.*

had·dock *icht.* ['hædək] aiglefin *m; finnan ~* haddock *m.*

hae·mal ♏ ['hiːml] hémal (-aux *m/pl.*); **haemo...** [hiːmo] hém(o)-.

haem·or·rhage ['heməridʒ] hémorragie *f;* **haem·or·rhoids** ['~rɔidz] *pl.* hémorroïdes *f/pl.*

haft [hɑːft] manche *m*, poignée *f.*

hag [hæg] sorcière *f; fig. sl.* vieille taupe *f.*

hag·gard □ ['hægəd] hagard; hâve.

hag·gle ['hægl] marchander; chicaner (sur, over).

hag-rid·den ['hægridn] tourmenté par les cauchemars.

hail[1] [heil] **1.** grêle *f;* **2.** *v/impers.* grêler; *v/t. fig.* faire pleuvoir.

hail[2] [~] **1.** *v/t.* saluer; héler; *v/i.: ~ from* venir de; être originaire de; **2.** appel *m*, *~l* salut!; *within ~* à portée de (la) voix.

hail-fel·low ['heilfelou] très gentil pour *ou* avec tous.

hail·stone ['heilstoun] grêlon *m;* **'hail·storm** abat *m* de grêle.

hair [hɛə] cheveu *m*, -x *m/pl.* (*sur la tête*); poil *m; sl.* keep your ~ on! calmez-vous!; *~'s breadth* = *'~-breadth* épaisseur *f* d'un cheveu; *by* (*ou within*) *a ~* à un cheveu (de), à deux doigts (de); *~ cream* crème *f* à coiffer; **'~-cut** taille *f* (de cheveux); *have a ~* se faire couper les cheveux; **'~-do** F coiffure *f;* **'~-dress·er** coiffeur (-euse *f*) *m;* **'~-dry·er** sèche-cheveux *m/inv.;* séchoir *m;* **'haired** aux cheveux ...; **'hair·i·ness** aspect *m* hirsute.

hair... : **'~·less** sans cheveux, chauve; **'~·pin** épingle *f* à cheveux; *~ bend* lacet *m;* **'~-rais·ing** horripilant, horrifique; **'~-re·mov·er** dépilatoire *m;* **'~-split·ting** ergotage *m;* **'hair·y** chevelu; poilu, velu.

hake [heik] *icht.* merluche *f;* F colin *m.*

ha·la·tion *phot.* [hə'leiʃn] halo *m.*

hal·berd ⚔ *hist.* ['hælbəd] hallebarde *f.*

hal·cy·on ['hælsiən] **1.** *orn.* alcyon *m;* martin-pêcheur (*pl.* martins-pêcheurs) *m;* **2.** *fig.* calme, serein.

hale [heil] vigoureux (-euse *f*); robuste; *~ and hearty* frais *ou* gaillard.

half [hɑːf] **1.** demi; *adv.* à moitié; *~ a crown* une demi-couronne *f; a ~ pound and a ~* une livre et demie; F *not ~ ~* et comment!; *it isn't ~ bad* ce n'est pas mauvais du tout; **2.** moitié *f;* ♉ demi *m; see ~-year;* ⚖ parti *m; too clever by ~* beaucoup trop malin; *by halves* à demi; *go halves* se mettre de moitié (avec *q.*, with *s.o.*), partager; **~-back** ['~'bæk] *foot.* demi(-arrière) *m;* **~-baked** ['~'beikt] *fig.* inexpérimenté; niais;

incomplet (-ète f); '~-'bind·ing demi-reliure f à petits coins; '~-blood parenté f d'un seul côté; '~-'bound en demi-reliure à petits coins; '~-bred demi-sang m/inv.; '~-'breed métis(se f) m; '~-'broth·er demi-frère m; '~-caste métis(se f) m; '~-court line tennis: ligne f médiane; '~-'crown demi-couronne f; '~-'heart·ed □ tiède; hésitant; '~-'length (a. ~ portrait) portrait m en buste; '~-'mast: (at) ~ à mi-mât; en berne (pavillon); '~-'moon demi-lune f; '~-'mourn·ing demi-deuil m; '~-'pay demi-solde f; ~pen·ny ['heipni] 1. demi-penny m; F sou m; 2. à un sou; ~seas-o·ver F ['ha:fsi:z'ouvə] à moitié ivre; '~-'time sp. mi-temps f; '~-tone proc·ess ⊕ simili(gravure) f (tramée); F matelot m; côté m; '~-'way à mi-chemin; ~ house maison f à demi-étape; fig. compromis m; '~-wit simple mf, faible mf d'esprit; '~-'wit·ted simple; niais; '~-'year semestre m.
hal·i·but icht. ['hælibət] flétan m.
hall [hɔ:l] grande salle f; vestibule m; hall m (hôtel); château m; univ. maison f estudiantine, foyer m; réfectoire m; see guild-~, music-~.
hal·le·lu·jah [hæli'lu:jə] alléluia m.
hall...: '~-'mark 1. contrôle m; fig. cachet m, empreinte f; 2. contrôler; '~-'stand porte-parapluies m/inv.
hal·loo [hə'lu:] 1. holà!; 2. ohé m; chasse: huée f; 3. v/i. crier (taïaut); v/t. encourager.
hal·low ['hælou] sanctifier, consacrer; Hal·low·mas ['~mæs] la Toussaint f.
hal·lu·ci·na·tion [həlu:si'neiʃn] hallucination f, illusion f.
halm [hɑːm] see haulm.
ha·lo ['heilou] astr., anat. halo m; auréole f (a. eccl., a. fig.).
halt [hɔːlt] 1. halte f (a. 🚆), arrêt m; 2. faire halte; s'arrêter; fig. hésiter; 3. boiteux (-euse f).
hal·ter ['hɔːltə] cheval: licou m; corde f (au cou).
halve [hɑːv] diviser en deux; halves [~z] pl. de half.
hal·yard ⚓ ['hæljəd] drisse f.
ham [hæm] jambon m; Am. sl. (a. ~ actor ou fatter) cabotin m; (souv. radio) amateur m.
ham·burg·er Am. ['hæmbə:gə] bifteck m haché.

ham·let ['hæmlit] hameau m.
ham·mer ['hæmə] 1. marteau m; armes à feu: chien m; F ~ and tongs tant qu'on peut; F ~ critiquer; 2. v/t. marteler, battre au marteau; bourse: exécuter (un agent); F ~ forger; v/i. ~ at heurter à; s'acharner à.
ham·mock ['hæmək] hamac m; ~ chair transatlantique m.
ham·per ['hæmpə] 1. panier m, banne f; 2. embarrasser, gêner; entraver.
ham·string ['hæmstriŋ] 1. anat. tendon m du jarret; 2. couper le jarret à; fig. couper les moyens à.
hand [hænd] 1. main f (a. zo., a. fig. = aide, autorité, possession, protection); montre: aiguille f; ouvrier (-ère f) m; ⚓ matelot m; côté m; cartes: joueur (-euse f) m; cartes: jeu m; mesure: paume f; écriture f; signature f; typ. index m; baromètre etc.: indicateur m; 🚆 régime m (de fruits); at ~ sous la main; à portée de la main; tout près; at first ~ de première main; a good (poor) ~ at bon (piètre) joueur de; fort à (faible en); be ~ and glove être d'intelligence (avec, with); être comme les deux doigts de la main; by ~ à la main; change ~s changer de propriétaire ou de mains; have a ~ in prendre part à; in ~ en main; au poing; à la main; en question; en préparation; sp. de retard; ✝ en caisse; en magasin; lay ~s on faire violence à; s'emparer de; mettre les mains sur; lend a ~ aider; donner un coup de main (à); off ~ brusque; tout de suite; ~s off! n'y touchez pas!; on ~ en main; ✝ en magasin; surt. Am. tout près; prêt; on one's ~s à sa charge; on all ~s de tous les côtés; de toutes parts; on the one ~ d'une part; on the other ~ d'autre part; par contre; have one's ~ out avoir perdu l'habitude; out of ~ sur-le-champ; indiscipliné; ~ over fist main sur main; rapidement; take a ~ at faire une partie de (bridge etc.); to (one's) ~ sous la main; ~ to ~ corps à corps; come to ~ parvenir, arriver; put one's ~ to entreprendre; he can turn his ~ to anything c'est un homme à toute main; ~s up! haut les mains!; see high 1; 2. passer; ~

about faire circuler; ~ *down* descendre (*qch.*); transmettre; ~ *in* remettre; présenter (*une demande*); ~ *out* distribuer; tendre; ~ *over* remettre; céder; '~**bag** sac m à main; '~**bar·row** brancard m, civière f; '~**bell** sonnette f; '~**bill** affiche f à la main; † prospectus m; '~**brake** ⊕ frein m à main; '~**cuff** 1.: ~s pl. menottes f/pl.; 2. mettre les menottes à (q.); '**hand·ed** à ... mains; aux mains ...; **hand·ful** ['~ful] poignée f; F enfant mf terrible; '**hand-glass** loupe f à main; miroir m à main.

hand·i·cap ['hændikæp] 1. *sp.* handicap m; *fig.* désavantage m; 2. *sp.* handicaper; *fig.* gêner; *fig.* désavantager; ~ped *person* diminué m physique *ou* mental; '**hand·i·cap·per** *sp.* handicapeur m.

hand·i·craft ['hændikrɑːft] travail m manuel; métier m manuel; '**hand·i·crafts·man** artisan m, ouvrier m; '**hand·i·ness** commodité f; adresse f, dextérité f; '**hand·i·work** travail m manuel; ouvrage m (*a. fig.*).

hand·ker·chief ['hæŋkətʃif] mouchoir m; foulard m (*pour le cou*).

han·dle ['hændl] 1. épée, *porte:* poignée f; *outil:* manche m; *seau, cruche:* anse f; *pompe:* balancier m; *Am.* F *fly off the* ~ s'emporter; *sl.* sortir de ses gonds; 2. manier; manœuvrer (*un navire*); traiter; prendre en main; '~**bar** *cycl.* guidon m.

hand...: '~**'made pa·per** papier m à la claie; '~**'maid** *fig.* servante f; '~**me-downs** *Am.* F *pl.* costume m de confection; décrochez-moi-ça m/inv.; '~**out** *Am.* F aumône f; '~**rail** main f courante; garde-fou m; '~**saw** scie f à main; égoïne f;

hand·sel ['hænsl] 1. étrenne f; † première vente f; arrhes f/pl.; 2. donner des étrennes à; † donner des arrhes à; inaugurer; '**hand·shake** poignée f de main; **hand·some** □ ['hænsəm] beau (bel *devant une voyelle ou un h muet*); belle f; beaux m/pl.); élégant; noble; riche.

hand...: '~**spike** ⊕ levier m de manœuvre; '~**work** travail m à la main; '~**writ·ing** écriture f; '**hand·y** □ adroit; habile; commode (*chose*); maniable; ~**man**

homme m à tout faire; factotum m, bricoleur m; F débrouillard m.

hang [hæŋ] 1. [*irr.*] *v/t.* (sus)pendre (à *from*, on); tapisser (de, *with*); accrocher (à *from*, on); coller (*un papier à tapisser*); (*usu. prét. et p.p.* ~ed) pendre; F *I'll be* ~ed *if* ... que le diable m'emporte si ...; F ~ *it!* zut alors!; F ~ *fire* traîner; ~ *out* *vt/i.* pendre au dehors; ~ *up* accrocher, pendre; *fig.* ajourner; *v/i.* pendre, être suspendu (à, on); *fig.* planer (sur, over); ~ *about* flâner; rôder; ~ *back* rester en arrière; *fig.* hésiter; ~ *on* s'accrocher, se cramponner (à, to); *fig.* tenir bon; 2. pente f; *cost.* ajustement m; F *façon* f; F *get the* ~ *of* comprendre, saisir le truc de (*qch.*); *sl. I don't care a* ~ je m'en moque pas mal.

hang·ar ['hæŋə] hangar m.

hang-dog ['hæŋdɔg] 1. F gibier m de potence; 2. patibulaire (*mine*).

hang·er ['hæŋə] *personne:* tendeur m; crochet m; porte-vêtements m/inv.; ⊕ suspenseur m; *Am.* pancarte f; ~**on** ['~r'ɔn], *pl.* '~**s-'on** *fig.* parasite m; dépendant m.

hang·ing ['hæŋiŋ] 1. suspendu; tombant; *peint.* ~ *committee* jury m d'admission (*des tableaux*); 2.: ~s pl. tenture f, tapisserie f; rideaux m/pl.

hang·man ['hæŋmən] bourreau m.

hang-nail ♣ ['hæŋneil] envie f.

hang·out *Am. sl.* ['hæŋ'aut] repaire m, nid m (*de gangsters etc.*).

hang·over *sl.* ['hæŋouvə] gueule f de bois.

hank [hæŋk] écheveau m; ♣ anneau m.

han·ker ['hæŋkə]: ~ *after* soupirer après, désirer vivement; être assoiffé de; '**han·ker·ing** vif désir m, soif f.

Han·o·ve·ri·an [hæno'viəriən] 1. hanovrien(ne f); 2. Hanovrien(ne f) m.

Han·sard ['hænsəd] compte m rendu officiel des débats parlementaires.

han·som ['hænsəm], (*a.* ~-*cab*) cab m; hansom m.

hap † [hæp] hasard m (malencontreux); destin m; '**hap·haz·ard** 1. hasard m; *at* ~ au petit bonheur; 2. fortuit; ~ *chaos* tohu-bohu m; '**hap·less** □ infortuné, malheureux (-euse f).

ha·p'orth F ['heipəθ] (valeur *f* d')un sou *m*; *a* ~ *of* ... ... pour un sou.

hap·pen ['hæpən] arriver, se passer; *he* ~*ed to be at home* il se trouvait chez lui; ~ (*up*)*on* tomber sur; rencontrer par hasard; *Am.* F ~, ~ *in*(*to*) entrer en passant; **'hap·pen·ing** événement *m*.

hap·pi·ness ['hæpinis] bonheur *m*; félicité *f* (*a. d'expression*).

hap·py □ ['hæpi] *usu.* heureux (-euse *f*); content; joyeux (-euse *f*); F un peu parti *ou* gris; **'~-go-luck·y** F insouciant.

ha·rangue [hə'ræŋ] 1. harangue *f*; 2. *v/t.* haranguer; *v/i.* prononcer une harangue.

har·ass ['hærəs] harceler; tourmenter (*de*, *with*); tracasser; accabler (*de dettes*, *with debt*).

har·bin·ger ['hɑːbindʒə] 1. *fig.* avant-coureur *m*; 2. annoncer.

har·bo(u)r ['hɑːbə] 1. port *m*; *fig.* asile *m*; 2. *v/t.* héberger; receler (*un criminel*); entretenir (*un soupçon*); garder (*une rancune etc.*); *v/i.* se réfugier; **'har·bo(u)r·age** abri *m*, asile *m*; ⚓ mouillage *m*.

hard [hɑːd] 1. *adj. usu.* dur; sévère; fort (*gelée*); rigoureux (-euse *f*) (*temps*); pénible; cruel(le *f*); rude; difficile; *surt. Am.* incorrigible; *surt. Am.* riche (en alcool); ferme (*rendez-vous*); ~ *cash* espèces *f/pl.* sonnantes; *tennis:* ~ *courts pl.* terrains *m/pl.* de tennis; ~ *currency* devises *f/pl.* fortes; *the* ~ *facts* les faits brutaux; ~ *of hearing* dur d'oreille; *to deal with* peu commode; intraitable; *be* ~ (*up*)*on s.o.* être sévère envers q.; traiter q. sévèrement; 2. *adv.* fort; dur; durement; avec peine; ~ *by* tout près; ~ *up* sans moyens; dans la gêne; à court (*de*, *for*); *be* ~ *put to it* avoir beaucoup de mal (à, *to*); *ride* ~ chevaucher à toute vitesse; 3. F travaux *m/pl.* forcés; ~*s pl.* gêne *f*; **'~-'bit·ten** tenace; dur à cuire; **'~-'boiled** dur (*œuf*); tenace; *surt. Am.* expérimenté, dur à cuire; **'hard·en** (se) durcir; (s')endurcir; rendre *ou* devenir dur; *v/i.* ↑, *bourse:* se raffermir; *v/t.* ⊕ tremper (*l'acier*).

hard...: '~-'fea·tured aux traits durs *ou* sévères; **'~-'fist·ed** dur à la détente; **'~-'head·ed** pratique;

positif (-ive *f*); **'~-'heart·ed** □ au cœur dur; **har·di·hood** ['~ihud] hardiesse *f*; **'har·di·ness** vigueur *f*, robustesse *f*; † hardiesse *f*; **'hard·ly** durement; avec difficulté; à peine; ne ... guère; **'hard-'mouthed** dur de bouche; **'hard·ness** dureté *f*, difficulté *f* (*a. fig.*); rudesse *f*; *temps:* rigueur *f*; *acier:* trempe *f*.

hard...: '~-pan *Am.* sol *m* résistant; **'~-'set** fort gêné; affamé; durci; **'~-shell** à carapace dure; à coque dure; *fig.* dur à cuire; **'hard·ship** privation *f*; gêne *f*; épreuve *f*, tribulation *f*; **'hard·ware** quincaillerie *f*; **'har·dy** □ robuste, endurci; hardi; ♀ de pleine terre.

hare [hɛə] lièvre *m*; **'~bell** jacinthe *f* des prés; clochette *f*; **'~-brained** étourdi, écervelé; **'~lip** *anat.* bec-de-lièvre (*pl.* becs-de-lièvre) *m*.

ha·rem ['hɛərəm] harem *m*.

har·i·cot ['hærikou] *cuis.* haricot *m* (*de mouton*); ♀ (*a.* ~ *bean*) haricot *m*.

hark [hɑːk] (*to*) écouter; prêter l'oreille (à); ~! écoutez!; ~ *back chasse:* prendre le contre-pied; *fig.* en revenir (à, *sur to*).

har·lot ['hɑːlət] prostituée *f*; **'harlot·ry** prostitution *f*.

harm [hɑːm] 1. mal *m*; tort *m*; danger *m*; 2. faire du mal *ou* tort à; nuire à; **harm·ful** □ ['~ful] nuisible; **'harm·less** □ inoffensif (-ive *f*); innocent.

har·mon·ic [hɑː'mɔnik] (~*ally*) harmonique; **har·mon·i·ca** [~ikə] harmonica *m*; **har·mo·ni·ous** [hɑː'mounjəs] harmonieux (-euse *f*) (*a. fig.*); **har·mo·nize** ['hɑːmənaiz] *v/t.* harmoniser (*a.* ♪); faire accorder; *v/i.* s'harmoniser; s'assortir; **'har·mo·ny** harmonie *f*.

har·ness ['hɑːnis] 1. harnais *m*; attelage *m*; *die in* ~ mourir à la besogne; 2. harnacher; atteler; *fig.* aménager; **'~-mak·er** sellier *m*, bourrelier *m*.

harp ♪ [hɑːp] 1. harpe *f*; 2. jouer de la harpe; ~ (*up*)*on* rabâcher (*qch.*); *be always* ~*ing on the same string* réciter toujours la même litanie; **'harp·er**, **'harp·ist** harpiste *mf*.

har·poon [hɑː'puːn] 1. harpon *m*; 2. harponner.

har·py ['hɑːpi] *myth.* harpie *f* (*a.*

fig. = *vieille mégère*); *fig.* personne *f* rapace.

har·ri·dan ['hæridən] vieille mégère *f*.

har·ri·er ['hæriə] *chasse:* braque *m*; *sp.* coureur *m*.

har·row ⚓ ['hærou] **1.** herse *f*; **2.** herser; *fig.* ravager, piller.

har·ry ['hæri] ravager, piller, mettre à sac; *fig.* harceler, tourmenter.

harsh □ [hɑːʃ] rude; âpre (*goût*); rauque; discordant (*son*); rigoureux (-euse *f*); dur; '**harsh·ness** rudesse *f*; âpreté *f*; rigueur *f*; sévérité *f*.

hart *zo.* [hɑːt] cerf *m*.

har·um-scar·um F ['hɛərəm'skɛərəm] **1.** étourdi, écervelé (*a. su./mf*); **2.** étourneau *m*; hurluberlu *m*.

har·vest ['hɑːvist] **1.** moisson *f* (*a. fig.*); récolte *f*; ⚓ *festival actions f/pl.* de grâces pour la récolte; **2.** *v/t.* moissonner; récolter; *v/i.* rentrer la moisson; '**har·vest·er** moissonneur (-euse *f*, *a. machine*) *m*; **har·vest-home** ['~'houm] fête *f* de la moisson.

has [hæz, həz] (*il, elle*) a; '**~-been** F vieux ramollot *m*; homme *m etc.* fini.

hash [hæʃ] **1.** hachis *m*; *Am.* F mangeaille *f*, boulot *m*; *fig.* gâchis *m*; *fig.* réchauffé *m*; F make a ~ of faire un joli gâchis de; **2.** hacher (*de la viande*).

hasp [hɑːsp] **1.** moraillon *m*; loquet *m*; fermoir *m*; **2.** cadenasser.

has·sock ['hæsək] touffe *f* d'herbe; *eccl.* coussin *m*.

hast † [hæst] (*tu*) as.

haste [heist] hâte *f*; diligence *f*; make ~ se dépêcher, se hâter; more ~ less speed, make ~ slowly hâtez-vous lentement; **has·ten** ['heisn] (se) hâter, (se) presser; *v/t.* avancer (*qch.*); **hast·i·ness** ['heistinis] précipitation *f*, hâte *f*; emportement *m* (*de colère etc.*); '**hast·y** □ précipité; fait à la hâte; irréfléchi; emporté; rapide.

hat [hæt] chapeau *m*; *sl.* my ~! pigez-moi ça!; F hang up one's ~ with s.o. s'introniser chez q.; talk through one's ~ extravaguer; exagérer.

hatch¹ [hætʃ] **1.** *poussins:* couvée *f*; demi-porte *f*; ⚒, ⚓ panneau *m*, écoutille *f*; serving ~ passe-plats *m*; under ~es dans la cale; *fig.*

mort et enterré; **2.** (faire) éclore; *v/t. fig.* tramer, ourdir.

hatch² [~] hach(ur)er.

hatch·et ['hætʃit] hachette *f*; bury the ~ enterrer la hache de guerre; '**~-face** visage *m* en lame de couteau.

hatch·way ⚓ ['hætʃwei] écoutille *f*.

hate [heit] **1.** *poét.* haine *f* (de, contre to[wards]); **2.** détester, haïr; **hate·ful** □ ['~ful] odieux (-euse *f*), détestable; '**hat·er** haïsseur (-euse *f*) *m*; **ha·tred** ['heitrid] haine *f* (de, contre of).

hat·ter ['hætə] chapelier (-ère *f*) *m*.

haugh·ti·ness ['hɔːtinis] arrogance *f*, morgue *f*; '**haugh·ty** □ arrogant, hautain.

haul [hɔːl] **1.** amenée *f*; effort *m*; *pêche:* coup *m* de filet; prise *f*; *Am.* trajet *m*; **2.** *v/t.* tirer (sur, at); traîner; ⚓ haler sur; transporter par camion(s); ⚒ hercher; ⚓ repiquer dans (*le vent*); *v/i.* haler (*vent*); '**haul·age** traction *f*; (frais *m/pl.* de) roulage *m*, (frais *m/pl.* de) transport *m*; ⚒ herchage *m*; ~ contractor entrepreneur *m* de transports.

haulm [hɔːm] fane *f* (*de légume*); *coll.* chaume *m*.

haunch [hɔːnʃ] hanche *f*; *cuis.* cuissot *m*, quartier *m*; △ *voûte:* rein *m*.

haunt [hɔːnt] **1.** lieu *m* fréquenté; repaire *m*; **2.** fréquenter; hanter (*a. revenants*); *fig.* obséder, troubler; the house is ~ed il y a des revenants dans la maison: ~ed house maison *f* hantée; '**haunt·er** *fig.* habitué(e *f*) *m*.

haut·boy ♪ ['oubɔi] hautbois *m*.

Ha·van·a [hə'vænə] (*ou* ~ cigar) havane *m*.

have [hæv; həv] **1.** [*irr.*] *v/t.* avoir, posséder; tenir; prendre (*un bain*, *un repas*); faire (*une promenade etc.*); obtenir; affirmer; F rouler; ~ to (*inf.*) être obligé de (*inf.*); I ~ my hair cut je me fais couper les cheveux; he had his leg broken il s'est cassé la jambe; I would ~ you know that ... sachez que ...; he will ~ it that ... il soutient que ...; I had as well (*inf.*) j'aurais pu aussi bien (*inf.*); I had better (best) (*inf.*) je ferai(s) mieux de (*inf.*); I had rather (*inf.*) j'aime(rais) mieux (*inf.*); let s.o. ~ s.th. céder qch. à q.; ~ about one avoir sur soi; ~ on porter; ~ it out with s'expliquer avec; F ~ s.o. up citer q. en justice (pour, for); v/i. ~ at him! à l'attaque; **2.** [irr.] v/aux. avoir; qqfois être; ~ come être venu; **3.** riche m.

ha·ven ['heivn] havre m, port m; fig. asile m, abri m.

have-not ['hævnɔt] pauvre m.

haven't ['hævnt] = have not.

hav·er·sack ['hævəsæk] ✕ musette f; touriste etc.: havresac m.

hav·ing ['hæviŋ] (souv. ~s pl.) possession f; pl. a. biens m/pl.

hav·oc ['hævək] dévastation f, dégâts m/pl., ravage m; make ~ of, play ~ with (ou among) faire de grands dégâts dans; massacrer.

haw¹ ♀ [hɔ:] cenelle f.

haw² [~] **1.** toussoter, bredouiller; **2.** hem m (a. int.).

haw-haw ['hɔ:'hɔ:] rire bruyamment.

hawk¹ [hɔ:k] **1.** orn. faucon m; fig. vautour m; attr. fig. d'aigle (yeux); **2.** chasser au faucon; ~ at fondre sur.

hawk² [~] graillonner.

hawk³ [~] colporter, cameloter; **hawk·er** ['hɔ:kə] colporteur m; marchand(e f) m ambulant(e f).

hawk·ing ['hɔ:kiŋ] chasse f au faucon.

hawse ♣ [hɔ:z] (a. ~-hole) écubier m.

haw·ser ♣ ['hɔ:zə] (h)aussière f; amarre f.

haw·thorn ♀ ['hɔ:θɔ:n] aubépine f.

hay [hei] **1.** foin m; ~ fever rhume m des foins; make ~ of faire un gâchis de; démolir; **2.** faire les foins; '~box (ou ~ cooker) marmite f norvégienne; '~cock meulon m ou meule f de foin; '~loft grenier m à foin; '~mak·er sl. coup m de poing balancé; '~rick see ~cock; '~seed graine f de foin; fig. Am. paysan m; '~stack see ~cock; '~wire Am. sl.: go ~ ne tourner plus rond; avorter (projet).

haz·ard ['hæzəd] **1.** hasard m; risque m; golf: accident m de terrain; tennis: trou m gagnant; jeu m de hasard; run a ~ courir un risque; **2.** hasarder; risquer; '**haz·ard·ous** □ risqué; hasardeux (-euse f).

haze¹ [heiz] brume f légère; fig. obscurité f.

haze² [~] ♣ harasser (q.) de corvées; Am. brimer.

ha·zel ['heizl] **1.** ♀ noisetier m; **2.** couleur noisette; '~nut noisette f.

ha·zy □ ['heizi] brumeux (-euse f), embrumé; estompé (contour etc.), fig. vague, nébuleux (-euse f).

H-bomb ['eitʃbɔm] bombe f H.

he [hi:] **1.** il, accentué: lui; ~ (who) celui qui; **2.** attr. mâle.

head [hed] **1.** anat., cuis., sp., arbre, chasse, cortège, fleur, furoncle, humérus, intelligence, légume, liste, sculpture, violon, volcan, etc.: tête f; chasse: bois m; ♣ voile: envergure f; torpille: cône m; nez m, avant m, navire: cap m; ✕, mine: carreau m; puits de mine: gueule f; mot. capote f; ⊕ eau: charge f, vapeur: volant m; ⊕ culasse f; asperge: pointe f; céleri: pied m; blé: épi m; chou: pomme f; escalier, page: haut m; lit: chevet m; table: haut bout m; bière: mousse f; rivière: source f; tambour: peau f; géog. cap m; personne: chef m; ✝, école: directeur (-trice f) m; patron(ne f) m; fig. cervelle f, esprit m, entendement m, mémoire f; fig. crise f; fig. point m, rubrique f; ~ and shoulders above the rest dépassant les autres de la tête; bring to a ~ faire aboutir (a. fig.); come to a ~ aboutir (abcès); mûrir; gather ~ monter en pression; augmenter; prendre de l'importance; get it into one's ~ that se mettre dans la ou en tête que; ~(s) or tail(s)? pile ou face?; ~ over heels à la renverse; over ~ and ears surchargé, débordé; make ~ against faire tête à; I can't make ~ or tail of it je n'y comprends rien, je m'y perds; take the ~ prendre la tête; **2.** premier (-ère f); principal (-aux m/pl.); ... en chef; **3.** v/t. mener, être en tête de; être à la tête de; conduire; mettre une tête à; mettre ou porter en tête (de); foot. jouer de la tête; be ~ed se diriger (vers, for); ~ off intercepter; v/i. ♣ avoir le cap (sur, for); Am. prendre sa source (à, at); fig. ~ for se diriger vers; '**head·ache** mal m ou maux m/pl. de tête; '**head·ach·y** sujet(te f) aux maux de tête, migraineux (-euse f); '**head-dress** coiffure f; garniture f de tête; '**head·ed** à ... tête(s); aux

cheveux ...; 'head·er △ boutisse *f*;
F plongeon *m*; *foot.* coup *m* de tête;
'head-gear garniture *f* de tête;
coiffure *f*; chapeau *m*; 'head·i·ness
emportement *m*, impétuosité *f*; *vin*:
qualité *f* capiteuse; 'head·ing en-
tête *m*; rubrique *f*; manchette *f*;
titre *m*; ✂ (galerie *f* d')avancement
m; *sp.* (jeu *m* de) tête *f*; 'head·land
cap *m*, promontoire *m*; 'head·less
sans tête; *fig.* sans chef.

head...: '~light ⛴ feu *m* d'avant;
mot. phare *m*; '~line titre *m*; manchette *f*; *typ.* titre *m* courant, en-
tête *m*; F he hits the ~s il est en vedette; il défraye la chronique; '~-
long *adj.* précipité; impétueux
(-euse *f*); *adv.* la tête la première;
'~-man chef *m*; '~-mas·ter directeur *m*; *lycée*: proviseur *m*; '~·mis-
tress directrice *f*; '~·most au premier rang; '~·'on de front; frontal
(-aux *m/pl.*); '~·phone *radio*:
écouteur *m*; casque *m*; '~·piece
casque *m* (*a. radio*); F tête *f*; *typ.*
fleuron *m* de tête; en-tête *m*; '~·
'quar·ters *pl.* ✂ quartier *m* général; ♰ *etc.* siège *m* (social); '~·set
radio: casque *m*; 'head·ship première place *f*; direction *f*; 'heads-
man bourreau *m*; ⚓ patron *m*.

head...: '~·strong entêté; obstiné;
'~·wa·ters *pl.* cours *m* supérieur
d'une rivière; '~·way progrès *m*;
make ~ avancer, faire des progrès;
'~·wind vent *m* contraire; '~·work
travail *m* intellectuel; *foot.* jeu *m* de
tête; 'head·y □ capiteux (-euse *f*)
(*vin etc.*); emporté (*personne*).

heal [hi:l] guérir (de, *of*); ~ up (se)
guérir, se cicatriser; '~·all panacée
f; 'heal·ing 1. □ curatif (-ive *f*);
cicatrisant; *fig.* calmant; 2. guérison
f; cicatrisation *f*.

health [helθ] santé *f* (*a. toast*); Board
of ♀ Ministère *m* de la santé publique; ~ *certificate* certificat *m* médical; 'health·ful □ ['~ful] salubre;
salutaire; 'health·i·ness salubrité *f*;
'health-re·sort station *f* estivale
ou thermale; 'health·y □ en bonne
santé; *see* healthful.

heap [hi:p] 1. tas *m* (*a. fig.*), monceau *m*; F ~s *pl.* beaucoup (de, *of*); *sl.*
F struck all of a ~ stupéfait; 2. (*a. ~
up*) entasser, mettre en tas; accabler
(de, *with*); ~ed spoon cuiller *f* à dos
d'âne.

hear [hiə] [*irr.*] entendre; écouter;
recevoir des nouvelles (de, *from*);
apprendre; faire répéter (*une leçon
etc.*); ~ of entendre parler de; ~ that
entendre dire que; heard [hə:d]
prét. et p.p. de hear; hear·er ['hiərə]
auditeur (-trice *f*) *m*; 'hear·ing
sens: ouïe *f*; audition *f* (*a.* ♩♩, *a.* ♪);
♩♩ audience *f*; heark·en ['ha:kən]
écouter (qch., *to* s.th.); hear·say
['~·hiseI] ouï-dire *m/inv.*

hearse [hə:s] corbillard *m*.

heart [ha:t] cœur *m* (*fig.* = courage,
enthousiasme, etc.); fond *m*; cartes:
~s *pl.* cœur *m*; (*a.* dear ~) *see* sweetheart; ~ and soul corps et âme, de
tout son cœur; I have a matter
at ~ j'ai qch. à cœur; by ~ par cœur;
in good ~ bien entretenu (*sol*); en
train (*personne*); in his ~ (of ~s) au
plus profond de son cœur; out of ~
effrité (*sol*); découragé (*personne*);
with all my ~ de tout mon cœur;
lose ~ perdre courage; take ~ prendre courage; take (*ou* lay) to ~ prendre (qch.) à cœur; '~·ache chagrin
m; '~·beat battement *m* du cœur;
'~·break déchirement *m* de cœur;
'~·break·ing □ navrant; '~·bro-
ken le cœur brisé, navré; '~·burn
🔥 aigreurs *f/pl.*; '~·burn·ing rancune *f*; jalousie *f*; '~·dis·ease
maladie *f* de cœur; 'heart·ed au
cœur...; 'heart·en *v/t.* encourager;
v/i. reprendre courage; 'heart·felt
sincère; profond.

hearth [ha:θ] foyer *m*, âtre *m*; '~·
rug tapis *m* de foyer; '~·stone
foyer *m*; pierre *f* de la cheminée.

heart·i·ness ['ha:tinis] cordialité *f*;
chaleur *f*; vigueur *f*; 'heart·less □
insensible; cruel(le *f*); 'heart-
rend·ing navrant.

heart...: '~·sick *fig.* découragé;
désolé; '~·strings *pl. fig.* sensibilité
f, cœur *m*; '~·trans·plant 🫀 greffe *f*
du cœur; '~·whole au cœur libre;
fig. sincère; *fig.* aucunement ébranlé; 'heart·y 1. □ cordial (-aux
m/pl.); sincère; vigoureux (-euse *f*),
robuste; gaillard; ~ eater gros mangeur *m*, belle fourchette *f*; 2. ⚓
brave *m*; *univ.* sportif *m*.

heat [hi:t] 1. chaleur *f*; *phys. a.* calorique *m*; ardeur *f*; *fig.* colère *f*; *animal*: rut *m*; *sp.* épreuve *f*, manche *f*;
dead ~ manche *f* nulle; course *f* à
égalité; 2. (s')échauffer (*a. fig.*); *v/t.*

chauffer (*de l'eau etc.*); '**heat·ed** □ chauffé; chaud (*a. fig.*); '**heat·er** ⊕ bouilleur *m*; four *m*; radiateur *m*; *Am. sl.* revolver *m*.

heath [hi:θ] bruyère *f*, brande *f* (*a.* ♀); '**~-cock** petit coq *m* de bruyère.

hea·then ['hi:ðən] païen(ne *f*) (*a. su./m f*); '**hea·then-dom** paganisme *m*; '**hea·then·ish** □ *usu. fig.* barbare, grossier (-ère *f*); '**hea·then-ism** paganisme *m*; barbarie *f*.

heath·er ♀ ['heðə] bruyère *f*, brande *f*; '**~-bell** ♀ cloche *f* de bruyère.

heat·ing ['hi:tiŋ] chauffage *m*; *attr.* de chaleur; ~ **battery** batterie *f* de four *etc.*; ~ **cushion**, ~ **pad** coussin *m* chauffant *ou* électrique.

heat...: ~ **light·ning** *Am.* éclairs *m/pl.* de chaleur; '**~-stroke** ☞ coup *m* de chaleur; '**~-val·ue** pouvoir *m* calorifique; '**~-wave** *phys.* onde *f* calorifique; *météor.* vague *f* de chaleur.

heave [hi:v] **1.** soulèvement *m*; effort *m*; palpitation *f* (*du sein*); ⚓ houle *f*; **2.** [*irr.*] *v/t.* (sou)lever; lancer, jeter; pousser (*un soupir*); ~ **the anchor** déraper; ⚓ ~ **down** caréner; ⚓ ~ **out** déferler; *v/i.* se soulever (*a. vagues, poitrine*); haleter; s'agiter (*mer*); palpiter (*sein*); avoir des haut-le-cœur; ~ **for breath** panteler; ⚓ ~ **at** haler sur; ⚓ ~ **in sight** paraître; ⚓ ~ **to** se mettre à la cape.

heav·en ['hevn] ciel *m*, cieux *m/pl.*; ~s *pl.* ciel *m*; ~! juste ciel!; '**heaven·ly** céleste; divin; **heav·en-ward(s)** ['~wəd(z)] vers le ciel.

heav·er ['hi:və] (dé)chargeur *m*; ⊕ levier *m* de manœuvre.

heav·i·ness ['hevinis] pesanteur *f*, lourdeur *f*; *fig.* tristesse *f*, abattement *m*; *mot.* mauvais état *m* (*des routes*).

heav·y □ ['hevi] *usu.* lourd; pesant; gros(se *f*) (*cœur, pluie, rhume, etc.*); triste; violent; pénible; profond; gras(se *f*) (*sol*); ✕ lourd, de gros calibre, gros(se *f*); ⚡ ~ **current** courant *m* fort; '**~-weight** *box.* poids *m* lourd.

heb·dom·a·dal □ [heb'dɔmədəl], **heb'dom·a·da·ry** hebdomadaire.

He·bra·ic [hi'breiik] (~*ally*) hébraïque.

He·brew ['hi:bru:] **1.** hébraïque, israélite; **2.** *ling.* hébreu *m*; *bibl.* Hébreu(e *f*) *m*; Israélite *mf*.

hec·a·tomb ['hekətoum] hécatombe *f*.

heck·le ['hekl] *see* hackle; *pol.* interrompre par des questions embarrassantes.

hec·tic ☞ ['hektik] **1.** hectique; *fig.* fiévreux (-euse *f*); **2.** rougeur *f*; (*usu.* ~ **fever**) fièvre *f* hectique.

hec·tor ['hektə] *v/t.* rudoyer, dragonner; *v/i.* prendre un ton autoritaire; faire de l'esbroufe.

hedge [hedʒ] **1.** haie *f*; *attr. souv.* ignorant, interlope (*p.ex.* ~*-priest*); **2.** *v/t.* entourer d'une haie; enfermer; ~ **off** séparer par une haie; ~ **up** clore d'une haie; ~ **a bet** parier pour et contre; *v/i.* éviter de se compromettre; '**~-bill** serpe *f*; '**~-hog** *zo.* hérisson *m*; *Am.* porc-épic *m*; '**~-hop** *sl.* ✈ voler en rase-mottes; '**~-row** bordure *f* de haies; haie *f*; '**~-'spar·row** *orn.* fauvette *f*.

heed [hi:d] **1.** attention *f* (à, **to**), soin *m*; compte *m* (de, **to**); **take** ~ **of** tenir compte de, prendre garde à; **take no** ~ **of** ne tenir aucun compte de; **2.** faire attention à, observer; tenir compte de; **heed·ful** □ ['~ful] attentif (-ive *f*) (à, **of**); '**heed·less** □ insouciant.

hee·haw ['hi:'hɔ:] **1.** hi-han *m*; *fig.* ricanement *m*; **2.** braire; *fig.* ricaner.

heel[1] ⚓ [hi:l] *v/i.* se coucher sur le flanc; avoir de la bande.

heel[2] [~] **1.** talon *m*; *surt. Am. sl.* gouape *f*; **be at** (**on**) **s.o.'s** ~**s** être aux trousses de q.; marcher sur les talons de q.; **down at** ~ éculé; *fig.* minable, de mauvaise apparence; **take to one's** ~**s** prendre ses jambes à son cou; s'enfuir; **2.** mettre un talon à; *foot.* ~ **out** talonner le ballon (*pour le sortir de la mêlée*); '**heeled** *Am.* F pourvu d'argent; muni d'un revolver; '**heel·er** *pol. Am. sl.* partisan *m* servile.

heel-tap ['hi:ltæp] ⊕ rondelle *f* de hausse; ~**s** *pl.* fonds *m/pl.* de verre; **no** ~! vidons les verres.

heft [heft] **1.** poids *m*; effort *m*; *Am.* F gros *m* (*de la récolte*); **2.** *Am.* soupeser; '**heft·y** F solide; *Am.* lourd.

he·gem·o·ny [hi:'gemənı] hégémonie *f*.

he-goat ['hi:gout] bouc *m*.

heif·er ['hefə] génisse *f*.

heigh-ho [hei'hou] ah!

height [hait] hauteur *f*, élévation *f*; comble *m*, apogée *m*; *personne*: taille *f*; altitude *f*; cœur *m* (*d'été*); **'height·en** augmenter (*a. fig.*); rehausser; *fig.* relever.

hei·nous □ ['heinəs] atroce; odieux (-euse *f*); **'hei·nous·ness** énormité *f*.

heir [ɛə] héritier (-ère *f*) *m* (de, to); ~ **apparent** héritier *m* présomptif; ~ **at-law** héritier *m* légitime; **'heir·dom** droit *m* de succession; † héritage *m*; **'heir·ess** héritière *f*; **'heir·less** sans héritier; **'heir·loom** ['~lu:m] meuble *m* ou bijou *m* de famille; *fig.* apanage *m*; **'heir·ship** qualité *f* d'héritier.

held [held] *prét. et p.p. de* hold 2.

hel·i·bus *Am.*F['helibʌs] hélicoptère *m qui fait le service de communication entre l'aéroport et la ville.*

hel·i·cal ⊕ ['helikl] en spirale.

hel·i·cop·ter ['helikɔptə] hélicoptère *m*.

helio... [hi:liou] hélio-; **he·li·o·graph** ['~ogrɑ:f] héliographe *m* (*a. phot.*); héliogravure *f*; **he·li·o·graph·ic** [~'græfik] héliographique; ~ **calking** (reproduction *f* par) héliogravure *f*; **he·li·o·gra·vure** ['hi:liougrəvjuə] héliogravure *f*; **he·li·o·trope** ['heljətroup] ⚥ héliotrope *m* (*a. couleur*).

he·lix ['hi:liks], *pl. usu.* **hel·i·ces** ['helisi:z] ♐, ⊕, *zo.* hélice *f*; ⚖ spirale *f*, volute *f*; *anat.* hélix *m*, ourlet *m*.

hell [hel] enfer *m*; *attr.* de l'enfer; *like* ~ infernal (-aux *m/pl.*); *oh* ~! diable!; sapristi!; *go to* ~ aller en enfer; F *what the* ~ ...? que diable...?; *a* ~ *of a noise* un bruit infernal; *raise* ~ faire un bruit infernal; faire une scène; *ride* ~ *for leather* aller au triple galop; **'~·bent** *Am. sl.* résolu; acharné; **'~·cat** *fig.* mégère *f*.

hel·le·bore ⚥ ['helibɔ:] ellébore *m*.

Hel·lene ['heli:n] Hellène *mf*.

hell·ish □ ['heliʃ] infernal (-aux *m/pl.*); diabolique.

hel·lo [he'lou] holà!; *téléph.* allô!

helm ⚓ [helm] (barre *f* du) gouvernail *m*; timon *m* (*a. fig.* de l'État); *fig.* direction *f*.

hel·met ['helmit] casque *m*; **'hel·met·ed** casqué.

helms·man ⚓ ['helmzmən] homme *m* de barre; timonier *m*.

hel·ot *hist.* ['helət] ilote *m*; *fig.* esclave *m*.

help [help] 1. aide *f*; secours *m*; remède *m*; *surt. Am.* domestique *mf*; *lady* ~ dame *f* (de bonne maison) qui aide aux soins du ménage; *mother's* ~ jeune fille *f* qui aide dans le soin des enfants; *by the* ~ *of* à l'aide de; 2. *v/t.* aider; secourir; prêter son concours à; faciliter; *table*: servir (q., *s.o.*; qch., *s.th.*); qch. à q., *s.o.* to *s.th.*); ~ *o.s.* se servir (de, to); s'aider; *I could not* ~ *laughing* je ne pouvais m'empêcher de rire; *v/i.* aider, servir, contribuer (à, to); **'help·er** aide *mf*; assistant(e *f*) *m*; 🚒 machine *f* de secours; **help·ful** □ ['~ful] utile; salutaire; serviable (*personne*); **'help·ing** portion *f*; **'help·less** □ sans ressource; impuissant; **'help·less·ness** faiblesse *f*; **'help·mate**, **'help·meet** aide *mf*; compagnon *m*, compagne *f*.

hel·ter-skel·ter ['heltə'skeltə] *adv.* pêle-mêle; à la débandade.

helve [helv] manche *m*.

Hel·ve·tian [hel'vi:ʃən] 1. helvétien (-ne *f*), suisse; 2. Helvétien(ne *f*) *m*, Suisse *mf*.

hem¹ [hem] 1. *cost.* bord *m*; ourlet *m*; 2. border; ourler; ~ *in* entourer.

hem² [~] 1. toussoter; 2. hem!

he-man *Am. sl.* ['hi:mæn] homme *m* viril.

hem·i·sphere ['hemisfiə] hémisphère *m*.

hem·lock ⚥ ['hemlɔk] ciguë *f*.

hemo... [hi:mo] *see* haemo...

hemp [hemp] chanvre *m*; **'hemp·en** de chanvre.

hem·stitch ['hemstitʃ] 1. ourlet *m* à jour; 2. ourler à jour.

hen [hen] poule *f*; femelle *f* (*d'oiseau*); ~*'s egg* œuf *m* de poule.

hen·bane ['henbein] jusquiame *f*.

hence [hens] (*souv. from* ~) d'ici; à partir d'aujourd'hui, désormais; de là, ce qui explique...; ~! hors d'ici!; va-t'en d'ici!; *a year* ~ dans un an; **'~·forth**, **'~·for·ward** désormais, à l'avenir.

hench·man ['hentʃmən] F partisan *m*; homme *m* de confiance.

hen...: **'~·par·ty** F assemblée *f* de jupes; **'~·pecked** dominé par sa femme; **'~·roost** juchoir *m*.

hep *Am. sl.* [hep]: be ~ être très à la page; '~·cat *Am. sl.* fanatique *mf* du jazz.

he·pat·ic *anat.* [hi'pætik] hépatique.

hepta... [heptə] hepta-; **hep·ta·gon** ['~gən] heptagone *m*.

her [hɔ:; hə] **1.** *accusatif*: la; *datif*: lui; à elle; se, soi; celle; **2.** son, sa, ses.

her·ald ['herəld] **1.** héraut *m*; *fig.* avant-coureur *m*; **2.** annoncer; ~ in introduire; **he·ral·dic** [he-'rældik] (~*ally*) héraldique; **her·ald·ry** ['herəldri] blason *m*.

herb [hɔ:b] herbe *f*; **her·ba·ceous** [~'beiʃəs] herbacé; '**herb·age** herbage *m*; herbes *f/pl.*; ⚖ droit *m* de pacage; '**herb·al 1.** d'herbes; **2.** herbier *m*; '**herb·al·ist** botaniste *m*; guérisseur *m*; ⚕ herboriste *mf*; **her·bar·i·um** [~'bɛəriəm] herbier *m*; **her·biv·o·rous** [~'bivərəs] herbivore; **her·bo·rize** ['~bəraiz] herboriser.

Her·cu·le·an [hɔ:kju'li:ən] herculéen(ne *f*); d'Hercule.

herd [hɔ:d] **1.** troupeau *m* (*a. fig.*); **2.** *v/t.* assembler; *v/i.* (*a.* ~ *together*) s'assembler en troupeau; s'attrouper; '**herds·man** bouvier *m*.

here [hiə] ici; ~ *is* voici; ~'*s to ...!* à la santé de ...!

here-a-bout(s) ['hiərəbaut(s)] près d'ici; **here·aft·er** [hiər'ɑ:ftə] **1.** dorénavant; **2.** avenir *m*; *l'*au-delà *m*, la vie *f* à venir; '**here·by** par là; ⚖ par les présentes.

her·e·dit·a·ment ⚖ [heri'ditəmənt] bien *m* transmissible par héritage; *fig.* patrimoine *m*; **he·red·i·tar·y** [hi'reditəri] héréditaire; **he'red·i·ty** hérédité *f*.

here·in ['hiər'in] ici; en ceci; **here·in·be'fore** ci-dessus; **here·of** [hiər-'ɔv] de ceci.

her·e·sy ['herəsi] hérésie *f*.

her·e·tic ['herətik] **1.** (*usu.* **he·ret·i·cal** □ [hi'retikl]) hérétique; **2.** hérétique *mf*.

here·to·fore ['hiətu'fɔ:] jusqu'ici; **here·up·on** ['hiərə'pɔn] là-dessus; sur ce; '**here'with** avec ceci; ci-joint.

her·it·a·ble ['heritəbl] héréditaire; héritable (*propriété*); '**her·it·age** héritage *m*, patrimoine *m*.

her·maph·ro·dite ⚕, *zo.* [hɔ:'mæ-frədait] hermaphrodite (*a. su./m*).

her·met·ic, her·met·i·cal □ [hɔ:-'metik(l)] hermétique.

her·mit ['hɔ:mit] ermite *m*; '**her·mit·age** ermitage *m*.

her·ni·a ⚕ ['hɔ:njə] hernie *f*; '**her·ni·al** herniaire.

he·ro ['hiərou], *pl.* **-roes** ['~z] héros *m*; **he·ro·ic** [hi'rouik] (~*ally*) héroïque; épique; **her·o·ine** ['herouin] héroïne *f*; '**her·o·ism** héroïsme *m*.

her·on *orn.* ['herən] héron *m*.

her·ring *icht.* ['heriŋ] hareng *m*; '**her·ing-bone** arête *f* de hareng; point *m* de chausson.

hers [hɔ:z] le sien, la sienne, les siens, les siennes; à elle.

her·self [hɔ:'self] elle-même; *réfléchi*: se, *accentué*: soi.

hes·i·tance, hes·i·tan·cy ['hezitəns(i)] hésitation *f*, irrésolution *f*; **hes·i·tate** ['~teit] hésiter (à, *to*; sur *about*, *over*; entre, *between*); **hes·i·'ta·tion** hésitation *f*.

het·er·o·dox ['hetərədɔks] hétérodoxe; '**het·er·o·dox·y** hétérodoxie *f*; **het·er·o·dyne** ['~dain] *radio*: hétérodyne (*a. su./m*); **het·er·o·gene·i·ty** [~rodʒi'ni:iti] hétérogénéité *f*; **het·er·o·ge·ne·ous** □ ['~ro·dʒi:njəs] hétérogène; ⨍ disparate.

hew [hju:] [*irr.*] couper; tailler (*a.* ⊕); ⊕ abattre; ⊕ dresser; '**hew·er** tailleur *m*; abatteur *m* (*d'arbres*); ⚒ piqueur *m*; **hewn** [hju:n] *p.p.* de *hew*.

hexa... [heksə] hex(a)-; **hex·a·gon** ['~gən] hexagone *m*; **hex·ag·o·nal** □ [hek'sægənl] hexagonal (-aux *m/pl.*); **hex·am·e·ter** [hek'sæmitə] hexamètre *m*.

hey [hei] hé!; holà!; hein?

hey·day ['heidei] **1.** tiens!; **2.** *fig.* apogée *m*; fleur *f* de l'âge; beaux jours *m/pl.*

hi [hai] hé!; holà!; ohé!

hi·a·tus [hai'eitəs] ⚕, *gramm.* hiatus *m*; lacune *f*.

hi·ber·nate ['haibə:neit] hiberner; hiverner (*a. personne*); **hi·ber'na·tion** hibernation *f*.

hic·cup, *a.* **hic·cough** ['hikʌp] **1.** hoquet *m*; **2.** avoir le hoquet; hoqueter.

hick F [hik] paysan *m*, rustaud *m*; *attr.* de province.

hick·o·ry ['hikəri] noyer *m* d'Amérique.

hid [hid] *prét. et p.p. de* hide²; **hidden** ['hidn] *p.p. de* hide².

hide¹ [haid] **1.** peau *f*; ✝ cuir *m*; **2.** F tanner le cuir à (*q.*).

hide² [⌣] [*irr.*] (se) cacher (à, *from*); (se) dérober (à, *from*); **'hide-and-'seek** cache-cache *m*; *play (at)* ~ jouer au cache-cache.

hide·bound *fig.* ['haidbaund] aux vues étroites; rigide.

hid·e·ous □ ['hidiəs] affreux (-euse *f*); horrible; **'hid·e·ous·ness** laideur *f*, horreur *f*.   [tée *f.*\

hid·ing¹ F ['haidiŋ] rossée *f*; tripo-

hid·ing² [⌣]: *go into* ~ se cacher; *in* ~ caché; **'~-place** cachette *f*.

hie *poét.* [hai] (*p.pr.* hying) se rendre (à la hâte).

hi·er·arch·y ['haiəra:ki] *admin., eccl., etc.* hiérarchie *f*.

hi·er·o·glyph ['haiəroglif] hiéroglyphe *m*; **hi·er·o·glyph·ic** (*a.* **hi·er·o·glyph·i·cal** □) hiéroglyphique; **hi·er·o·glyph·ics** *pl.* hiéroglyphes *m/pl*.

hi-fi *Am.* ['hai'fai] (*abr. de high fidelity*) de haute fidélité (*reproduction*).

hig·gle ['higl] marchander.

hig·gle·dy-pig·gle·dy F ['higldi-'pigldi] en pagaïe, sans ordre.

high [hai] **1.** *adj.* □ (*see a.* ~ly *usu.* haut; élevé; fort, violent (*vent*); grand (*vitesse*); faisandé (*gibier*); avancé (*viande*); fort (*beurre*); *attr.* de fête; solennel(le *f*); ~*est bidder* le plus offrant *m*; *with a* ~ *hand* arbitrairement; tyranniquement; de façon cavalière; ~ *spirits pl.* gaieté *f*, entrain *m*; ♀ *Church* haute Église *f* (*anglicane*); ~ *colo(u)r* vivacité *f* de teint (*d'une personne*); couleur *f* vive; ~ *dive* plongeon *m* de haut vol; ∮ ~ *frequency* haute fréquence *f*; *surt. Am. sl.* ~*hat* gommeux *m*; *v/t.* traiter d'une manière hautaine; *v/i.* se donner de grands airs; ~ *life* la vie *f* mondaine; ~*lights pl.* rappels *m/pl.* de lumière; *fig.* traits *m/pl.* saillants; *sg.* F clou *m*; *see* tea; ∮ ~ *tension* haute tension *f*; ~ *treason* lèse-majesté *f*; haute trahison *f*; ~ *water* marée *f* haute; ~ *wind* gros vent *m*; ~ *words* paroles *f/pl.* dures; **2.** *su. météor.* aire *f* anticyclonique; *Am.* ♀ *see* High School; ~ *and low* les grands et les petits; *on* ~ en haut; **3.** *adv.* haut;

en haut; fort(ement); **'~-'backed** à grand dossier; **'~-ball** *Am.* whisky *m* et soda *m*; **'~-born** de haute naissance; **'~-bred** de race; **'~-brow** F **1.** intellectuel(le *f*) *m*; **2.** *iro.* prétendu intellectuel(le *f*); **'~-class** de première classe *ou* qualité; **'~-day** jour *m* de fête; **'~-ex'plo·sive** brisant; à haut explosif; ~ **fa·lu·tin(g)** ['~fə'lu:tin, -iŋ] **1.** prétentieux (-euse *f*); **2.** discours *m* pompeux; **'~-flown** ampoulé; ambitieux (-euse *f*); **'~-grade** de qualité supérieure; **'~-hand·ed** arbitraire; ~ **jump** saut *m* en hauteur; **'~-land·er** montagnard *m* écossais; soldat *m* d'un régiment écossais; **'~-lands** hautes terres *f/pl.*; **'~-lev·el** *adj.*: *alp.* ~ *climb* ascension *f* à haute altitude; **'~-'liv·ing** bonne chère *f*; **'high·ly** fort(ement); très; bien; extrêmement; *speak* ~ *of* parler en termes très flatteurs de; vanter; ~ *descended* de haute naissance; **'high-'mind·ed** magnanime; généreux (-euse *f*); **'high·ness** élévation *f*; *fig.* grandeur *f*; ♀ *titre*: Altesse *f*.

high...: **'~ oc·tane pet·rol** essence *f* à haut indice d'octane; **'~-pow·er:** ~ *station* station *f* génératrice de haute puissance; ~ *radio station* poste *m* de grande portée; **'~-'road** grand-route *f*; grand chemin *m*; **'~-speed** à grande vitesse; ⊕ à marche rapide; **'~-'spir·it·ed** plein d'ardeur; fougueux (-euse *f*); **'~-'step·ping** qui trousse (*cheval*); *Am. sl.* noceur (-euse *f*); **'~-'strung** (au tempérament) nerveux; **'~-'toned** *surt. Am.* F chic, élégant; ~ *wa·ter* marée *f* haute; **'~-way** grand-route *f*; grand chemin *m*; *fig.* bonne voie *f*; chemin *m*; **'~-way·man** voleur *m* de grand chemin.

hike F [haik] **1.** faire du footing; **2.** excursion *f* à pied; *surt. Am.* F hausse *f* (*des prix*); **'hik·er** excursionniste *mf* à pied.

hi·lar·i·ous □ [hi'lɛəriəs] joyeux (-euse *f*).

hi·lar·i·ty [hi'læriti] hilarité *f*.

Hil·a·ry ['hiləri]: ᵗᵗ, *a. univ.* ~ *Term* session *f* de la Saint-Hilaire (*janvier à mars*).

hill [hil] colline *f*, coteau *m*; côte *f*; **~-bil·ly** *Am.* F ['~bili] montagnard *m*; **'~-climb·ing** *mot.* montée *f* des

côtes; ~ **contest** course *f* de côte;
'**hill·i·ness** nature *f* accidentée
(*d'une région*); **hill·ock** ['~ək] petite
colline *f*; '**hill·y** montueux (-euse
f); accidenté (*terrain*).

hilt [hilt] épée: poignée *f*; *up to the* ~
jusqu'à la garde; *fig.* complètement,
sans réserve.

him [him] *accusatif*: le; *datif*: lui;
se, soi; celui.

him·self [him'self] lui-même; *réfléchi*: se, *accentué*: soi; *of* ~ de lui-
même; de son propre choix; *by* ~
tout seul.

hind[1] *zo.* [haind] biche *f*.

hind[2] [~] valet *m* de ferme; paysan *m*.

hind[3] [~]: = *leg* jambe *f ou* patte *f*
derrière; = '**hind·er** de derrière;
postérieur; arrière-...; **hin·der**
['hində] *v/t.* empêcher (*q.*) (*de,
from*); gêner; retarder; **hind·most**
['haindmoust] dernier (-ère *f*).

hin·drance ['hindrəns] empêchement *m*; obstacle *m*.

Hin·du, *a.* **Hin·doo** ['hin'du:]
1. hindou; 2. Hindou(e *f*) *m*.

Hin·du·sta·ni *ling.* [hindu'stæni]
hindoustani *m*.

hinge [hindʒ] 1. gond *m*; charnière *f*;
fig. pivot *m*; *off the* ~s hors de ses
gonds; 2. ~ *upon fig.* dépendre de;
~d *lid* couvercle *m* à charnière(s).

hin·ny *zo.* ['hini] bardot *m*.

hint [hint] 1. avis *m*; allusion *f*;
signe *m*; 2. suggérer, insinuer; faire
allusion (à, *at*).

hip[1] [hip] 1. hanche *f*; 2. coxal (-aux
m/pl.); de la hanche; sur les hanches.   [te-cul *m/inv.*]

hip[2] ♀ [~] cynorrhodon *m*; F grat-)

hip[3] [~] 1. mélancolie *f*; 2. attrister;
F donner le cafard à.

hip[4] [~]: *int.* ~, ~, *hurra(h)!* hip! hip!
hourra!

hip-bath ['hipbɑːθ] bain *m* de siège.

hipped F [hipt] mélancolique; *Am.
sl.* obsédé.

hip·po F ['hipou] = **hip·po·pot·a·
mus** [hipə'pɔtəməs], *pl. a.* ~**mi**
[~mai] hippopotame *m*.

hip-roof ⚠ ['hipruːf] toit *m* en
croupe.

hip-shot ['hipʃɔt] (d)éhanché.

hire ['haiə] 1. louage *m*; *maison*:
location *f*; gages *m/pl.*; *on* ~ en location; à louer; à louage; *for* ~ libre
(*taxi*); 2. louer; arrêter; engager (*un
domestique*); ~ *out* louer; *Am.* en-

trer en service; **hire·ling** *péj.* ['~liŋ]
mercenaire (*a. su./m*); '**hire-'purchase** vente *f* à tempérament; *on
the* ~ *system* à tempérament.

hir·sute ['həːsjuːt] hirsute, velu; *fig.*
grossier (-ère *f*).

his [hiz] 1. son, sa, ses; 2. le sien,
la sienne, les siens, les siennes;
à lui.

hiss [his] 1. sifflement *m*; 2. *v/i.* siffler; chuinter (*vapeur etc.*); *v/t.* siffler; ~ *off* chasser à coups de sifflets.

hist [sːt] chut; *pour attirer l'attention:* pst!

his·to·ri·an [his'tɔːriən] historien *m*;
his·tor·ic, **his·tor·i·cal** □ [~'tɔ-
rik(l)] historique; de l'histoire; **his-
to·ri·og·ra·pher** [~tɔːri'ɔɡrəfə] his-
toriographe *m*; **his·to·ry** ['~təri]
histoire *f*; manuel *m* d'histoire;
théâ. drame *m* historique.

his·tri·on·ic [histri'ɔnik] théâtral
(-aux *m/pl.*); *péj.* histrionique.

hit [hit] 1. coup *m*; touche *f*; trait *m*
satirique, coup *m* de patte; *théâ.*
(pièce *f* à) succès *m*; ♪ succès *m*;
2. [*irr.*] *v/t.* frapper; heurter; atteindre (*un but*); porter (*un coup*);
trouver (*le mot juste*); *Am.* F arriver
à; ~ *it off with* s'accorder avec; ~ *off*
imiter exactement; ~ *one's head
against* se cogner la tête contre; ~
s.o. a blow porter un coup à *q.*; *v/i.*
~ *at* décocher un coup à; ~ *or miss*
à tout hasard; ~ *out* détacher des
coups (à, *at*); ~ (*up*)*on* découvrir;
trouver; tomber sur; '~**-and-'run**
driv·er *mot.* chauffard *m*.

hitch [hitʃ] 1. saccade *f*; ♣ nœud *m*,
clef *f*; *fig.* empêchement *m* soudain;
accroc *m*; *radio etc.*: technical ~ incident *m* technique; 2. remuer par
saccades; accrocher; nouer; attacher (*un cheval etc.*); ♣ amarrer;
~ *up* remonter (*le pantalon*); *Am.*
atteler (*des chevaux*); *Am. sl.* get
~*ed* se marier; '~**-hike** *Am.* F faire
de l'auto-stop; '~**-hik·ing** *Am.* F
auto-stop *m*.

hith·er *poét.* ['hiðə] ici; le plus rapproché; **hith·er·to** ['~'tuː] jusqu'ici.

hive [haiv] 1. ruche *f* (*a. fig.*); essaim *m*; *fig.* fourmilière *f*; 🩺 ~s *pl.*
urticaire *f*; varicelle *f* pustuleuse;
croup *m*; 2. *v/t.* mettre dans une
ruche; ~ *up* accumuler; *v/i.* entrer
dans la ruche; *fig.* vivre ensemble.

ho [hou] ho!; hê!; ⚓ en vue!

hoar [hɔ:] 1. *see* hoarfrost; 2. chenu (*personne*).

hoard [hɔ:d] 1. amas *m*; accumulation *f* secrète; F *argent*: magot *m*; 2. (*a.* ~ *up*) amasser; accumuler; thésauriser (*de l'argent*).

hoard·ing¹ ['hɔ:diŋ] resserre *f*; accumulation *f*; thésaurisation *f*.

hoard·ing² [~] clôture *f* de bois; panneau *m* d'affichage.

hoar·frost ['hɔ:'frɔst] gelée *f* blanche, givre *m*.

hoar·i·ness ['hɔ:rinis] blancheur *f*; vieillesse *f*.

hoarse □ [hɔ:s] rauque, enroué; 'hoarse·ness enrouement *m*.

hoar·y ['hɔ:ri] blanchi (*cheveux*); chenu (*personne*); *fig.* séculaire.

hoax [houks] 1. tour *m*, mystification *f*, farce *f*; supercherie *f*; *journ.* canard *m*; 2. attraper, jouer un tour à, mystifier.

hob¹ [hɔb] *cheminée*: plaque *f* de côté; fiche *f* de but (*au jeu de palets*).

hob² [~] ~ *see* hobgoblin; *surt. Am.* F raise ~ faire du raffut; rouspéter fort.

hob·ble ['hɔbl] 1. clochement *m*, boitillement *m*; F embarras *m*; 2. *v/i.* clocher, boitiller, clopiner; *v/t.* entraver; F embarrasser.

hob·ble·de·hoy ['hɔbldi'hɔi] jeune homme *m* gauche; F grand dadais *m*.

hob·by ['hɔbi] *fig.* marotte *f*, dada *m*; '~-horse † petit cheval *m* de selle; cheval *m* de bois; dada *m*.

hob·gob·lin ['hɔbgɔblin] lutin *m*.

hob·nail ['hɔbneil] clou *m* à ferrer; caboche *f*.

hob·nob ['hɔbnɔb]: ~ *with* être à tu et à toi avec (*q.*); fréquenter (*q.*).

ho·bo *Am.* ['houbou] ouvrier *m* ambulant; F chemineau *m*.

hock¹ [hɔk] 1. *zo.* jarret *m*; 2. couper le jarret à.

hock² [~] vin *m* du Rhin.

hock³ *sl.* [~] 1. gage *m*; prison *f*; 2. engager.

hock·ey *sp.* ['hɔki] hockey *m*.

hock-shop ['hɔkʃɔp] mont *m* de piété; F ma tante *f*.

ho·cus ['houkəs] duper; droguer (*q.*, *qch.*); narcotiser (*une boisson*); **~·po·cus** ['~'poukəs] 1. (tour *m* de) passe-passe *m/inv.*; tromperie *f*; 2. *v/i.* faire des tours de passe-passe; *v/t.* mystifier; escamoter (*qch.*).

hod [hɔd] oiseau *m* (*de maçon*); seau *m* à charbon.

hodge-podge ['hɔdʒpɔdʒ] *see* hotchpotch.

hod·man ['hɔdmən] aide-maçon (*pl.* aides-maçons) *m*.

hoe ⚷ [hou] 1. houe *f*; 2. houer.

hog [hɔg] 1. porc *m* (châtré); *fig.* goinfre *m*; *sl.* go the whole ~ aller jusqu'au bout; 2. *v/t.* couper en brosse (*la crinière d'un cheval*); *v/i.* mot. F brûler le pavé; **hogged** [hɔgd] fortement bombé; en brosse; **hog·get** ['hɔgit] agneau *m* antenais; **hog·gish** □ ['~iʃ] de cochon; grossier (-ère *f*); 'hog·gish·ness grossièreté *f*; gloutonnerie *f*; **hogs·head** ['~zhed] tonneau *m*; *mesure*: fût *m* (240 *litres*); *Am.* grosse balle *f* de tabac (de 750 à 1200 livres); 'hog·skin peau *f* de porc; 'hog·wash eaux *f/pl.* grasses; F lavasse *f*.

hoi(c)k [hɔik] ✈ (faire) monter en chandelle; F lever d'un coup sec.

hoist [hɔist] 1. (coup *m* de) treuil *m*; 2. hisser; guinder.

hoi·ty-toi·ty ['hɔiti'tɔiti] 1. susceptible; qui fait l'important; 2. taratata!

ho·kum *Am. sl.* ['houkəm] balivernes *f/pl.*; absurdité *f*, fumisterie *f*.

hold [hould] 1. *su.* prise *f*; appui *m*; empire *m*, pouvoir *m*; influence *f*; *box.* tenu *m*; tanière *f* (*d'une bête fauve*); ⚓ cale *f*; *catch* (*ou get ou lay ou take*) ~ *of* saisir, s'emparer de; *have a* ~ *of* (*ou on*) tenir; *keep* ~ *of* ne pas lâcher (*qch.*); 2. [*irr.*] *v/t. usu.* tenir; retenir (*l'attention, l'haleine, dans la mémoire*); contenir; maintenir; détenir; tenir pour; professer (*une opinion*); avoir (*une idée*); arrêter; célébrer (*une fête*); tenir (*une séance*); faire (*une enquête*); ⚖ décider (*que, that*); *surt. Am.* ~ *down a job* occuper un emploi; se montrer à la hauteur d'un emploi; ~ *one's own* tenir bon; défendre sa position; *téléph.* ~ *the line* ne pas quitter; ~ *water* être étanche; *fig.* tenir debout; ~ *off* tenir à distance; ✗ intercepter; ~ *on* maintenir; tenir (*qch.*) en place; ~ *out* tendre; offrir; ~ *over* remettre à plus tard; ~ *up* lever en l'air; soutenir; relever (la tête); offrir (comme modèle); arrêter; entraver; tourner (en ridicule); exposer; 3. [irr.] v/i. tenir (bon); se maintenir; persister; être vrai; ~ forth pérorer, disserter (sur, on); ~ good (ou true) être valable; ne pas se démentir; F ~ hard! arrêtez!; halte là!; ⚓ baste!; ~ in se maîtriser; ~ off se tenir à distance; ⚓ tenir le large; ~ on se cramponner (à, to); ne pas lâcher; F ~ on! tenez ferme!; attendez un instant!; téléph. ne quittez pas!; ~ to s'en tenir à; ~ up se maintenir; se soutenir; '**hold·all** fourre-tout m/inv.; '**hold·er** maison: possesseur m; locataire mf; médaille, poste: titulaire mf; sp., ✝ détenteur (-trice f) m; ~ of shares actionnaire mf; '**hold·fast** crampon m (a. ⚓); serre-joint m; '**hold·ing** tenue f; possession f; ⊕ serrage m; ✝ portefeuille m effets, dossier m; small ~ petite propriété f; ~ company société f de portefeuille; '**hold·o·ver** Am. survivance f, restant m; '**hold·up** Am. F coup m à main armée; hold-up m; mot. emboutissage m, bouchon m.

hole [houl] 1. su. trou m (a. fig.); ouverture f; F fig. embarras m, difficulté f; pick ~s in critiquer; 2. trouer, percer, faire un trou dans; golf: poter; billard: blouser; '**~-and-'cor·ner** clandestin, secret (-ète f); obscur.

hol·i·day ['hɔlədi] jour m de fête; congé m; ~s pl. vacances f/pl.; on ~ vacances; '**~-mak·er** vacancier (-ère f) m.

ho·li·ness ['houlinis] sainteté f.

hol·la ['hɔlə], **hol·lo(a)** ['hɔlou] 1. holà!; tiens!; souv. bonjour!; 2. crier holà.

hol·land ['hɔlənd] (a. brown ~) toile f de Hollande, toile f écrue.

hol·ler Am. F ['hɔlə] 1. crier (à tue-tête); 2. grand cri m.

hol·low ['hɔlou] 1. adj. □ creux (creuse f); vide; faux (fausse f); sourd (bruit); 2. F adv. (a. all ~) complètement; (sonner) creux; 3. su. creux m, cavité f; terrain: dénivellation f, enfoncement m; ⊕ évidure f; 4. v/t. creuser, évider; '**hol·low·ness** creux m; fig. fausseté f.

hol·ly ⚘ ['hɔli] houx m.

hol·ly·hock ⚘ ['hɔlihɔk] rose f trémière.

holm [houm] îlot m; rive f plate; ⚘ yeuse f.

hol·o·caust ['hɔləkɔːst] holocauste m; fig. massacre m.   [volver.\
hol·ster ['houlstə] étui m de re-\
ho·ly ['houli] saint; pieux (-euse f); ♀ of Holies le saint m des saints; ♀ Thursday le jeudi m saint; ~ water eau f bénite; ♀ Week la semaine f sainte.

hom·age ['hɔmidʒ] hommage m; do (ou pay ou render) ~ rendre hommage (à, to).

home [houm] 1. su. foyer m; maison f, demeure f; asile m; patrie f; at ~ chez moi (lui, elle, etc.); 2. adj. domestique, de famille; qui porte (coup); bien senti (vérité); ♀ Office Ministère m de l'Intérieur; ~ rule autonomie f; ♀ Secretary Ministre m de l'Intérieur; ~ trade commerce m intérieur; 3. adv. à la maison, chez moi etc.; à son pays; à la patrie; à fond; be ~ être chez soi; être de retour; bring (ou press) s.th. ~ to s.o. faire sentir qch. à q.; convaincre q. de qch.; come ~ retourner au pays; rentrer; it came ~ to her fig. elle s'en rendit compte; hit (ou strike) ~ frapper juste; 4. v/i. revenir au foyer (pigeon: au colombier); '**~-'baked** de ménage; fait à la maison; '**~-'bred** indigène; fig. naturel(le f); '**~-croft** petite ferme f; ~·e·co'nom·ics sg. Am. économie f domestique; '**~-felt** dans son for intérieur; profond; '**~-'grown** indigène; du cru (vin); '**~-help** aide f aux mères; '**home·less** sans foyer, sans asile; '**home·like** qui rappelle le foyer; intime; '**home·li·ness** simplicité f; Am. manque m de beauté; '**home·ly** □ fig. simple, modeste, ordinaire; Am. sans beauté.

home...: '**~-made** fait à la maison; du pays; '**~-sick** nostalgique; '**~-sick·ness** nostalgie f; '**~-spun** 1. filé à la maison; fig. simple, rude; 2. gros drap m; '**~-stead** ferme f avec dépendances; Am. bien m de famille; '**~-ward** 1. adv. (ou '~-wards) vers la maison; vers son pays; 2. adj. de retour; '**~-work** travail m fait à la maison; école: devoirs m/pl.

hom·i·cide ['hɔmisaid] homicide *m*; meurtre *m*; *personne*: homicide *mf*.

hom·i·ly ['hɔmili] homélie *f*.

hom·ing ['houmiŋ] retour *m* à la maison; ⚡ retour *m* par radioguidage; ~ instinct instinct *m* qui ramène au foyer; ~ pigeon pigeon *m* voyageur. [maïs.]

hom·i·ny ['hɔmini] semoule *f* de|

ho·moe·o·path ['houmiopæθ] homéopathe *mf*; **ho·moe·o'path·ic** (~ally) homéopathique; homéopathe (*médecin*); **ho·moe·op·a·thist** [~'ɔpəθist] homéopathe *mf*; **ho·moe'op·a·thy** homéopathie *f*.

ho·mo·ge·ne·i·ty [hɔmodʒe'ni:iti] homogénéité *f*; **ho·mo·ge·ne·ous** □ [~'dʒi:njəs] homogène; **ho·mol·o·gous** [hɔ'mɔləgəs] homologue; **ho'mol·o·gy** [~dʒi] homologie *f*; **hom·o·nym** ['hɔmənim] homonyme *m*; **ho·mo·sex·u·al** ['houmou'seksjuəl] homosexuel(le *f*).

hom·y F ['houmi] *see* homelike.

hone ⊕ [houn] **1.** pierre *f* à aiguiser; **2.** aiguiser; repasser (*un rasoir*).

hon·est □ ['ɔnist] honnête, sincère, loyal (-aux *m/pl.*); intègre; ~ truth exacte vérité *f*; **hon·es·ty** honnêteté *f*, probité *f*, loyauté *f*.

hon·ey ['hʌni] miel *m*; *my* ~! chéri(e *f*)!; '~**comb** rayon *m* de miel; '~**combed** alvéolé, criblé; **hon·eyed** ['hʌnid] emmiellé; *fig.* mielleux (-euse *f*); '**hon·ey·moon 1.** lune *f* de miel; **2.** passer la lune de miel; **hon·ey·suck·le** ⚘ ['~sʌkl] chèvrefeuille *m*.

honk *mot.* [hɔŋk] **1.** cornement *m*; **2.** corner, klaxonner.

honk·y-tonk *Am. sl.* ['hɔŋkitɔŋk] beuglant *m*.

hon·o·rar·i·um [ɔnə'rɛəriəm] honoraires *m/pl.*; **hon·or·ar·y** ['ɔnərəri] honoraire, d'honneur.

hon·o(u)r ['ɔnə] **1.** honneur *m*; distinction *f* honorifique; *fig.* gloire *f*; ~s *pl.* honneurs *m/pl.*; distinctions *f/pl.*; *your* ♀ Monsieur le juge; *in* ~ *of s.o.* en honneur de q., à la gloire de q.; *do the* ~s *of the house* faire les honneurs de sa (*etc.*) maison; **2.** honorer; faire honneur à (*a.* ✝).

hon·o(u)r·a·ble □ ['ɔnərəbl] honorable; *Right* ♀ (le) très honorable; '**hon·o(u)r·a·ble·ness** honorabilité *f*; caractère *m* honorable.

hooch *Am. sl.* [hu:tʃ] gnôle *f*.

hood [hud] capuchon *m*; ⚡ cloche *f*; ⊕ *forge etc.*: hotte *f*; *univ.* chaperon *m*; *mot.* capote *f*; *Am. mot.* capot *m* (*du moteur*); '**hood·ed** encapuchonné (*personne*), ⚘ capuchonné; *cost.* à capuchon; *fig.* couvert.

hood·lum *Am.* F ['hu:dləm] voyou *m*; gangster *m*; galapiat *m*.

hoo·doo *surt. Am.* ['hu:du:] **1.** déveine *f*, guigne *f*; porte-malheur *m/inv.*; **2.** porter la guigne à; jeter un sort sur.

hood·wink ['hudwiŋk] † bander les yeux à; *fig.* tromper.

hoo·ey *Am. sl.* ['hu:i] bêtise *f*.

hoof [hu:f] sabot *m*; F pied *m*; **hoofed** [hu:ft] à sabots.

hook [huk] **1.** croc(het) *m*; *robe*: agrafe *f*; *vestiaire*: patère *f*; *pêche*: hameçon *m*; ~s *and eyes* agrafes et œillets; *by* ~ *or by crook* coûte que coûte; *Am.* F ~, *line and sinker* sans exception, totalement; sans réserve; **2.** *v/t.* accrocher; agrafer (*une robe*); prendre (*un poisson*); courber (*le doigt*); *fig.* crocher (*le bras*); *sl.* voler à la tire; attraper; *sl.* ~ *it* attraper; ficher le camp; ~ *up* agrafer (*une robe*); suspendre; *v/i.* (*a.* ~ *on*) s'accrocher; **hooked** [~t] crochu (*a.* ~ *nez*); muni de crochets *etc.*; '**hook·er** ⛴ hourque *f*; '**hook-up** combinaison *f*, alliance *f*; *radio*: relais *m* radiophonique; postes *m/pl.* conjugués; '**hook·y**: *Am. play* ~ faire l'école buissonnière. [voyou *m*.]

hoo·li·gan ['hu:ligən] gouape *f*,|

hoop [hu:p] **1.** *tonneau*: cercle *m*; ⊕ *roue*: jante *f*; *cost.* panier *m*; cerceau *m* (*d'enfant*); *Am. sl.* bague *f*; **2.** cercler; garnir de jantes; '**hoop·er** tonnelier *m*, cerclier *m*.

hoop·ing-cough ['hu:piŋkɔf] coqueluche *f*.

hoo·poe *orn.* ['hu:pu:] huppe *f*.

hoose·gow *Am. sl.* ['hu:sgau] prison *f*; cabinets *m/pl.*

hoot [hu:t] **1.** *su. hibou*: ululement *m*; *personne*: huée *f*; *mot.* cornement *m*; coup *m* de sifflet; **2.** *v/i.* ululer; huer; *mot.* klaxonner; *théâ.* siffler; *v/t.* huer; (*a.* ~ *at*, ~ *out*, ~ *away*) chasser (*q.*) par des huées; '**hoot·er** sirène *f*; avertisseur *m*; *mot.* klaxon *m*.

hop[1] [hɔp] **1.** su ♣ houblon m; ~s pl. houblon m; **2.** v/t houblonner (la bière); v/i. cueillir le houblon.

hop[2] [~] **1.** saut m; gambade f; ✠ étape f; sl. sauterie f (= bal); **2.** sauter; v/t. sl. ~ it ficher le camp, filer; se débiner; v/i. sautiller; ✠ ~ off décoller, partir.

hope [houp] **1.** espoir m (de, of); espérance f; of great ~s qui promet; **2.** espérer (qch., for s.th.); ~ in mettre son espoir en; **hope·ful** [′~ful] plein d'espoir; qui promet; be ~ that avoir bon espoir que; **′hope·less** □ désespéré; sans espoir; incorrigible; inutile.

hop-o′-my-thumb [′hɔpəmi′θʌm] le Petit Poucet; fig. petit bout m d'homme.

hop·per [′hɔpə] ⊕ moulin: trémie f, huche f; ✱ semoir m; ⚓ marie-salope (pl. marie-salopes) f.

horde [hɔːd] horde f.

ho·ri·zon [hə′raizn] horizon m; on the ~ à l'horizon; **hor·i·zon·tal** □ [hɔri′zɔntl] horizontal (-aux m/pl.).

hor·mone biol. [′hɔːmoun] hormone f.

horn [hɔːn] usu. corne f; zo. antenne f; hibou: aigrette f; ♪ cor m; radio etc.: pavillon m; † corne f à boire; mot. klaxon m; trompe f; (stag′s) ~s pl. bois m; ~ of plenty corne f d'abondance; **horned** [′~id; hɔːnd] à ... cornes, cornu.

hor·net zo. [′hɔːnit] frelon m.

horn·less [′hɔːnlis] sans cornes; **′horn·pipe** (a. sailor′s ~) danse: matelote f; **horn·swog·gle** Am. sl. [′~swɔgl] escroquer, tromper (q.); **′horn·y** □ corné; de ou en corne; calleux (-euse f) (main).

hor·o·loge [′hɔrɔlɔdʒ] horloge f; **hor·o·scope** [′~skoup] horoscope m; cast s.o.′s ~ dresser l'horoscope de q.

hor·ri·ble □ [′hɔrəbl] horrible, affreux (-euse f); **hor·rid** □ [′hɔrid] horrible, affreux (-euse f); **hor·rif·ic** [hɔ′rifik] horrifique; **hor·ri·fy** [′~fai] horrifier; fig. scandaliser; **hor·ror** [′hɔrə] horreur f (de, of); chose f horrible; F the ~s pl. delirium m tremens.

horse [hɔːs] **1.** su. cheval m; coll. cavalerie f; séchoir m; take ~ monter à cheval; ~ artillery artillerie f montée; **2.** v/t. fournir des

chevaux à; mettre des chevaux à; v/t. chevaucher; **′~·back:** on ~ à cheval; sur un cheval; be (ou go) on ~ aller à cheval; get on ~ monter à cheval; **′~·bean** féverole f; **′~·box** ✠ wagon m à chevaux; fourgon m pour le transport des chevaux; **′~·break·er** dresseur m de chevaux; **′~·deal·er** marchand m de chevaux; ♀ Guards pl. la cavalerie de la Garde; **′~·hair** crin m (de cheval); **′~·laugh** F gros rire m bruyant; **′~·man** cavalier m; **′~·man·ship** manège m, équitation f; **′~·op·er·a** Am. Western m; **′~·play** jeu m de main(s), jeu m brutal; **′~·pond** abreuvoir m; **′~·pow·er** mesure: cheval-vapeur (pl. chevaux-vapeur) m; **′~·race** course f de chevaux; **′~·rad·ish** ♣ raifort m; **′~·sense** gros bon sens m; **′~·shoe** fer m à cheval; **′~·whip** cravache f; **′~·wom·an** amazone f, cavalière f.

hors·y [′hɔːsi] chevalin; hippomane (personne).

hor·ta·tive □ [′hɔːtətiv], **hor·ta·to·ry** [′~təri] exhortatif (-ive f).

hor·ti·cul·tur·al [hɔːti′kʌltʃərəl] d'horticulture; **′hor·ti·cul·ture** horticulture f; **hor·ti·cul·tur·ist** horticulteur m.

hose [houz] **1.** † bas m/pl.; jardin: tuyau m; manche f à eau; **2.** v/t. arroser au tuyau.

ho·sier † [′houʒə] bonnetier (-ère f) m; **′ho·sier·y** † bonneterie f.

hos·pice [′hɔspis] hospice m.

hos·pi·ta·ble □ [′hɔspitəbl] hospitalier (-ère f).

hos·pi·tal [′hɔspitl] hôpital m; hospice m; ♀ Sunday dimanche m de quête pour les hôpitaux; **hos·pi·tal·i·ty** [~′tæliti] hospitalité f; **hos·pi·tal·ize** [′~təlaiz] hospitaliser; envoyer à l'hôpital; **hos·pi·tal·(l)er** [′~tlə] hospitalier m; qqfois aumônier m; **′hos·pi·tal·train** ✠ train m sanitaire.

host[1] [houst] hôte m (a. zo., ♣); hôtelier m, aubergiste m.

host[2] [~] fig. foule f, multitude f; bibl. Lord of ♀s le Dieu des armées.

host[3] eccl. [~] hostie f.

hos·tage [′hɔstidʒ] otage m.

hos·tel [′hɔstəl] † hôtellerie f; univ. foyer m; youth ~ auberge f de la jeunesse.

host·ess [′houstis] hôtesse f.

hos·tile ['hɔstail] hostile, ennemi;
hos·til·i·ty [hɔs'tiliti] hostilité *f*
(contre, *to*); animosité *f*.

hos·tler ['ɔslə] valet *m* d'écurie.

hot [hɔt] **1.** chaud; brûlant, cuisant;
violent (*colère*); piquant (*sauce*); *sl.*
volé; *Am.* remarquable; *Am. sl.* radio-actif (-ive *f*); F ~ *air* discours
m/pl. vides; *Am.* F ~ *dog* petit pain
m fourré d'une saucisse chaude; go
like ~ *cakes* se vendre comme des
petits pains; *sl.* ~ *stuff* as *m*; viveur
m; marchandise *f* récemment volée;
2. F chauffer; '**hot·bed** couche *f* à
ou de fumier; *fig.* foyer *m*.

hotch·potch ['hɔtʃpɔtʃ] salmigondis
m; hochepot *m*; *fig.* méli-mélo (*pl.*
mélis-mélos) *m*.

ho·tel [hou'tel] hôtel *m*.

hot...: '~**foot 1.** à toute vitesse; **2.** F
se dépêcher; '~**head** tête *f* chaude,
impétueux (-euse *f*) *m*; '~**house**
serre *f* chaude; moutarde etc.: force *f*.

hot...: '~**plate** chauffe-assiettes
m/inv., réchaud *m*; '~**pot** hochepot
m, (*sorte de*) ragoût *m*; '~**press** satiner (*le papier*), *tex.* calandrer; '~ *rod*
mot. Am. sl. bolide *m*; '~**spur**
cerveau *m* brûlé; tête *f* chaude;
'~**wa·ter:** ~ *bottle* bouillotte *f*.

hough [hɔk] *see* hock[1].

hound [haund] **1.** chien *m* (*usu.* de
chasse); *fig.* (sale) type *m*; **2.** chasser; *fig.* s'acharner après; exciter
(contre *at*, on *s.th.*).

hour ['auə] heure *f*; *fig. a.* moment
m; ~ *pl.* heures *f/pl.* de bureau *etc.*;
eccl. heures *f/pl.*; '~**glass** sablier
m; '~**hand** petite aiguille *f*; '**hour·ly**
(*adj.* de) toutes les heures; (*adv.*)
d'heure en heure.

house 1. *su.* [haus], *pl.* **hous·es**
['hauziz] maison *f*, habitation *f*,
demeure *f*; † maison *f* (de commerce); *parl.* Chambre *f*; *théâ.* salle
f; **2.** [hauz] *v/t.* loger; mettre à
l'abri; *v/i.* habiter, loger; ~**a·gent**
['haus.] agent *m* de location; '~**boat**
barge *f* de parade; '~**break·er** voleur *m* avec effraction, cambrioleur
m; démolisseur *m*; '~**check** perquisition *f* à domicile; '~**fly** mouche *f*
commune; '~**hold** ménage *m*, famille *f*; domestiques *m/pl.*; *attr.* domestique, de *ou* du ménage; King's ~
Maison *f* du roi; ~ *troops pl.* la Garde
f; ~ *word* mot *m* d'usage courant;

'~**hold·er** propriétaire *m*, locataire
m; chef *m* de famille; '~**keep·er**
ménagère *f*; gouvernante *f*; '~**keep·ing 1.** ménage *m*; **2.** du ménage; '~**less** sans domicile *ou*
abri; '~**maid** bonne *f*; fille *f* de
service; '~**mas·ter** *école:* professeur *m* directeur (*d'une pension
officielle*); '~**paint·er** peintre *m* décorateur; '~**room** logement *m*,
place *f*; give s.o. ~ loger q.; '~**to·house:** ~ *collection etc.* quête *f*
etc. à domicile; '~**trained** dressé;
F propre; '~**warm·ing** (*ou* ~**party*) pendaison *f* de la crémaillère;
~**wife** ['~waif] ménagère *f*, maîtresse *f* de maison; ['hazif] trousse *f*
de couture; ~**wife·ly** ['~waifli] ménager (-ère *f*); de *ou* du ménage;
~**wif·er·y** ['~wifəri] économie *f*
domestique; travaux *m/pl.* domestiques; '~**wreck·er** démolisseur *m*.

hous·ing[1] ['hauziŋ] logement *m*;
récolte, moutons, etc.: rentrée *f*; †
emmagasinage *m*; ~ *conditions pl.*
état *m* du logement; ~ *shortage*
crise *f* du logement.

hous·ing[2] [~] caparaçon *m*.

hove [houv] *prét. et p.p. de* heave 2.

hov·el ['hɔvl] taudis *m*, masure *f*.

hov·er ['hɔvə] planer, se balancer;
fig. hésiter.

how [hau] comment; ~ *much* (*ou
many*) combien (de); ~ *large a
room!* que la pièce est grande!;
~ *about* ...? et ...?; si on ...?;
~**d'ye-do** *sl.* ['~djə'du:] affaire *f*;
pétrin *m*; ~**ev·er 1.** *adv.* de quelque manière que (*sbj.*); *devant adj.
ou adv.:* quelque ... que (*sbj.*),
tout ... que (*ind.*); F comment
diable?; **2.** *conj.* cependant, toutefois, pourtant.

how·itz·er ⚔ ['hauitsə] obusier *m*.

howl [haul] **1.** hurler; **2.** hurlement
m; mugissement *m*; huée *f*; *radio:*
réaction *f* dans l'antenne; '**howl·er**
hurleur (-euse *f*) *m*; *sl.* gaffe *f*,
perle *f*; '**howl·ing 1.** hurlant; F
énorme; **2.** hurlement *m*.

hoy [hɔi] **1.** hé!; holà!; **2.** ⚓ bugalet
m (= *petit vaisseau côtier*).

hoy·den ['hɔidn] jeune fille *f*
garçonnière.

hub [hʌb] moyeu *m*; *fig.* centre *m*.

hub·ble-bub·ble ['hʌblbʌbl] glouglou *m*; bruit *m* confus de voix,
brouhaha *m*.

hub·bub ['hʌbʌb] brouhaha *m*, vacarme *m*, tohu-bohu *m*.

hub(·by) F ['hʌb(i)] mari *m*.

huck·a·back ⚓ ['hʌkəbæk] toile *f* grain d'orge; toile *f* ouvrée.

huck·le ['hʌkl] hanche *f*; '**~·ber·ry** ♀ airelle *f* myrtille; '**~·bone** os *m* de la hanche; jointure *f* du doigt.

huck·ster ['hʌkstə] **1.** *su.* regrattier (-ère *f*) *m*; **2.** *v/t.* colporter; *v/i.* marchander; trafiquer; regratter.

hud·dle ['hʌdl] **1.** *v/t.* entasser (pêle-mêle); *v/i.* (a. ~ *together*, ~ *up*) s'entasser, s'empiler; ~ *on* mettre à la hâte; **2.** *su.* tas *m* confus; méli-mélo (*pl.* mélis-mélos) *m*; *Am.* conclave *m*, conférence *f* confidentielle.

hue¹ [hju:] teinte *f*, couleur *f*.

hue² [~]: ~ *and cry* clameur *f* de haro; clameur *f* publique.

huff [hʌf] **1.** *su.*: *take (the)* ~ se froisser; **2.** *v/t.* froisser; *dames*: souffler (*un pion*); *v/i.* † haleter; se fâcher; *dames*: souffler; '**huff·ish** □ irascible; susceptible; '**huff·i·ness**, '**huff·ish·ness** mauvaise humeur *f*; susceptibilité *f*; '**huff·y** □ irascible; susceptible; fâché.

hug [hʌg] **1.** étreinte *f*; **2.** étreindre, embrasser; serrer dans ses bras; tenir à, ne pas démordre de; chérir; serrer (*le trottoir*, *un mur*); ~ *o.s.* se féliciter (de *inf.*, *on gér.*).

huge □ [hju:dʒ] immense, énorme, vaste; '**huge·ness** immensité *f*.

hug·ger-mug·ger F ['hʌgəmʌgə] **1.** *adj.* sans ordre; en désordre (a. *adv.*); **2.** *v/t.* (a. ~ *up*) étouffer, supprimer; *v/i.* patauger; agir sans méthode; vivre sans ordre; **3.** *su.* confusion *f*, pagaïe *f*.

Hu·gue·not *hist.* ['hju:gənɔt] huguenot(e *f*) *m* (a. *adj.*).

hulk ⚓ [hʌlk] ponton *m* (*carcasse de navire*); *fig.* lourdaud *m*, gros pataud *m*; '**hulk·ing** lourd, gros(se *f*).

hull [hʌl] **1.** ♀ cosse *f*; *fig.* enveloppe *f*; ⚓, ⚓ coque *f*; **2.** écosser (*des pois*), décortiquer (*de l'orge*, *du riz*), monder (*de l'orge*); ⚓ percer la coque de.

hul·la·ba·loo [hʌləbə'lu:] vacarme *m*, brouhaha *m*.

hul·lo ['hʌ'lou] ohé!; tiens!; *téléph.* allô!

hum [hʌm] **1.** bourdonnement *m* (*des abeilles ou fig.*); ronflement *m*;

murmure *m*; F supercherie *f*; **2.** hmm!; **3.** *v/i.* bourdonner; ronfler; fredonner; ~ *and ha* bredouiller; tourner autour du pot; F *make things* ~ faire ronfler les choses; *v/t.* fredonner (*un air*).

hu·man ['hju:mən] **1.** □ humain; ~*ly* en être humain; ~*ly possible* possible à l'ho̊mme; ~*ly speaking* humainement parlant; **2.** F être *m* humain; **hu·mane** □ [hju:'mein] humain, compatissant; humanitaire; ~ *learning* humanités *f/pl.*; **hu·man·ism** ['hju:mənizm] humanisme *m*; '**hu·man·ist** humaniste (a. *su./m*); **hu·man·i·tar·i·an** [hjumæni'tɛəriən] humanitaire (a. *su./mf*); **hu·man·i·ty** humanité *f*; nature *f* humaine; genre *m* humain, hommes *m/pl.*; *humanities pl.* humanités *f/pl.*, lettres *f/pl.*; **hu·man·i·za·tion** [hju:mənai'zeiʃn] humanisation *f*; '**hu·man·ize** (s')humaniser; **hu·man·kind** ['hju:mən'kaind] le genre *m* humain, les hommes *m/pl.*

hum·ble ['hʌmbl] **1.** □ humble, modeste; *in my* ~ *opinion* à mon humble avis; *your* ~ *servant* votre humble serviteur *m*; *eat* ~ *pie* s'humilier, se rétracter; **2.** humilier; rabaisser.

hum·ble-bee ['hʌmblbi:] bourdon *m*.

hum·ble·ness ['hʌmblnis] humilité *f*.

hum·bug ['hʌmbʌg] **1.** charlatan (-isme) *m*; blagues *f/pl.*; *personne*: blagueur (-euse *f*) *m*; bonbon *m* glacé à la menthe; **2.** mystifier; conter des blagues à; enjôler (*q.*).

hum·drum ['hʌmdrʌm] **1.** monotone; banal (-aux *m/pl.*); ennuyeux (-euse *f*); **2.** monotonie *f*.

hu·mer·al *anat.* ['hju:mərəl] huméral (-aux *m/pl.*).

hu·mid ['hju:mid] humide; moite (*peau*, *chaleur*); **hu·mid·i·ty** humidité *f*.

hu·mil·i·ate [hju:'milieit] humilier; mortifier; **hu·mil·i·a·tion** humiliation *f*; affront *m*.

hu·mil·i·ty [hju:'militi] humilité *f*.

hum·mer ['hʌmə] *surt. téléph.* appel *m* vibré; sonnerie *f*; *sl.* brasseur *m* d'affaires; personne *f* très active.

hum·ming F ['hʌmiŋ] bourdonnant; vrombissant; '**~-bird** *orn.* colibri *m*, oiseau-mouche (*pl.* oiseaux-mouches) *m*; '**~-top** toupie *f* d'Allemagne.

hum·mock ['hʌmək] mamelon *m*, coteau *m*; *glace*: monticule *m*.

hu·mor·ist ['hju:mərist] humoriste *m*; comique *m*; farceur (-euse *f*) *m*.

hu·mor·ous □ ['hju:mərəs] comique, drôle; facétieux (-euse *f*); '**hu·mor·ous·ness** drôlerie *f*; humeur *f* facétieuse.

hu·mo(u)r ['hju:mə] 1. *usu.* humeur *f*; plaisanterie *f*; caractère *m*; out of ~ mécontent (de, with); 2. complaire à (*q.*); laisser faire (*q.*); flatter les caprices de; '**hu·mo(u)r·less** froid, austère; **hu·mo(u)r·some** □ ['~səm] capricieux (-euse *f*).

hump [hʌmp] 1. bosse *f*; *sl.* cafard *m*; *give s.o. the* ~ embêter *q.*; 2. courber, arquer; *F* embêter (*q.*); *Am. sl.* ~ *o.s.* se fouler; '**hump·back(ed)** *see* hunchback(ed).

humph [mm] hmm!

Hum·phrey ['hʌmfri]: *dine with Duke* ~ dîner par cœur.

hump·ty-dump·ty *F* ['hʌmpti-'dʌmpti] petite personne *f* boulotte.

hump·y ['hʌmpi] couvert de protubérances.

hunch [hʌntʃ] 1. *see* hump; gros morceau *m*; *pain*: quignon *m*; *Am. F* pressentiment *m*; 2. (*a.* ~ out, ~ up) voûter; '**hunch·back** bossu(e *f*) *m*; '**hunch·backed** bossu.

hun·dred ['hʌndrəd] 1. cent; 2. cent *m*; centaine *f* (de); *admin.* canton *m*; '**hun·dred·fold** centuple; **hun·dredth** ['~θ] centième (*a. su./m*); '**hun·dred·weight** quintal *m* (50,802 kg, *Am.* 45,359 kg).

hung [hʌŋ] 1. *prét. et p.p. de* hang 1; 2. *adj.* faisandé (*gibier, viande*).

Hun·gar·i·an [hʌŋ'gɛəriən] 1. hongrois; 2. Hongrois(e *f*) *m*; *ling.* hongrois *m*.

hun·ger ['hʌŋgə] 1. *su.* faim *f*; *fig.* ardent désir *m* (de, for); 2. *v/i.* avoir faim; *fig.* avoir soif (de for, after); *v/t.* affamer; contraindre par la faim (à *inf.*, into *gér.*).

hun·gry □ ['hʌŋgri] affamé (de for, after); avide (*œil*); maigre (*sol*).

hunk *F* [hʌŋk] gros morceau *m*; *pain*: quignon *m*; '**hun·kers** *pl.*: on one's ~ à croupetons.

hunks *F* [hʌŋks] grippe-sou *m*, avare *m*.

hunk·y(-do·ry) *Am. sl.* ['hʌŋki (-'dɔ:ri)] parfait; d'accord.

hunt [hʌnt] 1. *su.* chasse *f*; terrain *m* de chasse; recherche *f* (de, for); vénerie *f*; 2. *v/t.* chasser; poursuivre; ~ out, ~ up déterrer; découvrir; *v/i.* chasser (au chien courant *ou* à courre); aller à la recherche (de for, after); '**hunt·er** chasseur *m*; tueur *m* (*de lions etc.*); chien *m* de chasse; '**hunt·ing** 1. chasse *f*; poursuite *f*; vénerie *f*; 2. de chasse; '**hunt·ing-box** pavillon *m* de chasse; muette *f*; '**hunt·ing-ground** terrain *m* de chasse; '**hunt·ress** chasseuse *f*; '**hunts·man** chasseur *m* (à courre).

hur·dle ['hə:dl] claie *f*, clôture *f*; *sp.* haie *f*; '**hur·dler** *sp.* sauteur *m* de haies; '**hur·dle-race** *sp.*, *turf*: course *f* de haies; steeplechase *m*.

hur·dy-gur·dy ['hə:digə:di] † vielle *f*.

hurl [hə:l] 1. lancement *m*; 2. lancer (*a. fig.*), jeter.

hurl·y-burl·y ['hə:libə:li] brouhaha *m*, tintamarre *m*.

hur·ra(h) *int.* [hu'rɑ:] hourra! (*a. su./m*).

hur·ri·cane ['hʌrikən] ouragan *m*; ♫ tempête *f*.

hur·ried □ ['hʌrid] pressé, précipité.

hur·ry ['hʌri] 1. hâte *f*; précipitation *f*; empressement *m*; *in a* ~ à la hâte; *be in a* ~ être pressé; *is there any* ~? est-ce que cela presse?; *F not ... in a* ~ ne ... pas de sitôt; 2. *v/t.* hâter, presser; ~ *on*, ~ *up* faire hâter le pas à; pousser; *v/i.* (*a.* ~ up) se hâter, se dépêcher; presser le pas; ~ *over s.th.* expédier qch.; faire qch. à la hâte; '**~-scur·ry** 1. désordre *m*; débandade *f*; 2. à la débandade; pêle-mêle.

hurt [hə:t] 1. *su.* mal *m*; blessure *f*; tort *m*; 2. [*irr.*] *v/t.* faire du mal à; *fig.* nuire à; blesser (*a. les sentiments*); faire de la peine à; gâter, abîmer; *v/i.* faire mal; offenser; *F* s'abîmer; **hurt·ful** □ ['~ful] (*to*) nuisible (à); préjudiciable (à).

hur·tle ['hə:tl] *v/t.* heurter; *v/i.* se précipiter.

hus·band ['hʌzbənd] 1. mari *m*,

époux *m*; 2. ménager; ✍ cultiver; **'hus·band·man** cultivateur *m*; laboureur *m*; **'hus·band·ry** agronomie *f*; industrie *f* agricole; *good* ~ bonne gestion *f*; *bad* ~ gaspillage *m*.

hush [hʌʃ] 1. *int.* silence!; chut!; 2. *su.* silence *m*; 3. *v/t.* calmer; faire taire; étouffer (*un bruit*); ~ *up* étouffer; *v/i.* se taire; **'~-mon·ey** prix *m* du silence (*de q.*).

husk [hʌsk] 1. ♀ cosse *f*, gousse *f*; brou *m*; *fig.* carcasse *f*; 2. écosser (*des pois*); décortiquer; **'husk·i·ness** enrouement *m*, raucité *f*.

husk·y[1] □ ['hʌski] cossu (*pois*); enroué (*voix*); altéré par l'émotion (*voix*); F fort, costaud.

hus·ky[2] [~] Esquimau *mf*; chien *m* esquimau.

hus·sar ✗ [hu'za:] hussard *m*.

hus·sy ['hʌsi] coquine *f*; garce *f*.

hus·tings *hist.* ['hʌstiŋz] *pl.* estrade *f*, tribune *f*; élection *f*.

hus·tle ['hʌsl] 1. *v/t.* bousculer; pousser; *v/i.* se dépêcher, se presser; 2. *su.* bousculade *f*; hâte *f*; activité *f* énergique; ~ *and bustle* animation *f*; remue-ménage *m/inv.*; **'hus·tler** homme *m* d'expédition.

hut [hʌt] 1. hutte *f*, cabane *f*; ✗ baraquement *m*; 2. (se) baraquer; loger.

hutch [hʌtʃ] coffre *m*, huche *f*; cage *f* (*à lapins*); *fig.* logis *m* étroit; pétrin *m*.

hut·ment ✗ ['hʌtmənt] (camp *m* de) baraques *f/pl.*; baraquements *m/pl.*

huz·za *int.* [hu'za:] hourra!; vivat! (*a. su./m*).

hy·a·cinth ♀ ['haiəsinθ] jacinthe *f*.

hy·a(e)·na *zo.* [hai'i:nə] hyène *f*.

hy·brid ['haibrid] 1. *biol.* hybride *m*; *personne*: métis(se *f*) *m*; 2. hybride; hétérogène; **'hy·brid·ism** hybridité *f*; **'hy·brid·ize** (s')hybrider.

hy·drant ['haidrənt] prise *f* d'eau; **hy·drate** ⚗ ['haidreit] hydrate *m*.

hy·drau·lic [hai'drɔ:lik] 1. (~*ally*) hydraulique; 2. ~*s pl.* hydraulique *f*, hydromécanique *f*.

hydro... [haidro] hydr(o)-; **'~·a·er·o·plane** hydravion *m*; **'~·car·bon** ⚗ hydrocarbure *m*; **'~·chlo·ric ac·id** acide *m* chlorhydrique; **'~·dy·nam·ics** *pl.* hydrodynamique *f*; **'~·e·lec·tric** hydroélectrique; ~ *generating station* centrale *f* hydroélectrique; **hy·dro·gen** ⚗ ['hai-

dridʒən] hydrogène *m*; **hy·dro·gen·at·ed** [hai'drɔdʒineitid] hydrogéné; **hy'drog·e·nous** hydrogénique; **hy·'drog·ra·phy** [~grəfi] hydrographie *f*; **hy·dro·path·ic** ['haidro·'pæθik] 1. hydothérapique; hydropathe (*personne*); 2. (*a.* ~ *establishment*) établissement *m* hydrothérapique; **hy·drop·a·thy** [hai'drɔpəθi] hydropathie *f*.

hydro...: **~·'pho·bi·a** hydrophobie *f*; **'~·plane** hydravion *m*; bateau *m* glisseur; **hy'stat·ic** 1. hydrostatique; ~ *press* presse *f* hydraulique; 2. ~*s pl.* hydrostatique *f*.

hy·giene ['haidʒi:n] hygiène *f*; **hy'gien·ic** 1. (~*ally*) hygiénique; 2. ~*s pl. see hygiene*.

hy·grom·e·ter *phys.* [hai'grɔmitə] hygromètre *m*.

Hy·men ['haimen] *myth.* Hymen *m*.

hymn [him] 1. *eccl.* hymne *f*, cantique *m*; hymne *m* (*national, de guerre, etc.*); 2. glorifier, louer; **hym·nal** ['~nəl] 1. qui se rapporte à un cantique; 2. (*ou* **'hymn-book**) recueil *m* d'hymnes.

hy·per·bo·la 𝒜 [hai'pə:bələ] hyperbole *f*; **hy'per·bo·le** [~li] *rhétorique*: hyperbole *f*; **hy·per·bol·ic** 𝒜 [~'bɔlik] hyperbolique; **hy·per·bol·i·cal** □ hyperbolique; **hy·per·crit·i·cal** □ ['~'kritikl] hypercritique; difficile; **hy'per·tro·phy** [~trəfi] hypertrophie *f*.

hy·phen ['haifən] 1. trait *m* d'union; *typ.* division *f*; 2. écrire avec un trait d'union; **hy·phen·ate** ['~eit] mettre un trait d'union à; ~*d Americans pl.* étrangers *m/pl.* naturalisés (*qui conservent leur sympathie pour leur pays d'origine*).

hyp·no·sis [hip'nousis], *pl.* **-ses** [~si:z] hypnose *f*.

hyp·not·ic [hip'nɔtik] 1. (~*ally*) hypnotique; 2. narcotique *m*; **hyp·no·tism** ['~nətizm] hypnotisme *m*; **'hyp·no·tist** hypnotiste *mf*; **hyp·no·tize** ['~taiz] hypnotiser.

hy·po·chon·dri·a [haipo'kɔndriə] hypocondrie *f*; F spleen *m*; **hy·po·'chon·dri·ac** [~'driæk] 1. hypocondriaque; 2. hypocondre *mf*; **hy·poc·ri·sy** [hi'pɔkrəsi] hypocrisie *f*; **hyp·o·crite** ['hipokrit] hypocrite *mf*; F *homme*: tartufe *m*, *femme*: sainte nitouche *f*; **hyp·o·**

'crit·i·cal □ hypocrite; **hy·po·der·mic** [haipo'də:mik] 1. sous-cutané (*injection*); ~ *needle* canule *f*; 2. seringue *f* hypodermique; **hy·pot·e·nuse** ⅄ [hai'pɒtinju:z] hypoténuse *f*; **hy'poth·e·car·y** [~θikəri] ℔ hypothécaire; **hy'poth·e·cate** [~θikeit] hypothéquer; **hy·'poth·e·sis** [~θisis], *pl.* **-ses** [~si:z]

hypothèse *f*; **hy·po·thet·ic, hy·po·thet·i·cal** □ [~po'θetik(l)] hypothétique, supposé.

hys·te·ri·a ✿ [his'tiəriə] hystérie *f*; F crise *f* de nerfs; **hys·ter·ic,** *usu.* **hys·ter·i·cal** □ [his'terik(l)] hystérique; **hys'ter·ics** *pl.* crise *f ou* attaque *f* de nerfs; *go into* ~ avoir une crise de nerfs.

I

I, i [ai] I *m*, i *m*.
I [ai] je; *accentué*: moi.
i·am·bic [ai'æmbik] 1. iambique; 2. (*ou* **'i·amb, i'am·bus** [~bəs]) iambe *m*.
i·bex *zo.* ['aibeks] bouquetin *m*.
ice [ais] 1. glace *f* (*a. cuis.*); F *cut no* ~ ne faire aucune impression (sur, *with*); F *ne pas compter*; 2. (con-)geler; *v/i.* être pris dans les glaces; *v/t.* ✖ (*a.* ~ *up*) givrer; *cuis.* glacer (*un gâteau*); frapper (*le vin*); '~-**age** période *f* glaciaire; '~-**axe** piolet *m*; **ice·berg** ['~bə:g] iceberg *m*.
ice...: '~-**bound** fermé *ou* retenu par les glaces; '~-**box**, *surt. Am.* '~-**chest** glacière *f*; sorbetière *f*; '~-'**cream** (crème *f* à la) glace *f*; '~-'**hock·ey** hockey *m* sur glace.
Ice·land·er ['aisləndə] Islandais(e *f*) *m*.
ich·thy·ol·o·gy [ikθi'ɔlədʒi] ichtyologie *f*.
i·ci·cle ['aisikl] glaçon *m*.
i·ci·ness ['aisinis] froid *m* glacial; *fig.* froideur *f* glaciale.
ic·ing ['aisiŋ] glaçage *m*; glacé *m* (*de sucre*); ✖ givrage *m*.
i·con·o·clast [ai'kɔnəklæst] iconoclaste *mf*.
i·cy □ ['aisi] glacial (*-als m/pl.*).
i·de·a [ai'diə] idée *f*; notion *f*; intention *f*; *form an* ~ *of* se faire une idée de; **i'de·al** 1. □ idéal (*-als, -aux m/pl.*); optimum; *le* meilleur; F parfait; 2. idéal (*pl.* ~als, -aux) *m*; **i'de·al·ism** idéalisme *m*; **i'de·al·ist** idéaliste *mf*; **i·de·al·is·tic** (~ally) idéaliste; **i'de·al·ize** [~aiz] idéaliser.
i·den·ti·cal □ ['ai'dentikl] identique (à, *with*), même; **i'den·ti·cal·ness** *see* identity; **i·den·ti·fi·ca·tion** [~fi-'keiʃn] identification *f*; ~ *card* carte

f d'identité; ~ *mark* ✝ estampille *f*; **i'den·ti·fy** [~fai] identifier; établir *ou* constater l'identité de; reconnaître (pour, *as*); F découvrir; **i'den·ti·ty** identité *f*; ~ *card* carte *f* d'identité; ✖ ~ *disk* plaque *f* d'identité.
id·e·o·log·i·cal □ [aidiə'lɔdʒikl] idéologique; **id·e·ol·o·gy** [~'ɔlədʒi] idéologie *f*.
id·i·o·cy ['idiəsi] idiotie *f*; idiotisme *m*; *fig.* bêtise *f*.
id·i·om ['idiəm] idiotisme *m*; *région*: idiome *m*; locution *f*; style *m*; ♪, *peint.* manière *f* de s'exprimer; **id·i·o·mat·ic** [idiə'mætik] (~ally) idiomatique.
id·i·o·syn·cra·sy [idiə'siŋkrəsi] ✿ idiosyncrasie *f*; *fig.* petite manie *f*.
id·i·ot ['idiət] ✿ idiot(e *f*) *m*, imbécile *mf* (*a.* F); **id·i·ot·ic** [idi'ɔtik] (~ally) idiot; inepte; stupide, bête.
i·dle ['aidl] 1. □ paresseux (-euse *f*); inoccupé; en chômage; *fig.* inutile, vain, sans fondement; dormant (*capital, fonds*); ⊕ arrêté (*machine*), parasite (*roue*); ~ *hours pl.* heures *f/pl.* perdues; ~ *motion* mot. mouvement *m* perdu; ⊕ *run* ~ marcher à vide; 2. *v/t.* (*usu.* ~ *away*) perdre; *v/i.* fainéanter; muser; **'i·dle·ness** paresse *f*; oisiveté *f*; chômage *m*; *fig.* inutilité *f*; **'i·dler** fainéant(e *f*) *m*; flâneur (-euse *f*) *m*.
i·dol ['aidl] idole *f* (*a. fig.*); **i·dol·a·ter** [ai'dɔlətə] idolâtre *m*; **i'dol·a·tress** idolâtre *f*; **i'dol·a·trous** □ idolâtre; **i'dol·a·try** idolâtrie *f*; **i·dol·ize** ['aidəlaiz] idolâtrer.
i·dyl(l) ['idil] idylle *f*; **i'dyl·lic** (~ally) idyllique.
if [if] 1. si; *even* ~ quand même; ~ *not* sinon; ~ *so* s'il en est ainsi; *as* ~ *to say* comme pour dire; 2. si

m/inv.; **'if·fy** *Am.* F plein de si, douteux (-euse *f*).

ig·ne·ous ['igniəs] igné.

ig·nis fat·u·us ['ignis'fætjuəs] feu *m* follet.

ig·nit·a·ble [ig'naitəbl] inflammable; **ig'nite** *v/t.* mettre le feu à, allumer; 🜂 enflammer; *v/i.* prendre feu; **ig·ni·tion** [⌄'niʃn] ignition *f*; ⚡, *mot.* allumage *m*; *attr.* d'allumage; *mot.* ~ **key** clef *f* de contact.

ig·no·ble ☐ [ig'noubl] ignoble; vil, infâme; de basse naissance.

ig·no·min·i·ous ☐ [ignə'miniəs] ignominieux (-euse *f*); méprisable; **'ig·no·min·y** ignominie *f*, honte *f*; infamie *f*.

ig·no·ra·mus F [ignə'reiməs] ignorant(e *f*) *m*; F bourrique *f*; **ig·no·rance** ['ignərəns] ignorance *f*; **'ig·no·rant** ignorant (de, of); étranger (à, of); **ig·nore** [ig'nɔː] ne tenir aucun compte de; feindre de ne pas voir; ⚖️ rejeter (*une plainte*).

Il·i·ad ['iliəd] Iliade *f* (*a. fig.*).

ill [il] **1.** *adj.* mauvais; malade, souffrant; *see* **ease**; **2.** *adv.* mal; **3.** *su.* mal (*pl.* maux) *m*; malheur *m*; dommage *m*; tort *m*.

I'll [ail] = **I will, shall.**

ill...: '~·**ad'vised** impolitique; malavisé (*personne*); '~·'**bred** mal élevé; '~·**con'di·tioned** en mauvais état; de mauvaise mine (*personne*); méchant; '~·**dis'posed** malintentionné; mal disposé (envers, to).

il·le·gal ☐ [i'liːgəl] illégal (-aux *m/pl.*); **il·le·gal·i·ty** [ili'gæliti] illégalité *f*.

il·leg·i·ble ☐ [i'ledʒəbl] illisible.

il·le·git·i·ma·cy [ili'dʒitiməsi] illégitimité *f*; **il·le'git·i·mate** ☐ [⌄mit] illégitime (*a.* enfant); non autorisé; bâtard (*enfant*).

ill...: '~·**fat·ed** malheureux (-euse *f*); infortuné; '~·**'fa·vo(u)red** laid; '~·**'feel·ing** ressentiment *m*, rancune *f*; '~·**'got·ten** mal acquis; '~·**'hu·mo(u)red** de mauvaise humeur; maussade.

il·lib·er·al ☐ [i'libərəl] grossier (-ère *f*); illibéral (-aux *m/pl.*); borné (*esprit*); **il·lib·er·al·i·ty** [⌄'ræliti] illibéralité *f*; petitesse *f*; manque *m* de générosité.

il·lic·it ☐ [i'lisit] illicite; clandestin.

il·lim·it·a·ble ☐ [i'limitəbl] illimité; illimitable.

il·lit·er·ate ☐ [i'litərit] **1.** illettré; ignorant; **2.** analphabète *mf*.

ill...: '~·**'judged** malavisé; peu sage; '~·**man·nered** malappris, mal élevé; '~·**'na·tured** ☐ méchant; désagréable.

ill·ness ['ilnis] maladie *f*.

il·log·i·cal ☐ [i'lɔdʒikl] illogique.

ill...: ~·**o·mened** ['il'oumend] de mauvais augure; malheureux (-euse *f*); '~·**'tem·pered** de mauvaise humeur; de méchant caractère (*a.* animal); '~·**'timed** mal à propos; '~·**'treat** maltraiter.

il·lu·mi·nant [i'ljuːminənt] illuminant, éclairant (*a. su./m*); **il'lu·mi·nate** [⌄neit] éclairer (*a. fig.*); illuminer (*de dehors*); enluminer (*un manuscrit etc.*); *fig.* embellir (*une action*); ~**d** advertising enseigne *f* lumineuse; ~**d** advertising enseigne *f* lumineuse, enseignes *f/pl.* lumineuses; **il'lu·mi·nat·ing** lumineux (-euse *f*); qui éclaire (*a. fig.*); **il·lu·mi'na·tion** éclairage *m*; illumination *f* (*de dehors*); *manuscrit:* enluminure *f*; **il'lu·mi·na·tive** [⌄nətiv] éclairant; d'éclairage; **il'lu·mi·na·tor** [⌄neitə] illuminateur (-trice *f*) *m*; enlumineur (-euse *f*) *m*; dispositif *m* d'éclairage; **il'lu·mine** [⌄min] *see* illuminate.

ill-use ['il'juːz] maltraiter.

il·lu·sion [i'luːʒn] illusion *f*, tromperie *f*; **il'lu·sive** ☐ [⌄siv], **il'lu·so·ry** ☐ [⌄səri] illusoire, trompeur (-euse *f*).

il·lus·trate ['iləstreit] expliquer; éclairer; illustrer; **il·lus'tra·tion** exemple *m*; explication *f*; **'il·lus·tra·tive** ☐ qui sert d'exemple; be ~ of expliquer; éclaircir; **'il·lus·tra·tor** illustrateur *m*.

il·lus·tri·ous ☐ [i'lʌstriəs] illustre; célèbre.

ill will ['il'wil] rancune *f*, malveillance *f*.

I'm [aim] = **I am.**

im·age ['imidʒ] **1.** *tous les sens:* image *f*; idole *f*; portrait *m*; idée *f*; **2.** représenter par une image; tracer le portrait de; be ~**d** se refléter; **'im·age·ry** idoles *f/pl.*; images *f/pl.*; langage *m* figuré.

im·ag·i·na·ble ☐ [i'mædʒinəbl] imaginable; **im'ag·i·nar·y** imaginaire, de pure fantaisie; **im·ag·i-**

na·tion [ˌˈneiʃn] imagination *f*;
im'ag·i·na·tive □ [ˌˈnətiv] d'imagination; imaginatif (-ive *f*) (*personne*); **im'ag·ine** [ˌˈdʒin] imaginer; concevoir; se figurer.

im·be·cile □ ['imbisi:l] imbécile
(*a. su./mf*); **im·be·cil·i·ty** [ˌˈsiliti]
imbécillité *f*; faiblesse *f* (d'esprit).

im·bibe [im'baib] boire; absorber
(*a. fig.*); *fig.* s'imprégner de.

im·bro·glio [im'brouliou] imbro-
glio *m*.

im·brue [im'bru:] tremper (dans
in, *with*).

im·bue [im'bju:] imbiber; imprégner; *fig.* pénétrer (de, *with*).

im·i·ta·ble ['imitəbl] imitable; **im-
i·tate** ['ˌteit] imiter; copier (*a.* ⊕);
singer (*q.*); **im·i'ta·tion** imitation *f*;
copie *f*; ⊕ contrefaçon *f*; *attr.*
simili-; factice; artificiel(le *f*); ∼
leather similicuir *m*; **im·i·ta·tive**
□ ['ˌtətiv] imitatif (-ive *f*); imitateur (-trice *f*) (*personne*); ∼ of qui
imite; **im·i·ta·tor** ['ˌteitə] imitateur (-trice *f*) *m*; ♱ contrefacteur *m*.

im·mac·u·late □ [i'mækjulit] immaculé; impeccable.

im·ma·nent ['imənənt] immanent.

im·ma·te·ri·al □ [imə'tiəriəl] im-
matériel(le *f*); peu important; sans
conséquence; indifférent (à, *to*).

im·ma·ture [imə'tjuə] pas mûr(i);
im·ma'tu·ri·ty immaturité *f*.

im·meas·ur·a·ble □ [i'meʒərəbl]
immesurable; infini.

im·me·di·ate □ [i'mi:djət] immédiat; sans intermédiaire; instantané; urgent; **im'me·di·ate·ly**
1. *adv.* tout de suite, immédiatement; 2. *cj.* dès que.

im·me·mo·ri·al □ [imi'mɔ:riəl]
immémorial (-aux *m/pl.*).

im·mense □ [i'mens] immense;
vaste; *sl.* magnifique; **im'men·si·ty**
immensité *f*.

im·merse [i'mə:s] immerger, plonger; *fig.* ∼ *o.s.* in se plonger dans;
∼d in plongé dans (*un livre*); accablé
de (*dettes*); **im'mer·sion** immersion *f*; submersion *f*; *fig.* absorption *f*; ∼ heater thermo-plongeur *m*.

im·mi·grant ['imigrənt] immi-
grant(e *f*) *m*, -gré(e *f*) *m*; **im·mi-
grate** ['ˌgreit] *v/i.* immigrer; *v/t.*
introduire des étrangers (dans,
[*in*]to); **im·mi'gra·tion** immigra-
tion *f*.

im·mi·nence ['iminəns] imminence
f, proximité *f*; **'im·mi·nent** □
imminent, proche.

im·mit·i·ga·ble □ [i'mitigəbl] que
l'on ne saurait adoucir; implacable.

im·mo·bile [i'moubail] immobile;
fixe; **im·mo·bil·i·ty** [imo'biliti]
immobilité *f*; fixité *f*; **im·mo-
bi·lize** [i'moubilaiz] immobiliser
(*a. des espèces monnayées*); rendre
indisponible (*un capital*).

im·mod·er·ate □ [i'mɔdərit] immodéré, excessif (-ive *f*).

im·mod·est □ [i'mɔdist] immodeste; † impudent; **im'mod·es·ty**
immodestie *f*; † impudence *f*.

im·mo·late ['imoleit] immoler;
im·mo'la·tion immolation *f*; **'im-
mo·la·tor** immolateur *m*.

im·mor·al □ [i'mɔrəl] immoral
(-aux *m/pl.*); **im·mo·ral·i·ty** [imo-
'ræliti] immoralité *f*.

im·mor·tal □ [i'mɔ:tl] immortel(le
f); **im·mor·tal·i·ty** [ˌˈtæliti] immortalité *f*; **im'mor·tal·ize** [ˌˈ-
təlaiz] immortaliser; perpétuer.

im·mov·a·ble [i'mu:vəbl] **1.** □
immobile; inébranlable; **2.** ∼s *pl.*
biens *m/pl.* immeubles.

im·mune [i'mju:n] à l'abri (de) (*a.*
♯); inaccessible (à, *from*); ♯
immunisé (contre *from*, *against*); ♯
im'mu·ni·ty exemption *f* (de,
from); ♯ immunité *f* (contre);
im·mu·nize ['ˌaiz] ♯ immuniser.

im·mure [i'mjuə] enfermer.

im·mu·ta·bil·i·ty [imju:tə'biliti]
immu(t)abilité *f*; **im'mu·ta·ble** □
immuable; inaltérable.

imp [imp] diablotin *m*; petit démon
m; lutin *m*; petit(e *f*) espiègle *m*(*f*).

im·pact ['impækt] choc *m*; impact
m; collision *f*.

im·pair [im'pɛə] altérer; endommager; diminuer; affaiblir (*la
santé*).

im·pale [im'peil] empaler (*un
criminel*); enclore d'une palissade;
fig. fixer.

im·pal·pa·ble □ [im'pælpəbl] impalpable; *fig.* insaisissable; subtil.

im·pan·(n)el [im'pænl] *see* empanel.

im·part [im'pa:t] communiquer;
annoncer; donner.

im·par·tial □ [im'pa:ʃl] impartial
(-aux *m/pl.*); **im·par·ti·al·i·ty** ['ˌ-
ʃi'æliti] impartialité *f* (envers, *to*).

im·pass·a·ble □ [im'pa:səbl] infranchissable (*rivière*); impraticable (*chemin*).

im·passe [æm'pɑːs] impasse *f*.

im·pas·si·ble □ [im'pæsibl] impassible; insensible (à, *to*).

im·pas·sion [im'pæʃn] passionner; exalter; enivrer (*de passion*).

im·pas·sive □ [im'pæsiv] impassible; insensible (aux émotions); **im'pas·sive·ness** impassibilité *f*; insensibilité *f*.

im·pa·tience [im'peiʃns] impatience *f*; intolérance *f* (de *of*, with); **im'pa·tient** □ impatient; intolérant (de *at*, *of*, with); avide (de, *for*); be ~ of (*inf.*) être impatient de (*inf.*); F brûler de (*inf.*).

im·peach [im'piːtʃ] accuser (de *of*, with); attaquer; dénoncer; mettre (*qch.*) en doute; **im'peach·a·ble** accusable; blâmable; récusable (*témoin*); **im'peach·ment** accusation *f*; dénigrement *m*; ⚖ mise *f* en accusation.

im·pec·ca·bil·i·ty [impekə'biliti] impeccabilité *f*; **im'pec·ca·ble** □ impeccable, irréprochable.

im·pe·cu·ni·ous [impi'kjuːnjəs] impécunieux (-euse *f*), besogneux (-euse *f*).

im·pede [im'piːd] empêcher, entraver.

im·ped·i·ment [im'pedimənt] empêchement *m* (à, *to*); ~ in one's speech empêchement *m* de la langue; **im·ped·i·men·ta** ✗ [~-'mentə] *pl.* impedimenta *m/pl.*; attirail *m*; F bagages *m/pl.*

im·pel [im'pel] pousser (à, *to*); **im'pel·lent** 1. moteur (-trice *f*); impulsif (-ive *f*); 2. moteur *m*; force *f* motrice.

im·pend [im'pend] être suspendu (sur, *over*); *fig.* menacer (q., *over s.o.*); être imminent; **im'pend·ence** imminence *f*; proximité *f*; **im'pend·ent** imminent; menaçant.

im·pen·e·tra·bil·i·ty [impenitrə-'biliti] impénétrabilité *f* (*a. fig.*); **im'pen·e·tra·ble** □ impénétrable (à *to*, *by*); *fig.* insondable.

im·pen·i·tence [im'penitəns] impénitence *f*; **im'pen·i·tent** □ impénitent.

im·per·a·tive [im'perətiv] 1. □ péremptoire; impérieux (-euse *f*); urgent; impératif (-ive *f*); ~ mood = 2. *gramm.* (mode *m*) impératif *m*.

im·per·cep·ti·ble □ [impə'septəbl] imperceptible; *fig.* insensible.

im·per·fect [im'pəːfikt] 1. □ imparfait, défectueux (-euse *f*); ⚓ surbaissé; ~ tense = 2. *gramm.* (temps *m*) imparfait *m*; in the ~ à l'imparfait; **im·per·fec·tion** [~pə'fekʃn] imperfection *f*; *fig. a.* faiblesse *f*.

im·pe·ri·al [im'piəriəl] 1. □ impérial (-aux *m/pl.*); *fig.* majestueux (-euse *f*); 2. impériale *f*; *papier*: grand jésus *m*; **im'pe·ri·al·ism** impérialisme *m*; césarisme *m*; *pol.* colonialisme *m*; **im'pe·ri·al·ist** impérialiste *m*; césariste *m*; *pol.* colonialiste *m*; **im·pe·ri·al·is·tic** impérialiste.

im·per·il [im'peril] mettre en péril.

im·pe·ri·ous □ [im'piəriəs] impérieux (-euse *f*); arrogant; péremptoire.

im·per·ish·a·ble □ [im'periʃəbl] impérissable.

im·per·me·a·ble □ [im'pəː·mjəbl] imperméable.

im·per·son·al □ [im'pəːsnl] impersonnel(le *f*); **im·per·son·al·i·ty** [~sə'næliti] impersonnalité *f*.

im·per·son·ate [im'pəːsəneit] personnifier; se faire passer pour; *théâ.* représenter; **im·per·son·'a·tion** personnification *f*; *théâ.* interprétation *f*; ⚖ supposition *f* de personne.

im·per·ti·nence [im'pəːtinəns] impertinence *f*; insolence *f*; **im'per·ti·nent** □ impertinent (*a.* ⚖); insolent.

im·per·turb·a·bil·i·ty ['impətə:bə-'biliti] imperturbabilité *f*; flegme *m*; **im·per'turb·a·ble** □ imperturbable, flegmatique.

im·per·vi·ous □ [im'pəːvjəs] inaccessible (à, *to*) (*a. fig.*); imperméable (à).

im·pet·u·os·i·ty [impetju'ɔsiti] impétuosité *f*; **im'pet·u·ous** □ impétueux (-euse *f*); emporté; **im·pe·tus** ['~pitəs] élan *m*, poussée *f*; *fig.* impulsion *f*.

im·pi·e·ty [im'paiəti] impiété *f*.

im·pinge [im'pindʒ] entrer en collision (avec [*up*]*on*, *against*); empiéter (sur, *on*) (*a.* ⚖); **im'pinge·ment** heurt *m*; collision *f* (avec [*up*]*on*, *against*); empiètement *m* (sur, *on*) (*a. fig., a.* ⚖).

im·pi·ous □ ['impiəs] impie.

imp·ish □ ['impiʃ] de démon; (d')espiègle.

im·pla·ca·bil·i·ty [implækə'biliti] implacabilité *f*; **im·pla·ca·ble** □ [‿'plækəbl] implacable (à, pour *towards*).

im·plant [im'plɑːnt] *usu. fig.* planter (dans, *in*); inculquer (à, *in*).

im·plau·si·ble [im'plɔːzəbl] peu plausible.

im·ple·ment 1. ['implimənt] instrument *m*, outil *m*; **2.** ['‿ment] exécuter (*un contrat, une promesse*); accomplir; suppléer à; **im·ple·men'ta·tion** [‿'teiʃn] exécution *f*; mise *f* en œuvre.

im·pli·cate ['implikeit] impliquer, mêler (dans, *in*); compromettre; **im·pli'ca·tion** implication *f*; insinuation *f*; ‿s *pl.* portée *f*.

im·plic·it □ [im'plisit] implicite; tacite; *fig.* aveugle, parfait.

im·plied □ [im'plaid] implicite; sous-entendu.

im·plore [im'plɔː] implorer; supplier; **im'plor·ing** [‿riŋ] suppliant.

im·ply [im'plai] impliquer; emporter; signifier, vouloir dire.

im·pol·i·cy [im'polisi] mauvaise politique *f*; *fig.* maladresse *f*.

im·po·lite □ [impə'lait] impoli.

im·pol·i·tic □ [im'politik] impolitique.

im·pon·der·a·ble [im'pondərəbl] **1.** impondérable; **2.** ‿s *pl.* impondérables *m/pl.*

im·port 1. ['impɔːt] signification *f*, sens *m*; portée *f*; importance *f*; ‿s *pl.* importations *f/pl.*; **2.** [im'pɔːt] importer (*des marchandises*); signifier, indiquer; déclarer; **im'por·tance** importance *f*; F conséquence *f*; **im·'por·tant** □ important; **im·por·ta·tion** [‿'teiʃn] importation *f*; **im·'port·er** importateur (-trice *f*) *m*.

im·por·tu·nate □ [im'pɔːtjunit] importun; ennuyeux (-euse *f*); **im·por·tune** [‿'pɔːtjuːn] importuner; presser; **im·por'tu·ni·ty** importunité *f*.

im·pose [im'pouz] *v/t.* imposer (à, [up]on); *v/i.* ‿ *upon* en imposer à; tromper; abuser de; **im'pos·ing** □ imposant; grandiose; **im·po·si·tion** [‿pə'ziʃn] *eccl.*, *typ.* imposition *f*; impôt *m*; tromperie *f*, imposture *f*; *école:* pensum *m*.

im·pos·si·bil·i·ty [imposə'biliti] im-

possibilité *f*; **im'pos·si·ble** □ impossible.

im·post ['impoust] impôt *m*; taxe *f*; tribut *m*; **im·pos·tor** [im'postə] imposteur *m*; **im'pos·ture** [‿tʃə] imposture *f*, supercherie *f*.

im·po·tence ['impotəns] impuissance *f* (*a. physiol.*); faiblesse *f*; **'im·po·tent** impuissant; faible.

im·pound [im'paund] confisquer; enfermer; mettre en fourrière (*une auto, un animal*).

im·pov·er·ish [im'povəriʃ] appauvrir; dégraisser (*le sol*).

im·prac·ti·ca·bil·i·ty [impræktikə-'biliti] impraticabilité *f*, impossibilité *f*; **im'prac·ti·ca·ble** □ impraticable; infaisable; intraitable (*personne*).

im·pre·cate ['imprikeit] lancer des imprécations (contre, *upon*); **im·pre'ca·tion** imprécation *f*, malédiction *f*; **im·pre·ca·to·ry** [‿keitəri] imprécatoire.

im·preg·na·bil·i·ty [impregnə'biliti] caractère *m* imprenable *ou* F invincible; **im'preg·na·ble** □ imprenable; F invincible; **im·preg·nate** ['‿neit] **1.** ⚥, ♠, *biol.* imprégner; imbiber, saturer; pénétrer (*a. fig.*); **2.** [im'pregnit] imprégné, fécondé; **im·preg'na·tion** fécondation *f*; imprégnation *f*; ⊕ injection *f*.

im·pre·scrip·ti·ble [impris'kriptəbl] imprescriptible.

im·press 1. ['impres] impression *f*; empreinte *f*; *fig.* marque *f*, cachet *m*; **2.** [im'pres] imprimer (à, on); graver (dans la mémoire, on the memory); inculquer (*une idée*) (à, on); faire bien comprendre (qch. à q. *s.th.* on *s.o.*, *s.o.* with *s.th.*); ⊕ empreindre (qch. sur qch. *s.th.* on *s.th.*, *s.th.* with *s.th.*); *fig.* impressionner, en imposer à; ⚓ † presser (*les marins*); *fig.* réquisitionner; **im'press·i·ble** susceptible de recevoir une empreinte; *a. see* impressionable; **im'pres·sion** [‿ʃn] impression *f* (*a. fig.*); ⊕, *a. typ. caractères:* empreinte *f*; *livre:* impression *f*; *be under the* ‿ *that* avoir l'impression que; **im'pres·sion·a·ble** impressionnable, susceptible, sensible; **im'pres·sive** □ impressionnant; **im'press·ment** ⚓ † *marins:* presse *f*.

im·print 1. [im'print] imprimer (sur, on); *fig.* graver (dans *on, in*); **2.** ['imprint] empreinte *f* (*a. fig.*); *typ.* nom *m* (*de l'imprimeur*); rubrique *f* (*de l'éditeur*).

im·pris·on [im'prizn] emprisonner; mettre en prison; enfermer; **im-'pris·on·ment** emprisonnement *m*.

im·prob·a·bil·i·ty [imprɔbə'biliti] improbabilité *f*; invraisemblance *f*; **im'prob·a·ble** □ improbable; invraisemblable.

im·pro·bi·ty [im'proubiti] improbité *f*; manque *m* d'honnêteté.

im·promp·tu [im'prɔmtju:] **1.** *adv.* (à l')impromptu; **2.** *adj.* impromptu; **3.** *su.* (discours *m* etc.) impromptu *m*.

im·prop·er □ [im'prɔpə] incorrect; malséant; malhonnête; indécent; déplacé; Å ~ *fraction* expression *f* fractionnaire; **im·pro·pri·e·ty** [imprə'praiəti] impropriété *f*; inexactitude *f*; inconvenance *f*, indécence *f*.

im·prov·a·ble □ [im'pru:vəbl] améliorable; bonifiable (*sol*).

im·prove [im'pru:v] *v/t.* améliorer; perfectionner; cultiver (*l'esprit*); bonifier (*le sol*); *v/i.* s'améliorer; faire des progrès; ~ *upon* surpasser; enchérir sur; **im'prove·ment** amélioration *f*; perfectionnement *m*; culture *f* (*de l'esprit*); progrès *m* (*pl.*); supériorité *f* (à, [up]on); **im-'prov·er** réformateur (-trice *f*) *m*; ⊕ apprenti(e *f*) *m*; *cost.* petite main *f*.

im·prov·i·dence [im'prɔvidəns] imprévoyance *f*; **im'prov·i·dent** □ imprévoyant; prodigue.

im·pro·vi·sa·tion [imprɔvai'zeiʃn] improvisation *f*; **im·pro·vise** ['~vaiz] improviser; **'im·pro·vised** improvisé; impromptu *inv.*

im·pru·dence [im'pru:dəns] imprudence *f*; **im'pru·dent** □ imprudent.

im·pu·dence ['impjudəns] impudence *f*, insolence *f*; **'im·pu·dent** □ effronté, insolent.

im·pugn [im'pju:n] attaquer, contester; **im'pugn·a·ble** contestable.

im·pulse ['impʌls], **im'pul·sion** impulsion *f*; choc *m* propulsif; *fig.* mouvement *m* (spontané); **im-'pul·sive** □ impulsif (-ive *f*); *fig.* irréfléchi, spontané, involontaire.

im·pu·ni·ty [im'pju:niti] impunité *f*; *with* ~ impunément.

im·pure □ [im'pjuə] impur (*a. fig.*); **im'pu·ri·ty** [~riti] impureté *f*.

im·put·a·ble [im'pju:təbl] imputable, attribuable (à, *to*); **im·pu·ta·tion** [~'teiʃn] imputation *f*; **im·pute** [~'pju:t] imputer, attribuer.

in [in] **1.** *prp.* dans (*les circonstances, la foule, la maison, la rue, l'eau*); en (*un mot, soie, anglais, Europe, juin, été, réponse*); à (*l'église, la main de q., la campagne, le crayon*); au (*lit, Canada, désespoir, soleil, printemps*); de (*cette manière*); par (*groupes, soi-même, ce temps, écrit*); sur (*un ton*); sous (*le règne de*); chez (*les Anglais, Corneille*); pendant (*l'hiver de 1812, la journée*); comme; ~ *a few words* en peu de mots; ~ *all probability* selon toutes probabilités; ~ *crossing the road* en traversant la rue; *the thing* ~ *itself* la chose en elle-même *ou phls.* en soi; *trust* ~ *s.o.* avoir confiance en q., se fier à q.; *professor* ~ *the university* professeur à l'université; *wound* ~ *the head* blessure à la tête; *engaged* ~ (*gér.*) occupé à (*inf.*); ~ *a … voice* d'une voix …; *blind* ~ *one eye* borgne; ~ *length* de long; ~ *our time* de nos jours; *at two* (*o'clock*) ~ *the morning* à deux heures du matin; ~ *the rain* à *ou* sous la pluie; ~ *the paper* dans le journal; *one* ~ *ten* un sur dix; ~ *the firm of* sous firme de; ~ *the press* sous presse; ~ *excuse of* comme excuse de; ~ *1966* en 1966; *two days* ~ *three* deux jours sur trois; *there is nothing* ~ *it* il est sans fondement; F cela n'a pas d'importance; l'un vaut l'autre; *it is not* ~ *her to* (*inf.*) il n'est pas de sa nature de (*inf.*); *he hasn't it* ~ *him* il n'en est pas capable; ~ *that* puisque, vu que; **2.** *adv.* dedans; au dedans; rentré; au pouvoir; *be* ~ être chez soi, être à la maison, y être; être élu; être au pouvoir; *sport, train:* être arrivé; brûler encore (*feu*); *be* ~ *for* en avoir pour (*qch.*); être inscrit pour (*un examen etc.*); F *be* ~ *with* avoir de belles relations avec, être en bons termes avec; **3.** *adj.* intérieur; **4.** *su. parl. the* ~*s pl.* le parti au pouvoir; ~*s and outs* méandres *m/pl.*, coins *m/pl.* et recoins *m/pl.*; tous les détails *m/pl.*

in·a·bil·i·ty [inə'biliti] impuissance f (à, to), incapacité f (de, to).

in·ac·ces·si·bil·i·ty ['inækses'bili-ti] inaccessibilité f; **in·ac'ces·si·ble** □ inaccessible.

in·ac·cu·ra·cy [in'ækjurəsi] inexactitude f; **in'ac·cu·rate** □ [‿rit] inexact; incorrect.

in·ac·tion [in'æk∫n] inaction f.

in·ac·tive □ [in'æktiv] inactif (-ive f); ✝ en chômage; ☌ inerte; **in·ac'tiv·i·ty** inactivité f; inertie f.

in·ad·e·qua·cy [in'ædikwəsi] insuffisance f; imperfection f; **in'ad·e·quate** □ [‿kwit] insuffisant; incomplet (-ète f).

in·ad·mis·si·bil·i·ty ['inədmisə'bili-liti] inadmissibilité f; **in·ad'mis·si·ble** □ inadmissible; ⚖ irrecevable.

in·ad·vert·ence, in·ad·vert·en·cy [inəd'və:təns(i)] inadvertance f; étourderie f; mégarde f; **in·ad'vert·ent** inattentif (-ive f); négligent; involontaire; **‿ly** par inadvertance.

in·al·ien·a·ble □ [in'eiljənəbl] inaliénable; indisponible.

in·al·ter·a·ble □ [in'ɔ:ltərəbl] immuable; inaltérable (couleur).

in·am·o·ra·ta [inæmə'rɑ:tə] amante f; amoureuse f; **in·a·mo'ra·to** [‿tou] amant m, amoureux m.

in·ane □ [i'nein] usu. fig. stupide, inepte, bête, niais.

in·an·i·mate □ [in'ænimit] inanimé, sans vie (a. fig.).

in·a·ni·tion [inə'ni∫n] ♟ inanition f.

in·an·i·ty [i'næniti] inanité f, niaiserie f.

in·ap·pli·ca·bil·i·ty ['inæplikə'bili-ti] inapplicabilité f; **in'ap·pli·ca·ble** inapplicable (à, to); étranger (-ère f) (à).

in·ap·po·site □ [in'æpəsit] sans rapport (avec, to); hors de propos; inapplicable (à, to).

in·ap·pre·ci·a·ble □ [inə'pri:∫əbl] inappréciable.

in·ap·pre·hen·si·ble □ [inæpri-'hensəbl] insaisissable, incompréhensible.

in·ap·proach·a·ble □ [inə'prout∫əbl] inabordable; incomparable.

in·ap·pro·pri·ate □ [inə'proupriit] peu approprié; déplacé.

in·apt □ [in'æpt] inapte; incapable; inhabile; peu approprié; **in'apt·i·**tude [‿itju:d], **in'apt·ness** inaptitude f (à, for); incapacité f.

in·ar·tic·u·late □ [inɑ:'tikjulit] muet(te f); bégayant (de, with); zo. inarticulé; **in·ar'tic·u·late·ness** mutisme m; défaut m d'articulation.

in·as·much [inəz'mʌt∫] adv.: **‿ as** vu que, puisque; ✝ dans la mesure que.

in·at·ten·tion [inə'ten∫n] inattention f; **in·at'ten·tive** □ inattentif (-ive f) (à, to); négligent (de); peu attentionné (pour, to[wards]).

in·au·di·ble □ [in'ɔ:dəbl] imperceptible; faible (voix).

in·au·gu·ral [i'nɔ:gjurəl] inaugural (-aux m/pl.); **in'au·gu·rate** [‿reit] inaugurer; commencer; mettre en vigueur; **in·au·gu'ra·tion** inauguration f; commencement m; ♀ Day Am. entrée f en fonction du nouveau président des É.-U.

in·aus·pi·cious □ [inɔ:s'pi∫əs] peu propice; fâcheux; -euse f).

in·board ⚓ ['inbɔ:d] 1. adj. intérieur; 2. adv. en abord; 3. prp. en abord de.

in·born ['in'bɔ:n] inné.

in·breathe ['in'bri:ð] inspirer (à, into).

in·bred [in'bred] inné; consanguin (chevaux etc.).

in·breed·ing ['in'bri:diŋ] consanguinité f.

in·cal·cu·la·ble □ [in'kælkjuləbl] incalculable.

in·can·des·cence [inkæn'desns] incandescence f; métall. chaleur f blanche; **in·can'des·cent** incandescent; **‿ light** lumière f à incandescence; **‿ mantle** manchon m (à incandescence).

in·can·ta·tion [inkæn'tei∫n] incantation f; charme m.

in·ca·pa·bil·i·ty [inkeipə'biliti] incapacité f; ⚖ inéligibilité f; **in'ca·pa·ble** □ incapable (de, of); non susceptible (de, of); ⚖ inéligible; en état d'ivresse manifeste; **in·ca·pac·i·tate** [inkə'pæsiteit] rendre incapable (de for, from); ⚖ frapper d'incapacité; **in·ca'pac·i·ty** incapacité f (de for, to).

in·car·cer·ate [in'kɑ:səreit] incarcérer; **in·car·cer'a·tion** incarcération f.

in·car·nate 1. [in'kɑ:nit] fait chair; incarné (a. fig.); 2. ['inkɑ:neit] incarner; **in·car'na·tion** incarnation f (a. fig.).

in·case [in'keis] see encase.

in·cau·tious □ [in'kɔ:ʃəs] imprudent; inconsidéré.

in·cen·di·ar·y [in'sendjəri] 1. incendiaire (a. fig.); ~ bomb bombe f incendiaire; 2. incendiaire m; auteur m d'un incendie; F see ~ bomb.

in·cense¹ ['insens] 1. encens m; 2. encenser; fig. embaumer.

in·cense² [in'sens] exaspérer, courroucer, irriter (contre, with).

in·cen·tive [in'sentiv] 1. provocant; stimulant; 2. stimulant m, encouragement m.

in·cep·tion [in'sepʃn] commencement m; **in·cep·tive** initial (-aux m/pl.); gramm. inchoatif (-ive f) (a. su./m). [titude f.]

in·cer·ti·tude [in'sə:titju:d] incer-]

in·ces·sant □ [in'sesnt] incessant, continuel(le f).

in·cest ['insest] inceste m; **in·ces·tu·ous** □ [in'sestjuəs] incestueux (-euse f).

inch [intʃ] pouce m (2,54 cm); fig. pas m; ~es pl. a. taille f; by ~es peu à peu, petit à petit; **inched** [~t] de ... pouces.

in·cho·a·tive ['inkoueitiv] initial (-aux m/pl.); gramm. inchoatif (-ive f)

in·ci·dence ['insidəns] incidence f; angle of ~ angle m d'incidence; **'in·ci·dent** 1. (à, to) qui arrive; qui appartient; qui tient; 2. incident m, événement m; pièce, roman: épisode m; ⚖ servitude f ou privilège m attachés à une tenure; **in·ci·den·tal** □ [~'dentl] accidentel(le f), fortuit; inséparable (de, to); be ~ to résulter de, appartenir à; ~ly incidemment.

in·cin·er·ate [in'sinəreit] incinérer (a. Am. un mort); réduire en cendres; **in·cin·er·a·tion** incinération f; **in·cin·er·a·tor** incinérateur m; Am. four m crématoire.

in·cip·i·ence [in'sipiəns] commencement m; **in'cip·i·ent** naissant, qui commence.

in·cise [in'saiz] inciser (a. 🩺), faire une incision dans; **in·ci·sion** [~'siʒn] incision f (a. 🩺); ✎ enture f; **in·ci·sive** □ [~'saisiv] incisif (-ive f); mordant; pénétrant; **in'ci·sor** [~zə] (dent f) incisive f.

in·ci·ta·tion [insai'teiʃn] see incitement; **in'cite** inciter; pousser; animer (à, to); **in'cite·ment** incitation f, encouragement m; stimulant m, aiguillon m; mobile m.

in·ci·vil·i·ty [insi'viliti] incivilité f.

in·clem·en·cy [in'klemənsi] inclémence f, rigueur f; temps: intempérie f; **in'clem·ent** inclément; rigoureux (-euse f).

in·cli·na·tion [inkli'neiʃn] tête, a. fig.: inclination f; inclinaison f, pente f; fig. penchant m; **in·cline** [~'klain] 1. v/i. s'incliner, se pencher (personne); incliner, pencher (chose); fig. avoir un penchant (pour qch., to s.th.; à inf., to inf.); être disposé (à, to); incliner (à, to); v/t. (faire) pencher; fig. disposer; ~d plane plan m incliné; 2. pente f, déclivité f; ✕ oblique f.

in·close [in'klouz] see enclose.

in·clude [in'klu:d] renfermer; comprendre.

in·clu·sion [in'klu:ʒn] inclusion f; **in'clu·sive** □ qui renferme; qui comprend; tout compris; be ~ of comprendre, renfermer (qch.); ~ terms prix tout compris.

in·cog F [in'kɔg], **in'cog·ni·to** [~ni·tou] 1. incognito, sous un autre nom; 2. incognito m.

in·co·her·ence, **in·co·her·en·cy** [inkou'hiərəns(i)] incohérence f; manque m de suite; **in·co'her·ent** □ incohérent; sans suite; décousu.

in·com·bus·ti·ble □ [inkəm'bʌstəbl] incombustible.

in·come ['inkəm] revenu m; **in·com·er** ['inkʌmə] entrant m; immigrant(e f) m; ⚖ successeur m; **in·come-tax** ['inkəmtæks] impôt m sur le revenu; ~ form feuille f d'impôts.

in·com·ing ['inkʌmiŋ] 1. entrée f; ~s pl. recettes f/pl., revenus m/pl.; 🕂 rentrées f/pl.; 2. qui entre, qui arrive.

in·com·men·su·ra·bil·i·ty ['inkəmenʃərə'biliti] incommensurabilité f; **in·com'men·su·ra·ble** □ incommensurable.

in·com·mode [inkə'moud] incommoder, gêner, déranger; **in·com'mo·di·ous** □ [~jəs] incommode; peu confortable.

in·com·mu·ni·ca·bil·i·ty ['inkəmju:nikə'biliti] incommunicabilité *f*; in·com'mu·ni·ca·ble □ incommunicable; in·com·mu·ni·ca·do *surt. Am.* [inkəmjuni'ka:dou] sans contact avec l'extérieur; in·com'mu·ni·ca·tive □ [‿kətiv] taciturne; peu communicatif (-ive *f*).

in·com·mut·a·ble □ [inkə'mju:təbl] non-interchangeable; immuable.

in·com·pa·ra·ble □ [in'kɔmpərəbl] incomparable.

in·com·pat·i·bil·i·ty ['inkəmpætə'biliti] incompatibilité *f*; inconciliabilité *f*; in·com'pat·i·ble □ incompatible, inconciliable.

in·com·pe·tence, in·com·pe·ten·cy [in'kɔmpitəns(i)] incompétence *f* (*a.* ⚖); insuffisance *f*; in·com·pe·tent □ incompétent (*a.* ⚖); incapable; ⚖ inhabile.

in·com·plete □ [inkəm'pli:t] incomplet (-ète *f*); inachevé; imparfait.

in·com·pre·hen·si·bil·i·ty [inkəmprihensə'biliti] incompréhensibilité *f*; in·com·pre'hen·si·ble □ incompréhensible.

in·com·press·i·bil·i·ty ['inkəmpresə'biliti] incompressibilité *f*; in·com'press·i·ble incompressible.

in·con·ceiv·a·ble □ [inkən'si:vəbl] inconcevable.

in·con·clu·sive □ [inkən'klu:siv] peu *ou* non concluant.

in·con·gru·i·ty [inkɔŋ'gruiti] incongruité *f*, absurdité *f*; désaccord *m*; inconséquence *f*; inconvenance *f*; in'con·gru·ous □ incongru, absurde; qui ne s'accorde pas (avec, *with*); sans rapport (avec *to*, *with*).

in·con·se·quence [in'kɔnsikwəns] inconséquence *f*; manque *m* de logique; in·con·se·quen·tial [‿'kwenʃl] sans importance; illogique.

in·con·sid·er·a·ble □ [inkən'sidərəbl] insignifiant; in·con'sid·er·ate □ [‿rit] irréfléchi, inconsidéré; sans égards (pour, *towards*); in·con'sid·er·ate·ness irréflexion *f*, imprudence *f*; manque *m* d'égards.

in·con·sist·en·cy [inkən'sistənsi] inconséquence *f*; inconsistance *f*; incompatibilité *f*; in·con'sist·ent □ incompatible; contradictoire (à, *with*); en désaccord (avec, *with*); illogique, inconséquent (*personne*).

in·con·sol·a·ble □ [inkən'souləbl] inconsolable (de, *for*).

in·con·so·nant [in'kɔnsənənt] en désaccord (avec, *with*).

in·con·spic·u·ous □ [inkən'spikjuəs] discret (-ète *f*); insignifiant; peu frappant.

in·con·stan·cy [in'kɔnstənsi] inconstance *f*; instabilité *f*; in'con·stant □ inconstant, variable.

in·con·test·a·ble □ [inkən'testəbl] incontestable; irrécusable.

in·con·ti·nence [in'kɔntinəns] incontinence *f*; ⚕ ~ *of urine* incontinence *f* d'urine; in'con·ti·nent □ incontinent; ⚕ qui ne peut retenir son urine; ~ *of speech* bavard; ~*ly* sur-le-champ, incontinent; incontinemment.

in·con·tro·vert·i·ble □ ['inkɔntrə'və:təbl] indisputable.

in·con·ven·ience [inkən'vi:njəns] 1. inconvénient *m*; embarras *m*; commodité *f*; 2. incommoder, gêner, déranger; in·con'ven·i·ent □ incommode; inopportun; gênant.

in·con·vert·i·bil·i·ty ['inkɔnvə:tə'biliti] (*a.* ✝) non-convertibilité *f*; in·con'vert·i·ble □ inconvertible; ✝ *a.* non convertible.

in·con·vin·ci·ble □ [inkən'vinsəbl] impossible à convaincre.

in·cor·po·rate 1. [in'kɔ:pəreit] *v/t.* incorporer (à *in*[*to*], *with*; avec, *with*); mêler, unir (à, avec *with*); ériger (*une ville*) en municipalité; ⚖ constituer en société commerciale; *v/i.* s'incorporer (en, *in*; à, avec *with*); 2. [‿rit] incorporé; faisant corps; in'cor·po·rat·ed [‿reitid] *see* incorporate 2; ~ *company* société *f* constituée, *Am.* société *f* anonyme (*abbr.* S.A.); in·cor·po'ra·tion incorporation *f* (à, avec, dans *in*[*to*], *with*); incorporation *f* communale; constitution *f* en société commerciale.

in·cor·po·re·al □ [inkɔ:'pɔ:riəl] incorporel (le *f*).

in·cor·rect □ [inkə'rekt] incorrect; inexact; défectueux (-euse *f*); in·cor'rect·ness incorrection *f*; inexactitude *f*.

in·cor·ri·gi·bil·i·ty [inkɔridʒə'biliti] incorrigibilité *f*; in'cor·ri·gi·ble □ incorrigible.

in·cor·rupt·i·bil·i·ty ['inkərʌptə'biliti] incorruptibilité *f*; in·cor-

'rupt·i·ble □ incorruptible; **in·cor'rupt·ness** incorruption *f.*

in·crease 1. [in'kri:s] *v/i.* augmenter (de, *in*); s'augmenter; grandir; croître, s'accroître; grossir; se multiplier; *v/t.* augmenter; agrandir; accroître; grossir; **2.** ['inkri:s] augmentation *f;* accroissement *m; effort:* redoublement *m;* multiplication *f.*

in·cred·i·bil·i·ty [inkredi'biliti] incrédibilité *f;* **in'cred·i·ble** □ incroyable.

in·cre·du·li·ty [inkri'dju:liti] incrédulité *f;* **in'cred·u·lous** □ [in'kredjuləs] incrédule.

in·cre·ment ['inkrimənt] *see increase 2;* profit *m;* ~ *value* plus-value *f.*

in·crim·i·nate [in'krimineit] incriminer; impliquer; **in'crim·i·na·to·ry** [~əri] tendant à incriminer.

in·crust [in'krʌst] *see encrust;* **in·crus'ta·tion** incrustation *f;* ⊕ *chaudière:* entartrage *m,* tartre *m.*

in·cu·bate ['inkjubeit] *v/t.* couver (*a. fig.*); *v/i.* être soumis à l'incubation; ♂ couver; **in·cu'ba·tion** incubation *f (a. biol., a.* ♂ *);* ~ *period* période *f* d'incubation; **'in·cu·ba·tor** incubateur *m,* couveuse *f;* **in·cu·bus** ['~bəs] *myth.* incube *m;* F fardeau *m;* cauchemar *m.*

in·cul·cate ['inkʌlkeit] inculquer (à q., *upon s.o.;* dans l'esprit, *in the mind*); **in·cul'ca·tion** inculcation *f.*

in·cul·pate ['inkʌlpeit] inculper, incriminer; mêler à une affaire; **in·cul'pa·tion** inculpation *f;* **in·cul·pa·to·ry** [~pətəri] tendant à inculper; accusateur (-trice *f*).

in·cum·ben·cy [in'kʌmbənsi] *eccl.* charge *f;* période *f* d'exercice d'une charge; **in'cum·bent 1.** étendu, appuyé; *be ~ on s.o.* incomber à q.; **2.** *eccl.* titulaire *m* d'une charge.

in·cu·nab·u·la [inkju'næbjulə] *pl.* incunables *m/pl.*

in·cur [in'kə:] encourir, s'attirer; contracter (*une dette*); courir (*un risque*); faire (*des dépenses*).

in·cur·a·bil·i·ty [inkjuərə'biliti] incurabilité *f;* **in'cur·a·ble 1.** □ inguérissable; **2.** incurable *mf.*

in·cu·ri·ous □ [in'kjuəriəs] sans curiosité, indifférent.

in·cur·sion [in'kə:ʃn] incursion *f;* descente *f* (dans, *into*).

in·cur·va·tion [inkə:'veiʃn] incurvation *f;* courbure *f;* **'in'curve** s'incurver, se courber en dedans.

in·debt·ed [in'detid] endetté; *fig.* redevable (à q. de qch., *to s.o. for s.th.*); **in'debt·ed·ness** dette *f (a. fig.*), dettes *f/pl.*

in·de·cen·cy [in'di:snsi] indécence *f;* ♣♠ attentat *m* aux mœurs; **in'de·cent** □ indécent, peu décent; ~ *assault* attentat *m* à la pudeur.

in·de·ci·pher·a·ble [indi'saifərəbl] indéchiffrable.

in·de·ci·sion [indi'siʒn] indécision *f,* irrésolution *f;* **in·de·ci·sive** □ [~'saisiv] peu concluant; indécis (*personne, a. bataille*), irrésolu.

in·de·clin·a·ble *gramm.* [indi'klainəbl] indéclinable.

in·dec·o·rous □ [in'dekərəs] malséant; inconvenant; **in'dec·o·rous·ness,** *a.* **in·de·co·rum** [indi'kɔ:rəm] inconvenance *f;* manque *m* de maintien.

in·deed [in'di:d] **1.** *adv.* en effet; en vérité; même, à vrai dire; **2.** *int.* effectivement!; vraiment?

in·de·fat·i·ga·ble □ [indi'fætigəbl] infatigable, inlassable.

in·de·fea·si·ble □ [indi'fi:zəbl] irrévocable; ♣♠ indestructible (*intérêt*).

in·de·fect·i·ble □ [indi'fektəbl] indéfectible; impeccable.

in·de·fen·si·ble □ [indi'fensəbl] ✗ indéfendable; *fig.* insoutenable.

in·de·fin·a·ble □ [indi'fainəbl] indéfinissable; *fig.* vague.

in·def·i·nite □ [in'definit] indéfini (*a. gramm.*); imprécis.

in·del·i·ble □ [in'delibl] ineffaçable, indélébile; ~ *ink* encre *f* indélébile; ~ *pencil* crayon *m* à copier.

in·del·i·ca·cy [in'delikəsi] indélicatesse *f;* manque *m* de délicatesse; grossièreté *f,* inconvenance *f;* **in'del·i·cate** □ [~kit] peu délicat; indélicat; inconvenant; risqué; qui manque de tact.

in·dem·ni·fi·ca·tion [indemnifi'keiʃn] indemnisation *f;* indemnité *f;* **in'dem·ni·fy** [~fai] indemniser, dédommager (de, *for*); garantir (contre *against, from*); compenser; **in'dem·ni·ty** garantie *f,* assurance *f;* indemnité *f,* dédommagement *m; act of* ~ *bill m* d'indemnité.

in·dent [in'dent] **1.** denteler; découper; ⊕ adenter; *typ.* faire un alinéa; ⚏ passer (*un contrat etc.*) en partie double; ✝ passer une commande pour; ~ *upon s.o. for s.th.* réquisitionner qch. de q.; **2.** dentelure *f*; découpure *f*; *littoral:* échancrure *f*; ✝ ordre *m* d'achat; ✗ ordre *m* de réquisition; *see* indenture; **in·den·ta·tion** découpage *m*; impression *f*; dentelure *f*; découpure *f*; *littoral:* échancrure *f*; **in'den·tion** *typ.* renfoncement *m*; **in'den·ture** [ʌtʃə] **1.** contrat *m* bilatéral; ~s *pl.* contrat *m* d'apprentissage; **2.** lier par contrat; engager par un contrat d'apprentissage.

in·de·pend·ence [indi'pendəns] indépendance *f* (à l'égard de, *of*); *État:* autonomie *f*; *Am.* ♀ *Day* le 4 juillet; **in·de'pend·ent** □ **1.** indépendant; autonome (*État*); ~ *means* fortune *f* personnelle; rentes *f/pl;* **2.** indépendant *m*.

in·de·scrib·a·ble □ [indis'kraibəbl] indescriptible; indicible.

in·de·struct·i·ble □ [indis'trʌktəbl] indestructible.

in·de·ter·mi·na·ble □ [indi'tə:minəbl] indéterminable; interminable (*dispute*); **in·de'ter·mi·nate** □ [ʌnit] indéterminé, *fig.* imprécis; **in·de'ter·mi·nate·ness, in·de·ter·mi·na·tion** ['ʌˈneiʃn] indétermination *f*; *fig.* irrésolution *f*.

in·dex ['indeks] **1.** (*pl. a.* indices) *anat., eccl., volume:* index *m*; *cadran etc.:* aiguille *f*; indice *m*, signe *m*; ⅄ exposant *m*; *opt.* indice *m*; (*ou* ~ *number*) coefficient *m*; **2.** dresser l'index de (*un volume*); classer; répertorier.

In·di·a ['indjə] Inde *f*; ~ *paper* papier *m* indien, papier *m* bible; ~ *rubber* gomme *f* (à effacer); caoutchouc *m*; **'In·di·a·man** ⚓ longcourrier *m* des Indes.

In·di·an ['indjən] **1.** indien(ne *f*); de l'Inde; des Indes; *gymn.* ~ *club* bouteille *f* en bois; ~ *corn* maïs *m*; *in* ~*file* en file indienne; *Am.* F ~ *giver* personne *f* qui fait un cadeau dans l'intention d'en demander à son tour; ~ *ink* encre *f* de Chine; *surt. Am.* ~ *summer* été *m* de la Saint-Martin; **2.** Indien(ne *f*) *m*; F Hindou(e *f*) *m*; (*usu.* Red ~) *a.* Peau-Rouge (*pl.* Peaux-Rouges) *m*.

in·di·cate ['indikeit] indiquer; si-

gnaler; montrer; témoigner; faire savoir; **in·di'ca·tion** indication *f*; indice *m*, signe *m*; **in·dic·a·tive** [in-'dikətiv] **1.** □ indicatif (-ive *f*) (de, *of*); *be* ~ *of* dénoter; ~ *mood* = **2.** *gramm.* indicatif *m*; **in·di·ca·tor** ['ʌˌkeitə] indicateur (-trice *f*) *m* (*a.* ⊕, *tél. su./m*); aiguille *f*; **in'di·ca·to·ry** [ʌˈkətəri] indicateur (-trice *f*) (de, *of*).

in·di·ces ['indisi:z] *pl. de* index 1.

in·dict [in'dait] inculper (de *for*, *on a charge of*); **in'dict·a·ble** inculpable; ~ *offence* délit *m*; **in'dict·ment** inculpation *f*; *document:* acte *m* d'accusation.

in·dif·fer·ence [in'difrəns] indifférence *f* (pour, à l'égard de *to*, *towards*); **in'dif·fer·ent** □ indifférent (à, *to*); médiocre, passable; ✝ impartial (-aux *m/pl.*); ⚛ neutre.

in·di·gence ['indidʒəns] indigence *f*; F misère *f*.

in·di·gene ['indidʒi:n] indigène *mf*; **in·dig·e·nous** [in'didʒinəs] indigène (à, *to*); du pays.

in·di·gent □ ['indidʒənt] indigent; nécessiteux (-euse *f*).

in·di·gest·ed [indi'dʒestid] mal digéré; *fig.* indigeste (*a. fig.*); **in·di'ges·tion** dyspepsie *f*; indigestion *f*.

in·dig·nant □ [in'dignənt] indigné (de, *at*); d'indignation; **in·dig·na·tion** [ʌˈneiʃn] indignation *f* (contre *with, against*); ~ *meeting* meeting *m* de protestation; **in'dig·ni·ty** [ʌˈniti] indignité *f*; affront *m*; honte *f*.

in·di·rect □ [indi'rekt] indirect (*a. gramm.*); détourné (*moyen*).

in·dis·cern·i·ble [indi'sə:nəbl] indiscernable; imperceptible.

in·dis·creet □ [indis'kri:t] indiscret (-ète *f*); imprudent, peu judicieux (-euse *f*); inconsidéré; **in·dis·cre·tion** [ʌˈkreʃn] indiscrétion *f*; manque *m* de discrétion; imprudence *f*; F faux pas *m*.

in·dis·crim·i·nate □ [indis'kriminit] au hasard, à tort et à travers; (*a.* **in·dis'crim·i·nat·ing** □ [ʌˌneitiŋ], **in·dis'crim·i·na·tive** [ʌˈnətiv]) sans discernement; *fig.* aveugle; **'in·dis·crim·i'na·tion** manque *m* de discernement.

in·dis·pen·sa·ble □ [indis'pensəbl] obligatoire; indispensable (à, *to*).

in·dis·pose [indis'pouz] indisposer,

prévenir (contre, *towards*); détourner (de, *from*); rendre peu propre (à qch., *for s.th.*); rendre incapable (de *inf.*, *for gér.*); rendre peu disposé (à *inf.*, *to inf.*); **in·dis·po·si·tion** [indispə'ziʃn] indisposition *f* (à l'égard de, to[wards]); aversion *f* (pour); malaise *f*, indisposition *f*.

in·dis·pu·ta·ble □ ['indis'pju:təbl] incontestable; hors de controverse.

in·dis·so·lu·bil·i·ty ['indisɔlju'biliti] indissolubilité *f*; ⚗ insolubilité *f*; **in·dis·so·lu·ble** □ [‿'sɔljubl] indissoluble.

in·dis·tinct □ [indis'tiŋkt] indistinct, vague, confus; **in·dis'tinct·ness** indistinction *f*, vague *m*.

in·dis·tin·guish·a·ble □ [indis'tiŋgwiʃəbl] indistinguible; imperceptible; insaisissable.

in·dite [in'dait] composer (*un poème*); rédiger (*une lettre*).

in·di·vid·u·al [indi'vidjuəl] **1.** □ individuel(le *f*); particulier (-ère *f*); ~ *drive* commande *f* séparée; **2.** individu *m*; **in·di·vid·u·al·i·ty** [‿'æliti] individualité *f*; personnalité *f*; **in·di·vid·u·al·ize** [‿əlaiz] individualiser.

in·di·vis·i·bil·i·ty ['indivizi'biliti] indivisibilité *f*; **in·di·vis·i·ble** □ indivisible; ⚛ insécable.

Indo... [indou] Indo-; Indo-.

in·doc·ile [in'dousail] indocile; **in·do·cil·i·ty** [‿do'siliti] indocilité *f*.

in·doc·tri·nate [in'dɔktrineit] instruire; endoctriner; ~ *s.o. with s.th.* inculquer qch. à q.

in·do·lence ['indɔləns] indolence *f* (*a.* ⚕); paresse *f*; **'in·do·lent** □ indolent (*a.* ⚕); paresseux (-euse *f*).

in·dom·i·ta·ble □ [in'dɔmitəbl] indomptable.

in·door ['indɔ:] de maison; d'intérieur; intérieur; *sp.* de salle, de salon; ~ *aerial* antenne *f* d'appartement; ~ *game* jeu *m* de salle *ou* de salon *ou* de société; ~ *plant* plante *f* d'appartement; ~ *relief* assistance *f* des pauvres hospitalisés; ~ *swimming-bath* piscine *f*; **in·doors** ['in'dɔ:z] à la maison; à l'intérieur.

in·dorse *etc.* [in'dɔ:s] *see* endorse.

in·du·bi·ta·ble □ [in'dju:bitəbl] indubitable, incontestable.

in·duce [in'dju:s] persuader (à q.,

s.o.); amener; occasionner, produire; ⚡ amorcer, induire; ⚡ ~d *current* courant *m* induit *ou* d'induction; **in'duce·ment** motif *m*; attrait *m*; raison *f*.

in·duct *eccl.* [in'dʌkt] installer; **in'duct·ance** ⚡ inductance *f*; ~-*coil* (bobine *f* de) self *f*; bobine *f* d'inductance; **in'duc·tion** *eccl.*, *fonctionnaire:* installation *f*; ⚛, *phls.*, *phys.* induction *f*; ⚕ production *f*; **in'duc·tive** □ qui induit (à, to); ⚛, *phls.* inductif (-ive *f*) (*a.* ⚡ *charge*); ⚡ inducteur (-trice *f*).

in·dulge [in'dʌldʒ] *v/t.* gâter (*q.*), avoir de l'indulgence pour (*q.*); se livrer à, s'adonner à; donner libre cours à (*ses passions, ses caprices*); F boire; ~ *s.o. with s.th.* accorder qch. à q.; ~ *o.s. in* se livrer à, s'adonner à (*qch.*); *v/i.* se permettre (à, in); se livrer, s'adonner (à, in); **in'dul·gence** indulgence *f* (*a. eccl.*); complaisance *f* (envers, to); assouvissement *m* (de *of*, in); abandon *m* (à, in); ✝ délai *m* de paiement; **in'dul·gent** □ indulgent (envers, à, pour to); faible.

in·du·rate ['indjuəreit] (s')endurcir; durcir; ⚕ (s')indurer; **in·du·ra·tion** (*fig.* en)durcissement *m*; ⚕ induration *f*.

in·dus·tri·al [in'dʌstriəl] **1.** □ industriel(le *f*); professionnel(le *f*); de l'industrie; ~ *art* art *m* mécanique; ~ *court* tribunal *m* industriel; ~ *school* école *f* des arts et métiers; école *f* professionnelle de rééducation; **2.** *see* industrialist; ~*s pl.* ✝ valeurs *f/pl.* industrielles; **in'dus·tri·al·ist** industriel *m*, industrialiste *m*; **in'dus·tri·al·ize** [‿aiz] industrialiser; *become* ~*d* s'industrialiser; **in'dus·tri·ous** □ travailleur (-euse *f*), laborieux (-euse *f*), assidu.

in·dus·try ['indəstri] assiduité *f* au travail, diligence *f*; travail *m*; ⊕ industrie *f*; *heavy industries pl.* industries *f/pl.* lourdes.

in·dwell ['in'dwel] [*irr. (dwell)*] demeurer dans; habiter (*un lieu*); *fig.* reposer dans.

in·e·bri·ate **1.** [i'ni:brieit] enivrer; **2.** [i'ni:briit] ivre, enivré; **3.** ivrogne *mf*; **in·e·bri·a·tion**, **in·e·bri·e·ty** [ini:'braiəti] ivresse *f*; alcoolisme *m*; enivrement *m*.

in·ed·i·ble [in'edibl] immangeable.

in·ed·it·ed [in'editid] inédit; publié sans notes.

in·ef·fa·ble □ [in'efəbl] ineffable, indicible.

in·ef·face·a·ble □ [ini'feisəbl] ineffaçable.

in·ef·fec·tive [ini'fektiv], **in·ef'fec·tu·al** □ [‿tjuəl] inefficace, sans effet, sans résultat; ✕ inapte au service.

in·ef·fi·ca·cious □ [inefi'keiʃəs] inefficace; **in'ef·fi·ca·cy** [‿kəsi] inefficacité f.

in·ef·fi·cien·cy [ini'fiʃənsi] incapacité f; incompétence f; inefficacité f; **in·ef'fi·cient** incapable; incompétent; inefficace.

in·el·e·gance [in'eligəns] inélégance f; **in'el·e·gant** □ sans élégance (personne); inélégant (style).

in·el·i·gi·bil·i·ty [inelidʒə'biliti] inéligibilité f; caractère m peu acceptable; **in'el·i·gi·ble** □ inéligible; indigne d'être choisi; fig. peu acceptable; ✕ inapte.

in·ept □ [i'nept] inepte; déplacé; mal à propos; ⚖ de nul effet; **in'ept·i·tude** [‿itju:d], **in'ept·ness** manque m d'à-propos ou de justesse; inaptitude f; sottise f.

in·e·qual·i·ty [ini'kwɔliti] inégalité f; sol, bois: rugosité f; irrégularité f.

in·eq·ui·ta·ble □ [in'ekwitəbl] inéquitable, injuste; **in'eq·ui·ty** injustice f.

in·e·rad·i·ca·ble □ [ini'rædikəbl] indéracinable.

in·ert □ [i'nə:t] inerte; **in·er·tia** [i'nə:ʃjə], **in'ert·ness** inertie f.

in·es·cap·a·ble □ [inis'keipəbl] inévitable, inéluctable.

in·es·sen·tial [ini'senʃl] négligeable; non essentiel(le f) (à, to).

in·es·ti·ma·ble □ [in'estiməbl] inestimable; incalculable.

in·ev·i·ta·ble □ [in'evitəbl] inévitable, inéluctable; immanquable; fatal (-als m/pl.); **in'ev·i·ta·ble·ness** inévitabilité f.

in·ex·act □ [inig'zækt] inexact; **in·ex'act·i·tude** [‿itju:d], **in·ex'act·ness** inexactitude f.

in·ex·cus·a·ble □ [iniks'kju:zəbl] inexcusable, sans excuse.

in·ex·haust·i·bil·i·ty ['inigzɔ:stə'biliti] nature f inépuisable; **in·ex'haust·i·ble** □ inépuisable; intarissable (source).

in·ex·o·ra·bil·i·ty [ineksərə'biliti] inexorabilité f; caractère m implacable; **in·ex·o·ra·ble** □ inexorable, implacable.

in·ex·pe·di·en·cy [iniks'pi:diənsi] inopportunité f; **in·ex'pe·di·ent** inopportun, malavisé.

in·ex·pen·sive □ [iniks'pensiv] bon marché; peu coûteux (-euse f); pas cher (chère f).

in·ex·pe·ri·ence [iniks'piəriəns] inexpérience f; **in·ex'pe·ri·enced** inexpérimenté, sans expérience.

in·ex·pert □ [ineks'pə:t] inexpert; peu habile (à, in).

in·ex·pi·a·ble □ [in'ekspiəbl] inexpiable; † impitoyable.

in·ex·pli·ca·ble □ [in'eksplikəbl] inexplicable; inconcevable.

in·ex·press·i·ble [iniks'presəbl] **1.** □ inexprimable; indicible; **2.** co. ou † ‿s pl. pantalon m, culotte f.

in·ex·pres·sive □ [iniks'presiv] inexpressif (-ive f); sans expression.

in·ex·pug·na·ble □ [iniks'pʌgnəbl] inexpugnable; fig. inattaquable.

in·ex·tin·guish·a·ble □ [iniks'tiŋgwiʃəbl] inextinguible.

in·ex·tri·ca·ble □ [in'ekstrikəbl] inextricable.

in·fal·li·bil·i·ty [infælə'biliti] infaillibilité f; **in'fal·li·ble** □ infaillible; sûr.

in·fa·mous □ ['infəməs] infâme; mal famé; abominable; **in·fa·my** ['‿mi] (note f d')infamie f.

in·fan·cy ['infənsi] première enfance f; ⚖ minorité f; **in·fant** ['‿fənt] **1.** enfant mf; ⚖ mineur(e f) m; ‿ school école f maternelle ou enfantine; ‿ welfare puériculture f sociale; **2.** d'enfance; enfantin.

in·fan·ta [in'fæntə] infante f; **in'fan·te** [‿ti] infant m.

in·fan·ti·cide [in'fæntisaid] infanticide m; personne: infanticide mf; **in·fan·tile** ['infəntail] d'enfant; ⚓ infantile; péj. enfantin; ‿ paralysis poliomyélite f; **in·fan·tine** ['‿tain] see infantile.

in·fan·try ✕ ['infəntri] infanterie f; **'in·fan·try·man** soldat m d'infanterie; fantassin m.

in·fat·u·ate [in'fætjueit] infatuer, affoler; enticher; **in·fat·u·a·tion** infatuation f, engouement m; béguin m (pour, for).

in·fect [in'fekt] infecter; ⚕ contaminer; *fig.* inculquer (qch. à q.,
s.o. with s.th.); become ~ed se con-
tagionner; **in'fec·tion** ⚕, *fig.* infection *f*, contagion *f*; contamination
f; **in'fec·tious** □, **in'fec·tive** ⚕ infectieux (-euse *f*); *fig.* contagieux
(-euse *f*).

in·fe·lic·i·tous [infi'lisitəs] malheureux (-euse *f*); mal trouvé; **in-
fe'lic·i·ty** infélicité *f*; manque *m*
de justesse; gaffe *f*.

in·fer [in'fə:] déduire, conclure (de,
from); impliquer; **in'fer·a·ble**
qu'on peut inférer; qu'on peut déduire; **in·fer·ence** [ˈinfərəns] infé-
rence *f*, conclusion *f*; **in·fer·en·tial**
□ [~'renʃl] déductif (-ive *f*); ob-
tenu par déduction; ~ly par déduction.

in·fe·ri·or [in'fiəriə] 1. inférieur (à,
to); ♀ infère; 2. inférieur *m*;
subordonné(e *f*) *m*; **in·fe·ri·or·i·ty**
[~ri'ɔriti] infériorité *f* (par rapport
à, to); ~ complex complexe *m*
d'infériorité.

in·fer·nal □ [in'fə:nl] infernal
(-aux *m/pl.*); des enfers; de l'enfer;
F diabolique, infernal (-aux *m/pl.*);
~ machine machine *f* infernale.

in·fer·tile [in'fə:tail] stérile; **in·fer-
til·i·ty** [~'tiliti] stérilité *f*, infer-
tilité *f*.

in·fest [in'fest] infester (de, with)
(*fig.*); **in·fes'ta·tion** infestation *f*.

in·fi·del ['infidəl] infidèle (*a. su./mf*);
péj. incroyant(e *f*) (*a. su.*); **in·fi-
del·i·ty** [~'deliti] infidélité *f*.

in·fight(·ing) ['infait(iŋ)] *box.* corps
à corps *m*.

in·fil·trate ['infiltreit] *v/t.* infiltrer;
imprégner; pénétrer dans; *v/i.*
s'infiltrer (dans, *into*; à travers,
through); **in·fil'tra·tion** infiltration *f*.

in·fi·nite □ ['infinit] infini; illimité;
astr. sans nombre; **in'fin·i·tive** (*a.
~ mood*) *gramm.* infinitif *m*; **in-
'fin·i·tude** [~tju:d], **in'fin·i·ty** infinité *f*, infinitude *f*; ♫ infini *m*.

in·firm □ [in'fə:m] débile, infirme,
faible; (*a. ~ of purpose*) irrésolu,
flottant; **in'fir·ma·ry** infirmerie *f*;
hôpital *m*; **in'fir·mi·ty** [~iti] infirmité *f*; faiblesse *f* (*a. fig.*).

in·fix [in'fiks] implanter; *gramm.*
infixer; *fig.* inculquer.

in·flame [in'fleim] (s')enflammer (*a.

fig., *a.* ⚕); (s')allumer (*a. fig.*); *v/t.*
mettre le feu à; *v/i.* prendre feu.

in·flam·ma·bil·i·ty [inflæmə'biliti]
inflammabilité *f*; **in'flam·ma·ble**
1. □ inflammable; 2. ~s *pl.* substan-
ces *f/pl.* inflammables; **in·flam-
ma·tion** [inflə'meiʃn] inflammation
f; **in·flam·ma·to·ry** [in'flæmətəri]
incendiaire; ⚕ inflammatoire.

in·flate [in'fleit] gonfler (*a. fig.*); ✝
grossir; ✝ hausser (*le prix*); **in-
'flat·ed** gonflé, enflé; ✝ exagéré;
ampoulé (*style*); **in'fla·tion** gonflement *m*; ⚕, ✝ inflation *f*; ✝ *prix*:
hausse *f*; *fig.* enflure *f*; **in'fla·tion-
ar·y** d'inflation, inflationniste.

in·flect [in'flekt] fléchir; moduler
(*la voix*); ♩ altérer; *gramm.* conjuguer (*un verbe*), décliner (*un substantif*); **in'flec·tion** see *inflexion*.

in·flex·i·bil·i·ty [infleksə'biliti] inflexibilité *f* (*a. fig.*); **in'flex·i·ble** □
inflexible (*a. fig.*); **in'flex·ion** [~ʃn]
inflexion *f*; *voix*: modulation *f*;
gramm. flexion *f*.

in·flict [in'flikt] donner (*un coup*)
(à, on); infliger (*une punition*) (à,
on); ~ o.s. (*ou one's company*) on
imposer sa compagnie à; **in'flic-
tion** infliction *f*; châtiment *m*, peine
f; *fig.* vexation *f*.

in·flo·res·cence ♀ [inflɔ'resns] inflorescence *f*; floraison *f*.

in·flow ['inflou] see *influx*.

in·flu·ence [ˈinfluəns] 1. influence *f*
(sur, [*up*]on; auprès de, *with*);
2. influencer; influer sur; **in·flu-
en·tial** □ [~'enʃl] influent.

in·flu·en·za ⚕ [influ'enzə] grippe *f*.

in·flux ['inflʌks] affluence *f*, entrée
f; *fig.* invasion *f*, inondation *f*.

in·form [in'fɔ:m] *v/t.* informer (de,
of); renseigner (sur, *about*); avertir; faire part à; mettre au courant;
well ~ed bien renseigné; *keep s.o.*
~ed tenir q. au courant (de, of);
v/i. dénoncer (q., *against s.o.*).

in·for·mal □ [in'fɔ:ml] sans cérémonie; officieux (-euse *f*); irrégu-
lier(-ère *f*); **in·for·mal·i·ty** [~'mæ-
liti] absence *f* de cérémonie; irrégularité *f*.

in·form·ant [in'fɔ:mənt] informateur (-trice *f*) *m*; ⚖ déclarant(e *f*) *m*;
see *informer*; **in·for·ma·tion** [infə-
'meiʃn] renseignements *m/pl.*, informations *f/pl.*; instruction *f*; ⚖
dénonciation *f* (contre, *against*);

~ *film* documentaire *m*; *gather* ~ recueillir des renseignements (sur, *about*); in·form·a·tive [in'fɔːmə-tiv] instructif (-ive *f*); in'form·er dénonciateur (-trice *f*), F mouchard *m*.

in·frac·tion [in'frækʃn] infraction *f*; contravention *f*.

in·fra-red *phys.* ['infrə'red] infra-rouge.

in·fre·quen·cy [in'friːkwənsi] rareté *f*; in'fre·quent □ rare, infréquent.

in·fringe [in'frindʒ] *v/t.* enfreindre, violer (*la loi, un serment*); *v/i.* empiéter (*sur, upon*) (*un brevet etc.*); in'fringe·ment infraction *f*; contrefaçon *f*.

in·fu·ri·ate [in'fjuərieit] rendre furieux (-euse *f*).

in·fuse [in'fjuːz] infuser (*du thé*) (à, *into*); faire infuser (*le thé*); inspirer (qch. à q., *s.o. with s.th.*); *pharm.* macérer; in'fu·sion [‿ʒn] infusion *f* (*a. fig.*); in·fu·so·ri·a *zo.* [infjuː-'sɔːriə] *pl.* infusoires *m/pl.*

in·gath·er·ing ['ingæðəriŋ] rentrée *f*; récolte *f*.

in·gen·ious □ [in'dʒiːnjəs] ingénieux (-euse *f*); in·ge·nu·i·ty [indʒi'njuiti] ingéniosité *f*; in·gen·u·ous □ [in'dʒenjuəs] ingénu, naïf (-ïve *f*); franc(he *f*).

in·gle ['iŋgl] foyer *m*; feu *m*.

in·glo·ri·ous □ [in'glɔːriəs] honteux (-euse *f*); ignominieux (-euse *f*); humble, obscur.

in·go·ing ['ingouiŋ] **1.** entrée *f*; **2.** qui entre, entrant; nouveau (nouvel *devant une voyelle ou un h muet*; -elle *f*; -eaux *m/pl.*) (*locataire*).

in·got ['iŋgət] lingot *m*; *étain:* saumon *m*; '~-steel acier *m* en lingots.

in·grain ['in'grein] teindre grand teint; 'in'grained *fig.* imprégné; invétéré (*personne*).

in·gra·ti·ate [in'greiʃieit]: ~ *o.s.* s'insinuer (dans les bonnes grâces de, *with*); in·grat·i·tude [‿'græ-titjuːd] ingratitude *f*.

in·gre·di·ent [in'griːdiənt] ingrédient *m*; ⌢ principe *m*.

in·gress ['ingres] entrée *f*; droit *m* d'accès.

in·gui·nal *anat.* ['iŋgwinl] inguinal (-aux *m/pl.*).

in·gur·gi·tate [in'gəːdʒiteit] ingurgiter, avaler.

in·hab·it [in'hæbit] habiter; in'hab·it·a·ble habitable; in'hab·it·an·cy habitation *f*; résidence *f*; in'hab·it·ant habitant(e *f*) *m*.

in·ha·la·tion [inhə'leiʃn] aspiration *f*; ⚕ inhalation *f*; in·hale [‿'heil] ⚕ aspirer; respirer; ⚕ inhaler; in-'hal·er ⚕ inhalateur *m*.

in·har·mo·ni·ous □ [inhɑː'mou-njəs] inharmonieux (-euse *f*).

in·here [in'hiə] (*in*) être inhérent (à); appartenir (à); exister (dans); in-'her·ence, in'her·en·cy [‿rəns(i)] inhérence *f* (à, *in*); in'her·ent □ inhérent, propre (à, *in*).

in·her·it [in'herit] hériter de (*qch.*); succéder à; tenir (de, *from*); in-'her·it·a·ble □ dont on peut hériter; transmissible (*a.* ⚖); in'her·it·ance succession *f*; héritage *m*; *biol.* hérédité *f*; in'her·i·tor héritier *m*; in'her·i·tress héritière *f*.

in·hib·it [in'hibit] empêcher (q. de, *s.o. from*); défendre (à q. de *inf.*, *s.o. from gér.*); *psych.* inhiber; in·hi·bi·tion [‿'biʃn] défense *f* expresse; *eccl.* interdit *m*; *psych.* inhibition *f*; in'hib·i·to·ry [‿təri] prohibitif (-ive *f*); *physiol.*, *psych.* inhibiteur (-trice *f*).

in·hos·pi·ta·ble □ [in'hɔspitəbl] inhospitalier (-ère *f*); in·hos·pi·tal·i·ty ['‿'tæliti] inhospitalité *f*.

in·hu·man □ [in'hjuːmən] inhumain; barbare; in·hu·man·i·ty [‿'mæniti] inhumanité *f*; cruauté *f*.

in·hu·ma·tion [inhjuː'meiʃn] inhumation *f*; enterrement *m*; in·hume [in'hjuːm] inhumer, enterrer.

in·im·i·cal □ [i'nimikl] ennemi, hostile; contraire (à, *to*).

in·im·i·ta·ble □ [i'nimitəbl] inimitable.

in·iq·ui·tous □ [i'nikwitəs] inique; in'iq·ui·ty iniquité *f*.

in·i·tial [i'niʃl] **1.** □ initial (-aux *m/pl.*); premier (-ère *f*); du début; **2.** initiale *f*; paraphe *m*; **3.** parafer; viser; in·i·ti·ate **1.** [i'niʃiit] initié(e *f*) (*a. su.*); **2.** [i'niʃieit] commencer; lancer (*une entreprise etc.*); inaugurer; initier (à, *into*); in·i·ti·a·tion début *m*; commencement *m*; inauguration *f*; initiation *f*; *surt. Am. société:* ~ *fee* droits *m/pl.* d'admission; in·i·ti·a·tive [‿ətiv] **1.** préliminaire, préparatoire; **2.** initiative *f*; *on one's own* ~ de sa propre initiative; *take the* ~ prendre l'initiative (*pour inf., in gér.*); **in·i·ti·a·tor** [~eitə] initiateur (-trice *f*) *m*; lanceur *m* (*d'une mode etc.*); **in·i·ti·a·to·ry** [~ətəri] préliminaire, préparatoire, premier (-ère *f*).

in·ject [in'dʒekt] injecter (dans, *into*; de, *with*); **in'jec·tion** injection *f*.

in·ju·di·cious □ [indʒu'diʃəs] malavisé, peu judicieux (-euse *f*).

in·junc·tion [in'dʒʌŋkʃn] injonction *f*, ordre *m*.

in·jure ['indʒə] nuire à, faire du mal à, faire du tort à; gâter; endommager; **in·ju·ri·ous** □ [in'dʒuəriəs] nuisible, préjudiciable (à, *to*); injurieux (-euse *f*) (*langage*); **in·ju·ry** ['indʒəri] tort *m*; mal *m*; dommage *m*; blessure *f*.

in·jus·tice [in'dʒʌstis] injustice *f*.

ink [iŋk] **1.** encre *f*; (*usu. printer's* ~) noir *m* d'imprimerie; *attr.* à encre, d'encre; **2.** noircir d'encre; *typ.* encrer.

ink·ling ['iŋkliŋ] soupçon *m* (*a. fig.*).

ink...: '~·pot encrier *m*; '~·stand grand encrier *m*; 'ink·y taché *ou* barbouillé d'encre.

in·land ['inlənd] **1.** du pays, intérieur (*commerce etc.*); ♀ Revenue fisc *m*; **2.** intérieur *m*; **3.** [in'lænd] dans les terres; vers l'intérieur; **in·land·er** ['inləndə] habitant(e *f*) *m* de l'intérieur.

in·lay 1. [in'lei] [*irr.* (*lay*)] incruster (de, *with*); marqueter (*une table*); parqueter (*un plancher*) en mosaïque; **2.** incrustation *f*; marqueterie *f*; *livre:* encartage *m*.

in·let ['inlet] entrée *f*; bras *m* de mer; crique *f*; ⊕ arrivée *f*, admission *f*.

in·mate ['inmeit] habitant(e *f*) *m*; *aliéné:* pensionnaire *mf*; *hospice etc.:* hôte *m*.

in·most ['inmoust] le plus profond.

inn [in] auberge *f*; *ville:* hôtellerie *f*; ♀s *pl.* of Court écoles *f/pl.* de droit (*Londres*).

in·nate □ ['i'neit] inné.

in·ner ['inə] intérieur; interne, de dedans; intime; *cycl., mot.* ~ tube chambre *f* à air, boudin *m* d'air; 'in·ner·most le plus profond *ou* intime.

in·ner·vate ['inə:veit] *physiol.* innerver.

in·nings ['iniŋz] *pl. ou sg. sp.* tour *m* de batte; tournée *f*; *have one's* ~ être au guichet, *fig.* être au pouvoir, prendre son tour.

inn·keep·er ['inki:pə] aubergiste *mf*; hôtelier (-ère *f*) *m*.

in·no·cence ['inəsns] innocence *f*; naïveté *f*, candeur *f*; **'in·no·cent 1.** □ innocent (de, *of*); dépourvu (de); pur, sans péché; F ~ *of* sans; **2.** innocent(e *f*) *m*; naïf (-ïve *f*) *m*; idiot(e *f*) *m*.

in·noc·u·ous □ [i'nɔkjuəs] inoffensif (-ive *f*).

in·nom·i·nate [i'nɔminit] *anat.* innominé; ஐ innomé.

in·no·vate ['inoveit] innover; **in·no·va·tion** innovation *f*; nouveauté *f*; **'in·no·va·tor** (in)novateur (-trice *f*) *m*.

in·nox·ious □ [i'nɔkʃəs] inoffensif (-ive *f*).

in·nu·en·do [inju'endou] insinuation *f*; allusion *f*.

in·nu·mer·a·ble □ [i'nju:mərəbl] innombrable.

in·nu·tri·tious [inju'triʃəs] peu nourrissant; peu nutritif (-ive *f*).

in·ob·serv·ance [inɔb'zə:vəns] (*of*) inobservance *f* (de); *promesse:* inobservation *f* (de); inattention *f* (à).

in·oc·u·late [i'nɔkjuleit] ♪ greffer; ஐ inoculer (qch. à q. *s.o. with s.th.*, *s.th. into s.o.*; contre, *against*); **in·oc·u·la·tion** ♪ greffe *f*; ஐ inoculation *f*; **in'oc·u·la·tor** inoculateur (-trice *f*) *m*.

in·o·dor·ous [in'oudərəs] sans odeur, inodore.

in·of·fen·sive □ [inə'fensiv] inoffensif (-ive *f*).

in·of·fi·cial [inə'fiʃl] inofficieux (-euse *f*).   [rant.⸗

in·op·er·a·tive [in'ɔpərətiv] inopé-⸗

in·op·por·tune □ [in'ɔpətju:n] inopportun; hors de saison.

in·or·di·nate □ [i'nɔ:dinit] démesuré, immodéré; effréné.

in·or·gan·ic [inɔ:'gænik] inorganique.

in·pa·tient ['inpeiʃənt] hospitalisé(e *f*) *m*.

in·put ⊕, *surt.* ⚡ ['input] puissance *f*; entrée *f* de courant.

in·quest ஐ ['inkwest] enquête *f* (sur, *on*); *coroner's* ~ enquête *f* judiciaire après mort d'homme.

in·qui·e·tude [in'kwaiitju:d] agitation f, inquiétude f.

in·quire [in'kwaiə] demander (qch., for s.th.); se renseigner (sur about, after), s'informer (de qch.); ~ into faire des recherches ou une enquête sur; **in'quir·er** investigateur (-trice f) m; **in'quir·ing** □ curieux (-euse f); interrogateur (-trice f); **in'quir·y** enquête f, investigation f; demande f (a. ✝); make inquiries prendre des renseignements (sur about, on); s'informer (auprès de, of); **in'quir·y-of·fice** bureau m de renseignements; Service m des renseignements.

in·qui·si·tion [inkwi'ziʃn] investigation f; ⚖ enquête f; hist. ♀ Inquisition f; **in'quis·i·tive** □ questionneur (-euse f); curieux (-euse f); **in'quis·i·tive·ness** curiosité f (indiscrète); **in'quis·i·tor** enquêteur m; hist. Inquisiteur m; **in·quis·i·to·ri·al** □ [~'tɔːriəl] inquisitorial (-aux m/pl.).

in·road [in'roud] ✕ incursion f, irruption f; fig. empiétement m (sur, upon); make ~s upon (ou in) ébrécher, harceler.

in·sa·lu·bri·ous [insə'lu:briəs] malsain; insalubre.

in·sane [in'sein] fou (fol devant une voyelle ou un h muet; folle f); insensé; **in·san·i·tar·y** □ [~'sænitəri] insalubre; malsain; **in'san·i·ty** folie f, démence f.

in·sa·ti·a·bil·i·ty [inseiʃjə'biliti] insatiabilité f; **in'sa·ti·a·ble** □, **in'sa·ti·ate** [~ʃiit] inassouvissable; insatiable (de, of).

in·scribe [in'skraib] inscrire (a. ⅌, a. ✝ actions); graver (un nom sur qch., s.th. with a name); fig. inscrire (sur, on; dans, in); dédier.

in·scrip·tion [in'skripʃn] inscription f (✝ au grand livre); fig. dédicace f.

in·scru·ta·bil·i·ty [inskru:tə'biliti] inscrutabilité f; **in'scru·ta·ble** □ inscrutable, impénétrable; fermé (visage).

in·sect ['insekt] insecte m; **in'sec·ti·cide** [~isaid] insecticide (a. su./m); **in·sec·tiv·o·rous** [~'tivərəs] insectivore.

in·se·cure □ [insi'kjuə] peu sûr; incertain; **in·se'cu·ri·ty** [~riti] insécurité f; danger m.

in·sen·sate [in'senseit] insensé; insensible (matière); **in·sen·si·bil·i·ty** [~sə'biliti] défaillance f; insensibilité f (à, to); indifférence f (pour, to); **in'sen·si·ble** □ insensible (à of, to); indifférent (à of, to); évanoui, sans connaissance; **in'sen·si·tive** insensible (à, to).

in·sen·ti·ent [in'senʃiənt] insensible.

in·sep·a·ra·bil·i·ty [insepərə'biliti] inséparabilité f; **in'sep·a·ra·ble** □ inséparable.

in·sert 1. [in'sə:t] usu. insérer (dans, in[to]); introduire; intercaler (une ligne, un mot); 2. ['insə:t] insertion f; pièce f rapportée; **in'ser·tion** insertion f, introduction f; cost. incrustation f; dentelle: entre-deux m/inv.

in·set ['inset] typ. encart m; feuillet m; hors-texte m/inv.; médaillon m; attr. en médaillon.

in·shore ⚓ ['in'ʃɔː] 1. adj. côtier (-ère f); 2. adv. près de terre.

in·side ['in'said] 1. su. dedans m, intérieur m; F entrailles f/pl.; 2. adj. (d')intérieur; interne; mot. ~ drive conduite f intérieure; foot. ~ left intérieur m gauche; 3. adv. en dedans; Am. a. ~ of en moins de (temps); 4. prp. à l'intérieur de; **'in'sid·er** initié(e f) m.

in·sid·i·ous □ [in'sidiəs] insidieux (-euse f).

in·sight ['insait] perspicacité f; fig. aperçu m (de, into).

in·sig·ni·a [in'signiə] pl. insignes m/pl.; signes m/pl. etc. distinctifs.

in·sig·nif·i·cance, a. **in·sig·nif·i·can·cy** [insig'nifikəns(i)] insignifiance f; **in·sig'nif·i·cant** insignifiant; sans importance.

in·sin·cere □ [insin'siə] peu sincère; faux (fausse f); **in·sin'cer·i·ty** [~'seriti] manque m de sincérité; fausseté f.

in·sin·u·ate [in'sinjueit] insinuer; laisser entendre; donner à entendre; glisser (dans, into); ~ o.s. into s'insinuer dans; **in'sin·u·at·ing** □ insinuant; suggestif (-ive f) (propos etc.); **in·sin·u'a·tion** insinuation f (a. fig.); introduction f.

in·sip·id □ [in'sipid] insipide, fade; **in·si'pid·i·ty** insipidité f; fadeur f.

in·sist [in'sist] insister; ~ (up)on insister sur, appuyer sur; revendi-

quer (un droit); insister pour (inf.);
vouloir (qch.) absolument; ~ that
insister pour que (sbj.), exiger que
(sbj.); in'sist·ence insistance f;
protestations f/pl. (de, on); at his ~
devant son insistance; puisqu'il
insistait; in'sist·ent □ qui insiste
(sur, [up]on); instant; importun.

in·so·bri·e·ty [insoˈbraiəti] intempérance f.

in·so·la·tion [insoˈleiʃn] insolation f
(ꞅ, a. phot.); ꞅ coup m de soleil.

in·so·lence [ˈinsələns] insolence f,
effronterie f (envers, to); 'in·so·
lent □ insolent (envers, to).

in·sol·u·bil·i·ty [insɔljuˈbiliti] insolubilité f; in'sol·u·ble □ [ˌ~jubl]
insoluble (a. fig.).

in·sol·ven·cy [inˈsɔlvənsi] insolvabilité f; faillite f; in'sol·vent
1. insolvable; en faillite; 2. débiteur m insolvable; failli m.

in·som·ni·a [inˈsɔmniə] insomnie
f.

in·so·much [insouˈmʌtʃ]: ~ that au
point que; tellement que.

in·spect [inˈspekt] examiner; contrôler; in'spec·tion inspection f;
examen m contrôle m; visite f; ✝
for ~ à l'essai; in'spec·tor inspecteur m; surveillant m; in'spec·tor·
ate [ˌ~tərit] office: inspectorat m;
corps m d'inspecteurs.

in·spi·ra·tion [inspəˈreiʃn] inspiration f; in·spire [ˌ~ˈspaiə] aspirer,
inspirer; fig. inspirer (qch. à q.
s.th. in[to], s.o., s.o. with s.th.),
aiguillonner (q.); in'spir·it [ˌ~ˈspirit] animer, encourager.

in·spis·sate [inˈspiseit] (s')épaissir.

in·sta·bil·i·ty [instəˈbiliti] instabilité f; manque m de solidité; fig.
inconstance f.

in·stall [inˈstɔːl] installer (dans, in)
(a. ⊕); ⊕ monter (un atelier, une
machine); in·stal·la·tion [instə
ˈleiʃn] installation f (a. ⚡); ⊕,
radio: montage m; poste m (de
T.S.F.).

in·stal(l)·ment [inˈstɔːlmənt] ✝
fraction f; acompte m; versement
m; ouvrage: fascicule m; monthly ~
mensualité f; by ~s par paiements
à termes; fig. peu à peu.

in·stance [ˈinstəns] 1. instance f (a.
tꞁ); exemple m, cas m; for ~ par
exemple; in the first ~ en premier
lieu; at the ~ of à la demande de;

sur l'instance de; 2. citer (qch.) en
exemple.

in·stant □ [ˈinstənt] 1. instant,
urgent, pressant; immédiat; on the
10th ~ le 10 courant; 2. instant m,
moment m; in an ~, on the ~ sur-le-
champ, tout de suite; the ~ you
come dès que vous viendrez; in·
stan·ta·ne·ous □ [ˌ~ˈteinjəs] instantané; in·stan·ter [inˈstæntə],
in·stant·ly [ˈinstəntli] immédiatement, sur-le-champ.

in·state [inˈsteit] établir (dans, in).

in·stead [inˈsted] au lieu de cela;
~ of (gér.) au lieu de (inf.).

in·step [ˈinstep] cou-de-pied (pl.
cous-de-pied) m; soulier: cambrure
f.

in·sti·gate [ˈinstigeit] exciter, inciter, provoquer (à, to); in·sti·ga·tion
instigation f; 'in·sti·ga·tor instigateur (-trice f) m; auteur m (d'une
révolte).

in·stil(l) [inˈstil] instiller; fig. inculquer (à, into), inspirer (à, into);
in·stil·la·tion [instiˈleiʃn], in·
'stil(l)·ment instillation f; inspiration f; inculcation f.

in·stinct 1. [ˈinstiŋkt] instinct m;
2. [inˈstiŋkt] plein; ~ with life plein
ou doué de vie; in'stinc·tive □
instinctif (-ive f).

in·sti·tute [ˈinstitjuːt] 1. institut m;
cercle m; ✝ institution f; ⚥ of Justinian Institutes f/pl. de Justinien;
2. instituer, établir (q.); fonder;
intenter (un procès); investir (q.) (de,
[in]to), tꞁ instituer (q.) (héritier, as
heir); in·sti·tu·tion institution f,
établissement m (a. édifice); commencement m; association f (d'ingénieurs etc.); hospice m (de charité);
eccl. investiture f; tꞁ institution f;
in·sti·tu·tion·al·ize [ˌ~əlaiz] faire
une institution de (qch.); 'in·sti·tu·
tor fondateur (-trice f) m; auteur m.

in·struct [inˈstrʌkt] instruire; enseigner (qch. à q., s.o. in s.th.); charger (de, to); in'struc·tion instruction f, enseignement m; ordre m;
in'struc·tion·al d'instruction; ✗
~ school école f d'application; in·
'struc·tive □ instructif (-ive f);
in'struc·tor maître m; précepteur
m; ✗ moniteur m; Am. univ.
chargé m de cours; in'struc·tress
maîtresse f, préceptrice f.

in·stru·ment [ˈinstrumənt] (✝, ♪,

🏛, a. fig.) instrument m; appareil m; 🏛 a. acte m juridique; ♪, mot. ~ board tablier m des instruments; ✈ fly on ~s voler en P.S.V.; in·stru·men·tal □ [~'mentl] contributif (-ive f), qui contribue (à, to); gramm., a. ♪ instrumental (-aux m/pl.); be ~ to contribuer à (qch. ou inf.); in·stru·men·tal·i·ty [~'tæliti] moyen m, concours m, intermédiaire m.

in·sub·or·di·nate [insə'bɔ:dnit] insubordonné; mutin; 'in·sub·or·di·'na·tion insubordination f, insoumission f.

in·suf·fer·a·ble □ [in'sʌfərəbl] insupportable, intolérable.

in·suf·fi·cien·cy [insə'fiʃənsi] insuffisance f; in·suf'fi·cient □ insuffisant.

in·su·lar □ ['insjulə] insulaire; fig. borné, étroit; in·su·lar·i·ty [~'læriti] insularité f; fig. esprit m borné, étroitesse f de vues; in·su·late ['~leit] faire une île de; ⚡, a. fig. isoler; phys. calorifuger, protéger (contre, against); 'in·su·lat·ing isolant; ~ tape chatterton m; in·su'la·tion isolement m (a. phys.); a. = 'in·su·la·tor phys. isolant m.

in·sult 1. ['insʌlt] insulte f, affront m; 2. [in'sʌlt] insulter, affronter.

in·su·per·a·bil·i·ty [insju:pərə'biliti] caractère m ou nature f insurmontable; in·su·per·a·ble □ [~] insurmontable; infranchissable.

in·sup·port·a·ble □ [insə'pɔ:təbl] insupportable, intolérable.

in·sup·press·i·ble [insə'presəbl] irrépressible.

in·sur·ance [in'ʃuərəns] assurance f; attr. d'assurance; in'sur·ant assuré(e f) m; in·sure [in'ʃuə] (faire) assurer; fig. a. garantir; in'sured assuré(e f) m; in'sur·er assureur m.   [révolté (a. su./mf.).)
in·sur·gent [in'sə:dʒənt] insurgé,)
in·sur·mount·a·ble □ [insə'maun·təbl] insurmontable (a. fig.).

in·sur·rec·tion [insə'rekʃn] insurrection f, soulèvement m; in·sur·'rec·tion·al insurrectionnel(le f); in·sur'rec·tion·ist [~ʃnist] insurgé(e f) m.

in·sus·cep·ti·ble [insə'septəbl] non susceptible (de, of), inaccessible (à, of); insensible (à, to).

in·tact [in'tækt] intact, indemne.

in·take ['inteik] prise f (d'eau etc.).

in·tan·gi·bil·i·ty [intændʒə'biliti] intangibilité f; traité: inviolabilité f; in'tan·gi·ble □ [~dʒəbl] intangible; immatériel(le f); fig. impondérable.

in·te·ger ['intidʒə] totalité f; A nombre m entier; in·te·gral ['~grəl] 1. □ intégrant; total; entier (-ère f); A intégral; 2. A intégrale f; in·te·grant ['~grənt] intégrant; in·te·grate ['~greit] rendre entier; A intégrer; be ~d into s'intégrer dans; in·te'gra·tion intégration f; in·teg·ri·ty [~'tegriti] intégrité f; probité f; totalité f.

in·teg·u·ment [in'tegjumənt] (in)tégument m, enveloppe f (a. ⚘).

in·tel·lect ['intilekt] intelligence f, esprit m, intellect m; in·tel'lec·tu·al [~'tjuəl] 1. □ intellectuel(le f); 2. intellectuel (le f) m; in·tel·lec·tu·al·i·ty [~'æliti] intellectualité f.

in·tel·li·gence [in'telidʒəns] intelligence f; esprit m; renseignements m/pl., nouvelles f/pl.; informations f/pl.; ~ department, ✕, ⚓ a. ~ service service m des renseignements; in'tel·li·genc·er informateur (-trice f) m; espion m.

in·tel·li·gent □ [in'telidʒənt] intelligent; avisé; † ~ of au courant de; in·tel·li·gent·si·a [~'dʒentsiə] la classe f des intellectuels m/pl.; élite f intellectuelle; in·tel·li·gi·bil·i·ty [~dʒə'biliti] intelligibilité f; in'tel·li·gi·ble □ intelligible.

in·tem·per·ance [in'tempərəns] intempérance f; alcoolisme m; in'tem·per·ate □ [~rit] immodéré, intempérant; adonné à la boisson.

in·tend [in'tend] avoir l'intention de, se proposer de, compter; entendre (par, by); ~ for destiner à; in'tend·ant intendant m; in'tend·ed 1. projeté; intentionnel(le f); ~ husband fiancé m, prétendu m; 2. F fiancé(e f) m, prétendu(e f) m, futur(e f) m.

in·tense □ [in'tens] intense; vif (vive f) (a. couleur); fort; in'tense·ness intensité f; violence f; force f.

in·ten·si·fi·ca·tion [intensifi'keiʃn] renforcement m (a. phot.); in'ten·si·fy [~fai] (s')augmenter; (s')intensifier v/t. phot. renforcer.

in·ten·sion [in'tenʃn] tension f (d'esprit); *phls.* compréhension *f*; in-'ten·si·ty *see intenseness*; in'ten-sive □ *see intense*; intensif (-ive *f*).

in·tent [in'tent] **1.** □ tout entier (-ère *f*) (à, on); acharné (à, on); fixe (*regard*); **2.** intention *f*, but *m*, dessein *m*; *to all* ~*s and purpose* à toutes fins utiles; *with* ~ *to kill* dans l'intention de tuer; in'ten·tion intention *f*; dessein *m*; but *m*; in'ten-tion·al □ [~*ʃnl*] voulu, intentionnel (-le *f*); fait exprès; in'ten·tioned (*bien ou mal*) intentionné; in'tent-ness application *f*; tension *f* d'esprit; attention *f* soutenue (*du regard*).

in·ter [in'tə:] enterrer, ensevelir.

inter... [intə] entre-; inter-; réciproque.

in·ter·act **1.** ['intərækt] *théâ.* entracte *m*; intermède *m*; **2.** [~'ækt] agir l'un sur l'autre; in·ter'ac·tion action *f* réciproque.

in·ter·breed ['intə'bri:d] [*irr.* (breed)] (s')entrecroiser; *v/t.* accoupler (*des animaux*).

in·ter·ca·lar·y [in'tə:kələri] intercalaire; *géol.* intercalé (*couche*); in-'ter·ca·late [~leit] intercaler; in-ter·ca'la·tion intercalation *f*.

in·ter·cede [intə'si:d] intercéder, plaider (auprès de, *with*); in·ter-'ced·er intercesseur *m*; médiateur (-trice *f*) *m*.

in·ter·cept [intə'sept] intercepter (*une lettre*, *un navire*, *un message*); couper (*la retraite*); ⚡ comprendre (*un espace*); in·ter'cep·tion interception *f*; *téléph. etc.* captation *f*; inter'cep·tor celui (celle *f*) *m* qui intercepte; ✈ ~ *fighter* intercepteur *m*.

in·ter·ces·sion [intə'seʃn] intercession *f*; médiation *f*; in·ter·ces·sor [~'sesə] intercesseur *m*; médiateur (-trice *f*) *m*.

in·ter·change **1.** [intə'tʃeindʒ] *v/t.* échanger; mettre (*qch.*) à la place de (*qch. d'autre*); *v/i.* s'interchanger; **2.** ['~'tʃeindʒ] échange *m*; alternance *f*; ⚡ interversion *f*; in·ter-'change·a·ble interchangeable, permutable.

in·ter·com·mu·ni·cate [intəkə-'mju:nikeit] communiquer (entre eux *ou* elles); 'in·ter·com·mu·ni-'ca·tion communication *f* réciproque; rapports *m/pl.*; 🚂 intercircu-

lation *f*; in·ter·com'mun·ion [~-jən] rapports *m/pl.* intimes; *eccl.* intercommunion *f*.

in·ter·con·nect ['intəkə'nekt] communiquer (réciproquement).

in·ter·con·ti·nen·tal ['intəkɔnti-'nentl] intercontinental (-aux *m/pl.*).

in·ter·course ['intəkɔ:s] commerce *m*, relations *f/pl.*

in·ter·de·pend·ent [intədi'pendənt] solidaire (de, *with*).

in·ter·dict **1.** [intə'dikt] interdire (*qch.* à q., ~, *s.th. to s.o.*; à q. de *inf.*, *s.o. from gér.*); prohiber; **2.** ['intədikt], in·ter'dic·tion interdiction *f*, défense *f*; *eccl.* interdit *m*.

in·ter·est ['intrist] **1.** *usu.* intérêt *m*; participation *f* (à, *in*); *fig.* groupe *m*, parti *m*, monde *m*; profit *m*, avantage *m*; † influence *f*, crédit *m* (auprès de, *with*); ✚ intérêt *m*; revenu *m*; *be of* ~ *to* intéresser (*q.*); *take an* ~ *in* s'intéresser à; **2.** *usu.* intéresser (dans, *in*); éveiller l'intérêt de (*q.*); *be* ~*ed in* s'intéresser à; s'occuper de; ✚ être intéressé dans; ~ *o.s.* s'intéresser (à, *in*); 'in·ter·est·ed □ intéressé; d'intérêt (*regard*); 'in·ter·est·ing □ intéressant.

in·ter·fere [intə'fiə] se mêler (de, *with*); toucher (à, *with*); intervenir (dans, *in*); gêner, déranger (qch., *with s.th.*); in·ter'fer·ence intervention *f*, ingérence *f* (dans, *in*); *phys.* interférence *f*; *radio:* interférences *f/pl.*; ~ *elimination radio:* filtrage *m* à interférences; ~ *suppressor* antiparasite *m*.

in·ter·flow [intə'flou] se mélanger.

in·ter·flu·ent [in'tə:fluənt] se mélangeant; mêlant leurs eaux.

in·ter·fuse [intə'fju:z] (se) mélanger, (se) confondre.

in·ter·im ['intərim] **1.** *su.* intérim *m*; *ad* ~ par intérim; *in the* ~ sur ces entrefaites; **2.** *adv.* en attendant, entretemps; **3.** *adj.* intérimaire.

in·te·ri·or [in'tiəriə] **1.** □ (de l')intérieur; *fig.* intime; ✚ interne; **2.** intérieur *m* (*tous les sens*); ~ *decorator* ensemblier *m*, artiste *mf* décorateur (-trice *f*).

in·ter·ja·cent [intə'dʒeisənt] intermédiaire, interjacent.

in·ter·ject [intə'dʒekt] interrompre; faire (*une remarque*); in·ter'jec·tion interjection *f*; in·ter'jec·tion·al □ interjectionnel(le *f*).

in·ter·lace [intə'leis] (s')entrelacer, (s')entrecroiser, (s')entremêler.

in·ter·lard [intə'lɑːd] *fig.* piquer (de, *with*).

in·ter·leave [intə'liːv] interfolier (*un livre*).

in·ter·line [intə'lain] écrire (*qch.*) entre les lignes; *typ.* interligner; **in·ter·lin·e·ar** [intə'liniə] (à traduction) interlinéaire; **in·ter·lin·e·a·tion** [ˌlini'eiʃn] interlinéation *f*, entre-ligne *m*; intercalation *f* de mots *etc.* dans un texte.

in·ter·lock [intə'lɔk] (s')emboîter; 🚂 (s')enclencher; (s')engrener.

in·ter·lo·cu·tion [intəlo'kjuːʃn] interlocution *f*; **in·ter·loc·u·tor** [ˌ'lɔkjutə] interlocuteur *m*; **in·ter·'loc·u·to·ry** en forme de dialogue; ⚖ interlocutoire.

in·ter·lope [intə'loup] faire intrusion; ✝ vendre sans autorisation; **'in·ter·lop·er** intrus(e *f*) *m*; ✝ commerçant *m* marron.

in·ter·lude ['intəluːd] intermède *m*.

in·ter·mar·riage [intə'mærid3] intermariage *m*; **'in·ter·'mar·ry** se marier entre parents *ou* entre membres de races *etc.* différentes.

in·ter·med·dle [intə'medl] s'ingérer (dans *with*, *in*); **in·ter'med·dler** *fig.* officieux (-euse *f*) *m*.

in·ter·me·di·ar·y [intə'miːdiəri] intermédiaire (*a. su./m*); **in·ter·me·di·ate** □ [ˌ'miːdiət] intermédiaire; intermédiat; moyen(ne *f*); 🚉 ~ *landing* escale *f*; *Am.* ~ *school* école *f* secondaire; ~ *trade* commerce *m* intermédiaire.   [ment *m*.\

in·ter·ment [in'təːmənt] enterre-\
in·ter·mi·na·ble □ [in'təːminəbl] sans fin, interminable.

in·ter·min·gle [intə'miŋgl] (s')entremêler.

in·ter·mis·sion [intə'miʃn] interruption *f*, intervalle *m*; pause *f*; *Am. théâ.* entracte *m*.

in·ter·mit [intə'mit] (s')interrompre; *v/t.* suspendre; **in·ter'mit·tent 1.** □ intermittent; ~ *fever* = 🩺 2. 🩺 fièvre *f* intermittente; **in·ter'mit·ting·ly** par intervalles.

in·ter·mix [intə'miks] (s')entremêler, (se) mélanger; **in·ter'mix·ture** [ˌtʃə] mélange *m*; mixtion *f*.

in·tern [in'təːn] interner.

in·tern(e) ['intəːn] interne *m* (*des hôpitaux*).

in·ter·nal □ [in'təːnl] interne; intérieur; intime, secret (-ète *f*); ~ **com'bus·tion en·gine** moteur *m* à combustion interne.

in·ter·na·tion·al [intə'næʃnəl] **1.** □ international (-aux *m/pl.*); ~ *exhibition* exposition *f* internationale; ~ *law* droit *m* international *ou* des gens; **2.** *pol.* F Internationale *f*; *sp.* international(e *f*) *m*; **in·ter·na·tion·al·i·ty** [ˌ'næliti] internationalité *f*; **in·ter'na·tion·al·ize** [ˌəlaiz] internationaliser.

in·ter·ne·cine war [intə'niːsain'wɔː] guerre *f* d'extermination réciproque.

in·tern·ee [intəː'niː] interné(e *f*) *m*; **in'tern·ment** internement *m*; ~ *camp* camp *m* d'internement.

in·ter·pel·late [in'təːpeleit] interpeller; **in·ter·pel'la·tion** interpellation *f*.

in·ter·phone ['intəfoun] téléphone *m* privé; ✈ téléphonie *f* de bord.

in·ter·plan·e·tar·y [intə'plænitəri] interplanétaire.

in·ter·play ['intə'plei] effet *m* réciproque; jeu *m*.

in·ter·po·late [in'təːpoleit] interpoler; intercaler; **in·ter·po'la·tion** interpolation *f*.

in·ter·pose [intə'pouz] *v/t.* interposer; faire (*une observation*); *v/i.* s'interposer, intervenir; **in·ter·po·si·tion** [intəpə'ziʃn] interposition *f*; intervention *f*.

in·ter·pret [in'təːprit] interpréter; **in·ter·pre'ta·tion** interprétation *f*; **in'ter·pre·ta·tive** [ˌtətiv] interprétatif (-ive *f*); qui explique (qch., *of s.th.*); **in'ter·pret·er** interprète *mf*.

in·ter·ro·gate [in'terogeit] interroger, questionner; **in·ter·ro'ga·tion** interrogation *f*; *police*: interrogatoire *m*; question *f*; *note* (*ou mark ou point*) *of* ~ point *m* d'interrogation; **in·ter·rog·a·tive** [ˌtə'rɔgətiv] **1.** □ interrogateur (-trice *f*); *gramm.* interrogatif (-ive *f*); **2.** *gramm.* pronom *m* interrogatif; **in'ter·rog·a·to·ry** [ˌtəri] **1.** interrogateur (-trice *f*); **2.** ⚖ question *f*; interrogatoire *m*.

in·ter·rupt [intə'rʌpt] interrompre; **in·ter'rupt·ed·ly** de façon interrompue; **in·ter'rupt·er** interrupteur (-trice *f*) *m*; ⚡ interrupteur *m*, *a.* coupe-circuit *m/inv.*; **in·ter'rup·tion** interruption *f*.

in·ter·sect [intə'sekt] (s')entrecouper, (s')entrecroiser; ⚥ (se) couper; **in·ter·sec·tion** intersection f (🚂 de voies); chemins: carrefour m.

in·ter·space ['intə'speis] espacement m; temps: intervalle m.

in·ter·sperse [intə'spə:s] entremêler (de, with); parsemer (de, with).

in·ter·state Am. ['intə'steit] entre États.

in·ter·stice [in'tə:stis] interstice m; **in·ter·sti·tial** □ [intə'stiʃl] interstitiel(le f).

in·ter·twine [intə'twain], **in·ter·twist** [intə'twist] (s')entrelacer.

in·ter·val ['intəvəl] intervalle m (a. de temps, a. ♪); distance f; sp. mi-temps f; théâ. entracte m; école: récréation f.

in·ter·vene [intə'vi:n] intervenir, s'interposer; s'écouler (années); séparer; arriver, survenir; **in·ter·ven·tion** [∼'venʃn] intervention f; interposition f.

in·ter·view ['intəvju:] 1. entrevue f; journ. interview f; 2. avoir une entrevue avec; journ. interviewer; **'in·ter·view·er** interviewer m.

in·ter·weave [intə'wi:v] [irr. (weave)] (s')entrelacer; fig. (s')entremêler.

in·tes·ta·cy ⚖ [in'testəsi] absence f de testament; **in·tes·tate** ⚖ [∼tit] intestat (usu. su./m); ∼ succession succession f ab intestat.

in·tes·ti·nal anat. [in'testinl] intestinal (-aux m/pl.); **in·tes·tine** [∼tin] intestin (a. su./m).

in·ti·ma·cy ['intiməsi] intimité f; péj. accointances f/pl.; ⚖ relations f/pl. charnelles; **in·ti·mate 1.** ['∼meit] signifier; indiquer; suggérer; intimer (un ordre); 2. ['∼mit] □ intime; fig. approfondi; 3. ['∼mit] intime mf; **in·ti·ma·tion** [∼'meiʃn] avis m; indication f; suggestion f.

in·tim·i·date [in'timideit] intimider; **in·tim·i'da·tion** intimidation f; ⚖ menaces f/pl.

in·tim·i·ty [in'timiti] intimité f.

in·to ['intu; intə] prp. dans, en; à; entre (les mains).

in·tol·er·a·ble □ [in'tɔlərəbl] intolérable, insupportable; **in'tol·er·ance** intolérance f; **in'tol·er·ant** □ intolérant.

in·to·na·tion [intə'neiʃn] ♪, voix: intonation f; eccl. psalmodie f; cadence f, voix: ton m; **in·to·nate** ['∼neit], **in·tone** [in'toun] psalmodier; entonner.

in·tox·i·cant [in'tɔksikənt] 1. enivrant; 2. boisson f alcoolique; **in'tox·i·cate** [∼keit] enivrer; **in·tox·i'ca·tion** ivresse f; fig. enivrement m; ⚕ poison: intoxication f.

in·trac·ta·bil·i·ty [intræktə'biliti] indocilité f; terrain: nature f incultivable; **in'trac·ta·ble** □ intraitable, obstiné, difficile; incultivable; ingrat.

in·tra·mu·ral ['intrə'mjuərəl] dans l'intérieur de la ville.

in·tran·si·gent pol. [in'trænsidʒənt] intransigeant(e f) (a. su.).

in·tran·si·tive □ [in'trænsitiv] intransitif (-ive f).

in·tra·state Am. [intrə'steit] intérieur de l'État; qui ne concerne que l'État.

in·trep·id □ [in'trepid] intrépide, courageux (-euse f) (a. su.); **in·tre·pid·i·ty** [intri'piditi] intrépidité f, courage m.

in·tri·ca·cy ['intrikəsi] complication f; complexité f; **in·tri·cate** □ ['∼kit] compliqué; confus; embrouillé.

in·trigue [in'tri:g] 1. intrigue f (a. théâ.); liaison f (amoureuse); cabale f; 2. v/i. intriguer (a. v/t.); mener des intrigues; v/t. fig. piquer la curiosité de (q.); **in'tri·guer** intrigant(e f) m.

in·trin·sic, **in·trin·si·cal** □ [in'trinsik(l)] intrinsèque.

in·tro·duce [intrə'dju:s] introduire, faire entrer; présenter (q. à q., s.o. to s.o.; a. parl. un projet de loi); faire connaître (un livre); initier (q. à qch., s.o. to s.th.); établir; commencer (une phrase); **in·tro·duc·tion** [∼'dʌkʃn] introduction f; présentation f; avant-propos m/inv.; letter of ∼ lettre f de recommandation; **in·tro'duc·to·ry** [∼təri] préliminaire; de recommandation (lettre).

in·tro·spec·tion [intro'spekʃn] introspection f; **in·tro'spec·tive** □ introspectif (-ive f).

in·tro·vert [intro'və:t] ⚕ retourner, introvertir (a. psych.); 2. ['introvə:t] caractère m introverti.

in·trude [in'tru:d] v/t. introduire de force (dans, into); imposer (à, [up]on); v/i. faire intrusion (auprès de, [up]on); empiéter (sur, on); être importun; **in'trud·er** intrus(e f) m; importun(e f) m; F resquilleur (-euse f) m (à une soirée).

in·tru·sion [in'tru:ʒn] intrusion f, empiétement m.

in·tru·sive □ [in'tru:siv] importun (personne); géol. d'intrusion; gramm. intrusif (-ive f).

in·trust [in'trʌst] see entrust.

in·tu·i·tion [intju'iʃn] intuition f; **in·tu·i·tive** □ [~'tjuitiv] intuitif (-ive f).

in·un·date ['inʌndeit] inonder (de, with); **in·un'da·tion** inondation f.

in·ure [i'njuə] habituer (à, to); in'ure·ment habitude f (de, to); endurcissement m (à, to).

in·u·til·i·ty [inju'tiliti] inutilité f.

in·vade [in'veid] envahir; faire une invasion dans (un pays); fig. violer; empiéter sur (un droit); **in'vad·er** envahisseur m; fig. intrus(e f) m; transgresseur m (d'un droit).

in·val·id[1] [in'vælid] invalide; nul (-le f).

in·val·id[2] ['invəli:d] **1.** malade (a. su./mf); infirme (a. su./mf); **2.** ✗, ♯ invalide m; **3.** v/t. rendre malade ou infirme; ✗, ♯ réformer; v/i. être réformé.

in·val·i·date [in'vælideit] rendre nul, invalider; ♯ casser (un jugement); **in·val·i'da·tion** invalidation f; cassation f.

in·va·lid·i·ty [invə'liditi] invalidité f.

in·val·u·a·ble □ [in'væljuəbl] inestimable.

in·var·i·a·ble □ [in'vɛəriəbl] invariable.

in·va·sion [in'veiʒn] invasion f (a. ✗), envahissement m; fig. violation f (a. ♯) (de, of); ♯ empiétement m (sur, of); **in'va·sive** [~siv] envahissant; d'invasion.

in·vec·tive [in'vektiv] invective f, injures f/pl.

in·veigh [in'vei]: ~ against déclamer ou fulminer contre, maudire (qch.).

in·vei·gle [in'vi:gl] séduire; attirer (dans, into); **in'vei·gle·ment** séduction f; leurre m.

in·vent [in'vent] inventer; **in'ven·tion** invention f (a. fig.); fig. mensonge m; **in'ven·tive** □ inventif (-ive f); **in'ven·tive·ness** fécondité f d'invention; imagination f; **in'ven·tor** inventeur (-trice f) m;

in·ven·to·ry ['invəntri] **1.** inventaire m; **2.** inventorier; dresser l'inventaire de.

in·verse □ ['in'və:s] inverse; **in·ver·sion** [in'və:ʃn] renversement m; gramm., ♪, ♘, etc. inversion f.

in·vert 1. [in'və:t] renverser; invertir; ♘ intervertir; ~ed commas pl. guillemets m/pl.; ✗ ~ed flight vol m renversé ou sur le dos; **2.** ['invə:t] inverti(e f) m.

in·ver·te·brate [in'və:tibrit] **1.** vertébré; fig. flasque, faible; **2.** zo. invertébré m; fig. personne f qui manque de caractère.

in·vest [in'vest] v/t. revêtir (de with, in); fig. investir (q. de qch., s.o. with s.th.; a. de l'argent); prêter (qch. à q., s.o. with s.th.); ✗ investir, cerner; ♦ investir, placer (des fonds) (dans, in); v/i. ♦ placer de l'argent (dans, in); F ~ in s.th. acheter qch., se payer qch.

in·ves·ti·gate [in'vestigeit] examiner, étudier, rechercher; **in·ves·ti'ga·tion** investigation f, recherches f/pl.; **in'ves·ti·ga·tor** [~tə] investigateur (-trice f) m.

in·ves·ti·ture [in'vestitʃə] remise f de décorations; eccl. investiture f; poét. (re)vêtement m; **in'vest·ment** placement m (de fonds); ✗ investissement m; **in'vest·or** capitaliste mf; spéculateur m; small ~ petit rentier m.

in·vet·er·a·cy [in'vetərəsi] caractère m invétéré; **in'vet·er·ate** □ [~rit] invétéré, enraciné (chose); acharné (personne).

in·vid·i·ous □ [in'vidiəs] odieux (-euse f), haïssable; qui excite la haine ou l'envie ou la jalousie.

in·vig·or·ate [in'vigəreit] v/t. fortifier, donner de la vigueur à; **in·vig·or'a·tion** invigoration f.

in·vin·ci·bil·i·ty [invinsi'biliti] invincibilité f; **in'vin·ci·ble** □ invincible.

in·vi·o·la·bil·i·ty [invaiələ'biliti] inviolabilité f; **in'vi·o·la·ble** □ inviolable; **in'vi·o·late** [~lit] inviolé.

in·vis·i·bil·i·ty [invizə'biliti] invisibilité f; **in'vis·i·ble** □ invisible.

in·vi·ta·tion [invi'teiʃn] invitation f; **in·vite** [in'vait] **1.** inviter (q. à inf., s.o. to inf.); convier (a. à dîner); solliciter (qch.); provoquer (une critique, un danger, etc.); **2.** F invitation f.

in·vo·ca·tion [invo'keiʃn] invocation *f*; **in·voc·a·to·ry** [in'vɔkətəri] invocatoire.

in·voice ✝ ['invɔis] **1.** facture *f*; **2.** facturer.

in·voke [in'vouk] invoquer (*Dieu, la mémoire, un esprit*); appeler.

in·vol·un·tar·y □ [in'vɔləntəri] involontaire.

in·vo·lute ['invəlu:t] **1.** ♀ involuté; ⅋ de *ou* à développante; **2.** ⅋ développante *f*; **in·vo'lu·tion** complication *f*; enchevêtrement *m*; ♀, ⅋, *biol.* involution *f*.

in·volve [in'vɔlv] envelopper (dans, *in*); embarrasser; impliquer (dans, *in*); engager (dans, *in*); entraîner; comprendre; **in'volve·ment** implication *f*; confusion *f*; embarras *m/pl.* pécuniaires.

in·vul·ner·a·bil·i·ty [invʌlnərə'biliti] invulnérabilité *f*; **in'vul·ner·a·ble** □ invulnérable.

in·ward ['inwəd] **1.** *adj.* intérieur (*a. fig.*); interne; vers l'intérieur; **2.** *adv.* (*usu.* **in·wards** ['‿z]) vers l'intérieur; ✝ pour l'importation; *fig.* dans l'âme; **3.** *su. fig.* **‿s** *pl.* entrailles *f/pl.*, ventre *m*; **'in·ward·ly** intérieurement (*a. fig.*); dans *ou* vers l'intérieur; **'in·ward·ness** essence *f*, signification *f* intime; spiritualité *f*.

in·weave ['in'wi:v] [*irr.* (*weave*)] brocher (de, *with*); tisser (dans, *into*).

in·wrought ['in'rɔ:t] broché, ouvragé (de, *with*; dans, *into*).

i·od·ic ⚗ [ai'ɔdik] iodique; **i·o·dide** ['aiədaid] iodure *m*; **i·o·dine** ['‿di:n] iode *m*; **i·o·do·form** ⚗ [ai-'ɔdəfɔ:m] iodoforme *m*.

i·on *phys.* ['aiən] ion *m*.

I·o·ni·an [ai'ounjən] **1.** ionien(ne *f*); **2.** Ionien(ne *f*) *m*.

I·on·ic[1] [ai'ɔnik] △ ionique; ♪, *ling.* ionien(ne *f*).

i·on·ic[2] *phys.* ['‿] ionique; **i·on·ize** *phys.* ['aiənaiz] (s')ioniser.

i·o·ta [ai'outə] iota *m* (*a. fig.*).

I O U ['aiou'ju:] (*abr. de I owe you*) reconnaissance *f* de dette.

ip·e·cac·u·an·ha ♀ [ipikækju'ænə] ipécacuana *m*, *abr.* ipéca *m*.

I·ra·ni·an [ai'reinjən] **1.** iranien(ne *f*); **2.** Iranien(ne *f*) *m*.

i·ras·ci·bil·i·ty [iræsi'biliti] irascibilité *f*; tempérament *m* colérique;

i·ras·ci·ble □ [‿sibl] irascible; colérique (*tempérament*).

i·rate [ai'reit] en colère, furieux (-euse *f*).

ire *poét.* ['aiə] colère *f*; courroux *m*.

ire·ful □ ['aiəful] plein de colère.

ir·i·des·cence [iri'desns] irisation *f*; *plumage etc.*: chatoiement *m*; **ir·i'des·cent** irisé; chatoyant.

I·ris ['aiəris] *myth.* Iris *f*; 2. ♀, *anat., cin., opt.* iris *m*; *phot.* ～ **diaphragm** diaphragme *m* iris.

I·rish ['aiəriʃ] **1.** irlandais; d'Irlande; **2.** *ling.* irlandais *m*; **the ～** les Irlandais *m/pl.*; **'I·rish·ism** locution *f* irlandaise; **'I·rish·man** Irlandais *m*; **'I·rish·wom·an** Irlandaise *f*.

irk ✝ [ə:k] ennuyer; en coûter à (*q.*).

irk·some □ ['ə:ksəm] ennuyeux (-euse *f*); ingrat; **'irk·some·ness** caractère *m* ingrat; ennui *m*.

i·ron ['aiən] **1.** fer *m* (*a. fig.*); *fig. souv.* airain *m*; cast ～ fonte *f*; (*qqfois* flat-～) fer *m* à repasser; **～s** *pl.* fers *m/pl.*; **2.** de fer (*a. fig.*); en fer; ⊕ de fonte; **3.** repasser; donner un coup de fer à; garnir de fer; mettre (*q.*) aux fers; **'～-bound** cerclé de fer; *fig.* sévère, inflexible; à pic (*côte*); **'～-clad** cuirassé (*a. su./m*); **'i·ron·er** repasseur (-euse *f*) *m*; **'i·ron-found·ry** fonderie *f* de fonte; **'i·ron-heart·ed** *fig.* dur, sans pitié.

i·ron·ic, i·ron·i·cal □ [ai'rɔnik(l)] ironique.

i·ron·ing ['aiəniŋ] **1.** repassage *m*; **2.** à repasser.

i·ron...: ～ lung ⚕ poumon *m* d'acier; **'～·mas·ter** maître *m* de forges; **'～·mon·ger** quincailler (-ère *f*) *m*; **'～·mon·ger·y** quincaillerie *f*; **'～·mould** tache *f* de rouille; 2·sides *pl.* Côtes *f/pl.* de Fer (= *cavalerie de Cromwell*); **'～·work** construction *f* en fer; serrurerie *f*; **～s** *usu. sg.* ⊕ fonderie *f* (de fonte).

i·ron·y[1] ['aiəni] de *ou* en fer; qui ressemble au fer.

i·ro·ny[2] ['aiərəni] ironie *f*.

ir·ra·di·ance, ir·ra·di·an·cy ['irei-diəns(i)] rayonnement *m*; éclat *m* (*a. fig.*); **ir'ra·di·ant** rayonnant (de, *with*).

ir·ra·di·ate [i'reidieit] irradier; *v/i.* rayonner (de, *with*); *v/t.* rayonner sur; *a.* éclairer; illuminer; faire rayonner; **ir·ra·di·a·tion** rayonnement *m*, éclat *m* (*a. fig.*); *phys.* irradiation *f*; *fig.* illumination *f*.

ir·ra·tion·al □ [i'ræ∫nəl] déraisonnable; dépourvu de raison; *A,* irrationnel(le *f*); **ir·ra·tion·al·i·ty** [‿∫ə'næliti] déraison *f*; absurdité *f*.

ir·re·claim·a·ble □ [iri'kleiməbl] incorrigible; *♪* incultivable.

ir·rec·og·niz·a·ble □ [i'rekəgnaizəbl] méconnaissable.

ir·rec·on·cil·a·ble □ [i'rekənsailəbl] incompatible (avec, *with*); implacable (*haine etc.*).

ir·re·cov·er·a·ble □ [iri'kʌvərəbl] irrécouvrable; irréparable (*perte*).

ir·re·deem·a·ble □ [iri'di:məbl] irrachetable (*faute, fonds*); irrémédiable (*désastre etc.*); *✝* non amortissable; incorrigible (*coquin*).

ir·re·duc·i·ble [iri'dju:səbl] irréductible.

ir·re·fra·ga·bil·i·ty [irefrægə'biliti] caractère *m* irréfragable *etc.*; **ir·ref·ra·ga·ble** □ irréfragable; irréfutable.

ir·ref·u·ta·ble □ [i'refjutəbl] irréfutable; irrécusable.

ir·reg·u·lar [i'regjulə] **1.** □ irrégulier (-ère *f*); anormal (-aux *m/pl.*); inégal (-aux *m/pl.*); saccadé (*mouvement etc.*); **2.** ‿s *pl.* troupes *f/pl.* irrégulières, irréguliers *m/pl.*; **ir·reg·u·lar·i·ty** [‿'læriti] irrégularité *f*.

ir·rel·a·tive [i'relətiv] sans rapport (avec, *to*), étranger (-ère *f*) (à, *to*).

ir·rel·e·vance, ir·rel·e·van·cy [i're-livəns(i)] inconséquence *f*; inapplicabilité *f*; **ir·rel·e·vant** □ hors de propos; étranger (-ère *f*) (à, *to*).

ir·re·li·gion [iri'lidʒən] irréligion *f*, indévotion *f*; **ir·re·li·gious** □ [‿dʒəs] irréligieux (-euse *f*).

ir·re·me·di·a·ble □ [iri'mi:djəbl] irrémédiable; sans remède.

ir·re·mis·si·ble □ [iri'misəbl] impardonnable; irrémissible.

ir·re·mov·a·ble □ [iri'mu:vəbl] inébranlable; bien ancré; inamovible (*juge etc.*).

ir·rep·a·ra·ble □ [i'repərəbl] irréparable; irrémédiable.

ir·re·press·i·ble □ [iri'presəbl] irrésistible; irrépressible.

ir·re·proach·a·ble □ [iri'prout∫əbl] irréprochable; **ir·re·proach·a·ble·ness** caractère *m* irréprochable.

ir·re·sist·i·bil·i·ty ['irizistə'biliti] ir-

résistibilité *f*; **ir·re'sist·i·ble** □ irrésistible.

ir·res·o·lute □ [i'rezəlu:t] irrésolu; indécis; hésitant; **ir'res·o·lute·ness, ir·res·o'lu·tion** irrésolution *f*; indécision *f*.

ir·re·solv·a·ble [iri'zɔlvəbl] insoluble; indécomposable.

ir·re·spec·tive □ [iris'pektiv] (*of*) indépendant (de); *adv.* sans tenir compte (de).

ir·re·spon·si·bil·i·ty ['irisponsə'biliti] étourderie *f*; *z͡z* irresponsabilité *f*; **ir·re'spon·si·ble** □ étourdi, irréfléchi; *z͡z* irresponsable.

ir·re·triev·a·ble □ [iri'tri:vəbl] irréparable, irrémédiable.

ir·rev·er·ence [i'revərəns] irrévérence *f*; manque *m* de respect (pour, envers *towards*); **ir'rev·er·ent** □ irrévérent; irrévérencieux (-euse *f*).

ir·re·vers·i·ble □ [iri'və:səbl] irrévocable; *mot.* irréversible.

ir·rev·o·ca·bil·i·ty [irevəkə'biliti] irrévocabilité *f*; **ir'rev·o·ca·ble** □ irrévocable.

ir·ri·gate ['irigeit] arroser; *♪*, *⚕* irriguer; **ir·ri'ga·tion** arrosage *m*; *♪*, *⚕* irrigation *f*.

ir·ri·ta·bil·i·ty [iritə'biliti] irritabilité *f*; **'ir·ri·ta·ble** □ irritable; **'ir·ri·tant** irritant (*a. su./m*); **ir·ri·tate** ['‿teit] irriter; agacer; **'ir·ri·tat·ing** □ irritant; agaçant; **ir·ri'ta·tion** irritation *f*; *biol.* stimulation *f*.

ir·rup·tion [i'rʌp∫n] irruption *f*.

is [iz] *il, elle, etc.* est.

i·sin·glass ['aiziŋglɑ:s] ichtyocolle *f*; gélatine *f*.

Is·lam ['izlɑ:m] Islam *m*.

is·land ['ailənd] île *f*; îlot *m* (*a. fig.*); (*a. traffic-‿*) refuge *m*; **'is·land·er** insulaire *mf*.

isle [ail] *poét. ou géogr. devant npr.* île *f*; **is·let** ['ailit] îlot *m*.

ism *usu. péj.* [izm] théorie *f*, doctrine *f*.

isn't ['iznt] = *is not*.

iso... [aiso] *préf.* is(o)-.

i·so·late ['aisəleit] isoler; *A,* *m* dégager; **i·so'la·tion** isolement *m*; ‿ *hospital* hôpital *m* de contagieux; **i·so'la·tion·ist** *Am. pol.* isolationniste (*a. su./mf*).

i·so·tope *m* ['aisotoup] isotope *m*.

Is·ra·el·ite ['izriəlait] Israélite *mf*; **'Is·ra·el·it·ish** israélite.

is·sue ['isju:; 'i∫u:] **1.** sortie *f*; *fleuve*:

embouchure *f*; résultat *m*, dénouement *m*, fin *f*; perte *f*, *sang*: épanchement *m*; ⚥⚥ progéniture *f*, postérité *f*; ⚥⚥ cause *f*; question *f*; distribution *f* (*de vivres etc.*); ✝ émission *f* (*des billets de banque etc.*); publication *f* (*d'un livre*; *a.* ✗, ⚓ *d'ordres*); numéro *m*, *journal*: édition *f*; *prospectus*: lancement *m*; *passeport etc.*: délivrance *f*; ~ *of fact* question *f* de fait; ~ *of law* question *f* de droit; *force an* ~ forcer une décision; amener une crise; *join (the)* ~ différer d'opinion; F relever le gant; *join* ~ *with s.o.* contredire q., discuter l'opinion de q.; *be at* ~ être en débat (sur, *on*); être en question; 2. *v/i.* sortir, jaillir (de, *from*); provenir (de, *from*); se terminer (par, *in*); *v/t.* publier (*a. des livres*); distribuer (qch. à q., *s.o. with s.th.*); lancer (*un mandat d'arrêt*); donner (*un ordre*); ✝ émettre (*des billets de banque*); '~-de·part·ment section *f* émettrice (*de la Banque d'Angleterre*); 'is·sue·less sans enfants.

isth·mus ['ismǝs] isthme *m*.

it [it] 1. *pron.* il, *accentué*: lui; elle (*a. accentué*); ce, *accentué*: cela; *accusatif*: le, la; *datif*: lui; *of* (*ou from*) ~ en; *to* (*ou at*) ~ y; *how is* ~ *with?* comment va *etc.?*; *see lord* 2, *foot* 2; F *go* ~ aller grand train; *sl. go* ~! vas-y!; allez-y!; *we had a very good time of* ~ nous nous sommes bien amusés; 2. *adj. préd.* F épatant; 3. *su.* F quelque chose; F *abr. de Italian* vermouth.

I·tal·ian [i'tæljǝn] 1. italien(ne *f*);

~ *warehouse* magasin *m* de comestibles, épicerie *f*; 2. *ling.* italien *m*; Italien(ne *f*) *m*.

i·tal·ics *typ.* [i'tæliks] italiques *m/pl.*

itch [itʃ] 1. ⚕ gale *f*; démangeaison *f* (*a. fig.*, *de inf. for*, *to inf.*); 2. démanger; *personne*: éprouver des démangeaisons; *fig.* avoir une démangeaison (*de inf. for*, *to inf.*); *be* ~*ing to* (*inf.*) brûler de (*inf.*); 'itch·ing ⚕ prurit *m*; démangeaison *f* (*a. fig.*); *fig.* grande envie *f*; 'itch·y ⚕ galeux (-euse *f*)

i·tem ['aitem] 1. item; de plus; 2. article *m*, détail *m*; question *f*; *journ.* fait *m* divers; ✝ poste *m*; 3. noter; i·tem·ize ['aitǝmaiz] *surt. Am.* détailler, donner les détails de.

it·er·ate ['itǝreit] réitérer; it·er'a·tion réitération *f*, répétition *f*; it·er·a·tive □ ['itǝrǝtiv] itératif (-ive *f*).

i·tin·er·ant □ [i'tinǝrǝnt] ambulant; i·tin·er·ar·y [ai'tinǝrǝri] itinéraire (*a. su./m*); i·tin·er·ate [i'tinǝreit] voyager (de lieu en lieu).

its [its] son, sa; ses.

it's F [its] = *it is*; *it has*.

it·self [it'self] lui-même, elle-même; *réfléchi*: se, *accentué*: soi; *of* ~ tout seul; de lui-même, d'elle-même; *in* ~ en lui-même *etc.*; en soi, de soi; *by* ~ à part; tout seul.

I've F [aiv] = *I have*.

i·vied ['aivid] couvert de lierre.

i·vo·ry ['aivǝri] 1. ivoire *m*; 2. en ivoire; d'ivoire.

i·vy ⚕ ['aivi] lierre *m*.

J

J, j [dʒei] J *m*, j *m*.

jab F [dʒæb] 1. piquer (*q.*, *qch.*) du bout (de qch., *with s.th.*); *box.* lancer un coup sec à; 2. coup *m* de pointe; *box.* coup *m* sec.

jab·ber ['dʒæbǝ] 1. *vt/i.* baragouiner; *v/i.* jacasser; 2. baragouinage *m*; jacasserie *f*.

Jack¹ [dʒæk] Jean *m*; ~ *Frost* bonhomme *m* Hiver; ~ *and Jill* Jeannot et Colette; ~ *Ketch* le bourreau; ~ *Pudding* bouffon *m*; ~ *Rake* noceur *m*, roué *m*; ~ *Sprat* nabot *m*; ⚓ ~ *Tar* matelot *m*; F mathurin *m*.

jack² [~] 1. *cartes*: valet *m*; ⚓ pavillon *m* de beaupré; *mot.* cric *m*; tournebroche *m*; *icht.* brocheton *m*; *boules*: cochonnet *m*; *horloge*: jacquemart *m*; tire-botte *m*; *Am. sl.* argent *m*, *sl.* fric *m*; 2. soulever (avec un cric); *sl.* ~ *up* abandonner; *surt. Am.* F augmenter rapidement (*les prix*).

jack·al ['dʒækɔ:l] *zo.* chacal (*pl.* -als) *m* (*a. fig.*).

jack·a·napes ['dʒækǝneips] petit(e *f*) vaurien(ne *f*) *m*; impertinent *m*; 'jack·ass baudet *m*; *fig.* imbécile *m*;

'**jack·boots** bottes *f/pl.* de cava-lier; '**jack·daw** *orn.* choucas *m*.

jack·et ['dʒækit] veston *m* (*d'hom-me*); jaquette *f* (*de femme*); veste *f* (*d'un garçon de café*); ⊕ chemise *f* (*a. de documents*); *livre:* couverture *f*; *potatoes in their* ~s pommes *f/pl.* de terre en robe de chambre.

jack...: '~**-in-of·fice** bureaucrate *m*; '~**-in-the-box** diable *m* à ressort; '~**-knife** couteau *m* pliant; '~**-of-all-trades** maître Jacques *m*; '~**-of-all-work** factotum *m*; '~**-o'-lan·tern** feu *m* follet; '~**-pot** poker: pot *m*; *Am.* F hit the ~ décrocher la timbale; '~**-'tow·el** essuie-mains *m/inv.* à rouleau.

Jac·o·bin *hist.* ['dʒækobin] jaco-bin(e *f*) *m*; **Jac·o·bite** *hist.* ['~bait] jacobite *mf*.

jade¹ [dʒeid] **1.** rosse *f*, haridelle *f*; *péj.* drôlesse *f*; *fickle* ~ oiseau *m* volage; **2.** *v/t.* éreinter; fatiguer; *v/i.* languir.

jade² *min.* [~] jade *m*.

jag [dʒæg] **1.** pointe *f*, saillie *f*; *sl.* bombe *f*, noce *f*, ivresse *f*; **2.** dé-chiqueter; **jag·ged** □ ['~id] *surt. Am. sl.* soûl, gris; '**jag·gy** déchi-queté, ébréché.

jail [dʒeil] **1.** prison *f*; **2.** mettre en prison; '~**-bird** F gibier *m* de potence; **jail·er** ['dʒeilə] gardien *m* de prison.

ja·lop·(p)y *mot. surt. Am.* F [dʒə'lɔpi] bagnole *f*; ✈ avion *m* de transport.

jam¹ [dʒæm] confiture *f*.

jam² [~] **1.** presse *f*, foule *f*; ⊕ arrêt *m* (*de fonctionnement*); *radio:* brouillage *m*; *traffic* ~ embouteil-lage *m*; *sl.* be in a ~ être en diffi-culté; ~ *session* séance *f* de jazz improvisé; **2.** *v/t.* serrer, presser; enfoncer de force; obstruer (*un passage*); *radio:* brouiller; ⊕ coin-cer; ~ *the brakes* freiner brusque-ment; *v/i.* s'enrayer (*fusil*); se caler (*roue*); ⊕ se coincer.

Ja·mai·ca [dʒə'meikə] (*a.* ~ *rum*) rhum *m* de la Jamaïque.

jamb [dʒæm] chambranle *m*.

jam·bo·ree [dʒæmbə'ri] *sl.* bom-bance *f*; congrès *m* bruyant; *boy-scouts:* jamboree *f*.

jan·gle ['dʒæŋgl] **1.** (faire) rendre des sons discordants (à qch.); *v/i.* s'entrechoquer; *v/t.* (faire) entre-choquer; (*a.* ~ *upon*) agacer; **2.** sons *m/pl.* discordants; cliquetis *m*; '**jan-gling** cacophonique, discordant.

jan·i·tor ['dʒænitə] concierge *m*.

jan·u·ar·y ['dʒænjuəri] janvier *m*.

Jap F *péj.* [dʒæp] Japonais(e *f*) *m*.

ja·pan [dʒə'pæn] **1.** laque *m*; vernis *m* japonais; **2.** du Japon; **3.** laquer; vernir (*du cuir*).

Jap·a·nese [dʒæpə'ni:z] **1.** japonais; **2.** *ling.* japonais *m*; Japonais(e *f*) *m*; *the* ~ *pl.* les Japonais *m/pl.*

ja·pan·ner [dʒə'pænə] vernisseur *m*.

jar¹ [dʒɑː] pot *m* (*pour la moutarde etc.*); bocal *m*; récipient *m*; ⚡ verre *m*; *phys.* Leyden ~ bouteille *f* de Leyde.

jar² [~] **1.** choc *m*; secousse *f*; dis-corde *f*; **2.** heurter, cogner; vibrer; être en désaccord; ♪ détonner (*note*); ~ *upon* choquer, agacer; taper sur (*les nerfs*); ~ *with* jurer avec.

jar³ F [~]: *on the* ~ *see ajar.*

jar·gon ['dʒɑːgən] jargon *m*; *péj.* charabia *m*.

jas·min(e) ♀ ['dʒæsmin] jasmin *m*.

jas·per *min.* ['dʒæspə] jaspe *m*.

jaun·dice ['dʒɔːndis] jaunisse *f*; *fig.* prévention *f*; '**jaun·diced** ictéri-que; *fig.* prévenu; *fig.* ~ *eye* regard *m* envieux.

jaunt [dʒɔːnt] **1.** balade *f*, randonnée *f*, sortie *f*; **2.** faire une petite ex-cursion; '**jaun·ti·ness** désinvolture *f*; air *m* effronté; '**jaun·ty** □ dé-sinvolte, insouciant; vif (vive *f*); effronté.

jave·lin ['dʒævlin] javeline *f*; javelot *m* (*a. sp.*); *throwing the* ~ lancement *m* du javelot.

jaw [dʒɔː] **1.** mâchoire *f*; F caquet *m*; F sermon *m*; ~s *pl.* mâchoire *f*, -s *f/pl.*; *fig.* bras *m/pl.* (*de la mort*); ⊕ étau: mors *m*; *clef anglaise:* bec *m*; **2.** *v/i.* F caqueter; *v/t.* F chapitrer (*q.*); '~**-bone** os *m* maxillaire; mâ-choire *f*; '~**-break·er** F mot *m* à vous décrocher la mâchoire.

jay [dʒei] *orn.* geai *m*; F jobard *m*; gogo *m*; '~**-walk·er** *Am.* badaud *m*; piéton *m* imprudent.

jazz [dʒæz] **1.** ♪ jazz *m*; **2.** F bariolé; discordant; tapageur (-euse *f*); **3.** jouer *ou* danser le jazz; '~**-'band** jazz-band *m*.

jeal·ous □ ['dʒeləs] jaloux (-ouse *f*) (de, of); '**jeal·ous·y** jalousie *f*.

jeep ⚔, *mot. Am.* [dʒiːp] jeep *f.*

jeer [dʒiə] **1.** huée *f*; raillerie *f*; **2.** se moquer (de, *at*), se railler (de qch., *at s.th.*); railler (q., *at s.o.*); huer; **'jeer·er** railleur (-euse *f*) *m*, moqueur (-euse *f*) *m*; **'jeer·ing** □ railleur (-euse *f*),moqueur (-euse *f*).

je·june □ [dʒiˈdʒuːn] stérile, aride; *a.* maigre (*sol*).

jel·ly ['dʒeli] **1.** gelée *f*; **2.** *v/t.* faire prendre en gelée; *v/i.* se prendre en gelée; **'~-fish** *zo.* méduse *f*.

jem·my ['dʒemi] pince-monseigneur (*pl.* pinces-monseigneur) *f* (*du cambrioleur*), rossignol *m*.

jen·ny ⊕ ['dʒeni] machine *f* à filer; chariot *m* de roulement.

jeop·ard·ize ['dʒepədaiz] mettre en péril, exposer au danger; **'jeop·ard·y** danger *m*, péril *m*.

jer·e·mi·ad [dʒeriˈmaiəd] jérémiade *f*.

jerk [dʒɜːk] **1.** *su.* saccade *f*, secousse *f*; ⚕ réflexe *m* tendineux; tic *m*; *Am. sl.* nigaud *m*; *by ~s* par à-coups; *sl. put a ~ in it!* mets-y-en!; *dépêchez-vous!*; **2.** *v/t.* donner une secousse *ou* une saccade à; tirer d'un coup sec; *v/i.* se mouvoir brusquement; *avec adv. ou prp.*: lever, arracher; **'~-wa·ter** *Am.* **1.** petit train *m*, tortillard *m*; **2.** F petit, de province, sans importance; **'jerk·y 1.** saccadé; **2.** *Am.* viande *f* conservée; charqui *f*; *sl.* singe *m*.

jer·ry-build·ing ['dʒeribildiŋ]construction *f* de maisons de pacotille; **'jer·ry-built** de pacotille, de boue et de crachat (*maison*).

jer·sey ['dʒɜːzi] jersey *m*; chandail *m*; *foot.* maillot *m*.

jes·sa·mine ♀ ['dʒesəmin] jasmin*m*.

jest [dʒest] **1.** plaisanterie *f*, badinage *m*; **2.** plaisanter (sur, *about*); badiner; **'jest·er** railleur (-euse *f*) *m*; *hist.* bouffon *m*.

Jes·u·it ['dʒezjuit] jésuite *m*; **Jes·u·'it·ic, Jes·u·'it·i·cal** □ *péj.* jésuitique.

jet¹ *min.* [dʒet] jais *m.*

jet² [~] **1.** jet *m* (*d'eau etc.*); bec *m* (*de gaz*); ⊕ gicleur *m*; ⊕ brûleur *m*; *~ propulsion* propulsion *f* par réaction; **2.** (faire) s'élancer en jet.

jet-black ['dʒet'blæk] noir comme du jais.

jet...: **'~-plane** avion *m* à réaction, jet *m*; **'~-pro·pelled** à réaction.

jet·sam ['dʒetsəm] épaves *f/pl.* jetées à la côte; marchandise *f* jetée à la mer.

jet·ti·son ['dʒetisn] **1.** jet *m* (de marchandises) à la mer; **2.** jeter à la mer; se délester de (*a. fig.*).

jet·ty ⚓ ['dʒeti] jetée *f*, digue *f*; estacade *f.*

Jew [dʒuː] juif *m*; *attr.* juif (-ive *f*), des juifs, *~'s harp* guimbarde *f.*

jew·el ['dʒuːəl] **1.** bijou (*pl.* -x) *m*, joyau (*pl.* -x) *m*; *horloge*: rubis *m*; *fig. personne*: perle *f*; **2.** orner de bijoux; monter (*un horloge*) sur rubis; **'jew·el·(l)er** bijoutier *m*; **'jew·el·ry, 'jew·el·ler·y** bijouterie*f.*

Jew·ess ['dʒuːis] juive *f*; **'Jew·ish** juif (-ive *f*); **Jew·ry** ['dʒuəri] Juiverie *f.*

jib [dʒib] **1.** ⚓ foc *m*; ⊕ volée *f* (de grue); *~ door* porte *f* dérobée; **2.** *v/i.* gambier, coiffer (*voile*); regimber (devant, *at*); **'jib·ber** cheval *m* rétif; *fig.* récalcitrant(e *f*) *m*; **'jib-'boom** ⚓ bout-dehors (*pl.* bouts-dehors) *m* de foc.

jibe *Am.* F [dʒaib] s'accorder, F coller.

jif·fy F ['dʒifi] instant *m*, clin *m* d'œil; *in a ~* en un clin d'œil; F en cinq sec.

jig [dʒig] **1.** ♪ gigue *f*; **2.** danser la gigue; *fig.* se trémousser.

jig·ger *Am.* ['dʒigə] **1.** machin *m*, truc *m*; petite mesure *f* (*pour spiritueux*); **2.** *sl.* sautiller (= *danser*).

jig·gered F ['dʒigəd]: *I'm ~ if ...* du diable si ...

jig-saw ['dʒigsɔː] scie *f* à chantourner; *~ puzzle* puzzle *m.*

jilt [dʒilt] **1.** coquette *f*; **2.** laisser là (*un amoureux*).

Jim Crow [dʒim'krou] *Am. sl.* nègre *m* (*a. attr.*); discrimination *f* (entre races blanche et noire).

jim·my ['dʒimi] *see* jemmy.

jimp *sl.* [dʒimp] diable *m.*

jin·gle ['dʒiŋgl] **1.** cliquetis *m*, grelot: tintement *m*; **2.** (faire) tinter *ou* cliqueter.

jin·go ['dʒiŋgou], *pl.* -goes ['~z] chauvin(e *f*) *m*; patriotard *m*; *by ~!* nom de nom!; **'jin·go·ism** chauvinisme *m.*

jinks [dʒiŋks] *pl.*: F *high ~* ébats *m/pl.* bruyants.

jinx *Am. sl.* [~] porte-malheur *m/inv.*

jit·ney *Am. sl.* ['dʒitni] pièce *f* de 5 cents; tacot *m*.

jit·ter F ['dʒitə] **1.** frétiller (de nervosité), être nerveux (-euse *f*); **2.** *sl.* ~s *pl.* nervosité *f*, crise *f* nerveuse; **~bug** ['~bʌg] **1.** fanatique *m* du swing; *danse:* swing *m*; paniquard *m*; **2.** faire du jitterbug; **'jit·ter·y** *sl.* nerveux (-euse *f*) à l'excès.

jiu-jit·su [dʒu:'dʒitsu:] jiu-jitsu *m*.

jive *Am. sl.* [dʒaiv] hot jazz *m*; jargon *m* des musiciens swing.

Job¹ [dʒoub]: ~'s comforter consolateur *m* pessimiste, ami *m* de Job; ~'s news nouvelle *f* fatale.

job² [dʒɔb] **1.** tâche *f*, travail (*pl.* -aux) *m*, besogne *f*; F emploi *m*; *sl.* chose *f*, article *m*; ✝ soldes *m/pl.*, marchandise *f* d'occasion; *péj.* intrigue *f*; *typ.* travail (*pl.* -aux) *m* de ville; *by the* ~ à la pièce, à forfait; *make a (good)* ~ *of s.th.*, bien faire qch., réussir à qch.; *a bad* ~ une mauvaise *ou* triste affaire, un malheur; *odd* ~s *pl.* petits travaux *m/pl.*; métiers *m/pl.* à part; ~ horse cheval *m* loué; ~ lot soldes *m/pl.*; ~ printer imprimeur *m* à façon, imprimeur *m* de travaux de ville; ~ work travail (*pl.* -aux) *m* à la pièce *ou* tâche; **2.** *v/t.* louer (*un cheval etc.*); ✝ marchander; donner *ou* prendre à forfait (*un travail*); *v/i.* faire des petits travaux, bricoler; travailler à la tâche; ✝ agioter.

job·ber ['dʒɔbə] ouvrier (-ère *f*) *m* à la tâche; intermédiaire *m* revendeur; *péj.* tripoteur (-euse *f*) *m*; ✝ marchand *m* de titres; **'job·ber·y** tripotages *m/pl.*; ✝ *a.* agiotage *m*; *a piece of* ~ une affaire maquignonnée; **'job·bing** ouvrage *m* à la tâche; ✝ courtage *m*; ✝ vente *f* en demi-gros; *see jobbery*; **'job·master** loueur *m* de voitures.

jock·ey ['dʒɔki] **1.** *su.* jockey *m*; **2.** *v/t.* tromper, duper; *v/i.* manœuvrer; intriguer.

jo·cose □ [dʒə'kous] facétieux (-euse *f*); jovial (-aux *m/pl.*); **jo'cose·ness** jocosité *f*; humeur *f* joviale.

joc·u·lar ['dʒɔkjulə], **joc·u·lar·i·ty** [~'læriti] *see jocose(ness)*.

joc·und □ ['dʒɔkənd] gai; jovial (-als *ou* -aux *m/pl.*).

Joe [dʒou]: ~ *Miller* vieille plaisanterie *f*; plaisanterie *f* usée.

jog [dʒɔg] **1.** *su.* secousse *f*, cahot *m*; coup *m* de coude; petit trot *m*; **2.** *v/t.* pousser le coude à; donner un coup de coude à; *fig.* rafraîchir (*la mémoire à q.*); secouer; *v/i.* (*usu.* ~ *along*, ~ *on*) aller son petit train; aller au petit trot; *be* ~ging se (re)mettre en route.

jog·gle ['dʒɔgl] **1.** secouer (*qch.*); branler; ⊕ goujonner; **2.** petite secousse *f*; ⊕ (joint *m* à) goujon *m*.

jog-trot ['dʒɔg'trɔt] **1.** petit trot *m*; *fig.* train-train *m*; **2.** routinier (-ère *f*); monotone.

John [dʒɔn]: ~ *Bull l'Anglais*; *Am.* ~ *Hancock* signature *f* (*de q.*).

john·ny F ['dʒɔni] type *m*, individu *m*; *Am. sl.* cabinets *m/pl.*, W.-C. *m* (*pour hommes*); *surt. Am.* ~ *cake* galette *f* de farine de maïs.

join [dʒɔin] **1.** *v/t.* joindre (*a.* ⊕), (ré)unir; (re)nouer; se joindre à, rejoindre; ajouter; ⊕ raboutir; ✗, ⚓ rallier; s'affilier à; s'enrôler dans; *v/i.* s'unir, se (re)joindre (à, with); (*a.* ~ *together*) se réunir; ~ *battle* livrer bataille (à, with); ~ *company* se joindre (à, with); ~ *hands* se donner la main; *fig.* se joindre (à, with); ~ *a ship* rallier le bord; ~ *in* prendre part à; se mettre de la partie; s'associer à; ~ *up* s'engager dans l'armée; *I* ~ *with you* je me joins avec *ou* à vous (pour *inf., in gér.*); **2.** *su.* joint *m*, jointure *f*; ligne *f* de jonction.

join·er ['dʒɔinə] menuisier *m*; **'join·er·y** menuiserie *f* (*travail, a. endroit*).

joint [dʒɔint] **1.** joint *m* (*a. du genou*), jointure *f*; ⊕ assemblage *m*; *livre:* mors *m*; *anat.* articulation *f*; *doigt:* phalange *f*; *cuis.* quartier *m*, rôti *m*; ♀ nœud *m*; *Am. sl.* boîte *f*, bistrot *m*; *put out of* ~ disloquer; *fig. out of* ~ détraqué; **2.** □ (en) commun; combiné; collectif (-ive *f*); co-; ~ *heir* cohéritier *m*; **3.** joindre, assembler (*a.* ⊕); *cuis.* découper; *anat.* (s')articuler; **'joint·ed** articulé (*a. zo., a.* ♀); ~ *doll* poupée *f* articulée; **'joint-stock**: ~ *company* société *f* par actions; **join·ture** ♯♯ ['~tʃe] douaire *m*.

joist [dʒɔist] **1.** solive *f*, poutre *f*;

2. poser le solivage de; assujettir (*les ais*) sur le solivage.

joke [dʒouk] **1.** *su.* plaisanterie *f*; farce *f*; **2.** *v/i.* plaisanter, badiner; *v/t.* railler; '**jok·er** farceur (-euse *f*) *m*; *cartes:* joker *m*; F type *m*; *Am. sl.* clause *f* ambiguë; '**jok·y** □ facétieux (-euse *f*).

jol·li·fi·ca·tion F [dʒɔlifi'keiʃn] partie *f* de plaisir; '**jol·li·ness**, '**jol·li·ty** gaieté *f*.

jol·ly ['dʒɔli] **1.** □ gai, joyeux (-euse *f*); F fameux (-euse *f*); **2.** F *adv.* rudement; **3.** F railler; flatter.

jol·ly-boat ⚓ ['dʒɔlibout] canot *m*.

jolt [dʒoult] **1.** cahoter; *v/t.* secouer. **2.** cahot *m*, secousse *f*; '**jolt·y** cahotant; cahoteux (-euse *f*) (*chemin*).

Jon·a·than ['dʒɔnəθən]: Brother ∼ l'Américain.

jon·quil ♀ ['dʒɔŋkwil] jonquille *f*.

jo·rum ['dʒɔːrəm] bol(ée *f*) *m*.

josh *Am. sl.* [dʒɔʃ] **1.** blague *f*; **2.** blaguer; taquiner.

joss [dʒɔs] idole *f* chinoise.

jos·tle ['dʒɔsl] **1.** *v/t.* coudoyer; *v/i.* jouer des coudes; **2.** *su.* bousculade *f*; coudoiement *m*.

jot [dʒɔt] **1.** iota *m*; atome *m*; **2.** ∼ down prendre note de; '**jot·ting** note *f*.

jour·nal ['dʒəːnl] journal *m*; revue *f*; ✝ (livre *m*) journal *m*; ⚓ journal *m* de bord; ⊕ tourillon *m*; ⊕ fusée *f*; **jour·nal·ese** ['ˌnəˈliːz] style *m* de journaliste; '**jour·nal·ism** journalisme *m*; '**jour·nal·ist** journaliste *mf*; **jour·nal·is·tic** (∼ally) journalistique; '**jour·nal·ize** tenir un journal de, ✝ porter au journal.

jour·ney ['dʒəːni] **1.** voyage *m*; trajet *m* (*d'autobus etc.*); parcours *m*; **2.** voyager; '∼·man compagnon *m*; ouvrier *m*; '∼·work travail (*pl. -aux*) *m* à la journée; *fig.* dure besogne *f*.

joust [dʒaust] **1.** joute *f*; **2.** jouter.

Jove [dʒouv]: by ∼! parbleu!

jo·vi·al □ ['dʒouviəl] jovial (-als *ou* -aux *m/pl.*); enjoué; **jo·vi·al·i·ty** [ˌ'æliti] jovialité *f*; bonne humeur *f*.

jowl [dʒaul] mâchoire *f*; joue *f*; cheek by ∼ côte à côte.

joy [dʒɔi] joie *f*, allégresse *f*; **joy·ful** □ ['ˌful] joyeux (-euse *f*); heureux (-euse *f*); enjoué; '**joy·ful·ness**

joie *f*; '**joy·less** □ triste, sans joie; '**joy·ous** □ joyeux (-euse *f*), heureux (-euse *f*); '**joy-ride** *mot.* F balade *f* en auto (*souv.* à l'insu du propriétaire); '**joy-rid·er** baladeur (-euse *f*) *m*; '**joy-stick** ✈ *sl.* manche *m* à balai.

ju·bi·lant ['dʒuːbilənt] joyeux (-euse *f*); réjoui, exultant (*personne*); **ju·bi·late** ['ˌleit] se réjouir, exulter; **ju·bi·la·tion** allégresse *f*; **ju·bi·lee** ['ˌliː] jubilé *m*; cinquantenaire *m*.

Ju·da·ism ['dʒuːdeiizm] judaïsme *m*.

Ju·das ['dʒuːdəs] *fig.* Judas *m*; traître *m*; 🙋(-hole) judas *m*.

judge [dʒʌdʒ] **1.** *su.* juge *m* (*a. fig., a. sp.*); président *m* du tribunal; *fig.* connaisseur (-euse *f*) *m*; *Am.* magistrat *m*; *sp.* arbitre *m*; *commercial* ∼ juge *m* préposé au tribunal commercial; **2.** *v/i.* juger (*d'après*, par *from*, *by*; de, of); estimer; *v/t.* juger (par, *by*); estimer; arbitrer (à qch., *s.th.*).

judg(e)·ment ['dʒʌdʒmənt] jugement *m*; arrêt *m*, décision *f* judiciaire; *fig.* avis *m*; *fig.* discernement *m*; in my ∼ à mon avis; *pronounce* ∼ rendre un arrêt; sit in ∼ juger; *eccl.* ∼-day jugement *m* dernier.

judge·ship ['dʒʌdʒʃip] fonctions *f/pl.* de juge.

ju·di·ca·ture ['dʒuːdikətʃə] judicature *f*; (cour *f* de) justice *f*; *coll.* magistrature *f*.

ju·di·cial □ [dʒuː'diʃl] judiciaire; de juge; de bonne justice; légal (-aux *m/pl.*); *fig.* impartial (-aux *m/pl.*); ∼ *murder* assassinat *m* judiciaire; ∼ *system* système *m* judiciaire.

ju·di·cious □ [dʒuː'diʃəs] judicieux (-euse *f*), sensé; **ju·di·cious·ness** discernement *m*.

jug [dʒʌg] **1.** cruche *f*; pot *m*; *sl.* prison *f*; **2.** étuver; ∼ged hare civet *m* de lièvre.

Jug·ger·naut ['dʒʌgənɔːt] *fig.* poids *m* écrasant; roues *f/pl.* meurtrières.

jug·gins F ['dʒʌginz] niais *m*.

jug·gle ['dʒʌgl] **1.** jonglerie *f*; tour *m* de passe-passe; *fig.* supercherie *f*; **2.** jongler; faire des tours de passe-passe; escamoter (à q., *out of s.o.*); '**jug·gler** jongleur (-euse *f*) *m*; prestidigitateur *m*; escamoteur (-euse *f*) *m*; '**jug·gler·y** jonglerie *f*; prestidigitation *f*; *fig.* super-cherie *f*.

Ju·go·slav ['ju:gou'slɑ:v] **1.** You-goslave *mf*; **2.** yougoslave.

jug·u·lar *anat.* ['dʒʌgjulə] jugu-laire; ~ vein (veine *f*) jugulaire *f*; **ju·gu·late** ['‿leit] *fig.* étrangler; supprimer.

juice [dʒu:s] jus *m* (*a. mot. sl., a. ⚡ F*); *mot. sl.* essence *f*; ⚡ courant *m*; **juic·i·ness** ['‿inis] succulence *f*; 'juic·y □ succulent; F savoureux (-euse *f*).

ju·jube ['dʒu:dʒu:b] ♥ jujube *f*; *pharm.* boule *f* de gomme.

juke-box *Am.* F ['dʒu:kbɔks] pick-up *m/inv.* à sous.

ju·lep ['dʒu:lep] ✶ julep *m*; *surt. Am.* boisson *f* alcoolique glacée.

Ju·ly [dʒu'lai] juillet *m*.

jum·ble ['dʒʌmbl] **1.** *su.* méli-mélo (*pl.* mélis-mélos) *m*; fatras *m*; **2.** *v/t.* (*a.* ~ *up*) brouiller, mêler; *v/i.* se brouiller; ~ *along* avancer en caho-tant; '~-**sale** vente *f* d'objets usa-gés.

jum·bo ['dʒʌmbou] *fig.* éléphant *m*; *attr. surt. Am.* géant.

jump [dʒʌmp] **1.** *su.* saut *m* (*a. sp.*); bond *m*; sursaut *m*; *sp.* obstacle *m*; *surt. Am.* F get (*ou* have) the ~ on de-vancer; *give a* ~ sursauter (*q.*); faire un saut; **2.** *v/i.* sauter, bondir; sur-sauter; *poét.* être d'accord; ~ *at fig.* saisir, sauter sur; ~ *to conclusions* conclure à la légère, juger trop vite; *v/t.* franchir, sauter; faire sauter (*un cheval etc.*); saisir à l'improviste; 🚆 quitter (*les rails*); *Am.* F usurper; voler; *Am.* ~ *a train* monter dans un train en marche; ~ *the queue* passer avant son tour; '**jump·er** sauteur (-euse *f*) *m* (*a.* = *cheval, insecte*); ♣ chemise *f*; (*a.* knitted ~) casaque *f*, jumper *m* (*de femme*); barre *f* à mine; '**jump·ing-board** tremplin *m*; '**jump·ing-'off** *fig.* départ *m*; '**jump·y** nerveux (-euse *f*), agité.

junc·tion ['dʒʌŋkʃn] jonction *f*; bifurcation *f*; *rivières:* confluent *m*; 🚆 gare *f* d'embranchement; ⚡ ~ *box* boîte *f* de dérivation; **junc·ture** ['‿tʃə] jointure *f*; jonction *f* (*de rivières*); conjoncture *f* (*de circonstances*); *at this* ~ *of things* à ce moment critique.

June [dʒu:n] juin *m*.

jun·gle ['dʒʌŋgl] jungle *f*; *fig.* con-fusion *f*.

jun·ior ['dʒu:njə] **1.** cadet(te *f*); plus jeune (que, *to*); second; *univ. Am.* de troisième année (*étudiant*); *Am.* ~ *high school* (sorte d')école *f* secondaire (*moyennes classes*); ~ *partner* second associé *m*, associé *m* en second; **2.** cadet(te *f*) *m*; *rang:* subalterne *m*, second associé *m*; *Am.* élève *mf* de troisième année dans un *collège*; F le jeune *m*; *he is my* ~ *by four years, he is four years my* ~ il est plus jeune que moi de quatre ans; **jun·ior·i·ty** [dʒu:ni-'ɔriti] infériorité *f* d'âge; position *f* moins élevée.

ju·ni·per ♥ ['dʒu:nipə] genièvre *m*; *arbuste:* genévrier *m*.

junk[1] ⚓ [dʒʌŋk] jonque *f*.

junk[2] [~] ⚓ vieux cordages *m/pl.*; ⚓ bœuf *m* salé; ~ rossignol *m*, camelote *f*; déchets *m/pl.*; *fig.* bêtises *f/pl.*

jun·ket ['dʒʌŋkit] **1.** lait *m* caillé; festin *m*, banquet *m*; *Am.* partie *f* de plaisir; voyage *m* d'agrément aux frais de l'État ou du gouverne-ment; **2.** faire bombance; festoyer; F ~*ing party* pique-nique *m*.

jun·ta ['dʒʌntə] junte *f*; (*a.* **jun·to** ['‿tou]) cabale *f*.

ju·rid·i·cal □ [dʒuə'ridikl] juridi-que, judiciaire.

ju·ris·dic·tion [dʒuəris'dikʃn] juri-diction *f*; compétence *f*, ressort *m*; **ju·ris·pru·dence** ['‿pru:dəns] ju-risprudence *f*; 'ju·ris·pru·dent lé-giste *m*.

ju·rist ['dʒu:rist] juriste *m*; *Am.* avocat *m*.

ju·ror ⚖ ['dʒuərə] membre *m* du jury.

ju·ry ⚖ ['dʒuəri] jury *m*; jurés *m/pl.*; '~-**box** banc *m* du jury; '~-**man** membre *m* du jury.

ju·ry-mast ⚓ ['dʒuərimɑ:st] mât *m* de fortune.

just □ [dʒʌst] **1.** *adj.* juste, équita-ble; légitime; impartial (-aux *m/pl.*); exact; **2.** *adv.* juste; pré-cisément, justement; tout près (de, *by*); tout à fait; seulement; ~ *as* au moment où; ~ *as ... so ...* de même que ... de même ...; *be* ~ (*p.pr.*) être en train de (*inf.*); *have* ~ (*p.p.*) venir de (*inf.*); ~ *now* actuellement; tout à l'heure; ~ *over* (*below*) juste au-dessus (au-dessous) (de qch., s.th.); ~ let me see! faites(-moi) voir!; it's ~ splendid! c'est vraiment magnifique!

jus·tice ['dʒʌstis] justice f; personne: juge m; magistrat m; ♀ of the Peace juge m de paix; court of ~ tribunal m, cour f de justice; do ~ to rendre justice à (q.); '**jus·tice·ship** fonctions f/pl. de juge; magistrature f.

jus·ti·fi·a·bil·i·ty [dʒʌstifaiə'biliti] caractère m justifiable; justice f; '**jus·ti·fi·a·ble** □ justifiable; légitime.

jus·ti·fi·ca·tion [dʒʌstifi'keiʃn] justification f; **jus·ti·fi·ca·to·ry** ['~təri] justificatif (-ive f); justificateur (-trice f).

jus·ti·fi·er typ. ['dʒʌstifaiə] justificateur m; **jus·ti·fy** ['~fai] justifier

(a. typ. une ligne); typ. parangonner (les caractères).

just·ly ['dʒʌstli] avec justice ou justesse.

just·ness ['dʒʌstnis] justice f (d'une cause); justesse f (d'une observation).

jut [dʒʌt] **1.** (a. ~out) être en ou faire saillie; **2.** saillie f.

Jute[1] [dʒuːt] Jute mf.

jute[2] ♀, ✝ [~] jute m.

ju·ve·nes·cence [dʒuːvi'nesns] adolescence f; jeunesse f; **ju·ve·nes·cent** adolescent; **ju·ve·nile** ['~nail] **1.** juvénile; de (la) jeunesse; pour enfants; ♀ Court tribunal m pour enfants; **2.** jeune mf; ~s pl. livres m/pl. pour enfants ou pour la jeunesse; **ju·ve·nil·i·ty** [~'niliti] jeunesse f, juvénilité f.

jux·ta·po·si·tion [dʒʌkstəpə'ziʃn] juxtaposition f.

K

K, k [kei] K m, k m.

Kaf·(f)ir ['kæfə] Cafre mf.

kale [keil] chou (pl. -x) m (frisé); Am. sl. argent m, pognon m; Scotch ~ chou m rouge.

ka·lei·do·scope opt. [kə'leidəskoup] kaléidoscope m.

kan·ga·roo zo. [kæŋgə'ruː] kangourou m.

ka·o·lin min. ['keiəlin] kaolin m.

keck [kek] avoir des haut-le-cœur; ~ at F rejeter avec dégoût.

kedge ♣ [kedʒ] **1.** ancre f de touée; ancre f à jet; **2.** haler sur une ancre à jet.

keel ♣ [kiːl] **1.** quille f; on an even ~ sans différence de calaison; fig. symétrique(ment); **2.** ~ over chavirer; F s'évanouir; '**keel·age** ♣ droits m/pl. de mouillage; '**keeled** ♀ caréné; **keel·haul** ♣ ['~hɔːl] ✝ donner la grande cale à; **keel·son** ♣ ['kelsn] carlingue f.

keen □ [kiːn] aiguisé; perçant (froid, œil, vent, etc.); vif (vive f) (froid, plaisir, vent, etc.); mordant (satire); zélé, ardent, vorace (appétit); be ~ on hunting être chasseur enthousiaste, avoir la passion de la chasse; ~-edged ['~edʒd] tranchant, bien affilé; '**keen·ness** acuité f, finesse f; froid: âpreté f; fig. zèle m, ardeur f.

keep [kiːp] **1.** su. frais m/pl. de subsistance; nourriture f; hist. donjon m, réduit m; F surt. Am. for ~s être de bon; **2.** [irr.] v/t. usu. tenir (p.ex. boutique, comptes, école, journal, promesse, scène, a. devant adj.); garder (sp. but, lit, provisions, qch. pour q.); avoir (une auto); (a. ~ up) maintenir (la discipline, l'ordre); contenir; conserver (sa sveltesse etc.); préserver (de, from); retenir (q. à dîner, en prison; l'attention); suivre (une règle); célébrer, observer (une fête); subvenir aux besoins de; cacher (qch. à q., s.th. from s.o.); ~ s.o. company tenir compagnie à q.; ~ company with sortir avec; ~ silence garder le silence; ~ one's temper se contenir; ~ time être exact (montre); ♪ suivre la mesure; ╳ être au pas; ~ watch monter la garde, veiller; ~ s.o. waiting faire attendre q.; ~ away tenir éloigné; ~ down empêcher de monter; réprimer; maintenir (les prix) bas; ~ s.o. from (gér.) empêcher q. de (inf.); préserver q. de; ~ in retenir; contenir (la colère); consigner, mettre en retenue (un élève); entretenir (un feu); ~ s.o. in money fournir de l'argent à q.; ~ in view ne pas perdre de vue; ~ off éloigner; ~ on garder; ~ out empêcher d'entrer; se garantir de (*le froid, la pluie*); ~ up soutenir; tenir haut; maintenir (*un prix etc.*); entretenir (*la correspondance*); sauver (*les apparences*); 3. [*irr.*] *v/i.* rester, se tenir; se conserver (*fruit etc.*); continuer; F ne rien perdre (pour attendre); ~ *clear of* éviter, rester à distance de; ~ *doing* ne pas cesser de faire, continuer de faire; ~ *away* se tenir éloigné *ou* à l'écart; ~ *from* s'abstenir de; ~ *in with* rester bien avec, cultiver; ~ *off* se tenir éloigné; ~ *on* (*gér.*) continuer de (*inf.*), s'obstiner à (*inf.*); ~ *to* s'en tenir à; observer; suivre; ~ *up* se maintenir; ~ *up with* aller de pair avec; *fig.* se maintenir au niveau de.

keep·er ['ki:pə] garde *m*, gardien (-ne *f*) *m*, surveillant(e *f*) *m*; *musée:* conservateur *m*; *troupeaux:* gardeur (-euse *f*) *m*; '**keep·ing** observation *f*; célébration *f*; garde *f*; *be in* (*out of*) ~ *with* (ne pas) être en accord avec; **keep·sake** ['~seik] souvenir *m* (*cadeau etc.*).

keg [keg] *harengs:* caque *f*; *alcool:* barillet *m*.

kel·son ⚓ ['kelsn] *see* **keelson.**

ken [ken] connaissance *f*, -s *f/pl.*

ken·nel[1] ['kenl] ruisseau *m* (*de rue*).

ken·nel[2] ['~] 1. niche *f* (*de chien*); *chien de chasse:* chenil *m*; *chasse: la* meute *f*; 2. *fig.* enfermer.

kept [kept] *prét. et p.p. de* **keep** 2.

kerb(·stone) ['kə:b(stoun)] *see* **curb** (*-stone*).

ker·chief ['kə:tʃif] fanchon *f*, mouchoir *m* de tête; fichu *m*.

kerf [kə:f] trait *m ou* voie *f* de scie; bout *m* coupé (*d'un arbre abattu*).

ker·nel ['kə:nl] *noisette etc.:* amande *f*; *céréales:* grain *m*; *fig.* fond *m*, essentiel *m*.

ker·o·sene ['kerəsi:n] kérosène *m*, pétrole *m* lampant.

kes·trel *orn.* ['kestrəl] émouchet *m.*

ketch·up ['ketʃəp] sauce *f* tomate très relevée.

ket·tle ['ketl] bouilloire *f*; '**~-drum** ♪ timbale *f*; *Am.* F thé *m ou* réception *f* sans cérémonie.

key [ki:] 1. clé *f*, clef *f* (*a. fig.*); ⊕ clavette *f*, coin *m*, cale *f*; *machine à écrire, piano:* touche *f*; *flûte etc.:* clef *f*; ⚡ fiche *f*; ♪ ton *m* (*a. fig.*); *école:* corrigé *m*; *pendule etc.:* re-

montoir *m*; 2. claveter; coincer; adenter (*une planche*); ♪ accorder; ~ *up* ✝ hausser; *fig.* stimuler; ~ed *up* être tendu; '**~-bit** panneton *m* de clef; '**~-board** clavier *m*; porte-clefs *m/inv.*; '**~-bu·gle** ♪ bugle *m*; '**~-hole** trou *m* de serrure; ~ *in·dus·try* industrie *f* clef; '**~-less** sans clef; ~ *watch* montre *f* à remontoir; '**~-man** pivot *m*; '**~-note** tonique *f*; *fig.* note *f* dominante; '**~-stone** clef *f* de voûte.

khak·i ['kɑ:ki] *tex., a. couleur:* kaki *m* (*a. adj./inv.*).

kib·butz [ki'buts], *pl.* **-but·zim** [~'butsim] kibboutz (*pl.* kibboutzim) *m.*

kibe [kaib] gerçure *f.*

kib·itz·er *Am.* F ['kibitsə] je sais tout *m* (*qui donne des conseils à des joueurs aux cartes sans qu'on les lui demande*).

ki·bosh *sl.* ['kaibɔʃ] bêtises *f/pl.*; *put the* ~ *on* faire son affaire à (*q.*); bousiller (*qch.*).

kick [kik] 1. coup *m* de pied; *arme à feu:* recul *m*, réaction *f*; F vigueur *f*, énergie *f*; résistance *f*; *surt. Am.* F plaintes *f/pl.*, protestation *f*; *foot. see* ~*er*; F *get a* ~ *out of* éprouver du plaisir à; *sl. it's got a* ~ *in it* ça vous remonte; 2. *v/t.* donner des coups *ou* un coup de pied à; F congédier (*q.*); *sl.* ~ *the bucket* casser sa pipe (= *mourir*); ~ *s.o. downstairs* faire dégringoler l'escalier à q.; F ~ *one's heels* faire le pied de grue (= *attendre*); F ~ *out* ficher à la porte; *sl.* ~ *up a row* faire du chahut; *fig.* faire un scandale; *v/i.* donner un coup de pied; reculer (*arme à feu*); ruer (*animal*); rechigner (à *against*, at); *sl.* rouspéter; *Am. sl.* ~ *in with* contribuer (*de l'argent*); '**kick-back** *surt. Am.* F réaction *f* violente; *Am. sl.* ristourne *f*; '**kick·er** cheval *m* qui rue; *sp.* joueur *m*; *Am. sl.* rouspéteur (-euse *f*) *m*; '**kick-'off** *foot.* coup *m* d'envoi; commencement *m*; **kick·shaw** ['kikʃɔ:] bagatelle *f*; *cuis.* friandise *f*; '**kick-'up** *sl.* boucan *m.*

kid [kid] 1. chevreau (-ette *f*) *m*; (peau *f* de) chevreau *m*; *sl.* gosse *mf*; ~ *glove* gant *m* de chevreau; gant *m* glacé; 2. mettre bas (*v/t. un chevreau*); *v/i. sl.* plaisanter, taquiner; *v/t.* en conter à; tromper; '**kid·dy** F gosse *mf*, petit(e) *f.*

kid·nap ['kidnæp] kidnapper, enlever (*surt. un enfant*); ✂, ⚓ prendre par la presse; enlever; **'kid-nap·(p)er** ravisseur (-euse *f*) *m* (d'enfant), kidnappeur *m*.

kid·ney ['kidni] *anat.* rein *m*; *cuis.* rognon *m*; F genre *m*; ~ **bean** ⚘ haricot *m* nain.

kike *Am. sl. péj.* [kaik] juif *m*.

kill [kil] tuer, faire mourir; abattre (*une bête*); amortir (*un son*); *fig.* supprimer; *parl.* couler (*un projet de loi*); ~ **off** exterminer; ~ **time** tuer le temps; **'kill·er** tueur (-euse *f*) *m*; meurtrier(-ère *f*) *m*; **'kill·ing 1.** meurtrier (-ère *f*); écrasant (*travail etc.*); F tordant; **2.** *Am.* F opération *f* lucrative; succès *m* (*financier*); **'kill-joy** rabat-joie *m/inv.*

kiln [kiln] four *m*; séchoir *m*, étuve *f*; meule *f* (*de charbon de bois*); **'~-dry** sécher (*qch.*) au four *etc.*

kil·o·cy·cle *phys.* ['kilosaikl] kilocycle *m*; **kil·o·gram(me)** ['~əgræm] kilogramme *m*; F kilo *m*; **kil·o·me·ter**, **kil·o·me·tre** ['~ˌmiːtə] kilomètre *m*.

kilt [kilt] **1.** *écoss.* kilt *m* (*jupe courte et plissée*); **2.** plisser; retrousser (*ses jupes*).

kin [kin] **1.** parents *m/pl.*; **the next of** ~ le parent le plus proche; F la famille; **2.** apparenté (avec, *to*).

kind [kaind] **1.** □ bon(ne *f*) (pour, to); aimable (à, *of*); **2.** espèce *f*, sorte *f*; genre *m*; nature *f*; *people of all* ~ monde *m* de tous les genres; des gens de toutes sortes; *different in* ~ qui diffère(nt) en nature; *pay in* ~ payer en nature; *fig.* payer de la même monnaie; F *I* ~ *of expected it* je m'en doutais presque; **'~-'heart·ed** bienveillant, bon(ne *f*).

kin·dle ['kindl] (s')allumer; (s')enflammer; *fig.* susciter.

kind·li·ness ['kaindlinis] bonté *f*, bienveillance *f*.

kin·dling ['kindliŋ], *a.* ~**s** *pl.* petit bois *m*; bois *m* d'allumage.

kind·ly ['kaindli] **1.** *adj.* bienveillant, bon(ne *f*); doux (douce *f*) (*climat*); **2.** *adv.* avec bonté; ~ *do s.th.* avoir la bonté de faire qch.

kind·ness ['kaindnis] bonté *f* (pour, to); bienveillance *f*; amabilité *f* (envers, to).

kin·dred ['kindrid] **1.** analogue; de la même nature; **2.** parenté *f*; *coll.* parents *m/pl.*; affinité *f* (avec, with).

ki·net·ic *phys.* [kai'netik] **1.** cinétique; **2.** ~**s** *pl.* cinétique *f*.

king [kiŋ] roi *m*; *jeu de dames:* dame *f*; ♕'s English anglais *m* correct; ⚔ ~'s **evil** scrofule *f*; écrouelles *f/pl.*; **'king·craft** art *m* de régner; **'king-cup** ⚘ bouton *m* d'or; **'king·dom** royaume *m*; *surt.* ⚘, *zo.* règne *m*; **'king·fish·er** martin-pêcheur (*pl.* martins-pêcheurs) *m*; **king·let** ['~lit] roitelet *m*; **'king·like** royal (-aux *m/pl.*), de roi; **'king·li·ness** prestance *f* royale; noblesse *f*; **'king·ly** royal (-aux *m/pl.*), de roi; **'king-post** △ poinçon *m*, aiguille *f*; **'king·ship** royauté *f*; **'king-size** F de taille *etc.* exceptionnelle.

kink [kiŋk] **1.** *corde etc.:* tortillement *m*, nœud *m*; *fil de fer:* faux pli *m*; *tex.* boucle *f*; *fig.* lubie *f*, point *m* faible; F have a ~ être un peu toqué; **2.** (se) nouer, tortiller.

kins·folk ['kinzfouk] *pl.* parenté *f*, famille *f*; **'kin·ship** parenté *f*; **'kins·man** ['~zmən] parent *m*; allié *m*; **'kins·wom·an** parente *f*; alliée *f*.

ki·osk [ki'ɔsk] kiosque *m*.

kip·per ['kipə] **1.** hareng *m* fumé *ou* doux; *sl.* jeune personne *f*; **2.** saurer, saler et fumer (*des harengs*).

kirk [kə:k] *écoss.* église *f*.

kiss [kis] **1.** baiser *m*; *fig.* frôlement *m*; **2.** (s')embrasser; **'~-proof** indélébile.

kit [kit] seau *m*; ✂, ⚓ petit équipement *m*; ✂ bagage *m*; ⚓ sac *m*; ⊕ trousse(au *m*) *f*; F effets *m/pl.*; **'~-bag** ✂ musette *f*; sac *m* (de voyage); ⊕ trousse *f* d'outils.

kitch·en ['kitʃin] cuisine *f*; **'kitch·en·er** cuisinière *f*; **kitch·en·ette** [~'net] cuisine *f* miniature.

kitch·en...: ~ **gar·den** (jardin *m*) potager *m*; **'~-maid** fille *f* de cuisine; **'~-range** cuisinière *f* anglaise.

kite [kait] *orn.* milan *m*; *fig.* vautour *m*; cerf-volant (*pl.* cerfs-volants) *m*; *fig.* ballon *m* d'essai; ✈ *sl.* traite *f* de complaisance; ✂ ~ **balloon** ballon *m* captif.

kith [kiθ]: ~ **and kin** amis et parents.

kit·ten ['kitn] **1.** chaton *m*, petit(e *f*) chat(te *f*) *m*; **2.** *chatte:* mettre bas (*v/t. des petits*); **'kit·ten·ish** coquet(te *f*); enjoué.

kit·tle ['kitl] *fig.* difficile (à manier);

~ *cattle* gens *m/pl.* difficiles à manier.

Klans·man *Am.* ['klænzmən] membre *m* du Ku-Klux-Klan.

klax·on *mot.* ['klæksn] klaxon *m.*

klep·to·ma·ni·a [klepto'meinjə] kleptomanie *f;* **klep·to'ma·ni·ac** [͜niæk] kleptomane (*a. su./mf*).

knack [næk] tour *m* de main; F truc *m;* get the ~ of (*gér.*) attraper le chic pour (*inf.*).

knack·er ['nækə] *Brit.* équarrisseur *m;* entrepreneur *m* de démolitions; **'knack·er·y** *Brit.* abattoir *m* de chevaux.

knack·y ['næki] adroit, habile.

knag [næg] nœud *m;* **'knag·gy** noueux (-euse *f*).

knap·sack ['næpsæk] (havre)sac *m;* ✗ sac *m* d'ordonnance.

knar [nɑː] nœud *m* saillant.

knave [neiv] fripon *m; cartes:* valet *m;* **knav·er·y** ['͜ɔri] friponnerie *f,* fourberie *f;* **'knav·ish** □ fourbe; **'knav·ish·ness** fourberie *f.*

knead [niːd] pétrir (*a.* ⚙); travailler (*la pâte etc.*).

knee [niː] **1.** genou (*pl.* -x) *m* (*a.* ⊕); **2.** pousser du genou; F fatiguer (*un pantalon*) aux genoux; **'~·cap,** '~**pan** rotule *f;* **'~·joint** articulation *f* du genou; ⊕ rotule *f;* **kneel** [niːl] [*irr.*] s'agenouiller, se mettre à genoux (devant, *to*); **'kneel·er** personne *f* à genoux.

knell [nel] glas *m.*

knelt [nelt] *prét. et p.p. de* kneel.

knew [njuː] *prét. de* know 1.

knick·er·bock·ers ['nikəbɔkəz] *pl.* culotte *f* (bouffante); **'knick·ers** F *pl.* culotte *f,* pantalon *m* (*de femme*); *see* knickerbockers.

knick·knack ['niknæk] babiole *f,* bibelot *m;* ~s *pl.* afféteries *f/pl.*

knife [naif] **1.** (*pl.* knives) couteau *m;* **2.** poignarder; **'~·bat·tle** rixe *f* entre gens armés de poignards; **'~·grind·er** repasseur *m* de couteaux.

knight [nait] **1.** chevalier *m; échecs:* cavalier *m;* **2.** créer chevalier; **'knight·age** corps *m* des chevaliers; **knight er·rant** ['nait'erənt], *pl.* **knights er·rant** chevalier *m* errant; **knight·hood** ['͜hud] chevalerie *f;* titre *m* de chevalier; **'knight·li·ness** caractère *m* chevaleresque; air *m* de chevalier;

'knight·ly chevaleresque, de chevalier.

knit [nit] [*irr.*] *v/t.* tricoter; joindre; *v/i.* se nouer; ~ *the brows* froncer les sourcils; **'knit·ter** tricoteur (-euse *f*) *m;* **'knit·ting 1.** tricot *m; action:* tricotage *m;* soudure *f* (*d'os*); **2.** à tricoter; ~-*needle* aiguille *f* à tricoter; **'knit·wear** tricot *m.*

knives [naivz] *pl. de* knife 1.

knob [nɔb] bosse *f; tiroir, porte:* bouton *m; canne:* pomme *f; charbon, sucre, etc.:* morceau *m;* **'knob·by** plein de bosses; loupeux (-euse *f*) (*arbre*); **'knob·stick** canne *f* à pommeau; gourdin *m;* ⚓ F jaune *m.*

knock [nɔk] **1.** coup *m,* heurt *m,* choc *m;* **2.** *v/i.* frapper; taper (sur, *at*); *mot.* cogner, taper; F se heurter (à, *against*); F ~ *about* se balader, flâner; ~ *off sl.* cesser le travail; ~ *under* se rendre; *v/t.* frapper, cogner, heurter; *Am. sl.* critiquer; ~ *down* renverser, abattre; *vente aux enchères:* adjuger; ⊕ démonter; *be* ~*ed down* être renversé par une auto; ~ *off* faire tomber de; rabattre (*qch. du prix*); F voler, chiper; *box.* ~ *out* knockouter, F endormir; ~ *up* faire sauter (en l'air); construire à la hâte; réveiller; *fig.* éreinter, épuiser; **'~·a·bout 1.** violent; vagabond; de tous les jours (*habits*); *théâ.* de bateleur, de clown; **2.** *Am.* rixe *m;* **'~·'down** de réclame, minimum (*prix*); **'knock·er** frappeur (-euse *f*) *m;* marteau *m* (*de porte*); *Am. sl.* critique *m* impitoyable; **'knock·kneed** cagneux (-euse *f*); panard (*cheval*); **'knock·'out** *box.* (*a.* ~ *blow*) knock-out *m; sl.* chose *f* ou personne *f* épatante.

knoll[1] [noul] tertre *m,* butte *f.*

knoll[2] [͜] † sonner; tinter.

knot [nɔt] **1.** nœud *m* (*a. fig., a.* ⚘, ⚓); *gens:* groupe *m; cheveux:* chignon *m; sailor's* ~ nœud *m* régate; F *be tied up in* ~s ne savoir plus que faire ou dire; **2.** (se) nouer; *v/t.* froncer (*les sourcils*); **'knot·ti·ness** nodosité *f; bois:* caractère *m* noueux; *fig.* complexité *f;* **'knot·ty** plein de nœuds; noueux (-euse *f*) (*bois*); *fig.* épineux (-euse *f*); **'knot·work** *couture:* macramé *m.*

knout [naut] **1.** knout *m;* **2.** knouter.

know [nou] **1.** [*irr.*] savoir (*un fait*); connaître (*q., un endroit*); reconnaître; distinguer (œ, d'avec *from*); ~ *Frencl.* connaître *ou* parler le francais; *come to* ~ apprendre; 2. F *be in the* ~ être au courant (de l'affaire); être dans le secret; **know·a·ble** ['nouəbl] (re)connaissable; **'know-all** 1. omniscient; 2. je sais tout *m*; **'know-how** connaissance *m/inv.*; connaissances *f/pl.* techniques; **'know·ing** 1. □ instruit; intelligent; habile; rusé, malin (-igne *f*); F chic *inv. en genre*; 2. connaissance *f*, compréhension *f*; **knowl·edge** ['nɔlidʒ] connaissance *f*; savoir *m*, connaissances *f/pl.*; *to my* ~ autant que je sache; à mon vu et su; **known** [noun] *p.p. de* know 1; *come to be* ~ se répandre (*bruit*); se faire connaître; se savoir; *make* ~ faire connaître; signaler.

knuck·le ['nʌkl] 1. (*a.* ~-bone) articulation *f* du doigt; *veau*: jarret *m*; 2. ~ *down* (*ou* under) se soumettre; céder; **'~-dust·er** coup-de-poing (*pl.* coups-de-poing) *m* américain. **knur** [nə:] nœud *m*. **knut** F [(k)nʌt] gommeux *m*. **ko·dak** *phot.* ['koudæk] 1. kodak *m*; 2. photographier avec un kodak. **Ko·ran** [kɔ'rɑ:n] Koran *m*, Coran *m*. **ko·tow** ['kou'tau] 1. prosternation *f* (à la chinoise); 2. saluer à la chinoise; *fig.* faire des courbettes (devant, *to*). **krem·lin** ['kremlin] Kremlin *m*. **ku·dos** *co.* ['kju:dɔs] gloriole *f*. **Ku-Klux-Klan** *Am.* ['kju:'klʌks-'klæn] *association secrète de l'Amérique du Nord, hostile aux Noirs.*

L

L, l [el] L *m*, l *m*.
lab F [læb] laboratoire *m*.
la·bel ['leibl] 1. étiquette *f*; *fig.* désignation *f*, titre *m*; ♒ queue *f*; △ larmier *m*; 2. étiqueter; adresser; attacher une étiquette à; ⚓ marquer le prix de; *fig.* qualifier (du nom de, *as*).
la·bi·al ['leibjəl] 1. labial (-aux *m/pl.*); 2. labiale *f*.
lab·o·ra·to·ry [lə'bɔrətəri] laboratoire *m*; ~ *assistant* préparateur (-trice *f*) *m*.
la·bo·ri·ous □ [lə'bɔ:riəs] laborieux (-euse *f*); pénible; travailleur (-euse *f*).
la·bo(u)r ['leibə] 1. travail (*pl.* -aux) *m*, peine *f*, labeur *m*; main-d'œuvre (*pl.* mains-d'œuvre) *f*, travailleurs *m/pl.*; *pol.* les travaillistes *m/pl.*; ⚕ couches *f/pl.*; *Ministry of* ♀ Ministère *m* du Travail; *hard* ~ travail *m* forcé; travaux *m/pl.* forcés; 2. travailliste (*parti*); du travail; ~ *Exchange* Bourse *f* du Travail; ♀ *Office* bureau *m* de placement; *surt. Am.* ~ *union* syndicat *m* ouvrier; 3. *v/i.* travailler; peiner (*a. fig.*); ~ *under* être courbé sous; avoir à lutter contre; *v/t.* travailler; **'la·bo(u)r·age** paie *f*; **'la·bo(u)r-cre·a·tion** création *f* des emplois; **'la·bo(u)red** travaillé

(*style*); pénible (*respiration*); **'la·bo(u)r·er** travailleur *m*; manœuvre *m*; *heavy manual* ~ travailleur *m* de force; **'la·bo(u)r·ing** ouvrier (-ère *f*); haletant (*poitrine*); palpitant (*cœur*); ~ *force* effectif *m* de la main-d'œuvre; **la·bo(u)r·ist** ['~rist], **la·bo(u)r·ite** ['~rait] membre *m* du parti travailliste.
la·bur·num ♀ [lə'bə:nəm] cytise *m*.
lab·y·rinth ['læbərinθ] labyrinthe *m*, dédale *m*; **lab·y·rin·thi·an** [~'rinθiən], *usu.* **lab·y·rin·thine** [~'rinθain] labyrinthique.
lac [læk] (gomme *f*) laque *f*; (*souv.* ~ *of rupees*) lack *m*; 100 000 de roupies.
lace [leis] 1. lacet *m*; cordon *m*; *tex.* dentelle *f*; 2. lacer (*un soulier*); entrelacer (de, avec *with*); arroser (*une boisson*) (à, *with*); garnir de dentelle(s); *fig.* (*a.* ~ *into s.o.*) rosser, battre; **'~-pil·low** coussin(et) *m* à dentelle.
lac·er·ate 1. ['læsəreit] lacérer; *fig.* déchirer; 2. ['~rit] lacéré; **lac·er·a·tion** lacération *f*; déchirement *m* (*a. fig.*); ⚕ déchirure *f*.
lach·ry·mal *anat.* ['lækriml] lacrymal (-aux *m/pl.*); **lach·ry·ma·to·ry** ['~mətəri] lacrymatoire; lacrymogène (*gaz*); **lach·ry·mose** ['~mous] larmoyant.

lack [læk] **1.** *su.* manque *m*, défaut *m*, absence *f*; **2.** *v/t.* manquer de; ne pas avoir; *he ⁓s money* il n'a pas d'argent, l'argent lui fait défaut; *v/i.* be *⁓ing* manquer, faire défaut; *be ⁓ing in …* manquer de …

lack·a·dai·si·cal □ [lækə'deizikl] apathique; affecté.

lack·ey ['læki] **1.** laquais *m*; **2.** *fig.* faire le plat valet auprès de (*q.*).

lack…: '*⁓·land* sans terre (*a. su./m inv.*); '*⁓·lus·ter*, '*⁓·lus·tre* terne.

la·con·ic [lə'kɔnik] (*⁓ally*) laconique, bref (brève *f*).

lac·quer ['lækə] **1.** vernis *m* du Japon; laque *m*; **2.** laquer; F vernir.

lac·ta·tion [læk'teiʃn] lactation *f*.

lac·te·al ['læktiəl] lacté; laiteux (-euse *f*) (*suc*).

la·cu·na [lə'kju:nə] lacune *f*, hiatus *m*.

lac·y ['leisi] de dentelle; fin comme de la dentelle.

lad [læd] garçon *m*; jeune homme *m*.

lad·der ['lædə] **1.** échelle *f* (*a. fig., a. ⚓*); *bas:* maille *f* qui file, éraillure *f*; **2.** se démailler; '*⁓·proof* indémaillable (*bas etc.*).

lade [leid] [*irr.*] charger (de, *with*); puiser de l'eau (à, *from*); '**lad·en** chargé.

lad·ing ['leidiŋ] chargement *m*; embarquement *m*.

la·dle ['leidl] **1.** cuiller *f* à pot; poche *f* (*a. métall.*); ⊕ puisoir *m*; **2.** servir (avec une louche); *métall.* couler; ⊕ (*a. ⁓ out*) pucher.

la·dy ['leidi] dame *f*; *titre:* Lady, milady, madame de …; *my ⁓* madame; *ladies!* mesdames!; *young ⁓* demoiselle *f*; jeune dame *f* (*mariée*); *♀ Day* (fête *f* de) l'Annonciation *f* (*le 25 mars*); *⁓ doctor* femme *f* docteur, doctoresse *f*; *⁓'s maid* femme *f* de chambre; *⁓'s* (*ou ladies'*) *man* galant *m*; '*⁓·bird* coccinelle *f*, F bête *f* à bon Dieu; '*⁓·kill·er* bourreau *m* des cœurs; *don Juan m*; '*⁓·like* distingué; *péj.* efféminé; '*⁓·love* bien-aimée *f*; '*⁓·ship:* her *⁓*, Your *♀* madame (la comtesse *etc.*).

lag¹ [læg] **1.** traîner; (*a. ⁓ behind*) rester en arrière; **2.** retard *m*.

lag² *sl.* [*⁓*] **1.** forçat *m*; **2.** condamner aux travaux forcés.

lag³ [*⁓*] garnir d'un calorifuge.

la·ger (**beer**) ['la:gə (biə)] bière *f* blonde.

lag·gard ['lægəd] **1.** lent, paresseux (-euse *f*); **2.** traînard *m*.

la·goon [lə'gu:n] *atoll:* lagon *m*; *Adriatique:* lagune *f*.

la·ic ['leiik] **1.** *a.* '**la·i·cal** □ laïque; **2.** laïque *mf*; **la·i·cize** ['laiisaiz] laïciser.

laid [leid] *prét. et p.p. de lay⁴ 2; ⁓ up* alité, au lit; *⁓ paper* papier *m* vergé.

lain [lein] *p.p. de lie² 2.*

lair [lɛə] tanière *f*, repaire *m* (*d'une bête fauve*).

laird *écoss.* [lɛəd] propriétaire *m* foncier; F châtelain *m*.

la·i·ty ['leiiti] laïques *m/pl.*

lake¹ [leik] lac *m*; *ornamental ⁓* bassin *m*.

lake² [*⁓*] *peint.* laque *f*.

lake-dwel·lings ['leikdweliŋz] *pl.* habitations *f* lacustres.

lam *sl.* [læm] *v/t.* (*a. ⁓ into*) rosser, étriller; *v/i.* s'évader, s'enfuir.

lamb [læm] **1.** agneau *m*; **2.** agneler.

lam·baste *sl.* [læm'beist] donner une râclée à.

lam·bent ['læmbənt] blafard (*yeux, étoile*); chatoyant (*style, esprit*).

lamb·kin ['læmkin] agnelet *m*; '**lamb·like** doux (douce *f*) comme un agneau; '**lamb·skin** peau *f* d'agneau; *fourrure:* agnelin *m*.

lame [leim] **1.** □ boiteux (-euse *f*); estropié; *fig.* pauvre; *⁓ duck fig.* faible *mf*; *✝* failli *m*; *Am.* député *m* non réélu; **2.** rendre boiteux (-euse *f*); estropier; '**lame·ness** boitement *m*; *cheval:* boiterie *f*; *fig.* faiblesse *f*.

la·ment [lə'mənt] **1.** lamentation *f*; **2.** se lamenter (sur, *for*), pleurer (*q., for s.o.*); **lam·en·ta·ble** □ ['læməntəbl] lamentable, déplorable; **lam·en'ta·tion** lamentation *f*.

lam·i·na ['læminə], *pl.* -**nae** ['⁓ni:] *lam(ell)e f; ♀ feuillet m; ♀ limbe m;* '**lam·i·nar** laminaire; **lam·i·nate** ['⁓nit], **lam·i·nat·ed** ['⁓neitid] à feuilles; contre-plaqué (*bois*).

lamp [læmp] lampe *f*; *mot.* lanterne *f; head ⁓* phare *m*; '*⁓·chim·ney* verre *m* de lampe; '*⁓·light* lumière *f* de la (*ou* d'une) lampe; '*⁓·light·er* allumeur *m* de réverbères, lampiste *m*.

lam·poon [læm'pu:n] **1.** satire *f*, libelle *m*, brocard *m*; **2.** lancer des libelles *etc.* contre; chansonner (*q.*); **lam'poon·er**, **lam'poon·ist** libelliste *m*, satiriste *m*.

lamp-post ['læmppoust] (poteau *m* de) réverbère *m*.

lam·prey *icht.* ['læmpri] lamproie *f*.

lamp·shade ['læmpʃeid] abat-jour *m/inv.*

lance [lɑːns] **1.** lance *f*; ⚕ bistouri *m*; free ~ soldat *m* mercenaire; *parl.* politique *m* indépendant; *journ.* journaliste *m* indépendant; *couch a* ~ mettre une lance en arrêt; **2.** percer (*a.* ⚕); '~·**cor·po·ral** ✕ caporal *m*; **lan·ce·o·late** *surt.* ⚜ ['lænsiəlit] lancéolé; **lanc·er** ['lɑːnsə] ✕ lancier *m*; ~s *pl. danse anglaise:* lanciers *m/pl.*

lan·cet ['lɑːnsit] bistouri *m*, lancette *f*; ~ **arch** △ arc *m* à lancette.

land [lænd] **1.** terre *f*; sol *m*; terrain *m*; pays *m*; propriété *f* foncière; ~s *pl.* terres *f/pl.*, terrains *m/pl.*; ~ reclamation mise *f* en valeur (*des marais*); défrichement *m* (*d'un terrain*); ~ *reform* réforme *f* agraire; ~ *register* cadastre *m*; *fig.* see how the ~ lies prendre le vent, tâter le terrain; **2.** *v/t.* mettre à terre; ⚓ débarquer (*a. v/t.*); ✈ atterrir (*a. v/i.*); F porter (*un coup*) F remporter (*un prix*); amener à terre (*un poisson*); '~·**a·gent** intendant *m* (*d'un domaine*); courtier *m* en immeubles; '**land·ed** foncier (-ère *f*) (*propriété*); terrien(ne *f*) (*personne*).

land...: '~·**fall** ⚓ atterrissage *m*; '~·**forc·es** *pl.* armée *f* de terre; '~·**grab·ber** accapareur *m* de terre; '~·**grave** landgrave *m*; '~·**hold·er** propriétaire *m* foncier.

land·ing ['lændiŋ] débarquement *m*; ✕, ⚓ descente *f*; ✈ atterrissage *m*; amerrissage *m*; ✈ ~ *gear* train *m* d'atterrissage; ~ *ground* terrain *m* d'atterrissage; ✈ ~ *run* distance *f* d'atterrissage; '~·**net** épuisette *f*; '~·**stage** débarcadère *m*, embarcadère *m*.

land...: '~·**la·dy** propriétaire *f*; *pension etc.:* logeuse *f*; aubergiste *f*, F patronne *f*; '~·**locked** entouré de terre; intérieur (*lac etc.*); '~·**lop·er** vagabond *m*; '~·**lord** propriétaire*m*; *pension etc.:* logeur *m*; aubergiste *m*, F patron *m*; '~·**lord·ism** landlordisme *m*; '~·**lub·ber** ⚓ *péj.* marin *m* d'eau douce; terrien *m*; '~·**mark** *surt.* ⚓ indice *m*; point *m* coté (*sur une carte*); borne *f* limite; *fig.* point *m* de repère; *fig.* événement *m* mar-quant; '~·**own·er** propriétaire *mf* foncier (-ère *f*); '~·**scape** ['lænskeip] paysage *m*; '~·**slide** éboulement *m* (de terrain); *fig.* catastrophe *f*; *pol.* débâcle *f*, Am. victoire *f* écrasante; '~·**slip** éboulement *m* (de terrain); ~s·**man** ⚓ ['~zmən] terrien *m*; '~·**sur·vey·or** arpenteur *m*; '~·**tax** impôt *m* foncier; ~·**ward** ['~wəd] vers la terre; du côté de la terre.

lane [lein] chemin *m* (vicinal); *ville:* ruelle *f*, passage *m*; ⚓ route *f* de navigation; *mot.* voie *f*.

lang syne *écoss.* ['læŋ'sain] **1.** jadis; **2.** le temps *m* jadis; les jours *m/pl.* d'autrefois.

lan·guage ['læŋgwidʒ] langue *f*; langage *m*; *bad* ~ langage *m* grossier; *strong* ~ langage *m* violent; injures *f/pl.*

lan·guid □ ['læŋgwid] languissant, langoureux (-euse *f*); mou (mol *devant une voyelle ou un h muet;* molle *f*); faible; '**lan·guid·ness** langueur *f*, faiblesse *f*.

lan·guish ['læŋgwiʃ] languir (après, pour *for*); dépérir; ⚜ s'étioler; traîner (*affaires*); '**lan·guish·ing** □ languissant, langoureux (-euse *f*); ✝ faible.

lan·guor ['læŋgə] langueur *f*; '**lan·guor·ous** langoureux (-euse *f*).

lank □ [læŋk] maigre; sec (sèche *f*); effianqué (*personne, a. bête*); plat (*cheveux*); '**lank·y** □ grand et maigre.

lans·que·net ✕ ['lænskinet] lansquenet *m* (*a. cartes*).

lan·tern ['læntən] lanterne *f*; ⚓ fanal *m*; △ lanterne(au *m*) *f*; *dark* ~ lanterne *f* sourde; '~·**jawed** aux joues creuses; '~·**slide** (diapositive *f* de) projection *f*; ~ *lecture* conférence *f* avec projections.

lan·yard ⚓ ['lænjəd] aiguillette *f*.

lap¹ [læp] **1.** *su. cost.* pan *m*; genoux *m/pl.*; ⊕ recouvrement *m*; *corde etc.:* tour *m*; *sp.* tour *m*, circuit *m*; ⚡ guipage *m*; **2.** *v/t.* enrouler; entourer, envelopper (q. de qch. *s.o. about with s.th., s.th. round s.o*); ⊕ enchevaucher (*des planches*); ⚡ guiper; *v/i.* (*usu.* ~ *over*) dépasser, chevaucher.

lap² [~] **1.** gorgée *f*; coup *m* de langue; *vagues:* clapotis *m*; **2.** laper; *fig.* avaler; clapoter (*vagues*).

lap-dog ['læpdɔg] chien *m* de manchon.

la·pel *cost.* [lə'pel] revers *m*.

lap·i·dar·y ['læpidəri] lapidaire (*a. su./m*).

lap·pet ['læpit] *cost.* pan *m*; revers *m*; *oreille:* lobe *m*.

lapse [læps] **1.** erreur *f*; faux pas *m*; laps *m* (de temps); délai *m* (*de temps*); défaillance *f* (*de la mémoire*); ✝ déchéance *f*; *eccl.* apostasie *f*; chute *f*; **2.** déchoir; *au sens moral:* tomber (dans, *into*); manquer à ses devoirs; ✝ cesser d'être en vigueur; *fig.* rentrer (dans le silence, *into silence*); ✝ tomber en désuétude; s'abroger (*loi*).

lap·wing *orn.* ['læpwiŋ] vanneau *m*.

lar·ce·ny ✝ ['lɑːsni] larcin *m*, vol *m* insignifiant; *grand* ~ vol *m*; *petty* ~ vol *m* simple.

larch ♀ [lɑːtʃ] mélèze *m*.

lard [lɑːd] **1.** saindoux *m*, graisse *f* de porc; **2.** larder (de, *with*) (*a. fig.*); **'lard·er** garde-manger *m/inv.*; **'lard·ing-nee·dle, 'lard·ing-pin** lardoire *f*; **'lard·y** lardeux (-euse *f*).

large □ [lɑːdʒ] grand; gros(se *f*); fort; nombreux (-euse *f*); large; ~ *farmer* gros fermier *m*; *at* ~ en liberté, libre; en général; en détail; *talk at* ~ parler au hasard; parler longuement (sur qch.); *in* ~ en grand; **'large·ly** en grande partie; pour la plupart; pour une grande part; **'large·ness** grandeur *f*, grosseur *f*; *fig.* largeur *f*; **'large-'mind·ed** à l'esprit large; tolérant; **'large-'scale** de grande envergure; **'large-'sized** de grandes dimensions.

lar·gess(e) *poét.* ['lɑːdʒes] largesse *f*.

lark[1] *orn.* [lɑːk] alouette *f*.

lark[2] [~] **1.** farce *f*, blaque *f*; **2.** rigoler, faire des farces; **lark·some** ['~səm] *see* larky.

lark·spur ♀ ['lɑːkspəː] pied *m* d'alouette.

lark·y F ['lɑːki] espiègle; folichon(ne *f*).

lar·va *zo.* ['lɑːvə], *pl.* **-vae** ['~viː] larve *f*; **lar·val** ['~vl] larvaire; ✝ latent.

lar·ynx ['læriŋks] larynx *m*.

las·civ·i·ous □ [lə'siviəs] lascif (-ive *f*).

lash [læʃ] **1.** coup *m* de fouet; lanière *f*; *fig.* supplice *m* du fouet; *œil:* cil *m*; **2.** fouailler; cingler (*a. pluie*); fouetter; *fig.* flageller, cingler; attacher, lier (à, *to*); ⚓ amarrer; ~ *out* ruer (*cheval*); *fig.* se livrer (à, *into*); ~ *out at* lâcher un coup à.

lass [læs] jeune fille *f*; **las·sie** ['~i] fillette *f*.

las·si·tude ['læsitjuːd] lassitude *f*.

last[1] [lɑːst] **1.** *adj.* dernier (-ère *f*); ~ *but one* avant-dernier (-ère *f*); ~ *night* hier soir; la nuit dernière; *the* ~ *two* les deux derniers (-ères *f*); **2.** *su.* dernier (-ère *f*) *m*; bout *m*; fin *f* (= *mort*); *my* ~ ma dernière lettre; mon dernier *m*, ma dernière *f* (*enfant*); *at* ~ enfin; à la fin; *at long* ~ enfin; à la fin (des fins); *breathe one's* ~ rendre le dernier soupir; **3.** *adv.* la dernière fois; *le* (la) dernier (-ère *f*); ~, *but not least* et mieux encore ..., le dernier, mais non le moindre.

last[2] [~] durer, se maintenir; (*a.* ~ *out*) aller (*comestibles etc.*); faire (*robe etc.*); soutenir (*une allure*).

last[3] [~] forme *f* (à *chaussures*).

last[4] ✝ [~] *mesure:* last(e) *m*.

last·ing ['lɑːstiŋ] **1.** □ durable; résistant; **2.** *tex.* lasting *m*; **'last·ing·ness** durabilité *f*, permanence *f*.

last·ly ['lɑːstli] en dernier lieu; pour finir.

latch [lætʃ] **1.** loquet *m*; serrure *f* de sûreté; *on the* ~ au loquet; fermé à demi-tour; **2.** fermer au loquet *ou* à demi-tour; **'~-key** clef *f* de maison; passe-partout *m/inv.*

late [leit] en retard; retardé; tard; tardif (-ive *f*) (*fruit etc.*); ancien(ne *f*), ex-; feu (= *mort*); récent; *at (the)* ~*st* au plus tard; tout au plus; *as* ~ *as* pas plus tard que; *of* ~ récemment; *of* ~ *years* ces dernières années; depuis quelques années; ~*r on* plus tard; *be* ~ être en retard; 🚂 avoir du retard *ou* un retard de ...; *keep* ~ *hours* se coucher tard; rentrer tard; **'~-com·er** retardataire *mf*; tard-venu(e *f*) *m*; **'late·ly** dernièrement, récemment; depuis peu.

la·ten·cy ['leitənsi] état *m* latent.

late·ness ['leitnis] arrivée *f* tardive; date *f* récente; heure *f* avancée; *fruit etc.*: tardiveté *f*.

la·tent □ ['leitənt] caché; latent.

lat·er·al □ ['lætərəl] latéral (-aux *m/pl.*).

lay

lath [lɑ:θ] **1.** latte f; *toit:* volige f; *jalousie:* lame f; **2.** latter; voliger *(un toit)*.

lathe [leɪð] ⊕ tour m; *tex., métier:* battant m.

lath·er ['lɑ:ðə] **1.** *su.* mousse f de savon; écume f; **2.** *v/t.* savonner; F rosser *(q.)*, fouailler *(un cheval)*; *v/i.* mousser *(savon)*; jeter de l'écume *(cheval)*.

lath·y ['lɑ:θi] latté; *fig.* long et mince.

Lat·in ['lætin] **1.** latin; **2.** Latin(e f) m; *ling.* latin m; **~ A·mer·i·ca** Amérique f latine; **'Lat·in·ism** latinisme m, tournure f latine.

lat·i·tude ['lætitju:d] latitude f *(a. fig., géog., astr.)*; *fig. a.* étendue f; liberté f d'action; **~s** *pl.* latitudes f/pl., F parages m; **lat·i·tu·di·nal** [~inl] latitudinal (-aux m/pl.); **lat·i·tu·di·nar·i·an** ['~neəriən] **1.** latitudinaire *(a. su./mf)*; **2.** partisan(e f) m du tolérantisme.

lat·ter ['lætə]: **the ~** le dernier m, la dernière f; celui-ci m (celle-ci f, ceux-ci m/pl., celles-ci f/pl.); **~ end** fin f; **'~-day** récent, moderne; **'lat·ter·ly** dans les derniers temps; dans la suite; récemment.

lat·tice ['lætis] **1.** *(a. ~-work)* treillage m, treillis m; **2.** treillager, treillisser.

Lat·vi·an ['lætviən] **1.** lettonien(ne f); **2.** Lettonien(ne f) m.

laud [lɔ:d] louer, chanter les louanges de; **laud·a'bil·i·ty** caractère m louable; **'laud·a·ble** ☐ louable, digne d'éloges; **lau'da·tion** louange f; **laud·a·to·ry** ☐ ['~ətəri] élogieux (-euse f).

laugh [lɑ:f] **1.** rire m; **2.** *(at)* rire (de); se moquer (de); **~ off** traiter *(qch.)* en plaisanterie; **~ out of** faire renoncer à force de plaisanteries; *see* sleeve; **'laugh·a·ble** ☐ risible, ridicule; **'laugh·er** rieur (-euse f) m; **'laugh·ing 1.** rires m/pl.; **2.** ☐ riant; rieur (-euse f); **'laugh·ing-stock** objet m de risée; **'laugh·ter** rire m, -s m/pl.

launch [lɔ:ntʃ] **1.** ⚓ lancement m; chaloupe f; *motor* **~** vedette f; **2.** *v/t.* lancer *(a. un navire, une fusée)*; débarquer *(un canot)*; ✕ déclencher; *fig.* mettre en train, lancer; *v/i.* **~ out** lancer un coup (à *at, against)*; ⚓ mettre à la mer; **~ (out)** *into* se lancer dans; **'launch·ing-tube** ⚓ tube m de lancement.

laun·dress ['lɔ:ndris] blanchisseuse f; **'laun·dry** blanchisserie f; lessive f.

lau·re·ate ['lɔ:riit] **1.** lauréat; *poet* **~ =** **2.** poète m lauréat.

lau·rel ⚕ ['lɔrl] laurier m; *fig.* win **~s** cueillir des lauriers; **'lau·relled** couronné (de lauriers).

la·va ['lɑ:və] lave f.

lav·a·to·ry ['lævətəri] lavabo m; cabinet m de toilette; *public* **~** cabinets m/pl.

lave [leiv] *usu. poét.* laver; ✕ bassiner.

lav·en·der ⚕ ['lævində] lavande f.

lav·ish ['læviʃ] **1.** ☐ prodigue (de *in, of)*; abondant; **2.** prodiguer; **'lav·ish·ness** prodigalité f.

law [lɔ:] loi f; droit m; code m; législation f; justice f; règle f; *at* **~** en justice, en procès; *go to* **~** avoir recours à la justice; *have the* **~** *of s.o.* faire un procès à q., poursuivre q. en justice; *necessity knows no* **~** nécessité n'a point de loi; *lay down the* **~** expliquer la loi; F dogmatiser; *practise* **~** exercer le droit; **'~-a·bid·ing** ⚖ ami de l'ordre; **'~-court** cour f de justice; tribunal m; **'law·ful** ☐ légal (-aux m/pl.); licite, permis; légitime; juste; valide *(contrat etc.)*; **'law·giv·er** législateur m; **'law·less** ☐ sans loi; désordonné.

lawn¹ [lɔ:n] *tex.* batiste f; linon m.

lawn² [~] pelouse f; gazon m; **'~-mow·er** tondeuse f; **'~-sprin·kler** arrosoir m de pelouse; **~ ten·nis** (lawn-)tennis m.

law·suit ['lɔ:sju:t] procès m; **law·yer** ['~jə] homme m de loi; juriste m; jurisconsulte m; *see a.* solicitor, barrister.

lax [læks] mou (mol *devant une voyelle ou un h muet;* molle f); flasque; relâché; négligent; facile *(morale)*; **lax·a·tive** ['~ətiv] **1.** laxatif (-ive f); **2.** laxatif m; **'lax·i·ty**, **'lax·ness** mollesse f; relâchement m; inexactitude f.

lay¹ [lei] *prét. de* lie² 2.

lay² [~] lai m, chanson f; *poét.* poème m.

lay³ [~] laïque, lai.

lay⁴ [lei] **1.** *su. cordage:* commettage m; *terrain:* configuration f; *sl.* spécialité f; **2.** [*irr.*] *v/t.* coucher;

abattre (q., *la poussière*); exorciser (*un fantôme*); mettre (*couvert, qch. sur qch., enjeu, impôt, nappe*); parier (*une somme, fig. que, that*); faire (*un pari*); pondre (*un œuf*); porter (*une plainte*); poser (*des fondements, un tapis, qch. sur qch.*); ~ *bare* mettre à nu; dévoiler; découvrir; ~ *before* exposer, présenter à (*q.*); ~ *by* mettre de côté; ~ *down* déposer; rendre (*les armes*); résigner (*un office*); donner (*la vie*); étaler (*les cartes*); poser (*qch., voie, câble, principe*); imposer (*une condition*); formuler (*un principe*); ~ *in* s'approvisionner de; ✝ emmagasiner; ~ *in stock* s'approvisionner; ~ *low* étendre, abattre; ~ *off* congédier; *peint.* lisser avec la brisse; faire la contre-partie de (*un pari*); *Am. sl.* en finir avec (*q., qch.*), laisser (*tranquille*); ~ *on* imposer; étendre (*un enduit*); ne pas ménager (*des couleurs*); appliquer; porter (*des coups*); amener (*de l'eau*); installer (*le gaz etc.*); *fig.* ~ *it on* (thick) flatter (grossièrement); ~ *open* exposer; ~ (o.s.) *open to* (s')exposer à (*qch.*); ~ *out* arranger, étaler (*devant les yeux*); disposer (*le jardin*); dépenser (*l'argent*); F aplatir (q.); ~ *o.s. out* faire de son mieux (*pour for*, to); ~ *up* accumuler, amasser (*de l'argent, des provisions*); amasser (*des connaissances*); mettre (qch.) en réserve; mettre (*la terre*) en jachère; ⚓ mettre en rade; ⚓ désarmer; ~ *with* coucher avec; **3.** [*irr.*] *v/i.* pondre (des œufs); (*a.* ~ *a wager*) parier; ⚓ être (à l'ancre); mettre la table (pour, for); ~ *about* one frapper de tous côtés; *sl.* ~ *into* rosser (q.); F ~ (*it*) *on* porter des coups.

lay·er 1. *su.* ['leiə] poseur *m*; parieur *m*; *poule:* pondeuse *f*; *peint. etc.* couche *f*; *géol.* assise *f*, strate *f*; **2.** *v/t.* ✗ ['leə] marcotter; *v/i.* se coucher (*blé*).

lay·ette [lei'et] layette *f*.

lay fig·ure mannequin *m*.

lay·ing ['leiiŋ] *câble, rail, tuyau, etc.:* pose *f*; *fondements:* assise *f*; *œufs:* ponte *f*.   [laïque *m*.]

lay·man ['leimən] profane *m*; *eccl.*]

lay...: '~-**off** *Am.* période *f* de chômage; vacances *f/pl.* (*d'un ouvrier*); '~-**out** disposition *f*; tracé *m*.

laz·a·ret, *usu.* **laz·a·ret·to** [læzə-'ret(ou)] léproserie *f*; ⚓ lazaret *m*.

laze F [leiz] fainéanter; baguenauder; '**la·zy 1.** paresseux (-euse *f*), fainéant; **2.** = '**la·zy-bones** fainéant(e *f*) *m*, F flémard(e *f*) *m*.

lea *poét.* [li:] prairie *f*.

leach [li:tʃ] *vt/i.* filtrer.

lead¹ [led] **1.** plomb *m*; ⚓ (plomb *m* de) sonde *f*; *typ.* interligne *f*; *crayon:* mine *f*; ~*s pl.* plombs *m/pl.*; ~ *pencil* crayon *m* (à la mine de plomb); **2.** plomber; garnir de plomb; *typ.* interligner.

lead² [li:d] **1.** *su.* conduite *f*, exemple *m*; tête *f*; *théâ.* premier rôle *m*, vedette *f*; *cartes:* main *f*, couleur *f*; ⚡ câble *m*, connexion *f*; *chien:* laisse *f*; *cartes: it's my* ~ à moi de jouer; *take the* ~ prendre la tête; *fig.* gagner les devants (sur of, over); **2.** [*irr.*] *v/t.* mener, conduire (à, to); amener; induire (en, into); guider; entamer de (*cartes*); ~ *on* entraîner; *fig.* encourager (à parler); *v/i.* mener, conduire; ~ *to* produire(~); ~ *off* commencer (par, with); *sp.* jouer le premier; ~ *up to* donner accès à; *fig.* introduire, amener.

lead·en ['ledn] de plomb (*a. fig.*).

lead·er ['li:də] chef *m* (*a.* ✗); conducteur (-trice *f*) *m*; cheval *m*; ♪ chef *m* d'attaque; *journ.* article *m* de fond; *cin.* bande *f* amorce; **lead·er·ette** [~'ret] article *m* de fond succinct; '**lead·er·ship** conduite *f*; ✗ commandement *m*; direction *f*.

lead·ing ['li:diŋ] **1.** premier (-ère *f*), principal (-aux *m/pl.*); de tête; ~ *article* article *m* de fond; ✝ spécialité *f* de réclame; ♕♖ ~ *case* cas *m* d'espèce qui fait autorité; *théâ.* ~ *man* (*lady*) vedette *f*, premier rôle *m*; ♕♖ ~ *question* question *f* tendancieuse; **2.** conduite *f*, direction *f*; ✗ commandement *m*; '~-**strings** *pl.* lisière *f*.

leaf [li:f] (*pl.* *leaves*) ❧ feuille *f* (*a. or etc., papier*); *fleur:* F pétale *m*; *livre:* feuillet *m*; *porte, table:* battant *m*; *table:* rallonge *f*; '**leaf·age** feuillage *m*; '**leaf·less** sans *ou* dépourvu de feuilles; '**leaf·let** ['~lit] feuillet *m*; feuille *f* volante; papillon *m* (*de publicité*); ❧ foliole *f*; '**leaf·y** feuillu; couvert de feuilles; de feuillage.

league[1] [li:g] lieue *f* (marine) (= 4,8 km.).

league[2] [~] **1.** ligue *f*; *sp.* ♀ match match *m* de championnat; ♀ *of Nations* Société *f* des Nations; **2.** se liguer; '**lea·guer** ligueur (-euse *f*) *m*.

leak [li:k] **1.** écoulement *m*; ⚓ voie *f* d'eau; **2.** couler, fuir; se perdre; ⚓ faire eau; ~ *out* couler; *fig.* s'ébruiter; transpirer; '**leak·age** fuite *f*, perte *f*; ✝ coulage *m*; *fig. secrets:* fuite *f*; '**leak·y** qui coule; qui prend l'eau; *fig.* peu fidèle, peu discret (-ète *f*).

lean[1] [li:n] maigre (*a. su./m*).

lean[2] [~] **1.** [*irr.*] *v/t.* appuyer (contre, *against*); *v/i.* s'appuyer (sur, *on*; contre, *against*); s'adosser (à, contre *against*); s'accouder (à, contre *against*); se pencher (sur, *over*; vers, *towards*); pencher (*mur etc.*), incliner (*a. fig.*); **2.** inclinaison *f*; *fig.* (*a.* '**lean·ing** penchant *m* (pour, to [*wards*]); tendance *f* (à, to[*wards*]).

lean·ness ['li:nnis] maigreur *f*.

leant [lent] *prét. et p.p. de* **lean**[2] **1.**

lean-to ['li:n'tu:] appentis *m*.

leap [li:p] **1.** *su.* saut *m*, bond *m*; *by* ~*s and bounds* par bonds et par sauts; **2.** [*irr.*] *v/i.* sauter (*a. fig.*); jaillir (*flamme etc.*); *v/t.* franchir d'un saut; sauter; '~**-frog 1.** saute-mouton *f*; **2.** sauter comme à saute-mouton; **leapt** [lept] *prét. et p.p. de* **leap** 2; '**leap-year** année *f* bissextile.

learn [lə:n] [*irr.*] apprendre; ~ *from* mettre (*qch.*) à profit; **learn·ed** □ ['~id] instruit, savant; '**learn·er-driv·er** conducteur *m* novice; '**learn·ing** étude *f*; action *f* d'apprendre; érudition *f*; **learnt** [lə:nt] *prét. et p.p. de* **learn**.

lease [li:s] **1.** bail (*pl.* baux) *m*; *terre:* bail *m* à ferme; *fig.* concession *f*; *let* (*out*) *on* ~ louer à bail; *a new* ~ *of life* un renouveau *m* de vie; **2.** donner *ou* prendre à bail; louer; affermer (*une terre*); '~**hold** tenure *f ou* propriété *f* à bail; *attr.* tenu à bail; '~**hold·er** bailleur *m*.

leash [li:ʃ] **1.** laisse *f*, attache *f*; *chasse:* harde *f* (= *3 chiens*); **2.** mettre à l'attache.

least [li:st] **1.** *adj.* le (*la*) moindre; le (*la*) plus petit(e); **2.** *adv.* (le) moins; *not* ~ pas le moindre; **3.** *su.:* *at* (*the*) ~ au moins; du moins; *at the very* ~ tout au moins; *not in the* ~ pas du tout; *to say the* ~ pour ne pas dire plus.

leath·er ['leðə] **1.** cuir *m*; F foot-ballon *m*; ~*s pl.* culotte *f ou* guêtres *f/pl.* de cuir; **2.** de *ou* en cuir; **3.** garnir de cuir; F tanner le cuir à, rosser; **leath·er·ette** [~'ret] simili-cuir *m*; **leath·ern** ['leðən] de cuir, en cuir; '**leath·er·y** qui ressemble au cuir; coriace (*viande*).

leave [li:v] **1.** permission *f*, autorisation *f*; (*a.* ~ *of absence*) *mois:* congé *m*, *jours:* permission *f*; *by your* ~ si vous le voulez bien; **2.** [*irr.*] *v/t.* laisser; abandonner; déposer (à la consigne); léguer (*une fortune etc.*); quitter (*un endroit*); sortir de; F ~ *it at that* en demeurer là; *see call* ~; ~ *behind* laisser (*a. des traces*), oublier; devancer, distancer; ~ *off* cesser; renoncer à (*une habitude*); cesser de porter (*un vêtement*); *v/i.* partir (pour, *for*).

leaved [li:vd] aux feuilles...; feuillu; à ... battants (*porte*); à ... rallonges (*table*).

leav·en ['levn] **1.** levain *m*; **2.** faire lever; *fig.* modifier (par, *with*); '**leav·en·ing** ferment *m*; *fig.* addition *f*, nombre *m*.

leaves [li:vz] *pl. de* **leaf**.

leav·ings ['li:viŋz] *pl.* restes *m/pl.*

lec·tern *eccl.* ['lektən] lutrin *m*.

lec·ture ['lektʃə] **1.** conférence *f* (sur, *on*); leçon *f* (de, *on*); *give a* ~ faire une conférence; *attend* ~*s* suivre un cours; *see curtain* ~; *read s.o. a* ~ faire une semonce à q.; **2.** *v/i.* faire une conférence (sur, *on*); faire un cours (de, *on*); *v/t.* F semoncer, sermonner; '**lec·tur·er** conférencier (-ère *f*) *m*; *univ.* maître *m* de conférences; chargé *m* de cours; professeur *m*; '**lec·ture-ship** poste *m* de conférencier (-ère *f*); *univ.* maîtrise *f* de conférences.

led [led] *prét. et p.p. de* **lead**[2] **2.**

ledge [ledʒ] rebord *m*; saillie *f*; corniche *f*; banc *m* de récifs.

ledg·er ['ledʒə] ✝ grand livre *m*; *Am.* registre *m*; ⊕ échafaudage: filière *f*.

lee ⚓ [li:] côté *m* sous le vent.

leech [li:tʃ] *zo.* sangsue *f* (*a. fig.*); *fig.* crampon *m*.

leek ⚘ [li:k] poireau *m*.

leer [liə] **1.** œillade *f* en dessous; regard *m* paillard; **2.** ~ at lorgner d'un air méchant; lancer des œillades à; **'leer·y** □ *sl.* malin(-igne*f*), rusé; soupçonneux (-euse *f*).

lees [li:z] *pl.* lie *f* (*a. fig.*).

lee·ward ⚓ ['li:wəd] sous le vent.

lee·way ⚓ ['li:wei] dérive *f*; make ~ dériver; *fig.* traîner; *fig.* make up ~ rattraper le temps perdu.

left[1] [left] *prét. et p.p. de* leave 2; be ~ rester.

left[2] [~] **1.** *adj.* gauche; **2.** *adv.* à gauche; **3.** *su.* gauche *f*; **'~-'hand·ed** □ gaucher (-ère *f*) (*personne*); *fig.* gauche; douteux (-euse *f*) (*compliment*); ⊕ à gauche.

left...: **'~-'lug·gage of·fice** consigne *f*; **'~-o·vers** *pl.* restes *m/pl.*

Left-Wing *pol.* ['left'win] de gauche.

leg [leg] jambe *f*; *chien, oiseau, etc.:* patte *f*; *table:* pied *m*; ⅄ branche *f*; *course:* étape *f*; ~ of mutton gigot *m*; give s.o. a ~ up faire la courte échelle à q.; F donner un coup d'épaule à q.; F be on one's last ~s être à bout de ses ressources; pull s.o.'s ~ se payer la tête de q., faire marcher q.

leg·a·cy ['legəsi] legs *m*; **'~-'hunt·er** coureur (-euse *f*) *m* d'héritages.

le·gal □ ['li:gəl] légal (-aux *m/pl.*); juridique; judiciaire; de droit; de loi; ~ capacity capacité *f* de contracter; ~ entity personne *f* morale; ~ remedy voie *f* de recours; ~ status capacité *f* juridique; *see* tender[2] 1; **le·gal·i·ty** [li:'gæliti] légalité *f*; **le·gal·i·za·tion** [li:gəlai'zei∫n] légalisation *f*; **'le·gal·ize** rendre légal; autoriser; authentiquer (*un document*).

leg·ate ['legit] légat *m* (*du pape*).

leg·a·tee ⚖ [legə'ti:] légataire *mf*.

le·ga·tion [li'gei∫n] légation *f*.

leg·bail ['leg'beil]: give ~ F s'évader; filer à l'anglaise.

leg·end ['ledʒənd] légende *f* (*a. = inscription*); explication *f*; **'leg·end·ar·y** légendaire.

leg·er·de·main ['ledʒədə'mein] passe-passe *m/inv.*; prestidigitation *f*.

legged [legd] à *ou* aux jambes; short-~ aux jambes courtes; **leg·gings** ['~z] *pl.* guêtres *f/pl.*; **'leg·gy** aux longues jambes.

leg·horn [le'gɔ:n] chapeau *m* de paille d'Italie; *poule:* leghorn *f*.

leg·i·bil·i·ty [ledʒi'biliti] lisibilité *f*; **leg·i·ble** ['ledʒəbl] □ lisible.

le·gion ['li:dʒən] légion *f* (*a. fig.*); **'le·gion·ar·y** légionnaire (*a. su./m*).

leg·is·late ['ledʒisleit] faire des lois; **leg·is·la·tion** législation *f*; **'leg·is·la·tive** □ législatif (-ive *f*); **'leg·is·la·tor** législateur *m*; **leg·is·la·ture** ['~t∫ə] législature *f*; corps *m* législatif.

le·git·i·ma·cy [li'dʒitiməsi] *enfant, opinion, etc.:* légitimité *f*; **le·git·i·mate 1.** [~mit] □ légitime; F vrai; **2.** [~meit] (*a.* **le'git·i·mize**) légitimer; **le·git·i·ma·tion** légitimation *f*; légalisation *f*.

leg·ume ['legju:m] fruit *m* de légumineux; **le·gu·mi·nous** légumineux (-euse *f*).

lei·sure ['leʒə] loisir *m*, -s *m/pl.*; be at ~ être de loisir; at your ~ à (votre) loisir; *attr.* de loisir; **'lei·sured** de loisir; désœuvré; **'lei·sure·ly 1.** *adj.* posé, tranquille; qui n'est pas pressé; **2.** *adv.* posément; à loisir.

lem·on ['lemən] **1.** citron *m*; **2.** jaune citron *adj./inv.*; **lem·on·ade** [~'neid] limonade *f*; **lem·on squash** citron *m* pressé; citronnade *f*; **'lem·on-squeez·er** presse-citron *m/inv.*

lend [lend] [*irr.*] prêter (*a. secours*); ~ out louer; ~ o.s. to se prêter à; ~ing library bibliothèque *f* de prêt; '*O-*-'Lease Act loi *f* prêt-bail (*américaine*); **'lend·er** prêteur (-euse *f*) *m*.

length [len θ] longueur *f*; morceau *m*; pièce *f*; *temps:* durée *f*; at ~ enfin, à la fin; at (great) ~ d'un bout à l'autre; go all ~s aller jusqu'au bout; go (to) great ~s se donner bien de la peine (pour, to); he goes the ~ of saying il va jusqu'à dire; **'length·en** (s')allonger; (se) prolonger; *v/i.* augmenter; **'length·ways**, **'length·wise** □ en longueur, en long.

le·ni·ence, **le·ni·en·cy** ['li:njəns(i)], **len·i·ty** ['leniti] clémence *f*; douceur *f*; **le·ni·ent** □ ['li:njənt] clément, indulgent (pour, envers to [-wards]); **'len·i·tive** ⚕ **1.** lénitif (-ive *f*); **2.** lénitif *m*.

lens [lenz] loupe *f*; *opt.* lentille *f*, verre *m*; *phot.* objectif *m*; *phot.* ~ system objectif *m*.

lent¹ [lent] *prét. et p.p. de* lend.

Lent² [↲] carême *m.*

Lent·en ['lentən] de carême (*a. fig.*).

len·tic·u·lar □ [len'tikjulə] lenti-forme, lenticulaire.

len·til ♀ ['lentil] lentille *f.*

leop·ard ['lepəd] léopard *m.*

lep·er ['lepə] lépreux (-euse *f*) *m.*

lep·ro·sy ✇ ['leprəsi] lèpre *f.*; '**lep·rous** lépreux (-euse *f*).

lese-maj·es·ty ⚖ ['li:z'mædʒisti] lèse-majesté *f.*

le·sion ⚖, ✇ ['li:ʒən] lésion *f.*

less [les] **1.** *adj.* moindre; plus petit; moins de; inférieur; † moins im-portant, mineur; no ~ a person than ne ... rien moins que; **2.** *adv.* moins; **3.** *prp.* ⅍ moins; ✝ sans; **4.** *su.* moins *m*; no ~ than ne ... rien moins que; autant que.

les·see [le'si:] locataire *mf*; conces-sionnaire *mf.*

less·en ['lesn] *v/t.* amoindrir, di-minuer; ralentir; raccourcir; *fig.* atténuer; *v/i.* diminuer, s'amoin-drir; *fig.* s'atténuer.

less·er ['lesə] petit; moindre.

les·son ['lesn] **1.** leçon *f* (*a. eccl.*, *a. fig.*); exemple *m*; ~s *pl.* leçons *f/pl.*; cours *m*; **2.** faire la leçon à, ensei-gner.

les·sor ⚖ [le'sɔ:] bailleur (-eresse *f*) *m.*

lest [lest] de peur *ou* de crainte que ... ne (*sbj.*) *ou* de (*inf.*).

let¹ [let] [*irr.*] *v/t.* permettre, laisser; faire (*inf.*); louer (*une maison etc.*); ~ alone laisser tranquille *ou* en paix; laisser (*q.*) faire; ne pas se mêler de (*qch.*); *adv.* sans parler de ...; ~ down baisser; F laisser (*q.*) en panne; ~ s.o. down gently refuser qch. à q. *ou* corriger q. avec tact; ~ fly lancer; lâcher; ~ go lâcher; ⚓ mouiller (*l'ancre*); ~ into laisser entrer; *cost.* incruster; mettre (dans un secret, *into a secret*); ~ loose lâcher; ~ off tirer; décocher (*a. fig. une épigramme*); *fig.* dispenser (de *inf.*, *from gér.*); *see* steam; ~ out laisser sortir; laisser échapper; *cost.* rélargir; (*a.* ~ on hire) louer; *v/i.* se louer (à at, for); ~ on rapporter, trahir; ~ up diminuer; cesser.

let² [↲] *tennis*: (*a.* ~ ball) balle *f* de filet; without ~ *or* hindrance sans entrave, en toute liberté.

le·thal □ ['li:θl] mortel(le *f*).

le·thar·gic, le·thar·gi·cal □ [le-'θɑ:dʒik(l)] léthargique (*a. fig.*); **leth·ar·gy** ['leθədʒi] léthargie *f.*; *fig.* inaction *f*, inertie *f.*

Le·the *myth.* ['li:θi:] Léthé *m* (= *oubli*).

let·ter ['letə] **1.** lettre *f*; caractère *m*; missive *f*; ~s *pl.* (belles-)lettres *f/pl.*; littérature *f*; by ~ par lettre, par correspondance; man of ~s homme *m* de lettres, littérateur *m*; to the ~ au pied de la lettre; **2.** marquer avec des lettres; ⚖, ✝ coter; mettre le titre à (*un livre*); '~**bal·ance** pèse-lettre *m*; '~**box** boîte *f* aux lettres; '~**car·ri·er** *Am.* facteur *m*; '~**case** portefeuille *m*; '~**cov·er** enveloppe *f*; '**let·tered** marqué avec des lettres; *fig.* lettré; '**let·ter·file** classeur *m* de lettres; relieur *m*; '**let·ter·found·er** fondeur *m* typographe; **let·ter·gram** *Am.* ['~græm] télégramme *m* à tarif réduit; '**let·ter·ing** lettrage *m*; inscription *f.*

let·ter...: '~**o·pen·er** ouvre-lettres *m/inv.*; '~**pa·per** papier *m* à let-tres; '~**per·fect** *théâ.*: be ~ savoir son rôle par cœur; '~**press** *typ.* impression *f* typographique; texte *m*; ~ printing typographie *f*; '~**press** presse *f* à copier; '~**weight** presse-papiers *m/inv.*

let·tuce ♀ ['letis] laitue *f.*

leu·co... ['lju:ko] leuco-; **leu·co·cyte** ['~sait] leucocyte *m.*

le·vant [li'vænt] F décamper sans payer.

lev·ee¹ ['levi] réception *f* royale; *hist.* lever *m.*

lev·ee² *Am.* [↲] digue *f*, endigue-ment *m*, levée *f* (*d'une rivière*).

lev·el ['levl] **1.** *adj.* égal (-aux *m/pl.*); à *ou* de niveau; *fig.* équilibré; ~ with à fleur de; my ~ best tout mon pos-sible; ⚒ crossing passage *m* à niveau; **2.** *su.* niveau *m* (*a.* ⊕, *a. fig.*); terrain *m ou* surface *f* de ni-veau; hauteur *f*; ⚒, *mot.* palier *m*; ⚒ galerie *f* (de niveau); ~ of the sea niveau *m* de la mer; on a ~ with de niveau avec, à la hauteur de; *fig.* au niveau de (*q.*); dead ~ franc niveau *m*, ⚒ palier *m* absolu; *fig.* uni-formité *f*; on the ~ loyal (-aux *m/pl.*); tout à fait sincère; **3.** *v/t.* niveler, aplatir, égaliser; *surv.* dé-niveler; pointer (*un fusil*); braquer (*un canon*); *fig.* raser (*une ville*); *fig.* lancer (contre, *at*); ~ with (*ou* to) the ground raser (*qch.*); ~ down araser; *fig.* abaisser à son niveau; ~ up élever (*qch.*) au niveau (de qch., *to s.th.*); *v/i.* ~ at (*ou against*) viser; ~ off cesser de monter, se raffermir (*prix*); '~·'head·ed à la tête bien équilibrée; (à l'esprit) rassis; 'lev·el·(l)er *surv.* niveleuse *f* de route; *personne:* niveleur (-euse *f*) *m*; *pol.* égalitaire *mf*; 'lev·el·(l)ing de nivellement.

le·ver ['li:və] **1.** *su.* levier *m*; **2.** *v/t.* soulever au moyen d'un levier; *v/i.* manœuvrer un levier; 'le·ver·age force *f* de levier; *fig.* prise *f*.

lev·er·et ['levərit] levraut *m*.

le·vi·a·than [li'vaiəθən] *bibl.* Léviathan *m*; *fig.* navire *m* monstre.

lev·i·gate *pharm.* ['levigeit] réduire en poudre; délayer (avec, *with*).

lev·i·tate ['leviteit] *spiritisme:* (se) soulever (par lévitation).

Le·vite *bibl.* ['li:vait] Lévite *m*.

lev·i·ty ['leviti] légèreté *f*, manque *m* de sérieux.

lev·y ['levi] **1.** *impôt, a.* ✕ *troupes:* levée *f*; ✕ *chevaux:* réquisition *f*; impôt *m*, contribution *f*; *capital:* prélèvement *m* sur le capital; **2.** lever, percevoir (*un impôt*); imposer (*une amende*); ✕ lever (*des troupes*); réquisitionner; faire (*la guerre, du chantage*).

lewd □ [lu:d] lascif (-ive *f*); impudique; 'lewd·ness impudicité *f*; débauche *f*.

lex·i·cal □ ['leksikl] lexicologique.

lex·i·cog·ra·pher [leksi'kɔgrəfə] lexicographe *mf*; lex·i·co·graph·i·cal □ [ˌko'græfikl] lexicographique; lex·i·cog·ra·phy [ˌ'kɔgrəfi] lexicographie *f*.

li·a·bil·i·ty [laiə'biliti] responsabilité *f* (*a.* ✝✝); risque *m* (de, *to*); *fig.* disposition *f*, tendance *f* (à, *to*); *liabilities pl.* engagements *m/pl.*; ✝ ensemble *m* des dettes; passif *m*.

li·a·ble □ ['laiəbl] ✝✝ responsable (de, *for*); passible (de, *for*) (*une amende, un impôt*); sujet(te *f*), apte (à, *to*); susceptible (de *inf.*, *to inf.*); *Am.* probable; be ~ to avoir une disposition à; être sujet(te *f*) à; ~ to duty assujetti à un impôt; ~ to punishment punissable.

li·ai·son [li'eizɔ:ŋ] liaison *f* (*a.* ✕); *attr.* de liaison.

li·ar ['laiə] menteur (-euse *f*) *m*.

li·bel ['laibl] **1.** diffamation *f*, calomnie *f* (contre, *on*); ✝✝ écrit *m* diffamatoire; **2.** calomnier; ✝✝ diffamer (par écrit); 'li·bel·(l)ous □ diffamatoire; *fig.* peu flatteur (-euse *f*).

lib·er·al ['libərəl] **1.** □ libéral (-aux *m/pl.*) (*a. pol.*); généreux (-euse *f*); prodigue (de, *of*); abondant; **2.** *pol.* libéral (-aux *pl.*) *m*; 'lib·er·al·ism libéralisme *m*; lib·er·al·i·ty [ˌ'ræliti] libéralité *f*; générosité *f*.

lib·er·ate ['libəreit] libérer (*a.* 🜛); mettre en liberté; délivrer (de, *from*); affranchir (*un esclave*); lib·er·a·tion libération *f*; 'lib·er·a·tor libérateur (-trice *f*) *m*; 'lib·er·a·to·ry libératoire.

lib·er·tine ['libətain] **1.** libertin, débauché (*a. su./m*); **2.** libre penseur *m*; lib·er·tin·ism ['ˌtinizm] libertinage *m*, débauche *f*.

lib·er·ty ['libəti] liberté *f*; permission *f*; take liberties prendre des ·libertés (avec, *with*); be at ~ être libre (de, *to*).

li·bid·i·nous □ [li'bidinəs] libidineux (-euse *f*), lascif (-ive *f*).

li·brar·i·an [lai'brɛəriən] bibliothécaire *m*; li·brar·y ['laibrəri] bibliothèque *f*.

lice [lais] *pl. de louse 1.*

li·cence ['laisəns] *admin.* permis *m*, autorisation *f*, patente *f*; permission *f*; *fig.* licence *f* (*a. morale, a. univ.*); driving ~ permis *m* de conduire.

li·cense [~] **1.** *see licence*; **2.** accorder un permis à; ✝ patenter (*q.*); autoriser la parution de (*un livre, une pièce de théâtre, etc.*); li·cen·see [ˌ'si:] patenté(e *f*) *m*; concessionnaire *mf*; 'li·cens·er concesseur *m*; *théâ. etc.:* censeur *m*.

li·cen·ti·ate *univ.* [lai'senʃiit] licence *f*; *personne:* licencié(e *f*) *m*.

li·cen·tious □ [lai'senʃəs] licencieux (-euse *f*); dévergondé.

li·chen ♀, *a.* ✱ ['laiken] lichen *m*.

lich-gate ['litʃgeit] porche *m* (couvert) de cimetière.

lick [lik] **1.** coup *m* de langue; *Am.* terrain *m* salifère; *sl.* ✝ coup *m*; F vitesse *f*; **2.** lécher; F battre, rosser; ~ the dust mordre la poussière; ~

into shape façonner; mettre au point; **'lick·er** celui *m* (celle *f*) qui lèche; ⊕ lécheur *m*; **'lick·er·ish** friand; gourmand, avide (*de, after*); **'lick·ing** lèchement *m*; F raclée *f*; F défaite *f*; **'lick·spit·tle** flagorneur *m*.

lic·o·rice ♧ *Am.* ['likəris] réglisse *f*.

lid [lid] couvercle *m*; *sl.* chapeau *m*; paupière *f*.

lie[1] [lai] **1.** mensonge *m*; *give s.o. the* ~ donner un démenti à q.; *tell a* ~ mentir; *white* ~ mensonge *m* innocent; **2.** mentir.

lie[2] [~] **1.** (dis)position *f*; ⚓, *géol.* gisement *m*; **2.** [*irr.*] être couché; se laisser, rester; se trouver; ⚖ être recevable; ~ *by* rester inactif (-ive *f*); être en réserve; se tenir à l'écart; ~ *down* se coucher; *take it lying down* se laisser faire, ne pas dire mot; ~ *in* (*adv.*) être en couches; (*prp.*) être situé dans; ~ *in wait for* se tenir à l'affût de (*q.*); ⚓ ~ *over* différer l'échéance de; ⚓ ~ *to* être à la cape; ~ *under* être dominé par; encourir (*un déplaisir, to inf.*); ~ *up* rentrer dans l'inactivité; garder le lit; *it* ~*s with you* il vous incombe (*de inf., to inf.*).

lie-a·bed ['laiəbed] grand(e *f*) dormeur (-euse *f*) *m*; paresseux (-euse *f*) *m*.

lief [li:f] volontiers; **'lief·er**: *I would* ~ *have* (*p.p.*) j'aurais préféré (*inf.*).

liege [li:dʒ] *hist.* **1.** lige; **2.** (*a.* ~*lord*) suzerain *m*; (*a.* ~*man*) vassal *m*.

li·en ⚖ ['li:ən] privilège *m*.

lieu [lju:]: *in* ~ *of* au lieu de.

lieu·ten·an·cy [lef'tenənsi; ⚓ le't-; *Am.* lu:'tenənsi] grade *m* de lieutenant (⚓ de vaisseau); *hist.* lieutenance *f*.

lieu·ten·ant [lef'tenənt; ⚓ le't-; *Am.* lu:'tenənt] lieutenant *m* (⚓ de vaisseau); *fig.* délégué *m*, premier adjoint *m*; **'~-'colo·nel** lieutenant-colonel (*pl.* lieutenants-colonels) *m*; **'~-com'mand·er** capitaine *m* de corvette; lieutenant *m* de vaisseau; **'~-'gen·er·al** général *m* de division; *Am.* † commandant *m* en chef; **'~-'gov·er·nor** sous-gouverneur *m*; vice-gouverneur *m* (*d'un État des É.-U.*).

life [laif] (*pl.* **lives**) vie *f*; vivant *m*;

biographie *f*; ~ *and limb* corps et âme; *for* ~ à vie, à perpétuité; *for one's* (*ou for dear*) ~ de toutes ses (*etc.*) forces; *to the* ~ naturel(le *f*); ~ *sentence* condamnation *f* à vie; ~ **an·nu·i·ty** rente *f* viagère; **'~-as·sur·ance** assurance *f* sur la vie, assurance-vie (*pl.* assurances-vie) *f*; **'~-belt** ceinture *f* de sauvetage; **'~-blood** sang *m*; *fig.* âme *f*; **'~-boat** canot *m* de sauvetage; **'~-buoy** bouée *f* de sauvetage; **'~-guard** garde *f* du corps; **'~-guard** *Am.* sauveteur *m* (*à la plage*); **'~-in·ter·est** usufruit *m* (*de, in*); **'~-jack·et** ⚓ brassière *f* de sauvetage; **'~-less** □ sans vie; mort; *fig.* sans vigueur, inanimé; **'~-less·ness** absence *f* de vie; manque *m* d'animation; **'~-like** vivant; **'~-line** ligne *f* de sauvetage; ⚓ *bord*: sauvegarde *f*; **'~-long** de toute la vie; **'~-pre·serv·er** ⚓ appareil *m* de sauvetage; canne *f* plombée; casse-tête *m* (*inv.*); **'~-'size** de grandeur naturelle; **'~-strings** *pl.* ce qui est nécessaire à l'existence; **'~-time** vie *f*, vivant *m*.

lift [lift] **1.** *su.* haussement *m*; levée *f* (*a.* ⊕); ⊕ hauteur *f* de levage; 💥 poussée *f*; *fig.* élévation *f*; ascenseur *m*; *give s.o. a* ~ donner un coup de main à q.; *mot.* conduire q. un bout; **2.** *v/t.* (*souv.* ~ *up*) *usu.* lever; soulever; redresser; relever; élever (*la voix*); *sl.* plagier; *sl.* voler; *v/i.* s'élever; 💥 décoller; **'~-at·tend·ant** liftier (-ère *f*) *m*; **'lift·er** souleveur *m*; ⊕ came *f*; **'lift·ing** ⊕ de levée; de levage; de suspension.

lig·a·ment *anat.* ['ligəmənt] ligament *m*.

lig·a·ture ['ligətʃuə] **1.** 🎼, *typ.* ligature *f*; ♪ liaison *f*; **2.** 🩺 ligaturer; lier.

light[1] [lait] **1.** *su.* lumière *f*; jour *m* (*a. fig.*); lampe *f*; feu *m*, phare *m*; fenêtre *f*; éclairage *m*; *fig.* ~*s pl.* lumières *f/pl.*; *in the* ~ *of* à la lumière de (*a. fig.*); *bring to* ~ mettre à jour; *come to* ~ se révéler; *will you give me a* ~ voudriez-vous bien me donner du feu?; *put a* ~ *to* allumer; *see the* ~ voir le jour (= *naître*); *fig.* comprendre, *Am.* être convaincu; **2.** *adj.* clair; éclairé; blond; ~ *blue* bleu clair *inv.*; **3.** [*irr.*] *v/t.* (*souv.* ~ *up*) allumer; éclairer; illuminer (*la rue, un visage, etc.*);

~ up to éclairer (q.) jusqu'à (en); v/i. (usu. ~ up) s'allumer; s'éclairer; *Am. sl.* ~ out détaler, ficher le camp.

light² [~] 1. □ *usu.* léger (-ère f); frivole; amusant; facile; ~ *car* voiturette f; *make* ~ *of* faire peu de cas de; 2. *see lights;* 3. ~ *on* s'abattre sur (*a.* oiseau); tomber sur (*a. fig.*); rencontrer; trouver par hasard.

light·en¹ ['laitn] (s')éclairer; v/i. faire des éclairs.

light·en² [~] v/t. alléger (*a. fig.*); réduire le poids de; v/i. être soulagé.

light·er¹ ['laitə] *personne:* allumeur (-euse f) m; (*a.* petrol-~) briquet m.

light·er² ⚓ [~] péniche f, chaland m.

light...: '~-**fin·gered** aux doigts agiles; '~-**fit·ting** plafonnier m; *mur:* applique f; '~-**head·ed** étourdi; *feel* ~ avoir le cerveau vide; '~-**heart·ed** □ allègre; au cœur léger; '~-**house** phare m.

light·ing ['laitiŋ] *mot.* (*a.* ~-up), *a.* bâtiment: éclairage m; ⚡ ~ *point* prise f de courant (d'éclairage).

light·less ['laitlis] sans lumière.

light·ly ['laitli] *adv.* légèrement; à la légère; à bon marché; '**light-mind·ed** frivole, étourdi; '**light-ness** légèreté f.

light·ning ['laitniŋ] 1. éclairs m/pl., foudre f; 2. de paratonnerre; *fig.* foudroyant, rapide; '~-**ar'rest·er** parafoudre m; '~-**con·duc·tor**, '~-**rod** (tige f de) paratonnerre m; '~-**strike** grève f surprise.

lights [laits] *pl.* mou m (*de veau etc.*).

light·ship ['laitʃip] bateau-feu (*pl.* bateaux-feux) m; '**light-treat·ment** ☢ photothérapie f.

light weight sp. ['lait'weit] poids m léger; '**light-weight** sp. léger (-ère f).

lig·ne·ous ['ligniəs] ligneux (-euse f); **lig·nite** ['lignait] lignite m.

like [laik] 1. *adj., adv.* pareil(le f), semblable, tel(le f); ~ *a man* digne de l'homme; qui ressemble à un homme; F *he is* ~ *to die* il est en cas de mourir; *such* ~ similaire, de la sorte; F *feel* ~ (*gér.*) se sentir d'humeur à (*inf.*); avoir envie de (*inf.*); *s.th.* ~ qch. d'approchant à; environ (*2 mois, 100 francs*); ~ *that* de la sorte; *what is he* ~? comment est-il?; *that's more* ~ *it* à la bonne heure!;

cela en approche plus; cela laisse moins à désirer; 2. *su.* semblable mf, pareil(le f) m; ~s *pl.* préférences f/pl.; sympathies f/pl.; *his* ~ ses congénères; *the* ~ chose f pareille; F *the* ~(s) *of* des personnes *ou* choses comme; 3. *v/t.* aimer; avoir de la sympathie pour; souhaiter, vouloir; *how do you* ~ *London?* comment trouvez-vous Londres?, vous vous plaisez à Londres?; *I should* ~ *time* il me faut du temps; *I should* ~ *to know* je voudrais bien savoir.

lik(e)·a·ble ['laikəbl] sympathique, agréable.

like·li·hood ['laiklihud] probabilité f; '**like·ly** probable; susceptible (de, to); *be* ~ *to* (*inf.*) être en cas de (*inf.*).

like...: '~-**mind·ed** du même avis; '**lik·en** comparer (à, avec to); '**like-ness** ressemblance f; apparence f; image f, portrait m; *have one's* ~ *taken* se faire peindre *ou* photographier; '**like·wise** de plus, aussi.

lik·ing ['laikiŋ] (*for*) goût m (de), penchant m (pour); *to one's* ~ à souhait; à son gré.

li·lac ['lailək] 1. lilas *adj./inv.*; 2. ⚘ lilas m.

lilt [lilt] 1. chanter gaiement; 2. rythme m, cadence f; chant m gai.

lil·y ⚘ ['lili] lis m; ~ *of the valley* muguet m; *gild the* ~ orner la beauté même.

limb¹ [lim] membre m (*du corps*); ⚘ branche f; F suppôt m.

limb² *astr.*, ⚘ [~] limbe m, bord m; *fig. go out on a* ~ aller jusqu'au bout.

limbed [limd] aux membres ...

lim·ber¹ ['limbə] souple, agile.

lim·ber² ✗ [~] 1. avant-train m; 2. atteler à l'avant-train; ~ *up* mettre l'avant-train.

lim·bo ['limbou] limbes m/pl.; *sl.* prison f; *fig.* oubli m.

lime¹ [laim] 1. chaux f; (*a. bird*~) glu f; 2. ⚘ chauler; gluer (*des ramilles*).

lime² ⚘ [~] lime f; (*a.* ~-tree) tilleul m.

lime³ ⚘ [~] limon m; '~-**juice** jus m de limon.

lime...: '~-**kiln** four m à chaux; '~-**light** lumière f oxhydrique; *théâ.* rampe f; *fig. in the* ~ très en vue.

lim·er·ick ['limərik] (*sorte de*) petit poème m comique (*en 5 vers*).

lime·stone *géol.* ['laimstoun] calcaire *m*.

lim·it ['limit] **1.** limite *f*, borne *f*; *in* (*off*) ~s accès *m* permis (interdit); F *that is the* ~*!* ça, c'est le comble!; ça, c'est trop fort!; *Am.* F *go the* ~ aller jusqu'au bout; risquer le tout; **2.** limiter, borner (à, to); **'lim·i·tar·y** qui sert de limite (à, of); **lim·i·ta·tion** restriction *f*, limitation *f*; entrave *f*; ⚖ prescription *f*; **'lim·it·ed** limité, restreint (à, to); ~ (*liability*) *company* (*abbr.* **Co.Ltd.**) société *f* à responsabilité limitée; société *f* anonyme; ~ *in time* à terme; de durée restreinte; *surt. Am.* ~ (*express train*) rapide *m*; train *m* de luxe; **'lim·it·less** ☐ illimité, sans bornes.

limn [lim] dessiner, peindre.

lim·ou·sine ['limu(:)zi:n] limousine *f*.

limp¹ [limp] **1.** boiter (*a. fig.*); **2.** boitement *m*, clochement *m*.

limp² [~] flasque; mou (mol *devant une voyelle ou un h muet*; molle *f*); *fig.* sans énergie.

lim·pet ['limpit] *zo.* patelle *f*; *fig.* crampon *m*; fonctionnaire *m* ancré dans son poste.

lim·pid ☐ ['limpid] limpide, clair; **lim'pid·i·ty, 'lim·pid·ness** limpidité *f*, clarté *f*.

lim·y ['laimi] gluant; ⚓ calcaire.

lin·age *journ.* ['lainidʒ] nombre *m* de lignes; paiement *m* à la ligne.

linch·pin ['lintʃpin] esse *f*; cheville *f* d'essieu.

lin·den ♀ ['lindən] (*a.* ~-tree) tilleul *m*.

line¹ [lain] **1.** *su.* ⚓, 🏹, 📮, armes, démarcation, dessin, pêche, personne, téléph., tennis, typ., phys. (*de force*): ligne *f*; △ alignement *m*; ♦ articles *m/pl.*; ✗, ⚓ ligne *f* de bataille; 📻 voie *f*; téléph. fil *m*; peint. cimaise *f*; *surv.* cordeau *m*; dessin, phys. (*du spectre*): raie *f*; dessin, visage: trait *m*; *front*: ride *f*; *véhicules*: file *f*, colonne *f*; *objets*, *personnes*: rangée *f*; *fig.* emploi *m*; *fig.* mot *m*; *Am. fig.* tuyaux *m/pl.*; F mesure *f*; ~ *pl.* modèle *m*; (*bonne*, *mauvaise*) voie *f*; formes *f/pl.*; F acte *m* de mariage; ✗ rangs *m/pl.*; ~ *of battle* ligne *f* de bataille; ~ *of business* genre *m* d'affaires; ~ *of conduct* ligne *f* de conduite; ~ *of danger zone* *f*

dangereuse; *ship of the* ~ vaisseau *m* de ligne; *hard* ~*s pl.* mauvaise chance *f*; *all down the* ~ sur toute la ligne; *in* ~ *with* d'accord avec; *position*: de pair avec; *that is not in my* ~ ce n'est pas mon métier; *stand in* ~ se tenir en ligne; *fall into* ~ s'aligner; *fig.* se conformer (à, with); **2.** *v/t.* ligner, régler; rayer; border (*allée, chemin, rive, etc.*); ~ *the streets* faire la haie; ~ *out* ⌇ repiquer; tracer; ~ *through* biffer, rayer; *v/i. sp.* ~ *out* se mettre en lignes parallèles pour la touche; ~ *up* s'aligner; faire la queue.

line² [~] *cost. etc.* doubler; *fig.* ~ *one's pocket* faire sa pelote.

lin·e·age ['liniidʒ] lignée *f*; F famille *f*; **lin·e·al** ☐ ['liniəl] linéal (-aux *m/pl.*); direct; **lin·e·a·ment** ['liniəmənt] trait *m*, linéament *m*; **lin·e·ar** ['~iə] linéaire.

lin·en ['linin] **1.** toile *f* (de lin); linge *m*; **2.** de *ou* en toile; de lin (*fil*); '~-**clos·et**, '~-**cup·board** lingerie *f*; armoire *f* à linge; '~-**drap·er** marchand *m* de toiles.

lin·er ['lainə] paquebot *m* (de ligne); grand avion *m* de transport; *personne*: traceur *m* de filets; *cost.* doubleur (-euse *f* *m*); **lines·man** ['lainzmən] ✗ soldat *m* de la ligne; 📻 garde-ligne *m*; *sp.* arbitre *m* de ligne; '**line-'up** mise *f* en rang; *sp.* rassemblement *m*; *sp. Am.* composition *f* d'une équipe.

ling¹ *icht.* [liŋ] morue *f* longue.

ling² ♀ [~] bruyère *f* commune.

lin·ger ['liŋgə] tarder; s'attarder (sur, over [up]on); traîner (*a. maladie*); flâner (*dans la rue*); subsister (*doute*); ~ *at* (*ou about*) s'attarder sur *ou* à (*qch.*) *ou* dans (*un endroit*).

lin·ge·rie ♦ ['lɛ̃:nʒəri] lingerie *f* (de dame).

lin·ger·ing ☐ ['liŋgəriŋ] prolongé; persistent (*espoir*); qui traîne (*a. maladie*).

lin·go ['liŋgou] jargon *m*. [*m/pl.*).\

lin·gual ['liŋgwəl] lingual (-aux\

lin·guist ['liŋgwist] linguiste *mf*; **lin'guis·tic** (~ally) linguistique; **lin'guis·tics** *usu. sg.* linguistique *f*.

lin·i·ment ✚ ['linimənt] liniment *m*.

lin·ing ['lainiŋ] *vêtement*: doublage *m*; *robe*: doublure *f*; *mur*: incrustation *f*; ⊕ *fourneau, cylindre*: chemise *f*.

link [liŋk] **1.** *su.* chaînon *m*; chaîne: anneau *m*; *fig.* lien *m*; **cuff-~** bouton *m* de manchette; **2.** (se) joindre; *v/t. a.* relier, enchaîner.

links [liŋks] *pl.* dunes *f/pl.*; lande *f* sablonneuse; (*a.* golf-~) terrain *m* de golf.

lin·net *orn.* ['linit] linot(te *f*) *m*.

lin·o·type *typ.* ['lainotaip] linotype *f*.

lin·seed ['linsi:d] graine *f* de lin; ~ **oil** huile *f* de lin.

lin·sey-wool·sey ✝ ['linzi'wulzi] tiretaine *f*.

lint ✗ [lint] charpie *f* anglaise; lint *m*.

lin·tel ⌂ ['lintl] linteau *m*.

lin·y ['laini] strié de lignes; ridé.

li·on ['laiən] lion *m* (*zo., astr., a. fig.*); F ~**s** *pl.* of a place curiosités *f/pl.* d'un endroit; **'li·on·ess** lionne *f*; **'li·on·ize** visiter les curiosités de (*un endroit*); faire une célébrité de (*q.*).

lip [lip] lèvre *f* (*a.* ⚘, *a.* plaie); *animal*: babine *f*; *tasse*: (re)bord *m*, saillie *f*; F insolence *f*; '~-**serv·ice** hommages *m/pl.* peu sincères; '~-**stick** rouge *m* à lèvres, bâton *m* de rouge.

liq·ue·fac·tion [likwi'fækʃn] liquéfaction *f*; **liq·ue·fi·a·ble** [~'faiəbl] liquéfiable; **liq·ue·fy** ['~fai] (se) liquéfier.

li·queur [li'kjuə] liqueur *f*; '~-**choc·o·late** chocolat *m* aux liqueurs.

liq·uid ['likwid] **1.** ☐ liquide (*a. gramm.*); doux (douce *f*) (*son*); ✝ disponible; limpide (*œil etc.*); **2.** liquide *m*; *gramm.* liquide *f*.

liq·ui·date ['likwideit] ✝ liquider (*une dette*); mobiliser (*des capitaux*); **liq·ui·da·tion** liquidation *f*; **'liq·ui·da·tor** liquidateur *m*.

liq·uor ['likə] **1.** ⚗, *pharm.* solution *f*; boisson *f* alcoolique; *in* ~ ivre; **2.** *sl. v/i.* chopiner; *v/t.* (*a.* ~ *up*) enivrer.

liq·uo·rice ⚘ ['likəris] réglisse *f*.

lisp [lisp] **1.** zézayement *m*; **2.** zézayer.

lis·som(e) ['lisəm] souple, agile.

list¹ [list] **1.** *su.* ⌂ lisière *f* (*a. tex.*); liste *f*, répertoire *m*; carte *f* (*des vins*); **2.** *v/t.* enregistrer; inscrire (*des noms*); dresser la liste de; cataloguer; *v/i.* ✗ ✝ s'engager.

list² ⚓ [~] **1.** bande *f*, gîte *f*; **2.** donner de la bande; prendre de la gîte.

lis·ten ['lisn] (to) écouter; prêter

l'oreille (à); faire attention (à); ~ *in* *radio*: se mettre à l'écoute; écouter (qch., *to s.th.*); **'lis·ten·er** auditeur (-trice *f*) *m*; ✗ *a. péj.* écouteur *m*; *radio*: ~**s'** requests disques *m/pl.* des auditeurs; **'lis·ten·er-'in** (*pl.* **'lis·ten·ers-'in**) *radio*: auditeur (-trice *f* *m*.

lis·ten·ing ['lisniŋ] d'écoute; ~ *apparatus* appareil *m* d'écoute; '~-**in** *radio*: écoute *f*; '~-**post** poste *m* d'écoute.

list·less ☐ ['listlis] apathique; nonchalant; ~**ly** nonchalamment.

lists [lists] *pl.* lice *f*.

lit [lit] *prét. et p.p. de* **light¹** 3; ~ *up* *sl.* ivre, soûl.

lit·a·ny *eccl.* ['litəni] litanie *f*.

lit·er·al ☐ ['litərəl] littéral (-aux *m/pl.*) (*a.* ➗); sans imagination (*personne*); **'lit·er·al·ism**, **'lit·er·al·ness** littéralité *f*.

lit·er·ar·y ☐ ['litərəri] littéraire; de lettres; **lit·er·ate** ['~it] **1.** qui sait lire et écrire; lettré; **2.** lettré *m*; *eccl.* prêtre *m* sans grade universitaire; **lit·e·ra·ti** [litə'ra:ti:] *pl.* hommes *m/pl.* de lettres, littérateurs *m/pl.*; **lit·e·ra·tim** [~'ra:tim] mot à mot; **lit·er·a·ture** ['litəritʃə] littérature *f*; écrits *m/pl.*; ✝ prospectus *m/pl.*

lithe(·some) ['laið(səm)] souple, agile, leste.

lith·o·graph ['liθəgra:f] **1.** lithographie *f*; **2.** lithographier; **li·thog·ra·pher** [li'θɔgrəfə] lithographe *m*; **lith·o·graph·ic** [liθə'græfik] (~**ally**) lithographique; **li·thog·ra·phy** [li-'θɔgrəfi] lithographie *f*, procédés *m/pl.* lithographiques.

Lith·u·a·ni·an [liθju'einjən] **1.** lituanien(ne *f*); **2.** Lituanien(ne *f*) *m*.

lit·i·gant ⚖ ['litigənt] **1.** plaidant; **2.** plaideur (-euse *f*) *m*; **lit·i·gate** ['~geit] *v/i.* plaider; être en procès; *v/t.* contester; **lit·i·ga·tion** litige *m*, procès *m*; **li·ti·gious** ☐ [li'tidʒəs] litigieux (-euse *f*) (*cas, a. personne*).

lit·mus ⚗ ['litməs] tournesol *m*.

lit·ter ['litə] **1.** litière *f* (*véhicule, a. de paille*); civière *f*; désordre *m*; ordures *f/pl.*; *zo.* portée *f*; **2.** mettre en désordre; joncher (*de, with*); *zo.* mettre bas; (*a.* ~ *down*) faire la litière à; joncher (*qch.*) de paille.

lit·tle ['litl] **1.** *adj.* petit; peu de ...; mesquin (*esprit*); *a* ~ *one* un(e *f*)

lobe

petit(e *f*) (*enfant*); F my ~ Mary mon estomac *m*; his ~ ways ses petites manies *f*/*pl*.; ~ people les fées *f*/*pl*.; **2.** *adv*. peu; *a* ~ red un *ou* quelque peu rouge; **3.** *su*. peu *m* (de chose); ~ by ~, by ~ and ~ peu à peu; petit à petit; for *a* ~ pendant un certain temps; not *a* ~ beaucoup; 'lit·tle·ness petitesse *f*.

lit·to·ral ['litərəl] **1.** du littoral; **2.** littoral *m*.

lit·ur·gy *eccl.* ['litə(:)dʒi] liturgie *f*.

liv·a·ble ['livəbl] F habitable (*maison etc.*); supportable (*vie*); F (*usu.* ~with) accommodant, sociable (*personne*).

live **1.** [liv] vivre (de, on); se nourrir (de, [up]on); demeurer, habiter; durer; *v/t*. mener (*une vie*); ~ to see vivre assez longtemps pour voir (*qch.*); ~ down faire oublier; surmonter; ~ off one's *capital* manger son capital; ~ out passer; durer (jusqu'à la fin de); ~ up to one's *promise* remplir sa promesse; ~ up to a *standard* atteindre un niveau *etc.*; **2.** [laiv] vivant, en vie; ardent (*charbon*); *fig.* actuel(le *f*); utile (*poids*); ✗ chargé (*cartouche etc.*); ⚡ sous tension; *télév.*, *radio*: en direct; *fig.* ~ wire homme *m etc.* très entreprenant; 'live·a·ble see livable; lived [livd]: short-~, éphémère; live·li·hood ['laivlihud] vie *f*; gagne-pain *m*/*inv.*; 'live·li·ness ['~linis] vivacité *f*, entrain *m*; live·long *poét.* ['livlɔŋ]: ~ day toute la (sainte) journée; live·ly ['laivli] vif (vive *f*); animé; vivant.

liv·er[1] ['livə] vivant *m*; celui *m* (celle *f*) qui vit; fast ~ viveur (-euse *f*) *m*; débauché(e *f*) *m*; good ~ amateur *m* de bonne chère.

liv·er[2] [~] foie *m*.

liv·er·y ['livəri] ♞ mise *f* en possession; (*a.* ~ *company*) corporation *f* d'un corps de métier; *cost.* livrée *f*; at ~ en pension (*cheval*); '~·man membre *m* d'une corporation (*see* livery company); ~ sta·ble écuries *f*/*pl*. de louage.

lives [laivz] *pl. de* life; 'live·stock bétail *m*, bestiaux *m*/*pl*.; 'live·weight poids *m* utile.

liv·id ['livid] blême, livide; plombé (*ciel*); li'vid·i·ty lividité *f*.

liv·ing ['liviŋ] **1.** ☐ vivant; vif (vive *f*); ardent (*charbon*); within ~ me-

mory de mémoire d'homme; **2.** vie *f*; séjour *m*; train *m ou* niveau *m* de vie; *eccl.* bénéfice *m*, cure *f*; '~·room salle *f* de séjour.

Li·vo·ni·an [li'vounjən] **1.** livonien (-ne *f*); **2.** Livonien(ne *f*) *m*.

liz·ard ['lizəd] lézard *m*.

Liz·zie *Am. co.* ['lizi] (*a.* tin ~) vieille Ford *f*.

lla·ma *zo.* ['lɑːmə] lama *m*.

Lloyd's [lɔidz] la Société *f* Lloyd; *approx.* le Véritas *m*.

load [loud] **1.** *su.* fardeau *m* (*a. fig.*); ⊕, *a.* armes: charge *f*; test ~ charge *f* d'essai; **2.** *v/t*. charger (de, with); *fig.* combler (de, with); *v/i*. (*a.* ~ up) prendre charge; ~ed plombé (*canne etc.*); ~ed dice *pl.* dés *m*/*pl*. pipés; 'load·er chargeuse *f*; *personne*: chargeur *m*; 'load·ing **1.** de chargement; **2.** chargement *m*; 'load-line ⚓ ligne *f* de charge; 'load-star étoile *f* polaire; *fig.* point *m* de mire; 'load·stone pierre *f* d'aimant; aimant *m* naturel.

loaf[1] [louf] (*pl.* loaves) pain *m* (*a.* de sucre), miche *f* (de *pain*).

loaf[2] [~] fainéanter, flâner.

loaf·er ['loufə] flâneur *m*; voyou *m*.

loam [loum] ♪ terre *f* grasse; *métall.* glaise *f*; 'loam·y ♪ gras(se *f*); *métall.* argileux (-euse *f*).

loan [loun] **1.** prêt *m*; avance *f*; emprunt *m*; on ~ à titre d'emprunt; détaché (auprès de, to) (*personne*); ask s.o. for the ~ of s.th. demander à emprunter qch. à q.; put out to ~ prêter; **2.** *surt. Am.* prêter.

loath ☐ [louθ] peu disposé; be ~ for s.o. to do s.th. ne pas vouloir que q. fasse qch.; nothing ~ très volontiers; loathe [louð] détester; abhorrer; loath·ing ['~ðiŋ] aversion *f*, répugnance *f* (pour for, of); loath·some ['~səm] dégoûtant.

loaves [louvz] *pl. de* loaf[1].

lob [lɔb] *tennis*: **1.** lob *m*; **2.** lober (*la balle*).

lob·by ['lɔbi] **1.** vestibule *m* (*a. parl.*); *parl.* salle *f* des pas perdus; *théâ.* foyer *m*, entrée *f*; *parl. Am.* groupe *m* d'intrigants; **2.** *surt. Am. parl.* faire les couloirs; influencer certains députés *etc.*; 'lob·by·ist *parl. surt. Am.* faiseur *m* des couloirs.

lobe *anat.*, ♀ [loub] lobe *m*; ⊕ nez *m*; F oreille *f*.

lob·ster ['lɔbstə] homard m.

lo·cal □ ['loukəl] **1.** local (-aux m/pl.), régional (-aux m/pl.); de la localité, du pays; see branch; téléph. ~ call communication f interurbaine ou locale; ~ colour couleur f locale; ~ government administration f décentralisée; **2.** journ. nouvelles f/pl. de la région; ₲ (a. ~ train) train m d'intérêt local; F tortillard m; ~s pl. habitants m/pl. de l'endroit; **lo·cale** [lou'ka:l] scène f (des événements); **lo·cal·i·ty** [ˌˈkæliti] localité f; région f; **lo·cal·ize** ['ˌkəlaiz] localiser.

lo·cate [lou'keit] v/t. localiser; déterminer la situation de; établir; repérer (une épave etc.); Am. fixer l'emplacement de; be ~d être situé; it was ~d on le trouva; v/i. Am. s'établir; **lo·ca·tion** situation f, emplacement m; établissement m; ₴₮₴ location f; Am. concession f minière; cin. extérieurs m/pl.

loch écoss. [lɔx] lac m; bras m de mer.

lock[1] [lɔk] **1.** su. porte etc.: serrure f, fermeture f; fusil: platine f; écluse f; ⊕ roue: enrayure f; verrou m (a. fig.); sp. lutte: clef f; mot. (a. steering ~) angle m de braquage; **2.** v/t. fermer à clef; (a. ~ up) enfermer; ⊕ enrayer (une roue); écluser (un bateau); verrouiller (des armes); fig. serrer; ~ the door against fermer sa porte à (q.); ~ in enfermer à clef; mettre sous clef; ~ out fermer la porte à ou sur; ⊕ lock-outer; ~ up bloquer, immobiliser (des capitaux); v/i. se fermer à clef; s'enrayer (roues); s'enclencher (pièces d'un mécanisme).

lock[2] [ˌ] cheveux: boucle f; laine: flocon m.

lock·age ['lɔkidʒ] éclusage m; droit m d'écluse; **lock·er** armoire f, coffre m (fermant à clef); ⟐ caisson m; ⟐ soute f; **lock·et** ['ˌit] médaillon m.

lock...: '~·gate porte f d'écluse; '~·jaw *ˣ* trisme m; F tétanos m; '~·keep·er gardien m d'écluse, éclusier m; '~·nut ⊕ contre-écrou m; '~out lock-out m/inv.; '~·smith serrurier m; '~·stitch point m de navette; '~·up **1.** su. surt. école: fermeture f des portes; hangar m ou magasin m etc. fermant à clef; F poste m de police; ⊹ immobilisa-

tion f (de capital); **2.** adj. fermant à clef.

lo·co Am. sl. ['loukou] toqué, fou (fol devant une voyelle ou un h muet; folle f).

lo·co·mo·tion [loukə'mouʃn] locomotion f; **lo·co·mo·tive** ['ˌtiv] **1.** locomotif (-ive f); co. voyageur (-euse f); **2.** ₲ (ou ~ engine) locomotive f.

lo·cum·ten·ens ['loukəm'ti:nenz] remplaçant(e f) m; **lo·cus** ['loukəs], pl. **-ci** [ˌsai] *Å* lieu m géométrique.

lo·cust ['loukəst] zo. grande sauterelle f; ♀ caroube f; ~·tree caroubier m; faux acacia m.

lo·cu·tion [lo'kju:ʃn] locution f.

lode *⚒* [loud] veine f.

lodge [lɔdʒ] **1.** su. pavillon (de chasse, d'entrée); concierge, francs-maçons loge f; maison f (de garde-chasse); **2.** v/t. loger (q., une balle); avoir (q.) comme locataire; v/i. (usu. se) loger; demeurer (chez, with); être en pension (chez, with); '**lodge·ment** see lodgment; '**lodg·er** locataire mf, pensionnaire mf; '**lodg·ing** hébergement m; argent etc.: dépôt m; ~s pl. logement m, logis m, appartement m meublé; souv. chambre f; '**lodg·ing-house** hôtel m garni; pension f; '**lodg·ment** prise f; *ˣ* logement m; *ˣ* dépôt m, remise f.

loft [lɔft] grenier m; église etc.: galerie f; ⊕ atelier m; colombier m; **loft·i·ness** ['ˌinis] hauteur f (a. fig.); élévation f (a. du style, des sentiments, etc.); '**loft·y** □ haut, élevé; hautain (personne, a. air).

log [lɔg] (grosse) bûche f; ⟐ loch m; see a. log-book. [rithme m.]

log·a·rithm *Å* ['lɔgəriθm] loga-

log...: '~·book ⟐ livre m de loch; journal m de bord; mot. carnet m de route; ⟐⟐ livre m de vol; ~ cab·in cabane f de bois; **logged** [lɔgd] imbibé (d'eau); **log·ger·head** ['lɔgəhed]: be at ~s être en bisbille (avec, with); '**log·house, 'log·hut** cabane f de bois.

log·ic ['lɔdʒik] logique f; '**log·i·cal** □ logique; **lo·gi·cian** [lo'dʒiʃən] logicien(ne f) m.

lo·gom·a·chy poét. [lɔ'gɔməki] logomachie f, dispute f de mots.

log·roll pol. surt. Am. ['lɔgroul] faire du battage; se prêter une entraide intéressée.

log·wood ['lɒgwud] bois *m* de cam-
pêche.

loin [lɔin] *cuis.* filet *m* (*de mouton ou
de veau*), aloyau *m* (*de bœuf*), longe
f (*de veau*); ~s *pl.* reins *m/pl.*; *anat.*
lombes *m/pl.*

loi·ter ['lɔitə] traîner, flâner; ⚓
rôder; ~ *away* one's time perdre son
temps à flâner; '**loi·ter·er** flâneur
(-euse *f*) *m*; ⚓ rôdeur *m*.

loll [lɒl] *v/t.* pencher; laisser pendre;
v/i. pendre; être étendu (*personne*);
se renverser nonchalamment; ~
about fainéanter, flâner; ~ *out* (*v/t.*
laisser) pendre (*langue*).

lol·li·pop F ['lɒlipɒp] sucette *f*; *usu.*
~s *pl.* bonbons *m/pl.*; sucreries *f/pl.*

lol·lop F ['lɒləp] se traîner; marcher
lourdement.

Lom·bard ['lɒmbəd] Lombard(e *f*)
m; ~ *Street* centre *des opérations de
banque à Londres.*

Lon·don ['lʌndən] de Londres;
'**Lon·don·er** Londonien(ne *f*) *m*,
habitant(e *f*) *m* de Londres.

lone *poét.* [loun] solitaire, seul;
'**lone·li·ness** solitude *f*, isolement
m; '**lone·ly** □, **lone·some** □ ['~-
səm] solitaire, isolé.

long¹ [lɒŋ] 1. *su.* longueur *f*; F ~s *pl.*
les grandes vacances *f/pl.*; *before* ~
sous peu; *avant peu*; *for* ~ pendant
longtemps; *take* ~ = *be* ~ (*see* ~ 2);
the ~ *and the short of it* le fort et le
fin de l'affaire; en un mot comme en
mille; 2. *adj.* long(ue *f*); F *see* tall; ✝
~ *figure* gros chiffre *m*; ~ *firm* bande
f noire; ~ *price* prix *m* élevé; *radio:*
~ *waves* grandes ondes *f/pl.*; ✝ *at* ~
date à longue échéance; *in the* ~
run à la longue; avec le temps; en
fin de compte; *be* ~ prendre du
temps (*chose*); tarder (à *inf.*, to *inf.*;
[*in*] *gér.*) (*personne*); 3. *adv.* longtemps; depuis longtemps; *as* ~ *ago
as* 1900 dès 1900; *I have* ~ *sought* je
cherche depuis longtemps, voilà
longtemps que je cherche; ~*er* plus
longtemps; *no* ~*er* ne ... plus; *no* ~*er
ago than* ... pas plus tard que ...

long² [ ] désirer ardemment (qch.,
for s.th.); brûler (de, to).

long...: '~**chair** chaise *f* longue;
'~**dat·ed** à longue échéance; '~-
dis·tance à longue distance; *sp.* de
fond (*coureur, course*); ~ *flight* raid
m; *radio:* ~ *reception* réception *f*
à longue distance; **lon·gev·i·ty**

[lɒn'dʒeviti] longévité *f*; '**long·hair**
Am. F amateur *m* de la musique
classique; adversaire *mf* du jazz
etc.; intellectuel(le *f*) *m*; '**long-
hand** écriture *f* courante.

long·ing ['lɒŋiŋ] 1. □ impatient,
avide; 2. désir *m* ardent, grande
envie *f* (de, for).

long·ish ['lɒŋiʃ] assez *ou* plutôt long.

lon·gi·tude *géog.* ['lɒndʒitjuːd] longitude *f*; **lon·gi·tu·di·nal** □ [~inl]
en long; longitudinal (-aux *m/pl.*).

long...: '~**range** à longue *ou* grande
portée (*a.* ✕); ✈ à grand rayon
d'action; '~**shore·man** débardeur
m; docker *m*; ~ *shot* *cin.* plan *m*
lointain; '~**sight·ed** presbyte; *fig.*
prévoyant; '~**suf·fer·ing** 1. patient; longanime; 2. patience *f*,
longanimité *f*; '~**term** à long
terme; '~**ways** en long(ueur); '~-
wind·ed □ interminable; diffus,
intarissable (*personne*).

loo [luː] *cartes:* mouche *f*.

loo·by ['luːbi] nigaud *m*.

look [luk] 1. *su.* regard *m*; air *m*,
aspect *m*; (*usu.* ~s *pl.*) mine *f*; *new* ~
nouvelle mode *f*; *have a* ~ *at s.th.*
jeter un coup d'œil sur qch., regarder qch.; *I like the* ~ *of him* sa
figure me revient; 2. *v/i.* regarder
(qch., *at s.th.*); par, *out of*); avoir
l'air (*malade etc.*); sembler (*que ...*);
paraître; porter la mine (de qch.,
[*like*] *s.th.*); *it* ~*s like rain* on dirait
qu'il va pleuvoir; *he* ~*s like winning*
on dirait qu'il va gagner; ~ *about*
chercher (q., *for s.o.*) des yeux; regarder autour de soi; ~ *after* soigner; s'occuper de; ~ *at* regarder;
examiner, *for* chercher; ~ *forward
to* s'attendre à, attendre; ~ *in* faire
une petite visite (à, on), entrer en
passant (chez, on); *télév.* recevoir une
émission, regarder; ~ *into* examiner,
étudier; ~ *out!* attention!; ~ *out for*
être à la recherche de; guetter; ~
over jeter un coup d'œil sur (qch.);
~ *to* voir à, s'occuper de; compter
sur; ~ *to s.o. to* (*inf.*) compter sur q.
pour (*inf.*); ~ *up* regarder en haut,
lever les yeux, s'améliorer (*affaires,
prix, etc.*); F ~ *up to* respecter;
fig. ~ (*up*)*on* regarder, envisager
(comme, *as*); 3. *v/t.*: ~ *s.o. in the face*
regarder q. en face; ~ *one's age* paraître *ou* accuser son âge; ~ *disdain*
lancer un regard dédaigneux; ~

over revoir (qch.); jeter un coup d'œil sur; parcourir; ~ up (re)chercher; consulter; F aller voir (q.).

look·er-on ['lukər'ɔn] spectateur (-trice f) m (de, at); assistant m (à, at).

look·ing-glass ['lukiŋglɑːs] miroir m, glace f.

look-out ['luk'aut] guet m, surveillance f; 𝔛 guetteur m; 𝔱 vigie f; fig. qui-vive m/inv.; 𝔱 keep a ~ être en vigie; 𝔱 be on the ~ être de veille; fig. être sur ses gardes; that is my ~ ça c'est mon affaire.

loom[1] [luːm] métier m (à tisser).

loom[2] [~] se dessiner, s'estomper; se dresser; surgir (du brouillard).

loon[1] écoss. [luːn] garçon m; vaurien m; lourdaud m.

loon[2] orn. [~] grand plongeon m.

loop [luːp] **1.** su. boucle f; œil m, ganse f; rideau: embrasse f; sinuosité f; 🚇 boucle f d'évitement; radio: aerial antenne f en cadre; **2.** v/t. boucler; enrouler; ~ up retrousser, relever (les cheveux, la robe); retenir (un rideau) avec une embrasse; ✂ the ~ boucler la boucle; v/i. faire une boucle, boucler; '~·hole trou m, ouverture f; fig. échappatoire f (à, for); 𝔛 meurtrière f; '~-line 🚇 voie f de dérivation; tél. ligne f dérivée.

loose [luːs] **1.** □ branlant; détaché; défait; échappé; libre; mobile; 🌱 en vrac; mou (mol devant une voyelle ou un h muet; molle f); lâche; meuble (terre); vague (terme etc.); débauché; dissolu; ⚡ ~ connection contact m intermittent; at a ~ end désœuvré; **2.** v/t. défaire (un nœud etc.); dénouer (les cheveux, une ficelle, etc.); détacher; 𝔱 larguer; (a. ~ off) décocher, tirer; lâcher (une prise); ~ one's hold on lâcher (qch.); v/i. tirer (sur q., at s.o.); **3.** su.: give (a)~ to donner libre cours à; '~-leaf: ~ book album m à feuilles mobiles; **loos·en** ['luːsn] (se) défaire, délier; (se) relâcher; (se) desserrer; '**loose·ness** état m branlant; jeu m; robe etc.: ampleur f; relâchement m (a. 𝔛); sol: inconsistance f; imprécision f; morale: licence f.

loot [luːt] **1.** piller; voler; **2.** pillage m; butin m.

lop[1] [lɔp] tailler, émonder (un arbre); (usu. ~ away ou off) élaguer, couper.

lop[2] [~] pendre flasque; retomber.

lope [loup]: ~ along courir à petits bonds.

lop...: '~-ears pl. oreilles f/pl. pendantes; '~-'sid·ed de guingois; déjeté; qui manque de symétrie.

lo·qua·cious [lo'kweiʃəs] loquace; **lo·quac·i·ty** [lo'kwæsiti] loquacité f.

lord [lɔːd] **1.** seigneur m, maître m; titre: lord m; the ♀ le Seigneur (= Dieu); my ~ monsieur le baron etc.; the ♀'s Prayer l'oraison f dominicale, le Pater m; the ♀'s Supper la Cène f; **2.** ~ it faire l'important; ~ it over en imposer à (q.); '**lord·li·ness** dignité f; péj. orgueil m; '**lord·ling** petit seigneur m; '**lord·ly** de grand seigneur; magnifique; majestueux (-euse f); péj. hautain; '**lord·ship** suzeraineté f (de, over); titre: seigneurie f.

lore [lɔː] science f, savoir m.

lor·ry ['lɔri] 🚇 lorry m; motor ~ camion m.

lose [luːz] [irr.] v/t. usu. perdre; égarer; gaspiller (le temps); montre: retarder de (cinq minutes); manquer (le train); coûter; ~ o.s. s'égarer, se perdre; fig. s'absorber; ~ sight of s.th. perdre qch. de vue; v/i. subir une perte, perdre; retarder (montre); Am. ~ out échouer; perdre; '**los·er** battu(e f) m, vaincu(e f) m; celui m (celle f) qui perd; sp. perdant(e f) m; come off a ~ échouer; '**los·ing** perdant; de vaincu.

loss [lɔs] perte f; at a ~ désorienté; embarrassé (pour inf., to inf.); 🌱 à perte; be at a ~ for ne savoir trouver (qch.); be at a ~ what to say ne savoir que dire.

lost [lɔst] prét. et p.p. de lose; be ~ être perdu (a. fig.); être désorienté; this won't be ~ on me je m'en prendrai bonne note; je comprends; be ~ upon s.o. être en pure perte en ce qui concerne q.; '~-'prop·er·ty **of·fice** (service m des) objets m/pl. trouvés.

lot [lɔt] **1.** sort m (a. fig.); fig. destin m, destinée f, fortune f; 🌱 lot m; partie f; F quantité f; monde m; beaucoup; Am. terrain m; cin. Am. terrain m de studio; F a ~ (ou ~s pl.) of beaucoup de; bien des; draw ~s for s.th. tirer qch. au sort; fall to s.o.'s ~ revenir à q. (de, to); tomber en partage à q.; *throw in one's ~ with* unir sa destinée à celle de; s'attacher à la fortune de; 2. (*usu. ~ out*) lotir; *Am. ~ upon* compter sur.

lo·tion ['loʊʃn] lotion *f*.

lot·ter·y ['lɒtəri] loterie *f*.

loud □ [laʊd] bruyant; retentissant; criard (*couleur*); haut (*a. adv.*); *radio*: *~-speaker* haut-parleur *m*; '**loud·ness** caractère *m* bruyant; grand bruit *m*; force *f*; *radio*: volume *m*.

lounge [laʊndʒ] 1. flâner; s'étendre à son aise; s'étaler; 2. flânerie *f*; *maison*: salon *m*; *hôtel*: hall *m*; *théâ.* foyer *m*; promenoir *m*; (*a. ~ chair*) chaise *f* longue; *sl. ~-lizard* gigolo *m*, greluchon *m*; *~ suit* complet *m* veston; *~ coat* veston *m*; '**loung·er** flâneur (-euse *f*) *m*.

lour [laʊə] se renfrogner (*personne*); menacer (*orage*); s'assombrir (*ciel*); '**lour·ing** □ renfrogné; menaçant.

louse [laʊs] (*pl. lice*) pou (*pl.* -x) *m*; 2. [laʊz] † épouiller; **lous·y** ['laʊzi] pouilleux (-euse *f*); plein de poux, F sale.

lout [laʊt] rustre *m*, lourdaud *m*; '**lout·ish** rustre, lourdaud.

lov·a·ble □ ['lʌvəbl] aimable; digne d'être aimé.

love [lʌv] 1. amour *m* (de, pour, envers *of*, *for*, *to*[*wards*]); tendresse *f*; *personne*: ami(e *f*) *m*; Amour *m*, Cupidon *m*; *sp.* rien *m*, zéro *m*; *attr.* d'amour; F *a ~ of a dress* un amour de robe; *for the ~ of God* pour l'amour de Dieu; *play for ~* jouer pour l'honneur; *sp. four* (*to*) *~* quatre à zéro; *give* (*ou send*) *one's ~ to* envoyer son affectueux souvenir *ou* ses meilleures amitiés à(*q.*); *in ~ with* amoureux (-euse *f*) de; *make ~ to* faire la cour à; *neither for ~ nor money* à aucun prix; 2. aimer (d'amour), affectionner; *~ to do* aimer à faire; '**~-af·fair** affaire *f* de cœur; intrigue *f* galante; '**~-bird** psittacule *m*, inséparable *m*; *~-child* enfant *m* naturel; *~ game sp.* jeu *m* blanc; '**love·less** sans amour; '**love·let·ter** billet *m* doux; '**love·li·ness** beauté *f*; '**love·lock** accroche-cœur *m*; '**love·ly** beau (bel *devant une voyelle ou un h muet*; belle *f*; beaux *m/pl.*); ravissant; F charmant; '**love-mak·ing** cour *f* (amoureuse); '**love-match** mariage *m* d'amour; '**love-po·tion** philtre *m*;

'**lov·er** amoureux *m*; fiancé *m*; amant *m*; *fig.* ami(e *f*) *m*; *pair of ~s* deux amoureux *m/pl.*; '**love·set** *sp.* six jeux *m/pl.* à zéro; '**love·sick** féru d'amour; qui languit d'amour; '**love-to·ken** gage *m* d'amour.

lov·ing □ ['lʌvɪŋ] affectueux (-euse *f*).

low¹ (□ †) [loʊ] 1. bas(se *f*), peu élevé; petit (*classe*, *vitesse*, *etc.*); lent (*fièvre*); grave (*son*); décolleté (*robe*); (*a. in ~ spirits*) abattu; *fig.* bas(se *f*), vil; *adv.* bas; *~est bidder* le moins disant *m*; 2. *météor.* aire *f* de basses pressions; *surt. Am.* niveau *m* le plus bas.

low² [~] 1. meugler (*vache*); 2. meuglement *m*.

low…: '**~-brow** 1. peu intellectuel (-le *f*), terre à terre; 2. homme *m etc.* terre à terre; *péj.* philistin (*f ~e*) *m*; '**~-down** *sl.* 1. bas(se *f*); ignoble; 2. ['~] tuyau *m*, renseignement *m*; substance *f*, fond *m*.

low·er¹ ['loʊə] 1. *adj.* plus bas(se *f*) *etc.* (*see low¹ 1*); inférieur; d'en bas *inv.*; 2. *v/t.* baisser; abaisser (*chapeau*, *paupières*, *voile*, *etc.*); rabaisser (*le prix*, *q.*); diminuer; (faire) descendre; *v/i.* descendre, s'abaisser; baisser (*prix etc.*).

low·er² ['laʊə] *see* lour.

low·er·most ['loʊəmoʊst] le (la) plus bas(se *f*); '**low·land** plaine *f* basse; pays *m* plat; '**low·li·ness** humilité *f*; '**low·ly** *adj.*, † *adv.* humble, sans prétention, modeste; '**low-'necked** décolleté (*robe*); '**low·ness** manque *m* de hauteur; petitesse *f*; *son*: gravité *f*; *conduite*: bassesse *f*; *~ of spirits* abattement *m*, découragement *m*; '**low-'pres·sure** basse pression *f*; '**low-shoe** soulier *m*; '**low-'spir·it·ed** abattu, découragé; '**low-'wa·ter** basse mer *f ou* marée *f*.

loy·al □ ['lɔɪəl] (*to*) loyal (-aux *m/pl.*) (*envers*); fidèle (à); '**loy·al·ist** loyaliste *mf*; '**loy·al·ty** fidélité *f*; loyauté *f*.

loz·enge ['lɒzɪndʒ] losange *m*; *pharm.* pastille *f*, tablette *f*.

lub·ber ['lʌbə] lourdaud *m*; ♣ maladroit *m*; '**lub·ber·ly** lourdaud; gauche.

lu·bri·cant ['luːbrɪkənt] lubrifiant (*a. su./m*); **lu·bri·cate** ['~keɪt] graisser; **lu·bri·ca·tion** lubrification *f*, ⊕ graissage *m*; **'lu·bri·ca·tor** ⊕ graisseur *m*; **lu·bric·i·ty** [lu:'brisiti] onctuosité *f*; *fig.* lubricité *f*.

lu·cid ☐ ['lu:sid] lucide, clair; ⹋ luisant; *poét.* brillant; *poét.* transparent; *⚕* ~ *interval* intervalle *m* de lucidité; **lu'cid·i·ty**, **'lu·cid·ness** lucidité *f*.

Lu·ci·fer ['lu:sifə] Lucifer *m* (*a. bibl.*); *astr. a.* Vénus *f*; ⚹ allumette *f*.

luck [lʌk] hasard *m*, fortune *f*, chance *f*; *good* ~ bonne chance *f*; *bad* (*ou hard ou ill*) ~ mauvaise fortune *f*, malheur *m*; *be down on one's* ~ avoir de la déveine; **'luck·i·ly** par bonheur; **'luck·i·ness** bonheur *m*; chance *f*; **'luck·less** infortuné; malencontreux (-euse *f*) (*jour etc.*); **'luck·y** ☐ fortuné; heureux (-euse *f*); ~ *hit* (*ou break*) coup *m* de bonheur; **'luck·y-bag**, **'luck·y-dip** boîte *f* à surprises.

lu·cra·tive ☐ ['lu:krətiv] lucratif (-ive *f*); **lu·cre** ['lu:kə] lucre *m*.

lu·cu·bra·tion [lu:kju'breiʃn] *usu.* ~s *pl.* élucubration *f*, -s *f/pl.*

lu·di·crous ☐ ['lu:dikrəs] grotesque, risible.

luff ⹋ [lʌf] **1.** *su.* lof *m*; ralingue *f* du vent; **2.** *v/i.* lofer; *v/t.* (*a.* ~ *up*) faire lofer.

lug [lʌg] **1.** traîner, tirer; *fig.* ~ *in* amener (*qch.*) à toute force; **2.** ⊕ *a.* F oreille *f*; *casquette:* oreillette *f*.

luge [lu:ʒ] **1.** luge *f*; **2.** luger, faire de la luge.

lug·gage ['lʌgidʒ] bagage *m*, -s *m/pl.*; **'~-car·ri·er** *cycl.*, *mot.* porte-bagages *m/inv.*; **'~-grid** *mot.* porte-bagages *m/inv.*; **'~-of·fice** ⚑ consigne *f*; **'~-rack** filet *m* (à bagages); **'~-van** ⚑ fourgon *m* aux bagages.

lug·ger ⹋ ['lʌgə] lougre *m*.

lu·gu·bri·ous ☐ [lu:'gju:briəs] lugubre.

luke·warm ['lu:kwɔ:m] tiède (*a. fig.*); **'luke·warm·ness** tiédeur *f*.

lull [lʌl] **1.** *v/t.* endormir (*a. fig.*); calmer; bercer; *v/i.* se calmer; s'apaiser; tomber (*vent etc.*); **2.** *su.* moment *m* de calme; ⹋ accalmie *f*.

lul·la·by ['lʌləbai] berceuse *f*.

lum·ba·go *⚕* [lʌm'beigou] lumbago *m*.

lum·ber ['lʌmbə] **1.** *su.* fatras *m*; vieux meubles *m/pl.*; *surt. Am.* bois de charpente; **2.** *v/t.* (*usu.* ~ *up*)

encombrer; *v/i.* aller lourdement *ou* à pas pesants; *Am.* débiter (le bois); **'lum·ber·er**, **'lum·ber·man** bûcheron *m*; **'lum·ber·ing** lourd; **'lum·ber-jack** bûcheron *m*; **'lum·ber-room** fourre-tout *m/inv.*

lu·mi·nar·y ['lu:minəri] corps *m* lumineux; astre *m*; *fig.* lumière *f*; **'lu·mi·nous** ☐ lumineux (-euse *f*) (*a. fig.*); *fig.* illuminant; ~ *clock* horloge *f* à cadran lumineux; ~ *dial* cadran *m* lumineux; ~ *paint* peinture *f* lumineuse.

lump [lʌmp] **1.** *su. pierre, sucre, etc.:* morceau *m*; bloc *m*; masse *f*; bosse *f* (*au front etc.*); *fig. personne:* lourdaud *m*, empoté *m*; *in the* ~ en bloc; *en gros;* ~ *sugar* sucre *m* en morceaux; ~ *sum* somme *f* globale; **2.** *v/t.* mettre en bloc *ou* en tas; *fig.* réunir; ~ *together* réunir, considérer en bloc; *v/i.* former des mottes; *sl.* ~ *it* s'arranger; **'lump·er** ⹋ déchargeur *m*, débardeur *m*; **'lump·ing** F énorme; gros(se *f*); **'lump·ish** (ba)lourd; à l'esprit lent; **'lump·y** ☐ rempli de mottes; couvert de bosses; grumeleux (-euse *f*) (*sauce*); houleux (-euse *f*) (*mer*).

lu·na·cy ['lu:nəsi] folie *f*; ⚖ démence *f*.

lu·nar ['lu:nə] de (la) lune; lunaire; *⚗* ~ *caustic* caustique *m* lunaire.

lu·na·tic ['lu:nətik] **1.** de fou(s); fou (fol *devant une voyelle ou un h muet;* folle *f*); ~ *asylum* maison *f* d'aliénés; F *pol.* ~ *fringe* les outranciers *m/pl.*, les ultras *m/pl.*; **2.** fou (folle *f*) *m*; aliéné(e *f*) *m*.

lunch [lʌntʃ] **1.** (*abr. de lunch·eon* ['~ən]) *su.* déjeuner *m*; *Am.* casse-croûte *m/inv.*; **2.** *v/i.* déjeuner; *Am.* prendre un petit repas; *v/t.* offrir un déjeuner à (*q.*).

lung [lʌŋ] poumon *m*; *animal tué:* mou *m*; *⚕ iron* ~ poumon *m* d'acier.

lunge [lʌndʒ] **1.** *su. escrime:* botte *f*; *fig.* mouvement *m* en avant; **2.** *v/i.* lancer un coup (à, *at*); *escrime:* porter une botte (à, *at*), se fendre; *fig.* se précipiter; *v/t.* darder, lancer.

lung·er *sl.* ['lʌŋə] tuberculeux (-euse *f*) *m*.

lu·pin(e) ⚘ ['lu:pin] lupin *m*.

lurch¹ [lə:tʃ] **1.** ⹋ embardée *f*; *fig.* pas *m* titubant; **2.** ⹋ embarder (*a. F*); *fig.* marcher en titubant.

lurch² [~]: *leave in the* ~ laisser (*q.*) dans l'embarras; planter là (*q.*).

lurch·er ['lə:tʃə] chien *m* croisé d'un lévrier avec un chien de berger.

lure [ljuə] 1. leurre *m*; *fig.* piège *m*; *fig.* attrait *m*; 2. leurrer; *fig.* séduire.

lu·rid ['ljuərid] blafard; *fig.* corsé; haut en couleur (*langage*).

lurk [lə:k] se cacher; rester tapi; 'lurk·ing-place cachette *f*.

lus·cious □ ['lʌʃəs] succulent; *péj.* trop sucré *ou* fleuri; 'lus·cious·ness succulence *f*; douceur *f* extrême.

lush [lʌʃ] plein de sève; luxuriant.

lust *poét.* [lʌst] 1. appétit *m*; luxure *f*; *fig.* soif *f*; 2. ~ *after* convoiter; avoir soif de; 'lust·ful □ lubrique; lascif (-ive *f*); plein de convoitise.

lust·i·ness ['lʌstinis] vigueur *f*.

lus·tra·tion *eccl.* [lʌs'treiʃn] lustration *f*.

lus·tre, *Am.* **lus·ter** ['lʌstə] éclat *m*, brillant *m*; lustre *m* (*a. fig.*); 'lus·tre·less terne (*a. fig.*); *fig.* sans éclat.

lus·trine ['lʌstrin] lustrine *f*.

lus·trous □ ['lʌstrəs] brillant; *tex.* lustré.

lust·y □ ['lʌsti] vigoureux (-euse *f*), robuste; *fig.* puissant.

lu·ta·nist, lut·ist ['lu:t(ə)nist] joueur (-euse *f*) *m* de luth, luthiste *mf*.

lute¹ ♪ [lu:t] luth *m*.

lute² [~] 1. lut *m*, mastic *m*; 2. luter, mastiquer; *métall.* brasquer.

lute·string ['lu:tstriŋ] *see* lustrine.

Lu·ther·an ['lu:θərən] luthérien(ne *f*) (*a. su./mf*); 'Lu·ther·an·ism luthéranisme *m*.

lux·ate ⚕ ['lʌkseit] luxer; déboîter.

lux·u·ri·ance [lʌg'zjuəriəns] exubérance *f*; **lux·u·ri·ant** □ exubérant; **lux·u·ri·ate** [~rieit] croître avec exubérance; *fig.* jouir avec délices (de, *in*); vivre (dans, *in*); **lux·u·ri·ous** □ [~riəs] luxueux (-euse *f*); F voluptueux (-euse *f*); **lux·u·ri·ous·ness** somptuosité *f*; luxe *m*; **lux·u·ry** ['lʌkʃəri] luxe *m*; objet *m* de luxe.

ly·ce·um [lai'siəm] Lycée *m*.

lye ⚗ [lai] lessive *f*.

ly·ing ['laiiŋ] 1. *p.pr. de* lie¹ *et* lie²; 2. *adj.* menteur (-euse *f*); '~-'in couches *f/pl.*, accouchement *m*; ~ *hospital* maternité *f*.

lymph ⚕ [limf] vaccin *m*; lymphe *f*; **lym·phat·ic** [~'fætik] 1. (~*ally*) lymphatique; 2. ~*s pl.* (vaisseaux *m/pl.*) lymphatiques *m/pl.*

lynch [lintʃ] lyncher; ~ *law* loi *f* de Lynch; lynchage *m*.

lynx *zo.* [liŋks] lynx *m*; loup-cervier (*pl.* loups-cerviers) *m*.

lyre [laiə] lyre *f*; *orn.* ~-*bird* ménure *m*.

lyr·ic ['lirik] 1. lyrique; 2. poème *m* lyrique; chanson *f*; ~*s pl.* lyrisme *m*; 'lyr·i·cal □ lyrique.

ly·sol *pharm.* ['laisɔl] lysol *m*.

M

M, m [em] M *m*, m *m*.

ma F [mɑ:] maman *f*.

ma'am [mæm; *sl.* məm] *see* madam.

mac·ad·am [mə'kædəm] macadam *m*; **mac'ad·am·ize** macadamiser.

mac·a·ro·ni [mækə'rouni] macaroni *m/inv.*

mac·a·roon [mækə'ru:n] macaron *m*.

mace¹ [meis] *hist.* masse *f* d'armes; masse *f* (*portée devant un fonctionnaire*).

mace² [~] ♱ fleur *f* de muscade.

mac·er·ate ['mæsəreit] (faire) macérer; **mac·er'a·tion** macération *f*.

mach·i·na·tion [mæki'neiʃn] complot *m*, intrigue *f*; ~*s pl.* agissements *m/pl.*, intrigues *f/pl.*; **mach·i·na·tor** ['~tə] machinateur (-trice *f*) *m*; intrigant(e *f*) *m*; **ma·chine** [mə-'ʃi:n] 1. machine *f*; appareil *m* (*a.* = *avion*); bicyclette *f*; *fig.* automate *m*; *pol.* organisation *f*; *attr.* des machines, à la machine; ~ *fitter* assembleur *m*, ajusteur *m*; ⚔ ~-*gun* mitrailleuse *f*; 2. façonner; usiner; coudre à la machine; **ma'chine-made** fait à la machine; **ma'chin·er·y** mécanisme *m*; machines *f/pl.*; appareil *m*, -s *m/pl.*; **ma'chine-shop** atelier *m* de construction mécanique; atelier *m* d'usinage; **ma'chine-tool** machine-outil (*pl.* machines-outils) *f*;

ma'chin·ist machiniste *m*; mécanicien(ne *f*) *m*.

mack·er·el *icht.* ['mækrəl] maquereau *m*; ~ **sky** ciel *m* pommelé.

mack·i·naw *Am.* ['mækinɔː] couverture *f* épaisse.

mack·in·tosh ['mækintɔʃ] imperméable *m*; caoutchouc *m*.

macro... [mækro] macro-.

mac·u·lat·ed ['mækjuleitid] maculé.

mad □ [mæd] fou (fol *devant une voyelle ou un h muet*; folle *f*) (*a. fig.*), aliéné; enragé (*a. chiens etc.*); *fig.* éperdu, affolé, ivre (de *about, with, on*); *Am.* fâché (contre, *with*); F furieux (-euse *f*), furibond; go ~ devenir fou; drive ~ rendre fou; affoler (*a. fig.*).

mad·am ['mædəm] madame *f*; mademoiselle *f*.

mad·cap ['mædkæp] écervelé (*a. su./mf*); **mad·den** ['mædn] rendre fou, exaspérer; *it is* ~*ing* c'est exaspérant.

mad·der ♀, ⊕ ['mædə] garance *f*.

made [meid] *prét. et p.p. de* make 1, 2.

made-up ['meidʌp] assemblé; artificiel(le *f*); tout fait (*vêtement*); maquillé (*femme*); ~ *of* composé de.

mad·house ['mædhaus] maison *f* de fous; asile *m* d'aliénés; **'mad·man** fou *m*, aliéné *m*, insensé *m*; **'mad·ness** folie *f*; démence *f*; *vét.* rage *f*; hydrophobie *f*; *Am.* colère *f*; rage *f*; **'mad·wom·an** folle *f*, aliénée *f*, insensée *f*.

mael·strom ['meilstroum] *géog.* le Malstrom *m*; *fig.* tourbillon *m*.

mag·a·zine [mægə'ziːn] *fusil:* magasin *m*; ⚔ magasin *m* d'armes, de vivres, *etc.*; ⚔ dépôt *m* de munitions; (*revue f*) périodique *m*; magazine *m* (*illustré*).

mag·da·len ['mægdəlin] fille *f* repentie.

mag·got ['mægɔt] asticot *m*; *fig.* lubie *f*; F ver *m*; **'mag·got·y** plein de vers; *fig.* capricieux (-euse *f*).

Ma·gi ['meidʒai] *pl.*: the ~ les Rois *m/pl.* Mages.

mag·ic ['mædʒik] 1. (*a.* **'mag·i·cal** □) magique, enchanté; 2. magie *f*, enchantement *m*; **ma·gi·cian** [mə'dʒiʃn] magicien(ne *f*) *m*.

mag·is·te·ri·al □ [mædʒis'tiəriəl] magistral (-aux *m/pl.*); *a. péj.* de maître; de magistrat; **mag·is·tra-**

cy ['~trəsi] magistrature *f*; les magistrats *m/pl.*; **mag·is·trate** ['~trit] magistrat *m*, juge *m*; *usu.* juge *m* de paix.

mag·na·nim·i·ty [mægnə'nimiti] magnanimité *f*; **mag·nan·i·mous** □ [~'næniməs] magnanime.

mag·nate ['mægneit] magnat *m*.

mag·ne·sia 🜍 [mæg'niːʃə] magnésie *f*.

mag·net ['mægnit] aimant *m*; **mag·net·ic** [~'netik] (~*ally*) magnétique; aimanté; **mag·net·ism** ['~nitizm] magnétisme *m*; **mag·net·i·za·tion** [~tai'zeiʃn] aimantation *f*; **'mag·net·ize** aimanter; F magnétiser; **'mag·net·iz·er** *phys.* dispositif *m* d'aimantation; *personne:* magnétiseur *m*; **mag·ne·to** [mæg'niːtou] ⊕ *etc.* magnéto *m*.

mag·nif·i·cence [mæg'nifisns] magnificence *f*; **mag'nif·i·cent** magnifique; somptueux (-euse *f*); **mag·ni·fi·er** ['mægnifaiə] loupe *f*, verre *m* grossissant; **mag·ni·fy** ['~fai] *v/t.* grossir (*a. fig.*); ~*ing glass* loupe *f*, verre *m* grossissant; **mag·nil·o·quence** [mæg'nilokwəns] emphase *f*, grandiloquence *f*; **mag'nil·o·quent** □ emphatique, grandiloquent; **mag·ni·tude** ['~tjuːd] grandeur *f*; *star of the first* ~ étoile *f* de première magnitude.

mag·pie *orn.* ['mægpai] pie *f*; *a. fig.* bavard(e *f*) *m*.

mahl·stick *peint.* ['mɔːlstik] appui(e)-main (*pl.* appuis-main, appuie-main) *m*.

ma·hog·a·ny [mə'hɔgəni] acajou *m*; *attr.* en acajou.

maid [meid] †, *co.* pucelle *f*; † demoiselle *f*; † jeune fille *f*; (*ou* ~-*servant*) bonne *f*, domestique *f*, servante *f*; *old* ~ vieille fille *f*; ~ *of all work* bonne *f* à tout faire; ~ *of hono(u)r* fille *f* d'honneur; *Am.* première demoiselle *f* d'honneur.

maid·en ['meidn] 1. *prov.*, *co. see* maid; 2. de jeune fille; non mariée; *fig.* premier; de début; ~ *name* nom *m* de jeune fille; ~ *speech* discours *m* de début; **'~·hair** ♀ capillaire *m*; **'~·head**, **'~·hood** virginité *f*; célibat *m* (*de fille*); **'~·like**, **'maid·en·ly** virginal (-aux *m/pl.*); modeste.

mail¹ [meil] mailles *f/pl.*

mail² [~] 1. *poste:* courrier *m*; poste *f*; départ *m* du courrier; 2. envoyer

par la poste; expédier; **'mail·a·ble**
Am. transmissible par la poste.

mail...: '**~-bag** sac *m* de dépêches
ou de poste; '**~-boat** courrier *m*
postal; paquebot *m*; '**~-box** *surt.*
Am. boîte *f* aux lettres; '**~-car·ri·er**
Am. facteur *m*; '**~-clad** revêtu de
mailles; '**~-coach**, *Brit.* '**~-cart**
wagon-poste (*pl.* wagons-poste) *m*;
mailed *see* mail-clad; '**~or·der**
firm, *souv. Am.* '**~-or·der house**
maison *f* qui vend par correspondance; '**~-train** train-poste (*pl.*
trains-poste[s]) *m*.

maim [meim] estropier, mutiler
(*a. fig.*).

main [mein] **1.** principal(-aux *m/pl.*);
premier (-ère *f*), essentiel(le *f*);
grand (*route*); ~ *chance* son propre
intérêt; *téléph.* ~ *station* table *f*
(principale); *by* ~ *force* de vive
force; ✈ ~ *plane* voilure *f*; **2.** vigueur *f*; ⊕ canalisation *f* maîtresse;
⚡ conducteur *m* principal; *poét.*
océan *m*; **~s** *pl.* ⚡ secteur *m*;
⚡ *rising* ~ conducteur *m* principal
montant; **~s** *aerial* antenne *f* secteur; **~s** *receiving set* poste *m* secteur; *in the* ~ en général, à tout
prendre; '**~-land** terre *f* ferme;
continent *m*; '**main·ly** surtout.

main...: **~mast** ['~mɑːst; ⚓ '~-
məst] grand mât *m*; '**~-sail** ['~seil;
⚓ '~sl] grand-voile *f*; '**~-spring**
ressort *m* moteur; *fig.* mobile *m*
essentiel; '**~-stay** ⚓ étai *m* de
grand mât; *fig.* soutien *m* principal;
♀-Street *Am.* grand-rue *f*; habitants *m/pl.* d'une petite ville.

main·tain [men'tein] maintenir;
soutenir (*opinion, famille, conversation, cause, guerre*); entretenir
(*famille, correspondance, route, relations*); défendre (*ses droits, une
cause*); conserver (*l'allure, la santé*);
garder (*l'attitude, l'avantage*); ~
that affirmer *ou* maintenir que;
main'tain·a·ble (sou)tenable.

main·te·nance ['meintinəns] maintien *m*; entretien *m*; défense *f*;
appui *m*; subsistance *f*.

main·top ⚓ ['meintɔp] grand-
hune *f*.

maize ♀ [meiz] maïs *m*.

ma·jes·tic [mə'dʒestik] (~ally) majestueux (-euse *f*); **ma·jes·ty**
['mædʒisti] majesté *f*.

ma·jor ['meidʒə] **1.** majeur(e *f*); le

plus grand; *mot.* de priorité (*route*);
principal(-aux *m/pl.*) (*a. couleurs aux
cartes*); ♪ *A* ~ *la m* majeur; ♪ ~ *third*
tierce *f* majeure; ♪ ~ *key* ton *m*
majeur; *Am. baseball:* ~ *league*
ligue *f* majeure; **2.** ✗ commandant
m; ✗ chef *m* de bataillon (*infanterie*) *ou* d'escadron (*cavalerie*);
personne: majeur(e *f*) *m*; *phls.* majeure *f*; *Am. univ.* sujet *m* principal;
3. *Am.* (*in*) se spécialiser (en) (*un
sujet*); être reçu à l'examen supérieur (de); '**~-'gen·er·al** général *m*
de brigade; **ma·jor·i·ty** [mə'dʒɔriti]
majorité *f* (*a. âge*); le plus grand
nombre; la plus grande partie; ✗
(*a.* **ma·jor·ship** ['meidʒəʃip]) grade
m de commandant; *join the* ~
mourir, s'en aller ad patres.

make [meik] **1.** [*irr.*] *v/t.* faire (*qch.,
distinction, amis, paix, guerre, dis-
cours, testament, thé, bruit, faute,
fortune, etc.*); construire; fabriquer;
confectionner (*des vêtements*); conclure (*un marché*); fixer (*les conditions*); établir (*une règle*); subir
(*une perte*); conclure (*la paix, un
traité*); battre (*les cartes*); ⚡ fermer
(*le circuit*); nommer (*un juge, un
professeur, etc.*); ~ *the best of it* en
prendre son parti; ~ *capital out of*
tirer parti de; ~ *good* réparer (*un
tort*), tenir (*sa parole*), établir (*son
droit à qch.*); *Am.* F *it* réussir (*à
qch.*); arriver à temps; ⚓ ~ *the land*
atterrir; ~ *or mar s.o.* faire la fortune *ou* la ruine de q.; ~ *one*
joindre, unir; *do you* ~ *one of us?*
êtes-vous des nôtres?; ⚓ ~ *a port*
arriver à un port; ~ *shift* s'accommoder (*de qch.*); ~ *sure of* s'assurer
de (*un fait*); s'assurer (*une place etc.*);
~ *sure that* s'assurer que; F être
persuadé que; ~ *way* faire du chemin; ~ *way for* faire place à (*q.*) (*a.
fig.*); ~ *into* transformer en; ~ *out*
dresser (*une liste, un compte*); faire
(*un chèque*); prouver; discerner;
démêler (*les raisons de q.*); déchiffrer
(*une écriture*); F feindre; ~ *over* céder; transférer; ~ *up* compléter;
combler (*un déficit*); faire (*un
paquet*); préparer; façonner (*une
robe etc.*); dresser (*une liste, un
compte*); établir (*un compte*); inventer (*une excuse, une histoire*);
composer (*un ensemble*); accommoder (*un différend*); *see* ~ *up for*

(v/i.); ~ up one's mind se décider (à, to; pour for, in favo[u]r of); prendre son parti; 2. [irr.] v/i. ⚡ se fermer (circuit); monter (marée); ~ as if faire mine de; faire semblant de; ~ after s'élancer sur ou après; ~ against s'opposer à; ~ at se ruer sur (q.); ~ away s'éloigner; ~ away with enlever; détruire; dérober (de l'argent); ~ for se diriger vers; s'élancer sur; ⚓, ✗ mettre le cap sur; favoriser; ~ off se sauver; décamper; ~ up compenser; se réconcilier; se maquiller; ~ up for réparer; se rattraper de (une perte); suppléer à (un manque); compenser; ~ up to s'approcher de; F faire la cour à; 3. fabrication; façon f; taille f (de q.); ✝ marque f; ⚡ circuit: fermeture f; our own ~ de notre marque; of poor ~ de qualité inférieure; '~-be·lieve 1. semblant m; feinte f; trompe-l'œil m/inv.; 2. fictif (-ive f), imaginaire, feint; 'mak·er faiseur (-euse f) m; ✝ fabricant m; constructeur m; the ⚨ le Créateur m (= Dieu).

make...: '~-shift 1. pis-aller m/inv.; 2. de fortune; '~-up see make 3; composition f; maquillage m; invention f; ~ charge façon f; '~-weight complément m de poids; fig. supplément m.

mak·ing ['meikiŋ] fabrication f; création f; F ~s pl. recettes f/pl.; petits profits m/pl.; in the ~ en train de se faire; have the ~s of avoir ce qu'il faut pour.

mal·a·chite min. ['mæləkait] malachite f; cendre f verte.

mal·ad·just·ment ['mæləd'dʒʌstmənt] ajustement m défectueux; dérèglement m.

mal·ad·min·is·tra·tion ['mæləd-minis'treiʃn] mauvaise administration f ou gestion f.

mal·a·droit ['mælə'droit] maladroit.

mal·a·dy ['mælədi] maladie f.

mal·ap·ro·pos ['mæl'æprəpou] 1. adv. mal à propos; 2. adj. inopportun.

ma·lar·i·a ✗ [mə'lɛəriə] malaria f, paludisme m; ma'lar·i·al paludéen(ne f) (content ✗ a. su./mf).}

mal·con·tent ['mælkəntent] mé-}

male [meil] 1. mâle; ~ child enfant m mâle; ~ screw vis f mâle ou pleine; 2. mâle m; homme m.

mal·e·dic·tion [mæli'dikʃn] malédiction f; anathème m.

mal·e·fac·tor ['mælifæktə] malfaiteur (-trice f) m.

ma·lef·i·cence [mə'lefisns] malfaisance f; ma'lef·i·cent malfaisant (envers, to); criminel(le f).

ma·lev·o·lence [mə'levələns] malveillance f (envers, to[wards]); ma'lev·o·lent □ malveillant (envers, to[wards]).

mal·for·ma·tion ['mælfɔː'meiʃn] malformation f; défaut m de conformation.

mal·ice ['mælis] malice f; malveillance f; méchanceté f; ⚖ intention f criminelle.

ma·li·cious □ [mə'liʃəs] méchant; malveillant; ⚖ avec intention criminelle; ma'li·cious·ness malice f etc.

ma·lign [mə'lain] 1. □ pernicieux (-euse f), nuisible; ✗ malin (-igne f); 2. calomnier, diffamer; ma·lig·nan·cy [mə'lignənsi] malignité f (a. ✗); virulence f; ma'lig·nant □ 1. malin (-igne f) (a. ✗); méchant; 2. hist. ~s pl. dissidents m/pl.; ma'lig·ni·ty malignité f; méchanceté f; souv. ✗ malignité f.

ma·lin·ger [mə'liŋgə] faire le malade; ma'lin·ger·er faux malade m, fausse malade f.

mal·lard orn. ['mæləd] malard m; canard m sauvage.

mal·le·a·bil·i·ty [mæliə'biliti] malléabilité f; fig. souplesse f; 'mal·le·a·ble malléable; fig. complaisant.

mal·let ['mælit] maillet m.

mal·low ♀ ['mælou] mauve f.

malm·sey ['mɑːmzi] Malvoisie f.

mal·nu·tri·tion ['mælnju'triʃn] sous-alimentation f; alimentation f défectueuse.

mal·o·dor·ous □ [mæ'loudərəs] malodorant.

mal·prac·tice ['mæl'præktis] méfait m; ✗ négligence f; ⚖ malversation f.

malt [mɔːlt] 1. malt m; ~ liquor bière f; 2. (se) convertir en malt; v/t. malter.

Mal·tese ['mɔːl'tiːz] 1. maltais; 2. Maltais(e f) m.

malt·ing ['mɔːltiŋ] maltage m.

mal·treat [mæl'triːt] maltraiter, malmener; mal'treat·ment mauvais traitement m.

malt·ster ['mɔːltstə] malteur *m*.

mal·ver·sa·tion [mælvəːˈseiʃn] malversation *f*; mauvaise administration *f*.

ma(m)·ma [məˈmɑː] maman *f*.

mam·mal ['mæməl] mammifère *m*; **mam·ma·li·an** [məˈmeiljən] mammifère (*a. su./m*).

mam·mon ['mæmən] Mammon *m*.

mam·moth ['mæməθ] **1.** *zo.* mammouth *m*; **2.** géant, monstre.

mam·my F ['mæmi] maman *f*; *Am.* nourrice *f* noire.

man [mæn; *mots composés*: -mən] **1.** (*pl.* **men**) homme *m* (*a.* ♟); domestique *m*, valet *m*; ouvrier *m*; F mari *m*; *échecs*: pièce *f*; *dames*: pion *m*; *attr.* d'homme(s); *to a* ~ jusqu'au dernier; ✗ ~ *on leave* permissionnaire *m*; **2.** ✗, ⚓ garnir d'hommes; armer, équiper; ~ *o.s.* faire appel à tout son courage.

man·a·cle ['mænəkl] **1.** menotte *f*; **2.** mettre les menottes à (*q.*).

man·age ['mænidʒ] *v/t.* manier (*un outil*); conduire (*une auto, une entreprise*); régir (*une propriété*); gérer (*une banque, une affaire*); manœuvrer (*un navire*); gouverner (*une banque*); maîtriser (*un animal*); venir à bout de (*qch.*); *v/i.* s'arranger; se débrouiller; ~ *to* (*inf.*) venir à bout de (*inf.*); réussir à (*inf.*); ~ *without s.th.* se passer de qch.; **'man·age·a·ble** □ maniable; traitable (*personne*); **'man·age·ment** maniement *m*; direction *f*; conduite *f*; gestion *f*; savoir-faire *m/inv.*; administrateurs *m/pl.*; **'man·ag·er** directeur *m*; régisseur *m*; gérant *m*; chef *m* (*du service etc.*); *journal*: administrateur *m*; *théâ.* imprésario *m*; *she is a good* (*bad*) ~ elle est bonne (mauvaise) ménagère *f*; **'man·ag·er·ess** directrice *f*, gérante *f*; **man·a·ge·ri·al** □ [ˌmænəˈdʒiəriəl] directorial (-aux *m/pl.*).

man·ag·ing ['mænidʒiŋ] **1.** directeur (-trice *f*); gérant; *fig.* entreprenant; F autoritaire; ~ *clerk* chef *m* de bureau; ⚖ premier clerc *m*; **2.** direction *f*; conduite *f*; gestion *f*.

man-at-arms ['mænətˈɑːmz] † homme *m* d'armes.

man·da·mus ⚖ [mænˈdeiməs] commandement *m* (*à une cour inférieure*).

man·da·rin ['mændərin] mandarin

m; ♀ (*ou* **'man·da·rine** [~]) mandarine *f*.

man·da·tar·y ⚖ ['mændətəri] mandataire *mf*; **man·date** ['~deit] **1.** *pol.* mandat *m*; *poét.* commandement *m*, ordre *m*; **2.** attribuer sous mandat; **man·da·tor** mandant *m*; **man·da·to·ry** ['~dətəri] **1.** mandataire; **2.** état *m* mandataire.

man·di·ble ['mændibl] mandibule *f*; *anat.* mâchoire *f* inférieure.

man·do·lin(e) ♪ ['mændəlin] mandoline *f*.

man·drake ♀ ['mændreik] mandragore *f*.

man·drel ⊕ ['mændril] mandrin *m*.

man·drill *zo.* ['mændril] mandrill *m*.

mane [mein] crinière *f*.

man·eat·er ['mæniːtə] mangeur *m* d'hommes; *personne*: cannibale *m*.

ma·nes ['meiniːz] *pl.* antiquité romaine: mânes *m/pl.*

ma·neu·ver [məˈnuːvə] *Am. see* **manœuvre**.

man·ful □ ['mænful] viril; hardi; **'man·ful·ness** virilité *f*; vaillance *f*.

man·ga·nese 🜍 [mæŋgəˈniːz] manganèse *m*; **man·gan·ic** [~ˈgænik] manganique.   [rogne *f*.)

mange *vét.* [meindʒ] gale *f*; F)

man·ger ['meindʒə] crèche *f*; F *dog in the* ~ chien *m* du jardinier.

man·gle¹ ['mæŋgl] **1.** calandre *f*; **2.** calandrer; cylindrer.

man·gle² [~] déchirer; mutiler (*a. fig.*); *fig.* massacrer.

man·gler ['mæŋglə] machine *f* à calandrer.

man·gy ['meindʒi] galeux (-euse *f*); *fig.* minable.

man...: '~·han·dle manutentionner, transporter à force de bras; *sl.* malmener; bousculer; **'~·hat·er** misanthrope *m*; **'~·hole** ⊕ trou *m* de regard; bouche *f* d'accès; **'~·hood** humanité *f*; âge *m* viril, âge *m* d'homme; **'~·hours** *pl.* heures *f/pl.* de travail (*par homme*).

ma·ni·a ['meinjə] manie *f*; folie *f*; F passion *f*; *suffixe*: -manie *f*; **ma·ni·ac** ['~iæk] **1.** fou (folle *f*) *m* enragé(e *f*) *m*; **2.** (*a.* **ma·ni·a·cal** □ [məˈnaiəkl]) de fou (folle *f*); furieux (-euse *f*).

man·i·cure ['mænikjuə] **1.** soin *m* des mains; toilette *f* des ongles; **2.** soigner les mains; **'~·case** trousse *f* de manucure.

man·i·cur·ist ['mænikjuərist] *personne*: manucure *mf*.

man·i·fest ['mænifest] **1.** □ manifeste, évident, clair; **2.** ⚓ manifeste *m* (de sortie); **3.** *v/t.* manifester, témoigner; ⚓ déclarer (*qch.*) en douane; *v/i.* manifester; **man·i·fes'ta·tion** manifestation *f*; **man·i·fes·to** [‿'festou] *pol. etc.* manifeste *m*.

man·i·fold □ ['mænifould] **1.** divers, varié; nombreux (-euse *f*); **2.** polycopier; ~ **writ·er** appareil *m* à polycopier.

man·i·kin ['mænikin] petit homme *m*; homoncule *m*.

ma·nip·u·late [mə'nipjuleit] manipuler (*qch.*); ⊕ manœuvrer; agir sur (*une pédale,* ✝ *le marché*); **ma·nip·u'la·tion** manipulation *f*; ⊕ manœuvre *f*; tripotages *m/pl.* en Bourse; ⚞ exploration *f*; **ma·'nip·u·la·tive** de manipulation; **ma·'nip·u·la·tor** manipulateur *m*; ✝ agioteur *m*.

man·kind [mæn'kaind] le genre *m* humain; ['mænkaind] les hommes *m/pl.*; '**man·like** *see* manly; mannish; '**man·li·ness** caractère *m* viril; virilité *f*; '**man·ly** viril, d'homme.

man·ne·quin ['mænikin] mannequin *m*; ~ **parade** défilé *m* de mannequins.

man·ner ['mænə] manière *f* (*a. art, a. littérature*); façon *f*; *peinture*: style *m*; ~**s** *pl.* mœurs *f/pl.*, usages *m/pl.*; manières *f/pl.*; tenue *f*; no ~ of doubt aucune espèce de doute; in a ~ d'une façon; in such a ~ that de manière que, de sorte que; '**mannered** aux manières ...; *littérature, art*: maniéré; recherché; '**man·ner·ism** maniérisme *m*; particularité *f*; '**man·ner·li·ness** courtoisie *f*, politesse *f*; '**man·ner·ly** courtois, poli. [masse (*femme*).]

man·nish ['mæniʃ] d'homme; hom-⟩

ma·nœu·vra·ble, *Am. a.* **ma·neu·ver·a·ble** [mə'nuːvrəbl] manœuvrable, maniable; **ma'nœu·vre,** *Am. a.* **ma'neu·ver** [‿və] **1.** manœuvre *f* (*a. fig.*); *fig.* ~**s** *pl.* ✗ intrigues *f/pl.*; **2.** (faire) manœuvrer.

man-of-war ['mænəv'wɔː] vaisseau *m* de guerre *ou* de ligne.

ma·nom·e·ter ⊕, *phys.* [mə'nɔmitə] manomètre *m*.

man·or ['mænə] seigneurie *f*; *see* ~**-house**; lord of the ~ seigneur *m*; '~**-house** château *m* seigneurial; manoir *m*; **ma·no·ri·al** [mə'nɔːriəl] seigneurial (-aux *m/pl.*); de seigneur.

man-pow·er ['mænpauə] ⊕ force *f* des bras; main-d'œuvre (*pl.* mainsd'œuvre) *f*; ✗ effectifs *m/pl.*

manse *écoss.* [mæns] presbytère *m*.

man-serv·ant ['mænsəːvənt] domestique *m*, valet *m*.

man·sion ['mænʃn] château *m*; hôtel *m* particulier (*en ville*); ~**s** *pl.* maison *f* de rapport.

man·slaugh·ter ['mænslɔːtə] homicide *m* par imprudence.

man·tel ['mæntl] manteau *m* de cheminée; ~**piece,** ~**shelf** dessus *m* de cheminée; F cheminée *f*.

man·tel·et ['mæntlit] mantelet *m*; ✗ pare-balles *m/inv.*

man·til·la [mæn'tilə] mantille *f*.

man·tle ['mæntl] **1.** manteau *m* (*a.* △, *anat., zo.*); △ parement *m* (*d'un mur*); *fig.* voile *m*, manteau *m*; (*a. incandescent* ~) manchon *m*; **2.** *v/t.* vêtir d'un manteau; *fig.* couvrir; revêtir; ~ on recouvrir; *v/i.* rougir (*joues*); se couvrir (de, with).

mant·let ['mæntlit] *see* mantelet.

man·trap ['mæntræp] piège *m* à hommes *ou* à loups.

man·u·al ['mænjuəl] **1.** □ manuel (-le *f*); fait à la main; ✗ ~ exercise maniement *m* des armes; *sign* ~ seing *m*; **2.** manuel *m*; aide-mémoire *m/inv.*; *orgue*: clavier *m*.

man·u·fac·to·ry [mænju'fæktəri] fabrique *f*, usine *f*.

man·u·fac·ture [mænju'fækʃə] **1.** fabrication *f*; confection *f*; *p.ext.* industrie *f*; **2.** fabriquer; confectionner; ~**d** *article* produit *m* industriel; ~**d** *goods pl.* produits *m/pl.* fabriqués; **man·u'fac·tur·er** fabricant *m*; industriel *m*; **man·u·'fac·tur·ing** manufacturier (-ère *f*); industriel(le *f*).

ma·nure [mə'njuə] **1.** engrais *m*; **2.** fumer, engraisser.

man·u·script ['mænjuskript] **1.** manuscrit *m*; **2.** manuscrit, écrit à la main.

Manx [mæŋks] **1.** manxois, mannois; **2.** *ling.* mannois *m*; Mannois(e *f*) *m*; the Manx *pl.* les Mannois *m/pl.*

man·y ['meni] **1.** beaucoup de; bien des; plusieurs; ~ *a* maint(e *f*); bien des; ~ *a* one bien des gens; one too ~ un(e) de trop; **2.** beaucoup (de gens); un grand nombre; *a good* ~ pas mal de; un assez grand nombre (de gens); *a great* ~ un grand nombre (*de personnes*); '~-'sid·ed *fig.* complexe, divers.

map [mæp] **1.** *géog.* carte *f*; *ville:* plan *m*; F off the ~ ne plus de saison; *on the* ~ d'actualité; **2.** dresser une carte *etc.* (de qch., s.th.); ~ *out* dresser.

ma·ple ⚘ ['meipl] érable *m*.

map·per ['mæpə] cartographe *m*.

mar [mɑ:] gâter; déparer; troubler (*la joie*); ruiner.

mar·a·bou *orn.* ['mærəbu:] marabout *m*.

Mar·a·thon ['mærəθən] *sp.* (*a.* ~ *race*) marathon *m*.

ma·raud [mə'rɔ:d] marauder; **ma·'raud·er** marauder *m*.

mar·ble ['mɑ:bl] **1.** marbre *m*; *jeu:* bille *f*; **2.** de marbre; *fig.* dur; **3.** marbrer.

March[1] [mɑ:tʃ] mars *m*.

march[2] [~] **1.** marche *f* (*a.* ♪, *événements*); civilisation, *événements:* progrès; ✕ ~ *past* défilé *m*; **2.** *v/i.* marcher; *fig.* avancer; faire des progrès; *v/t.* faire marcher; ✕ ~ *off* *v/t.* emmener (*un prisonnier*); ✕ *v/i.* se mettre en marche; ~ *past* défiler.

march[3] [~] **1.** *hist.* marche *f*; *usu.* ~ *es pl.* pays *m* limitrophe; **2.** confiner (à, with).

march·ing ['mɑ:tʃiŋ] **1.** marche *f*; ~ *order* tenue *f* de route; ~ *orders pl.* feuille *f* de route; *fig.* congé *m*; *in heavy* ~ *order* en tenue de campagne; **2.** ~ *past* défilé *m*.

mar·chion·ess ['mɑ:ʃənis] marquise *f*.

march·pane ['mɑ:tʃpein] massepain *m*.

mare [mɛə] jument *f*; *fig.* ~*'s nest* canard *m*, découverte *f* illusoire.

mar·ga·rine [mɑ:dʒə'ri:n] margarine *f*.

mar·gin ['mɑ:dʒin] marge *f*; *bois:* lisière *f*; *rivière:* rive *f*; écart *m*; ~ *of error* tolérance *f*; ~ *of profit* bénéfice *m*, marge *f*; ~ *of safety* marge *f* de sécurité; '**mar·gin·al** □ marginal (-aux *m/pl.*); en marge.

mar·grave ['mɑ:greiv] margrave *m*;

mar·gra·vine ['~grəvi:n] margrave *f*, margravine *f*.

Ma·ri·a [mə'raiə]: F *Black* ~ panier *m* à salade (= *voiture cellulaire*).

mar·i·gold ⚘ ['mærigould] souci *m*.

mar·i·jua·na [mɑ:ri'hwɑ:nə] bang(h) *m*.

ma·rine [mə'ri:n] **1.** marin; de mer; de (la) marine; **2.** soldat *m* de l'infanterie de marine, marine *f* (*a. peint.*); *tell that to the* ~*s!* allez conter ça ailleurs!; **mar·i·ner** *usu.* ⚓ ['mærinə] marin *m*.

mar·i·o·nette [mæriə'net] marionnette *f*.

mar·i·tal □ [mə'raitl] marital (-aux *m/pl.*); matrimonial (-aux *m/pl.*); ~ *status* état *m* familial.

mar·i·time ['mæritaim] maritime; naval (-als *m/pl.*); ~ *affairs pl.* affaires *f/pl.* maritimes.

mar·jo·ram ⚘ ['mɑ:dʒərəm] origan *m*, marjolaine *f*.

mark[1] [mɑ:k] *monnaie:* mark *m*.

mark[2] [~] **1.** marque *f*; but *m*; signe *m*; *école:* note *f*; *école:* point *m* (*a. ponctuation*); *sp.* ligne *f* de départ; croix *f* (*au lieu de signature*); ✝ cote *f* (*d'une valeur*); marque *f* (*d'un produit*); *vét.* marque *f*; *a man of* ~ un homme *m* marquant; *fig. up to the* ~ à la hauteur; dans son assiette (*santé*); *hit the* ~ frapper juste; *make one's* ~ se faire une réputation; *miss the* ~ manquer le but; *we are not far from the* ~ *in saying that* nous ne sommes pas loin de compte en disant que; **2.** *v/t.* (*a.* ~ *out*) tracer; estampiller (*des marchandises*); marquer ([*les points de*] *un jeu*); ✝ marquer; chiffrer; mettre le prix à; piquer (*les cartes*); coter (*un devoir*); indiquer; témoigner (*son approbation etc.*); guetter; observer; ~ *down* baisser de prix; repérer (*le gibier, un point*); ~ *off* séparer; mesurer (*une distance*); ~ *out* délimiter, tracer; borner (*un champ*); jalonner; ✕ ~ *time* marquer le pas; **marked** [mɑ:kt] marqué; **mark·ed·ly** *adv.* ['mɑ:kidli] marqué; *fig.* sensible; accusé (*accent*); '**mark·er** *billard:* marqueur *m*; pointeur *m*.

mar·ket ['mɑ:kit] **1.** marché *m*; place *f* du marché; halle *f*, ~*s f/pl.*; débouché *m* (*pour, for*); *Bourse:* cours *m/pl.*; *be in the* ~ être au marché; être acheteur; *come into the* ~ être mis en vente; *condition of the* ~ le marché; ~ *gardener* maraîcher (-ère *f*) *m*; *Am. sl.* play the ~ spéculer (*à la Bourse*); 2. *v/t.* lancer (qch.) sur le marché; trouver des débouchés pour (qch.); *v/i.* faire son marché *ou* ses emplettes; 'mar·ket·a·ble □ vendable; marchand (*valeur etc.*); mar·ket·eer [~'tiə] *see* black 1; 'mar·ket·ing achat *m ou* vente *f* au marché; 'mar·ket·val·ue valeur *f* marchande; cours *m*.

mark·ing ['mɑːkiŋ] marquage *m*; *usu.* -s *pl.* marque *f*, tache *f*; rayure *f*; '~-ink encre *f* à marquer.

marks·man ['mɑːksmən] bon tireur *m*; 'marks·man·ship adresse *f* au tir.

marl [mɑːl] 1. *géol.* caillasse *f*; ✍ marne *f*; 2. ✍ marner.

mar·ma·lade ['mɑːməleid] confiture *f* d'oranges.

mar·mo·re·al □ *poét.* [mɑːˈmɔːriəl] marmoréen(ne *f*).

mar·mot *zo.* ['mɑːmət] marmotte *f*.

ma·roon[1] [məˈruːn] marron pourpré *inv.*; châtain.

ma·roon[2] [~] 1. nègre *m* marron, négresse *f* marronne; 2. abandonner (q.) sur une île déserte.

mar·plot ['mɑːplɔt] brouille-tout *m/inv.* [quise *f*.\]

mar·quee [mɑːˈkiː] (tente-)mar-

mar·quess ['mɑːkwis], *usu.* mar·quis ['mɑːkwis] marquis *m*.

mar·que·try ['mɑːkitri] marqueterie *f*.

mar·riage ['mæridʒ] mariage *m*; *fig.* union *f*; *civil* ~ mariage *m* civil; *by* ~ par alliance; *related by* ~ allié de près; *take in* ~ épouser (q.); prendre (q.) en mariage; ~-*guidance* guidance *f* de mariage; ~ *counsellor* raccommodeur *m* de ménages; 'mar·riage·a·ble nubile; à marier; d'âge à se marier; ~ *person* parti *m*.

mar·riage…: '~-lines *pl.* acte *m* de mariage; '~-'mar·ket: *in the* ~ mariable; '~-'por·tion dot *f* (*de la femme*).

mar·ried ['mærid] marié (*personne*); conjugal (-aux *m/pl.*) (*vie*); ~ *couple* ménage *m*.

mar·row ['mærou] moelle *f* (*a. fig.*); *fig.* essence *f*; ✍ *vegetable* ~ courge *f* à la moelle; '~-bone os *m* à moelle; ~s *pl. co.* genoux *m/pl.*; 'mar·row·y plein de moelle (*a. fig.*).

mar·ry ['mæri] *v/t.* marier (q. à q.; s.o. to s.o.); se marier avec, épouser (q.); *v/i.* se marier (à, to).

marsh [mɑːʃ] 1. marais *m*, marécage *m*; 2. des marais; ~-*fever* paludisme *m*, fièvre *f* paludéenne; ~ *gas* gaz *m* des marais.

mar·shal ['mɑːʃəl] 1. maréchal *m*; ✕ général *m*; maître *m* des cérémonies; *Am.* chef *m* de (la) police (*d'un comté*); 2. placer en ordre; ranger (*les troupes*); 🚂 classer, trier (*des wagons*); 'mar·shal·ship maréchalat *m*.

marsh·i·ness ['mɑːʃinis] état *m* marécageux (*du terrain*); marsh mal·low ['~mælou] ✍ guimauve *f*, althée *f*; bonbon *m* à la guimauve; marsh mar·i·gold souci *m* d'eau; 'marsh·y marécageux (-euse *f*).

mar·su·pi·al *zo.* [mɑːˈsjuːpiəl] marsupial (-aux *m/pl.*) (*a.* su./m).

mart [mɑːt] marché *m*; salle *f* de vente; centre *m* de commerce.

mar·ten *zo.* ['mɑːtin] mart(r)e *f*.

mar·tial □ ['mɑːʃəl] martial (-aux *m/pl.*); guerrier (-ère *f*); ~ *law* loi *f* martiale; *state of* ~ *law* état *m* de siège; ~ *music* musique *f* militaire.

mar·tin[1] *zo.* ['mɑːtin] martinet *m*.

Mar·tin[2] [~]: St. ~'s summer été *m* de la Saint-Martin.

mar·ti·net [mɑːtiˈnet] F exploiteur *m*; F gendarme *m*; garde-chiourme (*pl.* gardes-chiourme) *m*.

Mar·tin·mas [mɑːtinməs] la Saint-Martin *f* (le 11 novembre).

mar·tyr ['mɑːtə] 1. martyr(e *f*) *m*; 2. martyriser; 'mar·tyr·dom martyre *m*; 'mar·tyr·ize martyriser.

mar·vel ['mɑːvəl] 1. merveille *f*; 2. ~ *at* s'émerveiller de; s'étonner de.

mar·vel·(l)ous □ ['mɑːviləs] merveilleux (-euse *f*), étonnant; 'mar·vel·(l)ous·ness merveilleux *m*.

Marx·ism ['mɑːksizm] marxisme *m*.

mas·cot ['mæskɔt] mascotte *f*; porte-bonheur *m/inv.*

mas·cu·line ['mɑːskjulin] 1. □ masculin; mâle; 2. *gramm.* masculin *m*.

mash [mæʃ] 1. mélange *m*; pâte *f*; brassage: fardeau *m*; ✍ *chevaux*: mâche *f*; *chiens, volaille*: pâtée *f*; 2. écraser; brasser; démêler (*le moût*); F faire infuser (*le thé*); ~ed *potatoes pl.* purée *f* (*de pommes de terre*); *sl. be* ~ed *on* avoir un béguin pour (q.); 'mash·er broyeur *m*; *pommes de terre:* presse-purée *m/inv.*; *sl.* dandy *m*; gommeux *m*; 'mash(·ing)-tub cuve-matière (*pl.* cuves-matière) *f*; ⚓ barbotière *f*.

mask [mɑːsk] 1. masque *m*; *renard:* face *f*; *see* masque; 2. masquer; *fig.* cacher, déguiser; masked masqué; caché; ~ *ball* bal *m* masqué; 'mask·er *personne:* masque *m*.

ma·son ['meisn] maçon *m*; francmaçon (*pl.* francs-maçons) *m*; ma·son·ic [mə'sɔnik] des francs-maçons; 'ma·son·ry maçonnerie *f*.

masque [mɑːsk] † masque *m*; mas·quer·ade [mæskə'reid] 1. mascarade *f*; bal *m* masqué; F déguisement *m*; 2. *fig.* se déguiser (en, *as*).

mass¹ *eccl.* [mæs] messe *f*; High ⚩ grand-messe *f*; Low ⚩ messe *f* basse.

mass² [⌣] 1. masse *f*, amas *m*; ~ *meeting* réunion *f* en masse; ~ *production* fabrication *f* en série; 2. (se) masser.

mas·sa·cre ['mæsəkə] 1. massacre *m*; 2. massacrer.

mas·sage ['mæsɑːʒ] 1. massage *m*; 2. masser (*le corps*); malaxer (*les muscles*).

mas·seur [mæ'səː] masseur *m*; mas·seuse ['sɑːz] masseuse *f*.

mas·sive □ ['mæsiv] massif (-ive *f*); énorme; solide; 'mas·sive·ness massiveté *f*; aspect *m* massif.

mas·sy ['mæsi] massif (-ive *f*); solide; lourd.

mast¹ ⚓ [mɑːst] 1. mât *m*; *radio:* pylône *m*; 2. mâter.

mast² [⌣] faines *f/pl.*; glands *m/pl.*

mas·ter¹ ['mɑːstə] 1. maître *m* (*a. art, propriété, navire de commerce, a. peint., a. fig.*); patron *m* (*d'employés, d'un navire de commerce*); *école:* instituteur *m*; *lycée:* professeur *m*; *univ.* (di)recteur *m*; *titre:* monsieur *m*; ⚩ *of Arts* maître *m* ès arts, agrégé *m* des lettres; ⚩ *of Ceremonies* maître *m* des cérémonies; *be one's own* ~ ne dépendre que de soi; 2. maître; de maître; *fig.* magistral (-aux *m/pl.*), supérieur, dominant; 3. dompter; maîtriser; régir (*une maison etc.*).

mas·ter² [⌣] à mât(s); *three-*~ trois-mâts *m/inv.*

mas·ter-at-arms ⚓ ['mɑːstərət'ɑːmz] capitaine *m* d'armes; 'mas·ter-'build·er entrepreneur *m* de bâtiments; mas·ter·ful □ ['~ful]

impérieux (-euse *f*); autoritaire; 'mas·ter-key passe-partout *m/inv.*; 'mas·ter·less sans maître; indiscipliné; 'mas·ter·li·ness domination *f*, autorité *f*; caractère *m* magistral; 'mas·ter·ly magistral (-aux *m/pl.*), de maître.

mas·ter...: '~·piece chef-d'œuvre (*pl.* chefs-d'œuvre) *m*; '~·ship maîtrise *f* (de over, *of*); autorité *f* (sur, *over*); poste *m* de professeur *ou* de maître; '~-stroke coup *m* de maître; 'mas·ter·y maîtrise *f* (de over, *of*); domination *f* (sur over, *of*); dessus *m*; connaissance *f* approfondie (*d'une langue etc.*).

mas·tic ['mæstik] mastic *m*; ♀ lentisque *m*.

mas·ti·cate ['mæstikeit] mastiquer; mas·ti·ca·tion mastication *f*; mas·ti·ca·to·ry ['~təri] masticateur (-trice *f*).

mas·tiff ['mæstif] mâtin *m*; dogue *m* anglais.

mat¹ [mæt] 1. *paille:* natte *f*; *laine etc.:* tapis *m*; 2. (s')emmêler (*cheveux*); *v/t.* natter.

mat² ⊕ [⌣] mat; mati.

mat³ ⊕ *sl.* [⌣] matrice *f*.

match¹ [mæt∫] allumette *f*; *min.* canette *f*; mèche *f*.

match² [⌣] 1. égal(e *f*) *m*, pareil(le *f*) *m*; *couleurs:* assortiment *m*; mariage *m*, alliance *f*; *sp.* partie *f*, match (*pl.* matchs, matches) *m*; *personne:* parti *m*; *be a* ~ *for* pouvoir le disputer à (*q.*); *meet one's* ~ trouver à qui parler; trouver son homme; 2. *v/t.* égaler (*q.*); rivaliser avec (*q.*); assortir (*des couleurs*); apparier (*des gants*); unir (*q.*) (à, *with*); *sp.* matcher (*des adversaires*); ⊕ bouveter (*des planches*); ~ *s.o. against* opposer *q.* à (*q.*); *well* ~*ed* bien assorti; *v/i.* s'assortir, s'harmoniser; ~ *with* aller avec; *to* ~ à l'avenant; assorti.

match-box ['mæt∫bɔks] boîte *f* à *ou* d'allumettes.

match·less □ ['mæt∫lis] incomparable; sans pareil; 'match-mak·er marieur (-euse *f*) *m*.

match·wood ['mæt∫wud] bois *m* d'allumettes; *fig.* miettes *f/pl.*

mate¹ [meit] faire échec et mat (*échecs*); mater.

mate² [⌣] 1. camarade *mf*; compagnon *m*, compagne *f*; *oiseau:* mâle *m*, femelle *f*; *personne:* époux *m*, épouse f; *école:* condisciple m, camarade mf; ⚓ second maître m; *marine marchande:* officier m; **2.** (s')accoupler; (s')unir *(personne);* **'mate·less** seul, sans compagnon.

ma·te·ri·al □ [mə'tiəriəl] **1.** matériel(le f); grossier (-ère f); essentiel(le f) (pour, to); pertinent *(fait);* sensible *(service);* **2.** matière f; étoffe f, tissu m; matériaux m/pl. *(a. fig.);* ✗ matériel m; ~s pl. fournitures f/pl.; *working* ~ matière f première de base; *writing* ~s pl. de quoi écrire; **ma·te·ri·al·ism** matérialisme m; **ma·te·ri·al·ist** matérialiste mf; **ma·te·ri·al·is·tic** (~ally) matérialiste; (~ali *plaisirs);* **ma·te·ri·al·i·ty** [~ri'æliti] matérialité f; ⚖ pertinence f; **ma·te·ri·al·i·za·tion** [~riəlai'zeiʃn] matérialisation f; *projet etc.:* aboutissement m; **ma·te·ri·al·ize** (**se**) matérialiser; *v/i.* F se réaliser; aboutir *(projet etc.).*

ma·ter·nal □ [mə'tə:nl] maternel (-le f); de mère; d'une mère; **ma·ter·ni·ty** [~niti] maternité f; *(a. ~ hospital)* maternité f; ~ *dress* robe f pour futures mamans.

math·e·mat·i·cal □ [mæθi'mætikl] mathématique; **math·e·ma·ti·cian** [~mə'tiʃn] mathématicien(ne f) m; **math·e·mat·ics** [~'mætiks] *usu. sg.* mathématiques f/pl.

mat·in ['mætin] **1.** *poét.* matinal (-aux m/pl.), de grand matin; **2.** *eccl.* ~s pl. matines f/pl.; *poét. a.* ~s pl. chant m des oiseaux au point du jour.

mat·i·née ['mætinei] matinée f.

ma·tri·cide ['meitrisaid] matricide m; *personne:* matricide mf.

ma·tric·u·late [mə'trikjuleit] *v/t.* immatriculer; *v/i.* prendre ses inscriptions; **ma·tric·u·la·tion** inscription f.

mat·ri·mo·ni·al □ [mætri'mounjəl] matrimonial (-aux m/pl.); conjugal (-aux m/pl.); **mat·ri·mo·ny** ['mætriməni] mariage m; vie f conjugale.

ma·trix ['meitriks] *anat., géol.* matrice f; ⊕ *(a.* ['mætriks]) matrice f, moule m.

ma·tron ['meitrən] matrone f; mère f de famille; *institution:* intendante f; *hôpital:* infirmière f en chef; **'ma·tron·ly** matronal (-aux m/pl.); de matrone; domestique; *fig.* brave.

mat·ter ['mætə] **1.** matière f; substance f; sujet m; chose f, affaire f;

⚕ matière f purulente; *typ.* copie f; *printed* ~ imprimés m/pl.; *in the* ~ of quant à; *what's the* ~? qu'est-ce qu'il y a?; *what's the* ~ *with you?* qu'est-ce que vous avez?; *no* ~ n'importe; cela ne fait rien; *no* ~ *who* qui que ce soit; *as a* ~ *of course* comme de raison; *for that* ~ quant à cela; d'ailleurs; ~ *of fact* question f de(s) fait(s); *as a* ~ *of fact* en effet; à vrai dire; ~ *in hand* chose f en question; **2.** avoir de l'importance; importer (à, to); *it does not* ~ n'importe; cela ne fait rien; **'~-of-'course** de raison, naturel(le f); **'~-of-'fact** pratique; prosaïque.

mat·ting ['mætiŋ] natte f, -s f/pl.; paillassons m/pl.

mat·tock ['mætək] hoyau m; pioche f.

mat·tress ['mætris] matelas m.

ma·ture [mə'tjuə] **1.** □ mûr; d'âge mûr; † échu *(traite etc.);* **2.** mûrir; affiner *(vin, fromage);* † échoir; **ma·tu·ri·ty** maturité f; † échéance f.

ma·tu·ti·nal □ [mætju'tainl] ma-(tu)tinal (-aux m/pl.); du matin.

maud·lin □ ['mɔ:dlin] larmoyant, pleurard *(souv. état d'ivresse).*

maul [mɔ:l] meurtrir, malmener; *usu.* ~ *about* tirer de ci de là.

maul·stick ['mɔ:lstik] *see* **mahlstick.**

maun·der ['mɔ:ndə] radoter, divaguer; flâner; se trimbaler.

Maun·dy Thurs·day ['mɔ:ndi-'θə:zdi] jeudi m saint.

mau·so·le·um [mɔ:sə'li:əm] mausolée m.

mauve [mouv] **1.** mauve m; **2.** mauve.

mav·er·ick *Am.* ['mævərik] bouvillon m errant sans marque de propriétaire; *pol.* indépendant(e f) m.

maw [mɔ:] caillette f *(de ruminant);* jabot m *(d'oiseau);* gueule f *(de lion);* co. panse f.

mawk·ish □ ['mɔ:kiʃ] insipide; sentimental (-aux m/pl.); **'mawk·ish·ness** fadeur f; fausse sentimentalité f.

maw·worm ['mɔ:wə:m] ver m intestinal, ascaride m.

max·il·lar·y ['mæksiləri] maxillaire.

max·im ['mæksim] maxime f, dicton m; **max·i·mum** ['~əm] **1.** *pl. usu.* **-ma** [~mə] maximum *(pl. a.* **-ma**) m; **2.** maximum; limite; ~ *wages* salaire m maximum.

May[1] [mei] **1.** mai *m*; ⚥ ♀ aubépine *f*; **2.** go ♀ing fêter le premier mai.

may[2] [‿] [*irr.*] *v*/*aux.* (*défectif*) je peux *etc.*; il se peut que.

may·be ['meibi:] peut-être.

May-day ['meidei] le premier mai.

may·or [mɛə] maire *m*; '**may·or·al** de maire, du maire; '**may·or·al·ty** mairie *f*; (temps *m* d')exercice *m* des fonctions de maire; '**may·or·ess** femme *f* du maire; mairesse *f*.

may·pole ['meipoul] mai *m*.

maze [meiz] **1.** labyrinthe *m*, dédale *m*; *fig.* enchevêtrement *m*; be in a ~ ne savoir où donner de la tête; **2.** embarrasser, désorienter; be ~d être désorienté; '**ma·zy** labyrinthique; sinueux (-euse *f*); *fig.* compliqué.

Mc Coy *Am. sl.* [mə'kɔi]: the real ~ authentique.

me [mi:; mi] *accusatif*: me; *datif*: moi.

mead[1] [mi:d] hydromel *m*.

mead[2] [‿] *poét.* see meadow.

mead·ow ['medou] pré *m*, prairie *f*; '~-'**saf·fron** ♀ safran *m* des prés; '**mead·ow·y** de prairie; herbu; herbeux (-euse *f*).

mea·ger, mea·gre □ ['mi:gə] maigre (*a. fig.*); peu copieux (-euse *f*); *fig.* pauvre; '**mea·ger·ness**, '**mea·gre·ness** maigreur *f*; pauvreté *f*.

meal[1] [mi:l] repas *m*.

meal[2] [‿] farine *f* d'avoine, d'orge *etc.*; **meal·ies** ['‿iz] *usu. pl.* maïs *m*.

meal-time ['mi:ltaim] heure *f* du repas.

meal·y ['mi:li] farineux (-euse *f*); ~-**mouthed** doucereux (-euse *f*), patelin.

mean[1] □ [mi:n] misérable; mesquin, bas(se *f*), méprisable; avare; pauvre.

mean[2] [‿] **1.** moyen(ne *f*); in the ~ time see ~time; **2.** milieu *m*; moyen terme *m*; ♈ moyenne *f*; ~s *pl.* moyens *m*/*pl.*, ressources *f*/*pl.*; ~s *sg.* voie *f*, moyen *m*, -s *m*/*pl.* (*de faire qch.*); a ~s of (*gér.*) ou to (*inf.*) un moyen (*de inf.*); by all (*manner of*) ~s par tous les moyens; mais certainement!; by no (*manner of*) ~s en aucune façon; by this ~s *sg.* par ce moyen; ainsi; by ~s of au moyen de.

mean[3] [‿] [*irr.*] avoir l'intention (*de inf.*, to *inf.*); se proposer (*de inf.*, to *inf.*); vouloir; vouloir dire; enten-

dre (par, by); destiner (pour, for); ~ well (ill) vouloir du bien (mal) (à, by).

me·an·der [mi'ændə] **1.** méandre *m*, repli *m*; sinuosité *f*; **2.** serpenter.

mean·ing ['mi:niŋ] **1.** □ significatif (-ive *f*); d'intelligence (*sourire*); well-~ bien intentionné; **2.** sens *m*, acception *f*; *astr.* signification *f*; '**mean·ing·less** dénué de sens; qui ne signifie rien.

mean·ness ['mi:nnis] médiocrité *f*, pauvreté *f*, bassesse *f*; avarice *f*; see mean[1].

meant [ment] *prét. et p.p. de* mean[3].

mean·time ['mi:ntaim], **mean·while** ['mi:nwail] en attendant, dans l'intervalle.

mea·sle ♀ ['mi:zl] être atteint de rougeole; '**mea·sled** *vét.* ladre; '**mea·sles** *pl.* ♀ rougeole *f*; *vét.* ladrerie *f*; German ♀ rubéole *f*; '**mea·sly** rougeoleux (-euse *f*); *vét.* ladre; *sl.* misérable.

meas·ur·a·ble □['meʒərəbl] me(n)-surable.

meas·ure ['meʒə] **1.** mesure *f* (*a.* ♪, *a. fig.*); *fig.* limite *f*; ~ of capacity mesure *f* de capacité; beyond ~ outre mesure; in some ~ jusqu'à un certain point; in a great ~ en grande partie; made to ~ fait sur mesure; take s.o.'s ~ prendre les mesures de q.; *fig.* prendre la mesure de q. **2.** mesurer (pour, for); métrer (*un mur*); faire l'arpentage de (*un terrain*); *Am.* ~ up to s.th. se montrer à la hauteur de qch.; '**meas·ure·less** □ infini, illimité; '**meas·ure·ment** mesurage *m*; mesure *f*; tour *m* (*de tête, de hanches*); ♣ tonnage *m*.

meas·ur·ing ['meʒəriŋ] de mesure; d'arpentage.

meat [mi:t] viande *f*; †, *prov.* nourriture *f*; *fig.* moelle *f*; butcher's ~ grosse viande *f*; fresh-killed ~ viande *f* fraîche; preserved ~ viande *f* de conserve; green ~ fourrages *m*/*pl.* verts; roast ~ viande *f* rôtie, rôti *m*; ~-fly mouche *f* à viande; ~ tea thé *m* de viande; bouillon *m*; '~-safe garde-manger *m*/*inv.*; '**meat·y** charnu; *fig.* étoffé.

mec·ca·no [me'ka:nou] jeu *m* mécanique (*pour enfants*).

me·chan·ic [mi'kænik] artisan *m*, ouvrier *m*; ⊕ mécanicien *m*; **me-**

'chan·i·cal □ mécanique; *fig.* machinal (-aux *m/pl.*), automatique; ~ *engineering* construction *f* mécanique; **me'chan·i·cal·ness** caractère *m* machinal; **mech·a·ni·cian** [mekə-'niʃn] mécanicien *m*; **me·chan·ics** [mi'kæniks] *usu. sg.* mécanique *f*.

mech·a·nism ['mekənizm] mécanisme *m*; *biol.*, *pol.* machinisme *m*; **mech·a·nize** ['~naiz] mécaniser (*a.* ⚔); ⚔ motoriser.

med·al ['medl] médaille *f*; décoration *f*; **'med·al(l)ed** medaillé; décoré; **me·dal·lion** [mi'dæljən] médaillon *m*; **med·al·(l)ist** ['medlist] médailliste *mf*; *graveur*: médailleur *m*; médaille(e *f*) *m*.

med·dle ['medl] (*with*, *in*) se mêler (de); s'immiscer (dans); toucher (à); **'med·dler** officieux (-euse *f*) *m*; intrigant(e *f*) *m*; touche-à-tout *m/inv.*; **med·dle·some** ['~səm] □ officieux (-euse *f*), intrigant; qui touche à tout; **'med·dle·some·ness** tendance *f* à se mêler des affaires d'autrui.

me·di·ae·val [medi'i:vəl] *see medieval.*

me·di·al □ ['mi:djəl], **'me·di·an 1.** médial (-als, -aux *m/pl.*); médian; **2.** médiale *f*; médiane *f*.

me·di·ate 1. □ ['mi:diit] intermédiaire; **2.** ['~eit] s'interposer; agir en médiateur; **me·di·a·tion** [~'eiʃn] médiation *f*; **me·di·a·tor** ['~tə] médiateur (-trice *f*) *m* (*a.* école); **me·di·a·to·ri·al** [~ə'tɔ:riəl], **me·di·a·to·ry** ['~təri] médiateur (-trice *f*); **me·di·a·trix** ['~eitriks] médiatrice *f*.

med·i·cal □ ['medikəl] médical (-aux *m/pl.*); de médecine; ~ *board* conseil *m* de santé; ~ *certificate* attestation *f* de médicin; ~ *evidence* témoignage *m* des médecins; ~ *jurisprudence* médecine *f* légale; ~ *man* médecin *m*; ~ *officer* médecin *m* militaire; ~ *specialist* spécialiste *mf*; ~ *student* étudiant *m* en médecine; ⚥ *Superintendent* médecin *m* en chef; **me'dic·a·ment** médicament *m*.

med·i·cate ['medikeit] médicamenter; traiter; rendre médicamenteux (*du vin*); **med·i·ca·tion** médication *f*; emploi *m* de medicaments; **med·i·ca·tive** ['medikətiv] médicateur (-trice *f*).

me·dic·i·nal □ [me'disinl] mé-

dicinal (-aux *m/pl.*) (*bains etc.*); médicamenteux (-euse *f*) (*vin etc.*); **med·i·cine** ['medsin] *art*, *profession*, *médicament*: médecine *f*; médicament *m*, remède *m*; F drogue *f*; ~*chest* (coffret *m* de) pharmacie *f*.

me·di·e·val □ [medi'i:vəl] médiéval (-aux *m/pl.*); du Moyen Âge; **me·di·e·val·ism** médiévisme *m*; culture *f* médiévale; **me·di·e·val·ist** médiéviste *mf*.

me·di·o·cre ['mi:dioukə] médiocre; **me·di·oc·ri·ty** [~'ɔkriti] médiocrité *f*.

med·i·tate ['mediteit] *v/i.* méditer (sur, [*up*]on); se recueillir; *v/t.* méditer (qch.; de faire qch., *doing s.th.*); projeter; avoir l'intention (de faire qch., *doing s.th.*); **med·i·ta·tion** méditation *f*; recueillement *m*; (*profondes*) pensées *f/pl.*; **med·i·ta·tive** □ ['~tətiv] méditatif (-ive *f*).

me·di·um ['mi:diəm] **1.** *pl.* **-di·a** [~djə], **-di·ums** milieu *m*; ambiance *f* (*sociale*); intermédiaire *m*; moyen *m*; *phys.* milieu *m*, véhicule *m*; 🜨 agent *m*; *biol.* bouillon *m*; *spiritisme*: médium *m*; *élément*: milieu *m*; **2.** moyen(ne *f*); **'~-'sized** de grandeur *ou* de taille moyenne.

med·lar ♀ ['medlə] nèfle *f*; *arbre*: néflier *m*.

med·ley ['medli] mélange *m*; *couleurs etc.*: bigarrure *f*; *péj.* idées *etc.*: bariolage *m*; ♪ pot-pourri (*pl.* pots-pourris) *m*.

me·dul·la [me'dʌlə] *épinière*: moelle *f*; **med·ul·lar·y** médullaire.

meed *poét.* [mi:d] récompense *f*.

meek □ [mi:k] doux (douce *f*); humble; soumis; **'meek·ness** humilité *f*; soumission *f*.

meer·schaum ['miəʃəm] (*pipe f* en) écume *f* de mer.

meet¹ [mi:t] † convenable; séant.

meet² [~] **1.** [*irr.*] *v/t.* rencontrer, aller à la rencontre de; faire la connaissance de; fréquenter; croiser (*dans la rue*); aller chercher (*q. à la gare*); se conformer à (*des opinions*); satisfaire à, répondre à (*des désirs, des besoins*); faire face à (*des demandes, des besoins, la mort*); trouver (*la mort*); faire honneur à (*ses engagements*); prévenir (*une objection*); subvenir à (*des frais*); *rivières*: confluer avec; *fig.* ~ *s.o. half-way* faire la moitié des avances;

come (go, run) to ~ s.o. venir (aller, courir) à la rencontre de q.; they are well met ils sont bien assortis, ils font la paire; v/i. se rencontrer; se voir; se réunir (société, gens); se joindre; confluer (rivières); ~ with rencontrer, éprouver (des difficultés); essuyer (un refus); faire (des pertes); trouver (un accueil); être victime (un accident); make both ends ~ joindre les deux bouts, arriver à boucler son budget; 2. sp. réunion f; assemblée f de chasseurs.

meet·ing ['mi:tiŋ] rencontre f; réunion f; assemblée f; rivières: confluent m; pol., sp. meeting m; '~-place rendez-vous m; lieu m de réunion.

meg·a·fog ['megəfɔg] très fort signal m de brume; **meg·a·lo·ma·ni·a** ['~lou'meinjə] ⚕ mégalomanie f; **meg·a·phone** ['~foun] porte-voix m/inv.; sp. mégaphone f; **meg·a·ton** ['~ʌn] mégatonne f.

me·grim ['mi:grim] migraine f; ~s pl. vapeurs f/pl.; spleen m.

mel·an·chol·ic [melən'kɔlik] mélancolique; **mel·an·chol·y** ['~kəli] 1. mélancolie f; tristesse f; 2. mélancolique; triste.

mê·lée ['melei] mêlée f; bagarre f.

mel·io·rate ['mi:ljəreit] (s')améliorer.

mel·lif·lu·ent [me'lifluənt], usu. **mel·lif·lu·ous** mielleux (-euse f); melliflu (éloquence).

mel·low ['melou] 1. □ mûr (a. esprit, caractère); moelleux (-euse f); doux (douce f) (ton, lumière, vin); velouté (vin); fig. doux (douce f), tendre (couleur); débonnaire (personne); sl. un peu gris ou ivre; 2. (faire) mûrir; (s')adoucir (personne); v/i. prendre de la patine; 'mel·low·ness fruit, sol: maturité f; vin, vox: moelleux m; caractère: douceur f.

me·lo·di·ous □ [mi'loudjəs] mélodieux (-euse f), harmonieux (-euse f); **me·lo·di·ous·ness** mélodie f; **mel·o·dist** ['melədist] mélodiste mf; **'mel·o·dize** rendre mélodieux (-euse f); mettre en musique; v/i. chanter; faire des mélodies; **mel·o·dra·ma** ['~drɑ:mə] mélodrame m; **'mel·o·dy** mélodie f, chant m, air m.

mel·on ♀ ['melən] melon m; water-~ melon m d'eau; pastèque f.

melt [melt] fondre; fig. (se) dissoudre; v/t. attendrir (le cœur); v/i.: ~ away fondre complètement; fig. se dissiper; ~ down fondre; ~ into tears fondre en larmes.

melt·ing □ ['meltiŋ] fondant; fig. attendri (voix); '~-point point m de fusion; '~-pot creuset m; be in the ~ tout remettre en question.

mem·ber ['membə] membre m (a. gramm.); organe m; ⊕ pièce f; député m; membre m de la Chambre des Communes; make s.o. a ~ élire q. membre (de, of); '**mem·ber·ship** qualité f de membre; nombre m des membres; ~ fee cotisation f.

mem·brane ['membrein] membrane f; enveloppe f (d'un organe); **mem'bra·nous**, **mem'bra·ne·ous** [~jəs] membraneux (-euse f).

me·men·to [mi'mentou] souvenir m, mémento m.

mem·oir ['memwɑː] mémoire m; notice f biographique; ~s pl. mémoires m/pl.; mémorial m; autobiographie f.

mem·o·ra·ble □ ['memərəbl] mémorable.

mem·o·ran·dum [memə'rændəm] mémorandum m (a. pol.); acte m (de société); pol. note f (diplomatique).

me·mo·ri·al [mi'mɔːriəl] 1. mémoratif (-ive f); commémoratif (-ive f) (monument); 2. monument m (commémoratif); pétition f; **me·'mo·ri·al·ist** pétitionnaire mf; auteur m de mémoires; **me'mo·ri·al·ize** commémorer; pétitionner.

mem·o·rize ['meməraiz] apprendre par cœur.

mem·o·ry ['meməri] mémoire f; souvenir m; commit to ~ apprendre par cœur; se mettre dans la mémoire; beyond the ~ of man de temps immémorial; within the ~ of man de mémoire d'homme; in ~ of à la mémoire de; en souvenir de.

men [men] (pl. de man) hommes m/pl.; l'homme m, le genre m humain, l'humanité f; sp. ~'s doubles pl. double m messieurs.

men·ace ['menəs] 1. menacer; 2. póet. menace f.

me·nag·er·ie [mi'nædʒəri] ménagerie f.

mend [mend] **1.** *v/t.* raccommoder (*un vêtement*); réparer (*un outil, une machine*); rectifier, corriger; hâter (*le pas*); ~ *the fire* arranger le feu; ~ *one's ways* changer de conduite, se corriger; *v/i.* se corriger; s'améliorer; **2.** raccommodage *m*; amélioration *f*; *on the* ~ en voie de guérison, en train de se remettre.

men·da·cious □ [men'deiʃəs] menteur (-euse *f*), mensonger (-ère *f*); **men·dac·i·ty** [~'dæsiti] penchant *m* au mensonge; fausseté *f*.

mend·er ['mendə] raccommodeur (-euse *f*) *m*; *invisible* ~ stoppeur (-euse *f*) *m*.

men·di·can·cy ['mendikənsi] mendicité *f*; **'men·di·cant** mendiant (*a. su./m*); **men'dic·i·ty** [~siti] mendicité *f*.

men·folk F ['menfouk] hommes *m/pl.* (*de la famille*).

men·hir ['menhiə] menhir *m*.

me·ni·al *usu. péj.* ['mi:njəl] **1.** □ servile, bas(se *f*); **2.** domestique *mf*; laquais *m*.

men·in·gi·tis ⚕ [menin'dʒaitis] méningite *f*.

men·ses ['mensi:z] *pl.* menstrues *f/pl.*, époques *f/pl.*; *see* menstruation; **men·stru·al** ['~struəl] menstruel(le *f*); **men·stru·a·tion** menstruation *f*; règles *f/pl.*, époques *f/pl.*

men·su·ra·tion [mensjuə'reiʃn] mesurage *m*; ⚕ mensuration *f*.

men·tal □ ['mentl] mental (-aux *m/pl.*); de l'esprit; ~ *arithmetic* calcul *m* de tête; ~ *institution* asile *m* d'aliénés, maison *f* de santé; ~*ly ill* aliéné; **men·tal·i·ty** [~'tæliti] mentalité *f*; esprit *m*. [thol *m.*\
men·thol *pharm.* ['menθɔl] men-∫

men·tion ['menʃn] **1.** mention *f*; allusion *f*; **2.** mentionner, faire allusion à, citer; *don't* ~ *it!* je vous en prie!; il n'y a pas de quoi!; *not to* ~ sans parler de; sans compter; **'men·tion·a·ble** digne de mention; dont on peut parler.

men·tor ['mentɔ:] mentor *m*, guide *m*.

men·u ['menju:] menu *m*; carte *f*.

me·phit·ic [me'fitik] méphitique; **me·phi·tis** [~'faitis] méphitisme *m*.

mer·can·tile ['mə:kəntail] mercantile, marchand; commercial (-aux *m/pl.*), de commerce; commerçant.

mer·ce·nar·y ['mə:sinəri] **1.** □

mercenaire, intéressé; **2.** ✗ mercenaire *m*.

mer·cer ['mə:sə] marchand(e *f*) *m* de soieries; † mercier (-ère *f*) *m*; **'mer·cer·ize** merceriser; **'mer·cer·y** (commerce *m* des) soieries *f/pl.*; † mercerie *f*.

mer·chan·dise ['mə:tʃəndaiz] **1.** marchandise *f*, -s *f/pl.*; **2.** *Am.* commercer.

mer·chant ['mə:tʃənt] **1.** négociant *m*; commerçant *m*; *Am.* marchand(e *f*) *m*; boutiquier (-ère *f*) *m*; **2.** marchand; de *ou* du commerce; *law* ~ droit *m* commercial; **'mer·chant·a·ble** vendable; négociable; **'mer·chant·man** navire *m* marchand *ou* de commerce.

mer·ci·ful □ ['mə:siful] miséricordieux (-euse *f*) (pour, *to*); clément (envers, *to*); **'mer·ci·ful·ness** miséricorde *f*; clémence *f*; pitié *f*.

mer·ci·less □ ['mə:silis] impitoyable, sans pitié; **'mer·ci·less·ness** caractère *m* impitoyable; manque *m* de pitié.

mer·cu·ri·al [mə:'kjuəriəl] *astr.* de Mercure; ☿ mercuriel(le *f*); *fig.* vif (vive *f*); inconstant, changeant.

Mer·cu·ry ['mə:kjuri] *astr.* Mercure; *fig.* messager *m*; ☿ ♀ mercure *m*.

mer·cy ['mə:si] miséricorde *f*; clémence *f*; pitié *f*; *be at s.o.'s* ~ être à la merci de q.; *at the* ~ *of the waves au gré des flots*; *it is a* ~ *that* c'est un bonheur que; *for* ~*'s sake* par pitié; *poét., co. have* ~ (*up*)*on* avoir pitié de; ~ *killing* euthanasie *f*.

mere □ [miə] simple, seul, pur; ~(*st*) *nonsense* extravagance *f* pure et simple; ~ *words* vaines paroles *f/pl.*; rien que des mots; ~*ly* simplement; tout bonnement.

mer·e·tri·cious □ [meri'triʃəs] de courtisane; *fig.* factice; d'un éclat criard.

merge [mə:dʒ] (*in*) *v/t.* fondre (dans); amalgamer (avec); *v/i.* se fondre, se perdre (dans); s'amalgamer; **'merg·er** fusion *f*.

me·rid·i·an [mə'ridiən] **1.** méridien(ne *f*); *fig.* culminant, le plus haut; **2.** *géog.* méridien *m*; *fig.* point *m* culminant, apogée *m*; **me'rid·i·o·nal** □ [~ənl] méridional(-aux *m/pl.*); du midi.

me·ringue [mə'ræŋ] meringue *f*.
mer·it ['merit] **1.** mérite *m*; valeur *f*; *usu.* 🇬🇧 ~s *pl.* bien-fondé *m*; le pour et le contre (*de qch.*); *on the* ~s *of the case* (*juger qch.*) au fond; *on its* (*own*) ~s selon ses mérites; *make a* ~ *of* se faire un mérite de; **2.** *fig.* mériter; **mer·i·to·ri·ous** □ [~'tɔːriəs] méritoire; méritant (*personne*).
mer·maid ['məːmeid] sirène *f*.
mer·ri·ment ['merimənt] gaieté *f*, réjouissance *f*.
mer·ry □ ['meri] joyeux (-euse *f*), gai; jovial (-als, -aux *m/pl.*); *make* ~ se réjouir; se divertir; ~ **an·drew** paillasse *m*, bouffon *m*; '~**-go·round** carrousel *m*; chevaux *m/pl.* de bois; '~**-mak·ing** réjouissances *f/pl.*, fête *f*; '~**-thought** lunette *f* (*d'une volaille*).
mes·en·ter·y *anat.* ['mesəntəri] mésentère *m*.
mesh [meʃ] **1.** maille *f*; *fig. usu.* ~es *pl.* réseau *m*; ⊕ *be in* ~ être en prise (avec, *with*); **2.** *fig.* (s')engrener; **meshed** [~t] à ... mailles; '**mesh-work** réseau *m*; treillis *m*.
mes·mer·ism ['mezmərizm] mesmérisme *m*, hypnotisme *m*; '**mes·mer·ize** hypnotiser; magnétiser.
mess[1] [mes] **1.** désordre *m*; gâchis *m*, fouillis *m*; saleté *f*; F *a fine* ~ *of things* du joli, une belle équipée, un chef-d'œuvre; *make a* ~ *of* gâcher, bousiller; **2.** *v/t. a.* ~ *up* gâcher, galvauder, abîmer; salir; *v/i.* F ~ *about* patauger (*dans la boue*); gaspiller son temps.
mess[2] [~] **1.** † plat *m*, mets *m*; ✗, ⚓ *officiers*: mess *m*, table *f*; ✗ *hommes*: ordinaire *m*, ⚓ plat *m*; **2.** manger à la même table.
mes·sage ['mesidʒ] message *m*; commission *f*.
mes·sen·ger ['mesindʒə] messager (-ère *f*) *m*; ~ *boy hôtel*: chasseur *m*, *télégraphes*: facteur *m*.
Mes·sieurs: *usu.* **Messrs.** ['mesəz] ✝ Messieurs *m/pl.*; maison *f*.
mess-room ['mesrum] ✗ salle *f* de mess; ⚓ carré *m* (*des officiers*); '**mess-tin** ✗ gamelle *f*, ⚓ quart *m*.
met [met] *prét.* et *p.p.* *de* meet[2] 1.
met·a·bol·ic [metə'bɔlik] métabolique; **me·tab·o·lism** *physiol.* [me-'tæbəlizm] métabolisme *m*.
met·age ['miːtidʒ] mesurage *m*.
met·al ['metl] **1.** métal *m*; ⊕ em-

pierrement *m*; *route*: cailloutis *m*, pierraille *f*; 🚂 F ~s *pl.* rails *m/pl.*; **2.** empierrer, caillouter; **me·tal·lic** [mi'tælik] (~ally) métallique; métallin; de métal; **met·al·lif·er·ous** [metə'lifərəs] métallifère; **met·al·line** ['metəlain] métallin; '**met·al·lize** métalliser; vulcaniser (*le caoutchouc*); **met·al·log·ra·phy** [~'lɔgrəfi] métallographie *f*; **met·al·lur·gic**, **met·al·lur·gi·cal** □ [~'ləːdʒik(l)] métallurgique; '**met·al·lur·gy** métallurgie *f*.
met·a·mor·phose [metə'mɔːfouz] métamorphoser, transformer (en, [in]to); **met·a·mor·pho·sis** [~fə-sis], *pl.* -ses [~siːz] métamorphose *f*.
met·a·phor ['metəfə] métaphore *f*; image *f*; **met·a·phor·ic**, *usu.* **met·a·phor·i·cal** □ [~'fɔrik(l)] métaphorique.
met·a·phys·ic [metə'fizik] **1.** (*usu.* **met·a·phys·i·cal** □) métaphysique; **2.** ~s *souv. sg.* métaphysique *f*; ontologie *f*.
mete [miːt] *litt.* mesurer; (*usu.* ~ *out*) assigner; décerner, distribuer.
me·te·or ['miːtjə] météore *m* (*a. fig.*); **me·te·or·ic** [miːti'ɔrik] météorique; *fig.* rapide; **me·te·or·ite** ['miːtjərait] météorite *mf*; aérolithe *m*; **me·te·or·o·log·i·cal** □ [miː-tjərə'lɔdʒikl] météorologique, aérologique; **me·te·or·ol·o·gist** [~'rɔ-lədʒist] météorologiste *mf*, -logue *mf*; **me·te·or·ol·o·gy** météorologie *f*, aérologie *f*.
me·ter ['miːtə] (*a. gas* ~) compteur *m*; jaugeur *m*.
me·thinks [mi'θiŋks] (*prét.* me-thought) il me semble.
meth·od ['meθəd] méthode *f*; système *m*; manière *f*; procédé *m* (pour *for*, of); **me·thod·ic**, **me·thod·i·cal** □ [mi'θɔdik(i)] méthodique; **Meth·od·ism** *eccl.* ['meθədizm] méthodisme *m*; '**meth·od·ist** *péj.* qui a le souci exagéré de la méthode; *eccl.* ♀ méthodiste *mf*; '**meth·od·ize** ordonner, régler.
meth·yl 🔬 ['meθil] méthyle *m*; **meth·yl·at·ed spir·it** ['meθileitid 'spirit] alcool *m* à brûler.
me·tic·u·lous □ [mi'tikjuləs] méticuleux (-euse *f*).
me·tre ['miːtə] mètre *m*, mesure *f*; mètre *m* (*39,37 inches*).
met·ric ['metrik] (~ally) métrique;

'met·ri·cal □ métrique; en vers; **'met·rics** *sg.* métrique *f.*

me·trop·o·lis [mi'trɔpəlis] métropole *f;* **me·tro·pol·i·tan** [metrə-'pɔlitən] **1.** métropolitain; ♀ *Railway* chemin *m* de fer métropolitain; **2.** métropolitain *m,* archevêque *m.*

met·tle ['metl] *personne:* ardeur *f,* courage *m,* feu *m;* tempérament *m,* caractère *m; cheval:* fougue *f; be on one's ~* se piquer d'honneur; faire de son mieux; *put s.o. on his ~* piquer q. d'honneur; stimuler le zèle de q.; *horse of ~* cheval *m* fougueux; **'met·tled, met·tle·some** ['~səm] fougueux (-euse *f*) (*cheval*); ardent (*personne*).

mew[1] *poét.* [mju:] mouette *f.*

mew[2] [~] **1.** miaulement *m;* **2.** miauler.

mew[3] [~] **1.** mue *f,* cage *f* (*pour les faucons*); **2.** *v/i.* se cloîtrer; *v/t.* (*usu. ~ up*) renfermer.

mewl [mju:l] vagir, piailler; F miauler.

mews [mju:z] *sg.,* † *pl.* écuries *f/pl.; Londres:* impasse *f,* ruelle *f.*

Mex·i·can ['meksikən] **1.** mexicain; **2.** Mexicain(e *f*) *m.*

mi·aow [mi'au] **1.** miaulement *m,* miaou *m;* **2.** miauler.

mi·as·ma [mi'æzmə], *pl.* **-ma·ta** [~mətə], **-mas** miasme *m;* **mi'as·mal** □ miasmatique.

mi·aul [mi'ɔ:l] miauler.

mi·ca *min.* ['maikə] mica *m;* **mi·ca·ce·ous** [~'keiʃəs] micacé.

mice [mais] *pl. de mouse* 1.

Mich·ael·mas ['miklməs] la Saint-Michel *f* (*le 29 septembre*).

micro... [maikro] micro-.

mi·crobe ['maikroub] microbe *m;* **mi'cro·bi·al** [~iəl] microbien(ne *f*).

mi·crom·e·ter [mai'krɔmitə] micromètre *m;* **mi·cro·phone** ['maikrə-foun] microphone *m;* F micro *m;* **mi·cro·scope** ['~skoup] microscope *m;* **mi·cro·scop·ic, mi·cro·scop·i·cal** □ [~s'kɔpik(l)] microscopique; *au microscope* (*examen*); F minuscule, très petit.

mid [mid] *see middle* 2; mi-; *poét. see amid;* **~·'air:** *in ~* entre ciel et terre; **'~-course:** *in ~* en pleine carrière; **'~·day 1.** midi *m;* **2.** de midi, méridien(ne *f*).

mid·den ['midn] (tas *m* de) fumier *m*

mid·dle ['midl] **1.** milieu *m,* centre *m; fig.* taille *f,* ceinture *f;* ♀ *~s pl.* qualité *f* moyenne; **2.** ordinaire; bon(ne *f*); du milieu, central (-aux *m/pl.*); moyen(ne *f*), intermédiaire; ♀ *Ages pl.* Moyen Âge *m; ~ class(es pl.)* classe *f* moyenne; bourgeoisie *f;* **'~-'aged** F entre deux âges; **'~-'class** bourgeois; **'~·man** F entremetteur *m;* † intermédiaire *m;* **'~·most** central (-aux *m/pl.*); le plus au milieu; **'~-sized** de grandeur *ou* taille moyenne; **'~·weight** *box.* poids *m* moyen.

mid·dling ['midliŋ] **1.** *adj.* médiocre; passable, assez bon(ne *f*); moyen(ne *f*); † de qualité moyenne; **2.** *adv.* (*a. ~ly*) passablement, assez bien; **3.** *su.* † *~s pl.* marchandises *f/pl.* de qualité moyenne.

mid·dy F ['midi] *see midshipman.*

midge [midʒ] moucheron *m;* **midg·et** ['~it] nain(e *f*) *m;* nabot(e *f*) *m.*

mid·land ['midlənd] **1.** entouré de terre; intérieur (*mer*); **2.** *the ♀s pl.* les Midlands *m/pl.;* **'mid·most** central (-aux *m/pl.*); le plus près du milieu; **'mid·night 1.** minuit *m;* **2.** de minuit; **mid·riff** ['~rif] diaphragme *m;* **'mid·ship·man** ♣ aspirant *m; Am.* enseigne *m;* **'mid·ships** ♣ par le travers; **midst** [midst] **1.** *su.* milieu *m; in the ~ of* au milieu de; parmi; *in our ~* au milieu de nous, parmi nous; **2.** *prp. poét. see amidst;* **'mid·sum·mer** milieu *m* de l'été; solstice *m* d'été; ♀ *Day* la Saint-Jean *f; ~ holidays pl.* vacances *f/pl.* d'été; **'mid·way 1.** *su. Am.* allée *f* centrale (*d'une exposition*); **2.** *adj.* du milieu, central (-aux *m/pl.*), intermédiaire; **3.** *adv.* à mi-chemin; **'mid·wife** sage-femme (*pl.* sages-femmes) *f;* **mid·wife·ry** ['midwifri] obstétrique *f;* **'mid·win·ter** milieu *m* de l'hiver; solstice *m* d'hiver.

mien *poét.* [mi:n] mine *f,* air *m.*

miff F [mif] boutade *f;* accès *m* d'humeur.

might [mait] **1.** puissance *f,* force *f, ~s f/pl.; with ~ and main* de toutes mes (*etc.*) forces; **2.** *prét. de may*[2]; **might·i·ness** ['~inis] puissance *f,* force *f,* grandeur *f;* **'might·y** (□ †) **1.** *adj.* puissant, fort; vaste;

F considérable; **2.** F *adv.* très, extrêmement.

mi·grant ['maigrənt] **1.** *see* migratory; **2.** (*ou* ~ *bird*) migrateur (-trice *f*) *m*.

mi·grate [mai'greit] émigrer; passer; **mi'gra·tion** migration *f*, émigration *f*; **mi·gra·to·ry** ['~grətəri] migrateur (-trice *f*) (*personne, a. oiseau*); nomade (*personne*); de passage (*oiseau*).

mike *sl.* [maik] microphone *m*, F micro *m*.

Mil·an·ese [milə'ni:z] **1.** milanais *f*; **2.** Milanais(e *f*) *m*.

milch [miltʃ] à lait, laitière (*vache*).

mild □ [maild] doux (douce *f*); tempéré (*climat*); peu sévère; peu rigoureux (-euse *f*); bénin (-igne *f*); *to put it* ~*ly* pour m'exprimer avec modération.

mil·dew ['mildju:] **1.** *pain etc.*: chancissure *f*; *froment etc.*: rouille *f*; *vignes etc.*: mildiou *m*; moisissure *f*; **2.** chancir (*le pain*); rouiller, moisir (*la plante etc.*); piquer (*le papier etc.*).

mild·ness ['maildnis] douceur *f*; *maladie*: bénignité *f*.

mile [mail] mille *m* (anglais) (*1609,33 m*).

mil(e)·age ['mailidʒ] distance *f ou* vitesse *f* en milles; *fig.* parcours *m*.

mile·stone ['mailstoun] borne *f* milliaire *ou* kilométrique.

mil·foil ⚘ ['milfoil] mille-feuille *f*.

mil·i·tan·cy ['militənsi] esprit *m* militant; *pol.* activisme *m*; **'mil·i·tant** □ militant; activiste; **mil·i·tar·i·ness** ['militərinis] caractère *m* militaire; **mil·i·ta·rism** ['~rizəm] militarisme *m*; **'mil·i·ta·ry 1.** □ militaire; de guerre; de soldat; ~ *college* école *f* militaire; ⚘ *Government* gouvernement *m* militaire; ~ *map* carte *f* d'état-major; *of* ~ *age* en âge de servir; **2.** *les militaires m/pl.*; *l'armée f*; **mil·i·tate** ['~teit] ~ *in favo(u)r of* (*against*) militer en faveur de (contre); **mi·li·tia** [mi'liʃə] milice *f*; garde *f* nationale.

milk [milk] **1.** lait *m*; *powdered* (*whole*) ~ lait *m* en poudre (non écrémé); **2.** traire; *fig.* dépouiller; ⚘, *a. tél.* capter; **'milk-and-'wa·ter** F insipide, fade; **'milk·er** *personne*: trayeur (-euse *f*) *m*; *vache*: laitière *f*; *machine*: trayeuse *f*; **milk·i·**ness ['~inis] lactescence *f*; couleur *f* laiteuse; *fig.* douceur *f*.

milk...: '~**maid** laitière *f*, crémière *f*; trayeuse *f*; '~**man** laitier *m*, crémier *m*; '~**shake** shake *m* (*mélange de lait, crème glacée et sirop battus ensemble*); '~**sop** F poule *f* mouillée; peureux (-euse *f*) *m*; '**milk·y** laiteux (-euse *f*), lactescent; *fig.* blanchâtre; *astr.* ⚘ *Way* Voie *f* lactée.

mill¹ [mil] **1.** moulin *m*; usine *f*; fabrique *f*; filature *f*; *sl.* combat *m* à coups de poings; **2.** *v/t.* moudre; ⊕ fraiser; créneler (*la monnaie*); fouler (*un drap*); mousser (*une crème*); broyer (*le minerai*); *sl.* rouer de coups; F *v/i.* fourmiller.

mill² *Am.* [~] millième *m* (*de dollar*).

mill·board ['milbɔ:d] carton-pâte (*pl.* cartons-pâtes) *m*; carton *m* épais; '**mill·dam** barrage *m* de moulin.

mil·le·nar·i·an [mili'nɛəriən], **mil·len·ni·al** [mi'leniəl] millénaire; **mil·le·nar·y** ['~əri] millénaire (*a. su./m*); **mil·len·ni·um** [~iəm] *eccl.* millénium *m*; mille ans *m/pl.*

mil·le·pede *zo.* ['milipi:d] mille-pieds *m/inv.*; *mille-pattes m/inv.*

mill·er ['milə] meunier *m*; ⊕ fraiseur *m*; *machine*: fraiseuse *f*.

mil·les·i·mal [mi'lesiməl] millième (*a. su./mf*).

mil·let ⚘ ['milit] millet *m*.

mill·hand ['milhænd] ouvrier (-ère *f*) *m* d'usine.

mil·li·ard ['miljɑ:d] milliard *m*.

mil·li·gram ['miligræm] milligramme *m*.

mil·li·me·tre ['milimi:tə] millimètre *m*.

mil·li·ner ['milinə] modiste *f*; '**mil·li·ner·y** (articles *m/pl.* de) modes *f/pl.*

mill·ing ['miliŋ] meunerie *f*; moulage *m*; broyage *m*; foulage *m*; ⊕ ~ *cutter* fraise *f*, fraiseuse *f*; ~ *plant* moulin *m*; laminerie *f*; ~ *machine* machine *f* à fraiser; ~ *product* produit *m* de moulin.

mil·lion ['miljən] million *m*; **mil·lion·aire** [~'nɛə] millionnaire *mf*; **mil·lionth** ['miljənθ] millionième (*a. su./m*).

mill...: '~**pond** réservoir *m* de moulin; '~**race** bief *m* de moulin; '~**stone** meule *f*; F *see through a* ~

voir à travers les murs; '**∼·wright**
constructeur *m* de moulins.

milt¹ [milt] laitance *f* (*des poissons*).

milt² [∼] rate *f*.   [laité.\

milt·er *icht.* ['miltə] poisson *m*/

mime [maim] **1.** mime *m*; **2.** mimer.

mim·e·o·graph ['mimiəgra:f] auto-
copiste *m*.

mim·ic ['mimik] **1.** mimique; imitateur (-trice *f*); **2.** mime *m*; imitateur (-trice *f*) *m*; **3.** imiter;
contrefaire; F singer (*q.*); '**mim-
ic·ry** mimique *f*, imitation *f*; *zo.*
mimétisme *m*.

min·a·to·ry ['minətəri] menaçant.

mince [mins] **1.** *v/t.* hacher; *he does
not ∼ matters* il ne mâche pas ses
mots; ∼ *one's words* minauder, parler du bout des lèvres; *∼d meat*
hachis *m*; *v/i.* marcher *etc.* d'un air
affecté; **2.** hachis *m*; '**∼·meat** com-
pôte *f* de raisins secs, de pommes,
d'amandes *etc.*; *make ∼ of* F réduire (*q.*) en chair à pâté; ∼ *pie* petite
tarte *f* au *mincemeat*; '**minc·er**
hachoir *m*.

minc·ing □ ['minsiŋ] affecté, minaudier (-ère *f*); '**∼-ma·chine**
hachoir *m*.

mind [maind] **1.** esprit *m*, âme *f*;
pensée *f*, idée *f*, avis *m*; mémoire *f*,
souvenir *m*; raison *f*; *to my ∼* à mon
avis, selon moi, à ce que je pense;
∼'s eye idée *f*, imagination *f*; *out of
one's ∼* hors de son bon sens; insensé; *time out of ∼* de temps immémorial; *change one's ∼* changer d'a-
vis; se raviser; *bear s.th. in ∼* se rappeler qch.; tenir compte de qch.;
have (half) a ∼ to avoir (bonne)
envie de; *have s.th. on one's ∼*
avoir qch. sur sa conscience; *have
in ∼* avoir (*qch.*) en vue; (*not*)
know one's own ∼ (ne pas) savoir
ce qu'on veut; *make up one's ∼*
se décider, prendre son parti; *put
s.o. in ∼ of* rappeler (*qch. ou q.*)
à q.; **2.** faire attention à; s'occuper de; ne pas manquer de (*inf.*);
prendre garde à (*qch.*); soigner (*un
enfant*), garder (*un chien etc.*); *∼!*
attention!; *never ∼!* n'importe!; ne
vous inquiétez pas!; *the step!* attention à la marche!; *I don't ∼* (*it*)
cela m'est égal; peu (m')importe;
do you ∼ smoking? la fumée ne vous
gêne pas?; *would you ∼ taking off
your hat?* voudriez-vous bien ôter

votre chapeau?; ∼ *your own business!* mêlez-vous de ce qui vous re-
garde!; à l'esprit...; '**mind·ed** disposé, enclin; à
l'esprit...; '**mind·er** surveillant(e *f*)
m; gardeur (-euse *f*) *m* (*d'animaux*);
'**mind·ful** □ (*of*) attentif (-ive *f*)
(à); soigneux (-euse *f*) (de); '**mind-
ful·ness** attention *f* (à, *of*); soin *m*
(de, *of*); '**mind·less** □ sans esprit;
insouciant (de, *of*); indifférent (à,
of); oublieux (-euse *f*) (de, *of*).

mine¹ [main] **1.** le mien, la mienne,
les miens, les miennes; à moi;
2. les miens *m*/*pl.*

mine² [∼] **1.** ✗, *a.* ✗ mine *f*;
fig. trésor *m*, bureau *m*; **2.** *v/i.*
fouiller (sous) la terre; *v/t.* miner,
saper; ✗ exploiter (*le charbon*);
creuser; ✗ miner, saper; ⚓ miner,
semer des mines dans; '**∼·lay·er**
⚓, ✗ poseur *m* ou mouilleur *m* de
mines; '**min·er** mineur *m* (*a.* ✗).

min·er·al ['minərəl] **1.** minerai *m*;
∼s pl. eaux *f*/*pl.* minérales; F boissons *f*/*pl.* gazeuses; **2.** minéral (-aux
m/*pl.*); ∼ *jelly* vaseline *f*; '**min·er-
al·ize** minéraliser; **min·er·al·o·
gist** [∼'rælədʒist] minéralogiste *m*;
min·er·al·o·gy minéralogie *f*.

mine·sweep·er ⚓ ['mainswi:pə]
dragueur *m* de mines.

min·gle ['miŋgl] (se) mêler (avec, à
with); (se) mélanger (avec, *with*).

min·i·a·ture ['minjətʃə] **1.** miniature *f*; **2.** en miniature, en raccourci; petit modèle; minuscule; ∼ *camera* appareil *m* de petit format; ∼
grand piano m à queue écourtée; ∼
rifle shooting tir *m* au fusil de petit
calibre.

min·i·kin ['minikin] **1.** mignon(ne
f); affecté; **2.** homuncule *m*.

min·im ['minim] ♪ blanche *f*; *mesure:* goutte *f*; F bout *m* d'homme;
'**min·i·mize** réduire au minimum; *fig.* mettre au minimum l'importance de (*qch.*); **min·i·mum**
['∼məm] **1.** *pl.* -**ma** [∼mə] minimum
(*pl.* -**s**, -**ma**) *m*; **2.** minimum (*qqfois*
-**ma** *f*).

min·ing ['mainiŋ] **1.** minier (-ère *f*);
de mine(s); ⚓ de mine; ✗, ⚓ de
mouilleur de mines; **2.** exploitation
f des mines, travaux *m*/*pl.* de mines;
✗ sape *f*; ⚓ pose *f* de mines.

min·ion ['minjən] favori(te *f*) *m*;
typ. mignonne *f*; F ∼ *of the law* sbire
m.

mini-skirt ['miniskə:t] mini-jupe f.
min·is·ter ['ministə] 1. ministre m
(a. pol., a. eccl.); eccl. pasteur m
(protestant); 2. v/t. † fournir; v/i.
~ to soigner (q.); subvenir aux besoins de (q.); aider à (qch.); **min-
is·te·ri·al** [▭ [‿'tiəriəl] accessoire;
pol. ministériel(le f); exécutif (-ive
f); gouvernemental (-aux m/pl.);
eccl. sacerdotal (-aux m/pl.); **min-
is·te·ri·al·ist** ministériel m.
min·is·trant ['ministrənt] 1. qui
subvient à (q.); 2. eccl. officiant m.
min·is'tra·tion service m; ministè-
ère m; eccl. saint ministère m, sacerdoce m; **'min·is·try** ministère
m; pol. a. gouvernement m.
min·i·ver ['minivə] petit-gris (pl.
petits-gris) m (a. fourrure).
mink zo. [miŋk] vison m.
min·now icht. ['minou] vairon m.
mi·nor ['mainə] 1. petit, mineur;
peu important; d'importance secondaire; ♪ mineur; A ~ la m mineur; ~ third tierce f mineure; ~ key
mineur m; 2. mineur(e f) m; le plus
jeune (de deux frères); phls. mineure f, petit terme m; Am. univ.
sujet m (d'étude) secondaire; **mi-
nor·i·ty** [mai'nɔriti] minorité f
(a. ⚖).   [église f abbatiale.]
min·ster ['minstə] cathédrale f;]
min·strel ['minstrəl] ménestrel m;
F musicien m; ~s pl. (troupe f de)
chanteurs m/pl. déguisés en nègres;
min·strel·sy ['‿si] chants m/pl.
ou air m des ménestrels.
mint¹ ♀ [mint] menthe f; ~ sauce
vinaigrette f à la menthe.
mint² [‿] 1. Hôtel m de la Monnaie; source f; a ~ of money une
somme f fabuleuse; 2. (à l'état)
neuf (neuve f) (volume etc.); fig.
intrinsèque; 3. monnayer; battre
monnaie; **'mint·age** monnayage m;
fabrication f; espèces f/pl. monnayées; empreinte f.
min·u·et ♪ [minju'et] menuet m.
mi·nus ['mainəs] 1. prp. moins;
F sans; 2. adj. négatif (-ive f).
min·ute¹ ['minit] 1. minute f; fig.
moment m; instant m; projet m;
note f; ~s pl. procès-verbal (pl.
procès-verbaux) m; ~-hand grande
aiguille f; 2. faire la minute de (un
contrat); prendre note de; dresser
le procès-verbal de.
mi·nute² ▭ [mai'nju:t] tout petit;

minuscule; détaillé; ~ly dans ses
moindres détails; **mi'nute·ness**
petitesse f; exactitude f minutieuse.
mi·nu·ti·a [mai'nju:fiə], pl. -ti·ae
[‿fii:] petits détails m/pl.
minx [miŋks] friponne f, coquine f.
mir·a·cle ['mirəkl] miracle m; F
prodige m; to a ~ à merveille; **mi-
rac·u·lous** ▭ [mi'rækjuləs] miraculeux (-euse f); F merveilleux
(-euse f); **mi'rac·u·lous·ness** miraculeux m.
mi·rage ['mira:ʒ] mirage m.
mire ['maiə] 1. boue f, fange f;
bourbier m; vase f (de fleuve); 2. be
~d s'embourber; F s'avilir.
mir·ror ['mirə] 1. miroir m, glace f;
2. refléter (a. fig.).
mirth [mə:θ] gaieté f; hilarité f;
'mirth·ful ▭ ['‿ful] gai, joyeux
(-euse f); **'mirth·less** ▭ triste.
mir·y ['maiəri] bourbeux (-euse f),
fangeux (-euse f); vaseux (-euse f).
mis... [mis] mé-, més-, mal-,
mauvais ...; faux (fausse f).
mis·ad·ven·ture ['misəd'ventʃə]
mésaventure f, contretemps m; ⚖
accident m.   [liance f.]
mis·al·li·ance [misə'laiəns] mésal-]
mis·an·thrope ['mizənθroup] misanthrope m; **mis·an·throp·ic**,
mis·an·throp·i·cal ▭ [‿'θrɔpik(l)]
misanthrope (personne), misan-
thropique (humeur); **mis·an·thro-
pist** [mi'zænθrəpist] misanthrope
m; **mis'an·thro·py** misanthropie f.
mis·ap·pli·ca·tion ['misæpli'keiʃn]
mauvaise application f; mauvais
usage m; détournement m (de
fonds); **mis·ap·ply** ['‿ə'plai] mal
appliquer; détourner (des fonds).
mis·ap·pre·hend ['misæpri'hend]
mal comprendre; **'mis·ap·pre-
'hen·sion** malentendu m, méprise f.
mis·ap·pro·pri·ate ['misə'proupri-
eit] détourner, distraire (des fonds);
'mis·ap·pro·pri·a·tion détournement m, distraction f (de fonds).
mis·be·come ['misbi'kʌm] messeoir à (q.), mal convenir à (q.);
'mis·be'com·ing malséant.
mis·be·got(·ten) ['misbi'gɔt(n)] illégitime, bâtard; F misérable.
mis·be·have ['misbi'heiv] se conduire mal; **'mis·be'hav·io(u)r**
[‿jə] mauvaise conduite f, inconduite f.
mis·be·lief ['misbi'li:f]   fausse

croyance *f*; opinion *f* erronée; **mis-be·lieve** ['ˌ'li:v] être infidèle; **'mis·be'liev·er** infidèle *mf*.

mis·cal·cu·late ['mis'kælkjuleit]*v/t.* mal calculer; *v/i.* se tromper (sur, *about*); **'mis·cal·cu'la·tion** faux calcul *m*; mécompte *m*.

mis·car·riage [mis'kærid3] *lettre*: perte *f*; avortement *m*; *♗* fausse couche *f*; ~ *of justice* erreur *f* judiciaire; **mis'car·ry** avorter; échouer; s'égarer (*lettre*); *♗* faire une fausse couche.

mis·cel·la·ne·ous □ [misi'leinjəs] mélangé, varié, divers; **mis·cel·la-ne·ous·ness** variété *f*, diversité *f*.

mis·cel·la·ny [mi'seləni] mélange *m*; collection *f* d'objets variés; *miscellanies pl.* mélanges *m/pl.*

mis·chance [mis'tʃɑ:ns] malchance *f*; malheur *m*, accident *m*.

mis·chief ['mistʃif] mal *m*, dommage *m*, dégât *m*; F discorde *f*, trouble *m*; malice *f*; bêtises *f/pl.* (*d'un enfant*); *personne*: fripon(ne *f*) *m* *what etc. the* ~ ...? que *etc.* diantre ...?; **'~·mak·er** brandon *m* de discorde.

mis·chie·vous □ ['mistʃivəs] méchant, espiègle, malin (-igne *f*) (*personne*); mauvais, nuisible; **'mis-chie·vous·ness** méchanceté *f*; espièglerie *f*, malice *f*; caractère *m* nuisible (*de qch.*).

mis·con·ceive ['miskən'si:v] mal concevoir; mal comprendre; **mis-con·cep·tion** ['ˌ'sepʃn] idée *f* fausse; malentendu *m*.

mis·con·duct 1. ['mis'kɔndəkt] mauvaise conduite *f* (*d'une personne*); mauvaise gestion *f* ou administration *f* (*d'une affaire*); 2. [ˌ'kən'dʌkt] mal diriger *ou* gérer; ~ *o.s.* se conduire mal.

mis·con·struc·tion ['miskən-'strʌkʃn] fausse interprétation *f*; **mis·con·strue** ['ˌ'stru:] mal interpréter.

mis·count ['mis'kaunt] 1. mal compter; se tromper; 2. faux calcul *m*; erreur *f* d'addition.

mis·cre·ant ['miskriənt] scélérat (*a. su./m*); misérable (*a. su./mf*).

mis·date ['mis'deit] 1. erreur *f* de date; 2. mal dater.

mis·deal ['mis'di:l] *cartes* 1. [*irr.* (*deal*)] faire maldonne; 2. maldonne *f*.

mis·deed ['mis'di:d] méfait *m*.

mis·de·mean·ant *♗* ['misdi:mi:-nənt] délinquant(e *f*) *m*; **mis·de-'mean·o(u)r** *♗* [ˌ'nə] délit *m* correctionnel.

mis·di·rect ['misdi'rekt] mal diriger; mal adresser (*une lettre*); **'mis-di'rec·tion** renseignement *m* erronné; fausse adresse *f*.

mis·do·ing ['mis'du:iŋ] méfait *m*.

mis·doubt ['mis'daut] se douter de (*qch.*, *q.*); soupçonner.

mi·ser ['maizə] avare *mf*.

mis·er·a·ble □ ['mizərəbl] malheureux (-euse *f*); triste; misérable; déplorable; **'mis·er·a·ble·ness** état *m* malheureux *ou* misérable.

mi·ser·ly ['maizəli] avare; sordide.

mis·er·y ['mizəri] souffrance *f*; misère *f*, détresse *f*.

mis·fea·sance *♗* ['mis'fi:zəns] infraction *f* à la loi; abus *m* d'autorité.

mis·fire ['mis'faiə] 1. *fusil*: raté *m*; *mot.* raté *m* d'allumage; 2. rater (*a. mot.*).

mis·fit ['mis'fit] vêtement *m ou* soulier *m* manqué; F inapte *mf*.

mis·for·tune [mis'fɔ:tʃn] malheur *m*, infortune *f*, calamité *f*.

mis·give [mis'giv] [*irr.* (*give*)] avoir des inquiétudes; *my heart misgave me* j'avais de mauvais pressentiments; **mis'giv·ing** pressentiment *m*, doute *m*, crainte *f*.

mis·gov·ern ['mis'gʌvən] mal gouverner; **'mis'gov·ern·ment** mauvais gouvernement *m*; mauvaise administration *f*.

mis·guide ['mis'gaid] mal guider *ou* conseiller.

mis·han·dle ['mis'hændl] malmener; maltraiter (*q.*); traiter mal (*un sujet*).

mis·hap ['mishæp] mésaventure *f*; *mot.* panne *f*.

mish·mash ['miʃmæʃ] fatras *m*.

mis·in·form ['misin'fɔ:m] mal renseigner; **'mis·in·for'ma·tion** faux renseignement *m*, -s *m/pl.*

mis·in·ter·pret ['misin'tə:prit] mal interpréter; mal comprendre; **'mis-in·ter·pre'ta·tion** fausse interprétation *f*.

mis·judge ['mis'd3ʌd3] mal juger; se tromper sur; **'mis'judg(e)·ment** jugement *m* erroné.

mis·lay [mis'lei] [*irr.* (*lay*)] égarer.

mis·lead [mis'li:d] [*irr.* (*lead*)]

tromper, induire en erreur; fourvoyer.

mis·man·age ['mis'mænidʒ] mal
administrer; mal conduire; **'mis-
'man·age·ment** mauvaise administration *f ou* gestion *f.*

mis·no·mer ['mis'noumə] faux nom
m; erreur *f* de nom.

mi·sog·y·nist [mai'sɔdʒinist] misogyne *m;* **mi'sog·y·ny** misogynie *f.*

mis·place ['mis'pleis] déplacer
(*qch.*); mal placer (*sa confiance*);
'mis'place·ment déplacement *m.*

mis·print 1. [mis'print] imprimer
incorrectement; **2.** ['mis'print] faute
f d'impression.

mis·pri·sion [mis'priʒn] non-
révélation *f* (*d'un crime*); négligence
f (coupable).

mis·pro·nounce ['misprə'nauns]
mal prononcer; **mis·pro·nun·ci·a-
tion** ['‿prənʌnsi'eiʃn] mauvaise
prononciation *f.*

mis·quo·ta·tion ['miskwou'teiʃn]
citation *f* inexacte; fausse citation *f;*
'mis'quote citer inexactement.

mis·read ['mis'ri:d] [*irr.* (read)] mal
lire *ou* interpréter.

mis·rep·re·sent ['misrepri'zent] mal
représenter; dénaturer (*les faits*);
'mis·rep·re·sen'ta·tion faux rapport *m;* ⚖ fausse déclaration *f;* ⚖
réticence *f.*

mis·rule ['mis'ru:l] **1.** confusion *f,*
désordre *m;* mauvaise administration *f;* **2.** mal gouverner.

miss¹ [mis] mademoiselle (*pl.* mesdemoiselles) *f;* *co.* demoiselle *f;*
adolescente *f.*

miss² [‿] **1.** coup *m* manqué, perdu
ou raté; **2.** *v/t.* manquer; F rater (*le
but, une occasion, le train*); ne pas
trouver; ne pas saisir; se tromper de
(*chemin*); ne pas avoir; sauter; remarquer *ou* regretter l'absence de;
(*gér.*) faillir (*inf.*); ~ **one's footing**
poser le pied à faux; ~ **one's hold**
lâcher prise; ne pas saisir; *v/i.* manquer le coup; frapper à vide.

mis·sal *eccl.* ['misəl] missel *m.*

mis·shap·en ['mis'ʃeipən] difforme,
contrefait; déformé (*chapeau etc.*).

mis·sile ['misail] projectil *m; ballistic* ~ engin *m* balistique.

miss·ing ['misiŋ] absent, perdu;
surt. ✗ disparu; *be* ~ manquer; être
égaré *ou* perdu.

mis·sion ['miʃn] mission *f* (*a. eccl.,*

a. fig.); **'mis·sion·ar·y 1.** missionnaire *m;* **2.** missionnaire; de mis-
sionnaires; des missions.

mis·sis F ['misiz] femme *f,* dame *f.*

mis·sive ['misiv] lettre *f,* missive
f.

mis·spell ['mis'spel] [*irr.* (spell)] mal
épeler *ou* écrire (*un mot*).

mis·spend ['mis'spend] [*irr.* (spend)]
mal employer (*son temps, son argent*).

mis·state ['mis'steit] exposer incorrectement; altérer (*des faits*); **'mis-
'state·ment** exposé *m* inexact; erreur *f* de fait.

mis·sus F ['misəz] femme *f,* dame *f.*

miss·y F ['misi] mademoiselle (*pl.*
mesdemoiselles) *f.*

mist [mist] **1.** brume *f;* buée *f* (*sur
une glace*); *fig. in a* ~ désorienté,
perdu; **2.** (se) couvrir de buée
(*glace*); *v/i.* disparaître sous la
brume.

mis·tak·a·ble [mis'teikəbl] sujet(te
f) à méprise; facile à confondre; **mistake** [‿'teik] **1.** [*irr.* (take)] *v/t.* se
tromper de; se méprendre sur;
mal comprendre; confondre (*avec,
for*); *be* ~*n* se tromper; *v/i.* se
tromper; **2.** erreur *f,* méprise *f,*
faute *f; by* ~ par méprise; *and no* ~
décidément; **mis'tak·en** ☐ erroné;
mal compris; ~ *identity* erreur *f* sur
la personne.

mis·ter ['mistə] (*abr.* **Mr.**) monsieur (*pl.* messieurs) *m.*

mis·time ['mis'taim] mal calculer;
faire (*qch.*) mal à propos; **'mis-
'timed** inopportun.

mist·i·ness ['mistinis] état *m* brumeux; brouillard *m;* obscurité *f* (*a.
fig.*).

mis·tle·toe ♀ ['misltou] gui *m.*

mis·trans·late ['mistræns'leit] mal
traduire; **'mis·trans'la·tion** traduction *f* inexacte; contresens *m.*

mis·tress ['mistris] maîtresse *f;* patronne *f; lycée:* professeur *m; école
primaire:* institutrice *f;* (*abr.* **Mrs.**
['misiz]) madame (*pl.* mesdames) *f.*

mis·trust ['mis'trʌst] **1.** se méfier
de; **2.** méfiance *f,* défiance *f* (de *in,
of*); **'mis'trust·ful** ☐ [‿ful] méfiant, soupçonneux (-euse *f*) (à l'endroit de, *of*).

mist·y ☐ ['misti] brumeux (-euse *f*);
fig. vague, confus.

mis·un·der·stand ['misʌndə'stænd]
[*irr.* (stand)] mal comprendre *ou*

interpréter; **'mis·un·der'stand-ing** malentendu *m*; mésentente *f*.

mis·use 1. ['mis'juːz] faire mauvais emploi *ou* usage de; maltraiter; **2.** ['~'juːs] abus *m*; mauvais emploi *m ou* usage *m*.

mite[1] *zo.* [mait] mite *f*; acarien *m*.

mite[2] [~] denier *m*, obole *f*; *per-sonne*: mioche *mf*; petit(e *f*) *m*; *a ~ of a child* un(e *f*) enfant haut(e *f*) comme ma botte.

mit·i·gate ['mitigeit] adoucir, atté-nuer (*a. fig.*); **mit·i'ga·tion** adou-cissement *m*, atténuation *f*.

mi·tre, mi·ter ['maitə] **1.** *eccl.* mitre *f*; ⊕ onglet *m*; **2.** *eccl.* mitrer; ⊕ tailler *ou* assembler à onglet; '~-wheel ⊕ roue *f* dentée conique.

mit·ten ['mitn] mitaine *f*; F *get the ~* recevoir son congé.

mix [miks] (se) mêler (à, avec *with*); (se) mélanger; (s')allier (*couleurs*); *v/i.:* ~ *in society* fréquenter la société; ~ed mêlé, mélangé, mixte; (*a. fig.*); ~ed bathing bains *m/pl.* mixtes; ~ed marriage mariage *m* mixte; ~ed mathematics mathé-matiques *f/pl.* appliquées; ~ed pickles *pl.* variantes *f/pl.*; pickles *m/pl.* as-sortis; ~ up mêler; confondre; em-brouiller; ~ed up with mêlé à, engagé dans (*une affaire*); ~ed with accointé avec; impliqué dans; **'mix·er** ⊕ brasseur *m*; garçon *m* de bar (*qui prépare des cocktails*), F barman *m*; *cuis.* mixe(u)r *m*; *radio*: opérateur *m* des sons, *machine*: mélangeur *m* des sons; *be a good* (*bad*) ~ (ne pas) savoir s'adapter à son entourage; **mix·ture** ['~tʃə] mélange *m* (*a. fig.*), *pharm.* mixtion *f*, mixture *f*; **'mix-'up** confusion *f*; embrouille-ment *m*.

miz·(z)en ⚓ ['mizn] artimon *m*; *attr.* d'artimon; de fougue (*perro-quet*).

miz·zle ['mizl] bruiner, crachiner.

mne·mon·ic [niˈmɔnik] **1.** (~ally) mnémonique; **2.** ~s *pl.* mnémo-nique *f*, mnémotechnie *f*.

moan [moun] **1.** gémissement *m*; **2.** gémir; se lamenter.

moat [mout] fossé *m*; douve *f*; **'moat·ed** entouré d'un fossé.

mob [mɔb] **1.** foule *f*, ameutement *m*; populace *f*; **2.** *v/t.* assiéger; *v/i.* s'attrouper; **'mob·bish** de la popu-lace; canaille; tumultueux (-euse *f*).

mob-cap ['mɔbkæp] petite coiffe *f*; cornette *f*, F charlotte *f*.

mo·bile ['moubail] mobile (*a.* ✕); changeant; ~ *police* (policiers *m/pl.* de la) brigade *f* mobile; *télév.:* ~ *unit* motard *m*; **mo·bil·i·ty** [moˈbiliti] mobilité *f*; **mo·bi·li·za·tion** [moubilaiˈzeiʃn] mobilisation *f*; **'mo·bi-lize** ✕ mobiliser.

mob-law ['mɔbˈlɔː] loi *f* de la popu-lace; loi *f* de Lynch.

mob·oc·ra·cy [mɔˈbɔkrəsi] F voyou-cratie *f*.

moc·ca·sin ['mɔkəsin] mocassin *m*.

mock [mɔk] **1.** dérision *f*; (sujet *m* de) moquerie *f*; **2.** faux (fausse *f*); contrefait; d'imitation; ~ *fight* si-mulacre *m* de combat; **3.** *v/t.* imiter, singer; tromper; *v/i.* se moquer (de, *at*); **'mock·er** moqueur (-euse *f*) *m*; **'mock·er·y** raillerie *f*; (sujet *m* de) moquerie *f*; objet *m* de risée; simulacre *m*; **'mock-he'ro·ic** hé-roï-comique; burlesque.

mock·ing ['mɔkiŋ] **1.** raillerie *f*, moquerie *f*; **2.** □ moqueur (-euse *f*); **'~-bird** *orn.* moqueur *m*.

mock...: **'~-king** roi *m* pour rire; **'~-'tur·tle soup** potage *m* (à la) fausse tortue; **'~-up** ⊕ maquette *f*.

mod·al ['moudl] modal (-aux *m/pl.*); gr² conditionnel(le *f*); **mo-dal·i·ty** [mouˈdæliti] modalité *f*.

mode [moud] méthode *f*, manière *f*, façon *f*, mode *m* (*a.* ♪, *gramm.*, *phls.*); mode *f* (= *coutume*).

mod·el ['mɔdl] **1.** modèle *m* (*a. fig.*); maquette *f*; figurine *f* (*de cire*); *personne*: mannequin *m*, modèle *mf*; *attr.* modèle; *act as a ~* servir de modèle; **2.** modeler (sur *after*, [*up*]*on*) (*a. fig.*); **mod·el·(l)er** ['mɔdlə] modeleur (-euse *f*) *m*.

mod·er·ate 1. □ ['mɔdərit] modéré; raisonnable; moyen(ne *f*); médiocre; **2.** ['~reit] (se) modérer; *v/t.* tempé-rer; **mod·er·ate·ness** ['~ritnis] mo-dération *f*; *prix*: modicité *f*; médio-crité *f*; **mod·er·a·tion** [~ˈreiʃn] modération *f*, mesure *f*; *langage*: sobriété *f*; *in* ~ modérément; fruga-lement; *univ.* ~s *pl.* premier examen *m* pour le B.A. (*Oxford*); **'mod·er-a·tor** assemblée, *jury, etc.*: président *m*; *univ.* examinateur *m* (*Oxford*); *phys.* modérateur *m*.

mod·ern ['mɔdən] **1.** moderne; **2.** *the* ~s *pl.* les modernes *m/pl.*;

'mod·ern·ism modernité f; goût m du moderne; *eccl.* modernisme m; *gramm.* néologisme m; **mo·der·ni·ty** [mɔ'dəːniti] modernité f; 'mod·ern·ize moderniser.

mod·est □ ['mɔdist] modeste; sans prétentions; honnête, chaste; 'mod·es·ty modestie f; modération f; simplicité f; honnêteté f.

mod·i·cum ['mɔdikəm] faible quantité f.

mod·i·fi·a·ble ['mɔdifaiəbl] modifiable; mod·i·fi·ca·tion [‿fi'keiʃn] modification f; atténuation f; mod·i·fy ['‿fai] modifier (*a. gramm.*); apporter des modifications à; atténuer.

mod·u·late ['mɔdjuleit] moduler (*v/i. a.* ♩); ajuster; mod·u·la·tion modulation f; 'mod·u·la·tor modulateur (-trice f) m; ~ of tonality *cin.* modulateur m de tonalité.

mod·ule ['mɔdjuːl] module m; *lunar* ~ module m lunaire.

mo·hair ['mouhɛə] mohair m.

Mo·ham·med·an [mo'hæmidən] 1. Mahométan(e f) m; 2. mahométan.

moi·e·ty ['mɔiəti] moitié f; part f.

moil [mɔil] peiner.

moire [mwaː] moire f; ~ *crêpe* crêpe m ondé.

moi·ré ['mwaːrei] moiré (*a. su./m*).

moist [mɔist] humide; moite; mois·ten ['mɔisn] (se) mouiller, (s')humecter; 'moist·ness, mois·ture ['‿tʃə] humidité f; *peau:* moiteur f.

moke *sl.* [mouk] âne m; bourrique f.

mo·lar ['moulə] (*ou* ~ *tooth*) molaire f.

mold [mould] *see mould etc.*

mo·las·ses [mə'læsiz] mélasse f.

mole¹ *zo.* [moul] taupe f.

mole² [‿] grain m de beauté; nævus (*pl.* -vi) m.

mole³ [‿] mole m; brise-lames m/*inv.*

mo·lec·u·lar [mo'lekjulə] moléculaire; mol·e·cule *phys.* ['mɔlikjuːl] molécule f.

mole·hill ['moulhil] taupinière f; 'mole·skin (peau f de) taupe f; ♱ velours m de coton.

mo·lest [mo'lest] rudoyer; ♃ molester; mo·les·ta·tion [moules'teiʃn] molestation f; voies f/*pl.* de fait.

moll F [mɔl] catin f.

mol·li·fy ['mɔlifai] adoucir; apaiser.

mol·lusc *zo.* ['mɔləsk] mollusque m; mol·lus·cous [mɔ'lʌskəs] de(s) mollusque(s); *fig.* mollasse.

mol·ly·cod·dle ['mɔlikɔdl] 1. douillet m; petit chéri m à sa maman; 2. dorloter.

mol·ten ['moultən] en fusion; fondu.

mo·ment ['moumənt] moment m; instant m; *see momentum; at* (*ou for*) *the* ~ pour le moment; en ce moment; *of* ~ important; 'mo·men·tar·y □ momentané, passager (-ère f); 'mo·ment·ly *adv.* d'un moment à l'autre; momentanément; mo·men·tous □ [‿'mentəs] important; grave; mo·men·tum [‿təm] force f vive; vitesse f acquise.   [chisme m.❯

mon·a·chism ['mɔnəkizm] mona-❯ mon·arch ['mɔnək] monarque m; mo·nar·chic, mo·nar·chi·cal □ [mɔ'naːkik(l)] monarchique; mon·arch·y ['mɔnəki] monarchie f.

mon·as·ter·y ['mɔnəstri] monastère m; mo·nas·tic, mo·nas·ti·cal □ [mɔ'næstik(l)] monastique; monacal (-aux m/*pl.*).

Mon·day ['mʌndi] lundi m.

mon·e·tar·y ['mʌnitəri] monétaire.

mon·ey ['mʌni] argent m; monnaie f; *ready* ~ argent m comptant; F *out of* ~ à sec; *keep s.o. out of his* ~ frustrer q. de son argent; *make* ~ faire de l'argent; '~·box caisse f, cassette f; '~·chang·er changeur m, cambiste m; mon·eyed ['mʌnid] riche; qui a de l'argent.

mon·ey...: '~·grub·ber grippe-sou (*pl.* grippe-sou[s]) m; '~·of·fice caisse f; '~·or·der mandat-poste (*pl.* mandats-poste) m; '~'s-worth *get one's* ~ en avoir pour son argent.

mon·ger ['mʌngə] marchand(e f) m (de).

Mon·gol ['mɔngɔl], Mon·go·lian [‿'gouljən] 1. mongol; mongolique; ✚ idiot; 2. Mongol(e f) m.

mon·grel ['mʌngrəl] 1. métis(se f) m; bâtard(e f) m; 2. métis(se f).

mo·ni·tion [mo'niʃn] avertissement m; mon·i·tor ['mɔnitə] moniteur (-trice f) m; ⚓ monitor m; *radio:* contrôleur m d'enregistrement; 'mon·i·tor·ing monitoring m; service m d'écoute; 'mon·i·to·ry d'avertissement, d'admonition; monitoire.

monk [mʌŋk] moine *m*, religieux *m*;
'**monk·er·y** *usu. péj.* moinerie *f*.

mon·key ['mʌŋki] **1.** singe *m*; *fig.*
polisson *m*, espiègle *mf*; ⊕ mouton
m; *sl.* monnaie: cinq cents livres *f/pl.*
ou Am. dollars *m/pl.*; *sl.* ~'s *allowance* plus de coups que de pain;
F put s.o.'s ~ *up* mettre q. en colère;
Am. sl. ~ *business* affaire *f* peu
loyale; procédé *m* irrégulier; fumisterie *f*; **2.** F faire des tours de
singe; ~ *about with* tripoter (*qch.*);
'~**-en·gine** ⊕ (*sorte de*) sonnette *f*
(à mouton); '~**-puz·zle** araucaria
m; '~**-wrench** ⊕ clé *f* anglaise;
Am. sl. throw a ~ *in s.th.* saboter
une affaire.

monk·hood ['mʌŋkhud] monachisme *m*; moinerie *f*; '**monk·ish**
usu. péj. de moine, monacal (-aux
m/pl.).

mono- [mɔnɔ] mon(o)-; **mon·o·cle**
['mɔnɔkl] monocle *m*; **mo'noc·u-
lar** [~kjulə] monoculaire; **mo'nog-
a·my** [~gəmi] monogamie *f*; **mon-
o·gram** ['mɔnɔgræm] mono-
gramme *m*; **mon·o·graph** ['~grɑːf]
monographie *f*; **mon·o·lith** ['mɔ-
nɔliθ] monolithe *m*; **mon·o·logue**
['mɔnɔlɔg] monologue *m*; **mon·o-
ma·ni·a** ['mɔnɔ'meinjə] mono-
manie *f*; **mon·o'ma·ni·ac** [~niæk]
monomane *mf*; **mon·o·plane** ≷
['mɔnɔplein] monoplan *m*; **mo-
nop·o·list** [mə'nɔpəlist] accapareur (-euse *f*) *m*; **mo'nop·o·lize**
[~laiz] monopoliser; *fig.* s'emparer
de; **mo'nop·o·ly** monopole *m* (de,
of); **mon·o·syl·lab·ic** ['mɔnəsi-
'læbik] (~*ally*) monosyllabe, mono-
syllabique; **mon·o·syl·la·ble** ['~-
ləbl] monosyllabe *m*; **mon·o·the-
ism** ['mɔnɔθiːizm] monothéisme *m*;
mon·o·tone ['mɔnɔtoun] **1.** débit
m monotone; *in* ~ d'une voix uniforme *ou* monotone; **2.** chanter sur
le même ton; **mo·not·o·nous** □
[mə'nɔtənəs] monotone; *fig.* fastidieux (-euse *f*); **mo'not·o·ny**
[~təni] monotonie *f*; **mon·o·type**
typ. ['mɔnətaip] monotype *f*.

mon·soon [mɔn'suːn] mousson *f*.

mon·ster ['mɔnstə] **1.** monstre *m* (*a.
fig.*); monstruosité *f*; avorton *m*; F
géant(e *f*) *m*; **2.** F monstre; colossal (-aux *m/pl.*).

mon·strance *eccl.* ['mɔnstrəns] ostensoir *m*.

mon·stros·i·ty [mɔns'trɔsiti] monstruosité *f*; '**mon·strous** □ monstrueux (-euse *f*); colossal (-aux
m/pl.). [montage *m*.]

mon·tage *cin., phot.* [mɔn'tɑːʒ]

month [mʌnθ] mois *m*; '**month·ly**
1. mensuel(le *f*); ~ *season ticket*
(carte *f* d')abonnement *m* (*valable
pour un mois*); **2.** revue *f* mensuelle.

mon·u·ment ['mɔnjumənt] monument *m*; pierre *f* tombale; **mon·u-
men·tal** □ [~'mentl] monumental
(-aux *m/pl.*); F colossal (-aux *m/pl.*);
prodigieux (-euse *f*).

moo [muː] **1.** meuglement *m*,
beuglement *m*; **2.** meugler, beugler.

mooch F [muːtʃ]: *v/i.* ~ *about* flâner;
~ *along* traîner.

mood[1] *gramm., a.* ♪ [muːd] mode *m*.

mood[2] [~] humeur *f*, disposition *f*.

mood·i·ness ['muːdinis] morosité *f*;
humeur *f* changeante; '**mood·y** □
maussade; mal luné.

moon [muːn] **1.** lune *f*; *poét.* mois
m; F *once in a blue* ~ tous les trente-
six du mois; **2.** (*usu.* ~ *about*) F
muser; '**moon·less** sans lune;
'**moon·light** clair *m* de lune; clarté
f de la lune; '**moon·lit** éclairé par
la lune.

moon...: '~**shine** clair *m* de lune;
F balivernes *f/pl.*; alcool *m* de contrebande; '~**shin·er** *Am.* F contrebandier *m* de boissons alcooliques;
bouilleur *m* de contrebande;
'~**struck** halluciné; F hébété;
moon·y □ de *ou* dans la lune; F
rêveur (-euse *f*); vague.

Moor[1] [muə] Maure *m*, Mauresque *f*.

moor[2] [~] lande *f*, bruyère *f*; † *ou
prov.* terrain *m* marécageux.

moor[3] ⚓ [~] (s')amarrer; **moor-
age** ['muəridʒ] amarrage *m*, mouillage *m*.

moor-game ['muəgeim] lagopède
m rouge d'Écosse.

moor·ing-mast ['muəriŋmɑːst] mât
m d'amarrage.

moor·ings ⚓ ['muəriŋz] *pl.* amarres
f/pl.; corps-morts *m/pl.*

Moor·ish ['muəriʃ] mauresque.

moose *zo.* [muːs] (*a.* ~-*deer*) élan *m*,
orignal *m*.

moot [muːt] **1.** *hist.* assemblée *f* du
peuple; **2.** ~ *case* (*ou point*) point *m*
litigieux; **3.** soulever (*une question*).

mop [mɔp] **1.** balai *m* à franges;

cheveux: tignasse *f*; **2.** essuyer, (*a.* ~up) éponger (*de l'eau*); engloutir (*les bénéfices*); ✕ F nettoyer; *sl.* aplatir (*q.*).

mope [moup] **1.** *fig.* cafardeux (-euse *f*) *m*; ~*s pl.* idées *f/pl.* noires; F cafard *m*; **2.** *v/i.* voir tout en noir, s'ennuyer; *v/t.* ~ o.s., be ~d languir; **'mop·ing** □, **'mop·ish** □ morose, mélancolique, triste.

mo·raine *géol.* [mə'rein] moraine *f*.

mor·al ['mɔrəl] **1.** □ moral (-aux *m/pl.*); conforme aux bonnes mœurs; **2.** morale *f*; moralité (*d'un conte*); ~*s pl.* mœurs *f/pl.*; conduite *f*; **mo·rale** [mɔ'rɑːl] *usu.* ✕ moral *m*; **mor·al·ist** ['mɔrəlist] moraliste *mf*; **mo·ral·i·ty** [mə-'ræliti] moralité *f*; sens *m* moral; probité *f*; bonnes mœurs *f/pl.*; *péj.* sermon *m*; *théâ. hist.* moralité *f*; **mor·al·ize** ['mɔrəlaiz] *v/i.* faire de la morale (sur, [up]on); *v/t.* moraliser (*q.*); indiquer la morale de.

mo·rass [mə'ræs] marais *m*, marécage *m*; *fig.* bourbier *m*.

mor·bid □ ['mɔːbid] morbide; malsain; **mor'bid·i·ty**, **'mor·bid·ness** morbidité *f*; état *m* maladif.

mor·dant ['mɔːdənt] **1.** mordant; **2.** mordant *m*.

more [mɔː] **1.** *adj.* plus (de); **2.** *adv.* plus, davantage; once ~ encore une fois; de nouveau; two ~ deux de plus; so much (*ou* all) the ~ d'autant plus; à plus forte raison; no ~ ne ... plus; ~ and ~ de plus en plus; **3.** *su.* plus *m*.

mo·rel ♀ [mɔ'rel] morelle *f*.

more·o·ver [mɔː'ouvə] d'ailleurs, du reste.

Mo·resque [mɔ'resk] **1.** mauresque; **2.** Mauresque *f*; arabesque *f*.

mor·ga·nat·ic [mɔːgə'nætik] (~ally) morganatique.

morgue [mɔːg] morgue *f*; dépôt *m* mortuaire.

mor·i·bund ['mɔribʌnd] moribond.

Mor·mon ['mɔːmən] mormon(e *f*) *m*.

morn *poét.* [mɔːn] matin *m*.

morn·ing ['mɔːniŋ] **1.** matin *m*; matinée *f*; in the ~ le matin; du matin; tomorrow ~ demain matin; **2.** du matin; matinal (-aux *m/pl.*); ~ coat jaquette *f*; ~ dress tenue *f* de ville; *femmes*: négligé *m*; ~ performance matinée *f*.

Mo·roc·can [mə'rɔkən] marocain.

mo·roc·co [mə'rɔkou] (*ou* ~ leather) maroquin *m*.

mo·ron ['mɔːrɔn] faible *mf* d'esprit; F idiot(e *f*) *m*.

mo·rose □ [mə'rous] morose, chagrin; **mo'rose·ness** morosité *f*.

mor·phi·a ['mɔːfjə], **mor·phine** ['mɔːfiːn] morphine *f*.

mor·row ['mɔrou] *usu. poét.* lendemain *m*; good ~! bonjour!

mor·sel ['mɔːsəl] (petit) morceau *m*; *terre*: lopin *m*.

mor·tal ['mɔːtl] **1.** *adj.* □ mortel(le *f*); *fig.* funeste, fatal (-s *m/pl.*); à outrance (*combat*); **2.** *adv.* F très; **3.** *su.* mortel(le *f*) *m*, être *m* humain; **mor·tal·i·ty** [mɔː'tæliti] mortalité *f*; les mortels *m/pl.*

mor·tar ['mɔːtə] mortier *m* (*a.* ✕); enduit *m*.

mort·gage ['mɔːgidʒ] **1.** hypothèque *f* (*a.* ~-deed) contrat *m* hypothécaire; **2.** hypothéquer; **mort·ga·gee** [~gə'dʒiː] créancier *m* hypothécaire; **mort·ga·gor** [~'dʒɔː] débiteur *m* hypothécaire.

mor·tice ['mɔːtis] *see* mortise.

mor·ti·cian *Am.* [mɔː'tiʃn] entrepreneur *m* de pompes funèbres.

mor·ti·fi·ca·tion [mɔːtifi'keiʃn] ♣ mortification *f*; gangrène *f*; déconvenue *f*, mortification *f*; humiliation *f*; **mor·ti·fy** ['~fai] *v/t.* mortifier; humilier; ♣ gangrener; *v/i.* se gangrener.

mor·tise ⊕ ['mɔːtis] **1.** mortaise *f*; serrure *f* encastrée; **2.** mortaiser.

mort·main ⚖ ['mɔːtmein] mainmorte *f*.

mor·tu·ar·y ['mɔːtjuəri] **1.** mortuaire; **2.** dépôt *m* mortuaire; morgue *f*.

mo·sa·ic¹ [mə'zeiik] mosaïque *f*.

Mo·sa·ic² [~] mosaïque, de Moïse.

mo·selle [mə'zel] vin *m* de Moselle, moselle *m*.

Mos·lem ['mɔzlem] musulman (*a. su.*); mahométan (*a. su.*).

mosque [mɔsk] mosquée *f*.

mos·qui·to *zo.* [məs'kiːtou], *pl.* -toes [~touz] moustique *m*.

moss [mɔs] ♀ mousse *f*; tourbière *f*; **'moss·y** moussu.

most [moust] **1.** *adj.* □ le plus de; la plupart de; for the ~ part pour la plupart; **2.** *adv.* le plus; surtout; très, fort, bien; **3.** *su.* le plus; la plupart d'entre eux (elles); *at* (*the*) ~ tout au plus; *make the* ~ *of* tirer le meilleur parti possible de; faire valoir.

most·ly ['moustli] pour la plupart; le plus souvent.

mote [mout] atome *m* de poussière; *bibl.* paille *f*.

mo·tel ['moutel] motel *m*.

mo·tet ♩ [mou'tet] motet *m*.

moth [mɔθ] mite *f*, teigne *f* des draps; papillon *m* de nuit;'~-eat·en rongé des mites.

moth·er ['mʌðə] 1. mère *f*; 2. servir de mère à; *fig.* dorloter; 'moth·er·hood ['~hud] maternité *f*; 'moth·er-in-law belle-mère (*pl.* belles-mères) *f*;'moth·er·less sans mère; 'moth·er·li·ness affection *f* maternelle; 'moth·er·ly maternel(le *f*).

moth·er...: ~ *of pearl* nacre *f*; '~-of-pearl *en ou* de nacre;'~-ship *Brit.* ravitailleur *m*; navire-atelier (*pl.* navires-ateliers) *m*; '~-tongue langue *f* maternelle.

moth·y ['mɔθi] mité.

mo·tif [mou'ti:f] motif *m*.

mo·tion ['mouʃn] 1. mouvement *m*, marche *f* (*a.* ⊕); signe *m*; *parl.* proposition *f*, motion *f*; ♂ selle *f*; *parl. bring forward* (*agree upon*) *a* ~ présenter (adopter) une motion; *set in* ~ mettre en train; 2. *v/t.* faire signe à (*q.*) (de *inf.*, *to inf.*); *v/i.* faire un signe *ou* geste; 'mo·tion·less immobile; 'mo·tion-pic·ture *Am.* film *m*; ~s *pl.* films *m/pl.*; projection *f* animée; *attr.* ciné...

mo·ti·vate ['moutiveit] motiver; **mo·ti'va·tion** motivation *f*.

mo·tive ['moutiv] 1. moteur (-trice *f*); 2. motif *m*; mobile *m*; 3. motiver; 'mo·tive·less immotivé.

mo·tiv·i·ty [mou'tiviti] motilité *f*.

mot·ley ['mɔtli] bariolé; bigarré.

mo·tor ['moutə] 1. moteur *m*; mécanisme *m*; *see* ~-car; 2. moteur (-trice *f*); à *ou* par moteur; d'automobile; ~ *ambulance* auto-ambulance *f*; *Am.* ~ *court see* ~ *park*; ~ *goggles pl.* lunettes *f/pl.* d'automobiliste; ~ *mechanic* (*ou fitter*) mécanicien *m* automobiliste; ~ *park Am. usu.* stationnement *m*; garage *m* pour autos; ~ *school* auto-école *f*; 3. *v/i.* voyager *ou* aller en auto; *v/t.* conduire (*q.*) en auto; ~ **bi·cy·cle** motocyclette *f*; '~'boat canot *m* automobile; vedette *f* à moteur; '~-'bus autobus *m*; ~ **cab** autotaxi *m*; '~-cade *Am.* ['~keid] défilé *m* d'automobiles; '~-car auto(mobile) *f*; voiture *f*; ~ **cy·cle** motocyclette *f*; ~ **cy·clist** motocycliste *mf*; **mo·to·ri·al** [mo-'tɔːriəl] moteur (-trice *f*); **mo·tor·ing** ['moutəriŋ] automobilisme *m*; tourisme *m* en auto; 'mo·tor·ist automobiliste *mf*; **mo·tor·i·za·tion** [~rai'zeiʃn] motorisation *f*; 'mo·tor·ize motoriser; 'mo·tor-launch vedette *f*; bateau *m* automobile; 'mo·tor·less sans moteur. **mo·tor...**: '~-'lor·ry (auto-)camion *m*; '~-man *Am.* wattman (*pl.* -men) *m*; '~-plough charrue *f* automobile; '~-pool autos *f/pl.* communes; '~-road autostrade *f*; '~-truck *Am.* (auto-)camion *m*; '~-way autoroute *f*.

mot·tled ['mɔtld] marbré; pommelé; madré (*bois, savon*).

mot·to ['mɔtou], *pl.* -toes ['~touz] devise *f*; ⊘ mot *m*.

mo(u)ld[1] [mould] terre *f* végétale; terreau *m*.

mo(u)ld[2] [~] 1. moule *m* (*a. fig.*); *typ.* matrice *f*; *cuis.* crème *f* renversée; ⚕ moulure (*f*); 2. mouler, façonner (sur, [up]on); pétrir (*le pain*).

mo(u)ld·er[1] ['mouldə] mouleur *m*; façonneur *m*.

mo(u)ld·er[2] [~] s'effriter; (*a.* ~ *away*) tomber en poussière.

mo(u)ld·i·ness ['mouldinis] (état*m*) moisi *m*.

mo(u)ld·ing ['mouldiŋ] moulage *m*; moulure *f*; F formation *f*; ⚕ *square* ~ baguette *f*; *plain* ~ bandeau *m*; *grooved* ~ moulure *f* à gorge; *attr.* de moulure; à moulurer *etc.*

mo(u)ld·y ['mouldi] moisi; chanci (*pain, confiture*).

moult [moult] 1. mue *f*; 2. *v/i.* muer; *vt/i. fig.* perdre (ses cheveux).

mound [maund] tertre *m*; monceau *m*, tas *m*.

mount [maunt] 1. montagne *f*; *poét., a. géog.* mont *m*; (carton *m* de) montage *m*; monture *f* (= *cheval*); ⊕ *machine*: armement *m*; 2. *v/i.* monter; monter à cheval, se mettre en selle; s'élever (à, *to*); (*usu.* ~ *up*)

aug·ment·er; v/t. monter sur (un banc, un cheval); monter, gravir (une colline etc.); ✗ affûter (une pièce); ⊕ installer; entoiler, coller (un tableau); monter (un bijou); théâ. mettre à la scène; see guard 1.

moun·tain ['mauntin] **1.** montagne f; **2.** des montagnes; montagneux (-euse f); **moun·tain·eer** [‿'niə] montagnard(e f) m; alpiniste mf; **moun·tain'eer·ing 1.** alpinisme m; **2.** alpin; 'moun·tain·ous montagneux (-euse f); **moun·tain rail·way** chemin m de fer de montagne; **moun·tain sick·ness** mal m des montagnes.

moun·te·bank ['mauntibæŋk] saltimbanque m; fig. charlatan m.

mount·ing ⊕ ['mauntiŋ] montage m; entoilage m.

mourn [mɔːn] (se) lamenter; v/i. porter le deuil; v/t. (ou ‿ for, over) pleurer (q.), déplorer (qch.); 'mourn·er affligé(e f) m; 'mourn·ful □ [‿ful] lugubre; mélancolique; 'mourn·ful·ness aspect m lugubre; air m désolé; tristesse f.

mourn·ing ['mɔːniŋ] **1.** □ de deuil; en deuil; qui pleure; **2.** deuil m, affliction f; '‿·bor·der, '‿·edge bordure f noire; '‿·pa·per papier m deuil.

mouse 1. [maus] (pl. mice) souris f; **2.** [mauz] chasser les souris.

mous·tache [məs'tɑːʃ] moustache f, -s f/pl.

mous·y ['mausi] gris souris; de souris; discret (-ète f), timide (personne); péj. peu distingué.

mouth [mauθ] **1.** pl. **mouths** [mauðz] bouche f; chien, four, sac: gueule f; fleuve, clarinette: embouchure f; bouteille: goulot m; port, tunnel, trou: entrée f; entonnoir: pavillon m; fig. grimace f; **2.** [mauð] vt/i. déclamer (des phrases); v/i. faire des grimaces; **mouthed** [mauðd] embouché (cheval); clean-‿ au langage honnête; **mouth·ful** ['‿ful] bouchée f; F mot m long d'une aune.

mouth...: '‿·or·gan harmonica m; '‿·piece ♪ bec m, embouchure f; porte-voix: embout m; fig. porte-parole m/inv.; '‿·wash (eau f) dentifrice m.

move [muːv] **1.** v/t. déplacer (qch.); bouger (qch.); remuer (la tête etc.); émouvoir (q.); toucher (q.); exciter (la pitié); faire changer d'avis à (q.); proposer (une motion); mouvoir; ‿ on faire circuler; v/i. se déplacer, se mouvoir; circuler; faire un mouvement, bouger; s'avancer; déménager; marcher (échecs); ‿ for s.th. demander qch.; ‿ in entrer; emménager; ‿ on avancer, continuer son chemin; **2.** mouvement m; déménagement m; échecs: coup m; fig. démarche f, pas m; on the ‿ en marche; F get a ‿ on se dépêcher, se presser; make a ‿ faire un mouvement (vers qch.); partir, prendre congé; **mov(e)·a·ble** ['muːvəbl] **1.** mobile; **2.** ‿s pl. mobilier m; biens m/pl. mobiliers; 'mov(e)·a·ble·ness mobilité f; 'move·ment mouvement m (a. ♪); geste m; ⊕ mécanisme m; ♞ selle f; 'mov·er moteur m; mobile m; inspirateur (-trice f) m; auteur m.

mov·ie F ['muːvi] **1.** de ciné(ma); de vues; **2.** ‿s pl. ciné(ma) m; films m/pl.

mov·ing □ ['muːviŋ] en mouvement; en marche; mobile; moteur (-trice f); fig. émouvant; ‿-band production travail m à la chaîne; ‿ pictures pl. see motion-pictures; ‿ staircase escalier m roulant.

mow¹ [mau] meule f (de foin); tas m (de blé) (en grange).

mow² [mou] (irr.) faucher; 'mow·er faucheur (-euse f) m; tondeuse f (de gazon); 'mow·ing fauchage m; gazon: tondaison f; fauchée f; 'mow·ing-ma·chine faucheuse f; gazon: tondeuse f; **mown** p.p. de mow².

much [mʌtʃ] **1.** adj. beaucoup de, bien du (etc.); **2.** adv. beaucoup, bien, fort; as ‿ more (ou again) encore autant; as ‿ as autant que; not so ‿ as ne ... pas (au)tant que; ne ... pas même; nothing ‿ peu de chose; F pas fameux; ‿ less moins encore; bien moins; ‿ as I would like pour autant que je le désire ou veuille; I thought as ‿ je m'y attendais; make ‿ of faire grand cas de; I am not ‿ of a dancer F je ne suis pas fameux comme danseur; 'much·ness F grandeur f; much of a ‿ c'est bonnet blanc et blanc bonnet.

mu·ci·lage ['mjuːsilidʒ] mucilage m; surt. Am. colle f, gomme f;

mu·ci·lag·i·nous [∿'lædʒinəs] mucilagineux (-euse *f*).

muck *sl.* [mʌk] **1.** fange *f*; fumier *m*; saletés *f/pl.* (*a. fig.*); **2.** souiller; (*usu.* ∿ *up*) F gâcher; '**muck·er** *sl.* culbute *f*; come (*ou* go) *a* ∿ faire la culbute; **muck-rake** ['∿reik] râteau *m* à fumier; racloir *m* à boue; '**muck-rak·er** *Am.* déterrer des scandales; '**muck·rak·er** *Am.* déterreur *m* de scandales; '**muck·y** sale, crotté.

mu·cous 🔬 ['mju:kəs] muqueux (-euse *f*); ∿ *membrane* 🔬 muqueuse *f*.

mu·cus [∿] mucus *m*, glaire *f*.

mud [mʌd] boue *f*, bourbe *f*; *fleuve:* vase *f*; '**mud·di·ness** saleté *f*; *liquide:* turbidité *f*; **mud·dle** ['mʌdl] **1.** *v/t.* brouiller; emmêler; (*a.* ∿ *up, together*) embrouiller; *v/i.* s'embrouiller; F lambiner; **2.** confusion *f*, embrouillement *m*; F pagaille *f*; get into *a* ∿ s'embrouiller; '**mud·dle-head·ed** à l'esprit confus; brouillon(ne *f*); '**mud·dy 1.** □ boueux (-euse *f*); fangeux (-euse *f*); vaseux (-euse *f*) (*fleuve*); trouble (*liquide*); brouillé (*teint*); **2.** crotter; troubler; (em)brouiller (*l'esprit*).

mud...:'∿-**guard** garde-boue *m/inv.*; pare-boue *m/inv.*; '∿-**lark** F gamin *m* des rues; '∿-**sling·ing** F médisance *f*; calomnies *f/pl.*

muff[1] [mʌf] **1.** F empoté *m*; *sl.* andouille *f*; *sp.* coup *m* raté; **2.** F rater, manquer.

muff[2] [∿] manchon *m*; **muf·fe·tee** [mʌfi'ti:] miton *m*.

muf·fin ['mʌfin] *petit pain mollet qui se mange beurré à l'heure du thé*; **muf·fin·eer** [∿'niə] saupoudroir *m*.

muf·fle ['mʌfl] **1.** ⊕ moufle *m*; **2.** (*souv.* ∿ *up*) (s')emmitoufler; amortir (*un son*); assourdir (*les avirons, un tambour*); *tapis:* étouffer (*le bruit*); '**muf·fler** cache-nez *m/inv.*; F moufle *f*; ♪ étouffoir *m*; *mot.* pot *m* d'échappement, silencieux *m*.

muf·ti ['mʌfti] costume *m* de ville; in ∿ en civil.

mug [mʌg] **1.** chope *f*, pot *m*; *sl.* binette *f* (= *visage*); *sl.* nigaud *m*, dupe *f*; **2.** ∿ *at* (*ou* up) potasser (un sujet, *a subject*).

mug·gy ['mʌgi] chaud et humide, lourd.

mug·wump *Am. iro.* ['mʌgwʌmp] personnage *m* important, gros bonnet *m*; *pol.* indépendant *m*; *sl.* rouspéteur *m*.

mu·lat·to [mju'lætou] mulâtre(sse *f*) *m*.

mul·ber·ry ['mʌlbəri] mûre *f*; *arbre:* mûrier *m*.

mulct [mʌlkt] **1.** amende *f*; **2.** frapper d'une amende; imposer une amende (de, *in*); priver (de, *of*).

mule [mju:l] mulet *m*, mule *f*; métis(se *f*) *m*; (*a.* ∿-*jenny*) mulejenny *f*; **mu·le·teer** [∿li'tiə] muletier *m*; '**mule-track** piste *f* muletière. [têtu, entêté.]

mul·ish □ ['mju:liʃ] de mulet; *fig.*)

mull[1] † [mʌl] mousseline *f*.

mull[2] F [∿] **1.** F bousiller; rater; *Am.* ∿ *over* ruminer; **2.** gâchis *m*; make *a* ∿ of gâcher, F bousiller.

mulled [mʌld] chaud (et) épicé (*bière, vin*).

mul·le(i)n ♀ ['mʌlin] molène *f*.

mul·let *icht.* ['mʌlit] muge *m*; grey ∿ mulet *m*; red ∿ rouget *m*.

mul·li·gan *Am.* F ['mʌligən] ratatouille *f*; **mul·li·ga·taw·ny** [mʌligə'tɔ:ni] potage *m* au curry.

mul·li·grubs *sl.* ['mʌligrʌbz] *pl.* cafard *m*; colique *f*.

mul·lion △ ['mʌljən] meneau *m*; '**mul·lioned** à meneau(x).

mul·ti·far·i·ous □ [mʌlti'feəriəs] varié; multiple; **mul·ti·form** ['∿fɔ:m] multiforme; **mul·ti·lat·er·al** □ [∿'lætərəl] multilatéral (-aux *m/pl.*); complexe; **mul·ti·mil·lion·aire** ['∿miljə'nεə] milliardaire *mf*; **mul·ti·ple** ['mʌltipl] **1.** multiple; ∿ *firm* maison *f* à succursales multiples; ∿ *shop* succursale *f*; ⚡ ∿ *switchboard* commutateur *m* (multiple); **2.** multiple *m*; **mul·ti·plex** ['∿pleks] multiplex; **mul·ti·pli·cand** ⟨ [∿'kænd] multiplicande *m*; **mul·ti·pli·ca·tion** multiplication *f*; *compound* (*simple*) ∿ multiplication *f* de nombres complexes (de chiffres); ∿ *table* table *f* de multiplication; **mul·ti·plic·i·ty** [∿'plisiti] multiplicité *f*; **mul·ti·pli·er** ['∿plaiə] multiplicateur *m*; **mul·ti·ply** ['∿plai] (se) multiplier; **mul·ti·tude** ['∿tju:d] multitude *f*; foule *f*; multiplicité *f*; **mul·ti·tu·di·nous** [∿dinəs] □ innombrable; de toutes sortes.

mum[1] [mʌm] **1.** silencieux (-euse *f*); **2.** chut!; **3.** mimer.

mum[2] F [~] maman *f*.

mum·ble ['mʌmbl] *v/t.* marmotter; *v/i.* manger ses mots.

mum·mer *péj.* ['mʌmə] cabotin(e *f*) *m*; '**mum·mer·y** *péj.* momerie *f*; † pantomime *f*.

mum·mied ['mʌmid] momifié.

mum·mi·fi·ca·tion [mʌmifi'keiʃn] momification *f*; **mum·mi·fy** ['~fai] momifier.

mum·my[1] ['mʌmi] momie *f*; F *beat to a ~* battre (*q.*) comme plâtre.

mum·my[2] F [~] maman *f*.

mump [mʌmp] mendier; '**mump·ish** maussade; **mumps** [mʌmps] *sg.* 🞱 oreillons *m/pl.*; 🞱 parotidite *f* épidémique.

munch [mʌntʃ] mâcher, mâchonner.

mun·dane □ ['mʌndein] mondain; terrestre.

mu·nic·i·pal □ [mjuːˈnisipl] municipal (-aux *m/pl.*); de (la) ville; interne (*droit*); **mu·nic·i·pal·i·ty** [~'pæliti] municipalité *f*; administration *f* municipale; **mu·nic·i·pal·ize** [~pəlaiz] municipaliser.

mu·nif·i·cence [mjuːˈnifisns] munificence *f*; **mu·nif·i·cent** □ munificent, généreux (-euse *f*).

mu·ni·ments ['mjuːnimənts] *pl.* titres *m/pl.*; chartes *f/pl.*

mu·ni·tion [mjuːˈniʃn] **1.** de munitions de guerre; **2.** ~s *pl.* munitions *f/pl.*; armements *m/pl.*

mu·ral ['mjuərəl] **1.** mural (-aux *m/pl.*); **2.** peinture *f* murale.

mur·der ['mɜːdə] **1.** assassinat *m*, meurtre *m*; **2.** assassiner; *fig.* massacrer; écorcher; '**mur·der·er** assassin *m*, meurtrier *m*; '**mur·der·ess** assassine *f*, meurtrière *f*; '**mur·der·ous** meurtrier (-ère *f*); *fig.* sanguinaire.

mure [mjuə] (*usu. ~ up*) murer.

mu·ri·at·ic ac·id 🜍 [mjuəri'ætik-'æsid] acide *m* chlorhydrique.

murk·y □ ['mɜːki] ténébreux (-euse *f*); obscur.

mur·mur ['mɜːmə] **1.** murmure *m* (*a.* 🞱); bruissement *m*; **2.** murmurer (contre *at*, *against*); bruire (*ruisseau*); '**mur·mur·ous** □ murmurant.

mur·rain ['mʌrin] † peste *f*; *vét.* épizootie *f*.

mus·ca·dine ['mʌskədin], **mus·cat** ['~kət], **mus·ca·tel** [~'tel] muscat *m*.

mus·cle ['mʌsl] **1.** muscle *m*; **2.** *Am. sl.* ~ *in* s'immiscer dans (*usu. dans la spécialité d'un escroc*); **mus·cu·lar** ['mʌskjulə] musculaire; musculeux (-euse *f*), musclé (*personne*).

Muse[1] [mjuːz] Muse *f*.

muse[2] [~] méditer (sur, [*up*]on); '**mus·er** rêveur (-euse *f*) *m*; rêvasseur (-euse *f*) *m*.

mu·se·um [mjuːˈziəm] musée *m*.

mush *surt. Am.* [mʌʃ] bouillie *f* de farine de maïs; *fig.* sottises *f/pl.*

mush·room ['mʌʃrum] **1.** champignon *m*; *fig.* parvenu(e *f*) *m*; **2.** de champignons, à champignon, à tête de champignon; *fig.* parvenu; champignon *inv.* (*ville*); **3.** F (s')aplatir (*balle de fusil, cigarette, etc.*); *v/i.* faire champignon; se répandre (*flammes etc.*).

mu·sic ['mjuːzik] musique *f*, harmonie *f* (*a. fig.*); *set to ~* mettre en musique; F *face the ~* affronter la tempête; '**mu·si·cal 1.** □ musical (-aux *m/pl.*); harmonieux(-euse *f*) (*personne*); *fig.* harmonieux (-euse *f*); ~ *box* boîte *f* à musique; ~ *clock* horloge *f* etc. à carillon; ~ *instrument* instrument *m* de musique; **2.** (*ou ~ comedy*) comédie *f* musicale.

mu·sic...: '**~·book** cahier *m* de musique; '**~·box** boîte *f* à musique; '**~·hall** music-hall *m*.

mu·si·cian [mjuːˈziʃn] musicien(ne *f*) *m*.

mu·sic...: '**~·pa·per** papier *m* à *ou* de musique; '**~·stand** pupitre *m* à musique; '**~·stool** tabouret *m* de piano.

musk [mʌsk] musc *m* (*a.* ♀); (*a. ~-deer*) *zo.* porte-musc *m/inv.*

mus·ket ['mʌskit] mousquet *m*; **mus·ket·eer** *hist.* [~'tiə] mousquetaire *m*; '**mus·ket·ry** ✕ mousqueterie *f*; tir *m*; mousquets *m/pl.*

musk·y ['mʌski] musqué, de musc.

Mus·lim ['mʌzlim] *see Moslem.*

mus·lin † ['mʌzlin] mousseline *f*.

mus·quash ['mʌskwɔʃ] *zo.* rat *m* musqué; † castor *m* du Canada.

muss *surt. Am.* F [mʌs] **1.** désordre *m*; **2.** déranger; *fig.* confondre.

mus·sel ['mʌsl] moule *f*.

Mus·sul·man ['mʌslmən] musulman (*a. su.*).

must[1] [mʌst; məst] **1.** *v/aux.* (dé-

fectif): *l* ~ (*inf.*) je dois *etc.*, il faut que je (*sbj.*), il est nécessaire que je (*sbj.*); *l* ~ *not* (*inf.*) il ne faut pas que je (*sbj.*); **2.** impératif *m*; nécessité *f* absolue.

must² [⌣] moût *m*, vin *m* doux.

must³ [⌣] moisi *m*; moisissure *f*.

mus·tache *Am.* [məs'tæʃ] *see* moustache.

mus·tard ['mʌstəd] moutarde *f*.

mus·ter ['mʌstə] **1.** ✕ revue *f*; ⚓ appel *m*; rassemblement *m*; inspection *f*; ✕ (*usu.* ~-*roll*) contrôles *m/pl.*; *fig.* assemblée *f*, réunion *f*; *pass* ~ être passable, passer; **2.** *v/t.* ✕ passer en revue; ⚓ faire l'appel de; (*fig. usu.* ~ *up*) rassembler; ~ *in* compter; *v/i.* se rassembler.

mus·ti·ness ['mʌstinis] goût *m ou* odeur *f* de moisi; moisi *m*; relent *m*; **'mus·ty** de moisi; *be* ~ sentir le renfermé.

mu·ta·bil·i·ty [mju:tə'biliti] mutabilité *f*; inconstance *f*; **'mu·ta·ble** □ muable, variable; **mu'ta·tion** mutation *f* (*a. gramm.*).

mute [mju:t] **1.** □ muet(te *f*); **2.** muet(te *f*) *m*; *théâ.* personnage *m* muet; ♩ sourdine *f*; *gramm.* consonne *f* sourde; **3.** *surt.* ♩ assourdir.

mu·ti·late ['mju:tileit] mutiler (*a. fig.*); **mu·ti'la·tion** mutilation *f*.

mu·ti·neer [mju:ti'niə] révolté; **'mu·ti·nous** □ rebelle, mutin; **'mu·ti·ny 1.** révolte *f*; **2.** se révolter.

mutt *sl.* [mʌt] nigaud *m*.

mut·ter ['mʌtə] **1.** murmure *m*; **2.** marmotter; murmurer (contre, *against*).

mut·ton ['mʌtn] mouton *m*; *leg of* ~ gigot *m*; **'~-'chop** côtelette *f* de mouton.

mu·tu·al □ ['mju:tjuəl] mutuel(le *f*), réciproque; commun; ~ *insurance* coassurance *f*; **mu·tu·al-**
i·ty [⌣'æliti] mutualité *f*, réciprocité *f*.

muz·zle ['mʌzl] **1.** *animal*: museau *m*; *chien*: muselière *f*; *arme à feu*: bouche *f*; **2.** museler (*a. fig.*); **'~-load·er** ✕ pièce *f* se chargeant par la bouche.

muz·zy □ ['mʌzi] estompé; confus (*idées*); brumeux (-euse *f*) (*temps*).

my [mai; *a.* mi] mon, ma, mes.

my·ope ⚕ ['maioup] myope *mf*; **my·op·ic** [⌣'ɔpik] (⌣*ally*) (de) myope; **my·o·pi·a** [⌣'oupjə], **my·o·py** ['⌣əpi] myopie *f*.

myr·i·ad ['miriəd] **1.** myriade *f*; **2.** innombrable.

myr·mi·don ['mə:midən] myrmidon *m*; F assassin *m* à gages; ~*s pl. of the law* sbires *m/pl.*

myrrh ⚘ [mə:] myrrhe *f*.

myr·tle ⚘ ['mə:tl] myrte *m*.

my·self [mai'self] moi-même; *réfléchi*: me, *accentué*: moi.

mys·te·ri·ous □ [mis'tiəriəs] mystérieux (-euse *f*); *fig. a.* incompréhensible; **mys·te·ri·ous·ness** mystère *m*; caractère *m* mystérieux.

mys·ter·y ['mistəri] mystère *m* (*a. eccl.*); *hist.* (*a.* ~-*play*) mystère *m*; *Am.* (*ou* ~ *story*) roman *m* policier; *mysteries pl.* arcanes *m/pl.*; **'~-ship** piège *m* à sous-marin(s).

mys·tic ['mistik] **1.** (*a.* **'mys·ti·cal** □) mystique; ésotérique (*rite*); occulte; **2.** *eccl.* mystique *mf*; initié(e *f*) *m*; **mys·ti·cism** ['⌣sizm] mysticisme *m*; **mys·ti·fi·ca·tion** [⌣fi'keiʃn] mystification *f*; embrouillement *m*; **mys·ti·fy** ['⌣fai] mystifier; désorienter; *fig.* intriguer.

myth [miθ] mythe *m*; **myth·ic**, **myth·i·cal** □ ['⌣ik(l)] mythique.

myth·o·log·ic, **myth·o·log·i·cal** □ [miθə'lɔdʒik(l)] mythologique; **my·thol·o·gy** [⌣'θɔlədʒi] mythologie *f*.

N

N, n [en] N *m*, n *m*.
nab *sl.* [næb] saisir, arrêter.
na·bob ['neibɔb] nabab *m*; *fig.*
richard *m*.
na·celle ✇ [nə'sel] nacelle *f*.
na·cre ['neikə] nacre *f*; **na·cre·ous**
['ˌkriəs] nacré.
na·dir ['neidiə] *astr.* nadir *m*; *fig.*
stade *m* le plus bas.
nag¹ F [næg] petit cheval *m*,
bidet *m*.
nag² [ˌ] *v/i.* chamailler; criailler
(contre, *at*); *v/t.* harceler (*q.*).
nail [neil] **1.** *doigt*, *orteil*: ongle *m*;
⊕ clou *m*; ˌ**-scissors** *pl.* ciseaux
m/pl. à ongles; ˌ varnish vernis *m* à
ongles; *fig.* hit the ˌ on the head
frapper juste; **2.** clouer (*a. les yeux
sur q.*); clouter (*la porte, les chaussures*); *fig.* attraper; ˌ down clouer;
fig. ˌ s.o. down to ne pas laisser à *q.*
le moyen d'échapper à (*qch.*); ˌ to
the counter démontrer la fausseté de;
'**nail·er** cloutier *m*; *sl.* bon type *m*;
passé maître *m* (en, *at*); '**nail·er·y**
clouterie *f*; '**nail·ing 1.** clou(t)age
m; **2.** *sl.* (*souv.* ˌ good) épatant.
na·ïve □ [nɑː'iːv], **na·ive** □ [neiv]
naïf (-ïve *f*); ingénu; **na·ïve·té**
[nɑː'iːvtei], **na·ive·ty** ['neivti] naïveté *f*.
na·ked □ ['neikid] nu; sans vêtements; dénudé (*pays etc.*); dépouillé (*arbre*); *fig.* découvert;
poét. sans protection; '**na·ked·ness**
nudité *f*; F pauvreté *f*.
nam·by-pam·by ['næmbi'pæmbi]
1. maniéré; fade; **2.** F pouille *f*
mouillée.
name [neim] **1.** nom *m*; *navire*:
devise *f*; *fig.* réputation *f*; of (*ou* F
by) the ˌ of du nom de, nommé;
Christian ˌ prénom *m*; call s.o. ˌs
injurier *q.*; know s.o. by ˌ connaître
q. de nom; **2.** nommer; désigner
par son nom; dénommer; citer;
fixer (*un jour*); '**name-day** fête *m*;
'**name·less** □ sans nom; inconnu;
anonyme; *fig.* indicible; '**name·ly**
(*abr.* viz.) c'est-à-dire; '**name-
plate** plaque *f*; écusson *m*; '**name-
sake** homonyme *m*.
nan·keen [næŋ'kiːn] nankin *m*; ˌs
pl. pantalon *m* de nankin.
nan·ny ['næni] nounou *f*; bonne *f*

(*d'enfant*); '**ˌ-goat** chèvre *f*, bique *f*.
nap¹ [næp] *velours etc.*: poil *m*.
nap² [ˌ] **1.** petit somme *m*; **2.** sommeiller; *catch s.o.* ˌping surprendre
la vigilance de *q.*; surprendre *q.* en
faute.
nap³ [ˌ] *cartes:* go ˌ jouer son va-
tout.
nape [neip] (*usu.* ˌ of the neck)
nuque *f*.
naph·tha 🜊 ['næfθə] naphte *m*.
nap·kin ['næpkin] (*souv.* table-ˌ)
serviette *f*; (*a. baby's* ˌ) couche *f*;
'**ˌ-ring** rond *m* de serviette.
na·poo(h) *sl.* [nɑː'puː] épuisé; inutile; mort; fini; *sl.* fichu.
nar·co·sis 🜊 [nɑː'kousis] narcose *f*.
nar·cot·ic [nɑː'kɔtik] **1.** (ˌally) narcotique; **2.** stupéfiant *m*; narcotique
m; **nar·co·tize** ['nɑːkətaiz] narcotiser.
nard [nɑːd] nard *m*.
nar·rate [næ'reit] raconter; **nar-
'ra·tion** narration *f*; récit *m*; **nar-
ra·tive** ['ˌrətiv] **1.** □ narratif (-ive
f); **2.** récit *m*; **nar·ra·tor** ['ˌreitə]
narrateur (-trice *f*) *m*.
nar·row ['nærou] **1.** □ étroit; encaissé (*vallon*); borné (*esprit*); faible (*majorité*); *see* escape; **2.** ˌs *pl.*
passe *f* étroite; *port:* goulet *m*;
3. *v/t.* resserrer; rétrécir; restreindre; limiter; *v/i.* devenir plus étroit;
se resserrer; se rétrécir; '**ˌ-'chest-
ed** à poitrine étroite; '**ˌ-gauge** 🚉 à
voie étroite; '**ˌ-'mind·ed** □ borné;
'**nar·row·ness** étroitesse *f* (*a. fig.*);
petitesse *f*; limitation *f*.
nar·whal *zo.* ['nɑːwəl] narwal(*pl.* -s)
m.
na·sal ['neizl] **1.** □ nasal (-aux
m/pl.); nasillard (*accent*); **2.** *gramm.*
nasale *f*; **na·sal·i·ty** [ˌ'zæliti] nasa-
lité *f*; **na·sal·ize** ['ˌzəlaiz] nasaliser;
v/i. parler du nez; nasiller.
nas·cent ['næsnt] naissant.
nas·ti·ness ['nɑːstinis] goût *m* ou
odeur *f* désagréable; méchanceté *f*
(*d'une personne*); *fig.* saleté *f*; '**nasty** □ désagréable; dégoûtant; sale;
méchant, désagréable (*personne*);
fig. malpropre.
na·tal ['neitl] natal (-als *m/pl.*); **na-
tal·i·ty** [nə'tæliti] natalité *f*.

na·ta·tion [nei'teiʃn] natation *f*.

na·tion ['neiʃn] nation *f*, peuple *m*.

na·tion·al ['næʃənl] **1.** □ national (-aux *m/pl.*); de l'État; ~ **grid** caisse *f* nationale de l'énergie; **2.** national (-e *f*) *m*; **'na·tion·al·ism** nationalisme *m*; **'na·tion·al·ist** nationaliste *mf*; **na·tion·al·i·ty** [næʃə'næliti] nationalité *f*; caractère *m* ou esprit *m* national; **na·tion·al·ize** ['næʃnəlaiz] nationaliser; naturaliser; ~**d undertakings** entreprises *f/pl.* nationalisées.

na·tion-wide ['neiʃnwaid] répandu par tout le pays; *souv.* général (-aux *m/pl.*).

na·tive ['neitiv] **1.** □ indigène, originaire (de, *to*) (*personne, plante*); naturel(le *f*), inné (*qualité*); de naissance, natal (-als *m/pl.*) (*lieu*); à l'état natif (*métaux*); ~ **language** langue *f* maternelle; **2.** natif (-ive *f*) *m*; indigène *mf*; *a* ~ **of Ireland** Irlandais *m* de naissance.

na·tiv·i·ty [nə'tiviti] nativité *f*; horoscope *m*.

na·tron ['neitrən] natron *m*.

nat·ty □ ['næti] coquet(te *f*); pimpant; bien ménagé.

na·tu·ral ['nætʃrəl] **1.** □ naturel(le *f*); de la nature; inné, natif (-ive *f*); illégitime, naturel(le *f*) (*enfant*); ~ **history** histoire *f* naturelle; *♪* ~ **note** note *f* naturelle; ~ **philosopher** physicien *m*; ~ **philosophy** physique *f*; ~ **science** sciences *f/pl.* naturelles; **2.** idiot(e *f*) *m*; *♪* bécarre *m*; **'nat·u·ral·ism** naturalisme *m*; *arts:* naturisme *m*; **'nat·u·ral·ist** naturaliste *mf*; naturiste *mf*; **nat·u·ral·i·za·tion** [ˌʌi'zeiʃn] naturalisation *f*; **'nat·u·ral·ize** naturaliser; ♀, *zo.* acclimater; **'nat·u·ral·ness** naturel *m*.

na·ture ['neitʃə] nature *f*; caractère *m*, essence *f*; naturel *m*, tempérament *m*; espèce *f*, genre *m*; **'na-tured** au cœur ...; de caractère ...

naught [nɔːt] rien *m*, néant *m*; **bring to** ~ faire échouer; **come to** ~ échouer, n'aboutir à rien; **set at** ~ ne tenir aucun compte de; **naughti·ness** ['ʌtinis] mauvaise tenue *f*; désobéissance *f*; **'naugh·ty** □ méchant, vilain.

nau·se·a ['nɔːsiə] nausée *f*; mal *m* de mer; *fig.* dégoût *m*; **nau·se·ate** ['ʌsieit] *v/i.* avoir la nausée (de, *at*); *v/t.* dégoûter; donner des nausées à (*q.*); **nau·seous** □ ['ʌsiəs] dégoûtant.

nau·ti·cal □ ['nɔːtikl] nautique, marin; de marine; ~ **mile** mille *m* marin.

na·val ['neivəl] naval (-als *m/pl.*); de marine; ~ **base** port *m* de guerre; base *f* navale; ~ **staff** officiers *m/pl.* de l'état-major; **'na·val·ly** au point de vue naval.

nave[1] ⚠ [neiv] nef *f*, vaisseau *m*.

nave[2] ⚠ [neiv] roue: moyeu *m*.

na·vel ['neivəl] nombril *m*; *fig.* centre *m*; **'~-string** cordon *m* ombilical.

nav·i·ga·ble □ ['nævigəbl] navigable; ~ **balloon** ballon *m* dirigeable; **nav·i·gate** ['ʌgeit] *v/i.* naviguer; *v/t.* naviguer sur (*la mer*); gouverner (*un navire*); **nav·i'ga·tion** navigation *f*; *ballon, navire:* conduite *f*; **'nav·i·ga·tor** navigateur *m*.

nav·vy ['nævi] terrassier *m*; (*a.* **steam-**~) piocheuse *f*.

na·vy ['neivi] marine *f* de guerre; marine *f* de l'État; **'~-'blue** bleu *m* marine *inv.*

nay [nei] **1.** † *ou prov.* non; pour mieux dire; **2.** non *m*; refus *m*.

Naz·a·rene [næzə'riːn] Nazaréen (-ne *f*) *m*.

naze [neiz] cap *m*, promontoire *m*.

neap [niːp] (*a.* ~-**tide**) marée *f* de morte-eau; **'neaped** ⚓: **be** ~ être amorti.

Ne·a·pol·i·tan [niə'pɔlitən] **1.** napolitain; **2.** Napolitain(e *f*) *m*.

near [niə] **1.** *adj.* proche; voisin; à peu près juste; intime (*ami*); (le plus) court (*chemin*); chiche (*personne*); serré (*traduction*); *mot.* gauche (*côté*); montoir (*cheval*); **have** (*ou* **be**) *a* ~ **escape** l'échapper belle; ~ **at hand** tout près; ~ **beer** bière *f* faible; ~ **horse** cheval *m* de gauche (*Am.* de droite); ~ **silk** soie *f* végétale; **2.** *adv.* près, proche; **3.** *prp.* (*a.* ~ **to**) (au)près de; **4.** *v/t.* (s')approcher de; **near·by** ['ʌbai] tout près (de), tout proche (de); **'near·ly** (de) près; presque; à peu près; près de; **'near·ness** proximité *f*; fidélité *f*; parcimonie *f*; **'near-'sight·ed** myope.

neat[1] □ [niːt] bien rangé *ou* tenu; soigné; élégant; pur, sans eau, sec (sèche *f*) (*boisson*); net(te *f*) (*écriture*).

neat[2] † [~] bête *f* bovine; '~**s-foot** de pied de bœuf; '~**s-leath·er** cuir *m* de vache; '~**s-tongue** langue *f* de bœuf.

neat·ness ['ni:tnis] bon ordre *m*; simplicité *f*; bon goût *m*; adresse *f*.

neb·u·la *astr.* ['nebjulə], *pl.* **-lae** ['~li:] nébuleuse *f*; **neb·u·lar** nébulaire; **neb·u·los·i·ty** [~'lɔsiti] nébulosité *f*; **neb·u·lous** nébuleux (-euse *f*) (*a. fig.*).

nec·es·sar·y □ ['nesisəri] **1.** nécessaire, indispensable (à, for); inévitable (*résultat*); **2.** nécessaire *m*; *usu.* necessaries *pl.* nécessités *f/pl.*; **ne·ces·si·tate** [ni'sesiteit] nécessiter (*qch.*); rendre (*qch.*) nécessaire; **ne·ces·si·tous** nécessiteux (-euse *f*); **ne·ces·si·ty** nécessité *f*; obligation *f*; besoin *m*; *usu.* necessities *pl.* nécessaire *m*; nécessités *f/pl.*; of ~ de toute nécessité.

neck [nek] **1.** cou *m*; *cuis.* collier *m* (*de bœuf*), collet *m* (*de mouton*); *bouteille:* goulot *m*; *robe:* encolure *f*; ~ of land langue *f* de terre; ~ and ~ à égalité; F ~ and crop tout entier; à corps perdu; F ~ or nothing à corps perdu; (*jouer*;) le tout pour le tout; *sl.* get it in the ~ en prendre pour son compte; **2.** *Am. sl.* (se) caresser; *v/t.* peloter; '~**band** col *m*; encolure *f*; **neck·er·chief** ['nekətʃif] foulard *m*; **neck·lace** ['~lis] collier *m*; **neck·let** ['~lit] see necklace; tour *m* de cou (*en fourrure*); '**neck·tie** cravate *f*.

ne·crol·o·gy [ne'krɔlədʒi] nécrologe *m* (*d'une église etc.*); nécrologie *f*; **nec·ro·man·cy** ['nekromænsi] nécromancie *f*.

nec·tar ['nektə] nectar *m*.

née [nei]: Mrs. X, ~ Y Mme X, née Y.

need [ni:d] **1.** besoin *m*, nécessité *f* (*de qch.* for); adversité *f*; indigence *f*; one's own ~s *pl.* son (propre) compte *m*; if ~ be au besoin; le cas échéant; be (*ou* stand) in ~ of avoir besoin de; **2.** avoir besoin de; réclamer, demander (*qch.*); être obligé de; **need·ful** ['~ful] **1.** □ nécessaire; **2.** F nécessaire *m*, *souv.* argent *m* nécessaire; '**need·i·ness** indigence *f*, nécessité *f*.

nee·dle ['ni:dl] **1.** aiguille *f*; **2.** *surt. Am.* irriter, agacer; F ajouter de l'alcool à, renforcer (*une consommation*); '~**-case** étui *m* à aiguilles; '~**craft** couture *f*; '~**-gun** fusil *m* à aiguille; '~**-mak·ing** aiguillerie *f*.

need·less □ ['ni:dlis] inutile; '**need·less·ness** inutilité *f*.

nee·dle...: '~**-tel·e·graph** télégraphe *m* à cadran; '~**wom·an** couturière *f*; '~**work** travail (*pl.* -aux) *m* à l'aiguille.

needs [ni:dz] *adv.* de nécessité; I must ~ (*inf.*) force m'est de (*inf.*); '**need·y** □ nécessiteux (-euse *f*).

ne'er [nɛə] = never.

ne·far·i·ous □ [ni'fɛəriəs] infâme, scélérat.

ne·gate [ni'geit] nier; **ne·ga·tion** négation *f*; **neg·a·tive** ['negətiv] **1.** □ négatif (-ive *f*); **2.** négative *f*; *gramm.* négation *f*; *phot.* négatif *m*, cliché *m*; answer in the ~ répondre par la négative; **3.** rejeter, s'opposer à; nier; annuler; neutraliser.

neg·lect [ni'glekt] **1.** manque *m* de soin; mauvais entretien *m*; négligence *f*; **2.** négliger; manquer de soins pour; laisser échapper (*une occasion*); **neg·lect·ful** □ [~ful] négligent; insoucieux (-euse *f*) (de, of).

neg·li·gence ['neglidʒəns] incurie *f*; négligence *f*; '**neg·li·gent** □ négligent; ~ of insoucieux (-euse *f*) de; ~ attire tenue *f* négligée.

neg·li·gi·ble ['neglidʒəbl] négligeable.

ne·go·ti·a·bil·i·ty [nigouʃiə'biliti] négociabilité *f*, commercialité *f*; **ne·go·ti·a·ble** □ négociable, commerciable; franchissable (*montagne*); praticable (*chemin*); not ~ cheque chèque *m* barré; **ne·go·ti·ate** [~eit] *v/t.* négocier (*affaire, effet, traité*); prendre (*un virage*); franchir (*une montagne*); *fig.* surmonter; *v/i.* traiter (avec q. de *ou* pour, with s.o. for); **ne·go·ti·a·tion** effets, traite: négociation *f*; pourparlers *m/pl.*; *fig.* franchissement *m*; under ~ en négociation; **ne·go·ti·a·tor** négociateur (-trice *f*) *m*.

ne·gress ['ni:gris] négresse *f*; **ne·gro** ['ni:grou], *pl.* **-groes** [~z] nègre *m*; **ne·groid** ['ni:grɔid] négroïde.

ne·gus ['ni:gəs] vin *m* chaud et épicé.

neigh [nei] **1.** hennissement *m*; **2.** hennir.

neigh·bo(u)r ['neibə] **1.** voisin(e f) m; bibl. prochain m; **2.** être le voisin de (personne); avoisiner (terrain); **'neigh·bo(u)r·hood** voisinage m; **'neigh·bo(u)r·ing** avoisinant, voisin, proche; **'neigh·bo(u)r·ly** de bon voisinage; obligeant.

nei·ther ['naiðə] **1.** adj. ou pron. ni l'un(e) ni l'autre; aucun(e f); **2.** adv. ~ ... nor ... ni ... ni ...; not ... ~ (ne ... pas) ... ne ... pas non plus.

ne·ol·o·gism [ni'ɔlədʒizm] néologisme m.

ne·on ['ni:ən] néon m; ~ lamp lampe f au néon.

ne·o·phyte ['ni(:)oufait] néophyte mf; fig. débutant(e f) m.

neph·ew ['nevju(:)] neveu m.

nep·o·tism ['nepətizm] népotisme m.

nerve [nə:v] **1.** nerf m; ♀, △ nervure f; fig. courage m, sang-froid m; fig. vigueur f; F audace f, aplomb m; **2.** fortifier; donner du courage à (q.); ~ o.s. s'armer de courage (pour, to); **'nerved** ♀ nervé; **'nerve·less** □ inerte, sans force; **'nerve·rack·ing** énervant.

nerv·ine ['nə:vain] nervin (a. su./m).

nerv·ous □ ['nə:vəs] timide, peureux (-euse f); inquiet (-ète f); excitable; anat. nerveux (-euse f), des nerfs; **'nerv·ous·ness** timidité f; état m nerveux.

nerv·y sl. ['nə:vi] irritable; énervé; nerveux (-euse f), saccadé (mouvement).

nes·ci·ence ['nesiəns] ignorance f; **'nes·ci·ent** ignorant.

ness [nes] promontoire m, cap m.

nest [nest] **1.** nid m (a. fig.); nichée f (d'oiseaux); fig. série f; **2.** (se) nicher; **'nest·ed** niché; emboîté (caisses etc.); **'nest-egg** nichet m; argent m mis de côté; gentille petite somme f; **nes·tle** ['nesl] v/i. se nicher; fig. se blottir; se serrer (contre, [up] to); v/t. serrer; **nest·ling** ['nesliŋ] oisillon m.

net¹ [net] **1.** filet m (a. fig.); tex. tulle m; mousseline f; **2.** prendre (qch.) au filet.

net² [~] **1.** net(te f); sans déduction; **2.** rapporter ou toucher net.

neth·er ['neðə] inférieur m; **'~·most** le plus profond, le plus bas.

net·ting ['netiŋ] pêche f au filet; pose f de filets; tex. tulle m; fig. réseau m.

net·tle ['netl] **1.** ♀ ortie f; **2.** † fustiger avec des orties; fig. piquer, irriter; **'~-rash** ♀ urticaire f.

net·work ['netwə:k] réseau m (a. fig.); ouvrage m en filet; national ~ réseau m national.

neu·ral·gia [njuə'rældʒə] névralgie f; facial ~ tic m douloureux; **neu·ras·the·ni·a** [njuərəs'θi:njə] ♀ neurasthénie f; **neu·ras·then·ic** [~'θenik] neurasthénique (a. su/mf).

neu·ri·tis ♀ [njuə'raitis] névrite f; **neu·rol·o·gy** ♀ [~'rɔlədʒi] neurologie f, névrologie f; **neu·ro·path·ic** [~ro'pæθik] **1.** névropathique; **2.** névropathe mf; **neu·ro·sis** ♀ [~'rou-sis] névrose f; **neu·rot·ic** [~'rɔtik] névrosé (a. su./mf).

neu·ter ['nju:tə] **1.** neutre; **2.** animal m châtré; abeille f etc. asexuée; gramm. neutre m.

neu·tral ['nju:trəl] **1.** □ neutre (a. 🜍); indéterminé, moyen(ne f); **2.** neutre m; **neu·tral·i·ty** [nju(:)·'træliti] neutralité f; **neu·tral·i·za·tion** [nju:trəlai'zeiʃn] neutralisation f (a. 🜍); **'neu·tral·ize** neutraliser (a. 🜍); rendre inutile ou inoffensif (-ive f).

neu·tron phys. ['nju:trɔn] neutron m.

né·vé géol. ['nevei] névé m.

nev·er ['nevə] ne ... jamais; jamais (de la vie); ~ so quelque (adj.) que (sbj.); **'~·more** (ne ...) plus jamais; (ne ...) jamais plus; **'~·the·less** [~ðə'les] néanmoins, quand même, pourtant.

new [nju:] nouveau (-el devant une voyelle ou un h muet; -elle f; -eaux m/pl.); neuf (neuve f); frais (fraîche f); **'new·com·er** nouveau venu m; nouvel arrivé m; **new·fan·gled** ['~fæŋgld] péj. d'une modernité outrée; **'new·ly** récemment, nouvellement; **'new·ness** nouveauté f; état m neuf; inexpérience f.

news pl. ou sg. [nju:z] nouvelle f, -s f/pl.; what's the ~? quelles nouvelles?; F quoi de neuf?; F he is much in the ~ il défraye la chronique; **'~-a·gen·cy** agence f d'informations; **'~-a·gent** marchand m de journaux; **'~-boy** vendeur m de journaux; **'~-butch·er** 🚂 Am. vendeur m ambulant de journaux; ~ **flash** *radio*: flash *m*; '**~·mon·ger** débiteur (-euse *f*) *m* de nouvelles; '**~·pa·per** journal *m*; *attr.* de journaux; '**~·print** papier *m* de journal; '**~·reel** film *m* d'actualité; actualités *f/pl.*; '**~·room** salle *f* des journaux; *journ. Am.* salle *f* de rédaction; '**~·stall**, *Am.* '**~·stand** étalage *m* de marchand de journaux; *France*: kiosque *m* (à journaux); '**~·ven·dor** vendeur *m* de journaux; **news·y** ['nju:zi] *F* plein de nouvelles.

newt *zo.* [nju:t] triton *m*, *F* lézard *m* d'eau.

new-year, *usu.* **New year** ['nju:'jə:] nouvel an *m*; nouvelle année *f*; ~'s **day** le jour de l'an; ~'s **eve** la Saint-Sylvestre *f*; ~'s **gift** étrennes *f/pl.*

next [nekst] **1.** *adj.* prochain; voisin; le plus proche; suivant; ~ **but one** le deuxième; ~**-door** voisin; ~ **door** maison *f* d'à côté; *fig.* ~ **door to** approchant de; **the** ~ **of kin** la famille; 次 le(s) parent(s) le(s) plus proche(s); ~ **to** contigu(ë *f*) à *ou* avec; à côté de; ~ **to nothing** ne … presque rien; **what** ~? et ensuite?; *F* par exemple!; **2.** *adv.* ensuite, après.

nib [nib] **1.** bec *m* (de plume); **2.** mettre une plume à (*un porte-plume*).

nib·ble ['nibl] *v/t.* grignoter (*qch.*); mordiller; *mouton*: brouter; *v/i.* ~ **at** grignoter (*qch.*); mordre à (*a. fig.*); *fig.* être attiré par.

nice □ [nais] aimable, gentil(le *f*), sympathique (*naturel*); délicat (*question*, *oreille*); juste, sensible (*oreille*, *œil*); fin, subtil (*distinction*); joli (*repas*, *montre*, *etc.*); difficile (*pour*, *about*); scrupuleux (-euse *f*) (*quant à*, *about*); ~ **and warm** bien (au) chaud; '**nice·ness** gentillesse *f*, amabilité *f*; délicatesse *f*; finesse *f*; justesse *f*; **nice·ty** ['~iti] exactitude *f*; subtilité *f*; délicatesse *f* exagérée; méticulosité *f*; **to a** ~ à merveille; exactement; **stand upon niceties** faire des façons.

niche [nitʃ] niche *f*.

Nick[1] [nik]: *F* **Old** ~ le diable *m*.

nick[2] [~] **1.** entaille *f*; fente *f*; **in the (very)** ~ **of time** juste à temps; à pic; **2.** entailler; *sl.* choper.

nick·el ['nikl] **1.** *min.* nickel *m* (*Am. a. pièce de 5 cents*); *Am.* ~**-in-the-**

slot machine distributeur *m* automatique; **2.** nickeler.

nick-el·o·de·on *Am.* [nikl'oudiən] pick-up *m/inv.* à sous.

nick-nack ['niknæk] *see* **knickknack**.

nick·name ['nikneim] **1.** surnom *m*; sobriquet *m*; **2.** surnommer; donner un sobriquet à.

nic·o·tine ['nikəti:n] nicotine *f*.

nid-nod ['nidnɔd] dodeliner (de) la) **niece** [ni:s] nièce *f*.   [tête.↕

niffed F [nift] offensé.

nif·ty *Am.* ['nifti] **1.** élégant; pimpant; **2.** remarque *f* bien à propos.

nig·gard ['nigəd] **1.** grippe-sou *m*; pingre *m*, avare *mf*; **2.** avare, parcimonieux (-euse *f*); '**nig·gard·li·ness** pingrerie *f*; parcimonie *f*; '**nig·gard·ly** *adj.* (*a. adv.*) chiche (-ment); mesquin(ement).

nig·ger F *usu. péj.* ['nigə] nègre *m*, négresse *f*; *Am. sl.* **that's the** ~ **in the woodpile** il y a anguille sous roche!

nig·gle ['nigl] vétiller; '**nig·gling** insignifiant; fignolé (*travail*); tatillon(ne *f*) (*personne*).

nigh † *ou prov.* [nai] *see* **near** 1, 2, 3.

night [nait] nuit *f*, soir *m*; obscurité *f*; **by** ~ de nuit; **in the** ~ (pendant) la nuit; **at** ~ la nuit; ~ **out** soir *m* de sortie; **make a** ~ **of it** faire la noce toute la nuit; '**~·cap** bonnet *m* de nuit; *fig.* grog *m* (avant de se coucher); '**~·club** boîte *f* de nuit; '**~·dress** chemise *f* de nuit (*de femme*); '**~·fall** tombée *f* de la nuit; '**~·gown** *see* **night-dress**; **night·in·gale** *orn.* ['~iŋgeil] rossignol *m*; '**night·ly** de nuit, nocturne; (de) tous les soirs.

night...: '**~·mare** cauchemar *m*; '**~·school** classe *f* du soir; '**~·shade** ♀ morelle *f* noire; **deadly** ~ belladone *f*; '**~·shirt** chemise *f* de nuit (*d'homme*); '**~·spot** *Am.* F boîte *f* de nuit.

ni·hil·ism ['naiilizm] nihilisme *m*; '**ni·hil·ist** nihiliste *mf*.

nil [nil] rien *m*; *sp.* zéro *m*; ~ **return** état *m* néant.

nim·ble □ ['nimbl] agile, leste; délié (*esprit*); '**nim·ble·ness** agilité *f*; vivacité *f* (*d'esprit*).

nim·bus ['nimbəs], *pl.* **-bi** [~bai], **-bus·es** nimbe *m*, auréole *f*; *météor.* nimbus *m*.

nim·i·ny-pim·i·ny ['nimini'pimini] maniéré; mignard.

nin·com·poop F ['ninkəmpuːp] nigaud *m*, benêt *m*, niais *m*.

nine [nain] **1.** neuf; ~ *days' wonder* merveille *f* d'un jour; **2.** neuf *m*; '~·**fold** nonuple, neuf fois; '~·**pins** *pl.* quilles *f/pl.*; **nine·teen** ['~'tiːn] dix-neuf (*a. su./m*); '**nine·teenth** [~'θ] dix-neuvième; **nine·tieth** ['~tiiⁱ] quatre-vingt-dixième(*a. su./m*); '**nine·ty** quatre-vingt-dix.

nin·ny F ['nini] niais(e *f*) *m*.

ninth [nainθ] **1.** neuvième; **2.** neuvième *m*; ♪ neuvième *f*; '**ninth·ly** en neuvième lieu.

nip[1] [nip] **1.** pincement *m*; morsure *f*; ♀ coup *m* de gelée; **2.** pincer, piquer, mordre (*froid*); brûler (*gelée*); ~ *in the bud* tuer dans l'œuf; *faire avorter* (*un complot*).

nip[2] [~] **1.** goutte *f*, doigt *m* (*d'alcool*); **2.** boire la *ou* une goutte.

nip[3] *sl.* [~] chiper, choper, refaire.

nip·per ['nipə] F gamin *m*, gosse *m*; *homard etc.*: pince *f*; (*a pair of*) ~*s* *pl.* (une) pince *f*; (des) tenailles *f/pl.*

nip·ple ['nipl] mamelon *m*; bout *m* de sein; ⊕ raccord *m*.

nip·py F ['nipi] **1.** vif (vive *f*); **2.** serveuse *f*.

Ni·sei *Am.* ['ni'sei] (*a. pl.*) japonais *m* (*né aux É.-U.*).

nit [nit] œuf *m* de pou.

ni·tre, ni·ter ↗ₘ ['naitə] nitre *m*, salpêtre *m*.

ni·tric ac·id ↗ₘ ['naitrik'æsid] acide *m* nitrique *ou* azotique.

ni·tro·gen ↗ₘ ['naitridʒən] azote *m*; **ni·trog·e·nous** [~'trɔdʒinəs] azoté.

ni·trous ↗ₘ ['naitrəs] azoteux(-euse *f*).

nix [niks] ondin *m*; **nix·ie** ['~i] ondine *f*.

no [nou] **1.** *adj.* aucun, pas de; *in ~ time* en un clin d'œil; ~ *man's land* zone *f* neutre; ~ *one* personne (... *ne*); **2.** *adv.* peu; non; *avec comp.*: pas (plus); **3.** non *m/inv.*; **noes** [nouz] *pl. les* non *m/pl.*; voix *f/pl.* contre.

nob[1] *sl.* [nɔb] caboche *f* (= *tête*); ⊕ bouton *m*. [rupins *m/pl.*]

nob[2] *sl.* [~] aristo *m*; *the ~s pl.* les]

nob·ble *sl.* ['nɔbl] écloper (*un cheval*); soudoyer (*q.*); pincer (*un criminel*); filouter (*de l'argent*).

nob·by *sl.* ['nɔbi] élégant, chic.

no·bil·i·ar·y [nou'biliəri] nobiliaire.

no·bil·i·ty [nou'biliti] noblesse *f* (*a. fig.*).

no·ble ['noubl] **1.** □ noble (*q. sentiment, métal, joyau*); sublime; grand (*vin, âme, etc.*); admirable; **2.** noble *mf*, aristocrate *mf*; '~·**man** noble *m*, gentilhomme (*pl.* gentilshommes) *m*; '~·'**mind·ed** à l'âme noble; généreux (-euse *f*); '**no·ble·ness** noblesse *f* (*a. fig.*); '**no·ble·wom·an** noble *f*, aristocrate *f*.

no·bod·y ['noubədi] **1.** personne, aucun (... *ne*); **2.** zéro *m*, nullité *f*.

nock [nɔk] (en)coche *f*.

noc·tur·nal [nɔk'təːnl] nocturne.

nod [nɔd] **1.** *v/i.* faire signe que oui; incliner la tête; dodeliner de la tête; somnoler; *fig.* danser; *have a ~ding acquaintance* se connaître vaguement; ~ *off* somnoler; *v/t.* incliner (*la tête*); ~ *s.o.* out fai re sortir q. d'un signe de la tête; **2.** signe *m* de (la) tête; penchement *m* de tête (*au sommeil*).

nod·dle F ['nɔdl] caboche *f* (= *tête*).

nod·dy F ['nɔdi] niais(e *f*) *m*.

node [noud] nœud *m* (*a.* ♀, *a. astr.*); ✚ nodosité *f*.

nod·u·lar ['nɔdjulə] nodulaire.

nod·ule ['nɔdjuːl] nodule *m*.

nog [nɔg] cheville *f* de bois; **nog·gin** ['~in] (petit) pot *m* (*en étain etc.*); **nog·ging** ▲ ['~iŋ] hourdage *m*.

no·how F ['nouhau] en aucune façon.

noil [nɔil] *tex.* blousse *f*.

noise [nɔiz] **1.** bruit *m*, tapage *m*, fracas *m*, vacarme *m*; son *m*; *surt. Am.* F *big ~* gros bonnet *m*; **2.** ~ *abroad* ébruiter; crier sur les toits.

noise·less □ ['~lis] sans bruit; silencieux (-euse *f*); '**noise·less·ness** silence *m*, absence *f* de bruit.

nois·i·ness ['nɔizinis] caractère *m* bruyant; tintamarre *m*.

noi·some ['nɔisəm] fétide, infect; *fig.* désagréable; '**noi·some·ness** fétidité *f*, puanteur *f*.

nois·y □ ['nɔizi] bruyant, tapageur (-euse *f*); turbulent (*enfant*).

no·mad ['nɔmæd] nomade *mf*; **no·mad·ic** [no'mædik] (~*ally*) nomade; **no·mad·ize** ['nɔmədaiz] *v/t.* nomadiser; *v/i.* vivre en nomade(s).

no·men·cla·ture [nou'menklətʃə] nomenclature *f*; recueil *m* de noms propres.

nom·i·nal □ ['nɔminl] nominal (-aux *m/pl.*); fictif (-ive *f*) (*prix, valeur*); ⚖ nominatif (-ive *f*); ~ *va-*

lue valeur *f* fictive *ou* nominale;
nom·i·nate ['~neit] nommer, désigner; proposer; **nom·i'na·tion** nomination *f*; présentation *f* (*d'un candidat*); in ~ nommé; proposé; **nom·i·na·tive** *gramm.* ['~nətiv] (*a.* ~ *case*) nominatif *m*, cas *m* sujet; **nom·i·na·tor** ['~neitə] présentateur *m*; **nom·i·nee** [~'ni:] candidat *m* désigné *ou* choisi.

non ... [nɔn] non-; in-; sans ...
non-ac·cept·ance ['nɔnək'septəns] non-acceptation *f*.
non·age ['nounidʒ] minorité *f*.
non·a·ge·nar·i·an [nounədʒi'nɛəriən] nonagénaire (*a. su./mf*).
non-ag·gres·sion ['nɔnə'greʃn]: ~ *pact* pacte *m* de non-agression.
non-al·co·hol·ic ['nɔnælkə'hɔlik] sans alcool; non alcoolique.
non-ap·pear·ance ⚖ ['nɔnə'piərəns] non-comparution *f*; *souv.* défaut *m*.
non-at·tend·ance ⚖ ['nɔnə'tendəns] absence *f*.
nonce [nɔns]: *for the* ~ pour l'occasion.
non·cha·lance ['nɔnʃələns] nonchalance *f*, indifférence *f*; **'non·cha·lant** ☐ nonchalant, indifférent.
non-com·mis·sioned ['nɔnkə'miʃnd] sans brevet; ✗ ~ *officer* sous-officier *m* gradé.
non-com·mit·tal ['nɔnkə'mitl] diplomatique; qui n'engage à rien.
non-com·pli·ance ['nɔnkəm'plaiəns] refus *m* d'obéissance (à, *with*).
non com·pos men·tis ⚖ [nɔn 'kɔmpɔs 'mentis] aliéné, fou (fol *devant une voyelle ou un h muet*; folle *f*).
non-con·duc·tor ⚡ ['nɔnkən'dʌktə] inconducteur *m*; *phys.* non-conducteur *m*.
non-con·form·ist ['nɔnkən'fɔ:mist] non-conformiste *mf*; dissident(e *f*) *m*; **'non·con'form·i·ty** non-conformisme *m* (*a. eccl.*).   [sable.]
non-creas·ing ['nɔn'kri:siŋ] infroissable.]
non-de·nom·i·na·tion·al ['nɔndinɔmi'neiʃnl] laïque (*école*).
non·de·script ['nɔndiskript] 1. inclassable; 2. *fig.* personne *f ou* chose *f* indéfinissable.
none [nʌn] 1. aucun; pas de; 2. aucunement; ~ *the less* cependant, pourtant, quand même.
non·en·ti·ty [nɔ'nentiti] personne *f*

insignifiante; *fig.* non-valeur *f*; nullité *f*.
non-es·sen·tial ['nɔni'senʃəl] 1. non essentiel(le *f*); 2. accessoire *m*.
non-ex·ist·ence ['nɔnig'zistəns] non-être *m*.
non-fic·tion ['nɔn'fikʃn] ouvrages *m/pl.* autres que les romans.
non-in·ter·ven·tion ['nɔnintə(:)'venʃn] non-intervention *f*.
non-lad·der·ing ['nɔn'lædəriŋ] indémaillable.   [inobservance *f*.]
non-ob·serv·ance ['nɔnəb'zə:vəns]]
non-pa·reil ['nɔnpərel] 1. nonpareil(le *f*); 2. personne *f ou* chose *f* sans pareille; *typ.* nonpareille *f*.
non-par·ty *pol.* ['nɔn'pɑ:ti] non partisan; impartial (-aux *m/pl.*).
non-pay·ment ['nɔn'peimənt] non-paiement *m*; défaut *m* de paiement.
non-per·form·ance ⚖ ['nɔnpə'fɔ:məns] non-exécution *f*.
non-plus ['nɔn'plʌs] 1. embarras *m*, perplexité *f*; *at a* ~ à quia; 2. confondre, réduire à quia; ~*sed* désemparé; interdit.
non-pro·lif·er·a·tion ['nɔnproulifə'reiʃən] non-dissémination *f* (*des armes nucléaires*).
non-res·i·dent ['nɔn'rezidənt] externe; forain; non-résident (*a. su./mf*).
non·sense ['nɔnsəns] absurdité *f*; bêtise *f*, -s *f/pl.*; **non·sen·si·cal** ☐ [~'sensikl] absurde; bête.
non-skid ['nɔn'skid] antidérapant.
non-smok·er ['nɔn'smoukə] non-fumeur *m*.
non-stop ['nɔn'stɔp] ✈, ⚞ direct; sans arrêt; ⚞ sans escale.
non-such ['nʌn'sʌtʃ] personne *f ou* chose *f* sans pareille.
non-suit ⚖ ['nɔn'sju:t] débouté *m*, rejet *m* de la demande.
non-un·ion [nɔn'ju:njən] non-syndiqué (*ouvrier*).
noo·die[1] ['nu:dl] F niais(e *f*) *m*.
noo·dle[2] [~] *usu.* ~s *pl.* nouilles *f/pl.*
nook [nuk] (re)coin *m*.
noon [nu:n] 1. (*a.* '~·day, '~·tide) midi *m*; 2. de midi.
noose [nu:s] 1. nœud *m* coulant; corde *f* (de potence); *fig.* piège *m*; 2. prendre au lacet; attraper au]
nope *Am.* F [noup] non!   [lasso.]
nor [nɔ:] *précédé de neither*: *début de la phrase*: ne ... pas non plus; ~ *do I* (ni) moi non plus.

norm [nɔːm] norme *f*; règle *f*; **'normal** □ **1.** normal (-aux *m*/*pl*.) (*a.* ♈); ♈ perpendiculaire; ~ *school* école *f* normale; **2.** condition *f* normale; ♈ normale *f*, perpendiculaire *f*; **'nor·mal·ize** rendre normal; régulariser.

Nor·man ['nɔːmən] **1.** normand; **2.** Normand(e *f*) *m*.

north [nɔːθ] **1.** *su.* nord *m*; **2.** *adj.* du nord; septentrional (-aux *m*/*pl*.); **'~·east 1.** nord-est *m*; **2.** (*a.* '~·'east·ern) du nord-est; **north·er·ly** ['~ðəli] du *ou* au nord; **north·ern** ['~ən] du nord; septentrional (-aux *m*/*pl*.); **'north·ern·er** habitant(e *f*) *m* du nord; *Am.* ♀ nordiste *mf*; **'north·ern·most** le plus au nord; **north·ing** ♐ ['~θiŋ] chemin *m* nord; *astr.* mouvement *m* vers le nord; **north·ward** ['~wəd] **1.** *adj.* au *ou* du nord; **2.** *adv.* (*a.* **north·wards** ['~dz]) vers le nord. **north...:** '~·**west 1.** nord-ouest *m*; ♐ *a.* norois *m*; **2.** (*a.* '~·'west·ern, '~·'west·er·ly) (du) nord-ouest *inv*.

Nor·we·gian [nɔː'wiːdʒən] **1.** norvégien(ne *f*); **2.** Norvégien(ne *f*) *m*.

nose [nouz] **1.** nez *m* (*a.* = *flair*); odorat *m*; *outil*: bec *m*; *tuyau*: ajutage *m*; ✗ *balle*: pointe *f*; ♐ *torpille*: cône *m* de choc; **2.** *v*/*t*. (*a.* ~ *out*) sentir, flairer; ~ *one's way* s'avancer avec précautions; *v*/*i*. chercher (*qch.*, *after* [*ou for*] *s.th.*); ~ *ahead of* aller un peu en avant de (*qch.*); '~·**bag** musette *f*; '~·**band** muserolle *f*; **nosed** au nez ...

nose...: '~·**dive** ✈ (vol *m*) piqué *m*; '~·**gay** bouquet *m* de fleurs; '~·**heav·y** ✈ lourd de l'avant.

nos·ing △ ['nouziŋ] arête *f* (de moulure); *marche d'escalier*: nez *m*.

nos·tal·gi·a [nɔs'tældʒiə] nostalgie *f*; **nos·tal·gic** [~dʒik] nostalgique.

nos·tril ['nɔstril] narine *f*; *cheval*, *bœuf*: naseau *m*.

nos·trum ['nɔstrəm] panacée *f*; remède *m* de charlatan.

nos·y ['nouzi] parfumé; *péj.* curieux (-euse *f*); F fouinard, indiscret (-ète *f*); ♀ *Parker* indiscret *m*; F fouinard *m*.

not [nɔt] (ne) pas, (ne) point.

no·ta·bil·i·ty [noutə'biliti] notabilité *f*; caractère *m* notable (*d'un événement*); *see* notable 2; **no·ta·ble** ['noutəbl] **1.** □ notable, insigne,

considérable; sensible; perceptible (*quantité*); éminent (*personne*); **2.** *personne*: notable *m*, notabilité *f*; **'no·ta·bly 1.** remarquablement; **2.** notamment.

no·tar·i·al □ [nou'tɛəriəl] de notaire; notarié (*document*); notarial (-aux *m*/*pl*.)) (*sceau*); **no·ta·ry** ['noutəri] (*a.* ~ *public*) notaire *m*.

no·ta·tion [no'teiʃn] *surt.* ♈, *a.* ♪ notation *f*.

notch [nɔtʃ] **1.** encoche *f*; ⊕ cran *m*; *Am.* défilé *m*, gorge *f*; **2.** entailler, encocher; denteler (*une roue*).

note [nout] **1.** note *f* (*a.* ♈, ♪, *pol.*); F ton *m* (*de la voix*); ♪ son *m*; ♪ *piano*: touche *f*; marque *f*, signe *m*; *pol.* mémorandum *m*; ♈ billet *m*, lettre *f*; *banque*: billet *m*; *texte*: annotation *f*; renom *m*; *take* ~*s of* prendre des notes de; **2.** noter; constater, remarquer; relever (*une erreur*); faire attention à; (*a.* ~ *down*) inscrire, prendre note de; '~·**book** carnet *m*; *sténographie*: bloc-notes *m* (*pl.* blocs-notes) *m*; **'not·ed** distingué, éminent (*personne*); célèbre (*par*, *for*), connu (*pour*, *for*) (*chose*); '~·**ly** surtout; tentement; **'note·pa·per** papier *m* à lettres; **'note·wor·thy** remarquable; digne d'attention.

noth·ing ['nʌθiŋ] **1.** rien (de *adj.*) (*su.*/*m*); ♈ zéro *m*; néant *m*; *fig.* bagatelle *f*; *for* ~ gratis; *good for* ~ bon à rien, inutile; *bring to* ~ faire échouer; *come to* ~ ne pas aboutir; *make* ~ *of* ne faire aucun cas de; *I can make* ~ *of it* je n'y comprends rien; **2.** *adv.* aucunement; pas du tout; **'noth·ing·ness** néant *m*; *fig.* nullité *f*.

no·tice ['noutis] **1.** avis *m*; avertissement *m*; convocation *f* (*d'une réunion*); ♈ délai *m*; *bourse*: terme *m*; affiche *f*; écriteau *m*; annonce *f*, *journ.* notice *f*; revue *f* (*d'un ouvrage*); *fig.* attention *f*; congé *m*; *at short* ~ à bref délai; *give* ~ *of departure* annoncer son départ; *give* ~ *that* prévenir que; *give s.o. a week's* ~ donner ses huit jours à q.; *take* ~ *of* faire attention à; *without* ~ sans avis préalable; **2.** remarquer, observer; s'apercevoir de *ou* que; prendre garde à; faire le compte rendu de (*un ouvrage*); faire attention à; **'no·tice·a·ble** □ sensible, perceptible; digne d'attention; '**no-tice-board** écriteau *m*; porte-affiches *m/inv.*; panneau *m* indicateur.

no·ti·fi·a·ble ❀ ['noutifaiəbl] dont la déclaration est obligatoire (*maladie*); **no·ti·fi·ca·tion** [ˌfiˈkeiʃn] avis *m*; avertissement *f*; annonce *f*; déclaration *f*; notification *f*.

no·ti·fy ['noutifai] annoncer; avertir; déclarer; aviser, notifier.

no·tion ['nouʃn] notion *f*, idée *f*; pensée *f*; *fig.* caprice *m*; *Am.* ˷s *pl.* petites inventions *f/pl.* bon marché; (*petits*) articles *m/pl.* ingénieux; '**no·tion·al** ☐ spéculatif (-ive *f*) (*connaissances etc.*); imaginaire; *surt. Am.* F capricieux (-euse *f*); fantasque.

no·to·ri·e·ty [noutəˈraiəti] notoriété *f*; *personne*: notabilité *f*; **no·to·ri·ous** ☐ [nouˈtɔːriəs] notoire, (re-)connu; *péj.* d'une triste notoriété; fameux (-euse *f*).

not·with·stand·ing [nɔtwiθˈstændiŋ] **1.** *prp.* malgré, en dépit de; **2.** *adv.* pourtant; tout de même; **3.** *cj.* ˷ that quoique (*sbj.*), bien que (*sbj.*).

nought *surt.* ⳤ [nɔːt] zéro *m*; F rien *m*.   [substantif *m*.]

noun *gramm.* [naun] nom *m*,ⳤ

nour·ish ['nʌriʃ] nourrir (*a. fig.*); alimenter; '**nour·ish·ing** nourrissant, nutritif (-ive *f*); '**nour·ish·ment** nourriture *f*; alimentation *f*.

nov·el ['nɔvl] **1.** nouveau (-el *devant une voyelle ou un h muet*; -elle *f*), original (-aux *m/pl.*); **2.** roman *m*; *short* ˷ = **nov·el·ette** [nɔvəˈlet] nouvelle *f*; '**nov·el·ist** romancier (-ère *f*) *m*; **nov·el·ty** ['nɔvlti] nouveauté *f* (*a.* ✝).

No·vem·ber [noˈvembə] novembre *m*.

nov·ice ['nɔvis] novice *mf* (*a. eccl.*); débutant(e *f*) *m*.

no·vi·ci·ate, no·vi·ti·ate [noˈviʃiit] noviciat *m* (*a. eccl.*); apprentissage *m*.

now [nau] **1.** *adv.* maintenant; en ce moment; tout de suite; *avec vbe. passé*: alors, à ce moment-là; *just* ˷ tout à l'heure; *before* ˷ déjà; jusqu'ici; ˷ *and again* de temps à autre; ˷ *and then* de temps en temps; **2.** *cj.* (*a.* ˷ *that*) maintenant que; or; **3.** *su* présent *m*.

now·a·day ['nauədei] d'aujourd'hui; **now·a·days** [ˈˌz] de nos jours.

no·way(s) F ['nouwei(z)] en aucune façon.

no·where ['nouwɛə] nulle part.

no·wise ['nouwaiz] *see* noway(s).

nox·ious ☐ ['nɔkʃəs] nuisible.

noz·zle ['nɔzl] ⊕ ajutage *m*; jet *m*.

nub [nʌb] (petit) morceau *m*; *Am.* essentiel *m* (*d'une affaire*).

nu·cle·ar ['njuːkliə] nucléaire; ˷ *disintegration* désintégration *f* nucléaire; ˷ *physics* physique *f* nucléaire; ˷ *pile* pile *f* nucléaire; ˷ *reactor* bouilleur *m* atomique; ˷ *research* recherches *f/pl.* nucléaires; **nu·cle·on** *phys.* ['ˌkliən] nucléon *m*; **nu·cle·us** ['ˌkliəs], *pl.* **-i** [ˌai] noyau *m*.

nude [njuːd] **1.** nu; **2.** figure *f* nue; *peint.* nu *m*; nudité *f*; *study from the* ˷ nu *m*.

nudge F [nʌdʒ] **1.** pousser (*q.*) du coude; **2.** coup *m* de coude.

nud·ism ['njuːdizm] nudisme *m*; '**nud·ist** nudiste *mf*; '**nu·di·ty** nudité *f*; figure *f* nue.

nu·ga·to·ry ['njuːgətəri] futile, sans valeur; inefficace.

nug·get ['nʌgit] pépite *f* (*d'or*).

nui·sance ['njuːsns] dommage *m*; *fig. personne*: peste *f*, gêneur (-euse *f*) *m*; *chose*: ennui *m*; *what a* ˷! quel ennui!; F quelle scie!; *commit no* ˷! défense de déposer des immondices!; défense d'uriner; *make o.s.* (*ou be*) *a* ˷ être assommant.

null [nʌl] *a. fig.* nul(le *f*); *fig.* inefficace, insignifiant; ˷ *and void* nul et sans effet; **nul·li·fi·ca·tion** annulation *f*, infirmation *f*; **nul·li·fy** ['ˌifai] annuler; nullifier; infirmer; '**nul·li·ty** nullité *f*, invalidité *f*; *fig.* homme *m* nul, non-valeur *f*.

numb [nʌm] **1.** engourdi (par, *with*); transi; **2.** engourdir (*a. fig.*).

num·ber ['nʌmbə] **1.** ⳤ, *gramm. personnes*: nombre *m*; chiffre *m* (*écrit*), numéro *m* (*de maison, auto, journal, programme, etc.*); *poét.* ˷s *pl.* vers *m/pl.*; ♩ accords *m/pl.*; **2.** compter; numéroter; ˷ *among*, ˷ *in*, ˷ *with* (se) compter parmi; '**num·ber·less** innombrable; '**num·ber-plate** mot. plaque *f* matricule.

numb·ness ['nʌmnis] engourdissement *m*; *fig.* torpeur *f*.

nu·mer·a·ble ['nju:mərəbl] (dé)nombrable; '**nu·mer·al 1.** numéral (-aux *m/pl.*); **2.** nombre *m*, chiffre *m*; nom *m* de nombre; ~*s pl.* numéraux *m/pl.*; **nu·mer'a·tion** numération *f*; '**nu·mer·a·tor** *&* numérateur *m* (*d'une fraction*).

nu·mer·i·cal □ [nju'merikl] numérique.

nu·mer·ous □ ['nju:mərəs] nombreux (-euse *f*); *vers:* cadencé; '**nu·mer·ous·ness** (grand) nombre *m*; abondance *f*.

nu·mis·mat·ic [nju:miz'mætik] (~*ally*) numismatique; **nu·mis'mat·ics** *usu. sg.* numismatique *f*; **nu·mis·ma·tist** [nju(:)'mizmətist] numismat(ist)e *m*.

num·skull F ['nʌmskʌl] nigaud(e *f*) *m*; idiot(e *f*) *m*.

nun [nʌn] religieuse *f*; *orn.* mésange *f* bleue, *a.* pigeon *m* nonnain.

nun·ci·a·ture *eccl.* ['nʌnʃiətʃə] nonciature *f*; **nun·ci·o** *eccl.* ['~ʃiou] nonce *m*.

nun·ner·y ['nʌnəri] couvent *m* (de religieuses).

nup·tial ['nʌpʃəl] **1.** nuptial (-aux *m/pl.*); **2.** ~*s pl.* noces *f/pl.*

nurse [nə:s] **1.** (*souv.* wet-~) nourrice *f*; bonne *f* d'enfants; gardemalade (*pl.* gardes-malades) *f*; *hôpital:* infirmière *f*; *at* ~ en nourrice; *put s.o. out to* ~ mettre q. en nourrice; **2.** allaiter (*un bébé*); soigner (*malade, plante, popularité, rhume*); entretenir (*un espoir, un sentiment*); mijoter (*un projet*); cultiver (*des électeurs, une relation, etc.*); '~-**maid** bonne *f* d'enfants.

nurs·er·y ['nə:sri] chambre *f* des enfants; garderie *f*; *✔* pépinière *f* (*a. fig.*); ~ *school* maternelle *f*; ~ **gov·ern·ess** gouvernante *f* (pour jeunes enfants); '~-**man** pépiniériste *m*; ~ **rhyme** chanson *f* de nourrice; poésie *f* enfantine.

nurs·ing ['nə:siŋ] allaitement *m*;

soins *m/pl.*; profession *f* de gardemalade; ~ *home* clinique *f*; ~ **bottle** biberon *m*.

nurs·ling ['nə:sliŋ] nourrisson *m*.

nur·ture ['nə:tʃə] **1.** nourriture *f*; aliments *m/pl.*; soins *m/pl.*, éducation *f*; **2.** nourrir (de, on) (*a. fig.*); élever; instruire.

nut [nʌt] **1.** noix *f*; ⊕ écrou *m*; *sl.* problème *m ou* personne *f* difficile; *sl.* boule *f* (= *tête*); *♪* violon; sillet *m*, *archet:* hausse *f*; *sl.* insensé(e *f*) *m*; ~*s pl.* charbon: gaillettin *m*; **2.** *sl.* ~*s* toqué; *sl. that is* ~*s to* (*ou for*) *him* c'est un plaisir pour lui; *be* ~*s on* raffoler de; *sl. drive s.o.* ~*s* affoler q.; *go* ~*s* être toqué, déménager; **3.**: *go* ~*ting* aller aux noisettes.

nu·ta·tion [nju:'teiʃn] nutation *f*.

nut·crack·er ['nʌtkrækə] *usu.* (*a pair of*)~*s pl.* (des) casse-noisettes *m/inv.*; '**nut-gall** noix *f* de galle; **nut·meg** ['~meg] (noix *f* de) muscade *f*.

nu·tri·ent ['nju:triənt] **1.** nourrissant, nutritif (-ive *f*); **2.** substance *f* nutritive; '**nu·tri·ment** nourriture *f*; aliments *m/pl.* nourrissants.

nu·tri·tion [nju:'triʃn] nutrition *f*; **nu'tri·tion·al** val·ue *see nutritiousness*; **nu'tri·tious** □ nourrissant, nutritif (-ive *f*); **nu'tri·tiousness** nutritivité *f*, valeur *f* nutritive. **nu·tri·tive** □ ['nju:tritiv] *see nutritious*.

nut·shell ['nʌtʃel] coquille *f* de noix; *in a* ~ en peu de mots; **nut·ty** ['nʌti] abondant en noix *ou* en noisettes; ayant un goût de noisette; plein de saveur (*conte*); *sl.* entiché (de, on), timbré, un peu fou (*fol devant une voyelle ou un h muet*; folle *f*).

nuz·zle ['nʌzl] (contre, *against*) fouiller avec le groin (*cochon etc.*); fourrer son nez; *personne:* se blottir, se serrer.

ny·lon ['nailən] *tex.* nylon *m*; ~*s pl.* bas *m/pl.* nylon.

nymph [nimf] nymphe *f*.

O

O, o [ou] O *m*, o *m*.

o [ou] **1.** ♀ (= nought) zéro *m*; **2.**
int. O, ô, oh; ~ *for* ...! que ne
donnerais-je pas pour ...!

oaf [ouf] idiot(e *f*) *m*; lourdaud(e *f*)
m; '**oaf·ish** lourdaud.

oak [ouk] **1.** ♀ chêne *m*; *univ.* F
porte *f* extérieure; *see* sport 2; **2.** de
ou en chêne; '~**-ap·ple**, '~**-gall**
noix *f* de galle; '**oak·en** † de *ou*
en chêne; **oak·let** ['~lit], '**oak·ling**
chêneau *m*.

oa·kum ['oukəm] étoupe *f*.

oar [ɔː] **1.** aviron *m*, rame *f*; *fig.*
rameur (-euse *f*) *m*; *fig.* put one's ~
in intervenir, s'en mêler; F rest on
one's ~s dormir sur ses lauriers;
2. *v/i.* ramer; *v/t.* faire avancer à la
rame; **oared** [ɔːd] à rames; **oarsman** ['ɔːzmən] rameur *m*; '**oars-
wom·an** rameuse *f*.

o·a·sis [o'eisis], *pl.* **-ses** [~siːz]
oasis *f* (*a. fig.*).

oast [oust] séchoir *m* (à houblon).

oat [out] *usu.* ~s *pl.* avoine *f*; F
feel one's ~s se sentir gaillard; *Am.*
a. se donner des airs; *sow one's wild*
~s faire des fredaines.

oath [ouθ], *pl.* **oaths** [ouðz]
serment *m*; *péj.* juron *m*, gros mot
m; *administer* (*ou* tender) *an* ~ *to*
faire prêter serment à, assermenter
(*q.*); *bind s.o. by* ~ lier par serment;
on ~ sous (la foi du) serment; *put*
s.o. on his ~ assermenter q.; *take*
an ~ prêter serment (sur, on); jurer
(sur, on; de *inf.*, to *inf.*).

oat·meal ['outmiːl] farine *f* d'a-
voine.

ob·du·ra·cy ['ɔbdjurəsi] opiniâtreté
f; inflexibilité *f*; **ob·du·rate** □
['~rit] obstiné; inflexible.

o·be·di·ence [o'biːdjəns] obéissance
f; *eccl.* obédience *f*; ✝ *in* ~ *to*
conformément à; **o'be·di·ent** □
obéissant.

o·bei·sance [o'beisns] hommage *m*;
† révérence *f*; *do* (*ou* make *ou* pay) ~
(à, to) rendre hommage; prêter
obéissance (*au roi etc.*).

ob·e·lisk ['ɔbilisk] obélisque *m*; *typ.*
croix *f*, dague *f*.

o·bese □ [o'biːs] obèse; **o'bese-
ness**, **o'bes·i·ty** obésité *f*.

o·bey [o'bei] *v/t.* obéir à (*q.*, *un ordre*); *v/i.* obéir.

ob·fus·cate ['ɔbfʌskeit] *fig.* obscurcir; F griser.

o·bit·u·ar·y [o'bitjuəri] **1.** registre *m*
des morts; nécrologie *m*; **2.** nécrolo-
gique; *journ.* ~ **column** nécrologie *f*.

ob·ject 1. ['ɔbdʒikt] objet *m* (*a.*
fig.); chose *f*; *fig.* but *m*; *gramm.*
complément *m*, régime *m*; *salary*
no ~ les appointements impor-
tent peu; **2.** [əb'dʒekt] *v/t.* objecter
(qch. à q., s.th. to s.o.); *v/i.* protester
(contre, to); ~ *to* (*gér.*) s'opposer à
(*inf.*); se refuser à (*inf.*); désapprouver (*inf.*); ~**glass** *opt.* ['ɔbdʒikt-
glɑːs] objectif *m*.

ob·jec·tion [əb'dʒekʃn] objection *f*;
fig. aversion *f*; *there is no* ~ (to it) il
n'y a aucun inconvénient; **ob'jec-
tion·a·ble** □ répréhensible; désagréable; choquant.

ob·jec·tive [ɔb'dʒektiv] **1.** □ objectif
(-ive *f*); **2.** objectif *m* (*a.* ✕, *opt.*);
but *m*; *gramm.* régime *m*; **ob'jec-
tive·ness**, **ob·jec'tiv·i·ty** objectivité *f*.

ob·ject...: '~**-lens** *opt.* objectif *m*;
'~**-less** □ sans but, sans objet; '~**-
les·son** leçon *f* de choses; *fig.* exemple *m*.

ob·jec·tor [əb'dʒektə] réclameur *m*;
contradicteur *m*; *see* conscientious.

ob·jur·gate ['ɔbdʒəːgeit] accabler
(*q.*) de reproches; **ob·jur'ga·tion**
réprimande *f*; **ob'jur·ga·to·ry** [~
gətəri] objurgatoire.

ob·late □ ['ɔbleit] **1.** ♉ aplati (aux
pôles); **2.** *eccl.* oblat(e *f*) *m*; '**ob-
late·ness** ♉ aplatissement *m*.

ob·la·tion *eccl.* [o'bleiʃn] oblation *f*.

ob·li·ga·tion [ɔbli'geiʃn] obligation *f*
(*a.* ✝); devoir *m*; ✝ engagement *m*;
dette *f* de reconnaissance; *be under*
(*an*) ~ *to s.o.* avoir des obligations
envers q.; devoir de la reconnaissance à q.; *be under* ~ *to* (*inf.*) être
dans l'obligation de (*inf.*), être tenu
de (*inf.*); **ob'lig·a·to·ry** ['~gətəri]
obligatoire (à q., on s.o.); de rigueur.

o·blige [ə'blaidʒ] *v/t.* obliger (*a.* ✝✝);
astreindre; rendre service à (*q.*);
~ *the company with a song* avoir l'a-
mabilité de chanter; *much* ~*d* bien
reconnaissant; *v/i.* F ~ *with a song*

etc. avoir l'amabilité de chanter *etc.*; *please* ~ *with an early reply* prière de bien vouloir répondre sous peu; **ob·li·gee** [ɔbliˈdʒiː] ꝗ̃ obligataire *m*, créancier *m*; F obligé(e *f*) *m*; **o·blig·ing** □ [əˈblaidʒiŋ] obligeant, serviable, complaisant; **o'blig·ing·ness** obligeance *f*, complaisance *f*; **ob·li·gor** ꝗ̃ [ɔbliˈgɔː] obligé(e *f*) *m*.

ob·lique □ [əˈbliːk] ᚛, ♀, ♪, ♏, ♐, *anat.*, *astr.*, *gramm.* oblique; indirect (*discours*, *a. fig.*); de biais (*regard*); **ob'lique·ness**, **ob'liq·ui·ty** [~kwiti] obliquité *f*.

ob·lit·er·ate [oˈblitəreit] effacer, faire disparaître; *fig.* passer l'éponge sur; ♐, *anat.*, *poste*: oblitérer; **ob·lit·er'a·tion** effaçage *m*; rature *f*; ♐, *anat.*, *timbre*: oblitération *f*.

ob·liv·i·on [oˈbliviən] oubli *m*; *pol.* amnistie *f*; **ob'liv·i·ous** □ oublieux (-euse *f*); *be* ~ *of* oublier complètement; F ignorer tout à fait.

ob·long [ˈɔblɔŋ] **1.** oblong(ue *f*); **2.** rectangle *m*.

ob·lo·quy [ˈɔbləkwi] blâme *m*, calomnie *f*; opprobre *m*, honte *f*.

ob·nox·ious □ [əbˈnɔkʃəs] odieux (-euse *f*); désagréable; détesté (par, to); **ob'nox·ious·ness** caractère *m* odieux.

o·boe ♪ [ˈoubou] hautbois *m*; *personne*: hautboïste *mf*.

ob·scene □ [ɔbˈsiːn] obscène; *fig.* répugnant; **ob'scen·i·ty** [~iti] obscénité *f*; *langage*: grossièreté *f*.

ob·scur·ant [ɔbˈskjuərənt] obscurantiste *mf*; **ob·scu·ra·tion** [~skjuˈreiʃn] obscurcissement *m*; *astr.* obscuration *f*, éclipse *f*; **ob·scure** [əbˈskjuə] **1.** □ obscur (*a. fig.*); sombre; **2.** *v/t.* obscurcir (*a. fig.*); masquer (*la lumière*); *fig.* éclipser; **ob'scu·ri·ty** obscurité *f* (*a. fig.*).

ob·se·quies [ˈɔbsikwiz] *pl.* obsèques *f/pl.*, funérailles *f/pl.*

ob·se·qui·ous □ [əbˈsiːkwiəs] obséquieux (-euse *f*); **ob'se·qui·ous·ness** obséquiosité *f*, servilité *f*.

ob·serv·a·ble □ [əbˈzəːvəbl] visible; sensible; remarquable; **ob'serv·ance** *eccl.*, *dimanche*, *loi*, *ordre*: observance *f*; pratique *f*; **ob'serv·ant** □ observateur (-trice *f*) (de, of); attentif (-ive *f*) (à, of); **ob·ser·va·tion** [ɔbzəːˈveiʃn] observation *f*; surveillance *f*; remarque *f*; *attr.*

d'observation; 🚋 ~ *car* wagon *m* d'observation; **ob·serv·a·to·ry** [əbˈzəːvətri] observatoire *m*; **ob'serve** *v/t.* observer (*a. fig.*); regarder; remarquer, apercevoir; dire; *v/i.* ~ *on* commenter (*qch.*); **ob'serv·er** observateur (-trice *f*) *m*.

ob·sess [əbˈses] obséder; ~*ed by* (*ou with*) obsédé par, hanté par; en proie à; **ob'ses·sion** obsession *f*.

ob·so·les·cence [ɔbsəˈlesns] vieillissement *m*; *biol.* atrophie *f*; **ob·so·les·cent** qui tombe en désuétude; *biol.* atrophié.

ob·so·lete [ˈɔbsəliːt] désuet (-ète *f*); hors d'usage; démodé; *zo.* obsolète.

ob·sta·cle [ˈɔbstəkl] obstacle *m*.

ob·ste·tri·cian ♐ [ɔbsteˈtriʃn] accoucheur *m*; **ob'stet·rics** [~riks] *usu. sg.* obstétrique *f*.

ob·sti·na·cy [ˈɔbstinəsi] obstination *f*, opiniâtreté *f*; ♐ persistance *f*; **ob·sti·nate** □ [ˈ~nit] obstiné (*a.* ♐), opiniâtre; acharné; rebelle (*fièvre*).

ob·strep·er·ous □ [əbˈstrepərəs] bruyant; rebelle; indiscipliné.

ob·struct [əbˈstrʌkt] *v/t.* obstruer (*a.* ♐); encombrer; gêner; empêcher; **ob·struc·tion** ⊕ engorgement *m*; ♐, *parl.* obstruction *f*; obstacle *m*; *fig.* empêchement *m*; encombrement *m*; **ob'struc·tive** □ ♐ obstructif (-ive *f*); d'obstruction; *be* ~ *of* gêner.

ob·tain [əbˈtein] *v/t.* obtenir, se procurer; gagner; *v/i.* régner, exister; **ob'tain·a·ble** procurable; trouvable; **ob'tain·ment** obtention *f*.

ob·trude [əbˈtruːd] (s')imposer (on, à); **ob'tru·sion** importunité *f*, intrusion *f*; **ob'tru·sive** □ [~siv] importun; importuné (-ète *f*).

ob·tu·rate [ˈɔbtjuəreit] boucher, obturer; **ob·tu·ra·tor** obturateur *m*.

ob·tuse □ [əbˈtjuːs] ᚛, *angle*, *esprit*, *pointe*: obtus; *fig.* émoussé, sourd; *fig.* stupide; **ob'tuse·ness** manque *m* de pointe; *fig.* stupidité *f*.

ob·verse [ˈɔbvəːs] obvers *m*; *médaille*, *monnaie*: face *f*; *fig.* opposé *m*.

ob·vi·ate [ˈɔbvieit] *fig.* obvier à, éviter; prévenir.

ob·vi·ous □ [ˈɔbviəs] évident, manifeste, clair; *fig.* voyant; **ob'vi·ous·ness** évidence *f*.

oc·ca·sion [əˈkeiʒn] **1.** occasion *f*, cause *f*; sujet *m*; besoin *m*; fois *f*;

~s *pl.* affaires *f/pl.*; on ~ de temps à autre; on several ~s à plusieurs reprises; on all ~s en toute occasion; on the ~ of à l'occasion de; *have no* ~ *for* n'avoir aucun sujet de; **2.** occasionner, donner lieu à; **oc'ca·sion·al** □ ... de temps en temps; épars; ~ *furniture* meuble *m* volant.

oc·ci·dent *poét.* ['ɔksidənt] occident *m*, ouest *m*; **oc·ci·den·tal** □ [~'dentl] occidental (-aux *m/pl.*); de l'ouest.

oc·cult □ [ɔ'kʌlt] occulte, secret (-ète *f*); **oc·cul'ta·tion** *astr.* occultation *f*; **oc·cult·ism** ['ɔkʌltizm] occultisme *m*; **'oc·cult·ist** occultiste *mf*; **oc·cult·ness** ['ɔkʌltnis] caractère *m* occulte.

oc·cu·pan·cy ['ɔkjupənsi] occupation *f*, habitation *f* (de, of); *emploi:* possession *f*; **'oc·cu·pant** *terre:* occupant(e *f*) *m*; *maison:* locataire *mf*; *emploi:* titulaire *mf*; **oc·cu'pa·tion** occupation *f* (*a.* ✕); emploi *m*, métier *m*, profession *f*; be in ~ of occuper; *employed in an* ~ employé; **oc·cu'pa·tion·al** de métier; professionnel(le *f*); ~ *therapy* thérapie *f* rééducative; **oc·cu·pi·er** ['~paiə] *see* occupant; **oc·cu·py** ['~pai] occuper (*q., qch., a.* ✕ *une ville*); habiter (*une maison*); remplir (*l'espace, le temps, un emploi*); occuper (*la place, le temps*); passer (*le temps*); ✕ s'emparer de (*un point stratégique*), garnir (*une place de guerre*); donner du travail à; ~ *o.s.* (*ou be occupied*) *with* (*ou in*) être occupé à, s'occuper à.

o·cean ['ouʃn] océan *m*; mer *f*; F ~s *pl.* of un tas *m* de; **o·ce·an·ic** [ouʃi'ænik] océanique; de l'océan.

oc·hre *min.* ['oukə] ocre *f*.

o'clock [ə'klɔk]: *five* ~ cinq heures.

oc·ta·gon ['ɔktəgən] octogone *m*; **oc·tag·o·nal** [ɔk'tægənl] octogonal (-aux *m/pl.*).

oc·tane ♪ ['ɔktein] octane *m*.

oc·tave ♪ ['ɔktiv] octave *f*; **oc·ta·vo** [~'teivou] in-octavo *inv.* (*a. su./m*).

Oc·to·ber [ɔk'toubə] octobre *m*.

oc·to·ge·nar·i·an ['ɔktoudʒi'nɛəriən] octogénaire (*a. su./mf*).

oc·to·pus *zo.* ['ɔktəpəs] poulpe *m*; *surt.* pieuvre *f* (*a. fig.*).

oc·u·lar □ ['ɔkjulə] oculaire, des yeux, de l'œil; ~ *demonstration* démonstration *f* oculaire; ~*ly* oculairement, des yeux; **'oc·u·list** oculiste *m*.

odd □ [ɔd] impair (*nombre*); dépareillé; déparié (*de deux*); qui ne vont pas ensemble; *fig.* quelconque; *40* ~ une quarantaine; quelque quarante ...; *12 pounds* ~ 12 livres et quelques shillings; *there is still some* ~ *money* il reste encore quelque argent (de surplus); *at* ~ *times* par-ci par-là; *be* ~ *man* rester en surnombre; *see a.* odds; **Odd·fel·lows** ['ɔdfelouz] *pl.* une société de secours mutuels; **'odd·i·ty** singularité *f*, bizarrerie *f*; F original(e *f*) *m*; **'odd·ments** *pl.* restes *m/pl.*; ✝ fins *f/pl.* de série; fonds *m/pl.* de boutique; **odds** [ɔdz] *pl., a. sg.* chances *f/pl.*; avantage *m*; différence *f*; *courses:* cote *f*; *Am. a.* faveurs *f/pl.*; *at* ~ brouillé, en désaccord; ~ *and ends* bribes *f/pl.* et morceaux *m/pl.*; petits bouts *m/pl*; *nourriture:* restes *m/pl.*; *sp.* give *s.o.* ~ concéder des points à *q.*; *what's the* ~? qu'est-ce que ça fait?

ode [oud] ode *f*.

o·di·ous □ ['oudiəs] odieux (-euse *f*); détestable; répugnant; **o·di·um** ['oudiəm] détestation *f*; réprobation *f*; haine *f*.

o·dom·e·ter *mot.* [o'dɔmitə] odomètre *m*; compteur *m* enregistreur.

o·don·to·lo·gy ⚕ [ɔdɔn'tɔlədʒi] odontologie *f*.

o·dor·if·er·ous □ [oudə'rifərəs], **'o·dor·ous** □ odorant; parfumé; *péj.* puant.

o·do(u)r ['oudə] parfum *m*; odeur *f* (*a. fig.*); *fig.* faveur *f*; **'o·do(u)r·less** sans odeur, inodore.

œconom... *see* econom...

œc·u·men·i·cal *eccl.* □ [i:kju:'menikl] œcuménique; F universel(le *f*).

œ·de·ma ⚕ [i:'di:mə] œdème *m*.

o'er [ɔə] *see* over.

œ·soph·a·gus *anat.* [i:'sɔfəgəs] œsophage *m*.

of [ɔv; əv] *prp.* possession, dépendance: de (*mon père*); *origine:* de (*bonne famille*); *cause:* de (*joie, faim, etc.*); *qualité, quantité, action, distance:*

de; *lieu de bataille, etc.*: de; *titre de nobilité*: de; *matière*: de, en (*soie, or, etc.*); *titre universitaire*: en (*philosophie, droit, etc.*), ès (*lettres, sciences*); parmi, (d')entre (*un groupe*); *après certains verbes comme priver, ôter, etc.*: de; *génitif de déscription*: *a man ~ honour* un homme d'honneur; *the city ~ London* la cité de Londres; *génitif subjectif*: *the love ~ a mother* l'amour d'une mère; *génitif objectif*: *the love ~ God* l'amour de Dieu; *a hatred ~ cruelty* une haine de la cruauté; *article partitif*: *a glass ~ wine* un verre de vin; *pour ~ après verbe ou adjectif voir le verbe simple ou l'adjectif*; *die ~ cancer* mourir de cancer; *enough ~* assez de; *loved ~ all* aimé de tous; *north ~ Paris* au nord de Paris; *Duke ~ Kent* Duc de Kent; *get rid ~* se débarrasser de; *cheat s.o. ~ s.th.* frustrer q. de qch.; *rob s.o. ~ s.th.* voler qch. à q.; *think ~* penser à; *fig.* juger de; *be afraid (ashamed) ~* avoir peur (honte) de; *desirous (proud) ~* désireux (fier) de; *it is very kind ~ you* c'est très aimable à vous; *the best ~ my friends* le meilleur de mes amis; *~ late* récemment; *~ old* de jadis; *the 2nd ~ May* le 2 mai; *it smells ~ roses* cela sent les roses; *the remedy ~* remedies le remède par excellence; *this world ~ ours* ce monde terrestre; *he ~ all men* lui entre tous; *F ~ an evening* le soir.

off [ɔːf; ɔf] **1.** *adv usu. avec verbe, voir le verbe simple*; ♻ au large; *3 miles ~* à 3 milles de distance; *5 months ~* à 5 mois d'ici *ou* de là; *~ and on* par intervalles; *be ~* partir, s'en aller; *fig.* être fermé (*gaz etc.*); être coupé (*allumage etc.*); être épuisé (*plat*); être abandonné (*jeu*); être avancé (*viande etc.*); ne plus pondre (*poule*); *be ~ with* en avoir fini avec (*q.*); *have one's shoes ~* avoir ôté ses souliers; *be well (badly) ~* être dans l'aisance (dans la gêne *ou* misère, mal loti); **2.** *prp. usu.* de; *après certains verbes comme prendre, ôter, emprunter, etc.*: à; *distance*: éloigné de, écarté de; dégoûté de (*la nourriture*); ♻ au large de; *a street ~ the Strand* une rue aboutissant au Strand; **3.** *adj.* de dehors; extérieur; droit (*Am.* gauche); *che-*

val: de sous-verge; côté hors montoir (*cheval*); latéral (-aux *m/pl.*) (*rue*); subsidiaire (*importance*); *~ chance* chance *f* douteuse; possibilité *f*; ⚓ *~-black* presque noir; *~ horse* sous-verge *m*; bricoler *v/i.*; **4.** *su. cricket*: *to the ~* en avant à droite; **5.** *int.* filez!; allez-vous-en!

of·fal [ˈɔfəl] déchets *m/pl.*, rebut *m*; *~s pl. boucherie*: déchets *m/pl.* d'abattage; abats *m/pl.*

off-cast [ˈɔfkɑːst] ⚓ rebut *m.*

off-du·ty hours [ˈɔːfdjuːtiˈauəz] *pl.* loisirs *m/pl.*, (heures *f/pl.* de) liberté *f*, congé *m.*

of·fence [əˈfens] offense *f*, faute *f*; sujet *m* de déplaisir; ⚖ crime *m*, délit *m*; *minor ~* contravention *f*; *no ~!* pardonnez-moi!; je ne veux offenser personne!; *give ~* offenser, froisser, blesser (*q., to s.o.*); *take ~* se froisser (de, *at*).

of·fend [əˈfend] *v/t.* offenser, froisser, blesser; *v/i.* pécher (contre, *against*); violer (la loi, *against the law*); déplaire; **of'fend·er** délinquant(e *f*) *m*; coupable *mf*; offenseur *m*; pécheur (-eresse *f*) *m*; *first ~* délinquant(e *f*) *m* primaire.

of·fense [əˈfens] *Am. see* offence.

of·fen·sive [əˈfensiv] **1.** □ offensif (-ive *f*); choquant, offensant; désagréable; **2.** offensive *f.*

of·fer [ˈɔfə] **1.** offre *f*; demande *f* (*en mariage*); *on ~* en vente; **2.** *v/t.* offrir (*qch., prix,* ⚓*, occasion, etc.*); présenter (*spectacle, difficulté, excuses*); inviter (*un combat*); faire (*opposition, résistance, insulte*); avancer (*une opinion*); adresser (*des prières*); essayer (de, *to*); *~ violence* faire violence (à, *to*); *v/i.* s'offrir, se présenter; **'of·fer·ing** action, chose: offre *f*; *eccl.* offrande *f.*

of·fer·to·ry *eccl.* [ˈɔfətəri] oblation *f*; *argent*: (montant *m* de la) quête *f.*

off-hand F [ˈɔːfˈhænd] sans préparation; à première vue; cavalièrement; brusque(ment); improvisé; sans gêne.

of·fice [ˈɔfis] service *m*; office *m* (*a. eccl.*); emploi *m*, charge *f*, fonctions *f/pl.*; dignité *f*; bureau *m*; ⚥ ministère *m*; portefeuille *m*; *~s pl.* communs *m/pl.* et dépendances *f/pl.*; F lieux *m/pl.* d'aisances; *in ~* au pouvoir (*gouvernement, parti*); *Insurance ♀* compagnie *f* d'assurance(s);

sl. give s.o. the ~ avertir q.; F passer la consigne à q.; ~ *appliances pl.* articles *m/pl.* de bureau.

of·fi·cer ['ɔfisə] fonctionnaire *m*; officier *m* (*a.* ✕); '**of·fi·cered** (*by*) commandé (par); sous le commandement (de).

of·fi·cial ☐ [ə'fiʃl] **1.** officiel(le *f*); titulaire; de service; *see officinal*; ~ *agency* agence *f*; *poste:* ~ *business* en franchise; service *m* de l'État; ~ *channel* filière *f*, voie *f* hiérarchique; ~ *clerk* employé *m*; fonctionnaire *m*; ~ *hours pl.* heures *f/pl.* de bureau; **2.** fonctionnaire *m*; employé *m*; **of·fi·cial·dom**, **of·fi·cial·ism** [~ʃəlizm] bureaucratie *f*, fonctionnarisme *m*.

of·fi·ci·ate [ə'fiʃieit] officier; *fig. a.* exercer les fonctions d'hôte.

of·fic·i·nal 🜚 [ɔfi'sainl] officinal (-aux *m/pl.*).

of·fi·cious ☐ [ə'fiʃəs] trop zélé; officieux (-euse *f*); empressé.

off·ing ['ɔfiŋ] large *m*, pleine mer *f*; *in the* ~ au large, *fig.* en perspective; '**off·ish** F distant, réservé.

off…: '~**peak:** ~ *hours pl.* heures *f/pl.* creuses; '~**print** tirage *m* à part; '~**scour·ings** *pl.*, '~**scum** rebut *m*; *fig.* lie *f*; '~**set 1.** compensation *f*; 🜨 saillie *f*; 🜨 retrait *m* (*d'un mur*); ⊕ *tuyau:* double coude *m*; *piston:* rebord *m*; *typ.* maculage *m*; *phot.* offset *m*; *see off-shoot; set-off*; **2.** compenser; '~**shoot** rejeton *m*; F ramification *f*; '~**side** *sp.* hors jeu; '~**spring** descendants *m/pl.*; progéniture *f*; *fig.* produit *m*; '~**time** temps *m* (de) libre; loisirs *m/pl.*

of·ten ['ɔfn], †, *poét. ou mots composés* **oft** [ɔ:ft] souvent, fréquemment.

o·gee 🜨 ['oudʒi:] doucine *f*, cimaise *f*.

o·gi·val [ou'dʒaivəl] ogival (-aux *m/pl.*); en ogive; **o·give** ['oudʒaiv] 🜨 ogive *f*.

o·gle ['ougl] lancer des œillades (à).

o·gre ['ougə] ogre *m*; '**o·gress** ogresse *f*.

oh [ou] O!, ô!

oil [ɔil] **1.** huile *f*; *sens restreint:* pétrole *m*; F *souv.* ~*s pl. see* ~-colo(u)r; ~ *dash-pot* frein *m* à huile; ~ (*level*) *gauge* jauge *f* de niveau d'huile; **2.** graisser (*a. fig.*); ~ *up* (s')encrasser; '~**cloth** toile *f* cirée; lino-

léum *m* imprimé; '~**col·o·u(o)r** couleur *f* à l'huile; '**oil·er** *personne:* graisseur *m*; *chose:* burette *f* de graissage; '**oil·i·ness** état *m* ou aspect *m* graisseux; onctuosité *f* (*a. fig.*); '**oil-paint·ing** peinture *f* à l'huile; '**oil·skin** toile *f* cirée ou huilée; ~*s pl.* ciré *m*; cirage *m*; '**oil·y** ☐ huileux (-euse *f*); graisseux (-euse *f*); gras(se *f*) (*a. voix*); *fig.* onctueux (-euse *f*), mielleux (-euse *f*).

oint·ment ['ɔintmənt] onguent *m*, pommade *f*.

O.K., o·kay, o·keh ['ou'kei] **1.** parfait!; d'accord!; *écrit:* vu et approuvé; **2.** approuver; contresigner (*un ordre*).

old [ould] vieux (vieil *devant une voyelle ou un h muet*); vieille *f*; vieux *m/pl.* (*a.* = *expérimenté, rebattu, du temps ancien*); ancien(ne *f*) (*devant su.* = *qui n'est plus en fonctions*); du temps ancien; de jadis; F *ce cher* …, *ce bon vieux* …; *of* ~ d'autrefois, de jadis; depuis longtemps; *in times of* ~ jadis, autrefois; *a friend of* ~ un vieux camarade; ~ *age* vieillesse *f*; *an* ~ *boy* un ancien élève; *surt. Am.* ♀ *Glory* la bannière étoilée; F *my* ~ *man* mon homme; F *my* ~ *woman* ma femme; '**old·en** † *ou poét.* (de) jadis; vieux (vieil *devant une voyelle ou un h muet*); vieille *f*; vieux *m/pl.*); '**old-'fash·ioned** démodé; à l'ancienne mode; '**old·ish** vieillot(te *f*); '**old-'maid·ish** de vieille fille; **old·ster** ['~stə] F vieillard(e *f*) *m*.

o·le·ag·i·nous [ouli'ædʒinəs] oléagineux (-euse *f*), huileux (-euse *f*).

o·le·o·graph ['ouliogra:f] oléographie *f*.

ol·fac·to·ry *anat.* [ɔl'fæktəri] olfactif (-ive *f*).

ol·i·garch·y ['ɔligɑ:ki] oligarchie *f*.

o·li·o ['ouliou] F pot-pourri (*pl.* pots-pourris) *m*.

ol·ive ['ɔliv] **1.** ♀ olive *f*; *a. see* ~-*tree* **2.** olive *adj./inv.*; '~**branch** (rameau *m* d')olivier *m* (*a. fig.*); '~**tree** olivier *m*.

O·lym·pi·ad [o'limpiæd] olympiade *f*.

O·lym·pi·an [o'limpiən] olympien (-ne *f*); de l'Olympe; **O·lym·pic** *games pl.* jeux *m/pl.* Olympiques.

om·e·let(te) ['ɔmlit] omelette *f*.

o·men ['oumen] présage *m*, augure *m*; **om·i·nous** □ ['ɔminəs] de mauvais augure.

o·mis·si·ble [o'misibl] négligeable; **o'mis·sion** omission *f*; négligence *f*; *fig.* oubli *m*; *eccl.* sin of ~ péché *m* ou faute *f* d'omission.

o·mit [o'mit] omettre (*qch.*; de, to); oublier (de, to); passer sous silence.

om·ni·bus ['ɔmnibəs] 1. autobus *m*; 2. embrassant (*des choses*) diverses; 🚃 ~ *train* train *m* omnibus.

om·nip·o·tence [ɔm'nipətəns] toute-puissance *f*; **om'nip·o·tent** tout-puissant (toute-puissante *f*).

om·ni·pres·ence [ɔmni'prezəns] omniprésence *f*; **'om·ni·pres·ent** □ omniprésent.

om·nis·cience [ɔm'nisiəns] *eccl.* omniscience *f*; **om'nis·cient** □ omniscient.

om·niv·o·rous [ɔm'nivərəs] omnivore; *fig.* insatiable.

on [ɔn] 1. *prp. usu.* sur; à (*la Bourse, cheval, l'arrivée de, pied, l'occasion de*); en (*vacances, route, perce, vente*); après; avec (*une pension, un salaire de*); de (*ce côté-ci*); pour; dans (*le train*); sous (*peine de*); *direction*: vers; ~ *the shore* sur le rivage; ~ *shore* à terre; ~ *the death of* à la mort de; ~ *examination* après considération; ~ *both sides* des deux côtés; ~ *all sides* de tous côtés; ~ *business* pour affaires; *be* ~ *a committee* faire partie d'un comité; ~ *Friday* vendredi; ~ *Fridays* le(s) vendredi(s); ~ *the 5th of April* le 5 avril; ~ *the left* (*right*) à gauche (droite); *surt. Am. be* ~ *a train* monter en voiture; *turn one's back* ~ montrer le dos à (*q.*); ~ *these conditions* dans ces conditions; ~ *the model of* à l'imitation de; ~ *hearing it* lorsque je (*etc.*) l'entendis; *pour on après verbe*, voir le verbe simple; 2. *adv.* (en) avant; *souv. ne se traduit pas* (*p.ex.* put ~ mettre) *ou s'exprime tout autrement* (*p.ex. théâ.* be ~ être en scène; *have one's shoes* ~ être chaussé *etc.*) *ou se traduit par l'idée verbale de* continuer (*qch.*; à *inf.*); *and so* ~ et ainsi de suite; ~ *and* ~ sans fin; ~ *to* sur, à; *from that day* ~ dès ce jour, à partir de ce jour; *be* ~ se trouver sur (*qch.*); faire partie de; se passer; être ouvert (*robinet, électricité*); *théâ.* être en scène; *sl.* be a

bit ~ être quelque peu pompette (= *ivre*); *F what's* ~? qu'est-ce qui arrive?; *théâ.* qu'est-ce qui se joue?; 3. *int.* en avant!, allez(-y)!

once [wʌns] 1. *adv.* une (seule) fois; autrefois; jadis; *at* ~ tout de suite; sur-le-champ; à l'instant; *all at* ~ tout d'un coup, soudain; ~ *again* encore une fois, une fois de plus; ~ *for all* une fois pour toutes; ~ *for* ~ pour une fois; ~ *in a while* (une fois) de temps en temps; *this* ~ cette fois-ci; ~ *more* une fois de plus, encore une fois; *contes etc.*: ~ *upon a time there was* ... il était une fois; 2. *cj.* (a. ~ *that*) dès que; pour peu que.

once-o·ver *Am.* F ['wʌnsouvə]: *give s.o. a* ~ jeter un coup *m* d'œil rapide sur q.

one [wʌn] 1. un(e *f*); unique, seul; seul et même; celui *m* (celle *f*; ceux *m/pl.*); *pron. sujet indéfini*: on; *his* ~ *care* son seul souci; ~ *day* un jour; ~ *of these days* un de ces jours; ~ *Mr. Miller* un certain M. Miller, un nommé M.; *see any* ~, *every* ~, no 1; *give* ~'*s view* donner son avis; *a large dog and a little* ~ un grand chien et un petit; *for* ~ *thing* entre autres raisons, en premier lieu; 2. un(e *f*) *m*; ~ (*o'clock*) une heure; *the little* ~s les petit(e)s; ~ *another* l'un(e) l'autre, les un(e)s les autres; *at* ~ d'accord; ~ *by* ~, ~ *after another* un(e) à un(e), l'un(e) après l'autre; *it is all* ~ (*to me*) cela m'est égal; *I for* ~ ... quant à moi, je ...; pour ma part, je ...; '~'*horse* à un cheval; *fig. sl.* insignifiant; '**one-ness** unité *f*; identité *f*; accord *m*.

on·er·ous □ ['ɔnərəs] onéreux (-euse *f*); pénible.

one...: ~'*self* soi-même; *réfléchi*: se, *accentué*: soi; *by* ~ tout seul; '~-**sid·ed** □ inégal (-aux *m/pl.*), injuste; asymétrique (*forme*); '~-**time** ancien(ne *f*); '~-**way**: ~ *street* (rue *f* à) sens *m* unique; ~ *fare* (prix *m* du) billet *m* simple.

on·fall ['ɔnfɔ:l] assaut *m*.

on·go·ings ['ɔngouiŋz] *pl.* F manège *m*.

on·ion ['ʌnjən] oignon *m*.

on·look·er ['ɔnlukə] spectateur (-trice *f*) *m*.

on·ly ['ounli] 1. *adj.* seul, unique; 2. *adv.* seulement, ne ... que; rien que; ~ *yesterday* pas plus tard qu'hier; ~ *just* à peine; tout juste; ~ *think!* imaginez un peu!; 3. *cj.* mais; ~ *that* si ce n'est *ou* était que.

on·rush ['ɔnrʌʃ] ruée *f.*

on·set ['ɔnset], **on·slaught** ['ɔnslɔːt] assaut *m;* attaque *f (a. fig.); fig. at the onset* de prime abord.

o·nus ['ounəs] *(pas de pl.) fig.* responsabilité *f,* charge *f.*

on·ward ['ɔnwəd] 1. *adj.* en avant, progressif (-ive *f);* 2. *adv. (a.* **on·wards** ['ɔnwəz]) en avant; plus loin.

oo·dles F ['uːdlz] *pl.* un tas *m* (de, of).

oof *sl.* [uːf] galette *f* (= argent).

ooze [uːz] 1. vase *f;* boue *f;* ⊕ jus(ée *f) m;* 2. suinter (*a.* ~ *out*) dégoutter; ~ *away* s'écouler, disparaître; *Am. sl.* ~ *out* (se dé)filer.

oo·zy □ ['uːzi] vaseux (-euse *f);* suintant.

o·pac·i·ty [o'pæsiti] opacité *f; fig. intelligence:* lourdeur *f.*

o·pal *min.* ['oupəl] opale *f;* **o·pal·es·cent** [‿'lesnt] opalescent.

o·paque □ [ou'peik] opaque; *fig.* obtus, peu intelligent.

o·pen ['oupən] 1. *adj.* □ *usu.* ouvert; plein (*air, campagne, mer);* grand (*air*); débouché (*bouteille*); courant (*compte*); non barré (*chèque*); nu (*feu*); public (-ique *f*) (*jugement*); haut (*mer*); défait (*paquet*); béant (*plaie*); discutable (*question*); déclaré (*rival*); manifeste (*sentiment*); franc(he *f*); doux (douce *f*) (*temps*); découvert (*voiture*); ~ *to* accessible à; ~ *to conviction* accessible à la conviction; *in the* ~ *air* en plein air, au grand air; ⚒ ~*-cast*, ~*-cut* à ciel ouvert (*exploitation*); *in* ~ *court* en plein tribunal; *sp.* ~ *race* omnium *m; Am.* ~ *shop* atelier *m* etc. qui admet les ouvriers non-syndiqués; ~ *work* ouvrage *m* ajouré; *leave o.s.* ~ *to* s'exposer à; 2. *su. bring into the* ~ exposer au grand jour; 3. *v/t. usu.* ouvrir; inaugurer; écarter; révéler, exposer; commencer, entamer; ~ *up* ouvrir; *v/i.* s'ouvrir; s'épanouir; s'étendre (*vue*); commencer; ~ *into* donner dans, communiquer avec; ~ *on* to donner sur, ouvrir sur; **'o·pen·er** ['oupnə] *personne:* ouvreur (-euse *f*) *m;* 'open-**'hand·ed** libéral (-aux *m/pl.*); **'o·pen·ing** 1. ouverture *f;* inauguration *f;* commencement *m,* début

m; trou *m;* éclaircie *f (dans les nuages);* mur, forêt: percée *f;* clairière *f (dans un bois);* 2. d'ouverture, inaugural (-aux *m/pl.*); 'o·pen-'mind·ed *fig.* impartial (-aux *m/pl.*); qui a l'esprit large; 'o·pen-'mouthed bouche *f* bée; **o·pen·ness** ['oupnnis] aspect *m* découvert, situation *f* exposée; *fig.* franchise *f.*

op·er·a ['ɔpərə] opéra *m;* '~-**cloak** sortie *f* de bal; '~-**danc·er** danseur (-euse *f*) *m* d'opéra; ballerine *f;* '~-**glass(es** *pl.*) jumelle *f,* -s *f/pl.;* '~-**hat** (chapeau *m*) claque *m;* '~-**house** opéra *m.*

op·er·ate ['ɔpəreit] *v/t.* opérer, effectuer (*a.* ⚕, ✕, ✂); ✝ exploiter; *Am.* actionner; faire manœuvrer (*une machine*); gérer, diriger (*une entreprise*); *v/i.* ⚕ opérer (q., on *s.o.*); *Am.* fonctionner; ✝ faire des opérations, spéculer; entrer en vigueur, jouer; *be operating* fonctionner; **op·er·at·ic** [‿'rætik] d'opéra; ~ *singer* chanteur (-euse *f*) *m* dramatique d'opéra; **op·er·at·ing** ['ɔpəreitiŋ] qui opère; ⚕ opérateur (*chirurgien*); d'exploitation; d'opération; ~ *expenses* *pl.* dépenses *f/pl.* courantes; ~ *instructions* *pl.* indications *f/pl.* du mode d'emploi; ⚕ ~ *room* (*ou theatre, theater*) salle *f* d'opération; **op·er·a·tion** fonctionnement *m,* action *f;* ⚕, ✕, ✝ opération *f; be in* ~ fonctionner, jouer; être en vigueur; *come into* ~ entrer en vigueur; **op·er·a·tion·al** d'opération; d'exploitation; **op·er·a·tive** ['‿rətiv] 1. □ actif (-ive *f*), opératif (-ive *f*); pratique; *fig.* essentiel(le *f*); ⚕ opératoire; 2. ouvrier (-ère *f*) *m;* **op·er·a·tor** ['‿reitə] opérateur (-trice *f*) *m* (*a.* ⊕); ⚕ opérateur *m* (*a. cin., a.* ✝); téléphoniste *mf;* ✝ joueur *m;* ouvrier (-ère *f*) *m; Am. mot.* conducteur *m.*

op·er·et·ta [ɔpə'retə] opérette *f.*

oph·thal·mi·a ⚕ [ɔf'θælmiə] ophtalmie *f;* **oph·thal·mic** ophtalmique; ~ *hospital* hôpital *m* ophtalmologique.

o·pi·ate *pharm.* 1. ['oupiit] opiat *m,* opiacé *m,* narcotique *m;* 2. ['‿ieit] opiacer (*un médicament*).

o·pine [o'pain] *v/t.* être d'avis (que); *v/i.* opiner; **op·in·ion** [ə'pinjən] opinion *f,* avis *m;* ⚕ consultation *f; the (public)* ~ l'opinion *f* (publique);

counsel's ~ avis *m* motivé; *be of* ~, estimer, être d'avis (que, *that*); *in my* ~ à mon avis; **o'pin·ion·at·ed** [‿eitid] opiniâtre; imbu de ses opinions.

o·pi·um *pharm.* ['oupjəm] opium *m.*

o·pos·sum *surt. Am.* [ə'pɔsəm] opossum *m*; sarigue *f, a. m.*

op·po·nent [ə'pounənt] 1. adversaire *mf*; 2. opposé; *anat.* opposant.

op·por·tune □ ['ɔpətjuːn] opportun, commode; à propos; **'op·por·tun·ism** opportunisme *m*; **'op·por·tun·ist** opportuniste *mf*; **op·por·'tu·ni·ty** occasion *f* (favorable) (pour *inf.* of gér., *to inf.*); facilités *f/pl.* (de, for).

op·pose [ə'pouz] opposer (*deux choses*); s'opposer à (*q., qch.*); résister à (*q., qch.*); parler contre (*une proposition*); **op'posed** opposé, contraire, hostile; *be* ~ *to* être le rebours de; aller au contraire de; **op·po·site** ['ɔpəzit] 1. *adj.* □ (*to*) opposé (à); en face (de); vis-à-vis (de); contraire (à); ~ *number* correspondant *m* en grade, F similaire *m*; 2. *prp.* en face de, vis-à-vis de; 3. *adv.* en face, vis-à-vis; 4. *su.* opposé *m*; contre-pied *m*; **op·po·si·tion** opposition *f* (*a. parl., a. astr.*); résistance *f*; camp *m* adverse; † concurrence *f.*

op·press [ə'pres] opprimer; *fig. a.* accabler, oppresser; **op·pres·sion** [ə'preʃn] oppression *f*; *fig.* accablement *m*; ⚕ abus *m* d'autorité; **op·'pres·sive** [‿siv] oppressif (-ive *f*), tyrannique; *fig.* lourd (*temps*); **op'pres·sive·ness** caractère *m* oppressif; *fig. temps*: lourdeur *f*; **op'pres·sor** oppresseur *m.*

op·pro·bri·ous □ [ə'proubriəs] outrageant, injurieux (-euse *f*); **op·'pro·bri·um** [‿briəm] opprobre *m.*

opt [ɔpt] opter (pour, for; entre, between).

op·tic ['ɔptik] optique, de l'œil; de vision; (*ou* **'op·ti·cal** □) optique; **op·ti·cian** [ɔp'tiʃn] opticien *m*; **'op·tics** *sg.* optique *f.*

op·ti·mism ['ɔptimizm] optimisme *m*; **'op·ti·mist** optimiste *mf*; **op·ti'mis·tic** (‿ally) optimiste; ‿ally avec optimisme.

op·tion ['ɔpʃn] choix *m*, option *f*; faculté *f*; † (marché *m* à) prime *f*;

~ *right* option *f*; **'op·tion·al** □ facultatif (-ive *f*).

op·u·lence ['ɔpjuləns] opulence *f*, richesse *f*; **'op·u·lent** □ opulent, très riche.

or [ɔː] ou; *either* … ~ ou … ou; soit … soit; ~ *else* ou bien; sinon.

or·a·cle ['ɔrəkl] oracle *m*; F *work the* ~ arriver à ses fins; faire agir certaines influences; **o·rac·u·lar** [ɔ'rækjulə] (en style) d'oracle; *fig.* équivoque, obscur.

o·ral □ ['ɔːrəl] oral (-aux *m/pl.*); buccal (-aux *m/pl.*).

or·ange ['ɔrindʒ] 1. orange *f*; *arbre:* oranger *m*; *couleur:* orange *m*; orangé *m*; 2. orangé; orange *adj./inv.*; **or·ange·ade** ['‿eid] orangeade *f*; **or·ange·ry** ['‿əri] orangerie *f.*

o·rate *co.* [ɔ:'reit] pérorer; **o'ra·tion** allocution *f*, discours *m*; *co., péj.* harangue *f*; **or·a·tor** ['ɔrətə] orateur *m*; **or·a·tor·i·cal** □ [ɔrə'tɔrikl] oratoire; ampoulé (*discours*); phraseur (-euse *f*) (*personne*); **or·a·to·ri·o** [‿'tɔːriou] oratorio *m*; **or·a·to·ry** ['ɔrətəri] éloquence *f*; art *m* oratoire.

orb [ɔːb] orbe *m*; globe *m*; *poét.* astre *m*; **orbed** [ɔːbd] *usu. poét.* 'ɔːbid] rond, sphérique; **or·bic·u·lar** □ [ɔː'bikjulə], **or·bic·u·late** [‿lit] orbiculaire, sphérique; **or·bit** ['ɔːbit] *anat., a. astr.* orbite *f*; *put (go) into* ~ placer sur son orbite.

or·chard ['ɔːtʃəd] verger *m*; **'or·chard·ing** fruticulture *f*; *Am.* terrains *m/pl.* aménagés en vergers.

or·ches·tra ♪ ['ɔːkistrə] orchestre *m*; ~ *pit* *théâ.* fosse *f* d'orchestre; **or·ches·tral** [ɔː'kestrl] orchestral (-aux *m/pl.*); **or·ches·trate** ♪ ['ɔːkistreit] orchestrer, instrumenter.

or·chid ♀ ['ɔːkid] orchidée *f.*

or·dain [ɔː'dein] ordonner (*a. un diacre*); conférer les ordres à (*un prêtre*); fixer, destiner; prescrire.

or·deal [ɔː'diːl] épreuve *f*; *hist.* jugement *m* de Dieu, ordalie *f.*

or·der ['ɔːdə] 1. ordre *m* (*a. moines, chevalerie, fig.*, †, ⚜, ✠ [*de bataille*], ⚓ [*tactique*]); † commande *f*; ordonnance *f* (*de paiement*); *parl.:* rappel *m* à l'ordre; *admin.* arrêt(-é) *m*; ✠, ⚓ consigne *f*; *poste:* mandat *m*; ⊕ état *m* de fonctionnement; instruction *f*; suite *f*, succession *f*; classe *f* (*sociale*); *by* ~ par ordre;

~ of the day ordre m du jour (a. fig.); take (holy) ~s prendre les ordres; in ~ dans les règles; put in ~ mettre en règle; in ~ to (inf.) pour (inf.), afin de (inf.); in ~ that pour que (sbj.), afin que (sbj.); a. see in ~ to; on the ~s of sur les ordres de; ✝ be on ~ être commandé; make to ~ faire sur commande; faire sur mesure (un habit); parl. rise to ~ se lever pour demander le rappel à l'ordre; parl. standing ~s pl. ordres m/pl. permanents; ✝, pol. règlement m, -s m/pl.; to (the) ~ of ✝ à l'ordre de (q.); 2. (ar)ranger; ordonner; régler; ✗ prescrire; ✝ commander; ✗ ~ arms! reposez armes!; ~ about faire marcher (q.); ~ s.o. down (up) ordonner à q. de descendre (monter); 'or·der·er ordonnateur (-trice f) m; 'or·der·li·ness bon ordre m; discipline f; bonne conduite f; 'or·der·ly 1. méthodique; réglé (vie etc.); discipliné (foule etc.); ✗ ~ officer officier m de service ou de semaine; ~ room salle f de rapport; 2. ✗ planton m; (medical) ~ infirmier m; 'or·der·pad ✝ carnet m de commande.

or·di·nal ['ɔ:dinl] ordinal (-aux m/pl.) (a. su./m).

or·di·nance ['ɔ:dinəns] ordonnance f, décret m, règlement m; eccl. rite m.

or·di·nar·y ['ɔ:dnri] 1. □ ordinaire; coutumier (-ère f); péj. quelconque; ✝ ~ debts pl. dettes f/pl. compte; ⚓ ~ seaman matelot m de troisième classe; see share 1; 2. eccl. ordinaire m; table f d'hôte; Am. auberge f; commun m; in ~ ordinaire; en réserve (navire).

or·di·nate ⅄ ['ɔ:dnit] ordonnée f.

or·di·na·tion [ɔ:di'neiʃn] eccl. ordination f; arrangement m.

ord·nance ✗, ⚓ ['ɔ:dnəns] artillerie f; ✗ service m du matériel; ~ map carte f d'état-major; ~ survey service m cartographique.

or·dure ['ɔ:djuə] ordure f; immondice f.

ore [ɔ:] minerai m; poét. métal m.

or·gan ['ɔ:gən] ♪ orgue m (f/pl. -s); organe m (ouïe, vue, etc., admin., a. = journal); bulletin m, porteparole m/inv.; '~-grind·er joueur m d'orgue de Barbarie; or·gan·ic [ɔ:'gænik] (~ally) organique; orga-

nisé (êtres, croissance); or·gan·ism ['ɔ:gənizm] organisme m; 'or·gan·ist organiste mf; or·gan·i·za·tion [ˌɔ:nai'zeiʃn] organisation f; pol. organisme m; œuvre f (de charité); 'or·gan·ize organiser; arranger; ~d constitué; biol., pol. organisé; 'or·gan·iz·er organisateur (-trice f) m.

or·gy ['ɔ:dʒi] orgie f (a. fig.); fig. profusion f.

o·ri·el ⚭ ['ɔ:riəl] fenêtre f en saillie.

o·ri·ent ['ɔ:riənt] 1. oriental (-aux m/pl.); de l'orient; 2. orient m (a. = éclat d'une perle); Am. Asie f; 3. ['~ent] orienter; o·ri·en·tal [ˌ~'entl] 1. □ oriental (-aux m/pl.); d'Orient; 2. Oriental(e f) m; indigène mf de l'Orient; o·ri·en·tate ['ɔ:rienteit] orienter; o·ri·en·ta·tion orientation f.

or·i·fice ['ɔrifis] orifice m, ouverture f.

or·i·gin ['ɔridʒin] origine f, génèse f; provenance f.

o·rig·i·nal [ə'ridʒənl] 1. □ originaire; premier (-ère f); original (-aux m/pl.) (livre, style, idée, etc.); inédit; see share; ~ capital capital m d'apport; ~ sin péché m original; 2. original m; personne: original(e f) m; o·rig·i·nal·i·ty [ˌ~'næliti] originalité f.

o·rig·i·nate [ə'ridʒineit] v/t. faire naître, donner naissance à, être l'auteur de; v/i. (from, in) tirer son origine, dériver (de); avoir son origine (dans); o·rig·i'na·tion source f, origine f; naissance f; invention f; création f; o'rig·i·na·tive □ créateur (-trice f); o'rig·i·na·tor auteur m; initiateur (-trice f) m.

o·ri·ole orn. ['ɔ:rioul] loriot m.

or·mo·lu ['ɔ:molu:] or m moulu; similor m.

or·na·ment 1. ['ɔ:nəmənt] ornement m (a. fig.); parure f; 2. ['~ment] orner, parer; agrémenter (une robe); or·na'men·tal ornemental (-aux m/pl.); d'ornement; d'agrément.

or·nate □ [ɔ:'neit] orné; fig. fleuri.

or·ni·tho·log·i·cal □ [ɔ:niθɔ'lɔdʒikl] ornithologique; or·ni·thol·o·gist [ˌ~'θɔlədʒist] ornithologue mf, -logiste mf; or·ni'thol·o·gy ornithologie f.

o·rog·ra·phy [ɔ'rɔgrəfi] orographie f.

o·ro·tund ['ɔrotʌnd] sonore.

or·phan ['ɔːfən] 1. orphelin(e f) m; 2. (a. 'or·phaned) orphelin(e f); **or·phan·age** ['⁓idʒ], 'or·phan·a·sy·lum orphelinat m.

or·rer·y ['ɔrəri] planétaire m.

or·tho·dox □ ['ɔːθədɔks] orthodoxe; fig. classique; bien pensant (personne); 'or·tho·dox·y orthodoxie f.

or·tho·graph·ic, or·tho·graph·i·cal □ [ɔːθə'græfik(l)] orthographique, d'orthographe; **or·thog·ra·phy** [ɔː'θɔgrəfi] orthographe f; ⅄ coupe f perpendiculaire.

or·tho·pae·dic [ɔːθo'piːdik] (⁓ally) orthopédique; **or·tho'pae·dist** orthopédiste mf; 'or·tho·pae·dy orthopédie f.

Os·car ['ɔskə] surt. cin. Am. oscar m; p.ext. récompense f.

os·cil·late ['ɔsileit] osciller (a. fig.); fig. hésiter, balancer; mot. oscillating axle essieu m orientable; **os·cil'la·tion** oscillation f; **os·cil·la·to·ry** ['⁓lətəri] oscillatoire.

os·cu·late co. ['ɔskjuleit] s'embrasser.

o·sier ♀ ['ouʒjə] osier m.

os·prey ['ɔspri] orn. orfraie f; ♱ aigrette f.

os·se·ous ['ɔsiəs] osseux (-euse f);

os·si·fi·ca·tion [ɔsifi'keiʃn] ossification f; **os·si·fy** ['⁓fai] (s')ossifier;

os·su·ar·y ['ɔsjuəri] ossuaire m.

os·ten·si·ble □ [ɔs'tensəbl] prétendu.

os·ten·ta·tion [ɔsten'teiʃn] ostentation f; faste m; parade f; **os·ten'ta·tious** □ fastueux (-euse f); plein d'ostentation.

os·te·ol·o·gy anat. [ɔsti'ɔlədʒi] ostéologie f.

ost·ler ['ɔslə] valet m d'écurie.

os·tra·cism ['ɔstrəsizm] ostracisme m; **os·tra·cize** ['⁓saiz] bannir; ostraciser (a. fig.).

os·trich orn. ['ɔstritʃ] autruche f.

oth·er ['ʌðə] autre (than, from que); the ⁓ day l'autre jour, récemment; the ⁓ morning l'autre matin; every ⁓ day tous les deux jours; each ⁓ l'un(e) l'autre, les un(e)s les autres; somebody or ⁓ je ne sais qui; péj. quelque individu; '⁓·wise autrement.

o·ti·ose □ ['ouʃious] superflu; oiseux (-euse f); **o·ti·os·i·ty** [ouʃi'ɔsiti] superfluité f.

ot·ter zo. ['ɔtə] loutre f (a. peau).

Ot·to·man ['ɔtəmən] 1. ottoman, turc (turque f); 2. Ottoman(e f) m; ♀ divan m, ottomane f.

ought¹ [ɔːt] see aught.

ought² [⁓] v/aux. (défectif): I ⁓ to (inf.) je dois ou devrais (inf.); you ⁓ to have done it vous auriez dû le faire.

ounce¹ [auns] once f (28,35 g); by the ⁓ à l'once; au poids.

ounce² zo. [⁓] once f; léopard m des neiges.

our ['auə] notre, nos; **ours** ['auəz] le (la) nôtre, les nôtres; à nous; a … of ⁓ un(e) de nos …; **our'self** nous-même; réfléchi: nous (a. accentué); **our'selves** nous-mêmes, réfléchi: nous (a. accentué).

oust [aust] évincer; supplanter; déloger (d'un poste).

out [aut] 1. adv. (au, en) dehors; au clair, découvert; sorti; éteint; au bout, à la fin; be ⁓ être sorti; sortir; se tromper; être bas(se f) (marée); être démodé (vêtement); faire la grève, être en grève (ouvrier); être épanoui ou en fleur; être paru (livre); être éventé (secret); avoir fait son entrée dans le monde (jeune fille); être luxé (épaule etc.); être sur pied (troupes); être achevé ou à bout (patience, mois, etc.); pol. n'être plus au pouvoir; être connu ou publié (nouvelle etc.); sp. être hors jeu ou éliminé ou knock-out; avoir perdu connaissance; sl. be ⁓ for s.th. être à la recherche de qch.; be ⁓ to (inf.) avoir entrepris de (inf.); avoir pour but de (inf.); be ⁓ with être fâché avec; hear s.th. ⁓ entendre qch. jusqu'au bout; ⁓ and⁓ complètement; ⁓-and-⁓ achevé, convaincu; ⁓ and about (de nouveau) sur pied; levé; ⁓ and away de beaucoup; see elbow; come ⁓ théâ. débuter; débuter, faire son entrée dans le monde (jeune fille); have it ⁓ with vider une querelle avec (q.), s'expliquer avec (q.); voyage ⁓ aller m; way ⁓ sortie f; her Sunday ⁓ son dimanche de sortie; ⁓ upon him! fi de lui!; ⁓ with him! à la porte!; 2. su. typ. bourdon m; Am. F excuse f; parl. the ⁓s pl.

l'opposition *f*; **3.** *adj.* aller (*match*); exceptionel(le *f*) (*taille*); hors série; **4.** *prp.* ~ of hors de, au *ou* en dehors de; par (*la fenêtre*); *choix*: parmi, d'entre; démuni de; *drink* ~ of boire dans (*un verre*), à (*la bouteille*); *3* ~ *of 10* 3 sur 10; ~ *of respect* par respect; *see* date² [1]; *laugh* **2.** *money*; **5.** *v*/*t.* F rendre ivre mort; *box.* mettre knock-out.

out...: ~**and**-'**out**-**er** *sl.* outrancier (-ère *f*) *m*; intransigeant(e *f*) *m*; chef-d'œuvre (*pl.* chefs-d'œuvre) *m*; ~'**bal**-**ance** l'emporter sur; ~'**bid** [*irr.* (*bid*)] renchérir sur; '~**board** hors bord; extérieur; '~**brave** braver; surpasser (*q.*) en bravoure; '~**break** éruption *f*; début *m*; '~**build**-**ing** bâtiment *m* extérieur; '~**burst** explosion *f*, éruption *f*; '~**cast** expulsé(e *f*) (*a. su.*); *fig.* réprouvé(e *f*) (*a. su.*); ~'**class** *sp.* surclasser; ~'**col**-**lege** externe (*étudiant*[*e*]); '~**come** issue *f*, conséquence *f*; '~**crop** ⚒, *géol.* affleurement *m*; *fig.* épidémie *f*; '~**cry** cri *m*; clameur *f*; ~'**dat**-**ed** vieilli, démodé; ~'**dis**-**tance** dépasser, distancer; ~'**do** [*irr.* (*do*)] surpasser; '~**door** *adj.* ~'**doors** *adv.* au dehors; en plein air; au grand air.

out-**er** ['autə] extérieur; externe; '~**most** le plus en dehors; extrême.

out...: ~'**face** dévisager (*q.*); faire baisser les yeux à (*q.*); '~**fall** *égout*: déversoir *m*; *rivière*: embouchure *f*; '~**fit** équipement *m*; trousse *f*; ⚓ armement *m*; *habits*: trousseau *m*; *Am.* équipe *f* d'ouvriers; ⚔ F compagnie *f*, bataillon *m*; '~**fit**-**ter** fournisseur (-euse *f*) *m*; marchand *m* de confections; ~'**flank** ⚔ déborder; '~**flow** gaz, eau, etc.: dépense *f*; *égout*: décharge *f*; ~'**go** **1.** [*irr.* (*go*)] surpasser; dépasser; **2.** ['~] dépenses *f*/*pl.*; '~**go**-**ing** **1.** sortant; **2.** sortie *f*; dépenses *f*/*pl.*; ~'**grow** [*irr.* (*grow*)] devenir plus grand que (*q.*); devenir trop grand pour (*qch.*); *fig.* se défaire de; '~**growth** excroissance *f*; conséquence *f* naturelle; '~**house** dépendance *f*; appentis *m*; *Am.* water *m* extérieur.

out-**ing** ['autin] promenade *f*; partie *f* de plaisir; excursion *f*, sortie *f*.

out...: ~'**land**-**ish** baroque, bizarre;

barbare (*langue*); retiré (*endroit*); '~**law** **1.** hors-la-loi *m*/*inv.*; proscrit(e *f*) *m*; **2.** proscrire; '~**law**-**ry** proscription *f*; '~**lay** dépenses *f*/*pl.*; frais *m*/*pl.*; ~'**let** sortie *f*, départ *m*; issue *f*; tuyau, a. ⚓ débouché *m*; *fig.* issue *f*, déversoir *m*; '~**line** **1.** silhouette *f*; profil *m*; tracé *m*; roman, pièce de théâ.: canevas *m*; **2.** silhouetter; ébaucher; esquisser; ~d dessiné, profilé (sur, *against*); '~**live** survivre à; '~**look** guet *m*; vue *f*; perspective *f* (*a. fig.*); *pol.* horizon *m*; '~**ly**-**ing** éloigné, écarté; ⚓ qui déborde (*appareil*); ~**ma**'**nœu**-**vre** l'emporter sur (*q.*) en tactique; F déjouer; ~'**march** devancer; ~'**mod**-**ed** démodé; '~**most** le plus en dehors; extrême; ~'**num**-**ber** surpasser en nombre; '~-**of**-**door**(*s*) *see* outdoor(s); '~-**of**-**work** *pay* indemnité *f* de chômage; '~**pace** distancer; gagner de vitesse; '~-**pa**-**tient** malade *mf* qui va consulter à la clinique; '~**post** poste *m* avancé; '~**pour**-**ing** épanchement *m* (*a. fig.*); '~**put** rendement *m*; *mine*: production *f*; ⊕ débit *m*.

out-**rage** ['autreidʒ] **1.** atteinte *f*; outrage *m* (à on, *against*); attentat *m* (à, on); *fig.* indignité *f*; **2.** outrager, faire outrage à; violenter (*une femme*); *fig.* aller à l'encontre de; **out**'**ra**-**geous** □ immodéré; outrageux (-euse *f*); atroce.

out...: ~'**reach** tendre la main plus loin que; *fig.* prendre de l'avance sur; '~-**re**-**lief** secours *m*/*pl.* à domicile; ~'**ride** [*irr.* (*ride*)] dépasser ou devancer à cheval; ⚓ étaler (*une tempête*); '~**rid**-**er** piqueur *m*; F avant-coureur *m*; '~**rig**-**ger** ⚓ prao: balancier *m*; outrigger *m*; espar *m* en saillie; ~'**right** **1.** *adj.* ['autrait] à forfait; franc(he *f*); **2.** *adv.* [aut'rait] complètement; à forfait; sur le coup; carrément; ~'**ri**-**val** surpasser; l'emporter sur (*q.*); ~'**run** [*irr.* (*run*)] dépasser (*le but etc.*); distancer (*un concurrent*); *fig.* l'emporter sur; '~-**run**-**ner** *see* outrider; '~**sail** ⚓ dépasser (*un navire*); '~**set** commencement *m*, début *m*; ~'**shine** [*irr.* (*shine*)] éclipser; surpasser en éclat; '~**side 1.** *su.* extérieur *m*, de-

hors *m*; *autobus*: impériale *f*; *fig.*
maximum *m*; *at the* ~ tout au plus;
2. *adj.* extérieur; du dehors; de
l'impériale (*d'un autobus*); du bout
(*d'une place ou chaise*); maximum
(*prix*); *foot.*: ~ **right** (**left**) ailier *m*
droit (gauche); **3.** *adv.* (en) dehors; à
l'extérieur; ~ **of** = **4.** *prp.* en dehors
de; à l'extérieur de; hors de;
'~**sid·er** F étranger (-ère *f*) *m*;
profane *mf*; '~**sit** [*irr.* (*sit*)] rester
plus longtemps que; '~**size** ✝
taille *f* exceptionnelle; '~**skirts** *pl.*
ville: faubourgs *m/pl.*, banlieue *f*;
forêt: lisière *f*; abords *m/pl.*;
~**smart** *Am.* F surpasser en finesse; déjouer; '~**spo·ken** ☐ carré;
franc(he *f*); ~**stand·ing** saillant;
marquant, *fig.* éminent; en suspens
(*affaire*) ✝ dû (due *f*); échu (*intérêt*); ~**stay** rester plus longtemps
que; ~ *one's welcome* lasser l'amabilité de ses hôtes; '~**step** *fig.* outrepasser; ~**stretch** étendre, déployer; ~**strip** dépasser, gagner de
vitesse; *fig.* surpasser; '~**turn**
rendement *m* net; ~**val·ue** surpasser en valeur; ~**vote** obtenir une
majorité sur; mettre (*q.*) en minorité; '~**vot·er** électeur (-trice *f*) *m*
qui ne réside pas dans la circonscription.

out·ward ['autwəd] **1.** *adj.* en dehors,
extérieur, de dehors; d'aller (*billet*)
⚓ pour l'etranger; **2.** *adv.* (*usu.*
out·wards ['~dz]) au dehors; vers
l'extérieur; '**out·ward·ness** exté-
riorité *f*; *fig.* objectivité *f*.

out...: ~**wear** [*irr.* (*wear*)] user
complètement; durer plus long-
temps que; se défaire de (*une
habitude etc.*); ~**weigh** dépasser en
poids; *fig.* l'emporter sur; ~**wit** déjouer les menées de; '~**work** ✕
ouvrage *m* avance; ⊕ travail (*pl.*
-aux) *m* fait à domicile; '~**work·er**
ouvrier (-ère *f*) *m* à domicile.

ou·zel *orn.* ['uːzl] merle *m*.

o·val ['ouvl] **1.** (en) ovale; **2.** ovale *m*.

o·va·ry ['ouvəri] *anat.*, *a.* ♀
ovaire *m*.

o·va·tion [ou'veiʃn] ovation *f*.

ov·en ['ʌvn] four *m*; ⊕ étuve *f*.

o·ver ['ouvə] **1.** *adv.* par-dessus
(*qch.*); en plus; fini, achevé; à la
renverse; *avec adj. ou adv.*: trop;
avec verbe: sur-, trop; *avec su.*:
excès *m* de; ~ *and above* en outre;

(*all*) ~ *again* d'un bout à l'autre;
de nouveau; ~ *against* vis-à-vis de;
all ~ partout; ~ *and* ~ (*again*) maintes et maintes fois; à plusieurs reprises; *fifty times* ~ cinquante fois
de suite; *make* ~ transférer; *Am.*
refaçonner; *read* ~ lire (*qch.*) en
entier; parcourir; **2.** *prp.* sur,
(par-)dessus; au-dessus de; au-delà
de; *all* ~ *the town* partout dans la
ville, dans toute la ville; ~ *night*
pendant la nuit; ~ *a glass of wine*
en prenant un verre de vin; ~ *the
way* en face.

over...: '~**act** exagérer; '~**all** tablier *m* blouse; *école*: blouse *f*; sarrau (*pl.* -s, -x) *m*; ~*s pl.* salopette *f*
(*a. d'enfant*); F bleus *m/pl.*; ~**arch**
former un arc au-dessus de (*qch.*);
~**awe** intimider; ~**bal·ance 1.** excédent *m*; **2.** (se) renverser; *v/t.*
peser plus que; *v/i.* perdre l'équilibre (*personne*); ~**bear** [*irr.* (*bear*)]
l'emporter sur; ~**bear·ing** ☐ arrogant; ~**bid** [*irr.* (*bid*)] enchérir
sur; '~**blown** trop épanoui; '~**
board** ⚓ par-dessus bord; à la
mer (*homme*); '~**brim** déborder;
'~**build** [*irr.* (*build*)] trop construire dans (*une localité*); ~**burden** surcharger (de, with); ~**cast**
1. [*irr.* (*cast*)] obscurcir; ~ *a seam*
faire un surjet; **2.** obscurci, couvert; ~ *seam* surjet *m*; ~**charge**
1. ['ouvə'tʃɑːdʒ] surcharger; survendre (*des marchandises*); faire
payer (*qch.*) trop cher à (*q.*);
2. ['ouvətʃɑːdʒ] surcharge *f*; prix *m*
surfait; ~**cloud** (se) couvrir
de nuages; (s')assombrir; '~**coat**
pardessus *m*; ~**come** [*irr.* (*come*)]
vaincre; maîtriser; '~·**con·fi·dent**
☐ trop confiant; suffisant; ~**
crowd** trop remplir; ~**do** [*irr.*
(*do*)] outrer; charger (*un rôle*);
fig. exagérer; *cuis.* trop cuire;
~**done** [ouvə'dʌn] outré, excessif
(-ive *f*); F éreinté, exagéré; ['ouvə-
'dʌn] trop cuit; '~**draft** ✝ découvert *m*; ~**draw** [*irr.* (*draw*)]
charger, exagérer; ✝ mettre (*un
compte*) à découvert; '~**dress** faire
trop de toilette; (s)habiller avec
trop de recherche; '~**drink** [*irr.*
(*drink*)]: ~ *o.s.* se soûler; '~**
drive** *mot.* surmultiplication *f*;
'~**due** en retard (*a.* 🚂); ✝ arriéré,
échu; ~**eat** [*irr.* (*eat*)]: ~ *o.s.* trop

manger; ~'es·ti·mate surestimer;
'~ex'pose *phot.* surexposer; '~ex-
'po·sure *phot.* surexposition *f;*
'~fa'tigue 1. surmener; 2. surmenage *m;* '~'feed [*irr.* (feed)] *v/t.*
suralimenter; *v/i.* trop manger;
~'flow 1. [ouvə'flou] [*irr.* (flow)]
v/t. déborder de; inonder; *v/i.* déborder; 2. ['ouvəflou] débordement
m; inondation *f;* trop-plein *m;*
'~freight surcharge *f;* '~ground
(qui voyage) par voie de terre;
'~grow [*irr.* (grow)] (re)couvrir;
envahir; '~growth surcroissance *f;*
couverture *f (de ronces etc.);* ~hang
1. ['ouvə'hæŋ] [*irr.* (hang)] surplomber; faire saillie (au-dessus de qch.,
s.th.); 2. ['ouvəhæŋ] saillie *f;* ~haul
examiner en détail; réparer; ~head
1. [ouvə'hed] *adv.* en haut; *works* ~!
attention, travaux (en haut)!;
2. ['ouvəhed] *adj.* ✝ général (-aux
m/pl.) (*frais, dépenses, etc.*); ~*railway*
⊕ pont *m* roulant; 🚂 chemin *m* de
fer aérien; ⊕ ~ *wire* câble *m*
aérien; 3. *su.* ✝ ~*s pl.* frais *m/pl.*
généraux; ~'hear [*irr.* (hear)]
surprendre (*q., une conversation*);
'~heat ⊕ surchauffer; ⊕ ~ *o.s.*
s'échauffer; ~house *radio:* d'extérieur (*antenne*); ~'is·sue faire une
surémission de (*billets de banque*);
~'joy ravir; ~land 1. ['ouvəlænd]
adj. qui voyage par voie de terre;
2. [ouvə'lænd] *adv.* par voie de terre; ~'lap *v/t.* recouvrir (partiellement); dépasser; faire double emploi avec; *v/i.* (se) chevaucher;
~'lay 1. [ouvə'lei] [*irr.* (lay)]
(re)couvrir (de, *with*); ⊕ mettre des
hausses sur; 2. ['ouvəlei]: ~ *mattress*
matelas *m;* couvre-lit *m;* '~leaf au
verso; ~'load 1. ['ouvəloud] surcharge *f;* 2. [ouvə'loud] surcharger;
~'look avoir vue sur; dominer;
surveiller (*un travail*); *fig.* oublier;
négliger; fermer les yeux sur;
laisser passer; '~lord suzerain *m;*
~'manned ayant trop de personnel; '~man·tel étagère *f* de cheminée; ~'mas·ter subjuguer; '~-
'much (par) trop; ~'pay 1. *fig.*
(*pay*) trop payer; surpayer; ~'peo-
pled surpeuplé; '~plus surplus *m;*
~'pow·er maîtriser; *fig.* accabler;
'~'pres·sure surpression *f;* surmenage *m (de l'esprit);* '~print
phot. trop pousser; '~rate sures-

timer; ~'reach dépasser; ~ *o.s.*
être victime de sa propre fourberie;
~'ride [*irr.* (ride)] outrepasser (*un
ordre*); fouler aux pieds (*des
droits*); surmener (*un cheval*); avoir
plus d'importance que; ~'rid·ing
primordial (-aux *m/pl.*); ~'rule
décider contre; ᵵᵵ annuler; rejeter;
~'run [*irr.* (run)] envahir; dépasser
(*les bornes*); surmener (*une machine*); *typ.* reporter à la ligne *ou*
page suivante; ~'sea 1. d'outre-
mer; 2. (*a.* ~'seas) par-delà les
mers; ~'see [*irr.* (see)] surveiller;
'~se·er surveillant(e *f*) *m;* ⊕ chef
m d'atelier; ~ *of the poor* directeur *m*
du Bureau de bienfaisance; ~'set
[*irr.* (set)] *v/t.* renverser; *fig.* bouleverser; *v/i.* se renverser; '~sew
[*irr.* (sew)] surjeter; ~'shad·ow
ombrager; éclipser (*q.*); '~shoe
galoche *f;* ~'shoot [*irr.* (shoot)] dépasser; dépeupler (*une chasse*); ~
o.s. aller trop loin; ~'shot à augets
(*roue*); surmener (*un cheval*); surveillance *f;* ~'sim·pli·fi'ca·tion sim-
plisme *m;* ~'sleep [*irr.* (sleep)]
(*a.* ~ *o.s.*) dormir trop longtemps;
~'sleeve fausse manche *f;* ~'spill
excédent *m (surt.* de la population);
~'spread [*irr.* (spread)] couvrir (de,
with); inonder (*qch.*); s'étendre sur;
'~state exagérer; ~'step outrepasser; '~'stock constituer un cheptel
trop important pour (*une ferme*); ✝
encombrer (*le marché*); ~'strain
1. ['ouvə'strein] surtendre; *fig.* surmener; 2. ['ouvəstrein] tension *f*
excessive; *fig.* surmenage *m;* ~-
strung ['ouvə'strʌŋ] surexcité;
['ouvəstrʌŋ] oblique (*piano*); '~-
sub'scribe ✝ surpasser (*une émission*); '~sup'ply provision *f* excessive; excès *m.*

o·vert ['ouvə:t] patent, évident.

over...: ~'take [*irr.* (take)] dépasser
(*qch.*); doubler (*une auto*); rattraper
(*q.*); *fig.* arriver à; surprendre
(*q.*); '~'tax pressurer (*le peuple*); *fig.* trop
exiger de (*q.*); surmener; ~'throw
1. [ouvə'θrou] [*irr.* (throw)] renverser (*a. fig.*); vaincre; 2. ['ouvə'θrou]
renversement *m;* défaite *f (a. fig.,
a.* ✗); '~time heures *f/pl.* supplémentaires; '~tire surmener;
~'top dépasser en hauteur; ~'train
(s')épuiser par un entraînement
trop sévère; '~trump surcouper.

o·ver·ture ['ouvətjuə] ouverture *f* (*a. ♪*); offre *f*.

over…: ~turn 1. ['ouvətə:n] renversement *m*; **2.** [ouvə'tə:n] (se) renverser; *mot.* (faire) capoter; ⚓ (faire) chavirer; '~'val·ue faire trop de cas de; ♰ surestimer; ~'ween·ing outrecuidant; ~weight **1.** ['ouvəweit] *poids, bagages, etc.*: excédent *m*; **2.** ['ouvə'weit] surcharger (de, *with*); ~'whelm accabler (*a. fig.*); submerger; combler; ~'whelm·ing □ accablant; écrasant; '~'wise □ prétentieux (-euse *f*); ~work **1.** ['ouvəwə:k] travail (*pl.* -aux) *m* en plus; ['ouvə'wə:k] *fig.* surmenage *m*; **2.** [~] [*irr.* (*work*)] (se) surmener; '~'wrought surmené; excédé de fatigue *etc.*; surexcité.

o·vi·form ['ouvifɔ:m] ovoïde, oviforme; **o·vip·a·rous** *biol.* [ou'vipərəs] ovipare.

owe [ou] devoir (*de l'argent, de l'obéissance, etc.*); *sp.* rendre (*des points*); ~ *s.o. a grudge* en vouloir à q.

ow·ing ['ouiŋ] dû (due *f*); ~ *to* par suite de; à cause de; *be* ~ *to* (pro-)venir de.

owl *orn.* [aul] hibou (*pl.* -x) *m*; chouette *f*; **owl·et** ['aulit] jeune hibou *m*; '**owl·ish** □ de hibou.

own [oun] **1.** propre; à moi (toi *etc.*); le mien (tien *etc.*); *my* ~ *self* moi-même; ~ *brother to* frère germain de (*q.*); **2.** *my* ~ le mien (la mienne *etc.*); *a house of one's* ~ une maison à soi; *come into one's* ~ entrer en possession de son bien; F *get one's* ~ *back* se venger, prendre sa revanche (sur, *on*); *hold one's* ~ tenir ferme; maintenir sa position; F *on one's* ~ (tout) seul; **3.** posséder; avoir (*a.* ~ *to*) reconnaître; avouer; convenir de; F ~ *up* (*to*) faire l'aveu (de); avouer (*avoir fait qch.*).

own·er ['ounə] propriétaire *mf*; '~-'driv·er conducteur *m* propriétaire; '~-'pi·lot pilote *m* propriétaire; '**own·er·ship** (droit *m* de) propriété *f*; possession *f*.

ox [ɔks], *pl.* **ox·en** ['~ən] bœuf *m*.

ox·al·ic ac·id 🜍 [ɔk'sælik'æsid] acide *m* oxalique.

Ox·ford shoes ['ɔksfəd'ʃu:z] *pl.* souliers *m/pl.* de ville.

ox·ide 🜍 ['ɔksaid] oxyde *m*; **ox·i·dize** ['ɔksidaiz] (s')oxyder; *v/t.* métall. calciner.

Ox·o·ni·an [ɔk'sounjən] **1.** oxonien (-ne *f*); **2.** membre *m* de l'Université d'Oxford.

ox·y·gen 🜍 ['ɔksidʒən] oxygène *m*; **ox·y·gen·ate** [ɔk'sidʒineit] oxygéner, oxyder.

o·yer 🜏 ['ɔiə] audition *f*.

oys·ter ['ɔistə] huître *f*; *attr.* à huîtres, d'huître(s); '~-bed huîtrière *f*.

o·zone 🜍 ['ouzoun] ozone *m*.

P

P, p [pi:] P *m*, p *m*; *mind one's Ps and Qs* se surveiller; faire bien attention.

pa F [pɑ:] papa *m*.

pab·u·lum ['pæbjuləm] nourriture *f*.

pace [peis] **1.** pas *m* (*a. mesure*); vitesse *f*; allure *f*; *équitation*: amble *m*; *keep* ~ *with* marcher de pair avec; *put s.o. through his* ~*s* mettre q. à l'épreuve; *sp.* *set the* ~ donner l'allure; **2.** *v/t.* mesurer (*qch.*) au pas; arpenter; *sp.* entraîner (*q.*); *v/i.* marcher à pas mesurés; aller au pas; aller l'amble (*cheval*); '**pace-mak·er** *sp.* entraîneur *m*; meneur *m* de train; '**pac·er** cheval *m* ambleur; *see* pace-maker.

pach·y·derm *zo.* ['pækidə:m] pachyderme *m*.

pa·cif·ic [pə'sifik] (~*ally*) pacifique; paisible; ♀ *Ocean* l'océan *m* Pacifique, le Pacifique *m*; **pac·i·fi·ca·tion** [pæsifi'keiʃn] apaisement *m*; pacification *f*.

pac·i·fi·er ['pæsifaiə] pacificateur (-trice *f*) *m*; *Am.* sucette *f*; '**pac·i·fism** pacifisme *m*; '**pac·i·fist** pacifiste *mf*.

pac·i·fy ['pæsifai] pacifier (*la foule, un pays*); calmer, apaiser.

pack [pæk] **1.** paquet *m*; ballot *m*; bande *f*; ✕ paquetage *m*; *cartes*: jeu *m*, paquet *m*; ⚔ enveloppement *m*; *sp. rugby*: pack *m*; *a* ~ *of nonsense* un tas *m* de sottises; ~ *animal* bête *f* de somme; *Am.* ~ *train* convoi *m* de bêtes de somme; **2.** *v/t.* tasser; remplir, bourrer; (*souv.* ~

palatable

up) emballer, empaqueter, envelopper (*a.* ⚓); (*a.* ~ *off*) envoyer (au lit, promener, *etc.*); F faire (*une malle*); conserver en boîtes (*la viande etc.*); *fig.* serrer, combler; ⊕ garnir (*le piston, le gland*); *v/i.* (*usu.* ~ *up*) faire sa malle; plier bagage; s'attrouper (*personne*); se tasser; ~ *s.o. off*, send *s.o.* ~*ing* envoyer q. à la balançoire; '**package** empaquetage *m*, emballage *m*; *surt. Am.* paquet *m*, colis *m*; ✝ ~ *deal* transactions *f/pl.* multiples; '**packer** emballeur *m*; *Am.* fabricant *m* de conserves en boîtes; **packet** ['~it] paquet *m*; colis *m*; (*a.* ~-*boat*) paquebot *m*; '**pack-horse** cheval *m* de bât (*a. fig.*), sommier *m*.

packing ['pækiŋ] emballage *m*; *viande etc.*: conservation *f*; tassement *m*; matière *f* pour emballage; ⊕ garniture *f*; *attr.* d'emballage; '~-**box** 🚢 presse-étoupe *m/inv.*; ~ **house** *Am. usu.* fabrique *f* de conserves.

pack-thread ['pækθred] fil *m* d'emballage; ficelle *f*.

pact [pækt] pacte *m*, contrat *m*.

pad[1] *sl.* [pæd] (*a.* ~ *it*) aller à pied, trimarder.

pad[2] [~] **1.** bourrelet *m*, coussinet *m*; *ouate, encreur, etc.*: tampon *m*; bloc *m*; bloc-notes (*pl.* blocs-notes) *m*; *lapin etc.*: patte *f*; *doigt etc.*: pulpe *f*; *sp.* jambière *f*; **2.** rembourrer; ouater; *fig.* ~ *out* délayer; ajouter du remplissage à; ~*ded* col cellule *f* matelassée; '**padding** remplissage *m* (*a. fig.*); rembourrage *m*; ouate *f*; bourre *f*.

paddle ['pædl] **1.** aube *f*, palette *f*; *tortue etc.*: nageoire *f*; pagaie *f*; 🚢 roue *f* à aubes; **2.** pagayer; *fig.* barboter; patauger; *Am.* F fesser; '~ **box** 🚢 caisse *f* de roue; '~-**steamer** 🚢 vapeur *m* à aubes; '~-**wheel** roue *f* à aubes.

paddock ['pædək] enclos *m* (*pour chevaux*); *sp.* paddock *m*, pesage *m*.

paddy[1] ['pædi] paddy *m* (= *riz non décortiqué*).

paddy[2] F [~] colère *f*.

padlock ['pædlɔk] cadenas *m*.

pagan ['peigən] païen(ne *f*) (*a. su.*); '**paganism** paganisme *m*.

page[1] [peidʒ] **1.** page *m* (*d'un roi etc.*); (*a.* ~-*boy*) hôtel: chasseur *m*,

groom *m*; *Am.* huissier *m*; **2.** *Am.* envoyer chercher (*q.*) par un chasseur.

page[2] [~] **1.** *livre*: page *f*; **2.** numéroter; paginer; *typ.* mettre en pages.

pageant ['pædʒənt] spectacle *m* historique; fête *f*; (*a.* '**pageantry**) pompe *f*; spectacle *m* pompeux.

paginate ['pædʒineit] *see* page[2] **2**; **pagi'nation** pagination *f*; numérotage *m* (*des pages*).

paid [peid] *prét. et p.p. de* pay 2.

pail [peil] seau *m*.

pail·lasse [pæl'jæs] paillasse *f*.

pain [pein] **1.** douleur *f*, souffrance *f*, peine *f* (*morale*); douleur *f* (*physique*); ~*s pl.* douleurs *f/pl.*; *fig.* peine *f*; soins *m/pl.*; (*up*)on ~ *of* sous peine de; *be in* ~ souffrir; *be at* ~*s* (*of gér., to inf.*), *take* ~*s* (*to inf.*) prendre *ou* se donner de la peine (*pour inf.*); *2.* faire souffrir (*q.*); faire de la peine à (*q.*); **painful** □ ['~ful] douloureux (-euse *f*); *fig.* pénible; '**pain-killer** anodin *m*; '**painless** □ sans douleur; '**painstaking** **1.** □ assidu; appliqué (*élève*); soigné (*travail*); **2.** application *f*; assiduité *f*.

paint [peint] **1.** peinture *f*; couleur *f*; *visage*: fard *m*; *wet* ~! attention à la peinture!; **2.** peindre; (se) farder; *v/t.* peinturer; 🖋, *co.* badigeonner; ✝ *fig.* dépeindre; ~ *out* effacer (au moyen d'une couche de peinture); *v/i.* faire de la peinture; '~-**brush** pinceau *m*.

painter[1] ['peintə] (artiste-)peintre *m*; *a.* peintre *m* en bâtiments.

painter[2] ⚓ ['peintə] amarre *f*.

painting ['peintiŋ] peinture *f*; tableau *m*; '**paintress** femme *f* peintre; '**painty** de peinture.

pair [pɛə] **1.** paire *f*; *a* ~ *of scissors* une paire *f* de ciseaux; *a carriage and* ~ une voiture *f* à deux chevaux; *go up three* ~ *of stairs* monter trois étages; *three* ~ *front* au troisième sur la rue; **2.** (*s'*)apparier; *v/i.* faire la paire (avec, *with*); (*a.* ~ *off*) s'en aller deux par deux.

pajamas *pl. usu. Am.* [pə'dʒɑːməz] *see* pyjamas.

pal *sl.* [pæl] **1.** camarade *mf*; *sl.* copain *m*, copine *f*; **2.** ~ *up* se lier d'amitié (avec, *with*).

palace ['pælis] palais *m*.

palatable □ ['pælətəbl] agréable

(au palais); 'pal·at·a·ble·ness goût *m* agréable; caractère *m* agréable.

pal·a·tal ⚕ ['pælətl] 1. palatal (-aux *m/pl.*); 2. *gramm.* palatale *f*.

pal·ate ['pælit] palais *m* (*a. fig.*); soft ~ voile *m* du palais.

pa·la·tial □ [pə'leiʃəl] grandiose.

pa·lat·i·nate [pə'lætinit] palatinat *m*; the ≃ le Palatinat *m*.

pal·a·tine ['pælətain] palatin; Count ♀ comte *m* palatin.

pa·lav·er [pə'lɑ:və] 1. palabre *f*, conférence *f*; *sl.* flagornerie *f*, *sl.* chichis *m/pl.*; 2. palabrer.

pale¹ [peil] 1. □ pâle (*a. couleur*), blême; ~ *blue* bleu pâle; ~ *ale* bière *f* blonde, pale-ale *f*; 2. *v/t.* (faire) pâlir; *v/i.* pâlir, blêmir.

pale² [~] pieu *m*; *fig.* limites *f/pl.*

pale·ness ['peilnis] pâleur *f*.

Pal·es·tin·i·an [pæles'tinian] palestinien(ne *f*).

pal·ette ['pælit] palette *f*; '~knife couteau *m* à palette.

pal·frey ['pɔ:lfri] palefroi *m*.

pal·ing ['peiliŋ] clôture *f* à claire-voie; palissade *f*.

pal·i·sade [pæli'seid] 1. palissade *f*; 2. palissader.

pall¹ [pɔ:l] 1. *eccl.* poêle *m*; *fig.* manteau *m*, voile *m*; 2. couvrir d'un poêle.

pall² [~] s'affadir; devenir insipide (pour q., [up]on *s.o.*).

pal·la·di·um ♁, *myth.* [pə'leidiəm] palladium *m*.

pal·let¹ ['pælit] paillasse *f*; grabat *m*.

pal·let² ⊕ [~] cliquet *m*; *horloge etc.*: palette *f*.

pal·liasse [pæl'jæs] paillasse *f*.

pal·li·ate ['pælieit] pallier; atténuer; pal·li·a·tion palliation *f*; atténuation *f*; pal·li·a·tive ['pæliətiv] 1. palliatif (-ive *f*); lénitif (-ive *f*); 2. palliatif *m*; lénit'f *m*; anodin *m*.

pal·lid □ ['pælid] décoloré; blafard (*lumière*); blême (*visage*); 'pal·lid·ness, pal·lor ['pælə] pâleur *f*.

palm [pɑ:m] 1. *main*: paume *f*; *ancre*: oreille *f*; *bois de cerf*: empaumure *f*; ♀ *arbre*: palmier *m*; *branche*: palme *f*; *eccl.* rameau *m*; 2. empalmer; cacher dans la main; ~ *off* on *s.o.* F refiler (*qch.*) à q.; pal·mar ['pælmə] palmaire *f*; pal·mate ['pælmit], pal·mat·ed ['~meitid] palmé; pal·mer ['pɑ:mə] pèlerin *m*; palm·is·try ['~istri] chiroman-

cie *f*; 'palm-oil huile *f* de palme; *co. use* ~ on *s.o.* graisser la patte à q.; 'palm-tree palmier *m*; 'palm·y F heureux (-euse *f*), florissant.

pal·pa·bil·i·ty [pælpə'biliti] palpabilité *f*; *fig.* évidence *f*; 'pal·pa·ble □ palpable; *fig.* évident, manifeste; 'pal·pa·ble·ness see *palpability*.

pal·pi·tate ['pælpiteit] palpiter; pal·pi·ta·tion palpitation *f*.

pal·sied ['pɔ:lzid] paralysé, paralytique.

pal·sy ['pɔ:lzi] 1. paralysie *f*; *fig.* évanouissement *m*; 2. paralyser.

pal·ter ['pɔ:ltə] (*with*) biaiser (avec); transiger (avec, sur).

pal·tri·ness ['pɔ:ltrinis] mesquinerie *f*; 'pal·try □ mesquin, misérable.

pam·per ['pæmpə] choyer, dorloter.

pam·phlet ['pæmflit] brochure *f*; opuscule *m*; *péj.* pamphlet *m*; pam·phlet·eer [~'tiə] auteur *m* de brochures; *péj.* pamphlétaire *f*.

pan [pæn] 1. casserole *f*; *balance*: plateau *m*; 2. *Am.* F *v/t.* décrier, rabaisser; ~ *out* laver (*le gravier*); *v/i.* ~ *out* réussir.

pan... [~] pan-.

pan·a·ce·a [pænə'siə] panacée *f*; remède *m* universel.

pan·cake ['pænkeik] crêpe *f*; ✈ ~ *landing* descente *f* à plat.

pan·de·mo·ni·um *fig.* [pændi'mouniəm] bruit *m* infernal.

pan·der ['pændə] 1. se prêter à (*un vice*); servir de proxénète à (*q.*); 2. entremetteur (-euse *f*) *m*.

pane [pein] vitre *f*, carreau *m*; ⊕ pan *m*.

pan·e·gyr·ic [pæni'dʒirik] panégyrique *m*; pan·e·gyr·ist panégyriste *m*.

pan·el ['pænl] 1. △ entre-deux *m/inv.*; panneau *m*; *porte*: placard *m*; *plafond*: caisson *m*; panneau *m* (*de lambris, de robe*); tableau *m* (⚖ *du jury, a. mot. de manœuvre*); ⚖ le jury *m*; *peint.* panneau *m*; vantail (*pl.* -aux *m*); 2. diviser en *ou* recouvrir de panneaux; lambrisser (*un paroi*); '~doc·tor médecin *m* des assurances sociales; 'pan·el·ist membre *m* d'un jury; 'pan·el·(l)ing, *a.* 'pan·el·work lambris(sage *m*) *m/pl.*

pang [pæŋ] angoisse *f* subite; douleur *f*; *fig.* blessure *f*, tournements *m*/*pl.*

pan·han·dle ['pænhændl] **1.** *Am.* *langue de terre d'un État, encaissée entre deux autres États*; **2.** *Am.* F mendigoter; **'pan·han·dler** *Am.* F mendigot *m*.

pan·ic ['pænik] **1.** de panique; **2.** panique *f*; affolement *m*; **3.** (s')affoler; remplir *ou* être pris de panique; **'pan·ick·y** F sujet à *ou* dicté par la panique; alarmiste; **'pan·ic·mon·ger** semeur (-euse *f*) *m* de panique.

pan·nier ['pæniə] panier *m*.

pan·ni·kin ['pænikin] écuelle *f* *ou* gobelet *m* en fer blanc.

pan·o·ply ['pænəpli] *fig.* panoplie *f*.

pan·o·ra·ma [pænə'rɑːmə] panorama *m*; **pan·o·ram·ic** [ˌ~'ræmik] (ˌ~ally) panoramique.

pan·sy ['pænzi] ♀ pensée *f*; *sl.* homme *m* efféminé.

pant [pænt] haleter; panteler; chercher à reprendre haleine; palpiter (*cœur*); *fig.* ~ *for* (*ou after*) soupirer après; ~ *out* dire (*qch.*) en haletant.

Pan·ta·loon [pæntə'luːn] Pantalon *m*; ♀s *pl.* pantalon *m* (*see* pants).

pan·tech·ni·con [pæn'teknikən] garde-meuble *m*; (*a.* ~ *van*) voiture *f* de déménagement.

pan·the·ism ['pænθiizm] panthéisme *m*; **pan·the·is·tic** (ˌ~ally) panthéiste.

pan·ther *zo.* ['pænθə] panthère *f*.

pant·ies *Am.* ['pæntiz] *pl.*: (*a pair of*) ~ (une) culotte *f* collante (*de femme*).

pan·tile ['pæntail] tuile *f* flamande; panne *f*.

pan·to·mime ['pæntəmaim] pantomime *f*; spectacle *m* traditionnel de Noël, fondé sur un conte de fée; **pan·to·mim·ic** [ˌ~'mimik] (ˌ~ally) pantomimique; de féerie.

pan·try ['pæntri] garde-manger *m*/*inv.*; dépense *f*; (*souv. butler's ou housemaid's* ~) office *f*.

pants *surt. Am.* F [pænts] *pl.*: (*a pair of*) ~ (un) pantalon *m*; (un) caleçon *m*.

pap [pæp] bouillie *f*.

pa·pa [pə'pɑː] papa *m*.

pa·pa·cy ['peipəsi] papauté *f*.

pa·pal □ ['peipəl] papal (-aux *m*/*pl.*); du Pape.

pa·per ['peipə] **1.** papier *m*; (*ou*

news.) journal *m*; carte *f* (*d'épingles etc.*); document *m*; (*ou wall-*~) tenture *f*, papier *m* peint; *étude f*, mémoire *m*; *école:* composition *f*, épreuve *f*; ♣ papier *m* négociable; billets *m*/*pl.* de banque; papiersvaleurs *m*/*pl.*; ~*s pl.* papiers *m*/*pl.*; journaux *m*/*pl.*; *pol.*, *a.* ⚙ documents *m*/*pl.*; communiqués *m*/*pl.*; *read a* ~ on faire une conférence sur; **2.** de papier; papetier (-ère *f*); à papier; ~ *war* guerre *f* de plume; **3.** tapisser; *sl. théâ.* remplir de billets de faveur; **'~·back** livre *m* broché; **'~·bag** sac *m* de *ou* en papier; **'~·chase** rallye-paper *m*; **'~·clip** agrafe *f*, pince *f*; **'~·cred·it** ♣ dettes *f*/*pl.* compte; **'~·fast·en·er** attache *f* métallique; **'~·hang·er** colleur *m* de papiers peints; **'~·hang·ings** *pl.* papier *m* peint, papiers *m*/*pl.* peints; **'~·mill** papeterie *f*; **'~·stain·er** imprimeur *m* de papiers peints; **'~·weight** presse-papiers *m*/*inv.*; **pa·per·y** [ˌ~ri] semblable au papier; tout mince.

pa·pier mâ·ché ['pæpjei'mɑːˌʃei] carton-pâte (*pl.* cartons-pâtes) *m*.

pa·pil·la *anat.* [pə'pilə], *pl.* **-lae** [ˌ~liː] papille *f*.

pa·pist ['peipist] papiste *mf*; **pa·pis·tic, pa·pis·ti·cal** □ [pə'pistik(l)] *péj.* papiste; **pa·pis·try** ['peipistri] *péj.* papisme *m*.

pap·py ['pæpi] pâteux (-euse *f*); *fig.* flasque.

pa·py·rus [pə'pairəs], *pl.* **-ri** [ˌ~rai] papyrus *m*.

par [pɑː] égalité *f*; pair *m* (*a.* ♣); *above,* (*below*) ~ au-dessus (*au-dessous*) du pair; *at* ~ au pair, à (la) parité; *be on a* ~ *with* être l'égal *ou* au niveau de; *put on a* ~ *with* mettre au même niveau que; *ne faire aucune distinction entre.*

par·a·ble ['pærəbl] parabole *f*.

pa·rab·o·la ⚻ [pə'ræbələ] parabole *f*; **par·a·bol·ic, par·a·bol·i·cal** □ [pærə'bɔlik(l)] parabolique (*a.* ⚻).

par·a·chute ['pærəʃuːt] parachute *m*; ~ *jump* saut *m* en parachute; parachutage *m*; **'par·a·chut·ist** parachutiste *mf*.

pa·rade [pə'reid] **1.** parade *m*; *fig.* étalage *m*; ✕ défilé *m*; ✕ exercice *m*; ✕ (*ou* ~*-ground*) place *f* d'armes; esplanade *f*; défilé *m* (*de mannequins*); *make a* ~ *of* faire parade de; 2. *v/t.* faire parade de; ⚔ faire défiler; faire l'inspection de; *v/i.* défiler; parader (pour, for).

par·a·digm *gramm.* ['pærədaim] paradigme *m.*

par·a·dise ['pærədais] paradis *m.*

par·a·dis·i·ac [pærə'disiæk], **par·a·di·si·a·cal** ☐ [pærədi'saiəkəl] paradisiaque.

par·a·dox ['pærədɔks] paradoxe *m;* **par·a'dox·i·cal** ☐ paradoxal (-aux *m/pl.*).

par·af·fin ⚗ ['pærəfin] paraffine *f;* F pétrole *m* (lampant).

par·a·gon ['pærəgən] parangon *m;* modèle *m* (a. *fig.*).

par·a·graph ['pærəgrɑ:f] paragraphe *m;* alinéa *m; journal:* entrefilet *m; typ.* † pied *m* de mouche.

par·a·keet *orn.* ['pærəki:t] perruche *f.*

par·al·lel ['pærəlel] 1. parallèle (à to, with); *fig.* pareil(le *f*), semblable; analogue; ~ *bars f/pl.* parallèles; 2. *ligne, a. tranchée:* parallèle *f; géog.* parallèle *m; fig.* parallèle *m,* comparaison *f,* pareil(le *f*) *m;* cas *m* analogue; ∮ *connect* (*ou join*) in ~ coupler en parallèle; *have no* ~ être sans pareil(le *f*); *without* ~ incomparable, sans égal (-aux *m/pl.*); 3. égaler (*qch.*); être égal (*ou* pareil) à (*qch.*); mettre (*deux choses*) en parallèle; ∮ synchroniser; **'par·al·lel·ism** parallélisme *m;* **par·al'lel·o·gram** 𝔸 [~əgræm] parallélogramme *m.*

par·a·lyse ['pærəlaiz] paralyser (a. *fig.*); *fig.* transir; **pa·ral·y·sis** 𝔰⃗ [pə'rælisis] paralysie *f;* **par·a·lyt·ic** [pærə'litik] 1. (~ally) paralytique; 2. paralytique *mf.*

par·a·mil·i·ta·ry ['pærə'militəri] paramilitaire.

par·a·mount ['pærəmaunt] 1. souverain, éminent; suprême (*importance*); *be* ~ (to) l'emporter (sur); 2. suzerain(e *f*) *m;* **'par·a·mount·cy** suzeraineté *f;* primauté *f.*

par·a·mour ['pærəmuə] amant(e *f*) *m;* maîtresse *f.*

par·a·pet ['pærəpit] ⚔ parapet *m; pont:* garde-corps *m/inv.*

par·a·pher·na·li·a [pærəfə'neiljə] *pl.* F affaires *f/pl.,* bataclan *m;* attirail *m,* appareil *m.*

par·a·phrase ['pærəfreiz] 1. paraphrase *f;* 2. paraphraser, résumer.

par·a·site ['pærəsait] parasite *m;*

fig. écornifleur (-euse *f*) *m;* **par·a·sit·ic, par·a·sit·i·cal** ☐ [~'sitik(l)] parasite (de, on).

par·a·sol [pærə'sɔl] ombrelle *f.*

par·a·troop·er ⚔ ['pærətru:pə] parachutiste *m;* **par·a·troops** ['~tru:ps] *pl. les* parachutistes *m/pl.*

par·a·ty·phoid 𝔰⃗ ['pærə'taifoid] paratyphoïde *f.*

par·boil ['pɑ:bɔil] faire bouillir à demi; *fig.* étourdir (*la viande*).

par·buck·le ⚓ ['pɑ:bʌkl] 1. trévire *f;* 2. trévirer.

par·cel ['pɑ:sl] 1. paquet *m,* colis *m;* † lot *m,* envoi *m; péj.* tas *m;* parcelle *f* (*de terrain*); ~*s* office bureau *m* de(s) messageries; 2. empaqueter, emballer; (*usu.* ~ *out*) parceler, lotir, morceler (*un terrain*); ~ **post** service *m* des colis postaux.

parch [pɑ:tʃ] (se des)sécher; *v/t.* rôtir, griller; ~*ing heat* chaleur *f* brûlante.

parch·ment ['pɑ:tʃmənt] parchemin *m.*

par·don ['pɑ:dn] 1. pardon *m;* 𝔱𝔱 grâce *f; eccl.* indulgence *f;* 2. pardonner (qch. à q., s.o. s.th.); 𝔱𝔱 faire grâce à; gracier; **'par·don·a·ble** ☐ pardonnable; graciable; **'par·don·er** *hist.* vendeur *m* d'indulgences.

pare [peə] rogner (*les ongles etc.*); peler (*une pomme etc.*); éplucher; (*a.* ~ *away,* ~ *down*) *fig.* rogner.

par·ent ['peərənt] père *m,* mère *f; fig.* mère *f,* source *f;* ~*s pl.* parents *m/pl.,* les père et mère; **'par·ent·age** naissance *f,* parentage *m;* extraction *f;* **pa·ren·tal** ☐ [pə'rentl] paternel(le *f*).

pa·ren·the·sis [pə'renθisis], *pl.* -ses [~si:z] parenthèse *f* (*a. typ.*); *fig.* intervalle *m;* **pa'ren·the·size** mettre entre parenthèses (*a. typ.*); intercaler; **par·en·thet·ic, par·en·thet·i·cal** ☐ [pærən'θetik(l)] entre parenthèses.

par·ent·less ['peərəntlis] orphelin, sans mère ni père.

par·get ['pɑ:dʒit] recouvrir (*un mur*) d'une couche de plâtre; crépir.

pa·ri·ah ['pæriə] paria *m,* réprouvé (-e *f*) *m.*

pa·ri·e·tal [pə'raiitl] pariétal (-aux *m/pl.*); *anat.* ~ *bone* pariétal *m.*

par·ing ['peəriŋ] rognage *m;* épluchage *m;* ~*s pl.* rognures *f/pl.;* pelures *f/pl.*; *métal:* cisaille *f;* ~-*knife* ⊕ rognoir *m; souliers etc.:* tranchet *m.*

par·ish ['pærɪʃ] **1.** paroisse *f;* (*a. civil* ~) commune *f; go on the* ~ tomber à la charge de la commune; **2.** paroissial (-aux *m/pl.*); municipal (-aux *m/pl.*); ~ *clerk* clerc *m* de paroisse; ~ *council* conseil *m* municipal; ~ *register* registre *m* paroissial; **pa·rish·ion·er** [pə'rɪʃənə] paroissien(ne *f*) *m;* habitant(e *f*) *m* de la commune.

Pa·ri·sian [pə'rɪzjən] **1.** parisien (-ne *f*); de Paris; **2.** Parisien(ne *f*) *m.*   [(*a.* Bourse).]

par·i·ty ['pærɪtɪ] égalité *f;* parité *f*]

park [paːk] **1.** parc *m* (*a.* ✕); *chasse:* réserve *f; château:* dépendances *f/pl.; mot.* (parc *m* de) stationnement *m;* **2.** *v/t.* enfermer dans un parc; ✕ mettre en parc; *mot.* parquer, garer; *v/i.* stationner; **'park·ing** *mot.* parcage *m; attr.* de stationnement, d'autos; ~ *brake* frein *m* à main; ~ *light* feu *m* de position; ~ *meter Am.* compteur *m* de stationnement; ~ *place* parc *m ou* endroit *m* de stationnement; ~ *ticket Am. parcage:* contravention *f.*

par·ka ['paːkə] anorak *m.*

par·lance ['paːləns] langage *m,* parler *m.*

par·ley ['paːlɪ] **1.** conférence *f;* ✕ pourparlers *m/pl.;* **2.** *v/i.* entrer en pourparlers, parlementer; ✕ entamer des négociations; *v/t.* co. parler.

par·lia·ment ['paːləmənt] parlement *m;* Chambres *f/pl.* (*en France*); **par·lia·men·tar·i·an** [~men'tɛəriən] parlementaire (*a. su./mf*); **par·lia·men·ta·ry** □ [~'mentərɪ] parlementaire; législatif (-ive *f*); 🚆 ~ *train* train *m* omnibus.

par·lo(u)r ['paːlə] petit salon *m; couvent:* parloir *m; Am.* salon *m* (*de coiffure etc.*), cabinet *m* (*de dentiste etc.*); *Am.* ~ *car* 🚆 wagon-salon (*pl.* wagons-salons) *m;* '~-**maid** bonne *f.*

Par·me·san cheese [paːmi'zæn-'tʃiːz] parmesan *m.*

pa·ro·chi·al □ [pə'roukjəl] *eccl.* paroissial (-aux *m/pl.*), de la paroisse; communal (-aux *m/pl.*); *fig.* de clocher, borné; ~ *politics pl.* politique *f* de clocher.

par·o·dist ['pærədɪst] parodiste *mf;* pasticheur (-euse *f*) *m;* '**par·o·dy** **1.** parodie *f,* pastiche *m; fig.* travestissement *m;* **2.** parodier, pasticher; *fig.* travestir.

pa·role [pə'roul] **1.** ✕ parole *f* (d'honneur); *put on* ~ *see* 3; **2.** 🚲 *adj.* verbal (-aux *m/pl.*); **3.** 🚲 *surt. Am.* libérer sur parole *ou* conditionnellement.

par·ox·ysm ['pærəksɪzm] paroxysme *m;* F crise *f;* accès *m* (*de fureur*).

par·quet ['paːkeɪ] parquet(age) *m; Am. théâ.* orchestre *m;* **par·quet·ed** ['~kɪtɪd] parqueté, en parquetage; '**par·quet·ry** parquetage *m,* parqueterie *f.*

par·ri·cid·al [pærɪ'saɪdl] parricide; '**par·ri·cide** parricide *m; personne:* parricide *mf.*

par·rot ['pærət] **1.** *orn.* perroquet *m;* **2.** répéter *ou* parler comme un perroquet.

par·ry *sp.* ['pærɪ] **1.** parade *f;* **2.** parer (*a. fig.*).

parse *gramm.* [paːz] faire l'analyse de.

par·si·mo·ni·ous □ [paːsɪ'mounjəs] parcimonieux (-euse *f*); *péj.* pingre; **par·si·mo·ni·ous·ness,** **par·si·mo·ny** ['paːsɪmənɪ] parcimonie *f; péj.* pingrerie *f.*

pars·ley ♀ ['paːslɪ] persil *m.*

pars·nip ♀ ['paːsnɪp] panais *m.*

par·son ['paːsn] curé *m* (*catholique*); pasteur *m* (*protestant*); F ~'s *nose* croupion *m;* '**par·son·age** presbytère *m;* cure *f.*

part [paːt] **1.** *su.* partie *f* (*a. gramm., a.* ♪) (*de, of*); part *f* (à, *in*); *théâ., fig.* rôle *m; fig.* comédie *f; publication:* fascicule *m,* livraison *f;* ⊕ pièce *f,* organe *m,* élément *m;* parti *m;* ✂ ~*s pl.* (*usu. private ou privy* ~*s pl.*) parties *f/pl.;* parages *m/pl.,* pays *m/pl.,* endroit *m,* facultés *f/pl.; gramm.* ~*s pl. of speech* parties *f/pl.* du discours; ~ *and parcel of* partie *f* intégrante (*de*); *a man of* ~*s* homme *m* bien doué; *have neither* ~ *nor lot in* n'avoir aucune part dans; *in foreign* ~*s* à l'étranger *take s.o.'s* ~ prendre parti pour q.; *take* ~ *in s.th.* participer à qch., prendre part à qch.; *take in good (bad)* ~ prendre en bonne (mauvaise) part; *for my (own)* ~ pour ma part, pour ce qui est de moi, quant à moi; *for the* *most* ~ pour la plupart; *in* ~ en partie; partiellement; *do one's* ~ faire son devoir; *on the* ~ *of* de la part de; *on my* ~ de ma part; **2.** *adv.* en partie, mi-, moitié ...; **3.** *v/t.* séparer (en deux); fendre; ~ *hair* se faire une raie; ~ *company* se séparer (de, *with*), *fig.* n'être plus d'accord (avec, *with*); *v/i.* se diviser; se quitter; se rompre; se séparer (de, *from*); ~ *with* céder (*qch.*); se départir de; ⚖ aliéner (*qch.*); *fig.* dépenser (*de l'argent*).

par·take [pɑ:'teik] [*irr.* (*take*)] participer, prendre part (à *in, of*); ~ *of* prendre (*un repas*); partager (*le repas*) (de, *with*); goûter (*un mets*); *fig.* tenir de; *eccl.* s'approcher de (*les sacrements*); **par'tak·er** participant(e *f*) *m* (à, *in*); partageant(e *f*) *m* (de, *in*). [terre *m.*]

par·terre ⚘, *théâ.* [pɑ:'teə] par-}

par·tial □ ['pɑ:ʃl] partiel(le *f*), en partie; partial (-aux *m/pl.*) (*personne*); *be* ~ *to* avoir un faible pour; **par·ti·al·i·ty** [pɑ:ʃi'æliti] partialité *f* (pour, envers *for, to*); prédilection *f* (pour, *for*); injustice *f*.

par·tic·i·pant [pɑ:'tisipənt] participant(e *f*) *m* (à, *in*); **par'tic·i·pate** [~peit] participer, prendre part (à, *in*); **par·tic·i'pa·tion** participation *f* (à, *in*); **par·ti·cip·i·al** □ *gramm.* [~'sipiəl] participial (-aux *m/pl.*); **par·ti·ci·ple** *gramm.* ['pɑ:tsipl] participe *m*.

par·ti·cle ['pɑ:tikl] particule *f* (*a. gramm.*); *métal:* paillette *f*; *fig.* ombre *f*, trace *f*, grain *m*; *nobiliary* ~ particule *f* nobiliaire.

par·ti·col·oured ['pɑ:tikʌləd] mi-parti; bigarré.

par·tic·u·lar [pə'tikjulə] **1.** □ particulier (-ère *f*); spécial (-aux *m/pl.*); détaillé; méticuleux (-euse *f*); pointilleux (-euse *f*); exigeant (sur *about, as to*); délicat (sur *on, about*); ~*ly* en particulier; **2.** détail *m*, particularité *f*; ~*s pl.* détails *m/pl.*; plus amples renseignements *m/pl.*; *in* ~ en particulier; **par·tic·u·lar·i·ty** [~'læriti] particularité *f*; méticulosité *f*; minutie *f*; **par'tic·u·lar·ize** [~ləraiz] particulariser; entrer dans les détails.

part·ing ['pɑ:tiŋ] séparation *f*; départ *m*; rupture *f*; *cheveux:* raie *f*; ~ *of the ways surt. fig.* carrefour *m*.

par·ti·san[1] *hist.* ['pɑ:tizn] pertuisane *f*.

par·ti·san[2] [pɑ:ti'zæn] **1.** partisan *m* (*a.* ⚔); **2.** de parti; sectaire; **par·ti·'san·ship** esprit *m* de parti; partialité *f*.

par·ti·tion [pɑ:'tiʃn] **1.** partage *m*; *terre:* morcellement *m*; cloison(nage *m*) *f*; ~ *wall* paroi *f*, cloison *f*; *mur m* de refend; **2.** morceler; démembrer; cloisonner (*une pièce*).

par·ti·tive *gramm.* ['pɑ:titiv] □ partitif (-ive *f*) (*a. su./m*).

part·ly ['pɑ:tli] en partie, partiellement.

part·ner ['pɑ:tnə] **1.** associé(e *f*) *m* (*a.* †); *sp.* partenaire *mf*; danseur (-euse *f*) *m*, cavalier *m*, dame *f*; **2.** s'associer à, être associé à; *sp.* être le partenaire de; *danse:* mener (*une dame*); *be* ~*ed by s.o.* avoir q. pour associé *etc.*; **'part·ner·ship** association *f* (*a.* †); † société *f*; *limited* ~ société *f* en commandite; *enter into* ~ *with* s'associer avec.

part...: '~**-own·er** copropriétaire *mf*; '~**-pay·ment** versement *m* à compte; acompte *m*.

par·tridge *orn.* ['pɑ:tridʒ] perdrix *f*.

part...: '~**-song** chant *m* à plusieurs voix *ou* parties; '~**-time** chômage *m* partiel; *attr.* pour une partie de la journée *ou* de la semaine; ~ *school* école *f* du soir; ~ *worker* employé(e *f*) *m* à l'heure; travailleur (-euse *f*) *m* pour une partie de la journée *etc.*

par·ty ['pɑ:ti] partie *f* (*de plaisir, a.* ⚖); ⚖ personne *f*; *pol.* parti *m*; soirée *f*, réception *f*; bande *f*, groupe *m*; équipe *f*; ⚔ détachement *m*; *fig.* complice *mf*; F individu *m*, monsieur *m*, dame *f*; *be a* ~ *to* prendre part à; ~ *boss* chef *m* de parti; ~ *line téléph.* poste *m* groupé; *Am. parl.* directive *f* du parti; *follow the* ~ *line parl.* observer (à la lettre) les directives de son parti; ~ *liner Am. péj.* politicien *m* qui observe à la lettre les directives de son parti; ~ *meeting (ou* ~ *rally)* rassemblement *m* politique (*organisé par un parti*); ~ *status* qualité *f* de membre d'un parti politique; ~ *ticket Am.* liste *f* des candidats (*d'un parti politique*); ~*-wall* mur *m* mitoyen.

par·ve·nu ['pɑ:vənju:] parvenu *m*; nouveau riche *m*.

pas·chal ['pɑ:skəl] pascal (-als, -aux *m*/*pl*.); de Pâques *ou* Pâque.

pass [pɑ:s] **1.** *su. géog.* col *m*, défilé *m*; ⚓, *sp.*, *escrime, prestidigitation:* passe *f*; *univ.* mention *f* passable; diplôme *m* sans spécialisation; *théâ.* (*usu. free* ∼) billet *m* de faveur; 🚋 carte *f* de circulation; coupe-file *m*/*inv.*; **2.** *v*/*i.* passer (de ... à *ou* en, *from* ... *to*); s'écouler, passer (*temps*); disparaître; avoir lieu, arriver; avoir cours (*monnaie*); être voté (*loi etc.*); être reçu (à *un examen*); *escrime, a. foot.* faire une passe; *cartes*: passer (*parole*); être approuvé (*action*); **bring to** ∼ amener, faire arriver; **come to** ∼ avoir lieu, arriver; ∼ *as* passer pour; ∼ *away* disparaître; trépasser (= *mourir*); ∼ *by* passer, défiler (devant); ∼ *by the name of* G. être connu sous le nom de G.; ∼ *for* passer pour; ∼ *into* entrer dans; devenir; ∼ *into law* passer en loi, ∼ *off* disparaître; (se) passer; *surt. Am.* passer pour (un) blanc (*nègre à peau blanche*); ∼ *on* continuer sa route; passer (à, *to*); F trépasser; ∼ *out* sortir; *sl.* s'évanouir; ∼ *through s.th.* passer par qch. (*a. fig.*); *fig.* traverser (*une crise*); ∼ *under s.o.'s control* être soumis au contrôle *ou* à la direction de q.; **3.** *v*/*t.* passer devant *ou* près de; dépasser; croiser; ne pas s'arrêter à; franchir (*le seuil, la frontière*); outrepasser (*les bornes*); surpasser (*q.*); rattraper (*q.*); *sp.* devancer; refiler (*de la fausse monnaie*); passer (*qch. en revue, le temps, l'été, sa main entre qch., d'un endroit à un autre*); laisser passer (*q.*); transmettre, faire circuler; subir (*une épreuve*) avec succès; réussir à, être reçu à (*un examen*); recevoir (*un candidat*); approuver (*une facture etc.*); voter (*une loi*); prononcer (*un jugement*); ∼ *one's hand over* passer sa main sur; *the bill has not yet* ∼*ed the house* le projet (de loi) n'a pas encore été adopté *ou* voté; ∼ *one's opinion upon* dire *ou* émettre son opinion sur; ∼ *to account* porter en compte; ∼ *water* uriner, F faire de l'eau; ∼ *one's word* donner sa parole; ∼ *by* (*ou over*) *s.th.* franchir qch.; passer sur qch. (*a. fig.*); ∼ *off as* faire passer pour; ∼ *on* transmettre, (faire) passer; ∼ *round*

faire circuler; ∼ *a rope round s.th.* passer une corde autour de qch.; ∼ *s.th. through s.th.* passer qch. à travers qch.; ∼ *s.th. up* donner qch., monter qch.; ∼ *s.o. up* négliger q.; *surt. Am.* ∼ *up* négliger; refuser; **'pass·a·ble** traversable; praticable (*chemin*); passable, assez bon; ayant cours (*monnaie*); **'pass·a·bly** passablement, assez; F plutôt.

pas·sage ['pæsidʒ] passage *m* (*a. d'un texte*); ruelle *f*, passage *m*; couloir *m*, corridor *m*; ⊕ conduit *m*; adoption *f* (*d'un projet de loi*); ♪ trait *m*; ∼*s pl. texte:* morceaux *m*/*pl*.; *fig.* relations *f*/*pl*. intimes; ∼ *of* (*ou at*) *arms* passe *f* d'armes; échange *m* de mots vifs; *bird of* ∼ oiseau *m* passager; **'∼-boat** paquebot *m*; **'∼-mon·ey** prix *m* du passage *ou* de la traversée; **'∼-way** passage *m*, ruelle *f*; *Am.* couloir *m*, corridor *m*.

pass...: **'∼-book** ✝ carnet *m* de banque; *mot.* carnet *m* de passage en douane; **'∼-check** *théâ.* contremarque *f*.

pas·sen·ger ['pæsindʒə] ⚓, 🚋 passager (-ère *f*) *m*; voyageur (-euse *f*) *m*; 🚋 ∼ *coach* wagon *m* à voyageurs; **'∼ train** 🚋 train *m* de voyageurs *ou* de grande vitesse.

passe-par·tout ['pæspɑ:'tu:] (*clef f*) passe-partout *m*/*inv.*; *phot.* bande *f* gommée.

pass·er-by ['pɑ:sə'bai], *pl.* **pass-ers-by** passant(e *f*) *m*.

pass·ing ['pɑ:siŋ] **1.** passage *m*; *oiseaux:* passe *f*; *mot.* doublement *m*; *loi:* adoption *f*; *fig.* mort *f*, trépas *m*; *in* ∼ en passant; **2.** passant; passager (-ère *f*); éphémère; **'∼-bell** glas *m*; **'pass·ing·ly** en passant; fugitivement.

pas·sion ['pæʃn] passion *f*, amour *m*; colère *f*; crise *f* (*de larmes*); ♀ Passion *f*; *be in a* ∼ être furieux (-euse *f*); ♂ *in* ∼ dans la chaleur du moment; ♀ *Week* semaine *f* de la Passion; semaine *f* sainte; **pas-sion·ate** □ ['∼ʃənit] passionné; véhément; **'pas·sion·ate·ness** passion *f*, ardeur *f*; véhémence *f*; **'pas-sion-flow·er** ♀ fleur *f* de la Passion, passiflore *f*; **'pas·sion·less** □ impassible; sans passion; **'pas-sion-play** mystère *m* de la Passion.

pas·sive □ ['pæsiv] **1.** passif (-ive *f*);

~ *voice* = **2.** *gramm.* passif *m*; **'pas·sive·ness, pas·siv·i·ty** [~-'siviti] passivité *f*, inertie *f*.

pass-key ['pɑ:ski:] (clef *f*) passe-partout *m/inv.*

Pass·o·ver ['pɑ:souvə] Pâque *f*; ♀ agneau *m* pascal.

pass·port ['pɑ:spɔ:t] passeport *m*.

pass·word ⚔ ['pɑ:swə:d] mot *m* de passe.

past [pɑ:st] **1.** *adj.* passé (*a. gramm.*); ancien(ne *f*); de jadis; *fig.* ~ *master* expert *m* (dans, *at*), maître *m* passé (en, *at*; dans l'art de *inf.*, *at gér.*); *for some time* ~ depuis quelque temps; **2.** *adv. see verbe simple*; *rush* ~ passer en courant; **3.** *prp.* au-delà de; plus de; *half* ~ *two* deux heures et demie; *be* ~ *comprehension* être hors de toute compréhension; ~ *cure* inguérissable; ~ *endurance* insupportable; ~ *hope* perdu sans retour; **4.** *su.* passé *m*.

paste [peist] **1.** pâte *f* (*a. cuis.*); colle *f*; faux brillants *m/pl.*; **2.** coller; *sl.* battre; **'~·board** planche *f* à pâte; carton *m*; *sl.* carte *f*; *attr.* de *ou* en carton.

pas·tel ['pæstəl] ♀ pastel *m*, guède *f*; *peint.* (crayon *m*) pastel *m*; **'pastel·(l)ist** pastelliste *mf*.

pas·tern *vét.* ['pæstə:n] paturon *m*; **'~·joint** boulet *m*.

pas·teur·ize ['pæstəraiz] pasteuriser; stériliser.

pas·tille [pæs'ti:l] pastille *f*.

pas·time ['pɑ:staim] passe-temps *m/inv.*; distraction *f*.

pas·tor ['pɑ:stə] pasteur *m*, ministre *m*; *Am.* prêtre *m*; **'pas·to·ral 1.** □ pastoral (-aux *m/pl.*); ~ *staff* bâton *m* pastoral; crosse *f*; **2.** poème *m* pastoral; *peint.* scène *f* pastorale; *poésie, a.* ♪ pastourelle *f*; *eccl.* lettre *f* pastorale.

pas·try ['peistri] pâtisserie *f*; pâte *f* (*non cuite*); **'~·cook** pâtissier (-ère *f*) *m*.

pas·tur·age ['pɑ:stjuridʒ] pâturage *m*, pacage *m*.

pas·ture ['pɑ:stʃə] **1.** (lieu *m* de) pâture *f*; pré *m*; pâturage *m*; ~ *ground* lieu *m* de pâturage; **2.** *v/t.* (faire) paître; *v/i.* paître.

past·y 1. ['peisti] pâteux (-euse *f*); *fig.* terreux (-euse *f*) (*visage*); **2.** ['pæsti] pâté *m* (*sans terrine*).

pat [pæt] **1.** coup *m* léger; petite tape

f; caresse *f*; *beurre*: rondelle *f*; **2.** tap(ot)er; caresser; **3.** apte; à propos (*a. adv.*); prêt.

patch [pætʃ] **1.** pièce *f*; *mot. boudin d'air*: pastille *f*, *pneu*: guêtre *f*; *couleur*: tache *f*; *fig.* pâté *m*; *légumes*: carré *m*; *terre*: parcelle *f*; ~ *pocket cost.* poche *f* appliquée; **2.** rapiécer, raccommoder; poser une pastille à; mettre une pièce à (*un pneu*); ~ *up* rapetasser; ⊕ rafistoler; *fig.* arranger, ajuster; **'patch·er** raccommodeur (-euse *f*) *m*; *fig.* rapetasseur (-euse *f*) *m*.

patch·ou·li ['pætʃuli] patchouli *m*.

patch·work ['pætʃwə:k] rapiéçage *m*; **'patch·y** inégal (-aux *m/pl.*) (*a. fig*).

pate *sl* [peit] tête *f*, caboche *f*.

pat·en *eccl.* ['pætən] patène *f*.

pat·ent 1. ['peitnt; ✝✝, *Am.* 'pætnt] manifeste, patent; *letters* ~ ['pætnt] *pl.* lettres *f/pl.* patentes; ~ *article* article *m* breveté; ~ *fastener* bouton-pression (*pl.* boutons-pression) *m*; attache *f* à fermoir; ~ *fuel* boulets *m/pl.*, briquettes *f/pl.*; ~ *leather* cuir *m* verni; ~ *leather shoes* souliers *m/pl.* vernis; **2.** ['pætnt] brevet *m* d'invention; lettres *f/pl.* patentes; ✝✝ ~ *pending* brevet *m* pendant; ~ *agent* agent *m* en brevets; ~ *office* bureau *m* des brevets; **3.** [~] faire breveter; **patent·ee** [peitən'ti:] breveté *m*; concessionnaire *m* du brevet.

pa·ter·nal □ [pə'tə:nl] paternel(le *f*); **pa'ter·ni·ty** paternité *f*; *fig. a.* origine *f*.

path [pɑ:θ], *pl.* **paths** [pɑ:ðz] chemin *m*; sentier *m*; *jardin*: allée *f*; *fig.* route *f*; *sp.* piste *f*.

pa·thet·ic [pə'θetik] (~*ally*) pathétique; attendrissant.

path·less ['pɑ:θlis] sans chemin frayé.

path·o·log·i·cal □ [pæθə'lɔdʒikl] pathologique; **pa·thol·o·gy** [pə-'θɔlədʒi] pathologie *f*.

pa·thos ['peiθɔs] pathétique *m*.

path·way ['pɑ:θwei] sentier *m*; *rue*: trottoir *m*.

path·y 🟰 *Am. co.*, *a. péj.* ['pæθi] système *m* de traitement.

pa·tience ['peiʃns] patience *f*; *cartes*: réussite *f*, ~*s f/pl.*; *be out of* ~ (*ou have no* ~) *with* être à bout de patience avec; **'pa·tient 1.** □

patient, endurant; be ~ o f avoir de la patience avec; *fig.* savoir supporter (*qch.*); 2. malade *mf*.

pa·ti·o *Am.* ['pætiou] patio *m*.

pa·tri·arch ['peitriɑːk] patriarche *m*; **pa·tri'ar·chal** ☐ patriarcal (-aux *m/pl.*).

pa·tri·cian [pə'triʃn] patricien(ne *f*) *m* (*a. su.*).

pat·ri·mo·ny ['pætriməni] patrimoine *m*; *eccl.* biens-fonds *m/pl.*

pa·tri·ot ['pætriət] patriote *mf*; **pa·tri·ot·eer** *Am. sl.* [ˌ~'tiə] faux patriote *m*; **pa·tri·ot·ic** [ˌ~'ɔtik] (ˌ~ally) patriotique (*discours etc.*); patriote (*personne*); **pa·tri·ot·ism** ['ˌ~ətizm] patriotisme *m*.

pa·trol ⚔ [pə'troul] 1. patrouille *f*; ronde *f*; *police:* secteur *m*; *Am.* ~ **wagon** voiture *f* de police; F panier *m* à salade; 2. *v/t.* faire la patrouille dans; *v/i.* patrouiller; **~·man** *Am.* ['~mæn] patrouilleur *m*; agent *m* de police.

pa·tron ['peitrən] protecteur *m*; *eccl.* patron(ne *f*) *m*; ✝ client(e *f*) *m*; *charité:* patron *m*; **pa·tron·age** ['pætrənidʒ] protection *f*; patronage *m*; clientèle *f*; *eccl.* droit *m* de présentation; *péj.* air *m* protecteur; **pa·tron·ess** ['peitrənis] protectrice *f*; *charité:* patronnesse *f*; **pa·tron·ize** ['pætrənaiz] protéger; patronner; ✝ accorder sa clientèle à; *péj.* traiter d'un air protecteur; **'pa·tron·iz·er** protecteur (-trice *f*) *m*; client(e *f*) *m*.

pat·ten ['pætn] socque *m*.

pat·ter ['pætə] 1. *v/i.* sonner par petits coups; crépiter (*pluie etc.*); caqueter; *v/t.* bredouiller; parler tant bien que mal; 2. petit bruit *m*; fouettement *m*; boniment *m*.

pat·tern ['pætən] 1. modèle *m*, exemple *m* (*a. fig.*); type *m*; dessin *m*; patron *m* (*en papier*); échantillon *m*; *by* ~ *post* échantillon sans valeur; *télév.* test ~ mire *f*; 2. modeler (*sur after, on*); **'~-mak·er** ⊕ modeleur *m* (-euse *f*) *m*.

pat·ty ['pæti] petit pâté *m*; bouchée *f* à la reine.

pau·ci·ty ['pɔːsiti] disette *f*, manque *m*.

Paul·ine ['pɔːlain] paulinien(ne *f*).

paunch [pɔːntʃ] panse *f*, ventre *m*; **'paunch·y** pansu.

pau·per ['pɔːpə] 1. indigent(e *f*) *m*;

pauvre(sse *f*) *m*; 2. assisté, pauvre; **'pau·per·ism** paupérisme *m*; **'pau·per·ize** réduire à l'indigence.

pause [pɔːz] 1. pause *f*, arrêt *m*; hésitation *f*; ♪ point *m* d'orgue; 2. faire une pause; hésiter; s'arrêter (*sur*, [*up*]*on*).

pave [peiv] paver; *fig.* préparer; **'pave·ment** pavé *m*; dallage *m*; trottoir *m*.

pa·vil·ion [pə'viljən] pavillon *m*.

pav·ing-stone ['peiviŋstoun] pavé *m*; pierre *f* à paver.

pav·io(u)r ['peivjə] paveur *m*; dalleur *m*; carreleur *m*.

paw [pɔː] 1. patte *f* (*sl. a. = main*); 2. donner des coups de patte à; piaffer (*cheval*); F tripoter.

pawn[1] [pɔːn] *échecs:* pion *m*; *fig.* jouet *m*.

pawn[2] [~] 1. gage *m*; *in* (*ou at*) ~ en gage; 2. mettre en gage, engager; **'~·bro·ker** prêteur (-euse *f*) *m* sur gage(s); **pawn·ee** [~'niː] créancier (-ère *f*) *m* sur gage; **'pawn·er** emprunteur (-euse *f*) *m* sur gage; **'pawn·shop** maison *f* de prêt; **'pawn-tick·et** reconnaissance *f* (de prêt sur gage).

pay [pei] 1. salaire *m*; gages *m/pl.*; traitement *m*; ⚔, ⚓ solde *f*; 2. [*irr.*] *v/t.* payer; régler (*un compte*); acquitter (*des droits*); présenter (*ses respects à q.*); faire (*honneur à q., une visite à q.*); ~-*as-you-earn* *Am.* retenue *f* des impôts à la source; ~ *attention* (*ou heed*) *to* faire attention à; tenir compte de; ~ *away* dépenser; ⚓ laisser filer (*un câble*); ~ *down* payer comptant; ~ *in* donner (*qch.*) à l'encaissement; ~ *off* régler (*qch.*); rembourser (*un créancier*); congédier (*un employé*); ~ *out* payer, débourser; F se venger sur (*q.*); ⚓ (laisser) filer; ~ *up* se libérer de (*dettes*); rembourser intégralement; *v/i.* payer; rapporter; ~ *for* payer (*qch.*); rémunérer (*q., qch.*); *fig.* expier; **'pay·a·ble** payable (*a.* ✝); acquittable; ⚒ exploitable; **'pay-day** jour *m* de paye; **pay-dirt** *Am.* alluvion *f* exploitable; *fig.* source *f* d'argent; **pay·ee** ✝ [~'iː] preneur (-euse *f*) *m*; porteur *m* (*d'un effet*); **'pay-en·ve·lope** sachet *m* de paie; **'pay·er** payant(e *f*); ✝ tiré *m*, accepteur *m*; **'pay·ing** payant; profitable; rémunérateur (-trice *f*);

avantageux (-euse *f*); **'pay-load** charge *f* payante; ⚡ poids *m* utile; **'pay·mas·ter** trésorier *m* (*a.* ⚔); ♈ commissaire *m*; **'pay·ment** paiement *m*, versement *m*; rémunération *f*; *additional* ⁓ supplément *m*; on ⁓ of moyennant paiement de.

pay...: **'⁓-off** règlement *m*; remboursement *m*; *Am.* F comble *m*; F bakchich *m*; **'⁓-of·fice** caisse *f*, guichet *m*; **'⁓-pack·et** sachet *m* de paie; **'⁓-roll** feuille *f* de paie; ⁓ **sta·tion** *Am.* téléphone *m* public.

pea ♃ [piː] (petit) pois *m*; *attr.* de pois; aux petits pois.

peace [piːs] paix *f*; tranquillité *f*; ordre *m*; traité *m* de paix; *the (King's)* ⁓ l'ordre *m* public; *at* ⁓ en paix, paisible; *break the* ⁓ troubler l'ordre public; *keep the* ⁓ veiller à *ou* ne pas troubler l'ordre public; **'peace·able** ⬚ pacifique; en paix; paisible; **'peace·break·er** violateur (-trice *f*) *m* de l'ordre public; **peace·ful** ⬚ ['⁓ful] paisible, tranquille; pacifique; **'peace·mak·er** conciliateur (-trice *f*) *m*; **'peace-of·fi·cer** agent *m* de la sûreté.

peach¹ ♃ [piːtʃ] pêche *f*; *arbre:* pêcher *m*; F vrai bijou *m*.

peach² *sl.* [⁓]: ⁓ *(up)on* moucharder; dénoncer.

pea-chick ['piːtʃik] paonneau *m*.

peach·y ['piːtʃi] velouté (*peau etc.*); *couleur:* fleur de pêcher *adj./inv.*; *sl.* épatant; délicieux (-euse *f*).

pea·cock ['piːkɔk] paon *m*; **'pea·fowl** paon(ne *f*) *m*; **'pea·hen** paonne *f*.

pea-jack·et ♈ ['piːdʒækit] vareuse *f*.

peak [piːk] 1. pic *m*, cime *f*, sommet *m*; *casquette:* visière *f*; *attr.* de pic; de pointe; maximum; ⁓ *load* charge *f* maximum; ⁓ *power* débit *m* maximum; ⁓ *season* haute saison *f*; 2. F dépérir; tomber en langueur; **peaked** [piːkt] en pointe; ⁓ *cap* casquette *f* à visière; **'peak·y** F pâlot, malingre; hâve.

peal [piːl] 1. carillon *m*; *tonnerre:* grondement *m*; retentissement *m*; ⁓ *of laughter* éclat *m* de rire; 2. *v/t.* sonner à toute volée; carillonner; *v/i.* carillonner; retentir; gronder (*tonnerre*).

pea·nut ['piːnʌt] ♃ arachide *f*, ✿ cacahouette *f*; *fig.* gnognote *f*; *Am. sl.* ⁓ *politics* politicailleries *f/pl.*

pear ♃ [pɛə] poire *f*; *arbre:* poirier *m*.

pearl [pɜːl] 1. perle *f* (*a. fig.*); *typ.* parisienne *f*; *attr.* de perles; 2. perler; **'pearl·y** perlé, nacré.

pear-tree ['pɛətriː] poirier *m*.

peas·ant ['pezənt] 1. paysan(ne *f*) *m*; 2. campagnard; **'peas·ant·ry** paysannerie *f*; paysannat *m*.

pea-shoot·er ['piːʃuːtə] petite sarbacane *f* de poche.

pea-soup ['piːsuːp] potage *m* aux pois, potage *m* St.-Germain; **'pea-'soup·y** jaune et épais (*brouillard*).

peat [piːt] tourbe *f*; **'⁓-moss** tourbière *f*.

peb·ble ['pebl] caillou (*pl.* -x) *m*; *plage:* galet *m*; agate *f*; **'peb·bly** caillouteux (-euse *f*); à galets (*plage*).

pec·ca·ble ['pekəbl] peccable; **pec·cant** ✻ ['pekənt] peccant.

peck¹ [pek] (*approx.*) boisseau *m* (*9,087 litres*); *fig.* grande quantité *f*; *a* ⁓ *of* beaucoup de.

peck² [⁓] picoter (*qch.*, *at s.th.*); picorer; ⁓ *at* chipoter (*un plat*); ⁓ *at one's food* manger son repas du bout des dents; **'peck·er** *sl.* courage *m*; nez *m*; **'peck·ish** F: *be* ⁓ avoir faim.

pec·to·ral ['pektərəl] pectoral (-aux *m/pl.*) (*a. su./m*).

pec·u·late ['pekjuleit] détourner des fonds; **pec·u·la·tion** détournement *m* de fonds; péculat *m*; **'pec·u·la·tor** dilapidateur *m* des deniers publics.

pe·cul·iar ⬚ [pɪˈkjuːljə] bizarre, singulier (-ère *f*); étrange; particulier (-ère *f*); **pe·cu·li·ar·i·ty** [⁓liˈæriti] particularité *f*; trait *m* distinctif; singularité *f*.

pe·cu·ni·ar·y [piˈkjuːnjəri] pécuniaire; d'argent.

ped·a·gog·ic, ped·a·gog·i·cal ⬚ [pedəˈgɔdʒik(l)] pédagogique; **ped·a'gog·ics** *usu. sg.* pédagogie *f*; **ped·a·gogue** ['⁓gɔg] pédagogue *m*; **ped·a·go·gy** ['⁓gi] pédagogie *f*.

ped·al ['pedl] 1. pédale *f*; 2. du pied; 3. *cycl.* pédaler; ♪ mettre la pédale.

ped·ant ['pedənt] pédant(e *f*) *m*; **pe·dan·tic** [piˈdæntik] (⁓*ally*) pédant(esque); **ped·ant·ry** ['pedəntri] pédantisme *m*.

ped·dle ['pedl] *v/t.* colporter; *v/i.*

faire le colportage; **'ped·dling** colportage *m*; **'ped·dler** *Am. see* pedlar.

ped·es·tal ['pedistl] piédestal *m* (*a. fig.*); socle *m*.

pe·des·tri·an [pi'destriən] **1.** pédestre; à pied; prosaïque; **2.** piéton *m*; voyageur (-euse *f*) *m* à pied.

ped·i·cure ['pedikjuə] chirurgie *f* pédicure; *personne:* pédicure *mf*.

ped·i·gree ['pedigri:] **1.** arbre *m* généalogique; généalogie *f*; **2.** (*a.* **ped·i·greed** ['ˌd]) de race, de bonne souche.

ped·i·ment △ ['pedimənt] fronton *m*.

ped·lar ['pedlə] colporteur *m*; **'ped·lar·y** colportage *m*; marchandise *f* de balle.

pe·dom·e·ter [pi'dɔmitə] compte-pas *m/inv.*

peek [pi:k] **1.** jeter un coup d'œil furtif (sur, *at*); **2.** coup *m* d'œil rapide *ou* furtif; **peek·a·boo** *Am.* ['pi:kəbu:] **1.** en dentelle; **2.** *Am.* cache-cache *m*.

peel [pi:l] **1.** pelure *f*; peau *f*; *citron:* zeste *m*; **2.** (*a.* ~ *off*) *v/t.* peler; se dépouiller de (*les vêtements*); *v/i.* peler; s'écailler; *sl.* se déshabiller.

peel·er *sl.* ['pi:lə] agent *m* de police; F flic *m*.

peel·ing ['pi:liŋ] épluchure *f*; *action:* épluchage *m*; (*a.* ~ *off*) écaillement *m*.

peep¹ *orn.* [pi:p] **1.** pépiement *m*; **2.** pépier.

peep² [~] **1.** coup *m* d'œil rapide *ou* furtif; point *m* (*du jour*); **2.** regarder à la dérobée; jeter un coup *m* d'œil rapide (sur, *at*); *fig.* (*a.* ~ *out*) percer; se laisser entrevoir; **'peep·er** curieux (-euse *f*) *m*; indiscret (-ète *f*) *m*; *sl.* œil; **'peep·hole** judas *m*; **'peep-show** optique *f*.

peer¹ [piə] risquer un coup d'œil; ~ *at* scruter du regard; ~ *into s.o.'s face* dévisager q.

peer² [~] pair *m*; **'peer·age** pairie *f*; pairs *m/pl.*; **'peer·ess** pairesse *f*; **'peer·less** □ sans pair; sans pareil(le *f*).

peeved F [pi:vd] irrité.

pee·vish □ ['pi:viʃ] irritable; maussade; **'pee·vish·ness** mauvaise humeur *f*; humeur *f* maussade.

peg [peg] **1.** cheville *f* (*a.* ♪); fiche *f*; *toupie:* pointe *f*; *whisky:* doigt *m*; (*a. clothes-~*) vêtements: patère *f*; pince *f*; *fig. take s.o. down a ~ or two* remettre q. à sa place; *be a round ~ in a square hole* ne pas être dans son emploi; **2.** cheviller; (*a.* ~ *out*) piqueter (*une concession*); stabiliser, maintenir (*le prix, les gages, etc.*); F ~ *away* (*a.* ~ *along*) travailler ferme (à, *at*); *sl.* ~ *out sl.* casser sa pipe (= *mourir*).

peg-top ['pegtɔp] toupie *f*.

peign·oir ['peinwa:] peignoir *m*.

pe·jo·ra·tive ['pi:dʒərətiv] péjoratif (-ive *f*).

pelf *péj.* [pelf] richesses *f/pl.*

pel·i·can *orn.* ['pelikən] pélican *m*.

pe·lisse [pe'li:s] pelisse *f*.

pel·let ['pelit] boulette *f*; *pharm.* pilule *f*; grain *m* de plomb.

pel·li·cle ['pelikl] pellicule *f*; membrane *f*.

pell-mell ['pel'mel] **1.** pêle-mêle; en désordre; **2.** confusion *f*.

pel·lu·cid [pe'lju:sid] transparent; clair.

pelt¹ † [pelt] fourrure *f*, peau *f*.

pelt² [~] **1.** *v/t.* (*a.* ~ *at*) lancer (*une volée de pierres*) à; *v/i.* tomber à verse; F courir à toutes jambes; **2.** grêle *f*.

pelt·ry ['peltri] peaux *f/pl.*; pelleterie *f*.

pel·vis *anat.* ['pelvis] bassin *m*.

pen¹ [pen] **1.** plume *f*; **2.** écrire; composer.

pen² [~] **1.** enclos *m*; **2.** [*irr.*] parquer; (*usu.* ~ *up*, ~ *in*) renfermer.

pe·nal □ ['pi:nl] pénal (-aux *m/pl.*) (*loi, code*); qui entraîne une pénalité; ~ *servitude travaux m/pl.* forcés; **pe·nal·ize** ['ˌnəlaiz] sanctionner (*qch.*) d'une peine; *sp.* pénaliser; *fig.* punir; **pen·al·ty** ['penlti] peine *f*; pénalité *f* (*a. sp.*); *foot.* ~ *area* surface *f* de réparation; ~ *kick penalty m*; *under* ~ *of* sous peine de.

pen·ance ['penəns] pénitence *f*.

pen...: '~**-and-'ink draw·ing** dessin *m* à la plume; '~**-case** plumier *m*.

pence [pens] *pl. de* penny.

pen·cil ['pensl] **1.** crayon *m*; *sl.* pinceau *m*; *opt.* faisceau *m*; **2.** marquer (*ou* dessiner) au crayon; crayonner (*une lettre*); se faire (*les sourcils*) au crayon; **'pen·cil(l)ed** écrit *ou* tracé au crayon; *opt.* en faisceau lumineux; **'pen·cil-sharp-en·er** taille-crayon *m/inv.*

pend·ant ['pendənt] *collier:* pendentif *m; lustre:* pendeloque *f; tableau:* pendant *m;* ⚓ *drapeau:* flamme *f;* △ cul-de-lampe (*pl.* culs-de-lampe) *m.*

pend·ent [~] pendant; retombant.

pend·ing ['pendiŋ] **1.** *adj.* ⚖ pendant; en instance; **2.** *prp.* pendant; en attendant.

pen·du·lous ['pendjuləs] pendant; oscillant; **pen·du·lum** ['~ləm] pendule *m,* balancier *m.*

pen·e·tra·bil·i·ty [penitrə'biliti] pénétrabilité *f;* **pen·e·tra·ble** □ ['~trəbl] pénétrable; **pen·e·tra·li·a** F [peni'treiliə] *pl.* sanctuaire *m;* **pen·e·trate** ['~treit] *v/t.* percer; pénétrer (de, *with*) (*a. fig.,* un secret *etc.*); *v/i.* pénétrer (jusqu'à *to, as far as*); **pen·e'tra·tion** pénétration *f* (*a. fig.* = perspicacité); **'pen·e·tra·tive** □ pénétrant; perçant (*a. fig.*); ~ effect effet *m* marqué.

pen·feath·er ['penfeðə] penne *f.*

pen·guin *orn.* ['peŋgwin] pingouin *m;* manchot *m.*

pen·hold·er ['penhouldə] porteplume *m/inv.*

pen·i·cil·lin *pharm.* [peni'silin] pénicilline *f.*

pen·in·su·la [pi'ninsjulə] presqu'île *f;* péninsule *f;* **pen'in·su·lar** péninsulaire.

pen·i·tence ['penitəns] pénitence *f;* contrition *f;* **'pen·i·tent 1.** □ pénitent, contrit; **2.** pénitent(e *f) m;* **pen·i·ten·tial** [~'tenʃl] pénitentiel(le *f);* de pénitent; **pen·i·ten·tia·ry** [~'tenʃəri] maison *f* de correction; *Am.* prison *f; eccl.* (*ou priest*) pénitencier *m.*

pen·man ['penmən] écrivain *m;* auteur *m;* **'pen·man·ship** art *m* d'écrire; calligraphie *f.*

pen-name ['penneim] nom *m* de plume; *journ.* nom *m* de guerre.

pen·nant ['penənt] ⚓ flamme *f; surt. Am.* fanion *m* (*usu.* de championnat, *sp.*).

pen·ni·less □ ['penilis] sans ressources; sans le sou.

pen·non ['penən] ✗ flamme *f,* banderole *f; sp.* fanion *m.*

pen·ny ['peni], *pl. valeur:* **pence** [pens], *pièces:* **pen·nies** penny *m* ($^1/_{12}$ shilling); gros sou *m; Am.* cent

m, F sou *m;* '~-a-'lin·er journaliste *m* à deux sous la ligne; écrivaillon *m;* '~-'dread·ful roman *m* à deux sous; feuilleton *m* à gros effets; '~-in-the-'slot automatique; ~ *machine* distributeur *m* automatique; '~-wise lésineur (-euse *f);* ~-worth ['penəθ] valeur *f* de deux sous; *fig.* miette *f; a* ~ *of tobacco* deux sous de tabac.

pen·sion 1. ['penʃn] pension *f;* retraite *f* de vieillesse; ✗ (solde *f* de) retraite *f;* ['pã:ŋsiõ:ŋ] pension *f* de famille; **2.** ['penʃn] *usu.* ~ *off* mettre (*q.*) à la retraite; pensionner (*q.*); **pen·sion·a·ry** ['penʃənəri] **'pen·sion·er** titulaire *mf* d'une pension; pensionnaire *mf* (*de l'État*); ✗ retraité *m;* invalide *m; be s.o.'s* ~ *péj.* être à la solde de *q.*

pen·sive □ ['pensiv] pensif (-ive *f);* songeur (-euse *f);* rêveur (-euse *f);* **'pen·sive·ness** air *m* pensif.

pent [pent] *prét. et p.p. de* pen² 2; ~-*up* contenu, refoulé (*colère etc.*).

pen·ta·gon ['pentəgən] pentagone *m; Am. the* ⚋ Ministère *m* de la Défense Nationale (*à Washington*); **pen·tag·o·nal** [~'tægənl] pentagonal (-aux *m/pl.*), pentagone.

pen·tath·lon *sp.* [pen'tæθlən] pentathlon *m.*

Pen·te·cost ['pentikɔst] la Pentecôte *f;* **pen·te'cos·tal** de la Pentecôte.

pent·house ['penthaus] appentis *m;* auvent *m; Am.* appartement *m* (*construit sur le toit d'un bâtiment élevé*).

pe·num·bra [pi'nʌmbrə] pénombre *f.*

pe·nu·ri·ous □ [pi'njuəriəs] pauvre; mesquin; parcimonieux (-euse *f);* **pe'nu·ri·ous·ness** avarice *f;* mesquinerie *f.*

pen·u·ry ['penjuri] pénurie *f;* indigence *f;* manque *m* (de, of).

pen-wip·er ['penwaipə] essuieplume *m.*

pe·o·ny ⚘ ['piəni] pivoine *f.*

peo·ple ['pi:pl] **1.** *sg.* peuple *m;* nation *f; pl. coll.* peuple *m,* habitants *m/pl.; pl.* citoyens *m/pl.;* gens *m/pl.;* les gens *m/pl.,* on; ~ *pl. say* on dit; *English* ~ *pl.* des *ou* les Anglais *m/pl.; many* ~ *pl.* beaucoup de monde; F *my* ~ *pl.* mes parents *m/pl.;* ma famille *f; the* ~ *pl.* le

grand public *m*, le peuple *m*; *pol.*
~'s republic république *f* populaire;
2. peupler (de, *with*).

pep *Am. sl.* [pep] **1.** vigueur *f*, vitalité *f*; entrain *m*; **2.** ~ up ragaillardir
(*q.*); donner de l'entrain à (*qch.*).

pep·per ['pepə] **1.** poivre *m*; **2.** poivrer; F cribler; '~·box poivrière *f*;
'~·mint ♀ menthe *f* poivrée; (*a.* ~
lozenge) pastille *f* de menthe; '**pep-**
per·y □ poivré; *fig.* irascible.

pep·tic ['peptik] gastrique, digestif
(-ive *f*).

per [pə:] par; suivant; d'après; par
l'entremise de; ~ cent pour cent ($^0/_0$).

per·ad·ven·ture [pərəd'ventʃə] **1.**
peut-être; par hasard; **2.** doute *m*;
beyond (*ou without*) ~ à n'en pas
douter.

per·am·bu·late [pə'ræmbjuleit] se
promener dans (*qch.*); parcourir
(*qch.*); **per·am·bu'la·tion** promenade *f*; inspection *f*; **per·am·bu-**
la·tor ['præmbjuleitə] voiture *f*
d'enfant.

per·ceive [pə'si:v] (a)percevoir; s'a-
percevoir de; voir; comprendre.

per·cent·age [pə'sentidʒ] pourcentage *m*; proportion *f*; guelte *f*; tantième *m*, -s *m/pl.*

per·cep·ti·ble □ [pə'septəbl] perceptible; sensible; **per'cep·tion**
perception *f*; sensibilité *f*; **per-**
'**cep·tive** □ perceptif (-ive *f*);
per'cep·tive·ness, **per·cep'tiv·i-**
ty perceptivité *f*.

perch[1] *icht.* [pə:tʃ] perche *f*.

perch[2] [~] **1.** perche *f* (= *5,029 m*);
oiseau: perchoir *m*; F *fig.* trône *m*;
carrosse: flèche *f*; **2.** (se) percher,
(se) jucher; ~ed *fig.* perché;
'**perch·er** *orn.* percheur *m*.

per·cip·i·ent [pə'sipiənt] **1.** percepteur (-trice *f*); conscient; **2.** sujet
m télépathique.

per·co·late ['pə:kəleit] *v/t.* passer
(*le café*); *v/i.* s'infiltrer; filtrer
(*café*); '**per·co·la·tor** filtre *m*.

per·cus·sion [pə:'kʌʃn] choc *m*;
percussion *f* (*a.* ♪); ~ *cap* capsule *f*
de fulminate; ♪ ~ *instruments pl.*
instruments *m/pl.* de *ou* à percussion; **per·cus·sive** [pə:'kʌsiv] percutant.

per·di·tion [pə:'diʃn] perte *f*,
ruine *f*.

per·du(e) ✗ [pə:'dju:] caché.

per·e·gri·nate ['perigrineit] voya-

ger, pérégriner; **per·e·gri'na·tion**
voyage *m*, pérégrination *f*.

per·emp·to·ri·ness [pə'remtərinis]
intransigeance *f*; ton *m ou* caractère *m* absolu; **per'emp·to·ry** □
péremptoire; décisif (-ive *f*); absolu; tranchant (*ton*).

per·en·ni·al [pə'renjəl] **1.** □ éternel
(-le *f*); ♀ vivace, persistant; **2.** ♀
plante *f* vivace.

per·fect ['pə:fikt] **1.** □ parfait;
achevé (*ouvrage*); complet (-ète *f*);
♪ juste; **2.** *gramm.* (*ou* ~ *tense*) parfait *m*; **3.** [pə'fekt] (par)achever; rendre parfait, parfaire; **per·fect·i·bil-**
i·ty [~i'biliti] perfectibilité *f*; **per-**
'**fect·i·ble** [~təbl] perfectible; **per-**
'**fec·tion** perfection *f*, *a.* **per·fect-**
ness ['pə:fiktnis]) achèvement *m*,
accomplissement *m*; perfectionnement *m*; *fig.* be the ~ of ... être ...
même.

per·fid·i·ous □ [pə'fidiəs] perfide;
traître(sse *f*); **per'fid·i·ous·ness**,
per·fi·dy ['pə:fidi] perfidie *f*, traîtrise *f*.

per·fo·rate ['pə:fəreit] *v/t.* perforer,
percer; *v/i.* pénétrer (dans, *into*);
per·fo'ra·tion perforation *f* (*a.*
coll.); percement *m*; (petit) trou *m*;
'**per·fo·ra·tor** perforateur *m*; ⚒
perforatrice *f*.

per·force [pə'fɔ:s] forcément.

per·form [pə'fɔ:m] *v/t.* accomplir;
célébrer (*un rite*); s'acquitter de (*un
devoir*); exécuter (*un mouvement*, *a.*
♪ *un morceau*), ♪, *théâ.* jouer; *théâ.*
représenter; *v/i.* jouer; ♪ ~ *on* jouer
de; **per'form·ance** exécution *f*;
exploit *m*; *théâ.* représentation *f*;
sp., *mot.* performance *f*; *cin.* séance
f; ⊕ fonctionnement *m*, marche *f*;
per'form·er artiste *mf*; *théâ.* acteur
(-trice *f*) *m*; ♪ exécutant(e *f*) *m*;
per'form·ing savant (*animal*).

per·fume 1. ['pə:fju:m] parfum *m*;
odeur *f*; **2.** [pə'fju:m] parfumer;
per'fum·er parfumeur (-euse *f*) *m*;
per'fum·er·y parfumerie *f*; par-
fums *m/pl.*

per·func·to·ry □ [pə'fʌŋktəri] su-
perficiel(le *f*); peu zélé; négligent.

per·haps [pə'hæps; præps] peut-
être.

per·i·car·di·um *anat.* [peri'kɑ:djəm]
péricarde *m*.

per·i·gee *astr.* ['peridʒi:] périgée *m*.

per·il ['peril] **1.** péril *m*; danger *m*;

at my ~ à mes risques et périls; 2. mettre en péril; '**per·il·ous** □ périlleux (-euse *f*).

pe·ri·od ['piəriəd] période *f*; durée *f*; délai *m*; époque *f*, âge *m*; *école*: leçon *f*; *rhétorique*: période *f*; *gramm.* point *m*; ~s *pl.* règles *f/pl.*; *a girl of the* ~ une jeune fille moderne; ~ *furniture* mobilier *m* de style; **per·i·od·ic** [~'ɔdik] périodique; **pe·ri·od·i·cal** 1. □ périodique; 2. (publication *f*) périodique *m*.

per·i·pa·tet·ic [peripə'tetik] (~ally) F ambulant.

pe·riph·er·y [pə'rifəri] pourtour *m*.

pe·riph·ra·sis [pə'rifrəsis], *pl.* -ses [~siːz] périphrase *f*; circonlocution *f*; **per·i·phras·tic** [peri'fræstik] (~ally) périphrastique.

per·i·scope ♎, ⚔ ['periskoup] périscope *m*.

per·ish ['periʃ] (faire) périr *ou* mourir; (se) détériorer; *be* ~ed *with* mourir de (*froid, etc.*); '**per·ish·a·ble** 1. □ périssable; *fig.* éphémère; 2. ~s *pl.* marchandises *f/pl.* périssables; '**per·ish·ing** □ transitoire; destructif (-ive *f*); F sacré.

per·i·style ['peristail] péristyle *m*.

per·i·to·ne·um *anat.* [peritou'niːəm] péritoine *m*.

per·i·wig ['periwig] perruque *f*.

per·i·win·kle ['periwiŋkl] 1. ♀ pervenche *f*; 2. *zo.* bigorneau *m*.

per·jure ['pəːdʒə]: ~ *o.s.* se parjurer; '**per·jured** parjure; '**per·jur·er** parjure *mf*; '**per·ju·ry** parjure *m*; ♆ faux témoignage *m*.

perk [pəːk] 1. (*usu.* ~ *up*) *v/i.* se ranimer; redresser la tête; *v/t.* se dresser; requinquer (*q.*); 2. *see* ~y; **perk·i·ness** ['~inis] air *m* alerte *ou* éveillé.

perks F [pəːks] *pl. see* perquisites.

perk·y □ ['pəːki] alerte, éveillé; désinvolte.

perm F [pəːm] (ondulation *f*) permanente *f*, indéfrisable *f*; *have a* ~ se faire faire une permanente.

per·ma·nence ['pəːmənəns] permanence *f*; stabilité *f*; '**per·ma·nen·cy** *see* permanence; emploi *m* permanent; '**per·ma·nent** □ permanent; fixe; inamovible (*place*); *wave* ondulation *f* permanente; ⚙ ~ *way* voie *f* ferrée.

per·me·a·bil·i·ty [pəːmiə'biliti] perméabilité *f*; '**per·me·a·ble** □ per-

méable; **per·me·ate** ['~mieit] *v/t.* filtrer à travers; *v/i.* pénétrer; s'infiltrer (dans *into, among*).

permed F [pəːmd] ondulé; *have one's hair* ~ se faire faire une permanente.

per·mis·si·ble □ [pə'misəbl] permis, tolérable; **per·mis·sion** [~'miʃn] permission *f*; autorisation *f*; **per·mis·sive** □ [~'misiv] qui permet; facultatif (-ive *f*); permis.

per·mit 1. [pə'mit] (*a.* ~ *of*) permettre; souffrir; *weather* ~*ting* si le temps s'y prête; 2. ['pəːmit] autorisation *f*, permis *m*; ♦ passavant *m*.

per·ni·cious □ [pəː'niʃəs] pernicieux (-euse *f*); délétère.

per·nick·et·y F [pə'nikiti] pointilleux (-euse *f*); difficile.

per·o·ra·tion [perə'reiʃn] péroraison *f*.

per·ox·ide ♎ [pə'rɔksaid] peroxyde *m*; ~ *of hydrogen* eau *f* oxygénée.

per·pen·dic·u·lar [pəːpən'dikjulə] 1. □ vertical (-aux *m/pl.*); perpendiculaire (*a.* △ *style*); 2. perpendiculaire *m*; aplomb *m*; fil *m* à plomb.

per·pe·trate ['pəːpitreit] perpétrer; commettre (*a. un jeu de mots etc.*); **per·pe'tra·tion** perpétration *f*; péché *m*; '**per·pe·tra·tor** auteur *m*.

per·pet·u·al □ [pə'petjuəl] perpétuel(le *f*), éternel(le *f*); F sans fin; **per'pet·u·ate** [~eit] perpétuer; **per·pet·u'a·tion** perpétuation *f*; préservation *f*; **per·pe·tu·i·ty** [pəːpi'tjuiti] perpétuité *f*; rente *f* perpétuelle; *in* ~ à perpétuité.

per·plex [pə'pleks] embarrasser; troubler l'esprit de; **per'plexed** □ perplexe; confus; **per'plex·i·ty** perplexité *f*; embarras *m*; confusion *f*.

per·qui·sites ['pəːkwizits] *pl.* petits profits *m/pl.*; *sl.* gratte *f*.

per·se·cute ['pəːsikjuːt] persécuter; *fig.* tourmenter; **per·se'cu·tion** persécution *f*; ~ *mania* délire *m* de (la) persécution; **per·se·cu·tor** ['~tə] persécuteur (-trice *f*) *m*.

per·se·ver·ance [pəːsi'viərəns] persévérance *f*; constance *f*; **per·se·vere** [~'viə] persévérer (dans *in, with*; à *inf.*, *in gér.*); **per·se'ver·ing** □ assidu (à, *in*), constant (dans, *in*).

Per·sian ['pəːʃn] 1. persan; de Perse; 2. *ling.* persan *m*; Persan(e *f*) *m*.

per·sist [pə'sist] persister, s'obstiner (dans, *in*; à *inf.*, *in gér.*); **per·sist·ence**, **per·sist·en·cy** [pə'sistəns(i)] persistance *f*; obstination *f*; **per'sist·ent** □ persistant; continu.

per·son ['pə:sn] personne *f*; individu *m*; *théâ.* personnage *m*; *a* ~ quelqu'un(e); *no* ~ personne ... ne; *in* ~ en (propre) personne; **'per·son·a·ble** bien de sa personne; beau (bel *devant une voyelle ou un h muet*; belle *f*); **'per·son·age** personnage *m* (*a. théâ.*); personnalité *f*; **'per·son·al 1.** □ personnel(le *f*) (*a. gramm.*); individuel(le *f*); particulier (-ère *f*); *be* ~ faire des personnalités; ⚖ ~ *property* (*ou estate*) *see* personalty; **2.** ~*s pl. Am.* F *journ.* chronique *f* mondaine; échos *m/pl.*; **per·son·al·i·ty** [⸝sə'næliti] personnalité *f*; caractère *m* propre; **per·son·al·ty** ⚖ ['⸝sṇlti] biens *m/pl.* meubles; fortune *f* mobilière; **per·son·ate** ['⸝səneit] se faire passer pour; *théâ.* jouer; **per·son·a·tion** usurpation *f* de nom *etc.*; *théâ.* représentation *f*; **per·son·i·fi·ca·tion** [⸝sɔnifi'keiʃn] personnification *f*; **per·son·i·fy** [⸝'sɔnifai] personnifier; **per·son·nel** [⸝sə'nel] personnel *m*.

per·spec·tive [pə'spektiv] **1.** □ spectif (-ive *f*), en perspective; **2.** perspective *f*.

per·spi·ca·cious □ [pə:spi'keiʃəs] perspicace; **per·spi·cac·i·ty** [⸝'kæsiti] perspicacité *f*; **per·spi·cu·i·ty** [⸝'kjuiti] clarté *f*, netteté *f*; **per·spic·u·ous** [pə'spikjuəs] □ clair, lucide.

per·spi·ra·tion [pə:spə'reiʃn] transpiration *f*; sueur *f*; **per·spire** [pəs'paiə] transpirer; suer.

per·suade [pə'sweid] persuader (de, *of*; que, *that*; à q. de *inf. s.o. into gér.*, *s.o. to inf.*); convaincre; **per'suad·er** *sl.* éperon *m*; arrosage *m* (= *paiement illicite*).

per·sua·sion [pə'sweiʒən] persuasion *f*; religion *f*; F *co.* race *f*.

per·sua·sive □ [pə'sweisiv] persuasif (-ive *f*); persuadant; **per'sua·sive·ness** (force *f* de) persuasion *f*.

pert □ [pə:t] effronté; mutin; *Am.* gaillard.

per·tain [pə:'tein] (*to*) appartenir (à); avoir rapport (à); être le propre (de).

per·ti·na·cious □ [pə:ti'neiʃəs] obstiné, entêté; **per·ti·nac·i·ty** [⸝'næsiti] obstination *f*; opiniâtreté *f* (à, *in*).

per·ti·nence, **per·ti·nen·cy** ['pə:tinəns(i)] pertinence *f*; justesse *f*, à-propos *m*; **'per·ti·nent** □ pertinent, juste, à propos; ~ *to* ayant rapport à.

pert·ness ['pə:tnis] effronterie *f*.

per·turb [pə'tə:b] troubler; agiter; **per·tur·ba·tion** [pə:tə:'beiʃn] trouble *m*; agitation *f*; inquiétude *f*.

pe·ruke † [pə'ru:k] perruque *f*.

pe·rus·al [pə'ru:zl] lecture *f*; examen *m*; **pe·ruse** [pə'ru:z] lire attentivement; *fig.* examiner

Pe·ru·vi·an [pə'ru:viən] **1.** péruvien (-ne *f*); ⅋ ~ *bark* quinquina *m*; **2.** Péruvien(ne *f*) *m*.

per·vade [pə:'veid] s'infiltrer dans; *fig.* animer; **per·va·sion** [⸝'ʒn] infiltration *f*, pénétration *f*; **per'va·sive** [⸝siv] pénétrant.

per·verse □ [pə'və:s] pervers; méchant; revêche; contrariant; entêté dans le mal; ⚕ rebelle; **per'verse·ness** *see* perversity; **per'ver·sion** perversion *f*; *fig.* travestissement *m*; **per'ver·si·ty** perversité *f*; esprit *m* contraire; caractère *m* revêche; ⚕ dépravation *f*; **per'ver·sive** malsain, dépravant.

per·vert 1. [pə'və:t] pervertir; dépraver; fausser; détourner; **2.** [pə:və:t] apostat *m*; ⚕ perverti(e *f*) *m*; (*a. sexual* ~) inverti(e *f*) *m*; **per'vert·er** pervertisseur (-euse *f*) *m*.

per·vi·ous □ ['pə:viəs] perméable (à, *to*); *fig.* accessible (à, *to*).

pes·ky □ *surt. Am.* F ['peski] maudit, sacré.

pes·si·mism ['pesimizm] pessimisme *m*; **'pes·si·mist** pessimiste *mf*; **pes·si·mis·tic** [⸝'ally) pessimiste.

pest [pest] *fig.* fléau *m*; peste *f*; **'pes·ter** importuner; tourmenter; *fig.* infester.

pes·tif·er·ous □ [pes'tifərəs] pestifère; nuisible; **pes·ti·lence** ['pestiləns] peste *f*; **'pes·ti·lent** *co.* assommant; **pes·ti·len·tial** □ [⸝'lenʃl] pestilentiel(le *f*); contagieux (-euse *f*); infecte.

pes·tle ['pesl] pilon *m*.

pet¹ [pet] accès *m* de mauvaise humeur; *in a* ~ de mauvaise humeur.

pet² [~] **1.** animal *m* favori; *fig.* enfant *mf* gâté(e), benjamin(e *f*) *m*; **2.** favori(te *f*); de prédilection; ~ *dog* chien *m* favori *ou* de salon; ~ *name* diminutif *m*; ~ *subject* dada *m*; *co. it is my* ~ *aversion* il est mon cauchemar; **3.** choyer; *Am.* F *petting party* réunion *f* intime (*entre jeunes gens des deux sexes*).

pet·al ⚕ ['petl] pétale *m*.

pe·tard [pi'ta:d] † pétard *m* (*a. pyrotechnie*).

pe·ter F ['pi:tə]: ~ *out* s'épuiser; disparaître; *mot.* s'arrêter.

pe·ti·tion [pi'tiʃn] **1.** pétition *f*; supplique *f*; requête *f*; *eccl.* prière *f*; ⚖ ~ *in bankruptcy* demande *f* d ouverture de la faillite; ~ *for divorce* demande *f* en divorce; **2.** adresser une pétition *etc.* à; réclamer (qch. à q., s.o. for s.th.); **pe'ti·tion·er** solliciteur (-euse *f*) *m*; ⚖ requérant(e *f*) *m*.

pet·rel *orn.* ['petrəl] pétrel *m*; *stormy* ~ oiseau *m* des tempêtes; *fig.* émissaire *m* de discorde.

pet·ri·fac·tion [petri'fækʃn] pétrifaction *f*.

pet·ri·fy ['petrifai] (se) pétrifier.

pet·rol *mot.* *Brit.* ['petrəl] essence *f*; ~ *engine* moteur *m* à essence; ~ *station* poste *m* d'essence; ~ *tank* réservoir *m* à essence.

pe·tro·le·um [pi'trouljəm] pétrole *m*, huile *f* minérale *ou* de roche; ~ *jelly* vaseline *f*.

pe·trol·o·gy [pe'trɔlədʒi] pétrologie *f*.

pet·ti·coat ['petikout] jupon *m* (*a. fig.*), jupe *f* de dessous; *attr. fig.* de cotillons.

pet·ti·fog·ger ['petifɔgə] avocassier *m*; chicanier *m*; **'pet·ti·fog·ging** chicanier (-ère *f*).

pet·ti·ness ['petinis] mesquinerie *f*, petitesse *f*.

pet·tish □ ['petiʃ] irritable; de mauvaise humeur; **'pet·tish·ness** irritabilité *f*; mauvaise humeur *f*.

pet·ty □ ['peti] insignifiant, petit; mesquin; ♱ ~ *cash* petite caisse *f*; ⚓ ~ *officer* contremaître *m*; ⚖ ~ *sessions* *pl.* session *f* de juges de paix.

pet·u·lance ['petjuləns] *see* pettishness; **pet·u·lant** ['~lənt] *see* pettish.

pew [pju:] banc *m* d'église; *sl.* siège *m*, place *f*.

pe·wit *orn.* ['pi:wit] vanneau *m* (huppé).

pew·ter ['pju:tə] **1.** étain *m*, potin *m*; **2.** d'étain; **'pew·ter·er** potier *m* d'étain.

pha·e·ton ['feitn] phaéton *m*; *mot. Am.* torpédo *f*.

pha·lanx ['fælæŋks] phalange *f*.

phan·tasm ['fæntæzm] chimère *f*; ⚕ phantasme *m*; **phan·tas·ma·go·ri·a** [~mə'gɔ:riə] fantasmagorie *f*.

phan·tom ['fæntəm] **1.** fantôme *m*, spectre *m*; **2.** fantôme.

Phar·i·sa·ic, Phar·i·sa·i·cal □ [færi'seiik(l)] pharisaïque.

Phar·i·see ['færisi:] pharisien *m* (*a. fig.*).

phar·ma·ceu·ti·cal □ [fɑ:mə'sju:tikl] pharmaceutique; **phar·ma·cist** ['fɑ:məsist] pharmacien(ne *f*) *m*; **phar·ma·col·o·gy** [~'kɔlədʒi] pharmacologie *f*; **'phar·ma·cy** pharmacie *f*.

phar·ynx *anat.* ['færiŋks] pharynx *m*.

phase [feiz] phase *f*.

pheas·ant *orn.* ['feznt] faisan(e[d]e *f*) *m*; **'pheas·ant·ry** faisanderie *f*.

phe·nom·e·nal □ [fi'nɔminl] phénoménal (-aux *m/pl.*); *fig.* prodigieux (-euse *f*); **phe'nom·e·non** [~nən], *pl.* **-na** [~nə] phénomène *m* (*a. fig.*); *fig. personne*: prodige *m*.

phew [fju:] pouf!; pouah! (*dégoût*).

phi·al ['faiəl] flacon *m*, fiole *f*.

Phi Be·ta Kap·pa *Am.* ['fai 'bi:tə 'kæpə] *la plus ancienne association d'étudiants universitaires.*

phi·lan·der [fi'lændə] flirter.

phil·an·throp·ic [filən'θrɔpik] (~*ally*) philanthropique; philanthrope (*personne*); **phi·lan·thro·pist** [fi'lænθrəpist] philanthrope *mf*; **phi'lan·thro·py** philanthropie *f*.

phi·lat·e·list [fi'lætəlist] philatéliste *mf*; **phi'lat·e·ly** philatélie *f*.

phi·lip·pic [fi'lipik] philippique *f*.

Phi·lis·tine ['filistain] philistin *m* (*a. fig.*).

phil·o·log·i·cal □ [filə'lɔdʒikl] philologique; **phi·lol·o·gist** [fi'lɔlədʒist] philologue *mf*; **phi'lol·o·gy** philologie *f*.

phi·los·o·pher [fi'lɔsəfə] philosophe *mf*; ~*s' stone* pierre *f* philosophale; **phil·o·soph·ic, phil·o·soph·i·cal** □ [filə'sɔfik(l)] philosophique; **phi·los·o·phize** [fi'lɔsəfaiz] philosopher; **phi·los·o·phy** philosophie *f*; ~ of life conception *f* de la vie.

phil·tre, phil·ter ['filtə] philtre *m*.

phiz F *co.* [fiz] visage *m*, F binette *f*.

phle·bi·tis ℀ [fli'baitis] phlébite *f*.

phlegm [flem] flegme *m* (*a.* ℀), calme *m*; **phleg·mat·ic** [fleg'mæ-tik] (~*ally*) flegmatique.

Phoe·ni·cian [fi'niʃiən] **1.** phéni-cien(ne *f*) *m*; **2.** *ling.* phénicien *m*; Phénicien(ne *f*) *m*.

ph(o)e·nix ['fi:niks] phénix *m*.

phone F [foun] *see telephone*.

pho·net·ic [fo'netik] **1.** (~*ally*) pho-nétique; ~ *spelling* écriture *f* pho-nétique; **2.** ~*s pl.* phonétique *f*; **pho·ne·ti·cian** [founi'tiʃn] pho-néticien *m*.

pho·no·graph ['founəgrɑːf] phono-graphe *m*; **pho·no·graph·ic** [~-'græfik] (~*ally*) phonographique.

pho·nol·o·gy [fo'nɔlədʒi] phono-logie *f*.

pho·n(e)y ['founi] **1.** *Am. sl.* escroc *m*; **2.** *Am.* F faux (fausse *f*); factice; en toc; ~ *flash* renseignement *m* inexact; nouvelle *f* inexacte; ~ *war* drôle de guerre.

phos·phate ℀ ['fɔsfeit] phosphate *m*.

phos·pho·resce [fɔsfə'res] être phosphorescent; **phos·pho'res·cent** phosphorescent; **phos·phor·ic** ℀ [~'fɔrik] phosphorique; **phos·pho·rous** ℀ ['~fərəs] phosphoreux (-euse *f*) *m*; **phos·pho·rus** ℀ ['~rəs] phosphore *m*.

pho·to F ['foutou] *see* ~*graph*; ~*·e·lec·tric cell* cellule *f* photoélectri-que; ~*·en·grav·ing* [~in'greiviŋ] photogravure *f* industrielle; '~*·fin·ish* décision *f* par photo, photo *f* à l'arrivée; '~*·flash* flash (*pl.* flashes) *m* (à ampoule); ~*·gram·me·try* [~'græmitri] photogrammé-trie *f*.

pho·to·graph ['foutəgrɑːf] **1.** photo-graphie *f*; **2.** photographier; pren-dre une photographie de; **pho·tog·ra·pher** [fə'tɔgrəfə] photographe *m*; **pho·to·graph·ic** [foutə'græfik] (~*ally*) photographique; **pho·tog·ra·phy** [fə'tɔgrəfi] photographie *f*; prise *f* de vues.

pho·to·gra·vure [foutəgrə'vjuə] photogravure *f*, héliogravure *f*; **pho·tom·e·ter** [fo'tɔmitə] photo-mètre *m*; **pho·to·play** ['foutəplei]

film *m* dramatique; **pho·to·stat** ['foutostæt], **pho·to·stat·ic** [~'stæ-tik]: ~ *copy* photocopie *f*; **pho·to·te·leg·ra·phy** [foutəti'legrəfi] télé-photographie *f*; **pho·to·type** ['~taip] phototype *m*.

phrase [freiz] **1.** locution *f*; tour *m* de phrase; expression *f*; *gramm.* membre *m* de phrase; ♪ phrase *f*, période *f*; **2.** exprimer (*une pensée*), rédiger; ♪ phraser; '~*·mon·ger* phraseur (-euse *f*) *m*; **phra·se·ol·o·gy** [~zi'ɔlədʒi] phraséologie *f*.

phre·net·ic [fri'netik] (~*ally*) affolé; frénétique.

phre·nol·o·gy [fri'nɔlədʒi] phré-nologie *f*.

phthis·i·cal ['θaisikl] phtisique; **phthi·sis** ['~sis] phtisie *f*.

phut *sl.* [fʌt]: *go* ~ claquer.

phys·ic ['fizik] **1.** médecine *f*; F drogues *f/pl.*; ~*s sg.* physique *f*; **2.** *sl.* médicamenter (*q.*); '**phys·i·cal** ☐ physique; corporel(le *f*); maté-riel(le *f*); ~ *condition* état *m* physi-que; ~ *culture* culture *f* physique; ~ *test* visite *f* médicale; **phy·si·cian** [fi'ziʃn] médecin *m*; **phys·i·cist** ['~sist] physicien(ne *f*) *m*.

phys·i·og·no·my [fizi'ɔnəmi] phy-sionomie *f*; **phys·i·og·ra·phy** [~-'ɔgrəfi] physiographie *f*; géogra-phie *f* physique; **phys·i·ol·o·gy** [~'ɔlədʒi] physiologie *f*.

phy·sique [fi'ziːk] physique *m*.

pi·an·ist ['pjænist; ♪ 'piənist] pianiste *mf*.

pi·a·no¹ ♪ ['pjɑːnou] *adv.* piano.

pi·an·o² ['pjænou; ♪ 'pjɑːnou] piano *m*; *cottage* ~ petit droit *m*; *grand* ~ piano *m* à queue.

pi·a·no·for·te [pjæno'fɔːti] *see* pi-ano².

pi·az·za [pi'ædzə] place *f*; *Am.* vé-randa *f*.

pi·broch ['piːbrɔk] pibroch *m* (= *air de cornemuse*).

pic·a·roon [pikə'ruːn] corsaire *m*.

pic·a·yune *Am.* [pikə'juːn] **1.** *usu. fig.* sou *m*; bagatelle *f*; **2.** mesquin.

pic·ca·nin·ny *co.* ['pikənini] **1.** né-grillon(ne *f*) *m*; *Am.* F mioche *mf*; **2.** enfantin.

pick [pik] **1.** pic *m*, pioche *f*; ℀ riveleine *f*; (*ou tooth*~) cure-dent *m*; élite *f*, choix *m*; **2.** *v/t.* piocher (*la terre*); se curer (*les dents*); ronger (*un os*); plumer (*la volaille*); cueillir (*une fleur, un fruit*); trier (*du minerai*); effilocher (*des chiffons*); éplucher (*de la laine*); *Am.* jouer de (*le banjo*); crocheter (*la serrure*); choisir; F (*a.* ~ *at*) pignocher (*sa nourriture*); ~ *one's way* marcher avec précaution; ~ *pockets* voler à la tire; ~ *a quarrel with* chercher querelle à; *see bone 1*; *crow 1*; ~ *out* choisir; enlever; trouver; reconnaître; *peint.* échampir; *v/i.* picoter, picorer (*oiseau*); F manger du bout des dents; *surt. Am.* F ~ *at* (*ou on*) chercher noise à (*q.*); critiquer; ~ *up v/t.* prendre; ramasser, relever; (re)trouver; apprendre; aller chercher (*q.*); repérer (*un avion*); faire la connaissance de (*q.*); capter (⚡ *le courant*; *un message*); *radio:* avoir (*un poste*); *v/i.* se rétablir; *mot.* reprendre; ~-a-**back** ['~əbæk] sur le dos; '~-axe pioche (*f.* ⚒); '~ed choisi, de choix; '**pick·er** cueilleur (-euse *f*) *m* etc.; ⊕ machine *f* à éplucher.

pick·et ['pikit] **1.** piquet *m* (*a.* ✕, *a. de grève*); **2.** *v/t.* mettre (*un cheval*) au(x) piquet(s); palissader; ✕ détacher en grand-garde; ⊕ installer des piquets de grève; *v/i.* être gréviste en faction.

pick·ing ['pikiŋ] piochage *m* etc. (*see pick*); *radio:* ~ *m/pl.*, *fig. sl.* gratte *f*.

pick·le ['pikl] **1.** marinade *f*; saumure *f*; conserve *f* au vinaigre; F enfant *mf* terrible; F pétrin *m*; *see mix*; **2.** mariner, conserver; ~d *herring* hareng *m* salé.

pick...: '~-lock crochet *m*; *personne:* crocheteur *m* de serrures; '~-me-**up** F cordial *m*; remontant *m*; '~-pock·et voleur (-euse *f*) *m* à la tire; '~-up ramassement *m*; chose *f* ramassée; *phonographe:* pick-up *m/inv.*; ~ (*ou* ~ *in prices*) hausse *f*; *Am. radio, télév.* pick-up *m/inv.*; ~ *dinner* repas *m* fait de restes.

pic·nic ['piknik] **1.** pique-nique *m*; partie *f* de plaisir; dînette *f* sur l'herbe; **2.** faire un pique-nique; dîner sur l'herbe.

pic·to·ri·al [pik'tɔ:riəl] **1.** □ en images; pittoresque; illustré; **2.** périodique *m ou* journal *m* illustré.

pic·ture ['piktʃə] **1.** tableau *m*; image *f*; peinture *f*; gravure *f*; portrait *m*; ~s *pl.* cinéma *m*; films *m/pl.*; *attr.* d'images; du cinéma;

~-**palace** cinéma *m*; ~ (*post*)*card* carte *f* postale illustrée; ~ *puzzle* rébus *m*; **2.** dépeindre; représenter; se figurer (*qch.*); s'imaginer (*qch.*); '~-book album *m*; livre *m* d'images; '~-go·er *Brit.* habitué(e *f*) *m* du cinéma.

pic·tur·esque □ [piktʃə'resk] pittoresque.

pidg·in Eng·lish ['pidʒin'iŋgliʃ] jargon *m* commercial anglo-chinois; *fig.* F petit nègre *m*.

pie[1] [pai] *viande etc.:* pâté *m*; *fruits:* tourte *f*; *typ.* pâte *f*, pâté *m*; *see finger 1*.

pie[2] *orn.* [~] pie *f*; '~-**bald** pie; *fig.* bigarré.

piece [pi:s] **1.** pièce *f* (*a. théâ.*, *échecs, monnaie,* ♦); fragment *m*; morceau *m* (*a.* ♪); partie *f*; ~ *of advice* conseil *m*; ~ *of jewellery* bijou (*pl. -x*) *m*; ~ *of news* nouvelle *f*; *by the* ~ à la pièce; *in* ~s en morceaux; *of a* ~ uniforme; *all of a* ~ tout de même pièce; *break* (*ou go*) *to* ~s se désagréger; tomber en lambeaux (*robe etc.*); *give s.o. a* ~ *of one's mind* parler carrément à q.; *take to* ~s défaire; ⊕ démonter; **2.** raccommoder, rapiécer; ~ *out* rallonger; augmenter; ~ *together* joindre, unir; coordonner; ~ *up* raccommoder; '~-goods *pl.* marchandises *f/pl.* à la pièce; '~-**meal** pièce à pièce, peu à peu; '~-**work** travail (*pl. -aux*) *m* à la tâche.

pied [paid] mi-parti; bigarré.

pie·plant *Am.* ['paiplɑ:nt] rhubarbe *f*.

pier [piə] jetée *f*, digue *f*; quai *m*; △ pilastre *m*; pilier *m*; '**pier·age** ⚓ droits *m/pl.* de jetée.

pierce [piəs] *v/t.* percer (*a. fig.*); transpercer (*le cœur*); *v/i.* percer; *fig.* pénétrer; '**pierc·er** ⊕ perçoir *m*, poinçon *m*; '**pierc·ing** □ pénétrant (*a. fig.*).

pier-glass ['piəglɑ:s] trumeau *m*.

pi·e·tism ['paiətizm] piétisme *m*.

pi·e·ty ['paiəti] piété *f*.

piffle *sl.* ['pifl] **1.** balivernes *f/pl.*; futilités *f/pl.*; **2.** dire des sottises.

pig [pig] **1.** porc *m*, cochon *m*; *métall.* gueuse *f* (*de fonte*); saumon *m* (*de plomb*); *buy a* ~ *in a poke* acheter chat en poche; **2.** cochonner; F vivre comme dans une étable.

pi·geon ['pidʒin] *zo.* pigeon *m*; F

pigeon *m*, dupe *f*; *sl.* affaire *f*; '~**hole 1.** case *f*; **2.** caser (*des papiers*); *admin.* classer; F faire rester dans les cartons;'**pi·geon·ry** colombier *m*.

pig·ger·y ['pigəri] porcherie *f*.

pig·gish □ ['pigiʃ] malpropre; entêté.

pig·head·ed ['pig'hedid] obstiné, têtu.   [gueuse.⟩

pig·i·ron ['pigaiən] fonte *f* en⟨

pig·ment ['pigmənt] pigment *m*, colorant *m*.

pig·my *see* **pygmy**.

pig...: '~**nut** gland *m* de terre; '~**skin** peau *f* de porc; ~**sty** ['~stai] porcherie *f*; *fig.* taudis *m*; '~**tail** queue *f* (*de cheveux*); '~**wash** pâtée *f* pour les porcs.

pike [paik] ⚔ pique *f*; *géog.* pic *m*; *icht.* brochet *m*; '**pik·er** *Am. sl.* boursicoteur *m*; lâcheur *m*; '**pike-staff**: *as plain as a* ~ clair comme le jour.

pil·chard *icht.* ['piltʃəd] sardine *f*.

pile[1] [pail] **1.** tas *m*; ⚔ armes: faisceau *m*; △ masse *f*; édifice *m*; *fig.* fortune *f*; ⚡ pile *f* de Volta; *phys.* (*ou atomic* ~) pile *f* atomique; **2.** *v/i.* (*a.* ~ *up*) s'entasser, s'amonceler; *v/t.* (*a.* ~ *up*) entasser, empiler; amasser (*une fortune*); ⚔ ~ *arms* former les faisceaux;*fig.* ~ *it on* exagérer.

pile[2] [~] pieu *m*.

pile[3] [~] *tex.* poil *m*.

pile-driv·er ⊕ ['paildraivə] sonnette *f*; '**pile-dwell·ing** habitation *f* lacustre *ou* sur pilotis.

piles ⚚ [pailz] *pl.* hémorroïdes *f/pl.*

pil·fer ['pilfə] *v/t.* chiper; *v/i.* faire de petits vols.

pil·grim ['pilgrim] pèlerin(e *f*) *m*; ♀ Père *m* pèlerin; '**pil·grim·age** pèlerinage *m*.

pill [pil] pilule *f*.

pil·lage ['pilidʒ] **1.** pillage *m*; **2.** piller, saccager.

pil·lar ['pilə] pilier *m*, colonne *f*; '~**box** boîte *f* aux lettres; borne *f* postale; **pil·lared** ['~ləd] à piliers, à colonnes; en pilier *etc.*

pil·lion ['piljən] coussinet *m* de cheval; *mot.* siège *m* arrière; *ride* ~ monter derrière.

pil·lo·ry ['piləri] **1.** pilori *m*; *in the* ~ au pilori; **2.** mettre au pilori; *fig.* exposer au ridicule.

pil·low ['pilou] **1.** oreiller *m*; coussin *m*; ⊕ coussinet *m*; **2.** reposer sa tête (sur, *on*); '~**case**, ✝ '~**slip** taie *f* d'oreiller.

pi·lot ['pailət] **1.** pilote *m* (*a.* ⚓, ✈); *fig.* guide *m*; ~ *instructor* professeur *m* de pilotage; ♀ *Officer* sous-lieutenant *m* aviateur; ~ *pupil* élève *mf* pilote; ~ *plant* installation *f* d'essai; **2.** piloter; conduire; '**pi·lot·age** (frais *m/pl.* de) pilotage *m*; '**pi·lot-bal'loon** ballon *m* d'essai.

pil·ule ['pilju:l] petite pilule *f*.

pi·men·to [pi'mentou] piment *m*.

pimp [pimp] **1.** entremetteur (-euse *f*) *m*; **2.** exercer le métier de proxénète.

pim·ple ['pimpl] bouton *m*, bourgeon *m*; '**pim·pled**, '**pim·ply** boutonneux (-euse *f*); pustuleux (-euse *f*).

pin [pin] **1.** épingle *f*; ⊕ goupille *f*, cheville *f*; *jeu:* quille *f*; clou *m*; *cuis.* rouleau *m* (*à pâte*); *Am.* insigne *m* (*d'une association estudiantine etc.*); ~*s pl. sl.* quilles *f/pl.* (= *jambes*); **2.** épingler; attacher avec des épingles; clouer; *sl. fig.* obliger (*q.*) à reconnaître les faits; (*souv.* ~ *down*) obliger (à, *to*); ~ *one's hopes on* mettre toutes ses espérances dans.

pin·a·fore ['pinəfɔ:] tablier *m*.

pin·cers ['pinsəz] *pl.*: (*a pair of*) ~ (une) pince *f*, (des) tenailles *f/pl.*

pinch [pintʃ] **1.** pinçade *f*; *tabac:* prise *f*; *sel etc.*: pincée *f*; *fig.* morsure *f*; *fig.* besoin *m*; **2.** *v/t.* pincer; gêner; *sl.* chiper (=*voler*); arrêter (*q.*); *v/i.* (*se res*)serrer; faire des petites économies; se priver; **pinched** étroit; gêné; *fig.* hâve.

pinch·beck ['pintʃbek] **1.** ⊕ chrysocale *m*, similor *m*; *fig.* trompe-l'œil *m/inv.*; **2.** d'occasion.

pinch·hit *Am.* ['pintʃhit] suppléer, remplacer (q., *for s.o.*).

pin·cush·ion ['pinkuʃin] pelote *f* à aiguilles.

pine[1] ♀ [pain] pin *m*; bois *m* de pin.

pine[2] [~] languir (après, pour *for*); ~ *away* dépérir; mourir de langueur.

pine...: '~**ap·ple** ♀ ananas *m*; '~**cone** pomme *f* de pin.

pin·er·y ['painəri] serre *f* à ananas; (*a.* '**pine·wood**) pineraie *f*.

pin·feath·er ['pinfeðə] plume *f* naissante.

pin·fold ['pintould] parc *m* (*à moutons etc.*); fourrière *f*.

ping [piŋ] cingler, fouetter.

ping-pong ['piŋpɔŋ] ping-pong *m*.

pin·ion ['pinjən] 1. aileron *m*; *poét.* aile *f*; (*a. ~-feather*) penne *f*; ⊕ pignon *m*; 2. rogner les ailes à; *fig.* lier les bras à.

pink[1] [piŋk] 1. ♀ œillet *m*; *couleur:* rose *m*; *chasse:* rouge *m*; *fig.* modèle *m*; comble *m*; *sl. in the ~* florissant, en parfaite santé; 2. *v/t.* teindre en rose; *v/i.* rougir.

pink[2] [~] toucher; denteler les bords de (*une robe*); *fig.* orner.

pink[3] *mot.* [~] cliqueter.

pink·ish ['piŋkiʃ] rosâtre.

pin-mon·ey ['pinmʌni] argent *m* de poche (*d'une femme ou jeune fille*).

pin·nace ⊕ ['pinis] grand canot *m*, pinasse *f*.

pin·na·cle ['pinəkl] △ pinacle *m*; *montagne:* cime *f*; *fig.* faîte *m*, apogée *m*.

pin·nate ♀ ['pinit] penné.

pi·noc(h)·le *Am.* ['pi:nʌkl] (*sorte de*) belote *f*.

pin...: '~·**prick** piqûre *f* d'épingle; '~·**stripe** *tex.* filet *m*.

pint [paint] pinte *f* (0,57, *Am.* 0,47 litre).

pin·tle ⊕ ['pintl] pivot *m* central; *mot.* cheville *f* ouvrière.

pin·to *Am.* ['pintou] 1. *pl.* -tos cheval *m* pie; 2. pie.

pin-up (girl) ['pinʌp('gə:l)] pin-up *f/inv.*; beauté *f*.

pi·o·neer [paiə'niə] 1. ✕, *fig.* pionnier *m*; *fig.* défricheur (-euse *f*) *m*; 2. frayer (*le chemin*).

pi·ous □ ['paiəs] pieux (-euse *f*); pie (*œuvre*).

pip[1] [pip] *vét.* pépie *f*; *sl.* have the ~ avoir le cafard.

pip[2] [~] *fruit:* pépin *m*; *carte, dé, etc.:* point *m*; ✕ *grades:* étoile *f*.

pip[3] *sl.* [~] *v/t.* refuser (*un candidat*); vaincre; *v/i.* ~ out mourir.

pipe [paip] 1. tuyau *m* (*a.* gaz); tube *m* (*a. anat.*); pipe *f* (*tabac, a.* mesure de vin: 572,4 litres); ♪ chalumeau *m*; *oiseau etc.:* chant *m*; 2. canaliser; amener *etc.* par un pipe-line; jouer (*un air*); lisérer (*une robe etc.*); ⊕ siffler, donner un coup de sifflet; F ~ one's eye(s)

pleurnicher; '~·**clay** 1. terre *f* de pipe; blanc *m* de terre à pipe; 2. astiquer au blanc de terre à pipe; '~·**lay·er** poseur *m* de tuyaux; *Am. pol.* intrigant *m*; '~·**line** pipe-line *m*; '**pip·er** joueur *m* de chalumeau *etc.*; F pay the ~ payer les violons.

pip·ing ['paipiŋ] 1. sifflant; heureux (-euse *f*) (*époque*); ~ hot tout chaud; 2. canalisation *f*; tuyauterie *f*; *oiseaux:* gazouillement *m*; *robe:* lisérage *m*; *cost.* passepoil *m*.

pip·it *orn.* ['pipit] pipit *m*.

pip·kin ['pipkin] poêlon *m*.

pip·pin ♀ ['pipin] reinette *f*; *sl.* it's a ~ il est remarquable.

pi·quan·cy ['pi:kənsi] (goût *m*) piquant *m*.

pi·quant □ ['pi:kənt] piquant.

pique [pi:k] 1. pique *f*, ressentiment *m*; 2. piquer; exciter (*la curiosité*); ~ o.s. *upon* se piquer de.

pi·ra·cy ['paiərəsi] piraterie *f*; contrefaçon *f* (*d'un livre*); plagiat *m*; **pi·rate** ['~rit] 1. homme *ou* navire: pirate *m*; contrefacteur *m*; plagiaire *m*; *wireless* (*ou radio*) ~, ~ *listener* auditeur (-trice *f*) *m* illicite; 2. pirater; contrefaire; plagier; **pi·rat·i·cal** □ [pai'rætikl] de pirate *etc.*

pis·ci·cul·ture ['pisikʌltʃə] pisciculture *f*.

pish [piʃ] bah!; pouah!

piss V [pis] 1. pisse *f*, urine *f*; 2. pisser, uriner.

pis·til ♀ ['pistil] pistil *m*.

pis·tol ['pistl] pistolet *m*; '~·**whip** *Am.* F frapper d'un pistolet.

pis·ton ⊕ ['pistən] piston *m*; *pompe:* sabot *m*; '~·**rod** tige *f* de piston; '~·**stroke** coup *m* de *ou* course *f* du piston.

pit [pit] 1. fosse *f*, trou *m*; *anat.* creux *m*; *théâ.* parterre *m*; *Am.* bourse *f* de commerce, parquet *m*; *mot.* fosse *f*; mine *f* (*de charbon*); *petite vérole:* cicatrice *f*; piège *m* (*à animaux*); 2. piquer, trouer; marquer; ♂ ensiler; ~ *against* mettre (*q.*) aux prises avec; ~ted *with smallpox* marqué de la petite vérole.

pit-(a-)pat ['pit(ə)'pæt] tic-tac.

pitch[1] [pitʃ] 1. poix *f*; brai *m*; 2. enduire de brai; ⊕ calfater.

pitch[2] [~] 1. lancement *m*; ♪ *son:* hauteur *f*; *instrument:* diapason *m*;

⊕ pas *m*; *scie*: angle *m* des dents; ⚓ tangage *m*; ✝ *marché*: place *f*, camelot: place *f* habituelle; *cricket*: terrain *m*; *fig.* degré *m*; ~ and toss jeu *m* de pile ou face; **2.** *v/t.* lancer; mettre; paver (*la chaussée*); charger (*le foin etc.*); dresser (*une tente*); établir (*un camp*); poser (*une échelle*); ♪ ~ higher (lower) hausser (baisser) (*le ton*); ♪ jouer dans une clef donnée; *fig.* arrêter, déterminer; ~ed battle bataille *f* rangée; ~ one's hope too high viser trop haut; *v/i.* ⚓ camper; tomber; ⚓ tanguer; ~ upon arrêter son choix sur; F ~ into taper sur; dire son fait à.

pitch·er¹ ['pitʃə] lanceur *m* (*de la balle*).

pitch·er² [~] cruche *f*; broc *m*.

pitch·fork ['pitʃfɔ:k] **1.** fourche *f* à foin *etc.*; ♪ diapason *m*; **2.** lancer avec la fourche; *fig.* bombarder (q. dans un poste, *s.o. into a job*).

pitch-pine ♀ ['pitʃpain] faux sapin *m*.

pitch·y ['pitʃi] poisseux (-euse *f*); noir comme poix.

pit-coal ⚒ ['pitkoul] houille *f*.

pit·e·ous □ ['pitiəs] pitoyable, piteux (-euse *f*).

pit·fall ['pitfɔ:l] trappe *f*; piège *m*.

pith [piθ] moelle *f* (*a. fig.*); *orange*: peau *f* blanche; sève *f*, ardeur *f*.

pit-head ⚒ ['pithed] carreau *m*.

pith·i·ness ['piθinis] concision *f*; **'pith·less** □ mou (mol *devant une voyelle ou un h muet*; molle *f*).

pith·y □ ['piθi] moelleux (-euse *f*); concis.

pit·i·a·ble □ ['pitiəbl] pitoyable.

pit·i·ful □ ['pitiful] compatissant; pitoyable; lamentable (*a. péj.*).

pit·i·less □ ['pitilis] impitoyable.

pit·man ['pitmən] mineur *m*; houilleur *m*.

pit-props ⚒ ['pitprɔps] *pl.* bois *m* de soutènement.

pit·tance ['pitəns] maigre salaire *m*; gages *m/pl.* dérisoires; † aumône *f*.

pi·tu·i·tar·y *anat.* [pi'tju:itəri] pituitaire.

pit·wood ⚒ ['pitwud] bois *m* de mine.

pit·y ['piti] **1.** pitié *f*, compassion *f* (*de on, for*); for ~'s sake! par pitié!; de grâce!; it is a ~ c'est dommage; it is a thousand pities c'est mille fois ou bien dommage; **2.** plaindre;

avoir pitié de; I ~ him il me fait pitié.

piv·ot ['pivət] **1.** ⊕, ⚔ pivot *m*; ⊕ tourillon *m*; *fig.* axe *m*, pivot *m*; **2.** *v/i.* pivoter (sur, [*up*]on); *v/t.* faire pivoter; **'piv·o·tal** pivotal (-aux *m/pl.*); à pivot.

pix·i·lat·ed *Am.* ['piksəleitid] loufoque; dingo *inv.*

pla·ca·bil·i·ty [pleikə'biliti] douceur *f*; **'pla·ca·ble** doux (douce *f*); facile à apaiser.

plac·ard ['plæka:d] **1.** écriteau *m*, affiche *f*; **2.** afficher; couvrir (*qch.*) d'affiches.

pla·cate [plə'keit] apaiser, calmer.

place [pleis] **1.** lieu *m*, endroit *m*, localité *f*; station *f*; place *f*; rang *m*; emploi *m*, poste *m*, situation *f*; ~ of delivery destination *f*; ~ of employment *usu.* travail (*pl.* -aux) *m*, emploi *m*, bureau *m etc.*; give ~ to faire place à (*qch.*); in ~ en place; in ~ of au lieu de; in his ~ à sa place; in the first ~ d'abord; out of ~ déplacé; **2.** placer (*a. de l'argent*); (re)mettre; ⚔ mettre en faction (*la sentinelle*); ✝ passer (*une commande*), mettre en vente; faire accepter (*un article à un éditeur etc.*); ~ a child under s.o.'s care mettre un enfant sous la garde de q.; **'~-name** nom *m* de lieu.

plac·id □ ['plæsid] calme; serein; **pla'cid·i·ty** calme *m*, tranquillité *f*.

plack·et ['plækit] fente *f* (*de jupe*).

pla·gi·a·rism ['pleidʒiərizm] plagiat *m*; **'pla·gi·a·rist** plagiaire *m*; démarqueur *m*; **'pla·gi·a·rize** plagier.

plague [pleig] **1.** peste *f*; fléau *m*; **2.** tourmenter, harceler; **'~-spot** *usu. fig.* foyer *m* d'infection.

pla·guy F ['pleigi] assommant; *adv.* rudement.

plaice *icht.* [pleis] plie *f*.

plaid [plæd] *tex.* tartan *m*; plaid *m* (écossais).

plain [plein] **1.** *adj.* □ évident, clair; simple; *tricot*: endroit *inv.*; lisse; carré, franc(he *f*); sans beauté; *cuis.* au naturel, bourgeois; in ~ English en bon anglais; ~ fare cuisine *f* bourgeoise; ~ knitting tricot *m* à l'endroit; ~ sewing couture *f* simple; **2.** *adv.* clairement; carrément; **3.** *su.* plaine *f*; *surt. Am. attr.* des champs; **'~-clothes man**

agent *m* en civil; agent *m* de la sûreté; ~ **deal·ing 1.** franchise *f*, loyauté *f*; **2.** franc(he *f*) et loyal(e *f*); '**plain·ness** simplicité *f*; franchise *f*; clarté *f*; netteté *f*; manque *m* de beauté.

plaint 🏛 [pleint] plainte *f*; **plain·tiff** 🏛 ['⁓if] demandeur (-eresse *f*) *m*; '**plain·tive** ☐ plaintif (-ive *f*).

plait [plæt] **1.** *chevaux:* tresse *f*, natte *f*; *see* pleat 1; **2.** tresser; *see* pleat 2.

plan [plæn] **1.** plan *m*; projet *m*, dessein *m*; levé *m* (*d'un terrain*); **2.** tracer le plan de; *fig.* projeter, se proposer (qch., s.th.; de *inf.*, to *inf.*); méditer; ⁓ned economy économie *f* planifiée; ⁓ning board conseil *m* de planification.

plane¹ [plein] **1.** uni; plat; égal (-aux *m/pl.*); **2.** ⊕ plan *m*; ⚓ plan *m*, aile *f*; *fig.* niveau *m*; F avion *m*; ⊕ rabot *m*; *elevating* (*depressing*) ⁓ ⚓ gouvernail *m* d'altitude (de profondeur); **3.** planer, dresser; aplanir; raboter; ⚓ voyager en avion; planer.

plane² ♀ [⁓] (*a.* ⁓-tree) platane *m*.

plan·et *astr.* ['plænit] planète *f*.

plane-ta·ble *surv.* ['pleinteibl] planchette *f*.

plan·e·tar·i·um [plæni'tɛəriəm] planétaire *m*; **plan·e·tar·y** ['⁓təri] planétaire; terrestre; *fig.* errant.

pla·nim·e·try ⅋ [plæ'nimitri] planimétrie *f*.

plan·ish ⊕ ['plæniʃ] aplanir; polir.

plank [plæŋk] **1.** planche *f*; madrier *m*; *Am. parl.* point *m* d'un programme électoral; planchéier; couvrir de planches; *sl., Am.* F *down* (*out*) payer, allonger (*l'argent*); ⁓ *bed* lit *m* de camp; couchette *f* en bois; '**plank·ing** planchéiage *m*; revêtement *m*.

plant [plɑːnt] **1.** plante *f*; pose *f*; installation *f*; machines *f/pl.*; *sl.* coup *m* monté, escroquerie *f*; *Am. sl. a.* cachette *f*; **2.** planter (*a.* ⚲, *a. fig.*); implanter (*une idée*) (dans l'esprit de q., *into s.o.'s mind*); loger; poser; enterrer (*des légumes*); F appliquer (*un coup de poing*); *sl.* monter (*un coup*) (contre, on); ~ o.s. se planter (devant, *in front of*).

plan·tain¹ ♀ ['plæntin] plantain *m*.

plan·tain² ♀ [⁓] banane *f* (des Antilles).

plan·ta·tion [plæn'teiʃn] plantation *f*; bosquet *m*; **plant·er** ['plɑːntə] planteur *m*; '**plant-louse** puceron *m*, aphis *m*.

plaque [plɑːk] plaque *f*.

plash¹ [plæʃ] **1.** clapotis *m*; flac *m*; flaque *f* d'eau; **2.** flac!; floc!; **3.** *v/t.* plonger en faisant flac; *v/i.* clapoter; faire flac.

plash² [⁓] entrelacer (*les branches d'une haie*).

plash·y ['plæʃi] bourbeux (-euse *f*); couvert de flaques d'eau.

plasm, plas·ma *biol.* ['plæzm(ə)] (proto)plasma *m*.

plas·ter ['plɑːstə] **1.** *pharm.* emplâtre *m*; sparadrap *m*; ⊕ plâtre *m*; enduit *m*; (*usu.* ~ *of Paris*) plâtre *m* de moulage; ~ *cast* moulage *m* au plâtre; **2.** ✖ mettre un emplâtre sur; plâtrer; enduire; *fig.* recouvrir (de, *with*); '**plas·ter·er** plâtrier *m*.

plas·tic ['plæstik] **1.** (⁓ally) plastique; (*synthetic*) ~ *material* = **2.** (matière *f*) plastique *m*; **plas·ti·cine** ['⁓tisiːn] plasticine *f*; **plas·tic·i·ty** [⁓'tisiti] plasticité *f*.

plas·tron ['plæstrən] plastron *m*.

plat [plæt] *see* plait; plot¹.

plate [pleit] **1.** *usu.* plaque *f* (*a. mot., photo, radio, a. de porte*); *métal:* lame *f*; *typ.* cliché *m*; *livre:* planche *f*, gravure *f*; assiette *f*; *course:* coupe *f*; (*a.* ~ *iron*) tôle *f*; *Am. baseball:* point *m* de départ du batteur; lame *f* du batteur; (*a. dental* ~) dentier *m*; *radio:* anode *f*; ⊕ *machine:* plateau *m*; **2.** plaquer; métalliser; ✗ blinder; ⚓ border en acier *etc.*

pla·teau *géog.* ['plætou] plateau *m*.

plate-bas·ket ['pleitbɑːskit] ramasse-couverts *m/inv.*; **plate·ful** ['⁓ful] assiettée *f*.

plate...: '⁓-glass glace *f* de vitrage; '⁓-hold·er *phot.* châssis *m*; '⁓-lay·er 🚞 poseur *m* de rails; ouvrier *m* de la voie.

plat·en ['plætn] *typ.* platine *f*; *machine à écrire:* cylindre *m*.

plat·er ['pleitə] ⊕ plaqueur *m*; *sp.* cheval *m* à réclamer.

plat·form ['plætfɔːm] terrasse *f*; estrade *f*; *géog.* plate-forme (*pl.* plates-formes) *f*; 🚞 quai *m*, trottoir *m*; *Am. surt.* plate-forme (*pl.* plates-formes) *f* de wagon; *pol.* programme *m* (*Am. souv.* électoral).

plat·i·num *min.* ['plætinəm] platine *m*. [*tude f.*]
plat·i·tude *fig.* ['plætitju:d] plati-
pla·toon ✗ [plə'tu:n] section *f*.
plat·ter ['plætə] écuelle *f*.
plau·dit ['plɔ:dit] *usu.* ~s *pl.* applaudissements *m*/*pl.*
plau·si·bil·i·ty [plɔ:zə'biliti] plausibilité *f*; vraisemblance *f*.
plau·si·ble ☐ ['plɔ:zəbl] plausible; vraisemblable; spécieux (-euse *f*).
play [plei] **1.** jeu *m* (*a.* ⊕, *lumière, amusement*); *théâ.* pièce *f*; spectacle *m*; ⊕ liberté *f*; ⊕ fonctionnement *m*; *fair* (*foul*) ~ jeu *m* loyal (déloyal); ~ *on words* jeu *m* de mots; calembour *m*; *bring into* ~ mettre en jeu *ou* en œuvre; *make great* ~ *with* attacher beaucoup d'importance à; souligner; **2.** *v*/*i.* jouer (*a. fig.*); s'amuser; folâtrer; ⊕ fonctionner librement, jouer; ~ *fast and loose with* jouer double jeu avec; *sp.* ~ *at football* (*at cards*) jouer au football (aux cartes); ~ *for time* temporiser; *théâ.* ~ *to the gallery* jouer pour la galerie; ~ *up* jouer de son mieux; F ~ *up to* flatter; ~ *upon* abuser de; agir sur; *v*/*t. sp.* jouer; ♪ jouer de (*un instrument*); *théâ.* jouer (*un rôle*); *fig.* se conduire en; ~ *the deuce with* ruiner; faire un mal du diable à; ~ *off fig.* opposer (*q. à q., s.o. against s.o.*); ~*ed out* à bout de forces; épuisé; F ~ *up* chahuter (*q.*); '~**-bill** affiche *f* de théâtre; '~**-book** *théâ.* recueil *m* de pièces; '~**-boy** viveur *m*; '**play·er** joueur (-euse *f*) *m*; acteur (-trice *f*) *m*; ♪ exécutant(e *f*) *m*; *sp.* équipier *m*; '**play·er·pi·an·o** piano *m* mécanique; '**play·fel·low** camarade *mf* de jeu; **play·ful** ☐ ['~ful] badin, enjoué; '**play·ful·ness** badinage *m*; enjouement *m*.
play...: '~**-go·er** amateur (-trice *f*) *m* du théâtre; '~**-ground** terrain *m* de jeu(x); cour *f* de récréation; '~**-house** théâtre *m*; *Am.* maison *f* de poupée.
play·ing...: '~**-card** carte *f* (à jouer); '~**-field** terrain *m* de jeu(x) *ou* de sports.
play...: '~**-mate** *see* playfellow; '~**-off** match *m* décisif (*après match nul*); '~**-thing** jouet *m*; '~**-wright** auteur *m* dramatique; '~**-writ·er** auteur *m* de pièces.

plea [pli:] ⚖ défense *f*; excuse *f*, prétexte *m*; F prière *f*; *make a* ~ alléguer; *on the* ~ *of* (*ou that*) sous prétexte de *ou* que.
plead [pli:d] *v*/*i.* plaider (pour, en faveur de for) (*q., qch.*); ~ *for mercy* demander grâce; *see guilty*; *v*/*t.* plaider; alléguer, invoquer (*une excuse*); prétexter (*qch.*); '**plead·a·ble** plaidable; invocable; '**plead·er** ⚖ avocat *m*; défenseur *m*; '**plead·ing** ⚖ plaidoirie *f*; *fig.* intercession *f*; *special* ~ F argument *m* spécieux; ~s *pl.* dossier *m*; débats *m*/*pl.*
pleas·ant ☐ ['pleznt] agréable, charmant, doux (douce *f*); affable; '**pleas·ant·ness** charme *m*; affabilité *f*; '**pleas·ant·ry** plaisanterie *f*; gaieté *f*.
please [pli:z] *v*/*i.* plaire; être agréable; *if you* ~ s'il vous plaît; je vous en prie; ~ *come in!* veuillez entrer; *v*/*t.* plaire à, faire plaisir à; ~ *o.s.* agir à sa guise; *be* ~*d to do s.th.* faire qch. avec plaisir; *be* ~*d with* être (très) content de; '**pleased** content, satisfait.
pleas·ing ☐ ['pli:ziŋ] agréable; doux (douce *f*).
pleas·ur·a·ble ☐ ['pleʒərəbl] agréable.
pleas·ure ['pleʒə] **1.** plaisir *m*; volonté *f*; *attr.* d'agrément; ~ *boat* bateau *m* de plaisance; *at* ~ à volonté *f*; *give s.o.* ~ faire plaisir à q.; *take* (*a*) ~ éprouver du plaisir (à *inf.*, *in gér.*) prendre (du) plaisir (à qch. *in s.th.*); **2.** *v*/*i.* prendre plaisir (à *inf.*, *in gér.*); *v*/*t.* † faire plaisir à; '~**-ground**) jardin *m* *ou* parc *m* d'agrément.
pleat [pli:t] **1.** pli *m*; *unpressed* ~s *pl.* plis *m*/*pl.* non repassés; **2.** plisser.
ple·be·ian [pli'bi:ən] **1.** du peuple; plébéien(ne *f*); **2.** plébéien(ne *f*) *m*.
pleb·i·scite ['plebisit] plébiscite *m*.
pledge [pledʒ] **1.** gage *m*, nantissement *m*; promesse *f*, vœu *m*; toast *m*; *put in* ~ engager; *take out of* ~ dégager; **2.** engager, mettre en gage; porter un toast à (*q.*); *he* ~*d himself* il promit, il engagea sa parole; **pledg·ee** gagiste *m*; '**pledg·er** gageur *m*.
Ple·iad *ou* *pl.* **Ple·ia·des** ['plaiəd (-i:z)] Pléiade *f*.

ple·na·ry [ˈpliːnəri] complet (-ète f), entier (-ère f); plénier (-ère f).

plen·i·po·ten·ti·ar·y [plenipəˈtenʃəri] plénipotentiaire (a. su./m).

plen·i·tude [ˈplenitjuːd] plénitude f.

plen·te·ous □ *poét.* [ˈplentjəs] abondant; riche (en, *in*); **ˈplen·te·ous·ness** abondance f.

plen·ti·ful □ [ˈplentiful] abondant.

plen·ty [ˈplenti] 1. abondance f; ~ of beaucoup de; en abondance; assez de; horn of ~ corne f d'abondance; 2. F beaucoup de; *Am.* F très.

ple·o·nasm [ˈpliːɔnæzm] pléonasme m.

pleth·o·ra [ˈpleθərə] pléthore f; *fig.* surabondance f; **ple·thor·ic** [pleˈθɔrik] (~ally) pléthorique.

pleu·ri·sy ❧ [ˈpluərisi] pleurésie f.

pli·a·bil·i·ty [plaiəˈbiliti] souplesse f.

pli·a·ble □ [ˈplaiəbl] pliant; souple (a. *fig.*); *fig.* docile.

pli·an·cy [ˈplaiənsi] souplesse f.

pli·ant □ [ˈplaiənt] see *pliable*.

pli·ers [ˈplaiəz] *pl.*: (a *pair of*) ~ (une) pince f, (des) tenailles f/pl.

plight[1] [plait] 1. engager (*sa foi, sa parole*); 2. *poét.* engagement m.

plight[2] [~] condition f, état m.

plinth △ [plinθ] socle m.

plod [plɔd] (a. ~ *along, on*) marcher lourdement *ou* péniblement; **ˈplod·ding** □ persévérant; lourd, pesant (*pas*).

plop [plɔp] 1. flac (a. su./m); 2. faire flac; tomber en faisant flac *ou* pouf.

plot[1] [plɔt] (parcelle f *ou* lot m de) terrain m.

plot[2] [~] 1. complot m, conspiration f; action f, intrigue f, *roman etc.:* plan m; 2. v/t. (a. ~ *down*) tracer; relever; dresser le plan de (*un terrain, un diagramme, etc.*); *péj.* combiner, comploter; v/i. conspirer; **ˈplot·ter** traceur m; conspirateur (-trice f) m.

plough [plau] 1. charrue f; ⊕ guimbarde f; *astr.* the ♌ le Chariot; *univ. sl.* retoquage m; 2. labourer; creuser (*un sillon*); *fig.* sillonner; *univ. sl.* be ~ed être refusé *ou* collé; **ˈ~·man** laboureur m; **ˈ~·share** soc m de charrue; **ˈ~·tail** mancheron m de charrue.

plov·er [ˈplʌvə] *orn.* pluvier m; a. *cuis.* F vanneau m.

plow *surt. Am.* [plau] see *plough*.

pluck [plʌk] 1. arrachage m; *poulet etc.:* plumage m; *guitare:* pincement m; F courage m, cran m; 2. arracher; plumer (*un poulet etc.*, a. *fig.*); épiler (*les sourcils*); détacher (de, *from*); pincer (*la guitare*); *univ. sl.* refuser, recaler; ~ *at* tirer; ~ *up courage* s'armer de courage.

pluck·y □ [ˈplʌki] courageux (-euse f); F crâne.

plug [plʌg] 1. tampon m (⅋ d'ouate), bouchon m; ⅋ fiche f; prise f; *tabac:* chique f; W.-C.: chasse f d'eau; W.-C.: chaînette f; bouche f d'incendie; *radio Am.* publicité f; réclame f; *Am.* vieux cheval m; ~ *socket* douille f; prise f; 2. v/t. boucher; tamponner; plomber (*une dent*); *sl.* flanquer un coup à; *Am.* F faire de la publicité en faveur de; ⅋ ~ *in* brancher; v/i. *sl.* ~ *away* turbiner (= *travailler dur*); **ˈplug-ˈug·ly** *Am. sl.* pugiliste m; voyou m.

plum [plʌm] prune f; † raisin m sec; *fig.* morceau m de choix; *fig.* la meilleure situation f; ✝ £ 100.000.

plum·age [ˈpluːmidʒ] plumage m.

plumb [plʌm] 1. d'aplomb; vertical (-aux m/pl.); droit; 2. plomb m; ♣ sonde f; aplomb m; 3. v/t. sonder (*la mer*); plomber (*la canalisation*); vérifier l'aplomb de; *fig.* sonder; F installer les tuyaux dans (*une maison*); v/i. F être plombier; **plum·ba·go** [~ˈbeigou] plombagine f; **plumb·er** [ˈ~mə] plombier m; **plum·bic** [ˈ~mbik] ♈ plombique; **plumb·ing** [ˈ~miŋ] plomberie f; tuyauterie f; **ˈplumb-line** ⊕ fil m à plomb; ♣ ligne f de sonde; **ˈplumb-rule** niveau m vertical.

plume [pluːm] 1. panache m; *poét.* plume f; 2. orner (*qch.*) de plumes; ~ *itself* se lisser les plumes (*oiseau*); ~ *o.s.* on se glorifier de.

plum·met [ˈplʌmit] plomb m; ♣ sonde f.

plum·my F [ˈplʌmi] délicieux (-euse f); excellent.

plu·mose ⚘, *zo.* [ˈpluːmous] plumeux (-euse f).

plump[1] [plʌmp] 1. rebondi, dodu, grassouillet(te f); 2. rendre *ou* devenir dodu; engraisser.

plump[2] [~] 1. v/i. tomber lourdement; v/t. flanquer; *parl.* donner tous ses votes (à, *for*); **2.** *su.* plouf *m*; **3.** F *adv.* plouf; avec un floc; carrément; **4.** F *adj.* □ catégorique.

plump·er ['plʌmpə] *sl.* gros mensonge *m*; *parl.* vote *m* donné à un seul candidat; électeur *m* qui donne tous ses votes à un seul candidat.

plump·ness ['plʌmpnis] rondeur *f* (*a.* F *d'une réponse*), embonpoint *m*.

plum-pud·ding ['plʌm'pudiŋ] plum-pudding *m*.

plum·y ['plu:mi] plumeux (-euse *f*); empanaché (*casque*).

plun·der ['plʌndə] **1.** pillage *m* (*d'une ville*); butin *m*; **2.** piller, dépouiller; **'plun·der·er** pillard *m*; pilleur *m*.

plunge [plʌndʒ] **1.** plongeon *m*; *cheval etc.*: course *f* précipitée; F risque *m*; F *make* (*ou take*) *the* ~ sauter le pas; **2.** *v/t.* plonger, immerger (dans, *in[to]*); *v/i.* plonger, s'enfoncer (dans, *into*); ruer (*cheval*); ⚓ tanguer; risquer de grosses sommes (*à la Bourse*).

plung·er ['plʌndʒə] plongeur *m*; *sl.* risque-tout *m/inv.*

plunk [plʌŋk] *v/t.* pincer (*la guitare etc.*); *v/i.* tomber raide; *Am.* F lancer, tirer (*sur, at*).

plu·per·fect *gramm.* ['plu:'pə:fikt] plus-que-parfait *m*.

plu·ral *gramm.* ['pluərəl] (*a.* ~ *number*) pluriel *m*; *in the* ~ au pluriel; **plu·ral·i·ty** [˯'ræliti] pluralité *f*; cumul *m*; ~ *of wives* polygamie *f*.

plus [plʌs] **1.** *prp.* plus; **2.** *adj.* positif (-ive *f*); **3.** *su.* plus *m*; **~-fours** F ['˯'fɔ:z] *pl.* culotte *f* de golf.

plush [plʌʃ] peluche *f*.

plush·y ['plʌʃi] pelucheux (-euse *f*).

plu·toc·ra·cy [plu:'tɔkrəsi] ploutocratie *f*; **plu·to·crat** ['˯təkræt] ploutocrate *m*.   [plutonium *m.*]

plu·to·ni·um ♁ [plu:'touniəm]|

plu·vi·al ['plu:viəl], **'plu·vi·ous** pluvial (-aux *m/pl.*); **plu·vi·om·e·ter** [˯'ɔmitə] pluviomètre *m*.

ply [plai] **1.** pli *m* (*a. fig.*); *three-*~ laine *f* trois fils; *bois*: contre-plaqué *m* à trois épaisseurs; **2.** *v/t.* manier vigoureusement; exercer (*un métier*); faire courir (*l'aiguille*); presser (*q. de questions*); ~ *with drink* faire boire (*q.*) sans arrêt; *v/i.* faire le service; ~ *for hire* prendre des voyageurs.

ply·wood ['plaiwud] contre-plaqué *m*.

pneu·mat·ic [nju'mætik] **1.** (~*ally*) pneumatique; ~ *hammer* frappeur *m* pneumatique; ~ *post* tube *m* pneumatique; ~ *tire* = **2.** pneu *m*.

pneu·mo·ni·a ♁ [nju'mounjə] pneumonie *f*.

poach[1] [poutʃ] braconner.

poach[2] [~] (*a.* ~ *up*) labourer (*la terre*).

poach[3] [~]: ~*ed eggs* œufs *m/pl.* pochés.

poach·er ['poutʃə] braconnier *m*.

po·chette [po'ʃet] pochette *f*.

pock ♁ [pɔk] pustule *f*.

pock·et ['pɔkit] **1.** poche *f* (*a. géol.*); *laine, houblon, a. géol. minerai*: sac *m*; ✈ trou *m* d'air; **2.** mettre dans sa poche (*a. orgueil*); *péj.* chiper; refouler (*la colère*); avaler (*un affront*); *Am. pol.* ne pas signer, mettre un veto à (*une loi*); **3.** de poche; ~ *lighter* briquet *m*; ~ *lamp* torche *f*; **'~-book** livre *m* de poche; *surt. Am.* porte-billets *m/inv.*

pod [pɔd] **1.** ♀ cosse *f*; *pois*: écale *f*; *sl.* ventre *m*; **2.** *v/t.* écosser, écaler; *v/i.* former des cosses.

po·dag·ra ♁ [pə'dægrə] podagre *f*, goutte *f*.

podg·y F ['pɔdʒi] boulot(te *f*); rondelet(te *f*).

po·di·um ['poudiəm] podium *m*.

po·em ['pouim] poème *m*.

po·e·sy ['pouizi] poésie *f*.

po·et ['pouit] poète *m*; **po·et·as·ter** [˯'tæstə] rimailleur *m*; **'po·et·ess** femme *f* poète, poétesse *f*; **po·et·ic,** **po·et·i·cal** □ [pou'etik(l)] poétique; **po·et·ics** *sg.* art *m* poétique; **po·et·ize** ['˯itaiz] *v/i.* faire des vers; *v/t.* poétiser; **'po·et·ry** poésie *f*; vers *m/pl.*

poign·an·cy ['pɔinənsi] piquant *m*; âpreté *f*; *fig.* violence *f*; acuité *f*; **'poign·ant** □ piquant, âpre; *fig.* vif (vive *f*).

point [pɔint] **1.** point *m* (*a.* ♈, ♓, *astr., sp., typ., cartes, dés*); détail *m* (*a. fig.*); question *f* (*a. gramm.*); ⊕, *couteau, barbe, géog.* pointe *f*; extrémité *f*; aire *f* (*de vent*); *plume à écrire*: bec *m*; piquant *m* (*d'une plaisanterie*); *gramm.* point *m* (*de ponctuation*); ♈ (*a. decimal* ~) virgule *f*; *phys. thermomètre*: division *f*; *chien*: arrêt *m*; ⚡ contact *m*; ⚡ prise *f* de courant; ♻ quart *m*; *fig.* cas *m* (*de conscience*), point *m* (*d'honneur*); *fig.* caractère *m*; *see* ~-*lace*; ⚙ *pl.* aiguillage *m*; ~s *pl. chasse:* cors *m/pl.* (*cerf*); ~ *of view* point *m* de vue; *the* ~ *is that* ce dont il s'agit c'est que; *there is no* ~ *in* (*gér.*) il est inutile de (*inf.*); *make a* ~ faire ressortir un argument; *make a* ~ *of* ne pas manquer de (*inf.*); tenir à; *make the* ~ *that* faire remarquer que; *stretch a* ~ faire une concession; *in* ~ *of* sous le rapport de; *in* ~ *of fact* au *ou* en fait; *off* (*ou beyond*) *the* ~ hors de propos; *differ on many* ~s ne pas être d'accord sur bien des détails; *be on the* ~ *of* (*gér.*) être sur le point de (*inf.*); *win on* ~s gagner aux points; *to the* ~ à propos, bien dit; *stick to the* ~ ne pas s'écarter de la question; **2.** *v/t.* marquer de points; aiguiser; *opt.* braquer (*une jumelle etc.*); ♻ jointoyer; (*souv.* ~ *out*) indiquer; inculquer (*la morale*); ~ *at* braquer (*une arme*) sur; *v/i. chasse:* tomber en arrêt; ~ *at* montrer du doigt; ~ *to* faire ressortir; marquer (*l'heure*); signaler; '~-**blank 1.** *adj.* direct; net(te *f*) (*refus*); de but en blanc (*question*); **2.** *adv.* à bout portant; *fig.* carrément; ~ *shot* coup *m* de feu à bout portant; '~-**du·ty** service *m* à poste fixe; *policeman on* ~ agent-vigie (*pl.* agents-vigies) *m*; '**point·ed** □ pointu, à pointe; *fig.* mordant, peu voilé; '**point·ed·ness** mordant *m*; caractère *m* peu voilé; '**point·er** aiguille *f*, index *m*; baguette *f*; *chasse:* chien *m* d'arrêt; F tuyau *m*; '**point-'lace** guipure *f*; '**point·less** émoussé; *fig.* sans sel; *fig.* inutile; '**points·man** ⚙ aiguilleur *m*; '**point-to-'point race** course *f* au clocher.

poise [pɔiz] **1.** équilibre *m*, aplomb *m*; port *m* (*du corps etc.*); **2.** *v/t.* équilibrer, balancer; tenir (*la tête etc.*); *v/i.* (*a. be* ~*d*) être en équilibre.

poi·son ['pɔizn] **1.** poison *m*; **2.** empoisonner; *fig.* corrompre; '**poison·er** empoisonneur (-euse *f*) *m*; '**poi·son·ous** □ toxique; vénimeux (-euse *f*) (*animal*); vénéneux (-euse *f*) (*plante*); *fig.* pernicieux (-euse *f*); F empoisonnant.

poke [pouk] **1.** poussée *f*; coup *m* de coude; **2.** *v/t.* pousser du coude *etc.*; (*a.* ~ *up*) attiser (*le feu*); fourrer (*a. fig.* son nez); passer, avancer (*la tête*); ~ *fun at* se moquer de; *v/i.* (*a.* ~ *about*) fouiller; fourrer (dans, *in*[to]).

pok·er[1] ['poukə] tisonnier *m*.

po·ker[2] [~] *cartes:* poker *m*; *fig.* ~-*face* visage *m* impassible.

pok·er-work ['poukəwə:k] pyrogravure *f*.

pok·y ['pouki] misérable; mesquin.

po·lar ['poulə] polaire; du pôle; ~ *bear* ours *m* blanc; **po·lar·i·ty** *phys.* [po'læriti] polarité *f*; **po·lar·i·za·tion** *phys.* [poulərai'zeiʃn] polarisation *f*; '**po·lar·ize** *phys.* (se) polariser.

Pole[1] [poul] Polonais(e *f*) *m*.

pole[2] [~] *géog., astr., fig.* pôle *m*; ⚡ électrode *f*.

pole[3] [~] **1.** perche *f* (*a. sp.*); mât *m*; hampe *f* (*de drapeau*); *voiture:* timon *m*; *mesure:* perche *f* (*5,029 m*); **2.** pousser *ou* conduire à la perche; '~-**ax(e)** ⚔ hache *f* d'armes; ♻ hache *f* d'abordage; assommoir *m*; '~-**cat** *zo.* putois *m*; *Am.* putois *m* d'Amérique; '~-**jump**, '~-**vault** saut *m* à la perche.

po·lem·ic [po'lemik] **1.** (*a.* po'lem·i·cal* □) polémique; **2.** polémique *f*; po'lem·ics *sg.* polémique *f*.

pole-star ['poulsta:] (*étoile f*) polaire *f*; *fig.* point *m* de mire.

po·lice [pə'li:s] **1.** police *f*; *two* ~ deux agents *m/pl.* de police); ~ *dossier* casier *m* judiciaire; **2.** policer; **po'lice·man** agent *m* de police; gardien *m* de la paix; **po'lice-of·fice** préfecture *f* de police; **po'lice-sta·tion** poste *m* de police; **po'lice-sur·veil·lance** surveillance *f* de police; **po'lice-trap** zone *f* de contrôle de vitesse.

pol·i·cy[1] ['pɔlisi] politique *f*; diplomatique *f*.

pol·i·cy[2] [~] police *f*; *Am.* loterie *f* clandestine.

po·li·o·('my·e·li·tis ['pouliou(maiə'laitis)] poliomyélite *f*.

Pol·ish[1] ['pouliʃ] polonais.

pol·ish[2] ['pɔliʃ] **1.** poli *m*; brillant *m*; *fig.* vernis *m*; *floor* ~ encaustique *f*; *boot* ~ cirage *m*; **2.** *v/t.* polir (*a. fig.*); brunir (*le métal*); cirer; F ~ *off* expédier; ~ *up* polir; *v/i.* prendre bien le poli, la cire *etc.*; '**pol·ish·ing 1.** polissage *m*; cirage *m*; **2.** à polir.

po·lite ☐ [pə'lait] poli, courtois, civil; cultivé; **po'lite·ness** politesse *f*.

pol·i·tic ☐ ['pɔlitik] politique; adroit; *body* ~ corps *m* politique; **po·lit·i·cal** ☐ [pə'litikl] politique; **pol·i·ti·cian** [pɔli'tiʃn] homme *m* politique; *péj.* politicien *m*; **pol·i·tics** ['pɔlitiks] *pl.*, *souv. sg.* politique *f*.

pol·i·ty ['pɔliti] administration *f* politique; état *m*; régime *m*.

pol·ka-dot *Am. tex.* ['pɔlkə'dɔt] pois *m*.

poll[1] [poul] 1. *prov. ou co.* tête *f*; sommet *m*, haut *m*; vote *m* (par bulletins); scrutin *m*; *go to the* ~s prendre part au vote; se rendre aux urnes; 2. *v/t.* † tondre; étêter (*un arbre*); réunir (*tant de voix*); *v/i.* voter (pour, *for*).

poll[2] [pɔl] perroquet *m*; *npr.* Tacquot *m*.

pol·lard ['pɔləd] arbre *m* étêté; animal *m* sans cornes; *farine:* repasse *f*.

poll-book ['poulbuk] liste *f* électorale.

pol·len ♀ ['pɔlin] pollen *m*.

poll·ing...: '~-**booth** bureau *m* de scrutin; isoloir *m*; '~-**dis·trict** section *f* de vote; '~-**place**, '~-**sta·tion** poste *m* (de section de vote).

poll-tax ['poultæks] capitation *f*.

pol·lute [pə'luːt] polluer; souiller; corrompre (*a. fig.*); profaner; **pol·'lu·tion** [pə'luːtraɪ] profanation *f*; pollution *f*.

po·lo·ny [pə'louni] cervelas *m*.

pol·troon [pɔl'truːn] poltron *m*; **pol'troon·er·y** poltronnerie *f*.

po·lyg·a·my [pɔ'ligəmi] polygamie *f*; **pol·y·glot** ['pɔliglɔt] polyglotte (*a. su./m*); **pol·y·gon** ['~gən] polygone *m*; **po·lyg·o·nal** [pɔ'ligənl] polygonal (-aux *m/pl.*); **pol·y·phon·ic** ♪ [~'fɔnik] polyphonique; **pol·yp** *zo.* ['~ip], **pol·y·pus** ☞ ['~pəs], *pl.* **-pi** [~pai] polype *m*; **pol·y·syl·lab·ic** ['pɔlisi'læbik] polysyllab(iqu)e; **pol·y·syl·la·ble** ['~'siləbl] polysyllabe *m*; **pol·y·tech·nic** ['~'teknik] 1. polytechnique; 2. école *f* des arts et métiers; **pol·y·the·ism** ['~θiizm] polythéisme *m*.

po·made [pə'mɑːd], **po·ma·tum** [pə'meitəm] pommade *f*.

pome·gran·ate ♀ ['pɔmgrænit] grenade *f*; *arbre:* grenadier *m*.

Pom·er·a·nian [pɔmə'reinjən] po-méranien(ne *f*); ~ (*dog*) loulou *m* de Poméranie.

pom·mel ['pʌml] 1. *épée, selle:* pommeau *m*; 2. bourrer (*q.*) de coups.

pomp [pɔmp] pompe *f*, apparat *m*.

pom-pom ['pɔmpɔm] canon-revolver (*pl.* canons-revolvers) *m*.

pom·pos·i·ty [pɔm'pɔsiti] emphase *f*, suffisance *f*; **'pomp·ous** ☐ pompeux (-euse *f*); suffisant (*personne*).

pond [pɔnd] étang *m*; mare *f*; réservoir *m*; **'pond·age** accumulation *f* de l'eau; capacité *f*.

pon·der ['pɔndə] méditer (sur on, over); **pon·der·a·bil·i·ty** [~rə'biliti] pondérabilité *f*; **'pon·der·a·ble** pondérable; **pon·der·os·i·ty** [~'rɔsiti] lourdeur *f* (*a. de style*); *fig.* importance *f*; **'pon·der·ous** ☐ lourd; massif (-ive *f*); laborieux (-euse *f*); *fig.* important; **'pon·der·ous·ness** *see* ponderosity.

pone *Am.* [poun] pain *m* de maïs.

pon·iard ['pɔnjəd] 1. poignard *m*; 2. poignarder.

pon·tiff ['pɔntif] pontife *m*; prélat *m*; **pon·tif·i·cal** pontifical (-aux *m/pl.*); épiscopal (-aux *m/pl.*); **pon·tif·i·cate** 1. [~kit] pontificat *m*; 2. [~keit] pontifier.

pon·toon ✗ [pɔn'tuːn] ponton *m*; **pon'toon-bridge** pont *m* de bateaux.

po·ny ['pouni] poney *m*; F *fig.* baudet *m*; *Am.* F traduction *f*; *sl.* 25 livres sterling; *Am.* F petit verre *m* d'alcool; *Am. attr.* petit; '~-**'en·gine** ⚙ locomotive *f* de manœuvre.

pooch *Am. sl.* [puːtʃ] cabot *m*, chien *m*.

poo·dle ['puːdl] caniche *mf*.

pooh [puː] bah!; peuh!

pooh-pooh [puː'puː] ridiculiser; faire peu de cas de. [fontaine *f*.]

pool[1] [puːl] flaque *f* d'eau; mare *f*;

pool[2] [~] 1. cagnotte *f*; poule *f* (*a. billard*); concours *m* de pronostics; (*sorte de*) jeu *m* de billard; ♱ syndicat *m*; fonds *m/pl.* communs; *Am.* ~ *room* salle *f* de billard; 2. mettre en commun; ♱ mettre en syndicat.

poop ⚓ [puːp] 1. poupe *f*; dunette *f*; 2. balayer la poupe; embarquer par l'arrière; *Am.* ~ed exténué.

poor ☐ [puə] *usu.* pauvre; malheureux (-euse *f*); médiocre; de piètre qualité; maigre (*sol*); ~ *me!* pauvre de moi!; *make but a* ~ *shift* s'accommoder mal de (*qch.*); *a ~ dinner* un mauvais dîner; *~ health* santé *f* débile; '*~-box* tronc *m* pour les pauvres; '*~-house* asile *m* de pauvres; '*~-law* assistance *f* judiciaire; '**poor·ly 1.** *adj. prédicatif* souffrant; **2.** *adv.* pauvrement; '**poor·ness** pauvreté *f*, insuffisance *f*; infériorité *f*; '**poor-rate** taxe *f* des pauvres; '**poor-'spir·it·ed** pusillanime.

pop[1] [pɔp] **1.** bruit *m* sec; F boisson *f* pétillante; limonade *f* gazeuse; **2.** *v/t.* crever; faire sauter; F mettre en gage; *Am.* faire éclater (*le maïs*); F fourrer vite; F *~ the question* faire la demande en mariage; *v/i.* éclater, sauter; crever; *~ in* entrer pour un instant (*chez q.*); *~ up* se lever vivement; apparaître; **3.** inattendu; **4.** crac!; pan!

pop[2] F [~] concert *m* populaire; chanson *f* populaire.

pop[3] *Am.* F [~] papa *m.*

pop·corn *usu. Am.* ['pɔpkɔ:n] maïs *m* grillé et éclaté.

pope [poup] pape *m*; Saint-Père *m*; **pope·dom** ['~dəm] papauté *f*; **pop·er·y** *péj.* ['~əri] papisme *m.*

pop-eyed ['pɔpaid] aux yeux en boules de loto.

pop·gun ['pɔpgʌn] pétoire *f.*

pop·in·jay *fig.* ['pɔpindʒei] fat *m.*

pop·ish □ *péj.* ['poupiʃ] papiste.

pop·lar ♀ ['pɔplə] peuplier *m.*

pop·lin *tex.* ['pɔplin] popeline *f.*

pop·pet ['pɔpit] ♣ colombier *m*; ⊕ poupée *f*; *see* puppet.

pop·py ♀ ['pɔpi] pavot *m*; '*~·cock* *Am.* F fadaises *f/pl.*, bêtises *f/pl.*

pop·u·lace ['pɔpjuləs] peuple *m*; *péj.* populace *f.*

pop·u·lar □ ['pɔpjulə] populaire; du peuple; goûté du public; ✝ à la portée de tous; **pop·u·lar·i·ty** [~'læriti] popularité *f*; **pop·u·lar·ize** ['~ləraiz] populariser, vulgariser; rendre populaire; '**pop·u·lar·ly** populairement; communément.

pop·u·late ['pɔpjuleit] peupler; **pop·u·la·tion** population *f.*

pop·u·lous □ ['pɔpjuləs] très peuplé; '**pop·u·lous·ness** densité *f* de (la) population.

por·ce·lain ['pɔ:slin] porcelaine *f.*

porch [pɔ:tʃ] porche *m*; portique *m*; *Am.* véranda *f.*

por·cu·pine *zo.* ['pɔ:kjupain] porc-épic (*pl.* porcs-épics) *m.*

pore[1] [pɔ:] pore *m.*

pore[2] [~] être plongé (dans over, on), méditer (qch. over, on s.th.).

pork [pɔ:k] porc *m*; *Am.* F *~ barrel* fonds *m/pl.* publics; trésor *m* public; '**pork·er** goret *m*; porc *m*; '**pork·y 1.** F gras(se *f*), obèse; **2.** *Am.* F *see* porcupine.

por·nog·ra·phy [pɔ:'nɔgrəfi] pornographie *f.*

po·ros·i·ty [pɔ:'rɔsiti], **po·rous·ness** ['pɔ:rəsnis] porosité *f.*

po·rous □ ['pɔ:rəs] poreux (-euse *f*).

por·phy·ry *min.* ['pɔ:firi] porphyre *m.*

por·poise *zo.* ['pɔ:pəs] marsouin *m*; phocène *f.*

por·ridge ['pɔridʒ] bouillie *f* d'avoine; **por·rin·ger** ['pɔrindʒə] écuelle *f.*

port[1] [pɔ:t] port *m*; *~ of call* port *m* d'escale; *~ of destination* port *m* de destination; *~ of transhipment* port *m* de transbordement.

port[2] ♣ [~] sabord *m.*

port[3] [~] **1.** ✕ présenter (*les armes*); **2.** maintien *m*, port *m.*

port[4] ♣ [~] **1.** *côté*: bâbord *m*; **2.** *v/t.* mettre à bâbord; *v/i.* venir sur bâbord.

port[5] [~] porto *m.*

port·a·ble ['pɔ:təbl] portatif (-ive *f*); mobile; *~ gramophone* (typewriter, radio) phonographe *m* (machine *f* à écrire, poste *m*) transportable; *~ railway* chemin *m* de fer à voie démontable.

por·tage ['pɔ:tidʒ] portage *m*; *see* porterage.

por·tal ['pɔ:tl] portail *m*; portique *m*; *fig.* (porte *f* d')entrée *f*; '**por·tal-to-'por·tal pay** paye *f* pour le temps d'aller de la maison (*de l'usine etc.*) à son travail et retour.

port·cul·lis ✕ *hist.* [pɔ:t'kʌlis] herse *f.*

por·tend [pɔ:'tend] présager.

por·tent ['pɔ:tent] présage *m* de malheur; prodige *m*; **por·ten·tous** □ sinistre; de mauvais augure; prodigieux (-euse *f*); *co.* lugubre.

por·ter[1] ['pɔ:tə] concierge *m.*

por·ter[2] ['pɔ:tə] portefaix *m*; *hôtel*: garçon *m*; 🍺 porteur *m*; bière *f* brune; **por·ter·age** ['~ridʒ] (prix *m* de) transport *m*; factage *m*; '**por·ter·house** taverne *f*; *Am.* *~ steak* aloyau *m*, châteaubriant *m.*

port·fire ['pɔ:tfaiə] boutefeu *m*; étoupille *f*.

port·fo·li·o [pɔ:t'fouljou] serviette *f*; chemise *f* (*de carton*); portefeuille *m* (*d'un ministre*).

port-hole ⚓ ['pɔ:thoul] sabord *m*.

por·ti·co △ ['pɔ:tikou] portique *m*.

por·tion ['pɔ:ʃn] **1.** part *f*, partie *f*; portion *f*, *viande:* ration *f*; *gâteau:* quartier *m*; *terre:* lot *m*; *mariage:* dot *m*; *fig.* sort *m*; **2.** partager, répartir; doter; **'por·tion·less** sans dot.

port·li·ness ['pɔ:tlinis] prestance *f*; embonpoint *m*; **'port·ly** majestueux (-euse *f*); corpulent.

port·man·teau [pɔ:t'mæntou] valise *f*; *gramm.* ~ word mot *m* fantaisiste (*fait de mots télescopés*).

por·trait ['pɔ:trit] portrait *m*; **'por·trait·ist** portraitiste *mf*; **por·trai·ture** ['~tʃə] portrait *m*; l'art *m* du portrait; *fig.* description *f*.

por·tray [pɔ:'trei] (dé)peindre; décrire; **por'tray·al** peinture *f*, représentation *f*.

Por·tu·guese [pɔ:tju'gi:z] **1.** portugais; **2.** *ling.* portugais *m*; Portugais (-e *f*) *m*.

pose [pouz] **1.** pose *f*; **2.** *v/i.* se poser; se faire passer (*pour*, *as*); *v/t.* poser (*une question*); énoncer; **'pos·er** question *f* embarrassante; F colle *f*.

posh *sl.* [pɔʃ] chic *inv.* en genre, chouette.

po·si·tion [pə'ziʃn] position *f* (*a. fig.*, ✕, *posture*); situation *f*; place *f*; emploi *m*; état *m*; *fig.* attitude *f*; *fig.* point *m* de vue; ⚓ lieu *m*, point *m*; ⚓ poste *m*; ~ light feu *m* de position; *be in a* ~ *to do* être à même de faire.

pos·i·tive ['pozətiv] **1.** □ positif (-ive *f*); formel(le *f*); vrai; sûr, certain, convaincu; A, *⚡*, *phls.*, *phys.*, *phot.* positif (-ive *f*); **2.** positif *m*; **'pos·i·tive·ness** certitude *f*; ton *m* décisif.

pos·se ['pɔsi] troupe *f*, foule *f*; ~ **co·mi·ta·tus** [~ kɔmi'teitəs] détachement *m* de police.

pos·sess [pə'zes] avoir, posséder (*fig.* de, *with*); *fig.* pénétrer (de, *with*); ~ed possédé; *be* ~ed *of* posséder; ~ *o.s. of* s'emparer de (*qch.*); **pos·ses·sion** [pə'zeʃn] possession *f* (*a. fig.*); jouissance *f* (de, *of*); colo-

nie *f*; *in* ~ *of* en possession de; **pos·ses·sive** *gramm.* [pə'zesiv] **1.** □ possessif (-ive *f*); ~ *case* (cas *m*) possessif *m*; **2.** possessif *m*; **pos·'ses·sor** possesseur *m*; **pos'ses·so·ry** possessoire.

pos·set ['pɔsit] posset *m*.

pos·si·bil·i·ty [pɔsə'biliti] possibilité *f*; **'pos·si·ble 1.** possible; **2.** *sp.* maximum *m*; **'pos·si·bly** peutêtre; *if I* ~ *can* s'il y a moyen; *how can I* ~ *do it?* comment pourrais-je le faire?; *I cannot* ~ *do it* il m'est impossible de le faire.

pos·sum F ['pɔsəm] *see* opossum.

post[1] [poust] **1.** poteau *m*; pieu *m*; **2.** (*usu.* ~ *up*) afficher, placarder.

post[2] [~] **1.** ✕ *sentinelle etc.:* poste *m*, garnison *f*; † station *f* (de commerce); situation *f*, poste *m*; † malle-poste (*pl.* malles-poste) *f*; *poste:* courrier *m*, poste *f*; papier *m* écu; ~ *at one's* ~ à son poste; *by* (*the*) ~ par la poste; ✕ *last* ~ sonnerie *f* aux morts; retraite *f*; *Am.* ~ *exchange* magasin *m*, cantine *f*; **2.** *v/t.* ✕ poster, mettre en faction (*une sentinelle*); ⚓ nommer (*q. capitaine*); † (*souv.* ~ *up*) mettre au courant (*le grand-livre*); mettre à la poste; envoyer par la poste; F (*souv.* ~ *up ou keep s.o.* ~*ed*) mettre (*q.*) au courant, documenter (*q.*); *well* ~*ed* bien renseigné; † ~ *an entry* passer écriture d'un article; *v/i.* F aller un train de poste.

post·age ['poustidʒ] port *m*, affranchissement *m*; ... ~ ... pour frais d'envoi; ~ *due* surtaxe *f* postale; ~ **stamp** timbre-poste (*pl.* timbres-poste) *m*.

post·al □ ['poustəl] postal (-aux *m/pl.*); *Am.* ~ (*card*) carte *f* postale; ~ *cheque* chèque *m* postal; ~ *order* mandat-poste (*pl.* mandats-poste) *m*, mandat *m* postal; ⚭ *Union* Union *f* postale.

post·card ['poustkɑ:d] carte *f* postale.

post·date ['poust'deit] postdater.

post·er ['poustə] affiche *f*; placard *m*.

pos·te·ri·or F [pɔs'tiəriə] **1.** □ postérieur (à, *to*); derrière; **2.** (*a.* ~*s pl.*) postérieur *m*, derrière *m*.

pos·ter·i·ty [pɔs'teriti] postérité *f*.

pos·tern ['poustə:n] porte *f* de derrière.

post-free ['poust'fri:] franco *inv.*

post·grad·u·ate ['poust'grædjuit]
1. postscolaire; **2.** candidat *m* à un
diplôme supérieur (*doctorat etc.*).

post·haste ['poust'heist] en toute
hâte.

post·hu·mous □ ['pɔstjuməs] posthume.

pos·til·(l)ion [pəs'tiljən] postillon *m*.

post...: '~**man** facteur *m*; '~**mark**
1. cachet *m* de la poste; timbre *m*
(d'oblitération); **2.** timbrer; '~
mas·ter receveur *m* des postes; ♀
General ministre *m* des Postes et
Télécommunications.

post·me·rid·i·an ['poustmə'ridiən]
de l'après-midi, du soir; **post·mor-
tem** [¸'mɔ:təm] **1.** après décès;
2. (*a.* ~ *examination*) autopsie *f*;
post-o·bit [¸'ɔbit] exécutoire après
le décès d'un tiers.

post...: '~**of·fice**, *surt.* ~ **of·fice** bureau *m* de poste; *Am.* (*sorte de*) jeu *m*
avec embrassades; *general* ~ bureau
m central; ~ *box* boîte *f* postale; ~
clerk employé(e *f*) *m* des postes; ~
counter (*ou window*) guichet *m*; ~ *order* mandat *m* postal; ~ *savings-bank*
caisse *f* d'épargne postale; '~**paid**
franco *inv.*, affranchi.

post·pone [poust'poun] ajourner,
remettre, renvoyer à plus tard;
post'pone·ment ajournement *m*;
remise *f* à plus tard.

post·pran·di·al □ *co.* [poust'præn-
diəl] après dîner, après le repas.

post·script ['pousskript] post-scriptum *m*/*inv.* (*abbr.* P.-S.); postface *f*
(*d'un livre*).

pos·tu·lant ['pɔstjulənt] postulant
(-e *f*) *m*; **pos·tu·late 1.** ['¸lit] postulat *m*; **2.** ['¸leit] postuler (*a. v/i.*);
poser (*qch.*) en postulat; **pos·tu·la-
tion** sollicitation *f*; *phls.* supposition *f*, postulat *m*.

pos·ture ['pɔstʃə] **1.** posture *f*,
corps: attitude *f*; position *f*; **2.** *v/t.*
poser; *v/i.* prendre une pose; se
poser en.

post-war ['poust'wɔ:] d'après-
guerre.

po·sy[1] ['pouzi] devise *f*.

po·sy[2] [¸] bouquet *m* (de fleurs).

pot [pɔt] **1.** pot *m*; marmite *f*; *sp.*
coupe *f*; F *a.* ~ *of money* des tas *m*/*pl.*
d'argent; **2.** *v/t.* mettre en pot (*cuis.
a. des plantes*); blouser (*au billard*);
abattre (*du gibier*); *v/i.*: ~ *at* lâcher
un coup de fusil à (*q.*); tirer sur.

po·ta·ble ['poutəbl] potable, buvable.

pot·ash 🜛ₘ ['pɔtæʃ] potasse *f*.

po·tas·si·um 🜛ₘ [pə'tæsiəm] potassium *m*.

po·ta·tion [pou'teiʃn] gorgée *f*; (*usu.
pl.* ~s) libation *f*.

po·ta·to [pə'teitou], *pl.* **po·ta·toes**
[¸z] pomme *f* de terre; ~ *bug* doryphore *m*.

pot...: '~**bel·ly** panse *f*; '~**boiler** littérature *f* alimentaire; be-
sognes *f*/*pl.* alimentaires; écrivain *m
etc.* qui travaille pour faire bouillir
sa marmite; '~**boy** garçon *m* de cabaret.

po·ten·cy ['poutənsi] puissance *f*;
force *f*; **po·tent** □ puissant; fort;
po·ten·tate ['¸teit] potentat *m*; **po-
ten·tial** [pə'tenʃl] **1.** latent, virtuel
(-le *f*); potentiel(le *f*) (*a. phys.*);
2. *gramm.* (*a.* ~ *mood*) potentiel *m*;
phys. (*souv.* ~ *function*) fonction *f*
potentielle; *p.ext.* rendement *m*
maximum; **po·ten·ti·al·i·ty** [¸ʃi'æ-
liti] potentialité *f*; potentiel *m* (*militaire etc.*); *fig.* promesse *f*.

poth·er ['pɔðə] **1.** nuage *m* de fumée
etc.; confusion *f*; tumulte *m*; **2.** (se)
tourmenter; *v/i.* faire des histoires
(à propos de, *about*).

pot...: '~**herb** herbe *f* potagère; '~
hole *mot.* (*pl.* nids-
de-poule) *m*; *géol.* marmite *f* torren-
tielle; '~**hook** crémaillère *f*; ~*s pl.*
bâtons *m*/*pl.*; '~**house** cabaret *m*,
taverne *f*.

po·tion ['pouʃn] potion *f*; 🜪 dose *f*.

pot-luck ['pɔt'lʌk]: *take* ~ *with s.o.*
manger chez *q.* à la fortune du pot.

pot·ter[1] ['pɔtə] s'amuser (à, *at*);
s'occuper en amateur (de, *at*); flâner.

pot·ter[2] [¸] potier *m*; ~'*s wheel* tour
m de potier; disque *m*; '**pot·ter·y**
poterie *f*.

pot·ty *sl.* ['pɔti] insignifiant; simple;
toqué.

pouch [pautʃ] **1.** petit sac *m*; bourse
f; *yeux*: poche *f*; blague *f*; *zo.*
poche *f* ventrale; *singe*: abajoue *f*;
2. *v/t.* empocher; faire bouffer (*une
robe*); avaler (*un poisson*); *v/i.* bouffer; **pouched** à poche; à abajoue.

poul·ter·er ['poultərə] marchand *m*
de volaille.

poul·tice 🜪 ['poultis] cataplasme *m*.

poul·try ['poultri] volaille *f*.

pounce[1] [pauns] **1.** (poudre _f_ de) sandaraque _f_; ponce _f_; **2.** polir à la ponce; poncer (_a. un dessin_).

pounce[2] [~] **1.** _oiseau:_ serre _f_; saut _m_; **2.** _v/t._ (_ou_ ~ _upon_) _oiseau:_ s'abattre sur (_sa proie_); _v/i.:fig._ ~ [up]on se jeter sur.

pound[1] [paund] livre _f_ (_abr. lb._) (_453,6 g_); ~ (_sterling_) livre _f_ (sterling (_abr. £_) (_20 shillings_).

pound[2] [~] **1.** parc _m_ (à moutons _etc._); fourrière _f_; **2.** mettre en fourrière.

pound[3] [~] _v/t._ broyer, piler; bourrer de coups de poing; ⚒ pilonner; _sl. Bourse:_ faire baisser (_les prix_); _v/i.:_ ~ _along_ avancer d'un pas lourd; ~ _away_ frapper _ou_ cogner dur (sur, at).

pound·age ['paundidʒ] remise _f ou_ taux _m_ de tant par livre.

pound·er ['paundə] de … livres.

pour [pɔː] _v/t._ (_a._ ~ _out_) verser; ~ répandre; décharger (_son cœur_); _v/i._ tomber à verse (_pluie_); sortir à flots _ou_ en foule.

pout [paut] **1.** moue _f_; **2.** (_a._ ~ _the lips_) faire la moue; bouder.

pov·er·ty ['pɔvəti] pauvreté _f_; pénurie _f_.

pow·der ['paudə] **1.** poudre _f_; **2.** pulvériser; poudrer (_le visage_); saupoudrer (de, _with_); '~-**box** boîte _f_ à poudre; '~-**puff** houpette _f_ (à poudre); '**pow·der·y** poudreux (-euse _f_); friable.

pow·er ['pauə] pouvoir _m_ (_a._ ⚡, _pol. exécutif etc._); puissance _f_ (_a._ ⊕, ⚔, _pol._ = _pays, influence_); vigueur _f_; ⚡ énergie _f_ (_électrique_); _aimant:_ force _f_; _admin._ autorité _f_; ⚡ mandat _m_; F quantité _f_, foule _f_; _be in_ ~ être au pouvoir; ~ _economy_ économie _f_ d'énergie; _Western_ ~s _pl. pol._ puissances _f/pl._ occidentales; '~-**cur·rent** courant _m_ à haute intensité; '**pow·er·ful** ['~ful] □ puissant, fort; '**pow·er·house** centrale _f_ électrique; '**pow·er·less** impuissant; inefficace; '**pow·er line** ligne _f_ à haute tension; '**pow·er-plant** groupe _m_ générateur; '**pow·er-sta·tion** centrale _f_ électrique; _long-distance_ ~ centrale _f_ interurbaine.

pow·wow ['pauwau] sorcier _m_ guérisseur; _Am._ F conférence _f_ (politique); palabre _f_.

pox V [pɔks] syphilis _f_.

pra(a)m ⚓ [prɑːm] prame _f_.

prac·ti·ca·bil·i·ty [præktikə'biliti] praticabilité _f_; '**prac·ti·ca·ble** □ praticable; faisable; '**prac·ti·cal** □ pratique; appliqué (_science_); quasi; ~ _joke_ mystification _f_; mauvais tour _m_; brimade _f_; attrape _f_; ~ _chemistry_ chimie _f_ appliquée; **prac·ti·cal·i·ty** [~'kæliti] caractère _m_ pratique; esprit _m_ pratique; **prac·ti·cal·ly** ['~kli] pratiquement; en pratique; presque.

prac·tice ['præktis] **1.** pratique _f_; exercice _m_ (_d'un métier_); habitude _f_, coutume _f_, usage _m_; _sp._ entraînement _m_; clientèle _f_; _usu._ ~s _pl._ menés _f/pl._, intrigue _f_; _be out of_ ~ avoir perdu l'habitude; _put into_ ~ mettre en pratique _ou_ en action; **2.** _Am. see_ practise.

prac·tise [~] _v/t._ mettre en pratique _ou_ en action; pratiquer; exercer (_une profession_); s'exercer (_au piano etc., sur la flûte_); entraîner (_q._); _v/i._ exercer (_médecin_); _sp._, ♪ s'exercer; répéter; ~ [up]on exploiter (_q._), abuser de (_la faiblesse de q._); '**practised** expérimenté; versé (dans _at, in_).

prac·ti·tion·er [præk'tiʃnə] praticien _m_; _qqfois_ médecin _m_; _general_ ~ médecin _m_ ordinaire, médecin _m_ de médecine générale.

prag·mat·ic [præg'mætik] (~_ally_) pragmatique; (_souv._ **prag'mat·i·cal**) suffisant; dogmatique.

prai·rie _Am._ ['prɛəri] prairie _f_; savane _f_; _Am._ ~ _schooner_ voiture _f_ couverte (_des pionniers_).

praise [preiz] **1.** éloge _m_; louange _f_; **2.** louer, faire l'éloge de; F vanter.

praise·wor·thi·ness ['preizwɔː·ðinis] caractère _m_ estimable; mérite _m_; '**praise·wor·thy** □ digne d'éloges; méritoire.

pra·line ['prɑːliːn] praline _f_.

pram F [præm] _see_ perambulator.

prance [prɑːns] piaffer (_cheval_); se pavaner (_personne_); _fig._ trépigner (de, _with_).

pran·di·al □ ['prændiəl] _co._ de _ou_ du dîner; de table.

prang ⚔ _Brit. sl._ [præŋ] raid _m_ sévère.

prank [præŋk] **1.** escapade _f_; tour _m_; **2.** (_a._ ~ _up_) parer (de, _with_).

prate [preit] **1.** riens _m/pl._; jaserie _f_; **2.** dire des riens; jaser; '**prat·er**

babillard(e f) m; **'prat·ing 1.** □ babillard, jaseur (-euse f); **2.** jaserie f.

prat·tle ['prætl] see prate.

prawn zo. [prɔːn] crevette f rouge.

pray [prei] v/i. prier (q., to s.o.; de inf., to inf.; pour q., for s.o.); ~ for s.th. prier Dieu qu'il (nous) accorde qch.; ~ je vous en prie, veuillez (inf.); ~ for s.o.'s soul prier pour l'âme de q.; v/t. prier, implorer; demander.

pray·er ['preə] prière f, oraison f; demande f; souv. ~s pl. dévotions f/pl.; Lord's ♀ oraison f dominicale; pater m; Book of Common ♀ rituel m de l'Église anglicane; **'~·book** livre m de prières; **pray·er·ful** □ ['~ful] pieux (-euse f).

pre... [priː; pri] pré-; avant; antérieur à.

preach [priːtʃ] prêcher; **'preach·er** prédicateur (-trice f) m; **'preach·ing** prédication f, sermon m; **'preach·ment** péj. sermon m.

pre·am·ble [priːˈæmbl] préambule m.

preb·end eccl. ['prebənd] prébende f; **'pre·ben·dar·y** prébendier m, chanoine m.

pre·car·i·ous □ [priˈkɛəriəs] précaire, incertain; **pre·car·i·ous·ness** incertitude f; situation f précaire.

pre·cau·tion [priˈkɔːʃn] précaution f; **pre·cau·tion·ar·y** de précaution; d'avertissement.

pre·cede [priˈsiːd] (faire) précéder; préfacer; fig. avoir le pas sur; **pre·ced·ence, pre·ced·en·cy** [~dəns(i)] priorité f; préséance f; **prec·e·dent** ['presidənt] précédent m (a. 🏛).

pre·cen·tor eccl. [priˈsentə] premier chantre m; maître m de chapelle.

pre·cept ['priːsept] précepte m; règle f; 🏛 mandat m; **pre·cep·tor** [priˈseptə] précepteur m; **pre·cep·tress** [~tris] préceptrice f.

pre·cinct ['priːsiŋkt] enceinte f, enclos m; surt. Am. circonscription f électorale; Am. poste m de police d'une circonscription; a. ~s pl. pourtour m.

pre·cious ['preʃəs] **1.** adj. □ précieux (-euse f); F a. iro. fameux (-euse f); **2.** F adv. particulièrement, joliment; **'pre·cious·ness** haute valeur f.

prec·i·pice ['presipis] précipice m; **pre·cip·i·tance, pre·cip·i·tan·cy** [priˈsipitəns(i)] précipitation f; empressement m; **pre·cip·i·tate 1.** [~teit] v/t. précipiter (a. 🦠); accélérer; météor. condenser; v/i. se précipiter; **2.** [~tit] □ précipité (🦠 a. su./m); fait à la hâte; irréfléchi; **pre·cip·i·ta·tion** [~ˈteiʃn] précipitation f (a. 🦠); **pre·cip·i·tous** □ à pic; escarpé; abrupt.

pré·cis ['preisiː], pl. **-cis** [~siːz] précis m, résumé m, abrégé m.

pre·cise □ [priˈsais] exact; précis; méticuleux (-euse f); ~ly! précisément!; **pre·cise·ness** précision f; méticulosité f.

pre·ci·sion [priˈsiʒn] précision f; attr. de précision.

pre·clude [priˈkluːd] prévenir, empêcher; ~ s.o. from (gér.) mettre q. dans l'impossibilité de (inf.).

pre·co·cious □ [priˈkouʃəs] précoce; **pre·co·cious·ness, pre·coc·i·ty** [priˈkɔsiti] précocité f.

pre·con·ceive [priːkənˈsiːv] préconcevoir; ~d préconçu (idée).

pre·con·cep·tion ['priːkənˈsepʃn] préconception f; préjugé m.

pre·con·cert·ed ['priːkənˈsəːtid] convenu ou arrangé d'avance.

pre·con·di·tion ['priːkənˈdiʃn] condition f préliminaire.

pre·cool ⊕ ['priːˈkuːl] préréfrigérer.

pre·cur·sor [priːˈkəːsə] précurseur m, avant-coureur m; **pre·cur·so·ry** précurseur; préliminaire.

pre·date ['priːˈdeit] antidater; venir avant.

pred·a·to·ry ['predətəri] rapace; de proie (bête).

pre·de·cease ['priːdiˈsiːs] mourir avant (q.).

pre·de·ces·sor ['priːdisesə] prédécesseur m.

pre·des·ti·nate ['priːˈdestineit] prédestiner; **pre·des·ti·na·tion** eccl. prédestination f; **pre·des·tined** prédestiné.

pre·de·ter·mine ['priːdiˈtəːmin] déterminer d'avance; eccl. préordonner.

pred·i·ca·ble ['predikəbl] prédicable.

pre·dic·a·ment [priˈdikəmənt] phls. catégorie f; fig. situation f difficile.

pred·i·cate 1. ['predikeit] affirmer; **2.** ['~kit] gramm. attribut m; phls. prédicat m; **pred·i·ca·tion** assertion f; **pred·i·ca·tive** [priˈdikətiv]

□ affirmatif (-ive *f*); *gramm.* prédicatif (-ive *f*).

pre·dict [pri'dikt] prédire; **pre·dic·tion** [~'dik∫n] prédiction *f*.

pre·di·lec·tion [pri:di'lek∫n] prédilection *f* (pour, *for*).

pre·dis·pose ['pri:dis'pouz] prédisposer (à, *to*); **pre·dis·po·si·tion** ['~dispə'zi∫n] prédisposition *f* (à, *to*).

pre·dom·i·nance [pri'dɔminəns] prédominance *f*; ascendant *m* (sur, *over*); **pre'dom·i·nant** □ prédominant; **pre'dom·i·nate** [~neit] prédominer; l'emporter par le nombre *etc.* (sur, *over*).

pre·em·i·nence [pri:'eminəns] prééminence *f*; primat *m*; **pre·'em·i·nent** □ prééminent; remarquable (par, *in*).

pre·emp·tion [pri:'emp∫n] (droit *m* de) préemption *f*.

preen [pri:n] lisser (*les plumes*).

pre·en·gage ['pri:in'geidʒ] retenir *ou* engager d'avance; **'pre·en·gage·ment** engagement *m* préalable.

pre·ex·ist ['pri:ig'zist] préexister; **'pre·ex·ist·ence** préexistence *f*; **'pre·ex·ist·ent** préexistent.

pre·fab ['pri:'fæb] 1. préfabriqué; 2. maison *f* préfabriquée; **'pre'fab·ri·cate** [~rikeit] préfabriquer.

pref·ace ['prefis] 1. préface *f*; avant-propos *m/inv.*; 2. préfacer; préluder à. [(liminaire.]

pref·a·to·ry □ ['prefətəri] pré-]

pre·fect ['pri:fekt] préfet *m*; *école:* élève *mf* surveillant(e *f*).

pre·fer [pri'fə:] préférer (à, *to*), aimer mieux (que *sbj.*, *to inf.*); nommer (*q. à un emploi*); déposer (*une plainte*); intenter (*une action*); émettre (*une prétention*); *see* share 1; **pref·er·a·ble** □ ['prefərəbl] préférable (à, *to*); **'pref·er·a·bly** de préférence (à, *to*); préférablement; **'pref·er·ence** préférence *f* (pour, *for*); (*surt.* ✝) droit *m* de priorité; *douane:* tarif *m* de préférence; *see* share 1; **pref·er·en·tial** □ [~'ren∫l] préférentiel(le *f*); de préférence; **pref·er'en·tial·ly** de préférence; **pre·fer·ment** [pri'fə:mənt] avancement *m*; promotion *f*.

pre·fix 1. ['pri:fiks] préfixe *m*; titre *m*; 2. [pri:'fiks] mettre comme introduction; *gramm.* préfixer.

preg·nan·cy ['pregnənsi] grossesse *f*; *animal:* gestation *f*; *fig.* grande portée *f*; fécondité *f*; *fig.* **'preg·nant** □ ♀ enceinte (*femme*); gravide (*animal*); *fig.* gros(se *f*), fertile (en, *with*).

pre·heat ⊕ ['pri:'hi:t] réchauffer d'avance.

pre·hen·sile [pri'hensail] préhensile.

pre·his·tor·ic ['pri:his'tɔrik] préhistorique.

pre·ig·ni·tion *mot.* ['pri:ig'ni∫n] auto-allumage *m*; allumage *m* prématuré.

pre·judge ['pri:'dʒʌdʒ] préjuger.

prej·u·dice ['predʒudis] 1. préjugé *m*, prévention *f*; préjudice *m*, dommage *m*; *without* ~ réservation faite de; 2. prévenir, prédisposer; porter préjudice à; ~d prévenu; à préjugés.

prej·u·di·cial □ [predʒu'di∫l] préjudiciable, nuisible (à, *to*).

prel·a·cy ['preləsi] épiscopat *m*; prélats *m/pl.*;

prel·ate ['prelit] prélat *m*.

pre·lec·tion [pri'lek∫n] conférence *f*; **pre'lec·tor** conférencier *m*; *univ.* maître *m* de conférences.

pre·lim·i·nar·y [pri'liminəri] 1. □ préliminaire; préalable; 2. prélude *m*; *preliminaries pl.* préliminaires *m/pl.*

prel·ude ['prelju:d] 1. prélude *m* (*a.* ♪); 2. *v/i.* ♪ préluder; *v/t.* précéder; préluder à.

pre·ma·ture [premə'tjuə] *fig.* prématuré; ~ *delivery* accouchement *m* avant terme; **pre·ma'ture·ness**, **pre·ma'tu·ri·ty** [~riti] *fig.* prématurité *f*.

pre·med·i·tate [pri'mediteit] préméditer; **pre·med·i'ta·tion** préméditation *f*.

pre·mi·er ['premjə] 1. premier (-ère *f*); 2. premier ministre *m*; président *m* du conseil; *Am.* ministre *m* des Affaires étrangères; **'pre·mi·er·ship** fonctions *f/pl.* de premier ministre; *Am.* Ministère *m* des Affaires étrangères.

prem·ise 1. ['premis] prémisse *f*; ~*s pl.* local *m*; immeuble *m*; ⅋⅋ intitulé *m*; *licensed* ~*s* ⊕ débit *m* de boissons; *on the* ~*s* sur les lieux; dans l'établissement; 2. [pri'maiz] poser en prémisse; faire remarquer.

pre·mi·um ['pri:mjəm] prix *m*; prime *f* (*a.* ✝); indemnité *f*; *au dé-*

but d'un bail: droit *m*; ✝ agio *m*; *at a* ~ à prime.

pre·mo·ni·tion [priːməˈniʃn] prémonition *f*; pressentiment *m*; **pre·mon·i·to·ry** ☐ [priˈmɔnitəri] prémonitoire; précurseur.

pre·na·tal [ˈpriːˈneitl] prénatal (-als, -aux *m/pl.*).

pre·oc·cu·pan·cy [priːˈɔkjupənsi] *fig.* absorption *f* (par, in); **pre·oc·cu·pa·tion** [priːɔkjuˈpeiʃn] préoccupation *f*; absorption *f* (par, with); souci *m*; préjugé *m*; **pre·oc·cu·pied** [~ˈɔkjupaid] préoccupé; absorbé; **pre·oc·cu·py** [~pai] préoccuper, absorber; occuper par avance.

pre·or·dain [ˈpriːɔːˈdein] régler d'avance; préordonner.

prep F [prep] *see preparation*; *preparatory school.*

prep·a·ra·tion [prepəˈreiʃn] préparation *f*; préparatifs *m/pl.*; *école*: étude *f* (du soir); **pre·par·a·tive** [priˈpærətiv] *usu.* ~s *pl.* préparatifs *m/pl.*; **pre·par·a·to·ry** [~təri] **1.** ☐ préparatoire; ~ *school* école *f* préparatoire; **2.** *adv.* ~ *to* préalablement à.

pre·pare [priˈpɛə] *v/t.* préparer; dresser; confectionner (*un mets*); *v/i.* se préparer, s'apprêter (à, for; à *inf.*, to *inf.*); **pre·pared** ☐ préparé; sur le qui-vive; ~ *for* prêt à (*qch.*) *ou* pour (*inf.*).

pre·pay [ˈpriːˈpei] [*irr.* (*pay*)] payer d'avance; affranchir (*une lettre*); **ˈpre·ˈpay·ment** paiement *m* d'avance; *lettre*: affranchissement *m*.

pre·pense ☐ [priˈpens] prémédité; *with malice* ~ avec intention criminelle.

pre·pon·der·ance [priˈpɔndərəns] prépondérance *f*; **pre·ˈpon·der·ant** ☐ prépondérant; **pre·ˈpon·der·ate** [~reit] peser davantage; *fig.* l'emporter (sur, over).

prep·o·si·tion *gramm.* [prepəˈziʃn] préposition *f*; **prep·o·ˈsi·tion·al** ☐ prépositionnel(le *f*).

pre·pos·sess [priːpəˈzes] imprégner, pénétrer (*l'esprit*) (de, with); prévenir (*q.*) (en faveur de, *in favour of*; contre, *against*); **pre·posˈsess·ing** ☐ prévenant; agréable; **pre·posˈses·sion** [~ˈzeʃn] prévention *f*, préjugé *m*.

pre·pos·ter·ous [priˈpɔstərəs] ab-

surde; déraisonnable; contraire au bon sens.

pre·puce *anat.* [ˈpriːpjuːs] prépuce *m*.

pre·req·ui·site [ˈpriːˈrekwizit] nécessité *f* préalable; condition *f* préalable.

pre·rog·a·tive [priˈrɔgətiv] prérogative *f*; privilège *m*.

pres·age [ˈpresidʒ] **1.** présage *m*; pressentiment *m*; **2.** présager, annoncer; prédire.

pres·by·ter [ˈprezbitə] prêtre *m* ancien *m*; **Pres·by·te·ri·an** [~ˈtiəriən] **1.** presbytérien(ne *f*); **2.** Presbytérien(ne *f*) *m*; **pres·by·ter·y** [ˈ~təri] △ sanctuaire *m*; *eccl.* presbytère *m*, consistoire *m*.

pre·sci·ence [ˈpresiəns] prescience *f*, prévision *f*; **ˈpre·sci·ent** prescient, prévoyant.

pre·scribe [prisˈkraib] *v/t.* prescrire, ordonner (*a.* ⚕); *v/i.* ~ *for* prescrire à, ordonner à (*q.*); ⚕ indiquer un traitement pour (*q.*); ⚖ (*ou* ~ *to*) prescrire, acquérir (*un droit*) par prescription.

pre·script [ˈpriːskript] prescription *f*, précepte *m*; **pre·scrip·tion** [prisˈkripʃn] prescription *f* (*a.* ⚖); ordre *m*; ⚕ ordonnance *f*; ⚖ coutume *f*; droit *m* consacré par l'usage; **pre·ˈscrip·tive** ☐ consacré par l'usage; ordonnateur (-trice *f*).

pres·ence [ˈprezns] présence *f*; mine *f*, air *m*, maintien *m*; *in the* ~ *of* en présence de (*q.*); ~ *of mind* présence *f* d'esprit; 'ˈ~·cham·ber salle *f* d'audience.

pres·ent¹ [ˈpreznt] **1.** ☐ présent; actuel(le *f*); courant (*année etc.*); ~ *record holder* recordman *m* de l'heure; *gramm.* ~ *tense* présent *m*; ~ *value* valeur *f* actuelle; ~! présent!; **2.** présent *m* (*a. gramm.*); temps *m* présent; ✝ *by the* ~, ⚖ *by these* ~s par la présente; *at* ~ à présent, actuellement; *for the* ~ pour le moment.

pre·sent² [priˈzent] présenter (*a. qch. à q.*, *s.o. with s.th.*); donner; offrir; faire cadeau de (*qch.*); ~ *o.s.* se présenter; s'offrir; ~ *one's compliments to s.o.* présenter ses compliments à q.

pres·ent³ [ˈpreznt] cadeau *m*; *make s.o. a* ~ *of s.th.* faire cadeau de qch. à q.

pre·sent·a·ble [pri'zentəbl] présentable; portable (*robe etc.*).

pres·en·ta·tion [prezən'teiʃn] présentation *f*; ✝ remise *f*; *théâ.* (re)présentation *f*; souvenir *m*; ~ *copy* spécimen *m* gratuit; exemplaire *m* offert à titre d'hommage.

pres·ent-day ['prezntdei] d'aujourd'hui, actuel(le *f*).

pre·sen·ti·ment [pri'zentimənt] pressentiment *m*.

pres·ent·ly ['prezntli] bientôt; tout à l'heure; F actuellement.

pre·sent·ment [pri'zentmənt] *see presentation*; ⚖ déclaration *f* émanant du jury; *théâ.* représentation *f*.

pres·er·va·tion [prezə'veiʃn] conservation *f*; préservation *f* (*de, from*); maintien *m*; ~ *of natural beauty* préservation *f* des beautés de la nature; *in good* ~ en bon état de conservation *f*; **pre·serv·a·tive** [pri'zə:vətiv] 1. préservateur (-trice *f*); 2. préservatif *m*; antiseptique *m*.

pre·serve [pri'zə:v] 1. préserver, garantir (*de, from*); conserver; mettre en conserve; maintenir; garder (*le silence, la chasse*); ⚓ naturaliser; élever (*du gibier*) dans une réserve. 2. chasse *f* gardée; réserve *f*; *poisson:* vivier *m*; confiture *f*; **pre'serv·er** préservateur (-trice *f*) *m*; sauveur *m*; propriétaire *m* d'une chasse gardée *ou* d'un vivier; conservateur (-trice *f*) *m*; agent *m* de conservation.

pre·side [pri'zaid] présider (*qch.*, à *qch. over s.th.*); occuper le fauteuil présidentiel; ~ *over an assembly* présider une assemblée.

pres·i·den·cy ['prezidənsi] présidence *f*; *école:* directorat *m*, rectorat *m*; **'pres·i·dent** président(e *f*) *m*; *école:* (di)recteur *m*; ✝ *Am.* directeur *m* général; **pres·i·den·tial** [‿'denʃl] présidentiel(le *f*).

press [pres] 1. pression *f* (*sur qch.*); presse *f* (*hydraulique, à copier, de journaux, fig. des affaires, a. typ.*); *typ.* imprimerie *f*; 2. *v/t.* presser; appuyer sur; serrer (*a.* ✖); donner un coup de fer à (*une robe etc.*); *fig.* poursuivre (*un avantage*); forcer à accepter; réclamer (*une dette, une réponse*); imposer (*une opinion*); ~ *the button* appuyer sur le bouton; ~ *the point that* insister sur le fait

que; *be* ~*ed for time* être très pressé *ou* à court de temps; *v/i.* se serrer, se presser; ~ *for* insister pour obtenir *ou* pour que (*sbj.*); ~ *on* presser le pas, forcer le pas, se dépêcher; ~ (*up*)*on* peser à (*q.*); ~ **a·gen·cy** agence *f* d'informations; ~ **a·gent** agent *m* de publicité; ~ **but·ton** bouton *m* à pression; *gant:* bouton *m* fermoir; ~ **cor·rec·tor** *typ.* correcteur *m* (-trice *f*); ~ **cut·ting** coupure *f* de journal; **'press·er** presse *f* (*à viande*); pressoir *m* (*aux raisins*); presseur (-euse *f*) *m* (*personne*); **'press·ing** □ pressant; urgent, pressé; **'press·man** ⊕ presseur *m*; journaliste *m*; **press-mark** *bibliothèque:* numéro *m* de classement; **pres·sure** ['preʃə] pression *f* (*a. fig.*); ⚡, ⚙ tension *f*; **pres·sure-cook·er** marmite *f* à pression; **'pres·sure-gauge** ⊕ manomètre *m*; **pres·sur·ize** ['‿raiz] ⚓ pressuriser; **'press-work** *typ.* impression *f*.

pres·ti·dig·i·ta·tion ['prestididʒi'teiʃn] prestidigitation *f*.

pres·tige [pres'ti:ʒ] prestige *m*; crédit *m*.

pre·sum·a·ble □ [pri'zju:məbl] présumable (de la part de q., *of s.o.*); **pre'sum·a·bly** [‿i] probablement; **pre'sume** *v/t.* présumer, supporter; *v/i.* présumer; prendre des libertés; se permettre (*de, to*); prendre la liberté (*de, to*); ~ (*up*)*on* abuser de; se prévaloir de; **pre'sumed·ly** [‿idli] probablement; **pre'sum·ing** □ présomptueux (-euse *f*); indiscret (-ète *f*).

pre·sump·tion [pri'zʌmpʃn] présomption *f*; arrogance *f*; préjugé *m*; *qqfois* conclusion *f*; **pre'sump·tive** □ par présomption; *heir* ~ héritier *m* présomptif; **pre'sump·tu·ous** □ [‿tjuəs] présomptueux (-euse *f*), outrecuidant.

pre·sup·pose [pri:sə'pouz] présupposer; **pre·sup·po·si·tion** [pri:sʌpə'ziʃn] présupposition *f*.

pre·tence, *Am.* **pre·tense** [pri'tens] (faux) semblant *m*; prétexte *m*; prétention *f* (à, *to*); *false* ~ fraude *f*; faux semblant *m*.

pre·tend [pri'tend] feindre, simuler; prétendre (*inf.*, *to inf.*; à *qch.*, *to s.th.*); faire semblant (*de inf.*, *to* *inf.*); pre'tend·ed □ feint, faux (fausse *f*); soi-disant (*personne*); prétendu; pre'tend·er simulateur (-trice *f*) *m*; prétendant *m* (*au trône*).

pre·ten·sion [pri'tenʃn] prétention *f*; droit *m*, titre *m*.

pre·ten·tious [pri'tenʃəs] prétentieux (-euse *f*); pre'ten·tious·ness prétention *f*.

pret·er·it(e) *gramm.* ['pretərit] prétérit *m*, passé *m*.

pre·ter·mis·sion [pri:tə'miʃn] omission *f*; interruption *f*.

pre·ter·mit [pri:tə'mit] omettre; interrompre; négliger (de *inf.*).

pre·ter·nat·u·ral □ [pri:tə'nætʃrəl] surnaturel(le *f*).

pre·text ['pri:tekst] prétexte *m*, excuse *f*.

pret·ti·ness ['pritinis] gentillesse *f* (*a.* style).

pret·ty ['priti] 1. *adj.* □ joli, beau (bel *devant une voyelle ou un h muet*; belle *f*); gentil(le *f*); my ∼! ma mignonne!; 2. *adv.* assez, passablement; ∼ near à peu près; ∼ close to perfect presque parfait; ∼ much the same thing à peu près la même chose; a ∼ large number un assez grand nombre.

pre·vail [pri'veil] prédominer; régner; prévaloir (sur, over; contre, against); l'emporter (sur over, against); ∼ (up)on s.o. to (*inf.*) amener *ou* déterminer q. à (*inf.*); pre'vail·ing □ courant; en vogue; dominant.

prev·a·lence ['prevələns] prédominance *f*; généralité *f*; fréquence *f*; 'prev·a·lent □ (pré)dominant; répandu, général (-aux *m/pl.*).

pre·var·i·cate [pri'værikeit] équivoquer; mentir; pre·var·i·ca·tion équivoques *f/pl.*; mensonge *m*; pre'var·i·ca·tor (-euse *f*) *m*; menteur (-euse *f*) *m*.

pre·vent [pri'vent] empêcher (de, from); mettre obstacle à (*qch.*); prévenir (*un malheur etc.*); pre'vent·a·ble évitable; pre'vent·a·tive [∼tətiv] see preventive; pre'vent·er empêcheur (-euse *f*) *m*; ⊕ faux étai *m*; pre'ven·tion empêchement *m*; protection *f* (contre, of); pre'ven·tive 1. □ préventif (-ive *f*); ∼ custody détention *f* préventive; ∼ detention emprisonnement *m* à

titre préventif; 2. empêchement *m*; médicament *m* préventif; mesure *f* préventive (contre, of).

pre·view ['pri:vju:] exhibition *f* préalable; *cin.* avant-première *f*.

pre·vi·ous □ ['pri:viəs] antérieur, antécédent (à, to); préalable; F trop pressé; ∼ conviction condamnation *f* antérieure; ∼ to a. avant; ∼ly auparavant; préalablement.

pre·vi·sion [pri:'viʒn] prévision *f*.

pre·vo·ca·tion·al train·ing [pri:vo'keiʃnl'treiniŋ] enseignement *m* professionnel.

pre-war ['pri:'wɔ:] d'avant-guerre.

prey [prei] 1. proie *f*; *beast (bird)* of ∼ bête *f* (oiseau *m*) de proie; 2.: ∼ (up)on faire sa proie de; piller, ravager; *fig.* ronger.

price [prais] 1. prix *m*; *course:* cote *f*; *bourse:* cours *m*; at any ∼ coûte que coûte; 2. mettre un prix à; estimer, évaluer; demander le prix de; 'price·less inestimable; *sl.* impayable.

prick [prik] 1. piqûre *f*; *fig.* picoterie *f*; *conscience:* remords *m*; 2. *v/t.* piquer; crever (*une ampoule*); ⊕ pointer (*une carte*); (a. ∼ out) tracer un dessin en le piquant; ✗ out repiquer; ∼ up one's ears dresser l'oreille; *v/i.* picoter; fourmiller (*membre*); ∼ up se dresser; 'prick·er poinçon *m*, pointe *f*; prick·le ['∼l] piquant *m*, épine *f*; 'prick·ly épineux (-euse *f*); ⊛ ∼ heat bouton *m* de chaleur; ♀ ∼ pear figuier *m ou* figue *f* de Barbarie.

pride [praid] 1. orgueil *m*; *péj.* vanité *f*; faste *m*; *saison etc.:* apogée *m*; ∼ of place priorité *f*; take ∼ in être fier (fière *f*) de; 2.: ∼ o.s. se piquer, se faire gloire, tirer vanité (de, [up]on).

pri·er ['praiə] curieux (-euse *f*) *m*.

priest [pri:st] prêtre *m*; '∼craft *péj.* cléricalisme *m*; intrigues *f/pl.* sacerdotales; 'priest·ess prêtresse *f*; priest·hood ['∼hud] le clergé *m*; sacerdoce *m*; 'priest·ly sacerdotal (-aux *m/pl.*).

prig [prig] 1. poseur *m* à la vertu; *sl.* chipeur (-euse *f*) *m*; 2. *sl.* chiper; 'prig·gish □ suffisant; collet monté *adj./inv.*

prim □ [prim] guindé, compassé; collet monté *adj./inv.* (*personne*).

pri·ma·cy ['praiməsi] primauté *f*;

eccl. primatie *f*; **pri·ma·ri·ly** ['⁓rili] principalement; **'pri·ma·ry** □ principal (-aux *m/pl.*); primitif (-ive *f*); premier (-ère *f*) (*a. importance*); *♃, ⚓, astr., couleur, école:* primaire; *Am.* ⁓ (*meeting*) élection *f* primaire directe; *see share;* **pri·mate** *eccl.* ['⁓mit] primat *m.*

prime [praim] 1. □ premier (-ère *f*); de premier ordre; principal (-aux *m/pl.*); de surchoix (*viande*); ✝ ⁓ cost prix *m* coûtant, prix *m* d'achat; ♀ *Minister* président *m* du Conseil; premier ministre *m*; ⁓ *number* nombre *m* premier; 2. *fig.* perfection *f*; fleur *f* de l'âge; choix *m*; premiers jours *m/pl.*; *eccl.* prime *f*; 3. *v/t.* amorcer (*une arme, un obus, une pompe*); *peint.* apprêter; *fig.* faire la leçon à; abreuver (*q. d'alcool*); *v/i.* ⊕ primer.

prim·er¹ ['praimə] premier cours *m* ou livre *m* de lecture; premiers éléments *m/pl.*; *typ.* ['primə]: great ⁓ gros romain *m*; corps 16; long ⁓ philosophie *f*; corps 10.

prim·er² ['praimə] amorceur *m*; apprêteur *m*; *peint.* couche *f* d'impression.

pri·me·val [prai'mi:vəl] primordial (-aux *m/pl.*).

prim·ing ['praimiŋ] *peint.* apprêtage *m*; couche *f* d'impression; ✂ amorce *f*; amorçage *m.*

prim·i·tive ['primitiv] 1. □ primitif (-ive *f*), primaire, rude, grossier (-ère *f*); 2. *gramm.* mot *m* primitif; *peint.* primitif *m*; **'prim·i·tive·ness** caractère *m* primitif; *peuple:* rudesse *f.*

prim·ness ['primnis] air *m* collet monté; *chambre etc.:* ordre *m* parfait.

pri·mo·gen·i·ture [praimo'dʒenitʃə] primogéniture *f*; droit *m* d'aînesse.

pri·mor·di·al □ [prai'mɔ:diəl] primordial (-aux *m/pl.*).

prim·rose ✿ ['primrouz] primevère *f* (à grandes fleurs); *fig.* ⁓ path chemin *m* de velours.

prince [prins] prince *m*; **'prince·like** princier (-ère *f*); **'prince·ly** princier (-ère *f*); royal (-aux *m/pl.*) (*a. fig.*); *fig.* magnifique; **prin·cess** [prin'ses; *devant npr.* 'prinses] princesse *f.*

prin·ci·pal ['prinsəpəl] 1. □ principal (-aux *m/pl.*); en chef; premier (-ère *f*); *gramm.* ⁓ parts *pl.* temps *m/pl.* principaux (*du verbe.*); 2. directeur *m*; chef *m*; patron *m*; ✝ employeur *m*; ⚖ *crime:* auteur *m*; ✝ capital *m*; *univ.* recteur *m*; **prin·ci·pal·i·ty** [prinsi'pæliti] principauté *f.*

prin·ci·ple ['prinsəpl] principe *m* (*a.* ⚗); in ⁓ en principe; on ⁓ par principe; on a ⁓ d'après un principe.

prink F [priŋk] (s')attifer.

print [print] 1. empreinte *f* (*digitale*); impression *f*; moule *m*; trace *f*; gravure *f*, estampe *f*; *typ.* matière *f* imprimée; caractères *m/pl.*; *phot.* copie *f*, épreuve *f*; ⊕ dessin; *usu. Am.* journal *m*; feuille *f* imprimée; ✝ *tex.* indienne *f*, cotonnade *f*; out of ⁓ épuisé; in cold ⁓ à la lecture, par écrit; please ⁓ écrire en lettres d'imprimerie; 2. *v/t.* imprimer; marquer d'une empreinte; *phot.* tirer une épreuve de; *fig.* ⁓ o.s. se graver (dans, on); ⁓ed form imprimé; ⁓ed matter imprimés *m/pl.*; *v/i.* être à l'impression; **'print·er** imprimeur *m*; ouvrier *m* typographe; ⁓'s devil apprenti *m* imprimeur; ⁓'s flower fleuron *m*; ⁓'s ink encre *f* d'impression.

print·ing ['printiŋ] impression *f*; *art:* imprimerie *f*; *phot.* tirage *m*; *attr.* à imprimer; d'impression; **'⁓-frame** châssis *m* (*positif*); **'⁓-ink** noir *m* d'imprimerie; **'⁓-of·fice** imprimerie *f*; **'⁓-pa·per** *phot.* papier *m* photographique; papier *m* sensible; **'⁓-press** presse *f* d'imprimerie.

pri·or ['praiə] 1. *adj.* préalable; antérieur (à, to); 2. *adv.*: ⁓ to antérieurement à; 3. *su. eccl.* prieur *m*; **'pri·or·ess** *eccl.* prieure *f*; **pri·or·i·ty** ['⁓riti] priorité *f* (sur, over); antériorité *f*; *see share;* **pri·o·ry** *eccl.* ['⁓əri] prieuré *m.*

prism [prizm] prisme *m*; ⁓ binoculars *pl.* jumelles *f/pl.* à prismes; **pris·mat·ic** [priz'mætik] (⁓ally) prismatique.

pris·on ['prizn] 1. prison *f*; 2. *poét.* emprisonner; **'pris·on·er** prisonnier (-ère *f*) *m*, accusé(e *f*) *m*, prévenu(e *f*) *m*; détenu(e *f*) *m*; *fig.* be a ⁓ to être cloué à; take s.o. ⁓

faire q. prisonnier (-ère f); ~'s bars
(ou base) (jeu m de) barres f/pl.

pris·sy Am. F ['prisi] chichiteux
(-euse f).

pris·tine ['pristain] premier (-ère f),
primitif (-ive f).

pri·va·cy ['praivəsi] intimité f;
secret m; in the ~ of retiré dans.

pri·vate ['praivit] 1. □ privé; particulier (-ère f); personnel(le f);
secret (-ète f); réservé; retiré (endroit); ~ company société f en nom
collectif; ~ gentleman rentier m;
parl. ~ member simple député m;
~ theatricals comédie f de salon;
~ view exposition: avant-première f;
~ sale vente f à l'amiable; 2. ⚔ (ou
~ soldier) simple soldat m; ~s pl.
(usu. ~ parts pl.) parties f/pl. sexuelles; in ~ en séance privée; sans
témoins; dans l'intimité; en famille.

pri·va·teer ⚓ [praivi'tiə] vaisseau,
a. personne: corsaire m; **pri·va'teer·ing** course f; attr. de course.

pri·va·tion [prai'veiʃn] privation f
(a. fig.).

pri·va·tive □ ['privətiv] négatif
(-ive f); gramm. privatif (-ive f).

priv·et ♣ ['privit] troène m.

priv·i·lege ['privilidʒ] 1. privilège
m, prérogative f; 2. privilégier (q.),
accorder le privilège à (q.) (de inf.,
to inf.); ~d privilégié.

priv·i·ty ⚖ ['priviti] obligation f;
lien m de droit.

priv·y ['privi] 1. □: ~ to instruit de;
⚖ intéressé dans, trempé dans;
♀ Council Conseil m privé; ♀ Councillor conseiller m privé; ~ parts pl.
parties f/pl. sexuelles; ~ purse
cassette f du roi; ♀ Seal petit
Sceau m; Lord ♀ Seal Garde m du
petit Sceau; 2. ⚖ partie f intéressée; complice mf; F lieux m/pl.
d'aisance.

prize[1] [praiz] 1. prix m; loterie: lot
m; ⚓ prise f, capture f; first ~
loterie: le gros lot; 2. couronné;
médaillé; de prix; ⚓ de prise; ~
competition concours m pour un
prix; 3. estimer, priser; ⚓ capturer.

prize[2] [~] 1. (a. ~ open) forcer avec
un levier; 2. force f de levier.

prize...: '~-fight·er boxeur m professionnel; '~-list palmarès m;
'~·man, ~-win·ner lauréat(e f) m;
gagnant(e f) m du prix.

pro [prou] pour; see con[3].

prob·a·bil·i·ty [probə'biliti] probabilité f; '**prob·a·ble** □ probable.

pro·bate ⚖ ['proubit] homologation f (d'un testament).

pro·ba·tion [prə'beiʃn] épreuve f,
stage m; eccl. probation f; ⚖
liberté f surveillée; on ~ en stage;
⚖ en liberté sous surveillance;
pro'ba·tion·a·ry ⚖ period
période f de liberté surveillée;
pro'ba·tion·er stagiaire mf; eccl.
novice mf; ⚖ condamné(e f) m
mis(e f) en liberté sous surveillance.

pro·ba·tive ⚖ ['proubətiv] probant, probatoire.

probe ⚕ [proub] 1. sonde f,
poinçon m; surt. Am. parl., pol.
enquête f; 2. (a. ~ into) sonder;
'~-scis·sors pl. (sorte de) ciseaux
m/pl. de chirurgie, ciseaux m/pl.
boutonnés.

pro·bi·ty ['probiti] probité f.

prob·lem ['probləm] problème m
(a. ♞); question f; ~ play pièce f
à thèse; **prob·lem·at·ic, problem·at·i·cal** □ [~bli'mætik(l)] problématique; fig. douteux (-euse f).

pro·bos·cis zo. [prə'bosis] trompe f.

pro·ce·dur·al [prə'si:dʒərəl] de procédure; **pro'ce·dure** [~dʒə] procédure f; procédé m.

pro·ceed [prə'si:d] continuer son
chemin; aller (a. fig.); marcher (a.
fig.); continuer (qch., with s.th.);
agir; se mettre (à inf., to inf.);
poursuivre; ⚖ poursuivre (q.,
against s.o.); univ. prendre le grade
de; ~ from sortir de; ~ on one's
journey poursuivre sa route; **pro'ceed·ing** procédé m; façon f
d'agir; ~s pl. ⚖ procès m, poursuites f/pl. judiciaires; société:
transactions f/pl., débats m/pl.;
cérémonie f, séance f; ⚖ take ~s
against intenter un procès à; **pro·ceeds** ['prousi:dz] pl. produit m,
montant m (de, from); net ~ produit
m net.

pro·cess[1] [prə'ses] aller en procession.

proc·ess[2] ['prouses] 1. processus m
(a. anat.); procédé m; progrès m,
marche f, cours m; méthode f; ⚖,
a. anat. procès m; ♠ réaction f,
mode m (humide, sec); ♀ proéminence f; in ~ en voie; en train; in ~
of construction en voie ou cours de
construction; in the ~ of au cours

de; 2. ⊕ faire subir une opération à; apprêter; ~ *into* transformer en; **pro'cess·ing** ⊕ traitement *m (d'une matière première).*

pro·ces·sion [prə'seʃn] cortège *m*; défilé *m*; procession *f.*

pro·claim [prə'kleim] proclamer; déclarer (*a. la guerre*); publier (*les bans*); faire annoncer; *fig.* crier.

proc·la·ma·tion [prɔklə'meiʃn] proclamation *f*; déclaration *f*; publication *f.*

pro·cliv·i·ty [prə'kliviti] penchant (à, *to*).

pro·cras·ti·nate [prou'kræstineit] remettre (qch.) à plus tard; temporiser; **pro·cras·ti·na·tion** remise *f* à plus tard; temporisation *f.*

pro·cre·ate ['proukrieit] engendrer; **pro·cre·a·tion** procréation *f*; **'pro·cre·a·tive** procréateur (-trice *f*).

proc·tor ['prɔktə] ₤ᵗᵗ procureur *m (devant une cour)*; *univ.* censeur *m*; *sl.* ~s (*bull*)dog appariteur *m* du censeur; **'proc·tor·ize** *univ.* réprimander; infliger une amende à.

pro·cum·bent [prou'kʌmbənt] couché sur le ventre; ⚷ rampant.

pro·cur·a·ble [prə'kjuərəbl] procurable.

proc·u·ra·tion [prɔkju'reiʃn] procuration *f*; ⊹ commandement *m*; *by* ~ en vertu d'un commandement; **'proc·u·ra·tor** fondé *m* de pouvoir; procureur *m.*

pro·cure [prə'kjuə] *v/t.* obtenir; procurer (qch. à q. *s.o. s.th., s.th. for s.o.*); *v/i.* faire le métier de proxénète; **pro'cure·ment** obtention *f*; proxénétisme *m*; **pro·'cur·er** acquéreur (-euse *f*) *m*; entremetteur *m*; **pro'cur·ess** entremetteuse *f*, procureuse *f.*

prod [prɔd] 1. coup *m* de coude *etc.*; *fig.* aiguillon *m*; 2. pousser (*du bout d'un bâton etc.*); *fig.* aiguillonner.

prod·i·gal ☐ ['prɔdigəl] 1. prodigue (de, *of*); *the* ♀ *Son* l'enfant prodigue; 2. prodigue *mf*; **prod·i·gal·i·ty** [~'gæliti] prodigalité *f.*

pro·di·gious ☐ [prə'didʒəs] prodigieux (-euse *f*); **prod·i·gy** ['prɔdidʒi] prodige *m*; *fig.* merveille *f*; (*souv. infant* ~) enfant *m* prodige.

prod·uce¹ ['prɔdjuːs] *champ*: rendement *m*; produit *m*; *coll.* denrées *f/pl.*, produits *m/pl.*

pro·duce² [prə'djuːs] produire;

créer; ₤ᵗᵗ, *théâ.* représenter; ⚡ engendrer (*du courant*); causer, provoquer; ⊕ fabriquer; *théâ.* mettre en scène; ⊅ prolonger; *cin.* éditer, diriger; **pro'duc·er** producteur (-trice *f*) *m*; *théâ.* metteur *m* en scène; *cin.* directeur *m* de productions; *surt. Am.* tenancier *m* d'un théâtre; *gas*-~ gazogène *m*; **pro'duc·i·ble** productible; **pro·'duc·ing** producteur (-trice *f*); productif (-ive *f*).

prod·uct ['prɔdʌkt] produit *m* (*a.* ⚴), résultat *m*; **pro·duc·tion** [prə'dʌkʃn] production *f* (*a. d'un livre*); *théâ.* mise *f* en scène; ₤ᵗᵗ, *théâ.* représentation *f*; ⊕ fabrication *f*, fabrique *f*; produit *m*, -s *m/pl.*; ⊅ prolongement *m*; *be in good* ~ être fabriqué en grand nombre; ⊕ *flow* ~ travail (*pl.* -aux) *m* à la chaîne; **pro'duc·tive** ☐ productif (-ive *f*), générateur (-trice *f*) (de, *of*); fécond (*sol*); *en rapport* (*capital, arbre, usine, etc.*); **pro'duc·tive·ness**, **pro·duc·tiv·i·ty** [prɔdʌk'tiviti] productivité *f.*

prof *Am.* F [prɔf] professeur *m*, F prof *m.*

prof·a·na·tion [prɔfə'neiʃn] profanation *f*; **pro·fane** [prə'fein] 1. ☐ profane; impie; blasphématoire; non initié; 2. profaner; polluer; *fig.* violer; **pro·fan·i·ty** [prə·'fæniti] impiété *f*; blasphème *m*, -s *m/pl.*

pro·fess [prə'fes] déclarer; professer (*la foi, école: un sujet*); faire profession de; exercer (*un métier*); prétendre; ~ *to be s.th.* passer pour qch.; **pro'fessed** ☐ prétendu; soi-disant; *fig.* déclaré; *eccl.* profès (-esse *f*); **pro'fess·ed·ly** [~idli] de son propre aveu.

pro·fes·sion [prə'feʃn] profession *f*, métier *m*; déclaration *f*; **pro'fes·sion·al** 1. ☐ professionnel(le *f*); expert; du *ou* de métier; *the* ~ *classes* les membres *m/pl.* des professions libérales; 2. expert *m*; *sp.* professionnel(le *f*) *m*; **pro'fes·sion·al·ism** [~əlizm] professionnalisme *m.*

pro·fes·sor [prə'fesə] professeur *m*; **pro'fes·sor·ship** professorat *m*; chaire *f.*

prof·fer ['prɔfə] 1. offrir; 2. offre *f.*

pro·fi·cien·cy [prə'fiʃənsi] compétence *f*, capacité *f* (en, *in*); **pro'fi-cient 1.** □ compétent; versé (dans *in*, *at*); **2.** expert *m* (en, *in*).

pro·file ['proufail] profil *m* (*a.* △); silhouette *f*; △ coupe *f* perpendiculaire.

prof·it ['prɔfit] **1.** profit *m*; avantage *m*; ♰ *souv.* ~s *pl.* bénéfice *m*; excess ~ bénéfices *m/pl.* extraordinaires; **2.** *v/t.* profiter à (*q.*); *v/i.:* ~ *by* profiter de; mettre (*qch.*) à profit; **'prof·it·a·ble** □ profitable; avantageux (-euse *f*); rémunérateur (-trice *f*); **'prof·it·a·ble·ness** nature *f* avantageuse; profit *m*, avantage *m*; **prof·it·eer** [~'tiə] **1.** faire des bénéfices excessifs; **2.** profiteur (-euse *f*) *m*, mercanti *m* (*surt. de guerre*); **prof·it·eer·ing** mercantilisme *m*; **'prof·it·less** □ sans profit; **prof·it-shar·ing** ['~-ʃɛəriŋ] participation *f* aux bénéfices.

prof·li·ga·cy ['prɔfligəsi] débauche *f*; prodigalité *f*; **prof·li·gate** ['~git] **1.** □ débauché, libertin; prodigue; **2.** débauché(e *f*) *m*, libertin(e *f*) *m*.

pro·found □ [prə'faund] profond (*a. fig.*); *fig.* absolu; **pro'found-ness**, **pro·fun·di·ty** [~'fʌnditi] profondeur *f* (*a. fig.*).

pro·fuse □ [prə'fju:s] prodigue (de *in*, *of*); abondant, excessif (-ive *f*); **pro'fuse·ness**, **pro·fu·sion** [~'fju:ʒn] profusion *f*, abondance *f*.

prog *sl.* [prɔg] boustifaille *f*.

pro·gen·i·tor [prou'dʒenitə] aïeul *m*, ancêtre *m*; **pro'gen·i·tress** aïeule *f*; **prog·e·ny** ['prɔdʒini] progéniture *f*; descendants *m/pl.*; *fig.* conséquence *f*.

prog·no·sis ♣⁸ [prɔg'nousis], *pl.* -ses [~si:z] pronostic *m*; *science:* prognose *f*.

prog·nos·tic [prəg'nɔstik] **1.** pronostique; *be* ~ *of* prédire (*qch.*); **2.** pronostique *m*; symptôme *m*; **prog'nos·ti·cate** [~keit] pronostiquer; prédire; **prog·nos·ti·ca·tion** pronostication *f*.

pro·gram(me) ['prougræm] programme *m* (*a. traitement de l'information*); **'pro·gram·mer** *radio:* programmateur *m*; *traitement de l'information personne:* programmeur *m*, *machine:* programmateur *m*; **'pro·gram·ming** *radio, traitement de l'information:* programmation *f*.

prog·ress¹ ['prougres] progrès *m*; avancement *m*; marche *f* (*a.* ⚔); étapes *f/pl.* successives; *in* ~ en cours (d'exécution).

pro·gress² [prə'gres] s'avancer; faire des progrès; **pro'gres·sion** [~ʃn] progression *f* (*a.* ♪); ♪ marche *f*; **pro'gress·ist** *pol.* progressiste (*a. su./mf*); **pro'gres·sive** □ progressif (-ive *f*); du progrès; *pol.* progressiste (*a. su./mf*).

pro·hib·it [prə'hibit] défendre, interdire (*qch.*, *s.th.*; à q. de *inf.*, *s.o. from gér.*); empêcher (q. de *inf.*, *s.o. from gér.*); **pro·hi·bi·tion** [proui'biʃn] prohibition *f*, défense *f*; *Am.* régime *m* sec; **pro·hi·bi·tion·ist** prohibitionniste *mf*; *surt. Am.* partisan *m* du régime sec; **pro'hib·i·tive** □ [prə'hibitiv], **pro'hib·i·to·ry** [~təri] prohibitif (-ive *f*); *prohibitive duty* droits *m/pl.* prohibitifs.

proj·ect¹ ['prɔdʒekt] projet *m*.

pro·ject² [prə'dʒekt] *v/t.* projeter (*a.* ♣); lancer; avancer; ~ *o.s. into* se transporter dans; *v/i.* faire saillie; **pro·jec·tile** [prə'dʒektail] projectile (*a. su./m*); **pro'jec·tion** ♣, *cin.*, *lumière*, *cartes:* projection *f*; lancement *m*; △ (partie *f* qui fait) saillie *f*; *fig.* image *f*; prolongement *m*; **pro'jec·tor** projecteur (-euse *f*) *m*; ♰ fondateur (-trice *f*) *m*; *opt.* projecteur *m*, appareil *m* de projection.

pro·le·tar·i·an [proule'tɛəriən] prolétaire (*a. su./mf*); prolétarien(ne *f*); **pro·le·tar·i·at(e)** [~riət] prolétariat *m*.

pro·lif·ic [prə'lifik] (~*ally*) prolifique; fécond (en *of*, *in*).

pro·lix □ ['prouliks] prolixe, diffus; **pro'lix·i·ty** prolixité *f*.

pro·logue, *Am. a.* **pro·log** ['proulɔg] prologue *m* (de, *to*).

pro·long [prə'lɔŋ] prolonger; ♰ proroger; ♪ allonger (*un coup d'archet*); **pro·lon·ga·tion** [proulɔŋ'geiʃn] prolongation *f*, prolongement *m*.

prom·e·nade [prɔmi'nɑ:d] **1.** promenade *f*; esplanade *f*; *théâ.* promenoir *m*; **2.** *v/i.* se promener (dans, *in*); parader; *v/t.* promener (*q.*).

prom·i·nence ['prɔminəns] éminence *f*; importance *f*; protubé-

rance *f*, saillie *f*; relief *m*; '**prom·i·
nent** □ éminent; remarquable;
saillant, prononcé.

prom·is·cu·i·ty [prɔmis'kjuːiti] promiscuité *f*; **pro·mis·cu·ous** □
[prə'miskjuəs] mêlé, confus; mixte;
sans distinction de sexe; F dévergondé.

prom·ise ['prɔmis] **1.** promesse *f*;
fig. espérance *f*; *of great* ~ plein de
promesses, d'un grand avenir;
2. *v/t.* promettre; *fig.* annoncer, laisser prévoir; F *I* ~ *you* je vous le promets; *v/i.* promettre; s'annoncer
(*bien, mal*); '**prom·is·ing** □ plein
de promesses, encourageant; **prom·
is·so·ry** ['~səri] promissoire; ✝ ~
note billet *m* à ordre.

prom·on·to·ry ⚓, *géog.* ['prɔməntri] promontoire *m*.

pro·mote [prə'mout] promouvoir
(*q.*); nommer (*q.*); *surt. Am. école:*
faire passer; *parl.* prendre l'initiative de (*un projet de loi*); ✝ fonder,
lancer (*une compagnie*); *surt. Am.*
faire de la réclame pour (*un produit*);**pro'mot·er** instigateur (-trice
f) *m*; ✝ fondateur *m*; monteur
m (*d'affaires*); **pro'mo·tion** avancement *m*, promotion *f*; ✝ stimulation *f* de la vente.

prompt [prɔmpt] **1.** □ prompt; rapide; immédiat; **2.** promptement;
3. inciter, pousser (à, *to*); suggérer
(qch. à q., *s.o. to s.th.*); inspirer (*un
sentiment*), donner (*une idée*); *théâ.*
souffler; **4.** ✝ délai *m* de paiement;
'~**-box** *théâ.* trou *m* du souffleur;
'**prompt·er** instigateur (-trice *f*) *m*;
théâ. souffleur (-euse *f*) *m*;
promp·ti·tude['~itjuːd],'**prompt·
ness** promptitude *f*, empressement
m.

pro·mul·gate ['prɔməlgeit] promulguer (*une loi*); répandre; **pro·
mul'ga·tion** *loi:* promulgation *f*;
idee: dissémination *f*; proclamation *f*.

prone □ [proun] couché sur le ventre; en pente (*terrain*); escarpé; *fig.*
~ *to* porté à; prédisposé à; '**proneness** disposition *f* (à, *to*).

prong [prɔŋ] fourchon *m*, *fourche:*
dent *f*; pointe *f*; *Am. rivière:* embranchement *m*; **pronged** à fourchons, à dents.

pro·nom·i·nal □ *gramm.* [prə'nɔminl] pronominal (-aux *m/pl.*).

pro·noun *gramm.* ['prounaun] pronom *m*.

pro·nounce [prə'nauns] *v/t.* déclarer; prononcer, articuler; *v/i.* prononcer (sur, *on*); se déclarer (pour,
in favour of); **pro'nounced** □ prononcé; marqué; **pro'nounc·ed·ly**
[~idli] de façon prononcée; **pro
'nounce·ment** déclaration *f*.

pro·nounc·ing [prə'naunsiŋ] qui
indique la prononciation.

pron·to *Am.* F ['prɔntou] sur-le-
champ. [prononciation *f.*]

pro·nun·ci·a·tion [prənʌnsi'eiʃn]

proof [pruːf] **1.** preuve *f* (*a. fig., a.* 🐘
alcool); *typ., phot.* épreuve *f*; *a. see
test* 1; confirmation *f*; *in* ~ *of* pour
ou en preuve de; **2.** résistant (à
against, to); à l'abri (de, *against*);
'~**-read·er** *typ.* correcteur (-trice *f*)
m;'~**-sheet** *typ.* épreuve *f*; '~**-spirit** 🐘 trois-six *m*.

prop [prɔp] **1.** appui *m* (*a. fig.*);
théâ. sl. accessoire *m*; *Am. sl.* épingle *f* de cravate; **2.** (*ou* ~ *up*) appuyer, soutenir.

prop·a·gan·da [prɔpə'gændə] propagande *f*; **prop·a·gan·dist** propagandiste *mf*; **prop·a·gate** ['prɔpəgeit] (se) propager (*a. fig.*); *fig.* (se)
répandre; **prop·a·ga·tion** propagation *f*; dissémination *f*; '**prop·aga·tor** propagateur (-trice *f*) *m*; semeur (-euse *f*) *m*.

pro·pel [prə'pel] pousser en avant;
mouvoir (*une machine*); **pro'pellant** propulseur *m*; **pro'pel·lent**
propulseur *m*; (*a. su./m*) propulsif
(-ive *f*); **pro'pel·ler** propulseur *m*;
⚓, ✈ hélice *f*; ~**-shaft** ⚓ arbre *m*
porte-hélice; ✈ arbre *m* à cardan;
mot. arbre *m* de transmission; **pro
'pel·ling** moteur (-trice *f*); ~ *pencil*
porte-mine *m/inv.*

pro·pen·si·ty [prə'pensiti] penchant
m, tendance *f* (à, *vers* **to**, *for*).

prop·er □ ['prɔpə] propre; (*souv.
après le su.*) proprement dit; particulier (-ère *f*) (à, *to*); juste, vrai;
convenable (à, *for*); comme il faut;
F parfait, dans toute l'acception
du mot; ~ *name* nom *m* propre;
'**prop·er·ty** (droit *m* de) propriété
f (*a.* ⚖, *a. fig.*); biens *m/pl.*; immeuble *m*, -s *m/pl.*; *fig. a.* qualité *f*;
théâ. accessoire *m*; *théâ.* **properties**
pl. a. réserve *f* de décors *etc.*;
'**prop·er·ty tax** impôt *m* foncier.

proph·e·cy ['prɔfisi] prophétie *f*; **proph·e·sy** ['‿sai] *vt/i.* prophétiser; *v/t. a.* prédire.

proph·et ['prɔfit] prophète *m*; '**proph·et·ess** prophétesse *f*; **pro-phet·ic, pro·phet·i·cal** □ [prɔ'fet-ik(l)] prophétique.

pro·phy·lac·tic [prɔfi'læktik] (‿ally) prophylactique (*a. su./m*).

pro·pin·qui·ty [prɔ'piŋkwiti] proximité *f*; voisinage *m*; parenté *f*.

pro·pi·ti·ate [prə'pifieit] apaiser; rendre favorable; **pro·pi·ti·a·tion** apaisement *m*; propitiation *f*; expiation *f*; **pro·pi·ti·a·tor** [‿tə] propitiateur (-trice *f*) *m*; **pro·pi·ti·a·to·ry** □ [‿fiətəri] propitiatoire; expiatoire.

pro·pi·tious □ [prə'pifəs] propice, favorable; **pro·pi·tious·ness** nature *f* propice *ou* favorable (*a. fig.*).

pro·por·tion [prə'pɔːʃn] **1.** partie *f*; part *f*; portion *f*; proportion *f* (*a.* ⚠, ⚥, ♓); ♓ proportionnalité *f*; ‿s *pl.* dimensions *f/pl.*, proportions *f/pl.*; **2.** proportionner (à, to); ⊕ déterminer les dimensions de; coter (*un dessin*); **pro·por·tion·al 1.** □ proportionnel(le *f*); en proportion (de, to); *see proportionate*; **2.** ♓ proportionnelle *f*; **pro·por·tion·ate** □ [‿it] proportionné (à, to).

pro·pos·al [prə'pouzəl] proposition *f*, offre *f*; demande *f* en mariage; projet *m*; **pro·pose** *v/t.* proposer; suggérer; porter (*un toast*); ‿ s.o.'s *health* boire à la santé de q., porter un toast à q.; ‿ to o.s. se proposer; *v/i.* faire la demande en mariage; demander sa main (à, to); **pro·pos·er** proposeur (-euse *f*) *m*; **pro·po·si·tion** [prɔpə'ziʃn] proposition *f* (*a. phls.*, ♓); *sl.* affaire *f*.

pro·pound [prə'paund] (pro)poser (*une question etc.*); exposer (*un programme*).

pro·pri·e·tar·y [prə'praiətəri] **1.** de propriété, de propriétaire; privé; possédant (*classe etc.*); ‿ *article* spécialité *f*; **2.** (droit *m* de) propriété *f*; **pro·pri·e·tor** propriétaire *mf*; patron(ne *f*) *m*; **pro·pri·e·tress** propriétaire *f*; patronne *f*; **pro·pri·e·ty** propriété *f*, justesse *f*; bienséance *f*; *the proprieties pl.* les convenances *f/pl.*, la décence *f*.

pro·pul·sion ⊕ [prə'pʌlʃn] propul-sion *f*; **pro·pul·sive** [‿siv] propulsif (-ive *f*); de propulsion.

pro·rate *Am.* [prou'reit] évaluer au pro rata.

pro·ro·ga·tion *parl.* [prourə'geiʃn] prorogation *f*; **pro·rogue** *parl.* [prə'roug] proroger.

pro·sa·ic [prou'zeiik] (‿ally) *fig.* prosaïque (= *banal*).

pro·scribe [pro'skraib] proscrire.

pro·scrip·tion [pros'kripʃn] proscription *f*; interdiction *f*.

prose [prouz] **1.** prose *f*; **2.** en prose; **3.** *v/t.* mettre en prose; *v/i.* F tenir des discours ennuyeux.

pros·e·cute ['prɔsikjuːt] poursuivre (*a. en justice*); ♓♓ intenter (*une action*); exercer (*un métier*); effectuer (*un voyage*); **pros·e·cu·tion** continuation *f*; exercice *m*; ♓♓ poursuites *f/pl.* (judiciaires); accusation *f*; *in* ‿ *of* conformément à; ♓♓ *the* ♀ *le* Ministère public; *witness for the* ‿ témoin *m* à charge; '**pros·e·cu·tor** ♓♓ plaignant *m*; poursuivant *m*; *public* ‿ Ministère *m* public; procureur *m*.

pros·e·lyte *eccl.* ['prɔsilait] prosélyte *mf*; **pros·e·lyt·ism** [‿litizm] prosélytisme *m*; '**pros·e·lyt·ize** *v/t.* convertir; *v/i.* faire des prosélytes.

pros·er ['prouzə] conteur *m* ennuyeux; F raseur *m*.

pros·o·dy ['prɔsədi] prosodie *f*, métrique *f*.

pros·pect **1.** ['prɔspekt] vue *f*; perspective *f* (*a. fig.*); paysage *m*; ‿s *pl.* espérances *f/pl.*, avenir *m*; † *Am.* client *m* possible; ⚒ prélèvement *m* d'essai; *have in* ‿ avoir (*qch.*) en vue; *hold out a* ‿ *of* offrir des espérances de (*qch.*); **2.** [prəs'pekt] ⚒ prospecter; ‿ *for* chercher; **pro·spec·tive** □ à venir; futur; ‿ *buyer* client *m* éventuel; **pro·spec·tor** ⚒ chercheur *m* (*d'or*); **pro·spec·tus** [‿təs] prospectus *m*.

pros·per ['prɔspə] (faire) réussir; *v/t.* prospérer; **pros·per·i·ty** [prɔs'periti] prospérité *f*; **pros·per·ous** □ ['‿pərəs] prospère, florissant; *fig.* propice; favorable (*vent etc.*).

pros·ti·tute ['prɔstitjuːt] **1.** prostituée *f*; *sl.* poule *f*; **2.** prostituer (*a. fig.*); **pros·ti·tu·tion** prostitution *f* (*a. fig.*).

pros·trate 1. ['prɔstreit] prosterné, étendu; ✿ prostré; *fig.* accablé,

abattu; **2.** [prɔs'treit] $\cancel{f}$ abattre; *fig.*
~ *o.s.* se prosterner (*devant*, before);
pros'tra·tion prosternation *f*; $\cancel{f}$
prostration *f*; *fig.* abattement *m*.

pros·y □ *fig.* ['prouzi] prosaïque;
verbeux (-euse *f*) (*personne*); ennuyeux (-euse *f*).

pro·tag·o·nist *théâ.*, *a. fig.* [prou-
'tægənist] protagoniste *m*.

pro·tect [prə'tekt] protéger (contre,
from); abriter (de, *from*); $\cancel{f}$ faire
provision pour; **pro'tec·tion** protection *f*; défense *f*; sauvegarde *f*;
patronage *m*; abri *m*; **pro'tec·tion-
ist** protectionniste (*a. su./mf*); **pro-
'tec·tive** protecteur (-trice *f*); de
sûreté; ~ *custody* détention *f* préventive; ~ *duty* droit *m* protecteur;
pro'tec·tor protecteur *m* (*a.* ⊕);
fig. patron *m*; ~ ⊕ protège- *m*; **pro-
'tec·tor·ate** [⎣tərit] protectorat *m*;
pro'tec·to·ry asile *m* des enfants
abandonnés; **pro'tec·tress** protectrice *f*; *fig.* patronne *f*.

pro·te·in ♘ ['prouti:n] protéine *f*.

pro·test 1. ['proutest] protestation *f*;
$\cancel{f}$ protêt *m*; *in* ~ *against* pour protester contre; *enter* (*ou make*) *a* ~
élever des protestations, faire une
protestation; **2.** [prə'test] *v/t.* protester (*a.* $\cancel{f}$); ~ *against* parer à; se
pourvoir contre; prévoir; $\cancel{f}$ faire
provision pour; ~*d that* pourvu que
(*sbj.*); à condi-
tion que (*ind. ou sbj.*).

Prot·es·tant ['prɔtistənt] protestant
(*a. su.*); **'Prot·es·tant·ism** protestantisme *m*.

prot·es·ta·tion [proutes'teiʃn] protestation *f*; **pro·test·er** [prə'testə]
protestateur (-trice *f*) *m*; protestataire *mf*; *débiteur m qui a fait*
protester un effet.

pro·to·col ['proutəkɔl] **1.** protocole
m; **2.** dresser un protocole.

pro·ton *phys.* ['prouton] proton *m*.

pro·to·plasm *biol.* ['proutəplæzm]
protoplasme *m*, protoplasma *m*.

pro·to·type ['proutətaip] prototype
m, archétype *m*.

pro·tract [prə'trækt] prolonger;
traîner (*qch.*) en longueur; *surv.* relever (*un terrain*); **pro'trac·tion** prolongation *f*; *surv.* relevé *m*; **pro-
'trac·tor** ⚖ rapporteur *m*.

pro·trude [prə'tru:d] *v/t.* faire sortir; *v/i.* faire saillie, s'avancer;
pro'tru·sion [⎣ʒn] saillie *f*; protubérance *f*.

pro·tu·ber·ance　　　[prə'tju:bərəns]

protubérance *f*; **pro'tu·ber·ant**
protubérant.

proud □ [praud] fier (fière *f*) (de
of, to); orgueilleux (-euse *f*); $\cancel{f}$
fongueux (-euse *f*) (*chair*).

prov·a·ble □ ['pru:vəbl] démontrable, prouvable; **prove** [pru:v] *v/t.*
prouver, démontrer; vérifier (*un
calcul*); ⊕ éprouver (*a. fig.*), essayer; *v/i.* se montrer, être, se
trouver; ~ *true* (*false*) se révéler
comme étant vrai (faux).

prov·e·nance ['prɔvinəns] origine *f*,
provenance *f*.

prov·en·der ['prɔvində] bêtes: fourrage *m*, provende *f*, F, *a. co.* nourriture *f*.

prov·erb ['prɔvəb] proverbe *m*; *be a*
~ être proverbial (-aux *m/pl.*); *péj.*
être d'une triste notoriété; *he is a* ~
for generosity sa générosité est
passée en proverbe; **pro·ver·bi·al**
□ [prə'və:biəl] proverbial (-aux
m/pl.).

pro·vide [prə'vaid] *v/t.* pourvoir,
fournir, munir (*q.*) (de, with); fournir (qch. à q., *s.o. with s.th.*); stipuler
(que, that); ~*d school* école *f* communale; *v/i.* venir en aide (à q., *for
s.o.*); ~ *against* parer à; se pourvoir
contre; ~ *for* pourvoir aux besoins
de; prévoir; $\cancel{f}$ faire provision pour;
~*d that* pourvu que (*sbj.*); à condition que (*ind. ou sbj.*).

prov·i·dence ['prɔvidəns] prévoyance *f*; prudence *f*; providence *f* (*divine*); épargne *f*; **'prov·i·dent** □
prévoyant; économe; frugal (-aux
m/pl.); ~ *society* société *f* de prévoyance; **prov·i·den·tial** [~-
'denʃl] providentiel(le *f*); F heureux
(-euse *f*).

pro·vid·er [prə'vaidə] pourvoyeur
(-euse *f*) *m*; fournisseur (-euse *f*) *m*.

prov·ince ['prɔvins] province *f*; ⚖⚖,
a. fig. juridiction *f*, ressort *m*, compétence *f*.

pro·vin·cial [prə'vinʃl] **1.** provincial
(-aux *m/pl.*); de province; **2.** pro-
vincial(e *f*) *m*; *péj.* rustre *m*; **pro-
'vin·cial·ism** provincialisme *m*
(*souv.* = *locution provinciale*); esprit
m de clocher.

pro·vi·sion [prə'viʒn] **1.** disposition
f; fourniture *f*; $\cancel{f}$ réserve *f*, provision *f*; *fig.* stipulation *f*, clause *f*;
~*s pl.* comestibles *m/pl.*, vivres
m/pl.; *make* ~ *for* pourvoir aux be-

soins de; prévoir; pourvoir à; ~-merchant marchand *m* de comestibles; 2. approvisionner, ravitailler; **pro'vi·sion·al** □ provisoire.

pro·vi·so [prə'vaizou] condition *f*; **with the ~ that** à condition que; **pro'vi·so·ry** [~zəri] conditionnel (-le *f*); provisoire (*gouvernement etc.*).

prov·o·ca·tion [prɔvə'keiʃn] provocation *f*; **pro·voc·a·tive** [prə'vɔkətiv] 1. provocateur (-trice *f*); provocant; 2. stimulant *m*.

pro·voke [prə'vouk] provoquer, inciter (à, to); exaspérer, irriter; faire naître, exciter; **pro'vok·ing** □ exaspérant, irritant, agaçant.

prov·ost ['prɔvəst] prévôt *m*; *écoss.* maire *m*; *univ.* principal *m*; ✗ [prə'vou]: ~ **marshal** grand prévôt *m*.

prow ⚓ [prau] proue *f*.

prow·ess ['prauis] prouesse *f*, vaillance *f*; exploit *m*, -s *m/pl.*

prowl [praul] 1. *v/i.* rôder (en quête de proie); *v/t.* rôder; 2. action *f* de rôder; *fig.* **be on the ~** rôder; *Am.* ~ **car** *police*: voiture *f* de patrouille.

prox·i·mate □ ['prɔksimit] proche, prochain, immédiat; approximatif (-ive *f*); **prox'im·i·ty** proximité *f*; **in the ~ of** à proximité de; **prox·i·mo** † ['~mou] (du mois) prochain.

prox·y ['prɔksi] procuration *f*; mandat *m*, pouvoir *m*; *personne*: mandataire *mf*, fondé *m* de pouvoir(s); délégué(e *f*) *m*; **by ~** par procuration.

prude [pru:d] prude *f*; F bégueule *f*.

pru·dence ['pru:dəns] prudence *f*, sagesse *f*; **'pru·dent** □ prudent, sage, judicieux (-euse *f*); **pru·den·tial** □ [pru'denʃl] prudent; dicté par la prudence.

prud·er·y ['pru:dəri] pruderie *f*; F pudibonderie *f*; **'prud·ish** □ prude; F pudibond.

prune¹ [pru:n] pruneau *m*.

prune² [~] émonder (*un arbre*); tailler (*un rosier etc.*); (*a.* ~ **away**, **off**) élaguer (*a. fig.*).

prun·ing...: '~-**hook** émondoir *m*; '~-**knife** serpette *f*.

pru·ri·ence, pru·ri·en·cy ['pruəriəns(i)] lasciveté *f*; curiosité *f* (de, after); **'pru·ri·ent** □ lascif (-ive *f*).

Prus·sian ['prʌʃn] 1. prussien(ne *f*);

~ **blue** bleu *m* de Prusse; 2. Prussien (-ne *f*) *m*.

prus·sic ac·id 🜋 ['prʌsik'æsid] acide *m* prussique.

pry¹ [prai] fureter; fouiller; ~ **into** chercher à pénétrer (*qch.*); F fourrer le nez dans; **'pry·ing** □ curieux (-euse *f*).

pry² [~] 1.: ~ **open** forcer la serrure de; forcer avec un levier; ~ **up** soulever à l'aide d'un levier; 2. levier *m*.

psalm [sɑ:m] psaume *m*; **'psalm·ist** psalmiste *m*; **psal·mo·dy** ['sælmədi] psalmodie *f*.

Psal·ter ['sɔ:ltə] psautier *m*.

pseudo... [psju:dou] pseud(o)-; faux (fausse *f*); **pseu·do·nym** ['~dɔnim] pseudonyme *m*; **pseu·don·y·mous** □ [~'dɔniməs] pseudonyme.

pshaw [pʃɔ:] peuh!; allons donc!

pso·ri·a·sis 🜋⁸ [psɔ'raiəsis] psoriasis *m*.

psy·chi·a·trist [sai'kaiətrist] psychiatre *m*; **psy·chi·a·try** psychiatrie *f*.

psy·chic ['saikik] 1. (*ou* **'psy·chi·cal** □) psychique; 2. ~**s** *sg.* métapsychique *f*; métapsychisme *m*.

psy·cho·a·nal·y·sis [saikouə'nælə-sis] psychanalyse *f*; **psy·cho·an·a·lyst** [~'ænəlist] psychanalyste *m*.

psy·cho·log·i·cal □ [saikə'lɔdʒikl] psychologique; **psy·chol·o·gist** [sai'kɔlədʒist] psychologue *m*; **psy·chol·o·gy** psychologie *f*.

psy·cho·sis [sai'kousis] psychose *f*.

pto·maine 🜋 ['toumein] ptomaïne *f*.

pub F [pʌb] cabaret *m*; *sl.* bistrot *m*.

pu·ber·ty ['pju:bəti] puberté *f*.

pu·bes·cence [pju'besns] puberté *f*; ♀ pubescence *f*; **pu'bes·cent** pubère; ♀ pubescent; velu.

pub·lic ['pʌblik] 1. □ public (-ique *f*); ~ **address system** (batterie *f* de) haut-parleurs *m/pl.*; ~ **enemy** ennemi *m* universel *ou* F public; ♀ **Health** hygiène *f*; santé *f* publique; ~ **house** cabaret *m*; *sl.* bistrot *m*; ~ **law** droit *m* public; ~ **library** bibliothèque *f* municipale *ou* communale; ~ **man** homme *m* public *ou* très en vue; ~ **spirit** civisme *m*, patriotisme *m*; **see school, utility, works**; 2. *sg. a. pl.* (grand) public *m*; F cabaret *m*; *sl.* bistrot *m*; **in ~** en public, publiquement; **pub·li·can** ['~kən] aubergiste *m*; débitant *m* de

boissons; *hist.* publicain *m*; **pub·li·**
'ca·tion publication *f*; apparition *f*
(*d'un livre*); *loi:* promulgation *f*;
ouvrage *m* (publié); *monthly* ~ revue
f etc. mensuelle; **pub·li·cist** ['~sist]
publiciste *m*; journaliste *m*; **pub-**
'lic·i·ty [~siti] publicité *f*; réclame
f; propagande *f*; service *m* de
presse; ~ *agent* agent *m* de publicité; **pub·li·cize** ['~saiz] faire connaître au public; **'pub·lic·'pri·vate**
mixte (*économie*); **'pub·lic·'spir-**
it·ed □ dévoué au bien public,
soucieux (-euse *f*) du bien public.
pub·lish ['pʌbliʃ] *usu.* publier;
éditer; promulguer (*une loi*); révéler, répandre; **'pub·lish·er** éditeur
m; libraire-éditeur (*pl.* libraires-
éditeurs) *m*; *Am.* propriétaire *m*
d'un journal; **'pub·lish·ing** publication *f*; mise *f* en vente; *attr.* d'é-
dition; ~ *house* maison *f* d'édition.
puck [pʌk] puck *m*; lutin *m*; *hockey*
sur glace: palet *m* en caoutchouc.
puck·er ['pʌkə] **1.** godet *m*, faux pli
m; *visage:* ride *f*; F embarras *m*;
2. *v/t.* froncer; faire goder; rider
(*le visage*); *v/i.* (*a.* ~ *up*) se crisper;
froncer, goder, grigner; se con-
tracter.   [cieux (-euse *f*).]
puck·ish □ ['pʌkiʃ] de lutin; mali-]
pud·ding ['pudiŋ] pudding *m*, pouding *m*; *black* ~ boudin *m*; *white* ~
boudin *m* blanc.
pud·dle ['pʌdl] **1.** flaque *f* (d'eau);
⊕ braye *f* (d'argile); **2.** *v/t.* ⊕ corroyer (*l'argile, le fer*); puddler (*le*
fer); damer (*la terre*); *v/i.* barboter;
'pud·dler ⊕ brasseur *m* mécanique; *personne:* puddleur *m*; **'pud-**
dling-fur·nace ⊕ four *m* à pud-
dler.   [**'pu·dent** pudique.]
pu·den·cy ['pjuːdənsi] pudicité *f*;]
pudg·y F ['pʌdʒi] boulot(te *f*).
pu·er·ile □ ['pjuərail] puéril; *péj. a.*
enfantin;   **pu·er·il·i·ty**   [~'riliti]
puérilité *f*.
puff [pʌf] **1.** *air, respiration:* souffle
m; *vapeur:* échappement *m* sou-
dain; *fumée, tabac:* bouffée *f*; *robe:*
bouillon *m*, *manche:* bouffant *m*;
houppe(tte) *f* (*à poudre*); *fig.* (*gâteau*
m) feuilleté *m*; tourtelet *m*; réclame
f; F haleine *f*; **2.** *v/t.* lancer, émettre
(*une bouffée de fumée etc.*); (*a.* ~
out, up) gonfler (*les joues etc.*); faire
balloner (*une manche*); (*a.* ~ *at*) tirer
sur (*une pipe*), fumer; (*a.* ~ *up*) van-

ter; ~ *up* augmenter (*le prix*); ~ed
eyes yeux *m/pl.* gonflés; ~ed *sleeve*
manche *f* bouffante; *v/i.* souffler,
lancer des bouffées (*de fumée*); ~ *out*
bouffer (*jupe*); **'puff·er** ✝ renchérisseur *m*, allumeur *m*; ✝ récla-
miste *m*; **'puff·er·y** art *m* du puffisme; réclame *f* tapageuse; **puff·i-**
ness ['~inis] boursouflure *f*; **'puff-**
ing ✝ puffisme *m*; réclame *f* tapageuse; **'puff-'paste** pâte *f* feuille-
tée; **'puff·y** qui souffle par bouffées
(*vent*); à l'haleine courte; gonflé;
boursouflé; bouffant (*manche*).
pug[1] [pʌg] (*ou* ~-*dog*) carlin *m*; petit
dogue *m*.   [pétrir (*l'argile*).]
pug[2] ⊕ [~] corroyer (*a. un bassin*).]
pu·gil·ism ['pjuːdʒilizm] pugilat *m*,
boxe *f*; **'pu·gil·ist** pugiliste *m*,
boxeur *m*.
pug·na·cious [pʌg'neiʃəs] batailleur
(-euse *f*); querelleur (-euse *f*);
pug·nac·i·ty [~'næsiti] caractère *m*
batailleur *ou* querelleur; attitude *f*
batailleuse *ou* querelleuse.
pug-nose ['pʌgnouz] nez *m* troussé.
puis·ne ✝ ['pjuːni] subalterne (*juge*).
puke *sl.* [pjuːk] dégobiller (= *vomir*).
pule [pjuːl] piauler, piailler.
pull [pul] **1.** (effort *m* de) traction *f*;
tirage *m*; force *f* d'attraction (*d'un*
aimant); *fig.* attrait *m*; *golf:* coup *m*
tiré; *rame:* coup *m* d'aviron; *typ.*
première épreuve *f*; F gorgée *f* (*de*
bière etc.); *sl.* avantage *m*, *sl.* piston
m; *sl.* ~ *at the bottle* coup *m* à même
la bouteille; ~*-fastener* fermeture *f*
éclair; **2.** *v/t.* tirer (*a. typ., a. sp.*
un cheval); traîner; cueillir (*un*
fruit); *fig.* attirer; ⚓ manier (*un*
aviron); ⚓ ramer; ⚓ souquer;
~ *the trigger* presser la détente;
F ~ *one's weight* y mettre du sien;
~ *down* faire descendre; baisser;
démolir; ~ *in* retenir (*un cheval*);
~ *off* arracher; ôter; remporter
(*un prix*); ~ *through* tirer (*q.*)
d'affaire; ~ *up* (re)monter; relever;
arracher (*une plante*); arrêter (*un*
cheval, une voiture, etc.); *fig.* réprimander; *v/i.* tirer (sur, *at*); *mot.*
peiner; ⚓ ramer; 🚢 ~ *out* sortir de
la gare; partir; ~ *through* se tirer
d'affaire; ~ *up* s'arrêter.
pul·let ['pulit] poulette *f*; *fattened* ~
poularde *f*.
pul·ley ⊕ ['puli] poulie *f*; *set of* ~*s*
pl. palan *m*, moufle *f*.

Pull·man car 🚗 ['pulmən'ka:] voiture *f* Pullman; *Am.* wagon-salon (*pl.* wagons-salons) *m*.

pull...: '~-o·ver pull-over *m*, F pull *m*; '~-'up arrêt *m*; auberge *f* (*etc. pour automobilistes*).

pul·mo·nar·y 🙰 ['pʌlmənəri] pulmonaire, des poumons; poitrinaire (*personne*).

pulp [pʌlp] **1.** *dents etc.*: pulpe *f*; *fruits*: chair *f*; ⊕ pâte *f* à papier; *Am.* (*a.* ~ *magazine*) revue *f* etc. à bon marché; **2.** réduire en pulpe *ou* pâte; mettre (*des livres*) au pilon.

pul·pit ['pulpit] chaire *f*.

pulp·y □ ['pʌlpi] pulpeux (-euse *f*), charnu; F flasque.

pul·sate [pʌl'seit] palpiter; vibrer; battre (*cœur*); **pul·sa·tile** ♪ ['~sətail] de percussion; **pul'sa·tion** pulsation *f*; battement *m*.

pulse[1] [pʌls] **1.** pouls *m*; battement *m*; **2.** palpiter; vibrer; battre.

pulse[2] [~] légumineuses *f/pl*.

pul·ver·i·za·tion [pʌlvərai'zeiʃn] pulvérisation *f*; **'pul·ver·ize** *v/t.* pulvériser; réduire en poudre; *fig.* démolir; atomiser; *v/i.* tomber en poussière; se vaporiser; **'pul·ver·iz·er** pulvérisateur *m*; vaporisateur *m*.

pum·ice ['pʌmis] (*a.* ~-*stone*) (pierre *f*) ponce *f*.

pum·mel ['pʌml] bourrer de coups de poings.

pump[1] [pʌmp] **1.** pompe *f*; *attr.* de pompe; **2.** *v/t.* pomper de l'eau; refouler (*dans, into*); F sonder (*q.*), faire parler (*q.*); *sl.* épuiser; *v/i.* pomper.

pump[2] [~] escarpin *m*; soulier *m* de bal.

pump·kin ♀ ['pʌmpkin] citrouille *f*; potiron *m*.

pump-room ['pʌmprum] *station thermale:* buvette *f*; Pavillon *m*.

pun [pʌn] **1.** jeu *m* de mots, calembour *m*; **2.** faire des jeux de mots *etc.*

Punch[1] [pʌntʃ] polichinelle *m*; guignol *m*; ~ *and Judy* ['dʒu:di] show guignol *m*.

punch[2] ⊕ [~] **1.** pointeau *m*; chasse-clou *m*; perçoir *m*; poinçon *m* (*a.* 🚗); emporte-pièce *m/inv.*; **2.** percer; poinçonner; découper; estamper.

punch[3] F [~] **1.** coup *m* de poing; F

force *f*; **2.** donner un coup de poing à; cogner sur; *Am.* conduire *ou* garder (*des bœufs*).

punch[4] [~] *boisson:* punch *m*.

punch[5] F [~] *cheval, homme:* trapu *m*; *sl.* pull *no* ~*es* parler carrément; ne faire de quartier à personne.

punch·er ['pʌntʃə] poinçonneur *m*; perceur *m*; estampeur *m*; *outil:* poinçonneuse *f*; découpeuse *f*; F pugiliste *m*; *Am.* cowboy *m*; **'punch(·ing)-ball** *boxe:* punching-ball *m*.

punc·til·i·o [pʌŋk'tiliou] point *m* d'étiquette; *see* punctiliousness.

punc·til·i·ous [pʌŋk'tiliəs] méticuleux (-euse *f*), pointilleux (-euse *f*); très soucieux (-euse *f*) du protocole; **punc'til·i·ous·ness** souci *m* du protocole; formalisme *m*; scrupule *m* des détails.

punc·tu·al □ ['pʌŋktjuəl] exact; **punc·tu·al·i·ty** [~æliti] exactitude *f*, ponctualité *f*.

punc·tu·ate ['pʌŋktjueit] ponctuer (*a. fig.*); **punc·tu'a·tion** ponctuation *f*.

punc·ture ['pʌŋktʃə] **1.** crevaison *f*; 🙰 ponction *f*; *mot. etc.* piqûre *f* de clou, crevaison *f*; **2.** *v/t.* 🙰 ponctionner; *mot.* crever (*a. v/i.*).

pun·dit ['pʌndit] pandit *m*; F pontife *m*.

pun·gen·cy ['pʌndʒənsi] goût *m* piquant; odeur *f* piquante; *fig.* aigreur *f*; mordant *m*; saveur *f*; **'pun·gent** aigu (-uë *f*); poignant (*chagrin*); âcre (*odeur*); mordant (*paroles etc.*).

pu·ni·ness ['pju:ninis] chétiveté *f*.

pun·ish ['pʌniʃ] punir, châtier; F *fig.* taper dur sur (*q.*); ne pas épargner; **'pun·ish·a·ble** □ punissable; F délictueux (-euse *f*); **'pun·ish·er** punisseur (-euse *f*) *m*; **'pun·ish·ment** punition *f*; châtiment *m*.

pu·ni·tive ['pju:nitiv] punitif (-ive *f*), répressif (-ive *f*).

punk *Am.* [pʌŋk] **1.** amadou *m*; *fig.* sottises *f/pl.*; **2.** mauvais, sans valeur.

pun·ster ['pʌnstə] faiseur *m* de calembours.

punt[1] ⚓ [pʌnt] **1.** bateau *m* plat (*conduit à la perche*); bachot *m*; **2.** conduire à la perche; transporter dans un bateau plat.

punt[2] [~] *turf:* parier; *cartes:* ponter.

pu·ny □ ['pju:ni] menu; mesquin; chétif (-ive f).

pup [pʌp] **1.** *see* **puppy**; **2.** *zo.* mettre bas (des petits).

pu·pil ['pju:pl] *anat.* pupille f (a. ⚕ mf); élève m/f, écolier (-ère f) m; **pu·pil·(l)age** ['~pilidʒ] état m d'élève; ⚕ minorité f.

pup·pet ['pʌpit] marionnette f; *fig.* pantin m; '**~-show** théâtre m ou spectacle m de marionnettes.

pup·py ['pʌpi] jeune chien(ne f) m; *fig.* freluquet m.

pur·blind ['pə:blaind] presque aveugle; *fig.* obtus.

pur·chase ['pə:tʃəs] **1.** achat m; emplette f; acquisition f; ⊕ force f mécanique; ⊕ prise f; ⚕ loyer m; *fig.* (point m d')appui m; make ~s faire des emplettes; *at twenty years'* ~ moyennant vingt années de loyer; *his life is not worth an hour's* ~ on ne lui donne(rait) pas une heure à vivre; ⚓ *permit* ordre m d'achat; **2.** acheter, acquérir (a. *fig.*); ⚓ lever à l'aide du cabestan; '**pur·chas·er** acheteur (-euse f) m; ⚓ preneur (-euse f) m.

pure □ [pjuə] pur; '**~-bred** *Am.* de race pure; '**pure·ness** pureté f.

pur·ga·tion *usu. fig.* [pə:'geiʃn] purgation f (a. ⚕); **pur·ga·tive** ⚕ ['~gətiv] purgatif (-ive f) (a. su./m); '**pur·ga·to·ry** *eccl.* purgatoire m (a. fig.).

purge [pə:dʒ] **1.** ⚕ purgatif m; purgation f; *pol.* épuration f; **2.** *fig.* nettoyer; épurer; purger (de *of*, *from*) (a. ⚕); ⚕ faire amende honorable pour; *pol.* épurer, purger.

pu·ri·fi·ca·tion [pjuərifi'keiʃn] purification f; épuration f; **pu·ri·fi·er** ['~faiə] épurateur m (de gaz etc.); *personne:* purificateur (-trice f) m; **pu·ri·fy** ['~fai] purifier; ⊕, a. fig. épurer.

Pu·ri·tan ['pjuəritən] puritain(e f) (a. su.); **pu·ri·tan·ic** [~'tænik] (~ally) (de) puritain; **Pu·ri·tan·ism** ['~tənizm] puritanisme m.

pu·ri·ty ['pjuəriti] pureté f (a. fig.).

purl[1] [pə:l] cannetille f (à broder); picot m (de dentelle); (a. ~ stitch) maille f à l'envers.

purl[2] [~] **1.** *ruisseau:* (doux) murmure m; **2.** murmurer.

purl·er F ['pə:lə] chute f la tête la première; *sl.* billet m de parterre.

pur·lieus ['pə:lju:z] *pl.* bornes f/pl.; alentours m/pl.

pur·loin [pə:'lɔin] détourner; voler; **pur'loin·er** détourneur m; voleur (-euse f) m; *fig.* plagiaire m.

pur·ple ['pə:pl] **1.** violet(te f); **2.** pourpre f; violet m; **3.** (s')empourprer.

pur·port ['pə:pət] **1.** sens m, signification f; portée f (d'un mot); **2.** avoir la prétention (de *inf.*, to *inf.*); † indiquer, vouloir dire.

pur·pose ['pə:pəs] **1.** dessein m; but m, intention f; fin f; résolution f; *for the* ~ *of* pour; dans le but de; *on* ~ exprès, de propos délibéré; *to the* ~ à propos; *to no* ~ en vain, inutilement; *novel with a* ~ roman m à thèse; *strength of* ~ détermination f; résolution f; **2.** avoir l'intention (de *inf.*, gér. ou to *inf.*), se proposer (qch., s.th.; de *inf.*, gér. ou to *inf.*); **pur·pose·ful** □ ['~ful] réfléchi; tenace, avisé (*personne*); '**pur·pose·less** □ inutile, sans but; '**pur·pose·ly** *adv.* à dessein; exprès.

purr [pə:] **1.** ronronner (*chat, moteur*); **2.** ronron m.

purse [pə:s] **1.** bourse f, porte-monnaie m/inv.; ⚓ bourse f; *sp.* prix m (d'argent); *public* ~ Trésor m; finances f/pl. de l'État; **2.** (*souv.* ~ *up*) pincer (*les lèvres*); plisser (le *front*); froncer (*les sourcils*); '**~-proud** orgueilleux (-euse f) de sa fortune; '**purs·er** ⚓ commissaire m; '**purse-strings** *pl.: hold the* ~ tenir les cordons de la bourse.

pur·si·ness ['pə:sinis] peine f à respirer; essoufflement m.

purs·lane ♀ ['pə:slin] pourpier m.

pur·su·ance [pə'sju:əns] poursuite f; *in* ~ *of* par suite de, en vertu de, conformément à; **pur'su·ant** □: ~ *to* conformément à, par suite de.

pur·sue [pə'sju:] *v/t.* poursuivre; *fig.* rechercher (le *plaisir*); *fig.* courir après; suivre (le *chemin*, une *ligne de conduite*, une *profession*, etc.); *v/i.* suivre, continuer; ~ *after* poursuivre; **pur'su·er** poursuivant(e f) m; **pur'suit** [~'sju:t] poursuite f; recherche f (de, of); occupation f; *usu.* ~s *pl.* travaux m/pl.; carrière f; *qqfois* passe-temps m/inv.; ~ *plane* chasseur m.

pur·sy[1] ['pə:si] à l'haleine courte; gros(se f), corpulent.

pur·sy² [~] pincé (*bouche, lèvres*); riche; orgueilleux (-euse *f*) de sa fortune. [lent.\
pu·ru·lent □ ⚕ ['pjuərulənt] puru-\
pur·vey [pə:'vei] *v/t.* fournir (*des provisions*); *v/i.* être (le) fournisseur (de, *for*); **pur'vey·ance** fourniture *f* de provisions; approvisionnement *m*; **pur'vey·or** fournisseur (-euse *f*) *m* (*surt. de provisions*).

pur·view ['pə:vju:] portée *f*, limites *f/pl.*; ⚖ statut: corps *m*. [boue *f*.\
pus ⚕ [pʌs] pus *m*; sanie *f*; abcès:\
push [puʃ] **1.** poussée *f*, impulsion *f*; coup *m*; effort *m*; ✗ attaque *f* en masse; F énergie *f*; F hardiesse *f*; last ~ effort *m* suprême; *sl.* get the ~ se faire dégommer (= *recevoir son congé*); give s.o. the ~ flanquer q. à la porte; donner son congé à q.; **2.** *v/t.* pousser; bousculer; appuyer sur (*un bouton*); enfoncer (dans, *in*[to]); pousser la vente de; importuner; (*a.* ~ *through*) faire accepter; faire passer (à travers, *through*); revendiquer (*un droit*); (*a.* ~ *ahead ou forward ou on*) (faire) avancer *ou* pousser (en avant); ~ s.th. (up)on s.o. imposer qch. à q.; ~ one's way se frayer un chemin (à travers, *through*); ~ed pressé; à court (d'argent, *for money*); fort embarrassé; *v/i.* avancer; pousser; ~ on se presser, se hâter; se remettre en route; ~ off ⚓ pousser au large; F *fig.* se mettre en route; '~-ball *sp.* (*sorte de*) jeu *m* de ballon; '~-bike bicyclette *f*; '~-but·ton ⚡ bouton *m* à pression; poussoir *m*; 'push·er personne *f* qui pousse; arriviste *mf*; avion *m* à hélice propulsive; ⚙ *Am.* locomotive *f* de renfort; **push·ful** □ ['~ful], **push·ing** □ débrouillard, entreprenant; *péj.* ambitieux (-euse *f*), trop accostant; **push·off** ⚓ poussée *f* au large; *fig.* impulsion *f*; '~·o·ver *surt. Am.* chose *f* facile à obtenir; tâche *f* facile à faire; victoire *f* facile; personne *f* crédule.

pu·sil·la·nim·i·ty [pju:silə'nimiti] pusillanimité *f*; **pu·sil·lan·i·mous** □ [~'læniməs] pusillanime.

puss(·y) ['pus(i)] minet(te *f*) *m*; *fig.* coquine *f*; *fig.* chipie *f*; *Am. sl.* visage *m*; ♀ *bouleau*: chaton *m*; **'puss·y-foot** *Am.* F **1.** personne *f* furtive; fin Normand *m*; **2.** F aller

furtivement; ne pas se compromettre.

pus·tule ⚕ ['pʌstju:l] pustule *f*.

put [put] [*irr.*] **1.** *v/t.* mettre, poser (*a. une question*), placer; présenter (à, *to*); lancer (*un cheval*) (sur, *at*); exposer (*une condition, la situation, etc.*); exprimer; parler; estimer (à, *at*); ~ *it* s'exprimer; ~ *about* faire circuler, répandre; ⚓ virer de bord; F mettre (*q.*) en émoi, inquiéter; déranger; ~ *across* réussir dans (*une entreprise*); ~ *away* serrer; remiser (*son auto*); écarter; mettre de côté; *fig.* tuer; ~ *back* remettre; retarder (*une horloge, l'arrivée, etc.*); ~ *by* mettre de côté; mettre en réserve; ~ *down* (dé)poser; noter; supprimer; mettre fin à; fermer (*le parapluie*); juger; attribuer (à, *to*); inscrire (q. pour, *s.o. for*); débarquer (*les voyageurs*); ~ *forth* émettre; avancer; publier (*un livre etc.*); déployer, exercer; pousser (*des feuilles etc.*); ~ *forward* avancer (*l'heure, la montre, une opinion, etc.*); émettre; faire valoir (*une proposition, une théorie, etc.*); ~ *o.s. forward* se mettre en avant; s'imposer; se donner (pour, *as*); ~ *in* introduire; mettre, insérer dans (*un journal*); placer (*un mot*); ♂ planter; présenter (*un document, un témoin*; *a.* q. à un examen); ⚖ installer (*un huissier*); F faire (*des heures de travail*), passer (*le temps*); ~ *off* enlever, ôter, retirer (*un vêtement, le chapeau*); remettre (*un rendez-vous, l'heure, une tâche*); ajourner; renvoyer (*q.*); déconcerter, dérouter (*q.*); décourager (*q.*) (de, *from*); ~ *on* mettre (*a. la lumière, la vapeur, des vêtements*); prendre (*un air, du poids, de la vitesse*); gagner (*du poids*); ✝ augmenter (*le prix*); ajouter à; allumer (*le gaz etc.*); avancer (*la pendule*); *théâ.* monter (*une pièce*); confier (*une tâche*) (à q., *to s.o.*); *école:* démander à (*un élève*) (de, *to*); ⚙ mettre en service; ajouter (*des voitures à un train*); *mot.* serrer (*le frein*); *sp.* miser (*un pari*); *sp.* ~ *on* (*a score of*) *thirty* marquer trente points; F ~ *the screw on s.o.* forcer la main à q.; *he is* ~*ting it on* il fait l'important; il fait du chiqué; *fig.* ~ *it on thick* exagérer; flatter grossièrement; ~ *on airs* se donner des airs; ~ *s.o. on* *(gér.)* mettre q. à *(inf.)*; ~ out mettre dehors; tendre *(la main)*; étendre *(les bras)*; tirer *(la langue)*; sortir *(la tête)*; mettre à l'eau *(un canot)*; placer *(de l'argent)* (à intérêt, *to interest*); émettre *(un document etc.)*; publier *(une revue etc.)*; crever (l'œil à q., *s.o.'s eye*); éteindre *(le feu, le gaz, etc.)*; lancer *(une histoire)*; *fig.* déconcerter; *fig.* contrarier; *fig.* gêner; ~ s.o. out expulser q., chasser q. (de, of); ~ out of action mettre hors de combat; ⊕ détraquer; ~ over faire réussir; ~ s.th. over on s.o. faire accepter qch. à q.; ~ through *téléph.* mettre en communication (avec, to); F mener à bien; ~ to attacher; atteler *(un cheval)*; ~ s.o. to it donner du mal à q.; contraindre q. (à, to); ~ to expense faire faire des dépenses à (q.); ~ to death mettre (q.) à mort; exécuter (q.); ~ to the rack *(ou torture)* mettre (q.) à la question *ou* torture; ~ up construire; ériger; installer; lever *(la fenêtre, une glace de wagon)*; accrocher *(un tableau)*; ouvrir *(le parapluie, a. qqfois la fenêtre)*; augmenter, hausser *(le prix)*; (faire) lever *(du gibier)*; mettre *(en vente, aux enchères)*; regainer *(l'épée)*; relever *(les cheveux, le col)*; afficher *(un avis)*, coller *(une affiche)*; poser *(le rideau)*; fournir *(de l'argent)*; faire, offrir *(une prière, une résistance)*; proposer *(un candidat)*; faire un paquet de *(sandwiches etc.)*; loger (q.), donner à coucher à (q.); ✝ présenter (en, *in*); *sp.* F faire courir; *jeu:* se caver de; ~ s.o. up to mettre q. au courant de; inciter q. à; ~ upon en imposer à; ~ it upon laisser (à q.) le soin de; **2.** *v/i.* ⚓ ~ in entrer dans; faire escale dans *(un port)*; ⚓ ~ off *(ou out ou to sea)* démarrer, pousser au large, quitter la côte *etc.*; ~ up at loger à *ou* chez (q.); descendre à *ou* chez (q.); ~ up for poser sa candidature à; ~ up with s'arranger de; tolérer; se résigner à; F ~ upon exploiter (q.); abuser de (q.); be ~ upon s'en laisser imposer.

pu·ta·tive ['pjuːtɔtiv] putatif *(-ive f)*.

put·lock, **put·log** ⊕ ['pʌtlɔk; '~lɔg] boulin *m*.

pu·tre·fac·tion [pjuːtri'fækʃn] putréfaction *f*; **pu·tre'fac·tive** putréfactif *(-ive f)*; putride; de putréfaction.

pu·tre·fy ['pjuːtrifai] *v/i.* se putréfier; pourrir; ✠ suppurer; *v/t.* putréfier, pourrir.

pu·tres·cence [pjuː'tresns] putrescence *f*; **pu'tres·cent** putrescent; en putréfaction.

pu·trid □ ['pjuːtrid] putride; en putréfaction; infect; *sl.* moche; **pu'trid·i·ty** pourriture *f*.

put·tee ['pʌti] bande *f* molletière.

put·ty ['pʌti] **1.** *(a. glaziers' ~)* mastic *m* *(à vitres)*; *(a. plasterers' ~)* pâte *f* de chaux; *(a. jewellers' ~)* potée *f* (d'étain); **2.** mastiquer.

put-up job ['pʌtʌp'dʒɔb] coup *m* monté; affaire *f* machinée à l'avance.

puz·zle ['pʌzl] **1.** énigme *m*; problème *m*; devinette *f*; *picture* ~ rébus *m*; **2.** *v/t.* intriguer; embarrasser; ~ out débrouiller; déchiffrer; *v/i.* *(souv.* ~ one's brains) se creuser la tête (pour comprendre qch., over s.th.); '~**-head·ed** confus; '~**-lock** serrure *f* à combinaisons; cadenas *m* à secret; **'puz·zler** question *f* embarrassante; F colle *f*.

pyg·m(a)e·an [pig'miːən] pygméen *(-ne f)*; **pyg·my** ['pigmi] pygmée *m*; *attr.* pygméen(ne *f*).

py·ja·mas [pɔ'dʒɑːmɔz] *pl.* pyjama *m*.

py·lo·rus *anat.* [pai'lɔːrəs] pylore *m*.

py·or·rh(o)e·a [paiɔ'riə] pyorrhée *f*.

pyr·a·mid ['pirəmid] pyramide *f*; **py·ram·i·dal** □ [pi'ræmidl] pyramidal *(-aux m/pl.)*.

pyre ['paiə] bûcher *m* (funéraire).

py·ret·ic [pai'retik] pyrétique.

pyro... ['pairou] pyr(o)-; **py·rog·ra·phy** [pai'rɔgrəfi] pyrogravure *f*; **'py·ro'scope** pyroscope *m*; **py·ro·tech·nic**, **py·ro·tech·ni·cal** [pairou'teknik(l)] pyrotechnique; **py·ro'tech·nics** *pl.* pyrotechnique *f*; **py·ro'tech·nist** pyrotechnicien *m*; artificier *m*.

Pyr·rhic vic·to·ry ['pirik'viktəri] victoire *f* à la Pyrrhus.

Py·thag·o·re·an [paiθægə'riːən] **1.** pythagoricien(ne *f*); de Pythagore; **2.** pythagoricien *m*.

Pyth·i·an ['piθiən] pythien(ne *f*).

py·thon ['paiθən] python *m*.

pyx [piks] **1.** *eccl.* ciboire *m*; **2.** boîte *f* des monnaies destinées au contrôle; *trial of the* ~ essai *m* des monnaies.

Q

Q, q [kju:] Q *m*, q *m*.

Q-boat ⚓ ['kju:bout] piège *m* à sous-marins.

quack¹ [kwæk] **1.** coin-coin *m*; **2.** crier, faire coin-coin.

quack² [⌣] **1.** charlatan *m*; † guérisseur *m*; **2.** de charlatan; **3.** F faire le charlatan; ~ *up* vanter; rafistoler (*qch. d'usagé*); **quack·er·y** ['⌣əri] charlatanisme *m*; hâblerie *f*.

quad [kwɔd] *see* quadrangle; quadrat.

quad·ra·ge·nar·i·an [kwɔdrədʒi-'neəriən] quadragénaire (*a. su./mf*).

quad·ran·gle ['kwɔdræŋgl] ⚼ quadrilatère *m*; *école etc.*: cour *f*.

quad·rant ['kwɔdrənt] ⚓, ⊕ secteur *m*; ⚼ quart *m* de cercle.

quad·rat *typ.* ['kwɔdrit] cadrat *m*; **quad·rat·ic** ⚼ [kwɔ'drætik] **1.** du second degré; **2.** (*a.* ~ *equation*) équation *f* du second degré; **quad·ra·ture** ['kwɔdrətʃə] quadrature *f*.

quad·ren·ni·al ☐ [kwɔ'drenjəl] quadriennal (-aux *m/pl.*); qui a lieu tous les quatre ans.

quad·ri·lat·er·al ⚼ [kwɔdri'lætərəl] **1.** quadrilatéral (-aux *m/pl.*); **2.** quadrilatère *m*.

qua·drille [kwə'dril] quadrille *m*.

quad·ri·par·tite [kwɔdri'pɑ:tait] quadripartite.

quad·ru·ped ['kwɔdruped] **1.** quadrupède *m*; **2.** (*a.* **quad·ru·pe·dal** [kwɔ'dru:pidl]) quadrupède; **quad·ru·ple** ['kwɔdrupl] **1.** ☐ quadruple; (*a.* ~ *to ou of*) au quadruple de; **2.** quadruple *m*; **3.** (se) quadrupler; **quad·ru·pli·cate** [kwɔ-'dru:plikit] **1.** quadruplé, quadruple; **2.** quatre exemplaires *m/pl.*; **3.** [~keit] quadrupler.

quaff *poét.* [kwɑ:f] boire à plein verre; ~ *off* vider d'un trait.

quag [kwæg] *see* ~mire; **'quag·gy** marécageux (-euse *f*); **quag·mire** ['⌣maiə] marécage *m*; fondrière *f*; *fig.* embarras *m*.

quail¹ *orn.* [kweil] caille *f*.

quail² [⌣] fléchir, faiblir (devant, *before*).

quaint ☐ [kweint] bizarre; singulier (-ère *f*); pittoresque; **'quaint·ness** bizarrerie *f*; pittoresque *m*.

quake [kweik] trembler (de, *with*; pour, *for*); frémir (de, *with*).

Quak·er ['kweikə] quaker *m*; **'Quak·er·ism** quakerisme *m*.

qual·i·fi·ca·tion [kwɔlifi'keiʃn] titre *m* (à un emploi, *for a post*); aptitude *f*, capacité *f*; réserve *f*; **qual·i·fied** ['⌣faid] qui a les qualités requises *ou* titres requis; diplômé; compétent; autorisé; restreint, modéré; sous condition; **qual·i·fy** ['⌣fai] *v/t.* qualifier (*a. gramm.*) (de, *as*); rendre apte à; modifier; apporter des réserves à; couper (*une boisson*); *v/i.* se qualifier (pour, *for*), acquérir les titres requis *ou* connaissances requises; être reçu; ~*ing examination* examen *m* pour certificat d'aptitude; examen *m* d'entrée; **qual·i·ta·tive** ☐ ['⌣tətiv] qualitatif (-ive *f*); **'qual·i·ty** *usu.* qualité *f*; valeur *f*; pouvoir *m*; caractère *m*; *son:* timbre *m*.

qualm [kwɔ:m] nausée *f*; scrupule *m*, remords *m*; pressentiment *m* de malheur; hésitation *f*; **'qualm·ish** ☐ sujet(te *f*) aux nausées; mal à l'aise. [*m*; impasse *f*.\

quan·da·ry ['kwɔndəri] embarras\

quan·ti·ta·tive ☐ ['kwɔntitətiv] quantitatif (-ive *f*); **'quan·ti·ty** quantité *f* (*a.* ⚡, ⚼, *prosodie*); somme *f*; *bill of quantities* devis *m*; ⚼ *unknown* ~ inconnue *f* (*a. fig.*),

quan·tum ['kwɔntəm] *pl.* **-ta** [~tə] quantum *m*; part *f*; *phys.* ~ *theory* théorie *f* des quanta.

quar·an·tine ['kwɔrənti:n] **1.** quarantaine *f*; *place in* ~ = **2.** mettre en quarantaine.

quar·rel ['kwɔrəl] **1.** querelle *f*, dispute *f*; **2.** se quereller, se disputer (avec, *with*; à propos de *about*, *over*); *fig.* se plaindre (de, *with*); **quar·rel·some** ['⌣səm] ☐ querelleur (-euse *f*), batailleur (-euse *f*).

quar·ry¹ ['kwɔri] **1.** carrière *f*; *fig.* mine *f*; **2.** *v/t.* extraire (*des pierres*) de la carrière; creuser une carrière dans; *v/i.* exploiter une carrière; *fig.* puiser (qch., *for s.th.*).

quar·ry² [⌣] *chasse:* proie *f*.

quar·ry·man ['kwɔrimən], *a.* **quar·ri·er** ['⌣iə] carrier *m*.

quart [kwɔːt] quart *m* (*de gallon,* = *approx. 1 litre*); escrime: [kɑːt] quarte *f*.

quar·tan [ˈkwɔːtn] (*fièvre f*) quarte.

quar·ter [ˈkwɔːtə] **1.** quart *m* (*a. cercle, heure, pomme, siècle, etc.*); terme *m* de loyer; région *f*, partie *f*; *ciel:* coin *m*; *Am.* quart *m* de dollar (*25 cents*); ⊘, *cuis., lune, ville;* quartier *m*; ⚓ hanche *f*; ⚓ quart *m* de brasse; ⚓ (quart *m* d')aire *f* de vent; côté *m*, direction *f*; *orange:* tranche *f*; *mesure:* quart *m* (*de livre*), quarter *m* (*2,909 hl*); ✕, *a. fig.:* cantonnement *m*, quartier *m*; *fig.* milieu *m*; ⁓s *pl.* appartements *m/pl.*; résidence *f*; ✕ quartier *m*, -s *m/pl.*; logement *m*; *in this* ⁓ ici, de ce côté-ci; *from all* ⁓s *de toutes parts,* de tous côtés; *free* ⁓s droit *m* au logement; **2.** diviser en quatre; équarrir (*un bœuf*); *hist.* écarteler (*un condamné, a.* ⊘); ✕ cantonner; *be* ⁓ed (*up*)*on* (*ou at*) loger chez; '⁓-day jour *m* du terme; '⁓-deck ⚓ plage *f* arrière; *coll.* officiers *m/pl.*; 'quar·ter·ly **1.** trimestriel(le *f*); **2.** publication *f* trimestrielle; 'quar·ter·mas·ter ✕ intendant *m* militaire; ⚓ second maître *m*; **quar·tern** [ˈ⁓ən] quart *m* (*de pinte*); (*a.* ⁓ *loaf*) pain *m* de quatre livres.

quar·tet(te) ♪ [kwɔːˈtet] quatuor *m*.

quar·to [ˈkwɔːtou] in-quarto *m/inv.* (*a. adj.*).

quartz *min.* [kwɔːts] quarts *m*.

quash [kwɔʃ] ⚖ casser, annuler; *fig.* étouffer.

qua·si [ˈkwɑːzi] quasi-, presque.

qua·ter·na·ry ⚗, ⌂, *géol.* [kwəˈtəːnəri] quaternaire.

qua·ver [ˈkweivə] **1.** tremblement *m*; ♪ croche *f*; ♪ trille *m*; **2.** chevroter, (*a.* ⁓ *out*) trembloter (*voix*); ♪ faire des trilles; 'qua·ver·y tremblotant.

quay [kiː] quai *m*; **quay·age** [ˈ⁓idʒ] droit *m*, -s *m/pl.* de quai; quais *m/pl.*

quea·si·ness [ˈkwiːzinis] malaise *f*; nausées *f/pl.*; scrupules *m/pl.* de conscience; 'quea·sy sujet(te *f*) à des nausées; délicat (*estomac*); scrupuleux (-euse *f*); dégoûtant (*mets*); *I feel* ⁓ j'ai mal au cœur; F j'ai le cœur fade.

queen [kwiːn] **1.** reine *f*; ⁓ *bee* reine *f*, abeille *f* mère; ⁓'s *metal* métal *m* blanc; ⁓'s-*ware* faïence *f* crème; **2.** *échecs:* *v/t.* damer; *v/i.* aller à dame; ⁓ *it* faire la reine; 'queen·like, 'queen·ly de reine, digne d'une reine; majestueux (-euse *f*).

queer [kwiə] **1.** bizarre; singulier (-ère *f*); étrange; suspect; F tout patraque (*malade*); **2.** *Am. sl.* homosexuel *m*; **3.** *vb.: sl.* ⁓ *the pitch for* contrecarrer (*q.*); faire échouer les projets de (*q.*).

quell *poét.* [kwel] apaiser; étouffer.

quench [kwentʃ] *fig.* apaiser (*la soif etc.*); étouffer, réprimer (*un désir, a.* ♂); éteindre; 'quench·er F boisson *f*, consommation *f*; 'quench·less ☐ inextinguible; inassouvissable.

que·rist [ˈkwiərist] questionneur (-euse *f*) *m*.

quern [kwəːn] moulin *m* à bras.

quer·u·lous ☐ [ˈkweruləs] plaintif (-ive *f*); grognon(ne *f*).

que·ry [ˈkwiəri] **1.** reste à savoir (si *if*); **2.** question *f*; *typ.* point *m* d'interrogation; **3.** *v/t.* mettre *ou* révoquer en doute; *v/i.* s'informer (si, *whether*).

quest [kwest] **1.** recherche *f*; *chasse:* quête *f*; *in* ⁓ *of* à la recherche de; en quête de; **2.** rechercher; *chasse:* quêter.

ques·tion [ˈkwestʃn] **1.** question *f*; (*mise f en*) doute *m*; affaire *f*; sujet *m*; † supplice *m*; *parl.* ⁓! au fait!; *beyond* (*all*) ⁓ sans aucun doute; incontestable(ment); *in* ⁓ en question, dont il s'agit; en doute; *come into* ⁓ arriver sur le tapis; *call in* ⁓ révoquer en doute; *beg the* ⁓ faire une pétition de principe, supposer vrai ce qui est en question; *the* ⁓ *is whether* il s'agit de savoir si; *that is out of the* ⁓ c'est impossible; *there is no* ⁓ il n'est pas question (*de qch., of s.th.*; *que sbj., of ger.*); **2.** interroger; révoquer en doute; 'ques·tion·a·ble ☐ contestable, discutable; *péj.* équivoque; 'ques·tion·a·ble·ness caractère *m* douteux *ou* équivoque (*de, of*); ques·tion·naire [kwestiəˈnɛə] questionnaire *m*; 'ques·tion·er interrogateur (-trice *f*).

queue [kjuː] **1.** queue *f* (*de personnes, de voitures, de cheveux, etc.*);

2. (*usu.* ~ *up*) prendre la file (*voitures*); faire la queue; ~ *on* s'attacher à la queue.

quib·ble ['kwibl] **1.** chicane *f* (de mots); argutie *f*; † calembour *m*; **2.** *fig.* chicaner (sur les mots); **'quib·bler** chicaneur (-euse *f*) *m*; ergoteur (-euse *f*) *m*.

quick [kwik] **1.** vif (vive *f*) (*a. esprit, haie, œil*); fin (*oreille etc.*); † vivant; rapide, prompt; éveillé (*enfant, esprit, a.* ♪); ~ *to* prompt à; ✗ ~ *march* pas *m* cadencé *ou* accéléré; ~ *step* pas *m* rapide *ou* pressé; *double* ~ *step* pas *m* gymnastique; **2.** vif *m*, chair *f* vive; the ~ les vivants *m/pl.*; to the ~ jusqu'au vif; *fig.* au vif, au cœur; jusqu'à la moelle des os; *cut s.o. to the* ~ piquer q. au vif; **3.** *see* ~*ly*; **'~-change ac·tor** acteur *m* à transformations rapides; **'quick·en** *v/t.* (r)animer; accélérer (*a.* ♪); presser; *v/i.* s'animer, se ranimer; devenir plus rapide; **'quick·fir·ing** ✗ à tir rapide; **quick·ie** ['~i] court métrage *m* de pauvre qualité; **'quick·lime** chaux *f* vive; **'quick·ly** vite; vivement; rapidement; **'quick·match** mèche *f* d'artilleur; **'quick·mo·tion pic·ture** *cin.* accéléré *m*; **'quick·ness** vitesse *f*, rapidité *f*; vivacité *f*, promptitude *f* (*d'esprit*); finesse *f* (*d'oreille*); acuité *f* (*de vision*).

quick...: **'~·sand** sable *m* mouvant; lise *f*; **'~·set** ♫ aubépine *etc.*: bouture *f* (*a.* ~ *hedge*) haie *f* vive; **'~-'sight·ed** aux yeux vifs; perspicace; **'~-sil·ver** *min.* vif-argent *m* (*a. fig.*), mercure *m*; **'~-'wit·ted** éveillé; à l'esprit prompt; adroit.

quid[1] [kwid] *tabac:* chique *f*.

quid[2] *sl.* [~] livre *f* (sterling).

quid·di·ty ['kwiditi] *phls.* quiddité *f*, essence *f*; F chicane *f*.

quid·nunc F ['kwidnʌŋk] nouvelliste *mf*; curieux (-euse *f*) *m*.

quid pro quo ['kwid prou 'kwou] pareille *f*, équivalent *m*, compensation *f*.

qui·es·cence [kwai'esns] repos *m*; tranquillité *f*; **qui·es·cent** □ en repos; tranquille (*a. fig.*).

qui·et ['kwaiət] **1.** □ tranquille, calme; silencieux (-euse *f*); paisible; discret (-ète *f*) (*couleur etc.*); simple; voilé; **2.** repos *m*; tranquillité *f*; calme *m*; F *on the* ~ en douce; **3.** (s')apaiser; **'qui·et·en:** ~ *down* (s')apaiser; **'qui·et·ism** *eccl.* quiétisme *m*; **'qui·et·ist** quiétiste *mf*; **'qui·et·ness, qui·e·tude** ['~tju:d] tranquillité *f*, calme *m*; *fig.* sobriété *f*.

qui·e·tus F [kwai'i:təs] coup *m* de grâce.

quill [kwil] **1.** *orn.* tuyau *m* (de plume); *porc-épic:* piquant *m*; (*a.* ~-*feather*) penne *f*; (*a.* ~ *pen*) plume *f* d'oie; **2.** tuyauter, rucher; **'~-driv·er** F gratte-papier *m/inv.*; **'quill·ing** tuyautage *m*; ruche *f*; **quill pen** plume *f* d'oie (*pour écrire*).

quilt [kwilt] **1.** édredon *m* piqué; **2.** piquer; ouater (*une robe*); **'quilt·ing** piquage *m*; piqué *m*.

quince ♫ [kwins] coing *m*; *arbre:* cognassier *m*.

qui·nine *pharm.* [kwi'ni:n; *Am.* 'kwainain] quinine *f*; ~ *wine* quinquina *m*.

quin·qua·ge·nar·i·an [kwiŋkwədʒi-'neəriən] quinquagénaire (*a. su./mf*).

quin·quen·ni·al □ [kwiŋ'kwenjəl] quinquennal (-aux *m/pl.*).

quins F [kwinz] *pl.* quintuplés *m/pl.*

quin·sy ♫ ['kwinzi] esquinancie *f*.

quin·tal ['kwintl] quintal *m* (métrique).

quint·es·sence [kwin'tesns] quintessence *f*; F moelle *f* (*d'un livre*).

quin·tu·ple ['kwintjupl] **1.** quintuple (*a. su./m*); **2.** *vt/i.* quintupler; **quin·tu·plets** ['~plits] *pl.* quintuplés *m/pl.*

quip [kwip] mot *m* piquant; bon mot *m*; sarcasme *m*; raillerie *f*.

quire ['kwaiə] main *f* (*de papier*); *in* ~*s* en feuilles.

quirk [kwə:k] sarcasme *m*; bon mot *m*; repartie *f*; équivoque *f*; ⚠ gorge *f*.

quis·ling *pol.* F ['kwizliŋ] collaborateur *m*.

quit [kwit] **1.** *v/t.* quitter; lâcher (*la prise*); déménager; *Am.* cesser; † récompenser; † ~ *o.s.* se comporter; *v/i. usu. Am.* démissionner; céder; **2.** quitte, libéré; débarrassé (de, *of*).

quite [kwait] tout à fait; entièrement; parfaitement; véritable; bien; ~ *a hero* un véritable *ou* vrai héros; F ~ *a pas mal de*; ~ (*so*)! (*ou that!*)

parfaitement!; ~ the go le dernier cri; le grand chic.

quits [kwits] quitte (with, avec); we'll cry ~ nous voilà quittes.

quit·tance ['kwitəns] acquit m; quittance f.   [(-euse f) m.)

quit·ter Am. F ['kwitə] lâcheur)

quiv·er[1] ['kwivə] **1.** tremblement m; frémissement m; frisson m; paupière: battement m; cœur: palpitation f; **2.** trembl(ot)er; tressaillir, frémir.

quiv·er[2] [~] carquois m.

quix·ot·ic [kwik'sɔtik] (~ally) de Don Quichotte; visionnaire; par trop chevaleresque.

quiz [kwiz] **1.** plaisanterie f, farce f; attrape f; souv. Am. F colle f, examen m oral; **2.** railler; lorgner; souv. Am. examiner; poser des colles à; '**quiz·zi·cal** □ railleur (-euse f), moqueur (-euse f); risible.

quod sl. [kwɔd] boîte f, bloc m (= prison).

quoin [kɔin] pierre f d'angle; ⊕, a. typ. coin m.

quoit [kɔit] (a. jeu: ~s sg.) palet m.

quon·dam ['kwɔndæm] d'autrefois.

quo·rum parl. ['kwɔ:rəm] quorum m; nombre m suffisant; be a ~ être en nombre.

quo·ta ['kwoutə] quote-part f; contingent m.

quo·ta·tion [kwou'teiʃn] citation f; typ. cadrat m creux; ✝ cours m, prix m; familiar ~s pl. citations f/pl. très connues; **quo·ta·tion-marks** pl. guillemets m/pl.

quote [kwout] v/t. citer; typ. guillemeter; à la Bourse: coter (à, at); ✝ faire un prix (pour, for; à, to); v/i. citer; faire un prix (pour, for; à, to).

quoth † [kwouθ]: ~ I dis-je; ~ he dit-il.

quo·tid·i·an [kwɔ'tidiən] quotidien(ne f); de tous les jours; banal (-als m/pl.).

quo·tient ᴀ ['kwouʃənt] quotient m.

R

R, r [ɑ:] R m, r m.

rab·bet ⊕ ['ræbit] **1.** feuillure f, rainure f; **2.** faire une feuillure ou rainure à.

rab·bi ['ræbai] rabbin m; titre: rabbi m.

rab·bit ['ræbit] lapin m; Welsh ~ toast m au fromage fondu.

rab·ble ['ræbl] cohue f; the ~ la canaille f; '~-**rous·er** agitateur m.

rab·id □ ['ræbid] féroce, acharné; fig. à outrance; vét. enragé (chien etc.); '**rab·id·ness** violence f; rage f.

ra·bies vét. ['reibi:z] rage f, hydrophobie f.

ra(c)·coon zo. [rə'ku:n] raton m laveur.

race[1] [reis] race f; lignée f; sang m.

race[2] [~] course f (a. fig.); soleil: cours m; courant: ras m; fig. carrière f; ~ against the clock course f contre la montre; ~s pl. course f, ~s f/pl. (de bateaux, de chevaux); **2.** lutter de vitesse (avec, with); courir à toute vitesse; ⊕ s'emballer; battre la fièvre (pouls); v/t. ⊕ emballer à vide (le moteur); '~-**course** champ m de courses;

piste f; '~-**crew** course à l'aviron: équipe f de canot.

race-ha·tred ['reis'heitrid] racisme m.

race·horse ['reishɔ:s] cheval m de course.

rac·er ['reisə] coureur (-euse f) m; cheval m de course; mot. coureur m; yacht m ou bicyclette f etc. de course.

ra·cial ['reiʃl] de (la) race; **ra·cial·ism** ['~ʃəlizm] racisme m.

rac·i·ness ['reisinis] verve f, piquant m; vin etc.: goût m de terroir.

rac·ing ['reisiŋ] courses f/pl.; attr. de course(s), de piste; ~ (bi)cyclist coureur m; ~ motorist coureur m, racer m; ~ car automobile f de course.

rack[1] [ræk] **1.** écurie, armes, etc.: râtelier m; portemanteau m; ♪ classeur m (à musique); ⊕ crémaillère f; ✠ bomb ~ lance-bombes m/inv.; 🚂 luggage ~ porte-bagages m/inv.; filet m (à bagages); **2.** hist. faire subir le supplice du chevalet à; fig. tourmenter, torturer; extorquer (un loyer); pressurer (*un locataire*); étirer (*les peaux*); épuiser (*le sol*); détraquer (*une machine*); ~ one's brains se creuser la cervelle.

rack² [~] **1.** légers nuages *m/pl.* traînants; cumulus *m*; **2.** se traîner (*nuages*).

rack³ [~]: go to ~ and ruin tomber en ruine; se délabrer (*maison*).

rack⁴ [~] (*a.* ~ off) soutirer (*le vin etc.*).

rack·et¹ ['rækit] *tennis etc.*: raquette *f*; *jeu*: ~s *souv. sg. la* raquette *f*.

rack·et² [~] **1.** vacarme *m*, tapage *m*; *fig.* epreuve *f*; *fig.* dépenses *f/pl.*; gaieté *f*; F spécialité *f*; entreprise *f* (*de gangster*); chantage *m*; **2.** faire du tapage; *sl.* faire la noce; **rack·et·eer** *surt. Am. sl.* [~'tiə] gangster *m*; combinard *m*; bandit *m*; **rack·et'eer·ing** *surt. Am.* banditisme *m* au chantage; **'rack·et·y** tapageur (-euse *f*); *fig.* noceur (-euse *f*).

rack-rail·way ['ræk'reilwei] chemin *m* de fer à crémaillère.

rack-rent ['rækrent] **1.** loyer *m* exorbitant; **2.** imposer un loyer exorbitant à (*q.*).

rac·y □ ['reisi] qui sent le terroir (*vin*); vif (vive *f*), piquant (*personne*); *fig.* plein de verve; *fig.* savoureux (-euse *f*) (*histoire*); be ~ of the soil sentir le terroir.

rad *pol.* F [ræd] radical *m*.

ra·dar ['reidɑ:] radar *m*; ~ set (appareil *m* de) radar *m*.

rad·dle ['rædl] **1.** ocre *f* rouge; **2.** marquer à l'ocre; *fig.* farder.

ra·di·al □ ['reidjəl] ⊕, *a. anat.* radial (-aux *m/pl.*); centrifuge (*force*); ✗ du radium; ~ engine moteur *m* en étoile.

ra·di·ance, ra·di·an·cy ['reidjəns(i)] rayonnement *m*; splendeur *f*; **'ra·di·ant** □ rayonnant (*a. fig.*); radieux (-euse *f*) (*a. fig.*).

ra·di·ate **1.** ['reidieit] *v/i.* rayonner; émettre des rayons; *v/t.* émettre; répandre; **2.** [~it] *zo. etc.* radié, rayonné; **ra·di·a·tion** rayonnement *m*; *radium etc.*: radiation *f*; **ra·di·a·tor** ['~eitə] radiateur *m* (*a. mot.*); ~ mascot bouchon *m* enjoliveur.

rad·i·cal ['rædikəl] **1.** □ radical (-aux *m/pl.*) (*a. pol.*); fondamental (-aux *m/pl.*); ✗ sign (signe *m*) radical *m*; **2.** ⌂, ✗, *gramm.* radical

m; *pol.* radical(e *f*) *m*; **'rad·i·cal·ism** radicalisme *m*.

ra·di·o ['reidiou] **1.** radio *f*, télégraphie *f* sans fil, T.S.F. *f*; radiographie *f*; ✗ radiologie *f*; (*a.* ~-telegram) radio *m*; ~ drama (*ou play*) pièce *f* radiophonique; ~ engineer ingénieur *m* radio; ~ fan sans-filiste *mf*; ~ set poste *m* (récepteur); ~ studio studio *m* d'émission; auditorium *m*; **2.** envoyer (*qch.*) par la radio; radiotélégraphier; ✗ radiographier; ✗ traiter au radium; '~-'ac·tive radioactif (-ive *f*); rayonnant (*matière*); '~-ac·tiv·i·ty radio-activité *f*; **ra·di·o·gram** ['~græm] radiogramme *m*; radiographie *f*; *a. abr. de* **'ra·di·o·'gram·o·phone** radiophono *m*; **ra·di·o·graph** ['~grɑ:f] **1.** radiographie *f*, radiogramme *m*; **2.** radiographier; **'ra·di·o·lo·ca·tion** radiorepérage *m*; **ra·di·ol·o·gy** *phys.* [reidi'ɔlədʒi] radiologie *f*; **ra·di·os·co·py** [~'ɔskəpi] radioscopie *f*; **'ra·di·o·'tel·e·gram** radiotélégramme *m*; **'ra·di·o·'tel·e·scope** radiotélescope *m*; **'ra·di·o·'ther·a·py** ✗ radiothérapie *f*.

rad·ish ♣ ['rædiʃ] radis *m*.

ra·di·um ['reidjəm] radium *m*.

ra·di·us ['reidjəs], *pl.* **ra·di·i** ['~diai] ⌂, ♣, *mot.*, *a. fig.* rayon *m*; *anat.* radius *m*; ⊕ *grue:* portée *f*; *fig. a.* circonscription *f*.

raff·ish ['ræfiʃ] bravache; canaille (*air*).

raf·fle ['ræfl] **1.** *v/t.* mettre en tombola; *v/i.* prendre part à une tombola; prendre un billet (pour, *for*); **2.** tombola *f*, loterie *f*.

raft [rɑ:ft] **1.** radeau *m*; **2.** transporter *etc.* sur un radeau; **'raft·er** (*a.* rafts·man ['~smən]) flotteur *m*; ⌂ chevron *m*.

rag¹ [ræg] chiffon *m*; lambeau *m*; *journ. péj.* feuille *f* de chou; ~s *pl.* haillons *m/pl.*, guenilles *f/pl.*

rag² *min.* [~] calcaire *m* oolithique.

rag³ *sl.* [~] **1.** *v/t.* chahuter; brimer; *v/i.* faire du chahut, chahuter; **2.** brimade *f*; chahut *m*.

rag·a·muf·fin ['rægəmʌfin] gueux *m*; gamin *m* des rues; **'rag-bag** sac *m* aux chiffons; **'rag-book** livre *m* d'images sur toile.

rage [reidʒ] **1.** rage *f*, fureur *f* (*a.*

du vent), emportement m; manie f
(de, for); it is all the ~ cela fait
fureur, c'est le grand chic; 2. être
furieux (-euse f) (personne); faire
rage (vent); fig. tempêter (contre,
against); sévir (peste).

rag-fair ['rægfɛə] marché m aux
vieux habits; F marché m aux puces.

rag·ged □ ['rægid] déguenillé, en
haillons (personne); en lambeaux,
ébréché (rocher); désordonné (⚔
feu); déchiqueté (contour).

rag·man ['rægmən] chiffonnier m.

ra·gout ['rægu:] ragoût m.

rag...: '~tag canaille f; '~time ♪
musique f de jazz (nègre).

raid [reid] 1. descente f (inattendue);
⚔, ✈ raid m; police: rafle f;
bandits: razzia f; 2. v/i. faire une
descente ou une rafle etc.; v/t. a.
marauder, razzier.

rail¹ [reil] 1. barre(au m) f; chaise:
bâton m; charrette: ridelle f; (a. ~s
pl.) palissade f (en bois), grille f (en
fer); 🚃 rail m; F chemin m de fer,
train m; ⚓ lisse f; ✈ ~s pl. les
chemins m/pl. de fer; get (ou run)
off the ~s dérailler (a. fig.); 2. (a.
~ in ou off) entourer d'une grille,
griller, palissader; envoyer ou
transporter par (le) chemin de fer.

rail² [␣] crier, se répandre en
invectives (contre at, against).

rail³ orn. [␣] râle m.

rail·er ['reilə] criailleur (-euse f) m;
mauvaise langue f.

rail·ing ['reiliŋ] (a. ~s pl.) palissade
f (en bois), grille f (en fer).

rail·ler·y ['reiləri] raillerie f.

rail-mo·tor ['reil'moutə] autorail m.

rail·road ['reilroud] 1. surt. Am.,
(anglais = **rail·way** ['reilwei])
chemin m de fer; 2. v/t. pol. Am.
faire voter avec vitesse; Am. sl.
emprisonner après un jugement
précipité.

rail·way·man ['reilweimən] employé m de chemin de fer, cheminot
m.

rai·ment poét. ['reimənt] habillement m, vêtement m, -s m/pl.

rain [rein] 1. pluie f; 2. pleuvoir;
'~bow arc-en-ciel (pl. arcs-en-ciel)
m; '~coat imperméable m; '~fall
averse f; chute f de pluie; pluviosité f; ~gauge ['geidʒ] pluviomètre m; rain·i·ness ['␣inis]
pluviosité f; temps m pluvieux;

'**rain-lack·ing** dépourvu de pluie,
sans pluie; sec (sèche f); '**rain-
proof** imperméable (a. su./m);
'**rain·y** □ pluvieux (-euse f); de
pluie.

raise [reiz] (souv. ~ up) dresser,
mettre debout; fig. exciter (la foule,
le peuple); relever (courage, navire,
store, tarif); lever (armée, bras,
camp, gibier, impôt, siège, verre,
yeux, etc.); (re)hausser (le prix);
bâtir; élever (bétail, édifice, famille,
prix, q., voix, etc.); ériger (une
statue); cultiver (des plantes); produire (un sourire, de la vapeur, etc.);
faire naître (une espérance); soulever
(objection, peuple, poids, question);
mettre sur pied (une armée); se
procurer, emprunter (de l'argent);
évoquer (un esprit, le souvenir); ressusciter (un mort); pousser (un cri);
augmenter (le salaire); revendiquer
(des droits); '**rais·er** souleveur m;
éleveur m.

rai·sin ['reizn] raisin m sec.

ra·ja(h) ['rɑ:dʒə] rajah m.

rake¹ [reik] 1. râteau m; (a. fire-~)
fourgon m; 2. v/t. (usu. ~ together)
râteler, ratisser; gratter (la surface);
fig. fouiller; (a. ~ up ou over) revenir
sur; ⚔, ⚓ enfiler; fig. dominer,
embrasser du regard; ~ off (ou away)
enlever au râteau; v/i. scruter,
fouiller (pour trouver qch., for
s.th.); '~off Am. sl. gratte f,
ristourne f.

rake² ⚓ [␣] 1. inclinaison f; 2. v/i.
être incliné; v/t. incliner vers
l'arrière.

rake³ [␣] roué m, noceur m.

rak·ish¹ ⚓ etc. ['reikiʃ] élancé; en
pente. [bravache (air).]

rak·ish² □ [␣] libertin, dissolu; fig.]

ral·ly¹ ['ræli] 1. ralliement m;
réunion f; sp. fig. retour m d'énergie; reprise f des forces ou ⚔ en
main; ♱ reprise f; tennis: échange
m de balles; 2. v/i. se rallier; se
reprendre; se grouper; v/t. rassembler, réunir; ranimer.

ral·ly² [␣] se gausser de (q.); railler
(q.) (de, on).

ram [ræm] 1. ⚔, zo., astr. bélier m;
⊕ piston m plongeur; ⚓ éperon m;
2. battre, tasser (le sol); heurter;
mot. tamponner (une voiture); ⚓
éperonner; ~ up boucher (un trou);
bourrer.

ram·ble ['ræmbl] **1.** promenade *f*,
F balade *f*; **2.** errer à l'aventure;
faire une excursion à pied; *fig.*
parler sans suite; '**ram·bler**
excursionniste *mf*; promeneur *m*;
fig. radoteur *m*; ♣ rosier *m* grimpant; '**ram·bling 1.** □ vagabond;
fig. décousu, sans suite; ♣ grimpant, rampant; *fig.* tortueux (-euse
f); **2.** vagabondage *m*; excursions
f/pl. à pied; *fig.* radotages *m/pl.*

ram·i·fi·ca·tion [ræmifi'keiʃn] ramification *f*; **ram·i·fy** ['~fai] (se)
ramifier.

ram·mer ⊕ ['ræmə] pilon *m*.

ramp¹ *sl.* [ræmp] supercherie *f*.

ramp² [~] **1.** rampe *f*; pont *m*
élévateur; **2.** *v/t.* construire (*qch.*)
en rampe; *v/i.* △ ramper; *fig.* rager;
ram'page *co.* **1.** rager, tempêter;
se conduire comme un fou furieux;
2.: be on the ~ en avoir après tout le
monde; '**ramp·an·cy** violence *f*;
exubérance *f*; *fig.* extension *f*;
'**ramp·ant** □ violent; exubérant;
fig. effréné; ⟨⟩, *a.* △ rampant.

ram·part ['ræmpɑːt] rempart *m*.

ram·rod ['ræmrɔd] *fusil:* baguette *f*;
straight as a ~ droit comme un i.

ram·shack·le ['ræmʃækl] délabré.

ran [ræn] *prét. de run* 1, 2.

ranch [rɑːntʃ; *surt. Am.* ræntʃ]
ferme *f* *ou* prairie *f* d'élevage;
ranch *m*.

ran·cid □ ['rænsid] rance, ranci;
ran'cid·i·ty, '**ran·cid·ness** ranci-
dité *f*.

ran·cor·ous □ ['ræŋkərəs] rancunier (-ère *f*).

ran·co(u)r ['ræŋkə] rancune *f*,
ressentiment *m*.

ran·dom ['rændəm] **1.**: *at* ~ au hasard; à l'aveuglette; **2.** fait au hasard; de passage; ~ *shot* coup *m* tiré
au hasard; coup *m* perdu.

rang [ræŋ] *prét. de ring²* 2.

range [reindʒ] **1.** rangée *f*; chaîne *f*
(*de montagnes*); ✝ assortiment *m*;
série *f*; étendue *f*, portée *f* (*a. d'une
arme à feu*); direction *f*; champ *m*
libre; *sp.* distance *f*; *Am.* prairie *f*;
fourneau *m* (de cuisine); (*a. shoot-
ing-*~) champ *m* de tir; *fig.* libre
essor *m*; *fig.* variété *f*; *take the* ~
estimer *ou* régler le tir; **2.** *v/t.*
aligner, ranger; disposer; parcourir
(*une région*); braquer (*un télescope*);
♣ longer (*la côte*); *v/i.* errer,

courir; s'étendre (*a. fig.*); varier;
✕ régler le tir; ~ *along* longer;
~ *over* parcourir; *canon:* avoir
une portée (de six milles, *over
six miles*); '**~-find·er** télémètre *m*;
'**rang·er** † vagabond(e *f*) *m*; grand
maître *m* des parcs royaux; *Indes:*
garde-général (*pl.* gardes-généraux)
m adjoint; ♂s *pl.* gendarmes *m/pl.* à
cheval; ✕ *Am.* soldats *m/pl.* de
commando spécial.

rank¹ [ræŋk] **1.** rang *m* (*social,* ✕,
a. fig.); ligne *f*; classe *f*; ✕, ♣ grade *m*; stationnement *m* (*pour taxis*);
the ~*s pl.* (*ou and file*) (les hommes
m/pl. de) troupe *f*; *fig. le* commun *m*
des hommes; *join the* ~*s* devenir
soldat; entrer dans les rangs; *rise
from the* ~*s* de simple soldat passer officier, sortir du rang; **2.** *v/t.*
ranger, compter; classer (avec,
with); *v/i.* se ranger, être classé
(avec, *with*; parmi, *among*); compter (parmi, *among*); occuper un
rang (supérieur à, *above*); ~ *next to*
occuper le premier rang après; ~ *as*
avoir qualité de; compter pour.

rank² □ [~] luxuriant; exubérant
(*plante*); riche, gras(se *f*) (sol, *terrain*); rance, fort, fétide; *fig. péj.*
complet (-ète *f*), pur, parfait.

rank·er ✕ ['ræŋkə] simple soldat *m*;
officier *m* sorti des rangs.

ran·kle *fig.* ['ræŋkl] rester sur le
cœur (de q., *with s.o.*).

rank·ness ['ræŋknis] luxuriance *f*;
odeur *f etc.* forte; *fig.* grossièreté *f*.

ran·sack ['rænsæk] fouiller (dans);
saccager.

ran·som ['rænsəm] **1.** rançon *f*;
rachat *m* (*eccl., a. d'un captif*);
2. mettre à rançon, rançonner; racheter.

rant [rænt] **1.** rodomontades *f/pl.*;
2. déclamer avec extravagance; F
tempêter; '**rant·er** déclamateur
(-trice *f*) *m*; énergumène *mf*.

ra·nun·cu·lus ♣ [rə'nʌŋkjuləs], *pl.*
-**lus·es,** -**li** [~lai] renoncule *f*.

rap¹ [ræp] **1.** petit coup *m* (sec);
2. frapper (à, *at*); *fig.* ~ *s.o.'s fingers*
(*ou knuckles*) donner sur les doigts à
q.; F remettre q. à sa place; ~ *out*
lâcher; dire (*qch.*) d'un ton sec.

rap² *fig.* [~] sou *m*, liard *m*; *not care
a* ~ s'en ficher.

ra·pa·cious □ [rə'peiʃəs] rapace;
ra·pac·i·ty [rə'pæsiti] rapacité *f*.

rape¹ [reip] **1.** rapt *m*; enlèvement *m*; ⚦⚦ viol *m*; **2.** ravir; ⚦⚦ violer.

rape² ⚘ [◡] colza *m*; navette *f*; '◡-**oil** huile *f* de colza *ou* de navette; '◡-**seed** graine *f* de colza.

rap·id ['ræpid] **1.** ☐ rapide; ◡ *fire* feu *m* continu *ou* accéléré; **2.** ◡s *pl.* rapide *m*; **ra·pid·i·ty** [rə'piditi] rapidité *f*.

ra·pi·er ['reipjə] *escrime*: rapière *f.*

rap·ine *poét.* ['ræpain] rapine *f.*

rap·proche·ment *pol.* [ræ'prɔʃmɑ̃ːŋ] rapprochement *m.*

rapt *fig.* [ræpt] ravi, extasié (par *by, with*); absorbé (dans, *in*); profond.

rap·to·ri·al *zo.* [ræp'tɔːriəl] de proie.

rap·ture ['ræptʃə] (*a.* ◡s *pl.*) extase *m*, ravissement *m*; *in* ◡s ravi, enchanté; *go into* ◡s s'extasier (sur, *over*); '**rap·tur·ous** ☐ d'extase, de ravissement; enthousiaste.

rare ☐ [rɛə] rare (*a. phys. etc., a. fig.*); F fameux (-euse *f*), riche; *surt. Am.* saignant (*bifteck*).

rare·bit ['rɛəbit]: *Welsh* ◡ toast *m* au fromage fondu.

rar·e·fac·tion *phys.* [rɛəri'fækʃn] raréfaction *f*; **rar·e·fy** ['◡fai] *v/t.* raréfier; affiner (*le goût*); subtiliser (*une idée*); *v/i.* se raréfier; '**rare·ness**, '**rar·i·ty** rareté *f*; F excellence *f.*

ras·cal ['rɑːskəl] coquin(e *f*) *m* (*a. fig.*); fripon *m*; gredin *m*; **ras·cal·i·ty** [◡'kæliti] coquinerie *f*, gredinerie *f*; **ras·cal·ly** *adj. a. adv.* ['◡kəli] de coquin; méchant; retors; ignoble.

rase † [reiz] raser (*une ville etc.*).

rash¹ ☐ [ræʃ] irréfléchi, inconsidéré; téméraire; impétueux (-euse *f*).

rash² ⚕ [◡] éruption *f.*

rash·er ['ræʃə] tranche *f* de lard.

rash·ness ['ræʃnis] témérité *f*; étourderie *f.*

rasp [rɑːsp] **1.** râpe *f*; grincement *m*; **2.** *v/t.* râper; racler (*le gosier, une surface, etc.*); *v/i.* grincer, crisser.

rasp·ber·ry ⚘ ['rɑːzbəri] framboise *f*; *sl. get the* ◡ se faire rabrouer.

rasp·er ['rɑːspə] râpeur (-euse *f*) *m*; râpe *f.*

rasp·ing ['rɑːspiŋ] râpage *m*; grincement *m*; ◡s *pl.* râpure *f*, -s *f/pl.*

rat [ræt] **1.** *zo.* rat *m*; *pol.* renégat *m*, transfuge *m*; *sl.* jaune *m*, faux frère *m*; *smell a* ◡ soupçonner anguille sous roche; **2.** attraper des rats; *pol.*

tourner casaque; *sl.* faire le jaune; F ◡ *on* trahir (*q.*), vendre (*q.*).

rat·a·bil·i·ty [reitə'biliti] caractère *m* imposable; '**rat·a·ble** ☐ évaluable; imposable.

ratch ⊕ [rætʃ] encliquetage *m* à dents; *horloge*: cliquet *m.*

ratch·et ⊕ ['rætʃit] encliquetage *m* à dents; cliquet *m*; '◡-**wheel** roue *f* à cliquet.

rate¹ [reit] **1.** quantité *f* proportionnelle; taux *m*; raison *f*, degré *m*; tarif *m*, cours *m*; droit *m*; prix *m*; impôt *m* local; taxe *f* municipale; *fig.* évaluation *f*; vitesse *f*, allure *f*, train *m*; † classe *f*, rang *m*; *at the* ◡ *of* au taux de, à raison de; *sur le pied de*; *mot.* à la vitesse de; ⚓ *at a cheap* ◡ à un prix *ou* taux réduit; *at any* ◡ de toute façon, en tout cas; ⚓ *à* n'importe quel prix; ◡ *of exchange* cours *m* du change; ◡ *of interest* taux *m* d'intérêt; ◡ *of taxation* taux *m* de l'imposition; ◡ *of wages* taux *m* du salaire; **2.** *v/t.* estimer; *Am.* mériter; considérer; classer (*a.* ⚓); taxer (à raison de, *at*); *v/i.* être classé.

rate² [◡] *v/t.* semoncer (de *for, about*); *v/i.* gronder, crier (contre, *at*).

rate-pay·er ['reitpeiə] contribuable *mf.*

rath·er ['rɑːðə] plutôt; quelque *ou* un peu; assez; pour mieux dire; F ◡! bien sûr!, pour sûr!; *I had* (*ou would*) ◡ (*inf.*) j'aime mieux (*inf.*); *I* ◡ *expected it* je m'en doutais, je m'y attendais.

rat·i·fi·ca·tion [rætifi'keiʃn] ratification *f*; **rat·i·fy** ['◡fai] ratifier, approuver.

rat·ing¹ ['reitiŋ] évaluation *f*; répartition *f* des impôts locaux; ⚓ classe *f* (*d'un homme*); ⚓ classement *m* (*d'un navire*); ⚓ matelot *m.*

rat·ing² [◡] semonce *f.*

ra·tio ['reiʃiou] raison *f*, rapport *m.*

ra·tion ['ræʃn] **1.** ration *f*; ◡ *card* carte *f* alimentaire (*a.* ◡ *ticket*) tickets *m/pl.* (*de pain etc.*); *off the* ◡ *see* ◡-*free*; **2.** rationner; mettre (*q.*) à la ration.

ra·tion·al ☐ ['ræʃnəl] raisonnable; doué de raison; raisonné; ⚕ rationnel(le *f*) (*a. croyance*); **ra·tion·al·ism** ['◡nəlizm] rationalisme *m*; '**ra·tion·al·ist** rationaliste (*a.*

su./mf); **ra·tion·al·i·ty** [ˌ~'næliti] rationalité *f*; faculté *f* de raisonner; **ra·tion·al·i·za·tion** [ˌ~lai'zeiʃn] rationalisation *f (a.* ✝); **'ra·tion·al·ize** rationaliser; organiser de façon rationnelle.

ra·tion-free ['ræʃnfriː] sans tickets, en vente libre. [rats *f.*]

rats·bane ✝ ['rætsbein] mort-aux-⌡

rat-tat ['ræt'tæt] toc-toc *m.*

rat·ten ⊕ ['rætn] *v/t.* saboter; *v/i.* saboter l'outillage *ou* le matériel; **'rat·ten·ing** sabotage *m.*

rat·tle ['rætl] **1.** bruit *m*; *fusillade:* crépitement *m*; *machine à écrire:* tapotis *m*; crécelle *f*; *enfant:* hochet *m*; *fig.* caquetage *m*; ♪ râle *m*; ~S *pl. serpent:* sonnettes *f/pl.*; **2.** *v/i.* branler; crépiter; cliqueter; faire du bruit; ♪ râler; *v/t.* faire sonner; faire cliqueter; agiter; F consterner; ~ **off** *(ou* **out**) expédier; réciter rapidement; **'~-brained**, **'~-pat·ed** écervelé, étourdi; **'rat·tler** ⚓ klaxon *m* d'alarme; F coup *m* dur; *sl.* personne *f ou* chose *f* épatante; *Am. sl.* tramway *m*; *Am. sl.* tacot *m*; *Am.* F = **'rat·tle·snake** serpent *m* à sonnettes; **'rat·tle·trap 1.** délabré; **2.** guimbarde *f*, tapecul *m.*

rat·tling ['rætliŋ] **1.** ☐ bruyant; crépitant; F vif (vive *f*); **2.** *adv.* rudement; *at a* ~ *pace* au grand trot, très rapidement.

rat·ty ['ræti] infesté de rats; en queue de rat (*natte*); *sl.* grincheux (-euse *f*); fâché.

rau·cous ☐ ['rɔːkəs] rauque.

rav·age ['rævidʒ] **1.** ravage *m*, -s *m/pl.*, dévastation *f*; **2.** *v/t.* ravager, dévaster; *v/i.* faire des ravages.

rave [reiv] être en délire; *fig.* pester (contre, *at*); s'extasier (sur *about*, *of*).

rav·el ['rævl] *v/t.* embrouiller; (*a.* ~ *out*) effilocher; *v/i.* s'embrouiller, s'enchevêtrer; (*a.* ~ *out*) s'effilocher.

rav·en[1] ['reivn] (grand) corbeau *m.*

rav·en[2] ['rævn] **1.** *see* ravin; **2.** faire des ravages; chercher sa proie; être affamé (de, *for*); **'rav·en·ous** ☐ vorace; affamé; **'rav·en·ous·ness** voracité *f*; faim *f* de loup.

rav·in ['rævin] rapine *f*; butin *m.*

ra·vine [rə'viːn] ravin *m.*

rav·ings *pl.* ['reiviŋz] délires *m/pl.*; paroles *f/pl.* incohérentes.

rav·ish ['ræviʃ] violer (*une femme*); *fig.* enchanter, ravir; ✝ enlever de force, ravir; **'rav·ish·er** ravisseur *m*; **'rav·ish·ing** ☐ ravissant; **'rav·ish·ment** rapt *m*; enlèvement *m*; viol *m (d'une femme)*; *fig.* ravissement *m.*

raw ☐ [rɔː] **1.** cru (= *pas cuit*; *a. couleur*, *peau*, *histoire*); brut, premier (-ère *f*); vert (*cuir*); inexpérimenté (*personne*); âpre (*temps*); vif (vive *f*) (*plaie*); ~ *material* matériaux *m/pl.* bruts; matières *f/pl.* premières; F *he got a* ~ *deal* on le traita avec peu de générosité; **2.** vif *m*; endroit *m* sensible; **'~-boned** décharné; efflanqué (*cheval*); **'raw·ness** crudité *f*; écorchure *f*; *temps:* âpreté *f*; *fig.* inexpérience *f.*

ray[1] *icht.* [rei] raie *f.*

ray[2] [~] **1.** ♀, *phys.*, *zo.*, *etc.* rayon *m*; *fig.* lueur *f (d'espoir)*; ♪ ~ *treatment* radiothérapie *f*; **2.** (*v/t.* faire) rayonner; **'~-less** sans rayons.

ray·on *tex.* ['reiɔn] rayonne *f*, soie *f* artificielle.

raze [reiz] (*a.* ~ *to the ground*) raser; ⚓ receper (*un mur*); *fig.* effacer.

ra·zor ['reizə] rasoir *m*; **'~-blade** lame *f* de rasoir; *be on the* ~*'s edge* être sur la corde raide; **'~-strop** cuir *m* à rasoir.

razz *Am. sl.* [ræz] **1.** ridicule *m*; **2.** taquiner, se moquer de, se payer la tête de.

raz·zi·a ['ræziə] *police:* razzia *f.*

raz·zle-daz·zle *sl.* ['ræzldæzl] bombe *f*, noce *f*; ivresse *f*; *usu. Am. sl.* fatras *m.*

re [riː] ✝ₐ (en l')affaire; ✝ relativement à; *en-tête d'une lettre:* objet ...

re... [~] re-, r-, ré-; de nouveau; à nouveau.

reach [riːtʃ] **1.** extension *f (de la main)*, *box.* allonge *f*; portée *f*; étendue *f (a. fig.)*; partie *f* droite (*d'un fleuve*) entre deux coudes; *beyond* ~, *out of* ~ hors de portée; *within easy* ~ à proximité (de, *of*); tout près; à peu de distance; **2.** *v/i.* (*a.* ~ *out*) tendre la main (pour, *for*); s'étendre ([jusqu'] là, *to*); (*a.* ~ *to*) atteindre; *v/t.* arriver à, parvenir à; (*souv.* ~ *out*) (é)tendre; atteindre.

reach-me-down F ['riːtʃmi'daun] costume *m* de confection, F décroche-moi-ça *m/inv.*

re·act [ri'ækt] réagir (sur, *upon*; contre, *against*); réactionner (*prix*).

re·ac·tion [ri'ækʃn] réaction *f* (*a.* ⚡, ⚗, *physiol., pol.*); contrecoup *m*; **re'ac·tion·ar·y** *surt. pol.* **1.** réactionnaire; **2.** (*a.* **re'ac·tion·ist**) réactionnaire *mf*.

re·ac·tive □ [ri'æktiv] réactif (-ive *f*); de réaction (*a. pol.*); **re'ac·tor** *phys.* réacteur *m*; ⚡ bobine *f* de réactance.

read 1. [ri:d] [*irr.*] *v/t.* lire (*un livre, un thermomètre, etc.*); (*a.* ~ *up*) étudier; déchiffrer; *fig.* interpréter; ~ *off* lire sans hésiter; ~ *out* lire à haute voix; donner lecture (de); ~ *to* faire la lecture à (*q.*); *v/i.* lire; être conçu; marquer (*thermomètre*); ~ *for* préparer (*un examen*); ~ *like* faire l'effet de; ~ *well* se laisser lire; **2.** [red] *prét. et p.p.* de 1; **3.** [red] *adj.* instruit (en, *in*); versé (dans, *in*).

read·a·ble □ ['ri:dəbl] lisible.

read·er ['ri:də] lecteur (-trice *f*) *m* (*a. eccl.*); *typ.* correcteur *m* d'épreuves; lecteur *m* de manuscrits; *univ.* maître *m* de conférences, chargé(e) *m* de cours; livre *m* de lecture; **'read·er·ship** *journal etc.*: (nombre *m* de) lecteurs *m/pl.*; *univ.* maîtrise *f* de conférences; charge *f* de cours.

read·i·ly ['redili] *adv.* volontiers, avec empressement; **'read·i·ness** alacrité *f*, empressement *m*; bonne volonté *f*; facilité *f*; ~ *of mind* (*ou wit*) vivacité *f* d'esprit.

read·ing ['ri:diŋ] **1.** lecture *f* (*a. d'un instrument de précision*); *compteur*: relevé *m*; observation *f*; cote *f*; hauteur *f* (*barométrique*); interprétation *f*; leçon *f*, variante *f*; *parl. second* ~ prise *f* en considération; **2.** de lecture.

re·ad·just ['ri:ə'dʒʌst] rajuster; remettre à point (*un instrument*); **'re·ad'just·ment** rajustement *m*, rectification *f*; ⚡ régulation *f*.

re·ad·mis·sion ['ri:əd'miʃn] réadmission *f*.

re·ad·mit ['ri:əd'mit] réadmettre; réintégrer; **'re·ad'mit·tance** réadmission *f*.

read·y ['redi] **1.** *adj.* □ prêt (à *inf.*, *to inf.*); sous la main; disposé, sur le point (de *inf.*, *to inf.*); facile; prompt (à, *with*); ⚡ comptant (*argent*); ⚡ paré; ~ *reckoner* barème *m* (de comptes); ⚔ ~ *for action* prêt au combat; ~ *for use* prêt à l'usage;

make (*ou* get) ~ (se) préparer; (s')apprêter; **2.** *adv.* tout, toute; *readier* plus promptement; *readiest* le plus promptement; **3.** *su.: at the* ~ paré à faire feu; **'~-made** tout fait; de confection (*vêtement*); **'~-to-'wear** prêt à porter.

re·af·firm ['ri:ə'fə:m] réaffirmer.

re·a·gent ⚗ [ri'eidʒənt] réactif *m*.

re·al □ [riəl] vrai; véritable; réel (-le *f*); ~ *property* (*ou estate*) propriété *f* immobilière; biens-fonds *m/pl.*; **'re·al·ism** réalisme *m*; **re·al·'is·tic** (~ally) réaliste; ~ally avec réalisme; **re·al·i·ty** [ri'æliti] réalité *f*; réel *m*; *fig.* vérité *f*, réalisme *m*; **re·al·iz·a·ble** □ ['riəlaizəbl] réalisable; imaginable; **re·al·i'za·tion** réalisation *f* (*projet, a.* ⚡ *placement*); *fig.* perception *f*; idée *f*; ~ conversion *f* en espèces; **'re·al·ize** réaliser (*un projet, a.* ⚡ *un placement*); concevoir nettement, bien comprendre; se rendre compte de; rapporter (*un prix*); ⚡ convertir en espèces; gagner (*une fortune*); **re·al·ly** vraiment, en effet; à vrai dire; réellement.

realm [relm] royaume *m*; *fig.* domaine *m*; *peer of the* ~ pair *m* du Royaume.

re·al·tor *Am.* ['riəltə] agent *m* immobilier; courtier *m* en immeubles; **'re·al·ty** ⚖ biens *m/pl.* immobiliers.

ream¹ [ri:m] *papier*: rame *f*; *papier à lettres*: ramette *f*.

ream² ⊕ [~] fraiser (*un trou*); (*usu.* ~ *out*) aléser; **'ream·er** alésoir *m*.

re·an·i·mate [ri'ænimeit] ranimer; **re·an·i·ma·tion** retour *m* à la vie; *fig.* reprise *f* (*des affaires*).

reap [ri:p] moissonner (*le blé, un champ*); (re)cueillir (*un fruit, a. fig.*); *fig.* récolter; **'reap·er** moissonneuse *f*; *personne*: moissonneur (-euse *f*) *m*; **'reap·ing** moisson *f*; **'reap·ing·hook** faucille *f*.

re·ap·pear ['ri:ə'piə] reparaître; **'re·ap'pear·ance** réapparition *f*; *théâ.* rentrée *f*.

re·ap·pli·ca·tion ['ri:æpli'keiʃn] nouvelle application *f*.

re·ap·point ['ri:ə'point] réintégrer (*dans ses fonctions*); renommer.

rear¹ [riə] *v/t.* élever; ériger; dresser; ⚘ cultiver; *v/i.* se dresser; se cabrer (*cheval*).

rear² [ˌ] **1.** arrière *m* (*a.* ✕), derrière *m*; queue *f*; dernier rang *m*; ✕ arrière-garde *f*; *bring up the* ˌ venir en queue, ✕ fermer la marche; *at the* ˌ *of*, *in* (*the*) ˌ *of* derrière, en queue de; **2.** (d')arrière; de derrière; dernier (-ère *f*); *mot.* ˌ-vision (*ou* ˌ-view) *mirror* rétroviseur *m*; *mot.* ˌ-wheel drive traction *f* arrière; 'ˌ-'ad·mi·ral ⚓ contre-amiral *m*; 'ˌ-guard ✕ arrière-garde *f*; 'ˌ-lamp *mot.* feu *m* arrière.

re·arm ['riː'ɑːm] réarmer; 're·ar·ma·ment [ˌˈməmənt] réarmement *m.*

rear·most ['riəmoust] dernier (-ère *f*).

re·ar·range ['riːə'reindʒ] rarranger; remettre en ordre.

rear·ward ['riəwəd] **1.** *adj.* à l'arrière; en arrière; **2.** *adv.* (*a.* 'rear·wards [ˌzl]) à *ou* vers l'arrière; (par) derrière.

re·as·cend ['riːə'send] remonter.

rea·son ['riːzn] **1.** raison *f*, cause *f*; motif *m*; bon sens *m*; *by* ˌ *of* à cause de, en raison de; *for this* ˌ pour cette raison; *listen to* ˌ entendre raison; *it stands to* ˌ *that* il est de toute évidence que; **2.** *v/i.* raisonner (*sur*, *about*); ˌ *whether* discuter pour savoir si; *v/t.* (*a.* ˌ *out*) arguer, déduire; ˌ *away* prouver le contraire de (*qch.*) par le raisonnement; ˌ *s.o. into* (*out of*) *doing s.th.* amener q. à (dissuader q. de) faire qch.; ˌed raisonné; logique; 'rea·son·a·ble □ raisonnable (*a. fig.*); équitable; juste; bien fondé; 'rea·son·a·bly raisonnablement; 'rea·son·er raisonneur (-euse *f*) *m*; 'rea·son·ing raisonnement *m*; dialectique *f*; *attr.* doué de raison.

re·as·sem·ble ['riːə'sembl] (se) rassembler; remonter (*une machine*).

re·as·sert ['riːə'səːt] réaffirmer; insister.

re·as·sur·ance ['riːə'ʃuərəns] action *f* de rassurer; nouvelle affirmation *f*; *give s.o. a* ˌ *about* rassurer q. sur; ✝ réassurer; **re·as·sure** ['ˌ'ʃuə] tranquilliser (sur, *about*); ✝ réassurer.

re·bap·tize ['riːbæp'taiz] rebaptiser.

re·bate¹ ✝ ['riːbeit] rabais *m*, escompte *m*; remboursement *m.*

re·bate² ⊕ ['ræbit] **1.** feuillure *f*; **2.** faire une feuillure à; assembler (*deux planches*) à feuillure.

re·bel ['rebl] **1.** rebelle *mf*, insurgé(e *f*) *m*, révolté(e *f*) *m*; **2.** insurgé; *fig.* (*a.* **re·bel·lious** [ri'beljəs]) rebelle; **3.** [ri'bel] se révolter, se soulever (contre, *against*); **re'bel·lion** [ˌjən] rébellion *f*, révolte *f.*

re·birth ['riː'bəːθ] renaissance *f.*

re·bound [ri'baund] **1.** rebondir; **2.** rebondissement *m*; *balle etc.*: ricochet *m*; *fig.* moment *m* de détente.

re·buff [ri'bʌf] **1.** échec *m*; refus *m*; **2.** repousser, rebuter.

re·build [ri'bild] [*irr.* (*build*)] rebâtir, reconstruire.

re·buke [ri'bjuːk] **1.** réprimande *f*, blâme *m*; **2.** réprimander; reprocher (*qch.* à q., *s.o. for s.th.*).

re·bus ['riːbəs] rébus *m.*

re·but [ri'bʌt] réfuter; repousser; **re'but·tal** réfutation *f.*

re·cal·ci·trant [ri'kælsitrənt] récalcitrant, rebelle.

re·call [ri'kɔːl] **1.** rappel *m*; révocation *f*; *théâ.* *give a* ˌ rappeler (*un acteur*); *beyond* (*ou* *past*) ˌ irrémédiable; irrévocable; **2.** rappeler (*un ambassadeur etc.*; *fig.* qch. à q., *s.th. to s.o.*['*s mind*]); se rappeler, se souvenir de; revoir; retirer (*une parole*); rétracter, revenir sur (*une promesse*); ⚖ annuler; révoquer (*un décret*, ✝ *un ordre*); ˌ *that* se rappeler que; *until* ˌed jusqu'à nouvel ordre.

re·cant [ri'kænt] (se) rétracter; abjurer; **re·can·ta·tion** [riːkæn'teiʃn] rétractation *f*, abjuration *f.*

re·ca·pit·u·late [riːkə'pitjuleit] récapituler, résumer; **'re·ca·pit·u·la·tion** récapitulation *f*; résumé *m.*

re·cap·ture ['riː'kæptʃə] **1.** reprise *f*; **2.** reprendre; *fig.* revivre (*le passé*).

re·cast ['riː'kɑːst] **1.** [*irr.* (*cast*)] ⊕ refondre; remanier (*un roman etc.*); reconstruire; refaire le calcul de; *théâ.* faire une nouvelle distribution des rôles de; **2.** refonte *f*; nouveau calcul *m etc.*

re·cede [ri'siːd] s'éloigner, reculer (de, *from*); fuir (*front*); ✕ se retirer (de, *from*); *fig.* ˌ *from* abandonner (*une opinion*).

re·ceipt [ri'siːt] **1.** réception *f*; reçu *m*; accusé *m* de réception; ✝ récépissé *m*, quittance *f*; ✝ recette *f* (*a. cuis.*); **2.** acquitter.

re·ceiv·a·ble [ri'siːvəbl] recevable; ✝ à recevoir; **re'ceive** *v/t. usu.*

recevoir; accepter; accueillir; essuyer (*un refus*), subir (*une défaite*); toucher (*un salaire*); *radio*: capter; 🏛 receler (*des objets volés*); 🏛 être condamné à; *v/i.* recevoir; **re'ceived** reçu; admis; ♰ *sur facture*: pour acquit; **re'ceiv·er** personne *f* qui reçoit; *lettre*: destinataire *mf*; *tél., téléph.* récepteur *m*; *radio*: poste *m* (récepteur); ♰ réceptionnaire *m*; (*a. ~ of stolen goods*) receleur (-euse *f*) *m*; 🏛 (*official ~*) administrateur *m* judiciaire, (*en France*) syndic *m* de faillite; ⚕, *phys.* récipient *m*, ballon *m*; *téléph.* lift the ~ décrocher; **re'ceiv·ing** 1. réception *f*; 🏛 recel *m*; 2. récepteur (-trice *f*); ~ set poste *m* récepteur.

re·cen·cy ['ri:snsi] caractère *m* récent.

re·cen·sion [ri'senʃn] révision *f*; texte *m* révisé.

re·cent □ ['ri:snt] récent; de fraîche date; nouveau (-el *devant une voyelle ou un h muet*); -elle *f*; -eaux *m/pl.*); **'re·cent·ly** récemment, dernièrement; **'re·cent·ness** caractère *m* récent.

re·cep·ta·cle [ri'septəkl] récipient *m*; ⚘ (*a. floral ~*) réceptacle *m* (*a. fig.*).

re·cep·tion [ri'sepʃn] réception *f* (*a. radio*); accueil *m*; acceptation *f* (*d'une théorie*); **re'cep·tion·ist** réceptionniste *mf*; **re'cep·tion-room** salle *f* de réception, salon *m*.

re·cep·tive □ [ri'septiv] réceptif (-ive *f*); sensible (à, of); **re·cep'tiv·i·ty** réceptivité *f*.

re·cess [ri'ses] vacances *f/pl.* (*a.* 🏛, *a. parl.*); *Am. école*: récréation *f*; recoin *m*; enfoncement *m*; niche *f*; embrasure *f*; ~es *pl. fig.* replis *m/pl.*

re·ces·sion [ri'seʃn] retraite *f*, recul *m*; ♰ récession *f*; **re'ces·sion·al** 1. *eccl.* de sortie; *parl.* pendant les vacances; 2. *eccl.* (*a. ~ hymn*) hymne *m* de sortie du clergé.

re·chris·ten ['ri:'krisn] rebaptiser.

rec·i·pe ['resipi] *cuis.* recette *f* (*a. fig.*); ⚕ ordonnance *f*; *pharm.* formule *f*.

re·cip·i·ent [ri'sipiənt] personne *f* qui reçoit; destinataire *mf*; ⚕ récipient *m*.

re·cip·ro·cal [ri'siprəkəl] 1. □ réciproque (*a. gramm., phls., a.* ♈

figure); ♈ inverse (*fonction, raison*); mutuel(le *f*); 2. ♈ réciproque *f*, inverse *m*; **re'cip·ro·cate** [~keit] *v/i.* retourner le compliment; ⊕ avoir un mouvement alternatif; *v/t.* échanger; répondre à; **re·cip·ro'ca·tion** (action *f* de payer de) retour *m*; ⊕ va-et-vient *m/inv.*; **rec·i·proc·i·ty** [resi'prɔsiti] réciprocité *f*.

re·cit·al [ri'saitl] récit *m*, narration *f*; 🏛 exposé *m* (*des faits*); ♪ récital (*pl.* -s) *m*; audition *f*; **rec·i·ta·tion** [resi'teiʃn] récitation *f*; **rec·i·ta·tive** ♪ [‿tə'ti:v] récitatif *m*; **re·cite** [ri'sait] réciter (*un poème*); déclamer; énumérer; 🏛 exposer (*les faits*); **re'cit·er** récitateur (-trice *f*) *m*; livre *m* de récitations.

reck·less □ ['reklis] téméraire; ~ of insouciant de; **'reck·less·ness** témérité *f*, imprudence *f*; insouciance *f*.

reck·on ['rekn] *v/t.* compter (parmi among, with); calculer; juger, estimer; considérer (comme for, as); ~ up calculer, additionner; *v/i.* compter (sur, [up]on), calculer; ~ with faire rendre compte à; compter avec (*q., a. des difficultés etc.*); **'reck·on·er** calculateur (-trice *f*) *m*; barème *m*; **'reck·on·ing** compte *m*, calcul *m*; estimation *f*; ♰ règlement *m*; note *f*; addition *f*; *fig.* be out in (*ou of*) one's ~ s'être trompé dans son calcul; être loin de compte.

re·claim [ri'kleim] *fig.* tirer (de, from); corriger (*q.*), réformer (*q.*); civiliser; ramener (à, to); défricher, rendre cultivable, gagner sur l'eau (*du terrain*); assécher (*un marais*); ⊕ récupérer; régénérer (*l'huile etc.*); **re'claim·a·ble** corrigible (*personne*); amendable (*terrain*); asséchable (*marais*); ⊕ récupérable.

rec·la·ma·tion [reklə'meiʃn] réforme *f*; défrichement *m*, mise *f* en valeur; récupération *f*; réclamation *f*.

re·cline [ri'klain] *v/t.* reposer; coucher; *v/i.* être couché; se reposer; ~ upon s'étendre sur; *fig.* être appuyé sur; **re'clin·ing chair** confortable *m*; fauteuil *m*.

re·cluse [ri'klu:s] 1. retiré du monde; reclus; 2. reclus(e *f*) *m*; anachorète *m*; solitaire *mf*.

rec·og·ni·tion [rekəg'niʃn] recon-

naissance f; **rec·og·niz·a·ble** □
['⌐naizəbl] reconnaissable; **re·cog·**
ni·zance ⚖ [ri'kɔgnizəns] caution
f personnelle; engagement m; **rec·**
og·nize ['rekəgnaiz] reconnaître (a.
fig.) (à, by); saluer (dans la rue).

re·coil [ri'kɔil] **1.** se détendre;
reculer (devant, from) (personne,
arme à feu); fig. rejaillir (sur, on);
2. rebondissement m; détente f; ⚔
recul m; mouvement m de dégout.

re·coin [ri'kɔin] refrapper.

rec·ol·lect 1. [rekə'lekt] se souvenir
de; se rappeler (qch.); **2.** ['ri:kə-
'lekt] réunir de nouveau; **rec·ol·**
lec·tion [rekə'lekʃn] souvenir m,
mémoire f; fig. recueillement m
(de l'âme).

re·com·mence ['ri:kə'mens] recommencer.

rec·om·mend [rekə'mend] recommander; **rec·om'mend·a·ble** recommandable; **rec·om·men'da·**
tion recommandation f; **rec·om·**
'**mend·a·to·ry** [⌐ətəri] de recommandation.

re·com·mis·sion ['ri:kə'miʃn] réarmer (un navire); réintégrer dans
les cadres (un officier).

re·com·mit ['ri:kə'mit] parl. renvoyer à une commission; commettre de nouveau; ∼ to prison renvoyer en prison.

rec·om·pense ['rekəmpens] **1.** récompense f (de, for); compensation
f (de, pour for); dédommagement
m (de, for); **2.** récompenser (q. de
qch., s.o. for s.th.); réparer (un mal);
dédommager (q. de qch., s.o. for
s.th.).

re·com·pose ['ri:kəm'pouz] rarranger; calmer de nouveau; ♫ recomposer; ∼ o.s. to se disposer de
nouveau à.

rec·on·cil·a·ble ['rekənsailəbl] conciliable, accordable (avec, with);
'**rec·on·cile** réconcilier (avec with,
to); faire accorder; faire accepter
(qch. à q., s.o. to s.th.); ajuster (une
querelle); ∼ o.s. to se résigner à;
'**rec·on·cil·er** réconciliateur (-trice
f) m; **rec·on·cil·i·a·tion** [⌐sili-
'eiʃn] réconciliation f; conciliation f
(d'opinions contraires).

rec·on·dite □ fig. [ri'kɔndait]
abstrus; obscur.

re·con·di·tion ['ri:kən'diʃn] rénover, remettre à neuf.

re·con·nais·sance ⚔ [ri'kɔnisəns]
reconnaissance f.

re·con·noi·ter, re·con·noi·tre ⚔
[rekə'nɔitə] v/i. reconnaître; v/i.
faire une reconnaissance.

re·con·quer ['ri:'kɔŋkə] reconquérir; '**re·con·quest** ⚔ [⌐kwest]
reprise f.

re·con·sid·er ['ri:kən'sidə] examiner
de nouveau; revoir; revenir sur (une
décision); '**re·con·sid·er·a·tion** examen m de nouveau; révision f.

re·con·sti·tute ['ri:'kɔnstitju:t] reconstituer; '**re·con·sti·tu·tion** reconstitution f.

re·con·struct ['ri:kəns'trʌkt] reconstruire; reconstituer (un crime);
re·con'struc·tion reconstruction f;
crime: reconstitution f.

re·con·ver·sion ⚓ ['ri:kən'və:ʃn]
reconversion f (en industries de
paix); '**re·con'vert** reconvertir;
transformer.

rec·ord 1. ['rekɔ:d] mémoire m; ⚖
enregistrement m; ⚖ feuille f d'audience; ⚖ procès-verbal m de témoignage; minute f; note f; dossier m;
(a. police-∼) casier m judiciaire; registre m; monument m; ♪ disque m,
a. enregistrement m; sp. etc. record
m; ∼ holder recordman (pl. -men) m,
recordwoman (pl. -men) f; ∼ time
temps m record; it is left (ou stands)
on ∼ that il est rapporté que; place
on ∼ prendre acte de; consigner par
écrit; beat (ou break) the ∼ battre
le record; set up (ou establish) a ∼
établir un record; ♀ Office les
Archives f/pl.; surt. Am. off the ∼
non officiel(le f); confidentiel(le f);
on the ∼ authentique; **2.** [ri'kɔ:d]
enregistrer; consigner par écrit;
rapporter, relater; ∼ing apparatus
appareil m enregistreur; (a. tape-
∼er) magnétophone m; **re'cord·er**
personne f qui enregistre; ⚖ (sorte
de) juge m municipal (= avocat
chargé de remplir certaines fonctions
de juge); appareil m enregistreur; ♪
flûte f à bec.

re·count¹ [ri'kaunt] raconter.

re·count² ['ri:'kaunt] recompter.

re·coup [ri'ku:p] (se) dédommager;
indemniser; ⚖ défalquer.

re·course [ri'kɔ:s] recours m; expédient m; have ∼ to avoir recours à,
recourir à.

re·cov·er¹ [ri'kʌvə] v/t. retrouver,

recouvrer (*a. la santé*); regagner; rentrer en possession de; reprendre (*haleine*); rattraper (*de l'argent, le temps perdu*); obtenir; ⊕ récupérer; be ~ed être remis (*malade*); *v/i.* guérir; (*a. ~ o.s.*) se remettre; ⚖ se faire dédommager (*par q.*).

re·cov·er² ['riː'kʌvə] recouvrir; regarnir (*un fauteuil*).

re·cov·er·a·ble [ri'kʌvərəbl] recouvrable, récupérable; guérissable (*personne*); **re'cov·er·y** recouvrement *m*; ⊕ récupération *f*; rétablissement *m* (*a. fig.*), guérison *f*; ⴕ reprise *f*; redressement *m* (*économique*); ⚖ obtention *f* (*de dommages-intérêts*).

rec·re·an·cy ['rekriənsi] lâcheté *f*; apostasie *f*; 'rec·re·ant 1. □ lâche; infidèle, apostat; 2. lâche *m*; renégat *m*.

re·cre·ate¹ ['riːkri'eit] recréer.

re·cre·ate² ['rekrieit] *v/t.* divertir; *v/i.* (*a. ~ o.s.*) se divertir; **rec·re·a·tion** récréation *f*, divertissement *m*; délassement *m*; *école:* cour *f* de récréation; ~ **ground** terrain *m* de jeux; *école:* cour *f* de récréation; 'rec·re·a·tive divertissant, récréatif (-ive *f*).

re·crim·i·nate [ri'krimineit] récriminer; **re·crim·i·na·tion** récrimination *f*.

re·cru·desce [riːkruː'des] s'enflammer de nouveau (*plaie*); reprendre (*maladie, a. fig.*); **re·cru'des·cence** recrudescence *f* (*a. fig.*).

re·cruit [ri'kruːt] 1. recrue *f* (*a. fig.*); 2. *v/t.* ✕ recruter (*a. pol.*); ✕ *hist.* racoler (*des hommes pour l'armée*); *fig.* apporter *ou* faire des recrues; *fig.* restaurer (*la santé*); *v/i.* faire des recrues; se remettre (*malade*); **re'cruit·ment** recrutement *m*; racolage *m*; *santé:* rétablissement *m*.

rec·tan·gle ['rektæŋgl] rectangle *m*; **rec'tan·gu·lar** □ [~gjulə] rectangulaire.

rec·ti·fi·a·ble ['rektifaiəbl] rectifiable; **rec·ti·fi·ca·tion** [~fi'keiʃn] rectification *f* (*a.* ⚛, ⚗, ⴕ); ⴕ redressement *m*; **rec·ti·fi·er** ['~faiə] rectificateur (-trice *f*) *m*; ⚡, *radio:* redresseur *m*; **rec·ti·fy** ['~fai] rectifier (*a.* ⚛, ⚗); corriger (*a.* ⚛); ⚡, *radio:* redresser; **rec·ti·lin·e·al** [rekti'linjəl], **rec·ti·lin·e·ar** □ [~njə]

rectiligne; **rec·ti·tude** ['~tjuːd] rectitude *f*; *caractère:* droiture *f*.

rec·tor ['rektə] curé *m*; *univ.* recteur *m*; *écoss.* directeur *m* (*d'une école*); **rec·tor·ate** ['~rit], 'rec·tor·ship rectorat *m*; 'rec·to·ry presbytère *m*; curé *f*.

rec·tum *anat.* ['rektəm] rectum *m*.

re·cum·bent □ [ri'kʌmbənt] couché, étendu.

re·cu·per·ate [ri'kjuːpəreit] *v/i.* se remettre, se rétablir; *v/t.* récupérer; **re·cu·per·a·tion** rétablissement *m*; ⊕ récupération *f*; **power of ~ = re·cu·per·a·tive pow·er** [~rətiv 'pauə] pouvoir *m* de rétablissement.

re·cur [ri'kəː] revenir (*à la memoire, sur un sujet*); se renouveler; se reproduire (*a.* ⚛); ~ **to s.o.'s mind** revenir à la mémoire de q.; ⚛ ~**ring decimal fraction** *f* décimale périodique; **re·cur·rence** [ri'kʌrəns] renouvellement *m*, réapparition *f*; ⚕ récidive *f*; ~ **to** retour *m* à; **re'cur·rent** □ périodique (*a.* ⚕ *fièvre*); *anat.* récurrent.

re·curve [riː'kəːv] (se) recourber.

re·cu·sant ['rekjuzənt] 1. réfractaire (à, *against*); dissident; 2. réfractaire *mf*; *eccl.* récusant(e *f*) *m*.

red [red] 1. rouge (*a. pol.*); roux (rousse *f*) (*cheveux, feuille*); ♀ **Cross** Croix-Rouge *f*; ♀ ~ **currant** groseille *f* rouge; *zo.* ~ **deer** cerf *m* commun; ⊕ ~ **heat** chaude *f* rouge; ~ **herring** hareng *m* saur; *fig. draw* ~ **herrings** brouiller la piste; *min.* ~ **lead** minium *m*; ~ **man** see **redskin**; *sl. paint the town* ~ faire la nouba, faire la bringue; 2. rouge *m* (*a. pol. mf*); *billard:* bille *f* rouge; *surt. Am.* F sou *m* (*de bronze*); *see* ~ voir rouge; *Am.* F **be in the** ~ avoir débit en banque; F **in the** ~ en déficit.

re·dact [ri'dækt] rédiger, mettre au point; **re'dac·tion** rédaction *f*; mise *f* au point; révision *f*.

red·breast ['redbrest] (*souv. robin* ~) *see* **robin**; 'red·cap ⚒ *Am.* porteur *m*; *Angl.* soldat *m* de la police militaire; **red·den** ['redn] *vt/i.* rougir; *v/i.* roussir (*feuille*); rougeoyer (*ciel*); 'red·dish rougeâtre; roussâtre; **red·dle** ['~l] ocre *f* rouge.

re·dec·o·rate ['riː'dekəreit] peindre (et tapisser) à nouveau (*une chambre* *etc.*); **'re·dec·o'ra·tion** nouvelle décoration *f*; nouveau décor *m*.

re·deem [ri'di:m] racheter (*eccl., obligation, défaut, esclave, temps, etc.*); amortir (*une dette*); purger (*une hypothèque*); dégager, retirer (*une montre etc.*); honorer (*une traite*); libérer (*un esclave*); tenir (*une promesse*); F réparer (*le temps perdu*); *fig.* arracher (à, *from*); **re'deem·a·ble** ✝ rachetable, amortissable; **Re'deem·er** Rédempteur *m*, Sauveur *m*.

re·de·liv·er [ˈriːdiˈlivə] remettre de nouveau (*une lettre*); répéter.

re·demp·tion [riˈdempʃn] *eccl.* rédemption *f*; *crime, esclave, etc., a.* ✝: rachat *m*; ✝ amortissement *m*; dégagement *m*; purge *f*; **re'demp·tive** rédempteur (-trice *f*).

re·de·ploy·ment [ˈriːdiˈplɔimənt] nouveau déploiement *m*; démobilisation *f*.

red-hand·ed [ˈredˈhændid]: *take s.o.* ~ prendre q. en flagrant délit *ou* sur le fait.

red-hot [ˈredˈhɔt] (chauffé au) rouge; *fig.* ardent.

red·in·te·grate [reˈdintigreit] rétablir (*qch.*) dans son intégrité; réintégrer (*q.*) dans ses possessions; **red·in·te'gra·tion** rétablissement *m* intégral; réintégration *f*.

re·di·rect [ˈriːdiˈrekt] faire suivre, adresser de nouveau (*une lettre etc.*).

re·dis·cov·er [ˈriːdisˈkʌvə] retrouver; redécouvrir.

re·dis·trib·ute [riːdisˈtribjuːt] redistribuer; répartir de nouveau.

red-let·ter day [ˈredletəˈdei] jour *m* de fête; *fig.* jour *m* de bonheur.

red-light dis·trict *Am.* [ˈredlaitˈdistrikt] quartier *m* réservé *ou* malfamé.

red·ness [ˈrednis] rougeur *f*; cheveux, feuille; rousseur *f*.

re·do [ˈriːˈduː] [*irr.* (do)] refaire.

red·o·lence [ˈredoləns] odeur *f*; parfum *m*; **red·o·lent** parfumé; qui a une forte odeur (de, *of*); *fig.* be ~ of sentir (*qch.*).

re·dou·ble ⚔ [riˈdʌbl] redoubler.

re·doubt ⚔ [riˈdaut] réduit *m*, redoute *f*; **re'doubt·a·ble** *poét.* redoutable.

re·dound [riˈdaund]: ~ *to* contribuer à; résulter (*de qch.*) pour; ~ (*up)on* rejaillir sur.

re·draft [ˈriːˈdraːft] **1.** nouvelle rédaction *f*; ✝ retraite *f*; **2.** (*ou* **re·draw** [ˈriːˈdrɔː] [*irr.* (draw)] rédiger; ✝ faire retraite (sur, *on*).

re·dress [riˈdres] **1.** redressement *m*; remède *m*; réforme *f*; réparation *f* (a ⚖); **2.** redresser; réparer; rétablir (*l'équilibre*).

red...: '~**skin** Peau-Rouge (*pl.* Peaux-Rouges) *m*; '~**start** *orn.* rouge-queue (*pl.* rouges-queues) *m*; ~ **tape** [ˈ~ˈteip], ~**tap·ism** [ˈ~ˈteipizm] bureaucratie *f*, F paperasserie *f*; '~**tap·ist** bureaucrate *m*; paperassier (-ère *f*) *m*.

re·duce [riˈdjuːs] *fig.* réduire (a. ♈, ⚗, ⚔, ✂, *une ville*) (en, *to*); ♈, *a. fig.* ramener (à, *to*); abaisser (✂, *la tension, la température*); (ra)baisser, diminuer (*le prix*); affaiblir (*a. phot.*; *q.*); ⚔ casser; amincir (*une planche*); ralentir (*la marche*); atténuer (*un contraste*); *fig.* ~ *to* ériger en; ~ *to writing* coucher *ou* consigner par écrit; **re'duc·i·ble** réductible (à, *to*); **re·duc·tion** [riˈdʌkʃn] réduction *f* (a. ✝, ⚔, *une ville*, ⚗, ♈); diminution *f*; ⚔ rétrogradation *f* (*d'un sous-officier*); cassation *f*; ✝ rabais *m*; ✝ remise *f* (sur, *on*); baisse *f* (*de température*); rapetissement *m* (*d'un dessin etc.*); *phot.* atténuation *f*; ⚖ relaxation *f*.

re·dun·dance, **re·dun·dan·cy** [riˈdʌndəns(i)] surplus *m*; surabondance *f*; **re'dun·dant** □ superflu; surabondant; *poét.* redondant.

re·du·pli·cate [riˈdjuːplikeit] redoubler; répéter; **re·du·pli'ca·tion** redoublement *m*.

re·dye [ˈriːˈdai] (faire) reteindre.

re·ech·o [riːˈekou] *v/t.* répéter; *v/i.* résonner.

reed [riːd] roseau *m*; *poét.* chalumeau *m*; ♪ *hautbois etc.*: anche *f*.

re·ed·it [ˈriːˈedit] rééditer.

re·ed·u·ca·tion [ˈriːedjuˈkeiʃn] rééducation *f*.

reed·y [ˈriːdi] couvert de *ou* abondant en roseaux; grinçant (*voix*); nasillard (*timbre*).

reef[1] [riːf] récif *m* (*de corail etc.*).

reef[2] ⚓ [~] **1.** ris *m*; ~**knot** nœud *m* plat; **2.** prendre un ris dans (*la voile*); rentrer (*le beaupré etc.*).

reef·er[1] [ˈriːfə] veste *f* quartier-maître, caban *m*.

reef·er² *Am. sl.* [~] cigarette *f* à marijuana.

reek [ri:k] **1.** odeur *f* forte; atmosphère *f* fétide; *écoss.* vapeur *f*; fumée *f*; **2.** exhaler une mauvaise odeur *ou* des vapeurs; *fig.* puer (qch., of s.th.); *écoss.* fumer; **'reek·y** enfumé.

reel [ri:l] **1.** *tex.*, *papier*, *cin.* a. film ~: bobine *f*; *tél.* moulinet *m* (*a. canne à pêche*); *phot.*, a. ⊕ rouleau *m*; *cin.* bande *f*; titubation *f*, chancellement *m*; *danse:* branle *m* écossais; **2.** *v/t.* bobiner; dévider; ~ in remonter; ~ off dévider; *fig.* réciter d'un trait; *v/i.* tournoyer; chanceler; tituber.

re·e·lect ['ri:i'lekt] réélire

re·el·i·gi·ble ['ri:'elidʒəbl] rééligible.

re·en·act ['ri:i'nækt] remettre en vigueur; *théâ.* reproduire.

re·en·gage ['ri:in'geidʒ] ✕ rengager; réintégrer (*un employé*); rengrener (*une roue dentée*); *mot.* ~ the clutch rembrayer.

re·en·list ✕ ['ri:in'list] (se) rengager.

re·en·ter ['ri:'entə] *v/t.* rentrer dans; ✝ inscrire de nouveau; *v/i.* rentrer; se présenter de nouveau (*à un examen*); **'re-'en·ter·ing**, **re-entrant** [ri:'entrənt] rentrant.

re·es·tab·lish ['ri:is'tæbliʃ] rétablir; **'re-es'tab·lish·ment** rétablissement *m*.

reeve ⚓ [ri:v] [*irr.*] passer (*un cordage dans une poulie*).

re·ex·am·i·na·tion ['ri:igzæmi'neiʃn] nouvel examen *m ou* ⚖ interrogatoire *m*; **'re-ex'am·ine** [~min] examiner *ou* ⚖ interroger de nouveau.

re·ex·change ['ri:iks'tʃeindʒ] nouvel échange *m*; ✝ rechange *m*; ✝ retraite *f*.

re·fec·tion [ri'fekʃn] rafraîchissement *m*; **re'fec·to·ry** [~təri] réfectoire *m*.

re·fer [ri'fə:] *v/t.* rapporter; rattacher (*a. une plante à sa famille*); soumettre (*à un tribunal*); s'en référer (à q. de qch., *s.th.* to s.o.); renvoyer (q. à q., *s.o.* to s.o.); *fig.* attribuer; *école:* ajourner (*un candidat*); ✝ refuser d'honorer (*un chèque*); *v/i.* (to) se rapporter (à); se reporter (à) (*un document*); se référer (à) (*une autorité*); faire allusion (à), faire mention (de); reparler (de);

ref'er·a·ble: ~ to attribuable à; qui relève de; **ref·er·ee** [refə'ri:] **1.** répondant *m*; *sp.* arbitre *m* ⚖ arbitre *m* expert; **2.** *sp.* arbitrer; **ref·er·ence** ['refrəns] renvoi *m*, référence *f* (*à une autorité*); rapport *m*; mention *f*, allusion *f*; ⚖ compétence *f*; *cartographie:* point *m* coté; (*a. foot-note* ~) appel *m* de note; *typ.* (*ou* ~ *mark*) renvoi *m*; *accompagnant une demande d'emploi:* référence *f*; *in* (*ou* with) ~ to comme suite à, me (*etc.*) référant à; *terms pl. of* ~ mandat *m*, compétence *f*; *work of* ~, ~ *book* ouvrage *m* à consulter; ~ *library* bibliothèque *f* de consultation sur place; ~ *number* cote *f*; ✝ numéro *m* de commande; ~ *point* point *m* de repère; *make* ~ *to* signaler, faire mention de.

ref·er·en·dum [refə'rendəm] (*a. people's ou national* ~) référendum *m*, plébiscite *m*.

re·fill ['ri:'fil] **1.** objet *m* de remplacement; pile *f ou* feuilles *f/pl. ou* mine *f* de rechange; **2.** *v/t.* remplir (de nouveau); *v/i.mot.* faire le plein.

re·fine [ri'fain] *v/t. fig.* épurer; raffiner; *v/i.* se raffiner (*a.* ⊕, *a. fig.*); ~ (*up*)on renchérir sur; **re'fine·ment** (r)affinage *m*; *fig.* cruauté, goût, pensée: raffinement *m*; **re'fin·er** raffineur *m* (*a. fig.*); ⊕ affineur *m*; **re'fin·er·y** ⊕ (r)affinerie *f*; *fer:* finerie *f*.

re·fit ['ri:'fit] **1.** *v/t.* ⚓ radouber; réarmer; ⊕ rajuster; remonter (*une usine*); *v/i.* réparer ses avaries; réarmer; **2.** (*a.* '**re'fit·ment**) ⚓ radoub *m*, réparation *f*; réarmement *m*; ⊕ rajustement *m*; remontage *m*.

re·flect [ri'flekt] *v/t.* réfléchir, refléter; renvoyer; *fig.* être le reflet de; *v/i.* ~ (*up*)on réfléchir sur *ou* à; méditer sur; *fig.* faire du tort à; *fig.* critiquer; **re'flec·tion** réflexion *f* (*a. fig.*); reflet *m* (*a. fig.*), image *f*; pensée *f*; blâme *m* (de, on); **re'flec·tive** ☐ réfléchissant; de réflexion; réfléchi (*esprit, personne*); **re'flec·tor** réflecteur *m*; *cycl. rear* ~ catadioptre *m*.

re·flex ['ri:fleks] **1.** reflété; réfléchi (*a.* 🜨); *physiol.* réflexe; *fig.* indirect; **2.** reflet *m*; *physiol.* réflexe *m*; **re·flex·ive** ☐ [ri'fleksiv] réfléchi (*a. gramm.*).

ref·lu·ent ['refluənt] qui reflue.

re·flux ['riːflʌks] reflux *m*; jusant *m* (*marée*).

re·for·est·a·tion ['riːfɔrisˈteiʃn] reboisement *m*.

re·form[1] [riˈfɔːm] **1.** réforme *f*; **2.** (se) réformer, corriger; apporter des réformes à.

re·form[2] ['riːˈfɔːm] (se) reformer.

ref·or·ma·tion [refɔˈmeiʃn] réformation *f*; réforme *f* (*a. eccl.* 2); **re·form·a·to·ry** [riˈfɔːmətəri] **1.** de réforme; de correction; **2.** maison *f* de correction; **re·formed** réformé (*a. eccl.*); **re·form·er** réformateur (-trice *f*) *m*; **re·form·ist** réformiste.

re·found [riːˈfaund] refondre.

re·fract [riˈfrækt] réfracter, briser (*un rayon de lumière*); *~ing telescope* lunette *f* d'approche; **re·frac·tion** réfraction *f*; **re·frac·tive** *opt.* réfractif (-ive *f*); à réfraction; **re·'frac·tor** *opt.* milieu *m* ou dispositif *m* réfringent; **re·frac·to·ri·ness** indocilité *f*; *✽* fièvre *etc.*: opiniâtreté *f*; 🜊 nature *f* réfractaire; **re·'frac·to·ry 1.** □ réfractaire (*a.* 🜊, ⊕ à l'épreuve du feu); indocile, récalcitrant; ⊕ rebelle (*minerai*); *✽* opiniâtre (*fièvre etc.*); **2.** ⊕ substance *f* réfractaire.

re·frain[1] [riˈfrein] *v/t.* † refréner (*ses passions*); *v/i.* se retenir, s'abstenir (de, *from*).

re·frain[2] [~] refrain *m*.

re·fran·gi·ble *phys.* [riˈfrændʒəbl] réfrangible.

re·fresh [riˈfreʃ] (se) rafraîchir; (se) reposer; ranimer; **re·'fresh·er** F rafraîchissement *m*; 🜊 honoraires *m/pl.* supplémentaires; **re·'fresh·ment** rafraîchissement *m* (*a. cuis.*); délassement *m*; *~ room* buffet *m*.

re·frig·er·ant [riˈfridʒərənt] *✽*, réfrigérant (*a. su./m*); **re·'frig·er·ate** [~reit] (se) réfrigérer; *v/t. a.* frigorifier; **re·'frig·er·at·ing** réfrigérant, frigorifique; **re·frig·er·'a·tion** réfrigération *f*, frigorification *f*; **re·'frig·er·a·tor** réfrigérateur *m*, glacière *f*, chambre *f* frigorifique; *~ van* wagon *m* frigorifique.

re·fu·el [riːˈfjuəl] *mot.* faire le plein (d'essence).

ref·uge ['refjuːdʒ] refuge *m*, abri *m*; (lieu *m* d')asile *m*; *alp.* refuge *m*; *take ~ in* se réfugier dans (*a. fig.*); **ref·u·gee** [~ˈdʒiː] réfugié(e *f*) *m*.

re·ful·gence [riˈfʌldʒəns] splendeur *f*; **re·'ful·gent** □ resplendissant.

re·fund [riːˈfʌnd] rembourser.

re·fur·bish ['riːˈfəːbiʃ] remettre à neuf.

re·fur·nish ['riːˈfəːniʃ] meubler de nouveau.

re·fus·al [riˈfjuːzl] refus *m*; droit *m* de refuser.

re·fuse[1] [riˈfjuːz] refuser; *sp.* refuser de sauter (*cheval*); repousser, rejeter.

ref·use[2] ['refjuːs] **1.** de rebut; à ordures; de décharge; ⊕ *~ water* eaux *f/pl.* vannes; **2.** rebut *m*; déchets *m/pl.*; ordures *f/pl.* (*a. fig.*).

ref·u·ta·ble □ ['refjutəbl] réfutable.

ref·u·ta·tion réfutation *f*; **re·fute** [riˈfjuːt] réfuter.

re·gain [riˈgein] regagner, reprendre.

re·gal □ ['riːgəl] royal (-aux *m/pl.*).

re·gale [riˈgeil] *v/t.* régaler (de, with); *v/i.* se régaler (de on, with).

re·ga·li·a [riˈgeiljə] *pl.* insignes *m/pl.*; joyaux *m/pl.* de la Couronne.

re·gard [riˈgɑːd] **1.** † regard *m*; égard *m*; attention *f*; estime *f*, respect *m*; have *~ to* tenir compte de; avoir égard à, faire attention à; with *~ to* quant à; pour ce qui concerne; with kind *~s* avec les sincères amitiés (de, *from*); **2.** regarder (comme, *as*); prendre garde à; concerner; *as ~s* en ce qui concerne; **re·'gard·ful** □ [~ful] plein d'égards (pour q., of s.o.); attentif (-ive *f*) (à, of), soigneux (-euse *f*) (de, of); **re·'gard·ing** à l'égard de; quant à, en ce qui concerne; **re·'gard·less** □ inattentif (-ive *f*) (à, of); peu soigneux (-euse *f*) (de, of); *~ of* sans regarder à.

re·gat·ta [riˈgætə] régate *f*, *~s f/pl.*

re·ge·late ['riːdʒəleit] se regeler.

re·gen·cy ['riːdʒənsi] régence *f*.

re·gen·er·ate 1. [riˈdʒenəreit] (se) régénérer; **2.** [~rit] régénéré; **re·gen·er·'a·tion** régénération *f* (*a. fig.*); *fig.* amélioration *f*; ⊕ *huile*: épuration *f*; **re·'gen·er·a·tive** [~rətiv] régénérateur (-trice *f*).

re·gent ['riːdʒənt] **1.** régent; **2.** régent(e *f*) *m*; *Am.* membre *m* du conseil d'administration; **'re·gent·ship** régence *f*.

reg·i·cide ['redʒisaid] régicide *mf*; crime: régicide *m*.

reg·i·men ['redʒimen] ✕, gramm., etc. régime m.

reg·i·ment ✕ 1. ['redʒimənt] régiment m; fig. légion f; 2. ['⁓ment] enrégimenter; organiser; **reg·i-'men·tal** ✕ de ou du régiment; **reg·i·men·tal·ly** [⁓təli] par régiment; **reg·i·men·tals** ✕ [⁓tlz] pl. (grand) uniforme m; **reg·i·men'ta-tion** enrégimentation f.

re·gion ['riːdʒən] région f; fig. domaine m; '**re·gion·al** □ régional (-aux m/pl.); radio: (a. ⁓ station) poste m régional.

reg·is·ter ['redʒistə] 1. registre m (a. ♈, ♪); matricule f; liste f (électorale); ⊕ cheminée: rideau m; ⚓ lettre f de mer; ♪ voix: étendue f; compteur m (kilométrique); ⁓ office bureau m d'enregistrement ou de l'état civil ou de placement; ⚓ net ⁓ ton tonne f de jauge nette; 2. v/t. enregistrer (a. bagages, a. Am. émotion); inscrire; immatriculer (une auto, un étudiant); thermomètre: marquer (les degrés); ♈ déposer (une marque), recommander (une lettre etc.); typ. mettre en registre; v/i. ⊕ coïncider exactement; typ. être en registre; s'inscrire (personne); '**reg·is·tered** enregistré, inscrit, immatriculé; recommandé (lettre etc.); ⁓ design modèle m déposé; ♈ ⁓ share (ou Am. stock) action f nominative.

reg·is·trar [redʒis'trɑː] teneur m des registres; officier m de l'état civil; ⚖ greffier m; univ. secrétaire m; get married before the ⁓ se marier civilement; **reg·is·tra·tion** [⁓'treiʃn] enregistrement m, inscription f; auto etc.: immatriculation f; marque: dépôt m; ⁓ fee droit m d'inscription; lettre etc.: taxe f de recommandation; '**reg·is·try** enregistrement m; admin. greffe m; (a. ⁓ office) bureau m d'enregistrement ou de l'état civil ou de placement; servants' ⁓ agence f de placement.

reg·nant ['regnənt] régnant.

re·gress ['riːgres] retour m en arrière; fig. déclin m; **re·gres·sion** [ri'greʃn] rétrogression f; biol. régression f; ⚕ rebroussement m; **re·gres·sive** □ [ri'gresiv] régressif (-ive f).

re·gret [ri'gret] 1. regret m (de at, for); 2. regretter (de inf., gér. ou to

inf.); **re'gret·ful** □ [⁓ful] plein de regrets; ⁓ly avec ou à regret; **re'gret·ta·ble** □ regrettable; à regretter.

reg·u·lar ['regjulə] 1. □ régulier (-ère f) (a. ✕, eccl., etc.); habituel (-le f); ordinaire, normal (-aux m/pl.); réglé; réglementaire, dans les règles; 2. eccl. régulier m, religieux m; ✕ soldat m de carrière; **reg·u·lar·i·ty** [⁓'læriti] régularité f.

reg·u·late ['regjuleit] régler (a. ⊕, a. fig.); diriger; ⊕ ajuster; '**reg·u-lat·ing** ⊕ régulateur (-trice f); réglant; **reg·u'la·tion** 1. règlement m; ⊕ réglage m; ♈ direction f; 2. réglementaire; d'ordonnance (revolver); '**reg·u·la·tive** □ régulateur (-trice f); '**reg·u·la·tor** régulateur (-trice f) m; ⊕ régulateur m; ⊕ ⁓ lever registre m.

re·gur·gi·tate [riː'gəːdʒiteit] v/t. régurgiter, regorger; v/i. refluer, regorger.

re·ha·bil·i·tate [riːə'biliteit] réhabiliter; **re·ha·bil·i'ta·tion** réhabilitation f; finances: assainissement m.

re·hash fig. ['riː'hæʃ] réchauffer.

re·hears·al [ri'həːsl] récit m détaillé; ♪, théâ. répétition f; **re·hearse** [ri'həːs] énumérer; raconter (tout au long); ♪, théâ. répéter.

reign [rein] 1. règne m (a. fig.); in the ⁓ of sous le règne de; 2. régner (sur, over) (a. fig.).

re·im·burse [riːim'bəːs] rembourser (a. ♈) (q. de qch., s.o. [for] s.th.); '**re·im'burse·ment** remboursement m.

rein [rein] 1. rêne f; guide f; fig. give ⁓ to lâcher la bride à; 2.: ⁓ in ou up ou back retenir.

rein·deer zo. ['reindiə] renne m.

re·in·force [riːin'fɔːs] 1. renforcer; affermir (la santé); ⊕ ⁓d concrete béton m armé; 2. ⊕ armature f; canon: renfort m; '**re·in'force-ments** ✕ pl. renfort m, -s m/pl.

re·in·sert ['riːin'səːt] réinsérer; remettre en place.

re·in·stall ['riːin'stɔːl] réinstaller; '**re·in'stal(l)·ment** réinstallation f.

re·in·state ['riːin'steit] réintégrer (dans ses fonctions); rétablir; '**re·in-'state·ment** réintégration f; rétablissement m.

re·in·sur·ance ['riːin'ʃuərəns] réas-

surance *f*; contre-assurance *f*; **re-
in·sure** ['~'ʃuə] réassurer.

re·in·vest ['ri:in'vest] investir *etc.* de
nouveau (*see* invest).

re·is·sue ['ri:'isju:; *surt. Am.* 'ri:'iʃu:]
1. rééditer (*un livre*); ⊕ émettre de
nouveau; **2.** nouvelle édition *f ou*
⊕ émission *f*.

re·it·er·ate [ri:'itəreit] réitérer, répéter; **re·it·er·a·tion** réitération *f*,
répétition *f*.

re·ject [ri'dʒekt] rejeter; refuser;
repousser; ⊕ mettre au rebut; **re-
'jec·tion** rejet *m*; refus *m*; repous-
sement *m*; ~s *pl.* rebuts *m/pl.*,
pièces *f/pl.* de rebut; **re'jec·tor
cir·cuit** *radio*: filtre *m*.

re·joice [ri'dʒɔis] *v/t.* réjouir (*q.*); ~d
heureux (-euse *f*) (de at, by); *v/i.*
se réjouir (de at, in); **re'joic·ing
1.** □ réjouissant; plein de joie (*personne*); **2.** (*souv.* ~s *pl.*) réjouissances
f/pl., fête *f*.   [réunir (à to, with).)

re·join[1] ['ri:'dʒɔin] (se) rejoindre.)
re·join[2] [ri'dʒɔin] répliquer; **re-
'join·der** 🏛 réplique *f*; repartie *f*.

re·ju·ve·nate [ri'dʒu:vineit] *vt/i.*
rajeunir; **re·ju·ve·nes·cence** [~-
'nesns] rajeunissement *m*.

re·kin·dle ['ri:'kindl] (se) rallumer.

re·lapse [ri'læps] **1.** 🐾, *a. fig.* rechute *f*; **2.** retomber; 🐾 faire une
rechute.

re·late [ri'leit] *v/t.* (ra)conter; rattacher (à to, with); *v/i.* se rapporter,
avoir rapport (à to); **re'lat·ed** ayant
rapport (à, to); apparenté (à, to)
(*personne*); allié (à, to); ∘**re'lat·er**
conteur (-euse *f*) *m*, narrateur
(-trice *f*) *m*.

re·la·tion [ri'leiʃn] récit *m*, relation *f*; rapport *m* (à to, with); pa-
rent(e *f*) *m*; in ~ to par rapport à; **re-
'la·tion·ship** rapport *m* (entre, between); parenté *f*.

rel·a·tive ['relətiv] **1.** □ relatif
(-ive *f*) (*a. gramm.*); qui se rapporte
(à, to); **2.** *adv.*: ~ to au sujet de;
3. *su. gramm.* pronom *m* relatif;
rel·a'tiv·i·ty relativité *f*.

re·lax [ri'læks] *v/t.* relâcher; détendre; desserrer (*une étreinte*); mitiger
(*un jugement etc.*); 🐾 enflammer (*la
gorge*); 🐾 relâcher (*le ventre*); *v/i.*
se relâcher; se détendre; diminuer;
se délasser; **re·lax·a·tion** relâchement *m*; détente *f*; repos *m*, délassement *m*; mitigation *f*.

re·lay[1] [ri'lei] **1.** relais *m* (*a.* ⚡);
⚡ contacteur *m*; relève *f* (*d'ouvriers*); radiodiffusion *f* relayée; *sp.*
~-race course *f* de *ou* à relais;
2. *radio*: relayer; ~ed by (*ou* from)
en relais de.

re·lay[2] ['ri:'lei] poser de nouveau;
remettre.

re·lease [ri'li:s] **1.** délivrance *f*; *fig.*
libération *f*; élargissement *m*; ⊕
mise *f* en vente; ⊕ acquit *m*; *cin.*
(*souv. first* ~) mise *f* en circulation;
🏛 relaxation *f* (*d'un prisonnier*); 🏛
cession *f* (*de terres*); ⊕ mise *f* en
marche; ⊕ dégagement *m*; *phot.* déclencheur *m*; **2.** relâcher; libérer
(de from); lâcher; renoncer à (*un
droit*); faire la remise de (*une dette*);
céder (*des terres*); ⊕ mettre en
vente; *cin.* mettre en circulation;
émettre, dégager (*la fumée etc.*); ⊕,
phot. déclencher; ⊕ décliquer; ⊕
mettre en marche.

rel·e·gate ['religeit] reléguer (à, to);
renvoyer (à, to); bannir (*q.*); **rel·e-
'ga·tion** relégation *f*; mise *f* à
l'écart; renvoi *m* (*sp.* à la division
inférieure).

re·lent [ri'lent] s'adoucir; se laisser
attendrir; **re'lent·less** □ implacable; impitoyable.

rel·e·vance, **rel·e·van·cy** ['reli-
vəns(i)] pertinence *f*; applicabilité *f*
(à, to); rapport *m* (avec, to); **'rel·e-
vant** (à, to) pertinent; applicable;
qui se rapporte.

re·li·a·bil·i·ty [rilaiə'biliti] sûreté *f*;
véracité *f*; **re'li·a·ble** □ sûr; digne
de foi (*source*) *ou* de confiance (*personne*).

re·li·ance [ri'laiəns] confiance *f*;
place ~ on se fier à; **re'li·ant**: be ~
on compter sur; se fier à.

rel·ic ['relik] relique *f* (*a. eccl.*); *fig.*
vestige *m*; ~s *pl.* restes *m/pl.*; **rel·
ict** † ['~kt] veuve *f*.

re·lief [ri'li:f] soulagement *m*;
décharge *f*; *détresse*: allégement *m*;
✕ *endroit*: délivrance *f*; garde
etc.: relève *f*; 🏛 tort: réparation *f*,
redressement *m*; secours *m* (*a.* aux
pauvres), aide *f*; △ relief *m*; *fig.*
agrément *m*; *fig.* détente *f*; ⊕ dégagement *m*; be on ~ être un pauvre
assisté; *poor* ~ secours *m* aux pauvres; ~ *work* secours *m* aux sinistrés;
~ *works pl.* travaux *m/pl.* publics
organisés pour aider les chômeurs;

in ~ *against* découpé sur; qui se détache sur.

re·lieve [ri'liːv] soulager (*a.* △ *une poutre*); alléger (*la détresse*); secourir, aider (*les pauvres etc.*); ✕ dégager (*un endroit, a.* ⊕); ✕ relever (*les troupes etc.*); *peint. etc.* mettre en relief, donner du relief à; *fig.* faire ressortir; *cost.* agrémenter (de *with, by*), débarrasser (de, *of*); *fig.* tranquilliser (*l'esprit*), dissiper (*l'ennui*); F ~ *nature* faire ses besoins.

re·lie·vo [ri'liːvou] relief *m.*

re·li·gion [ri'lidʒən] religion *f.*

re·li·gious □ [ri'lidʒəs] religieux (-euse *f*) (*a. fig., a. eccl.*); dévot; pieux (-euse *f*); de piété; **re'li·gious·ness** piété *f*; F *fig.* religiosité *f.*

re·lin·quish [ri'liŋkwiʃ] renoncer à (*une idée, un projet, etc.*); abandonner; ⚖ délaisser; lâcher (*qch.*); **re'lin·quish·ment** abandon *m* (de, *of*); renonciation *f* (à, *of*).

rel·i·quar·y ['relikwəri] reliquaire *m.*

rel·ish ['reliʃ] 1. goût *m*, saveur *f*; *fig.* attrait *m*; *cuis.* piment: soupçon *m*, pointe *f*; assaisonnement *m*; *with* ~ très volontiers; 2. *v/t.* relever le goût de; savourer, goûter; *fig.* trouver du plaisir à, avoir le goût de; *did you ~ your dinner?* votre dîner vous a-t-il plu?; *v/i.* sentir (*qch., of s.th.*), avoir un léger goût (de, *of*).

re·luc·tance [ri'lʌktəns] répugnance *f* (à *inf., to inf.*); *phys.* reluctance *f*; **re'luc·tant** □ qui résiste; fait *ou* donné à contrecœur; *be* ~ *to* (*inf.*) être peu disposé à (*inf.*), hésiter à (*inf.*).

re·ly [ri'lai]: ~ (*up*)*on* compter sur, s'en rapporter à.

re·main [ri'mein] 1. rester; demeurer; persister; 2. ~*s pl.* restes *m/pl.*; vestiges *m/pl.*; **re'main·der** reste *m*, restant *m*; *livres:* solde *m* d'édition; ⚖ réversion *f* (sur, *to*).

re·mand [ri'mɑːnd] 1. ⚖ renvoyer (*un prévenu*) à une autre audience; 2. *on* ~ renvoyé à une autre audience; *prisoner on* ~ préventionnaire *mf.*

re·mark [ri'mɑːk] 1. remarque *f*; observation *f*; 2. *v/t.* remarquer, observer; faire la remarque (que, *that*); *v/i.* (sur, [*up*]*on*) faire des remarques; commenter; **re'mark·a·ble** □ re-

marquable (par, *for*); frappant; singulier (-ère *f*); **re'mark·a·ble·ness** ce qu'il y a de remarquable (dans, *of*); mérite *m.*

re·mar·ry ['riː'mæri] *v/t.* se remarier à (*q.*); remarier (*des divorcés*); *v/i.* se remarier.

re·me·di·a·ble □ [ri'miːdjəbl] réparable; remédiable; **re·me·di·al** □ [ri'miːdjəl] réparateur (-trice *f*); ☞ curatif (-ive *f*).

rem·e·dy ['remidi] 1. remède *m*; ⚖ réparation *f*; 2. porter remède à, remédier.

re·mem·ber [ri'membə] se rappeler (*qch.*), se souvenir de (*qch.*); ne pas oublier (*a.* = *donner qch. à* [*q.*]); ~ *me to him!* dites-lui bien des choses de ma part!; rappelez-moi à son bon souvenir!; **re'mem·brance** souvenir *m*, mémoire *f*; *give my kind* ~*s to him!* dites-lui bien des choses de ma part!

re·mind [ri'maind] rappeler (*qch.* à *q., s.o. of s.th.*); ~ *o.s. that* se rappeler que; **re'mind·er** mémento *m*; ☞ rappel *m* de compte.

rem·i·nis·cence [remi'nisns] réminiscence *f*; souvenir *m*; **rem·i'nis·cent** □ qui se souvient (de, *of*); *be* ~ *of* rappeler, faire penser à (*qch.*).

re·miss □ [ri'mis] négligent, insouciant; nonchalant; **re'mis·si·ble** [~əbl] rémissible; **re'mis·sion** [~'miʃn] *dette, peine:* remise *f*; ☞, *eccl.* rémission *f*; *eccl.* pardon *m*; relâchement *m*; **re'miss·ness** négligence *f.*

re·mit [ri'mit] *v/t.* remettre (*une dette, une peine,* ☞, *a. eccl.*); *eccl.* pardonner; relâcher; ⚖ renvoyer. *v/i.* diminuer d'intensité; *please* ~ prière de nous couvrir; **re'mit·tance** ☞ remise *f*; ☞ envoi *m* de fonds; **re·mit'tee** destinataire *mf*; **re'mit·tent** ☞ rémittent; **re'mit·ter** ☞ remetteur (-euse *f*) *m*; envoyeur (-euse *f*) *m* (de fonds).

rem·nant ['remnənt] reste *m*, restant *m*; ☞ coupon *m* (d'étoffe); ~*s pl.* soldes *m/pl.*

re·mod·el ['riː'mɔdl] remodeler; remanier; ⊕ transformer.

re·mon·strance [ri'mɔnstrəns] remontrance *f*; **re'mon·strant** 1. de remontrance; qui proteste (*personne*); 2. remontreur (-euse *f*) *m*; **re'mon·strate** [~streit] faire des représentations (à q., with s.o.; au sujet de, [up]on); protester (que, that).

re·morse [ri'mɔːs] remords m (pour, for; de, at); **re'morse·ful** □ [.ful] plein de remords; **re'morse·less** □ sans remords; impitoyable.

re·mote □ [ri'mout] écarté; éloigné; reculé; lointain; fig. vague; ~ **con·trol** ⊕ **1.** commande f à distance; **2.** télécommandé; **re'mote·ness** éloignement m; degré m éloigné; fig. faible degré (de ressemblance).

re·mount 1. [riː'maunt] v/t. remonter (a. ✂); v/i. remonter (a. à cheval); **2.** ✂ ['riːmaunt] (cheval m de) remonte f; army ~s pl. chevaux m/pl. de troupe.

re·mov·a·ble [ri'muːvəbl] détachable; extirpable (mal); transportable; révocable; **re'mov·al** [.vəl] tache etc.: enlèvement m; mot. pneu: démontage m; ⚕ pansement: levée f; déplacement m; transport m; fonctionnaire: révocation f; abus, mal: suppression f; déménagement m; ~ expenses frais m/pl. de déplacement; ~ service entreprise f de déménagements; ~ van voiture f de déménagement; **re'move 1.** v/t. enlever, ôter; écarter; chasser; déplacer; éloigner; révoquer (un fonctionnaire); assassiner; supprimer; ~ furniture déménager; v/i. se déplacer; déménager; **2.** distance f; degré m; école anglaise: classe f intermédiaire; école: passage m à une classe supérieure; **re'mov·er** déménageur m; dissolvant m.

re·mu·ner·ate [ri'mjuːnəreit] rémunérer (de, for); **re·mu·ner'a·tion** rémunération f; **re'mu·ner·a·tive** □ [.rətiv] rémunérateur (-trice f).

ren·ais·sance [rə'neisəns] Renaissance f.

re·nal anat. ['riːnl] des reins, rénal (-aux m/pl.).

re·nas·cence [ri'næsns] retour m à la vie; Renaissance f; **re'nas·cent** renaissant.

rend [rend] [irr.] déchirer; fig. a. fendre.

ren·der ['rendə] rendre (a. compte, forteresse, grâce, hommage, service, ♪ phrase, a. = faire devenir); faire (honneur); traduire (en, into); ✝ remettre (un compte à q., s.o. an account); ⚗ enduire (de, with); ♪ in-

terpréter (un morceau); cuis. clarifier, fondre; **'ren·der·ing** ✂ reddition f; ♪ interprétation f; traduction f; cuis. clarification f, fonte f; ⚗ enduit m.

ren·dez·vous ['rɔndivuː] rendezvous m.

ren·di·tion [ren'diʃn] ✂ reddition f; Am. interprétation f; traduction f.

ren·e·gade ['renigeid] renégat(e f) m.

re·new [ri'njuː] renouveler; **re'new·al** [.əl] renouvellement m; remplacement m.

ren·net ['renit] présure f; pomme: reinette f.

re·nounce [ri'nauns] v/t. renoncer à, abandonner; répudier; v/i. cartes: renoncer.

ren·o·vate ['renoveit] renouveler; remettre à neuf; **ren·o'va·tion** renouvellement m; rénovation f; **'ren·o·va·tor** rénovateur (-trice f) m.

re·nown [ri'naun] renom(mée f) m; **re'nowned** (for) renommé (pour), célèbre (par).

rent¹ [rent] **1.** prét. et p.p. de rend; **2.** déchirure f; terrain: fissure f.

rent² [~] **1.** loyer m; location f; **2.** louer; affermer (une terre); **'rent·a·ble** qui peut se louer; affermable (terre); **'rent·al** (montant m du) loyer m; Am. location f (d'une auto etc.); ~ value valeur f locative; **'rent-charge** servitude f de rente (à faire à un tiers); **'rent·er** taire mf; cin. distributeur m; **'rent-free 1.** adj. exempt de loyer; **2.** adv. sans payer de loyer.

re·nun·ci·a·tion [rinʌnsi'eiʃn] (of) renoncement m (à); reniement m (de); ⚖ répudiation f (de).

re·o·pen ['riː'oupn] v/t. rouvrir; recommencer; v/i. se rouvrir (plaie); rentrer (école); théâ. rouvrir.

re·or·gan·i·za·tion ['riːɔːgənai-'zeiʃn] réorganisation f; ✝ assainissement m; **re'or·gan·ize** (se) réorganiser; ✝ assainir.

rep ✝ [rep] reps m.

re·pack ['riː'pæk] refaire (une valise); remballer.

re·paint ['riː'peint] repeindre.

re·pair¹ [ri'pɛə] **1.** réparation f; rétablissement m (d'une maison etc.); ⚓ radoub m; ~s pl. réparations f/pl.; réfection f (d'une route); ~

shop atelier *m* de réparations; *in (good)* ~ en bon état; *out of* ~ en mauvais état; **2.** réparer (*a. fig.*); raccommoder (*un vêtement*); remettre en état (*une machine*); ⚓ radouber; rétablir (*la santé*).

re·pair² [~] se rendre (à, *to*).

rep·a·ra·ble ['repərəbl] réparable; **rep·a·ra·tion** réparation *f* (*a. pol., a. fig.*); *pol.* make ~s réparer.

rep·ar·tee [repa·'ti:] repartie *f*, réplique *f* spirituelle.

re·par·ti·tion [ri:pɑː'tiʃn] répartition *f*; nouveau partage *m*.

re·pass ['ri:'pɑːs] *v/i.* passer de nouveau; repasser; *v/i.* repasser (*devant*); *parl.* voter de nouveau.

re·past [ri'pɑːst] repas *m*.

re·pa·tri·ate 1. [ri:'pætrieit] rapatrier; **2.** [~iit] rapatrié(e *f*) *m*; **re·pa·tri·a·tion** rapatriement *m*.

re·pay [ri:'pei] [*irr.* (*pay*)] rembourser; rendre (*de l'argent*); *fig.* se venger de; s'acquitter (de qch., *s.th.*; envers q., *s.o.*); *fig.* payer (de, *with*); **re·pay·a·ble** remboursable; **re·pay·ment** remboursement *m*; récompense *f*.

re·peal [ri'pi:l] **1.** abrogation *f*; ⚖ annulation *f*; **2.** abroger; révoquer; annuler.

re·peat [ri'pi:t] **1.** *v/t.* répéter; réitérer; recommencer; ✝ *an order* renouveler une commande (de qch., *for s.th.*); *v/i.* (*a.* ~ *o.s.*) se répéter; revenir (*nourriture*); être à répétition (*montre, fusil*); **2.** ♪ reprise *f*; renvoi *m*; ✝ (*souv.* ~ *order*) commande *f* renouvelée; **re·peat·ed** □ réitéré; **re·peat·er** rediseur (-euse *f*) *m*; ⚖ fraction *f* périodique; montre *f ou* fusil *m* à répétition; *tél.* répétiteur *m*.

re·pel [ri'pel] repousser (*a. fig.*); rebuter; inspirer de la répulsion à; **re·pel·lent** répulsif (-ive *f*).

re·pent [ri'pent] (*a.* ~ *of*) se repentir de.

re·pent·ance [ri'pentəns] repentir *m*; **re·pent·ant** repenti.

re·peo·ple ['ri:'pi:pl] repeupler.

re·per·cus·sion [ri:pə·'kʌʃn] répercussion *f* (*a. fig.*); contrecoup *m*.

rep·er·to·ry ♪, *théâ., a. fig.* ['repətəri] répertoire *m*.

rep·e·ti·tion [repi'tiʃn] répétition *f*; recommencement *m*; *tél.* collation-

nement *m*; ♪ reprise *f*; ✝ ~ *order* commande *f* renouvelée.

re·pine [ri'pain] se chagriner, se plaindre (de, *at*); **re·pin·ing** □ mécontent; chagrin.

re·place [ri:'pleis] replacer, remettre en place; remplacer (par, *by*); *téléph.* raccrocher (*le récepteur*); **re·place·ment** remise *f* en place; remplacement *m*; ⊕ pièce *f* de rechange.

re·plant ['ri:'plɑːnt] replanter.

re·plen·ish [ri'pleniʃ] remplir; se réapprovisionner (de, en *with*); **re·plen·ish·ment** remplissage *m*; ravitaillement *m*.

re·plete [ri'pli:t] rempli, plein (de, *with*); **re·ple·tion** réplétion *f*; *eat to* ~ manger jusqu'à satiété.

rep·li·ca ['replikə] *peint. etc.* réplique *f*, double *m* (*a. fig.*); *fig.* copie *f*.

rep·li·ca·tion [repli'keiʃn] ⚖ réplique *f*; repartie *f*; *fig.* copie *f*; répercussion *f*.

re·ply [ri'plai] **1.** (à, *to*) répondre; répliquer (*a.* ⚖); **2.** réponse *f*; ⚖ réplique *f*; ~ *postcard* carte *f* postale avec réponse payée.

re·port [ri'pɔːt] **1.** rapport *m* (sur, *on*); *journ.* reportage *m*; *école, a. météor.* bulletin *m*; *fig.* nouvelle *f*; rumeur *f*; *arme à feu*: détonation *f*; *fusil*: coup *m*; réputation *f*; **2.** *v/t.* rapporter (*a. parl.*); faire un rapport sur; faire le compte rendu de; dire; signaler; *v/i. journ.* faire des reportages; faire un rapport (sur, [up]on); (*a.* ~ *o.s.*) se présenter (à, devant to); *gramm.* ~ed *speech* discours *m ou* style *m* indirect; **re·port·er** journaliste *m*, reporter *m*.

re·pose [ri'pouz] **1.** repos *m*; sommeil *m*; calme *m*; **2.** *v/t.* reposer (*q., sa tête, etc.*); *fig.* mettre sa confiance *etc.* en; *v/i.* se reposer; dormir; se délasser; *fig.* reposer (sur, [up]on); **re·pos·i·to·ry** [ri'pɔzitəri] dépôt *m*, entrepôt *m*; dépositaire *mf* (*personne*); *fig.* répertoire *m*.

re·pos·sess ['ri:pə'zes]: ~ *o.s. of* reprendre possession de (*qch.*).

rep·re·hend [repri'hend] blâmer, réprimander; **rep·re·hen·si·ble** □ répréhensible; **rep·re·hen·sion** réprimande *f*.

rep·re·sent [repri'zent] représenter (*a.* ✝, *a. théâ. une pièce*); *théâ.* jouer (*un personnage*); symboliser; signaler (qch. à q., *s.th. to s.o.*); **rep·re·sen'ta·tion** représentation *f* (*a.* ✝, 𝔯𝔱𝔰, *pol., fig., théâ. pièce*); *théâ.* interprétation *f* (*d'un rôle*); *coll.* représentants *m/pl.*; *fig.* ~s *pl.* remontrance *f* courtoise; **rep·re-'sent·a·tive** □ [~tətiv] **1.** représentatif (-ive *f*); *parl. a.* par députés; typique; *be* ~ *of* représenter (*qch.*); ~ *of* représentant (*qch.*); **2.** représentant(e *f*) *m*; *pol.* député *m*; *parl. Am. House of* ~s Chambre *f* des Représentants.

re·press [ri'pres] réprimer; retenir; étouffer; *psych.* refouler; **re·pres·sion** [ri'preʃn] (*a. psych. conscious* ~) répression *f*; *psych.* (*a. unconscious* ~) refoulement *m*; **re·'pres·sive** □ répressif (-ive *f*), réprimant.

re·prieve [ri'priːv] **1.** surséance *f* (à, *from*); 𝔯𝔱𝔰 commutation *f* de la peine capitale; **2.** accorder un délai à; 𝔯𝔱𝔰 accorder une commutation de la peine capitale à (*q.*).

rep·ri·mand ['reprimɑːnd] **1.** réprimande *f*; 𝔯𝔱𝔰 blâme *m*; **2.** réprimander; 𝔯𝔱𝔰 blâmer publiquement.

re·print ['riː'print] **1.** réimprimer; **2.** nouveau tirage *m*; réimpression *f*.

re·pris·als [ri'praizls] *pl.* représailles *f/pl.*

re·proach [ri'proutʃ] **1.** reproche *m*, blâme *m*; **2.** reprocher (qch. à q., *s.o. with s.th.*); faire des reproches (à q. au sujet de qch., *s.o. with s.th.*); **re'proach·ful** □ [~ful] réprobateur (-trice *f*).

re·pro·bate ['reprobeit] **1.** vil, bas(se *f*); **2.** *eccl.* réprouvé(e *f*) *m*; F vaurien *m*; **3.** réprouver; **rep·ro-'ba·tion** réprobation *f*.

re·pro·duce [riː·prə'djuːs] (se) reproduire; (se) multiplier; **re·pro·duc·tion** [~'dʌkʃn] reproduction *f* (*a. physiol., cin.,* ✝); copie *f*, imitation *f*; **re·pro'duc·tive** □ reproducteur (-trice *f*).

re·proof [ri'pruːf] reproche *m*, blâme *m*; réprimande *f*.

re·prov·al [ri'pruːvl] reproche *m*, blâme *m*; **re·prove** [~'pruːv] condamner; réprimander; reprendre.

rep·tile ['reptail] **1.** reptile *m* (*a. fig.*);

fig. a. chien *m* couchant; **2.** rampant.

re·pub·lic [ri'pʌblik] république *f*; **re'pub·li·can** républicain (*a. su./mf*); **re'pub·li·can·ism** républicanisme *m*.

re·pub·li·ca·tion ['riːpʌbli'keiʃn] nouvelle publication *f, livre:* nouvelle édition *f.* [(*une loi*); rééditer.\ **re·pub·lish** ['riː'pʌbliʃ] republier

re·pu·di·ate [ri'pjuːdieit] répudier (*femme, dette, doctrine, etc.*); **re·pu·di'a·tion** répudiation *f; dette:* reniement *m.*

re·pug·nance [ri'pʌgnəns] répugnance *f*, antipathie *f* (pour *to, against*); **re'pug·nant** □ répugnant (à, *to*); incompatible (avec *to, with*); contraire (à *to, with*).

re·pulse [ri'pʌls] **1.** échec *m*; défaite *f*; rebuffade *f*; **2.** repousser (*a. fig.*); **re'pul·sion** *phys., a. fig.* répulsion *f; fig. a.* aversion *f*; **re'pul·sive** □ *phys., a. fig.* répulsif (-ive *f*); *fig.* froid, distant (*personne*).

re·pur·chase [ri'pəːtʃəs] **1.** rachat *m*; 𝔯𝔱𝔰 réméré *m*; **2.** racheter.

rep·u·ta·ble □ ['repjutəbl] honorable (*personne, a. emploi*); estimé; **rep·u·ta·tion** [~'teiʃn] réputation *f*, renom *m*; **re·pute** [ri'pjuːt] **1.** réputation *f*; *by* ~ de réputation; **2.** tenir pour; *be* ~*d to be* (*ou as*) passer pour; *be well* (*ill*) ~*d* avoir une belle (mauvaise) réputation; *re'put·ed* réputé; supposé; 𝔯𝔱𝔰 putatif (-ive *f*); **re'put·ed·ly** suivant l'opinion commune.

re·quest [ri'kwest] **1.** demande *f* (*a.* ✝); requête *f*; recherche *f*; *at s.o.'s* ~ à *ou* sur la demande de q.; *by* ~ sur demande; facultatif (-ive *f*) (*arrêt*); *in* (*great*) ~ (très) recherché, demandé; ~ *stop* arrêt *m* facultatif; (*musical*) ~ *programme* disques *m/pl. etc. ou* programme *m* des auditeurs; **2.** demander (qch. à q., *s.th. of s.o.*; à q. de *inf., s.o. to inf.*); prier (q. de *inf., s.o. to inf.*).

re·qui·em ['rekwiem] requiem *m/inv.*, messe *f* pour les morts.

re·quire [ri'kwaiə] exiger (qch. de q., *s.th. of s.o.*); réclamer (qch. à q., *s.th. of s.o.*); avoir besoin de (*qch.*); ~ (*of*) *s.o. to* (*inf.*) *a.* vouloir que q. (*sbj.*); **re'quired** exigé; voulu; **re'quire·ment** demande *f; fig.* exigence *f*; condition *f* requise.

req·ui·site ['rekwizit] **1.** requis (pour, *to*); nécessaire (à, *to*); voulu; **2.** condition *f* requise (pour, *for*); chose *f* nécessaire; *toilet* ~s *pl.* accessoires *m/pl.* de toilette; **req·ui·si·tion 1.** demande *f*; ✗ réquisition *f*; **2.** avoir recours à; ✗ réquisitionner; mettre (*qch.*) en réquisition; faire des réquisitions dans (*un endroit*).

re·quit·al [ri'kwaitl] récompense *f*; revanche *f*; **re'quite** [~kwait] récompenser; ~ *s.o.'s love* répondre à l'amour de q.

re-read ['ri:'ri:d] [*irr.* (read)] relire.

re·sale ['ri:'seil] revente *f*.

re·scind [ri'sind] abroger (*une loi*); rétracter (*un arrêt*); annuler (*un contrat, une décision, un vote, etc.*); casser (*un jugement*).

re·scis·sion [ri'siʒn] rescision *f*, abrogation *f etc.*

re·script ['ri:skript] rescrit *f*; transcription *f*.

res·cue ['reskju:] **1.** délivrance *f* (⚖ illégale); *to the* ~! au secours!; **2.** délivrer (⚖ de force); sauver; porter secours à; **'res·cu·er** libérateur (-trice *f*) *m*; secoureur (-euse *f*) *m*; ⚓ *naufrage:* sauveteur *m*.

re·search [ri'sə:tʃ] recherche *f* (de *for*, *after*); recherches *f/pl.* (*savantes*); ~ *establishment* institut *m* de recherches (*scientifiques etc.*); *marketing* (*motivation*) ~ étude *f* du marché (de motivation); **re'search·er** investigateur (-trice *f*) *m*.

re·seat ['ri:'si:t] (faire) rasseoir; remettre un fond à (*une chaise*); ⊕ roder le siège de.

re·se·da [ri'si:də] réséda *m*.

re·sell ['ri:'sel] [*irr.* (sell)] revendre; **'re'sell·er** revendeur (-euse *f*) *m*.

re·sem·blance [ri'zembləns] ressemblance *f* (à, avec *to*; entre, *between*); **re'sem·ble** [~bl] ressembler à.

re·sent [ri'zent] s'offenser de; être froissé de; **re'sent·ful** □ [~ful] rancunier (-ère *f*); plein de ressentiment; froissé, irrité (de, *of*); **re'sent·ment** ressentiment *m*; rancune *f*.

res·er·va·tion [rezə'veiʃn] ⚖ réservation *f*; *Am.* terrain *m* réservé, réserves *f/pl.* indiennes; *fig.* a. places: réserve *f*; *Am.* place *f* retenue.

re·serve [ri'zə:v] **1.** *usu.* réserve *f*; terrain *m* réservé; restriction *f*; ~ *price* prix *m* minimum; *in* ~ en réserve; *with certain* ~s avec quelques réserves; **2.** réserver; retenir (*une chambre, une place, etc.*); mettre (*qch.*) en réserve; **re'served** □ renfermé, réservé; *fig.* froid; ~ *seat* place *f* réservée.

re·serv·ist ✗ [ri'sə:vist] réserviste *m*.

res·er·voir ['rezəvwɑ:] réservoir *m* (*a. fig.*); (bassin *m* de) retenue *f*.

re·set ['ri:'set] [*irr.* (set)] remettre en place; ⊕ raffûter (*un outil*); *typ.* recomposer.

re·set·tle ['ri:'setl] (se) réinstaller; (se) rasseoir; se reposer (*vin*); **'re'set·tle·ment** nouvelle colonisation *f*; *vin etc.:* nouveau dépôt *m*.

re·ship ['ri:'ʃip] rembarquer; remonter (*l'hélice etc.*).

re·shuf·fle ['ri:'ʃʌfl] **1.** rebattre (*des cartes*); *fig.* remanier; **2.** nouveau battement *m*; *fig.* remaniement *m*.

re·side [ri'zaid] résider (à, *at*; dans, *in*) (*a. fig.*); demeurer; **res·i·dence** ['rezidəns] résidence *f*; demeure *f*; séjour *m*; maison *f*; habitation *f*; ~ *permit* permis *m ou* carte *f* de séjour; **'res·i·dent 1.** résidant, qui réside; à demeure (*maître d'école etc.*); en résidence; ⚕ ~ *physician* interne *m*; **2.** habitant(e *f*) *m*; (ministre) résident *m*; **res·i·den·tial** [~'denʃl] d'habitation; résidentiel(le *f*).

re·sid·u·al [ri'zidjuəl] résiduel(le *f*); **re'sid·u·ar·y** résiduaire; qui reste; ⚖ ~ *legatee* légataire *m* universel; **res·i·due** ['rezidju:] 🜊, ⚗ résidu *m*; reste *m*, -s *m/pl.*; ⚖ reliquat *m*; **re·sid·u·um** [ri'zidjuəm] *surt.* 🜊 résidu *m*; reste *m*.

re·sign [ri'zain] *v/t.* résigner; donner sa démission de (*son emploi*); abandonner; ~ *o.s. to* se résigner à; s'abandonner à; *v/i.* démissionner; **res·ig·na·tion** [rezig'neiʃn] démission *f*; abandon *m*; résignation *f* (à, *to*); **re·signed** □ [ri'zaind] résigné.

re·sil·i·ence [ri'ziliəns] ⊕ résilience *f*; *personne, a. peau:* élasticité *f*; rebondissement *m*; **re'sil·i·ent** rebondissant, élastique; *fig.* plein de ressort.

res·in ['rezin] **1.** résine *f*; colophane *f*; **2.** résiner; **'res·in·ous** résineux (-euse *f*).

re·sist [ri'zist] *v/t.* résister à (*qch.*, *q.*); s'opposer à; repousser; *v/i.* résister; **re'sist·ance** résistance *f* (*a. phys.*, ⚡) (à, to); **re'sist·ant** résistant; **re'sis·tor** ⚡ résistance *f*, rhéostat *m*.

re·sole ['ri:'soul] ressemeler.

re·sol·u·ble ['ri:'zɔljubl] qu'on peut résoudre; résoluble (*problème*); 🜍 décomposable.

res·o·lute □ ['rezəlu:t] résolu; ferme; **'res·o·lute·ness** résolution *f*.

res·o·lu·tion [rezə'lu:ʃn] 🜍, ⚗, ♪, *parl.*, *phys.*, *fig.* résolution *f*; détermination *f*; *fig. a.* fermeté *f*.

re·solv·a·ble [ri'zɔlvəbl] résoluble; réductible.

re·solve [ri'zɔlv] **1.** *v/t.* 🜍, ♪, ⚗, *admin.*, *fig.* résoudre; ⊕ décomposer; *personne*: se résoudre à (*qch.*); *fig.* dissiper (*un doute*); *parl.* the House ~s itself into a committee la Chambre se constitue en commission; *v/i.* (*a. ~ o.s.*) se résoudre; ~ (*up*)on se résoudre à; **2.** résolution *f*; **re'solved** □ résolu, décidé.

res·o·nance ['reznəns] résonance *f*; **'res·o·nant** □ résonnant; sonore (*voix*).

re·sorp·tion *physiol.* [ri'sɔ:pʃn] résorption *f*.

re·sort [ri'zɔ:t] **1.** recours *m*; ressource *f*; affluence *f*; lieu *m* de séjour; *health* ~ station *f* thermale; *seaside* ~ plage *f*; station *f* balnéaire; *summer* ~ station *f* d'été; *in the last* ~ en dernier ressort; en fin de compte; **2.**: ~ to avoir recours à; fréquenter (*un lieu*); se rendre à (*un endroit*).

re·sound [ri'zaund] (faire) résonner, retentir (de, with).

re·source [ri'sɔ:s] ressource *f*; expédient *m*; distraction *f*; **re'source·ful** □ [~ful] fertile en ressources; F débrouillard.

re·spect [ris'pekt] **1.** rapport *m* (à, to; de, of); égard *m*; respect *m* (pour, for); considération *f* (pour, envers, for); ~s *pl.* hommages *m/pl.*; *with* ~ to quant à; en *ou* pour ce qui concerne; *out of* ~ for pour respect de; ✝ au compte de; *pay one's* ~s to présenter ses hommages à, rendre

ses respects à (*q.*); **2.** *v/t.* respecter honorer; avoir égard à; concerner, avoir rapport à; **re'spect·a'bil·i·ty** respectabilité *f*; ✝ *a.* solidité *f*; **re'spect·a·ble** □ respectable; convenable; honorable; passable; ✝ solide; **re'spect·ful** □ [~ful] respectueux (-euse *f*) (envers, pour to[wards]); *Yours* ~ly je vous prie d'agréer mes salutations très respectueuses; **re'spect·ful·ness** respect *m*; **re'spect·ing** en ce qui concerne; touchant; quant à; **re'spec·tive** □ respectif (-ive *f*); *we went to our* ~ *places* nous sommes allés chacun à notre place.

res·pi·ra·tion [respə'reiʃn] respiration *f*.

res·pi·ra·tor ['respəreitə] respirateur *m* (*a.* 🜍); ✕ masque *m* à gaz; **re·spir·a·to·ry** [ris'paiərətəri] respiratoire.

re·spire [ris'paiə] respirer.

res·pite ['respait] **1.** ⚖ sursis *m*, délai *m*; répit *m*; **2.** accorder un sursis à; remettre.

re·splend·ence, **re·splend·en·cy** [ris'plendəns(i)] splendeur *f*, éclat *m* (*a. fig.*); **re'splend·ent** □ resplendissant.

re·spond [ris'pɔnd] répondre (*a. fig.*); *eccl.* réciter les répons; ~ to obéir à; être sensible à; **re'spond·ent 1.** ⚖ défendeur (-eresse *f*); ~ to sensible à, qui réagit à; **2.** ⚖ défendeur (-eresse *f*) *m*; *cour de cassation*: intimé(e *f*) *m*.

re·sponse [ris'pɔns] réponse *f* (*a. fig.*), réplique *f*; *eccl.* répons *m*.

re·spon·si·bil·i·ty [rispɔnsə'biliti] responsabilité *f* (de for, of); ✝ solidité *f*; **re'spon·si·ble** responsable (de, for; envers, to); chargé (de, for); capable; qui comporte des responsabilités (*poste*); sérieux (-euse *f*) (*personne*); *be* ~ *for* être maître de; être comptable de; être coupable de; **re'spon·sive** □ sensible (à, to); impressionnable; *be* ~ *to* répondre à, obéir à.

rest¹ [rest] **1.** repos *m* (*a. fig.*); sommeil *m*; *fig.* mort *f*; ♪ silence *m*; abri *m*; support *m*; *at* ~ en repos; *set at* ~ calmer; régler; **2.** *v/i.* se reposer; avoir *ou* prendre du repos; s'appuyer (sur, on); *fig.* ~ (*up*)on reposer sur; peser sur (*q.*) (*responsabilité*); ~ *with s.o. fig.* dépendre de (*q.*); *v/t.* (faire) reposer; appuyer; déposer (*un fardeau*).

rest² [⁓] **1.** reste *m*, restant *m*; *les autres m/pl.*; ✝ (fonds *m* de) réserve *f*; *for the* ⁓ quant au reste; **2.** rester, demeurer; ⁓ *assured* être assuré (que, *that*).

re·state·ment ['ri:'steitmənt] révision *f* (*d'un texte*); nouvel énoncé *m*.

res·tau·rant ['rɔstərɔ̃:ŋ] restaurant *m*.

rest-cure ⚕ ['restkjuə] cure *f* de repos.

rest·ing-place ['restiŋpleis] abri *m*; (lieu *m* de) repos *m*; *last* ⁓ dernière demeure *f*.

res·ti·tu·tion [resti'tju:ʃn] restitution *f*; réintégration *f* (*du domicile conjugal*); *make* ⁓ of restituer qch.

res·tive □ ['restiv] nerveux (-euse *f*); rétif (-ive *f*) (*cheval*, F *personne*); **'res·tive·ness** humeur *f* rétive *ou* inquiète; nervosité *f*.

rest·less ['restlis] sans repos; agité; inquiet (-ète *f*); **'rest·less·ness** agitation *f*; turbulence *f*; mouvement *m* incessant; nervosité *f*.

re·stock ['ri:'stɔk] ✝ réapprovisionner (en, *with*); repeupler (*un étang*).

res·to·ra·tion [restɔ'reiʃn] restitution *f*; restauration *f* (*d'un bâtiment*, *a. pol.*); réintégration *f* (dans une fonction, *to a post*); **re·stor·a·tive** □ [ris'tɔrətiv] fortifiant (*a. su./m*); cordial (-aux *m/pl.*) (*a. su./m*).

re·store [ris'tɔ:] restituer, rendre; restaurer; réintégrer; rétablir; ramener (à la vie, *to life*); ⁓ *s.th. to its place* remettre qch. en place; ⁓ *s.o. to liberty* rendre q. à la liberté; mettre q. en liberté; ⁓ *to health* rétablir la santé de q.; **re·stor·er** restaurateur (-trice *f*) *m*; *meubles:* rénovateur *m*; *hair* ⁓ régénérateur *m* des cheveux.

re·strain [ris'trein] retenir, empêcher (de, *from*); refréner; contenir; **re·strained** tempéré; contenu (*colère*); sobre; **re·strain·ed·ly** [⁓idli] avec retenue *ou* contrainte; **re·straint** contrainte *f* (*a. fig.*); frein *m*; fig. réserve *f*; sobriété *f*; internement *m* (*d'un aliéné*).

re·strict [ris'trikt] restreindre; réduire; **re·stric·tion** restriction *f*; réduction *f* (de *of*, on); **re·stric·tive** □ restrictif (-ive *f*).

re·sult [ri'zʌlt] **1.** résultat *m*; aboutissement *m*; **2.** résulter, provenir (de, *from*); ⁓ *in* mener à, produire; avoir pour résultat; **re·'sult·ant 1.** résultant; **2.** ⚗, *phys.* (force *f*) résultante *f*.

ré·su·mé ['rezju:mei] résumé *m*.

re·sume [ri'zju:m] reprendre, regagner; se remettre à; **re·sump·tion** [ri'zʌmpʃn] reprise *f*.

re·sur·gence [ri'sə:dʒəns] résurrection *f*; **re·'sur·gent** qui resurgit.

res·ur·rect [rezə'rekt] *vt/i.* ressusciter; **res·ur·'rec·tion** résurrection *f*; **res·ur·'rec·tion·ist**, *a.* **res·ur·'rec·tion man** déterreur *m* de cadavres.

re·sus·ci·tate [ri'sʌsiteit] *vt/i.* ressusciter; *v/t.* rappeler à la vie; *v/i.* revenir à la vie; **re·sus·ci·'ta·tion** ressuscitation *f*.

re·tail ['ri:teil] **1.** *su.* (vente *f* au) détail *m*; *by* ⁓ au détail; ⁓ *price* prix *m* de détail; **2.** *adj.* au détail; de détail; **3.** *adv.* au détail; **4.** [ri:'teil] (se) vendre au détail; (se) détailler; *v/t. fig.* colporter (*des nouvelles*); *be* ⁓*ed* se vendre au détail (à, *at*); **re·'tail·er** marchand(e *f*) *m* au détail; *fig.* colporteur *m*.

re·tain [ri'tein] retenir (*un avocat*, qch., *fig. a. dans son souvenir*); maintenir (*en position*); conserver (qch., *coutume, faculté, etc.*); engager (*un domestique etc.*); **re·'tain·er** *hist.* serviteur *m*, suivant *m*; (*usu. retaining fee*) avance *f*; honoraires *m/pl.* (*versés à un avocat pour retenir ses services*); *old* ⁓ vieux serviteur *m*.

re·take ['ri:'teik] [*irr.* (take)] reprendre; *cin.* tourner à nouveau.

re·tal·i·ate [ri'tælieit] *v/t.* user de représailles (envers, *on*); retourner (*une accusation*) (contre, *upon*); *v/i.* rendre la pareille (à, *on*); **re·tal·i·'a·tion** représailles *f/pl.*; **re·'tal·i·a·to·ry** [⁓iətəri] de représailles.

re·tard [ri'tɑ:d] *v/t.* retarder; *v/i.* tarder (*personne*); retarder (*chose*); *mot.* ⁓*ed ignition* retard *m* à l'allumage; ⁓*ed child* enfant *m* arriéré; **re·tar·da·tion** [ri:tɑ:'deiʃn] retard(ement) *m*; *phys.* retardation *f*; ♪ *mesure:* ralentissement *m*.

retch ⚕ [ri:tʃ] avoir des haut-le-cœur.

re·tell ['ri:'tel] [*irr.* (*tell*)] répéter; raconter de nouveau.

re·ten·tion [ri'tenʃn] conservation *f*; maintien *m*; ⚕, *a.* psych. rétention *f*; **re·ten·tive** □ gardeur (-euse *f*) (de, *of*); fidèle, tenace (*mémoire*); *anat.* rétentif (-ive *f*); contentif (-ive *f*) (*bandage*).

re·think ['ri:'θiŋk] [*irr.* (*think*)] réfléchir encore sur; repenser à.

ret·i·cence ['retisəns] réticence *f*; *fig.* réserve *f*; **'ret·i·cent** taciturne; réservé; peu communicatif (-ive *f*).

re·tic·u·late □ [ri'tikjulit], **re·tic·u·lat·ed** □ [‿leitid] réticulé; rétiforme; **ret·i·cule** ['retikjuːl] réticule *m* (*a.* opt.); sac *m* à main.

ret·i·na *anat.* ['retinə] rétine *f*.

ret·i·nue ['retinjuː] suite *f* (*d'un noble*).

re·tire [ri'taiə] *v/t.* mettre à la retraite; ✝ retirer (*un effet*); *v/i.* se retirer (dans, *to*); s'éloigner; se coucher; se démettre; prendre sa retraite; ✕ se replier; *sp.* se retirer (de, *from*); **re·tired** □ retiré (*endroit, vie*); retraité; mis à la retraite; ‿ *pay* pension *f* de retraite; **re·tire·ment** retraite *f* (*a.* ✕); ✝ retrait *m* (*d'un effet*); ✕ repliement *m*; *sp.* abandon *m* (de la partie); **re·tir·ing** □ sortant; réservé; farouche; ‿ *pension* pension *f* de retraite.

re·tort [ri'tɔːt] **1.** réplique *f*; riposte *f*; 🜂 cornue *f*; **2.** *vt./i.* répliquer, riposter; relancer (à, [*up*]on).

re·touch ['ri:'tʌtʃ] retoucher (*a.* phot.).

re·trace [ri'treis] retracer (*un dessin*); remonter à l'origine de; *fig.* ‿ *one's steps* revenir sur ses pas.

re·tract [ri'trækt] (se) rétracter; *vt./i.* rentrer; ⊕ (se) contracter; 🜊 escamoter, rentrer; **re·tract·a·ble** *zo.* rétractile; 🜊 rentrant, escamotable; **re·trac·ta·tion** rétractation *f*; **re·trac·tion** retrait *m*; rétraction *f* (*a.* ⚕); *gramm.* recul *m*.

re·trans·late ['ri:trænz'leit] retraduire; **'re·trans·la·tion** nouvelle traduction *f*.

re·trans·mit ['ri:trænz'mit] télév., *a.* radio: retransmettre.

re·treat [ri'triːt] **1.** retraite *f* (*a.* ✕, *a.* fig.); *glacier*: décrue *f*; ✕ asile *m*; repaire *m* (*de brigands*); **2.** *v/t.* ramener; *v/i.* se retirer, s'éloigner;

✕ battre en retraite; *box. etc.* rompre.

re·trench [ri'trentʃ] *v/t.* restreindre; réformer; supprimer (*un mot etc.*); ✕ retrancher; *v/i.* faire des économies; restreindre sa dépense; **re·trench·ment** réduction *f*; économies *f/pl.*; suppression *f*; ✕ retranchement *m*.

re·tri·al ⚖ ['ri:'traiəl] procédure *f* de révision.

ret·ri·bu·tion [retri'bjuːʃn] châtiment *m*; **re·trib·u·tive** □ [‿'tribjutiv] vengeur (-eresse *f*).

re·triev·a·ble [ri'triːvəbl] recouvrable (*argent*); réparable (*erreur etc.*).

re·trieve [ri'triːv] recouvrer; retrouver; rétablir; arracher (à, *from*); réparer; *chasse:* rapporter; **re·triev·er** *chasse:* chien *m* rapporteur; *race:* retriever *m*.

retro- [retrou] rétro...; **‿ac·tive** rétroactif (-ive *f*); **‿cede** reculer; **‿ces·sion** recul *m*; mouvement *m* rétrograde; **‿gra·da·tion** *astr.* rétrogradation *f*; *biol.* régression *f*; **'‿grade 1.** rétrograde; **2.** rétrograder (*a.* fig.); *fig. a.* dégénérer.

ret·ro·gres·sion [retrou'greʃn] rétrogression *f*; *fig.* dégénérescence *f*; **ret·ro·spect** ['‿spekt] coup *m* d'œil rétrospectif; *consider in ‿* jeter un coup d'œil rétrospectif sur; **ret·ro·spec·tion** examen *m* rétrospectif; **ret·ro·spec·tive** □ rétrospectif (-ive *f*) (*vue etc.*); vers l'arrière; ⚖ à effet rétroactif (*loi*).

re·try ⚖ ['ri:'trai] juger à nouveau (*q., a.* un procès).

re·turn [ri'tɜːn] **1.** retour *m* (*a.* ⚙, ✝, *marchandises,* △ *mur*); recrudescence *f* (*a.* ⚕); 🜊 circuit *m* de retour; *parl.* élection *f*; ✝ (*souv.* ‿*s pl.*) recettes *f/pl.*; rendement *m*, profit *m*; remboursement *m* (*d'un capital*); déclaration *f* (*de revenu*); *Banque:* situation *f*; rapport *m*, relevé *m* (*officiel*); *balle, son, etc.:* renvoi *m*; rappel *m*; ✝ ‿*s pl.* rendus *m/pl.*; restitution *f*; *fig.* récompense *f*; *fig.* échangé *m*; ‿*s pl.* relevé *m*; statistique *f*; *attr.* de retour; *many happy ‿s of the day* mes meilleurs vœux pour votre anniversaire; joyeux anniversaire; *in ‿* en retour; en échange (de, *for*); *by ‿ (of post)* par retour de courrier; ‿ *match* match *m* retour; ‿ *ticket* billet *m* d'aller et retour; *pay a ~ visit* rendre une visite (à *q.*); **2.** *v/i.* revenir; rentrer; retourner; *fig.* *~ to* revenir à (*un sujet etc.*); retomber dans (*une habitude*); *v/t.* rendre; renvoyer (*accusation, balle, lumière*); adresser (*des remerciements*); *fig.* répliquer, répondre; ✝ rapporter (*un bénéfice, a. admin.*); faire une déclaration de (*revenu*); ⚖ déclarer (*q. coupable*), rendre, prononcer (*un verdict*); *parl.* élire; *cartes:* rejouer; re'turn·a·ble restituable; re'turn·er personne *f* qui revient *ou* qui rend; re'turn·ing of·fi·cer directeur *m* du scrutin; *deputy ~* scrutateur *m*.

re·un·ion ['ri:'ju:njən] réunion *f*; assemblée *f*; re·u·nite ['ri:ju:'nait] (se) réunir; (se) réconcilier.

rev *mot.* F [rev] **1.** tour *m*; **2.** (*~ up*) (faire) s'emballer.

re·val·or·i·za·tion [ri:vælərai'zeiʃn] revalorisation *f*; re'val·or·ize [*~*aiz] revaloriser; re·val·u·a·tion [*~*vælju'eiʃn] réévaluation *f*; réestimation *f*; re·val·ue [*~*'vælju:] réévaluer; réestimer.

re·vamp ⊕ ['ri:'væmp] remplacer l'empeigne de (*un soulier*); *Am.* rafraîchir, renflouer.

re·veal [ri'vi:l] révéler, découvrir; faire connaître *ou* voir; dévoiler (*un mystère*); re'veal·ing révélateur (-trice *f*).

re·veil·le ✕ [ri'væli] réveil *m*.

rev·el ['revl] **1.** réjouissances *f/pl.*; divertissement *m*, *-s* *m/pl.*; *péj.* orgie *f*; **2.** se divertir; faire bombance; se délecter (à, *in*).

rev·e·la·tion [revi'leiʃn] révélation *f*; *bibl.* ♀ l'Apocalypse *f*.

rev·el·(l)er ['revlə] noceur (-euse *f*) *m*; joyeux convive *m*; 'rev·el·ry divertissements *m/pl.*; *péj.* orgie *f*.

re·venge [ri'vendʒ] **1.** vengeance *f*; *jeux:* revanche *f*; **2.** *v/i.* se venger (de *qch.*, sur *q.* on); *v/t.* venger (*q.*, *qch.*); *~ o.s.* (*ou* be *~d*) on se venger de (*qch.*) *ou* sur (*q.*); re'venge·ful □ [*~*ful] vindicatif (-ive *f*); vengeur (-eresse*f*);re'venge·ful·ness esprit *m* de vengeance; caractère *m* vindicatif; re'veng·er vengeur (-eresse *f*) *m*.

rev·e·nue ['revinju:] (*a. ~s pl.*) revenu *m*; rapport *m*; rentes *f/pl.*; *~ board* (*ou office*) (bureau *m* de)

perception *f*; *~ cutter* cotre *m* de la douane; *~ officer* employé *m* de la douane; *~ stamp* timbre *m* fiscal.

re·ver·ber·ate [ri'və:bəreit] *v/t.* renvoyer (*un son*); réfléchir (*la lumière etc.*); *v/i.* résonner (*son*); réverbérer (*chaleur, lumière*); re·ver·ber·a·tion renvoi *m*; réverbération *f*; re'ver·ber·a·tor réflecteur *m*; re'ver·ber·a·to·ry fur·nace *métall.* [*~*ətəri] four *m* à réverbère.

re·vere [ri'viə] vénérer; rev·er·ence ['revərəns] **1.** vénération *f*; révérence *f*; respect *m* (religieux); *F Your* ♀ monsieur l'abbé; *co. saving your ~* sauf révérence; **2.** révérer; 'rev·er·end **1.** vénérable; *eccl.* révérend; *Right* ♀ très révérend; **2.** *the Right ~ X* le révérend *m* X.

rev·er·ent □ ['revərənt], rev·er·en·tial □ [*~*'renʃl] révérenciel(le *f*); plein de vénération.

rev·er·ie ['revəri] rêverie *f*.

re·ver·sal [ri'və:səl] renversement*m* (*a.* ⊕, *a. opt.*); revirement *m* (*d'une opinion*); ⚖ réforme *f*, annulation *f*; ⊕ *~ of stroke* changement *m* de course; re·verse [*~*'və:s] **1.** contraire *m*, inverse *m*; ✕, *a. fig.* revers *m*; *mot.* (*a. ~ gear*) marche *f* arrière; *feuillet:* verso *m*; *in ~* en ordre inverse; en marche arrière; ✕ à revers; **2.** □ contraire, inverse; *~ side tissu:* envers *m*; **3.** renverser (*a.* ✕); invertir (*un ordre, a. phot.*); *cost.* retourner; ⚖ réformer, révoquer; *mot. a. v/i.* faire (marche arrière); re'vers·i·ble réversible (*procès*); *phot.* inversible; à deux endroits (*tissu*); à double face (*manteau*); re'vers·ing ⊕ de renvoi.

re·ver·sion [ri'və:ʃn] ⚖ retour *m* (*a. fig.*), réversion *f* (*a. biol.*); substitution *f*; survivance *f*; *phot.* inversion *f*; *in ~* grevé d'une réversion; réversible (*rente*); re'ver·sion·ar·y ⚖ de réversion; réversible; re'ver·sion·er ⚖ détenteur (-trice *f*) *m* d'un droit de réversion *ou* substitution.

re·vert [ri'və:t] (*to*) revenir (à) (*a.* ⚖, *biol., fig.*); *a. biens:* faire retour (à *q.*).

rev·er·y *see reverie*.

re·vet·ment ⊕ [ri'vetmənt] revêtement *m*.

re·view [ri'vju:] **1.** ⚖ révision *f*; ✕,

⚓, *périodique*, *fig.*: revue *f*; examen *m*; compte rendu *m*; *year under* ∼ année *f* de rapport; 2. *v/t.* ⚖ réviser; ✗, ⚓, *fig.* passer en revue; *fig.* revoir, examiner; faire le compte rendu de; *v/i.* faire de la critique littéraire *etc.*; **re'view·er** critique *m* (littéraire); ∼'s copy exemplaire *m* de service de presse.

re·vile [ri'vail] injurier (*q.*).

re·vis·al [ri'vaizl] révision *f*.

re·vise [ri'vaiz] 1. revoir, relire (*un livre etc.*); corriger (*des épreuves*); réviser (*une loi*); 2. *typ.* épreuve *f* de révision; seconde *f*; **re'vis·er** réviseur *m*; *typ.* correcteur *m*.

re·vi·sion [ri'viʒn] révision *f*.

re·vis·it ['ri:'vizit] visiter de nouveau.

re·vi·so·ry [ri'vaizəri] de révision.

re·vi·tal·ize ['ri:'vaitəlaiz] revivifier.

re·viv·al [ri'vaivl] ⚕ retour *m* des forces, retour *m* à la vie; reprise *f* des sens; *théâ.*, *a.* ✝ reprise *f*; *fig.* renaissance *f*; renouveau *m*; **re·vive** [∼'vaiv] *v/t.* ressusciter; rappeler à la vie; ranimer; réveiller; renouveler; *v/i.* reprendre connaissance; se ranimer; ✝ *etc.* reprendre; **re'viv·er** ressusciteur *m*; personne *f* qui ranime; F verre *m* (*de cognac etc.*); **re·viv·i·fy** [∼'vivifai] revivifier.

rev·o·ca·ble □ ['revəkəbl] révocable; **rev·o·ca·tion** [∼'keiʃn] révocation *f*; abrogation *f*.

re·voke [ri'vouk] *v/t.* révoquer; retirer; *v/i.* cartes: renoncer à faux.

re·volt [ri'voult] 1. révolte *f*; 2. *v/i.* se révolter (*a. fig.*), se soulever (*contre against, from*); *v/t.* *fig.* dégoûter; indigner (*q.*).

rev·o·lu·tion [revə'lu:ʃn] ⊕, *pol.*, *astr.*, *fig.* révolution *f*; ⊕ tour *m*; rotation *f*; ∼s *per minute* tours *m/pl.* à la minute; **rev·o'lu·tion·ar·y** 1. révolutionnaire; 2. (*a.* **rev·o'lu·tion·ist**) révolutionnaire *mf*; **rev·o'lu·tion·ize** révolutionner.

re·volve [ri'vɔlv] *v/i.* tourner (sur, on; autour de, round); revenir (*saisons*); *v/t.* faire tourner; *fig.* ruminer, retourner; **re'volv·er** revolver *m*; **re'volv·ing** tournant; ∼ *stage* scène *f* tournante; ∼ *door* porte *f* tournante ou pivotante; ∼ *pencil* porte-mine *m/inv.*

re·vue *théâ.* [ri'vju:] revue *f*.

re·vul·sion [ri'vʌlʃn] *fig.* revirement *m* (*des sentiments*); nausée *f*; ⚕ révulsion *f*; **re'vul·sive** □ ⚕ révulsif (-ive *f*) (*a. su./m*).

re·ward [ri'wɔ:d] 1. récompense *f*; 2. récompenser, rémunérer (de, for); *fig.* payer (qch., for s.th.).

re·word ['ri:'wɔ:d] rédiger à nouveau.

re·write ['ri:'rait] [*irr.* (*write*)] récrire; remanier, recomposer.

rhap·so·dist ['ræpsədist] rhapsodiste *m*; **'rhap·so·dize** s'extasier (sur, over); **'rhap·so·dy** rhapsodie *f*; *fig.* transports *m/pl.*

rhe·o·stat ∮ ['ri:ostæt] rhéostat *m*.

rhet·o·ric ['retərik] rhétorique *f* (*a. péj.*); éloquence *f*; **rhe·tor·i·cal** □ [ri'tɔrikl] de rhétorique; *péj.* ampoulé; **rhet·o·ri·cian** [retə'riʃn] rhétoricien *m*; *hist.*,*a. péj.* rhéteur *m*.

rheu·mat·ic ⚕ [ru:'mætik] (∼ally) rhumatismal (-aux *m/pl.*); rhumatisant (*a. su./mf*) (*personne*); **rheu'mat·ics** *F pl.*, **rheu·ma·tism** ⚕ ['ru:mətizm] rhumatisme *m*.

rhi·no¹ *sl.* ['rainou] galette *f* (= *argent*).

rhi·no² [∼], **rhi·noc·er·os** *zo.* [rai'nɔsərəs] rhinocéros *m*.

rhomb, rhom·bus ⚖ ['rɔm(bəs)], *pl.* -bus·es, -bi [∼bai] losange *m*, ✝ rhombe *m*.

rhu·barb ⚘ ['ru:bɑ:b] rhubarbe *f*.

rhumb ⚓ [rʌm] rhumb *m*.

rhyme [raim] 1. rime *f* (à, to); poésie *f*, vers *m/pl.*; *without* ∼ *or reason* sans rime ni raison; 2. (faire) rimer (avec, with); **'rhyme·less** sans rime; **'rhym·er, rhyme·ster** ['∼stə] versificateur *m*; *péj.* rimailleur *m*.

rhythm [riðm] rythme *m*; **'rhyth·mic, 'rhyth·mi·cal** □ rythmique, cadencé.

Ri·al·to *Am.* [ri'æltou] quartier *m* des théâtres (*de Broadway*).

rib [rib] 1. côte *f*; ⚘, △ nervure *f*; *parapluie*: baleine *f*; 2. garnir de côtes *ou* de nervures; *Am. sl.* taquiner (*q.*).

rib·ald ['ribəld] 1. paillard; licencieux (-euse *f*); 2. paillard(e *f*) *m*; homme *m* éhonté; **'rib·ald·ry** paillardises *f/pl.*; propos *m/pl.* grossiers.

rib·and ⊕ ['ribənd] ruban *m*.

ribbed [ribd] ✇ à nervures (*a. pla-fond*); *tex.* à côtes.

rib·bon ['ribən] ruban *m* (*a. décoration, machine à écrire*, ⊕ *etc.*); *ordre:* cordon *m*; bande *f*; ∼s *pl.* lambeaux *m/pl.*; *sl.* guides *f/pl.*; ∼ *building ou development* alignement *m* de maisons en bordure de route; ⊕ ∼work travail (*pl.* -aux) *m* à la chaîne; 'rib·boned orné de rubans; *zo.* rubané.

rice [rais] riz *m*; *ground* ∼ farine *f* de riz.

rich □ [ritʃ] riche (en, *in*) (*personne, terre, couleur, style, a. fig.*); fertile, gras(se *f*); somptueux (-euse *f*); de luxe; superbe; corsé (*vin*); ample, plein (*voix etc.*); F impayable, épatant; ∼ *in meaning* significatif (-ive *f*); *gramm.* ayant beaucoup d'acceptions; ∼ *milk* lait *m* non écrémé; **rich·es** ['∼iz] *pl.* richesses *f/pl.*; 'rich·ness richesse *f*; abondance *f*; luxe *m*; *couleur:* éclat *m*; *voix:* ampleur *f*.

rick¹ ✗ [rik] 1. meule *f* (*de foin*); 2. mettre en meule(s).

rick² [∼] *see* wrick.

rick·ets ✗ ['rikits] *sg. ou pl.* rachitisme *m*; 'rick·et·y rachitique; F branlant, bancal (*m/pl.* -als), chancelant.

rid [rid] [*irr.*] débarrasser (de, *of*); *get* ∼ *of* se débarrasser de; ✗ éliminer; 'rid·dance débarras *m*; *he is a good* ∼ bon débarras!

rid·den ['ridn] *p.p. de* ride 2; *gang-*∼ infesté de gangsters; *family-*∼ tyrannisé par sa famille.

rid·dle¹ ['ridl] 1. énigme *f* (*a. fig.*), devinette *f*; 2. *v/t.* trouver la clef de; *v/i.* parler par énigmes; ∼ *me* donnez-moi le mot de (*cette énigme*).

rid·dle² [∼] 1. crible *m*, claie *f*; 2. cribler (*a. fig.*) (de, *with*); passer au crible.

rid·dling □ ['ridliŋ] énigmatique.

ride [raid] 1. promenade *f*; voyage *m*; course *f*; *autobus etc.:* trajet *m*; 2. [*irr.*] *v/i.* se promener, aller (*à cheval, en auto, à bicyclette*); voyager; chevaucher; *fig.* voguer; remonter; ✇ *at anchor* être mouillé; ∼ *for a fall* aller en casse-cou; *fig.* courir à un échec, aller au-devant de la défaite; *v/t.* monter (*un cheval etc.*); aller à (*une bicyclette etc.*); parcourir (*le pays*) (à cheval); diriger

(*son cheval*); opprimer; voguer sur (*les vagues*); ∼ (*on*) *a bicycle* aller à bicyclette; ✇ ∼ *out* étaler (*une tempête*); *fig.* surmonter (*une crise*); 'rid·er cavalier (-ère *f*) *m*; *course:* jockey *m*; *cirque:* écuyer (-ère *f*) *m*; *clause f additionnelle*; annexe *f*; ✗ exercice *m* d'application (*d'un théorème*); ⊕ cavalier *m*.

ridge [ridʒ] 1. *montagne:* arête *f*, crête *f*; faîte *m* (*a.* △); *sable:* ride *f*; *rochers:* banc *m*; *coteaux:* chaîne *f*; ✗ billon *m*, butte *f*; 2. *v/t.* △ enfaîter; ✗ disposer en billons; sillonner; *v/i.* former des crêtes; se rider.

rid·i·cule ['ridikju:l] 1. moquerie *f*, raillerie *f*; dérision *f*; ridicule *m*; 2. se moquer de; ridiculiser; **ri·dic·u·lous** □ [∼'julas] ridicule; **ri·dic·u·lous·ness** ridicule *m*.

rid·ing ['raidiŋ] 1. équitation *f*; 2. d'équitation; de cavalier (-ère *f*); '∼-breech·es *pl.* culotte *f* de cheval; '∼-hab·it *cost.* amazone *f*.

rife □ [raif] abondant (en, *with*); nombreux (-euse *f*); *be* ∼ régner; abonder (en, *with*).

riff-raff ['rifræf] canaille *f*.

ri·fle¹ ['raifl] piller.

ri·fle² [∼] 1. fusil *m* (*rayé*); rayure *f* (*d'un fusil*); ✗ ∼s *pl.* fusiliers *m/pl.*; 2. rayer (*un fusil*); '∼-man ✗ fusilier *m*; chasseur *m* à pied.

ri·fling ⊕ ['raifliŋ] rayage *m*; *coll.* rayure *f*, -s *f/pl.*

rift [rift] fente *f*, fissure *f*; *fig.* fêlure *f*.

rig¹ F [rig] 1. farce *f*; coup *m* monté; 2. travailler (*le marché*); tripoter sur; truquer.

rig² [∼] 1. ✇ gréement *m*; F *fig.* équipement *m*; F toilette *f*; *Am.* F attelage *m*; 2. (*a.* ∼ *out ou up*) gréer; F *fig.* accoutrer; ∼ *up* monter; 'rig·ger ✇ gréeur *m*; ✗ monteur-régleur (*pl.* monteurs-régleurs) *m*; 'rig·ging ✇ gréage *m*; ✗ gréement *m*.

right [rait] 1. □ droit (*a. = contraire de gauche*); bon(ne *f*); honnête; correct, exact, juste; bien placé; ✗ ∼ *angle* angle *m* droit; *be* ∼ avoir raison; être à l'heure (*montre*); convenir (à, *for*); *be* ∼ *to* (*inf.*) avoir raison de (*inf.*); bien faire de (*inf.*); être fondé à (*inf.*); *all* ∼! entendu!; parfait!; très bien!; allez-y!; c'est bon!; *be on the* ~ *side of* 40 avoir moins de 40 ans; *put* (*ou* set) ~ ajuster; réparer; corriger; désabuser (*q.*); réconcilier (avec, with); **2.** *adv.* droit; tout …; bien; fort, très; correctement; à droite; *dans un titre:* très; F *send to the* ~*-about* envoyer promener (*q.*); ~ *away* tout de suite; sur-le-champ; ~ *in the middle* au beau milieu; ~ *on* tout droit; **3.** *su.* droit *m*, titre *m*; bien *m*; justice *f*; côté *m* droit, droite *f* (*a. pol.*); *box.* coup *m* du droit; *in* ~ *of his mother* du chef de sa mère; *in his* (*ou* her) *own* ~ de son propre chef; en propre; *the* ~*s pl. of a story* la vraie histoire; *by* ~(*s*) en toute justice; *by* ~ *of* par droit de; à titre de; à cause de; *set* (*ou* put) *to* ~*s* mettre en ordre; arranger; *on* (*ou* to) *the* ~ à droite; **4.** *v/t.* redresser (*qch.*, *un tort*); rendre justice à; corriger; ⚓ (*v/i.* se) redresser; ~**-an·gled** ⚓ ['~ǽŋgld] à angle droit; rectangle (*triangle*); **right·eous** □ ['~ʃəs] juste (*a. = justifié*); vertueux (-euse *f*); '**right·eous·ness** droiture *f*, vertu *f*; **right·ful** □ ['~ful] légitime; équitable (*conduite*); '**right·'hand·ed** droitier (-ère *f*) (*personne*); ⊕ pour la main droite; à droite (*vis etc.*); '**right·'mind·ed** bien pensant; '**right·ness** droiture *f*; décision etc.: justesse *f*.

rig·id □ ['ridʒid] raide, rigide; *fig.* strict, sévère; **ri·gid·i·ty** raideur *f*, rigidité *f*; *fig.* sévérité *f*; intransigeance *f*.

rig·ma·role ['rigməroul] discours *m* sans suite; F litanie *f*.

rig·or ⚕ ['raigɔ:] frissons *m/pl.*; ~ **mor·tis** [~'mɔ:tis] rigidité *f* cadavérique; **rig·or·ous** □ ['rigərəs] rigoureux (-euse *f*).

rig·o·(u)r ['rigə] rigueur *f*, sévérité *f*; *fig.* austérité *f*; *preuve:* exactitude *f*; ~*s pl. a.* âpreté *f* du temps.

rile F [rail] agacer, exaspérer.

rill [ril] petit ruisseau *m*.

rim [rim] bord *m*; *lunettes:* monture *f*; *roue:* jante *f*.

rime[1] [raim] rime *f*.

rime[2] *poét.* [~] givre *m*, gelée *f* blanche; '**rim·y** couvert de givre; givré.

rind [raind] écorce *f*, peau *f* (*a. d'un fruit*); *fromage:* croûte *f*; *lard:* couenne *f*.

ring[1] [riŋ] **1.** anneau *m*; bague *f*; rond *m* (*de serviette*); ⊕ segment *m*; *personnes:* groupe *m*, cercle *m*; ✝ cartel *m*; *cirque:* arène *f*; *box.* ring *m*; *lune:* auréole *f*; **2.** boucler (*un taureau*); baguer (*un pigeon*); (*usu.* ~ *in ou round ou about*) entourer, encercler.

ring[2] [~] **1.** son(nerie *f*) *m*; tintement *m*; coup *m* de sonnette; F coup *m* de téléphone; **2.** [*irr.*] *v/i.* sonner; tinter (*a. oreilles*); (*souv.* ~ *out*) résonner, retentir (de, with); ~ *again* sonner de nouveau; *téléph.*; ~ *off* raccrocher; *the bell is* ~*ing* on sonne; *v/t.* (faire) sonner; ~ *the bell* agiter la sonnette; sonner; *fig.* réussir le coup; ~ *up* sonner pour faire lever (*qch.*); *téléph.* donner un coup de téléphone à (*q.*); '**ring·er** sonneur *m*; '**ring·ing** □ qui résonne; retentissant; '**ring·lead·er** □ meneur *m*; chef *m* de bande; **ring·let** ['~lit] *cheveux:* boucle *f*; '**ring·worm** ⚕ teigne *f* tonsurante.

rink [riŋk] patinoire *f*; skating *m*.

rinse [rins] **1.** (*souv.* ~ *out*) rincer; **2.** = '**rins·ing** rinçage *m*; ~*s pl.* rinçure *f*, ~*s f/pl.*

ri·ot ['raiət] **1.** émeute *f*, F bagarre *f*; *fig.* orgie *f*; *run* ~ pulluler; se déchaîner; **2.** provoquer une émeute; s'ameuter; faire du vacarme; *fig.* se livrer sans frein (à, in); '**ri·ot·er** émeutier *m*; séditieux *m*; *fig.* noceur *m*; '**ri·ot·ous** □ tumultueux (-euse *f*); séditieux (-euse *f*); tapageur (-euse *f*) (*personne*); dissolu (*vie*).

rip[1] [rip] **1.** déchirure *f*; fente *f*; ⚓ ~ *cord* corde *f* de déchirure (*d'un ballon*), tirette *f* (*d'un parachute*); **2.** *v/t.* déchirer; fendre; ~ *up* découdre; déchirer; *v/i.* se déchirer; se fendre; *mot.* F filer.

rip[2] F [~] mauvais garnement *m*; *personne:* gaillard *m*.

ripe □ [raip] mûr; fait (*fromage*); '**rip·en** *vt/i.* mûrir; '**ripe·ness** maturité *f*.

ri·poste [ri'poust] **1.** *escrime:* riposte *f* (*a. fig.*); **2.** riposter.

rip·per ['ripə] fendoir *m* (*pour ardoises*); burin *m* à défoncer; scie *f* à refendre; *sl.* type *m* épatant; chose *f* épatante; '**rip·ping** □ *sl.* fameux (-euse *f*), épatant.

rip·ple ['ripl] **1.** ride *f*; *cheveux:* ondulation *f*; *ruisseau*: gazouillement *m*; murmure *m*; **2.** (se) rider; *v/i.* onduler; murmurer.

rise [raiz] **1.** *eau, route*: montée *f*; côte *f*; rampe *f*; *terrain*: éminence *f*; ascension *f*; hausse *f* (*a.* ♉, ♪); *soleil, théâ. rideau*: lever *m*; *eaux*: crue *f*; △ flèche *f*; *prix etc.*: augmentation *f*; *emploi, rang*: avancement *m*; *fleuve, a. fig.*: source *f*; give ~ to engendrer; provoquer; take (one's) ~ prendre sa source, avoir son origine (dans, *in*); **2.** [*irr.*] se lever (*gibier, personne, soleil, etc.*); se dresser (*cheval, montagne, monument*); se relever (*personne*); s'élever (*bâtiment, terrain*); monter (*mer, terrain, à la surface, à un rang*); lever (*pain*); se révolter, se soulever (contre, *against*); ressusciter (*des morts*); *parl.* s'ajourner; ♉ être à la hausse (*a. baromètre*); ⚔ sortir (*du rang*); prendre sa source (dans, *in*; à, *at*); ~ to the occasion se montrer à la hauteur de la situation; ~ to the bait monter à la risque; mordre; **ris·en** ['rizn] *p.p. de rise* 2; **'ris·er** △ contremarche *f*; early ~ personne *f* matinale.

ris·i·bil·i·ty [rizi'biliti] faculté *f* de rire; **'ris·i·ble** □ risible, dérisoire; † rieur (-euse *f*) (*personne*).

ris·ing ['raiziŋ] **1.** lever *m*; *chasse*: envol *m*; *prix, baromètre*: hausse *f*; *eaux*: crue *f*; soulèvement *m*, ameutement *m*; résurrection *f*; **2.** d'avenir; nouveau (-el *devant une voyelle ou un h muet*; -elle *f*; -eaux *m/pl.*); ~ ground élévation *f* de terrain.

risk [risk] **1.** risque *m* (*a.* ♉), péril *m*; at the ~ of (*gér.*) au risque de (*inf.*); run a (*ou* the) ~ courir un ou le risque; **2.** risquer; **'risk·y** □ hasardeux (-euse *f*); scabreux (-euse *f*).

ris·sole *cuis.* ['risoul] rissole *f*.

rite [rait] rite *m*; **rit·u·al** ['ritjuəl] **1.** □ rituel(le *f*); **2.** rites *m/pl.*; *livre*: rituel *m*.

ri·val ['raivl] **1.** rival(e *f*) *m*; émule *mf*; concurrent(e *f*) *m*; **2.** rival(e *f*; -aux *m/pl.*); ♉ concurrent; **3.** *vt/i.* rivaliser (avec); *v/t.* être l'émule de; **'ri·val·ry** rivalité *f*; concurrence *f*; émulation *f*.

rive [raiv] [*irr.*] (se) fendre.

riv·en ['rivn] *p.p de rive.*

riv·er ['rivə] fleuve *m*; rivière *f*; *fig.* flot *m*; **'~·horse** hippopotame *m*;

'~·side rive *f*; bord *m* de l'eau; *attr.* situé au bord de la rivière.

riv·et ['rivit] **1.** ⊕ rivet *m*; **2.** rive(te)r; *fig.* fixer, river (à, *to*; sur, [*up*]on); **'riv·et·ing** à river.

riv·u·let ['rivjulit] ruisseau *m*.

roach *icht.* [routʃ] gardon *m*.

road [roud] route *f*; rue *f*; chemin *m* (*a. fig.*); voie *f* (*a. fig.*); *Am. see* railroad 1; by ~ par route; en auto (*personne*); ♬ *usu.* ~s *pl.* (*a.* '~·stead) rade *f*; ~ hog *mot.* chauffard *m*; '~·mend·er cantonnier *m*; '~·race course *f* sur route; '~·sense *surt. mot.* sens *m* pratique de la conduite sur route; **road·ster** ['~stə] cheval *m* de fatigue; *mot. etc.* voiture *f ou* bicyclette *f* de route; **'road·way** chaussée *f*; voie *f*.

roam [roum] *v/i.* errer, rôder; *v/t.* parcourir; **'roam·er** vagabond *m*; nomade *m*.

roan [roun] **1.** rouan(ne *f*); **2.** (*cheval m*) rouan *m*; vache *f* rouanne; ⊕ basane *f*.

roar [rɔː] **1.** *vt/i.* hurler, vociférer; *v/i.* rugir; mugir (*mer, taureau*); tonner, gronder; ronfler (*auto, feu*); *v/t.* beugler (*un refrain*); **2.** hurlement *m*; rugissement *m*; éclat *m* (*de rires*); mugissement *m*; grondement *m*; **roar·ing** ['~riŋ] **1.** *see* roar 2; **2.** □ rugissant; mugissant; grondant; ♉ gros(se *f*); F superbe.

roast [roust] **1.** *v/t.* (faire) rôtir; *sl.* passer un savon à (*q.*); *v/i.* rôtir; *vt/i.* griller; **2.** rôti; ~ beef rôti *m* de bœuf, rosbif *m*; ~ meat viande *f* rôtie; *see* rule 2; **'roast·er** *personne*: rôtisseur (-euse *f*) *m*; *cuis.* rôtissoire *f*; volaille *f* à rôtir; **'roasting-jack** tournebroche *m*.

rob [rɔb] voler; **'rob·ber** voleur (-euse *f*) *m*; **'rob·ber·y** vol *m*.

robe [roub] **1.** robe *f* (*d'office, de cérémonie*, 🜚); vêtement *m*; maillot *m* anglais (*pour bébés*); ~s *pl.* robe *f*, -s *f/pl.*; gentlemen of the ~ gens *m/pl.* de robe; **2.** *v/t.* revêtir (*q.*) d'une robe (*ou univ.* de sa toge); *fig.* recouvrir; *v/i.* revêtir sa robe *ou* toge.

rob·in *orn.* ['rɔbin] rouge-gorge (*pl.* rouges-gorges) *m*.

ro·bot ['roubɔt] automate *m*; *attr.* automatique.

ro·bust □ [rə'bʌst] robuste; vigoureux (-euse *f*); **ro'bust·ness** nature

f ou caractère *m* robuste; vigueur
f.

rock¹ [rɔk] rocher *m*; roc *m*; roche *f*;
Am. pierre *f*, diamant *m*; get down
to ~ bottom être au plus bas; toucher
le fin fond; ~-crystal cristal *m* de
roche; ~-salt sel *m* gemme.

rock² [..] *v/t.* bercer; basculer; *v/i.*
osciller; *v/t./i.* balancer.

rock-bot·tom F [ˈrɔkˈbɔtəm] le plus
bas (*prix*).

rock·er [ˈrɔkə] berceau etc.: bascule *f*;
see rocking-chair; *sl.* be off one's ~
être un peu toqué.

rock·er·y [ˈrɔkəri] jardin *m* de rocaille.

rock·et¹ [ˈrɔkit] fusée *f*; ~ plane
avion-fusée (*pl.* avions-fusées) *m*; ~
propulsion propulsion *f* par fusée.

rock·et² ♀ [..] roquette *f*.

rock·et-pow·ered [ˈrɔkitpauəd] propulsé par réaction.

rock...: '~-fall éboulement *m* de
rocher; '~-gar·den jardin *m* de
rocaille.

rock·ing... [ˈrɔkiŋ]: '~-chair rocking-chair *m*; '~-horse cheval *m* à
bascule.

rock·y [ˈrɔki] rocailleux (-euse *f*);
rocheux (-euse *f*); de roche.

ro·co·co [rəˈkoukou] rococo *inv.* (*a.
su./m*).

rod [rɔd] verge *f*; baguette *f*; *rideau,
escalier:* tringle *f*; ⊕ tige *f*; *surv.*
mire *f*; *mesure:* perche *f* (5½
yards); *Am. sl.* revolver *m*, pistolet
m; Black ♀ Huissier *m* de la Verge
noire (*haut fonctionnaire de la
Chambre des Lords et de l'Ordre de la
Jarretière*).

rode [roud] *prét. de* ride 2.

ro·dent [ˈroudənt] rongeur *m*.

ro·de·o *Am.* [rouˈdeiou] rassemblement *m* du bétail; concours *m* d'é-
quitation (*des cowboys*).

rod·o·mon·tade [rɔdəmɔnˈteid] rodomontade *f*.

roe¹ [rou] (*a.* hard ~) œufs *m/pl.* (*de
poisson*); soft ~ laite *f*, laitance *f*.

roe² [..] chevreuil *m*, chevrette *f*;
'~-buck chevreuil *m* (mâle).

ro·ga·tion *eccl.* [rouˈgeiʃn] Rogation *f*; ♀ Sunday dimanche *m* des
Rogations.

rogue [roug] fripon(ne *f*) *m*; coquin
(-e *f*) *m*; *éléphant:* solitaire *m*; ~s'
gallery musée *m ou* album *m* de
portraits *ou* photos de criminels;

'**ro·guer·y** fourberie *f*; coquinerie *f*;
'**ro·guish** □ coquin; fripon(ne *f*)
(*a. fig.*).

roist·er [ˈrɔistə] faire du tapage;
'**roist·er·er** tapageur (-euse *f*) *m*;
fêtard(e *f*) *m*.

role *théâ.* [roul] rôle *m* (*a. fig.*).

roll [roul] **1.** ⊕, *tex.*, *étoffe, papier,
tabac:* rouleau *m*; ⊕ *a.* cylindre *m*;
† *étoffe:* pièce *f*; *Am. billets:* liasse *f*;
typ., *phot.* bobine *f*; *admin.* contrôle *m*; *beurre:* coquille *f*; petit
pain *m*; *tambour, tonnerre:* roulement
m; ♫ (coup *m* de) roulis *m*; **2.** *v/t.*
rouler; cylindrer; ⊕ laminer; ~ out
étendre (au rouleau); ~ up (en)rou-
ler; ⊕ ~ed gold doublé *m*; *v/i.* rouler; couler (*larmes*); gronder (*tonnerre*); ♫ rouler, avoir du roulis; ~
up s'enrouler; F arriver; '~-call appel *m* (nominal) (*a.* ⚔); '**roll·er**
rouleau *m*; cylindre *m*; *tex.*, *papier:*
calandre *f*; ⚓ (usu. bandage) bande
f roulée; ♫ lame *f* de houle; *Am.* ~
coaster montagnes *f/pl.* russes; ~
towel essuie-mains *m/inv.* à rouleau; '~-skate **1.** patiner sur roulettes; **2.** patin *m* à roulettes; '**roll·
film** *phot.* pellicule *f* en bobine.

rol·lick [ˈrɔlik] faire la bombe; rigoler; '**rol·lick·ing** joyeux (-euse *f*);
rigoleur (-euse *f*).

roll·ing [ˈrouliŋ] **1.** roulant; ♫ houleux (-euse *f*); ondulé; ⊕ de laminage; **2.** roulement *m*; ⊕ laminage *m*;
⊕ ~ mill usine *f* de laminage; laminoir *m*; *typ.* ~ press presse *f* à cylindres; '~-stock ⛟ matériel *m* roulant.

roll-top desk [ˈroultɔpˈdesk] bureau
m américain *ou* à cylindre.

ro·ly-po·ly [ˈrouliˈpouli] **1.** pouding
m en rouleau aux confitures; **2.** F
boulot(te *f*).

Ro·man [ˈroumən] **1.** romain;
2. Romain(e *f*) *m*; *typ.* (*usu.* ♀)
(caractère *m*) romain *m*.

ro·mance [rəˈmæns] **1.** † roman *m*;
conte *m* bleu; *fig.* fable *f*; ♪ romance
f; *fig.* affaire *f*, amour *m*; romanesque *m*; *ling.* ♀ roman *m*, langue *f* ro-
mane; **2.** *fig.* inventer à plaisir;
3. *ling.* ♀ roman; ro'**manc·er** † romancier (-ère *f*) *m*; brodeur (-euse
f) *m*; menteur (-euse *f*) *m*.

Ro·man·esque [rouməˈnesk] roman
(*a. su./m*).

Ro·man·ic [rouˈmænik] romain;

ling. roman; *surt.* ~ *peoples pl.* Romains *m/pl.*

ro·man·tic [rə'mæntik] **1.** (~*ally*) romantique; **2.** (*usu.* **ro'man·ti·cist** [~tisist]) romantique *mf*; **ro'man·ti·cism** romantisme *m*; idées *f/pl.* romanesques.

Rom·ish *usu. péj.* ['roumiʃ] catholique.

romp [rɔmp] **1.** gambades *f/pl.*; enfant *mf* turbulent(e *f*); gamine *f*; **2.** s'ébattre; F ~ home gagner haut la main; '**romp·ers** *pl.* barboteuse *f* (*pour enfants*).

rönt·gen·ize ['rɔntgənaiz] radiographier.

rönt·gen·o·gram [rɔnt'genəgræm] radiogramme *m*; **rönt·gen·og·ra·phy** [~gə'nɔgrəfi] radiographie *f*; **rönt·gen·ol·o·gist** [~'ɔlədʒist] radiographe *m*; **rönt·gen·ol·o·gy** [~dʒi] radiologie *f*; **rönt·gen·os·co·py** [~skəpi] radioscopie *f*.

rood [ru:d] crucifix *m*; *mesure:* quart *m* d'arpent (*10,117 ares*); '~**-screen** △ jubé *m*.

roof [ru:f] **1.** toit(ure *f*) *m*; voûte *f*; ~ of the mouth (dôme *m* du) palais *m*; **2.** (*souv.* ~ in over) recouvrir d'un toit; '**roof·ing** toiture *f*; pose *f* de la toiture; *attr.* de toits; ~ felt carton-pierre (*pl.* cartons-pierres) *m*.

rook[1] [ruk] **1.** *orn.* freux *m*; *fig.* escroc *m*; **2.** refaire (*q.*); filouter (son argent à q., *s.o. of his money*).

rook[2] [~] *échecs:* tour *f*.

rook·er·y ['rukəri] colonie *f* de freux; *fig.* colonie *f*, rookery *f*.

rook·ie *sl.* ['ruki] ✕ recrue *f*, bleu *m*; *fig.* débutant *m*.

room [rum] pièce *f*; salle *f*; (*a.* bed~) chambre *f*; place *f*, espace *m*; *fig.* lieu *m*; ~*s pl.* appartement *m*; *in my* ~ à ma place; *make* ~ faire place (à, *for*); **-roomed** [rumd] de ... pièces; '**room·er** *surt.* Am. sous-locataire *mf*; '**room·ing-house** *surt.* Am. hôtel *m* garni, maison *f* meublée; '**room-mate** compagnon *m* (compagne *f*) de chambre; '**room·y** □ spacieux (-euse *f*); ample.

roor·back Am. ['ru:bæk] fausse nouvelle *f* (*répandue pour nuire à un parti politique*).

roost [ru:st] **1.** juchoir *m*, perchoir *m*; *see rule 2*; **2.** se jucher, se percher pour la nuit; '**roost·er** coq *m*.

root[1] [ru:t] **1.** racine *f* (*a.* ⚭, *anat.*,

ling.); *fig.* source *f*; ♪ base *f*; *take* ~, *strike* ~ prendre racine; ~ idea idée *f* fondamentale; **2.** (s')enraciner; ~ out arracher; *fig.* extirper; '**root·ed** enraciné (*a. fig.*); *fig.* (*a.* ~ in) fondé sur.

root[2] [~] *v/t.* fouiller; (*a.* ~ up) trouver en fouillant; *fig.* ~ out, ~ up dénicher; *v/i.* fouiller avec le groin; Am. *sl.* ~ for appuyer; encourager par des cris; '**root·er** Am. *sl.* spectateur *m etc.* qui encourage par des cris; fanatique *mf* (de, *for*).

root·let ['ru:tlit] petite racine *f*.

rope [roup] **1.** corde *f* (*a. à pendre un criminel*); cordage *m*; câble *m* (*métallique*); *perles:* grand collier *m*; *sonnette:* cordon *m*; Am. *sl.* cigare *m* bon marché; *alp.* on the ~ en cordée; *alp.* ~ team cordée *f*; F *be at the end of one's* ~ être à *ou* au bout de ses ressources; *know the* ~*s* connaître son affaire; **2.** *v/t.* corder; (*usu.* ~ in *ou* off *ou* out) entourer de cordes; Am. prendre au lasso; *alp.* encorder; ~ down immobiliser au moyen d'une corde; *v/i.* devenir graisseux (-euse *f*); '~**-danc·er** funambule *mf*; '~**-lad·der** échelle *f* de corde; '~**-mak·er** corrier *m*; '**rop·er·y** corderie *f*; '**rope-walk** corderie *f*.

rop·i·ness ['roupinis] viscosité *f*; graisse *f*; '**rop·y** visqueux (-euse *f*); gras(se *f*), graisseux (-euse *f*).

ro·sa·ry ['rouzəri] *eccl.* rosaire *m*; chapelet *m*; ✿ roseraie *f*.

rose[1] [rouz] ✿ rose *f*; *couleur:* rose *m* (*a. adj.*); rosette *f* (*chapeau etc.*); △, ⚡, *fenêtre:* rosace *f*; *arrosoir:* pomme *f*.

rose[2] [~] *prét. de rise 2.*

ro·se·ate ['rouziit] rosé.   [*m.*]

rose·ma·ry ✿ ['rouzməri] romarin/

ro·se·ry ['rouzəri] roseraie *f*.

ro·sette [rou'zet] rosette *f*; *ruban:* chou (*pl.* -x) *m*.

ros·in ['rɔzin] **1.** colophane *f*; **2.** frotter de colophane.

ros·ter ✕ ['rɔstə] tableau *m* de service; liste *f*.

ros·trum ['rɔstrəm] tribune *f*.

ros·y □ ['rouzi] (de) rose; vermeil (-le *f*) (*teint*).

rot [rɔt] **1.** pourriture *f*; ✚ carie *f*; *fig.* démoralisation *f*; *sl.* blague *f*; **2.** *v/t.* (faire) pourrir; *sl.* railler, blaguer (*q.*); gâcher (*un projet*); *v/i.* (se) pourrir; se décomposer.

ro·ta·ry ['routəri] rotatoire, rotatif (-ive *f*); de rotation; ⊕ ~ press rotative *f*; ⚡ ~ switch commutateur *m* rotatif; **ro·tate** [rou'teit] (faire) tourner; (faire) basculer; *v/t.* alterner (*les cultures*); **ro'ta·tion** rotation *f*; basculage *m*; *fig.* succession *f* tour à tour; *fig.* roulement *m*; ⚡ ~ of crops assolement *m*; **ro·ta·to·ry** ['¸ɹtəɹi] see rotary; ~ door (*ou* gate) porte *f* tournante; ~ stage plateau *m* tournant.

rote [rout] routine *f*; by ~ par cœur, mécaniquement.

ro·tor ['routə] ⊕, ⚡, ✈ hélicoptère: rotor *m*.

rot·ten ☐ ['rɔtn] pourri (*a. fig.*); gâté; ✹ carié; *sl.* moche, sale, mauvais; **'rot·ten·ness** (état *m* de) pourriture *f*.

rot·ter *sl.* ['rɔtə] sale type *m*.

ro·tund ☐ [rou'tʌnd] rond, arrondi; ampoulé (*style*); **ro'tun·da** △ [¸də] rotonde *f*; **ro'tun·di·ty** rondeur *f*; *style:* grandiloquence *f*.

rou·ble ['ru:bl] rouble *m*.

rouge [ru:ʒ] **1.** rouge *m*, fard *m*; **2.** (se) farder; mettre du rouge.

rough [rʌf] **1.** ☐ rude (*chemin, parler, peau, surface, vin, voix*); rêche, rugueux (-euse *f*) (*peau, surface, voix*); grossier (-ère *f*) dépoli (*verre*); inégal (-aux *m/pl.*) (*terrain*); brutal (-aux *m/pl.*), violent, fruste (*conduite, style*); agité (*mer*); âpre (*vin*); ⊕ brut; approximatif (-ive *f*); ~-and-ready exécuté grossièrement; *fig.* de fortune; *fig.* primitif (-ive *f*); sans façon (*personne*); cut up ~ réagir avec violence; **2.** état *m* brut; terrain *m* accidenté; *golf:* herbe *f* longue; *personne:* voyou *m*; **3.** ébouriffer; (faire) aciérer les fers (*d'un cheval*); ~ it vivre à la dure; **'rough·age** détritus *m/pl.*; **'rough·cast 1** ⊕ pièce *f* brute de fonderie; **2.** △ crépi; ⊕ brut de fonte; **3.** ⊕ crépir (*un mur*); *fig.* ébaucher (*un plan*); **'rough·en** rendre *ou* devenir rude *etc.*

rough...: ~-hewn ['¸'hju:n] taillé à coups de hache; dégrossi; *fig.* ébauché; ~ house *sl.* chahut *m*; '~-house *v/i.* chahuter; *v/t.* malmener; '~-neck *Am. sl.* canaille *f*, voyou *m*; **'rough·ness** rudesse *f*; rugosité *f*; grossièreté *f*; **'rough·rid·er** dresseur *m* de chevaux; F casse-cou

m/inv.; ✕ *hist.* cavalier *m* d'un corps irrégulier; **'rough-shod**: ride ~ over fouler (*q.*) aux pieds; traiter cavalièrement.

Rou·ma·ni·a(n) see Rumania(n).

round [raund] **1.** ☐ rond (*a. fig.*); circulaire; plein; gros(se *f*) (*juron etc.*); voûté (*épaules*); ~ game jeu *m* en commun; ~ hand (écriture *f*) ronde *f*; ~ trip aller *m* et retour *m*; **2.** *adv.* (tout) autour; (*souv.* ~ about) à l'entour; all ~ tout autour; tout à l'entour; *fig.* dans l'ensemble; sans exception; all the year ~ (pendant) toute l'année; 10 inches ~ dix pouces de tour; **3.** *prp.* (*souv.* ~ about) autour de; vers (*trois heures*) environ; go ~ the shops faire le tour des magasins; **4.** *su.* cercle *m*, rond *m* (*a.* △); *cartes, tennis, voyage, etc.:* tour *m*; bière, facteur, médecin: tournée *f*; ✕ ronde *f* (*d'un officier*); *sp.* circuit *m*; *box.* round *m*; *fig.* train *m*; ✕ fusillade *f*, *fig.* applaudissements: salve *f*; ✕ munitions: cartouche *f*; ⚓ canon *m*; ✕ 100 ~s cent cartouches; **5.** (s')arrondir; contourner (*une colline, un obstacle*); ⚓ doubler (*un cap*); ~ off arrondir; *fig.* achever; F ~ on dénoncer (*q.*); ~ up rassembler; rafler (*des voleurs*).

round·a·bout ['raundəbaut] **1.** indirect, détourné; ~ system (of traffic) sens *m* giratoire; **2.** détour *m*; clôture *f* circulaire; carrousel *m*; *mot.* F sens *m* gyro.

roun·del ['raundl] rondeau *m*; ♪ ronde *f*; **roun·de·lay** ['¸dilei] chanson *f* à refrain; *danse:* ronde *f*.

round·ers ['raundəz] *pl.* balle *f* au camp; **'round·head** *hist.* tête *f* ronde; **'round·ish** presque rond; **'round·ness** rondeur *f*; **roundsman** ⸸ ['¸zmən] livreur *m*; **'round·ta·ble con·fer·ence** réunion *f* paritaire; **'round·up** rassemblement *m*; rafle *f* (*de voleurs etc.*).

roup *vét.* [ru:p] diphtérie *f* des poules.

rouse [rauz] *v/t.* (*a.* ~ up) (r)éveiller; faire lever (*le gibier*); susciter; mettre en colère; remuer; *v/i.* se réveiller; (*a.* ~ o.s.) se secouer; **'rous·ing** qui excite; enlevant (*discours*); chaleureux (-euse *f*) (*applaudissements*).

roust·a·bout *Am.* ['raustə'baut] débardeur *m*; manœuvre *m*.

rout[1] [raut] bande *f*; ⚔ attroupement *m*; *a. see* riot 1; † soirée *f*.

rout[2] [~] 1. ⚔ déroute *f*; débandade *f*; *put to* ~ = 2. mettre en déroute.

rout[3] [~] *see* root[2].

route [ru:t; ⚔ raut] route *f* (*a.* ⚔); itinéraire *m*; '~**-march** marche *f* d'entraînement.

rou·tine [ru:'ti:n] 1. routine *f*; ⚔, ♨ emploi *m* du temps; *fig.* train-train *m* (journalier); 2. courant; ordinaire.

rove [rouv] *v/i.* rôder; vagabonder, errer; *v/t.* parcourir; '**rov·er** coureur *m*, vagabond *m*; éclaireur *m*.

row[1] [rou] rang *m* (*a.* théâ.), rangée *f*; file *f* (*de voitures*); ligne *f* (*de maisons etc.*); *Am.* a hard ~ to hoe une tâche *f* difficile.

row[2] [~] 1. ramer; faire du canotage; 2. promenade *f* en canot.

row[3][F] [rau] 1. vacarme *m*, tapage *m*; chahut *m*; dispute *f*, rixe *f*; F réprimande *f*; *what's the* ~? qu'est-ce qui se passe?; 2. *v/t.* semoncer (*q.*); *v/i.* se quereller (avec, *with*).

row·an ♧ ['rauən] sorbier *m* commun.

row-boat ['roubout] bateau *m* à rames, canot *m*.

row·dy ['raudi] 1. chahuteur *m*; voyou *m*; 2. tapageur (-euse *f*).

row·el ['rauəl] 1. molette *f* (*d'éperon*); 2. éperonner.

row·er ['rouə] rameur (-euse *f*) *m*

row·ing-boat ['rouiŋbout] *see* row-boat.

row·lock ♨ ['rɔlək] tolet *m*, dame *f*.

roy·al ['rɔiəl] 1. □ royal (-aux *m/pl.*); *fig.* princier (-ère *f*); 2. ♨ cacatois *m*; (*a.* ~ *stag*) cerf *m* à douze andouillers; F *the* ~*s pl.* la famille *f* royale; '**roy·al·ism** royalisme *m*; '**roy·al·ist** royaliste (*a. su./mf*); '**roy·al·ty** royauté *f*; personnage *m* royal; *royalties pl.* droits *m/pl.* d'auteur; redevance *f* (*à un inventeur*).

rub [rʌb] 1. frottement *m*; friction *f*; coup *m* de torchon; F *there is the* ~ c'est là le diable; 2. *v/t.* frotter; frictionner; ~ *down* frictionner; ⊕ adoucir; panser (*un cheval*); ~ *in* frictionner (*q. à qch.*); F *don't* ~ *it in!* n'insiste(z) pas!; ~ *off* enlever par le frottement; ~ *out* effacer; ~ *up*

astiquer; faire reluire; rafraîchir sa mémoire de; *v/i.* (*personne:* se) frotter (contre *against, on*); *fig.* ~ *along* (*ou on ou through*) se débrouiller.

rub-a-dub ['rʌbədʌb] *tambour:* rataplan *m*.

rub·ber ['rʌbə] caoutchouc *m*; gomme *f* à effacer; *personne:* frotteur (-euse *f*) *m*; ⊕ frottoir *m*; torchon *m*; ⊕ (*a.* ~ *file*) carreau *m*; *cartes:* robre *m*; *Am.* ~*s pl.* caoutchoucs *m/pl.*; *attr.* de *ou* en caoutchouc; à gomme (*arbre*); *Am. sl.* check chèque *m* sans provision; ~ *solution* dissolution *f* de caoutchouc; '~**-neck** *Am. sl.* 1. badaud(e *f*) *m*; touriste *mf*; 2. badauder; ~ **stamp** timbre *m* (en) caoutchouc; tampon *m*; *fig. Am.* F fonctionnaire *m* qui exécute aveuglément les ordres de ses supérieurs.

rub·bish ['rʌbiʃ] immondices *f/pl.*, détritus *m/pl.*; ⊕ rebuts *m/pl.*; *fig.* fatras *m*; *fig.* camelote *f*; *fig.* bêtises *f/pl.*; '**rub·bish·y** sans valeur; de camelote.

rub·ble ['rʌbl] moellons *m/pl.* (bruts); (*a.* ~*-work*) moellonage *m*.

rube *Am. sl.* [ru:b] croquant *m*; nigaud *m*.

ru·be·fa·cient ♨ [ru:bi'feiʃjənt] rubéfiant (*a. su./m*).

ru·bi·cund ['ru:bikənd] rubicond, rougeaud.

ru·bric *typ., eccl.* ['ru:brik] rubrique *f*; **ru·bri·cate** ['~keit] rubriquer.

ru·by ['ru:bi] 1. *min.* rubis *m*; couleur *f* de rubis; *typ.* corps *m* 5½; 2. rouge, vermeil(le *f*).

ruck [rʌk] *courses: the* ~ les coureurs *m/pl.*; *fig.* le commun *m* (*du* peuple); *cost.* fronçure *f*.

ruck(·le) ['rʌk(l)] (se) froisser; *v/i.* se rider; goder.

ruck·sack ['ruksæk] sac *m* à dos.

ruc·tion *sl.* ['rʌkʃn] bagarre *f*, scène *f*.

rud·der ♨, ✈ ['rʌdə] gouvernail *m*.

rud·di·ness ['rʌdinis] rougeur *f*; coloration *f* du teint; **rud·dle** ['rʌdl] 1. ocre *f* rouge; 2. frotter d'ocre rouge; marquer *ou* passer (*qch.*) à l'ocre rouge; '**rud·dy** rouge; rougeâtre; coloré (*teint*); *sl.* sacré.

rude □ [ru:d] primitif (-ive *f*) (*dessin, outil, peuple, temps, etc.*); grossier (-ère *f*) (*langage, méthode, outil, personne*); rudimentaire; fruste (*style etc.*); *fig.* violent; mal élevé, impoli (*personne*); ⊕ brut (*minerai*); robuste (*santé*).

ru·di·ment *biol.* ['ru:dimənt] rudiment *m* (de, *of*) (*a. fig.*); ~s *pl. a.* éléments *m/pl.*; **ru·di·men·ta·ry** [~'mentəri] rudimentaire.

rue[1] ♀ [ru:] rue *f*.

rue[2] [~] se repentir de, regretter amèrement.

rue·ful □ ['ru:ful] triste, lugubre; **'rue·ful·ness** tristesse *f*; air *m* triste *ou* lugubre; ton *m* triste.

ruff[1] [rʌf] fraise *f*, collerette *f*; *orn., zo.* collier *m*, cravate *f*; *orn.* pigeon *m* à cravate; *orn.* paon *m* de mer.

ruff[2] [~] *whist:* 1. coupe *f*; 2. couper (*avec un atout*).

ruf·fi·an ['rʌfjən] bandit *m*, apache *m*; F *enfant:* polisson *m*; **'ruf·fi·an·ly** de bandit, de brute; brutal (-aux *m/pl.*).

ruf·fle ['rʌfl] 1. manchette *f* en dentelle; rides *f/pl.* (*sur l'eau*); *fig.* ennui *m*; agitation *f*; ~ *collar* fraise *f*; 2. *v/t.* ébouriffer; agiter; hérisser (*les plumes*); irriter, froisser (*q.*); *cost.* rucher; plisser; froisser (*une robe*); *v/i.* s'ébouriffer; s'agiter; se hérisser (*oiseau*).

rug [rʌg] couverture *f*; (*a. floor* ~) carpette *f*; descente *f* de lit.

Rug·by (**foot·ball**) ['rʌgbi ('futbɔːl)] *le* rugby *m*.

rug·ged □ ['rʌgid] raboteux (-euse *f*) (*terrain, style*); rugueux (-euse *f*); rude (*traits, tempérament*); **'rug·ged·ness** nature *f* raboteuse; rudesse *f*.

ru·in ['ru:in] 1. ruine *f*; *usu.* ~s *pl.* ruine *f*, -s *f/pl.*; lay in ~s détruire de fond en comble; 2. ruiner; abîmer; gâcher; séduire (*une femme*); **ru·in·a·tion** F ruine *f*, perte *f*; **'ru·in·ous** □ délabré, en ruines; *fig.* ruineux (-euse *f*) (*dépenses etc.*).

rule [ru:l] 1. règle *f* (*a. eccl.*); règlement *m*; (*a. standing* ~) règle *f* fixe; empire *m*, autorité *f*; ⊕ ordonnance *f*, décision *f*; ⊕ mètre *m*; *typ.* filet *m*; *as a* ~ en règle générale; ⅔⅔ ~(s) *of court* directive *f* de procédure; décision *j* du tribunal; *mot.* ~ *of the road* code *m* de la route; ♱ règles *f/pl.* de route; ⅄

~ *of three* règle *f* de trois; ~ *of thumb* méthode *f* empirique; procédé *m* mécanique; *make it a* ~ *to* faire une règle (de *inf.*, *to inf.*); *work to* ~ faire la grève du règlement; 2. *v/t.* gouverner; (*a.* ~ *over*) régner sur; commander à; ⅔⅔ décider, déclarer; régler (*du papier*); tracer à la règle (*une ligne*); ~ *the roost* (*ou roast*) être le maître; ~ *out* rayer; éliminer; *v/i.* régner; ♱ rester, se pratiquer (*prix*); **'rul·er** souverain(e *f*) *m*; règle *f*, mètre *m*; **'rul·ing** 1. *surt.* ⅔⅔ ordonnance *f*, décision *f*; 2. ♱ ~ *price* prix *m* du jour.

rum[1] [rʌm] rhum *m*; *Am.* spiritueux *m*.

rum[2] *sl.* [~] □ bizarre.

Ru·ma·ni·an [ru:'meinjən] 1. roumain; 2. *ling.* roumain *m*; Roumain(e *f*) *m*.

rum·ble[1] ['rʌmbl] 1. roulement *m*; *tonnerre:* grondement *m*; grouillement *m*; *surt. mot.* siège *m* de derrière; (*Am.* ~-*seat*) spider *m*; *Am.* F bagarre *f* entre deux bandes d'adolescents; 2. rouler; gronder (*tonnerre*); grouiller (*ventre*).

rum·ble[2] [~] pénétrer les intentions de (*q.*) *ou* le secret de (*qch.*).

ru·mi·nant ['ru:minənt] ruminant (*a. su./m*); **ru·mi·nate** ['~neit] ruminer (*a. fig.*); *fig. a.* méditer; **ru·mi·na·tion** rumination *f*; méditation *f*.

rum·mage ['rʌmidʒ] 1. fouille *f*, recherches *f/pl.*; ♱ (*usu.* ~ *goods pl.*) choses *f/pl.* de rebut; ~ *sale* vente *f* d'objets usagés; 2. *v/t.* (far)fouiller; *v/i.* fouiller (pour trouver, *for*). [Rhin.]

rum·mer ['rʌmə] verre *m* à vin du]

rum·my[1] *sl.* □ ['rʌmi] bizarre.

rum·my[2] [~] *sorte de jeu de cartes*.

ru·mo(u)r ['ru:mə] 1. rumeur *f*, bruit *m*; 2. répandre (*une nouvelle*); *it is* ~*ed that* le bruit court que; **'~-mon·ger** colporteur *m* de faux bruits.

rump *anat.* [rʌmp] croupe *f*, *orn.* croupion *m* (*a.* F *co. d'un homme*); *cuis.* culotte *f* (*de bœuf*).

rum·ple ['rʌmpl] *v/t.* froisser, chiffonner; *fig.* contrarier, vexer.

rump·steak ['rʌmpsteik] romsteck *m*.

rum·pus F ['rʌmpəs] chahut *m*; fracas *m*.

rum-run·ner *Am.* [ˈrʌmrʌnə] contrebandier *m* de spiritueux.

run [rʌn] **1.** [*irr.*] *v/i.* courir (*personne, animal, bruit, sp.,* ⊕, *fig., etc.*); *mot.* aller, rouler, marcher (*a.* ⊕); ⚓ faire route; ⚓ faire la traversée; 🚂 faire le service (entre Londres et la côte, *between London and the coast*); ⊕ fonctionner, être en marche; ⊕ tourner (*roue*); remonter les rivières (*saumon*); (s'en)fuir, se sauver; s'écouler (*temps*); couler (*rivière, plume,* ⊕ *pièce, a. couleur au lavage*); s'étendre (*encre, tache*); 🩸 suppurer (*ulcère*); *théâ.* tenir l'affiche, se jouer; se démailler(*bas*); *journ. Am.* paraître(*annonce*); ~ *across s.o.* rencontrer q. par hasard; ~ *after* courir après; ~ *away* s'enfuir; *fig.* enlever (q., *with s.o.*); ~ *down* descendre en courant; s'arrêter (*montre etc.*); *fig.* décliner; ~ *dry* se dessécher, s'épuiser; F ~ *for* courir après; *parl.* se porter candidat à *ou* pour; ~ *high* être gros(se *f*) (*mer*); s'échauffer (*sentiments*); *that* ~*s in the blood* (*ou family*) cela tient de famille; ~ *into* tomber dans; entrer en collision avec; rencontrer (q.) par hasard; ~ *low* s'abaisser; ~ *mad* perdre la tête; ~ *off* (s'en)fuir; ~ *on* continuer sa course; s'écouler (*temps*); suivre son cours; continuer à parler; ~ *out* sortir en courant; couler; s'épuiser; *I have* ~ *out of tobacco* je n'ai plus de tabac; ~ *over* parcourir; passer en revue; écraser (q.); ~ *short of* venir à bout de (*qch.*); ~ *through* traverser (en courant); parcourir du regard; dissiper (*une fortune*); ~ *to* se monter à, s'élever à; être de l'ordre de; F durer; F être suffisant pour (*inf.*); ~ *up* monter en courant; accourir; s'élever (*somme*); ~ *up to* s'élever à; ~ (*up*)*on* se ruer sur; rencontrer par hasard; ~ *with* ruisseler de; **2.** [*irr.*] *v/t.* courir (*une distance, une course*); mettre au galop (*un cheval*), *équit.* faire courir; chasser (*un renard*); diriger (*un navire, un train*) (*sur, to*); assurer le service de (*un navire, un autobus*); ⊕ faire fonctionner; ⊕ couler, jeter (*du métal*); *fig.* entretenir (*une auto*); avoir (*une auto, la fièvre*); diriger (*affaire, erme, hôtel, magasin, théâtre, etc.*);

tenir (*hôtel, magasin, ménage*); éditer (*un journal etc.*); exploiter (*une usine*); (faire) passer; tracer (*une ligne*); † vendre; F appuyer (*un candidat*); ~ *the blockade* forcer le blocus; ~ *down* renverser (q.); *mot.* écraser (q.); *fig.* dénigrer, éreinter; F attraper, dépister; *be* ~ *down* être à plat; être épuisé; ~ *errands* faire des courses *ou* commissions; ~ *s.o. hard* presser q.; ~ *in mot. etc.* roder; F arrêter (*un criminel*), conduire au poste (*de police*); *mot.* s'emboutir contre; ~ *off* faire écouler (*un liquide*); réciter tout d'une haleine; faire (*qch.*) en moins de rien *ou* à la hâte; ~ *out* chasser; filer (*une corde*); ~ *over* passer sur le corps à, écraser (q.); parcourir (*un texte*); ~ *s.o. through* transpercer q.; ~ *up* hisser (*un pavillon*); faire monter (*le prix*); bâtir à la va-vite (*un bâtiment*); confectionner à la hâte (*une robe*); laisser grossir (*un compte*); laisser monter (*une dette*); **3.** action *f* de courir; course *f*; *mot.* tour *m*, promenade *f*; ⚓ traversée *f*, parcours *m*; 🚂 trajet *m*; ⊕ marche *f*; *fig.* cours *m*, marche *f*; suite *f*; *théâ.* durée *f*; ♪ roulade *f*; † ruée *f*, descente *f* (sur, [up]on); *Am.* petit ruisseau *m*; *surt. Am.* bas de dames: échelle *f*; † catégorie *f*; *cartes:* séquence *f*; *fig.* libre accès *m*; élan *m*; *théâ.* a ~ *of 50 nights* 50 représentations; ~ (*up*)*on a bank* descente *f* sur une banque; *be in the* ~(*ning*) avoir des chances (d'arriver); *in the long* ~ à la longue, en fin de compte; *in the short* ~ ne songeant qu'au présent; *on the* ~ sans le temps de s'asseoir; en fuite.

run...: ~·a·bout *mot.* [ˈrʌnəbaut] voiturette *f*; (*a.* ~ *car*) petite auto *f*; ~·a·way [ˈrʌnəwei] fugitif (-ive *f*) *m*; cheval *m* emballé.

rune [ruːn] rune *f*.

rung[1] [rʌŋ] *p.p.* de *ring*[2] 2.

rung[2] [~] échelon *m*; *échelle:* traverse *f*.

run·ic [ˈruːnik] runique.

run-in F [ˈrʌnˈin] querelle *f*, altercation *f*.

run·let [ˈrʌnlit], **run·nel** [ˈrʌnl] ruisseau *m*; rigole *f*.

run·ner [ˈrʌnə] coureur (-euse f) m; ⚒ courrier m; traîneau: patin m; lit, tiroir, etc.: coulisseau m; ⚓ coulant m; ⚓ traînée f (du fraisier); courses: partant m; ⊕ poulie f fixe; ⊕ roue f mobile; chariot m ou galet m de roulement; métall. jet m (de coulée); ~-up sp. [ˈ~ərˈʌp] bon second m; deuxième m.

run·ning [ˈrʌniŋ] **1.** courant; two days ~ deux jours de suite; ⚒ ~ fight combat m de retraite; ⚒ ~ fire feu m roulant ou continu; ~ hand écriture f cursive; sp. ~ start départ m lancé; ~ stitch point m devant; **2.** course f, -s f/pl.; '~board mot., 🚗 marchepied m; 🚗 tablier m.

runt [rʌnt] zo. bœuf m ou vache f de petite race; fig. nain m.

run·way [ˈrʌnwei] ✈ piste f d'envol; chasse: coulée f; ⊕ chemin m de roulement.

ru·pee [ruːˈpiː] roupie f.

rup·ture [ˈrʌptʃə] **1.** rupture f; ⚕ a. hernie f; **2.** (se) rompre; be ~d avoir une hernie.

ru·ral □ [ˈruərəl] rural (-aux m/pl.); champêtre; des champs; 'ru·ral·ize v/t. rendre rural; v/i. vivre à la campagne.

rush[1] ⚓ [rʌʃ] jonc m.

rush[2] [~] **1.** course f précipitée; élan m, bond m; hâte f; bouffée f (d'air); ⚒ bond m; ⚒, ⚕ demande f considérable; torrent m (d'eau); ~ hours pl. heures f/pl. d'affluence; ⚕ coup m de feu; ⚕ ~ order commande f urgente; **2.** v/i. se précipiter; s'élancer (sur, at); se jeter; ~ into extremes se porter aux dernières extrémités; ~ into print publier à la légère; F ~ to conclusions conclure trop hâtivement; v/t. pousser etc. violemment; chasser; faire faire au galop; ⚒ prendre d'assaut; fig. envahir; dépêcher (un travail); exécuter à la hâte ou

d'urgence; sl. faire payer (qch. à q.); parl. ~ through faire passer à la hâte; 'rush·ing □ tumultueux (-euse f).

rush·y [ˈrʌʃi] plein de joncs; fait de jonc.

rusk [rʌsk] biscotte f.

rus·set [ˈrʌsit] **1.** roussâtre; **2.** couleur f roussâtre; † drap m de bure.

Rus·sia leath·er [ˈrʌʃəˈleðə] cuir m de Russie; 'Rus·sian **1.** russe; **2.** ling. russe m; Russe mf.

rust [rʌst] **1.** rouille f; **2.** (se) rouiller (a. fig.).

rus·tic [ˈrʌstik] **1.** (~ally) rustique; agreste; paysan(ne f); **2.** paysan(ne f) m, campagnard(e f) m; rustaud(e f) m; **rus·ti·cate** [ˈ~keit] v/t. univ. renvoyer pendant un temps; v/i. habiter la campagne; **rus·ti·ca·tion** vie f à la campagne; univ. renvoi m temporaire; **rus·tic·i·ty** [~ˈtisiti] rusticité f.

rus·tle [ˈrʌsl] **1.** (faire) bruire, froufrouter; v/t. a. froisser; Am. F ramasser, réunir; voler (du bétail); **2.** bruissement m; frou-frou m; froissement m.

rust...: '~·less sans rouille; ⚕ in-oxydable; '~·proof, '~·re·sist·ant antirouille; inoxydable; 'rust·y rouillé (a. fig.); couleur de rouille, rouilleux (-euse f).

rut[1] zo. [rʌt] **1.** rut m; **2.** être en rut.

rut[2] [~] ornière f (a. fig.); fig. a. routine f.

ruth·less □ [ˈruːθlis] impitoyable; brutal (-aux m/pl.) (acte, vérité); 'ruth·less·ness nature f ou caractère m impitoyable.

rut·ted [ˈrʌtid] coupé d'ornières (chemin).

rut·ting zo. [ˈrʌtiŋ] du rut; en rut; ~ season saison f du rut.

rut·ty [ˈrʌti] coupé d'ornières (chemin).

rye [rai] ⚓ seigle m; Am. sorte de whisky.

S

S, s [es] S *m*, s *m*.

sab·bath ['sæbəθ] *bibl.* sabbat *m*; *eccl.* dimanche *m*.

sab·bat·ic, sab·bat·i·cal □ [sə-'bætik(l)] sabbatique; *univ.* *sabbatical year* année *f* de congé.

sa·ble ['seibl] 1. *zo.* zibeline *f* (*a. fourrure*); noir *m*; ▨ sable *m*; 2. noir; *poét.* de deuil.

sab·o·tage ['sæbətɑːʒ] 1. sabotage *m*; 2. saboter (*a. fig.*).

sa·bre ['seibə] 1. sabre *m*; 2. sabrer; **sa·bre·tache** ✕ ['sæbətæʃ] sabretache *f*.

sac·cha·rin(e) ♏ ['sækərin] saccharine *f*; **sac·cha·rine** ['‿rain] saccharin.

sac·er·do·tal □ [sæsə'doutl] sacerdotal (-aux *m/pl.*); de prêtre.

sack[1] [sæk] 1. sac *m*; (*a. ~ coat*) vareuse *f* de sport, pardessus *m* sac; F *get the ~* recevoir son congé; *give s.o. the ~* donner son congé à q.; 2. mettre en sac; F congédier (*q.*), mettre (*q.*) à pied.

sack[2] [‿] 1. sac *m*, pillage *m*; 2. (*a. put to ~*) mettre à sac *ou* au pillage.

sack·cloth ['sækklɔθ], **'sack·ing** toile *f* à sacs; *sackcloth and ashes* le sac et la cendre; **sack·ful** ['‿ful] plein sac *m*, sachée *f*.

sac·ra·ment *eccl.* ['sækrəmənt] sacrement *m*; **sac·ra·men·tal** □ [‿'mentl] sacramentel(le *f*).

sa·cred □ ['seikrid] sacré; saint (*histoire*); religieux (-euse *f*) (*musique etc.*); **'sa·cred·ness** caractère *m* sacré; *serment*: inviolabilité *f*.

sac·ri·fice ['sækrifais] 1. sacrifice *m*; ✝ *at a ~* à perte; 2. sacrifier; ✝ *a.* vendre à perte; **'sac·ri·fic·er** sacrificateur (-trice *f*) *m*.

sac·ri·fi·cial [sækri'fiʃl] sacrificatoire; ✝ à perte (*vente*).

sac·ri·lege ['sækrilidʒ] sacrilège *m*; **sac·ri·le·gious** □ [‿'lidʒəs] sacrilège.

sa·crist ['seikrist], **sac·ris·tan** *eccl.* ['sækristən] sacristain *m*.

sac·ris·ty *eccl.* ['sækristi] sacristie *f*.

sad □ [sæd] triste; déplorable; malheureux (-euse *f*); cruel(le *f*); fâcheux (-euse *f*); terne (*couleur*).

sad·den ['sædn] (s')affliger; *v/t.* attrister.

sad·dle ['sædl] 1. selle *f*; 2. (*a. ~ up*) seller; *fig.* charger (q. de qch. *s.o. with s.th.*, *s.th. on s.o.*); F encombrer (de, *with*); **'‿-backed** ensellé (*cheval*); **'‿-bag** sacoche *f* de selle; **'‿-cloth** tapis *m* de selle; housse *f* de cheval; **'sad·dler** sellier *m*; *Am.* cheval *m* de selle; **'sad·dler·y** sellerie *f*.

sad·ism ['sædizm] sadisme *m*.

sad·ness ['sædnis] tristesse *f*, mélancolie *f*.

sa·fa·ri [sə'fɑːri] expédition *f* de chasse.

safe [seif] 1. □ en sûreté (contre, *from*), à l'abri (de, *from*); sûr; sans risque; hors de danger; *~ and sound* sain et sauf; *be on the ~ side* être du bon côté; 2. coffre-fort (*pl.* coffres-forts) *m*; ♣ caisse *f* du bord; *cuis.* garde-manger *m/inv.*; *~ deposit* dépôt *m* en coffre-fort; **'‿-blow·er** *Am.* crocheteur *m* de coffres-forts; *~ con·duct* sauf-conduit *m*; **'‿-guard** 1. sauvegarde *f*; 2. sauvegarder, protéger; *~ing duty* tarif *m* de sauvegarde; **'safe·ness** sûreté *f*; sécurité *f*.

safe·ty ['seifti] 1. sûreté *f*; sécurité *f*; 2. de sûreté; *~ island* refuge *m*; *~ cur·tain* *théâ.* rideau *m* métallique; **'‿-lock** serrure *f* de sûreté; **'‿-pin** épingle *f* de nourrice; *~ ra·zor* rasoir *m* de sûreté.

saf·fron ['sæfrən] 1. safran *m* (*a. couleur*); 2. safran *inv*.

sag [sæg] 1. fléchir (*a.* ✝); s'affaisser; ⊕ pencher d'un côté; se relâcher (*corde*); pendre; 2. affaissement *m* (*a.* ⊕); ♣ dérive *f*; ✝ baisse *f*.

sa·ga ['sɑːgə] saga *f*.

sa·ga·cious □ [sə'geiʃəs] sagace, avisé, rusé.

sa·gac·i·ty [sə'gæsiti] sagacité *f*.

sage[1] [seidʒ] 1. □ sage, prudent; 2. sage *m*.

sage[2] ♄ [‿] sauge *f*.

sa·go ['seigou] sagou *m*.

said [sed] *prét. et p.p. de say* 1.

sail [seil] 1. voile *f*; *coll.* toile *f*; promenade *f* à voile; *10 ~* dix navires *m/pl.*; 2. *v/i.* naviguer;

faire route; partir; *fig.* planer, voler; *v/t.* naviguer sur; conduire (*un vaisseau*); '~-**boat** canot *m* à voiles; '~-**cloth** toile *f* à voile, canevas *m*; '**sail·er** *bateau:* voilier *m*; '**sail·ing-ship**, '**sail·ing-ves·sel** voilier *m*; navire *m* à voiles; '**sail·or** marin *m*; matelot *m*; *cost.* ~ *blouse* marinière *f*; ~'s *knot* nœud *m* régate; *be a good* (*bad*) ~ (ne pas) avoir le pied marin; '**sail-plane** planeur *m*.

sain·foin ♣ ['seinfɔin] sainfoin *m*; F éparcette *f*.

saint [seint; *devant npr.* sənt] **1.** saint(e *f*) *m*; *the* ~*s pl.* les fidèles *m/pl.* trépassés; **2.** *v/t.* canoniser; *v/i.* F ~ (*it*) faire le saint; '**saint·ed** saint; '**saint·li·ness** sainteté *f*; '**saint·ly** *adj.* (de) saint.

sake [seik]: *for the* ~ *of* à cause de; pour l'amour de; dans l'intérêt de; *for my* ~ pour moi, pour me faire plaisir; *for God's* ~ pour l'amour de Dieu.

sal ⚗ [sæl] sel *m*; ~ *ammoniac* sel *m* ammoniac; ~ *volatile* sels *m/pl.* (volatils).

sal·a·ble ['seiləbl] vendable.

sa·la·cious □ [sə'leiʃəs] lubrique.

sal·ad ['sæləd] salade *f*.

sal·a·man·der ['sæləmændə] *zo.* salamandre *f*; *cuis.* couvercle *m* à braiser.

sa·la·me, sa·la·mi [sə'lɑːmi] salami *m*.

sal·a·ried ['sælərid] rétribué; aux appointements (*personne*); '**sal·a·ry 1.** traitement *m*, appointements *m/pl.*; **2.** payer des appointements à; '**sal·a·ry-earn·er** salarié(e *f*) *m*.

sale [seil] vente *f* (✝ de réclame); (*a. public* ~) vente *f* aux enchères; *for* (*ou on*) ~ en vente; à vendre; *private* ~ vente *f* à l'amiable; '**sale·a·ble** vendable; de vente facile.

sale...: '~-**note** bordereau *m* de vente; '~-**room** salle *f* de(s) vente(s).

sales... [seilz]: '~-**man** vendeur *m*; '~-**girl**, '~-**wom·an** vendeuse *f*; ~ *talk* *Am.* boniment *m*.

sa·li·ence ['seiliəns] projection *f*; saillie *f*; '**sa·li·ent** □ saillant (*a. fig.*); en saillie; *fig.* frappant.

sa·line 1. ['seilain] salin (*a.* ⚗), salé; **2.** [sə'lain] salin *m*; ⚗ sel *m* purgatif.

sa·li·va [sə'laivə] salive *f*; **sal·i·var·y** ['sælivəri] salivaire; **sal·i·va·tion** salivation *f*.

sal·low¹ ♣ ['sæləu] saule *m*.

sal·low² [~] jaunâtre, olivâtre; '**sal·low·ness** teint: ton *m* jaunâtre.

sal·ly ['sæli] **1.** ⚔ sortie *f*; *effort, esprit, etc.:* saillie *f*; **2.** ⚔ (*a.* ~ *out*) faire une sortie; ~ *forth* (*ou out*) se mettre en route; '~-**port** ⚔ poterne *f* (de sortie).

sal·ma·gun·di [sælmə'gʌndi] salmigondis *m*; *fig.* méli-mélo (*pl.* mélismélos) *m*.

salm·on ['sæmən] **1.** saumon *m* (*a. couleur*); **2.** saumon *inv.*

sa·loon [sə'luːn] salon *m* (*a. de paquebot*); salle *f*; première classe *f* (*en bateau*); *Am.* cabaret *m*; **sa'loon-car** 🚆 wagon-salon (*pl.* wagons-salons) *m*; *mot.* (voiture *f* à) conduite *f* intérieure, limousine *f*.

salt [sɔːlt] sel *m* (*a. fig.*); *fig.* piquant *m*; *old* ~ *loup m de mer* (= *vieux matelot*); *above* (*below*) *the* ~ haut (bas) bout de la table; **2.** salé (*a. fig.*); salin; salifère; **3.** saler; *sl.* ~ *away* mettre de côté, économiser.

sal·ta·tion [sæl'teiʃn] saltation *f*; *biol.* mutation *f*.

salt...: '~-**cel·lar** salière *f*; '**salt·ed** F immunisé; *fig.* endurci; '**salt·er** saleur (-euse *f*) *m*; saunier *m*; fabricant *m* de sel; '**salt·ness** salure *f*, salinité *f*; **salt·pe·tre** ['~piːtə] salpêtre *m*, nitre *m*; '**salt·works** saunerie *f*, saline *f*; '**salt·y** salé (*a. fig.*); de sel.

sa·lu·bri·ous □ [sə'luːbriəs] salubre, sain; **sa·lu·bri·ty** salubrité *f*; **sal·u·tar·i·ness** ['sæljutərinis] caractère *m* salutaire; '**sal·u·tar·y** □ salutaire (à, to).

sal·u·ta·tion [sælju'teiʃn] salutation *f*; **sa·lu·ta·to·ry** [sɔl'juːtətəri] de salutation; de bienvenue; **sa·lute** [sə'luːt] **1.** salut(ation *f*) *m*; *co.* baiser *m*; ⚔, ⚓ salut *m*; **2.** saluer (*a.* ⚔, ⚓).

sal·vage ['sælvidʒ] **1.** (indemnité *f* de) sauvetage *m*; objets *m/pl.* sauvés; **2.** récupérer; ⚓ effectuer le sauvetage de.

sal·va·tion [sæl'veiʃn] salut *m* (*a. fig.*); ♀ *Army* Armée *f* du Salut; **sal'va·tion·ist** salutiste *mf.*

salve¹ [sælv] sauver; effectuer le sauvetage de.

salve² ['sɑːv] **1.** *usu. fig.* baume *m*; **2.** *usu. fig.* adoucir; calmer.

sal·ver ['sælvə] plateau *m*.

sal·vo ['sælvou], *pl.* **-voes** ['‿vouz] ✕ salve *f* (*a. fig.*); ✖ ~ *release* bombardement *m* en traînée; lâchage *m* par salves; **sal·vor** ⚓ ['‿və] sauveteur *m*.

Sa·mar·i·tan [sə'mæritn] **1.** samaritain; **2.** Samaritain(e *f*) *m*.

sam·ba ['sæmbə] samba *f*.

same [seim]: *the* ~ le (la) même; *les mêmes pl.; all the* ~ tout de même; *it is all the* ~ *to me* ça m'est égal; cela ne me fait rien; **'same·ness** identité *f* (avec, with); ressemblance *f* (à, with); monotonie *f*.   [maïs.\

samp *Am.* [sæmp] gruau *m* de\

sam·ple ['sɑːmpl] **1.** *surt.* ♥ échantillon *m*; *sang, minerai, etc.*: prélèvement *m*; **2.** échantillonner; *fig.* essayer, goûter; **'sam·pler** modèle *m* de broderie.

san·a·tive ['sænətiv] guérisseur (-euse *f*); **san·a·to·ri·um** [‿'tɔːriəm] sanatorium *m*; *école*: infirmerie *f*; **san·a·to·ry** ['‿təri] guérisseur (-euse *f*), curatif (-ive *f*).

sanc·ti·fi·ca·tion [sæŋktifi'keiʃn] sanctification *f*; **sanc·ti·fy** ['‿fai] sanctifier; consacrer; **sanc·ti·mo·ni·ous** □ [‿'mounjəs] bigot(te *f*), pelard; **sanc·tion** ['sæŋkʃn] **1.** sanction *f*; autorisation *f*; **2.** sanctionner; *fig.* approuver; **sanc·ti·ty** ['‿titi] sainteté *f*; caractère *m* sacré; **sanc·tu·ar·y** ['‿tjuəri] sanctuaire *m*; asile *m*; **sanc·tum** ['‿təm] sanctuaire *m*; *fig.* F turne *f*.

sand [sænd] **1.** sable *m*; *Am. sl.* cran *m*, étoffe *f*; *fig.* rope of ~ de vagues liens *m/pl.*; **2.** sabler; répandre du sable sur.

san·dal¹ ['sændl] sandale *f*. [-s) *m*.\
san·dal² ['‿] (*ou* ~-wood) santal (*pl.*\

sand...: **'~bag** ✕ sac *m* à terre; *porte, fenêtre*: boudin *m*; **'~blast** ⊕ jet *m* de sable; *appareil*: sableuse *f*; **'~glass** sablier *m*; horloge *f* de sable; **'~shoes** espadrilles *f/pl.*

sand·wich ['sænwidʒ] **1.** sandwich *m*; **2.** (*a.* ~ *in*) serrer; **'~man** homme-sandwich (*pl.* hommes-sandwichs) *m*.

sand·y ['sændi] sabl(onn)eux (-euse *f*); sablé (*allée etc.*); blond roux (*cheveux*) *inv.*

sane [sein] sain d'esprit; sensé; sain (*jugement*).

San·for·ize *Am.* ['sænfəraiz] rendre irrétrécissable.

sang [sæŋ] *prét. de* sing.

san·gui·nary □ ['sæŋgwinəri] sanguinaire; altéré de sang; **san·guine** ['‿gwin] sanguin; confiant, optimiste; d'un rouge sanguin; **san·guin·e·ous** [‿niəs] de sang; *see* sanguine.

san·i·tar·i·an [sæni'teəriən] hygiéniste (*a. su.*); **san·i·tar·y** □ ['‿təri] hygiénique (*a.* ⊕); sanitaire (*a.* ✕, ⚓); ~ *towel*, *Am.* ~ *napkin* serviette *f* hygiénique.

san·i·ta·tion [sæni'teiʃn] hygiène *f*; système *m* sanitaire; salubrité *f* publique; **'san·i·ty** santé *f*·d'esprit; jugement *m* sain; bon sens *m*; modération *f*.

sank [sæŋk] *prét. de* sink 1.

San·skrit ['sænskrit] sanscrit *m*.

San·ta Claus [sæntə'klɔːz] Père *m ou* bonhomme *m* Noël.

sap¹ [sæp] ♀ sève *f* (*a. fig.*); *sl.* niais *m*.

sap² [‿] **1.** ✕ sape *f*; F piocheur (-euse *f*) *m*; *sl.* boulot *m*; **2.** *v/i.* saper; *sl.* piocher, bûcher; *v/t.* saper, miner (*a. fig.*).

sap·id ['sæpid] savoureux (-euse *f*); **sa·pid·i·ty** [sə'piditi] sapidité *f*.

sa·pi·ence *usu. iro.* ['seipjəns] sagesse *f*; **'sa·pi·ent** *usu. iro.* □ savant, sage.

sap·less ['sæplis] sans sève; sans vigueur (*personne*).

sap·ling ['sæpliŋ] jeune arbre *m*; *fig.* jeune homme *m*.

sap·o·na·ceous [sæpo'neiʃəs] saponacé; *fig.* onctueux (-euse *f*).

sap·per ✕ ['sæpə] sapeur *m*.

sap·phire *min.* ['sæfaiə] saphir *m*.

sap·pi·ness ['sæpinis] abondance *f* de sève.

sap·py ['sæpi] plein de sève (*a. fig.*); vert (*arbre*); *sl.* nigaud.

Sar·a·cen ['særəsn] Sarrasin(e *f*) *m*.

sar·casm ['sɑːkæzm] ironie *f*; sarcasme *m*; **sar·cas·tic**, **sar·cas·ti·cal** □ sarcastique, mordant.

sar·coph·a·gus [sɑː'kɔfəgəs], *pl.* **-gi** [‿dʒai] sarcophage *m*.

sar·dine *icht.* [sɑː'diːn] sardine *f*.

Sar·din·i·an [sɑː'dinjən] **1.** sarde; **2.** *ling.* sarde *m*; Sarde *mf*.

sar·don·ic [sɑːˈdɔnik] (~ally) sardonique (*rire*); ♫ sardonien(ne *f*).

sar·to·ri·al [sɑːˈtɔːriəl] de tailleur; vestimentaire.

sash¹ [sæʃ] châssis *m* (*de fenêtre à guillotine*).

sash² [~] ceinture *f*; ✕ *a*. écharpe *f*.

sa·shay *Am.* F [sæˈʃei] marcher d'un pas vif; danser.

sash-win·dow fenêtre *f* à guillotine.

sas·sy *Am.* [ˈsæsi] *see* saucy.

sat [sæt] *prét. et p.p. de* sit.

Sa·tan [ˈseitən] Satan *m*.

sa·tan·ic [səˈtænik] (~ally) satanique, diabolique.

satch·el [ˈsætʃl] sacoche *f*; *école*: carton *m*.

sate [seit] *see* satiate.

sa·teen [sæˈtiːn] satinette *f*.

sat·el·lite [ˈsætəlait] satellite *m* (*a. fig.*); (*a.* ~ *town*) ville *f* satellite.

sa·ti·ate [ˈseiʃieit] rassasier (de, with); **sa·ti·a·tion** rassasiement *m*; satiété *f*; **sa·ti·e·ty** [səˈtaiəti] satiété *f*.

sat·in [ˈsætin] *tex.* satin *m*; **sat·i·net** [ˈsætinet], *usu.* **sat·i·nette** [~ˈnet] satinette *f*; *soie*: satinade *f*.

sat·ire [ˈsætaiə] satire *f* (contre, [up]on); **sa·tir·ic, sa·tir·i·cal** [səˈtirik(l)] satirique; ironique; **sat·i·rist** [ˈsætərist] satirique *m*; **'sat·i·rize** satiriser.

sat·is·fac·tion [sætisˈfækʃn] satisfaction *f*, contentement *m* (de at, with); acquittement *m*, paiement *m*; *promesse*: exécution *f*; réparation *f* (*d'une offense*).

sat·is·fac·to·ri·ness [sætisˈfæktərinis] caractère *m* satisfaisant; **sat·is·'fac·to·ry** □ satisfaisant; *eccl.* expiatoire.

sat·is·fied □ [ˈsætisfaid] satisfait, content (de, with; que, that); **sat·is·fy** [ˈ~fai] satisfaire; contenter; payer, liquider (*une dette*); exécuter (*une promesse*); remplir (*une condition*); éclaircir (*un doute*).

sa·trap [ˈsætrəp] satrape *m*.

sat·u·rate ⌢ₘ, *a. fig.* [ˈsætʃəreit] saturer (de, with); **sat·u·ra·tion** saturation *f*; imprégnation *f*.

Sat·ur·day [ˈsætədi] samedi *m*.

sat·ur·nine [ˈsætənain] taciturne, sombre.

sat·yr [ˈsætə] satyre *m*.

sauce [sɔːs] 1. sauce *f*; *fig.* assaisonnement *m*; F impertinence *f*; 2. as-

saisonner; F dire des impertinences à (*q.*); '~**boat** saucière *f*; '~**pan** casserole *f*; '**sauc·er** soucoupe *f*.

sau·ci·ness F [ˈsɔːsinis] impertinence *f*; chic *m* (*d'un chapeau*).

sau·cy □ F [ˈsɔːsi] gamin; effronté, impertinent; chic *inv.* en genre; coquet(te *f*).

saun·ter [ˈsɔːntə] 1. flânerie *f*; promenade *f* (faite à loisir); 2. flâner; se balader; '**saun·ter·er** flâneur (-euse *f*) *m*.

sau·ri·an *zo.* [ˈsɔːriən] saurien *m*.

sau·sage [ˈsɔsidʒ] saucisse *f*; saucisson *m*.

sav·age [ˈsævidʒ] 1. □ sauvage; féroce; brutal (-aux *m/pl.*) (*coup*); F furieux (-euse *f*); 2. sauvage *mf*; *fig.* barbare *mf*; 3. attaquer, mordre (*chien*); '**sav·age·ness**, '**sav·age·ry** sauvagerie *f*, barbarie *f*, férocité *f*.

sa·van·na(h) [səˈvænə] savane *f*.

save [seiv] 1. *v/t.* sauver; économiser, épargner; gagner (*du temps*); mettre de côté; garder; éviter; *v/i.* faire des économies, économiser; 2. *prp.* excepté, sauf; 3. *cj.* ~ that excepté que, hormis que; ~ for sauf; si ce n'était …

sav·e·loy [ˈsæviləi] cervelas *m*.

sav·er [ˈseivə] libérateur (-trice *f*) *m*; sauveteur *m*; ⊕ économiseur *m*; personne *f* économe.

sav·ing [ˈseiviŋ] 1. □ économique; économe (*personne*); ⅔ ~ clause clause *f* de sauvegarde; réservation *f*; 2. épargne *f*; *fig.* salut *m*; sauvetage *m*; ~s *pl.* économies *f/pl.*

sav·ings… [ˈseiviŋz]: '~**bank** caisse *f* d'épargne; '~**de·pos·it** dépôt *m* à la caisse d'épargne.

sav·io(u)r [ˈseivjə] sauveur *m*; *eccl.* the ⚲ le Sauveur *m*.

sa·vor·y ♣ [ˈseivəri] sarriette *f*.

sa·vo(u)r [ˈseivə] 1. saveur *f*; goût *m* (*a. fig.*); *fig.* trace *f*; 2. *v/i. fig.* ~ of sentir (*qch.*), tenir de (*qch.*); *v/t. fig.* savourer; **sa·vo(u)r·i·ness** [ˈ~rinis] saveur *f*, succulence *f*; **'sa·vo(u)r·less** fade, insipide; sans saveur; '**sa·vo(u)r·y** □ savoureux (-euse *f*), succulent, appétissant; piquant, salé.

sa·voy [səˈvɔi] chou *m* frisé *ou* de Milan.

sav·vy *sl.* [ˈsævi] 1. jugeote *f*; 2. comprendre.

saw[1] [sɔ:] *prét. de* see.

saw[2] [⁓] adage *m*; dicton *m*.

saw[3] [⁓] **1.** scie *f*; **2.** [*irr.*] scier; '**⁓-dust** sciure *f*; '**⁓-horse** chevalet *m* de scieur; '**⁓-mill** scierie *f*; **sawn** [sɔ:n] *p.p. de* saw[3] 2; **saw·yer** ['⁓jə] scieur *m* (de long).

Sax·on ['sæksn] **1.** saxon(ne *f*); **2.** *ling.* saxon *m*; Saxon(ne *f*) *m*.

sax·o·phone ♪ ['sæksəfoun] saxophone *m*.

say [sei] **1.** [*irr.*] dire; avouer; affirmer; réciter; ⁓ *no refuser*; ⁓ *grace* dire le bénédicité; ⁓ *mass* dire la messe; *that is to* ⁓ c'est-à-dire; *do you* ⁓ *so?* vous croyez?, vous trouvez?; *you don't* ⁓ *so!* pas possible!, vraiment!; *I* ⁓! dites donc!; pas possible!; *he is said to be rich* on dit qu'il est riche; on le dit riche; *no sooner said than done* sitôt dit, sitôt fait; **2.** dire *m*, mot *m*, parole *f*; *it is my* ⁓ *now* maintenant à moi la parole; *let him have his* ⁓ laissez-le parler; F *have a (no)* ⁓ *in s.th.* (ne pas) avoir voix au chapitre; '**say·ing** dicton *m*, proverbe *m*; dit *m*; récitation *f*; *it goes without* ⁓ cela va sans dire.

scab [skæb] *plaie:* croûte *f*; *vét. etc.* gale *f*; *sl.* jaune *m*; *sl.* sale type *m*.

scab·bard ['skæbəd] *épée:* fourreau *m*; *poignard:* gaine *f*.

scab·by □ ['skæbi] croûteux (-euse *f*); galeux (-euse *f*); ⊕ dartreux (-euse *f*); *sl.* méprisable.

sca·bi·es ⚕ ['skeibii:z] gale *f*.

sca·bi·ous ⚘ ['skeibiəs] scabieuse *f*.

sca·brous ['skeibrəs] rugueux (-euse *f*); scabreux (-euse *f*) (*conte etc.*).

scaf·fold ['skæfəld] ⚖ échafaud *m*; △ échafaudage *m*; '**scaf·fold·ing** échafaudage *m*; ⚖ pole écoperche *f*.

scald [skɔ:ld] **1.** échaudure *f*; **2.** (*a.* ⁓ *out*) échauder; faire chauffer (*le lait*) sans qu'il entre en ébullition.

scale[1] [skeil] **1.** ♒, peau, poisson, reptile; *a. de fer:* écaille *f*; ⊕, ♒ dartre *f*; ⊕, ♒ *dents:* tartre *m*; **2.** *v/t.* écailler; ⊕ piquer; ⊕ détarter (*a. dents*); ⊕ entartrer (= *incruster*); *v/i.* s'écailler; s'exfolier (*arbre*); se déplâtrer (*mur etc.*); ♒ se desquamer; ⊕ (*souv.* ⁓ *off*) s'entartrer.

scale[2] [⁓] **1.** plat(eau) *m*; (*a pair of*) ⁓s *pl.* (une) balance *f*; *astr.* Balance *f*; **2.** peser.

scale[3] [⁓] **1.** échelle *f*; ♪, ✝ gamme *f*;

✝ tarif *m*; *fig.* étendue *f*, envergure *f*; *on a large (small)* ⁓ en grand (petit); ⁓ *model* maquette *f*; *on a national* ⁓ à l'échelon national; **2.** escalader (*un mur etc.*); tracer (*q.*) à l'échelle; ⁓ *up (down)* augmenter (réduire) (*les gages etc.*) à l'échelle.

scaled [skeild] écaillé; écailleux (-euse *f*).

scale·less ['skeillis] sans écailles.

scal·ing-lad·der ['skeiliŋlædə] ⚔ ✝ échelle *f* d'escalade.

scal·lion ⚘ ['skæljən] ciboule *f*.

scal·lop ['skɔləp] **1.** *zo.* pétoncle *m*; *cuis.* coquille *f*; *cost.* feston *m*; dentelure *f*; **2.** découper, denteler; festonner; faire cuire en coquille(s).

scalp [skælp] **1.** épicrâne *m*; cuir *m* chevelu; *Peaux-Rouges:* scalpe *m*; **2.** scalper; ♒ ruginer.

scal·pel ♒ ['skælpəl] scalpel *m*.

scal·y [skeili] écailleux (-euse *f*); squameux (-euse *f*); *sl.* mesquin.

scamp [skæmp] **1.** vaurien *m*; *enfant:* coquin *m*; **2.** bâcler; '**scamper 1.** courir allégrement; ⁓ *off* détaler; **2.** *fig.* course *f* folâtre *ou* rapide.

scan [skæn] *v/t.* scander (*des vers*); examiner, scruter; *v/i.* se scander.

scan·dal ['skændl] scandale *m*; honte *f*; médisance *f*; ⚖ diffamation *f*; '**scan·dal·ize** scandaliser; *be* ⁓*d at (ou by)* être choqué de *ou* scandalisé par; '**scan·dal·mon·ger** médisant(e *f*) *m*; cancanier (-ère *f*) *m*; '**scan·dal·ous** □ scandaleux (-euse *f*), infâme; honteux (-euse *f*); diffamatoire; '**scan·dal·ous·ness** infamie *f*; caractère *m* scandaleux *etc.*

Scan·di·na·vi·an [skændi'neivjən] **1.** scandinave *f*; **2.** Scandinave *mf*.

scant [skænt] rare, insuffisant.

scant·i·ness ['skæntinis] rareté *f*, insuffisance *f*.

scant·ling ['skæntliŋ] volige *f*; bois *m* équarri; échantillon *m* (*de construction*); équarrissage *m*; *fig.* très petite quantité *f*.

scant·y □ ['skænti] rare, insuffisant, peu abondant; maigre.

scape·goat ['skeipgout] souffre-douleur *m/inv.*

scape·grace ['skeipgreis] polisson *m*; petit(e) écervelé(e) *m(f)*.

scap·u·lar ['skæpjulə] **1.** *anat.* scapulaire *f*; **2.** *eccl.* scapulaire *m*.

scar¹ [skɑ:] **1.** cicatrice *f* (*a.* ⚔, *a. fig.*); balafre *f* (*le long de la figure*); **2.** *v/t.* balafrer; *v/i.* se cicatriser.

scar² [⸝] rocher *m* escarpé.

scar·ab *zo.* ['skærəb] scarabée *m*.

scarce [skɛəs] rare; peu abondant; F *make o.s.* ⸝ s'éclipser, déguerpir; **'scarce·ly** à peine; (ne) guère; **'scar·ci·ty** rareté *f*; manque *m*, disette *f* (*de*, *of*).

scare [skɛə] **1.** effrayer; faire peur à (*q.*); épouvanter; ⸝d épouvanté; apeuré; be ⸝d *to death* avoir une peur bleue; **2.** panique *f*; **'⸝crow** épouvantail *m* (*a. fig.*); **'⸝head** *journ. Am.* manchette *f* sensationnelle; **'⸝mon·ger** alarmiste *mf*; *sl.* paniquard *m*.

scarf¹ [skɑ:f] ⚔, *a. femme:* écharpe *f*; *homme:* cache-nez *m/inv.*; *soie:* foulard *m*; *eccl.* étole *f*; † cravate *f*.

scarf² ⊕ [⸝] **1.** assemblage *m* à mi-bois; enture *f*; *métal:* chanfrein *m* de soudure; **2.** ⚓ enter; ⊕ amorcer.

scarf...: **'⸝pin** épingle *f* de cravate; **'⸝skin** épiderme *m*.

scar·i·fi·ca·tion [skɛərifi'keiʃn] 🖊 scarification *f*; **scar·i·fy** ['⸝fai] scarifier (*a.* ✒); *fig.* éreinter (*un auteur*). [scarlatine *f.*]

scar·la·ti·na [skɑ:lə'ti:nə] (fièvre *f*)/

scar·let ['skɑ:lit] écarlate (*a. su./f*); ⸝ *fever* (fièvre *f*) scarlatine *f*; ⚔ ⸝ *runner* haricot *m* d'Espagne.

scarp [skɑ:p] **1.** escarper; ⸝ed à pic; **2.** escarpement *m*; versant *m* abrupt.

scarred [skɑ:d] balafré; portant des cicatrices.

scarves [skɑ:vz] *pl.* de *scarf¹*.

scar·y F ['skɛəri] timide; épouvantable.

scathe [skeið]: *without* ⸝ indemne; **'scath·ing** *fig.* mordant, cinglant, caustique. ·

scat·ter ['skætə] (se) disperser, (s')éparpiller; (se) répandre; *v/t.* dissiper; ⸝ed *a.* épars, clairsemé; **'⸝brain** écervelé(e *f*) *m*, étourdi(e *f*) *m*.

scav·enge ['skævindʒ] balayer, nettoyer; **'scav·en·ger** éboueur *m*, balayeur *m* (*des rues*); **'scav·eng·ing** balayage *m* (*des rues*); ébouage *m*.

sce·nar·i·o *cin.*, *théâ.* [si'nɑ:riou] scénario *m*; **'⸝writ·er**, *a.* **sce·nar·ist** ['si:nərist] scénariste *m*.

scene [si:n] scène *f* (*a. théâ.*); *fig. a.* théâtre *m*, lieu *m*; vue *f*, paysage *m*; spectacle *m*; *see* ⸝ry; ⸝s *pl.* coulisse *f*, -s *f/pl.*; **'⸝paint·er** peintre *m* de *ou* en décors; **scen·er·y** ['⸝əri] décors *m/pl.*, (mise *f* en) scène *f*; paysage *m*, vue *f*.

sce·nic, sce·ni·cal ['si:nik(l)] scénique; théâtral (-aux *m/pl.*) (*a. fig.*); *scenic railway* montagnes *f/pl.* russes.

scent [sent] **1.** parfum *m*; odeur *f* (*agréable*); *chasse:* vent *m*; voie *f*, piste *f*; *chien:* flair *m*, nez *m*; **2.** parfumer, embaumer; *chasse:* (*souv.* ⸝ *out*) flairer (*a. fig.*), sentir; **'scent·ed** parfumé (*de*, *with*); odorant; **'scent·less** inodore, sans odeur; *chasse:* sans fumet.

scep·tic ['skeptik] sceptique *mf*; **'scep·ti·cal** □ sceptique; *be* ⸝ *about* douter de; **scep·ti·cism** ['⸝sizm] scepticisme *m*.

scep·tre ['septə] sceptre *m*.

sched·ule ['ʃedju:l; *Am.* 'skedju:l] **1.** inventaire *m*; cahier *m*; liste *f*; *impôts:* cédule *f*; 🖊🖊 annexe *f*; *surt. Am.* horaire *m*; *surt. Am.* plan *m*; *on* ⸝ à l'heure; *fig.* selon les prévisions; **2.** inscrire sur l'inventaire *etc.*; 🖊🖊 ajouter comme annexe; *Am.* dresser un plan *ou* *Am.* marquer sur l'horaire; *be* ⸝*d for* devoir arriver *ou* partir *etc.* à.

scheme [ski:m] **1.** plan *m*, projet *m*; arrangement *m*; *péj.* intrigue *f*; **2.** *v/t.* projeter; *v/i. péj.* intriguer (*pour*, *to*); comploter; combiner (*de*, *to*); **'schem·er** fabricant (-euse *f*) *m* de projets; *péj.* intrigant(e *f*) *m*.

schism ['sizm] schisme *m*; *fig.* division *f*; **schis·mat·ic** [siz'mætik] **1.** (*a.* **schis'mat·i·cal** □) schismatique; **2.** schismatique *mf*.

schist *min.* [ʃist] schiste *m*.

schol·ar ['skɔlə] élève *mf*; écolier (-ère *f*) *m*; érudit(e *f*) *m*; *univ.* boursier (-ère *f*) *m*; *he is an apt* ⸝ il apprend vite; **'schol·ar·ly** *adj.* savant; érudit; **'schol·ar·ship** érudition *f*, science *f*; *souv.* humanisme *m*; *univ.* bourse *f* (d'études).

scho·las·tic [skɔ'læstik] (⸝*ally*) scolaire; *fig.* pédant; *phls.* scolastique (*a. su./m*).

school¹ [sku:l] *see shoal¹.*

school² [⸝] **1.** école *f* (*a. fig. de pensée etc.*); académie *f*; *at* ⸝ à l'école;

grammar ~ lycée *m*, collège *m*; *high* ~ *Angl.* lycée *m* (*souv.* de jeunes filles); *Am. et écoss.* collège *m*, école *f* secondaire; *primary* ~ école *f* primaire; *public* ~ *Angl.* grande école *f* d'enseignement secondaire; *Am. et écoss.* école *f* communale; *secondary modern* ~ collège *m* moderne; *technical* ~ école *f* des arts et métiers; *see a.* board-~; *put to* ~ envoyer à l'école; 2. instruire; habituer; discipliner; '~**boy** écolier *m*, élève *m*; '~**fel·low** ~ r<del></del> camarade *mf* de classe; '~**girl** élève *f*, écolière *f*; '**school·ing** instruction *f*, éducation *f*.

school...: '~**man** scolastique *m*; *Am.* professeur *m*; '~**mas·ter** école primaire: instituteur *m*; *lycée, collège*: professeur *m*; '~**mis·tress** institutrice *f*; professeur *m*; '~**room** (salle *f* de) classe *f*.

schoon·er ['sku:nə] schooner *m*; goélette *f*; *Am.* chope *f*, verre *m* de bière.

sci·at·i·ca [sai'ætikə] sciatique *f*.

sci·ence ['saiəns] science *f*, -s *f*/*pl.* (*a.* † = *savoir*); '~**fic·tion** science-fiction *f*.

sci·en·tif·ic [saiən'tifik] (~*ally*) scientifique; *box.* qui possède la science du combat; ~ *man* homme *m* de science.

sci·en·tist ['saiəntist] homme *m* de science; scientifique *mf*; ♀ *Am.* Scientiste *m* (chrétien).

scin·til·late ['sintileit] scintiller, étinceler; **scin·til·la·tion** scintillement *m*.

sci·on ['saiən] ✒ scion *m*; *fig.* rejeton *m*, descendant *m*.

scis·sion ['siʒn] cisaillage *m*; *fig.* scission *f*, division *f*; **scis·sors** ['sizəz] *pl.*: (*a pair of*) ~ (des) ciseaux *m*/*pl.*; '**scis·sor-tooth** *zo.* dent *f* carnassière.

scle·ro·sis [skliə'rousis] sclérose *f*.

scoff [skɔf] 1. sarcasme *m*; 2. se moquer; ~ *at s.o.* railler q., se moquer de q.; '**scoff·er** moqueur (-euse *f*) *m*, gausseur (-euse *f*) *m*.

scold [skould] 1. mégère *f*; 2. gronder, crier (*contre, at*); '**scold·ing** réprimande *f*, semonce *f*.

scol·lop ['skɔləp] *see* scallop.

sconce¹ [skɔns] tête *f*; jugeote *f*.

sconce² [~] bougeoir *m*; bobèche *f*; applique *f*; flambeau *m* (*de piano*).

sconce³ *univ.* [~] mettre à l'amende.

scon(e) *cuis.* [skɔn] galette *f* au lait.

scoop [sku:p] 1. pelle *f* à main; ⚓ épuisette *f*; ⊕, ⚙ cuiller *f*; ⚒ curette *f*; *sl.* rafle *f*, coup *m*; *sl.* (primeur *f* d'une) nouvelle *f* sensationnelle; 2. (*usu.* ~ *out*) écoper (*l'eau*); excaver; évider; *sl.* publier une nouvelle à sensation avant (*un autre journal etc.*); *sl.* ~ *a large profit* faire une belle rafle.

scoot·er ['sku:tə] *enfants:* trottinette *f*, patinette *f*; *mot.* scooter *m*; motoscooter *m*.

scope [skoup] étendue *f*, portée *f*; liberté *f*, jeu *m*; espace *m*; but *m*; *have free* ~ avoir toute liberté (pour, to).

scorch [skɔtʃ] *v/t.* roussir, brûler; *v/i.* F *mot.* brûler le pavé; '**scorch·er** F journée *f* torride; *mot.* chauffard *m*; *cycl.* cycliste *m* casse-cou.

score [skɔ:] 1. (en)coche *f*; *peau:* éraflure *f* (trait *m* de) repère *m*; vingtaine *f*; *sp.* points *m*/*pl.*, total *m*; *foot.* score *m*; *fig.* sujet *m*, point *m*, raison *f*; ♪ partition *f*; *sl.* aubaine *f*, coup *m* de fortune; *three* ~ soixante; *run up a* ~ contracter une dette; *on the* ~ *of* pour cause de; à titre de; *what's the* ~? où en est le jeu?; *get the* ~ faire le nombre de points voulu; 2. *v/t.* entailler (*a.* ~ *up*) inscrire, enregistrer; *sp.* compter, marquer (*les points*); gagner (*une partie, a. fig.*); remporter (*un succès*); ♪ noter (*un air*), orchestrer, arranger; souligner (*une erreur, un passage*); *Am.* F réprimander (*q.*); ~ *out* rayer; *v/i.* gagner; *sp.*, *a. cartes:* faire *ou* marquer des points; *foot.* enregistrer un but; *sl.* remporter un succès; *sl.* ~ *off s.o.* faire pièce à q.; '**scor·er** *sp.* marqueur (-euse *f*) *m* (*foot.* d'un but).

sco·ri·a ['skɔ:riə], *pl.* **-ri·ae** ['~rii:] scorie *f*.

scorn [skɔ:n] 1. mépris *m*, dédain *m*; 2. mépriser, dédaigner; '**scorn·er** contempteur (-trice *f*) *m*; **scorn·ful** □ ['~ful] méprisant.

scor·pi·on *zo.* ['skɔ:pjən] scorpion *m*.

Scot¹ [skɔt] Écossais(e *f*) *m*; *hist.* Scot *m*.

scot² [~] *hist.* écot *m*; compte *m*; ~ *and lot* taxes *f*/*pl.* communales.

Scotch¹ [skɔtʃ] 1. écossais; 2. *ling.*

écossais *m*; F whisky *m*; the ~ *pl.* les Écossais *m/pl.*

scotch² [~] 1. entaille *f*; *sp.* ligne *f* de limite; 2. mettre hors de combat *ou* hors d'état de nuire.

scotch³ [~] 1. cale *f*; taquet *m* d'arrêt; 2. caler (*une roue*); *fig.* faire casser.

Scotch·man ['skɔtʃmən] Écossais *m*.

scot-free ['skɔt'fri:] indemne.

Scots *ecoss.* [skɔts], '**Scots·man** *see* Scotch(man).

Scot·tish ['skɔtiʃ] écossais.

scoun·drel ['skaundrəl] scélérat *m*; vaurien *m*; '**scoun·drel·ly** *adj.* scélérat, vil.

scour¹ ['skauə] nettoyer; frotter; curer (*un fossé, un port*); décaper (*une surface métallique*).

scour² [~] *v/i.* ~ about battre la campagne; *v/t.* parcourir; écumer (*les mers*).

scourge [skə:dʒ] 1. fléau *m* (*a. fig.*); *eccl.* discipline *f*; 2. fouetter; *fig.* affliger.

scout¹ [skaut] 1. éclaireur *m*, avant-coureur *m*; ✕ reconnaissance *f*; ⚓ vedette *f*, croiseur *m*, éclaireur *m*; ✈ avion *m* de reconnaissance; *univ.* garçon *m* de service; Boy ~s *pl.* (boys-)scouts *m/pl.*; ✕ ~ party reconnaissance *f*; 2. aller en reconnaissance.

scout² [~] repousser avec mépris.

scow ⚓ [skau] chaland *m*; (*a. ferry-* ~) toue *f*.

scowl [skaul] 1. air *m* renfrogné; 2. se renfrogner, F regarder noir.

scrab·ble ['skræbl] jouer des pieds et des mains; chercher à quatre pattes (qch., *for s.th.*); gratter çà et là.

scrag [skræg] 1. *fig.* personne *f ou* bête *f* décharnée; ~(-*end*) (*of mutton*) collet *m* (de mouton); 2. *sl.* garrotter; **scrag·gi·ness** ['~inis] maigreur *f*; '**scrag·gy** □ maigre, décharné.

scram *Am. sl.* [skræm] fiche-moi le camp!

scram·ble ['skræmbl] 1. monter etc. à quatre pattes; se bousculer (pour avoir qch., *for s.th.*); jouer des pieds et des mains (*a. fig.*); ~d eggs *pl.* œufs *m/pl.* brouillés; 2. marche *f* etc. difficile; lutte *f*, mêlée *f*.

scrap [skræp] 1. petit morceau *m*; bout *m*; *terrain*: parcelle *f* (*a. fig.*);

journal: coupure *f*; *pain, étoffe*: bribe *f*; ⊕ déchets *m/pl.*; *sl.* rixe *f*, querelle *f*; *box.* match (*pl.* match[e]s *m*; ~s *pl.* restes *m/pl.*; débris *m/pl.*; *péj.* ~ of paper chiffon *m* de papier; 2. mettre au rebut; mettre hors service; *fig.* mettre au rancart; '~-book album *m* (de découpures).

scrape [skreip] 1. coup *m* de grattoir; grincement *m*; *fig.* mince couche *f*; F embarras *m*, mauvais pas *m*; 2. *v/t.* gratter, racler; écorcher (*la peau*); décrotter (*les souliers*); ~ together (*ou up*) amasser peu à peu; ~ acquaintance with faire connaissance casuellement avec (*q.*); *v/i.* gratter; s'érafler; grincer (*violon*); '**scrap·er** grattoir *m*, racloir *m*; *souliers*: décrottoir *m*; *personne*: racleur *m*; '**scrap·ing** raclage *m*; ~s *pl.* raclures *f/pl.*; grattures *f/pl.*; bribes *f/pl.*, restes *m/pl.*; *fig.* sous *m/pl.* amassés un à un.

scrap...: '**~-heap** (tas *m* de) ferraille *f*; '**~-i·ron** ferraille *f*; débris *m/pl.* de fer; '**scrap·py** □ hétérogène; *fig.* décousu.

scratch [skrætʃ] 1. coup *m* d'ongle *ou* de griffe; égratignure *f*; grattement *m*; *surface polie*: rayure *f*; *sp.* zéro *m*; *sp.* scratch *m*; *plume etc.*: grincement *m*; come up to the ~ se mettre en ligne; *fig.* se montrer à la hauteur de l'occasion; 2. improvisé; *sp.* mixte, sans homogénéité (*équipe*); *parl.* par surprise; 3. *v/t.* gratter, égratigner; donner un coup de griffe à; *sp.* scratcher; *sp.* décommander; ~ out rayer, biffer; gratter; *v/i.* gratter; grincer; *sp.* déclarer forfait; griffer (*chat*); '**scratch·y** qui gratte; grinçant; inégal (-aux *m/pl.*), peu assuré; *see* scratch 2.

scrawl [skrɔ:l] 1. griffonner; 2. (*a.* '**scrawl·ing**) griffonnage *m*.

scraw·ny *Am.* F ['skrɔ:ni] décharné.

scream [skri:m] 1. cri *m* perçant; F he is a ~ il est tordant; 2. (*souv.* out) pousser un cri perçant *ou* d'angoisse; '**scream·ing** □ perçant; sifflant; criard (*personne, a. couleur*); F tordant; à mourir de rire; '**scream·y** F aigu(ë *f*); criard.

scree [skri:] éboulis *m*, pierraille *f*.

screech [skri:tʃ] *see* scream; '**~-owl** *orn.* chouette *f* (des clochers).

screed [skri:d] longue liste *f*; longue lettre *f*; jérémiade *f*.

screen [skri:n] 1. ✕, *phot., cin., radar, a. meuble:* écran *m; (a. draught-✕) paravent m; scrible m; sas m; mot.* rideaux *m/pl.* de côté; *fig.* rideau *m; on the ~* à l'écran; *~ advertising* publicité *f* à l'écran; *phot. focussing ~* verre *m* dépoli; *cin. ~ record* film *m* de reportage; *mot. ~ wiper* essuie-glace *m;* 2. abriter, protéger; ✕ dérober (à, *from*); voiler *(le soleil etc.);* cacher; *cin.* mettre à l'écran; passer au crible; tamiser; *fig.* couvrir (q.).

screw [skru:] 1. vis *f;* tour *m* de vis; *tabac, papier, bonbons:* cornet *m; fig.* rigueur *f; sl.* paie *f,* salaire *m,* appointements *m/pl.;* ⚓ hélice *f;* F avare *m;* F *he has a ~ loose* il est timbré *ou sl.* maboul; 2. *v/t.* visser; *fig.* tordre; *fig.* opprimer; *fig.* rappeler *(tout son courage); v/i.* tourner; *~ round* tordre (le cou, *one's head); ~ up* visser; tortiller; plisser *(les yeux);* pincer *(les lèvres); ~ up one's face* faire une grimace; '**~·ball** *Am. sl.* type *m* excentrique *ou* dingo; '**~·driv·er** tournevis *m;* '**~·jack** cric *m (menuisier :* à vis); viole *f;* '**~·pro·pel·ler** hélice *f;* '**~·steam·er** navire *m* à hélice.

scrib·ble ['skribl] 1. griffonnage *m;* écriture *f* illisible; 2. *v/t.* griffonner; *~ over* rendre illisible *(au moyen du griffonnage); v/i.* F écrivailler; '**scrib·bler** griffonneur (-euse *f) m;* F écrivailleur (-euse *f) m,* grattepapier *m/inv.*

scribe [skraib] *bibl. ou co.* scribe *m; péj.* plumitif *m;* ⊕ pointe *f* à tracer.

scrim·mage ['skrimidʒ] mêlée *f (a. sp.);* escarmouche *f.*

scrimp [skrimp] 1. *v/t.* être parcimonieux (-euse *f)* de, ménager (-ère *f)* outre mesure; *v/i.* lésiner sur tout; économiser outre mesure; 2. chiche *(personne); (a.* '**scrimp·y** insuffisant.

scrip † [skrip] titres *m/pl.;* certificat *m ou* titre *m* provisoire.

script [skript] écriture *f;* manuscrit *m; cin.* scénario *m; ~s pl.* école *etc.:* copies *f/pl.* d'êxamen.

Scrip·tur·al ['skriptʃərəl] scriptural (-aux *m/pl.);* biblique; **Scrip·ture** ['~tʃə] Écriture *f* sainte.

scrof·u·la ⚕ ['skrɔfjulə] scrofule *f,* strume *f;* '**scrof·u·lous** ☐ scrofuleux (-euse *f),* strumeux (-euse *f).*

scroll [skroul] *papier:* rouleau *m;* banderole *f* à inscription; *écriture:* arabesque *f;* △ spirale *f;* volute *f (a. violon).* [*m.*]

scro·tum *anat.* ['skroutəm] scrotum)

scrounge [skraundʒ] chiper; écornifler *(un repas etc.);* ✕ *sl.* récupérer.

scrub[1] [skrʌb] broussailles *f/pl.;* arbuste *m* rabougri; F personne *f* rabougrie.

scrub[2] [~] 1. nettoyer; récurer; 2. *sp. Am.* équipe *f* numéro deux.

scrub·bing-brush ['skrʌbiŋbrʌʃ] brosse *f* en chiendent *ou* de cuisine.

scrub·by ['skrʌbi] rabougri; insignifiant; couvert de broussailles.

scruff of the neck ['skrʌfəvðə'nek] peau *f* de la nuque *ou* du cou.

scrum·mage ['skrʌmidʒ] mêlée *f (a. sp.);* escarmouche *f.*

scrump·tious *sl.* ['skrʌmpʃəs] exquis, épatant, délicieux (-euse *f).*

scrunch [skrʌntʃ] *v/t.* croquer; *v/i.* craquer.

scru·ple [skru:pl] 1. scrupule *m (20 grains = 1,296 g) (a. = conscience); make no ~ to (inf.)* ne pas hésiter à *(inf.);* 2. avoir des scrupules (à *inf.,* to *inf.);* '**scru·pu·lous** ☐ ['~juləs] scrupuleux (-euse *f) (sur about, over); a.* méticuleux (-euse *f) (travail etc.).*

scru·ti·neer [skru:ti'niə] scrutateur *m;* '**scru·ti·nize** scruter; pointer *(des suffrages etc.);* '**scru·ti·ny** examen *m* minutieux *ou* attentif *ou* rigoureux; *suffrages:* vérification *f.*

scud [skʌd] 1. fuite *f,* course *f* rapide; *nuages:* diablotins *m/pl.;* rafale *f;* embrun *m;* 2. courir, fuir; ⚓ fuir devant le temps.

scuff [skʌf] *v/t.* effleurer; érafler; user; *~ up* soulever; *v/i.* traîner les pieds; s'érafler *(cuir).*

scuf·fle ['skʌfl] 1. rixe *f,* mêlée *f;* bagarre *f;* 2. se bousculer; traîner les pieds.

scull [skʌl] 1. aviron *m* de couple; godille *f;* 2. ramer en couple; godiller.

scul·ler·y ['skʌləri] arrière-cuisine *f; ~-maid* laveuse *f* de vaisselle.

sculp·tor ['skʌlptə] sculpteur *m.*

sculp·ture ['skʌlptʃə] 1. sculpture *f;* 2. sculpter; orner de sculptures; '**sculp·tur·ing** sculpture *f,* sculptage *m.*

scum [skʌm] écume *f*; ⊕ scories *f*/*pl*.; *fig.* lie *f*, rebut *m*.

scup·per ⚓ ['skʌpə] dalot *m*.

scurf [skəːf] pellicules *f*/*pl*. (*du cuir chevelu*); ⊕ instruction *f*; **'scurf·y** ☐ pelliculeux (-euse *f*); ⚕ ~ *affection* dartre *f*.

scur·ril·i·ty [skʌ'riliti] goujaterie *f*; grossièreté *f*; *action, personne*: bassesse *f*; **'scur·ril·ous** grossier (-ère *f*); bas(se *f*); ignoble.

scur·ry ['skʌri] **1.** *v/i.* se hâter; aller à pas précipités; ~ *through s.th.* expédier qch.; **2.** débandade *f*; bousculade *f*.

scur·vy¹ ⚕ ['skəːvi] scorbut *m*.

scur·vy² ☐ vil(ain), bas(se *f*).

scut [skʌt] *lapin, lièvre, etc.*: couette *f*.

scutch·eon ['skʌtʃn] *see* escutcheon.

scut·tle¹ ['skʌtl] seau *m* à charbon.

scut·tle² [~] **1.** écouttillon *m*; hublot *m*; *mot.* bouclier *m* avant; *Am. toit etc.*: trappe *f*; **2.** saborder (*un navire*).

scut·tle³ [~] **1.** fuite *f*; *pol.* F lâchage *m*; **2.** décamper, filer; débouler; *pol.* F lâcher.

scythe 🗡 [saið] **1.** faux *f*; **2.** faucher.

sea [siː] mer *f*; *fig.* océan *m*; lame *f*, houle *f*; *at* ~ en mer; *fig.* dérouté; *go to* ~ se faire marin; *see put* 2; **'~board** littoral *m*; rivage *m*; ~ **cap·tain** capitaine *m* de la marine; **'~·far·ing** de mer; ~ *man* marin *m*; **'~·food** *Am. a.* ~*s pl.* fruits *m*/*pl.* de mer (= *coquillages, crustacés et poissons*); **'~·go·ing** de haute mer; de long cours; maritime (*commerce*).

seal¹ *zo.* [siːl] phoque *m*.

seal² [~] **1.** *bouteille, distinction, a. lettre*: cachet *m*; *document*: sceau *m*; plomb *m*; ⊕ joint *m* étanche; *great (ou broad)* ~ grand sceau (*m*); **2.** cacheter; sceller; (*a.* ~ *up*) fermer; *fig.* décider; *fig.* fixer; *fig.* ~ *off* boucher, fermer; ~ *up* fermer hermétiquement; ~ (*with lead*) plomber.

seal·er ⊕ ['siːlə] pince *f* à plomber.

sea-lev·el ['siːlevl] niveau *m* de la mer.

seal·ing ['siːliŋ] scellage *m*; cachetage *m*; plombage *m*; fermeture *f*.

seal·ing-wax ['siːliŋwæks] cire *f* à cacheter.

seal·skin ['siːlskin] peau *f* de phoque; † phoque *f*.

seam [siːm] **1.** couture *f* (*a. métall.*);

⊕ joint *m*; *géol.* couche *f*, veine *f*; *fig. visage*: ride *f*; *fig. burst at the* ~*s* craquer, crever; **2.** faire une couture à; ⊕ agrafer; couturer (*un visage*).

sea·man ['siːmən] marin *m*, matelot *m*; **'sea·man·ship** manœuvre *f*.

sea·mew ['siːmjuː] mouette *f*, goéland *m*.

seam·less ☐ ['siːmlis] sans couture; ⊕ sans soudure.

seam·stress ['semstris] (ouvrière *f*) couturière *f*.

seam·y ['siːmi] qui montre les coutures; *fig.* ~ *side* dessous *m*/*pl.*, mauvais côté *m*.

sea...: **'~-piece** *peint.* marine *f*; **'~-plane** hydravion *m*; **'~·port** port *m* de mer.

sear [siə] dessécher (*a. fig.*); faner (*les feuilles*); ⚕ cautériser; *fig.* endurcir.

search [səːtʃ] **1.** recherche *f* (*de, for*); *admin.* visite *f*; *police*: perquisition *f*; fouille *f*; *in* ~ *of* à la recherche de; **2.** *v/t.* chercher dans (*qch.*); fouiller dans; visiter; ⚖ faire une perquisition dans; ⚕ sonder; *fig* scruter; ~ *out* dénicher; découvrir; *v/i.* faire des recherches; ~ *for* chercher (*qch.*); ~ *into* rechercher; **'search·er** (re)chercheur (-euse *f*) *m*; douanier *m*; ⚖ perquisiteur *m*; ⚕ sonde *f*; **'search·ing** ☐ minutieux (-euse *f*); pénétrant (*regard, vent*); **'search·light** projection *f* électrique; ⚓ *etc.* projecteur *m*; **'search-war·rant** ⚖ ordre *m* de perquisition.

sea...: **~·scape** ['siːskeip] *see* seapiece; **'~·ser·pent** serpent *m* de mer; **'~·shore** rivage *m*; côte *f*; plage *f*; **'~·sick:** *be* ~ avoir le mal de mer; **'~·sick·ness** mal *m* de mer; **'~·side** bord *m* de la mer; ~ *resort* plage *f*; bains *m*/*pl.* de mer; *go to the* ~ aller au bord de la mer.

sea·son ['siːzn] **1.** saison *f*; période *f*, temps *m*; époque *f*; *vét.* rut *m*; *for* abonnement *m*; *height of the* ~ (pleine) saison *f*; *in* (*good ou due*) ~ en temps voulu; *cherries are in* ~ c'est la saison des cerises; *out of* ~ hors de saison; *ne pas* (*être*) *de saison*; *for a* ~ pendant un *ou* quelque temps; *with the compliments of the* ~ meilleurs souhaits de nouvel *an etc.*; **2.** *v/t.* mûrir; dessécher (*le bois*); assaisonner (*a. fig.*), relever (*de, with*);

fig. acclimater; *fig.* tempérer; *v/i.* se sécher (*bois*); mûrir; **sea·son·a·ble** ☐ de (la) saison; opportun; **'sea·son·a·ble·ness** opportunité *f*; **sea·son·al** ☐ ['siːznl] des saisons; ✝, ✍ saisonnier (-ère *f*); embauché pour les travaux de saison (*ouvrier*); **'sea·son·ing** dessèchement *m*; *cuis.* assaisonnement *m*, condiment *m*; **'sea·son-'tick·et** carte *f* d'abonnement.

seat [siːt] **1.** siège *m* (*a.* ✍, ⊕); *théâ.*, *autobus*: place *f*; chaise *f*; banc *m*; (*a. country* ⁓) château *m*; *pantalon*: fond *m*; assiette *f* (*à cheval*); (*a. pilot's* ⁓) baquet *m*; ⁓ *of war* théâtre *m* de la guerre; **2.** (faire) asseoir; établir (*sur un trône etc.*); placer; fournir de chaises; poser; ✍ caler; ⊕ faire reposer sur son siège; ⁓ *o.s.* s'asseoir; *be* ⁓*ed* être assis; avoir son siège (*dans, in*); **'seat·ed** assis; **-seat·er** *surt. mot.*, ✍: *two-* ⁓ voiture *f* à deux places, appareil *m* biplace.

sea·ur·chin *zo.* ['siːˈəːtʃin] oursin *m*; **sea·ward** ['⁓wəd] **1.** *adj.* qui porte au large; du large (*brise*); **2.** *adv.* (*a.* **sea·wards** ['⁓z]) vers le large *ou* la mer.

sea...: '**⁓·weed** ♀ algue *f*; varech *m*; '**⁓·wor·thy** navigable; qui tient la mer.

se·ba·ceous ✍ [siˈbeiʃəs] sébacé.

se·cant ♣ ['siːkənt] **1.** sécant; **2.** sécante *f*.

séc·a·teur ✂ ['sekətə:] *usu.* (*a pair of*) ⁓*s pl.* (un) sécateur *m*.

se·cede [siˈsiːd] se séparer, faire scission (*de, from*); **se'ced·er** séparatiste *mf*; *eccl.* dissident(e *f*) *m*.

se·ces·sion [siˈseʃn] scission *f*; sécession *f*; *eccl.* dissidence *f*; **se'ces·sion·ist** sécessioniste *mf*.

se·clude [siˈkluːd] tenir éloigné; **se'clu·sion** [⁓ʒn] solitude *f*, isolement *m*.

sec·ond ['sekənd] **1.** ☐ second; deuxième; autre; *he is* ⁓ *to none* il ne le cède à personne (*pour, in*); *on* ⁓ *thoughts* toute réflexion faite; *the* ⁓ *of May* le deux Mai; *Charles the* ⁓ Charles Deux; **2.** *temps:* seconde *f*; le (la) second(e *f*) *m ou* deuxième *mf*; *box.* second *m*; *duel:* témoin *m*; ✝ ⁓*s pl.* articles *m/pl.* de deuxième qualité; ✝ ⁓ *of exchange* seconde *f* de change; **3.** seconder; appuyer (*des*

débats, des troupes); ✂ [siˈkɔnd] mettre (*un officier*) en disponibilité; détacher; **sec·ond·ar·i·ness** ['sekəndərinis] caractère *m* secondaire *ou* peu important; **'sec·ond·ar·y** ☐ secondaire; auxiliaire; peu *ou* moins important; *see* school[2] 1; **'sec·ond-'best** numéro deux; deuxième; F *come* ⁓ être battu; **'sec·ond·er** *parl.* deuxième parrain *m*; *be the* ⁓ *of a motion* appuyer une proposition; **sec·ond-hand 1.** ['sekənd'hænd] d'occasion; ⁓ *bookseller* bouquiniste *mf*; ⁓ *bookshop* librairie *f* d'occasion; **2.** ['sekəndhænd] aiguille *f* des secondes; trotteuse *f*; **'sec·ond·ly** en second lieu; deuxièmement; **'sec·ond·rate** inférieur(e *f*); de qualité inférieure; ✝ ⁓ *quality* seconde qualité *f*.

se·cre·cy ['siːkrisi] discrétion *f*; secret *m*; **se·cret** ['⁓krit] **1.** ☐ secret (-ète *f*); caché; retiré, isolé; discret (-ète *f*); **2.** secret *m*; *in* ⁓ en secret; *be in the* ⁓ être du *ou* dans le secret.

sec·re·tar·i·at(e) [sekri'tɛəriət] secrétariat *m*.

sec·re·tar·y ['sekrətri] secrétaire *mf*; dactylo *f*; ⁓ *of State* ministre *m*; *Am.* ministre *m* des Affaires étrangères; **'sec·re·tar·y·ship** secrétariat *m*; fonction *f* de secrétaire; *pol.* ministère *m*.

se·crete [siˈkriːt] cacher; ⅋⅋ recéler; *physiol.* sécréter; **se'cre·tion** *physiol.* sécrétion *f*; ⅋⅋ recel *m*; **se'cre·tive** *fig.* réservé, F cachottier (-ère *f*).

sect [sekt] secte *f*; **sec·tar·i·an** [⁓'tɛəriən] sectaire (*a. su./m*).

sec·tion ['sekʃn] section *f* (*a.* ✍, ♣, △, ✍, *typ.*, *zo.*); ✍ groupe *m* de combat; *microscope etc.*: lame *f* mince; △ coupe *f*, profil *m*; *typ.* paragraphe *m*, alinéa *m*; division *f*; tranche *f* (*a. d'oranges*); 🔲 secteur *m*, *Am.* compartiment *m*; *Am. ville:* quartier *m*; **'sec·tion·al** ☐ de classe *ou* parti; en profil, en coupe; ⊕ démontable; ⊕ sectionnel(le *f*); **'sec·tion-mark** paragraphe *m*.

sec·tor ['sektə] ✍, ♣, ⊕, *admin.*, *astr.*, *cin.* secteur *m*; ♣ compas *m* de proportion.

sec·u·lar ☐ ['sekjulə] séculier (-ère *f*); laïque; très ancien(ne *f*); **sec·u·lar·i·ty** [⁓'læriti] mondanité *f*;

laïcité *f*; *clergé*: sécularité *f*; **'sec·u·lar·ize** séculariser; laïciser (*une école*); désaffecter (*une église*).

se·cure [si'kjuə] **1.** □ sûr; assuré; en sûreté; à l'abri (de *against, from*); ferme; **2.** mettre en sûreté *ou* à l'abri (de *from, against*); assurer, fixer, retenir; se procurer; s'emparer de; garantir (*une dette*); nantir (*un prêteur*); ✗ fortifier.

se·cu·ri·ty [si'kjuəriti] sécurité *f*; sûreté *f*; solidité *f*; caution *f*, garantie *f*; **securities** *pl.* titres *m/pl.*, valeurs *f/pl.*; **public securities** *pl.* fonds *m/pl.* d'État.

se·dan [si'dæn] (voiture *f* à) conduite intérieure, limousine *f*; (*a. ~ chair*) chaise *f* à porteur.

se·date □ [si'deit] (re)posé; calme; **se'date·ness** calme *m*; manière *f* posée. [(*a. su./m.*).]

sed·a·tive *usu.* 🏥 ['sedətiv] calmant⸗

sed·en·tar·i·ness ['sedntərinis] sédentarité *f*; vie *f* sédentaire; **'sed·en·tar·y** □ sédentaire (*emploi, oiseau, troupes, vie*); assis.

sedge [sedʒ] 🌿 carex *m*; F joncs *m/pl.*

sed·i·ment ['sedimənt] sédiment *m*; *vin*: lie *f*; 🔬 résidu *m*; *géol.* atterrissement *m*; **sed·i·men·ta·ry** *géol.* [⸗'mentəri] sédimentaire.

se·di·tion [si'diʃn] sédition *f*; **se'di·tious** □ [⸗ʃəs] séditieux (-euse *f*).

se·duce [si'djuːs] séduire; **se'duc·er** séducteur (-trice *f*) *m*; **se·duc·tion** [⸗'dʌkʃn] séduction *f*; **se'duc·tive** □ séduisant.

sed·u·lous □ ['sedjuləs] assidu.

see¹ [siː] [*irr.*] *v/t.* *fig.* comprendre; *I ~* je comprends; *~ about* s'occuper de (*qch.*); *~ through* pénétrer les intentions de (*q.*), pénétrer (*qch.*); *~ to* s'occuper de; veiller à; *v/t.* voir; s'assurer (que, *that*); visiter; accompagner; remarquer; consulter (*le médecin*); comprendre; *~ s.th. done* veiller à ce que qch. soit faite *ou* se fasse; *go to ~ s.o.* aller voir *q.*; rendre visite à *q.*; *~ s.o. home* accompagner *q.* chez lui; *~ off* reconduire, conduire (*un hôte, une visite à la gare etc.*); *~ out* accompagner (*q.*) jusqu'à la porte; mener (*qch.*) à bonne fin; *~ through* assister jusqu'au bout à (*qch.*); soutenir (*q.*) jusqu'au bout; *live to ~* vivre assez longtemps pour voir.

see² [⸗] évêché *m*; archevêché *m*; *Holy ♀* Saint-Siège *m.*

seed [siːd] **1.** grain(e *f*) *m*; *coll.*, *a.* *fig.* semence *f*; † lignée *f*; go (*ou* run) to ~ s'affricher (*terrain*); monter en graine (*plante*); *fig.* se décatir; **2.** *v/t.* semer; enlever la graine de (*un fruit*); *sp.* trier (*les joueurs*); *~ed players* têtes *f/pl.* de série; *v/i.* venir à graine; monter en graine; s'égrener; **'~·bed** *see* seed-plot; **'seed·i·ness** ['⸗inis] état *m* râpé *ou* misérable; F (état *m* de) malaise *f*; **'seed·ling** 🌱 (jeune) plant *m*; **'seed-plot** 🌿 germoir *m*; **seeds·man** ['⸗zmən] grainetier *m*; **'seed·y** râpé, usé; F indisposé, souffrant.

see·ing ['siːiŋ] **1.** *su.* vue *f*, vision *f*; *worth ~* qui vaut la peine d'être vu; **2.** *cj.*: *~ that* puisque, étant donné que.

seek [siːk] [*irr.*] (*a. ~ after, for*) (re)chercher; poursuivre; *be to ~* *fig.* être peu clair; **'seek·er** chercheur (-euse *f*) *m.*

seem [siːm] sembler; paraître; **'seem·ing 1.** □ apparent; soi-disant; **2.** apparence *f*; **'seem·li·ness** bienséance *f*, décence *f*; beauté *f*; **'seem·ly** convenable; agréable à voir.

seen [siːn] *p.p.* de see¹.

seep [siːp] (s'in)filtrer; suinter; **'seep·age** suintement *m*, infiltration *f.*

seer ['siːə] voyant(e *f*) *m*, prophète *m.*

see·saw ['siː'sɔː] **1.** bascule *f*; balançoire *f*; **2.** basculer; *fig.* balancer (*personne*).

seethe [siːð] bouillonner; s'agiter (*a. fig.*); *fig.* grouiller (de, *with*).

seg·ment ['segmənt] Ⓐ *etc.* segment *m*; *orange*: tranche *f.*

seg·re·gate ['segrigeit] (se) séparer.

seine [sein] *filet*: seine *f.*

sei·sin 🏛 ['siːzin] saisine *f.*

seis·mo·graph ['saizməgrɑːf] sismographe *m.*

seize [siːz] *v/t.* saisir (*a. = comprendre*); s'emparer de; ⚓ amarrer (*des cordages*), velter (*un espar*); 🏛, *admin.* confisquer; *v/i.* ⊕ gripper; (se) caler; *~ upon* saisir (*a. fig.*); **'seiz·ing** saisie *f*; empoignement *m*; ⊕ grippage *m*; ⚓ amarrage *m*; **sei·zure** ['⸗ʒə] saisie *f* (*a.* 🏛); 🏥 (attaque *f* d')apoplexie *f.*

sel·dom *adv.* ['seldəm] peu souvent, rarement.

se·lect [si'lekt] **1.** choisir; sélectionner; trier; **2.** choisi; d'élite; très fermé (*cercle*); **se'lec·tion** choix *m*; ♀, *zo.* sélection *f*; ♪ sélection *f* (sur, *from*); emprunté à q., *from s.o.*); morceaux *m/pl.* choisis (de, *from*); **se'lec·tive** □ de sélection; *radio*: sélecteur (-trice *f*); sélectif (-ive *f*); **se·lec·tiv·i·ty** [ˌ'tiviti] *radio*: sélectivité *f*; **se'lect·man** *Am.* membre *m* du conseil municipal (*Nouvelle-Angleterre*); **se'lec·tor** *radio*: sélecteur *m*.

self [self] **1.** *pron.* même; ♀ *ou* F *see* myself; **2.** *adj.* automatique; de même; non mélangé; ♀ de couleur uniforme; **3.** *su.* (*pl.* selves [selvz]) personnalité *f*; moi *m*; *my poor* ~ ma pauvre (petite) personne *f*; **'~-a'base·ment** humiliation *f* de soi-même; **'~-'act·ing** automatique; **'~-'cen·tred**, *Am.* **'~-'centered** égocentrique; **'~-com'mand** maîtrise *f* de soi; sang-froid *m*; **'~-con'ceit** suffisance *f*, vanité *f*; **'~-con'ceit·ed** suffisant, vaniteux (-euse *f*); **'~-'con·fi·dence** confiance *f* en soi; **'~-'con·scious** gêné; contraint; **~-con'tained** [ˌkən'teind] indépendant; réservé (*personne*); ~ *country* pays *m* qui se suffit à lui-même; ~ *flat* appartement *m* indépendant; **~-con'trol** maîtrise *f* de soi; possession *f* de soi-même; **'~-de'fence** défense *f* personnelle; *in* ~ en légitime défense; **'~-de'ni·al** abnégation *f* (de soi); **'~-de·ter·mi'na·tion** libre disposition *f* de soi-même; **'~-'ev·i·dent** évident en soi; **'~-'feed·er** ⊕ fourneau *m* etc. à alimentation automatique; **'~-'in·ter·est** intérêt *m* personnel; **'self·ish** □ égoïste, intéressé; **'self·ish·ness** égoïsme *m*. **self...:** '~-'made: ~ *man* fils *m* de ses œuvres; parvenu *m*; **'~-pos'ses·sion** aplomb *m*, sang-froid *m*; **'~-pres·er'va·tion** conservation *f* de soi-même; **'~-pro'pelled** autopropulsé; **'~-re'gard** respect *m* de soi; **'~-re'li·ance** indépendance *f*; **'~-re'li·ant** indépendant; **'~-'right·eous** pharisaïque; **'~-same** *poét.* identique; **'~-'seek·ing** intéressé, égoïste; **'~-'serv·ice res·tau·rant** restaurant *m* libre-service; '~-

'**start·er** *mot.* (auto)démarreur *m*; '**~-suf'fi·cien·cy** indépendance *f*; suffisance *f*; '**~-'will** obstination *f*, opiniâtreté *f*; '**~-'willed** obstiné, opiniâtre.

sell [sel] [*irr.*] **1.** *v/t.* vendre (*a. fig.*); F tromper; *Am.* F convaincre, persuader; F ~ (*out*) vendre tout son stock de (*qch.*); ♐ ~ *off* solder; liquider; ~ *up* vendre (*q.*); *v/i.* se vendre; être en vente; ♐ ~ *off* (*ou out*) liquider; tout vendre; **2.** F déception *f*; *sl.* blague *f*; **'sell·er** vendeur (-euse *f*) *m*; ♐ *good etc.* ~ article *m* de bonne etc. vente; *best* ~ livre *m* à (gros) succès, best-seller *m*.

selt·zer ['seltsə] (*a.* ~ *water*) eau *f* de Seltz.

sel·vage, **sel·vedge** ['selvidʒ] *tex.* lisière *f*; *géol.* salbande *f*.

se·man·tics [si'mæntiks] *sg.* sémantique *f*.

sem·a·phore ['seməfɔ:] **1.** sémaphore *m*; signal *m* à bras; **2.** transmettre par sémaphore *ou* par signaux à bras.

sem·blance ['sembləns] semblant *m*, apparence *f*.

sem·i... [semi] semi-; demi-; à moitié; mi-; '**~-breve** ♪ ronde *f*; '**~-cir·cle** demi-cercle *m*; '**~-'co·lon** point-virgule (*pl.* points-virgules) *m*; '**~-'fi·nal** *sp.* demi-finale *f*; '**~-man·u'fac·tured** semi-ouvré.

sem·i·nal ['si:minl] séminal (-aux *m/pl.*); *fig.* embryonnaire.

sem·i·nar ['semina:] *univ.* séminaire *m*.

sem·i·nar·y ['seminəri] *fig.* pensionnat *m* (*de jeunes filles*); *eccl.* séminaire *m*.

sem·i·of·fi·cial ['semiə'fiʃl] officieux (-euse *f*), semi-officiel(le *f*).

sem·i·qua·ver ♪ ['semikweivə] double croche *f*.

Sem·ite ['si:mait] Sémite *mf*; **Sem·it·ic** [si'mitik] sémitique.

sem·i·tone ♪ ['semitoun] demi-ton *m*, semi-ton *m*. [voyelle *f*.] **sem·i·vow·el** ['semi'vauəl] semi-)

sem·o·li·na [semə'li:nə] semoule *f*.

sem·pi·ter·nal □ *poét.* [sempi'tə:nl] éternel(le *f*).

semp·stress ['sempstris] (ouvrière *f*) couturière *f*.

sen·ate ['senit] sénat *m*; *univ.* conseil *m* de l'université.

sen·a·tor ['senətə] sénateur *m*; **sen·a·to·ri·al** ⬚ [ˌ~'tɔːriəl] sénatorial (-aux *m/pl.*).

send [send] [*irr.*] *v/t.* envoyer; expédier; diriger (*un coup, une balle*); remettre (*de l'argent*); rendre (*fou etc.*); ∼ s.o. (*gér.*) faire q. (*inf.*); see **pack** 2; ∼ **forth** envoyer (dehors); répandre; émettre; lancer; ⚡ pousser; ∼ **in** faire (r)entrer; envoyer; ∼ **in one's name** se faire annoncer; ∼ **off** expédier; faire partir; envoyer; ∼ **up** faire monter (*a. fig.*); ∼ **word to** s.o. envoyer un mot à q.; *v/i.*: ∼ **for** faire venir, envoyer chercher; **'send·er** envoyeur (-euse *f*) *m*; lettre, télégramme: expéditeur (-trice *f*) *m*; tél. transmetteur *m*; **'send-'off** fête *f* d'adieu; *sl.* recommandation *f*, début *m*.

se·nile ['siːnail] sénile; **se·nil·i·ty** [siˈniliti] sénilité *f*.

sen·ior ['siːnjə] **1.** aîné; plus âgé (que, to); supérieur (à, to); premier (-ère *f*) (*commis etc.*); ⚡ ∼ **partner** associé *m* principal; **2.** aîné(e *f*) *m*; le (la) plus ancien(ne *f*) *m*; supérieur(e *f*) *m*; *Am. univ.* étudiant(e *f*) *m* de quatrième année; **he is my** ∼ **by a year, he is a year my** ∼ il est mon aîné d'un an; **sen·ior·i·ty** [siːniˈɔriti] priorité *f* d'âge; *grade*: ancienneté *f*.

sen·sa·tion [senˈseiʃn] sensation *f* (*a. fig.* = *effet sensationnel*); sentiment *m*, impression *f*; **sen·sa·tion·al** ⬚ sensationnel(le *f*); à sensation (*roman etc.*); **sen·sa·tion·al·ism** recherche *f* du sensationnel.

sense [sens] **1.** sens *m*; sentiment *m*; sensation *f*; intelligence *f*; signification *f*; **common** (*ou* **good**) ∼ sens *m* commun; bon sens *m*; **in one's** ∼s sain d'esprit; **be out of one's** ∼s avoir perdu le sens *ou* la tête; **bring** s.o. **to his** ∼s ramener q. à la raison; **make** ∼ être compréhensible; **make** ∼ **of** arriver à comprendre; **talk** ∼ parler raison; **2.** sentir; *Am.* comprendre.

sense·less ⬚ ['senslis] insensé, déraisonnable, stupide; sans connaissance, inanimé; **'sense·less·ness** stupidité *f*, absurdité *f*; insensibilité *f*.

sen·si·bil·i·ty [sensiˈbiliti] sensibilité *f* (à, to); conscience *f* (de *to*, of);

∼ **to light** sensibilité *f* à la lumière.

sen·si·ble ⬚ ['sensəbl] sensible, perceptible; appréciable; conscient (de, of); raisonnable, sensé, *fig.* pratique; **be** ∼ **of** se rendre compte de (*qch.*); avoir conscience de (*qch.*); **'sen·si·ble·ness** bon sens *m*; intelligence *f*; raison *f*.

sen·si·tive ⬚ ['sensitiv] sensible (à, to); susceptible; ombrageux (-euse *f*) (à l'endroit de, *with regard to*); instable (*marché*); *phot.* sensible (*papier*), impressionnable (*plaque*); **'sen·si·tive·ness, sen·si·tiv·i·ty** [ˌ~'tiviti] sensibilité *f* (à, to).

sen·si·tize *phot.* ['sensitaiz] rendre sensible.

sen·so·ri·al [senˈsɔːriəl], **sen·so·ry** ['ˌsəri] sensoriel(le *f*); des sens.

sen·su·al ⬚ ['sensjuəl] sensuel(le *f*); **'sen·su·al·ism** sensualité *f*; *phls.* sensualisme *m*; **'sen·su·al·ist** sensualiste *mf*; voluptueux (-euse *f*); **sen·su·al·i·ty** [ˌ~'æliti] sensualité *f*.

sen·su·ous ⬚ ['sensjuəs] qui provient des sens; voluptueux (-euse *f*).

sent [sent] *prét. et p.p. de* send.

sen·tence ['sentəns] **1.** ⚖ jugement *m*; condamnation *f*; peine *f*; *gramm.* phrase *f*; **serve one's** ∼ subir sa peine; *see* **life**; **2.** condamner (à, to).

sen·ten·tious [senˈtenʃəs] ⬚ sentencieux (-euse *f*); **sen'ten·tious·ness** caractère *m ou* ton *m* sentencieux.

sen·tient ['senʃnt] sensible.

sen·ti·ment ['sentimənt] sentiment *m*; opinion *f*; sentimentalité *f*; toast *m*; *see* ∼**ality**; **sen·ti·men·tal** ⬚ [ˌ~'mentl] sentimental (-aux *m/pl.*); ∼ **value** valeur *f* affective; **sen·ti·men·tal·i·ty** [ˌ~'tæliti] sentimentalité *f*; sensiblerie *f*.

sen·ti·nel ['sentinl], **sen·try** ['sentri] ⚔ sentinelle *f*; factionnaire *m*. **sen·try...:** **'∼-box** guérite *f*; **'∼-go** faction *f*.

se·pal ⚡ ['siːpəl] sépale *m*.

sep·a·ra·bil·i·ty [sepərə'biliti] séparabilité *f*; **'sep·a·ra·ble** ⬚ séparable; **sep·a·rate 1.** ⬚ ['seprit] séparé, détaché; indépendant; particulier (-ère *f*); ∼ **property** biens *m/pl.* réservés; **2.** ['∼-əreit] (se) séparer; (se) détacher; (se) désunir; *v/t.*: ∼ **o.s. from** se séparer de; rompre

avec; **sep·a'ra·tion** séparation *f* (d'avec q., *from s.o.*); *opt. etc.* écart *m*; **sep·a·ra·tist** ['⁓ərətist] *pol.*, *a. eccl.* séparatiste *mf*; **sep·a·ra·tor** ['⁓reitə] séparateur *m*; classeur *m*; (*a. cream-*⁓) écrémeuse *f*.
se·pi·a *icht.*, *a. peint.* ['si:pjə] sépia *f*.
se·poy ['si:pɔi] cipaye *m* (= *soldat de l'Inde anglaise*).
sep·sis ⚕ ['sepsis] septicémie *f*; putréfaction *f*.
Sep·tem·ber [sep'tembə] septembre *m*.
sep·ten·ni·al □ [sep'tenjəl] septennal (-aux *m/pl.*); ⁓*ly* tous les sept ans.
sep·tic ⚕ ['septik] septique.
sep·tu·a·ge·nar·i·an ['septjuedʒi'nɛəriən] septuagénaire (*a. su.*).
se·pul·chral [si'pʌlkrəl] sépulcral (-aux *m/pl.*); **sep·ul·chre** *poét.* ['sepəlkə] **1.** sépulcre *m*, tombeau *m*; **2.** ensevelir; servir de tombe(au) à; **sep·ul·ture** ['sepəltʃə] sépulture *f*.
se·quel ['si:kwəl] suite *f*; *fig. a.* conséquence *f*; *in the* ⁓ par la suite.
se·quence ['si:kwəns] suite *f*; succession *f*; ordre *m*; ♪, *cartes*, *cin.*: séquence *f*; *cin.* F scène *f*; *gramm.* ⁓ *of tenses* concordance *f* des temps; '**se·quent** conséquent; consécutif (-ive *f*) (à [*up*]*on*, *to*); qui suit.
se·ques·ter [si'kwestə] *see sequestrate*; ⁓ *o.s.* se retirer (de, *from*); ⁓*ed* retiré, isolé; ⚖ en séquestre.
se·ques·trate ⚖ [si'kwestreit] séquestrer (*des biens*), mettre en séquestre; confisquer; **se·ques·tra·tion** [si:kwes'treiʃn] retraite *f*; confiscation *f*; ⚖ séquestration *f*; '**se·ques·tra·tor** ⚖ séquestre *m*.
se·quoi·a ⚘ [si'kwɔiə] séquoia *m*.
se·ragl·io [se'rɑ:liou] sérail *m*.
ser·aph ['serəf], *pl. a.* **-a·phim** ['⁓fim] séraphin *m*; **se·raph·ic** [se'ræfik] (⁓*ally*) séraphique.
Serb [sə:b], **Ser·bi·an** ['⁓jən] **1.** serbe; **2.** *ling.* serbe *m*; Serbe *mf*.
sere *poét.* [siə] flétri, desséché.
ser·e·nade [seri'neid] **1.** ♪ sérénade *f*; **2.** donner une sérénade à.
se·rene □ [si'ri:n] serein, calme, paisible; *titre*: ♀ sérénissime; *Your* ♀ *Highness* votre Altesse *f* sérénissime; **se·ren·i·ty** [si'reniti] sérénité *f* (*a. titre*); calme *m*.

serf [sə:f] serf (serve *f*) *m*; '**serf·age**, '**serf·dom** servage *m*.
serge [sə:dʒ] serge *f*; *cotton* ⁓ sergé *m*.
ser·geant ⚔ ['sɑ:dʒnt] sergent *m*, (*a. police* ⁓) brigadier *m*; '⁓-'**ma·jor** ⚔ adjudant *m*.
se·ri·al □ ['siəriəl] **1.** de série; en série; de reproduction en feuilleton (*droit*); ⁓*ly* en série, par série; en feuilleton; **2.** roman-feuilleton (*pl* romans-feuilletons) *m*.
se·ries ['siəri:z] *sg.*, *a. pl.* série *f*, suite *f* (*a.* ⚗); ⚡ *connect* (*ou join*) *in* ⁓ grouper en série; ⁓ *connexion* montage *m* en série.
se·ri·ous □ ['siəriəs] sérieux (-euse *f*) (= *grave*; *réfléchi*; *sincère*; *gros*, *etc.*); *be* ⁓ ne pas plaisanter; '**se·rious·ness** gravité *f*; sérieux *m*.
ser·jeant *hist.* ['sɑ:dʒnt] (*a.* ⁓ *at law*) avocat *m* (supérieur); *Common* ♀ magistrat *m* de la corporation de Londres; *parl.* ♀-*at-arms* commandant *m* militaire du Parlement.
ser·mon ['sə:mən] sermon *m* (*a fig.*); *catholique*: prône *m*, *protestant*: prêche *m*; '**ser·mon·ize** *v/i.* prêcher; *v/t.* chapitrer; faire la morale à.
se·rol·o·gy ⚕ [siə'rɔlədʒi] sérologie *f*.
se·rous ['siərəs] séreux (-euse *f*).
ser·pent ['sə:pənt] serpent *m*; **ser·pen·tine** ['⁓ain] **1.** serpentin; serpentant; tortueux (-euse *f*); **2.** *min.* serpentine *f*.
ser·rate ['serit], **ser·rat·ed** [se'reitid] dentelé; denté (en scie); **ser'ra·tion** dent(el)ure *f*; *anat.* engrenure *f*.
ser·ried ['serid] serré.
se·rum ['siərəm] sérum *m*.
serv·ant ['sə:vənt] serviteur *m*; domestique *mf*; employé(e *f*) *m*; (*a.* ⁓-*girl ou* ⁓-*maid*) servante *f*, bonne *f*; *see civil*; ⁓*s pl.* domestiques *m/pl.*; personnel *m*; ⁓*s' hall* office *f*; salle *f* commune des domestiques.
serve [sə:v] **1.** *v/t.* servir (*a.* ⚔, ✝, *eccl.*, *tennis*, [*a.* ⁓ *up*] *un mets*); être utile à; contenter; 🚂, *compagnie de gaz*, *etc.*: desservir, traiter (*q.*) (*bien ou mal*); subir, purger (*une peine*); ⚖ ⁓ *a writ on s.o.*, ⁓ *s.o. with a writ* délivrer une assignation à q.; (*it*) ⁓*s him right* cela lui apprendra; *see*

sentence 1; ~ out distribuer (*qch.*); F
faire payer (*qch.* à *q.*, *s.o. s.th.*);
v/i. servir (à, *for*; de, *as*); ⚔ servir
dans l'armée; ⚔ faire la guerre
(sous, *under*); être favorable (*temps*);
~ at table servir à table; ~ on a jury
être du jury; **2.** *tennis*: service *m*;
'**server** *tennis*: serveur (-euse *f*) *m*;
eccl. acolyte *m*.

serv·ice ['sə:vis] **1.** service *m* (*a.* ⚔,
⛴, *domestique, mets, tennis, a. fig.*);
eau, électricité, gaz: distribution *f*;
entretien *m*; *mot.* entretien *m* et
dépannage *m*; *fonctionnaire*: emploi *m*; disposition *f*; (*a. divine* ~)
office *m*, *protestantisme*: service *m*,
culte m; ⛴ *cordage*: fourrure *f*; 🎵
délivrance *f*, signification *f*; 🎵 *etc.*
parcours *m*, ligne *f*; *fig.* utilité *f*;
garniture *f* (*de toilette*); the (*army*)
~s *pl.* l'armée *f*; *public* ~s *pl.* services
m/pl. publics; ⚔ Army ♀ Corps service *m* de l'Intendance, F *le Train*
m; *see civil; be at s.o.'s* ~ être à la
disposition de *q.*; **2.** entretenir et
réparer (*les automobiles etc.*); soigner
l'entretien de; '**serv·ice·a·ble** ☐
utile, pratique; durable, avantageux
(-euse *f*); en état de fonctionner;
utilisable; serviable; '**serv·ice-
a·ble·ness** utilité *f*; état *m* satisfaisant; solidité *f*.

serv·ice...: '~**-ball** *tennis*: balle *f* de
service; '~**-line** *tennis*: ligne *f* de
service *ou* fond; ~ **pipe** ⊕ branchement *m*; ~ **sta·tion** station-
service (*pl.* stations-service) *f*;
'~**-tree** 🌿 cormier *m*.

ser·vile ☐ ['sə:vail] servile (*a. fig.*);
d'esclave; bas(se *f*) (*personne*); vil;
ser·vil·i·ty [~'viliti] servilité *f* (*a.
d'une personne*); bassesse *f*; *copie*:
exactitude *f* trop étroite.

ser·vi·tude ['sə:vitju:d] servitude *f*
(*a.* 🎵); asservissement *m*, esclavage
m; *see penal*.

ses·a·me 🌿, *a. fig.* ['sesəmi] sé-
same *m*.

ses·qui·pe·da·li·an ['seskwipi'deil-
jən] sesquipédale *f*; *fig.* ampoulé,
pédant (*personne*).

ses·sion ['seʃn] session *f* (*a.* 🎵);
séance *f*; *univ.* année *f* universitaire; '**ses·sion·al** de (la) session;
annuel(le *f*).

set [set] **1.** [*irr.*] *v/t.* mettre (*a. le
couvert*), poser (*a. un problème, une
question*); placer; imposer (*une*

tâche); régler (*la montre, a.* ⊕);
mettre (*le réveille-matin*) (sur, *for*);
dresser (*un piège*); donner (*un
exemple*); fixer (*un jour, la mode*); ✂
planter; lancer (*un chien*) (contre
at, on); ajuster; ⊕ redresser (*une
lime*); affiler (*un outil*); affûter (*une
scie*); monter (*une pierre précieuse*;
théâ. le décor); déployer (*la voile*);
mettre en plis (*les cheveux*); 🎵
remettre; ~ *s.o. laughing* provoquer
les rires de *q.*, faire rire *q.*; ~ *the
fashion* lancer la mode; fixer *ou*
mener la mode; ~ *sail* faire voile,
prendre la mer; ~ *one's teeth* serrer les dents; ~ *against* animer *ou*
prévenir contre; ~ *apart*; ~ *aside*
mettre de côté; *fig.* rejeter, laisser
de côté; écarter; 🎵 casser; ~ *at
defiance* défier (*q.*); ~ *at ease*
mettre à son aise; ~ *at liberty* mettre
en liberté; ~ *at rest* calmer; décider
(*une question*); ~ *store by* attacher
grand prix à; ~ *down* (dé)poser;
consigner par écrit; attribuer (à,
to); prendre (*q.*) (pour, *for*); ~ *forth*
énoncer; exposer; formuler; ~ *off*
compenser (par, *against*); faire ressortir, rehausser; faire partir (*une
fusée*); ~ *on* inciter à attaquer;
acharner (contre, *on*); lancer
(contre, *on*); mettre (à *inf.*, *to inf.*);
~ *out* arranger, disposer; étaler;
équiper (*q.*); orner (*q.*); mettre dehors; ~ *up* monter, dresser; fixer;
relever; organiser; fonder; monter
(*un magasin*); occasionner; afficher
(*des prétentions*); mettre en avant;
pousser (*une clameur*); rétablir (*la
santé*); *typ.* ~ *up in type* composer; **2.**
[*irr.*] *v/i.* se coucher (*soleil etc.*); se
prendre; se figer (*gelée etc.*); prendre
racine (*plante*); tomber (*robe etc.*);
devenir fixe; 🎵 se nouer (*a. fruit*);
souffler (*vent*); porter (*marée*);
chasse: tomber en arrêt; ~ *about* se
mettre à (*qch.*); attaquer (*q.*); ~ *forth*
partir; ~ *forward* se mettre en route;
~ *in* commencer; ~ *off* se mettre en
route; partir; ~ *out* se mettre en
route; faire voile; partir; commencer à descendre (*marée*); ~ *to*
se mettre au travail; F en venir aux
coups; ~ *up* se poser (en, *as*);
s'établir (*qch., as s.th.*); ~ *up for*
poser pour; se donner des airs de;
~ (*up*)*on* attaquer; † se mettre à;
3. fixe; résolu; pris; noué, immo-

bile, assigné; prescript; ~ (*up*)on déterminé à; résolu à; ~ *with* orné de;
~ *fair* (au) beau (fixe) (*baromètre*);
hard ~ fort embarrassé; *peint. etc.*
~ *piece* pièce f montée; *théâ.* ferme
f; ~ *ensemble* discours m étudié; 4.
ensemble m; collection f; série f (*a.*
✝); garniture f (*de boutons etc.*; *a. de
toilette etc.*); *porcelaine, linge:* service m; *lingerie, pierres précieuses:*
parure f; *casseroles etc.:* batterie f;
échecs, outils, etc.: jeu m; coterie f,
monde m, bande f; groupe m (*a.*
✝); *scie:* voie f; *cheveux:* mise f en
plis; *radio:* poste m; ✗ plaçon m;
tennis: set m; ⚓ *voiles:* orientation
f; *poét. soleil:* coucher m; *fig.* attaque f; *théâ.* décor m (monté); (*a. ~
scene*) mise f en scène; ~ *of teeth*
denture f; ~ *of false teeth* dentier m.
set·back ['set'bæk] *fig.* échec m; ✝
recul m; mur m en retrait; '**set-
'down** humiliation f; '**set-'off** contraste m; ✝ compensation f; ⚖
reconvention f; △ saillie f; *voyage:*
départ m.
set·tee [se'ti:] canapé m.
set·ter ['setə] *typ.* compositeur m;
poseur m; monteur m *etc.*; *see set 1*;
chasse: chien m d'arrêt, setter m.
set·ting ['setiŋ] mise f (*a.* en musique, *to music*; *a. scie:* en voie;
cheveux: en plis); arrangement m
(*a.* ♪); ♪ ton m; *astr.* coucher m;
monture f (*d'une pierre précieuse*);
spécimen: montage m; *fig.* encadrement m; *théâ.* mise f en scène; *typ.*
composition f; ⊕ calage m; ⊕
installation f; ⊕ *outil:* aiguisage m;
ciment, gelée: prise f; ⚙ *os brisé:*
recollement m; *fracture:* réduction
f; '**~-lo·tion** *cheveux:* fixatif m.
set·tle ['setl] 1. banc m à dossier;
2. *v/t.* fixer; établir; installer; calmer
(*un enfant*); régler (*un compte*); arranger (*une dispute*, ⚖ *un procès*);
résoudre (*une question*); décider; ⚖
assigner (à, *on*); clarifier (*un
liquide*); coloniser (*un pays*); *v/i.*
(*souv.* ~ *down*) s'établir (*p.ex. à
Paris*); se calmer (*enfant, passion*);
(*a.* ~ *o.s.*) s'installer; se poser
(*oiseau*); se tasser (*maison, sol*); ⚓
s'enfoncer; se remettre au beau
(*temps*); (*a.* ~ *up*) s'acquitter (envers, *with*); se clarifier (*liquide*); se
rasseoir (*vin*); se décider (pour, *on*);
se ranger (*conduite, personne*); se

mettre (à, *to*); *it is settling for a
frost* le temps est à la gelée.
set·tled ['setld] sûr (*a. temps*); ⚓
établi (*temps, brise*); enraciné (*idée
etc.*); rangé (*personne*); ✝ réglé; ✝
~*! pour acquit.
set·tle·ment ['setlmənt] établissement m; installation f; *sol etc.:*
tassement m; arrangement m;
problème: solution f; colonie f; ⚖
constitution f de rente (en faveur
de, *on*); ⚖ contrat m; *fig.* accord m;
✝ règlement m; liquidation f; ✝
for ~ à terme.
set·tler ['setlə] colon m; F coup m
décisif.
set·tling ['setliŋ] établissement m
etc.; *see settle 2*; ✝ règlement m.
set...: '**~-'to** dispute f; lutte f; prise
f de bec; '**~-'up** organisation f; *Am.
sl.* affaire f bricolée (*surt. match de
boxe*).
sev·en ['sevn] sept (*a. su./m*); '**sev-
en·fold** 1. *adj.* septuple; 2. *adv.* sept
fois autant; **sev·en·teen(th)** ['~-
'ti:n(θ)] dix-sept(ième) (*a. su./m*);
sev·enth ['~θ] 1. ⃞ septième; 2.
septième m, ♪ f; **sev·en·ti·eth**
['~tiiθ] soixante-dixième (*a. su./m*);
'**sev·en·ty** soixante-dix (*a. su./m*).
sev·er ['sevə] (se) séparer, rompre;
v/t. couper; désunir.
sev·er·al ['sevrəl] ⃞ plusieurs; quelques; divers, séparé, différent; in-
dividuel(le f) (*surt.* ⚖); ⚖ joint
and ~ solidaire; '**sev·er·al·ly** séparément; chacun à soi.
sev·er·ance ['sevərəns] séparation f;
disjonction f (*a.* ⚖).
se·vere ⃞ [si'viə] sévère (*beauté,
personne, regard, style, etc.*); vif
(vive f) (*douleur*); grave (*blessure,
maladie*); intense, violent; rigoureux
(-euse f) (*personne, sentence, climat,
hiver, temps, etc.*); dur; **se·ver·i-
ty** [~'veriti] sévérité f; violence f;
gravité f; rigueur f.
sew [sou] [*irr.*] coudre; brocher (*un
livre*); ~ *up* coudre; faire un point à
(*une robe etc.*).
sew·age ['sju:idʒ] eaux f/pl. d'é-
gouts; ~ *farm* champs m/pl.
d'épandage.
sew·er[1] ['souə] couseur (-euse f) m;
livres: brocheur (-euse f) m.
sew·er[2] ['sjuə] égout m; '**sew·er-
age** système m d'égouts.
sew·ing ['souiŋ] couture f; *livres:*

brochage *m*; ouvrage *m* à l'aiguille; *attr*. à coudre.

sewn [soun] *p.p. de sew.*

sex [seks] sexe *m*; *attr*. sexuel(le *f*); ~ *appeal* sex-appeal *m*; attrait *m*; ~ *education* enseignement *m* de la biologie humaine.

sex·a·ge·nar·i·an [seksədʒi'nɛəriən] sexagénaire (*a. su.*); **sex·en·ni·al** [sek'senjəl] sexennal (-aux *m*/*pl.*); **sex·tant** ['sekstənt] sextant *m*.

sex·ton ['sekstən] sacristain *m*; F fossoyeur *m*; F sonneur *m* (*du glas*).

sex·tu·ple ['sekstjupl] sextuple (*a. su./m*).

sex·u·al □ ['seksjuəl] sexuel(le *f*); ~ *desire* désir *m* sexuel; ~ *intercourse* rapports *m*/*pl*. sexuels, commerce *m* charnel; **sex·u·al·i·ty** [~'æliti] sexualité *f*.

shab·bi·ness ['ʃæbinis] état *m* râpé, pauvreté *f*; mesquinerie *f*; '**shab·by** □ râpé, usé; pauvre; *fig*. mesquin, vilain; *fig*. parcimonieux (-euse *f*).

shack *surt. Am.* [ʃæk] cabane *f*.

shack·le ['ʃækl] **1.** fer *m* (*fig. usu.* ~*s pl.*), entraves *f*/*pl*., contrainte *f*; ⚓ maillon *m* (*de chaine*); ⊕ maillon *m* de liaison; **2.** entraver (*a. fig.*); ⊕ maniller; ⚓ étalinguer (*une an-*\ **shad** *icht.* [ʃæd] alose *f*. [*cre*).∫

shade [ʃeid] **1.** ombre *f*; *fig*. obscurité *f*; *lampe*: abat-jour *m*/*inv*.; *yeux*: garde-vue *m*/*inv*.; *couleur*, *opinion*: nuance *f*; teinte *f*; *Am. fenêtre*: store *m*; *fig*. soupçon *m*, nuance *f*; **2.** *v*/*t*. ombrager; obscurcir (*a. fig.*); *fig*. assombrir; voiler, masquer (*la lumière*); abriter (de, from); *tex. etc.* nuancer; *peint*. ombrer; *dessin etc.*: hachurer; ~ *one's eyes with* mettre (*qch.*) en abat-jour (sur les yeux); ~ *away* (*ou off*) estomper; *v*/*i*. (*ou* ~ *off*) se fondre (en, *qqfois* dans *into*).

shad·i·ness ['ʃeidinis] ombre *f*, ombrage *m*; F aspect *m* louche; réputation *f* louche.

shad·ow ['ʃædou] **1.** ombre *f* (*a. fig.*); *peint.*, *phot*. noir *m*; *see shade*; *police*: filateur (-trice *f*) *m*; ~-*boxing* assaut *m* d'entraînement; *fig*. mauvaise foi *f*; **2.** ombrager; *tex*. chiner; *police*: filer (*q.*); (*usu*. ~ *forth*, *out*) faire pressentir, symboliser; '**shadow·y** ombragé; obscur, ténébreux (-euse *f*); indécis, faible.

shad·y ['ʃeidi] ombragé, à l'ombre; frais (fraîche *f*); F louche; F *be on the* ~ *side of forty* avoir dépassé la quarantaine.

shaft [ʃɑːft] flèche *f* (*a. fig.*); manche *m*; *lance*: hampe *f*; *poét*. lumière: trait *m*; ⊕ arbre *m*; *voitures*: brancard *m*; ⚒ puits *m*.

shag [ʃæg] **1.** ♣ peluche *f*; tabac *m* fort coupé fin; broussaille *f*; † poil *m* touffu; **2.** ébouriffer (*les cheveux*).

shag·gy ['ʃægi] ébouriffé (*cheveux*); touffu (*barbe*); en broussailles (*sourcils*); ♀ poilu. [chagrin *m*.\
sha·green [ʃə'griːn] (peau *f* de)∫ **Shah** [ʃɑː] s(c)hah *m*.

shake [ʃeik] **1.** [*irr*.] *v*/*t*. secouer; agiter; ébranler; *fig*. bouleverser; *fig*. effrayer; ~ *down* faire tomber (*qch.*) en secouant; tasser (*qch.*) en le secouant; *Am. sl.* ~ *s.o. down for* faire cracher (*une somme*) à q.; ~ *hands* serrer la main (à, with); ~ *up* secouer (*a.* F *fig.*); agiter; *v*/*i*. trembler (de, with; devant, at); chanceler; branler (*tête*); ♪ faire des trilles; ~ *down* s'habituer (à, [*in*]to); s'installer; **2.** secousse *f*; tremblement *m* (*Am. de terre*); ♪ trille *m*; hochement *m* (*de tête*); F rien *m* de temps; ~ *of the hand see* ~-*hands*; F *no great* ~*s* bien médiocre, bien peu de chose; '~'**down** lit *m* improvisé; *Am. sl.* extorsion *f*; ⚓ *Am.* ~ *cruise* voyage *m* d'essai; '~-**hands** serrement *m* ou poignée *f* de main; '**shak·en** **1.** *p.p. de shake 1*; **2.** secoué, ébranlé; '**shak·er** secoueur (-euse *f*) *m*; ⊕ secoueur *m*; shaker *m*; *eccl.* ♀ Trembleur (-euse *f*) *m*.

shake-up *Am.* F [ʃeik'ʌp] remaniement *m*; chose *f* improvisée.

shak·i·ness ['ʃeikinis] manque *m* de solidité; tremblement *m*; *voix*: chevrotement *m*; '**shak·y** □ peu solide; chancelant; tremblant; *fig*. véreux (-euse *f*) (*cas*, *compagnie*, *etc.*).

shall [ʃæl] [*irr*.] *v*/*aux*. (*défectif*) *usité pour former le fut.*; *qqfois* je veux *etc*., je dois *etc.*; *promesse*, *menace*: *se traduit par le fut.*

shal·lot ♀ [ʃə'lɔt] échalote *f*.

shal·low ['ʃælou] **1.** peu profond; *fig*. superficiel(le *f*); **2.** bas-fond *m*; **3.** *v*/*t*. rendre *ou* v/*i*. devenir moins profond; '**shal·low·ness** peu *m* de profondeur; *fig*. superficialité *f*.

shalt † [ʃælt] *2ᵉ personne du sg. de shall.*

sham [ʃæm] **1.** faux (fausse *f*), simulé; feint; **2.** feinte *f*, *sl.* chiqué *m*; *personne:* imposteur *m*; **3.** *v/t.* feindre, simuler; faire; *v/i.* faire semblant; jouer une comédie; ∼ *ill* faire le malade.

sham·ble [ʃæmbl] aller à pas traînants.

sham·bles [ʃæmblz] *sg.* abattoir *m*; *fig.* scène *f* de carnage.

sham·bling □ [ʃæmbliŋ] traînant.

shame [ʃeim] **1.** honte *f*; (*for*) ∼! quelle honte!; vous n'avez pas honte!; *cry* ∼ *upon* se récrier contre; *put to* ∼ faire honte à; **2.** faire honte à; humilier; couvrir de honte.

shame·faced □ [ʃeimfeist] honteux (-euse *f*); embarrassé; **'shame·faced·ness** embarras *m*; timidité *f*.

shame·ful □ [ʃeimful] honteux (-euse *f*); **'shame·ful·ness** honte *f*, indignité *f*.

shame·less □ [ʃeimlis] sans honte, éhonté; **'shame·less·ness** effronterie *f*; immodestie *f*.

sham·my [ʃæmi] (peau *f* de) chamois *m*.

sham·poo [ʃæmˈpuː] **1.** (se) dégraisser (*les cheveux*); *v/t.* faire un shampooing à (*q.*); frictionner; **2.** *a.* = **sham'poo·ing** shampooing *m*; *dry* ∼ friction *f*.

sham·rock [ʃæmrɔk] ♣ trèfle *m* d'Irlande (*a. emblème national irlandais*).

shang·hai ⚓ *sl.* [ʃæŋˈhai] embarquer un homme pour l'engager après l'avoir enivré.

shank [ʃæŋk] tige *f*; ⚓ verge *f* (*d'ancre*); queue *f* (*de bouton*); *cuis.* jarret *m* (*de bœuf*), manche *m* (*de gigot de mouton*); jambe *f*; *ride* ∼*s's mare* (*ou pony*) prendre le train onze; *shanked: short-*∼ aux jambes courtes (*personne*).

shan't [ʃɑːnt] = shall not.

shan·ty [ʃænti] cabane *f*, hutte *f*.

shape [ʃeip] **1.** forme *f*; *cost.* coupe *f*; *personne:* taille *f*; *cuis.* moule *m*; crème *f*; *in bad* ∼ en mauvais état; **2.** *v/t.* façonner, former, tailler; ajuster (à, *to*); ∼ *one's course* ⚓ faire (une) route; *fig.* se diriger (vers, *for*); *v/i.* se développer; promettre; **shaped** façonné; en forme de; **'shape·less** informe; difforme;

'shape·li·ness beauté *f* de forme; **'shape·ly** bien fait; beau (bel *devant une voyelle ou un h muet*), belle *f*; beaux *m/pl.*).

share [ʃɛə] **1.** part *f*, portion *f*; contribution *f*; ✝ action *f*, titre *m*, valeur *f*; *charrue:* soc *m*; ✝ *original* (*ou ordinary ou primary*) ∼ *action f* ordinaire; ✝ *preference* (*ou preferred ou priority*) ∼ *action f* privilégiée; *have a* ∼ *in* avoir part à; *go* ∼*s* partager (qch. avec q., *in s.th. with s.o.*); ∼ *and* ∼ *alike* en partageant également; **2.** *v/t.* partager (entre, *among[st]*; avec, *with*); avoir part à (*qch.*); *v/i.* prendre part (à, *in*), participer (à, *in*); **'∼-crop·per** *Am.* métayer (-ère *f*) *m*; **'∼-hold·er** ✝ actionnaire *mf*; **'shar·er** participant(e *f*) *m*.

shark [ʃɑːk] **1.** *icht.* requin *m*; *fig. a.* escroc *m*; *Am. sl.* as *m* (= *expert*); **2.** *v/i.* écornifler.

sharp [ʃɑːp] **1.** *adj.* □ tranchant (*couteau etc.*); aigu(ë *f*) (*pointe*); vif (vive *f*) (*froid*); *fig.* éveillé; rusé; aigre (*fruit*); violent (*douleur*); vert (*vin*, *réprimande*); perçant (*cri*, *œil*); pénétrant (*regard*); fin (*oreille*, *esprit*); net(te *f*) (*profil*); piquant (*goût*, *sauce*); saillant (*angle*); raide (*pente*); prononcé (*courbe*); fort (*averse*, *gelée*); *péj.* peu honnête; ♪ dièse; ♪ *C* = *do m* dièse; **2.** *adv.* ♪ trop haut, en diésant; *F* ponctuellement; *look* ∼! dépêchez-vous!; faites vite!; **3.** *su.* ♪ dièse *m*; *F* escroc *m*; *Am. sl.* as *m*; **'sharp·en** aiguiser (*a. fig. l'appétit*); tailler (*un crayon*); accentuer (*un trait, un contraste*); ♪ diéser; **'sharp·en·er** fusil *m* (à aiguiser); taille-crayon *m/inv.*; **'sharp·er** escroc *m*; *cartes:* tricheur (-euse *f*) *m*; **'sharp·ness** tranchant *m*; pointe *f*; acuité *f*; violence *f*; acidité *f*; *fig.* rigueur *f*.

sharp···: **'∼-set** en grand appétit, affamé; *be* ∼ *on* avoir un vif désir de; **'∼-shoot·er** tirailleur *m*; **'∼-sight·ed** à la vue perçante; *fig.* perspicace; **'∼-wit·ted** éveillé.

shat·ter [ʃætə] (se) fracasser; (se) briser (en éclats); *v/t.* détraquer (*les nerfs, la santé*); briser (*les espérances*).

shave [ʃeiv] **1.** [*irr.*] *v/t.* raser; planer (*le bois*); friser, effleurer; *fig.* rogner; *v/i.* se raser; ∼ *through* se faufiler entre (*les voitures etc.*); **2.** coup *m* à fleur de peau; *give s.o. a* ∼ faire la barbe à q.; *have a* ∼ se (faire) raser; *by a* ∼ d'un iota; tout juste; *to have a close (ou narrow)* ∼ l'échapper belle; '**shav·en** rasé; *a* ∼ *head* une tête *f* rasée; '**shav·er** barbier *m*; rasoir *m* électrique; F *young* ∼ gamin *m*.

Sha·vi·an [ˈʃeivjən] de G.B. Shaw; à la G.B. Shaw.

shav·ing [ˈʃeiviŋ] **1.** action *f* de (se) raser; ∼s *pl. bois*: copeaux *m/pl.*; *métal*: rognures *f/pl.*; **2.** à barbe; '**∼-brush** blaireau *m*; '**∼-mug** plat *m* à barbe.

shawl [ʃɔːl] châle *m*; fichu *m*.

shawm ♪ [ʃɔːm] chalumeau *m*.

she [ʃiː] **1.** elle (*a. accentué*); **2.** femelle *f*; femme *f*; **she-** femelle *f* (*d'un animal*).

sheaf [ʃiːf] (*pl.* **sheaves**) *blé*: gerbe *f*; *papiers*: liasse *f*.

shear [ʃiə] **1.** [*irr.*] tondre; couper; *métall.* cisailler (*une tôle*); *fig.* dépouiller; **2.** (*a pair of*) ∼s *pl.* (des) cisailles *f/pl.*; '**shear·ing** coupage *m*; *moutons*: tonte *f*; *drap*: tondage *m*; ∼s *pl.* tontes *f/pl.* (*de laine*).

sheath [ʃiːθ] gaine *f* (*a. ♀, a. anat.*); *épée*: fourreau *m*; *phot.* châssis *m*; **sheathe** [ʃiːð] mettre au fourreau; rengainer; ♀, *a. ⊕*, revêtir, recouvrir (de, *with*); '**sheath·ing** ⊕ revêtement *m*; enveloppe *f*; chemise *f*; *câble*: gaine *f*.

sheave ⊕ [ʃiːv] rouet *m*; plateau *m* d'excentrique.

sheaves [ʃiːvz] *pl.* de *sheaf*.

she·bang *Am. sl.* [ʃəˈbæŋ] hutte *f*; cabaret *m*, bar *m*; carriole *f*; *the whole* ∼ tout le bazar.

she-bear [ˈʃiːˈbɛə] ourse *f*.

shed[1] [ʃed] [*irr.*] perdre (*ses feuilles, ses dents*); verser (*des larmes, du sang*); répandre (*du sang, de la lumière, a. fig.*); F ∼ *light* on jeter le jour dans.

shed[2] [∼] hangar *m*; ♀ tente *f* à marchandises.

shed·der [ˈʃedə] personne *f* qui répand (*qch.*).

sheen [ʃiːn] *étoffe etc.*: brillant *m*; reflet *m*; chatoiement *m*; '**sheen·y** luisant, brillant.

sheep [ʃiːp] mouton *m*; brebis *f* (*a. fig.*); *coll.* moutons *m/pl.*; *fig.* ∼*'s eyes pl.* yeux *m/pl.* doux; '**∼-cot** *see*

sheep-fold; '**∼-dog** chien *m* de berger; '**∼-fold** parc *m* à moutons; '**sheep·ish** ☐ timide; penaud; '**sheep·ish·ness** timidité *f*; air *m* penaud.

sheep...: '**∼·man** *Am.* éleveur *m* de moutons; '**∼-run** *see* **sheep-walk**; '**∼·skin** peau *f* de mouton; (*a.* ∼ *leather*) basane *f*; '**∼-walk** pâturage *m* pour moutons.

sheer[1] [ʃiə] **1.** *adj.* pur, vrai, véritable; à pic (*a. adv.*), escarpé, abrupt; **2.** *adv.* tout à fait; abruptement; à plomb.

sheer[2] [∼] **1.** ♀ embarder; ∼ *off* ♀ prendre le large; *fig.* s'écarter, s'éloigner; **2.** ♀ embardée *f*.

sheet [ʃiːt] **1.** *métal, papier, verre, etc.*: feuille *f*; *eau etc.*: nappe *f*; *neige*: couche *f*; *lit*: drap *m*; ♀ écoute *f*; ∼ *copper* (*iron*) cuivre *m* (fer *m*) en feuilles; ∼ *glass* verre *m* à vitres; ∼ *steel* tôle *f* d'acier; **2.** couvrir d'un drap; *fig.* recouvrir; '**∼-an·chor** ♀ ancre *f* de veille (*fig.* de salut); '**sheet·ing** *tex*, toile *f* pour draps; ⊕ tôles *f/pl.*; '**sheet-light·ning** éclairs *m/pl.* en nappe *ou* de chaleur.

sheik(h) [ʃeik] cheik *m*.

shelf [ʃelf] (*pl.* **shelves**) rayon *m*; planche *f*; *four, a. géog.*: plateau *m*; rebord *m*; écueil *m*; banc *m* de sable; *fig.* on the ∼ au rancart; en passe de devenir vieille fille; *fig.* get on the ∼ coiffer sainte Catherine (*femme*).

shell [ʃel] **1.** coquille *f* (*vide*); *œuf*: coque *f*; *huîtres*: écaille *f*; *homard etc.*: carapace *f*; *pois*: cosse *f*; ⊕ paroi *f*; *métall.* manteau *m*; ⚔ obus *m*; classe *f* intermédiaire; cercueil *m*; *maison*: carcasse *f*; **2.** écaler; écosser; ⚔ bombarder; *sl.* ∼ *out* débourser; payer (*la note etc.*).

shel·lac [ʃeˈlæk] gomme *f* laque.

shell-cra·ter [ˈʃelkreitə] cratère *m*, entonnoir *m*; **shelled** [ʃeld] à coquille *etc.*

shell...: '**∼-fire** tir *m* à obus; '**∼-fish** coquillage *m*; crustacé *m*; '**∼-proof** à l'épreuve des obus; blindé; '**∼-work** coquillages *m/pl.*

shel·ter [ˈʃeltə] **1.** abri *m*; asile *m*; *fig.* protection *f*; *in the (ou under)* ∼ *of* à l'abri de; **2.** *v/t.* abriter; donner asile à; *v/i.* (*a.* ∼ *o.s.*) s'abriter; '**shel·ter·less** sans abri *etc.*

shelve[1] [ʃelv] garnir de rayons; mettre sur un rayon; *fig.* remettre, ajourner; *fig.* mettre au rancart, remiser (*q.*); F classer (*une question*).

shelve[2] [~] aller en pente douce.

shelves [ʃelvz] *pl. de* shelf.

shelv·ing [ʃelviŋ] **1.** rayons *m/pl.*; **2.** en pente.   [mystification *f.*]

she·nan·i·gan *Am.* F [ʃi'nænigən])

shep·herd [ʃepəd] **1.** berger *m*; **2.** garder (*des moutons*); **'shep·herd·ess** bergère *f.*

sher·bet [ʃəːbət] sorbet *m* (= *sorte de boisson à demi glacée*); (*a.* ~*pow·der*) limonade *f* (sèche).

sher·iff *Angl.* [ʃerif] chérif *m* (= *préfet*); *Am.* chef *m* de la police.

sher·ry [ʃeri] vin *m* de Xérès, cherry *m.*

shew † [ʃou] *see* show 1.

shib·bo·leth *fig.* [ʃibələθ] doctrine *f*; mot *m* d'ordre.

shield [ʃiːld] **1.** bouclier *m*; *fig.* défense *f*; △ écu *m*; **2.** protéger (contre *from*, *against*); **'shield·less** sans bouclier; *fig.* sans défense.

shift [ʃift] **1.** changement *m*; moyen *m*; expédient *m*; échappatoire *f*; ⊕ équipe *f*; ⊕ journée *f* (de travail); † chemise *f* (*de femme*); *make* ~ s'arranger (pour *inf.*, *to inf.*; avec, *with*); trouver moyen (de, *to*); *make* ~ *without* se passer de; *make* ~ *to live* arriver à vivre; **2.** *v/t.* changer (de place *etc.*); ⚓ changer (*une voile*); déplacer (*a.* ⚓ *la cargaison*); *v/i. Am. mot.* changer de vitesse; changer de place; bouger, se déplacer; changer (*scène*); tourner (*vent*); ⚓ se désarrimer (*cargaison*); F (*a.* ~ *for o.s.*) se débrouiller; **'shift·ing** □ qui se déplace; mobile; ~ *sands pl.* sables *m/pl.* mouvants; **'shift·less** □ sans ressources; peu débrouillard; *fig.* futile; **'shift·y** □ sournois, peu franc(he *f*); fuyant (*yeux*); louche; † peu solide.

shil·ling [ʃiliŋ] shilling *m*; *take the King's* ~ s'engager; *fig. cut s.o. off with a* ~ déshériter q.

shil·ly-shal·ly [ʃiliʃæli] **1.** barguignage *m*; **2.** barguigner.

shim·mer [ʃimə] miroiter, chatoyer.

shim·my[1] *Am. sl.* [ʃimi] *danse:* shimmy *m.*

shim·my[2] F [~] chemise *f* (de femme).

shin [ʃin] **1.** (*ou* ~*-bone*) tibia *m*; **2.**: ~ *up* grimper à.

shin·dy F [ʃindi] chahut *m*, tapage *m.*

shine [ʃain] **1.** éclat *m*; brillant *m*; F *take the* ~ *out of s.o.* éclipser q.; *Am. sl. take a* ~ *to* s'enticher de; **2.** [*irr.*] *v/i.* briller (*a. fig.*); (re)luire; ~ *on* éclairer; *v/t.* (*a.* ~ *up*) polir; cirer.

shin·er *sl.* [ʃainə] pièce *f* d'or; œil *m* poché.

shin·gle[1] [ʃiŋgl] **1.** △ bardeau *m*; *cheveux:* coupe *f* à la garçonne; *Am.* petite enseigne *f*; **2.** couvrir de bardeaux; couper à la garçonne.

shin·gle[2] [~] galets *m/pl.*; plage *f* à galets.

shin·gles ✱ [ʃiŋglz] *pl.* zona *m*, F ceinture *f.*

shin·gly [ʃiŋgli] couvert de galets.

shin·y □ [ʃaini] brillant, luisant.

ship [ʃip] **1.** (*usu. f.*) navire *m*; vaisseau *m*; ~*'s company* équipage *m*; **2.** *v/t.* embarquer; ⚓ (*souv.* ~ *off*) mettre à bord, expédier; ⚓ mettre en place, monter; ⚓ rentrer (*les avirons*); recruter (*des marins*); ~ *a sea* embarquer un coup de mer; *v/i.* s'embarquer; armer (sur, *on* [*board*]) (*marin*); **'~·board**: ⚓ *on* ~ à bord; **'~·build·er** constructeur *m* de navires; **'~·build·ing** construction *f* navale; **'~·ca·nal** canal *m* maritime; **'~·chan·dler** fournisseur *m* de navires; **'~·chan·dler·y** fournitures *f/pl.* de navires; **'ship·ment** embarquement *m*, mise *f* à bord; envoi *m* par mer; chargement *m* (= *choses embarquées*); **'ship·own·er** armateur *m*; **'ship·per** affréteur *m*; expéditeur *m*; **'ship·ping 1.** embarquement *m*; navires *m/pl.*; marine *f* marchande; **2.** d'embarquement; maritime; de navigation; d'expédition.

ship...: **'~·shape** bien tenu (*a. fig.*); en bon ordre; **'~·wreck 1.** naufrage *m*; **2.** *v/t.* faire naufrager; *v/i.* (*a. be* ~*ed*) faire naufrage; **'~·wrecked** naufragé; **'~·wright** charpentier *m* de navires; **'~·yard** chantier *m* de constructions navales.

shire [ʃaiə; *mots composés* ʃiə] comté *m*; ~ *horse* cheval *m* de gros trait.

shirk [ʃəːk] *v/t.* se dérober à, négliger, esquiver; *v/i.* négliger son devoir; **'shirk·er** carotteur (-euse *f*) *m.*

shirt [ʃəːt] chemise *f* (d'homme, *a.*

⊕); (a. ~-blouse) chemisier m;
Am. sl. keep one's ~ on ne pas se
fâcher ou s'emballer; 'shirt·ing
⚑ shirting m (toile pour chemises);
'shirt-sleeve 1. manche f de chemise; 2. en bras de chemise;
fig. sans cérémonie; surt. Am. ~
diplomacy diplomatie f franche et
honnête; 'shirt·y sl. irritable.

shiv·er¹ ['ʃivə] 1. fragment m; break
to ~s = 2. (se) briser en éclats.

shiv·er² [~] 1. frisson m; F the ~s pl.
la tremblote f; it gives me the ~s
ça me donne le frisson, ça me fait
trembler; 2. frissonner, grelotter;
have a ~ing fit être pris de frissons; 'shiv·er·y tremblant; fiévreux
(-euse f).

shoal¹ [ʃoul] 1. poissons: banc m
voyageur; fig. multitude f; 2. se réunir en ou aller par bancs.

shoal² [~] 1. haut-fond (pl. hauts-
fonds) m; 2. diminuer de fond;
3. (a. 'shoal·y) plein de hauts-
fonds.

shock¹ ⚔ [ʃɔk] moyette f.

shock² [~] 1. choc m (a. ☆, ⊕, ✕);
✕ assaut m; secousse f (a. ⚡); coup
m; mot. road ~s pl. cahots m/pl.; 2.
fig. choquer, scandaliser; bouleverser; offenser; ~ed at choqué de,
scandalisé par.

shock³ [~]: ~ of hair tignasse f.

shock-ab·sorb·er mot. ['ʃɔkəbsɔːbə]
amortisseur m (de chocs); pare-
chocs m/inv.

shock·er sl. ['ʃɔkə] (qqfois shilling ~)
roman m à gros effets.

shock·ing □ ['ʃɔkiŋ] choquant;
affreux (-euse f); abominable.

shock-treat·ment ['ʃɔk'triːtmnt]
traitement m (de) choc.

shod [ʃɔd] prét. et p.p. de shoe 2.

shod·dy ['ʃɔdi] 1. tex. drap m de
laine d'effilochage; fig. camelote f;
pacotille f; 2. d'effilochage; de
camelote; de pacotille; surt. Am.
~ aristocracy parvenus m/pl.

shoe [ʃuː] 1. soulier m; cheval: fer m;
⊕ sabot m; traîneau, piston: patin
m; 2. [irr.] chausser; ferrer; garnir
d'un patin etc.; '~-black cireur m;
'~-black·ing cirage m ou crème f
pour chaussures; '~-horn chausse-
pied m; corne f; '~-lace lacet m;
'~-mak·er cordonnier m; '~-
string Am. lacet m; surt. Am. F
minces capitaux m/pl.

shone [ʃɔn] prét. et p.p. de shine 2.

shoo [ʃuː] chasser (des oiseaux).

shook [ʃuk] prét. de shake 1.

shoot [ʃuːt] 1. rivière: rapide m; ✗
rejeton m, pousse f; partie f de
chasse; chasse f gardée; ✕ (concours m de) tir m; tex. duite f; ✕
couloir m; fig. jaillissement m;
2. [irr.] v/t. tirer (une arme à feu,
les manchettes); fusiller; tuer; chasser (le gibier); fig. passer rapidement sous (un pont); darder (des
rayons, fig. un regard); décharger;
(a. ~ out) ⚡ pousser, pousser (le
verrou); phot. prendre un instantané de; tourner (un film); sp. marquer (un but); sp. shooter; mot.
brûler (les feux); franchir (un
rapide); v/i. tirer (sur, at); viser;
fig. se précipiter, s'élancer; élancer
(douleur); (a. ~ forth) pousser; ~
ahead aller rapidement en avant;
~ ahead of devancer (q.) rapidement.

shoot·er ['ʃuːtə] tireur (-euse f) m;
sp. marqueur m de but.

shoot·ing ['ʃuːtiŋ] 1. tir m; chasse f;
fusillade f; '~-ground (ou ~-range)
champ m de tir; go ~ aller à la
chasse; ~ of a film prise f de vue;
tournage m; 2. lancinant (douleur);
~ star étoile f filante; '~-box pavillon m de chasse; muette f; '~-brake
canadienne f.

shop [ʃɔp] 1. boutique f; magasin m;
bureau m (de tabac); F métier m,
affaires f/pl.; talk ~ parler boutique;
2. (usu. F go ~ping) faire des achats;
'~-keep·er boutiquier (-ère f) m;
marchand(e f) m; '~-lift·er voleur
(-euse f) m à l'étalage; '~-man
commis m de magasin; ⊕ homme m
d'atelier; 'shop·ping achats m/pl.;
emplettes f/pl.; ~ centre quartier m
commerçant; Christmas ~ emplettes f/pl. de Noël; 'shop·py F qui
sent la boutique; à l'esprit boutiquier.

shop...: '~-soiled ⚑ défraîchi; '~-
stew·ard délégué m (syndical)
d'atelier; '~-walk·er chef m de
rayon; inspecteur (-trice f) m; '~-
'win·dow vitrine f; devanture f.

shore¹ [ʃɔː] rivage m, bord m; côte
f; ⚓ terre f; on ~ à terre.

shore² [~] 1. étai m, appui m; 2.: ~
up étayer; buter.

shorn [ʃɔːn] p.p. de shear 1; fig. ~ of
dépouillé de (qch.).

short [ʃɔːt] **1.** *adj.* court; de petite taille; bref (brève *f*); insuffisant; *fig.* brusque, cassant; *cuis.* croquant; aigre (*métal*); revêche (*fer*); *see cir-cuit;* ~ *waves pl.* petites ondes *f/pl.; radio:* ondes *f/pl.* courtes; *by a* ~ *head turf:* de justesse; *fig.* tout juste; *nothing* ~ *of* ni plus ni moins; *come* (*ou fall*) ~ *of* rester au-dessous de (*qch.*); manquer à; ne pas être à la hauteur de (*q.*); ne pas atteindre; *fall* (*ou run*) ~ manquer; s'épuiser (*provisions*); *go* ~ *of* se priver de; **2.** *adv.* court; brusquement; ~ *of* sauf; à moins de; ~ *of London* à quelque distance de Londres; ~ *of lying* à moins de mentir; *cut* ~ couper la parole à (*q.*); *stop* ~ *of* s'arrêter au seuil de; ne pas aller jusqu'à; **3.** *su. gramm.* voyelle *f* brève; *cin.* court métrage *m;* ⚡ court-circuit (*pl.* courts-circuits) *m;* F ~*s pl.* culotte *f* de sport; short *m; in* ~ bref, en un mot; **4.** *v/t. see* ~*-circuit;* '**short·age** manque *m*, insuffisance *f;* disette *f; admin.* crise *f;* ✝ déficit *m.*

short...: '~*·cake* sablé *m;* '~'*circuit* ⚡ court-circuiter; ~'*com·ing* défaut *m*, imperfection *f;* manque *m;* ~ *cut* chemin *m* de traverse; raccourci *m;* '~'*dat·ed* ✝ à courte échéance; ~'*dat·en* v/t. raccourcir; abréger; *v/i.* (se) raccourcir; se resserrer; diminuer; '**short·en·ing** raccourcissement *m;* abrégement *m; cuis.* matière *f* grasse.

short...: '~*·fall* déficit *m;* '~*·hand* sténographie *f;* ~ *writer* sténographe *mf;* '~'*hand·ed* à court personnel; '~'*lived* qui vit peu de temps; passager (-ère *f*), éphémère; '**short·ly** *adv.* brièvement; bientôt; brusquement; '**short·ness** brièveté *f;* taille: petitesse *f;* brusquerie *f;* manque *m.*

short...: '~*·run* de courte durée; '~'*sight·ed* myope; *fig.* imprévoyant; '~'*tem·pered* irascible; vif (vive *f*); '~'*term* ✝ à court terme; '~*·wave radio:* sur ondes courtes; '~'*wind·ed* à l'haleine courte.

shot[1] [ʃɔt] **1.** *prét. et p.p. de* shoot 2; **2.** chatoyant (*soie*).

shot[2] [~] coup *m* (*a. fig., a. sp.*); *revolver:* coup *m* de feu; (*usu.* ~ *pl.*) plomb *m;* F tireur (-euse *f*) *m;*

chasseur *m; sp.* shot *m; phot.* prise *f* de vue; *cin.* plan *m;* ⚡ piqûre *f; sl. alcool:* goutte *f; fig.* essai *m; have a* ~ *at* essayer (*qch.*); F *not by a long* ~ tant s'en faut; pas à beaucoup près; *within* (*out of*) ~ (hors de) portée; F *like a* ~ comme un trait; avec empressement; F *fig.* big ~ grosse légume *f* (= *per-sonnage important*); *make a bad* ~ rater son coup; *fig.* deviner faux; '~*·gun* fusil *m* de chasse; F ~ *marriage* mariage *m* forcé; '~*·proof* à l'épreuve des balles.

shot·ten her·ring [ˈʃɔtnˈheriŋ] hareng *m* guais.

should [ʃud] *prét. de* shall (*a. usité pour former le cond.*).

shoul·der [ˈʃouldə] **1.** épaule *f;* ⊕ épaulement *f;* *give s.o. the cold* ~ battre froid à q., tourner le dos à q.; *put one's* ~ *to the wheel* se mettre à l'œuvre; donner un coup d'épaule; *rub* ~*s with* s'associer avec, côtoyer; ~ *to* ~ côte à côte; **2.** pousser avec *ou* de l'épaule; mettre sur l'épaule; *fig.* endosser; ✗ porter (*l'arme*); '~*·blade anat.* omoplate *f;* '~*·knot* nœud *m* d'épaule (*a.* ✗); '~*·strap* bretelle *f; dames, a.* ✗: patte *f* d'épaule; ✗ *uniforme:* attente *f.*

shout [ʃaut] **1.** cri *m;* clameur *f; rire:* éclat *m; sl. boisson:* tournée *f;* **2.** *v/i.* pousser des cris, crier; hurler (*de douleur*); *v/t.* ~ *down* huer (*q.*).

shove [ʃʌv] **1.** poussée *f*, coup *m* d'épaule; **2.** pousser; bousculer; fourrer (qch. dans qch., *s.th. in*[to] *s.th.*).

shov·el [ˈʃʌvl] **1.** pelle *f;* **2.** pelleter; '~*·board* jeu *m* de galets.

show [ʃou] **1.** [*irr.*] *v/t.* montrer, faire voir; manifester; faire (*misé-ricorde à q.*); témoigner (de); laisser paraître; indiquer; représenter; *cin.* présenter; prouver; exposer (*des peintures, des raisons, etc.*); ~ *forth* proclamer; ~ *in* introduire; faire entrer; ~ *off* faire valoir *ou* ressortir; faire parade de; ~ *out* reconduire; ~ *up* faire monter; révéler; faire ressortir; démasquer; *v/i.* (*a.* ~ *up ou forth*) ressortir, se détacher; se montrer, se laisser voir; ~ *off* parader; se donner des airs; *sl.* faire de l'épate; **2.** spectacle *m;* étalage *m;* exposition *f;* concours *m; mot.* salon *m;* parade *f*, ostentation *f;*

semblant *m*; *sl.* affaire *f*; ~ of hands vote *m* à mains levées; *dumb* ~ pantomime *f*; jeu *m* muet; *on* ~ exposé; *sl.* run the ~ diriger l'affaire; être le manitou de l'affaire; '~-card pancarte *f*; étiquette *f*; '~-case montre *f*, vitrine *f*; '~-down *cartes*: étalement *m* de son jeu; *fig.* mise *f* au jour de ses projets *etc.*; come to a ~ en venir au fait et au prendre.

show-er ['ʃauə] 1. averse *f*; ondée *f*; grêle, neige; giboulée *f*; *fig.* volée *f*, pluie *f*; 2. *v/t.* verser; *fig.* accabler (de, with), combler (de, with); *v/i.* pleuvoir; '~-bath ['~bɑːθ] bain-douche (*pl.* bains-douches) *m*; douche *f*; 'show-er-y de giboulées; pluvieux (-euse *f*).

show-i-ness ['ʃouinis] prétention *f*; ostentation *f*; 'show-man montreur *m* de curiosités; forain *m*; F passé maître *m* pour la mise en scène; 'show-man-ship art *m* de la mise *f* en scène; shown [ʃoun] *p.p. de* show 1; 'show-room salon *m* d'exposition; 'show-win-dow *surt. Am.* vitrine *f*; étalage *m*; devanture *f*; 'show-y □ fastueux (-euse *f*); prétentieux (-euse *f*); voyant.

shrank [ʃræŋk] *prét. de* shrink.

shrap-nel ⚔ ['ʃræpnl] shrapnel *m*.

shred [ʃred] 1. brin *m*; lambeau *m*; petit morceau *m*; *fig.* parcelle *f*, grain *m*; 2. [*irr.*] déchirer en lambeaux *ou* en morceaux.

shrew [ʃruː] *zo.* (*a.* ~-mouse) musaraigne *f*; *personne*: mégère *f*, femme *f* criarde.

shrewd □ [ʃruːd] pénétrant, sagace; fin; *have a* ~ *idea* être porté à croire (que, *that*); 'shrewd-ness perspicacité *f*; pénétration *f*.

shrew-ish □ ['ʃruːiʃ] acariâtre.

shriek [ʃriːk] 1. cri *m* perçant; éclat *m* (*de rire*); 2. pousser un cri aigu.

shriev-al-ty ['ʃriːvəlti] fonctions *f/pl.* de shérif.

shrill [ʃril] 1. □ aigu(ë *f*), perçant; 2. *v/i.* pousser un son aigu; *v/t.* (*a.* ~ *out*) chanter *ou* crier (*qch.*) d'une voix aiguë.

shrimp [ʃrimp] *zo.* crevette *f*; *fig.* petit bout *m* d'homme.

shrine [ʃrain] châsse *f*; reliquaire *m*; tombeau *m* (de saint[e]).

shrink [ʃriŋk] [*irr.*] *v/i.* se contracter; se rétrécir (*tissu*); se rapetisser; (*a.* ~*back*) reculer (devant qch., *from s.th.*; à *inf.*, *from gér.*); *v/t.* contracter (*un métal*); (faire) rétrécir (*un tissu*); ~ *with age* se tasser; 'shrink-age rétrécissement *m*; contraction *f* (*a. cin.*); *fig.* diminution *f*.

shriv-el ['ʃrivl] (*a.* ~ *up*) (se) ratatiner; *fig.* (se) dessécher.

shroud[1] [ʃraud] 1. linceul *m*; *fig.* voile *m*; ⊕ blindage *m*; ⊕ bandage *m*; 2. ensevelir; *fig.* envelopper.

shroud[2] ⚓ [~] hauban *m*.

Shrove-tide ['ʃrouvtaid] jours *m/pl.* gras; **Shrove Tues-day** mardi *m* gras.

shrub [ʃrʌb] arbrisseau *m*; arbuste *m*; **shrub-ber-y** ['~əri] bosquet *m*; plantation *f* d'arbustes; 'shrub-by ressemblant à un arbuste.

shrug [ʃrʌg] 1. hausser (les épaules); 2. haussement *m* d'épaules.

shrunk [ʃrʌŋk] *p.p. de* shrink; 'shrunk-en *adj.* contracté; rétréci; ratatiné (*figure etc.*).

shud-der ['ʃʌdə] 1. frissonner, frémir (de, with); 2. frisson *m*, frémissement *m*.

shuf-fle ['ʃʌfl] 1. *v/t.* traîner (*les pieds*); brouiller; battre (*les cartes*); ~ *away* faire disparaître (*qch.*); ~ *off* se débarrasser de; rejeter (*qch.*) (*sur, upon, on, to*); ôter (*qch.*) à la hâte; *v/i.* traîner les pieds; avancer en traînant les pieds; *fig.* équivoquer, tergiverser; ~ *through* faire un travail tant bien que mal; 2. pas *m/pl.* traînants; marche *f* traînante; *cartes*: battement *m*; *fig.* équivocation *f*; faux-fuyant *m*; 'shuf-fler personne *f* qui bat les cartes; *fig.* tergiversateur (-trice *f*) *m*; 'shuf-fling □ traînant (*pas*); *fig.* équivoque; *fig.* tergiversateur (-trice *f*).

shun [ʃʌn] fuir, éviter.

shunt [ʃʌnt] 1. 🚂 garage *m*; 🚂 changement *m* de voie; ⚡ shunt *m*; 2. *v/t.* 🚂 manœuvrer, garer; *fig.* détourner; ⚡ shunter; ~ *with care* défense de tamponner!; *v/i.* 🚂 se garer; *fig.* s'esquiver; 'shunt-er 🚂 gareur *m*; *sl.* pousseur (-euse *f*) *m*; 'shunt-ing yard 🚂 chantier *m* de voies de garage et de triage.

shut [ʃʌt] [*irr.*] *v/t.* fermer; ~ *one's eyes to* fermer les yeux sur; se refuser à; ~ *down* fermer (*une usine*); couper (*la vapeur*); arrêter (*le*

moteur); ~ *in* enfermer; entourer
(de, *by*); se pincer (*le doigt*) dans;
~ *into* enfermer dans; ~ *out* exclure;
~ *up* enfermer; F faire taire (*q.*); ~ *up*
shop sl. fermer boutique; *v/i.* (se)
fermer; F ~ *up!* taisez-vous!, *sl.* la
ferme!; '~**-down** fermeture *f*;
chômage *m*; ~'**out** *sp. Am.* victoire *f*
écrasante; '**shut·ter** volet *m*; *phot.*
obturateur *m*; *instantaneous* ~ obturateur *m* instantané.

shut·tle ['ʃʌtl] **1.** *tex.*, *a.* 🚂 navette
f; ~ *train* train *m* qui fait la navette;
2. faire la navette; '~**-cock** volant *m*.

shy[1] [ʃai] **1.** □ timide; farouche
(*animal*); ombrageux (-euse *f*)
(*cheval*); be (F *fight*) ~ *of* (*gér.*) hésiter
à (*inf.*); *sl.* I'm ~ *ten pounds* il me
manque dix livres; je suis en perte
de dix livres; **2.** prendre ombrage
(de, *at*) (*a. fig.*); faire un écart.

shy[2] F [~] **1.** lancer (une pierre);
2. *at* ~ tentative *f* (pour faire qch.,
at s.th.); *have a* ~ *at* s'essayer à.

shy·ness ['ʃainis] timidité *f*.

shy·ster *sl.*, *surt. Am.* ['ʃaistə] homme *m* d'affaires véreux; avocassier
m.

Si·a·mese [saiə'mi:z] **1.** siamois;
2. *ling.* siamois *m*; Siamois(e *f*) *m*.

Si·be·ri·an [sai'biəriən] **1.** sibérien(ne *f*), de Sibérie; **2.** Sibérien(ne *f*) *m*.

sib·i·lant ['sibilənt] **1.** □ sifflant; 🎵
sibilant; **2.** *gramm.* sifflante *f*.

sib·yl·line [si'bilain] sybillin.

Si·cil·ian [si'siljən] **1.** sicilien(ne *f*);
2. Sicilien(ne *f*) *m*.

sick [sik] malade (de *of*, *with*); *fig.*
las(se *f*), dégoûté (de, *of*); *be* ~
vomir; *feel* ~ avoir mal au cœur;
go ~ se faire porter malade; '~**-bed**
lit *m* de malade; '~**-cer·tif·i·cate**
attestation *f* de médecin; '**sick·en**
v/i. tomber malade; languir (*plante*);
fig. se lasser (de qch., *of s.th.*); ~ *at*
être écœuré à la vue de *ou* de voir;
v/t. rendre malade; dégoûter;
'**sick-fund** caisse *f* de maladie;
'~**-in·sur·ance** assurance-maladie *f*.

sick·le ['sikl] faucille *f*.

sick-leave ['sikli:v] congé *m* de maladie; '**sick·li·ness** mauvaise santé
f, état *m* maladif; pâleur *f*; *odeur*
etc.: caractère *m* écœurant; *climat*:
insalubrité *f*; étiolé (*plante*); pâle; fade;
écœurant (*odeur etc.*); malsain, in-

salubre (*climat*); '**sick·ness** maladie
f; mal *m*; nausées *f/pl.*

side [said] **1.** *usu.* côté *m*; flanc *m*;
pente *f*; bord *m*; *sp.* camp *m*, équipe
f; *pol. etc.* parti *m*; ~ *by* ~ côte à
côte, ⚓ bord à bord; *fig.* en plus
(de, *with*); ~ *by* ~ *with* à côté de; *at*
(*ou by*) *s.o.'s* ~ à côté de q.; *Am.* on
the ~ par-dessus le marché; **2.** latéral (-aux *m/pl.*), de côté; secondaire; **3.** prendre parti (pour, *with*);
se ranger du côté (de, *with*); '~**-arms** *pl.* ⚔ armes *f/pl.* blanches;
'~**-board** buffet *m*; *Am. sl.* ~s *pl.*
favoris *m/pl.*; '~**-car** *mot.* side-car
m; '**sid·ed** *four-*~ à quatre faces.

side...: '~**-face** profil *m*; *attr.* de
profil; '~**-light** fenêtre *f* latérale;
mot. feu *m* de côté; *fig.* aperçu *m*
indirect; '~**-line** 🚂 voie *f* secondaire; *fig.* occupation *f* secondaire;
'~**-long** **1.** *adv.* de côté; obliquement; **2.** *adj.* de côté, en coulisse
(*a. fig.*); '~**-path** sentier *m* de côté;
chemin *m* de traverse.

si·de·re·al *astr.* [sai'diəriəl] sidéral
(-aux *m/pl.*).

side...: '~**-sad·dle** selle *f* de dame;
'~**-slip** ✈ glisser sur l'aile; *mot.*, *a.*
cycl. déraper; '~**-split·ting** homérique (*rire*), F désopilant; '~**-step**
1. pas *m* de côté; **2.** *v/i.* faire un pas
de côté; *v/t. fig.* éviter; '~**-stroke**
nage *f* sur le côté; '~**-track 1.** 🚂 voie
f secondaire *ou* de service; **2.** garer
(*un train*); aiguiller (*un train*) sur
une voie de service; *souv. Am. fig.*
détourner; '~**-walk** *surt. Am.* trottoir
m; '**side·ward** ['~wəd] **1.** *adj.* latéral
(-aux *m/pl.*), de côté; **2.** *adv.* (*a.*
side·wards ['~z], '**side·ways**
['~weiz], '**side·wise**) de côté.

sid·ing 🚂 ['saidiŋ] voie *f* de garage
ou de service; embranchement *m*.

si·dle ['saidl] s'avancer *etc.* de
guingois *ou* de côté.

siege [si:dʒ] siège *m*; *lay* ~ *to* assiéger.

sieve [siv] crible *m*; tamis *m*.

sift [sift] *v/t.* passer au crible *ou* au
tamis; *fig.* examiner en détail; ~ *out*
fig. démêler; *v/i. fig.* filtrer; '**sift·er**
cribleur (-euse *f*) *m*; tamiseur (-euse
f) *m*; crible *m*; tamis *m*.

sigh [sai] **1.** soupir *m*; **2.** soupirer
(*pour, for*; *après, after*).

sight [sait] **1.** vue *f*; *fig.* spectacle *m*;
portée *f* de la vue; visée *f*; bouton

m de mire, guidon *m* (*d'une arme à feu*); ✝ vue *f*; F beaucoup; *a* ~ *of* énormément de; *a* ~ *too big* de beaucoup trop grand; ~*s pl.* monuments *m/pl.*, curiosités *f/pl.* (*d'une ville*); beautés *f/pl.* naturelles; *second* ~ seconde vue *f*; voyance *f*; *at* (*ou on*) ~ à vue (*a.* ✝, *a.* ♪); du premier coup; *by* ~ de vue; *catch* ~ *of* apercevoir, entrevoir; *lose* ~ *of* perdre de ~ caché aux regards, hors de vue; *take* ~ viser; *within* ~ en vue, à portée de la vue; 2. *v/t.* apercevoir; viser; pointer (*une arme à feu*); ✝ voir (*un effet*); *v/i.* viser; **'sight·ed** à la vue; qui voit; **'sight·ing-line** ligne *f* de visée; **'sight·less** aveugle; **'sight·li·ness** beauté *f*, grâce *f*, charme *m*; **'sight·ly** charmant, avenant.

sight...: **'~·see·ing** visite *f* (de la ville); tourisme *m*; **'~·se·er** excursionniste *mf*; curieux (-euse *f*) *m*; **'~·sing·ing** ♪ chant *m* à vue.

sign [sain] 1. signe *m*; réclame *f*; *auberge etc.*: enseigne *f*; *fig.* trace *f*; indice *m*; ~ *manual* signature *f*; seing *m*; *in* (*ou as a*) ~ *of* en signe de; 2. *v/i.* signer; faire signe; *v/t.* signer; ~ *on v/t.* embaucher, engager; *v/i.* s'embaucher.

sig·nal ['signl] 1. signal *m*; signe *m*; ✖ *Brit.* ~*s pl.* sapeurs-télégraphistes *m/pl.*; *téléph.* busy ~ signal *m* de ligne occupée; 2. □ insigne; remarquable; 3. *vt/i.* signaler; *v/t.* donner un signal à; **'~·box** 📷 cabine *f* à signaux *ou* d'aiguillage; **sig·nal·ize** ['~nəlaiz] signaler, marquer; *see signal.*

sig·na·to·ry ['signətəri] signataire (*a. su./mf*); ~ *powers pl. to an agreement* pays *m/pl. ou* puissances *f/pl.* signataires d'une convention *ou* d'un accord.

sig·na·ture ['signitʃə] ✝, *typ.* signature *f*; *admin.* visa *m*; ♪ armature *f*, armure *f*; ~ *tune radio*: indicatif *m* musical.

sign·board ['sainbɔːd] *boutique etc.*: enseigne *f*; écriteau *m* indicateur; **'sign·er** signataire *mf*.

sig·net ['signit] sceau *m*, cachet *m*; **'~·ring** chevalière *f*; † anneau *m* à cachet.

sig·nif·i·cance, **sig·nif·i·can·cy** [sig'nifikəns(i)] signification *f*; importance *f*; **sig·nif·i·cant** □ signifi-

catif (-ive *f*); ~ *of* qui accuse *ou* trahit; **sig·ni·fi·ca·tion** signification *f*, sens *m*; **sig'nif·i·ca·tive** ['~kətiv] significatif (-ive *f*) (de, of).

sig·ni·fy ['signifai] *v/t.* signifier; être (le) signe de; faire connaître; vouloir dire; *v/i.* importer; *it does not* ~ cela ne fait rien.

sign...: **'~·paint·er** peintre *m* d'enseignes; **'~·post** poteau *m* indicateur.

si·lence ['sailəns] 1. silence *m*; ~! silence!, taisez-vous!; 2. faire taire; réduire au silence; **'si·lenc·er** 📷 amortisseur *m* de son; *mot.* pot *m* d'échappement.

si·lent □ ['sailənt] silencieux (-euse *f*); muet(te *f*) (*a. lettre*); *fig.* taciturne; ~ *film* film *m* muet; *surt. Am.* ✝ ~ *partner* commanditaire *m*.

sil·hou·ette [silu'et] 1. silhouette *f*; 2.: *be* ~*d against* se silhouetter contre.

sil·i·cate ['silikit] silicate *m*; **sil·i·cat·ed** ['~keitid] silicat(is)é; **si·li·ceous** [si'liʃəs] siliceux (-euse *f*); boueux (-euse *f*) (*sources*).

silk [silk] 1. soie *f*; *p.ext.* fil *m* de soie, rayonne *f*; ✖ conseiller *m* du roi; 2. de soie; en soie; à soie; **'silk·en** de *ou* en soie; soyeux (-euse *f*); *fig.* mielleux (-euse *f*); *see silky*; **'silk·i·ness** nature *f* soyeuse; *fig.* voix: moelleux *m*; **'silk-'stock·ing** *Am.* distingué; **'silk·worm** ver *m* à soie; **'silk·y** □ soyeux (-euse *f*); *fig. péj.* mielleux (-euse *f*).

sill [sil] seuil *m*; rebord *m* (de fenêtre).

sil·li·ness ['silinis] sottise *f*.

sil·ly □ ['sili] sot(te *f*), niais; stupide; *journ.* ~ *season* l'époque *f* où la politique chôme.

si·lo ['sailou] silo *m*.

silt [silt] 1. vase *f*, limon *m*; 2. (*usu.* ~ *up*) *v/t.* envaser, ensabler; *v/i.* s'ensabler.

sil·ver ['silvə] 1. argent *m*; argenterie *f*; pièce *f* *ou* pièces *f/pl.* d'argent; 2. d'argent, en argent; *fig.* argenté; 3. (*ou* ⊕ ~*·plate*) argenter (*a. fig.*); étamer (*un miroir*); **'sil·ver·y** argenté (*a. zo.*, *a.* ♀); d'argent; argentin (*ton, rire, voix*).

sim·i·lar □ ['similə] pareil(le *f*), semblable; ♉ *qqfois* similaire; **sim·i·lar·i·ty** [~'læriti] ressemblance *f*; similitude *f* (*a.* ♉).

sim·i·le ['simili] comparaison *f*, image *f*.

si·mil·i·tude [si'militju:d] similitude *f*, ressemblance *f*; allégorie *f*.

sim·mer ['simə] *v/i.* frémir; mijoter (*a. fig.*); *fig.* fermenter, être près d'éclater; *v/t.* faire mijoter.

Si·mon ['saimən] Simon *m*; F *the real ~ Pure* l'objet *m* authentique; la véritable personne *f*; F *simple ~* nicodème *m*.

si·moom [si'mu:m] simoun *m*.

sim·per ['simpə] **1.** sourire *m* minaudier; **2.** minauder; faire des grimaces.

sim·ple □ ['simpl] simple; naïf (-ïve *f*); crédule; '~'heart·ed, '~·mind·ed simple, naïf (-ïve *f*), ingénu; **sim·ple·ton** ['~tən] nigaud(e *f*) *m*.

sim·plic·i·ty [sim'plisiti] candeur *f*; naïveté *f*; simplicité *f*; **sim·pli·fi·ca·tion** [ˌ~fi'keiʃn] simplification *f*; **sim·pli·fy** ['~fai] simplifier.

sim·ply ['simpli] *adv.* simplement *etc.*; *see simple*; absolument; uniquement.

sim·u·late ['simjuleit] simuler, feindre; se faire passer pour; **sim·u·'la·tion** simulation *f*, feinte *f*.

si·mul·ta·ne·i·ty [siməltə'niəti] simultanéité *f*.

si·mul·ta·ne·ous □ [siməl'teinjəs] simultané; qui arrive en même temps (*que, with*); **si·mul·ta·ne·ous·ness** simultanéité *f*.

sin [sin] **1.** péché *m*; **2.** pécher; *fig. ~ against* blesser (*qch.*).

since [sins] **1.** *prp.* depuis; **2.** *adv.* depuis; *long ~* depuis *ou* il y a longtemps; *how long ~?* il y a combien de cela?; *a short time ~* il y a peu de temps; **3.** *cj.* depuis que; puisque; que.

sin·cere □ [sin'siə] sincère; franc(he *f*); *yours ~ly* votre tout(e) dévoué(e *f*); cordialement à vous; **sin·cer·i·ty** [ˌ~'seriti] sincérité *f*, bonne foi *f*.

sine ♉ [sain] sinus *m*.

si·ne·cure ['sainikjuə] sinécure *f*.

sin·ew ['sinju:] tendon *m*; *cuis.* croquant *m*; *fig. usu. ~s pl.* nerf *m*, force *f*; '**sin·ew·y** musclé, nerveux (-euse *f*); *cuis.* tendineux (-euse *f*).

sin·ful □ ['sinful] pécheur (-eresse *f*); coupable; F scandaleux (-euse *f*); '**sin·ful·ness** culpabilité *f*; péché *m*.

sing [siŋ] [*irr.*] *v/t.* chanter (*fig. = raconter, célébrer*); célébrer; *v/i.* chanter (*bouilloire*); siffler (*vent etc.*); tinter, bourdonner (*oreilles*); F *~ out* crier; F *~ small* déchanter; se dégonfler, filer doux; *~ another song* (*ou tune*) chanter une autre chanson; F changer de ton.

singe [sindʒ] brûler légèrement; roussir (*le drap*); *coiffeur:* brûler (*la pointe des cheveux*).

sing·er ['siŋə] chanteur (-euse *f*) *m*; *eccl., a. poét.* chantre *m*; cantatrice *f* (*de profession*).

sing·ing ['siŋiŋ] chant *m*; *~-bird* oiseau *m* chanteur.

sin·gle ['siŋgl] **1.** □ seul; simple; unique; individuel(le *f*); célibataire, pas marié; ♂ *~ bill* billet *m* à ordre; *~ combat* combat *m* singulier; *bookkeeping by ~ entry* comptabilité *f* en partie simple; *in ~ file* en file indienne; **2.** (*a. ~ game*) *tennis:* (partie *f*) simple *m*; **3.** (*usu. ~ out*) choisir; distinguer; '~'breast·ed droit (*veston etc.*); '~'en·gin·ed ✈ à un moteur; '~'hand·ed sans aide, seul; '~'heart·ed □, '~'mind·ed □ sincère, loyal (-aux *m/pl.*), honnête; '~'line à voie unique; '**sin·gle·ness** sincérité *f*, honnêteté *f*; célibat *m*; unicité *f*; '**sin·gle-seat·er** ✈, *mot.* monoplace *m*; '**sin·gle-stick** canne *f*; **sin·glet** ♉ ['~it] gilet *m* de corps; *sp.* maillot *m* fin; **sin·gle·ton** ['~tən] *cartes:* singleton *m*; '**sin·gle-'track** à une voie, à voie unique.

sing·song ['siŋsɔŋ] chant *m* monotone; *fig.* concert *m* improvisé.

sin·gu·lar ['siŋgjulə] **1.** □ seul; singulier (-ère *f*) (*a. gramm.*); remarquable, rare; bizarre; **2.** *gramm.* (*a. ~ number*) singulier *m*; **sin·gu·lar·i·ty** [ˌ~'læriti] singularité *f*.

Sin·ha·lese [sinhə'li:z] **1.** cingalais; **2.** *ling.* cingalais *m*; Cingalais(e *f*) *m*.

sin·is·ter □ ['sinistə] sinistre; menaçant; ▨ sénestre.

sink [siŋk] **1.** [*irr.*] *v/i.* ♎ sombrer, couler; descendre; s'enfoncer (*dans, into*); tomber (*dans, into*); se tasser (*édifice*); se renverser (*dans un fauteuil*); succomber, se plier (*sous beneath, under*); baisser; se serrer (*cœur*); *v/t.* enfoncer; baisser; ♎ couler, faire sombrer; ⚒ mouiller; creuser, foncer (*un puits*); amortir (*une dette*); placer (*de l'argent*); renoncer provisoirement à (*un nom*); supprimer (*une objection*); **2.** évier *m* (*de cuisine*); †, *a. fig.* cloaque *m*; '**sink·er** ⚒ fonceur *m* de puits, puisatier *m*; *ligne de pêche*: plomb *m*; '**sink·ing** foncement *m*; ⚓ naufrage *m*, torpillage *m*; tassement *m*, *fig.* défaillance *f*; ⚕ affaiblissement *m*; ~ **fund** caisse *f* d'amortissement.

sin·less ['sinlis] sans péché, pur.

sin·ner ['sinə] pécheur (-eresse *f*) *m*.

Sinn Fein ['ʃin'fein] (= *nous-mêmes*) *mouvement nationaliste irlandais.*

Sino... [sino] sino...

sin·u·os·i·ty [sinju'ɔsiti] sinuosité *f*; *route*: lacet *m*; '**sin·u·ous** □ sinueux (-euse *f*), tortueux (-euse *f*), onduleux (-euse *f*); agile (*personne*).

si·nus *anat.* ['sainəs] sinus *m*; **si·nus·i·tis** ⚕ [ˌ~'saitis] sinusite *f*.

sip [sip] **1.** petite gorgée *f*, F goutte *f*; **2.** boire à petits coups, siroter.

si·phon ['saifən] **1.** siphon *m* (à eau de seltz); **2.** *v/t.* siphonner; *v/i.* se transvaser.

sir [sə:] monsieur (*pl.* messieurs) *m*; ⚥ *titre de chevalerie, suivi du prénom*: Sir.

sire ['saiə] **1.** *poét.* père *m*; *titre donné à un souverain*: sire *m*; *zo.* père *m*, *souv.* étalon *m*; **2.** *zo.* engendrer.

si·ren ['saiərin] sirène *f* (*a.* = *trompe d'alarme*).

sir·loin ['sə:lɔin] aloyau *m*.

sis·kin *orn.* ['siskin] tarin *m*.

sis·sy *Am.* ['sisi] mollasson *m*.

sis·ter ['sistə] sœur *f* (*a. eccl.*); *eccl.* religieuse *f*; (*a. ward-~*) infirmière *f* en chef; ~ **of charity** (*ou* **mercy**) sœur *f* de Charité; **sis·ter·hood** ['ˌ~hud] communauté *f* religieuse; '**sis·ter-in-law** belle-sœur (*pl.* belles-sœurs) *f*; '**sis·ter·ly** de sœur.

sit [sit] [*irr.*] *v/i.* s'asseoir; être assis; siéger (*assemblée*); couver (*poule*); se présenter (à, **for**); poser (pour, **for**); ~ **down** s'asseoir; *fig.* ~ (**up**)**on s.o.** remettre q. à sa place; *sl.* moucher q.; ~ **up** veiller tard, se coucher tard; se redresser (*sur sa chaise*); F **make s.o. ~ up** étonner q.; *v/t.* asseoir; ~ **a horse well** se tenir bien à cheval; ~ **s.th. out** rester

jusqu'à la fin de qch.; ~ **s.o. out** rester jusqu'après le départ de q.; '**~-down strike** grève *f* sur le tas.

site [sait] **1.** emplacement *m*; site *m*; terrain *m* à bâtir; **2.** situer, placer.

sit·ter ['sitə] personne *f* assise; personne *f* qui pose; *poule*: couveuse *f*; *Am. see* baby-sitter; *sl.* affaire *f* sûre.

sit·ting ['sitiŋ] séance *f*; ⚕ session *f*; '~-**room** petit salon *m*.

sit·u·at·ed ['sitjueitid] situé; *thus* ~ dans cette situation; ainsi situé; **sit·u·a·tion** situation *f*, position *f*; emploi *m*, place *f*.

six [siks] six (*a. su./m*); **be at ~es and sevens** être sens dessus dessous; manquer d'ensemble; **two and ~** deux shillings *m/pl.* et six pence *m/pl.*; '~-**fold 1.** *adj.* sextuple; **2.** *adv.* six fois autant; **six·teen** ['~'ti:n] seize (*a. su./m*); '**six'teenth** [ˌ~θ] seizième (*a. su./m*); **sixth** [ˌ~θ] sixième (*a. su./m*); '**sixth·ly** sixièmement; **six·ti·eth** ['ˌ~tiiθ] soixantième (*a. su./m*); '**six·ty** soixante (*a. su./m*).

size¹ [saiz] **1.** grandeur *f*; grosseur *f*; *personne*: taille *f*; *papier etc.*: format *m*; *souliers etc.*: pointure *f*; *chemise*: encolure *f*; numéro *m*; **2.** classer par grosseur *etc.*; ~ **s.o. up** juger q., prendre la mesure de q.; *large-~d* de grande taille.

size² [ˌ~] **1.** colle *f*; *tex.* empois *m*; **2.** apprêter, (en)coller; *tex.* parer.

siz(e)·a·ble □ ['saizəbl] assez grand; d'une belle taille.

siz·zle ['sizl] grésillement *m*; *radio:* friture *f*.

skate¹ [skeit] *icht.* raie *f*.

skate² [ˌ~] **1.** patin *m*; (*ou* roller-~) patin *m* à roulettes; **2.** patiner (*a.* sur roulettes); '**skat·er** patineur (-euse *f*) *m*; '**skat·ing-rink** skating *m*; patinoire *f*.

ske·dad·dle F [ski'dædl] se sauver; décamper, filer. [*m.*]

skee·sicks *Am.* F ['ski:ziks] vaurien]

skein [skein] *laine etc.*: écheveau *m*.

skel·e·ton ['skelitn] **1.** squelette *m*, *homme, bâtiment, etc.*: ossature *f*, charpente *f*; carcasse *f* (*a. d'un parapluie*); *roman etc.*: esquisse *f*; ✗ personnel *m* réduit; ✗ cadre *m*; **2.** réduit; esquisse *f* de; ⊕ à claire-voie, à jour; ✗ -cadre; ~ **key** passe-partout *m/inv.*; *sl.* rossignol *m* (*de cambrioleur*); ~ **map** carte *f* muette.

skep·tic *Am.* ['skeptik] *see* sceptic.
sketch [sketʃ] **1.** esquisse *f*, croquis *m*; *théâ.* sketch *m*, saynète *f*; *fig.* aperçu *m*, plan *m*; **2.** esquisser; faire un *ou* des croquis de; '**sketch·y** □ imprécis; rudimentaire.
skew [skju:] (de) biais.
skew·er ['skjuə] **1.** brochette *f*; **2.** brocheter.
ski [ʃi:] **1.** *pl.* ski(s) ski *m*; *attr.* de ski; à ski; ~ *platform* plate-forme (*pl.* plates-formes) *f*; tremplin *m*; **2.** faire du ski.
skid [skid] **1.** sabot *m ou* patin *m* d'enrayage; ✇ patin *m*; *mot.* dérapage *m*, embardée *f*; **2.** *v/t.* en-saboter, enrayer; mettre sur traîneau; *v/i.* déraper, glisser; *mot.* faire une embardée; ✇ glisser sur l'aile.
skid·doo *Am. sl.* [ski'du:] filer.
ski·er ['ʃiə] skieur (-euse *f*) *m*.
skiff ⚓ [skif] esquif *m*, youyou *m* (*de bateau de commerce*); *canotage:* skiff *m*.
ski·ing ['ʃiːiŋ] ski *m*; '**ski-jump** tremplin *m* de ski; (*a.* '**ski-jump·ing**) saut *m* à skis; '**ski-lift** (re)mon-te-pente *m*.
skil(l)·ful □ ['skilful] adroit, habile; '**skil(l)·ful·ness, skill** [skil] adresse *f*, habileté *f*.
skilled [skild] habile; spécialisé (*ouvrier etc.*); expérimenté (en *at*, *in*).
skim [skim] **1.** *v/t.* (*souv.* ~ *off*) écumer; dégraisser (*la soupe*); écrémer (*le lait*); *fig.* effleurer (*la surface*); ~ *through* feuilleter, parcourir rapidement; *v/i.* glisser (sur, over); **2.**: ~ *milk* lait *m* écrémé; '**skim·mer** écumoire *f*; écrémoir *m*.
skimp [skimp] ménager outre mesure; mesurer (qch. à q., *s.o. in s.th.*); lésiner sur tout; F bâcler (*un ouvrage*); '**skimp·y** □ maigre, insuffisant; chiche, parcimonieux (-euse *f*) (*personne*).
skin [skin] **1.** peau *f* (*a.* d'un *animal*, d'orange); cuir *m*; pelure *f* (*de banane*); café, lait, raisin: pellicule *f*; saucisson: robe *f*; outre *f* (à vin); ⚓ *navire:* coque *f*, voile: chemise *f*; ⊕ *fonte:* croûte *f*; *by* (*ou* with) the ~ *of one's teeth* tout juste; à peine; *Am.* I *have got s.o. under one's* ~ ne pouvoir oublier *ou* se débarrasser de q.; **2.** *v/t.* écorcher; peler,

éplucher (*un fruit*); *sl.* tondre (*q.*), dépouiller (*q.*) (*au jeu*); *keep one's eyes* ~*ned* avoir l'œil américain; F ~ *off* enlever (*les bas etc.*); *v/i.* (*a.* ~ *over*) se recouvrir de peau; '~-'**deep** à fleur de peau, peu profond; '~-'**flint** grippe-sou (*pl.* grippe-sou[s]) *m*; '~-**graft·ing** ✚ greffe *f* épidermique; '**skin·ner** écorcheur *m*; pelletier *m*; '**skin·ny** décharné, maigre; efflanqué (*cheval*); F chiche, avare.
skip [skip] **1.** saut *m*; gambade *f*; ✗ benne *f*; **2.** *v/i.* sauter, gambader; *v/t.* (*a.* ~ *over*) sauter (*qch.*); '~-**jack** poussah *m*; *zo.* scarabée *m* à ressort.
skip·per¹ ['skipə] sauteur (-euse *f*) *m*.
skip·per² [~] patron *m*, capitaine *m*; *sp.* chef *m* d'équipe.
skip·ping-rope ['skipiŋroup] corde *f* à sauter.
skir·mish ✗ ['skəːmiʃ] **1.** escar-mouche *f*; **2.** escarmoucher; tirail-ler (*contre*, with); '**skir·mish·er** tirailleur *m*.
skirt [skəːt] **1.** *cost.* jupe *f*; *par-dessus etc.:* pans *m/pl.*; *souv.* ~*s pl.* bord *m*; *forêt:* lisière *f*; **2.** *v/t.* border; *vt/i.* (*a.* ~ *along*) longer, contourner, côtoyer; '**skirt·ing-board** ⊕ plinthe *f*; bas *m* de lambris.
skit¹ F [skit] *usu.* ~*s pl.* tas *m/pl.*
skit² [~] pièce *f* satirique; satire *f* (de, on); '**skit·tish** □ ombrageux (-euse *f*) (*cheval*); volage, capri-cieux (-euse *f*) (*personne*).
skit·tle ['skitl] quille *f*; *play* (*at*) ~*s* jouer aux quilles; '~-**al·ley** jeu *m* de quilles.
skiv·vy F *péj.* ['skivi] bonniche *f* (= *bonne à tout faire*).
skul·dug·ger·y *Am.* F [skʌl'dʌgəri] fourberie *f*, ruse *f*.
skulk [skʌlk] se tenir caché; se cacher; rôder furtivement; '**skulk·er** carotteur (-euse *f*) *m*.
skull [skʌl] crâne *m*.
skunk [skʌŋk] *zo.* mouffette *f*; *fourrure:* skunks *m*; F mufle *m*; ladre *m*.
sky [skai] *souv.* skies *pl.* ciel (*pl.* cieux, ciels) *m*; '~-'**blue** bleu ciel *adj./inv.* (*a.* su./m/inv.); '~**lark 1.** *orn.* alouette *f* des champs; **2.** rigoler; '~**light** jour *m* d'en haut; lucarne *f*; '~**line** ligne *f* d'horizon; profil *m*

(de l'horizon); ~ *advertising* publicité f dessinée en silhouette sur le ciel; '~-**rock·et** *Am.* F augmenter rapidement; monter en flèche (*prix*); '~-**scrap·er** gratte-ciel m/*inv.*; **sky·ward**(s) ['~wəd(z)] vers le ciel; '**sky-writ·ing** ⚐ publicité f aérienne.

slab [slæb] *pierre:* dalle f; *ardoise:* table f; *métal, marbre, etc.:* plaque f; *chocolat:* tablette f; ⊕ *bois:* dosse f.

slack [slæk] **1.** lâche; faible (*a.* ✝); négligent (*personne*); ✝ *a.* peu vif (*vive f*); ⚓ *water*, ~ *tide* mer f étale; **2.** ⚓ *cable etc.:* mou m; ✝ accalmie f; ⊕ *jeu* m; ~s pl. pantalon m; **3.** *see* ~**en**; *see* **slake**; F flémarder; '**slack·en** (se) relâcher; (se) ralentir; diminuer (de); v/t. détendre; ⊕ donner du jeu à; v/i. devenir négligent; prendre du mou (*cordage, câble*); ✝ s'alanguir; '**slack·er** F paresseux (-euse f), F flémard(e f) m; ✗ tireur m au flanc; '**slack·ness** relâchement m; négligence f; lenteur f; paresse f; ✝ stagnation f.

slag [slæg] scories f/pl.; '**slag·gy** scoriacé.

slain [slein] *p.p. de* **slay**.

slake [sleik] étancher (*la soif*); éteindre (*le chaux*).

slam [slæm] **1.** *porte:* claquement m; *bridge:* chelem m; **2.** v/t. (faire) claquer; fermer avec violence; v/i. claquer.

slan·der ['slɑːndə] **1.** calomnie f; **2.** calomnier, diffamer; '**slan·der·er** calomniateur (-trice f) m; ᵗᵉ diffamateur (-trice f) m; '**slan·der·ous** ☐ calomnieux (-euse f); ᵗᵉ diffamatoire.

slang [slæŋ] **1.** argot m; **2.** F réprimander vivement; injurier; '**slang·y** ☐ argotier (-ère f); argotique.

slant [slɑːnt] **1.** pente f, inclinaison f; biais m; *Am.* F point m de vue; **2.** v/t. incliner; v/i. (s')incliner, être en pente; être oblique; '**slant·ing** ☐ *adj.*, '**slant·wise** *adv.* en biais, de biais; oblique(ment *adv.*).

slap [slæp] **1.** coup m, tape f; *claquement* m (*d'un piston*); ~ *in the face* gifle f, soufflet m; *fig.* affront m; **2.** claquer; gifler; donner une tape à; **3.** pan!; '~-**bang** de but en blanc; '~-**dash** sans soin; à la six-quatre-deux; '~-**jack** *Am.* crêpe f; '~-**stick**

théâ. batte f (d'Arlequin); ~ *comedy* pièce f etc. burlesque; arlequinades f/pl.; '~-**up** F fameux (-euse f), de premier ordre.

slash [slæʃ] **1.** balafre f; entaille f; *cost.* taillade f; **2.** v/t. balafrer; taillader; cingler (*a. fig.*); F éreinter (*un livre etc.*); *cost.* faire des taillades dans; F réduire (*le prix etc.*); v/i. frapper à droite et à gauche; cingler; '**slash·ing** ☐ cinglant (*a. fig.*); *fig. a.* mordant; *sl.* épatant.

slat [slæt] **1.** *jalousie:* lame(lle) f; *lit:* traverse f; **2.** battre, frapper sur.

slate [sleit] **1.** ardoise f; *surt. Am.* liste f provisoire des candidats; **2.** couvrir d'ardoises *ou* en ardoise; F tancer; F éreinter; *be* ~d *for* être un candidat sérieux à (*un poste*); '~-'**pen·cil** crayon m d'ardoise; '**slat·er** couvreur m (en ardoises).

slat·tern ['slætəːn] **1.** souillon f; **2.** *a.* '**slat·tern·ly** mal soigné (*femme*).

slat·y ☐ ['sleiti] ardoiseux (-euse f), schisteux (-euse f); ardoisé (*couleur*).

slaugh·ter ['slɔːtə] **1.** *bêtes:* abattage m; *gibier:* abattis m; *fig.* massacre m, carnage m; **2.** abattre; massacrer; '**slaugh·ter·er** abatteur m; *fig.* tueur m; '**slaugh·ter-house** abattoir m; '**slaugh·ter·ous** ☐ *poét.* meurtrier (-ère f).

Slav [slɑːv] **1.** slave; **2.** Slave mf.

slave [sleiv] **1.** esclave mf; *attr.* d'esclaves, des esclaves; **2.** travailler comme un nègre; peiner.

slav·er[1] ['sleivə] négrier m; *personne:* marchand m d'esclaves.

slav·er[2] ['slævə] **1.** bave f, salive f; **2.** baver (sur, over).

slav·er·y ['sleivəri] esclavage m; *fig.* asservissement m.

slav·ey *sl.* ['slævi] bonniche f.

Slav·ic ['slɑːvik] **1.** slave; **2.** *ling.* slave m.

slav·ish ☐ ['sleiviʃ] servile, d'esclave; '**slav·ish·ness** servilité f.

slaw *Am.* [slɔː] salade f de choux.

slay *poét.* [slei] [*irr.*] tuer, mettre à mort; assassiner; '**slay·er** meurtrier (-ère f) m; tueur (-euse f) m; assassin m.

sled [sled] *see* **sledge**[1].

sledge[1] [sledʒ] **1.** traîneau m; **2.** v/t. transporter en traîneau; v/i. aller en traîneau.

sledge² [~] (a. ~-hammer) marteau m de forgeron; masse f (de pierres).

sleek [sli:k] 1. □ lisse; luisant; fig. doucereux (-euse f), mielleux(-euse f); 2. lisser; planer; **'sleek·ness** luisant m; fig. douceur f, onctuosité f.

sleep [sli:p] 1. [irr.] v/i. dormir (a. toupie); coucher; ~ (up)on (ou over) it remettre cela jusqu'au lendemain; consulter son chevet; v/t. coucher (q.); ~ the hours away passer les heures en dormant; ~ off faire passer (une migraine) en dormant; 2. sommeil m; **'sleep·er** dormeur (-euse f) m; 🚂 wagon-lit m (pl. wagons-lits) m; couchette f; be a light ~ avoir le sommeil léger; **'sleep·i·ness** assoupissement m.

sleep·ing ['sli:piŋ]: ♀ Beauty Belle f au bois dormant; ♱ ~ partner commanditaire m; **'~-bag** sac m de couchage; **'~-car**, **'~-car·riage** 🚂 wagon-lit (pl. wagons-lits) m; **'~-draught** narcotique m, somnifère m; **'~-'sick·ness** maladie f du sommeil.

sleep·less □ ['sli:plis] sans sommeil; fig. inlassable; **'sleep·less·ness** insomnie f.

sleep-walk·er ['sli:pwɔ:kə] somnambule mf.

sleep·y □ ['sli:pi] somnolent; fig. endormi; blet(te f) (fruit); be ~ avoir sommeil; ~ sickness encéphalite f léthargique; **'~-head** F fig. endormi(e f) m.

sleet [sli:t] 1. neige f à moitié fondue; 2. it is ~ing la pluie tourne à la neige; **'sleet·y** de pluie et de neige, de grésil.

sleeve [sli:v] 1. manche f; ⊕ fourreau m; attr. à manches; de manchette; ⊕ de manchon, à manchon; have something up one's ~ avoir qch. en réserve, avoir qch. dans son sac; laugh up (ou in) one's ~ rire sous cape; 2. mettre des manches à; **sleeved** à manches; **'sleeve·less** sans manches; **'sleeve-link** bouton m de manchette.

sleigh [slei] 1. traîneau m; 2. v/t. transporter en traîneau; v/i. aller en traîneau.

sleight [slait] (usu. ~ of hand) adresse f; prestidigitation f.

slen·der □ ['slendə] mince, ténu; svelte (personne); faible (espoir);

maigre; modeste, exigu(ë f); **'slen·der·ness** minceur f; sveltesse f; faiblesse f; exiguïté f.

slept [slept] prét. et p.p. de sleep 1.

sleuth [slu:θ] (a. ~-hound) limier m; F détective m.

slew¹ [slu:] prét. de slay.

slew² [~] (a. ~ round) (faire) pivoter.

slice [slais] 1. tranche f; tartine f (de beurre etc.); fig. part f; cuis. truelle f (à poisson); ~ of luck coup m de veine; 2. découper en tranches; (a. ~ off) trancher, couper; tennis: choper; golf: faire dévier la balle à droite.

slick F [slik] 1. adj. (a. adv.) habile (-ment adv.), adroit(ement adv.); 2. (a. ~ paper) Am. sl. magazine m de luxe.

slick·er Am. ['slikə] F escroc m (adroit); imperméable m.

slid [slid] prét. et p.p. de slide 1.

slide [slaid] 1. [irr.] v/i. glisser (dans, into), couler; faire des glissades (personne); let things ~ laisser tout aller à vau-l'eau; v/t. faire glisser; 2. glissade f; coulisse f; cheveux: barrette f; phot. châssis m; ⊕ glissoir m; projection f; **'slid·er** glisseur (-euse f) m; ⊕ coulisseau m; **'slide-rule** règle f à calcul.

slid·ing ['slaidiŋ] 1. glissement m; 2. glissant, coulant; mot. ~ roof toit m décapotable; ~ rule règle f à calcul; ~ scale échelle f mobile; ~ seat mot. siège m amovible; canot: banc m à glissières; ~ table table f à rallonges.

slight [slait] 1. □ léger (-ère f); mince; frêle; svelte; peu important; insignifiant; 2. affront m; manque m d'égards (pour, on); 3. manquer d'égards pour; faire un affront à; **'slight·ing** □ de mépris; dédaigneux (-euse f); **'slight·ness** légèreté f; minceur f; insignifiance f.

slim [slim] 1. □ svelte, mince, élancé; sl. mince, léger (-ère f); 2. (s')amincir; v/i. suivre un régime amaigrissant; ~ming line ligne f qui amincit.

slime [slaim] limon m, vase f; limace: bave f; liquide: bitume m.

slim·i·ness ['slaiminis] état m vaseux ou boueux; fig. obséquiosité f.

slim·ness ['slimnis] sveltesse f.

slim·y □ ['slaimi] vaseux (-euse *f*); boueux (-euse *f*); *fig.* obséquieux (-euse *f*).

sling [sliŋ] **1.** fronde *f*; *barriques*: élingue *f*; suspenseur *m* (*de câble*); ✠ écharpe *f*; **2.** [*irr.*] lancer (avec une fronde); élinguer (*un fardeau*); F ~ *over* jeter sur; ~ *up* hisser.

slink [sliŋk] [*irr.*]: ~ *in* (*out*) entrer (sortir) furtivement; ~ *away a.* s'éclipser.

slip [slip] **1.** [*irr.*] *v/i.* glisser; couler (*nœud*); F aller (vite); (*souv.* ~ *away*) s'esquiver, *fig.* s'écouler; se tromper; *v/t.* glisser, couler, filer (*un câble*); s'échapper de; se dégager de; ~ *in v/t.* introduire; *v/i.* se faufiler, entrer discrètement; ~ *into* se glisser dans; ~ *on* enfiler, passer (*une robe etc.*); ~ *off* enlever, ôter (*une robe etc.*); **2.** glissade *f*; erreur *f*; écart *m* de conduite; faux pas *m*; *oreiller*: taie *f*; *chien*: laisse *f*; *géol.* éboulement *m*; (*a.* ~ *of paper*) feuille *f*, fiche *f*; ⚘ bouture *f*; *fig.* rejeton *m*; *cost.* combinaison *f*; fond *m* de robe; ⚓ cale *f*; chantier *m*; ~s *pl. sp.* slip *m*; caleçon *m* de bain; *théâ.* coulisses *f/pl.*; F *a* ~ *of a girl* une jeune fille *f* fluette; ~ *of the pen* lapsus *m* calami; ~ *of the tongue* lapsus *m* linguae, faux pas *m*; *give s.o. the* ~ se dérober à q., planter q. là; '~**knot** nœud *m* coulant; '~**on** robe *f* etc. à enfiler; '**slip·per** pantoufle *f*; ⊕ patin *m*; '**slip·per·y** □ glissant; incertain; *fig.* matois; **slip·shod** ['~ʃɔd] en savates; *fig.* négligé, bâclé; **slip·slop** ['~'slɔp] bouillons *m/pl.*; lavasse *f*; *fig.* sensiblerie *f*; **slipt** *prét. et p.p. de slip 1*; '**slip·up** F gaffe *f*; contretemps *m*; fiasco *m*.

slit [slit] **1.** fente *f*; ajour *m*; *boîte aux lettres*: guichet *m*; incision *f*; **2.** [*irr.*] (se) fendre; *v/t.* éventrer: faire une incision dans.

slith·er F ['sliðə] *v/i.* glisser; *v/t.* traîner (*les pieds etc.*).

sliv·er ['slivə] **1.** tranche *f*; *bois*: éclat *m*; *tex.* ruban *m*; **2.** *v/t.* couper en tranches; établir les rubans de; *v/i.* éclater.

slob·ber ['slɔbə] **1.** bave *f*; boue *f*; *fig.* sentimentalité *f* excessive; **2.** baver; *fig.* s'attendrir (sur, *over*); '**slob·ber·y** baveux (-euse *f*); négligé.

sloe ⚘ [slou] prunelle *f*; *arbre*: prunellier *m*.

slog F [slɔg] **1.** cogner; travailler avec acharnement; **2.** coup *m* violent; corvée *f*, *sl.* boulot *m*.

slo·gan ['slougən] *écoss.* cri *m* de guerre (*a. fig.*); *pol.* mot *m* d'ordre; ✝ devise *f*; slogan *m*; **slo·gan·eer·ing** *Am.* F [slougə'niəriŋ] emploi *m* des mots d'ordre *ou* des cris de guerre.

sloop ⚓ [slu:p] sloop *m*; *marine*: aviso *m*.

slop[1] [slɔp] **1.** gâchis *m*; ~s *pl.* lavasse *f*; eaux *f/pl.* ménagères; **2.** (*a.* ~ *over*) *v/t.* répandre; *v/i.* déborder; *fig.* faire de la sensiblerie.

slop[2] [~] blouse *f*; vêtements *m/pl.* de confection; hardes *f/pl.*; ⚓ frusques *f/pl.*

slop·ba·sin ['slɔpbeisn] bol *m* à rinçures (de thé).

slope [sloup] **1.** pente *f*, inclinaison *f*; talus *m*; *montagne*: versant *m*; **2.** *v/t.* couper en pente; taluter; ⊕ biseauter; ✗ ~ *arms!* l'arme sur l'épaule droite!; *v/i.* être en pente; incliner; aller en pente; *sl.* ~ *off* décamper, filer; '**slop·ing** □ en pente, incliné.

slop-pail ['slɔppeil] seau *m* de ménage; seau *m* de toilette; '**slop·py** □ fangeux (-euse *f*); encore mouillé; *cost.* mal ajusté, trop large; mou (mol *devant une voyelle ou un h muet*; molle *f*) (*personne*); *fig.* par trop sentimental (-aux *m/pl.*).

slop-shop ['slɔpʃɔp] magasin *m* de confections.

slosh F [slɔʃ] flanquer un coup à.

slot [slɔt] *chasse*: erres *f/pl.*; fente *f* (*d'un distributeur*); ⊕ entaille *f*.

sloth [slouθ] paresse *f*; *zo.* paresseux *m*; **sloth·ful** ['~ful] paresseux (-euse *f*); indolent.

slot-ma·chine ['slɔtməʃi:n] *chocolat, cigarettes*: distributeur *m* automatique; *jeu de hasard*: appareil *m* à jetons.

slouch [slautʃ] **1.** *v/i.* manquer de tenue; traîner en marchant; (*a.* ~ *about*) rôder; *v/t.* rabattre le bord de (*un chapeau*); ~ed rabattu; mollasse (*allure*); aux épaules arrondies (*personne*); **2.** démarche *f ou* allure *f* mollasse; fainéant *m*; ~ *hat* chapeau *m* rabattu.

slough[1] [slau] bourbier *m* (*a. fig.*).

slough² [slʌf] **1.** zo. dépouille f; ⚕ escarre f; plaie: croûte f; **2.** v/i. se dépouiller; ⚕ se couvrir d'une escarre; ⚕ se détacher (croûte); v/t. jeter; fig. (a. ~ off) se dépouiller de.

slough·y ['slaui] bourbeux (-euse f).

Slo·vak ['slouvæk] **1.** ling. slovaque m; Slovaque mf; **2.** (ou **Slo'va·ki·an** [~iən]) slovaque.

slov·en ['slʌvn] souillon f; bousilleur (-euse f) m; **'slov·en·li·ness** négligence f; **'slov·en·ly** mal soigné, malpropre; négligent; débraillé (style, tenue); déhanché (allure).

slow [slou] **1.** ☐ lent (à of, to); en retard (pendule); lourd (esprit); 🚌 omnibus; petit (vitesse); ennuyeux (-euse f) (spectacle etc.); sp. qui ne rend pas; be ~ to (inf.) être lent à (inf.); my watch is ten minutes ~ ma montre retarde de dix minutes; **2.** adv. lentement; **3.** (souv. ~ down, up, off) v/t. ralentir; v/i. ralentir; diminuer de vitesse; '~-coach F lambin(e f) m; '~-match corde f à feu; '~-'mo·tion pic·ture film m tourné au ralenti; 'slow·ness lenteur f; montre: retard m; 'slow-worm zo. orvet m.

sludge [slʌdʒ] fange f; ⊕ boue f; ⚒ schlamm m.

slue [slu:] (a. ~ round) (faire) pivoter.

slug¹ [slʌg] lingot m (a. typ.); linotype: ligne-bloc (pl. lignes-blocs) f.

slug² zo. ☐ limace f.

slug·gard ['slʌgəd] paresseux (-euse f) m; fainéant(e f) m; **'slug·gish** ☐ paresseux (-euse f).

sluice [slu:s] **1.** écluse f; **2.** v/t. vanner; (a. ~ out) laisser échapper; laver à grande eau; v/i. ~ out couler à flots; '~-gate porte f d'écluse; vanne f; '~-way canal m à vannes.

slum [slʌm] bas quartier m.

slum·ber ['slʌmbə] **1.** a. ~s pl. sommeil m; **2.** sommeiller, dormir; **slum·brous** ['~brəs], **slum·ber·ous** ['~bərəs] assoupi, somnolent.

slump [slʌmp] à la Bourse: **1.** baisse f soudaine; marasme m; F crise f; **2.** baisser tout à coup; s'effondrer.

slung [slʌŋ] prét. et p.p. de sling 2.

slunk [slʌŋk] prét. et p.p. de slink.

slur [slə:] **1.** tache f; fig. affront m, insulte f; mauvaise articulation f; ♪ liaison f; **2.** v/t. (a. ~ over) glisser sur; ♪ lier (deux notes), couler (un

passage); bredouiller; v/i. s'estomper.

slush [slʌʃ] neige f à demi fondue; fange f; F lavasse f; F sensiblerie f; **'slush·y** détrempé par la neige; boueux (-euse f); F fadasse.

slut [slʌt] souillon f; F co. coquine f; **'slut·tish** malpropre.

sly ☐ [slai] sournois, rusé, matois; on the ~ en cachette; '~·boots F sournois(e f) m; espiègle mf; **'sly·ness** sournoiserie f, finesse f; espièglerie f.

smack¹ [smæk] **1.** léger goût m; soupçon m (a. fig.); fig. grain m; **2.** : ~ of avoir un goût de; sentir (qch.) (a. fig.).

smack² [~] **1.** main: claque f; fouet: claquement m; F gros baiser m; F essai m; **2.** v/i. claquer; v/t. faire claquer (a. un baiser); frapper, taper (avec, with); **3.** int. paf!, vlan!

smack³ ⚓ [~] bateau m de pêche.

smack·er Am. sl. ['smækə] dollar m.

small [smɔ:l] **1.** usu. petit; de petite taille; faible (pouls, ressources); peu important; menu (bétail, gibier, plomb); court (durée etc.); léger (-ère f) (progrès); maigre (récolte); fluet(te f) (voix); bas(se f) (carte); une demi-mesure f de (alcool); une demi-tasse f de (café); make s.o. feel ~ humilier q., ravaler q.; ~ fry le menu fretin m; les gosses m/pl.; ~ game menu gibier m; ~ holder petit propriétaire m; ~ holding petite propriété f; in the ~ hours pl. fort avant dans la nuit; surt. Am. F fig. ~ potatoes bien peu de chose, insignifiant; ↯ ~ wares pl. mercerie f; **2.** partie f mince; charbon: menu m; jambe: bas m; anat. ~ of the back creux m des reins; '~-arms pl. armes f/pl. portatives; **'small·ish** assez petit; **'small·ness** petitesse f; mesquinerie f; **'small·pox** ⚕ pl. petite vérole f; **small talk** banalités f/pl.; menus propos m/pl.

smalt ⊕ [smɔ:lt] smalt m; émail (pl. -aux) m de cobalt.

smarm·y F ['smɑ:mi] mielleux (-euse f), flagorneur (-euse f).

smart [smɑ:t] **1.** ☐ vif (vive f) (allure, attaque, etc.) (à inf., in gér.); cuisant (douleur etc.); vert (réprimande); ✗ chaud (affaire); habile, adroit; intelligent; éveillé, débrouillard; *péj.* malin (-igne *f*); bien entretenu, soigné; chic *inv. en genre*, élégant, coquet(te *f*); *Am.* ~ aleck finaud *m*; *un je sais tout m*; 2. douleur *f* cuisante; 3. cuire; souffrir (*personne*); *you shall ~ for it* il vous en cuira; 'smart·en *v/t.* donner du chic à; *v/i.* prendre du chic; se faire beau; 'smart-mon·ey pension *f* pour blessure; ✝ forfait *m*; 'smart·ness finesse *f*; intelligence *f*; élégance *f*, chic *m*; *esprit:* vivacité *f*.

smash [smæʃ] 1. *v/t.* briser (en morceaux), (*souv.* ~ *up*) casser; *fig.* détruire; écraser (*a. tennis*); ~ *against* (*ou on*) heurter contre; *v/i.* se briser (*contre against, on*); éclater en morceaux; *fig.* échouer; ✝ F (*a.* ~ *up*) faire faillite; 2. mise *f* en morceaux; fracas *m*; collision *f*; 🚂 désastre *m*; ✝ débâcle *f*, faillite *f*; *tennis:* smash *m*; *all to* ~ en miettes; '~-and-'grab raid vol *m* après bris de devanture; 'smash·er *sl.* coup *m* écrasant; critique *f* mordante; 'smash-up destruction *f* complète; collision *f*; ✝ faillite *f*.

smat·ter·er ['smætərə] demi-savant *m*; 'smat·ter·ing légère connaissance *f*.

smear [smiə] 1. salir (de, *with*); barbouiller (de, *with*) (*a. une page écrite*); enduire (de graisse, *with grease*); 2. tache *f*, macule *f*; 🔬 frottis *m* (*de sang*).

smell [smel] 1. senteur *f*, parfum *m*; (*a. sense of* ~) odorat *m*; 2. [*irr.*] *v/i.* sentir (*qch., of s.th.*); avoir un parfum; *v/t.* sentir, flairer; (*a. at*) sentir (*une fleur*). [smell 2.]

smelt¹ [smelt] *prét. et p.p. de*
smelt² *icht.* [~] éperlan *m*.
smelt³ [~] fondre; extraire par fusion; 'smelt·er ⊕ fondeur *m*; métallurgiste *m*; 'smelt·ing-'furnace fourneau *m* de fusion *ou* de fonte.

smile [smail] 1. sourire *m*; 2. sourire (à *at, on*).

smirch *poét.* [smə:tʃ] tacher; *fig.* souiller.

smirk [smə:k] 1. minauder, mignarder; 2. sourire *m* affecté; minauderie *f*.

smite [smait] [*irr.*] *poét. ou co.* frapper; abattre; ~ *upon* frapper sur; *fig.* frapper (*p.ex. l'oreille*).

smith [smiθ] forgeron *m*.
smith·er·eens F ['smiðə'ri:nz] *pl.* miettes *f/pl.*; morceaux *m/pl.*; *smash to* ~ briser en mille morceaux.
smith·y ['smiði] forge *f*.
smit·ten ['smitn] 1. *p.p. de* smite; 2. frappé, pris (de, *with*); *fig.* épris, amoureux (-euse *f*) (de, *with*).
smock [smɔk] 1. orner de smocks (= *fronces*); 2. (*ou* ~-*frock*) blouse *f*, sarrau *m*.
smog [smɔg] brouillard *m* enfumé.
smoke [smouk] 1. fumée *f*; F action *f* de fumer; F cigare *m*, cigarette *f*; ~-consumer (appareil *m*) fumivore *m*; *have a* ~ fumer; 2. *v/i.* fumer; *v/t.* fumer (*du jambon, du tabac*); enfumer (*une plante*); noircir de fumée (*le plafond etc.*); 🔥 enfumer; '~-dried fumé; '~-hel·met casque *m* à fumée; 'smoke·less □ sans fumée; fumivore (*foyer*); 'smok·er fumeur (-euse *f*) *m*; *see* smoking-compartment; 'smoke-screen 🚢 rideau *m* de fumée; brume *f* artificielle; 'smoke·stack 🚂, *a.* ⚓ cheminée *f*.
smok·ing ['smoukiŋ] 1. émission *f* de fumée; *jambon:* fumage *m*; *no* ~! défense *f* de fumer; 2. fumant; '~-com·part·ment 🚂 compartiment *m* de fumeurs, F fumeur *m*; '~-con·cert concert *m* où il est permis de fumer; '~-room fumoir *m*.
smok·y □ ['smouki] fumeux (-euse *f*); plein de fumée; noirci par la fumée.
smol·der *Am.* ['smouldə] *see* smoulder.
smooth [smu:ð] 1. □ lisse; uni; poli; calme (*mer*); doux (douce *f*); *fig.* doucereux (-euse *f*); *Am.* F chic *inv. en genre*; 2. (*souv.* ~ *out, down*) lisser; (*a.* ~ *over, away*) aplanir (*le bois*; *fig. une difficulté*); *fig.* calmer; adoucir (*une courbe*); ~ *down* (se) calmer, (s')apaiser; 'smooth·ing 1. lissage *m*; aplanissement *m*; 2. à repasser; 'smooth·ness égalité *f*; douceur *f* (*fig. feinte*); calme *m*.
smote [smout] *prét. de* smite.
smoth·er ['smʌðə] 1. fumée *f* épaisse; nuage *m* épais de poussière; 2. (*a.* ~ *up*) étouffer (*a. fig.*); *fig.* couvrir.

smoul·der ['smouldə] brûler lentement; *fig.* couver.

smudge [smʌdʒ] **1.** *v/t.* souiller; barbouiller, maculer; *v/i.* baver (*plume*); s'estomper (*silhouette*); **2.** tache *f*; *encre*: pâté *m*; **'smudg·y** ☐ taché; barbouillé; estompé (*silhouette*); illisible.

smug [smʌg] suffisant, satisfait de soi-même; glabre (*visage*).

smug·gle ['smʌgl] *v/t.* (faire) passer (*qch.*) en contrebande; *v/i.* faire la contrebande; **'smug·gler** contrebandier *m*; fraudeur *m*; **'smuggling** contrebande *f*.

smut [smʌt] **1.** noir *m*; flocon *m ou* tache *f* de suie; ♀ *céréales*: charbon *m*; *coll.* saletés *f/pl.*; **2.** noircir, salir; *v/i.* ♀ être atteint du charbon.

smutch [smʌtʃ] **1.** tacher; souiller; **2.** tache *f*.

smut·ty ☐ ['smʌti] noirci; sale; *fig.* malpropre; ♀ piqué.

snack [snæk] casse-croûte *m/inv.*; F go ~s partager (qch. avec q., *in s.th. with s.o.*); **'~-bar** bar *m*, casse-croûte *m/inv.*

snaf·fle¹ ['snæfl] (*a.* ~**-bit**) filet *m*.

snaf·fle² *Angl. sl.* [~] chiper (= *voler*).

sna·fu *Am. sl.* ✖ [snæ'fu:] **1.** en désarroi, en pagaille; **2.** pagaille *f*.

snag [snæg] *arbre, dent*: chicot *m*; saillie *f*, protubérance *f*; *fig.* obstacle *m*, F cheveu *m*, pépin *m*; *bas, robe*: accroc *m*; *Am.* chicot *m* submergé; souche *f* au ras d'eau; **snag·ged** ['~id], **'snag·gy** épineux (-euse *f*); semé d'obstacles submergés.

snail *zo.* [sneil] limaçon *m*; escargot *m* (comestible).

snake *zo.* [sneik] serpent *m*; **'~-weed** ♀ bistorte *f*.

snak·y ☐ ['sneiki] de serpent; infesté de serpents; *fig.* perfide; *fig.* serpentant (*chemin*).

snap [snæp] **1.** coup *m* de dents *ou* de ciseaux *ou* de froid; coup *m* sec, claquement *m*; *fig.* énergie *f*, entrain *m*; *collier, valise*: fermoir *m*; *gant*: fermoir *m* pression; rupture *f* soudaine; *cartes*: (sorte de) jeu enfantin; *phot.* instantané *m*; *cuis.* croquet *m* au gingembre; **cold** ~ froid *m* soudain; **2.** *v/i.* happer; tâcher de saisir (q., qch. *at s.o., at s.th.*); claquer (*dents, fouet, etc.*);

se casser (avec un bruit sec); *fig.* ~ **at** saisir (*une occasion*); F ~ **at s.o.** parler à q. d'un ton sec; *Am.* F ~ **into** (*ou* **out of**) **it** secouez-vous!; grouillez-vous!; *v/t.* happer; saisir d'un coup de dents; faire claquer; casser, rompre; *phot.* prendre un instantané de, F prendre; F ~ **one's fingers at** narguer (q.); se moquer de; ~ **out** dire d'un ton sec; ~ **up** saisir (*a. fig.*); happer; enlever (vite); **3.** crac!; **'~-drag·on** ♀ gueule-de-loup (*pl.* gueules-de-loup) *f*; *a.* jeu qui consiste à happer des raisins secs du cognac flambant; **'~-fas·ten·er** gant, *robe*: fermoir (pression) *m*; **'snap·per** personne *f* hargneuse; **'snap·pish** ☐ hargneux (-euse *f*); irritable; **'snap·pish·ness** humeur *f* hargneuse; irritabilité *f*; mauvaise humeur *f*; **'snap·py** *see* snappish; F vif (vive *f*); F **make it** ~! dépêchez-vous!, *sl.* grouillez-vous!; **'snap·shot 1.** coup *m* lâché sans viser; *phot.* instantané *m*; **2.** prendre un instantané de.

snare [snɛə] **1.** piège *m*; lacet *m*; **2.** prendre au lacet *ou* au piège (*a. fig.*); attraper; **'snar·er** tendeur *m* de lacets.

snarl [snɑ:l] **1.** *v/i.* grogner, gronder; *tex.* vriller; *Am.* s'emmêler; *v/t.* emmêler; **2.** grognement *m*, grondement *m*; *tex.* vrillage *m*; *Am.* enchevêtrement *m*.

snatch [snætʃ] **1.** mouvement *m* pour saisir; morceau *m*; courte période *f*; **by** ~**es** par boutades; par courts intervalles; **2.** saisir; se saisir de; empoigner; ~ **at** tâcher de saisir; arracher (qch. à q., *s.th. from s.o.*); ~ **up** saisir.

sneak [sni:k] **1.** *v/i.* se glisser furtivement (dans, *in[to]*; hors de, *out of*); *école*: moucharder (q., *on s.o.*); *v/t.* F chiper; **2.** pied *m* plat; *école*: mouchard *m*; **'sneak·ers** *pl.* F espadrilles *f/pl.*; **'sneak·ing** ☐ furtif (-ive *f*); servile; dissimulé, inavoué.

sneer [sniə] **1.** ricanement *m*, rire *m* moqueur; sarcasme *m*; **2.** ricaner; se moquer (de, *at*); dénigrer (qch., *at s.th.*); **'sneer·er** moqueur (-euse *f*) *m*; **'sneer·ing** ☐ ricaneur (-euse *f*); sarcastique.

sneeze [sni:z] **1.** éternuer; **2.** éternuement *m*.

snib [snib] *porte*: loquet *m*; arrêt *m* de sûreté.

snick·er ['snikə] *see* snigger; hennir (*cheval*).

sniff [snif] **1.** *v/i.* renifler (sur, *at*); flairer (qch., [*at*] *s.th.*); *v/t.* renifler; humer; flairer; **2.** reniflement *m*; **'sniff·y** F malodorant; dédaigneux (-euse *f*); de mauvaise humeur.

snig·ger ['snigə] rire sous cape (de, *at*); ricaner tout bas.

snip [snip] **1.** coup *m* de ciseaux; petit bout *m*; petite entaille *f*; *sl.* certitude *f*; **2.** couper; détacher (*d'un coup de ciseaux*); poinçonner (*un billet*).

snipe [snaip] **1.** *orn.* bécassine *f*; *coll.* bécassines *f/pl.*; **2.** ✕ tirailler contre; **'snip·er** ✕ canardeur *m*.

snip·pets ['snipits] *pl.* bouts *m/pl.*; *livre*: extraits *m/pl.*; **'snip·py** F fragmentaire; hargneux (-euse *f*).

snitch *sl.* [snitʃ]: ~ on *s.o.* dénoncer q.

sniv·el ['snivl] avoir le nez qui coule; *fig.* pleurnicher; **'sniv·el·(l)ing** qui coule; morveux (-euse *f*) (*personne*); *fig.* pleurnicheur (-euse *f*).

snob [snob] snob *m*, parvenu(e *f*) *m*, poseur (-euse *f*) *m*; **'snob·ber·y** snobisme *m*, morgue *f*; **'snob·bish** □ poseur (-euse *f*); snob *adj./inv.*

snoop *Am. sl.* [snu:p] **1.** *fig.* ~ on épier (*q.*); **2.** inquisiteur (-euse *f*) *m*; personne *f* indiscrète *ou* curieuse.

snoot·y *Am.* F ['snu:ti] arrogant; suffisant.

snooze F [snu:z] **1.** petit somme *m*; **2.** sommeiller; faire un petit somme.

snore [snɔ:] **1.** ronflement *m*; **2.** ronfler.

snort [snɔ:t] **1.** reniflement *m* (*a. fig.* de dégoût); ⊕ ronflement *m*; *cheval*: ébrouement *m*; **2.** renifler; s'ébrouer (*cheval*); *v/t.* grogner (*une réponse*).

snot *sl.* [snɔt] morve *f*; **'snot·ty** *sl.* morveux (-euse *f*); *fig.* maussade.

snout [snaut] museau *m*; *porc*: groin *m*.

snow [snou] **1.** neige *f*; *sl.* cocaïne *f*; **2.** *v/i.* neiger; *v/t.* saupoudrer (de, *with*); *surt. Am.* F *fig.* be ~ed under être accablé (de, *with*); ~ed in (*ou* up) pris *ou* bloqué par la neige; **'~·ball 1.** boule *f* de neige; **2.** lancer des boules de neige; *fig.* faire boule de neige; **'~·drift** amas *m* de neige, congère *f*; **'~·drop** ♦ perce-neige *f/inv.*; **'~·gog·gles** *pl.* (a pair of)

~ (des) lunettes *f/pl.* d'alpiniste; **'~·plough**, *Am.* **'~·plow** chasse-neige *m/inv.*; **'snow·y** □ neigeux (-euse *f*), de neige.

snub [snʌb] **1.** remettre (*q.*) à sa place; rembarrer; **2.** rebuffade *f*; mortification *f*; **'snub·ber** ⊕ amortisseur *m* à courroie; **'snub-nose** nez *m* retroussé; **'snub-nosed** (au nez) camus.

snuff [snʌf] **1.** *chandelle*: mouchure *f*; tabac *m* (à priser); F up to ~ dégourdi, à la coule; F give *s.o.* ~ laver la tête à q.; **2.** (*a.* take ~) priser; moucher; **'~·box** tabatière *f*; **'snuff·er** priseur (-euse *f*) *m*; (*a pair of*) ~s *pl.* (des) mouchettes *f/pl.*; **snuf·fle** ['snʌfl] renifler; nasiller; ~ at flairer (*qch.*); **'snuff·y** au linge tacheté de tabac; au nez barbouillé de tabac; F *fig.* peu soigné.

snug □ [snʌg] confortable; bien au chaud; gentil(le *f*); ♣ paré; **'snug·ger·y** petite pièce *f* confortable; petit fumoir *m*; *sl.* turne *f*; **snug·gle** ['snʌgl] (se) serrer; *v/i.* se pelotonner (contre up to, *into*); ~ down se blottir (dans, *in*).

so [sou] ainsi; par conséquent; si, tellement; donc; *I hope* ~ je l'espère bien; *are you tired?* ~ *I am* êtes-vous fatigué?; je le suis en effet; *you are tired,* ~ *am I* vous êtes fatigué, (et) moi aussi; *a mile or* ~ un mille à peu près; ~ *as to* pour *ou* afin de (*inf.*), pour *ou* afin que (*sbj.*); de sorte que (*sbj.*); de façon à (*inf.*); ~ *far* jusqu'ici; ~ *far as I know* autant que je sache.

soak [souk] **1.** *v/t.* tremper (dans, *in*); imbiber (de, *in*); F faire payer; ~ *up* (*ou in*) absorber; *v/i.* tremper, s'imbiber (dans, *into*); F boire comme une éponge; **2.** trempe *f*; F bain *m*; F ivrogne *m*, biberon(ne *f*) *m*; F tombée *f*, *pluie*: arrosage *m*.

so-and-so ['souənsou] machin *m*, chose *m*; Mr. ♀ Monsieur *m* un tel.

soap [soup] **1.** savon *m*; *Am.* ~ opera mélodrame *m* radiodiffusé; *soft* ~ savon *m* vert; *sl.* flagornerie *f*; **2.** savonner; **'~·boil·er** chaudière *f* à savon; *personne*: savonnier (-ère *f*) *m*; **'~·box** caisse *f* à savon; ~ *orator* orateur *m* de carrefour; **'~·dish** plateau *m* à savon; **'~·suds** *pl.*, *a. sg.* eau *f* de savon; **'soap·y** □

savonneux (-euse *f*); qui sent le savon.

soar [sɔ:] prendre son essor; s'élever (*a. fig.*); ⚔ faire du vol à voile; **'soar·ing 1.** qui s'élève; plané (*vol*); **2.** essor *m*; hausse *f*; vol *m* plané.

sob [sɔb] **1.** sanglot *m*; **2.** sangloter.

so·ber ['soubə] **1.** □ sobre, modéré; grave; sérieux (-euse *f*); pas ivre; **2.** (*souv.* ~ *down*) (se) dégriser; **'so·ber·ness, so·bri·e·ty** [sou-'braiəti] sobriété *f*; sérieux *m*.

sob-stuff *Am.* F ['sɔbstʌf] sensiblerie *f*.

so-called ['sou'kɔ:ld] prétendu, ce qu'on est convenu d'appeler.

soc·cer *sp.* ['sɔkə] football *m* association.

so·ci·a·bil·i·ty [souʃə'biliti] sociabilité *f*; **'so·cia·ble** □ **1.** sociable; *zo.* sociétaire; **2.** *véhicule:* sociable *m*; *meuble:* causeuse *f*; *Am.* soirée *f* amicale.

so·cial ['souʃl] **1.** □ social (-aux *m/pl.*); ~ *activities pl.* mondanités *f/pl.*; ~ *insurance* assurance *f* ou prévoyance *f* sociale; ~ *insurance stamp* timbre *m* de sécurité sociale; ~ *science* science *f* sociale; ~ *services pl.* institutions *f/pl.* sociales; **2.** F soirée *f*; réunion *f*; **'so·cial·ism** socialisme *m*; **'so·cial·ist** socialiste (*a. su./mf*); **so·cial·ite** F ['sou-ʃəlait] mondain(e *f*) *m*; **'so·cial·ize** rendre social; réunir en société; *pol.* socialiser.

so·ci·e·ty [sə'saiəti] société *f*; association *f*; beau monde *m*.

so·ci·o·log·i·cal □ [sousiə'lɔdʒikl] sociologique; **so·ci·ol·o·gist** [~'ɔlədʒist] sociologue *m*; **so·ci·ol·o·gy** sociologie *f*. [intérieure.\

sock¹ [sɔk] chaussette *f*; semelle *f*

sock² *sl.* [~] **1.** coup *m*, beigne *f*; *give s.o.* ~*(s pl.)* = **2.** flanquer une beigne à (*q.*).

sock·dol·a·ger *Am. sl.* [sɔk'dɔlədʒə] coup *m* violent, gnon *m*; argument *m* décisif.

sock·er F ['sɔkə] *see* soccer.

sock·et ['sɔkit] emboîture *f* (*a. os*); douille *f* (*a. ⚡*); *œil:* orbite *f*; *dent:* alvéole *m*; ⊕ godet *m*; ⚡ socle *m*; cavité *f*; *chandelle:* bobèche *f*.

so·cle ['sɔkl] socle *m*.

sod [sɔd] **1.** gazon *m*; motte *f*; *poét.* terre *f*; **2.** gazonner.

so·da 🔔 ['soudə] soude *f*; '~**-foun·tain** siphon *m*; *Am.* bar *m*, débit *m* (*de boissons non alcoolisées*).

sod·den ['sɔdn] détrempé; pâteux (-euse *f*) (*pain etc.*); (*trop longtemps*) bouilli; *fig.* abruti (*par la boisson*).

so·di·um 🔔 ['soudjəm] sodium *m*; *attr.* de soude.

so·ev·er [sou'evə] que ce soi(en)t.

so·fa ['soufə] canapé *m*.

sof·fit ◬ ['sɔfit] soffite *m*; cintre *m*.

soft [sɔft] **1.** □ mou (mol *devant une consonne ou un h muet;* molle *f*); doux (douce *f*); tendre; flasque; F facile; F nigaud; F ~ *drink* boisson *f* non alcoolisée; F *a* ~ *thing* une bonne affaire *f; see* soap; **2.** *adv.* doucement; sans bruit; **3.** F nigaud(e *f*) *m*; **soft·en** ['sɔfn] (s')amollir; (s')adoucir (*a. couleurs, a.* ⊕ *acier*); (s')attendrir; (se) radoucir (*ton, voix, etc.*); *v/t.* atténuer (*des couleurs, la lumière, a. phot.* les contours); **soft·ness** ['sɔftnis] douceur *f* (*a. fig.*); *caractère:* mollesse *f*; F niaiserie *f*; **'soft·y** F nigaud(e *f*) *m*, niais(e *f*) *m*.

sog·gy ['sɔgi] détrempé; lourd (*temps*); pâteux (-euse *f*).

soil¹ [sɔil] sol *m*, terre *f*, terroir *m*.

soil² [~] **1.** souillure *f*; tache *f*; **2.** (se) salir; *v/t.* souiller; '~**-pipe** descente *f* (*de W.-C.*).

so·journ ['sɔdʒə:n] **1.** séjour *m*; **2.** séjourner; **'so·journ·er** personne *f* de passage; hôte(sse *f*) *m*.

sol·ace ['sɔləs] **1.** consolation *f*; **2.** consoler.

so·lar ['soulə] solaire.

sold [sould] *prét. et p.p. de* sell.

sol·der ⊕ ['sɔldə] **1.** soudure *f*; **2.** (re)souder; **sol·der·ing-i·ron** ['~riŋaiən] fer *m* à souder.

sol·dier ['souldʒə] **1.** soldat *m*; **2.** (*a. go* ~*ing*) faire le métier de soldat; **'sol·dier·like, 'sol·dier·ly** de soldat; militaire; **sol·dier·ship** ['~ʃip] aptitude *f* militaire; **'sol·dier·y** militaires *m/pl.*; *péj.* soldatesque *f*.

sole¹ □ [soul] seul, unique; ~ *agent* agent *m* exclusif.

sole² [~] **1.** semelle *f; pied:* plante *f*; **2.** ressemeler.

sole³ *icht.* [~] sole *f*.

sol·e·cism ['sɔlisizm] solécisme *m*; faute *f* de grammaire.

sol·emn □ ['sɔləm] solennel(le *f*);

sérieux (-euse *f*); grave; **so·lem·ni·ty** [sə'lemniti] solennité *f* (*a.* = *fête*); gravité *f*; **sol·em·ni·za·tion** [sɔləmnai'zeiʃn] célébration *f*, solennisation *f*; **'sol·em·nize** célébrer (*un mariage*); solenniser (*une fête*); rendre grave.

so·lic·it [sə'lisit] solliciter (qch. de q. *s.o. for s.th.*, *s.th. from s.o.*); *prostituée*: raccrocher (*un homme*); **so·lic·i·ta·tion** sollicitation *f*; *votes*: brigue *f*; *prostituée*: racolage *m*; **so·lic·i·tor** ♣ avoué *m*, *Brit.* solicitor *m*; *Am.* ♣ placier *m*; ♀ *General* conseiller *m* juridique de la Couronne; **so·lic·it·ous** □ préoccupé (de, *about*); soucieux (-euse *f*) (de, *of*; de *inf.*, *to inf.*); be ~ *about* s'inquiéter de; *be* ~ *for* avoir (*qch.*) à cœur; **so·lic·i·tude** [ˌtju:d] sollicitude *f*; souci *m*.

sol·id ['sɔlid] 1. □ solide (*a. fig.*, ⅄ *angle*); plein (*acajou, mur, pneu, volume*); vif (vive *f*) (*pierre*); massif (-ive *f*) (*argent*); épais(se *f*); de volume (*mesures*); ⊕ solidaire (de, *with*); *fig.* bon(ne *f*); *fig.* ininterrompu; *fig.* unanime; *surt. Am.* F *make o.s.* ~ *with* être bien avec, se mettre sur un bon pied avec; *a* ~ *hour* une bonne heure, une pleine heure; ⅄ ~ *geometry* géométrie *f* dans l'espace; ~ *leather* cuir *m* à semelles; ~ *rubber* caoutchouc *m* plein; 2. solide *m*; **sol·i·dar·i·ty** [ˌdæriti] solidarité *f*; **so'lid·i·fy** [ˌfai] (se) solidifier; *v/i.* se figer; **so'lid·i·ty** solidité *f*; ♣♣ solidarité *f*.

so·lil·o·quize [sə'liləkwaiz] se parler à soi-même; faire un soliloque; **so'lil·o·quy** soliloque *m*, monologue *m*.

sol·i·taire [sɔli'tɛə] *diamant, a. jeu*: solitaire *m*; *cartes*: jeu *m* de patience; **sol·i·tar·y** □ ['ˌtəri] solitaire, isolé; retiré; ~ *confinement* prison *f* cellulaire; **sol·i·tude** ['ˌtju:d] solitude *f*.

so·lo ['soulou] ♪ solo *m*; *cartes*: whist *m* de Gand; ♠♠ vol *m* solo; **'so·lo·ist** ♪ soliste *mf*.

sol·stice ['sɔlstis] solstice *m*.

sol·u·bil·i·ty [sɔlju'biliti] solubilité *f*; *problème*: résolubilité *f*; **sol·u·ble** ['sɔljubl] soluble; résoluble.

so·lu·tion [sə'lu:ʃn] solution *f* (*a.* ⅄, ◠, ♣♣); ⊕ (dis)solution *f*.

solv·a·ble ['sɔlvəbl] soluble; ⅄ *a.*

résoluble; **solve** [sɔlv] résoudre; **sol·ven·cy** ['ˌvənsi] solvabilité *f*; **'sol·vent 1.** dissolvant; ♣ solvable; 2. (dis)solvant *m*.

som·ber, **som·bre** □ ['sɔmbə] sombre; morne.

some [sʌm, səm] 1. *pron. indéf.* certains; quelques-uns, quelques-unes; un peu, en; *I need* ~ j'en ai besoin; 2. *adj.* quelque, quelconque; un certain, une certaine; du, de la, des, quelques; ~ *bread* du pain; ~ *few* quelques-uns, quelques-unes; ~ *20 miles* une vingtaine de milles; *in* ~ *degree, to* ~ *extent* quelque peu; jusqu'à un certain point; *that was* ~ *meal!* c'était un chouette repas!; 3. *adv.* quelque, environ; *sl.* pas mal; *he was annoyed* ~ il n'était pas mal fâché; **'~·bod·y**, **'~·one** quelqu'un; **'~·how** de façon *ou* d'autre; ~ *or other* d'une manière *ou* d'une autre.

som·er·sault ['sʌməsɔ:lt], **som·er·set** ['ˌset] *gymn.* saut *m* périlleux; culbute *f*; cabriole *f*; *turn* ~*s* faire le saut périlleux; faire des cabrioles.

some...: **'~·thing** ['sʌmθiŋ] quelque chose (*a. su./m*); *adv.* quelque peu; *that is* ~ c'est déjà quelque chose; ~ *like* en forme de; F *un vrai* ...; **'~·time 1.** *adv.* autrefois; jadis; 2. *adj.* ancien(ne *f*) (*devant su.*); **~·times** ['ˌz] parfois, quelquefois; **'~·what** quelque peu, un peu; assez; **'~·where** quelque part.

som·nam·bu·lism [sɔm'næmbjulizm] somnambulisme *m*, noctambulisme *m*; **som'nam·bu·list** somnambule *mf*, noctambule *mf*.

som·nif·er·ous □ [sɔm'nifərəs] somnifère, endormant.

som·no·lence ['sɔmnoləns] somnolence *f*, assoupissement *m*; **'som·no·lent** somnolent, assoupi.

son [sʌn] fils *m*.

so·nant *gramm.* ['sounənt] (consonne *f*) sonore.

so·na·ta ♪ [sə'nɑ:tə] sonate *f*.

song [sɔŋ] chant *m*; chanson *f*; *eccl.* cantique *m*; F *for a mere* (*ou an old*) ~ pour une bagatelle, pour rien; **'~·bird** oiseau *m* chanteur; **'~·book** recueil *m* de chansons; **'~·hit** succès *m*; **'song·ster** oiseau *m* chanteur; chanteur *m*; **'song·stress** chanteuse *f*.

son·ic bar·ri·er ['sɔnik 'bæriə] mur *m* du son.

son-in-law ['sʌninlɔː], *pl.* **sons-in-law** gendre *m*.

son·net ['sɔnit] sonnet *m*.

son·ny F ['sʌni] (mon) petit *m*.

so·no·rous □ [sə'nɔːrəs] sonore; **so'no·rous·ness** sonorité *f*.

soon [suːn] bientôt; tôt; vite; de bonne heure; *as* (*ou* so) ~ *as* dès que, aussitôt que; '**soon·er** plus tôt; plutôt; *no* ~ ... *than* à peine... que; *no* ~ *said than done* sitôt dit, sitôt fait.

soot [sut] **1.** suie *f*; **2.** couvrir de suie; calaminer (*les bougies*).

sooth [suːθ]: † *in* ~ en vérité, vraiment; ~ *to say* à vrai dire; **soothe** [suːð] calmer, apaiser; **sooth·say·er** ['suːθseiə] devin(eresse *f*) *m*.

soot·y □ ['suti] couvert de suie; (noir) de suie; fuligineux (-euse *f*).

sop [sɔp] **1.** morceau *m* (*de pain etc.*) trempé; *fig.* don *m* propitiatoire; **2.** tremper; ~ *up* éponger.

soph·ism ['sɔfizm] sophisme *m*.

soph·ist ['sɔfist] sophiste *m*; **so·phis·tic, so·phis·ti·cal** □ [sə'fistik(l)] sophistiqu(iqu)e; captieux (-euse *f*) (*argument*); **so'phis·ti·cate** [~keit] sophistiquer; falsifier; **so'phis·ti·cat·ed** sophistiqué, falsifié; blasé; aux goûts compliqués; **soph·ist·ry** ['sɔfistri] sophistique *f*; sophistication *f*; sophismes *m/pl.*

soph·o·more *Am.* ['sɔfəmɔː] étudiant(e *f*) *m* de seconde année.

so·po·rif·ic [soupə'rifik] (~*ally*) soporifique (*a. su./m*), somnifère (*a. su./m*).

sop·ping ['sɔpiŋ] (*a.* ~ *wet*) trempé; trempé jusqu'aux os (*personne*); '**sop·py** détrempé; *fig.* mou (mol *devant une voyelle ou un h muet*; molle *f*); F fadasse.

so·pran·o ♪ [sə'prɑːnou] soprano *m*.

sor·cer·er ['sɔːsərə] sorcier *m*; '**sor·cer·ess** sorcière *f*; '**sor·cer·y** sorcellerie *f*.

sor·did □ ['sɔːdid] sordide (*souv. fig. = sale, vil*); ♨ infect; '**sor·did·ness** sordidité *f*; saleté *f*; bassesse *f*.

sore [sɔː] **1.** □ douloureux (-euse *f*); irrité, enflammé; ulcéré; *fig.* cruel(le *f*); chagriné (*personne*), *Am.* F fâché; ~ *throat* mal *m* de gorge; **2.** plaie *f* (*a. fig.*); écorchure *f*; ulcère *m*; '**sore·head** *Am.* F *fig.*

rouspéteur *m*; '**sore·ly** *adv.* gravement, vivement; '**sore·ness** sensibilité *f*; *fig.* chagrin *m*.

so·ror·i·ty [sə'rɔriti] communauté *f* religieuse; *univ. Am.* cercle *m* d'étudiantes.

sor·rel[1] ['sɔrəl] **1.** saure, alezan (*cheval*); **2.** alezan *m*.

sor·rel[2] ♀ [~] oseille *f*.

sor·row ['sɔrou] **1.** douleur *f*, tristesse *f*, chagrin *m*; **2.** s'attrister; être affligé; **sor·row·ful** □ ['~ful] triste, attristé; pénible.

sor·ry □ ['sɔri] désolé, fâché, peiné (de *to*, *at*); *fig.* misérable, pauvre; (*I am*) (so) ~! pardon!; *I am* ~ *for you* je vous plains; *we are* ~ *to say* nous regrettons d'avoir à dire...

sort [sɔːt] sorte *f*, genre *m*, espèce *f*; classe *f*; façon *f*; *people of all* ~*s* des gens de toutes sortes; *something of the* ~, *that* ~ *of thing* quelque chose de pareil(le *f*); *in some* ~ *I like it*, F *I* ~ *of like it* jusqu'à un certain point je l'aime; *out of* ~*s* indisposé, de mauvaise humeur; F *he is a good* ~ c'est un brave type; (*a*) ~ *of peace* une paix telle quelle; **2.** trier, assortir; † classifier, lotir; ~ *out* séparer (de, d'avec *from*).

sor·tie ✕ ['sɔːtiː] sortie *f*.

sot [sɔt] ivrogne(sse *f*) *m*; *sl.* soûlard(e *f*) *m*; **sot·tish** □ ['sɔtiʃ] d'ivrogne; abruti par l'alcool.

sough [sau] **1.** murmure *m*, susurrement *m*; **2.** murmurer, susurrer.

sought [sɔːt] *prét. et p.p. de* **seek**; '~·**aft·er** recherché.

soul [soul] âme *f*; F *the* ~ *of* le premier mobile (*d'une entreprise*); '**soul·less** □ sans âme; (*a.* '**soul·de·stroy·ing**) abrutissant.

sound[1] □ [saund] sain; en bon état; bon(ne *f*); *fig.*, *a.* △ solide; droit; profond (*sommeil*); bon(ne *f*); ♩♭ valable, légal (-aux *m/pl.*).

sound[2] [~] **1.** son *m*, bruit *m*; *phys.* acoustique *f*; ~-*effects pl.* bruitage *m*; ~-*film* film *m* sonore; ~-*broadcasting* radio *f*; *cin.* ~-*track* piste *f* sonore; ~-*wave* onde *f* sonore; **2.** *v/i.* (ré)sonner; retentir; paraître; avoir le son de; *v/t.* sonner; faire retentir; prononcer (*les R etc.*); chanter (*des louanges*); ♩♭ ausculter (*la poitrine*); ✕ ~ *the retreat* sonner la retraite.

sound[3] [~] *géog.* détroit *m*; bras *m*

de mer; *icht.* vessie *f* natatoire; *géog.* the ♌ le Sund *m.*

sound[4] [∿] **1.** ⚒ sonde *f*; **2.** ⚒ sonder (*a. fig., a.* ⚓); ∿ *s.o.* out sonder q. (relativement à, *about*).

sound...: '∿-**box** *grammophone*: diaphragme *m*; ♪ caisse *f* de résonance; '∿-**de·tect·or** appareil *m* d'écoute.

sound·ing ⚓ ['saundiŋ] sondage *m*; ∿s *pl.* sondes *f*/*pl.*, fonds *m*/*pl.*

sound(·ing)-board ['saund(iŋ)bɔːd] *chaire etc.*: abat-voix *m*/*inv.*; ♪ orgue: tamis *m*; *piano*: table *f* d'harmonie.

sound·less □ ['saundlis] muet(te *f*).

sound·ness ['saundnis] bon état *m*; solidité *f* (*a. fig.*).

sound-proof ['saundpruːf], **sound-tight** ['∿tait] insonore.

soup[1] [suːp] potage *m*; soupe *f.*

soup[2] *Am. sl.* [∿] **1.** cheval-vapeur (*pl.* chevaux-vapeur) *m*; **2.:** ∿ up doper; *mot.* :∿ed up engine moteur *m* comprimé.

sour ['sauə] **1.** □ aigre, acide; vert (*fruit*); *fig.* revêche; aigre; acariâtre; **2.** *v/t.* aigrir (*a. fig.*); *v/i.* surir; (s')aigrir (*a. fig.*).

source ['sɔːs] source *f*; *fig.* origine *f.*

sour·dough *Am.* ['sauədou] vétéran *m* (*des placers d'Alaska*).

sour·ish □ ['sauəriʃ] aigrelet(te *f*); '**sour·ness** aigreur *f* (*a. fig.*); *fig.* humeur *f* revêche.

souse [saus] **1.** *v/t.* plonger; tremper (d'eau, *with water*); *cuis.* faire mariner; *v/i.* mariner; faire un plongeon; ∿d *sl.* ivre, F gris, parti; **2.** immersion *f*; plongeon *m*; trempée *f*; *cuis.* marinade *f*; *Am.* ivrogne *m*; **3.** plouf!, floc!

south [sauθ] **1.** *su.* sud *m*; midi *m*; **2.** *adj.* du sud; méridional (-aux *m*/*pl.*); **3.** *adv.* au sud, vers le sud.

south-east ['sauθ'iːst] **1.** sud-est *m*; **2.** (*a.* **south-'east·ern**) (du) sud-est.

south·er·ly ['sʌðəli], **south·ern** ['∿ən] (du) sud; du midi; méridional (-aux *m*/*pl.*); '**south·ern·er** habitant(e *f*) *m* du sud; *Am.* ♌ sudiste *mf.*

south·ern·most ['sʌðənmoust] le plus au sud.

south·ing ['sauðiŋ] ⚓ chemin *m* sud; *astr.* passage *m* au méridien.

south·paw *Am.* ['sauθpɔː] *baseball*: gaucher *m.*

south·ward ['sauθwəd] **1.** *adj.* au

ou du sud; **2.** *adv.* (*a.* **south·wards** ['∿dz]) vers le sud.

south...: '∿-**'west 1.** *su.* sud-ouest *m*; **2.** *adv.* vers le sud-ouest; **3.** *adj.* (*a.* ∿-'**west·er·ly**, ∿-'**west·ern**) (du) sud-ouest; '∿-'**west·er** (vent *m* du) sud-ouest; ⚓ suroît *m* (= *chapeau imperméable*).

sou·ve·nir ['suːvəniə] souvenir *m*, mémento *m.*

sov·er·eign ['sɔvrin] **1.** □ souverain (*a. fig.*), suprême; **2.** souverain(e *f*) *m*; monarque *m*; *monnaie anglaise*: souverain *m* (= *pièce de 20 shillings*); '**sov·er·eign·ty** souveraineté *f.*

so·vi·et ['souviət] Soviet *m*; *attr.* soviétique.

sow[1] [sau] *zo.* truie *f*; ⊕ gueuse *f* des mères; (*a.* ∿-*channel*) mère-gueuse (*pl.* mères-gueuses) *f.*

sow[2] [sou] [*irr.*] semer (de, *with*); ensemencer (*la terre*) (en blé, *with wheat*); '**sow·er** semeur (-euse *f*) *m* (*a. fig.*); **sown** [soun] *p.p. de* sow[2].

sox [sɔks] *pl. see* sock[1].

so·ya ♎ ['sɔiə] (*a.* ∿ *bean*) soya *m.*

spa [spɑː] source *f* minérale; ville *f* d'eau.

space [speis] **1.** espace *m*, *typ.* ♎; intervalle *m* (*a. temps*); étendue *f*, surface *f*; F place *f*; ∿-*rocket* fusée *f* interplanétaire; ∿-*ship* astronef *m*; **2.** (*a.* ∿ out) espacer (*a. typ.*); échelonner (*des troupes, des versements*).

spa·cious □ ['speiʃəs] spacieux (-euse *f*), vaste; ample.

spade [speid] **1.** bêche *f*; call *a* ∿ *a* ∿ appeler les choses par leur nom; *usu.* ∿s *pl.* cartes: pique *m*; **2.** bêcher; '∿-**work** travaux *m*/*pl.* à la bêche *ou fig.* préliminaires.

span[1] [spæn] **1.** *main*: empan *m*; court espace *m* de temps; △ portée *f*, largeur *f*; bras, ailes, *a.* ✈ envergure *f*; *Am.* paire *f*; **2.** franchir, enjamber; *fig.* embrasser; mesurer à l'empan.

span[2] [∿] *prét. de* spin 1.

span·gle ['spæŋgl] **1.** paillette *f*; **2.** pailleter (de, *with*); *fig.* parsemer (de, *with*).

Span·iard ['spænjəd] Espagnol(e *f*) *m.*

span·iel ['spænjəl] épagneul *m.*

Span·ish ['spæniʃ] **1.** espagnol; d'Espagne; **2.** *ling.* espagnol *m*; *the* ∿ *pl.* les Espagnols *m*/*pl.*

special

spank F [spæŋk] **1.** v/t. fesser; v/i. ~ *along* aller bon train; **2.** claque f sur le derrière; **'spank·er** ⊕ brigantine f; **'spank·ing 1.** □ qui va bon train; vigoureux (-euse f); F de premier ordre; sl. épatant; **2.** F fessée f.

span·ner ⊕ ['spænə] clef f (à écrous); fig. throw a ~ in the works mettre des bâtons dans les roues.

spar[1] [spɑː] ⊕ espar m; ✈ longeron m.

spar[2] [~] faire mine de vouloir boxer (q., at s.o.); boxer amicalement; se battre (coqs); fig. argumenter (avec, with); box. ~ring partner sparring-partner m, partenaire m d'entraînement.

spar[3] min. [~] spath m.

spare [spɛə] **1.** □ frugal (-aux m/pl.); maigre; sec (sèche f) (personne); disponible, de reste; de réserve, de rechange, de secours; ~ hours (heures f/pl. de) loisir m; ~ room chambre f d'ami; ~ time temps m disponible; **2.** ⊕ pièce f de rechange; **3.** v/t. épargner, ménager; se passer de; prêter; donner; faire grâce à (q.); respecter; enough and to ~ plus qu'il n'en faut (de, of); v/i. épargner, faire des économies; **'spare·ness** minceur f; maigreur f; frugalité f; **spare·rib** cuis. ['~rib] côte f de porc.

spar·ing □ ['spɛəriŋ] ménager (-ère f) (de in, of); économe; frugal (-aux m/pl.); limité (emploi); **'spar·ing·ness** épargne f, frugalité f.

spark[1] [spɑːk] **1.** étincelle f (a. fig.); F ~s radiotélégraphiste m; **2.** v/i. émettre des étincelles; cracher (dynamo); v/t. faire éclater avec une étincelle électrique.

spark[2] [~] élégant m; beau cavalier m; joyeux compagnon m.

spark(·ing)·plug mot. ['spɑːk(iŋ)-plʌg] bougie f.

spar·kle ['spɑːkl] **1.** étincelle f; éclat m; fig. vivacité f d'esprit; **2.** étinceler, scintiller; chatoyer (bijou); pétiller (esprit, feu, yeux, vin); sparkling wine vin m mousseux; **spar·klet** ['~it] petite étincelle f; eau de seltz: sparklet m.

spar·row orn. ['spærou] moineau m, passereau m; **'~·hawk** orn. épervier m.

sparse □ [spɑːs] épars, clairsemé.

spasm ✿ ['spæzm] spasme m; fig. accès m; **spas·mod·ic, spas·mod·i·cal** [~'mɔdik(l)] spasmodique; involontaire; fig. par saccades.

spat[1] [spæt] huîtres: frai m.

spat[2] [~] guêtre f de ville.

spat[3] [~] prét. et p.p. de spit[2] 2.

spatch·cock ['spætʃkɔk] cuis. faire cuire à la crapaudine; fig. faire une intervention dans (une dépêche) (à la dernière minute).

spate [speit] crue f; fig. déluge m.

spa·tial □ ['speiʃl] spatial (-aux m/pl.).

spat·ter ['spætə] éclabousser (de, with); **spat·ter·dash** † ['~dæʃ] guêtre f.

spat·u·la ['spætjulə] spatule f; cuis. gâche f.

spav·in vét. ['spævin] éparvin m.

spawn [spɔːn] **1.** frai m, œufs m/pl.; fig. usu. péj. progéniture f; **2.** v/i. frayer; péj. se multiplier; naître (de, from); v/t. péj. donner naissance à; **'spawn·er** poisson m qui fraye; **'spawn·ing** (acte m ou époque f du) frai m.

speak [spiːk] [irr.] v/i. parler (a. fig. = retentir); faire un discours; ♪ sonner; téléph. Brown ~ing! ici Brown!; ~ out parler à haute voix; parler franchement; ~ to parler à ou avec; ~ up parler plus fort ou haut; ~ up! (parlez) plus fort!; that ~s well for him cela est tout à son honneur; ~ well for faire honneur à; v/t. dire (qch.); parler (une langue); exprimer; faire (un éloge); témoigner de; '~·eas·y Am. sl. bar m clandestin; **'speak·er** parleur (-euse f) m; interlocuteur (-trice f) m; orateur m; radio: haut-parleur m; parl. Président m.

speak·ing ['spiːkiŋ] parlant (a. fig. portrait); expressif (-ive f); be on ~ terms with se connaître assez pour se parler; **'~·trum·pet** porte-voix m/inv.

spear [spiə] **1.** lance f; chasse: épieu m; javelot m; fig. ~ side côté m paternel ou mâle; **2.** frapper ou tuer d'un coup de lance (ou une bête: d'épieu); '~·head pointe f de lance; fig. pointe f.

spec ✝ sl. [spek] spéculation f.

spe·cial ['speʃl] **1.** □ spécial (-aux m/pl.); particulier (-ère f); journ.

~ *correspondent* envoyé(e *f*) *m* spécial(e); 2. (*ou* ~ *constable*) agent *m* de police suppléant (= *citoyen assermenté*); (*ou* ~ *edition*) édition *f* spéciale; (*ou* ~ *train*) train *m* spécial; *Am. magasin:* ordre *m* exprès; *Am.* plat *m* du jour; *restaurant:* spécialité *f* de la maison; **spe·cial·ist** ['speʃəlist] spécialiste *mf;* **spe·ci·al·i·ty** [speʃi'æliti] spécialité *f* (*a.* ✝); particularité *f*, caractéristique *f;* **spe·cial·ize** ['speʃəlaiz] *v/t.* particulariser; désigner *ou* adapter à un but spécial; *v/i.* se spécialiser (dans, *in*); *biol.* se différencier; **spe·cial·ty** ['~ʃlti] *see* speciality; ⚖ contrat *m* formel sous seing privé.

spe·cie ['spi:ʃi:] monnaie *f* métallique; espèces *f/pl.* (sonnantes).

spe·cies ['spi:ʃi:z] *sg. ou. pl.* espèce *f* (*a. eccl.*); genre *m*, sorte *f*.

spe·cif·ic [spi'sifik] **1.** (~*ally*) spécifique; précis; *phys.* ~ *gravity* pesanteur *f* spécifique; ⚖ ~ *performance contrat:* exécution *f* intégrale; **2.** ⚕ spécifique *m* (contre, *for*).

spec·i·fi·ca·tion [spesifi'keiʃn] spécification *f;* △ cahier *m* des charges; ⚖ description *f* (*de brevet*); **spec·i·fy** ['~fai] spécifier, déterminer; préciser.

spec·i·men ['spesimin] exemple *m*, spécimen *m;* échantillon *m*.

spe·cious □ ['spi:ʃəs] spécieux (-euse *f*); trompeur (-euse *f*); **'spe·cious·ness** spéciosité *f;* apparence *f* trompeuse.

speck [spek] **1.** graine *f;* point *m;* tache *f; fig.* brin *m;* **2.** moucheter, tacheter; **speck·le** ['~kl] **1.** moucheture *f; see* speck 1; **2.** *see* speck 2.

specs F [speks] *pl.* lunettes *f/pl.*

spec·ta·cle ['spektəkl] spectacle *m;* (*a pair of*) ~s *pl.* (des) lunettes *f/pl.;* '**spec·ta·cled** qui porte des lunettes; à lunettes.

spec·tac·u·lar □ [spek'tækjulə] **1.** spectaculaire; impressionnant; **2.** *Am.* F revue *f* à grand spectacle.

spec·ta·tor [spek'teitə] spectateur (-trice *f*) *m*.

spec·tral □ ['spektrəl] spectral (-aux *m/pl.*) (*a. opt.*); **spec·ter**, *Brit.* **spec·tre** ['~tə] fantôme *m*, spectre *m;* **spec·trum** *opt.* ['~trəm] spectre *m*.

spec·u·late ['spekjuleit] spéculer

(*a.* ✝), méditer (sur, [*up*]on); ✝ *a.* jouer; **spec·u·la·tion** spéculation *f* (*a.* ✝), méditation *f* (sur, [*up*]on); entreprise *f* spéculative; **spec·u·la·tive** □ ['~lətiv] spéculatif (-ive *f*) (*a.* ✝); contemplatif (-ive *f*); théorique; '**spec·u·la·tor** penseur *m;* ✝ spéculateur *m;* ✝ agioteur *m*.

spec·u·lum ['spekjuləm] ⚕ spéculum *m; opt.* miroir *m*.

sped [sped] *prét. et p.p. de* speed 2.

speech [spi:tʃ] parole *f,* -s *f/pl.;* langue *f;* discours *m;* '~**-day** *école:* distribution *f* des prix; **speech·i·fy** *péj.* ['~ifai] pérorer, *sl.* laïusser; '**speech·less** □ muet(te *f*).

speed [spi:d] **1.** vitesse *f* (*a.* ⊕, *mot., etc.*); marche *f;* hâte *f;* ~ *control* réglage *m* de la vitesse; *good* ~! bonne chance!; **2.** [*irr.*] *v/i.* se hâter, se presser; aller *etc.* vite; ✝ *a. poét.* réussir; *no* ~*ing!* vitesse *f* limitée!; *v/t.* hâter, accélérer; ✝ expédier, souhaiter le bon voyage à; ~ *up* accélérer; *mot.* mettre en vitesse; '~**-boat** hors-bord *m/inv.;* '~**-cop** motard *m;* '**speed·i·ness** rapidité *f;* promptitude *f;* **speed lim·it** vitesse *f* maxima; vitesse *f* limitée; '**speed-mer·chant** *mot.* chauffard *m;* **speed·om·e·ter** *mot.* [spi'dɔmitə] compteur *m*, indicateur *m* de vitesse; '**speed·way** *mot.* autostrade *f; Am. sp.* (piste *f* d')autodrome *m;* '**speed·well** ♀ véronique *f;* '**speed·y** □ rapide, prompt.

spell[1] [spel] temps *m*, période *f;* ⊕ tour *m* (de travail).

spell[2] [~] **1.** charme *m*, incantation *f;* **2.** [*irr.*] épeler (*de vive voix*); écrire, orthographier; *fig.* signifier; ~ *out* lire péniblement; épeler; '~**-bind·er** *Am.* beau diseur *m;* '~**-bound** *fig.* fasciné, charmé; '**spell·er:** *he is a bad* ~ il ne sait pas l'orthographe.

spell·ing ['speliŋ] épellation *f;* orthographe *f;* '~**-bee** *surt. Am.* concours *m* d'orthographe; '~**-book** syllabaire *m*.

spelt[1] [spelt] *prét. et p.p. de* spell[2] 2.

spelt[2] ♀ épeautre *m*.

spel·ter ['speltə] zinc *m*.

spen·cer ['spensə] *cost.* spencer *m*.

spend [spend] [*irr.*] *v/t.* dépenser (*l'argent*) (en, à, pour on), *péj.* dissiper (pour, on); employer, passer (*le temps*), *péj.* perdre; épuiser (*des forces*); ~ *o.s.* s'épuiser; *v/i.* dépenser de l'argent; '**spend·er** personne *f* qui dépense; *péj.* dépensier (-ère *f*) *m*.

spend·thrift ['spendθrift] dépensier (-ère *f*) *m* (*a. attr.*).

spent [spent] **1.** *prét. et p.p. de* **spend**; **2.** épuisé (*personne, a.* ♞ *acide*); mort (*balle*), vide (*cartouche*); écoulé (*jour*); apaisé (*orage*).

sperm *physiol.* [spə:m] semence *f* (*des mâles*); **sper·ma·ce·ti** [⁓ə'seti] spermacéti *m*; blanc *m* de baleine; **sper·ma·to·zo·on** *biol.* [⁓əto-'zouɔn], *pl.* -**zo·a** [⁓'zouə] spermatozoïde *m*.

spew *sl.* [spju:] *vt/i.* vomir.

sphere [sfiə] sphère *f* (*a. fig. d'activité, d'influence, etc.*); *fig.* domaine *m*; *fig.* milieu *m*; **spher·i·cal** □ ['sferikl] sphérique, en forme de sphère.

sphinc·ter *anat.* ['sfiŋktə] sphincter *m*, orbiculaire *m*.

spice [spais] **1.** épice *f*; *fig.* soupçon *m*, grain *m*, nuance *f*; **2.** épicer (*a. fig.*); **spic·er·y** ['⁓əri] épices *f/pl.*

spic·i·ness ['spaisinis] goût *m* épicé; *fig.* piquant *m*.

spick and span ['spikən'spæn] propre comme un sou neuf; tiré à quatre épingles (*personne*).

spic·y □ ['spaisi] épicé (*a. fig.*); aromatique; *fig.* piquant.

spi·der *zo.* ['spaidə] araignée *f*; ⁓'s **web** toile *f* d'araignée.

spiel *Am. sl.* [spi:l] discours *m*, allocution *f*; *sl.* laïus *m*.

spiff·y *sl.* ['spifi] élégant; pimpant.

spig·ot ['spigət] *tonneau:* fausset *m*; *robinet:* clef *f*.

spike [spaik] **1.** pointe *f*; fil barbelé; piquant *m*; clou *m* à large tête; ♀ *blé:* épi *m*; ♀ (*a. ⁓-lavender*) spic *m*; **2.** clouer; ⚔ enclouer (*un canon*); F *fig.* damer le pion à (*q.*); armer de pointes; **spike·nard** ['⁓nɑ:d] nard *m* (*indien*); '**spik·y** □ à pointe(s) aiguë(s); armé de pointes.

spill [spil] **1.** [*irr.*] *v/t.* répandre (*a. le sang*); renverser; F désarçonner (*un cavalier*); *Am.* dire; *v/i.* se répandre; s'écouler; **2.** F culbute *f*, chute *f* (*de cheval etc.*).

spill·way ['spilwei] passe-déversoir *m* (*pl.* passes-déversoirs) *f*.

spilt [spilt] *prét. et p.p. de* **spill** 1;

cry over ⁓ **milk** lamenter ce qu'on ne pourrait changer.

spin [spin] **1.** [*irr.*] *v/t.* filer; faire tourner (*a. une toupie*); *fig.* raconter (*une histoire*); ⊕ centrifuger (*le métal*); *v/i.* tourner; (*a. ⁓ round*) tournoyer; ✈ faire la vrille; ⁓ *along* filer; ⁓ (*a*)*round* se retourner vivement (*personne*); send s.o. ⁓*ning* faire chanceler q.; **2.** tournoiement *m*, ✈ vrille *f*; *cricket:* effet *m*; F go for a ⁓ se balader en auto.

spin·ach ♀ ['spinidʒ] épinard *m*; *cuis.* épinards *m/pl.*

spi·nal ['spainl] vertébral (-aux *m/pl.*); ⁓ *column* colonne *f* vertébrale; ⁓ *cord* (*ou marrow*) moelle *f* épinière; ⁓ *curvature* déviation *f* de la colonne vertébrale.

spin·dle ['spindl] fuseau *m*; ⊕ arbre *m*; '**spin·dly** long(ue *f*) et grêle.

spin·drift ['spindrift] *courant:* embruns *m/pl.*

spine [spain] épine *f*; *homme:* épine *f* dorsale; *géog.* arête *f*; *livre:* dos *m*; '**spine·less** sans épines; *fig.* mou (mol *devant une voyelle ou un h muet*; molle *f*).

spin·ner ['spinə] fileur (-euse *f*) *m*; machine *f ou* métier *m* à filer.

spin·ning...: ⁓**-jen·ny** ⊕ ['spininʒeni] machine *f* à filer; '⁓**-mill** filature *f*; '⁓**-wheel** rouet *m*.

spin·ster ['spinstə] fille *f* (*non mariée*); *p.ext.* vieille fille *f*; *admin.* célibataire *f*.

spin·y ['spaini] épineux (-euse *f*); ♀ spinifère.

spi·ra·cle ['spaiərəkl] évent *m*.

spi·rae·a ♀ [spai'riə] spirée *f*.

spi·ral ['spaiərəl] **1.** □ spiral (-aux *m/pl.*); spiralé; en spirale; spiroïdal (-aux *m/pl.*) (*mouvement*); en boudin (*ressort*); *zo.* cochléaire; **2.** spirale *f*, hélice *f*; tour *m ou* ✈ montée *f* etc. en spirale; *fig. prix:* montée *f* en flèche; **3.** former une spirale; monter *ou* descendre en spirale.

spire ['spaiə] *église, arbre:* flèche *f*.

spir·it ['spirit] **1.** esprit *m*, âme *f*; *fig.* élan *m*, entrain *m*, ardeur *f*; courage *m*; alcool *m*; ♞ *hist.* esprit *m*; *mot.* essence *f*; ⁓*s pl.* spiritueux *m/pl.*; liqueurs *f/pl.* fortes; *pharm.* alcoolat *m*; ⁓ *of wine* esprit *m* de vin; *in* (*high*) ⁓*s* en train; en verve; *in low* ⁓*s* abattu; accablé; tout triste; **2.:** ⁓ *away* (*ou off*) enlever, faire disparaître; F escamoter; ~ up encourager.

spir·i·ted □ ['spiritid] animé, vif (vive f); plein d'entrain; fougueux (-euse f); low-~ abattu; '**spir·it·ed·ness** ardeur f, feu m; cheval: fougue f.

spir·it·ism ['spiritizm] métapsychisme: spiritisme m; '**spir·it·ist** spirite mf (a. adj.).

spir·it·less □ ['spiritlis] abattu; inanimé; sans vie (a. fig.); mou (mol devant une voyelle ou un h muet; molle f).

spir·it·u·al ['spiritjuəl] 1. □ spirituel(le f); immatériel(le f); 2. chant m religieux (des nègres aux É.-U.); '**spir·it·u·al·ism** phls. spiritualisme m; métapsychisme: spiritisme m; **spir·it·u·al·i·ty** [~'æliti] spiritualité f; **spir·it·u·al·ize** ['~əlaiz] spiritualiser.

spir·it·u·ous ['spiritjuəs] spiritueux (-euse f), alcoolique.

spirt [spə:t] 1. v/t. faire jaillir; v/i. jaillir, gicler; see spurt 1; 2. (re)jaillissement m; jet m; see spurt 2.

spit¹ [spit] 1. cuis. broche f; géog. langue f de sable, pointe f de terre; 2. embrocher (a. fig.).

spit² [~] 1. crachat m; salive f; F be the very ~ of s.o. être q. tout craché; 2. [irr.] v/i. cracher (a. chat, plume); (a. ~ with rain) crachiner; ~ at (ou upon) cracher sur; v/t. (a. ~ out) cracher.

spit³ [~] profondeur f de fer de bêche; bêche f pleine.

spite [spait] 1. dépit m, pique f; rancune f; in ~ of malgré; 2. contrarier, vexer; **spite·ful** □ ['~ful] rancunier (-ère f); méchant; '**spite·ful·ness** rancune f; méchanceté f.

spit·fire ['spitfaiə] rageur (-euse f) m.

spit·tle ['spitl] salive f, crachat m.

spit·toon [spi'tu:n] crachoir m.

spiv sl. [spiv] parasite m; profiteur m.

splash [splæʃ] 1. éclaboussement m; éclaboussure f; vague: clapotement m; sl. esbroufe f; F make a ~ faire sensation; 2. v/t. éclabousser (de, with); tacher (de, with); v/i. jaillir; clapoter; barboter; cracher (robinet); '**~-board** garde-boue m/inv.; métall. parapluie m; plongeur m (de tête de bielle); '**splash-leath-**

er pare-boue m/inv.; '**splash·y** □ bourbeux (-euse f); barbouillé (dessin etc.).

splay [splei] 1. évasement m; 2. évasé; tourné en dehors (pied); 3. v/t. évaser; ⊕ chanfreiner; tourner en dehors; v/i. s'évaser.

splay·foot ['spleifut] pied m plat.

spleen [spli:n] anat. rate f; fig. spleen m, humeur f noire; **spleen·ful** ['~ful], '**spleen·y** atrabilaire; de mauvaise humeur.

splen·did □ ['splendid], **splen·dif·er·ous** [~'difərəs] splendide, magnifique; F épatant; **splen·do(u)r** ['~də] splendeur f; éclat m.

sple·net·ic [spli'netik] 1. (a. **sple·net·i·cal** □ [~kl]) splénique (a. 𝒮), atrabilaire; 2. hypocondriaque m.

splice [splais] 1. ligature f; ⊕ enture f (cricket: du manche de la batte); 2. ⊕ enter; cin. réparer; épisser; sl. marier.

splint 𝒮 [splint] 1. éclisse f; 2. éclisser.

splin·ter ['splintə] 1. éclat m; os: esquille f; 2. v/t. briser; v/i. voler en éclats; se fendre; '**~-bone** anat. péroné m; '**splin·ter·less** se brisant sans éclats (verre).

split [split] 1. fente f, fissure f; fig. scission f; F do the ~s faire le grand écart; 2. fendu; 3. [irr.] v/t. fendre; déchirer; partager; couper en deux; ~ hairs couper un cheveu en quatre; ~ one's sides with laughing se tordre de rire; ~ up fractionner; v/i. se fendre; éclater; fig. se diviser; sl. ~ on dénoncer (q.); F cafarder; '**split·ting** qui (se) fend; F fou (folle devant une voyelle ou un h muet; folle f), affreux (-euse f).

splotch [splotʃ] tache f.

splurge [splə:dʒ] Am. épate f; esbroufe f; grosse averse f.

splut·ter ['splʌtə] see sputter; v/i. bredouiller; cracher; mot. bafouiller (moteur).

spoil [spoil] 1. souv. ~s pl. butin m (a. fig.); fig. profit m; surt. Am. pol. ~s system octroi m des places à ses adhérents (en arrivant au pouvoir); 2. [irr.] v/t. gâter (a. un enfant); piller; dépouiller (de, of); abîmer; couper (l'appétit); v/i. se gâter; s'altérer; ~ for brûler du désir de se battre; '**spoil·er** spoliateur (-trice f) m; gâcheur (-euse f) *m*; **spoils·man** *Am. pol.* ['ˌzmən] chacal (*pl.* -s) *m*; **'spoil·sport** trouble-fête *mf/inv.*

spoilt [spɔilt] *prét. et p.p. de* spoil 2.

spoke¹ [spouk] *prét. de* speak.

spoke² [ˌ] rayon *m*; *échelle:* échelon *m*; bâton *m* (*a. fig.*); ⚓ poignée *f*.

spo·ken ['spoukən] *p.p. de* speak.

spokes·man ['spouksmən] porte-parole *m/inv.*; orateur *m*.

spo·li·a·tion [spouli'eiʃn] spoliation *f*, dépouillement *m*; pillage *m*.

spon·dee ['spɔndiː] spondée *m*.

sponge [spʌndʒ] 1. éponge *f*; *cuis.* pâte *f* molle; *throw up the ˌ box.* jeter l'éponge; *fig.* abandonner (la partie); 2. *v/t.* nettoyer *ou* laver avec une éponge; ˌ *up* éponger; *v/i.* vivre aux crochets (de q., *on* s.o.); F écornifler; 'ˌ-**cake** gâteau *m* de Savoie; baba *m* (*au rhum etc.*); **'spong·er** *fig.* écornifleur (-euse *f*) *m*; parasite *m*.

spon·gi·ness ['spʌndʒinis] spongiosité *f*; **'spon·gy** spongieux (-euse *f*).

spon·sor ['spɔnsə] 1. garant *m*, caution *f*; *eccl.*, *club:* parrain *m*, marraine *f*; *be a ˌ to radio:* offrir (*un programme*); 2. être le garant de; prendre en charge; *radio:* offrir (*un programme*); financer; **spon·sor·ship** ['ˌʃip] parrainage *m*.

spon·ta·ne·i·ty [spɔntə'niːiti] spontanéité *f*; **spon·ta·ne·ous** [ˌ'teinjəs] spontané; volontaire; automatique; ♀ qui pousse à l'état sauvage; ˌ *combustion* inflammation *f* spontanée; auto-allumage *m*.

spoof *sl.* [spuːf] 1. attraper; 2. attrape *f*.

spook F [spuːk] revenant *m*.

spool [spuːl] 1. bobine *f*; 2. bobiner.

spoon [spuːn] 1. cuiller *f*, cuillère *f*; F amoureux *m* d'une sentimentalité exagérée; *golf:* spoon *m*; *sl. be ˌs on* avoir un béguin pour (*q.*); 2. manger *ou* ramasser *ou* servir *etc.* avec une cuiller; *sl.* faire le galant auprès de (*q.*); 'ˌ-**drift** embrun *m*; **'spoon·er·ism** contrepèterie *f*; **'spoon·feed** *fig.* mâcher la besogne à; **spoon·ful** ['ˌful] cuillerée *f*; **'spoon-meat** aliment *m* liquide; **'spoon·y** □ F amoureux (-euse *f*) (de, on).

spo·rad·ic [spə'rædik] (ˌally) *fig.* isolé, rare; ♬, *zo.* sporadique.

spore ♀ [spɔː] spore *f*.

sport [spɔːt] 1. sport *m*; jeu *m*;

divertissement *m*; *fig.* jouet *m*; *fig.* moquerie *f*; ♀, *biol.* type *m* anormal; *sl.* (*a. good ˌ*) chic type *m*; 2. *v/i.* jouer; se divertir; ♀, *biol.* produire une variété anormale; *v/t.* F porter; étaler; *univ. sl.* ˌ *one's oak* défendre sa porte; s'enfermer à double porte; **'sport·ing** □ de sport; sportif (-ive *f*); amateur de la chasse; **'spor·tive** □ folâtre, badin, enjoué; **sports-ground** ['ˌsgraund] terrain *m* de jeux; stade *m*; **sports-man** ['ˌsmən] amateur *m* du sport, sportsman (*pl.* sportsmen) *m*; sportif *m*; chasseur *m*; **'sports·man·like** sportsman; digne d'un sportsman; **'sports-wear** costume *m* de sport; **'sports·wom·an** femme *f* amateur du sport *ou* de la chasse *etc.*; sportive *f*.

spot [spɔt] 1. tache *f*; *cravate*, *étoffe:* pois *m*; endroit *m*, lieu *m*; *figure:* bouton *m*; *sl. vin:* goutte *f*, petit verre *m*; *Am. radio:* spot *m*; *Am.* F *ten ˌ* billet *m* de dix dollars; ✝ ˌ*s pl.* marchandises *f/pl.* payées comptant; F *a ˌ of* un peu de; *on the ˌ* sur place; *adv.* immédiatement; *be on the ˌ* être là; arriver sur les lieux; 2. ✝ (au) comptant; (du) disponible; 3. *v/t.* tacher, tacheter, moucheter; F apercevoir; F repérer; F reconnaître; *v/i.* se tacher; F commencer à pleuvoir; **'spot·less** □ sans tache; immaculé; pur; **'spot·less·ness** netteté *f*; propreté *f*; pureté *f*; **'spot-light** *théâ.* projecteur *m*, spot *m*; *mot.* projecteur *m* orientable; *fig. in the ˌ* en vedette; dans les feux de la rampe; **'spot·ted** tacheté, moucheté; *tex.* à pois; *zo.* tâché; ♬ ˌ *fever* méningite *f* cérébro-spinale; **'spot·ter** ✈ avion *m* de réglage de tir; *personne:* observateur *m*; *Am.* détective *m* privé; *Am.* 🚂 inspecteur *m* en civil; **spot·ti·ness** ['ˌinis] caractère *m* tacheté *ou* boutonneux; **'spot·ty** moucheté; couvert de boutons (*figure*).

spouse [spauz] époux (-ouse *f*) *m*.

spout [spaut] 1. *théière etc.:* bec *m*; *arrosoir:* goulot *m*; *pompe:* jet *m*; △ tuyau *m* de décharge; △ gargouille *f*; gouttière *f*; 2. (faire) jaillir; *v/t.* F déclamer.

sprain [sprein] 1. entorse *f*, foulure

f; 2. se fouler (la cheville, *one's ankle*).

sprang [spræŋ] *prét. de* spring 2.

sprat *icht.* [spræt] sprat *m*.

sprawl [sprɔ:l] *v/i.* s'étendre, s'étaler (*a. fig.*); ♀ traîner, ramper; *v/t.* étendre (*les jambes*).

spray¹ [sprei] brin *m*, brindille *f*; *fleurs*: branche *f*.

spray² [~] 1. poussière *f* d'eau; écume *f*, embrun *m*; jet *m*; *see* ~er; 2. vaporiser (*un liquide*); arroser; passer (*un arbre*) au vaporisateur; '**spray·er** vaporisateur *m*; foam ~ extincteur *m* à mousse.

spread [spred] 1. [*irr.*] *v/t.* (*a.* ~ out) étendre; tendre (*le filet*); répandre (*un bruit, une nouvelle, une terreur*); propager (*une maladie*); tartiner (*une tranche de pain*); faire circuler, faire connaître; ~ the *table* mettre le couvert; *v/i.* s'étendre, s'étaler; 2. *prét. et p.p. de* 1; ◻ ~ *eagle* aigle *f* éployée; 3. étendue *f*; *ailes*: envergure *f*; diffusion *f*, propagation *f*; *Am.* dessus *m* de lit; *sandwich etc.*: pâte *f*; *sl.* régal *m*, festin *m*; '**~-ea·gle** F grandiloquent; chauviniste; '**spread·er** étaleur (-euse) *m*; semeur (-euse *f*) *m*; '**spread·ing** étendu; rameux (-euse *f*) (*arbre*).

spree F [spri:] bombe *f*, noce *f*; bringue *f*; go on the ~ faire la bringue *etc.*

sprig [sprig] 1. brin *m*, brindille *f*; petite branche *f*; *fig.* rejeton *m*; ⊕ clou *m* (*de vitrier*); pointe *f* (*de Paris*); 2.: ~ on (*ou* down) cheviller, ~ged à ramages (*tissu*).

spright·li·ness ['spraitlinis] vivacité *f*, sémillance *f*; '**spright·ly** éveillé; vif (vive *f*).

spring [spriŋ] 1. saut *m*, bond *m*; ressort *m*; *auto*: suspension *f*; source *f* (*a. fig.*); *fig.* origine *f*; *saison*: printemps *m*; 2. [*irr.*] *v/t.* faire sauter; faire jouer (*un piège*); suspendre (*l'auto*) à ressorts; franchir; (faire) lever (*le gibier*); proposer *ou* présenter (*un projet etc.*) à l'improviste, faire (*une surprise*) (à q., [up]on s.o.); ⚓ ~ *a leak* faire une voie d'eau; *v/i.* sauter, bondir; jaillir, sourdre (de, *from*); ♀ pousser; *fig.* sortir, descendre (de, *from*); ~ *up* sauter en l'air; ♀ pousser; se lever; se former (*idée*);

~ *into existence* naître, (ap)paraître; '**~-'bal·ance** balance *f ou* peson *m* à ressort; '**~-board** tremplin *m*; '**~-bolt** ⊕ verrou *m* à ressort; *serrure*: pêne *m* coulant.

springe [sprindʒ] *oiseaux*: lacet *m*; *lapins*: collet *m*.

spring-gun ['spriŋgʌn] piège *m* à fusil; '**spring·i·ness** élasticité *f*; ressort *m*.

spring...: '**~-mat·tress** sommier *m* élastique; '**~-tide** grande marée *f*; *poét.* printemps *m*; '**~-time** printemps *m*; '**spring·y** ◻ élastique; flexible; *fig.* moelleux (-euse *f*).

sprin·kle ['spriŋkl] *v/t.* (with, de) répandre; arroser; *eccl.* asperger; saupoudrer; *fig.* semer; *v/i.* tomber en pluie fine; '**sprin·kler** arrosoir *m*; extincteur *m* (*d'incendie*); *eccl.* goupillon *m*; '**sprin·kling** aspersion *f*; légère couche *f*; *fig.* a ~ of quelques bribes *f/pl.* de (*une science etc.*).

sprint [sprint] 1. *sp.* course *f* de vitesse, sprint *m*; 2. de vitesse; 3. faire une course de vitesse, sprinter; '**sprint·er** *sp.* coureur (-euse *f*) de vitesse; sprinter *m*.

sprit ⚓ [sprit] livarde *f*.

sprite [sprait] lutin *m*, farfadet *m*; esprit *m*.

sprock·et-wheel ⊕ ['sprɔkitwi:l] pignon *m* de chaîne.

sprout [spraut] 1. (laisser) pousser; 2. ♀ pousse *f*; bourgeon *m*; *Brussels* ~s *pl.* choux *m/pl.* de Bruxelles.

spruce¹ ◻ [spru:s] soigné; pimpant.

spruce² ♀ [~] (*a.* ~ *fir*) sapin *m*, épinette *f*.

sprung [sprʌŋ] *p.p. de* spring 2.

spry [sprai] vif (vive *f*), éveillé.

spud [spʌd] sarcloir *m*; *sl.* patate *f* (= *pomme de terre*); F personne *f* trapue.

spume *poét.* [spju:m] écume *f*; '**spu·mous**, '**spum·y** ◻ écumeux (-euse *f*).

spun [spʌn] *prét. et p.p. de* spin 1.

spunk [spʌŋk] amadou *m*; *fig.* courage *m*; *Am.* irritation *f*.

spur [spə:] 1. éperon *m* (*a. géog.*, ♀ †, ⚓); *coq*, *seigle*: ergot *m*; *fig.* aiguillon *m*; *act on the* ~ *of the moment* agir au sous l'inspiration du moment; *put* (*ou set*) ~s *to* éperonner, donner de l'éperon à (*un cheval*); *fig.* stimuler; *win one's* ~s F

faire ses preuves; *hist.* gagner ses
éperons; ⊕ ~-*gear* engrenage *m*
droit; 2. *v/t.* (*a.* ~ *on*) éperonner;
fig. aiguillonner, pousser; *v/i. poét.*
aller au galop, piquer des deux.

spurge ♣ [spə:dʒ] euphorbe *f.*

spu·ri·ous □ ['spjuəriəs] faux
(fausse *f*); '**spu·ri·ous·ness** fausseté *f.*

spurn [spə:n] repousser du pied;
rejeter *ou* traiter avec mépris.

spurred [spə:d] éperonné; ergoté
(*seigle*, *a. orn.*); ♣ calcarifère.

spurt [spə:t] 1. (re)jaillir; *sp.* démarrer, faire un emballage; *see*
spirt 1; 2. effort *m* soudain; *sp.* effort
m de vitesse, emballage *m*, rush *m*;
see spirt 2.

sput·ter ['spʌtə] 1. bredouillement
m; *bois*, *feu*: pétillement *m*; 2. *v/i.*
bredouiller (*a.* qch. à q., *s.th. at*
s.o.); cracher (*plume*); *v/t.* (*a.* ~ *out*)
débiter en bredouillant.

spy [spai] 1. espion(ne *f*) *m*; F
mouchard *m*; 2. *v/i.* espionner; *v/t.*
apercevoir; ~ *out* explorer (*un ter-*
rain); ~ (*up*)*on* s.o. épier, guetter q.;
'**~-glass** lunette *f* d'approche;
'**~-hole** *porte*: judas *m*; *rideau etc.*:
trou *m.*

squab [skwɔb] boulot(te *f*) *m*; cour-
taud(e *f*) *m*; *orn.* pigeonneau *m*
sans plumes; *Am. sl.* jeune fille:
typesse *f*; *mot.* coussin *m*; ottomane
f; pouf *m* (*a. adv.*).

squab·ble ['skwɔbl] 1. querelle *f*,
dispute *f*; prise *f* de bec; chamail-
le *f*; 2. se chamailler (avec, *with*);
'**squab·bler** chamaillard *m*; querelleur (-euse *f*) *m.*

squad [skwɔd] escouade *f*; peloton
m; *police*: brigade *f*; *Am. sp.* équipe
f; **squad·ron** ['~rən] ✗ escadron *m*;
✗ escadrille *f*; ♣ escadre *f.*

squal·id □ ['skwɔlid] sordide, crasseux (-euse *f*).

squall¹ [skwɔ:l] 1. cri *m* rauque;
2. *v/t/i.* brailler, crier.

squall² ♣ [~] grain *m*, coup *m* de
vent; '**squall·y** ♣ à grains, à rafales (*temps*); orageux (-euse *f*).

squa·lor ['skwɔlə] misère *f*; caractère *m* sordide.

squa·mous ['skweiməs] squameux
(-euse *f*).

squan·der ['skwɔndə] gaspiller;
'**~·ma·ni·a** prodigalité *f.*

square [skwɛə] 1. □ carré *m*; *fig.*

honnête; en bon ordre; solide
(*repas etc.*); catégorique (*refus*); ⊕
plat; ~ *measure* mesure *f* de surface; ~ *mile* mille *m* carré; ♠ *take*
a ~ *root* extraire la racine carrée; ♣ ~ *sail* voile *f* carrée; *Am.* F
~ *shooter* homme *m* loyal *ou* qui agit
loyalement; ~ *with* (*ou* to) d'équerre avec; 2. carré *m* (*a.* ♠, ✗); carreau *m*; *échiquier etc.*: case *f*; *surv.*
équerre *f*; place *f*; *Am.* bloc *m* de
maisons; *silk* ~ foulard *m*; 3. *v/t.*
carrer; équarrir (*le bois*, *un bloc*
de marbre); *fig.* accorder (avec,
with); mettre en croix (*les vergues*);
♣ régler, balancer; *sl.* graisser la
patte à (*q.*); F arranger; *v/i.* se
carrer, se raccorder; *fig.* cadrer
(avec, *with*); s'accorder (avec, *with*);
'**~-'built** bâti en carré; aux épaules
carrées (*personne*); '**~-'rigged** ♣
gréé en carré; '**~-toes** *sg.* F pédant
m; rigoriste *m* de l'ancienne mode.

squash [skwɔʃ] 1. écrasement *m*; F
cohue *f*, presse *f*; *sp.* jeu *m* de balle
au mur; *lemon* ~ citronnade *f*;
2. (s')écraser; *fig.* (se) serrer.

squat [skwɔt] 1. accroupi; trapu;
2. s'accroupir, se tapir; s'approprier une maison; '**squat·ter** *surt.*
Am. et Australie: squatter *m.*

squaw [skwɔ:] femme *f* peau-rouge.

squawk [skwɔ:k] 1. pousser des cris
rauques; 2. cri *m* rauque.

squeak [skwi:k] 1. *v/i.* pousser des
cris aigus; grincer; F *v/t.* crier d'une
voix aiguë; 2. cri *m* aigu; grincement *m*; '**squeak·y** □ criard,
aigu(ë *f*).

squeal [skwi:l] pousser des cris
aigus; F ~ *on s.o.* dénoncer q.; *see*
squeak 1.

squeam·ish □ ['skwi:miʃ] sujet(te *f*)
aux nausées; délicat, difficile, dégoûté; '**squeam·ish·ness** disposition *f* aux nausées; délicatesse *f.*

squee·gee ['skwi:dʒi:] rabot *m* en
caoutchouc; *phot.* raclette *f.*

squeez·a·ble ['skwi:zəbl] compressible, comprimable.

squeeze [skwi:z] 1. *v/t.* serrer; presser; exercer une pression sur; *fig.*
extorquer (à, *from*); ~ *into* faire
entrer (de force); ~ *out* exprimer;
v/i.: ~ *into* s'introduire dans; ~ *to-*
gether (*ou* up) se serrer; 2. étreinte
f, compression *f*; *main*: serrement
m; F exaction *f*; '**squeez·er** ma-

chine *f* à compression; presse-
-citron *m/inv.*; F extorqueur *m*.

squelch F [skweltʃ] *v/t.* aplatir; réprimer; *v/i.* gicler; gargouiller.

squib [skwib] pétard *m*; *fig.* brocard
m.

squid *zo.* [skwid] calmar *m*.

squif·fy *sl.* ['skwifi] gris, pompette.

squill ♀ [skwil] scille *f*.

squint [skwint] **1.** loucher; **2.** strabisme *m*; regard *m* louche; F coup
m d'œil.

squire ['skwaiə] **1.** propriétaire *m*
terrien; seigneur *m* du village; *Am.*
juge *m* de paix; *hist.* écuyer *m*; *co.*
cavalier *m* servant; **2.** escorter (*une
dame*).

squir(e)·arch·y ['skwaiəraːki] corps
m des propriétaires fonciers; tyrannie *f* terrienne.

squirm F [skwəːm] se tortiller; *fig.*
se crisper (sous un reproche, *under
a rebuke*).

squir·rel *zo.* ['skwirəl] écureuil *m*;
(*a.* ~*fur*) petit-gris (*pl.* petits-gris)
m.

squirt [skwəːt] **1.** seringue *f*; jet *m*
(*d'eau etc.*); F petit fat *m*; **2.** (faire)
jaillir; *v/i.* gicler.

squish F [skwiʃ] giclement *m*.

stab [stæb] **1.** coup *m* de poignard
ou de couteau; **2.** *v/t.* poignarder;
v/i. porter un coup de poignard
etc. (à, *at*).

sta·bil·i·ty [stə'biliti] stabilité *f*
(*a.* ⚖); fermeté *f*, constance *f*.

sta·bi·li·za·tion [steibilai'zeiʃn]
stabilisation *f* (*a.* ✈).

sta·bi·lize ['steibilaiz] stabiliser;
'**sta·bi·liz·er** ✈ plan *m* fixe horizontal; ⚓ stabilisateur *m*.

sta·ble[1] □ ['steibl] stable; solide;
fixe; ferme, constant.

sta·ble[2] [~] **1.** écurie *f*; **2.** *v/t.* mettre
à *ou* dans une écurie; *v/i.* loger.

sta·bling ['steibliŋ] logement *m* à
l'écurie; *coll.* écuries *f/pl.*

stack [stæk] **1.** ✿ foin *etc.*: meule *f*;
tas *m*, pile *f*; *cheminée*: souche *f*; ✗
faisceau *m*; 🔥 cheminée *f*; ~*s pl.*
magasin *m* de livres; F ~*s pl.* un tas
m; **2.** mettre en meule; *fig.* entasser;
✗ mettre en faisceaux.

sta·di·um *sp.* ['steidiəm], *pl.* **-di·a**
['~diə] stade *m*.

staff [staːf] **1.** bâton *m*; mât *m*; ♪
(*pl.* **staves** [steivz]) portée *f*; ✗ état-
major (*pl.* états-majors) *m*; ✝ per-

sonnel *m* (*école, univ.*: enseignant);
2. fournir de personnel.

stag [stæg] **1.** *zo.* cerf *m*; F homme *m*
non accompagné d'une dame; ✝
loup *m*; **2.** ✝ acheter pour revendre
à prime.

stage [steidʒ] **1.** estrade *f*; échafaudage *m*; *théâ.* scène *f*; *fig.* théâtre
m; période *f*; étape *f*; phase *f*; (*a.
landing-*~) débarcadère *m*; go on the
~ se faire acteur (-trice *f*); *fare* ~
autobus etc.: section *f* itinéraire;
2. mettre sur la scène; monter; '~
'box loge *f* d'avant-scène; '~-coach
diligence *f*; ~ di·rec·tion indication
f scénique; ~ fright *trac m*; ~ man-
ag·er régisseur *m*; 'stag·er: *old* ~
vieux routier *m*; '**stage·y** *see* stagy.

stag·ger ['stægə] **1.** *v/i.* chanceler,
tituber; *fig.* hésiter; *v/t.* faire chanceler; ⊕ disposer en quinconce;
étager; *fig.* échelonner; F confondre; **2.** chancellement *m*; allure *f*
chancelante; ⊕ disposition *f* en
quinconce; *fig.* échelonnement *m*;
~*s pl. vét.* mouton: lourd vertige *m*;
cheval: vertigo *m*; F vertige *m*.

stag·nan·cy ['stægnənsi] stagnation
f; '**stag·nant** □ stagnant (*a.* ✝);
✝ en stagnation; dormant; **stagnate** ['~neit] être *ou* devenir stagnant; croupir (*eau*); **stag·na·tion**
stagnation *f*; ✝ *a.* marasme *m*.

stag-par·ty F ['stægpaːti] réunion *f*
d'hommes.

stag·y □ ['steidʒi] théâtral (-aux
m/pl.).

staid □ [steid] posé, sérieux (-euse
f); '**staid·ness** caractère *m ou* air
m posé *ou* sérieux.

stain [stein] **1.** tache *f* (*a. fig.*); ⊕
couleur *f* (*pour bois*); **2.** *v/t.* tacher
(*a. fig.*); ⊕ teindre, mettre en couleur; *v/i.* se tacher; se teindre; ~*ed
glass* verre *m* de couleur; ~*ed
glass* (*window*) vitrail (*pl.* -aux) *m*;
'**stain·less** □ sans tache; immaculé;
⊕ inoxydable (*acier*); inrouillable.

stair [stɛə] marche *f*, degré *m*; ~*s
pl.* escalier *m*; *flight of* ~*s pl.* (volée *f*
d')escalier *m*; '~-car·pet tapis *m*
d'escalier; '~-case (cage *f* d')escalier
m; *moving* ~ escalier *m* roulant, escalator *m*; '~-rod tringle *f* d'escalier;
Am. '~-way *see* staircase.

stake [steik] **1.** pieu *m*; poteau *m*; *jeu*:
enjeu *m*; jeu *m* (*a. fig.*); bûcher *m*
(*d'un martyr*); ~*s pl. turf*: prix *m/pl.*;

surt. Am. pull up ~s partir, ficher le camp; *be at* ~ être en jeu; *place one's* ~ on parier sur; **2.** garnir de *ou* soutenir avec des pieux; mettre en jeu; jouer, parier; hasarder; ~ *out (ou off)* jalonner.

stale[1] □ [steil] **1.** vieux (vieil *devant une voyelle ou un h muet*); vieille *f*; vieux *m/pl.*); rassis (*pain etc.*); éventé (*bière etc.*); défraîchi (*article, nouvelle*); vicié (*air*); de renfermé (*odeur*); rance; usé, rebattu (*plaisanterie etc.*); **2.** *v/i.* s'éventer (*bière*); perdre son intérêt.

stale[2] [~] **1.** uriner (*cheval etc.*); **2.** urine *f*.

stale·mate ['steil'meit] **1.** *échecs*: pat *m*; *fig.* impasse *f*; **2.** faire pat (*q.*).

stalk[1] [sto:k] tige *f*; *chou*: trognon *m*; *verre*: pied *m*.

stalk[2] [~] **1.** *v/i.* marcher à grandes enjambées; se pavaner; chasser sans chiens; *v/t.* traquer d'affût; **2.** chasse *f* à l'affût; **'stalk·er** chasseur *m* à l'affût; **'stalk·ing-horse** *fig.* masque *m*, prétexte *m*.

stall [sto:l] **1.** *cheval*: stalle *f*; *bœuf*: case *f*; *porc*: loge *f*; *marché*: étalage *m*; *théâ.* fauteuil *m* d'orchestre; *eccl.* stalle *f*; **2.** *v/t.* mettre à l'étable *ou* l'écurie; ⚔ mettre en perte de vitesse; *mot.* caler; *v/i. mot.* (se) caler; s'engager; **'~-feed·ing** nourrissage *m* à l'étable.

stal·lion ['stæljən] étalon *m*.

stal·wart ['sto:lwət] **1.** □ robuste, vigoureux (-euse *f*); *fig.* ferme; **2.** *pol.* tenant *m*; partisan *m*.

sta·men ♀ ['steimen] étamine *f*; **stam·i·na** ['stæminə] vigueur *f*, résistance *f*.

stam·mer ['stæmə] **1.** bégayer, balbutier; **2.** bégaiement *m*; **'stam·mer·er** bègue *mf*.

stamp [stæmp] **1.** battement *m* (*a.* bruit *m*) de pied; ⊕ estampeuse *f*; ⊕ emboutisseuse *f*; empreinte *f* (*a. fig.*); *fig.* trempe *f*; timbre (-poste) *m*; coin *m*; ✝ estampille *f*; *see* date-~; **2.** *v/t.* frapper (du pied, one's foot); estamper; ✝ estampiller; ✝ contrôler; marquer (*a. fig.*); timbrer (*un document*); affranchir (*une lettre*); ~ *on the memory* (se) graver dans la mémoire, imprimer sur l'esprit; ~ *out* étouffer; ⊕ découper à la presse; *v/i.* frapper du pied; piétiner; **'~-al·bum** album *m*

de timbres-poste; **'~-du·ty** droit *m* de timbre.

stam·pede [stæm'pi:d] **1.** panique *f*; débandade *f*; ruée *f*; **2.** *v/t.* mettre en fuite; *v/i.* fuir en désordre; se précipiter (vers, sur *for*, *towards*).

stamp·er ['stæmpə] estampeuse *f*; *personne*: timbreur (-euse *f*), estampeur (-euse *f*) *m*, frappeur (-euse *f*) *m* de monnaie; **'stamp(·ing)-mill** *métall.* (moulin *m* à) bocard(s *pl.*) *m*.

stanch [sta:ntʃ] **1.** étancher (*le sang*); **2.** *adj. see* staunch 1; **stan·chion** ['sta:nʃn] étançon *m*; colonnette *f* de soutien.

stand [stænd] **1.** [*irr.*] *v/i.* se tenir (debout); être; se trouver; rester; se maintenir; se porter candidat; (*usu.* ~ *still*) s'arrêter; se lever; ~ *against* s'adosser à; résister à, combattre; ~ *aside* se tenir à l'écart; s'écarter; *fig.* se désister (*en faveur de q.*); ~ *at* être à; marquer (*les degrés*); ~ *back* se tenir en arrière; (se) reculer; être écarté (de, *from*); ~ *by* se tenir prêt; ⚓ se tenir paré; ✗ être consigné; se tenir à côté de; *fig.* soutenir; *fig.* rester fidèle à; *radio:* ne pas quitter l'écoute; ~ *for* tenir lieu de; se présenter comme candidat à; soutenir; vouloir dire; représenter; F supporter, tolérer; ⚓ *in* courir (vers, à to); ~ *in with* s'associer à; ~ *off* se tenir éloigné *ou* à l'écart; s'éloigner; ⊕ chômer; ⚓ courir au large; avoir le cap au large; ~ *off!* tenez-vous à distance!; ~ *on* se tenir sur (*a. fig.*); insister sur; ~ *out* être en *ou* faire saillie, avancer; *fig.* se détacher (sur, *against*); se profiler (sur, *against*); se tenir à l'écart; résister (à, *against*); tenir bon (contre, *against*); insister (sur, *for*); ⚓ se tenir au large; courir au large; ~ *over* rester en suspens; se pencher sur; *Am.* F ~ *pat* tenir ferme, ne pas en démordre; ~ *to* ne pas démordre de, en tenir pour; s'en tenir à; ⚓ avoir le cap à; *see* reason 1; ✗ ~ *to!* aux armes!; ~ *up* se lever; se dresser; ~ *up for* soutenir, prendre le parti de; ~ *up to* résister à; ~ *upon* se tenir sur (*a. fig.*); insister sur; **2.** [*irr.*] *v/t.* poser, mettre; supporter, endurer; soutenir (*un combat, un choc*, ✗ *le feu*); *see* ground[2] 1; F ~ *s.o. a dinner* payer un dîner à q.; ~

treat régaler; **3.** position *f*, place *f*; station(nement *m*) *f*; estrade *f*, tribune *f*; étalage *m*; socle *m*, dessous *m*; *surt. Am.* barre *f* des témoins; arrêt *m*; (*a.* wash-~) lavabo *m*; *fig.* résistance *f*; *composés:* -~ porte- *m*; umbrella-~ porte-parapluies *m/inv.*; ✗ ~ *of arms* armement *m* (*d'un soldat*); *make a* (*ou one's*) ~ *against* s'opposer résolument à.

stand·ard ['stændəd] **1.** ✗ étendard *m*; ⚓ pavillon *m* (*a.* ♘); *mesure:* étalon *m*, type *m*; ♣ échantillon *m*; modèle *m*, norme *f*; niveau *m* (*a. école, fig.*); qualité *f*; degré *m* (*d'excellence*); hauteur *f*; *or, argent, a.* ♒: titre *m*; *école primaire:* classe *f*; ⊕ pied *m*; ⚘ arbre *m* de plein vent; *above* ~ au-dessus de la moyenne; ~ *lamp* torchère *f*, lampadaire *m*; *the* ~ *is high* le niveau est élevé; ~ *of living* niveau *m* de vie; ~ *of value* prix *m* régulateur; **2.** standard *adj./inv.*; -étalon; type; classique; normal (-aux *m/pl.*); courant; ~**gauge** 🚂 ['~geidʒ] voie *f* normale; **stan·ard·i·za·tion** ['~ai'zeiʃn] étalonnage *m*; unification *f*; ⊕, *cin.* standardisation *f*; ♒ titrage *m*; **'stand·ard·ize** étalonner, unifier; normaliser; ⊕, *cin.* standardiser; ♒ titrer.

stand-by ['stændbai] expédient *m*; réserve *f*.

stand-ee *Am.* F [stæn'di:] spectateur (-trice *f*) *m* debout.

stand·er-by ['stændə'bai], *pl.* '**stand·ers-'by** spectateur (-trice *f*) *m*; assistant(e *f*) *m*, temoin *m*.

stand-in *cin.* ['stænd'in] doublure *f*.

stand·ing ['stændiŋ] **1.** □ debout *inv.*; dormant (*eau*); permanent; ordinaire; fixe; ~ *jump* saut *m* à pieds joints; *parl.* ~ *orders pl.* règlement *m*, -s *m/pl.*; **2.** position *f*; rang *m*; importance *f*; durée *f*; date *f*; *of long* ~ d'ancienne date; '~**room** place *f*, -s *f/pl.* debout.

stand...: '~**off** *Am.* raideur *f*, réserve *f*, morgue *f*; '~-'off·ish distant; raide; ~'pat·ter *Am. pol.* immobiliste *m*; '~-pipe réservoir *m* cylindrique; '~**point** point *m* de vue; '~**still** arrêt *m*; *be at a* ~ n'avancer plus; *come to a* ~ s'arrêter; '~-up: ~ *collar* col *m* droit; ~ *fight* bataille *f* rangée; combat *m* en règle.

stank [stæŋk] *prét. de* stink 2.

stan·nic ♒ ['stænik] stannique.

stan·za ['stænzə] strophe *f*, stance *f*.

sta·ple¹ ['steipl] **1.** matière *f* première; *fig.* fond *m*; produit *m* principal; marché *m* aux laines; **2.** principal (-aux *m/pl.*).

sta·ple² [~] crampon *m*, crampillon *m*; clou *m* à deux pointes; *serrure:* gâche *f*.

star [sta:] **1.** étoile *f* (*a. fig.*); astre *m*; *théa.* vedette *f*; *Am.* ♒*s and Stripes pl.* bannière *f* étoilée; **2.** étoiler; marquer d'un astérisque; *théa.* figurer en vedette, tenir le premier rôle; ~ (*it*) briller; *théa.* figurer en vedette de la semaine *etc.*

star·board ⚓ ['sta:bəd] **1.** tribord *m*; **2.** *v/t.* mettre la barre à tribord; *v/i.* venir sur tribord.

starch [sta:tʃ] **1.** amidon *m*; *pâte:* empois *m*; *fig.* raideur *f*; **2.** empeser; *fig.* ~**ed** guindé, raide; '**starch·i·ness** manières *f/pl.* empesées, raideur *f*; '**starch·y** □ **1.** féculent; *fig.* guindé; **2.** (*ou* ~ *food*) féculent *m*.

stare [stɛə] **1.** regard *m* fixe; **2.** regarder fixement (qch., *at* s.th.); ouvrir de grands yeux; ~ *s.o. out* dévisager q.; '**star·ing** □ ['~riŋ] fixe (*regard*); effrayé; criard.

stark [sta:k] raide; *poét.* fort; ~ *naked* tout nu; nu comme un ver.

star·ling¹ *orn.* ['sta:liŋ] étourneau *m*.

star·ling² [~] brise-glace *m/inv.*

star·lit ['sta:lit] étoilé.

star·ring *théa.* ['sta:riŋ] présentant... (*en vedette*).   [brillant.⟩

star·ry ['sta:ri] étoilé (*a.* ♒); *fig.*⟩

star-span·gled ['sta:spæŋgld] constellé d'étoiles; *Am. Star-Spangled Banner* bannière *f* étoilée.

start [sta:t] **1.** départ *m* (*a. sp.*); commencement *m*; *sp.* envolée *f*; *sp.* avance *f*; *fig.* sursaut *m*, tressaillement *m*; *get the* ~ *of s.o.* devancer q.; *sp. give s.o. a* ~ donner de l'avance à q.; *laisser q. partir le premier*; **2.** *v/i.* partir, se mettre en route; commencer (*a. qch., on s.th.*; *a. à inf.*, *on gér.*); *mot.* démarrer; 🚂 prendre son vol; *fig.* tressaillir, (sur)sauter (de, *with*; à *at*, *with*); faire un écart brusque (*cheval*); jaillir (de, *from*) (*larmes*); ~ *up* se lever brusquement; *v/t.* faire partir (*a. le gibier*); mettre (*une machine*) en marche; *sp.* donner le signal du départ à; lever *(un lièvre)*; lancer *(une personne, une affaire, etc.)*; commencer *(un travail, une lutte, etc.)*; entamer *(une conversation, un sujet, etc.)*; soulever *(une question)*; ~ *s.o.* *(gér.)* mettre q. à *(inf.)*.

start·er ['sta:tə] auteur *m*; *sp.* starter *m*; *sp.* partant *m* (= *concurrent*); *mot. etc.* démarreur *m*; *fig.* lanceur (-euse *f*) *m*.

start·ing ['sta:tiŋ] départ *m*; commencement *m etc.*; *mot.* ~ handle mise *f* en marche; *mot.* ~ switch bouton *m* de démarrage; '~-point point *m* de départ; 🚆 tête *f* de ligne.

star·tle ['sta:tl] effrayer; **'star·tler** *F* chose *f* sensationnelle; **'star·tling** □ effrayant; étonnant.

star·va·tion [sta:'veiʃn] faim *f*; 🕮 inanition *f*; *attr.* de famine; **starve** [sta:v] (faire) mourir de faim; *fig.* *v/t.* priver (de, *of*); **starve·ling** ['~liŋ] affamé(e *f*) *(a. su./mf)*; famélique *(a. su./mf)*; *a.* de famine.

state [steit] **1.** état *m*, condition *f*; pompe *f*, apparat *m*; *pol. usu.* ⚍ État *m*; *hist.* ⚍s *pl.* états *m/pl.*, ordres *m/pl.*; ~ *of life* rang *m*; *in* ~ en grand apparat *ou* gala; *lie in* ~ être exposé solennellement *(mort)*; *F be in a* ~ être très agité; **2.** d'État; d'apparat; *see department; Am.* ⚍ *house* palais *m* du gouvernement; **3.** énoncer, déclarer, affirmer; poser *(un problème)*; fixer *(une date etc.)*; ✝ spécifier *(un compte)*; **'state·less** sans patrie; **'state·li·ness** majesté *f*; grandeur *f*; **'state·ly** majestueux (-euse *f*); imposant; noble; **'state·ment** déclaration *f*; exposition *f*, énoncé *m*; affirmation *f*; ✝ état *m* (de compte, *of account*); ✝ bilan *m*; **'state-room** salle *f* de réception; ⚓ cabine *f* de luxe; **'state·side**: *Am.* F go ~ rentrer.

states·man ['steitsmən] homme *m* d'État; **'states·man·like** d'homme d'État; F magistral (-aux *m/pl.*); **'states·man·ship** science *f* du gouvernement; politique *f*.

State(s') rights *Am.* ['steit(s)raits] droits *m/pl.* fondamentaux des États fédérés.

stat·ic ['stætik] statique; **'stat·ics** *pl. ou sg. phys.* statique *f*; *pl. radio*: parasites *m/pl.*

sta·tion ['steiʃn] **1.** position *f*, place *f*; poste *m* (*a.* ✕, ⚓, *radio*); sauvetage etc.: station *f*; ⚓, *zo.* habitat *m*; 🚆 gare *f*; *métro*: station *f*; rang *m*, situation *f* sociale; **2.** placer; poster; **'sta·tion·ar·y** □ immobile; stationnaire; fixe; ~ *engine* moteur *m* fixe; **'sta·tion·er** papetier *m*; ⚍s' *Hall* Hôtel *m* de la Corporation des libraires (*à Londres*); **'sta·tion·er·y** papeterie *f*; **'sta·tion-mas·ter** 🚆 chef *m* de gare; **'sta·tion wag·on** *Am. mot.* canadienne *f*.

sta·tis·ti·cal □ [stə'tistikl] statistique; **stat·is·ti·cian** [stætis'tiʃn] statisticien(ne *f*) *m*; **sta·tis·tics** [stə'tistiks] *pl.*, *comme science sg.* statistique *f*.

stat·u·ar·y ['stætjuəri] **1.** statuaire; **2.** statuaire *f*, art *m* statuaire; *personne*: statuaire *mf*; *coll.* statues *f/pl.*; **stat·ue** ['~tju:] statue *f*; **stat·u·esque** □ [~tju'esk] plastique; sculptural (-aux *m/pl.*); **stat·u·ette** [~tju'et] statuette *f*.

stat·ure ['stætʃə] taille *f*; stature *f*.

sta·tus ['steitəs] statut *m* légal; situation *f*; état *m* *(a.* 🕮); rang *m*.

stat·ute ['stætju:t] loi *f*, ordonnance *f*; ~s *pl.* statuts *m/pl.*; ~ *law* droit *m* écrit; '~-book code *m* des lois.

stat·u·to·ry □ ['stætjutəri] établi par la loi; statuaire.

staunch [stɔ:ntʃ] **1.** □ ferme; sûr, dévoué; étanche *(navire)*; **2.** étancher.

stave [steiv] **1.** douve *f*; bâton *m*; strophe *f*; ♪ mesure *f*; **2.** [*irr.*] *(usu.* ~ *in)* défoncer, enfoncer; ~ *off* prévenir, parer à.

staves [steivz] *pl. de* **staff** 1.

stay [stei] **1.** ⚓ mât: accore *m*, étai *m*; hauban *m*; *fig.* soutien *m*; séjour *m*; 🕮 suspension *f*; 🕮 sursis *m*; (*a pair of*) ~s *pl.* (un) corset *m*; **2.** *v/t.* arrêter; remettre; étayer; ~ *one's stomach* tromper la faim; *v/i.* rester, demeurer; se tenir; séjourner; *sp.* soutenir l'allure; ~ *away* s'absenter; ~ *for* attendre; ~ *in* rester à *ou* garder la maison; ~ *put* rester en place; *sl.* ne plus changer; ~ *up* veiller; rester debout; ~*ing power* fond *m*, résistance *f*; '~-at-home casanier (-ère *f*) *m*; **'stay·er** *sp. personne*: stayer *m*; cheval *m* de longue haleine.

stead [sted] place *f*; *in his* ~ à sa

place; *stand s.o. in good* ~ être fort utile à q.

stead·fast □ ['stedfəst], ferme, stable; solide; inébranlable; constant; '**stead·fast·ness** fermeté *f*, constance *f*.

stead·i·ness ['stedinis] persévérance *f*; † stabilité *f*; *a. see steadfastness.*

stead·y ['stedi] 1. □ ferme; solide (*a.* †); constant; soutenu; sûr; régulier (-ère *f*); *walk a* ~ 2 *miles* aller deux bons milles; 2. *v/t.* (r)affermir; assurer; calmer; stabiliser; *v/i.* se raffermir; reprendre son aplomb *ou* équilibre; 3. *Am.* F *ami(e f) m* attitré(e *f*).

steak [steik] tranche *f*; bifteck *m*; *fillet* ~ tournedos *m*.

steal [sti:l] 1. [*irr.*] *v/t.* voler, dérober; (*a.* ~ *away*) séduire (le cœur de q., *s.o.'s heart*); ~ *a glance* jeter un coup d'œil furtif (à, *at*); ~ *a march on s.o.* devancer q.; *v/i.* marcher à pas furtifs; ~ *into* se faufiler dans; 2. *Am.* filouterie *f*; transaction *f* malhonnête.

stealth [stelθ] *by* ~ à la dérobée; furtivement; '**stealth·i·ness** caractère *m* furtif; '**stealth·y** □ furtif (-ive *f*).

steam [sti:m] 1. vapeur *f*; buée *f*; *let off* ~ ⊕ lâcher la vapeur; *fig.* donner libre cours à ses sentiments; dépenser son superflu d'énergie; 2. *de ou* à vapeur; 3. *v/i.* fumer; jeter de la vapeur; *v/t.* cuire à la vapeur; vaporiser (*du drap*); '~-**boil·er** chaudière *f* à vapeur; **steamed** couvert de buée (*fenêtre*); '**steam-en·gine** machine *f* à vapeur; '**steam·er** ⊕ vapeur *m*; *cuis.* marmite *f* à l'étuvée; '**steam·i·ness** *climat:* humidité *f*; '**steam-roll·er** rouleau *m* compresseur; **steam tug** ⊕ remorqueur *m* à vapeur; '**steam·y** □ couvert de buée (*fenêtre*); humide (*climat etc.*).

ste·a·rin 🔊 ['stiərin] stéarine *f*.

steed *poét.* [sti:d] destrier *m*.

steel [sti:l] 1. acier *m*; *poét.* épée *f*; *cuis.* affiloir *m*; 2. d'acier; ~*-works usu. sg.* aciérie *f*; ~ *engraving* gravure *f* sur acier; 3. aciérer; ~ *o.s.* s'endurcir; '~-**clad** revêtu d'acier; '**steel·y** *usu. fig.* d'acier; '**steel-yard** romaine *f*.

steep¹ [sti:p] 1. raide, escarpé; F

fort, raide; incroyable; 2. *poét.* escarpement *m*.

steep² [~] 1. trempage *m*; mouillage *m*; 2. baigner, tremper; *fig.* ~ *o.s.* se noyer (dans, *in*).

steep·en *fig.* ['sti:pən] *vt/i.* augmenter.

stee·ple ['sti:pl] clocher *m*; '~-**chase** steeple(-chase) *m*.

steep·ness ['sti:pnis] raideur *f*; pente *f* rapide.

steer¹ [stiə] jeune bœuf *m*, bouvillon *m*; *Am.* bœuf *m*.

steer² [~] diriger, conduire; '**steer-a·ble** dirigeable.

steer·age ⊕ ['stiəridʒ] † manœuvre *f* de la barre; entrepont *m*; troisième classe *f*; '~-**way** ⊕ : *have good* ~ sentir la barre.

steer·ing... ['stiəriŋ]: '~-**arm** *mot.* levier *m* d'attaque de (la) direction; '~-**wheel** ⊕ roue *f* du gouvernail; *mot.* volant *m*.

steers·man ⊕ ['stiəzmən] timonier *m*.

stein [stain] chope *f*, pot *m*.

stel·lar ['stelə] stellaire.

stem¹ [stem] 1. *plante, fleur:* tige *f*; *fruit:* queue *f*; *arbre:* souche *f*, tronc *m*; *bananes:* régime *m*; *verre:* pied *m*; *pipe:* tuyau *m*; *mot.* radical *m*; 2. *v/t.* enlever les queues de; égrapper (*des raisins*); *v/i. Am.* être issu (de, *from*).

stem² [~] 1. ⊕ avant *m*; *poét.* proue *f*; 2. *v/t.* contenir, refouler; arrêter; résister à; *v/i. ski:* se ralentir en faisant un angle aigu; ~*(ming) turn* stemmbogen *m*.

stench [stentʃ] odeur *f* infecte; puanteur *f*.

sten·cil ['stensl] 1. patron *m*; *machine à écrire:* cliché *m*; 2. peindre *etc.* au patron; polycopier.

ste·nog·ra·pher [ste'nɔgrəfə] sténographe *mf*; **sten·o·graph·ic** [stenə'græfik] (~*ally*) sténographique; **ste·nog·ra·phy** [ste'nɔgrəfi] sténographie *f*.

step¹ [step] 1. pas *m* (*a. fig.*); marche *f* (*a. autel*); échelon *m*; *auto etc.:* marchepied *m*; *maison:* seuil *m*; démarche, mesure *f*; (*a pair ou set of*) ~*s pl.*, (*a*) ~-*ladder* (une) échelle *f* double, (un) escabeau *m*; *in* ~ *with* au pas avec; 2. *v/i.* faire un pas; marcher; ~ *in!* entrez!; ~ *on it!* *sl.* dépêchez-vous!; dégroullez-vous!;

~ *out* sortir; allonger le pas; *v/t.* (*a.* ~ *off, out*) mesurer (*une distance*) au pas; ~ *up* rehausser le niveau de; *✈* survolter.

step² [~] *mots composés:* beau- (belle-*f*); '**~·fa·ther** beau-père (*pl.* beaux-pères) *m.*

steppe [step] steppe *f.*

step·ping-stone ['stepiŋstoun] pierre *f* de gué (*dans une rivière*); *fig.* marchepied *m.*; tremplin *m.*

ster·e·o *typ.* ['stiəriou] cliché *m.*

stereo- [stiəriə]: ~·**phon·ic sound** ['steriə'fɔniksaund] stéréophonie *f*; ~·**scope** ['~skoup] stéréoscope *m.*; '~·**type 1.** cliché *m.*; **2.** stéréotyper.

ster·ile ['sterail] stérile; ♀ acarpe; **ste·ril·i·ty** [~'riliti] stérilité *f*; **ster·i·lize** ['~rilaiz] stériliser.

ster·ling ['stə:liŋ] de bon aloi (*a. fig.*); ♃ sterling; *a pound* ~ une livre sterling.

stern¹ □ [stə:n] sévère, dur; austère.

stern² ⚓ [~] arrière *m.*; derrière *m.*

stern·ness ['stə:nnis] sévérité *f*, dureté *f*; austérité *f.*

stern-post ⚓ ['stə:npoust] étambot *m.*

ster·num *anat.* ['stə:nəm] sternum *m.*

steth·o·scope ⚕ ['steθəskoup] stéthoscope *m.*

ste·ve·dore ⚓ ['sti:vidɔ:] arrimeur *m.*; entrepreneur *m* d'arrimage.

stew [stju:] **1.** *v/t.* fricasser, mettre en ragoût; faire une compote de (*fruit*); ~*ed fruit* compote *f*; *v/i.* mijoter; cuire à la casserole; **2.** ragoût *m.*; F émoi *m.*

stew·ard ['stjuəd] économe *m.*; *maison:* maître *m* d'hôtel; ⚓ garçon *m*, steward *m.*; *sp.*, *a. bal:* commissaire *m.*; '**stew·ard·ess** ⚓ hôtesse *f* de l'air; ⚓ stewardess *f.*

stew...: '~-**pan**, '~-**pot** casserole *f*; cocotte *f.*

stick¹ [stik] **1.** bâton *m* (*a. cire à cacheter*); canne *f*; baguette *f*; *vigne:* échalas *m.*; *balai:* manche *m.*; ⚓ manche *m* à balai; ⚓ *bombes:* chapelet *m.*; *sp.* crosse *f*; *fig.* F type *m.*; ~*s pl.* du menu bois *m.*; **2.** ⚔ ramer; mettre des tuteurs à.

stick² [~] (*irr.*) *v/i.* se piquer; tenir (à, to); se coller; se coincer (*porte*); hésiter (devant, at); ~ *at nothing* n'être retenu par rien; ~ *out* faire saillie; F persister; F s'obstiner (à

demander qch., *for s.th.*); ~ *up* se dresser; F résister (à, to); *fig.* ~ *to* persévérer dans; rester fidèle à; F ~ *up for s.o.* prendre la défense de q.; *v/t.* piquer; attacher; fixer; coller; percer; ramer (*des pois*); *sl.* supporter (*q.*); ~ *up* afficher; *sl.* attaquer à main armée; '**stick·er** couteau *m.*; colleur *m.*; *Am.* affiche *f*; '**stick·i·ness** viscosité *f*; '**stick·ing-plaster** sparadrap *m.*; taffetas *m* anglais; '**stick-in-the-mud** F mal dégourdi; routinier (-ère *f*) *m.*

stick·le ['stikl] (se) disputer; '**stickle·back** *icht.* épinoche *f*; '**stick·ler** rigoriste *mf* (à l'égard de, for).

stick-up ['stikʌp] F (*a.* ~ *collar*) col *m* droit; *Am. sl.* bandit *m.*

stick·y □ ['stiki] collant; *fig.* pâteux (-euse *f*); *sl.* difficile; peu accommodant.

stiff □ [stif] **1.** raide, rigide; guindé, gêné; ferme; fort (*boisson, vent*); difficile; **2.** *sl.* cadavre *m.*; *Am. sl.* nigaud *m.*, bêta (-asse *f*) *m.*; '**stiff·en** *v/t.* raidir (*a.* ⚙); renforcer; empeser (*un plastron*); lier (*une sauce*); corser (*une boisson*); *v/i.* (se) raidir; devenir ferme; '**stiff·en·er** renfort *m.*; F verre *m* qui ravigote; '**stiff-'necked** *fig.* intraitable, obstiné.

sti·fle¹ *vét.* ['staifl] (affection *f* du) grasset *m.*

sti·fle² [~] étouffer (*a. fig.*).

stig·ma ['stigmə] stigmate *m.*; *fig. a.* flétrissure *f*; '**stig·ma·tize** marquer de stigmates; *fig.* stigmatiser.

stile [stail] échalier *m.*, échalis *m.*; ⊕ porte etc.: montant *m.*

sti·let·to [sti'letou] stylet *m.*; *couture:* poinçon *m.*

still¹ [stil] **1.** *adj.* tranquille; silencieux (-euse *f*); calme; ~ *wine* vin *m* non mousseux; **2.** *su. cin.* photographie *f*; **3.** *adv.* encore; **4.** *cj.* cependant, pourtant; encore; **5.** (se) calmer; *v/t.* tranquilliser, apaiser.

still² [~] alambic *m.*; appareil *m* de distillation.

still...: '~-**born** mort-né(e *f*); '~-**hunt** *Am.* traquer d'affût; '~-**hunt·ing** *Am.* chasse *f* d'affût; ~ *life* nature *f* morte; '**still·ness** calme *m.*; silence *m.*

still-room ['stilrum] ⚗ office *f.*

still·y *poét.* ['stili] *adj.* calme, tranquille; **still·ly** [~] *adv.* silencieusement.

stilt [stilt] échasse *f*; **'stilt·ed** *fig.*
guindé, tendu.

stim·u·lant ['stimjulənt] **1.** *s* stimulant; **2.** *s* surexcitant *m*; stimulant *m*; **stim·u·late** ['‿leit] stimuler
(*a.* *s*); *fig. a.* encourager (à *inf.*, to
inf.); **stim·u'la·tion** stimulation *f*;
stim·u·la·tive ['‿lətiv] stimulateur
(-trice *f*); **stim·u·lus** ['‿ləs], *pl.* -li
['‿lai] stimulant *m*, F aiguillon *m* (de,
to); *§* stimule *m*; *physiol.* stimulus *m*.

sting [stiŋ] **1.** *insecte*: aiguillon *m*;
piqûre *f*; *§* dard *m*; *fig.* pointe *f*,
mordant *m*; **2.** [*irr.*] *v/t.* piquer (*fig.*
au vif); *v/i.* cuire; *sl.* be stung for
s.th. payer qch. à un prix exorbitant; **'sting·er** F coup *m* raide *ou*
douloureux; **stin·gi·ness** ['stindʒi-
nis] mesquinerie *f*, ladrerie *f*; **sting-
(ing)-net·tle** *§* ['stiŋ(iŋ)netl] ortie
f brûlante; **stin·gy** □ ['stindʒi]
mesquin, chiche.

stink [stiŋk] **1.** puanteur *f*; **2.** [*irr.*]
v/i. puer (qch., of s.th.); *sl. a. fig.*
~ of trahir, accuser; *v/t.* enfumer
(*un renard*); *fig.* sentir (qch.).

stint [stint] **1.** restriction *f*; besogne
f assignée; travail *m* exigé; **2.** imposer des restrictions à; priver (*q.*),
être chiche de (qch.).

sti·pend ['staipend] traitement *m*
(*surt. eccl.*); **sti'pen·di·ar·y** [‿jəri]
1. appointé; **2.** *Angl.* juge *m* d'un
tribunal de simple police.

stip·ple *peint.* ['stipl] pointiller.

stip·u·late ['stipjuleit] (*a.* ~ for)
stipuler; convenir (de, for); **stip-
u'la·tion** *§* stipulation *f*; condition *f*.

stir[1] [stə:] **1.** remuement *m*; mouvement *m* (*a. fig.*); *fig.* vie *f*; agitation
f; **2.** *v/t.* remuer; tourner; agiter;
fig. exciter; ~ up exciter; pousser;
susciter; *v/i.* remuer, bouger.

stir[2] *sl.* [‿] prison *f*.

stir·rup ['stirəp] étrier *m*.

stitch [stitʃ] **1.** point *m*, piqûre *f*;
s suture *f*; *s* point *m* de côté; he
has not a dry ~ on him il est complètement trempé; **2.** coudre; piquer
(*le cuir, deux étoffes*); brocher (*un
livre*); *s* suturer.

stoat *zo.* [stout] hermine *f* (d'été).

stock [stɔk] **1.** *arbre*: tronc *m*;
souche *f*; *outil*: manche *m*; *fusil*:
fût *m*; *fig.* race *f*, famille *f*; *§* (*a.*
~-gilly-flower*) matthiole *f*, giroflée *f*
des jardins; *✕* col *m* droit; provi-

sion *f*; *✝* marchandises *f/pl.*, stock
m; *✝* *a.* ~s *pl.* fonds *m/pl.*, valeurs
f/pl., *fig.* actions *f/pl.*; (*a.* live ~)
bétail *m*, bestiaux *m/pl.*; (*a.* dead ~)
matériel *m*; *cost.* cravate *f*; *eccl.*
plastron *m* en soie noire; *cuis.* consommé *m*, bouillon *m*; ~s *pl. a.
hist.* pilori *m*; *♣* chantier *m*; ~
building *✝* stockage *m*; approvisionnement *m*; ~ in hand marchandises *f/pl.* en magasin; *⚙* rolling ~
matériel *m* roulant; take ~ of *✝*
dresser l'inventaire de; *fig.* scruter,
examiner attentivement; **2.** courant; de série; classique; consacré;
théâ. ~ company troupe *f* à demeure; ~ play pièce *f* de ou du
répertoire; **3.** *v/t.* (*a.* ~ up) approvisionner, fournir (de, with); *✝* avoir
en magasin, tenir; *v/i.* se monter
(en, with), s'approvisionner (de,
with).

stock·ade [stɔ'keid] **1.** palissade *f*;
Am. prison *f*; **2.** palissader.

stock...: **'~·book** livre *m* de magasin; **'~·breed·er** éleveur *m*; **'~·
brok·er** agent *m* de change; courtier *m* de bourse; ~ ex·change
bourse *f* (des valeurs); **'~·hold·er**
actionnaire *mf*; porteur *m* de titres.

stock·i·net ['stɔkinet] tricot *m*.

stock·ing ['stɔkiŋ] bas *m*; **'~·loom**
métier *m* à bas.

stock·ist *✝* ['stɔkist] stockiste *m*.

stock...: **'~·job·ber** marchand *m* de
titres; **'~·job·bing** courtage *m*; *péj.*
agiotage *m*; **'~·pile** *vt/i.* stocker;
amonceler; **'~·pot** pot-au-feu
m/inv.; **'~·still** (complètement)
immobile; sans bouger; **'~·tak·ing**
inventaire *m*; ~ sale solde *m* avant
ou après inventaire; **'stock·y**
trapu; ragot (*a. cheval*).

stodge *sl.* [stɔdʒ] se bourrer (*de
nourriture*); **'stodg·y** □ lourd; qui
bourre.

sto·gy, sto·gie *Am.* ['stougi] cigare
m long et fort (à bouts coupés).

sto·ic ['stouik] stoïcien(ne *f*) (*a. su.*);
stoïque; **'sto·i·cal** □ *fig.* stoïque.

stoke [stouk] charger; chauffer;
'stok·er chauffeur *m*; chargeur *m*.

stole[1] [stoul] *cost.* écharpe *f*; étole *f*
(*a. eccl.*). [steal 1.]

stole[2] [‿] *prét.*, **'sto·len** *p.p. de*

stol·id □ ['stɔlid] impassible, lourd,
lent; flegmatique; **sto·lid·i·ty** [‿-
'liditi] flegme *m*; impassibilité *f*.

stom·ach [ˈstʌmək] **1.** estomac *m*; *fig.* appétit *m*; goût *m* (de, for); *euphémisme:* ventre *m*; **2.** *fig.* supporter, tolérer; digérer; 'stomach·er *cost. hist.* pièce *f* d'estomac; **sto·mach·ic** [stoˈmækik] (∼ally) stomachique (*a. su./m*); stomacal (-aux *m/pl.*).

stomp *Am.* [stɔmp] marcher à pas bruyants.

stone [stoun] **1.** pierre *f*; *fruit:* noyau *m*; *a. mesure:* 6,348 *kg*; ⚕ calcul *m*; **2.** de *ou* en pierre; de *ou* en grès; **3.** lapider; ôter les noyaux de (*un fruit*); '∼-'blind complètement aveugle; '∼-coal anthracite *m*; '∼-'dead raide mort; '∼-'deaf complètement sourd; '∼-fruit *fruit m* à noyau; '∼-ma·son maçon *m*; '∼-pit carrière *f* de pierre; '∼-'wall·ing *fig.* jeu *m* prudent; *pol.* obstructionnisme *m*; '∼-ware (poterie *f* de) grès *m*.

ston·i·ness [ˈstouninis] nature *f* pierreuse; *fig.* dureté *f*.

ston·y [ˈstouni] pierreux (-euse *f*); de pierre (*a. fig.*); *fig.* dur; F ∼-broke à sec, sans le sou, fauché.

stood [stud] *prét.* et *p.p. de* stand 1, 2.

stooge *Am. sl.* [stuːdʒ] *théâ.* nègre *m*; *fig.* souffre-douleur *mf/inv.*

stool [stuːl] tabouret *m*; (*a. three-legged* ∼) escabeau *m*; ⚕ selle *f*; ⚘ plante *f* mère; ⚘ talle *f*; '∼-pi·geon *surt. Am. sl.* mouchard *m*.

stoop [stuːp] **1.** *v/i.* se pencher, se baisser; *fig.* s'abaisser, descendre ([jusqu']là, to); être voûté; *v/t.* incliner (*la tête*); **2.** penchement *m* en avant; dos *m* voûté; *Am.* véranda *f*; *Am.* terrasse *f* surélevée.

stop [stɔp] **1.** *v/t.* (*a.* ∼ up) boucher; arrêter; bloquer (*un chèque; a. box., foot.*); retenir (*les gages*); plomber (*une dent*); étancher (*le sang*); *mot.* stopper; interrompre (*la circulation*); fermer, barrer (*la route etc.*); couper (*l'électricité, la respiration*); suspendre (*le paiement, une procédure,* ✗ *les permissions*); cesser; mettre fin à, supprimer; parer à (*un coup*); empêcher; ♪ presser (*une corde*), flûte: boucher (*des trous*); *gramm.* ponctuer; *v/i.* s'arrêter; cesser; rester, demeurer; attendre; descendre (à, at) (*un hôtel*); **2.** arrêt *m* (*a.* ⊕); halte *f*; interruption *f*; ⊕ butoir *m*; ⊕ crochet *m*; *porte:* butée *f*;

machine à écrire: margeur *m*; ♪ jeu *m*, *orgue:* registre *m*, *clarinette:* clé *f*, *violon etc.:* barré *m*; *guitare:* touche *f*; *gramm.* (*a.* full ∼) point *m*; *ling.* occlusive *f*; '∼-cock ⊕ robinet *m* d'arrêt; '∼-gap bouche-trou *m*; '∼-off, '∼-o·ver *surt. Am.* court séjour *m*, courte visite *f*, étape *f*; faculté *f* d'arrêt; 'stop·page obstruction *f* (*a.* ⚕); arrêt *m*; gages: retenue *f*; paiements etc.: suspension *f*; *travail:* chômage *m*; *travail:* interruption *f*; ⊕ à-coup *m*; ⚡ ∼ of current coupure *f* du courant; 'stop·per **1.** bouchon *m*; ⊕ taquet *m*; ⚓ bosse *f*; **2.** boucher; ⚓ bosser; 'stop·ping *dent:* plombage *m*; bouchon *m*; *a. see* stoppage; 'stop·ping train 🚂 train *m* omnibus; 'stop-press news *pl.* informations *f/pl.* de dernière heure; 'stop-watch *sp.* montre *f* à arrêt.

stor·age [ˈstɔːridʒ] emmagasinage *m*; entrepôts *m/pl.*; frais *m/pl.* d'entrepôt; ∼ battery accumulateur *m*, F accu *m*.

store [stɔː] **1.** (*fig.* bonne) provision *f*; *fig. a.* ∼s *pl.* abondance *f*; *a.* ∼s *pl.* magasin *m*; *fig.* fonds *m* (de *connaissances*); *fig.* prix *m*; *Am.* boutique *f*; ∼s *pl.* entrepôt *m*; ✗, ⚓ magasin *m*; vivres *m/pl.*; in ∼ en réserve; be in ∼ for attendre (*q.*); have in ∼ for ménager (*qch.*) à; set great ∼ by faire grand cas de; **2.** (*a.* ∼ up) amasser; emmagasiner; mettre en dépôt (*des meubles*); approvisionner (de, with); garnir (*la mémoire*); '∼-house magasin *m*, entrepôt *m*; *fig.* mine *f*; ✗ manutention *f*; '∼-keep·er garde-magasin (*pl.* gardes-magasin[s]) *m*; *Am.* boutiquier (-ère *f*) *m*, marchand(e *f*) *m*; '∼-room office *f*, *maison:* dépense *f*; ⚓ magasin *m*; ⊕ halle *f* de dépôt.

sto·rey(ed) *see* story[2]; storied[2].

sto·ried[1] [ˈstɔːrid] historié; † célébré dans la légende *ou* histoire.

sto·ried[2] [∼]: four-∼ à quatre étages.

stork [stɔːk] cigogne *f*.

storm [stɔːm] **1.** orage *m*; tempête *f* (*a. fig.*); ✗ assaut *m*; pluie *f*; take by ∼ emporter (*a. fig.*), prendre d'assaut; **2.** *v/i.* se déchaîner; *fig.* tempêter; s'emporter (contre, at); *v/t.* ✗ livrer l'assaut à; prendre d'assaut; 'storm·y □ tempétueux (-euse *f*); orageux (-euse *f*), d'orage.

sto·ry¹ ['stɔːri] histoire *f*, récit *m*;
conte *m* (*a*. F = *mensonge*); *pièce*,
roman: intrigue *f*; anecdote *f*; *short*
~ nouvelle *f*.

sto·ry² [~] étage *m*.

sto·ry-tell·er ['stɔːritelə] conteur
(-euse *f*) *m*; F menteur (-euse *f*) *m*.

stout [staut] **1.** □ gros(se *f*); fort,
vigoureux (-euse *f*); résolu, intrépide; solide; **2.** bière *f* brune forte;
'~'heart·ed vaillant; 'stout·ness
embonpoint *m*, corpulence *f*; *sp*.
persévérance *f*.

stove [stouv] **1.** poêle *m*; ⊕ four *m*;
✿ serre *f* chaude; **2.** ⊕ étuver (*a*.
des vêtements); ✿ élever en serre
chaude; **3.** *prét. et p.p. de* stave 2;
'~·pipe tuyau *m* de poêle; *Am*. F
cylindre *m*, chapeau *m* haut de
forme.

stow [stou] ranger, serrer; ⚓ arrimer; 'stow·age magasinage *m*; ⚓
(frais *m/pl*. d')arrimage *m*; 'stow·a-
way ⚓ passager *m* clandestin.

stra·bis·mus [strə'bisməs] strabisme *m*.

strad·dle ['strædl] *v/t*. se mettre à
califourchon sur; enfourcher; ⚔
être à cheval sur; écarter (*les jambes*); *v/i*. écarter les jambes; marcher *ou* se tenir les jambes écartées;
Am. éviter de se compromettre.

strafe [strɑːf] ⚔ bombarder; F
marmiter.

strag·gle ['strægl] marcher sans
ordre; ⚔ rester en arrière, traîner
(*a*. ✿); *fig*. s'éparpiller; 'strag·gler
celui (celle *f*) *m* qui reste en arrière; ⚔ traînard *m*; ⚓ retardataire
m; 'strag·gling □ épars, éparpillé.

straight [streit] **1.** *adj*. droit (*a. fig.*);
d'aplomb; en ordre; *fig*. honnête;
Am. sec (sèche *f*) (*whisky etc.*);
Am. pol. bon teint, vrai; *put* ~
(r)ajuster; arranger, remettre de
l'ordre dans; **2.** *su*. the ~ *turf*: la ligne
droite; **3.** *adv*. droit; directement;
'straight·en redresser; ranger; ~
out mettre en ordre; arranger;
straight·for·ward □ [~'fɔːwəd]
franc(he *f*); honnête; loyal (-aux
m/pl.).

strain¹ [strein] **1.** ⊕ tension *f* (de,
on); effort *m*, fatigue *f*; ⊕ déformation *f*; *fig*. ton *m*, *discours*: sens *m*;
esprit: surmenage *m*; ♪ entorse *f*;
♪ *usu*. ~s *pl*. accents *m/pl*.; *musique*:
sons *m/pl*.; *put a great* ~ *on* beau-

coup exiger de; mettre à l'épreuve;
2. *v/t*. tendre; *fig*. forcer (*a*. ⊕),
pousser trop loin; ⊕ déformer; ⊕
filtrer; *fig*. fatiguer; serrer; ♪ fouler, forcer; *cuis*. égoutter; *v/i*. faire
un (grand) effort; peiner; tirer (sur,
at); ⊕ déformer; ~ *after s.th*. faire
tous ses efforts pour atteindre qch.

strain² [~] qualité *f* (héritée); tendance *f*; race *f*, lignée *f*.

strain·er ['streinə] ⊕ tendeur *m*;
cuis. passoire *f*; tamis *m*; filtre *m*;
(*a. tea-*~) passe-thé *m/inv*.

strait [streit] **1.** (*noms propres, géog*.
♀s *pl*.) détroit *m*; ~s *pl*. embarras *m*,
gêne *f*; **2.**: ~ *jacket* (*ou waistcoat*)
camisole *f* de force; 'strait·en †
rétrécir; † resserrer; ~ed pauvre; *in*
~ed *circumstances* dans la gêne;
strait-laced ['~leist] collet monté
inv.; prude; 'strait·ness rigueur *f*;
gêne *f*, besoin *m*; † étroitesse *f*.

strand¹ [strænd] **1.** plage *f*, rive *f*;
2. *v/t*. jeter à la côte; *fig*. laisser (*q*.)
en plan; ~ed échoué; *fig*. à bout de
ressources; *fig*. abandonné; *mot*.
resté en panne; *v/i*. (s')échouer.

strand² [~] toron *m*, *cordage*: brin *m*;
tissu, a. fig.: fil *m*; *cheveux*: tresse *f*.

strange □ [streindʒ] étrange; singulier (-ère *f*); curieux (-euse *f*); inconnu; † étranger (-ère *f*);
'strange·ness singularité *f*; étrangeté *f*; 'stran·ger inconnu(e *f*) *m*;
étranger (-ère *f*) *m* (à, to); ⚖ tiers
m.

stran·gle ['stræŋgl] étrangler (*a. la
presse*); *fig*. étouffer; '~·hold *fig*.
étau *m*; *have a* ~ *on s.o*. tenir q. par
la gorge.

stran·gu·late ♪ ['stræŋgjuleit]
étrangler; **stran·gu·la·tion** étranglement *m* (*a*. ♪).

strap [stræp] **1.** courroie *f*; *cuir,
toile*: bande *f*; *soulier*: barrette *f*;
⊕ *frein*: bande *f*; bride *f*; *soutien-
gorge*: bretelle *f*; **2.** attacher *ou*
lier avec une courroie; boucler (*une
malle*); ♪ mettre des bandelettes à,
maintenir au moyen de bandages;
bander; '~·hang·er F voyageur
(-euse *f*) *m* debout (*dans l'autobus
etc.*); 'strap·ping **1.** robuste, bien
découplé; **2.** ♪ emplâtre *m* adhésif.

strat·a·gem ['strætidʒəm] ruse *f*
(de guerre), stratagème *m*.

stra·te·gic [strə'tiːdʒik] (~ally) stratégique; **strat·e·gist** ['strætidʒist]

stratégiste *m*; **stratège** *m*; **'strat·e·gy** stratégie *f*.

strat·i·fy ['strætifai] (se) stratifier.

stra·to·cruis·er ['strætoukru:zə] avion *m* stratosphérique.

strat·o·sphere *phys.* ['strætousfiə] stratosphère *f*.

stra·tum ['streitəm], *pl.* **-ta** ['～tə] *géol.* strate *f*; couche *f* (*a. fig.*); *fig.* étage *m*, rang *m* social.

straw [strɔ:] **1.** paille *f*; chalumeau *m*; *fig.* brin *m* d'herbe; *fig.* indication *f*; (*usu.* ～ *hat*) chapeau *m* de paille; F *I don't care a* ～ je m'en fiche; *the last* ～ le comble *m*; **2.** de paille; paille *adj./inv.* (*couleur*) *Am. pol.* ～ *vote* vote *m* d'essai; **'～ber·ry** fraise *f*; *plante*: fraisier *m*; **'straw·y** de paille; paille *adj./inv.*, jaunâtre.

stray [strei] **1.** s'égarer, s'écarter (de, *from*); errer (*a. fig.*); *fig.* sortir (d'un sujet, *from a subject*); **2.** (*a.* ～ed) égaré (*a. fig.*), errant; **3.** bête *f* perdue *ou* épave; enfant *m* abandonné; ～*s pl.* radio: parasites *m/pl.*; crachements *m/pl.*; **'stray·er** égaré(e *f*) *m*.

streak [stri:k] **1.** raie *f*, bande *f*; *fig.* trace *f*; *aube*: lueur *f*; **2.** rayer (de, *with*); **'streak·y** ☐ rayé, bariolé; en raies *ou* bandes; *tex.* vergé; entrelardé (*lard etc.*).

stream [stri:m] **1.** cours *m* d'eau, ruisseau *m*; courant *m*; torrent *m* (*a. fig.*); **2.** *v/i.* ruisseler, couler à flots (*a. yeux*); flotter (au vent) (*cheveux, drapeau, etc.*); ～ *in* (*out*) entrer (sortir) à flots; *v/t.* verser à flots; laisser couler; ⚓ mouiller; **'stream·er** banderole *f*; *papier*: serpentin *m*; *journ.* manchette *f*; *météor.* ～*s pl.* lumière *f* polaire; **stream·let** ['～lit] petit ruisseau *m*, ru *m*.

stream·line ['stri:mlain] **1.** fil *m* de l'eau; courant *m* naturel; *carrosserie*: ligne *f* aérodynamique; **2.** (*a.* stream-lined) profilé, caréné, fuselé; **3.** *v/t.* caréner (*une auto etc.*); *fig.* rénover, alléger.

street [stri:t] rue *f*; *the man in the* ～ l'homme *m* moyen; F *not in the same* ～ ne pas de taille avec; **'～car** *surt. Am.* tramway *m*; **'～walk·er** péripatéticienne *f*.

strength [streŋθ] force *f* (*a. fig.*); solidité *f*; *fig.* fermeté *f*; ⊕ résis-tance *f*; ✕, ⚓ effectif *m*, -s *m/pl.*; contrôles *m/pl.*; *on the* ～ *of* sur la foi de, s'appuyant sur; de par; **'strength·en** *v/t.* affermir, renforcer; fortifier (*la santé*); *v/i.* s'affermir *etc.*; (re)prendre des forces.

stren·u·ous ☐ ['strenjuəs] énergique, actif (-ive *f*); ardu (*travail*); tendu (*effort*); acharné (*lutte etc.*); **'stren·u·ous·ness** ardeur *f*; acharnement *m*.

stress [stres] **1.** force *f*; insistance *f*; *circonstances*: pression *f*; *gramm.* accent *m*; appui *m* de la voix (sur, *on*); violence *f* (*du temps*); ⊕ tension *f*, effort *m*; *lay* ～ (*up*)*on* insister sur, attacher de l'importance à; **2.** insister sur, appuyer sur; ⊕ faire travailler, fatiguer.

stretch [stretʃ] **1.** *v/t.* (*usu.* ～ *out*) tendre (*a. la main*); étendre; allonger; prolonger; déployer (*les ailes*); *fig.* exagérer; ～ *a point* faire une exception (en faveur de, *for*); ～ *words* forcer le sens des mots; *v/i.* (*souv.* ～ *out*) s'étendre; s'élargir; prêter (*étoffe*); *fig.* aller, suffire; **2.** étendue *f*; extension *f*; élasticité *f*; ⊕ tension *f*, effort *m*; *sl. do a* ～ faire de la prison; *at a* ～ (tout) d'un trait; sans arrêt; *on the* ～ tendu; **'stretch·er** tendeur *m* (*a. pour chaussures*); brancard *m* (*pour malades*); *tente*: traverse *f*; 🔺 panneresse *f*.

strew [stru:] [*irr.*] répandre, semer (de, *with*); **strewn** [stru:n] *p.p. de* strew.   ['eitid] strié.

stri·ate ['straiit], **stri·at·ed** [strai-'eitid] strié.

strick·en ['strikən] frappé, *fig.* accablé (de, *with*); (*well*) ～ *in years* chargé d'années.

strict [strikt] sévère, rigoureux (-euse *f*); précis, exact; ～*ly speaking* à proprement parler; **'strict·ness** rigueur *f*; exactitude *f*; **stric·ture** ['～tʃə] 𝒮 rétrécissement *m*; *intestin*: étranglement *m*; *usu.* ～*s pl.* critique *f* (sur, *on*).

strid·den ['stridn] *p.p. de* stride 1.

stride [straid] **1.** [*irr.*] *v/t.* enjamber; se tenir à califourchon sur; enfourcher (*un cheval*); *v/i.* marcher à grands pas; **2.** (grand) pas *m*; enjambée *f*; *get into one's* ～ prendre son allure normale; être lancé.

stri·dent ☐ ['straidnt] strident; ～*ly* stridemment.

strife *poét.* [straif] conflit *m*, lutte *f*.
strike [straik] **1.** coup *m*; grève *f*;
Am. F *fig.* rencontre *f*; coup *m* de
veine; *Am. baseball*: coup *m* (du
batteur); be on ~ être en *ou* faire
grève; go on ~ se mettre en grève;
F débrayer; **2.** [*irr.*] *v/t.* frapper
(*a. une médaille*, ♪, *a. fig.*) (de,
with); heurter, cogner; porter (*un
coup*); ⚓ rentrer (*le pavillon*);
amener (*la voile*); plier (*une tente*),
lever (*le camp*); former (*une commission*); faire (*le marché*); allumer
(*une allumette*); faire jaillir (*une
étincelle*); prendre (*une attitude, la
moyenne, la racine*); ♪ toucher de
(*la harpe*); sonner (*l'heure*); boutu-
rer (*une plante*); ⚓ donner sur (*les
écueils*); *fig.* faire une impression
sur; impressionner; rencontrer;
découvrir, tomber sur; *fig.* paraître;
~ a balance établir une balance;
dresser le bilan; ~ oil rencontrer le
pétrole, *fig.* avoir du succès, trouver
le filon; ~ work se mettre en grève;
~ off abattre; rayer; ~ out rayer;
ouvrir (*une route*); ~ up commencer
à jouer *ou* à chanter; lier (*une connaissance*); *v/i.* porter un coup,
frapper (à, *at*); ⚓ (*ou* ~ [the] *bottom*)
toucher le fond; ⚓, ✕ rentrer son
pavillon; ⊕ se mettre en grève, F
débrayer; sonner (*l'heure*); prendre
feu (*allumette*); prendre racine;
~ home frapper juste; porter coup;
~ in s'enfoncer; intervenir (*personne*); ~ into pénétrer dans; ♪ ~ up
commencer à jouer *ou* à chanter;
~ upon the ear frapper l'oreille;
'~-break·er briseur *m* de grève,
F jaune *m*; '**strik·er** frappeur (-euse
f) *m*; pendule: marteau *m*; fusée:
rugueux *m*; arme à feu: percuteur
m; ⊕ gréviste *mf*.
strik·ing □ ['straikiŋ] à sonnerie;
fig. frappant; saillant; impressionnant.
string [striŋ] **1.** ficelle *f* (*a. fig.*);
corde *f* (*a.* ♪, *arc, raquette*); cordon
m; ♀ fibre *f*, filament *m*; *eccl., a.
oignons, outils*: chapelet *m*; *fig.* condition *f*; *Am.* F prise *f*; *fig.* lisière *f*;
fig. procession *f*, série *f*; F ♪ ligature *f*; ~ of horses écurie *f*; ~ of
pearls collier *m*; ♪ ~s *pl.* instruments *m/pl.* à cordes; have two ~s
to one's bow avoir deux cordes à son
arc, avoir un pied dans deux chaus-

sures; pull the ~s tirer les ficelles,
tenir les fils; **2.** [*irr.*] bander (*un
arc*); ficeler (*un paquet*); *fig.* (*a.* ~
up) tendre (*les nerfs*); enfiler (*des
perles, a. fig.*); corder (*une raquette*);
monter (*un violon*), monter les
cordes de (*un piano*); *fig.* accrocher
des guirlandes de (*lampes etc.*);
effiler (*des haricots*); *Am. sl.* faire
marcher (*q.*); ~ up pendre q.
haut et court; ~ **band** ♪ orchestre
m à cordes; '~-bean mange-tout
m/inv.; **stringed** ♪ à cordes.
strin·gen·cy ['strindʒənsi] rigueur
f; puissance *f*, force *f*; ♱ resserrement *m*; '**strin·gent** □ rigoureux
(-euse *f*), strict; convaincant; ♱
serré (*argent*); tendu (*marché*).
string·y ['striŋi] filandreux (-euse
f); visqueux (-euse *f*) (*liquide*).
strip [strip] **1.** *v/t.* dépouiller (de,
of) (*a.* ⚡, *a. fig.*); ⚡, *a. fig.* dénuder
(de, of); *fig.* dégarnir (*une maison*);
⊕ démonter (*une machine*); *métall.*
démouler; ⚓ déshabiller, dégréer;
(*a.* ~ off) ôter, enlever; *v/i.* F se
déshabiller; *sl.* se mettre à poil;
2. bande(lette) *f*.
stripe [straip] **1.** *couleur*: raie *f*;
pantalon: bande *f*; ✕ galon *m*;
(*a. long-service* ~) chevron *m*;
2. rayer.
strip·ling ['stripliŋ] adolescent *m*,
tout jeune homme *m*.
strive [straiv] [*irr.*] s'efforcer (de,
to; d'obtenir *après* after s.th., *for
s.th.*); tâcher (de, to); lutter (contre,
against); **striv·en** ['strivn] *p.p. de
strive*.
strode [stroud] *prét. de stride* 1.
stroke [strouk] **1.** *usu.* coup *m*; ⚕
congestion *f* cérébrale, apoplexie *f*;
⊕ *piston*: course *f*; *peint.* coup *m* de
pinceau; *fig.* retouche *f*; trait *m*
(*de plume, a. fig.*); coup *m* (*d'horloge*); *canotage*: nage *f*, nageur *m*:
chef *m* de nage; *nage*: brassée *f*; ~
of genius trait *m* de génie; ~ of luck
coup *m* de bonheur; **2.** caresser;
être chef de nage de (*un canot*); ~ 32
nager à 32 coups par minute.
stroll [stroul] **1.** *v/i.* flâner; se promener à l'aventure; F se balader;
v/t. se promener dans (*les rues*); **2.**
petit tour *m*; flânerie *f*; F balade *f*;
'**stroll·er**, '**stroll·ing ac·tor** co-
médien(ne *f*) *m* ambulant(e *f*).
strong □ [strɔŋ] *usu.* fort (*a.*

gramm.), solide; ferme (a. ✝ marché); vif (vive f) (souvenir); bon(ne f) (mémoire); robuste (foi, santé); ardent (partisan); sérieux (-euse f) (candidat); énergique (mesure); accusé (trait); cartes: long(ue f) (couleur); see language; feel ~(ly) about attacher une grande importance à; F go it~ dépasser les bornes; F going ~ vigoureux (-euse f); solide; 30 ~ au nombre de 30; '~-box coffre-fort (pl. coffres-forts) m; '~-hold forteresse f; fig. citadelle f; '~-'mind·ed à l'esprit décidé; '~-room chambre f blindée; cave f forte.

strop [strɔp] 1. cuir m (à rasoir); ⚓ estrope f; 2. repasser (un rasoir) sur le cuir.

stro·phe ['stroufi] strophe f.

strove [strouv] prét. de strive.

struck [strʌk] prét. et p.p. de strike 2.

struc·tur·al □ ['strʌktʃərəl] de structure, structural (-aux m/pl.); ⊕ de construction; struc·ture ['~tʃə] structure f; édifice m (a. fig.); péj. bâtisse f.

strug·gle ['strʌgl] 1. lutter (contre, against); avec, with); se débattre; faire de grands efforts (pour, to); 2. lutte f (a. fig.); combat m; 'strug·gler lutteur m.

strum [strʌm] tapoter (du piano); gratter (de la guitare etc.); fig. pianoter.

strum·pet poét., F ['strʌmpit] prostituée f; catin f.

strung [strʌŋ] prét. et p.p. de string 2.

strut [strʌt] 1. v/i. se pavaner; v/t. ⊕ entretoiser; contreficher; 2. démarche f fière; ⊕ entretoise f; arc-boutant (pl. arcs-boutants) m; ⚡ pilier m, traverse f; 'strut·ting-piece ⊕ entretoise f, lierne f.

strych·nine ['striknin] strychnine f.

stub [stʌb] 1. arbre: souche f; cigarette: bout m; Am. chèque: souche f, talon m; 2. (usu. ~ up) arracher; essoucher (un champ); cogner (le pied); ~ out éteindre (une cigarette) en l'écrasant par le bout.

stub·ble ['stʌbl] chaume m.

stub·bly ['stʌbli] couvert de chaume; court et raide (barbe, cheveux).

stub·born □ ['stʌbən] obstiné,

opiniâtre, entêté; rebelle, réfractaire; ingrat (sol, terre); 'stub·born·ness opiniâtreté f, entêtement m.

stub·by ['stʌbi] trapu (personne); tronqué (arbre etc.).

stuc·co ['stʌkou] 1. stuc m; 2. stuquer; recouvrir de stuc(age).

stuck [stʌk] prét. et p.p. de stick²; Am. F ~ on amoureux (-euse f) de (q.); F '~-'up hautain; prétentieux (-euse f).

stud¹ [stʌd] 1. clou m à grosse tête; clou m (sur une robe, a. d'un passage clouté); chemise etc.: bouton m; foot. crampon m; ⚒ poteau m; 2. clouter; orner (de, with); fig. parsemer (de, with).

stud² [~] écurie f; (a. ~ farm) haras m; '~-book livre m d'origines, stud-book m; '~-horse étalon m.

stud·ding ⚒ ['stʌdiŋ] lattage m; lattis m.

stu·dent ['stju:dənt] étudiant(e f) m; boursier (-ère f) m; amateur m de livres; investigateur (-trice f) m; 'stu·dent·ship bourse f d'études.

stud·ied □ ['stʌdid] instruit (personne) (dans, in); étudié, recherché (toilette etc.); voulu, prémédité (geste, insulte, etc.).

stu·di·o ['stju:diou] atelier m; radio: studio m.

stu·di·ous □ ['stju:djəs] appliqué, studieux (-euse f); attentif (-ive f) (à qch., of s.th.; à inf. of gér., to inf.); soigneux (-euse f) (de inf., to inf.); 'stu·di·ous·ness amour m de l'étude; fig. attention f, zèle m (à inf., in gér.).

stud·y ['stʌdi] 1. étude f (a. ♪, a. peint.); cabinet m de travail; bureau m; soins m/pl.; fig. rêverie f; 2. v/i. préparer (un examen, for an examination); étudier; v/t. étudier; observer; s'occuper de (a. fig.).

stuff [stʌf] 1. matière f, substance f; étoffe f (a. fig.), tissu m; péj. camelote f; fig. F sottises f/pl.; 2. v/t. bourrer (de, with); remplir (de, with); fourrer (dans, into); gaver (q.); cuis. farcir; ~ up boucher; Am. sl. ~ed shirt collet m monté; v/i. manger avec excès; fig. sl. se les caler; 'stuff·ing (rem)bourrage m; oie etc.: gavage m; cuis. farce f, farcissure f; matelassure f (de crin); ⊕ étoupe f; 'stuff·y □ mal aéré; qui sent le renfermé; F collet monté *adj./inv.*; sans goût; F *Am.* fâché.

stul·ti·fi·ca·tion [stʌltifiˈkeiʃn] action *f* de rendre sans effet (*un décret etc.*) *ou* ridicule (q.); **stul·ti·fy** [ˈ‿fai] infirmer, rendre nul *ou* vain *ou* sans effet; rendre ridicule.

stum·ble [ˈstʌmbl] **1.** trébuchement *m*, faux pas *m*; *cheval*: bronchade *f*; **2.** trébucher; faire un faux pas; broncher (*cheval*); se heurter (contre, *against*); hésiter (*en parlant*); **ˈstum·bling-block** *fig.* pierre *f* d'achoppement.

stump [stʌmp] **1.** tronçon *m*, souche *f*; *crayon, cigare*: bout *m*; *dessin*: estompe *f*; *dent*: chicot *m*; *cricket*: piquet *m*; moignon *m* (*d'un membre coupé*); F propagande *f* électorale; F ‿s *pl.* quilles *f/pl.* (= *jambes*); **2.** *v/t. cricket*: mettre hors jeu en abattant le guichet avec la balle tenue à la main; F coller, embarrasser; *Am.* F défier; *sl.* ‿ up cracher (= *payer*); ‿ the country faire une tournée électorale; ‿ed for embarrassé pour; *v/i.* clopiner; **ˈ‿ˈor·a·tor** orateur *m* de carrefour; harangueur *m*; **ˈstump·y** □ écourté; trapu (*personne*).

stun [stʌn] étourdir; *fig.* abasourdir.

stung [stʌŋ] *prét. et p.p. de* sting 2.

stunk [stʌŋk] *prét. et p.p. de* stink 2.

stun·ner F [ˈstʌnə] type *m* épatant, chose *f* épatante; **ˈstun·ning** □ F épatant, étourdissant.

stunt¹ [stʌnt] **1.** tour *m* de force; F coup *m* d'épate; F nouvelle *f* sensationnelle; ⊁ acrobaties *f/pl.* aériennes, vol *m* de virtuosité; **2.** faire des acrobaties.

stunt² [‿] rabougrir; empêcher de croître; **ˈstunt·ed** rabougri; noué (*esprit*).

stupe ⚕ [stjuːp] **1.** compresse *f* (pour fomentation); **2.** fomenter.

stu·pe·fac·tion [stjuːpiˈfækʃn] stupéfaction *f*; ahurissement *m*.

stu·pe·fy [ˈstjuːpifai] *fig.* hébéter (par la douleur, *by grief*); stupéfier, abasourdir.

stu·pen·dous □ [stjuːˈpendəs] prodigieux (-euse *f*).

stu·pid □ [ˈstjuːpid] stupide, sot(te *f*); F bête; insupportable; **stu·pid·i·ty** [stjuːˈpiditi] stupidité *f*; lourdeur *f* d'esprit; sottise *f*, bêtise *f*.

stu·por [ˈstjuːpə] stupeur *f*.

stur·di·ness [ˈstəːdinis] vigueur *f*; résolution *f*; **ˈstur·dy** vigoureux (-euse *f*); robuste; hardi.

stur·geon *icht.* [ˈstəːdʒən] esturgeon *m*.

stut·ter [ˈstʌtə] **1.** bégayer; **2.** bégaiement *m*.

sty¹ [stai] étable *f* (à porcs); porcherie *f*.

sty² [‿] *œil*: orgelet *m*.

style [stail] **1.** style *m* (*pour écrire, pour graver*, △, ♀, *cadran, peint.*, *a.* = *manière*); façon *f*, manière *f*; *cost.* mode *f*; ton *m*, chic *m*; titre *m*; élégance *f*; ♀ raison *f* sociale; in ‿ grand train; in the ‿ of dans le style *ou* goût de; ♀ under the ‿ of sous la raison de; **2.** appeler, dénommer; qualifier (q.) de.

styl·ish □ [ˈstailiʃ] élégant; chic *inv. en genre*; à la mode; **ˈstyl·ish·ness** élégance *f*, chic *m*.

styl·ist [ˈstailist] styliste *mf*.

sty·lo F [ˈstailou], **sty·lo·graph** [ˈstailəgrɑːf], *a.* **sty·lo·graph·ic pen** [‿ˈgræfik ˈpen] stylographe *m*, F stylo *m*.

styp·tic [ˈstiptik] styptique (*a. su./m*), astringent (*a. su./m*).

sua·sion [ˈsweiʒn] persuasion *f*.

suave □ [sweiv] suave; affable; doux (douce *f*) (*vin*); *péj.* doucereux (-euse *f*); **suav·i·ty** [ˈswæviti] suavité *f*; douceur *f*; *péj.* politesse *f* mielleuse.

sub F [sʌb] *abr. de* subordinate 2; subscription; substitute 2; submarine.

sub...: *usu.* sous-; *qqfois* sub-; presque.

sub·ac·id [ˈsʌbˈæsid] aigrelet(te *f*); *fig.* aigre-doux (-douce *f*).

sub·al·tern [ˈsʌbltən] **1.** subalterne (*a. su./m*); **2.** ⚔ (sous-)lieutenant *m*.

sub·com·mit·tee [ˈsʌbkəmiti] sous-comité *m*; sous-commission *f*.

sub·con·scious □ [ˈsʌbˈkɔnʃəs] subconscient (*psych. a. su./m*); -ly inconsciemment.

sub·con·tract [sʌbˈkɔntrækt] sous-traité *m*.

sub·cu·ta·ne·ous □ [ˈsʌbkjuːˈteinjəs] sous-cutané; ⚕ ‿ injection injection *f* sous-cutanée.

sub·dean [ˈsʌbˈdiːn] sous-doyen *m*.

sub·di·vide [ˈsʌbdiˈvaid] (se) subdiviser.

sub·di·vi·sion ['sʌbdiviʒn] subdivision *f*; sectionnement *m*; sous-division *f*; *biol.* sous-classe *f*; ⚓ section *f*.

sub·due [səb'dju:] subjuguer; dompter; maîtriser; réprimer; adoucir; baisser (*la lumière*).

sub·head(·ing) ['sʌbhed(iŋ)] sous-titre *m*.

sub·ja·cent [sʌb'dʒeisənt] sous-jacent, subjacent.

sub·ject ['sʌbdʒikt] **1.** *adj.* assujetti, soumis; sujet(te *f*), exposé; porté (à, to); *fig.* ~ to passible de (*droit, courtage*); sous réserve de (*une ratification*); sauf; ~ to a fee (*ou duty*) sujet(te *f*) à une taxe *ou* à un droit; **2.** *adv.*: ~ to sous (la) réserve de; ~ to change without notice sauf modifications sans avis préalable; **3.** *su.* sujet(te *f*) *m* (*d'un roi etc.*); ♂, ♪, *gramm., conversation, peint.* tableau: sujet *m* (*a.* ~-*matter*) *livre etc.*: sujet *m*, thème *m*; question *f*; ♂ malade *mf*; matière *f*; *lettre*: contenu *m*; *peint. paysage*: motif *m*; *contrat réel, méditation*: objet *m*; **4.** *v/t.* [səb'dʒekt] assujettir, subjuguer; ~ to soumettre à (*un examen etc.*); exposer à (*un danger etc.*); **sub·jec·tion** sujétion *f*; asservissement *m*; **sub·jec·tive** □ [sʌb'dʒektiv] subjectif (-ive *f*).

sub·join ['sʌb'dʒɔin] adjoindre, ajouter.

sub·ju·gate ['sʌbdʒugeit] subjuguer; **sub·ju·ga·tion** subjugation *f*, assujettissement *m*.

sub·junc·tive *gramm.* [səb'dʒʌŋktiv] (*a.* ~ mood) subjonctif *m*; in the ~ au subjonctif.

sub·lease ['sʌb'li:s], **sub·let** ['~'let] [*irr.* (let)] donner *ou* prendre en sous-location *ou* à sous-ferme; sous-louer.

sub·li·mate ⚗ **1.** ['sʌblimit] sublimé *m*; **2.** ['~meit] sublimer; **sub·li·ma·tion** sublimation *f* (*a. psych.*); **sub·lime** [sə'blaim] **1.** □ sublime; **2.**: the ~ le sublime *m*; **3.** ⚗ (se) sublimer; *v/t. fig.* idéaliser; **sub·lim·i·ty** [sə'blimiti] sublimité *f*.

sub·ma·chine gun ['sʌbmə'ʃi:n 'gʌn] mitraillette *f*.

sub·ma·rine ['sʌbməri:n] sous-marin (*a.* ⚓ *su./m*).

sub·merge [səb'mə:dʒ] *v/t.* submerger; noyer, inonder; *v/i.* plon-

ger; **sub·mers·i·bil·i·ty** [səbmə:sə-'biliti] caractère *m* submersible; **sub·mer·sion** submersion *f*, plongée *f*.

sub·mis·sion [səb'miʃn] soumission *f* (*a. fig.*), résignation *f* (à, to); ⚖ plaidoirie *f*; thèse *f*; **sub·mis·sive** □ [~'misiv] soumis (*air etc.*); docile (*personne*).

sub·mit [sʌb'mit] *v/t.* soumettre; présenter; poser en thèse (que, that); *v/i.* (*a.* ~ o.s.) se soumettre (à, to); *fig.* se résigner (à, to); s'astreindre (à la discipline, to discipline).

sub·or·di·nate 1. □ [sə'bɔ:dnit] subordonné; inférieur; secondaire; *gramm.* ~ clause proposition *f* subordonnée; **2.** [~] subalterne *mf*, subordonné(e *f*) *m*; **3.** [~'bɔ:dineit] subordonner (à, to); **sub·or·di·na·tion** subordination *f* (à, to); soumission *f* (à, to).

sub·orn ⚖ [sʌ'bɔ:n] suborner, séduire; **sub·or·na·tion** subornation *f*, corruption *f*.

sub·p(o)e·na ⚖ [səb'pi:nə] **1.** assignation *f*; **2.** assigner, faire une assignation à.

sub·scribe [səb'skraib] *v/t.* souscrire (*un nom, une obligation, etc.*; pour une somme, a sum); *v/i.* souscrire (à, to, for; pour une somme, for a sum); *a.* à une opinion, *to an opinion*); s'abonner (à, to) (*un journal*); **sub·scrib·er** signataire *mf* (de, to); *fig.* adhérent(e *f*) *m*; souscripteur *m*, cotisant *m*; *journal, a. téléph.* abonné(e *f*) *m*.

sub·scrip·tion [səb'skripʃn] souscription *f*; *fig.* adhésion *f*; *société, club, etc.*: cotisation *f*; *journal*: abonnement *m*.

sub·se·quence ['sʌbsikwəns] conséquence *f*; postériorité *f*; **sub·se·quent** □ conséquent, ultérieur; postérieur, consécutif (-ive *f*) (à, to); ~ly plus tard; postérieurement (à, to); par la suite.

sub·serve [səb'sə:v] favoriser, aider à; **sub·serv·i·ence** [~'viəns] soumission *f*; utilité *f*; servilité *f*; **sub·serv·i·ent** □ servile, obséquieux (-euse *f*); utile; subordonné.

sub·side [səb'said] baisser; s'affaisser, se tasser (*sol, maison*); s'apaiser, tomber (*orage, fièvre, etc.*); F se taire; ~ into se changer en; **sub-**

sid·i·ary [ˌ~'sidjəri] **1.** □ subsidiaire (à, to), auxiliaire; ~ *company* filiale *f*; **2.** filiale *f*; **sub·si·dize** ['sʌbsidaiz] subventionner; primer (*une industrie*); fournir des subsides à; **'sub·si·dy** subvention *f*; *industrie:* prime *f*.

sub·sist [səb'sist] *v/i.* subsister; persister; vivre (de on, by); *v/t.* entretenir; **sub'sist·ence** existence *f*; subsistance *f*; ~ *money* acompte *m*.

sub·soil ['sʌbsɔil] sous-sol *m*.

sub·stance ['sʌbstəns] substance *f* (*a. eccl., a. fig.*), matière *f*; *fig.* essentiel *m*, fond *m*; corps *m*, solidité *f*; fortune *f*, biens *m/pl.*

sub·stan·tial □ [səb'stænʃl] substantiel(le *f*), réel(le *f*); solide; riche; considérable (*somme, prix, etc.*); **sub·stan·ti·al·i·ty** [ˌ~ʃi'æliti] solidité *f*; *phls.* substantialité *f*.

sub·stan·ti·ate [səb'stænʃieit] justifier, établir, prouver.

sub·stan·ti·val □ *gramm.* [sʌbstən'taivl] substantival (-aux *m/pl.*); **'sub·stan·tive 1.** □ réel(le *f*), autonome, indépendant; positif (-ive *f*) (*droit*); formel(le *f*) (*résolution*); *gramm.* substantival (-aux *m/pl.*); **2.** *gramm.* substantif *m*, nom *m*.

sub·sti·tute ['sʌbstitjuːt] **1.** *v/t.* substituer (à, for); remplacer (par, by); *v/i.* ~ *for s.o.* remplacer q., suppléer q.; **2.** *personne:* remplaçant(e *f*) *m* (*a. sp.*), suppléant(e *f*) *m*; *nourriture etc.:* succédané *m*, factice *m*; **sub·sti'tu·tion** substitution *f*, remplacement *m*; ⚖ subrogation *f*; *créance:* novation *f*.

sub·stra·tum ['sʌb'strɑːtəm], *pl.* **-ta** ['ˌ~tə] couche *f* inférieure; sous-couche *f*; *phls.* substrat(um) *m*; *fig.* fond *m*.

sub·struc·ture ['sʌbstrʌktʃə] *édifice:* fondement *m*; *route, pont roulant:* infrastructure *f*.

sub·ten·ant ['sʌb'tenənt] sous-locataire *mf*. [fuge *m*.]

sub·ter·fuge ['sʌbtəfjuːdʒ] subter-]

sub·ter·ra·ne·an □ [sʌbtə'reinjən] souterrain.

sub·til·ize ['sʌtilaiz] *v/t.* subtiliser; raffiner (*son style*), *péj.* alambiquer; *v/i.* subtiliser, raffiner.

sub·ti·tle ['sʌbtaitl] *livre, cin.:* sous-titre *m*.

sub·tle □ ['sʌtl] subtil, fin; raffiné; rusé, astucieux (-euse *f*); **'sub·tle·ty** subtilité *f*; finesse *f*; ruse *f*.

sub·tract [səb'trækt] soustraire; **sub'trac·tion** soustraction *f*.

sub·urb ['sʌbəːb] faubourg *m*; *in the* ~s dans la *ou* en banlieue; **sub·ur·ban** [sə'bəːbən] de banlieue (*a. péj.*); suburbain; **Sub·ur·bi·a** F [sə'bəːbiə] la banlieue.

sub·ven·tion [səb'venʃn] subvention *f*; *industrie:* prime *f*; octroi *m* d'une subvention.

sub·ver·sion [sʌb'vəːʃn] subversion *f*; **sub'ver·sive** [ˌ~siv] subversif (-ve *f*) (de, of). [vertir.]

sub·vert [sʌb'vəːt] renverser, sub-]

sub·way ['sʌbwei] (passage *m ou* couloir *m*) souterrain *m*; *Am.* métro *m*; chemin *m* de fer souterrain.

suc·ceed [sək'siːd] *v/t.* succéder (à q., à qch., [to] s.o., s.th.); suivre; *v/i.* réussir; arriver, aboutir; ~ *to* prendre la succession *ou* la suite de; hériter (de) (*biens etc.*); *he* ~s *in* (*gér.*) il réussit *ou* parvient à (*inf.*).

suc·cess [sək'ses] succès *m*, réussite *f*; (bonne) chance *f*; *he was a great* ~ il a eu un grand succès; **suc'cess·ful** □ [ˌ~ful] heureux (-euse *f*), réussi; couronné de succès; *be* ~ réussir; avoir du succès; **suc·ces·sion** [ˌ~'seʃn] succession *f*, suite *f*; *récoltes:* rotation *f*; héritage *m*; lignée *f*, descendants *m/pl.*; ~ *to the throne* avènement *m*; *in* ~ successivement, tour à tour; ~ *duty* droits *m/pl.* de succession; **suc'ces·sive** [ˌ~siv] □ successif (-ive *f*), consécutif (-ive *f*); **suc'ces·sor** successeur *m* (de *of*, to); ~ *to the throne* successeur *m* à la couronne.

suc·cinct □ [sək'siŋkt] succinct, concis.

suc·co·ry ♀ ['sʌkəri] chicorée *f*.

suc·co·tash *Am.* ['sʌkətæʃ] purée *f* de maïs et de fèves.

suc·co(u)r ['sʌkə] **1.** secours *m*, aide *f*; ⚔ renforts *m/pl.*; **2.** secourir; aider, venir en aide à, venir à l'aide de; ⚔ renforcer.

suc·cu·lence ['sʌkjuləns] succulence *f*; **'suc·cu·lent** □ succulent (*a. fig.*).

suc·cumb [sə'kʌm] succomber, céder.

such [sʌtʃ] **1.** *adj.* tel(le *f*); pareil(le *f*); semblable; ~ *a man* un tel

homme; *see another*; *there is no ~
thing* cela n'existe pas; *no ~ thing!*
il n'en est rien!; *~ as tel que*; *~ and
~ tel et tel*; F *~ a naughty dog* un
chien si méchant; *~ is life* c'est la
vie; **2.** *pron.* tel(le *f*); ceux (celles
f/pl.) *m/pl.*; **'such·like** de ce genre,
de la sorte.

suck [sʌk] **1.** (*v/t. a. ~ out*) sucer;
2. action *f* de sucer; *pompe:* succion
f; *give ~* donner la tétée *ou* le sein;
'suck·er suceur (-euse *f*) *m*; ⊕
pompe: piston *m*; ⚲ *arbre:* surgeon
m, *plante:* rejeton *m*; *Am.* blanc-bec
(*pl.* blancs-becs) *m*; niais *m*; **'sucking** à la mamelle (*enfant*); qui tette
(*animal*); *~ pig* cochon *m* de lait;
suck·le ['ʌl] allaiter, nourrir; donner le sein à; **'suck·ling** allaitement
m; nourrisson *m*.

suc·tion ['sʌkʃn] **1.** succion *f*; aspiration *f*; **2.** aspirant, d'aspiration; à
succion; *~-cleaner* (*ou sweeper*) aspirateur *m*.

sud·den □ ['sʌdn] soudain, brusque; *on a ~*, (*all*) *of a ~* soudain,
tout à coup; **'sud·den·ness** soudaineté *f*; brusquerie *f*.

su·dor·if·ic [sjuːdəˈrifik] sudorifique (*a. su./m*).

suds [sʌdz] *pl.* eau *f* de savon; lessive *f*; **'suds·y** *Am.* plein *ou* couvert d'eau de savon.

sue [sjuː] *v/t.* poursuivre; (*usu. ~
out*) obtenir à la suite d'une requête; *v/i.* solliciter (de q., *to s.o.*;
qch., *for s.th.*); demander (qch., *for
s.th.*).

suède [sweid] (peau *f* de) suède *m*;
chaussures: daim *m*.

su·et ['sjuit] graisse *f* de rognon *ou*
de bœuf; **'su·et·y** graisseux (-euse
f).

suf·fer ['sʌfə] *v/i.* souffrir (de,
from); être affligé (de, *from*); *v/t.*
souffrir, éprouver; subir (*une peine,
une défaite, une dépréciation*); ressentir (*une douleur*); tolérer, supporter; **'suf·fer·ance** tolérance *f*;
on ~ par tolérance; **'suf·fer·er** victime *f*; ⚕ malade *mf*; **'suf·fer·ing**
souffrance *f*.

suf·fice [səˈfais] *v/i.* suffire (à, *to*);
v/t. suffire à.

suf·fi·cien·cy [səˈfiʃənsi] suffisance
f; quantité *f* suffisante; *a ~ of
money* l'aisance *f*; **suf·fi·cient** □
assez de; suffisant; *I am not ~ of a*

naturalist je ne suis pas assez naturaliste.

suf·fix *gramm.* ['sʌfiks] **1.** suffixer;
2. suffixe *m*.

suf·fo·cate ['sʌfəkeit] *vt/i.* étouffer,
suffoquer; **suf·fo·ca·tion** suffocation *f*; étouffement *m*; **'suf·fo·ca-
tive** □ qui suffoque; suffocant.

suf·fra·gan *eccl.* ['sʌfrəgən] évêque
suffragant *m*; **'suf·frage** suffrage *m*;
(droit *m* de) vote *m*; voix *f*; **suf·fra-
gette** [ˌʌˈdʒet] suffragette *f*; **suf-
fra·gist** [ˌʌˈdʒist] partisan *m* du
droit de vote (*surt.* des femmes).

suf·fuse [səˈfjuːz] inonder; se répandre sur; **suf·fu·sion** [ˌʌʒn]
épanchement *m*; rougeur *f*; ⚕ suffusion *f*.

su·gar ['ʃugə] **1.** sucre *m*; **2.** sucrer;
saupoudrer (*un gâteau*) de sucre;
'~-ba·sin, *Am.* **'~-bowl** sucrier *m*;
'~-cane canne *f* à sucre; **'~-coat**
revêtir de sucre; **'~-loaf** pain *m* de
sucre; **'~-plum** dragée *f*, bonbon
m; **'sug·ar·y** sucré (*a. fig.*); *fig.*
mielleux (-euse *f*).

sug·gest [səˈdʒest] suggérer (*a.* ⚗,
a. psych.); proposer; inspirer;
évoquer, donner l'idée *ou* que;
insinuer; **sug·ges·tion** suggestion
f; conseil *m*; *fig.* trace *f*, nuance *f*.
sug·ges·tive □ [səˈdʒestiv] suggestif (-ive *f*); évocateur (-trice *f*);
péj. grivois; *be ~ of s.th.* évoquer
qch.; **sug·ges·tive·ness** caractère
m suggestif.

su·i·cid·al □ [sjuiˈsaidl] de suicide;
~ maniac suicidomane *mf*; **su·i·cide**
['ʌsaid] **1.** suicide *m*; *personne:*
suicidé(e *f*) *m*; **2.** *Am.* se suicider.

suit [sjuːt] **1.** requête *f*; demande *f*;
(*a. ~ of clothes*) *homme:* complet *m*;
femme: ensemble *m*; *cartes:* couleur
f; ⚖ procès *m*; *fig. follow ~* en faire
autant; **2.** *v/t.* adapter, accommoder
(à *to*, *with*); convenir à, aller à; être
l'affaire de; être fait pour; être apte
à; accommoder (q.); *~ed* fait (pour
to, *for*); satisfait; *be ~ed* avoir trouvé (*qch.*) qui convient; être satisfait;
v/i. aller, convenir; **suit·a·bil·i·ty**
convenance *f*; accord *m*; aptitude *f*
(à, *for*); **'suit·a·ble** □ convenable,
qui convient; bon, adapté (à *to*, *for*);
'suit·a·ble·ness *see* suitability;
'suit·case mallette *f*, valise *f*; **suite**
[swiːt] *prince, a.* ♪: suite *f*; *pièces:*
appartement *m*; ameublement *m*;

ensemble *m*; *salon*: mobilier *m*; *bed-room* ~ chambre *f* à coucher; **suit-ing** ✝ ['sju:tiŋ] tissu *m ou* étoffe *f* pour complets; **'suit·or** soupirant *m*; ⚖ plaideur (-euse *f*) *m*.

sulk [sʌlk] **1.** (*a.* be in the ~s) bouder, faire la mine; **2.** ~s *pl.* (*ou* **'sulk-i·ness**) bouderie *f*; **'sulk·y 1.** □ bouder (-euse *f*), maussade; **2.** *sp.* sulky *m*.

sul·lage ['sʌlidʒ] eaux *f/pl.* d'égout; limon *m*; ⊕ scories *f/pl.*

sul·len □ ['sʌlən] maussade, morose (*personne*); morne, lugubre (*chose*); obstiné (*silence*); rétif (-ive *f*).

sul·phate 🜍 ['sʌlfeit] sulfate *m*; **sul·phide** 🜍 ['~faid] sulfure *m*; **sul·phon·a·mide** [~'fonəmaid] sulfamide *m*.

sul·phur 🜍 ['sʌlfə] **1.** soufre *m*; **2.** soufrer; **sul·phu·re·ous** [sʌl-'fjuəriəs] sulfureux (-euse *f*); **sul·phu·ret·ted hy·dro·gen** ['~fjuretid 'haidridʒən] hydrogène *m* sulfuré, sulfure *m* d'hydrogène; **sul·phu·ric** [~'fjuərik] sulfurique, *F* vitriolique; ~ *acid* acide *m* sulfurique; **'sul·phu·rize** ⊕ sulfurer (*un métal*); soufrer (*la laine*).

sul·tan ['sʌltən] sultan *m*; **sul·tan·a** [sʌl'tɑ:nə] sultane *f*; [səl'tɑ:nə] (*a.* ~ *raisin*) raisin *m* sec.

sul·tri·ness ['sʌltrinis] lourdeur *f*. **sul·try** □ ['sʌltri] étouffant, lourd; *fig.* chaud; *fig.* épicé.

sum [sʌm] **1.** somme *f*, total *m*; *fig.* fond *m*, essence *f*; *F* problème *m*; *F* ~s *pl.* calcul *m*; **2.** (*usu.* ~ *up*) additionner, faire la somme de; *fig.* résumer, récapituler.

sum·ma·rize ['sʌməraiz] résumer; **'sum·ma·ry 1.** □ sommaire (*a.* ⚖); succinct; en peu de mots; récapitulatif (-ive *f*); **2.** résumé *m*, sommaire *m*; récapitulation *f*.

sum·mer¹ ['sʌmə] **1.** été *m*; ~*house* pavillon *m*, kiosque *m* de jardin; ~ *resort station f* estivale; **2.** *vt/i.* estiver; *v/i. a.* passer l'été.

sum·mer² △ [~] poutre *f* de plancher; poitrail *m*; linteau *m* de baie.

sum·mer·like ['sʌməlaik], **'sum-mer·ly**, **'sum·mer·y** d'été; estival (-aux *m/pl.*).

sum·mit ['sʌmit] sommet *m* (*a.* pol.), faîte *m* (*a. fig.*); cime *f*; *fig.* comble *m*; ~ *conference* conférence *f* au sommet.

sum·mon ['sʌmən] appeler; convoquer; sommer (⚖ de comparaître); *fig.* (*usu.* ~ *up*) faire appel à; **'sum·mon·er** convocateur *m*; ✝ huissier *m*; **sum·mons** ['~z] appel *m*; ⚖ citation *f*, assignation *f*; ✝ convocation *f*; ✗ ~ *to surrender* sommation *f*.

sump *mot.* [sʌmp] (fond *m* de) carter *m*.

sump·ter ['sʌmptə] (*usu.* ~-*horse*, ~-*mule*) cheval *m ou* mulet *m* de somme.

sump·tu·ar·y ['sʌmptjuəri] somptuaire.

sump·tu·ous □ ['sʌmptjuəs] somptueux (-euse *f*), fastueux (-euse *f*); **'sump·tu·ous·ness** faste *m*; richesse *f*; somptuosité *f*.

sun [sʌn] **1.** soleil *m*; **2.** du *ou* au *ou* de soleil, par le soleil; **3.** *v/t.* exposer au soleil; ~ *o.s.* se chauffer au soleil; prendre le soleil; **~beam** ['sʌn-bi:m] rayon *m* de soleil.

sun·burn ['sʌnbə:n] hâle *m*; 🜚 coup *m* de soleil; **'sun·burnt** basané; brûlé par le soleil.

sun·dae *Am.* ['sʌnd(e)i] glace *f* aux fruits.

Sun·day ['sʌndi] dimanche *m*.

sun·der *poét.* ['sʌndə] (se) séparer; *v/t.* fendre en deux.

sun·di·al ['sʌndaiəl] cadran *m* solaire, gnomon *m*.

sun·down ['sʌndaun] coucher *m* du soleil; *Am.* occident *m*; *Am.* chapeau *m* à larges bords.

sun·dry ['sʌndri] **1.** divers; **2.** sundries *pl. surt.* ✝ articles *m/pl.* divers; frais *m/pl.* divers.

sung [sʌŋ] ✝ *prét. et p.p. de* sing.

sun...: '~**glass·es** *pl.* (*a. a pair of* ~) (des) lunettes *f/pl.* fumées *ou* solaires; '~**'hel·met** casque *m* colonial.

sunk [sʌŋk] *p.*, *a. prét. de* sink **1.**

sunk·en ['sʌŋkən] sombré; *fig.* creux (creuse *f*) (*joues, yeux*); ⊕ enterré.

sun·lamp *cin.* ['sʌnlæmp] grand réflecteur *m*.

sun·lit ['sʌnlit] ensoleillé; éclairé par le soleil.

sun·ni·ness ['sʌninis] caractère *m* ensoleillé; *fig.* gaieté *f*; **'sun·ny** □ ensoleillé; de soleil; *fig.* rayonnant; *fig.* heureux (-euse *f*).

sun...: '~**rise** lever *m* du soleil; '~**room** solarium *m*; '~**set** coucher *m* du soleil; '~**shade** ombrelle *f*; ⊕, *a. mot.* pare-soleil *m/inv.*; '**~·shine** (lumière *f* du) soleil *m*; *mot.* ~ roof toit *m* découvrable *ou* ouvrant; '**~·shin·y** ensoleillé, de soleil; '**~·spot** *astr.* tache *f* solaire; '**~·stroke** *⅋* coup *m* de soleil; insolation *f*; '**~·up** lever *m* du soleil.

sup [sʌp] *v/i.* souper (de *off*, on); *v/t.* donner à souper à (*q.*).

su·per[1] ['sju:pə] **1.** *théâ., a. cin.* F figurant(e *f*) *m*; **2.** F *mesure:* carré; ✝ surfin.

su·per·[2] [~] super-; plus que; sus-.

su·per...: **~·a'bound** surabonder (de, en *in*, *with*); foisonner (de *in*, *with*); **~·a'bun·dant** □ surabondant; **~·ly** surabondamment; '**~·add** surajouter; **~·an·nu·ate** [~'rænjueit] mettre à la retraite; *fig.* mettre au rancart; **~d** suranné; démodé; en retraite (*personne*); **~·an·nu·a·tion** mise *f* en retraite; ~ *fund* caisse *f* des retraites.

su·perb □ [sju:'pə:b] superbe, magnifique.

su·per·car·go ⚓ ['sju:pəka:gou] subrécargue *m*; '**su·per·charge·r** *mot.* (sur)compresseur *m*; **su·per·cil·i·ous** □ [~'siliəs] hautain, dédaigneux (-euse *f*); **su·per'cil·i·ous·ness** hauteur *f*; arrogance *f*; **su·per·'dread·nought** super-dreadnought *m* (= *grand cuirassé*); **su·per·er·o·ga·tion** ['~rero'geiʃn] surérogation *f*; **su·per·e·rog·a·to·ry** □ ['~re'rogətəri] surérogatoire; **su·per·fi·cial** □ [~'fiʃl] superficiel(le *f*); **su·per·fi·ci·al·i·ty** [~fiʃi'æliti] superficialité *f*; **su·per·fi·ci·es** [~'fiʃi:z] superficie *f*; '**su·per'fine** superfin; ✝ surfin; *fig.* raffiné; **su·per·flu·i·ty** [~'flu:iti] superfluité *f*; embarras *m* (de, of); **su·per·flu·ous** □ [sju:'pə:fluəs] superflu; **su·per'heat** ⊕ surchauffer; **su·per·het** [~'het] *radio:* superhétérodyne *m*.

su·per...: **~·hu·man** □ [~'hju:mən] surhumain; **~·in·duce** ['~rin'dju:s] surajouter (à, *up*]on); superposer (sur, *up*]on); **~·in·tend** [~prin'tend] surveiller, diriger; présider à; **~·in·'tend·ence** direction *f*, surveillance *f*; **~·in'tend·ent 1.** surveillant(e *f*) *m*; directeur (-trice *f*) *m*; **2.** surveillant.

su·pe·ri·or [sju:'piəriə] **1.** □ supérieur (à, to); *fig.* arrogant, de supé-

riorité; *fig.* au-dessus (de, to); **2.** supérieur(e *f*) *m* (*a. eccl.*); (*Lady*) ♀ mère *f* abbesse; **su·pe·ri·or·i·ty** [~'ɔriti] supériorité *f*.

su·per·la·tive [sju:'pə:lətiv] **1.** □ suprême; F *a. gramm.* superlatif (-ive *f*); **2.** *gramm.* (a. ~ *degree*) superlatif *m*; '**su·per·man** surhomme *m*; '**su·per·mar·ket** supermarché *m*; '**su·per·nat·u·ral** □ surnaturel (-le *f*); **su·per·nu·mer·a·ry** [~'nju:mərəri] **1.** surnuméraire (*a. su./m*); **2.** *théâ.* figurant(e *f*) *m*; '**su·per'pose** superposer (à, [*up*]on); **su·per'posed pow·er sta·tion** ⚡ station *f* centrale superposée; '**su·per·po·si·tion** superposition *f*; *géol.* disposition *f* en couches; stratification *f*; '**su·per'scribe** mettre une inscription sur; mettre l'adresse sur; **su·per'scrip·tion** inscription *f*; adresse *f*; **su·per·sede** [~'si:d] remplacer; *fig.* démonter; *fig.* supplanter; **su·per'ses·sion** remplacement *m*; évincement *m*; **su·per·son·ic** *phys.* [~'sɔnik] ultrasonore; supersonique; **su·per·sti·tion** [~'stiʃn] superstition *f*; **su·per·sti·tious** □ [~'ʃəs] superstitieux (-euse *f*); **su·per·struc·ture** ['~strʌktʃə] superstructure *f*; **su·per·vene** [~'vi:n] survenir; arriver (à la suite de,[*up*]on); **su·per·ven·tion** [~'venʃn] survenance *f*, survenue *f*; **su·per·vise** ['~vaiz] surveiller, diriger; **su·per·vi·sion** [~'viʒn] surveillance *f*; direction *f*; **su·per·vi·sor** ['~vaizə] surveillant(e *f*) *m*; directeur (-trice *f*) *m*.

su·pine 1. *gramm.* ['sju:pain] supin *m*; **2.** □ [~'pain] couché *ou* étendu sur le dos; *fig.* indolent; mou (mol *devant une voyelle ou un h muet*; molle *f*); nonchalant; **su·'pine·ness** indolence *f*, mollesse *f*, inertie *f*.

sup·per ['sʌpə] souper *m*; the (*Lord's*) ♀ la Cène *f*.

sup·plant [sə'plɑ:nt] supplanter; remplacer; évincer (*q.*); F dégommer.

sup·ple ['sʌpl] **1.** □ souple; complaisant; **2.** assouplir.

sup·ple·ment 1. ['sʌplimənt] supplément *m*; annexe *f*, appendice *m*; **2.** ['~ment] ajouter à, compléter; **sup·ple'men·tal** □, **sup·ple'men·ta·ry** supplémentaire (de, to); additionnel(le f) (à, to); ✝ ~ *order* commande f renouvelle; *take a ~ ticket* prendre un billet supplémentaire.

sup·ple·ness ['sʌplnis] souplesse f (a. fig.); fig. complaisance f.

sup·pli·ant ['sʌpliant] **1.** □ suppliant; de supplication; **2.** suppliant(e f) m.

sup·pli·cate ['sʌplikeit] supplier (pour obtenir, for; de inf., to inf.); prier avec instance; **sup·pli·ca·tion** supplication f; supplique f; **sup·pli·ca·to·ry** ['~kətəri] supplicatoire, de supplication.

sup·pli·er [sə'plaiə] fournisseur (-euse f) m (a. ✝); pourvoyeur (-euse f) m.

sup·ply [sə'plai] **1.** fournir, approvisionner, munir (de, with); combler (une lacune); réparer (une omission); remplir; répondre à (un besoin); remplacer (q.); **2.** fourniture f; approvisionnement m; ravitaillement m (a. en munitions); provision f; service m de (gaz etc.); ✝ offre f; usu. supplies pl. ✝ fournitures f/pl.; parl. budget m; crédits m/pl.; ✗ vivres m/pl.; approvisionnements m/pl.; ravitaillement m en munitions; *be in short ~* manquer; *on ~* par intérim; *~ teacher* (professeur mf) suppléant(e f) m; parl. *Committee of ☽* commission f du budget.

sup·port [sə'pɔːt] **1.** appui m, soutien m (a. ⊕, a. fig.); ⊕ soutènement m; maintien m, entretien m; ressources f/pl.; ✗ (troupes f/pl. de) soutien m; **2.** appuyer (a. fig.); soutenir (a. parl. une motion, a. théâ. un rôle); maintenir; entretenir; subvenir aux besoins de (une famille); venir à l'appui de (une opinion etc.); tolérer (une injure); entourer (un président etc.); théâ. donner la réplique à (le premier rôle); seconder; cin. *~ing programme* film m ou -s m/pl. d'importance secondaire; **sup'port·a·ble** □ tolérable, supportable; soutenable (opinion); **sup'port·er** adhérent(e f) m; partisan (-e f) m; sp. supporter m; défenseur m (d'une opinion); ⊘ support m; appareil: soutien m.

sup·pose [sə'pouz] supposer, s'imaginer; croire; *he is ~d to* (inf.) il est censé (inf.); *~ (that), supposing*

(that) admettons que (sbj.), supposé que (sbj.); F *~ we do so* eh bien! et puis après?; *he is rich, I ~* je suppose qu'il est riche.

sup·posed □ [sə'pouzd] supposé, prétendu; soi-disant; **sup'pos·ed·ly** [~idli] probablement.

sup·po·si·tion [sʌpə'ziʃn] supposition f; hypothèse f; **sup·pos·i·ti·tious** □ [səpozi'tiʃəs] faux (fausse f), supposé; **sup'pos·i·to·ry** ✗ [~təri] suppositoire m.

sup·press [sə'pres] supprimer; réprimer; **sup·pres·sion** [sə'preʃn] suppression f; répression f; étouffement m; **sup·pres·sive** □ [sə'presiv] suppressif (-ive f), répressif (-ive f); **sup'pres·sor** personne f qui supprime ou réprime; radio: grille f de freinage; télév. antiparasite m.

sup·pu·rate ['sʌpjureit] suppurer; **sup·pu·ra·tion** suppuration f.

su·prem·a·cy [sju'preməsi] suprématie f (sur, over); **su·preme** □ [sju'priːm] suprême (a. poét. heure); souverain.

sur·charge 1. [səː'tʃɑːdʒ] surcharger (de, with; a. un timbre-poste); surtaxer; **2.** ['~] surcharge f (a. timbre-poste); charge f excessive; lettre: surtaxe f.

surd ᴀ [səːd] **1.** incommensurable; irrationnel(le f); **2.** quantité f incommensurable; racine f irrationnelle.

sure □ [ʃuə] sûr, certain; *to be ~!*, F *~ enough!*, Am. *~!* vraiment!, en effet!, bien sûr; Am. F *~ fire* infaillible; absolument sûr; *I'm ~ I don't know* je ne sais vraiment pas; *he is ~ to return* il reviendra sûrement ou à coup sûr; *make ~* s'assurer (de, of); prendre les dispositions nécessaires (pour inf., to inf.); *be ~ to write* ne manquez pas d'écrire; **'sure·ly** assurément; certainement; **'sure·ness** sûreté f; certitude f; **'sure·ty** caution f, garant(e f) m; ✝ garantie f.

surf [səːf] ressac m; brisants m/pl.

sur·face ['səːfis] **1.** surface f; fig. dehors m; ✈ *supporting* (ou *lifting*) *~ aile f* voilure f; ✈ *control ~* gouverne f; **2.** v/i. revenir en ou faire surface; **'~·man** ⛏ cheminot m.

sur·feit ['səːfit] **1.** excès m, surabon-

dance *f*; *fig.* dégoût *m*; **2.** (se) gorger (de *on, with*) (*a. fig.*).

surf-rid·ing ['sə:fraidiŋ] *sp.* planking *m*; sport *m* de l'aquaplane.

surge [sə:dʒ] **1.** houle *f*; vague *f* (*a.*
⚡ de courant); lame *f* de fond; **2.** se
soulever; être *ou* devenir houleux;
fig. se répandre en flots.

sur·geon ['sə:dʒən] chirurgien(ne *f*)
m; ⚓, ✕ médecin *m* (militaire);
sur·ger·y ['sə:dʒəri] chirurgie *f*;
médecine *f* opératoire; *endroit:* cabinet *m* de consultation; dispensaire *m*.

sur·gi·cal □ ['sə:dʒikl] chirurgical
(-aux *m/pl.*), de chirurgie.

sur·li·ness ['sə:linis] maussaderie *f*;
caractère *m* hargneux; air *m* bourru;
'sur·ly □ maussade; hargneux
(-euse *f*); bourru.

sur·mise 1. ['sə:maiz] conjecture *f*,
supposition *f*; **2.** [⁓'maiz] conjecturer; soupçonner.

sur·mount [sə:'maunt] surmonter
(*a. fig.*); *fig.* triompher de (*qch.*);
⁓ed by (*ou* with) surmonté *ou* couronné de; **sur'mount·a·ble** surmontable.

sur·name ['sə:neim] **1.** nom *m* (de
famille); **2.** donner un nom de famille à; ⁓d surnommé.

sur·pass *fig.* [sə:'pɑ:s] surpasser;
dépasser; **sur'pass·ing** □ sans
égal (-aux *m/pl.*); prééminent.

sur·plice *eccl.* ['sə:pləs] surplis *m*.

sur·plus ['sə:pləs] **1.** surplus *m*, excédent *m*; **2.** d'excédent; surplus
de; **'sur·plus·age** *see* surplus 1;
surabondance *f*; ⁑ redondance *f*.

sur·prise [sə'praiz] **1.** surprise *f*,
étonnement *m*; ✕ coup *m* de main;
take by ⁓ prendre au dépourvu, surprendre; **2.** à l'improviste; **3.** étonner; surprendre (*a.* ✕); **sur'pris-
ing** □ étonnant, surprenant.

sur·re·al·ism [sə'riəlizm] *art:* sur-
réalisme *m*; **sur're·al·ist** surréaliste
(*a. su./mf*).

sur·ren·der [sə'rendə] **1.** ✕ reddition *f*; abandon *m*; **2.** *v/t.* abandonner (*a. fig.*); ✕ rendre; *v/i.* (*a.* ⁓ *o.s.*)
se rendre.

sur·rep·ti·tious □ [sʌrəp'tiʃəs]
clandestin, subreptice.

sur·ro·gate ['sʌrəgit] suppléant(e *f*)
m; ⁑ *eccl.* subrogé(e *f*) *m*.

sur·round [sə'raund] entourer (*a.*
✕); cerner; investir (*une ville*);

sur'round·ing 1. environnant, d'a-
lentour; **2.** ⁓s *pl.* environnement *m*;
milieu *m*; entourage *m*.

sur·tax ['sə:tæks] surtaxe *f*.

sur·veil·lance [sə:'veiləns] surveillance *f*.

sur·vey 1. [sə:'vei] contempler, promener ses regards sur; examiner attentivement; *surv.* arpenter (*un terrain*); faire le levé du plan de;
2. ['sə:vei] vue *f* générale, aperçu *m*;
étude *f* (*de la situation*); inspection
f, visite *f*; *surv. terrain:* arpentage
m; levé *m* (*des plans*); **sur'vey·or**
arpenteur *m*, géomètre *m* expert;
admin. inspecteur (-trice *f*) *m*; contrôleur (-euse *f*) *m*.

sur·viv·al [sə'vaivl] survivance *f*;
restant *m*; ⚑ survie *f*; **sur·vive**
[⁓'vaiv] *v/t.* survivre à; *v/i.* survivre; demeurer en vie; subsister;
sur'vi·vor survivant(e *f*) *m*.

sus·cep·ti·bil·i·ty [səseptə'biliti]
prédisposition *f* (à, *to*), susceptibilité *f*; *souv.* susceptibilities *pl.* sensibilité *f*; **sus'cep·ti·ble** □, **sus-
'cep·tive** sensible, prédisposé (à
of, *to*); be ⁓ of se prêter à (*qch.*);
être susceptible de.

sus·pect 1. [səs'pekt] soupçonner;
avoir idée (que, *that*); se douter de
(*qch.*); **2.** ['sʌspekt] suspect(e *f*) *m*;
3. [⁓] (*a.* ⁓ed) suspect.

sus·pend [səs'pend] pendre; suspendre (*fonctionnaire, jugement,
paiements, poursuite, travail, etc.*);
cesser; ✕ mettre (*un officier*) en non-
activité; *parl.* exclure temporaire-
ment; ⁑ surseoir à (*un jugement*);
sp. exécuter (*un joueur*), mettre
(*un jockey*) à pied; ⁓ed suspendu;
interrompu; ⁓ed animation syn-
cope *f*; *fig.* suspens *m*; **sus'pend·er**
suspensoir *m*; *surt. Am.* ⁓s *pl.* bretelles *f/pl.*; jarretelles *f/pl.*; fixe-
chaussettes *m/inv.*

sus·pense [səs'pens] suspens *m*; incertitude *f*; in ⁓ pendant(e *f*); ✞ ⁓
account compte *m* d'ordre; **sus-
pen·sion** [⁓'penʃn] suspension *f*;
⁑ *jugement:* surséance *f*; *parl.* député: exclusion *f* temporaire; *sp.*
exécution *f*; mise *f* à pied (*d'un
jockey*); ⁓-bridge pont *m* suspendu;
⁓ railway chemin *m* de fer suspendu; **sus'pen·sive** □ suspensif
(-ive *f*); **sus·pen·so·ry** [⁓'pensəri]
1. suspensif (-ive *f*); **2.** *anat.* sus-

penseur *m*; ✂ ~ *bandage* suspensoir *m*.

sus·pi·cion [səs'piʃn] soupçon *m*
(*a. fig.*); *fig. sourire:* ébauche *f*.

sus·pi·cious □ [səs'piʃəs] suspect;
équivoque; louche; méfiant; **sus-
'pi·cious·ness** caractère *m* suspect
etc.; méfiance *f*.

sus·tain [səs'tein] *usu.* soutenir (*a.
fig.*); entretenir (*la vie*); appuyer
(*des témoignages*); essuyer (*une
perte*); **sus'tain·a·ble** soutenable;
sus'tained soutenu, nourri (*a. fig.*);
continu.

sus·te·nance ['sʌstinəns] sustentation *f*; subsistance *f*; nourriture
f; *des témoignages*).

sut·ler ⚔ ['sʌtlə] cantinier (-ère *f*)
m; *sl.* mercanti *m*.

su·ture ['sju:tʃə] 1. ♀, ✂, *anat.* suture *f*; 2. suturer.

su·ze·rain ['su:zərein] suzerain *m*;
'su·ze·rain·ty suzeraineté *f*.

swab [swɔb] 1. torchon *m*; ⚓ fau-
bert *m*; ⚓ tampon *m* d'ouate; ✂
prélèvement *m* (*dans*, *of*); *sl.* andouille *f*; *sl.* ⚓ marin *m* d'eau
douce; 2. (*a.* ~ *down*) nettoyer; ⚓
fauberter.

swad·dle ['swɔdl] 1. emmailloter
(*de*, *with*); *swaddling clothes pl.*
maillot *m*; F *fig.* langes *m/pl.*;
2. lange *m*; bande *f*.

swag·ger ['swægə] 1. crâner, se pavaner, se donner des airs; fanfaronner; 2. F ultra-chic *inv. en genre*;
élégant; 3. air *m* avantageux; rodomontade *f/pl.*; **'~-cane** ⚔ jonc *m*
d'officier; jonc *m* de tenue de sortie.

swain [swein] † berger *m*; *poét.*,
a. co. soupirant *m*.

swal·low[1] *orn.* ['swɔlou] hirondelle*f*.

swal·low[2] [~] 1. gosier *m*; gorgée *f*;
2. *v/t.* avaler (*a. fig. une histoire*,
un affront); gober (*une huître*, *a. fig.
[qqfois* ~ *up*] *une histoire*); *fig.*
ravaler (*ses paroles*); mettre dans sa
poche (*son orgueil*); *v/i.* avaler.

swam [swæm] *prét. de swim* 1.

swamp [swɔmp] 1. marais *m*, marécage *m*; 2. inonder (*a. fig.*); ⚓ remplir d'eau, submerger; *fig.* déborder
(*de*, *with*); écraser; **'swamp·y** marécageux (-euse *f*).

swan [swɔn] cygne *m*.

swank *sl.* [swæŋk] 1. prétention *f*,
épate *f*; 2. prétentieux (-euse *f*);
snob *adj./inv.*; 3. crâner, faire de
l'épate.

swan-neck ['swɔnnek] ⊕ cou *m* de
cygne; ⚓ *gui:* aiguillot *m*; **swan-
ner·y** ['~əri] endroit *m* où on élève
des cygnes; **'swan-song** chant *m*
du cygne (*a. fig.*).

swap F [swɔp] troquer, échanger.

sward [swɔ:d] gazon *m*; pelouse *f*.

swarm[1] [swɔ:m] 1. essaim *m*; *sau-
terelles:* vol *m*; *fig.* foule *f*, troupe *f*;
2. essaimer; *fig.* fourmiller (*de*,
with).

swarm[2] [~] (*usu.* ~ *up*) escalader;
monter à.

swarth·i·ness ['swɔ:θinis] teint *m*
basané; **'swarth·y** □ basané, noiraud, brun.

swash [swɔʃ] 1. *v/i.* clapoter; *v/t.*
clapoter contre; faire jaillir; 2. clapotis *m*, *vagues:* clapotage *m*; ~
buck·ler ['~bʌklə] rodomont *m*,
fanfaron *m*.

swas·ti·ka ['swɔstikə] svastika *m*;
croix *f* gammée.

swat [swɔt] 1. frapper; écraser (*une
mouche*); 2. coup *m*.

swath ✂ [swɔ:θ] andain *m*, fauchée
f.

swathe [sweið] 1. bandage *m*, bande
f; *see swath*; 2. emmailloter, envelopper; rouler.

sway [swei] 1. balancement *m*;
oscillation *f*; *mot.* roulis *m*; empire
m, domination *f*; 2. *v/t.* balancer;
influencer; gouverner; *v/i.* osciller,
se balancer; *fig.* incliner, pencher.

swear [swɛə] 1. [*irr.*] *v/i.* jurer (*qch.*,
by s.th.); prêter serment; sacrer;
blasphémer; ~ *to* attester (*qch.*) sous
serment; ~ *at* maudire; *fig.* ~ *by* se
fier à; *v/t.* jurer (*de*, *to*); faire (*un
serment*); faire jurer (*q.*); ~ *s.o.* faire
prêter serment à q.; *be sworn* (*in*)
prêter serment; ~ *off* jurer de renoncer à; 2. F (*a.* ~*-word*) juron *m*.

sweat [swet] 1. sueur *f*, transpiration *f*; ⊕ ressuage *m*; *sl.* corvée *f*;
⚔ F *old* ~ vieux troupier *m*; *by the*
~ *of one's brow* à la sueur de son
front; 2. [*irr.*] *v/i.* suer, transpirer;
v/t. (faire) suer; ✂ faire transpirer;
exploiter (*un ouvrier*); ⊕ souder
(*un câble*) à l'étain; **'sweat·ed** fait
à la sueur des ouvriers (-ères *f*);
'sweat·er chandail *m*; tricot *m*; F
pull *m*; **'sweat·y** en sueur; imprégné de sueur; d'une chaleur
humide.

Swede [swi:d] Suédois(e *f*) *m*; ⚘ ♀

navet *m* de Suède, chou-navet
(*pl.* choux-navets) *m*.
Swedish ['swi:diʃ] **1.** suédois *m*;
2. *ling.* suédois *m*; the ~ *pl.* les
Suédois *m/pl.*
sweep [swi:p] **1.** [*irr.*] *v/t.* balayer
(*une pièce, a. fig. une robe, les mers,
etc.*); *fig.* parcourir; *fig.* (*souv. avec
adv.*) entraîner; ramoner (*la cheminée*); *fig.* effleurer (*les cordes d'une
harpe*); ✕ enfiler; *fig.* embrasser du
regard; tracer (*une courbe*); *v/i.*
s'étaler, s'étendre; *fig.* (*usu. avec
adv.*) avancer rapidement; envahir,
parcourir; entrer *etc.* d'un air
majestueux; ~ for mines draguer
des mines; ~ in entrer vivement ou
majestueusement; **2.** coup *m* de
balai ou de pinceau ou de faux; geste
m large; mouvement *m* circulaire;
courbe *f*; ligne *f* ininterrompue;
fig. mouvement *m* majestueux; ♪
harpe: effleurement *m*; *mot.* virage
m; *fleuve:* course *f* rapide; *maison:*
allée *f*; *télév.* balayage *m*; étendue *f*,
envergure *f*; ✕ *etc.* portée *f* (*a.
fig.*); ⊕ zone *f* de jeu; *formes d'un
navire:* courbure *f*; *colline:* versant
m; ramoneur *m* (*de cheminées*);
embarcation etc.: aviron *m* de queue;
pompe etc.: balancier *m*; F sweepstake *m*; *make a clean* ~ faire table
rase (de, of); *jeu:* faire rafle; *fig.*
at one ~ d'un seul coup; '**sweep·er**
balayeur *m* (*de rues*); *machine:*
balayeuse *f*; '**sweep·ing 1.** □ rapide; entier (-ère *f*); par trop absolu
(*affirmation*); allongé, élancé (*lignes*); **2.** ~s *pl.* ordures *f/pl.*, balayures *f/pl.*; **sweep·stake** ['~steik]
sweepstake *m*, poule *f*.
sweet [swi:t] **1.** □ doux (douce *f*);
sucré; mélodieux (-euse *f*); gen-
til(le *f*) (*personne*); odorant; agréable; sain (*haleine, sol, etc.*); ~ oil
huile *f* douce; *souv.* huile *f* d'olive;
♀ ~ pea pois *m* de senteur; ♀
~william œillet *m* de poète; *have
a* ~ *tooth* aimer les douceurs;
2. chérie *f*; bonbon *m*; *cuis.* entremets *m* (sucré); ~s *pl.* confiseries
f/pl.; friandises *f/pl.*; *fig.* délices
f/pl.; '~bread ris *m* de veau ou
qqfois d'agneau; '**sweet·en** sucrer;
adoucir (*a. fig.*); assainir (*l'air, le sol,
etc.*); '**sweet·heart** bien-aimé(e *f*)
m; chéri(e *f*) *m*; '**sweet·ish** assez
doux (douce *f*); '**sweet·meat**

bonbon *m*; ~s *pl.* confiserie *f*,
sucreries *f/pl.*; '**sweet·ness** douceur
f (*a. fig.*); *fig.* gentillesse *f*; *air etc.:*
fraîcheur *f*; '**sweet·shop** con-
fiserie *f*.
swell [swel] **1.** [*irr.*] *v/i.* se gonfler
(*a. voiles*); s'enfler (*a. fig.* jusqu'à
devenir qch., into s.th.); grossir;
se soulever (mer); *fig.* augmenter;
v/t. gonfler, enfler; augmenter;
2. F élégant, chic *inv.* en genre; *sl.*
bath; **3.** bosse *f*; *terrain:* ondulation *f*; gonflement *m*; ♪ *orgue:* soufflet *m*, crescendo *m* (et diminuendo
m); ⊕ houle *f*; F élégant(e *f*) *m*;
the ~s *pl.* le gratin *m*; '**swell·ing 1.**
enflure *f*; tumeur *f*; gonflement *m*;
vagues: soulèvement *m*; *mot. etc.*
hernie *f*; **2.** □ qui s'enfle ou se
gonfle; enflé, gonflé; boursouflé
(*style*).   [nage.\
swel·ter ['sweltə] étouffer; être en\
swept [swept] *prét. et p.p.* de
sweep 1.
swerve [swə:v] *v/i.* faire un écart;
mot. faire une embardée; dévier;
foot. crocheter; *v/t.* faire écarter;
mot. faire faire une embardée; faire
dévier (*la balle*).
swift [swift] **1.** □ rapide; prompt;
2. *orn.* martinet *m*; '**swift·ness**
vitesse *f*; promptitude *f*.
swig F [swig] **1.** gorgée *f*; grand
coup *m*; **2.** boire à grands coups;
lamper.
swill [swil] **1.** lavage *m* à grande
eau; pâtée *f* pour les porcs; F *péj.*
rincure *f*, mauvaise boisson *f*;
2. *v/t.* laver à grande eau; *v/i.*
avaler; boire comme une éponge.
swim [swim] **1.** [*irr.*] *v/i.* nager;
être inondé (de, with); *my head* ~s
la tête me tourne; *v/t.* traverser à
la nage; faire (*une distance etc.*) à la
nage; faire nager (*un cheval*); **2.** action *f* de nager; *be in the* ~ être à la
page; être lancé.
swim·ming ['swimiŋ] **1.** nage *f*;
natation *f*; **2.** □ de natation; ~ly F
à merveille; '~pool piscine *f*.
swin·dle ['swindl] **1.** *v/t.* escroquer
(qch. à q., s.o. out of s.th.); *v/i.*
faire de l'escroquerie; **2.** escroquerie
f, filouterie *f*; '**swin·dler** escroc *m*,
filou *m*; *sl.* filoueur (-euse *f*) *m*.
swine *poét., zo., fig. péj.* [swain],
pl. swine cochon *m*; *sl.* salaud *m*;
'**swine·herd** porcher *m*.

swing [swiŋ] **1.** [irr.] v/i. se balancer, osciller, tournoyer, pivoter; ⚓ éviter (sur l'ancre); être pendu; ✕ faire une conversion (vers, to); ~ along avancer en scandant le pas; ~ into motion se mettre en mouvement; ~ to se refermer (porte); v/t. (faire) balancer, faire osciller; faire pivoter; pendre; brandir; **2.** balancement m; coup m balancé; va-et-vient m/inv.; balançoire f (d'enfant); mouvement m rythmé; ⚓ évitage m; fig. entrain m, marche f; ♪, a. box. swing m; in full ~ en pleine marche; ~ **bridge** pont m tournant; ~ **door** porte f battante, porte f à bascule.

swinge·ing □ ['swindʒiŋ] énorme; écrasant.

swing·ing □ F ['swiŋiŋ] balançant, oscillant; à bascule; fig. cadencé; fig. entraînant; ♪ ~ temperature température f variable.

swin·gle ⊕ ['swiŋgl] **1.** teiller, écanguer (le lin, le chanvre); **2.** écang m; '~tree palonnier m.

swin·ish □ ['swainiʃ] de cochon, bestial (-aux m/pl.).

swipe [swaip] **1.** frapper à toute volée; F donner une taloche à; Am. sl. chipper; **2.** F taloche f; ~s pl. petite bière f, bibine f.

swirl [swəːl] **1.** (faire) tournoyer ou tourbillonner; **2.** remous m; tourbillon(nement) m.

swish [swiʃ] **1.** v/i. bruire; siffler; v/t. fouetter; faire siffler; **2.** bruissement m; sifflement m; frou(-)frou m; **3.** F chic inv. en genre, élégant.

Swiss [swis] **1.** suisse; **2.** Suisse(sse f) m; the ~ pl. les Suisses m/pl.

switch [switʃ] **1.** badine f; houssine f (a. de cavalier); 🚃 aiguille f; ⚡ interrupteur m, commutateur m; cheveux: postiche m; **2.** cingler; housser; 🚃 aiguiller (a. fig.); manœuvrer (un train); ⚡ (souv. ~ over) commuter (le courant); ⚡ ~ on (off) allumer (éteindre); ~ montagnes f/pl. russes; '~board ⚡ panneau m ou tableau m de distribution; telephone ~ standard m téléphonique; '~box caisson m d'interrupteur, boîte f de distribution; '~le·ver 🚃 levier m d'aiguille.

swiv·el ⊕ ['swivl] émerillon m; pivot m; attr. tournant, pivotant; à pivot.

swol·len ['swouln] p.p. de swell 1.

swoon [swuːn] **1.** évanouissement m; ⚕ syncope f; **2.** s'évanouir.

swoop [swuːp] **1.** (usu. ~ down) s'abattre, foncer (sur, [up]on); **2.** descente f rapide; attaque f inattendue.

swop F [swɔp] troquer.

sword [sɔːd] épée f; cavalry ~ sabre m de cavalerie; '~cane canne f à épée; '~knot dragonne f.

swords·man ['sɔːdzmən] épéiste m, escrimeur m, F lame f; '**swords·man·ship** escrime f.

swore [swɔː] prét. de swear 1.

sworn [swɔːn] p.p. de swear 1; ⚖ juré, assermenté.

swot école sl. [swɔt] **1.** travail m intense, sl. turbin m; personne: bûcheur (-euse f) m; **2.** bûcher, piocher, potasser.

swum [swʌm] p.p. de swim 1.

swung [swʌŋ] prét. et p.p. de swing 1.

syb·a·rite ['sibərait] sybarite (a. su./mf).

syc·o·phant ['sikəfənt] sycophante m; flagorneur (-euse f) m; adulateur (-trice f) m; **syc·o·phan·tic** [sikə'fæntik] (~ally) adulateur (-trice f); ~ally bassement.

syl·lab·ic [si'læbik] (~ally) syllabique; **syl·la·ble** ['siləbl] syllabe f.

syl·la·bus ['siləbəs] cours, études: programme m; eccl. syllabus m.

syl·lo·gism phls. ['silədʒizm] syllogisme m.

sylph [silf] sylphe m; sylphide f (a. fig.).

sym·bi·o·sis biol. [simbai'ousis] symbiose f.

sym·bol ['simbəl] symbole m (a. ℞); signe m; attribut m; **sym·bol·ic, sym·bol·i·cal** □ [~'bɔlik(l)] symbolique; **sym·bol·ism** ['~bəlizm] symbolisme m; '**sym·bol·ize** symboliser.

sym·met·ri·cal □ [si'metrikl] symétrique; **sym·me·try** ['simitri] symétrie f.

sym·pa·thet·ic [simpə'θetik] (~ally) sympathique (a. nerf, encre); de sympathie; compatissant; bien disposé; ~ strike grève f de solidarité; **sym·pa·thize** ['~θaiz] sympathiser (avec, with); compatir (à, with); s'associer (à, with); **sym·pa·thy** ['~θi] sympathie f; compassion f;

in ~ par solidarité (*grève*); par contrecoup (*hausse de prix*).

sym·phon·ic ♪ [sim'fɔnik] symphonique; **sym·pho·ny** ♪ ['simfəni] symphonie *f.*

symp·tom ['simptəm] symptôme *m*; indice *m*; **symp·to·mat·ic** [‿'mætik] (‿*ally*) symptomatique; qui est un symptôme (de, *of*); be ~ of caractériser (*qch.*).

syn·a·gogue ['sinəgɔg] synagogue *f.*

syn·chro·mesh gear mot. ['siŋ-krɔmeʃ'giə] boîte *f* de vitesses synchronisée.

syn·chro·nism ['siŋkrənizm] synchronisme *m*; ⚡ *in* ~ en phase; *télév. irregular* ~ drapeau *m*; '**syn·chro·nize** *v/i.* marquer la même heure; arriver simultanément; *v/t.* synchroniser (*a. cin.*); ⚡ coupler en phase; *cin.* repérer; '**syn·chro·nous** ☐ ~ synchrone; ⚡ en phase.

syn·co·pate ['siŋkəpeit] syncoper; **syn·co·pe** ⚕, ♪, *a. gramm.* ['‿pi] syncope *f.*

syn·dic ['sindik] syndic *m*; **syn·di·cate 1.** ['‿kit] syndicat *m*; conseil *m* de syndics; **2.** ['‿keit] (se) syndiquer; '**syn·di·cat·ed** publié simultanément dans plusieurs journaux.

syn·od *eccl.* ['sinəd] synode *m*, concile *m*; **syn·od·al** ['‿dl], **syn·od·ic**, **syn·od·i·cal** ☐ *eccl.* [si-'nɔdik(l)] synodal (-aux *m/pl.*).

syn·o·nym ['sinənim] synonyme *m*; **syn·on·y·mous** ☐ [si'nɔniməs] synonyme (de, *with*).

syn·op·sis [si'nɔpsis], *pl.* **-ses** [‿si:z] résumé *m*, abrégé *m*; tableau *m* synoptique; *bibl.* synopse *f*; *école*: aide-mémoire *m/inv.*

syn·op·tic, **syn·op·ti·cal** ☐ [si-'nɔptik(l)] synoptique.

syn·tac·tic, **syn·tac·ti·cal** ☐ *gramm.* [sin'tæktik(l)] syntaxique; **syn·tax** *gramm.* ['sintæks] syntaxe *f.*

syn·the·sis ['sinθisis], *pl.* **-ses** [‿si:z] synthèse *f*; **syn·the·size** ⊕ ['‿saiz] synthétiser; faire la synthèse de.

syn·thet·ic, **syn·thet·i·cal** ☐ [sin-'θetik(l)] synthétique; de synthèse.

syn·to·nize ['sintənaiz] *radio*: syntoniser, accorder; **syn·to·ny** ['‿ni] syntonie *f*, accord *m.*

syph·i·lis 🔬 ['sifilis] syphilis *f.*

syph·i·lit·ic 🔬 [sifi'litik] syphilitique.

sy·phon ['saifən] *see* siphon.

Syr·i·an ['siriən] **1.** syrien(ne *f*); **2.** Syrien(ne *f*) *m.*

sy·rin·ga ♀ [si'riŋgə] seringa(t) *m*; jasmin *m* en arbre.

syr·inge ['sirindʒ] **1.** seringue *f*; **2.** seringuer; 🔬 laver avec une seringue.

syr·up ['sirəp] sirop *m.*

sys·tem ['sistim] système *m*; *pol.* régime *m*; méthode *f*; **sys·tem·at·ic** [‿'mætik] (‿*ally*) systématique, méthodique.

T

T, t [ti:] T *m*, t *m*; F *to a* T à merveille.

tab [tæb] patte *f*; étiquette *f*; *cordon de soulier*: ferret *m*; *manteau etc.*: attache *f*; *fichier*: touche *f*; ✕ patte *f* du collet; *Am.* pick up the ✕ payer (la note); F keep ~(s) on ne pas perdre (*q.*) de vue.

tab·ard *hist.* ['tæbəd] tabar(d) *m.*

tab·by ['tæbi] **1.** soie *f* moirée; (*usu.* ~ *cat*) chat *m* tigré; F chatte *f*; F vieille chipie *f*; **2.** *tex.* de *ou* en tabis; rayé.

tab·er·nac·le ['tæbənækl] tabernacle *m*; *Am.* temple *m.*

ta·ble ['teibl] **1.** table *f* (*a. fig.* = *bonne chère; a.* ⚗); ⊕ plaque *f*; ⊕

banc *m* (*d'une machine à percer*); *occasional* ~ guéridon *m*; nest of ~s table *f* gigogne; ~ of contents table *f* des matières; turn the ~s renverser les rôles; reprendre l'avantage (sur, *on*); **2.** mettre sur la table; *p.ext. parl.* saisir la Chambre de (*un projet de loi*); *Am.* ajourner (*usu. un projet de loi*); '**~-cloth** nappe *f*; '**~-lin·en** linge *m* de table; '**~-nap·kin** serviette *f*; '**~-spoon** cuiller (cuillère) *f* à bouche *ou* à soupe.

tab·let ['tæblit] tablette *f* (*de chocolat*, ⚗, *pharm.*, *pour écrire*, *etc.*); plaque *f*; *savon*: pain *m*; *pharm.* comprimé *m.*

table...: ~ **ten·nis** ping-pong *m*;
'~-**top** dessus *m* de table.

tab·loid ['tæblɔid] *pharm.* comprimé *m*; pastille *f*; petit journal
m qui vise à la sensation.

ta·boo [tə'buː] **1.** tabou; F interdit;
2. tabou *m*; **3.** tabouer; F interdire.

tab·u·lar □ ['tæbjulə] tabulaire;
disposé en lamelles; **tab·u·late**
['~leit] disposer en forme de tables
ou tableaux; classifier.

tac·it □ ['tæsit] tacite; **tac·i·turn** □
['~təːn] taciturne; **tac·i·tur·ni·ty**
taciturnité *f*.

tack [tæk] **1.** petit clou *m*; pointe *f*;
(*a.* tin ~) semence *f*; *couture:* point
m de bâti; ♺ bord(ée *f*) *m* (en
louvoyant); *fig.* voie *f*; tactique *f*;
on the wrong ~ sur la mauvaise
voie; fourvoyé; **2.** *v/t.* clouer;
faufiler (*un vêtement*); *fig.* attacher,
annexer (à to, on); *v/i.* ♺ louvoyer;
virer (*a. fig.*).

tack·le ['tækl] **1.** appareil *m*, ustensiles *m/pl.*; ♺ apparaux *m/pl.*,
palan *m*; ⊕ appareil *m* de levage;
sp. arrêt *m*; **2.** saisir à bras-le-corps;
essayer, entreprendre; *sp.* plaquer.

tack·y ['tæki] collant; *Am.* F
minable.

tact [tækt] tact *m*, savoir-faire *m/inv.*;
tact·ful □ ['~ful] (plein) de tact.

tac·ti·cal □ ⚔ ['tæktikl] tactique;
tac·ti·cian [~'tiʃn] tacticien *m*;
tac·tics *pl. ou sg.* ['~iks] tactique *f*.

tact·less □ ['tæktlis] dépourvu de
tact.

tad·pole *zo.* ['tædpoul] têtard *m*.

taf·fe·ta ['tæfitə] taffetas *m*.

taf·fy ['tæfi] caramel *m* au beurre;
Am. F flagornerie *f*.

tag [tæg] **1.** morceau *m* qui pend,
bout *m*; étiquette *f*, attache *f*;
ferret *m*; *fig.* cliché *m*; **2.** ferrer;
fig. attacher (à on, to); *Am.* attacher
une fiche à.

tag-rag ['tægræg]: ~ (and bobtail)
canaille *f*.

tail [teil] **1.** queue *f* (*a.* de jupe, *a.*
fig. d'une classe, *etc.*); F *chemise:*
pan *m*; (*usu.* ~s *pl.*) *monnaie:* pile *f*;
page: pied *m*; *charrue:* manche *f*;
voiture: arrière *m*; ⚔ empennage
m; adhérents *m/pl.* (*d'un parti*) F
~s *pl.* habit *m* à queue; *fig.* ~s up en
train; de bonne humeur; ⚔ ~ unit
empennage *m*; **2.** *v/t.* mettre une

queue à; *fig.* être *ou* se mettre à
la queue de; couper la queue à (*un
animal*); enlever les queues de
(*les groseilles etc.*); *Am.* F filer (*q.*);
v/i. suivre de près; ~ off s'espacer;
s'allonger; s'éteindre (*voix*); '~-
board layon *m*; '~-'**coat** habit *m*
à queue; **tailed** à queue; *zo.* caudifère; '**tail·less** sans queue; '**tail-
light** *mot.* feu *m* arrière *ou*
rouge.

tai·lor ['teilə] **1.** tailleur *m*; **2.** *v/t.*
faire (*un complet etc.*); habiller (*q.*);
well ~ed bien habillé (*personne*);
'~-**made 1.** tailleur (*vêtement*);
2. (*a.* ~ suit) tailleur *m*.

tail...: '~**piece** *typ.* cul-de-lampe
(*pl.* culs-de-lampe) *m*; vignette *f*;
~ **plane** ⚔ plan *m* fixe; ~ **skid** ⚔
béquille *f*.

taint [teint] **1.** tache *f*; infection *f*,
corruption *f*; trace *f*; tare *f* héréditaire; **2.** *v/t.* infecter; (se) corrompre; (se) gâter.

take [teik] **1.** [*irr.*] *v/t.* prendre (*a.*
livraison, maladie, nourriture, poison, repas, temps; a. bien ou mal);
saisir; s'emparer de; emprunter
(à, *from*); conduire, (em)mener (à,
to); louer (*une maison, une voiture*);
faire (*phot., promenade, repas, vœu,
voyage, etc.*); produire (*un effet*);
tirer (*une épreuve*); passer (*un
examen*); tourner (*un film*); acheter
régulièrement (*un journal*); franchir
(*un obstacle*); profiter de, saisir (*une
occasion*); attraper (*un poisson etc.*);
remporter (*le prix*); F comprendre;
F tenir, prendre (pour, *for*); the
devil ~ it! que le diable l'emporte!;
I ~ it that je suppose que; ~ air se
faire connaître; se répandre (*nouvelle*); ~ the air prendre l'air; ⚔
s'envoler, prendre son vol; ~ (*a
deep*) *breath* respirer (profondément); ~ *comfort* se consoler; ~
compassion avoir compassion *ou*
pitié (de, *on*); ~ *counsel* prendre
conseil (de, *with*); ~ *a drive* faire
une promenade (en auto); ~ *fire*
prendre feu; ~ *in hand* entreprendre; ~ *a hedge* franchir une haie;
~ *hold of* s'emparer de, saisir;
~ *an oath* prêter serment; ~ *offence* se froisser (de, *at*); ~ *pity on*
prendre pitié de; ~ *place* avoir lieu;
se passer; ~ *rest* se donner du
repos; ~ *a rest* se reposer; ⚔ faire

la pause; ~ *a seat* s'asseoir; ~ *ship* (s')embarquer; ~ *a view of* envisager (*qch.*), avoir une opinion de; ~ *a walk* faire une promenade; ~ *my word for it* croyez-m'en; ~ *s.o. about* faire visiter (*qch.*) à q.; ~ *down* démonter (*une machine etc.*); descendre (*qch.*); avaler; prendre note de, écrire; ~ *for* prendre pour; ~ *from* prendre, enlever à; ~ *in* faire entrer (*q.*); acheter régulièrement (*un journal*); recevoir (*un locataire etc.*); recueillir (*un réfugié etc.*); accepter (*un travail*); comprendre; F tromper; F rouler; ~ *in sail* diminuer de voile(s); ~ *off* enlever; quitter (*des vêtements*); emmener (*q.*); rabattre (*sur un prix*); supprimer (*un train*); F imiter, singer; ~ *on* entreprendre; accepter; engager; prendre; ~ *out* sortir (*qch.*); arracher (*une dent*); ôter (*une tache*); faire sortir (*q.*), emmener (*un enfant*) en promenade; retirer (*ses bagages*); contracter (*une assurance*); obtenir (*un brevet*); F ~ *it out of* se venger de (*q.*); épuiser (*q.*); ~ *to pieces* démonter (*une machine*); défaire; *fig.* démolir; ~ *up* relever (*a. un défi*); ramasser; prendre (*les armes*); embrasser (*une carrière*); ✝ honorer (*un effet*), lever (*une prime*); occuper (*une place*); fixer (*sa résidence*); *cost.* raccourcir; 🚢 embarquer; absorber (*de l'eau, le temps*); adopter (*une idée*); faire (*une promenade, un saut, un prisonnier*); ~ *upon o.s.* prendre sur soi (*de, to*); *see consideration; decision; effect* 1; *exercise* 1; *heart; liberty; note* 1; *notice* 1; *rise* 1; **2.** [*irr.*] *v/i.* prendre; réussir; avoir du succès; *phot.* he ~s well il est photogénique; il fait un bel effet sur une photographie; ~ *after* tenir de; ressembler à; ~ *from* diminuer (*qch.*); ~ *off* prendre son élan *ou* son essor; ✈ s'envoler; décoller; F ~ *on* laisser éclater son chagrin; avoir du succès *ou* de la vogue; F ~ *on with* s'embaucher chez; ~ *over* prendre le pouvoir; assumer la responsabilité; ~ *to* s'adonner à; prendre goût à; prendre (*la fuite*); prendre (*q.*) en amitié; ~ *to* (*gér.*) se mettre à (*inf.*); ~ *up with* se lier d'amitié avec; s'associer à; *that won't ~ with me* ça ne prend pas avec moi;

3. action *f* de prendre; prise *f*; *cin.* prise *f* de vues.

take...: '~-'**home pay** gages *m/pl.* nets; salaire *m* net; '~-'**in** F attrape *f*; leurre *m*; '**taken** *p.p.* de *take* 1, 2; *be* ~ être pris; *be* ~ *with* être épris de; *be* ~ *ill* tomber malade; F *be* ~ *in* se laisser attraper; *be* ~ *up with* être occupé de, être tout à; '**take-'off** caricature *f*; élan *m*; ✈ décollage *m*; '**tak·er** preneur (-euse *f*) *m*; *pari:* tenant *m*.

tak·ing ['teikiŋ] **1.** □ F attrayant, charmant; **2.** prise *f*; ✝ état *m* nerveux; ✝ ~s *pl.* recettes *f/pl.*

talc *min.* [tælk] talc *m*.

tale [teil] conte *m*, récit *m*, histoire *f*; *tell* ~s (*out of school*) rapporter; trahir un secret; '~-**bear·er** ['~bɛərə] rapporteur (-euse *f*) *m*; mauvaise langue *f*.

tal·ent ['tælənt] talent *m*; aptitude *f*; don *m*; '**tal·ent·ed** doué; de talent.

ta·les ⚖ ['teili:z] *sg.* jurés *m/pl.* suppléants.

tal·is·man ['tælizmən] talisman *m*.

talk [tɔ:k] **1.** conversation *f*; causerie *f*; discours *m*; bruit *m*; bavardage *m*; **2.** parler (*de of, about*); causer (*avec, to*); bavarder; **talk·a·tive** □ ['~ətiv] bavard; causeur (-euse *f*); **talk·ee-talk·ee** F ['tɔ:ki'tɔ:ki] *pur* bavardage *m*; ✝ jargon *m* petit-nègre; '**talk·er** causeur (-euse *f*) *m*, parleur (-euse *f*) *m*; **talk·ie** F ['~i] film *m* parlant *ou* parlé; '**talk·ing** conversation *f*; bavardage *m*; **talk·ing-to** F ['~tu:] semonce *f*.

tall [tɔ:l] grand, de haute taille; haut, élevé (*bâtiment etc.*); *sl.* ~ *order* grosse affaire *f*; demande *f* exagérée; *sl.* ~ *story*, *Am. a.* ~ *tale* histoire *f* dure à avaler; F craque *f*; '**tall·boy** commode *f*; '**tall·ness** grandeur *f*; hauteur *f*, grande taille *f*.

tal·low ['tælou] suif *m*; '**tal·low·y** suiffeux (-euse *f*); *fig.* terreux (-euse *f*) (*teint etc.*).

tal·ly ['tæli] **1.** taille *f*; pointage *m* (*de, of*); étiquette *f* (*plantes etc.*); contre-partie *f*; **2.** s'accorder (*avec, with*).

tal·ly-ho ['tæli'hou] *chasse:* **1.** taïaut!; **2.** taïaut *m*; **3.** crier taïaut.

tal·on *orn.* ['tælən] serre *f*; griffe *f*.

ta·lus[1] ['teiləs] talus *m* (*a. géol.*).

ta·lus[2] *anat.* [~] astragale *m*.

tam·a·ble ['teiməbl] apprivoisable.

tam·a·rind ♀ ['tæmərind] (fruit *m* du) tamarinier *m*.

tam·bour ['tæmbuə] 1. *usu.* tambour *m*; ♩ grosse caisse *f*; 2. broder au tambour; **tam·bou·rine** ♩ [~bə'ri:n] tambour *m* de basque; *sans grelots:* tambourin *m*.

tame [teim] 1. □ apprivoisé; domestique; soumis, dompté (*personne*); fade, insipide (*style*); 2. apprivoiser; domestiquer; dompter; **'tame·ness** docilité *f*, soumission *f*; fadeur *f*; **'tam·er** dompteur (-euse *f*) *m*; apprivoiseur (-euse *f*) *m*.

Tam·ma·ny *Am.* ['tæməni] parti *m* démocrate de New York.

tam-o'-shan·ter [tæmə'ʃæntə] béret *m* écossais.

tamp [tæmp] ⚒ bourrer; ⊕ refouler, damer.

tam·per ['tæmpə]: ~ *with* toucher à; se mêler à; falsifier (*un registre*); suborner (*un témoin*); altérer (*un document*).

tam·pon ⚕ ['tæmpən] tampon *m*.

tan [tæn] 1. tan *m*; couleur *f* du tan; (*a. sun* ~) brunissage *m*; 2. tanné; tan *adj./inv.*; jaune (*soulier*); 3. *v/t.* tanner; *fig.* bronzer (*le teint*); rosser (*q.*).

tan·dem ['tændem] tandem *m*; ⚡ ~ *connexion* accouplement *m* en série; *drive* ~ conduire en tandem; *cycl.* se promener en tandem.

tang[1] [tæŋ] soie *f* (*d'un ciseau, couteau, etc.*); *fig.* goût *m* vif; *épice etc.*: montant *m*; *air marin*: salure *f*.

tang[2] [~] 1. son *m* aigu; tintement *m*; 2. (faire) retentir; rendre un son aigu.

tan·gent ⚡ ['tændʒənt] tangente *f*; *go* (*ou fly*) *off at a* ~ changer brusquement de sujet, s'échapper par la tangente; **tan·gen·tial** □ ⚡ [~'dʒenʃl] tangentiel(le *f*); *de tangence* (*point*).

tan·gi·bil·i·ty [tændʒi'biliti] tangibilité *f*, réalité *f*; **tan·gi·ble** □ ['tændʒəbl] tangible, palpable; *fig.* réel(le *f*).

tan·gle ['tæŋgl] 1. enchevêtrement *m*; nœud *m*; *fig.* embarras *m*; 2. (s')embrouiller, emmêler.

tan·go ['tæŋgou] tango *m* (*danse*).

tank [tæŋk] 1. réservoir *m* (*a.* ⊕);

phot. cuve *f*; ⚔ char *m* d'assaut; ~ *car* (*ou truck*) camion-citerne (*pl.* camions-citernes) *m*; 🚃 wagon-citerne (*pl.* wagons-citernes) *m*; 2. faire le plein d'essence; *Am. sl.* s'alcooliser; **'tank·age** capacité *f* d'un réservoir.

tank·ard ['tæŋkəd] pot *m* (*surt. de ou à bière*); *en étain:* chope *f*.

tank·er ⚓ ['tæŋkə] pétrolier *m*.

tan·ner[1] ['tænə] tanneur *m*.

tan·ner[2] *sl.* [~] (pièce *f* de) six pence.

tan·ner·y ['tænəri] tannerie *f*.

tan·nic ac·id ⚗ ['tænik'æsid] acide *m* tannique.

tan·nin ⚗ ['tænin] tan(n)in *m*.

tan·ta·lize ['tæntəlaiz] tourmenter.

tan·ta·mount ['tæntəmaunt] équivalent (à, *to*).

tan·trum F ['tæntrəm] accès *m* de colère.

tap[1] [tæp] 1. tape *f*, petit coup *m*; 2. taper, toucher, frapper doucement.

tap[2] [~] 1. *fût:* fausset *m*; *eau:* robinet *m*; F *boisson f, usu.* bière *f*; ⊕ taraud *m*; F *see* ~*room*; *on* ~ en perce; 2. percer; mettre en perce; ⚡ *the wire(s)* faire une prise sur un fil télégraphique; *téléph.* capter un message télégraphique.

tap-dance ['tæpdɑ:ns] danse *f* à claquettes.

tape [teip] ruban *m*; *sp.* bande *f* d'arrivée; *tél.* bande *f* du récepteur; *fig.* red ~ bureaucratie *f*, paperasserie *f*; '~-**meas·ure** mètre *m* à ruban; centimètre *m*; '~-**re·cord·er** magnétophone *m*; '~-**re·cord·ing** enregistrement *m* sur magnétophone.

ta·per ['teipə] 1. bougie *f* filée; *eccl.* cierge *m*; ⊕ cône *m*; 2. *adj.* effilé; ⊕ conique; 3. *v/i.* s'effiler; diminuer; ~*ing see* ~ 2; *v/t.* effiler; tailler en pointe.

tap·es·tried ['tæpistrid] tendu de tapisseries; tapissé; **'tap·es·try** tapisserie *f*.

tape·worm ['teipwə:m] ver *m* solitaire.

tap·pet ⊕ ['tæpit] came *f*; taquet *m*.

tap·room ['tæprum] buvette *f*, estaminet *m*.

tap-root ♀ ['tæpru:t] pivot *m*.

taps *Am.* ⚔ [tæps] *pl.* extinction *f* des feux.

tap·ster ['tæpstə] cabaretier *m*; garçon *m* de cabaret.

tar [ta:] **1.** goudron *m*; F *Jack* ⚓ mathurin *m*; **2.** goudronner.

ta·ran·tu·la *zo.* [tə'ræntjulə] tarentule *f*.

tar·board ['ta:bɔ:d] carton *m* bitumé.

tar·di·ness ['ta:dinis] lenteur *f*; *Am.* retard *m*; '**tar·dy** ☐ lent; peu empressé; tardif (-ive *f*); *Am.* en retard.

tare[1] ♀ [teə] (*usu.* ~s *pl.*) vesce *f*.

tare[2] ♰ [~] **1.** tare *f*; **2.** tarer.

tar·get ['ta:git] cible *f*; objectif *m* (*a. fig.*); *fig.* butte *f*; † petit bouclier *m*; ~ *practice* tir *m* à la cible.

tar·iff ['tærif] tarif *m* (*souv.* douanier).

tarn [ta:n] laquet *m*.

tar·nish ['ta:niʃ] **1.** *v/t.* ⊕ ternir (*a. fig.*); *v/i.* se ternir; se dédorer (*dorure*); **2.** ternissure *f*.

tar·pau·lin [ta:'pɔ:lin] ⚓ toile *f* goudronnée; bâche *f*; ⚓ prélart *m*.

tar·ry[1] *poét.* ['tæri] tarder; attendre; rester.

tar·ry[2] ['ta:ri] goudronneux (-euse *f*).

tart [ta:t] **1.** ☐ âpre, aigre; *fig.* mordant; **2.** tourte *f*; tarte *f*; *sl.* poule *f* (= *prostituée*).

tar·tan ['ta:tən] tartan *m*; ⚓ tartane *f*; ~ *plaid* plaid *m* en tartan.

Tar·tar[1] ['ta:tə] Tartare *m*; *fig.* homme *m* intraitable; *femme*: mégère *f*; *catch a* ~ trouver son maître.

tar·tar[2] 🜍 [~] tartre *m* (*a. dent.*).

task [ta:sk] **1.** tâche *f*; besogne *f*, ouvrage *m*; *école*: devoir *m*; *take to* ~ réprimander (pour un fait, *for having done*); **2.** assigner une tâche à; ⚓ mettre à l'épreuve (*les bordages etc.*); ~ *force* ✕ *Am.* détachement *m* spécial des forces de terre, de l'air et de mer; '~·mas·ter surveillant *m*; chef *m* de corvée; *fig.* tyran *m*.

tas·sel ['tæsl] **1.** gland *m*, houppe *f*; **2.** garnir de glands *etc.*

taste [teist] **1.** goût *m* (de *of, for*; pour, *for*); *fig. a.* prédilection *f* (pour, *for*); *to* ~ à volonté, selon son goût; *season to* ~ goûtez et rectifiez l'assaisonnement; **2.** *v/t.* goûter (*a. fig.*); déguster; *v/i.* sentir (qch., *of s.th.*); avoir un goût (de,

of); **taste·ful** ☐ ['~ful] de bon goût; élégant; de goût (*personne*).

taste·less ☐ ['teistlis] sans goût, insipide, fade; '**taste·less·ness** insipidité *f*; manque *m* de goût.

tas·ter ['teistə] dégustateur (-trice *f*) *m* (*de thé, vins, etc.*).

tast·y ☐ F ['teisti] savoureux (-euse *f*).

tat[1] [tæt] *see tit*[1].

tat[2] [~] *couture:* faire de la frivolité.

ta·ta ['tæ'ta:] *enf., a. co.* au revoir!

tat·ter ['tætə] lambeau *m*, loque *f*; **tat·ter·de·mal·ion** [~də'meiljən] loqueteux (-euse *f*) *m*; **tat·tered** ['~əd] en lambeaux; déguenillé (*personne*).

tat·tle ['tætl] **1.** bavarder, babiller; *péj.* cancaner; **2.** bavardage *m*; *péj.* cancans *m/pl.*; '**tat·tler** bavard(e *f*) *m*; *péj.* cancanier (-ère *f*) *m*.

tat·too[1] [tə'tu:] **1.** ✕ retraite *f* du soir; *fig. beat the devil's* ~ tambouriner (*sur la table*); **2.** *fig.* tambouriner.

tat·too[2] [~] **1.** *v/t.* tatouer; **2.** tatouage *m*.

taught [tɔ:t] *prét. et p.p. de teach.*

taunt [tɔ:nt] **1.** reproche *m*; brocard *m*; sarcasme *m*; **2.** accabler de sarcasmes; reprocher (qch. à q., *s.o. with s.th.*); '**taunt·ing** ☐ de sarcasme, sarcastique.

taut ⚓ [tɔ:t] raide, tendu; étarque (*voile*); '**taut·en** (se) raidir; (s')étarquer (*voile*).   [ret *m*.)

tav·ern ['tævən] taverne *f*, caba-)

taw[1] ⊕ [tɔ:] mégir.

taw[2] [~] grosse bille *f* de verre.

taw·dri·ness ['tɔ:drinis] clinquant *m*, faux brillant *m*; '**taw·dry** ☐ d'un mauvais goût; voyant.

taw·ny ['tɔ:ni] fauve; basané (*teint*).

tax [tæks] **1.** impôt *m* (sur, *on*), contribution *f* (sur, *on*); taxe *f* (sur, *on*); *fig.* charge *f* (à, *on*), fardeau *m*; ~ *evasion* fraude *f* fiscale; **2.** taxer; frapper d'un impôt; *fig.* mettre à l'épreuve; ⚖ taxer (*les dépens, q. de qch., a. fig.*); reprocher (qch. à q., *s.o. with s.th.*); ~ *s.o. with s.th. a.* accuser q. de qch.; '**tax·a·ble** ☐ imposable; **tax·a·tion** imposition *f*; prélèvement *m* fiscal; impôts *m/pl.*; *surt.* ⚖ taxation *f*; '**tax-col·lec·tor** percepteur *m* des contributions (*directes*); receveur *m*; '**tax-'free** exempt d'impôts.

tax·i F ['tæksi] **1.** (*ou* ~-*cab*) taxi *m*; **2.** aller en taxi; ✒ rouler sur le sol; hydroplaner; '~-**danc·er**, '~-**girl** ✚*m.* entraîneuse *f*; '~-**driv·er** chauffeur *m* de taxi; '~-**me·ter** taximètre *m*; '~-**rank** station *f* de taxis.

tax·pay·er ['tækspeiə] contribuable *mf*.

tea [ti:] thé *m*; goûter *m*, five-o'clock *m*; high (*ou* meat) ~ repas *m* à la fourchette; '~-**cad·dy** see caddy.

teach [ti:tʃ] [*irr.*] enseigner; apprendre (qch. à q., s.o. s.th.; à *inf.*, to *inf.*); '**teach·a·ble** □ enseignable; à l'intelligence ouverte (*personne*); '**teach·er** instituteur (-trice *f*) *m*; maître(sse *f*) *m*; professeur *m*; '**teach·er·'train·ing col·lege** école *f* normale; '**teach·ing** *école:* enseignement *m*; *phls. etc.* doctrine *f*.

tea...: '~-**co·sy** couvre-théière *m*; '~-**cup** tasse *f* à thé; *fig.* storm in a ~ tempête *f* dans un verre d'eau; '~-**gown** déshabillé *m*, robe *f* d'intérieur.

teak ♦ [ti:k] (bois *m* de) te(c)k *m*.

team [ti:m] attelage *m*; *surt. sp.* équipe *f*; '~-**spir·it** esprit *m* d'équipe; **team·ster** ['~stə] conducteur *m* (*d'attelage*); charretier *m*; '**team-work** ⊕, *sp.* travail *m* d'équipe; jeu *m* d'ensemble; *fig.* collaboration *f*.

tea·pot ['ti:pɔt] théière *f*.

tear¹ [tɛə] **1.** [*irr.*] *v/t.* déchirer; arracher (*les cheveux*); *v/i.* se déchirer; F *avec adv. ou prp.* aller etc. à toute vitesse; **2.** déchirure *f*; see wear 2.

tear² [tiə] larme *f*.

tear·ful □ ['tiəful] larmoyant, en pleurs.

tear-gas ['tiə'gæs] gaz *m* lacrymogène.

tear·ing ['tɛəriŋ] *fig.* rapide; déchirant. [sec (*œil*).]

tear·less □ ['tiəlis] sans larmes.

tear-off cal·en·dar ['tɛərɔf 'kælində] éphéméride *f*.

tease [ti:z] **1.** démêler (*de la laine*); carder (*la laine etc.*); effil(och)er (*un tissu*); *fig.* taquiner; **2.** F taquin(e *f*) *m*; **tea·sel** ['~l] ♦ cardère *f*; ⊕ carde *f*; '**teas·er** F *fig.* colle *f* (= *problème difficile*).

teat [ti:t] bout *m* de sein; mamelon *m*; *vache:* tette *f*; *biberon:* tétine *f*; ⊕ *vis:* téton *m*.

tea-urn ['ti:ə:n] fontaine *f* à thé.

tech·nic ['teknik] (*a.* ~s *pl. ou sg.*) see technique; '**tech·ni·cal** □ technique; ⚔ spécial (-aux *m/pl.*); ⚖ de procédure; professionnel(le *f*); ~ hitch incident *m* technique; **tech·ni·cal·i·ty** [~'kæliti] détail *m ou* terme *m* technique; considération *f* d'ordre technique; **tech·ni·cian** [tek'niʃn] technicien *m*.

tech·ni·col·or ['teknikʌlə] **1.** en couleurs; **2.** film *m* en couleurs; *cin.* technicolor *m*.

tech·nique [tek'ni:k] technique *f*; mécanique *f*.

tech·nol·o·gy [tek'nɔlədʒi] technologie *f*; school of ~ école *f* de technologie, école *f* technique.

tech·y ['tetʃi] see testy.

ted·der ['tedə] faneuse *f*; *personne:* faneur (-euse *f*) *m*.

te·di·ous □ ['ti:djəs] ennuyeux (-euse *f*); fatigant; assommant; '**te·di·ous·ness** ennui *m*; manque *m* d'intérêt.

te·di·um ['ti:diəm] ennui *m*.

tee [ti:] **1.** *sp. curling:* but *m*; *golf:* dé *m*, tee *m*; **2.**: ~ off jouer sa balle; placer la balle sur le dé.

teem [ti:m] (*with*) abonder (en), fourmiller (de).

teen-ag·er ['ti:neidʒə] adolescent(e *f*) *m* (*entre 13 et 19 ans*).

teens [ti:nz] *pl.* années *f/pl.* entre 13 et 19 ans; adolescence *f*; in one's ~ n'ayant pas encore vingt ans.

tee·ny F ['ti:ni] tout petit, minuscule.

tee·ter F ['ti:tə] se balancer; chanceler.

teeth [ti:θ] *pl. de* tooth.

teethe [ti:ð] faire ses dents; **teeth·ing** ['~iŋ] dentition *f*.

tee·to·tal [ti:'toutl] antialcoolique; qui ne prend pas de boissons alcooliques; **tee'to·tal·(l)er** néphaliste *mf*; abstinent(e *f*) *m*.

tee·to·tum ['ti:tou'tʌm] toton *m*.

tel·e·course *Am.* ['telikɔ:s] cours *m* (de leçons) télévisé.

tel·e·gram ['teligræm] télégramme *m*, dépêche *f*.

tel·e·graph ['teligra:f] **1.** télégraphe *m*; ⚓ transmetteur *m* d'ordres; **2.** télégraphique; de télégramme; **3.** télégraphier, envoyer un télégramme; **tel·e·graph·ic** [␣'græfik] (␣ally) télégraphique (a. style); **te·leg·ra·phist** [ti'legrəfist] télégraphiste mf; **te'leg·ra·phy** télégraphie f.

tel·e·phone ['telifoun] **1.** téléphone m; ␣ girl téléphoniste f; ␣ line ligne f téléphonique; at the ␣ au téléphone; by ␣ par téléphone; on the ␣ téléphoniquement; par téléphone; be on the ␣ avoir le téléphone; être à l'appareil; **2.** téléphoner (à q., [to] s.o.); **tel·e·phon·ic** [␣'fɔnik] (␣ally) téléphonique; **te·leph·o·nist** [ti'lefənist] téléphoniste mf; standardiste f; **te'leph·o·ny** téléphonie f.

tel·e·pho·to phot. ['teli'foutou] téléphotographie f; ␣ lens téléobjectif m.   [teur m.]

tel·e·print·er ['teliprintə] téléscrip-}
tel·e·scope ['teliskoup] **1.** télescope m; lunette f; **2.** (se) télescoper; **tel·e·scop·ic** [␣'kɔpik] télescopique; à coulisse (échelle etc.); ␣ sight lunette f de visée.

tel·e·type ['teli'taip] télétype m; postes: télex m.

tel·e·view·er ['telivjuːə] téléspectateur (-trice f) m.

tel·e·vise ['telivaiz] téléviser; **tel·e·vi·sion** ['␣viʒn] télévision f; ␣ set appareil m de télévision; ␣ channel chaîne f de télévision.

tell [tel] [irr.] v/t. dire; raconter; apprendre; exprimer; savoir; reconnaître (à, by); compter; annoncer; ␣ s.o. to do s.th. dire ou ordonner à q. de faire qch.; I have been told that on m'a dit que; j'ai appris que; fig. ␣ a story en dire long; ␣ off désigner (pour qch., for s.th.); F dire son fait à (q.); rembarrer (q.); Am. sl. ␣ the world faire savoir partout; publier à son de trompe; produire son effet; porter; ␣ of (ou about) annoncer, révéler, accuser; ␣ on se faire sentir à, influer sur; peser sur; sl. cafarder; dénoncer (q.); **'tell·er** raconteur (-euse f) m; parl. etc. scrutateur m; banque: caissier m; **'tell·ing** □ efficace; impressionnant; qui porte; **tell·tale** ['␣teil] **1.** indicateur (-trice f); révélateur (-trice f); fig. qui en dit long; **2.** rapporteur (-euse f) m; école: cafard(e f) m; ⊕ indicateur m; ␣ clock horloge f enregistreuse.

tel·pher ['telfə] ⊕ de téléphérage; ␣ line téléphérique m; ligne f de téléphérage.

te·mer·i·ty [ti'meriti] témérité f, audace f.

tem·per ['tempə] **1.** tempérer; modérer; fig. retenir; ♪ accorder par tempérament; broyer (les couleurs, le mortier, l'encre, etc.); donner la trempe à (l'acier); adoucir (le métal); **2.** ⊕ trempe f; métall. coefficient m de dureté; humeur f; colère f; caractère m, tempérament m; lose one's ␣ se mettre en colère; perdre son sang-froid; s'emporter; **tem·per·a·ment** ['␣rəmənt] tempérament m (a. ♪); humeur f; **tem·per·a·men·tal** □ [␣'mentl] du tempérament; capricieux (-euse f) (personne); **'tem·per·ance 1.** tempérance f, modération f; antialcoolisme m; **2.** antialcoolique (hôtel); **tem·per·ate** □ ['␣rit] tempéré (climat, a. ♪); sobre (personne); modéré (personne); **tem·per·a·ture** ['tempritʃə] température f; ␣ chart feuille f de température; **tem·pered** ['tempəd]: bad-␣ de mauvaise humeur.

tem·pest ['tempist] tempête f, tourmente f; **tem·pes·tu·ous** □ [␣'pestjuəs] de tempête; fougueux (-euse f), turbulent (personne, humeur); orageux (-euse f) (réunion etc.).

Tem·plar ['templə] hist. templier m; univ. étudiant(e f) m en droit du Temple (à Londres).

tem·ple[1] ['templ] temple m; ♀ deux écoles de droit (= Inns of Court) à Londres.

tem·ple[2] anat. ['␣] tempe f.

tem·po·ral □ ['tempərəl] temporel (-le f); **tem·po·ral·i·ties** [␣'rælitiz] pl. possessions f/pl. ou revenus m/pl. ecclésiastiques; **tem·po·rar·i·ness** ['␣pərərinis] caractère m temporaire ou provisoire; **'tem·po·rar·y** □ temporaire, provisoire; momentané; passager (-ère f); ␣ bridge pont m provisoire; ␣ work situation f intérimaire; **'tem·po·rize** temporiser; ␣ with transiger provisoirement avec (q.).

tempt [tempt] tenter; induire (q. à inf., s.o. to inf.); **temp'ta·tion** tentation f; **'tempt·er** tentateur m; **'tempt·ing** □ tentant; séduisant, attrayant; **'tempt·ress** tentatrice f.

ten [ten] dix (*a. su./m*).

ten·a·ble ['tenəbl] tenable; *fig.* soutenable.

te·na·cious □ [ti'neiʃəs] tenace; attaché (à, *of*); obstiné, opiniâtre; **te·nac·i·ty** [ti'næsiti] ténacité *f*; sûreté *f* (*de la mémoire*); attachement *m* (à, *of*); obstination *f*.

ten·an·cy ['tenənsi] location *f*.

ten·ant ['tenənt] **1.** locataire *mf*; *fig.* habitant(e *f*) *m*; pensionnaire *mf*; ~ **right** droits *m/pl.* du tancancier; **2.** habiter comme locataire; occuper; **'ten·ant·ry** locataires *m/pl.*; fermiers *m/pl.*

tench *icht.* [tenʃ] tanche *f*.

tend[1] [tend] **1.** tendre, se diriger (vers, *towards*); tourner; *fig.* pencher (vers, *towards*), tirer (sur, *to*); tendre (à, *to*); être susceptible (de *inf.*, *to inf.*); être enclin (à, *to*); ~ *from* s'écarter de.

tend[2] [~] soigner (*un malade*); garder (*les bêtes*); surveiller (*une machine etc.*); *Am.* tenir (*une boutique*); **'tend·ance** † soin *m*; serviteurs *m/pl.*

tend·en·cy ['tendənsi] tendance *f*, disposition *f*, penchant *m* (à, *to*); **ten·den·tious** [~'denʃəs] tendanciel(le *f*), tendancieux (-euse *f*); à tendance (*livre*).

ten·der[1] □ ['tendə] *usu.* tendre; sensible (*au toucher*); délicat (*sujet*); affectueux (-euse *f*) (*lettre*); jeune; soigneux (-euse *f*) (de, *of*); *of* ~ *years* en bas âge.

ten·der[2] [~] **1.** offre *f* (*de paiement etc.*); *contrat:* soumission *f*; *legal* ~ cours *m* légal; **2.** offrir; ✝ soumissionner ([pour], *for*); présenter.

ten·der[3] [~] gardien *m*; 🚢, ⚓ tender *m*; ⚓ bateau *m* annexe; *bar-*~ garçon *m* de comptoir.

ten·der·foot *Am.* F ['tendəfut] nouveau débarqué *m*; cow-boy *m* d'opérette; **ten·der·loin** ['~lɔin] *surt. Am.* filet *m*; *Am.* quartier *m* malfamé; **'ten·der·ness** tendresse *f*; sensibilité *f*; *fig.* douceur *f*; *cuis.* tendreté *f*.

ten·don *anat.* ['tendən] tendon *m*.

ten·dril ⚘ ['tendril] vrille *f*.

ten·e·ment ['tenimənt] † habitation *f*; appartement *m*; 🏛 fonds *m* de terre; tenure *f*; ~ *house* maison *f* de rapport.

ten·et ['ti:net] doctrine *f*, principe *m*.

ten·fold ['tenfould] **1.** *adj.* décuple; **2.** *adv.* dix fois (autant).

ten·nis ['tenis] tennis *m*; **'~-court** terrain *m* de tennis, court *m*.

ten·on ⊕ ['tenən] tenon *m*; **'~-saw** ⊕ scie *f* à tenon.

ten·or ['tenə] cours *m*, progrès *m*; teneur *f*; sens *m* général; ♩ ténor *m*.

tense[1] *gramm.* [tens] temps *m*.

tense[2] □ [~] tendu (*a. fig.*); raide; **'tense·ness** tension *f* (*a. fig.*); **ten·sile** ['tensail] extensible; de tension, de traction; ~ *strength* résistance *f* à la tension; **ten·sion** ['~ʃn] tension *f*; ⚡ *high* ~ circuit *m* de haute tension; ~ *test* essai *m* de traction.

tent[1] [tent] tente *f*.

tent[2] ✍ [~] mèche *f*.

ten·ta·cle *zo.* ['tentəkl] tentacule *m*; cir(r)e *m*.

ten·ta·tive ['tentətiv] **1.** □ expérimental (-aux *m/pl.*); sujet(te *f*) à révision; hésitant; ~*ly* à titre d'essai; **2.** tentative *f*, essai *m*.

ten·ter *tex.* ['tentə] élargisseur *m*; **'~-hook** crochet *m*; *fig.* be on ~s être sur des charbons ardents.

tenth [tenθ] **1.** dixième; **2.** dixième *m*, ♩ *f*; *eccl.* dîme *f*; **'tenth·ly** en dixième lieu.

tent-peg ['tentpeg] piquet *m* de tente.

ten·u·i·ty [te'nju:iti] *usu.* ténuité *f*; finesse *f*; faiblesse *f*; **ten·u·ous** □ ['tenjuəs] ténu; effilé; mince; grêle (*voix*), raréfié (*gaz*).

ten·ure ['tenjuə] tenure *f*; (période *f* de) jouissance *f*; *office etc.:* occupation *f*.

tep·id □ ['tepid] tiède; dégourdi (*eau*); **te'pid·i·ty**, **'tep·id·ness** tiédeur *f*.

ter·cen·te·nar·y [tə:sen'ti:nəri], **ter·cen·ten·ni·al** [~'tenjəl] tricentenaire (*a. su./m*).

ter·gi·ver·sa·tion [tə:dʒivə:'seiʃn] tergiversation *f*.

term [tə:m] **1.** temps *m*, durée *f*, limite *f*; terme *m* (*a.* ♈, *phls.*, *ling.*); *ling. a.* mot *m*, expression *f*; 🎓 session *f*; *univ.*, *école:* trimestre *m*; ✝ échéance *f*; délai *m* (*de congé*, *du droit d'auteur*, *de paiement*, *etc.*); *beginning of* ~ rentrée *f*; ~*s pl.* conditions *f/pl.*, termes *m/pl.*; prix *m/pl.*; relations *f/pl.*, rapports *m/pl.*; ♈ énoncé *m* (*d'un problème*); *in* ~*s of* en fonction de; be on good (bad) ~s être bien (mal) (avec, with); come to (ou make) ~s with s'arranger, prendre un arrangement avec; ✕ partiser; **2.** appeler, nommer; qualifier (de qch., s.th.).

ter·ma·gant ['tə:məgənt] **1.** □ revêche, acariâtre; **2.** mégère f; dragon m (= femme).

ter·mi·na·ble □ ['tə:minəbl] terminable; résiliable (contrat); '**ter·mi·nal 1.** □ extrême; dernier (-ère f); final; école: trimestriel(le f); terminal (-aux m/pl.); ~ly par trimestre; **2.** bout m; ⚡ borne f; gramm. terminaison f; ⚙ Am. terminus m; **ter·mi·nate** ['~neit] (se) terminer; finir; **ter·mi'na·tion** fin f, conclusion f; terminaison f (a. gramm.); ⚖ extinction f.

ter·mi·nol·o·gy [tə:mi'nɔlədʒi] terminologie f.

ter·mi·nus ['tə:minəs], pl. -ni [~nai] terminus m, tête f de ligne (a. ⚙).

ter·mite zo. ['tə:mait] termite m.

tern orn. [tə:n] sterne f, hirondelle f de mer.

ter·na·ry ['tə:nəri] ternaire.

ter·race ['terəs] terrasse f; rangée f de maisons; '**ter·raced** en terrasse; en rangée (maisons).

ter·rene □ [te'ri:n] terreux (-euse f); terrestre.

ter·res·tri·al □ [ti'restriəl] terrestre.

ter·ri·ble □ ['terəbl] terrible; affreux (-euse f); '**ter·ri·ble·ness** horreur f.

ter·ri·er zo. ['teriə] terrier m.

ter·rif·ic [tə'rifik] (~ally) épouvantable; terrible; colossal (-aux m/pl.); **ter·ri·fy** ['terifai] v/t. épouvanter, terrifier.

ter·ri·to·ri·al [teri'tɔ:riəl] **1.** □ territorial (-aux m/pl.); terrien(ne f), foncier (-ère f); ~ waters eaux f/pl. territoriales; ✕ ♀ Army (ou F Force) territoriale f; **2.** ✕ territorial m; **ter·ri·to·ry** ['~təri] territoire m; Am. ♀ territoire m des É.-U.

ter·ror ['terə] terreur f (a. fig.), effroi m, épouvante f; '**ter·ror·ism** terrorisme m; '**ter·ror·ist** terroriste mf; '**ter·ror·ize** terroriser.

terse □ [tə:s] concis; net(te f); '**terse·ness** concision f.

ter·tian ⚕ ['tə:ʃn] (fièvre f) tierce f. **ter·ti·ar·y** ['~ʃəri] tertiaire.

tes·sel·lat·ed ['tesileitid] en mosaïque (pavé).

test [test] **1.** épreuve f, essai m (a. ⚗); psych., ⊕ test m; ⚗ réactif m (de, for); examen m; fig. épreuve f, critérium m; put to the ~ mettre à l'épreuve ou l'essai; **2.** v/t. éprouver, mettre à l'épreuve; examiner; essayer; v/i. ⚗ faire la réaction (de, for).

tes·ta·ceous zo. [tes'teiʃəs] testacé.

tes·ta·ment bibl., †, ⚖ ['testəmənt] testament m; **tes·ta·men·ta·ry** [~'mentəri] testamentaire.

tes·ta·tor [tes'teitə] testateur m. **tes·ta·trix** [tes'teitriks] testatrice f.

test-case ['testkeis] cas m qui fait jurisprudence.

tes·ter¹ † ['testə] ciel m (de lit).

test·er² [~] essayeur (-euse f) m; vérificateur (-trice f) m; outil: vérificateur m.

tes·ti·cle anat. ['testikl] testicule m.

tes·ti·fi·er ['testifaiə] témoin m (de, to); **tes·ti·fy** ['~fai] v/t. témoigner (a. fig.); déposer; v/i. attester (qch., to s.th.), témoigner (de, to).

tes·ti·mo·ni·al [testi'mounjəl] certificat m, attestation f; recommandation f; témoignage m d'estime; **tes·ti·mo·ny** ['~məni] témoignage m (de, to); ⚖ témoin: déposition f.

tes·ti·ness ['testinis] irritabilité f.

test...: '**~-pa·per** ⚗ papier m réactif; école: composition f, épreuve f; '**~-pi·lot** ✈ pilote m d'essai; '**~-print** phot. épreuve f témoin; '**~-tube** ⚗ éprouvette f.

tes·ty □ ['testi], **tetch·y** □ ['tetʃi] irascible, irritable; bilieux (-euse f).

teth·er ['teðə] **1.** attache f, longe f; fig. ressources f/pl.; **2.** mettre au piquet, attacher.

tet·ra·gon ♈ ['tetrəgən] quadrilatère m; **te·trag·o·nal** [~'trægənl] tétragone.

tet·ter ⚕ ['tetə] dartre f.

Teu·ton ['tju:tən] Teuton(ne f) m; **Teu·ton·ic** [~'tɔnik] teuton(ne f), teutonique; ~ Order l'ordre m Teutonique.

text [tekst] texte m; fig. sujet m; typ. ~ hand grosse (écriture) f; '**~-book** manuel m, livre m de classe.

tex·tile ['tekstail] **1.** textile; **2.** ~s pl. tissus m/pl.; textiles m/pl.

tex·tu·al □ ['tekstjuəl] textuel(le f).

tex·ture ['tekstʃə] texture *f* (*a. fig.*); tissu *m*; *bois, peau*: grain *m*.

than [ðæn; ðən] *après comp.* que; *devant nombres*: de.

thank [θæŋk] 1. remercier (de *inf.*, for *gér.*); ~ you merci; I will ~ you for je vous saurais bien gré de (*me donner etc.*); *iro.* ~ you for nothing merci de rien; 2. ~s *pl.* remerciements *m/pl.*; ~s to grâce à; **thank·ful** □ ['~ful] reconnaissant; **'thank·less** □ ingrat; **thanks-giv·ing** [~s'giviŋ] action *f* de grâce(s); *surt. Am.* ♀ (Day) le jour *m* d'action de grâces (*le dernier jeudi de novembre*); **'thank·wor·thy** † digne de reconnaissance.

that [ðæt] 1. *cj.* [*usu.* ðət] que; 2. *pron. dém.* (*pl.* those) celui-là (*pl.* ceux-là), celle-là (*pl.* celles-là); celui (*pl.* ceux), celle (*pl.* celles); cela, F ça; ce; so ~'s ~! et voilà!; and ... at ~ et encore ..., et ... par-dessus le marché; with ~ là-dessus; 3. *pron. rel.* [*a.* ðət] qui, que; lequel, laquelle, lesquels, lesquelles; 4. *adj.* ce (cet *devant une voyelle ou un h muet*; *pl.* ces), cette (*pl.* ces); ce (cet, cette, *pl.* ces) ...~-là; 5. *adv.* F (aus)si; ~ far si loin.

thatch [θætʃ] 1. chaume *m*; 2. couvrir de chaume.

thaw [θɔ:] 1. dégel *m*; 2. *v/i.* fondre (*neige etc.*); *v/t.* décongeler (*de la viande*); *mot.* dégeler (*le radiateur*).

the [ði; *devant une voyelle* ði, *devant une consonne* ðə] 1. *art.* le, la, les; 2. *adv.* ~ richer he is ~ more arrogant he seems plus il est riche, plus il semble arrogant.

the·a·tre, *Am.* **the·a·ter** ['θiətə] théâtre *m* (*a. fig.*); **the·at·ric, the·at·ri·cal** □ [θi'ætrik(l)] théâtral (-aux *m/pl.*) (*a. fig.*); spectaculaire; d'acteur(s); **the'at·ri·cals** [~klz] *pl.* (*usu.* amateur ~) spectacle *m* d'amateurs, comédie *f* de société.

thee *bibl., poét.* [ði:] *accusatif*: te; *datif*: toi.

theft [θeft] vol *m*.

their [ðeə] leur, leurs; **theirs** [~z] le (la) leur, les leurs; à eux, à elles.

the·ism ['θi:izm] théisme *m*.

them [ðem; ðəm] *accusatif*: les; *datif*: leur; à eux, à elles.

theme [θi:m] thème *m* (*a. ♪, a. gramm.*); sujet *m*; *gramm.* radical (-aux *pl.*) *m*; *école*: dissertation *f*, *Am.* thème *m*; ~ **song** leitmotiv (*pl.* -ve) *m*.

them·selves [ðəm'selvz] eux-mêmes, elles-mêmes; *réfléchi*: se.

then [ðen] 1. *adv.* alors; en ce temps-là; puis; ensuite; aussi; d'ailleurs; every now and ~ de temps en temps; de temps à autre; there and ~ sur-le-champ; now ~ allons, voyons; 2. *cj.* donc, alors, en ce cas; 3. *adj.* de ce temps-là, d'alors.

thence *poét.* [ðens] par conséquent; *temps*: dès lors; **'~forth** *poét.* depuis ce temps-là; dès lors, à partir de ce jour.

the·oc·ra·cy [θi'ɔkrəsi] théocratie *f*; **the·o·crat·ic** [θiə'krætik] (~ally) théocratique.

the·o·lo·gi·an [θiə'loudʒjən] théologien *m*; **the·o·log·i·cal** [~'lɔdʒikl] théologique; **the·ol·o·gy** [θi'ɔlədʒi] théologie *f*.

the·o·rem ['θiərəm] théorème *m*; **the·o·ret·ic, the·o·ret·i·cal** □ [~'retik(l)] théorique; **'the·o·rist** théoricien(ne *f*) *m*; théoriste *mf*; **'the·o·rize** théoriser; **'the·o·ry** théorie *f*.

the·os·o·phy [θi'ɔsəfi] théosophie *f*.

ther·a·peu·tics [θerə'pju:tiks] *usu. sg.* thérapeutique *f*; **'ther·a·py** thérapie *f*; see occupational; **'ther·a·pist** thérapeute *mf*; mental~ psychothérapeute *m*.

there [ðeə] 1. *adv.* là; y; là-bas; F ce, cette, ces, cettes ...-là; the man ~ cet homme-là; ~ is, ~ are il y a; ~'s a good fellow! vous serez bien gentil!; ~ you are! vous voilà!; ça y est!; 2. *int.* voilà!

there...: '~·a·bout(s) près de là, par là; à peu près; ~'aft·er après cela, ensuite; '~·by par là, de cette façon; '~·fore donc, par conséquent; aussi (*avec inversion*); ~'in là-dedans; à cet égard, en cela; ~'of en; de cela; '~·up·on là-dessus; ~'with avec cela.

ther·mal □ ['θə:məl] thermal (-aux *m/pl.*); *phys. a.* thermique, calorifique; ~ value pouvoir *m* calorifique; **ther·mic** ['~mik] (~ally) thermique; **therm·i·on·ic** [~mi'ɔnik] ~ valve radio: lampe *f* thermoïonique.

ther·mo·e·lec·tric cou·ple *phys.* ['θə:moi'lektrik 'kʌpl] élément *m* thermo-électrique; **ther·mom·e·ter** [θə'mɔmitə] thermomètre *m*;

ther·mo·met·ric, ther·mo·met·ri·cal ▱ [¹θəːmə'metrik(l)] thermométrique; **ther·mo·nu·cle·ar** *phys.* [¹⌣'njuːkliə] thermonucléaire; **ther·mo·pile** *phys.* [¹⌣moupail] thermopile *f*; **Ther·mos** [¹θəːmɔs] (*ou* ⌣ *flask*, ⌣ *bottle*) bouteille *f* Thermos; **ther·mo·stat** [¹θəːmoustæt] thermostat *m*.

the·sau·rus [θiˈsɔːrəs], *pl.* **-ri** [⌣rai] thésaurus *m*; trésor *m*.

these [ðiːz] *pl. de* this 1, 2; ⌣ *three years* depuis trois ans; *in* ⌣ *days* à notre époque.

the·sis [¹θiːsis], *pl.* **-ses** [⌣siːz] thèse *f*, dissertation *f*.

they [ðei] ils, *accentué*: eux; elles (*a. accentué*); *a.* on; ⌣ *who* ceux *ou* celles qui.

thick [θik] **1.** ▱ *usu.* épais(se *f*) (*brouillard, liquide, etc.*); dense (*brouillard, foule*); abondant, dru (*cheveux*); trouble (*eau, vin*); crème (*potage*); empâté (*voix*); serré (*foule*); profond (*ténèbres*); F (*souv. as ⌣ as thieves*) très lié, intime; ⌣ *with* très lié avec; *sl. that's a bit* ⌣! ça c'est un peu fort!; **2.** partie *f* épaisse; gras *m*; fort *m*; *in the* ⌣ *of* au plus fort de; au beau milieu de; **'thick·en** *v/t.* épaissir; *cuis.* lier; *v/i.* s'épaissir; se lier; se compliquer; s'échauffer; **thick·et** [¹⌣it] fourré *m*, bosquet *m*; **'thick·'head·ed** lourdaud; obtus; **'thick·ness** épaisseur *f* (*a.* ⊕); grosseur *f*; abondance *f*; état *m* trouble; empâtement *m*; † couche *f*; **'thick·'set** ♣ dru; épais(se *f*); trapu (*personne*); **'thick·'skinned** *fig.* peu sensible.

thief [θiːf], *pl.* **thieves** [θiːvz] voleur (-euse *f*) *m*; F moucheron *m* (*de chandelle*); **thieve** [θiːv] voler; **thiev·er·y** [¹⌣vəri] vol(erie *f*) *m*.

thiev·ish ▱ [¹θiːviʃ] voleur (-euse *f*); **'thiev·ish·ness** habitude *f* du vol; penchant *m* au vol.

thigh [θai] cuisse *f*.

thill [θil] limon *m*, brancard *m*.

thim·ble [¹θimbl] dé *m*; ⊕ bague *f*; ⚓ cosse *f*; **thim·ble·ful** [¹⌣ful] plein un dé (de, *of*); **thim·ble·rig** [¹⌣rig] F *vt/i.* frauder.

thin [θin] **1.** ▱ *usu.* mince; peu épais (-se *f*); maigre; pauvre (*sol etc.*); clair (*liquide, tissu*); grêle (*voix*); ténu; rare, clairsemé; sans corps (*vin*); *fig.* peu convaincant; *théâ.* *a* ⌣ *house* un auditoire peu nom-

breux; **2.** *v/t.* amincir; diminuer; (*a.* ⌣ *out*) éclaircir; *cuis.* délayer; *v/i.* s'amincir, maigrir; s'éclaircir.

thine *bibl., poét.* [ðain] le tien, la tienne, les tiens, les tiennes; à toi.

thing [θiŋ] chose *f*, objet *m*, affaire *f*; être *m* (= *personne*); ⌣s *pl.* effets *m/pl.*; vêtements *f/pl.*; affaires *f/pl.*; choses *f/pl.*; F be the ⌣ être l'usage *ou* correct *ou* ce qu'il faut; F *know a* ⌣ *or two* être malin (-igne *f*); en savoir plus d'un(e); *above all* ⌣s avant tout; ⌣s *are going better* les affaires vont mieux.

thing·um(·a)·bob F [¹θiŋəm(i)bɔb], **thing·um·my** F [¹⌣əmi] chose *m*; truc *m*.

think [θiŋk] [*irr.*] *v/i.* penser; réfléchir (*sur about, over*); compter (*inf., to inf.*); s'attendre (à *inf., to inf.*); ⌣*of* penser à, envisager; penser (*bien, mal*) de; considérer; ⌣*of* (*gér.*) penser à (*inf.*); *v/t.* croire; penser; s'imaginer; juger, trouver; tenir pour; ⌣ *much etc. of* avoir une bonne *etc.* opinion de; ⌣ *out* imaginer (*qch.*); arriver à la solution de (*qch.*); ⌣ *s.th. over* réfléchir sur qch.; **'think·a·ble** concevable; **'think·er** penseur (-euse *f*) *m*; **'think·ing** pensant; qui pense.

thin·ness [¹θinnis] minceur *f*; peu *m* d'épaisseur; légèreté *f*; maigreur *f*.

third [θəːd] **1.** troisième; *date, roi*: trois; *surt. Am.* F ⌣ *degree* passage *m* à tabac; troisième degré *m*; **2.** tiers *m*; troisième *mf*; ♪ tierce *f*; **'third·ly** en troisième lieu.

thirst [θəːst] **1.** soif *f* (*a. fig.*); **2.** avoir soif (de *for, after*); **'thirst·y** ▱ altéré (de, *for*) (*a. fig.*); desséché (*sol*); F *it is* ⌣ *work* cela vous sèche le gosier.

thir·teen [¹θəːˈtiːn] treize; **'thir·teenth** [⌣θ] treizième; **thir·ti·eth** [¹⌣tiiθ] trentième; **'thir·ty** trente.

this [ðis] **1.** *pron. dém.* (*pl.* these) celui-ci (*pl.* ceux-ci), celle-ci (*pl.* celles-ci); celui (*pl.* ceux), celle (*pl.* celles), ceci; ce; **2.** *adj. dém.* (*pl.* these) ce (cet *devant une voyelle ou un h muet*; *pl.* ces), cette; ce (cet, cette, *pl.* ces) ...-ci; *in this country* chez nous; ⌣ *day week* aujourd'hui en huit; **3.** *adv.* F comme ceci; ⌣ *big* grand comme ça.

this·tle ♣ [¹θisl] chardon *m*.

thith·er *poét.* [¹ðiðə] là; y.

thole ⚓ [θoul] (a. ~-pin) tolet m.

thong [θɔŋ] lanière f (souv. de fouet).

tho·rax anat., zo. ['θɔːræks] thorax m.

thorn ⚘ [θɔːn] épine f; '**thorn·y** épineux (-euse f) (a. fig.); ⚘ spinifère.

thor·ough □ ['θʌrə] complet (-ète f); profond; minutieux (-euse f); parfait; vrai; achevé (coquin); ~ly a. tout à fait; '~·**bass** ♪ basse f continue; '~·**bred 1.** pur sang inv.; de race; **2.** cheval m pur sang; chien m etc. de race; '~·**fare** voie f de communication; passage m; '~·**go·ing** achevé; consciencieux (-euse f); '**thor·ough·ness** perfection f; sincérité f; '**thor·ough-paced** achevé; parfait; enragé.

those [ðouz] **1.** pl. de that; are ~ your parents? sont-ce là vos parents?; **2.** adj. ces (...-là).

thou bibl., poét. [ðau] tu, accentué: toi.

though [ðou] quoique, bien que (sbj.); F (usu. à la fin de la phrase) pourtant, cependant; int. vraiment!; as ~ comme si.

thought [θɔːt] **1.** prét. et p.p. de think; **2.** pensée f; idée f; souci m; intention f; give ~ to penser à; on second ~s réflexion faite; take ~ for songer à.

thought·ful □ ['θɔːtful] pensif (-ive f); rêveur (-euse f); réfléchi; soucieux (-euse f) (de, of); prévenant (pour, of); '**thought·ful·ness** méditation f; prévenance f, égards m/pl.; souci m.

thought·less □ ['θɔːtlis] étourdi, irréfléchi, négligent (de, of); '**thought·less·ness** irréflexion f; inattention f; insouciance f; négligence f.

thought-read·ing ['θɔːtriːdiŋ] lecture f de pensée.

thou·sand ['θauzənd] **1.** mille; dates a. mil; **2.** mille m/inv.; millier m; **thou·sandth** ['~zənθ] millième (a. su./m).

thrall poét. [θrɔːl] esclave m (de of, to); a. = **thral(l)·dom** ['θrɔːldəm] esclavage m; asservissement m (a. fig.).

thrash [θræʃ] v/t. battre; rosser; sl. vaincre; ~ out débattre; v/i. battre, clapoter; ⊕ vibrer; ⚓ se frayer un chemin; qqfois bourlinguer; see thresh; '**thrash·ing** battage m; rossée f; F défaite f; see threshing.

thread [θred] **1.** fil m (a. fig.); filament m; ⊕ vis: filet m; **2.** enfiler; fig. s'insinuer, se faufiler; ⊕ fileter; '~·**bare** râpé; fig. usé; '**thread·y** fibreux (-euse f); plein de fils; ténu (voix).

threat [θret] menace f; '**threat·en** vt/i. menacer (de qch., [with] s.th.).

three [θriː] trois (a. su./m); '~·'**col·o(u)r** trichrome; '~·**fold** triple; '~·**pence** ['θrepəns] pièce f de trois pence; '~·**pen·ny** mesquin; coûtant trois pence; fig. mesquin; ~·**phase cur·rent** ⚡ ['θriːfeiz'kʌrənt] courant m triphasé; '~'**score** soixante; '~·'**valve re·ceiv·er** radio: poste m à trois lampes.

thresh [θreʃ] battre (le blé); see thrash; fig. ~ out discuter (une question) à fond.

thresh·ing ['θreʃiŋ] battage m; '~-**floor** aire f; '~-**ma·chine** batteuse f, machine f à battre.

thresh·old ['θreʃhould] seuil m.

threw [θruː] prét. de throw 1.

thrice † [θrais] trois fois.

thrift(·i·ness) ['θrift(inis)] économie f, épargne f; ⚘ statice m; '**thrift·less** □ prodigue; imprévoyant; '**thrift·y** □ économe, ménager (-ère f); poét., a. Am. florissant.

thrill [θril] **1.** (v/t. faire) frissonner, frémir (de, with); v/t. fig. troubler; émotionner; **2.** frisson m; vive émotion f; '**thrill·er** F roman m sensationnel; pièce f à gros effets; '**thrill·ing** saisissant, émouvant; sensationnel(le f).

thrive [θraiv] [irr.] se développer; réussir, fig. prospérer; **thriv·en** ['θrivn] p.p. de thrive; **thriv·ing** □ ['θraiviŋ] vigoureux (-euse f); florissant.

throat [θrout] gorge f (a. géog.); ⚓ ancre: collet m; ⊕ rabot: lumière f; fourneau: gueulard m; clear one's ~ s'éclaircir le gosier; '**throat·y** □ guttural (-aux m/pl.).

throb [θrɔb] **1.** battre (cœur etc.); lanciner (doigt); **2.** battement m, pulsation f; ⊕ vrombissement m.

throe [θrou] convulsion f; ~s pl. douleurs f/pl.; affres f/pl.; fig. tourments m/pl.

throm·bo·sis ⚕ [θrɔm'bousis] thrombose *f*.

throne [θroun] **1.** trône *m*; **2.** *v/t.* mettre sur le trône; *v/i.* trôner.

throng [θrɔŋ] **1.** foule *f*; cohue *f*; presse *f*; **2.** *v/i.* se presser, affluer; *v/t.* encombrer; presser.

throt·tle ['θrɔtl] **1.** étrangler (*a.* ⊕ *le moteur etc.*); ⊕ mettre (*une machine*) au ralenti; **2.** = '~-**valve** soupape *f* de réglage; étrangleur *m*.

through [θru:] à travers; au travers de; au moyen de, par; à cause de; pendant (*un temps*); ~**out 1.** *prp.* d'un bout à l'autre de; dans tout; pendant tout (*un temps*); **2.** *adv.* partout; d'un bout à l'autre.

throve [θrouv] *prét.* de *thrive.*

throw [θrou] **1.** [*irr.*] *v/t. usu.* jeter (*a. fig.*); lancer; projeter (*de l'eau, une image, etc.*); désarçonner (*un cavalier*); *tex.* jeter, tordre (*la soie*); tournasser (*un pot*); envoyer (*un baiser*); rejeter (*une faute*); *zo.* mettre bas (*des petits*); *Am.* F terrasser (*un adversaire*); ~ **away** (re)jeter; gaspiller; ne pas profiter de; ~ **in** jeter dedans; ajouter; placer (*un mot*); ~ **off** jeter; ôter (*un vêtement*); se défaire de; se dépouiller de; *fig.* dépister; ~ **out** jeter dehors; émettre; *fig.* faire ressortir; *fig.* lancer (*une insinuation etc.*); *surt. parl.* rejeter; ~ désaccoupler; ~ **over** abandonner; ⊕ renverser (*un levier*); ~ **up** jeter en l'air; lever; abandonner (*un poste*); vomir; construire à la hâte; ~ **up the cards** donner gagné à q.; *see sponge 1*; *v/i. zo.* mettre bas des petits; jeter les dés; ~ **off** *fig.* débuter; ~ **up** vomir; **2.** jet *m*; coup *m*; coup *m* de dé; ⊕ déviation *f*, écart *m*; '~-**back** *surt. biol.* régression *f*; **thrown** [θroun] *p.p.* de *throw 1*; 'throw-'off *chasse:* lancé *m*; *p.ext.* mise *f* en train.

thru *Am.* [θru:] *see* through.

thrum[1] [θrʌm] *tex.* penne *f*, -s *f/pl.*; bout *m*, -s *m/pl.*; ⚓ ~s *pl.* lardage *m*.

thrum[2] [~] (*a.* ~ **on**) tapoter (*le piano*); pincer de (*la guitare*).

thrush[1] *orn.* [θrʌʃ] grive *f*.

thrush[2] [~] aphtes *m/pl.*; *vét.* teigne *f*.

thrust [θrʌst] **1.** poussée *f* (*a.* ⊕); ✕, *a. fig.* assaut *m*; *escrime:* botte *f*; coup *m* de pointe (*d'épée*); **2.** [*irr.*]

vi/t. pousser; *v/i.* porter un coup (à, *at*); ~ **o.s. into** s'enfoncer dans; ~ **out** mettre dehors, chasser; tirer (*sa langue*); ~ **s.th. upon s.o.** forcer q. à accepter qch.; imposer qch. à q.; ~ **o.s. upon** s'imposer à.

thud [θʌd] **1.** résonner sourdement; tomber *etc.* avec un bruit sourd; **2.** bruit *m* sourd; son *m* mat.

thug [θʌg] thug *m*; *fig.* bandit *m*.

thumb [θʌm] **1.** pouce *m*; Tom 2 le petit Poucet *m*; **2.** feuilleter (*un livre*); manier; *Am.* ~ **one's nose** faire un pied de nez (à q., **to s.o.**); '~-**print** marque *f* de pouce; '~-**screw** *torture:* poucettes *f/pl.*; ⊕ vis *f* ailée; '~-**stall** poucier *m*, ⚕ doigtier *m* pour pouce, F pouce *m*; '~-**tack** *Am.* punaise *f*.

thump [θʌmp] **1.** coup *m* de poing; bruit *m* sourd; **2.** *v/t.* cogner (sur, on), donner un coup de poing à; *v/i.* sonner sourdement; battre fort (*cœur*); 'thump·er *sl.* chose *f* énorme; *sl.* mensonge *m*; 'thump·ing *sl.* colossal (-aux *m/pl.*).

thun·der ['θʌndə] **1.** tonnerre *m* (*a. fig.*); F *steal s.o.'s* ~ anticiper q.; **2.** tonner; '~-**bolt** foudre *f* (*poét. a. m*); '~-**clap** coup *m* de tonnerre *ou* *fig.* de foudre; '~-**cloud** nuage *m* orageux; '~-**head** partie *f* supérieure d'un cumulus; *fig.* menace *f*; 'thun·der·ing *sl.* **1.** *adj.* colossal (-aux *m/pl.*), formidable; **2.** *adv.* joliment, rudement; 'thun·der·ous □ orageux (-euse *f*); *fig.* menaçant; à tout rompre; de tonnerre (*bruit etc.*); 'thun·der·storm orage *m*; 'thun·der·struck foudroyé, abasourdi; 'thun·der·y orageux (-euse *f*).

Thurs·day ['θə:zdi] jeudi *m*.

thus [ðʌs] ainsi; de cette manière; donc.

thwack [θwæk] *see* whack.

thwart [θwɔ:t] **1.** contrarier; frustrer, déjouer; **2.** ⚓ banc *m* de nage.

thy *bibl., poét.* [ðai] ton, ta, tes.

thyme ♀ [taim] thym *m*.

thy·roid *anat.* ['θairɔid] **1.** thyroïde; ~ **extract** extrait *m* thyroïde; ~ **gland** = **2.** glande *f* thyroïde.

thy·self *bibl., poét.* [ðai'self] toi-même; *réfléchi:* te.

ti·a·ra [ti'ɑ:rə] tiare *f*.

tib·i·a *anat.* ['tibiə], *pl.* **-ae** [~i:] tibia *m*.

tic ✻ [tik] tic *m.*

tick[1] *zo.* [tik] tique *f.*

tick[2] [↙] toile *f* à matelas.

tick[3] F [↙]: on ∼ à crédit.

tick[4] [↙] **1.** tic-tac *m/inv.*; F instant *m*, moment *m*; marque *f*; to the ∼ à l'heure sonnante; **2.** *v/i.* faire tic-tac; battre; *mot.* ∼ over tourner au ralenti; *v/t.* pointer, faire une marque à; ∼ off pointer; vérifier; *sl.* rembarrer (*q.*).

tick·et ['tikit] **1.** 🚇, *théâ.*, *loterie:* billet *m*; *métro*, *consigne*, *place réser-vée*, *etc.:* ticket *m*; coupon *m*; (*a. price-∼*) étiquette *f*; bon *m* (*de soupe*); *mot.* *Am.* F contravention *f*; *parl.* *Am.* liste *f* des candidats; F programme *m*; F the ∼ ce qu'il faut, correct; ∼ of leave (bulletin *m* de) libération *f* conditionnelle; on ∼ of leave libéré conditionnellement; **2.** étiqueter, marquer; '∼-**col·lec-tor** 🚇 contrôleur *m* des billets; '∼-**in·spec·tor** *autobus:* contrôleur *m*; '∼ **of·fice**, '∼ **win·dow** *surt. Am.* guichet *m*; '∼-**punch** poinçon *m* de contrôleur.

tick·ing ['tikiŋ] toile *f* à matelas.

tick·le ['tikl] chatouiller; *fig.* amuser; flatter; **tick·ler** (*ou* ∼ coil) *radio:* bobine *f* de réaction; '**tick·lish** □ chatouilleux (-euse *f*); délicat; *fig.* susceptible (*personne*).

tid·al □ ['taidl] de marée; à marée; ∼ wave raz *m* de marée; flot *m* de la marée; *fig.* vague *f.*

tide [taid] **1.** marée *f*; *fig.* vague *f*; ⚓ flot *m*; low (high) ∼ marée *f* basse (haute); *fig.* fortune *f*; † saison *f*, temps *m*; turn of the ∼ étale *m*; *fig.* tournure *f* (*des affaires*); **2.** porter (par la marée); *fig.* ∼ over venir à bout de; se tirer (d'embarras).

ti·di·ness ['taidinis] (bon) ordre *m*; propreté *f*; *habillement:* bonne tenue *f.*

ti·dings *pl. ou sg.* ['taidiŋz] nou-velle *f*, -s *f/pl.*

ti·dy ['taidi] **1.** bien rangé; bien tenu, *fig.* passable, F joli; **2.** voile *m* (*sur un fauteuil etc.*); récipient *m* (*pour peignures*); corbeille *f* (à *ordures*); **3.** (∼ up) ranger; mettre de l'ordre dans, arranger (*une chambre etc.*).

tie [tai] **1.** lien *m* (*a. fig.*); attache *f*; (*a. neck-∼*) cravate *f*; nœud *m*; ♪ liaison *f*; ⚠ chaîne *f*, ancre *f*; *fig.*

entrave *f*; *soulier:* cordon *m*; *sp.* match *m* à égalité, partie *f* nulle; *sp.* match *m* de championnat; *parl.* nombre *m* égal de suffrages; **2.** *v/t.* lier; nouer (*la cravate*); ficeler; ⚠ chaîner; *v/i. sp.* être à égalité; ∼ down *fig.* assujettir (à *une condition etc.*, to); asservir (*q.*) (à, to); ∼ up attacher; ficeler; ⚓ amarrer; *fig.* immobiliser; F marier; *Am.* F gêner.

tier [tiə] rangée *f*; étage *m*; *théâ.* balcon *m.*

tierce [tiəs] *escrime, cartes:* tierce *f.*

tie-up ['tai'ʌp] cordon *m*; as-sociation *f*; impasse *f*; *surt. Am.* grève *f*; *Am.* arrêt *m* (*de la circu-lation etc.*).

tiff F [tif] **1.** petite querelle *f*; bou-tade *f*; **2.** bouder.

tif·fin ['tifin] *anglo-indien:* déjeuner *m* (de midi).

ti·ger ['taigə] tigre *m*; *fig.* as *m*; *fig.* homme *m* féroce; *Am.* F three cheers and a ∼! trois hourras et encore un hourra!; '**ti·ger·ish** □ *fig.* cruel(le *f*); féroce; de tigre.

tight □ [tait] serré; tendu, raide; collant, étroit, juste (*vêtements*); bien fermé, imperméable; resserré, rare (*argent*); F ivre, gris; F *fig.* it was a ∼ place (*ou* squeeze) on tenait tout juste; hold ∼ tenir serré; in a ∼ corner en mauvaise passe; '**tight·en** *v/t.* (res)serrer (*sa ceinture, une vis*); retendre (*une courroie*); re-monter (*un ressort*); *v/i.* se (res)ser-rer; se bander (*ressort*); '∼-'**fist·ed** F dur à la détente; '∼-'**laced** serré dans son corset; *fig.* collet monté *inv.*, prude; '**tight·ness** tension *f*; raideur *f*; étroitesse *f*; '**tight-rope** corde *f* tendue; **tights** [∼s] *pl. théâ.* maillot *m*; '**tight·wad** *Am. sl.* grippe-sou *m*; pingre *m.*

ti·gress ['taigris] tigresse *f.*

tile [tail] **1.** *toit:* tuile *f*; *plancher:* carreau *m*; *sl.* chapeau *m*; **2.** couvrir de tuiles; carreler; '∼-**lay·er**, '**til·er** couvreur *m*; carreleur *m.*

till[1] [til] tiroir-caisse (*pl. tiroirs-caisses*) *m*; caisse *f.*

till[2] [↙] **1.** *prp.* jusqu'(à); **2.** *cj.* jusqu'à ce que (*sbj.*).

till[3] 🜚 [↙] labourer; cultiver; '**till-age** labour(age) *m*; (agri)culture *f*; terre *f* en labour.

till·er ⚓ ['tilə] barre *f* franche

tilt¹ [tilt] bâche f, banne f; ⚓ tendelet m.

tilt² [~] **1.** pente f, inclinaison f; † tournoi m; † coup m de lance; *fig.* coup m de patte, attaque f; *full* ~ tête baissée; *on the* ~ incliné, penché; **2.** *v/t.* pencher, incliner; *v/i.* pencher, s'incliner; courir une lance (contre, *at*); *fig.* donner un coup de patte (à, *at*); ~ *against* attaquer; ~ *up* basculer; '**tilt·ing** incliné, penché; à bascule.

tilth *poét.* [tilθ] *see* tillage.

tim·ber ['timbə] **1.** bois m (*d'œuvre, de charpente, de construction*); pièce of ~ poutre f; ⚓ couple m; *Am. fig.* qualité f; **2.** boiser, ~ed en bois; boisé (*terrain*); '~**·line** limite f de la végétation arborescente; '~**·work** charpente f; construction f en bois; '~**·yard** chantier m

time [taim] **1.** temps m; fois f; heure f; moment m; saison f; époque f; terme m; *gymn. etc.:* pas m; ♩ mesure f, tempo m; ~, *gentlemen, please!* on ferme!; ~ *and again* à maintes reprises; *at* ~s de temps en temps; parfois; *at a* (*ou at the same*) ~ à la fois; *at the same* ~ en même temps; *before* (*one's*) ~ en avance; prématurément; *behind* (*one's*) ~ en retard; *behind the* ~s arriéré; *by that* ~ à l'heure qu'il était; à ce moment-là; alors; *for the* ~ *being* pour le moment; provisoirement; actuellement; *have a good* ~ s'amuser (bien); *in* ~ à temps, à l'heure; *in good* ~ de bonne heure; *see mean²* 1; *on* ~ à temps, à l'heure; *out of* ~ mal à propos; à contre-temps (*a.* ♩); *beat* (*the*) ~ battre la mesure; *see keep* 2; **2.** *v/t.* faire (*qch.*) à propos; fixer l'heure de; choisir le moment de; régler (sur, *by*); *sp.* chronométrer; calculer la durée de; (*a.* take the ~ *of*) mesurer le temps de; *the train is* ~d *to leave at* 7 *le train doit partir à 7 heures; *v/i.* faire coïncider (avec *with, to*); '~**·bar·gain** ✝ marché m à terme; ~ **bomb** bombe f à retardement; '~**·ex·po·sure** *phot.* pose f; '~**·hon·o**(*u*)**red** séculaire, vénérable; '~**·keep·er** chronomètre m, *surt.* montre f; *see timer;* contrôleur m (*de présence*); ~ **lag** retard m; '~**·'lim·it** limite f de temps; délai m; durée f; '**time·ly** opportun, à

propos; '**time·piece** pendule f; montre f; '**tim·er** chronométreur m.

time...: ~**·serv·er** ['taimsə:və] opportuniste mf; '~**·sheet** feuille f de présence; semainier m; '~**·'sig·nal** *surt. radio:* signal m horaire; '~**·ta·ble** horaire m; 🚂 indicateur m; *école:* emploi m du temps.

tim·id □ ['timid] timide, peureux (-euse f); **ti·mid·i·ty** [ti'miditi] timidité f

tim·ing ['taimiŋ] ⊕ *mot.* réglage m; *sp.* chronométrage m; *fig.* choix m du moment.

tim·or·ous □ ['timərəs] *see* timid.

tin [tin] **1.** étain m; fer-blanc (*pl. fers-blancs*) m; boîte f (*de conserves*); bidon m (*à essence*); *sl.* galette f (=*argent*); **2.** en ou d'étain; en fer-blanc; de plomb (*soldat*); *fig. péj.* en toc; **3.** étamer; mettre en boîtes; ~ned *meat* viande f de conserve; F ~ned *music* musique f enregistrée.

tinc·ture ['tiŋktʃə] **1.** teinte f; ▨, *pharm., a. fig.* teinture f; **2.** teindre, colorer.

tin·der ['tində] amadou m.

tine [tain] dent f; fourchon m; *zo.* cor m, branche f.

tin·foil ['tin'fɔil] feuille f d'étain; papier m (d')étain

ting F [tiŋ] *see* tinkle.

tinge [tindʒ] **1.** teinte f; nuance f (*a. fig.*); **2.** teinter (*a. fig.*), colorer (de, *with*); *be* ~d *with* avoir une teinte de.

tin·gle ['tiŋgl] tinter; picoter; cuire; *fig.* avoir grande envie (de *inf.*, *to inf.*).

tink·er ['tiŋkə] **1.** chaudronnier m; **2.** *v/t.* rafistoler; bricoler (dans, *about*); ~ *at* rafistoler; ~ *up* faire des réparations de fortune; ~ *with* retaper.

tin·kle ['tiŋkl] **1.** (faire) tinter; **2.** tintement m; F coup m de téléphone.

tin·man ['tinmən] étameur m; ferblantier m; '**tin·ny** métallique (*son*); '**tin·o·pen·er** ouvre-boîtes m/inv.; '**tin·plate** fer-blanc (*pl. fers-blancs*) m; ferblanterie f.

tin·sel ['tinsl] **1.** lamé m, paillettes f/pl.; clinquant m (*a. fig.*); *fig. a.* faux éclat m; **2.** de paillettes; *fig.* de clinquant, faux (fausse f);

3. garnir de paillettes; clinquanter; *fig.* donner un faux éclat à.

tin·smith ['tinsmiθ] *see* tinman.

tint [tint] **1.** teinte *f*, nuance *f*; *peint.* ton *m*; **2.** teinter, colorer; ~ed paper papier *m* teinté.

tin-tack ['tintæk] broquette *f*; ~s *pl.* semence *f*.

tin·tin·nab·u·la·tion ['tintinæbju-'leiʃn] tintement *m*.

tin·ware ['tinwɛə] ferblanterie *f*.

ti·ny □ ['taini] tout petit.

tip [tip] **1.** pointe *f*; *cigarette*: bout *m*; extrémité *f*; F pourboire *m*; F tuyau *m*; pente *f*; F coup *m* léger; give s.th. a ~ faire pencher qch.; **2.** *v/t.* mettre un bout à; ferrer, embouter (*une canne*); *fig.* dorer; F donner un pourboire à (q.); F (a. ~ off) tuyauter (q.); ~ over renverser; *v/i.* se renverser; '~cart tombereau *m* à bascule; '~cat bâtonnet *m* (sorte de jeu d'enfants); '~off tuyau *m*.

tip·pet ['tipit] pèlerine *f*; écharpe *f* en fourrure.

tip·ple ['tipl] **1.** se livrer à la boisson; F lever le coude; **2.** boisson *f*; **'tip·pler** ivrogne *m*; buveur (-euse *f*) *m*.

tip·si·ness ['tipsinis] ivresse *f*.

tip·staff ['tipstɑːf]·huissier *m*.

tip·ster ['tipstə] tuyauteur *m*.

tip·sy ['tipsi] gris, ivre; F pompette.

tip·toe ['tiptou]: on ~ sur la pointe des pieds.

tip·top F ['tip'tɔp] **1.** le plus haut point *m*; **2.** de premier ordre; extra; F chic.

tip-up seat ['tipʌp'siːt] strapontin *m*.

ti·rade [tai'reid] tirade *f*, diatribe *f*.

tire[1] ['taiə] pneu(matique) *m*.

tire[2] [~] (se) lasser, ennuyer (de of, with).

tired □ ['taiəd] fatigué (*fig.* de, of); **'tired·ness** lassitude *f*, fatigue *f*.

tire·less □ ['taiəlis] infatigable.

tire·some □ ['taiəsəm] ennuyeux (-euse *f*); F exaspérant.

tire·valve ['taiəvælv] valve *f* de pneumatique.

ti·ro ['taiərou] novice *mf*.

tis·sue ['tisjuː] tissu *m*; étoffe *f*; '~·pa·per papier *m* de soie; † papier *m* pelure.

tit[1] [tit]: ~ for tat à bon chat bon rat; un prêté pour un rendu.

tit[2] *Am.* [~] *see* teat.

tit[3] *orn.* [~] mésange *f*.

Ti·tan ['taitən] Titan *m*; **'Ti·tan·ess** femme *f* titanesque; **ti·ta·nic** [~'tænik] (~ally) titanique, titanesque; géant.

tit·bit ['titbit] friandise *f*.

tithe [taið] **1.** dîme *f*; *usu. fig.* dixième *m*; **2.** payer la dîme sur; dîmer sur.

tit·il·late ['titileit] chatouiller; **tit·il·la·tion** chatouillement *m*.

tit·i·vate F ['titiveit] (se) faire beau (belle *f*).

ti·tle ['taitl] **1.** titre *m*; nom *m*; ⚖ droit *m* (à, to); **2.** intituler (*un livre*); titrer (*un film*); '~-deed ⚖ titre *m* de propriété; acte *m*; '~hold·er *surt. sp. record, coupe:* détenteur (-trice *f*) *m*; *championnat:* tenant(e *f*) *m*.

tit·mouse *orn.* ['titmaus], *pl.* -mice [~mais] mésange *f*.

ti·trate 🜄 ['taitreit] titrer, doser; **ti·tra·tion** dosage *m*; analyse *f* volumétrique.

tit·ter ['titə] **1.** avoir un petit rire étouffé; **2.** rire *m* étouffé.

tit·tle ['titl] point *m*; *fig.* la moindre partie; to a ~ trait pour trait; '~tat·tle **1.** cancans *m/pl.*; bavardage *m*; **2.** cancaner; bavarder.

tit·tup ['titəp] F aller au petit galop.

tit·u·lar □ ['titjulə] titulaire; nominal (-aux *m/pl.*).

to [tuː; tu; tə] **1.** *prp. usu.* à; *direction:* à; vers (*Paris, la maison*); en (*France*); chez (*moi, ma tante*); *sentiment:* envers, pour (q.); *distance:* jusqu'à; *parenté, hérédité:* de; *pour indiquer le datif:* à; ~ my father à mon père; ~ me accentué à moi, inaccentué me; it happened ~ me cela m'arriva; ~ the United States aux États-Unis; ~ Japan au Japon; I bet 10 ~ 1 je parie 10 contre 1; the train (road) ~ London le train (la route) de Londres; a quarter (ten) ~ six six heures moins le quart (dix); alive ~ sensible à (qch.); cousin ~ cousin(e *f*) de; heir ~ héritier (-ère *f*) de; secretary ~ secrétaire de; here's ~ you! à votre santé!, F à la vôtre!; **2.** *adv.* [tuː]: ~ and fro de long en large; go ~ and fro aller et venir; come ~ revenir à soi; pull the door ~ fermer la porte; **3.** *pour indiquer l'inf.:* ~ take prendre; I am going ~ (inf.) je vais (inf.); souvent *on supprime l'inf.*: I worked hard, I had ~ (*sc.* work hard) je travaillais dûr, il le fallut bien; *avec inf.*, *remplaçant une proposition subordonnée*: I weep ~ think of it quand j'y pense, je pleure.

toad *zo.* [toud] crapaud *m*; '~·**stool** champignon *m* vénéneux.

toad·y ['toudi] **1.** sycophante *m*, flagorneur (-euse *f*) *m*; **2.** lécher les bottes à (*q.*); flagorner (*q.*); '**toad·y·ism** flagornerie *f*.

toast [toust] **1.** toast *m* (*a. fig.*); pain *m* grillé; **2.** griller, rôtir; *fig.* chauffer; *fig.* porter un toast à.

to·bac·co [tə'bækou] tabac *m*; **to-'bac·co·nist** [~kənist] marchand *m* de tabac.

to·bog·gan [tə'bɔgən] **1.** toboggan *m*; luge *f* (suisse); **2.** faire du toboggan.

to·by ['toubi] (*ou* ~ jug) pot *m* à bière (de fantaisie); ~ *collar* collerette *f* plissée.

to·co *sl.* ['toukou] châtiment *m* corporel; raclée *f*.

toc·sin ['tɔksin] tocsin *m*.

to·day [tə'dei] aujourd'hui.

tod·dle ['tɔdl] **1.** marcher à petits pas; trottiner; F ~ *off* se trotter; **2.** F pas *m/pl.* chancelants (*d'un petit enfant*); F balade *f*; '**tod·dler** tout(e) petit(e) enfant *m(f)*.

tod·dy ['tɔdi] grog *m* chaud.

to-do F [tə'du:] affaire *f*; scène *f*; façons *f/pl.*

toe [tou] **1.** *anat.* doigt *m* de pied; orteil *m*; *chaussettes*: bout *m*; **2.** botter (*a. sp.*); mettre un bout à (*un soulier*); ~ *the line* s'aligner; *fig.* ~ *the* (*party*) *line* obéir (aux ordres de son parti); s'aligner (avec son parti).

-toed [toud]: *three* ~ à trois orteils.

toff *sl.* [tɔf] rupin(e *f*) *m*; dandy *m*.

tof·fee, **tof·fy** ['tɔfi] caramel *m* au beurre.

to·geth·er [tə'geðə] ensemble; en même temps; ~ *with* avec; *all* ~ tous ensemble.

tog·ger·y F ['tɔgəri] nippes *f/pl.*, frusques *f/pl.*

tog·gle ['tɔgl] **1.** ♣ cabillot *m*; ⊕ clef *f*; **2.** ♣ fixer avec *ou* munir d'un cabillot.

togs *sl.* [tɔgz] *pl.* nippes *f/pl.*, frusques *f/pl.*

toil [tɔil] **1.** travail (*pl.* -aux) *m*,

peine *f*; **2.** travailler (dur); '**toil·er** travailleur (-euse *f*) *m*.

toi·let ['tɔilit] toilette *f*; 🛁 détersion *f*; F *les* cabinets *m/pl.*; *make one's* ~ faire sa toilette; '~·**pa·per** papier *m* hygiénique; '~·**set** garniture *f* de toilette; '~·**ta·ble** table *f* de toilette.

toils [tɔilz] *pl.* filet *m*, lacs *m*, *a.* *m/pl.* (*a. fig.*).

toil·some □ ['tɔilsəm] fatigant.

toil-worn ['tɔilwɔ:n] usé par le travail; marqué par la fatigue (*visage*).

to·ken ['toukən] signe *m*, marque *f*; jeton *m*; bon *m* (*de livres*); ~ *money* monnaie *f* fiduciaire; *in* ~ *of* en signe *ou* témoignage de.

told [tould] *prét. et p.p. de* tell; *all* ~ tout compris; tout compte fait.

tol·er·a·ble □ ['tɔlərəbl] supportable, tolérable; assez bon(ne *f*); '**tol·er·ance** tolérance *f* (*a.* 🛁, ⊕); '**tol·er·ant** tolérant (à l'égard de, *of*); **tol·er·ate** ['~reit] tolérer, supporter; **tol·er·a·tion** tolérance *f*.

toll[1] [toul] droit *m* de passage; *marché*: droit *m* de place; *téléph.* (*a.* ~-*call*) conversation *f* interurbaine; ~ *of the road* la mortalité *f* sur routes; *take* ~ *of* faire payer le droit de passage à; *fig.* retrancher une bonne partie de; ~-*bar*, ~-*gate* barrière *f* (de péage).

toll[2] [~] **1.** tintement *m*; *souv.* glas *m*; **2.** tinter; sonner (*souv.* le glas).

tom [tɔm] mâle *m* (*animal*); ~ *cat* matou *m*.

tom·a·hawk ['tɔməhɔ:k] **1.** hache *f* de guerre, tomahawk *m*; **2.** assommer; frapper avec un tomahawk.

to·ma·to 🌱 [tə'mɑ:tou; *Am.* tə-'meitou], *pl.* -**toes** [~touz] tomate *f*.

tomb [tu:m] tombe(au *m*) *f*; ~*stone* pierre *f* tombale.

tom·boy ['tɔmbɔi] fillette *f* d'allures garçonnières; garçon *m* manqué.

tome [toum] tome *m*, livre *m*.

tom·fool ['tɔm'fu:l] **1.** niais *m*; *attr.* insensé; stupide; **2.** faire *ou* dire des sottises; **tom'fool·er·y** niaiserie *f*, -s *f/pl.*

tom·my *sl.* ['tɔmi] simple soldat *m* anglais; mangeaille *f*; ~-*gun* mitraillette *f*; ~ *rot* bêtises *f/pl.*

to·mor·row [tə'mɔrou] demain; ~ *week* de demain en huit.

tom·tom ['tɔmtɔm] tam-tam *m.*
ton [tʌn] tonne *f*; F ~*s pl.* tas *m/pl.*
to·nal·i·ty ♪, *a. peint.* [to'næliti] tonalité *f.*
tone [toun] **1.** ton *m* (*a. ling.,* ♪, *peint., fig.*); son *m*; accent *m*; voix *f*; *fig.* atmosphère *f*; ♪ tonicité *f*; *out of* ~ désaccordé; **2.** *v/t.* teinter; ♪ accorder; *peint.* adoucir les tons de; *phot.* virer; *v/i.* s'harmoniser (*avec, with*); *phot.* virer; ~ *down* s'adoucir.
tongs [tɔŋz] *pl.*: (*a pair of*) ~ (des) pincettes *f/pl.*; ⊕ (des) tenailles *f/pl.*
tongue [tʌŋ] *usu.* langue *f* (*a. fig., ling.*); *soulier, bois, hautbois:* languette *f*; *cloche:* battant *m*; *give* ~ donner de la voix, aboyer (*chien*); *hold one's* ~ se taire; *speak with one's* ~ *in one's cheek* parler ironiquement; blaguer; '**tongue·less** sans langue; *fig.* muet(te *f*); **tongue-tied** qui a la langue liée; *fig.* interdit; muet(te *f*).
ton·ic ['tɔnik] **1.** (~*ally*) ♪, ♂, *gramm.* tonique; ♪ ~ *chord* accord *m* naturel; **2.** ♪ tonique *f*; ♂ tonique *m*, réconfortant *m.*
to·night [tə'nait] ce soir; cette nuit.
ton·ing so·lu·tion *phot.* ['touniŋ sə'luːʃn] (bain *m* de) virage *m.*
ton·nage ♂ ['tʌnidʒ] tonnage *m*, jauge *f*; *hist.* droit *m* de tonnage.
-ton·ner ♂ ['tʌnə]: *four-hundred* ~ vaisseau *m* de quatre cent tonneaux.
ton·sil *anat.* ['tɔnsl] amygdale *f*; **ton·sil·li·tis** [~si'laitis] amygdalite *f*, inflammation *f* des amygdales.
ton·sure ['tɔnʃə] **1.** tonsure *f*; **2.** tonsurer.
ton·y *Am. sl.* ['touni] chic, élégant.
too [tuː] (*par*) trop; aussi; d'ailleurs.
took [tuk] *prét. de take 1,* 2.
tool [tuːl] **1.** outil *m*; ustensile *m*; instrument *m* (*a. fig.*); **2.** ciseler (*le cuir, un livre*); bretteler (*une pierre*); ⊕ travailler; '~-**bag**, '~-**kit** sac *m* à outils; *mot.* sacoche *f.*
toot [tuːt] **1.** sonner; *mot.* (*a. ~ the horn*) corner; klaxonner; **2.** cornement *m*; coup *m* de klaxon.
tooth [tuːθ] (*pl.* teeth) dent *f*; '~-**ache** mal *m* de dents; '~-**brush** brosse *f* à dents; **toothed** [~θt] à ... dents; aux dents ...; ⊕ denté; '**tooth·ing** ⊕ *scie:* taille *f* des dents; *roue:* dents *f/pl.*; '**tooth·less** □

sans dents; '**tooth-paste** (pâte *f*) dentifrice *m*; '**tooth·pick** cure-dent *m.*
tooth·some □ ['tuːθsəm] savoureux (-euse *f*); '**tooth·some·ness** succulence *f*; goût *m* agréable.
too·tle ['tuːtl] flûter; *mot.* corner; F ~ *along* aller son petit bonhomme de chemin.
top¹ [tɔp] **1.** sommet *m*, cime *f*; tête *f*; haut *m*; *arbre, toit:* faîte *m*; *maison:* toit *m*; *page:* tête *f*; *eau, terre:* surface *f*; *cheminée, table, soulier:* dessus *m*; *table:* haut bout *m*; *bas, botte:* revers *m*; *boîte:* couvercle *m*; *autobus etc.:* impériale *f*; *fig.* chef *m*, tête *f* (*de rang*); *fig.* comble *m*; *mot. Am.* capote *f*; ♂ hune *f*; *at the* ~ (*of*) au sommet (de), en haut (de); *at the* ~ *of one's speed* à toutes jambes, à toute vitesse; *at the* ~ *of one's voice* à pleine gorge, (*crier*) de toutes ses forces; *on* ~ sur le dessus; en haut; *on* ~ *of* sur, en haut de; et aussi, immédiatement après; **2.** supérieur; d'en haut; *the* ~ *floor* le plus haut étage; *sl.* ~ *dog* coq *m*, vainqueur *m*; **3.** surmonter, couronner; dépasser, surpasser; atteindre le sommet de; être à la tête de (*une classe, une liste, etc.*); ♂ écimer (*un arbre*); pincer (*l'extrémité d'une plante*); *golf:* topper; F ~ *up*, ~ *off* remplir.
top² [~] toupie *f.*
to·paz *min.* ['toupæz] topaze *f.*
top-boots ['tɔp'buːts] *pl.* bottes *f/pl.* à revers.
to·pee ['toupi] casque *m* colonial.
top·er ['toupə] ivrogne *m.*
top...: '~-**flight** F le plus important; **~·gal·lant** ♂ ['~'gælənt; ♂ tə-'gælənt] **1.** de perroquet; **2.** (*ou* ~ *sail*) voile *f* de perroquet; '~-**hat** *chapeau:* haut-de-forme (*pl.* hauts-de-forme) *m*; '~-**heav·y** trop lourd du haut; ♂ jaloux (-se *f*); '~-**hole** *sl.* excellent, épatant.
top·ic ['tɔpik] sujet *m*, thème *m*; question *f*; matière *f*; '**top·i·cal** □ topique, local (-aux *m/pl.*) (*a.* ♂); d'actualité.
top...: '~-**knot** petit chignon *m*; *orn.* huppe *f*; '~-**mast** ♂ mât *m* de hune; '~-**most** le plus haut *ou* élevé; '~-**notch** F le plus important.
to·pog·ra·pher [tə'pɔgrəfə] topo-

graphe *m*; **top·o·graph·ic, top·o-
graph·i·cal** □ [tɔpəˈgræfik(l)]
topographique; **to·pog·ra·phy** [tə-
ˈpɔgrəfi] topographie *f*; anatomie *f*
topographique.

top·per *sl.* [ˈtɔpə] type *m* épatant;
see tophat; **ˈtop·ping** F excellent,
chouette, chic.

top·ple [ˈtɔpl] (*usu.* ~ *over ou down*)
(faire) écrouler, dégringoler.

top·sail ⚓ [ˈtɔpsl] hunier *m*.

top·sy·tur·vy □ [ˈtɔpsiˈtəːvi] sens
dessus dessous; en désarroi.

tor [tɔː] pic *m*, massif *m* de roche.

torch [tɔːtʃ] torche *f*, flambeau *m*;
electric ~ lampe *f* électrique de
poche; torche *f* électrique; ~ battery pile *f*; '~·light lumière *f* de(s)
torches; ~ *procession* défilé *m* aux
flambeaux.

tore [tɔː] *prét. de* tear[1] 1.

tor·ment 1. [ˈtɔːmənt] tourment *m*,
torture *f*, supplice *m*; **2.** [tɔːˈment]
tourmenter, torturer; harceler; *fig.*
taquiner; **torˈmen·tor** tourmenteur (-euse *f*) *m*; harceleur (-euse
f) *m*.

torn [tɔːn] *p.p. de* tear[1] 1.

tor·na·do [tɔːˈneidou], *pl.* **-does**
[~douz] tornade *f*; ouragan *m* (*a.
fig.*).

tor·pe·do [tɔːˈpiːdou], *pl.* **-does** [~-
douz] **1.** ⚓, ⚮, *icht.* torpille *f*; *Am.
sl.* homme *m* de main; **2.** ⚓ torpiller (*a. fig. un projet*); **~·boat** ⚓ torpilleur *m*.

tor·pid □ [ˈtɔːpid] inerte, engourdi
(*a. fig.*), torpide; *fig.* lent, léthargique; **torˈpid·i·ty, ˈtor·pid·ness,
tor·por** [ˈtɔːpə] engourdissement
m, torpeur *f*; *fig.* léthargie *f*.

torque ⊕ [tɔːk] moment *m* de
torsion.

tor·rent [ˈtɔrənt] torrent *m* (*a. fig.*);
fig. déluge *m*; *in* ~s à torrents;
tor·ren·tial □ [tɔˈrenʃl] torren-
tiel(le *f*).

tor·rid [ˈtɔrid] torride.

tor·sion [ˈtɔːʃn] torsion *f*; **ˈtor·sion-
al** de torsion.

tort ⚖ [tɔːt] acte *m* dommageable;
préjudice *m*.

tor·toise *zo.* [ˈtɔːtəs] tortue *f*;
~·shell [ˈ~təʃel] écaille *f* (de tortue).

tor·tu·os·i·ty [tɔːtjuˈɔsiti] tortuo-
sité *f*; **ˈtor·tu·ous** □ tortueux
(-euse *f*); sinueux (-euse *f*); tortu
(*esprit*); ⚮ gauche (*courbe*).

tor·ture [ˈtɔːtʃə] **1.** torture *f*,
question *f*; supplice *m*; **2.** mettre
(*q.*) à la question; torturer; **ˈtor-
tur·er** bourreau *m*; harceleur *m*.

To·ry [ˈtɔːri] tory *m* (*membre du
parti conservateur anglais*) (*a. adj.*);
ˈTo·ry·ism torysme *m*.

tosh *sl.* [tɔʃ] bêtises *f/pl.*

toss [tɔs] **1.** jet *m*, coup *m*; mouvement *m* (*de tête*) dédaigneux; *équit.*
chute *f* de cheval; (*a.* ~up) coup
m de pile ou face; *it is a* ~*up* les
chances sont égales; *win the* ~
gagner (*à pile ou face*); **2.** *v/t.*
agiter, (*a.* ~ *about*) secouer; démonter (*un cavalier*); ~ *aside* jeter de
côté; lancer; faner (*le foin*); *cuis.*
sauter; (*a.* ~ *up*) lancer en l'air; ~
(*up*) *a coin* jouer à pile ou face;
hocher (*la tête*); ~ *off* (*ou down*) avaler d'un trait (*du vin etc.*); ⚓ ~ *the
oars* mâter les avirons; *v/i.* s'agiter,
tanguer (*navire*); être ballotté;
~ (*up*) choisir à pile ou face (qch.,
for s.th.).

tot[1] F [tɔt] tout(e) petit(e) enfant
mf; petit verre *m*.

tot[2] F [~] **1.** addition *f*; **2.** ~ *up* *v/t.*
additionner; *v/i.* s'élever (à, to).

to·tal [ˈtoutl] **1.** □ total (-aux *m/pl.*);
entier (-ère *f*); complet (-ète *f*);
2. total *m*, montant *m*; *grand* ~
total *m* global; **3.** *v/t.* additionner;
v/i. s'élever (à, *up* to); **to·tal·i-
tar·i·an** [toutæliˈtɛəriən] totalitaire; **to·tal·i·tar·i·an·ism** totalitarisme *m*; **toˈtal·i·ty** totalité *f*;
to·tal·i·za·tor [ˈ~təlaizeitə] totalisateur *m*; **to·tal·ize** [ˈ~aiz] totaliser,
additionner.

tote *Am.* [tout] (trans)porter.

tot·ter [ˈtɔtə] chanceler (*a. fig.*);
tituber (*ivrogne*); **ˈtot·ter·ing** □,
ˈtot·ter·y chancelant; titubant
(*ivrogne*).

touch [tʌtʃ] **1.** *v/t.* toucher (de,
with); émouvoir; effleurer (*une surface*, ♪ *les cordes de la harpe*); trinquer (*des verres*); toucher à (= déranger); *fig.* atteindre; F taper (de,
for); rehausser (*un dessin*); ~ *one's
hat* saluer (q., to *s.o.*); porter la
main à son chapeau; F *a bit* (*ou a
little*) ~*ed* un peu toqué; *sl.* ~ *s.o.
for a pound* taper q. d'une livre; ~
off ébaucher; faire partir (*une mine*);
~ *up* rafraîchir; repolir; *phot.* faire
des retouches à; *v/i.* se toucher;

être en contact; ⚓ ~ **at** toucher à; faire escale à; ~ **on** toucher (*qch.*) (= *traiter, mentionner*); **2.** toucher *m* (♪, *a. sens*); contact *m*; attouchement *m*; léger coup *m*; *cuis.*, *maladie*, *etc.*: soupçon *m*; *peint.* (coup *m* de) pinceau *m*; *sp.*, *peint.* touche *f*; *dactylographe*: frappe *f*; *fig.* nuance *f*, pointe *f*; ~ **of bronchitis** pointe *f* de bronchite; **get in(to)** ~ (avec, with) se mettre en communication, prendre contact; '~-and-'go **1.** affaire *f* hasardeuse; **it is** ~ ça reste en balance; **2.** très incertain; hasardeux (-euse *f*); '~-hole *canon*: lumière *f*; 'touch-i-ness susceptibilité *f*; 'touch-ing **1.** □ touchant, émouvant; **2.** *prp.* touchant, concernant; 'touch-line *foot.* ligne *f* de touche; 'touch-stone pierre *f* de touche (*a. fig.*); 'touch-y □ susceptible; *see* testy.

tough [tʌf] **1.** dur, résistant; *fig.* fort; rude; inflexible (*personne*); *Am.* dur; brutal (-aux *m/pl.*); de bandit; **2.** *surt. Am.* apache *m*, bandit *m*; 'tough-en *vt/i.* durcir; (s')endurcir (*personne*); 'tough-ness dureté *f*; résistance *f* (à la fatigue); *fig.* difficulté *f*.

tour [tuə] **1.** tour *m*; excursion *f*; tournée *f*; **2.** faire le tour de; voyager; visiter en touriste; 'tour-ing en tournée; de touristes; *mot.* ~ **car** voiture *f* de tourisme; 'tour-ist touriste *mf*; voyageur (-euse *f*) *m*; ~ **agency** (*ou* office *ou* bureau) bureau *m* de tourisme; ~ **industry** tourisme *m*; ~ **season** la saison *f*; ~ **ticket** billet *m* circulaire.

tour-na-ment ['tuənəmənt], tour-ney ['~ni] tournoi *m*.

tou-sle ['tauzl] houspiller; chiffonner (*une femme, une robe*); ébouriffer (*les cheveux*).

tout [taut] **1.** pisteur *m*, racoleur *m*; (*a. racing* ~) tout *m*; **2.** : ~ **for** pister, racoler; *Am.* solliciter.

tow¹ ⚓ [tou] **1.** (câble *m* de) remorque *f*; **take in** ~ prendre à la remorque; **2.** remorquer; haler (*un chaland*).

tow² [~] étoupe *f* (blanche).

tow-age ⚓ ['touidʒ] remorquage *m*; *chaland*: halage *m*.

to-ward(s) [tə'wɔ:d(z)] vers, du côté de; *sentiment*: pour, envers.

tow-el ['tauəl] **1.** serviette *f*; essuie-mains *m/inv.*; **2.** frotter avec une serviette; *sl.* donner une raclée à (*q.*); '~-horse, '~-rack porte-serviettes *m/inv.*

tow-er ['tauə] **1.** tour *f*; ⊕ pylône *m*; *église*: clocher *m*; *fig. a* ~ **of strength** un puissant appui; **2.** (*a.* ~ **over**) dominer; monter très haut; 'tow-ered surmonté *ou* flanqué d'une tour *ou* de tours; 'tow-er-ing □ très élevé, qui domine; *fig.* violent, sans bornes.

tow(·ing)... ['tou(in)]: '~-line (câble *m* de) remorque *f*; '~-path chemin *m* ou banquette *f* de halage.

town [taun] **1.** ville *f*; cité *f*; *county* ~ chef-lieu (*pl.* chefs-lieux) *m*; **2.** municipal (-aux *m/pl.*); de la ville; à la ville; ~ **clerk** secrétaire *m* de mairie; ~ **council** conseil *m* municipal; ~ **hall** hôtel *m* de ville; mairie *f*; *surt. Am.* (*Nouvelle-Angleterre*): ~ **meeting** réunion *f* des électeurs de la ville; '~-'plan-ning urbanisation *f*; '~-scape ['~skeip] panorama *m* de la ville.

towns-folk ['taunzfouk] *pl.*, 'towns-peo-ple *pl.* citadins *m/pl.*; bourgeois *m/pl.*; concitoyens *m/pl.*

town-ship ['taunʃip] commune *f*.

towns-man ['taunzmən] citadin *m*; bourgeois *m* (*a. univ.*); (*ou fellow* ~) concitoyen *m*.

tow-rope ⚓ ['touroup] (câble *m* de) remorque *f*; *chaland*: corde *f* de halage.

tox-ic, tox-i-cal □ ['tɔksik(l)] toxique; intoxicant; 'tox-in toxine *f*.

toy [tɔi] **1.** jouet *m*; F joujou(x *pl.*) *m*; *attr.* d'enfant; de jouets; tout petit; pour rire; **2.** jouer, s'amuser (avec, with); *fig.* faire (*qch.*) en amateur; '~-book livre *m* d'images; '~-box boîte *f* à joujoux; '~-shop magasin *m* de jouets.

trace¹ [treis] **1.** trace *f*; vestige *m* (*a. fig.*); *fig.* ombre *f*; **2.** tracer (*a. un plan*); calquer (*un dessin*); *fig.* esquisser; suivre la piste de; suivre à la trace; recouvrer; retrouver les vestiges de; suivre (*un chemin*); ~ **back** faire remonter (à, to); ~ **out** tracer; esquisser; *surv.* faire le tracé de; ~ **to** (faire) remonter à.

trace² [~] trait *m*; ~-horse cheval *m* de renfort.

trace-a-ble □ ['treisəbl] que l'on peut tracer *ou* décalquer; facile à suivre; 'trac·er: *radio-active* ~ traceur *m* radio-actif; ~ *bullet* balle *f* traçante; 'trac·er·y △ réseau *m*; tympan *m* (*de fenêtre gothique*).

tra·che·a ⚕ [trə'ki:ə] trachée-artère (*pl.* trachées-artères) *f*.

trac·ing ['treisiŋ] tracé *m*; traçage *m*; calquage *m*; calque *m*; '~-pa·per papier *m* à calquer.

track [træk] 1. trace *f*; piste *f* (*a. sp.*, *chasse*, ⊕); voie *f* (*a.* 🚂, *chasse*); sentier *m*; chemin *m* (*a.* ⊕); *tracteur*: chenille *f*; *Am.* 🚂 rail *m*; *surt. Am.* ~-*athletics pl.* la course, le saut, et le lancement du poids; 2. *v/t.* suivre à la trace *ou* à la piste; traquer (*un malfaiteur*); ~ *down* (*ou out*) dépister; retrouver les traces de; *v/i.* être en alignement; 'track·er *usu. chasse*: traqueur *m*; 'track·less sans traces; sans chemin; ⊕ sans rails, sans voie.

tract¹ [trækt] étendue *f*; région *f*; *anat.* appareil *m*.

tract² [~] brochure *f*.

trac·ta·bil·i·ty [træktə'biliti], 'trac·ta·ble·ness docilité *f*; humeur *f* traitable; 'trac·ta·ble □ docile, traitable.

trac·tion ['trækʃn] traction *f*; ~-*engine* machine *f* routière; remorqueur *m*; 'trac·tive tractif (-ive *f*); de traction; 'trac·tor ⊕ tracteur *m*; *caterpillar* ~ autochenille *f*.

trade [treid] 1. commerce *m*, affaires *f/pl.*; métier *m*, emploi *m*; état *m*; *Am.* marché *m*, vente *f* en reprise; ~ *cycle* cycle *m* économique; *Board of* ♀ Ministère *m* du Commerce; *free* ~ libre échange *m*; 2. *v/i.* faire des affaires (avec, *with*); faire le commerce (avec, *in*), trafiquer (en, *in*); *surt. Am.* ~ *in* échanger (contre, *for*); donner (*une vieille voiture*) en reprise; *v/t.* échanger (contre, *for*); '~-fair ♀ Foire *f*; ~ **mark** marque *f* de fabrique; *souv.* marque *f* déposée; ~ **name** raison *f* de commerce; nom *m* commercial, appellation *f* (*d'un article*); ~ **price** prix *m* marchand; 'trad·er commerçant(e *f*) *m*, négociant(e *f*) *m*; marchand(e *f*) *m*; 'trade school école *f* industrielle; 'trades·man marchand *m*; fournisseur *m*; *prov.* artisan *m*; 'trades·peo·ple *pl.* commerçants *m/pl.*

trade(s)...: ~ **un·ion** syndicat *m* ouvrier; ~-'un·ion·ism syndicalisme *m*; mouvement *m* syndical; ~-'un·ion·ist 1. syndiqué(e *f*) *m*; 2. syndical (-aux *m/pl.*).

trade wind ⚓ [treid wind] (vent *m*) alizé *m*.

trad·ing ['treidiŋ] de commerce; commercial (-aux *m/pl.*); commerçant (*ville*).

tra·di·tion [trə'diʃn] tradition *f* (*a.* ♁); tra·di·tion·al □, tra·di·tion·ar·y □ traditionnel(le *f*); de tradition.

traf·fic ['træfik] 1. commerce *m*, trafic *m* (de, *in*) (*a. péj.*); *rue*: circulation *f*; ~ *census* recensement *m* de la circulation); ~ *jam* embouteillage *m*; ~ *lights pl.* feux *m/pl.* (de circulation); ~ *sign* poteau *m* de signalisation; 2. *v/i.* trafiquer; faire le commerce (de, *in*); *v/t. usu. péj.* trafiquer de; ~ *away* vendre; **traf·fi·ca·tor** mot. ['træfikeitə] flèche *f* mobile; 'traf·fick·er trafiquant *m* (de, en *in*) (*a. péj.*).

tra·ge·di·an [trə'dʒi:djən] (auteur *m*) tragique *m*; *théâ.* tragédien(ne *f*) *m*; **trag·e·dy** ['trædʒidi] tragédie *f* (*a. fig.*); *fig.* drame *m*.

trag·ic, trag·i·cal □ ['trædʒik(l)] tragique (*a. fig.*).

trag·i·com·e·dy ['trædʒi'kɔmidi] tragi-comédie *f*; 'trag·i·com·ic (~ally) tragi-comique.

trail [treil] 1. *fig.* traînée *f*; sillon *m*; queue *f*; *chasse*: voie *f*, piste *f*; sentier *m*; 2. *v/t.* traîner; *chasse*: suivre à la piste, traquer (*a. un criminel*); *F* suivre; *v/i.* traîner; se traîner (*personne*); ♀ grimper; ramper; ~ *blaz·er Am.* pionnier *m*; précurseur *m*; 'trail·er ♀ plante *f* grimpante *ou* rampante; *chasse*: traqueur *m*; *véhicule*: remorque *f*; baladeuse *f*; mot. *Am.* roulotte *f*; *cin.* film-annonce *m*.

train [trein] 1. suite *f*, cortège *m*; train *m* (*a.* 🚂); animaux, bateaux, wagons: file *f*; *poudre*: traînée *f*; cost. queue *f*; *fig.* chaîn *f*; ✕ rame *f* (*de bennes, a. du Métro*); *by* ~ par le train; *in* ~ en train; *set in* ~ mettre en train; ~ *journey* voyage *m* en *ou* par chemin de fer; 2. *v/t.* former; dresser (*un animal*); élever (*un enfant*); diriger (*une plante*); sp. entraîner; braquer (*une arme à feu*); *v/i.* s'exercer; sp. s'entraîner; *F* ~

(*it*) voyager en *ou* par chemin de fer; '~-**ac·ci·dent**, '~-**dis·as·ter** accident *m* de chemin de fer; **train'ee** apprenti *m*; *box.* poulain *m*; '**train·er** dresseur *m* (*d'animaux*); *sp.* entraîneur *m*; '**train-'fer·ry** bac *m* transbordeur.

train·ing ['treiniŋ] éducation *f*; ✕ dressage *m* (*a. d'animaux*); *sp.* entraînement *m*; ~ *of horses* manège *m*; *physical* ~ éducation *f* physique; *go into light* ~ effectuer un léger entraînement; '~-**col·lege** école *f* normale; '~-**ship** navire-école (*pl.* navires-écoles) *m*. [leine.]

train-oil ['treinɔil] huile *f* de ba-

trait [treit] trait *m* (*de caractère etc.*).

trai·tor ['treitə] traître *m*; '**trai·tor-ous** □ traître(sse *f*).

trai·tress ['treitris] traîtresse *f*.

tra·jec·to·ry *phys.* ['trædʒiktəri] trajectoire *f*.

tram [træm] *see* ~-**car**, ~**way**; '~-**car** (voiture *f* de) tramway *m*.

tram·mel ['træml] 1. ⚓ tramail *m*; *fig.* ~*s pl.* entraves *f/pl.*; 2. entraver, empêtrer (*de*, *with*).

tramp [træmp] 1. promenade *f* à pied; pas *m* lourd, bruit *m* des pas; *personne:* vagabond *m*, chemineau *m*; ⚓ (*souv. ocean* ~) cargo *m* sans ligne régulière; F *on the* ~ sur le trimard; *be on the* ~ courir les routes; 2. *v/i.* marcher lourdement; voyager à pied; *v/t.* battre (*le pavé*); courir (*le pays*); **tram·ple** ['~l] piétiner, fouler (*qch.*) aux pieds.

tram·way ['træmwei] (voie *f* de) tramway *m*.

trance [trɑːns] transe *f*; extase *f*.

tran·quil □ ['træŋkwil] tranquille, calme; **tran'quil·(l)i·ty** tranquillité *f*, calme *m*; **tran·quil·(l)i·za·tion** [~lai'zeiʃn] apaisement *m*; '**tran·quil·(l)ize** calmer, apaiser; '**tran·quil·(l)iz·er** 𝒮 tranquillisant *m*.

trans·act [træn'zækt] négocier; ~ *business* faire des affaires; **trans-'ac·tion** conduite *f*; opération *f*; affaire *f*; ~*s pl.* *péj.* commerce *m*; comptes-rendus *m/pl.* (*des séances*); **trans'ac·tor** négociateur (-trice *f*) *m*.

trans·al·pine ['trænz'ælpain] transalpin.

trans·at·lan·tic ['trænzət'læntik] transatlantique.

tran·scend [træn'send] outrepasser; dépasser; surpasser (*q.*); **tran-'scend·ence**, **tran'scend·en·cy** [~dəns(i)] transcendance *f* (*a. phls*); **tran'scend·ent** □ transcendant; *a.* = **tran·scen·den·tal** □ [~'dentl] 𝒜 transcendant; *phls.* transcendantal (-aux *m/pl.*); F vague.

tran·scribe [træns'kraib] transcrire (*a.* ♪); traduire (*des notes sténographiques*); *radio:* enregistrer.

tran·script ['trænskript] copie *f*, transcription *f*; traduction *f* (*de notes sténographiques*); **tran'scrip·tion** transcription *f* (*a.* ♪); *radio:* enregistrement *m*; *see a.* transcript.

tran·sept △ ['trænsept] transept *m*.

trans·fer 1. [træns'fəː] *v/t.* transférer; transporter; ⚖ transmettre, céder; (dé)calquer (*un dessin, une image*); *banque:* virer (*une somme*); *comptabilité:* contre-passer, ristourner; 🚂 déclasser; *v/i.* changer de train *etc.*; 2. ['trænsfə] transport *m*; ⚖ transmission *f*, acte *m* de cession; ✝ transfert *m*; déclassement *m* (🚂 de voyageurs); ⚖ mutation *f* (*de biens*); *banque:* virement *m*; ristourne *f*; décalque *m*; ~-*picture* décalcomanie *f*; ✝ ~ *ticket* transfert *m*; *Am.* billet *m* de correspondance; **trans'fer·a·ble** transmissible; ⚖ cessible; **trans·fer·ee** ⚖, ✝ [~fə'riː] cessionnaire *mf*; **trans·fer-ence** ['~fərəns] transfèrement *m*; *psych.* transfert *m* affectif; '**trans·fer·or** ⚖ cédant(e *f*) *m*.

trans·fig·u·ra·tion [trænsfigjuə-'reiʃn] transfiguration *f*; **trans-fig·ure** [~'figə] transfigurer.

trans·fix [træns'fiks] transpercer; *fig.* ~*ed* cloué au sol (*par*, *with*).

trans·form [træns'fɔːm] transformer, convertir (*en*, *into*); **trans-for·ma·tion** [~fə'meiʃn] transformation *f*; conversion *f*; *fig.* métamorphose *f*; faux toupet *m*; **trans-form·er** ⚡ [~'fɔːmə] transformateur *m*.

trans·fuse [træns'fjuːz] transfuser (*a.* 𝒮 *du sang*); 𝒮 faire une transfusion de sang à (*un malade*); *fig.* pénétrer (*de*, *with*); *fig.* inspirer (*qch. à q.*, *s.o. with s.th.*); **trans-'fu·sion** [~ʒn] transfusion *f* (*surt.* 𝒮 *de sang*).

trans·gress [træns'gres] *v/t.* trans-

gresser, violer, enfreindre; *v/i.*
pécher; **trans·gres·sion** [~'greʃn]
transgression *f*; péché *m*, faute *f*;
trans·gres·sor [~'gresə] trans·
gresseur *m*; pécheur (-eresse *f*) *m*.
tran·ship(·ment) [træn'ʃip(mənt)]
see transship(ment).

tran·sience, tran·sien·cy ['træn·
ziəns(i)] caractère *m* passager;
courte durée *f*.

tran·sient ['trænziənt] **1.** passager
(-ère *f*), transitoire; éphémère; mo·
mentané; ♪ de transition; **2.** *Am.*
voyageur *m ou* client *m* de passage;
~ **camp** camp de passage; **'tran·**
sient·ness caractère *m* passager;
courte durée *f*.

tran·sis·tor (set) [træn'sistə (set)]
transistor *m*.

trans·it ['trænsit] passage *m*.

tran·si·tion [træn'siʒn] transition *f*;
passage *m*; **tran'si·tion·al** □ de
transition; transitionnel(le *f*).

tran·si·tive □ *gramm.* ['trænsitiv]
transitif (-ive *f*).

tran·si·to·ri·ness ['trænsitərinis]
caractère *m* transitoire *ou* passa·
ger; courte durée *f*; **'tran·si·to·ry**
□ transitoire, passager (-ère *f*); de
courte durée.

trans·lat·a·ble [træns'leitəbl] tra·
duisible; **trans·late** [~'leit] tra·
duire (*un livre etc.*); déchiffrer; *fig.*
prendre pour; convertir (en, *into*);
transférer (*un évêque*); **trans'la·**
tion traduction *f*; déchiffrement *m*;
école: version *f*; *eccl.* translation *f*;
trans'la·tor traducteur (-trice *f*) *m*.

trans·lu·cence, trans·lu·cen·cy
[trænz'lu:sns(i)] translucidité *f*;
trans'lu·cent translucide; *fig.*
clair.

trans·ma·rine [trænzmə'ri:n] d'ou·
tre·mer.

trans·mi·grant ['trænzmigrənt]
émigrant *m* de passage; **trans·mi·**
grate ['trænzmaigreit] transmigrer
(*a. fig.*); **trans·mi'gra·tion** trans·
migration *f* (*a. des âmes*); *fig.* mé·
tempsycose *f*.

trans·mis·si·ble [trænz'misəbl]
transmissible; **trans·mis·sion** [~·
'miʃn] transmission *f* (*a.* ⊕, *biol.*,
phys., *radio*); *radio a.* émission *f*.

trans·mit [trænz'mit] transmettre
(*a. biol.*, *phys.*, *radio*); ⚡ transporter
(*la force*); *radio a.* émettre; com·
muniquer (*un mouvement*); **trans·**

'mit·ter celui (celle *f*) *m* qui trans·
met; *tél.* transmetteur *m*; *radio:*
(poste *m*) émetteur *m*; **trans'mit·**
ting transmetteur (-trice *f*); *radio:*
émetteur (-trice *f*); d'émission; ~
station poste *m* émetteur.

trans·mog·ri·fy F [trænz'mɔgrifai]
transformer (en, *into*).

trans·mut·a·ble □ [trænz'mju:təbl]
transmu(t)able (en, *into*); **trans·**
mu'ta·tion transmutation *f*; ⚛
mutation *f*; **trans·mute** [~'mju:t]
transformer, convertir (en, *into*).

trans·o·ce·an·ic [trænzouʃi'ænik]
transocéanien(ne *f*).

tran·som ⊕ ['trænsəm] traverse *f*;
meneau *m* horizontal; *surt. Am.*
vasistas *m*.

trans·par·en·cy [træns'pɛərənsi]
transparence *f*; limpidité *f*; *phot.*
diapositif *m*; **trans'par·ent** □
transparent; limpide; *fig.* évident.

tran·spi·ra·tion [trænspi'reiʃn]
transpiration *f* (*a. fig.*); **tran·spire**
[~'paiə] transpirer (*a. fig.*); V se
passer.

trans·plant [træns'plɑ:nt] trans·
planter; **trans·plan'ta·tion** trans·
plantation *f*.

trans·port 1. [træns'pɔ:t] transpor·
ter (*a. fig.*); *fig.* enlever; **2.** ['træns·
pɔ:t] transport *m* (*a. fig.*); *coll.* ✕
charrois *m/pl.*; **road ~** transport *m*
routier; ~ **undertaking** (*ou* **firm**) en·
treprise *f* de transport; **Minister**
of ♀ ministre *m* des transports; **in ~s**
transporté (*de joie, de colère*);
trans'port·a·ble transportable;
trans·por'ta·tion transport *m*; dé·
portation *f* (*d'un criminel*); 🚂 *Am.*
billet *m*.

trans·pose [træns'pouz] transposer
(*a.* ♪); **trans·po·si·tion** [~pə'ziʃn]
transposition *f*; ♣ permutation *f*.

trans·ship ⚓, 🚂 [træns'ʃip] *v/t.*
transborder; *v/i.* changer de vais·
seau; **trans'ship·ment** transborde·
ment *m*.

tran·sub·stan·ti·ate [trænsəb'stæn·
ʃieit] transsubstantier; **'tran·sub·**
stan·ti'a·tion transsubstantiation *f*.

tran·sude *physiol.* [træn'sju:d] *vt/i.*
transsuder.

trans·ver·sal [trænz'və:sl] **1.** □
transversal (-aux *m/pl.*); **2.** ♣ trans·
versale *f*; *anat.* transversal *m*;
trans·verse ['~və:s] transversal
(-aux *m/pl.*); en travers; ~ **section**

section *f* transversale; ⊕ ~ *strength* résistance *f* à la flexion.

trap[1] [træp] **1.** piège *m* (*a. fig.*); trappe *f* (*a. théâ., a. de colombier*); *sp.* ball-trap *m* (*pour pigeons artificiels*); boîte *f* de lancement (*pour pigeons vivants*); ⊕ collecteur *m* (*d'eau etc.*); *see* ~*door*; F carriole *f*; **2.** prendre au piège (*a. fig.*); *foot.* bloquer; ⊕ mettre un collecteur dans.

trap[2] *min.* [~] trapp *m*.

trap·door *théâ.* ['træp'dɔ:] trappe *f*; abattant *m*.

trapes F [treips] se balader (dans).

tra·peze [trə'pi:z] *cirque:* trapèze *m*; **tra·pe·zi·um** ⚕ [~ziəm] trapèze *m*; **trap·e·zoid** ⚕ ['træpizɔid] quadrilatère *m* irrégulier.

trap·per ['træpə] piégeur *m*; *Am.* trappeur *m*.

trap·pings ['træpiŋz] *pl. cheval:* harnachement *m*; caparaçon *m*; *fig.* apparat *m*.

trap·py F ['træpi] plein de traquenards.

traps F [træps] *pl.* effets *m/pl.* (*personnels*).

trash [træʃ] déchets *m/pl.*; rebut *m*; camelote *f*; *fig.* sottises *f/pl.*; vauriens *m/pl.*; '**trash·y** □ sans valeur, de rebut, de camelote.

trav·ail † ['træveil] **1.** labeur *m*, peine *f*; enfantement *m*; travail (-aux *pl.*) *m* (*d'enfant*); **2.** peiner; (*ou be in* ~) être en travail.

trav·el ['trævl] **1.** *v/i.* voyager; faire des voyages; ✝ être commis voyageur; ✝ représenter une maison de commerce; *fig.* se propager, se répandre; ⊕ se déplacer; F aller à toute vitesse; *v/t.* parcourir; faire (*une distance*); **2.** voyage *m*, -s *m/pl.*; ⊕ parcours *m*; '**trav·el(l)ed** qui a beaucoup voyagé; '**trav·el·(l)er** voyageur (-euse *f*) *m*; ✝ commis *m* voyageur; ⊕ grue *f* roulante; pont *m* roulant; ~'s cheque chèque *m* de voyage; '**trav·el·(l)ing** voyageur (-euse *f*); ambulant; de voyage; ⊕ roulant.

trav·e·log(ue) *Am.* ['trævəloug] conférence *f* avec projections décrivant un voyage.

trav·erse ['trævə:s] **1.** traversée *f* (*a. alp.*); passage *m* à travers; ✕, *alp.* traverse *f*; ⚖ dénégation *f*; ✕ pare-éclats *m/inv.*; ⊕ chariot de

tour: translation *f* latérale; **2.** *v/t.* traverser (*a. fig.*), passer à travers; *fig.* passer en revue; *fig.* contrarier; ⚖ nier; ✕ pointer en direction (*un canon*); *v/i. alp.* prendre une traverse.

trav·es·ty ['trævisti] **1.** parodie *f*; *fig. péj.* travestissement *m*; **2.** parodier; travestir.

trawl ⚓ [trɔ:l] **1.** chalut *m*; câble *m* balayeur; **2.** pêcher au chalut; '**trawl·er** *personne, a. bateau:* chalutier *m*.

tray [trei] plateau *m*; cuvette *f*; *malle, caisse:* compartiment *m*.

treach·er·ous □ ['tretʃərəs] traître (-sse *f*) (*a. fig.*); déloyal (-aux *m/pl.*); perfide; '**treach·er·ous·ness**, '**treach·er·y** perfidie *f*, trahison *f*; caractère *m* dangereux (*de la glace*).

trea·cle ['tri:kl] mélasse *f*.

tread [tred] **1.** [*irr.*] *v/i.* marcher, aller, avancer (*sur,* [up]*on*); *v/t.* marcher sur; fouler; † danser; *coq:* côcher; ~ *water* nager debout; **2.** pas *m*; bruit *m* des pas; *coq:* accouplement *m*; *escalier:* marche *f*; *soulier, roue:* semelle *f*; **trea·dle** ['~l] **1.** pédale *f*; **2.** *v/i.* pédaler; '**tread·mill** † moulin *m* de discipline; *fig.* besogne *f* ingrate.

trea·son ['tri:zn] trahison *f*; '**trea·son·a·ble** □ traître(sse *f*); de trahison.

treas·ure ['treʒə] **1.** trésor *m*; ~*s of the soil* richesses *f/pl.* du (sous-)sol; ⚖ ~ *trove* trésor *m*; **2.** priser; (*usu.* ~ *up*) conserver précieusement; '**treas·ur·er** trésorier (-ère *f*) *m*; économe *m*.

treas·ur·y ['treʒəri] trésorerie *f*; caisse *f* centrale; Trésor *m* public; *Am.* ♀ *Department* ministère *m* des Finances; *parl.* ♀ *Bench* banc *m* ministériel; ~ *bill* billet *m* du Trésor; ~ *bond* bon *m* du Trésor; ~ *note* coupure *f* émise par le Trésor.

treat [tri:t] **1.** *v/t.* traiter; régaler (*q.*); payer à voir à; *v/i.* traiter (*de, of;* avec q. pour avoir qch., *with s.o. for s.th.*); **2.** régal (s *pl.*) *m*, festin *m*, plaisir *m*; F *it is my* ~ c'est moi qui régale, c'est ma tournée; *see stand* 2; '**treat·er** négociateur (-trice *f*) *m*; celui (celle *f*) *m* qui paye à boire; **trea·tise** ['~iz] traité *m*; '**treat·ment** traitement *m*;

'**trea·ty** traité *m*; convention *f*; contrat *m*; *be in* ~ *with* être en pourparlers avec; ~ *port* port *m* ouvert au commerce étranger.

tre·ble ['trebl] **1.** □ triple; ♪ de soprano; **2.** triple *m*; ♪ dessus *m*; *personne, voix:* soprano *m*; **3.** *adv.* trois fois autant; **4.** *vt/i.* tripler.

tree [tri:] **1.** arbre *m*; *souliers:* embauchoir *m*; poutre *f*; *see family* 2; F *up a* ~ dans le pétrin; **2.** (forcer à) se réfugier dans un arbre; F réduire à quia.

tre·foil ♧, △ ['trefoil] trèfle *m*.

trek [trek] *Afrique du Sud:* **1.** voyager en chariot (à bœufs); F faire route; **2.** (étape *f* d'un) voyage *m* en chariot.

trel·lis ['trelis] **1.** treillis *m*; ✿ treille *f*; **2.** treillisser (*une fenêtre*); ✿ échalasser (*une vigne*).

trem·ble ['trembl] **1.** trembler (*devant, at; de, with*); **2.** trembl(ot)ement *m*.

tre·men·dous □ [tri'mendəs] épouvantable, terrible; F énorme, immense.

trem·or ['tremə] tremblement *m*, frémissement *m*.

trem·u·lous □ ['tremjuləs] trembl(ot)ant; frémissant; '**trem·u·lous·ness** tremblotement *m*; timidité *f*.

trench [trentʃ] **1.** tranchée *f* (*a.* ✕); fossé *m*; ~ *warfare* guerre *f* de tranchées; **2.** *v/t.* creuser une tranchée *ou* un fossé dans; ✿ défoncer (*un terrain*); planter (*le céleri*) dans une rigole; *v/i.* ✕ creuser des tranchées; empiéter (*sur, [up]on*); *fig.* friser; '**trench·ant** □ tranchant (*surt. fig.*); *fig.* incisif (-ive *f*); **trench coat** (manteau *m*) imperméable *m*.

trench·er ['trentʃə] tranchoir *m*; *fig.* table *m*; ~ *cap* toque *f* universitaire.

trench...: '~**-jack·et** blouson *m*; '~**-plough**, *Am.* '~**-plow 1.** rigoleuse *f*; **2.** rigoler.

trend [trend] **1.** direction *f*; *fig.* cours *m*; *fig.* marche *f*, tendance *f*; **2.** tendre, se diriger (vers, *to* [*-wards*]).

tre·pan [tri'pæn] **1.** ✛ trépan *m*; **2.** ✛, *a.* ⊕ trépaner.

trep·i·da·tion [trepi'deiʃn] trépidation *f*; émoi *m*.

tres·pass ['trespəs] **1.** transgression *f*; délit *m*; ⚖ violation *f* (*des droits de q.*); *eccl.* offense *f*; F empiétement *m* (*sur, [up]on*); abus *m* (*de, [up]on*); **2.** violer *ou* enfreindre les droits; empiéter sans autorisation sur la propriété de q.; ~ *against* violer, enfreindre (*les droits etc.*); *fig.* ~ (*up*)*on* empiéter sur, abuser de; '**tres·pass·er** violateur *m* des droits d'autrui; intrus(e *f*) *m*; ~*s will be prosecuted* défense d'entrer sous peine d'amende.

tress [tres] tresse *f*, boucle *f* (*de cheveux*).

tres·tle ['tresl] tréteau *m*, chevalet *m*; ~**-bridge** pont *m* de chevalets; ponton *m* à chevalets.

trey [trei] *cartes, a.* dés: trois *m*.

tri·ad ['traiəd] triade *f*; *phls., eccl.* unité *f* composée de trois personnes; ♪ accord *m* en tierce; ♫ élément *m* trivalent.

tri·al ['traiəl] essai *m*, épreuve *f* (*de, of*); *fig.* adversité *f*, épreuve *f*; ⚖ procès *m*, cause *f*, jugement *m*; *sp.* ~ *match* match *m* de sélection; *on* ~ à l'essai; en jugement; *prisoner on* ~ prévenu(e *f*) *m*; ~ *of strength* essai *m* de force; *bring to* ~ mettre en jugement; *give s.th. a* ~ faire l'essai de qch.; *send s.o. for* ~ renvoyer q. en jugement; ~ **trip** 🚂, ⚓ voyage *m* d'essai.

tri·an·gle ['traiæŋgl] triangle *m* (*a.* ♪); **tri·an·gu·lar** □ [~'æŋgjulə] triangulaire; en triangle; **tri'an·gu·late** *surv.* [~leit] trianguler.

trib·al □ ['traibl] de tribu; qui appartient à la tribu; tribal; **tribe** [traib] tribu *f* (*a. zo.*); ♧, *zo.* classe *f*, genre *m*; *péj.* clan *m*; '**tribes·man** ['~zmən] membre *m* d'une *ou* de la tribu.

tri·bu·nal [trai'bju:nl] tribunal (-aux *pl.*) *m*; cour *f* (de justice); **trib·une** ['tribju:n] tribun *m*; tribune *f* (*d'orateur*).

trib·u·tar·y ['tribjutəri] **1.** □ tributaire; **2.** tributaire *m* (*a. géog.*); *géog.* affluent *m*; **trib·ute** ['~bju:t] tribut *m*; *fig.* hommage *m*; (*a. floral* ~) couronne *f*.

tri·car ['traikɑ:] tricar *m*.

trice [trais]: *in a* ~ en un clin d'œil.

tri·chi·na *zo.* [tri'kainə], *pl.* **-nae** [~ni:] trichine *f*.

trick [trik] **1.** tour *m*; tour *m* d'adresse; ruse *f*; truc *m*; espièglerie *f*; habitude *f*; *cartes:* levée *f*; ~ *film*

film *m* à truquages; **2.** duper, attraper; ~ *into* (*gér.*) amener par ruse à (*inf.*); ~ *s.o. out of s.th.* escroquer qch. à q.; *fig.* ~ *out* (*ou up*) attifer (de *in*, *with*); '**trick·er**, **trick·ster** ['~stə] escroc *m*, fourbe *m*; '**trick·er·y** fourberie *f*, tromperie *f*; '**trick·ish** □ trompeur (-euse *f*), fourbe; compliqué.

trick·le ['trikl] **1.** couler goutte à goutte; suinter; F *fig.* se répandre peu à peu; passer un à un; **2.** filet *m* (d'eau); quelques gouttes *f/pl.*; petits groupes *m/pl.* (*d'hommes etc.*).

trick·si·ness ['triksinis] humeur *f* capricieuse; espièglerie *f*; '**trick·sy** □ capricieux (-euse *f*); espiègle; = '**trick·y** □ astucieux (-euse *f*); F délicat, compliqué.

tri·col·o(u)r ['trikələ] **1.** tricolore; **2.** drapeau *m* tricolore.

tri·cy·cle ['traisikl] tricycle *m*.

tri·dent ['traidənt] trident *m* (*a.* ♈).

tri·en·ni·al □ [trai'enjəl] trisannuel (-le *f*); triennal (-aux *m/pl.*), qui dure trois ans.

tri·er ['traiə] juge *m*; F celui (celle *f*) *m* qui ne se laisse pas décourager.

tri·fle ['traifl] **1.** bagatelle *f*; *fig.* un tout petit peu; *cuis.* charlotte *f* russe; **2.** *v/i.* jouer, badiner (avec, *with*); ~ *away* gaspiller (*son argent*); '**tri·fler** personne *f* frivole; amuseur (-euse *f*) *m*.

tri·fling ['traifliŋ] **1.** manque *m* de sérieux; badinage *m*; futilités *f/pl.*; **2.** □ insignifiant; léger (-ère *f*); '**tri·fling·ness** insignifiance *f*.

trig[1] [trig] **1.** caler; enrayer; **2.** cale*f*; sabot *m* d'enrayage.

trig[2] [~] soigné; net(te *f*).

trig·ger ['trigə] poussoir *m* à ressort; *arme à feu*: détente *f*; *phot.* déclencheur *m*.

trig·o·no·met·ric, **trig·o·no·met·ri·cal** □ ♈ [trigənə'metrik(l)] trigonométrique; **trig·o·nom·e·try** [~'ɔmitri] trigonométrie *f*.

tri·lat·er·al □ ♈ ['trai'lætərəl] trilatéral (-aux *m/pl.*).

tril·by ['trilbi] chapeau *m* mou.

tri·lin·gual □ ['trai'liŋgwəl] trilingue.

trill [tril] **1.** trille *m*; *oiseau*: chant *m* perlé; R *m* roulé; **2.** *v/t.* triller; rouler (*les R*); *v/i.* faire des trilles; perler son chant (*oiseau*).

tril·lion ['triljən] trillion *m*; *Am.* billion *m*.

trim [trim] **1.** □ en bon ordre; soigné; coquet(te *f*); bien tourné; ♆ bien voilé; étarque (*voile*); **2.** bon ordre *m*; parfait état *m*; ♆ assiette *f*, arrimage *m*; *voiles*: orientation *f*; ⚡ équilibrage *m*; *cheveux*: coupe *f*; *just a* ~! simplement rafraîchir!; **3.** *v/t.* mettre en ordre; arranger (*a. une lampe*); (*a.* ~ *up*) rafraîchir (*la barbe*, *les cheveux*); *cost.* garnir (de, *with*); tailler, tondre (*une haie etc.*); orner (de, *with*); F plumer (*q.*); *cuis.* parer (*la viande*); ♆ redresser (*un navire*), orienter (*les voiles*); *v/i. fig.* tergiverser, nager entre deux eaux; '**trim·mer** garnisseur (-euse *f*) *m*; ⊕ *personne*: pareur (-euse *f*) *m*; ⊕ machine *f* à trancher; ♆ arrimeur *m*; *pol.* opportuniste *m*; *coal-*~ soutier *m*; '**trim·ming** ornement *m*; taille *f*; *usu.* ~*s pl.* passementerie *f*; *cuis.* garniture *f*; ⊕ rognures *f/pl.*; '**trim·ness** air *m* soigné *ou* coquet; élégance *f*.

tri·mo·tor ['traimoutə] trimoteur *m*; '**tri·mo·tored** trimoteur.

Trin·i·ty ['triniti] Trinité *f*.

trin·ket ['triŋkit] petit bijou *m*, colifichet *m*; bibelot *m*; ~*s pl.* affiquets *m/pl.*; *péj.* camelote *f*.

tri·o ♩ ['tri:ou] trio *m*.

trip [trip] **1.** excursion *f*, voyage *m* d'agrément; randonnée *f*; *fig.* faux pas *m*; croc-en-jambe (*pl.* crocs-en-jambe) *m*; ⊕ déclic *m*; déclenche *f*; ⊕ ~ *dog* (*ou pin*) déclic *m*; **2.** *v/i.* trébucher; faire un faux pas (*a. fig.*); ~ *along* aller d'un pas léger; *catch s.o.* ~*ping* prendre q. en défaut; *v/t.* (*usu.* ~ *up*) donner un croc-en-jambe à; faire trébucher (*q.*); surprendre (*un témoin etc.*) en contradiction.

tri·par·tite ['trai'pɑ:tait] tripartite; triple; trilatéral (-aux *m/pl.*).

tripe [traip] *cuis.* tripe *f*, -s *f/pl.*; *sl.* bêtises *f/pl.*, fatras *m*.

tri·phase ⚡ ['trai'feiz] triphasé (*courant*).

tri·ple □ ['tripl] triple.

tri·plet ['triplit] trio *m*; *prosodie*: tercet *m*; ♈, ♪ triplet *m*; ♪ triolet *m*.

tri·plex ['tripleks] se brisant sans éclats (*verre*), triplex (*nom déposé*).

trip·li·cate 1. ['triplikit] triplé;

trowel

triple (*a. su./m*); **2.** ['ˌkeit] tripler; rédiger en triple exemplaire.

tri·pod ['traipɔd] trépied *m*; pied *m* (à trois branches).

tri·pos ['traipɔs] examen *m* supérieur (*pour honours à Cambridge*).

trip·per F ['tripə] excursionniste *mf*; **'trip·ping 1.** □ léger (-ère *f*) (*pas*), leste; **2.** pas *m* léger; faux pas *m*; ⊕ déclenchement *m*.

tri·sect [trai'sekt] diviser *ou* couper en trois.

tris·yl·lab·ic ['traisi'læbik] (ˌally) trisyllab(iqu)e; **tri·syl·la·ble** ['ˌsi-ləbl] trisyllabe *m*.

trite □ [trait] banal (-als *ou* -aux *m/pl.*); rebattu.

trit·u·rate ['tritjureit] triturer.

tri·umph ['traiəmf] **1.** triomphe *m* (*a. fig.*) (sur, over); **2.** triompher (*a. fig.*) (de, over); **tri·um·phal** [ˌˈʌm-fəl] de triomphe, triomphal (-aux *m/pl.*); ˌ arch arc *m* de triomphe; ˌ procession cortège *m* triomphal; **tri·um·phant** □ triomphant.

tri·une ['traiju:n] d'une unité triple.

triv·et ['trivit] trépied *m* (*pour bouilloire etc.*); F as right as a ˌ en excellente santé; en parfait état.

triv·i·al □ ['triviəl] insignifiant, sans importance; frivole (*personne*); banal (-als *ou* -aux *m/pl.*); † de tous les jours; **triv·i·al·i·ty** [ˌˈæliti] insignifiance *f*; banalité *f*.

tro·chee ['trouki:] trochée *m*.

trod [trɔd] *prét.*, **trod·den** ['ˌn] *p.p. de* tread 1.

trog·lo·dyte ['trɔglədait] troglodyte *m*.

Tro·jan ['troudʒn] **1.** de Troie; troyen(ne *f*); **2.** Troyen(ne *f*) *m*; F like a ˌ en vaillant homme; (*travailler*) comme un nègre.

troll [troul] pêcher à la cuiller.

trol·l(e)y ['trɔli] **1.** 🚃 chariot *m* à bagages; fardier *m*; diable *m*; ⊕ moufle *mf*; chariot *m* (*de pont roulant*); ⚡ trolley *m*; (*a. dinner* ˌ) serveuse *f*; Am. (*a.* ˌ car) tramway *m* à trolley; **2.** charrier; **'ˌ·bus** trolleybus *m*.

trol·lop *péj.* ['trɔləp] **1.** souillon *f*; traînée *f*; **2.** rôder; traîner la savate. [bone *m.*\

trom·bone ♩ [trɔm'boun] trom-\

troop [tru:p] **1.** troupe *f*, bande *f*; foule *f*; peloton *m* (*de cavalerie*); **2.** s'assembler; ˌ along avancer en

foule; ˌ away, ˌ off partir en bande; ✕ ˌing the colo(u)r(s) parade *f* du drapeau; '**ˌ·car·ri·er** ✈ avion *m* de transport; ⚓ transport *m*; '**troop·er** cavalier *m*; soldat *m ou* F cheval *m* de cavalerie; ⚓ transport *m*; *péj.* old ˌ soudard *m*; '**troop-horse** cheval *m* de cavalerie.

trope [troup] trope *m*.

tro·phy ['troufi] trophée *m*; *sp. a.* coupe *f*.

trop·ic ['trɔpik] **1.** tropique *m*; **2.** *a.* **'trop·i·cal** □ tropique; tropical (-aux *m/pl.*).

trot [trɔt] **1.** trot *m*; F petit(e) enfant *m(f)*; *Am. sl. école:* traduction (*f*) juxtalinéaire; **2.** (faire) trotter; F ˌ out sortir; présenter.

trot·ter ['trɔtə] trotteur (-euse *f*) *m*; ˌs *pl.* pieds *m/pl.* de cochon; F *co.* pieds *m/pl.*

trouble ['trʌbl] **1.** trouble *m* (*a.* 🛠, ⊕); peine *f*; chagrin *m*; ennui *m*; inquiétude *f*; ⊕ conflits *m/pl.*; difficultés *f/pl.*; be in ˌ avoir des ennuis; avoir des soucis (d'argent); look for ˌ se préparer des ennuis; make ˌ semer la discorde; take (the) ˌ se donner de la peine (de, to); se déranger (pour, to); **2.** *v/t.* affliger, chagriner (de, with); inquiéter; déranger; ennuyer; donner de la peine à; may I ˌ you for the salt? voudriez-vous bien me passer le sel?; *v/i.* F se déranger; '**ˌ·man**, '**ˌ·shoot·er** Am. F dépanneur *m*; **trou·ble·some** □ ['ˌsəm] ennuyeux (-euse *f*); gênant.

trough [trɔf] auge *f* (*a.* ⚡ drinking ˌ) abreuvoir *m*; pétrin *m* (*pour le pain*); caniveau *m*; ⚡ cuve(tte) *f*; ⚡, *phys., a. fig.* creux *m*; *météor.* dépression *f*.

trounce F [trauns] rosser (*q.*).

troupe [tru:p] *théâ. etc.:* troupe *f*.

trou·sered ['trauzəd] portant un pantalon; '**trou·ser·ing** étoffe *f* pour pantalon(s); **trou·sers** ['ˌz] *pl.* (*a pair of* ˌ un) pantalon *m*; '**trou·ser-stretch·er** tendeur *m* (de pantalon).

trous·seau ['tru:sou] trousseau *m*.

trout *icht.* [traut] truite *f*.

tro·ver ⚖ ['trouvə] appropriation *f* (*d'une chose perdue*); action of ˌ action *f* en restitution.

trow·el ['trauəl] truelle *f*; ⚘ déplantoir *m*.

troy (weight) [trɔi(weit)] poids *m* troy (*pour peser de l'or etc.*).

tru·an·cy ['truːənsi] absence *f* de l'école sans permission; **'tru·ant** 1. absent; *fig.* vagabond; 2. absent *m*; *fig.* vagabond *m*; *play* ~ faire l'école buissonnière; *fig.* vagabonder.

truce [truːs] trêve *f* (*a. fig.*) (de, to); *political* ~ trêve *f* (*des partis*).

truck¹ [trʌk] fardier *m*; chariot *m* (à bagages); camion *m*; 🚋 wagon *m* (à marchandises); (*a. bogie-~*) boggie *m*; ⚓ ~s *pl.* roues *f*/*pl.* (*d'un affût*).

truck² [~] 1. *vt./i.* troquer; *v/i.* ~ *in* faire le commerce de, trafiquer en; 2. troc *m*, échange *m*; (*usu.* ~ *system*) paiement *m* des ouvriers en nature; *fig.* relations *f*/*pl.*; *péj.* camelote *f*; *Am.* légumes *m*/*pl.*; *attr.* maraîcher (-ère *f*).

truck·le¹ ['trʌkl] s'abaisser, ramper (devant, to).

truck·le² [~] poulie *f*; † *meuble*: roulette *f*; ~-bed grabat *m*, lit *m* de fortune.

truck·man ['trʌkmən] camionneur *m*.

truc·u·lence, truc·u·len·cy ['trʌkjuləns(i)] férocité *f*; **'truc·u·lent** □ féroce, farouche; brutal (-aux *m*/*pl.*).

trudge [trʌdʒ] marcher lourdement *ou* péniblement.

true [truː] (*adv. truly*) vrai; véritable; sincère, fidèle, honnête; exact; d'aplomb, juste; *be* ~ *of* en être de même pour; *it is* ~ il est vrai (que, that); c'est vrai; *come* ~ se réaliser; ~ *to life* (*ou nature*) tout à fait naturel; pris sur le vif; vécu (*roman*); *prove* ~ se vérifier; se réaliser; ('~**blue** *fig.* loyal (-aux *m*/*pl.*), fidèle; '~-**bred** pur sang *inv.*; de bonne race; '~-**love** bien-aimé(e *f*) *m*; '**true·ness** vérité *f*; sincérité *f*; justesse *f*.

truf·fle 🌶 ['trʌfl] truffe *f*.

tru·ism ['truːizm] truisme *m*, axiome *m*.

tru·ly ['truːli] vraiment, véritablement, justement; sincèrement; loyalement; *yours* ~ agréez, Monsieur (Madame), l'expression de mes sentiments les plus distingués.

trump [trʌmp] 1. *cartes:* atout *m*; F brave garçon (fille *f*) *m*; 2. *v/i.* jouer atout; *v/t.* couper (*une carte*);

~ *up* forger, inventer; **trump·er·y** ['~əri] friperie *f*, camelote *f*; farce *f*; *attr.* de camelote; ridicule.

trum·pet ['trʌmpit] 1. trompette *f* (*a.* ♪, 🎺, *orgues*); 🎺 *personne:* trompette *m*; ♫ cornet *m* acoustique; *see ear-~, speaking-~*; 2. *v/i.* sonner de la trompette; barrir (*éléphant*); *v/t. fig.* (*a.* ~ *forth*) proclamer, publier à son de trompe; **'trum·pet·er** ♪, *orn.* trompette *m*.

trun·cate ['trʌŋkeit] tronquer; **trun'ca·tion** troncature *f*.

trun·cheon ['trʌnʃn] bâton *m* (*d'un agent de police*); casse-tête *m*/*inv.*, matraque *f*.

trun·dle ['trʌndl] 1. roulette *f* (*pour meubles*); 2. (faire) rouler; *v/t.* passer.

trunk [trʌŋk] tronc *m* (*d'arbre, a. de corps*); torse *f*; *éléphant:* trompe *f*; malle *f*; *Am.* ~s *pl.* caleçon *m* de bain; slip *m*; *téléph.* ~s, *please!* l'inter, s.v.p.; *see* ~-*line*; '~-**call** *téléph.* communication *f* interurbaine; ~ **ex·change** *téléph.* (service *m*) interurbain *m*; '~-**line** 🚋 grande ligne *f*; *téléph.* ligne *f* interurbaine.

trun·nion ⊕ ['trʌnjən] tourillon *m*.

truss [trʌs] 1. botte *f*; *fleurs:* touffe *f*; ♫ bandage *m* herniaire; △ armature *f*; ferme *f*; cintre *m*; 2. mettre en bottes; lier; trousser (*une poule*); △ renforcer; '~-**bridge** ⊕ pont *m* à poutres en treillis métallique.

trust [trʌst] 1. confiance *f* (en, in); espérance *f*, espoir *m*; charge *f*, responsabilité *f*; † crédit *m*; ⚖ fidéicommis *m*; † trust *m*, syndicat *m*; ~ *company* institution de gestion); trust-company *f*; *in* ~ par fidéicommis; en dépôt; *on* ~ en dépôt; † à crédit; *position of* ~ poste *m* de confiance; 2. *v/t.* se fier à; mettre sa confiance en; confier (qch. à q. *s.o. with s.th., s.th. to s.o.*); † F faire crédit à (de qch., with s.th.); *fig.* espérer (que, that); ~ *s.o. to do s.th.* se fier à q. pour qu'il fasse qch.; *v/i.* se fier (à in, to); se confier (en in, to).

trus·tee [trʌs'tiː] dépositaire *m*, consignataire *m*; †, *admin.* administrateur *m*; ⚖ fidéicommissaire *m*, fiduciaire *m*; curateur (-trice *f*) *m*; ~ *securities pl.* (*ou stock*) valeurs *f*/*pl.* de tout repos;

trus·tee·ship fidéicommis *m*; curatelle *f*, administration *f*; *pol.* tutelle *f*.

trust·ful □ ['trʌstful], **'trust·ing** □ confiant.

trust·wor·thi·ness ['trʌstwə:ðinis] loyauté *f*, fidélité *f*; crédibilité *f* (*d'une nouvelle*); **'trust·wor·thy** digne de confiance, loyal (-aux *m/pl.*); digne de foi.

truth [tru:θ, *pl.* ~ðz] vérité *f*; véracité *f*; *home* ~s *pl.* vérités *f/pl.* bien senties; ~ *to life* fidélité *f*, exactitude *f*.

truth·ful □ ['tru:θful] vrai; véridique; fidèle; **'truth·ful·ness** véracité *f*, fidélité *f*.

try [trai] **1.** *v/t.* essayer (de, to); tâcher (de, to); fatiguer (*les yeux*); *fig.* vexer; ⁂ juger, mettre en jugement, *Am.* plaider (*une cause*); éprouver, mettre à l'épreuve; ⊕ vérifier; *cuis.* goûter (*un mets*); ~ *on* essayer (*une robe etc.*); ~ *one's hand at* s'essayer à; *v/i.* faire un effort; essayer; ~ *for* tâcher d'obtenir (*qch.*); se porter candidat pour; F ~ *and read!* essayez de lire!; **2.** essai *m* (*a. rugby*); tentative *f*; *have a* ~ essayer; faire un effort; **'try·ing** □ difficile, vexant, ennuyeux (-euse *f*); **'try·'on** ballon *m* d'essai; tentative *f* de déception, F de bluff; **'try·'out** essai *m* à fond; *sp.* (jeu d')essai *m*; **try·sail** ⚓ ['traisl] voile *f* goélette.

tryst *écoss.* [traist] **1.** rendez-vous *m*; **2.** donner rendez-vous à (*q.*).

Tsar [za:] tsar *m*, czar *m*.

T-square ['ti:skwɛə] équerre *f* en T.

tub [tʌb] **1.** cuve *f*, baquet *m*; tonneau *m*; (*a. bath-*~) tub *m*; F bain *m*; ⚒ benne *f*; F co. coque *f*, baille *f*; F co. ventre *m*, panse *f*; **2.** ⚒ encaisser (*une plante*); ⚒ boiser (*un puits*); donner un tub à; *v/i.* prendre un tub; s'exercer dans un canot d'entraînement; **'tub·by** rond comme un tonneau.

tube [tju:b] tube *m* (*a. radio*), tuyau *m*; *mot.* chambre *f* à air; F métro *m*, chemin *m* de fer souterrain (*à Londres*).

tu·ber ⚘ ['tju:bə] tubercule *m*; truffe *f*; **tu·ber·cle** *anat.*, *zo.*, *a.* ⚕ ['tju:bə:kl] tubercule *m*; **tu·ber·cu·lo·sis** ⚕ [tju:bə:kju'lousis] tuberculose *f*; **tu·ber·cu·lous** ⚕

tuberculeux (-euse *f*); **tu·ber·ous** ⚘ ['tju:bərəs] tubéreux (-euse *f*).

tub·ing ['tju:biŋ] tuyautage *m*; tuyau *m* en caoutchouc.

tu·bu·lar □ ['tju:bjulə] tubulaire.

tuck [tʌk] **1.** petit pli *m*, rempli *m*; *sl.* mangeaille *f*; **2.** remplier; serrer; (*avec adv. ou prp.*) mettre; ~ *up* relever, retrousser; border (*q.*) (*dans son lit.*).

tuck·er ['tʌkə] **1.** *sl.* (*Australie*) mangeaille *f*; **2.** *Am.* F fatiguer, lasser.

Tues·day ['tju:zdi] mardi *m*; *Shrove* ~ mardi *m* gras.

tu·fa *min.* ['tju:fə], **tuff** [tʌf] tuf *m* calcaire *ou* volcanique.

tuft [tʌft] *herbe, cheveux, plumes:* touffe *f*; *oiseau, laine:* houppe *f*; *brosse:* loquet *m*; *cheveux:* toupet *m*; **'~-hunt·er** sycophante *m*; **'tuft·y** □ touffu.

tug [tʌg] **1.** secousse *f*; saccade *f*; ⚓ remorqueur *m*; *fig.* effort *m*; *sp.* ~ *of war* lutte *f* à la corde (*de traction*); *fig.* course *f* au poteau; **2.** tirer (sur, *at*); ⚓ remorquer; *fig.* se mettre en peine.

tu·i·tion [tju'iʃn] instruction *f*.

tu·lip ⚘ ['tju:lip] tulipe *f*.

tulle [tju:l] tulle *m*.

tum·ble ['tʌmbl] **1.** *v/i.* tomber; faire la culbute; *v/t.* bouleverser; déranger; chiffonner; **2.** chute *f*; culbute *f*; désordre *m*; **'~-down** en ruines, délabré; croulant; **'tum·bler** acrobate *mf*, jongleur *m*; *orn.* culbutant *m*; verre *m* sans pied; ⊕ gorge *f*, *serrure:* arrêt *m*; *arme à feu:* noix *f* (*de platine*).

tum·brel ['tʌmbrəl], **tum·bril** ['~bril] tombereau *m*.

tu·mid □ ['tju:mid] ⚕ enflé, gonflé; *zo.* protubérant; *fig.* boursouflé; **tu·mid·i·ty** enflure *f* (*a. fig.*).

tum·my F ['tʌmi] estomac *m*, ventre *m*; bedaine *f*.

tu·mo(u)r ⚕ ['tju:mə] tumeur *f*.

tu·mult ['tju:mʌlt] tumulte *m* (*a. fig.*); fracas *m*; *fig.* trouble *m*, émoi *m*; **tu·mul·tu·ous** □ [tju'mʌltjuəs] tumultueux (-euse *f*); orageux (-euse *f*).

tun [tʌn] **1.** tonneau *m*, fût *m*; cuve *f* (*de fermentation*); **2.** mettre en tonneaux.

tu·na *icht.* ['tju:nə] thon *m*.

tune [tju:n] ♪ air *m*; harmonie *f*;

accord m; fig. ton m; fig. humeur f;
in ~ d'accord; fig. en bon accord
(avec, with); out of ~ désaccordé,
faux (fausse f); fig. en désaccord
(avec, with); F to the ~ of £ 100 pour
la somme de 100 livres; à la cadence
de 100 livres; fig. change one's ~
changer de ton; 2. accorder; fig.
incliner; ~ in radio: accorder (sur,
to), capter (un poste, to a station);
~ out radio: éliminer; ~ up ♪ v/i.
s'accorder; v/t. fig. mot., a. ⊕ mettre
au point; fig. (se) tonifier; v/t. ♪
accorder; 'tune·ful □ ['~ful] mélodieux (-euse f), harmonieux (-euse
f); 'tune·less □ discordant; 'tuner ♪ accordeur m; radio: syntonisa-
teur m.

tung·sten 🜍 ['tʌŋstən] tungstène m.
tu·nic cost., ⚔, anat., eccl., a. ♀
['tju:nik] tunique f.
tun·ing...: '~-coil radio: bobine f
syntonisatrice; self f d'accord;
'~-fork ♪ diapason m.
tun·nel ['tʌnl] 1. tunnel m (a. 🚇);
⚒ galerie f à flanc de coteau;
2. percer un tunnel (à travers,
dans, sous).
tun·ny icht. ['tʌni] thon m.
tun·y F ['tju:ni] mélodieux (-euse f).
tur·ban ['tə:bən] turban m.
tur·bid ['tə:bid] trouble (a. fig.);
bourbeux (-euse f); confus; 'tur-
bid·ness état m trouble; turbidité f.
tur·bine ⊕ ['tə:bain] turbine f;
'~-pow·ered à turbines.
tur·bo-prop ['tə:bou'prɔp] à turbopropulseur (avion).
tur·bot icht. ['tə:bət] turbot m.
tur·bu·lence ['tə:bjuləns] turbulence f; tumulte m; indiscipline f;
'tur·bu·lent □ turbulent; orageux
(-euse f); à remous (vent); insubordonné.   [cière f.]
tu·reen [tə'ri:n] soupière f; sau-
turf [tə:f] 1. gazon m; pelouse f;
tourbe f; turf m, courses f/pl. de
chevaux; 2. gazonner; sl. ~ out
flanquer (q.) dehors; turf·ite
['~ait] turfiste m; 'turf·y gazonné,
couvert de gazon; tourbeux (-euse
f); F du turf.
tur·gid □ ['tə:dʒid] enflé, gonflé;
fig. boursouflé; tur'gid·i·ty enflure
f (a. fig.).
Turk [tə:k] Turc (Turque f) m; fig.
tyran m; homme m indiscipliné.

tur·key ['tə:ki]: ♀ carpet tapis m
d'Orient ou de Turquie; orn.
dindon m, dinde f; cuis. dindonneau
m; théâ., cin. Am. sl. navet m; sl.
talk ~ ne pas ménager ses mots.
Turk·ish ['tə:kiʃ] turc (turque f), de
Turquie; ~ bath bain m turc; ~
delight rahat-lokoum m; ~ towel
serviette-éponge (pl. serviettes-
éponges) f.
tur·moil ['tə:mɔil] trouble m, agitation f, tumulte m.
turn [tə:n] 1. v/t. tourner; faire
tourner; retourner; rendre; changer, transformer (en, into); traduire
(en anglais, into English); diriger;
⊕ tourner, façonner au tour; fig.
tourner (une phrase, des vers, etc.);
F he has ~ed (ou is ~ed [of]) 50
il a passé la cinquantaine; il a 50
ans passés; ~ colo(u)r pâlir ou
rougir; changer de couleur; ~ a
corner tourner un coin; ~ the
enemy's flanks tourner le flanc de
l'ennemi; he can ~ his hand to
anything c'est un homme à toute
main; F ~ tail prendre la fuite;
~ s.o.'s argument against himself
rétorquer un argument contre q.;
~ aside détourner; écarter; ~ away
détourner; théâ. refuser; ~ down
rabattre; retourner (une carte);
corner (une page); baisser (le gaz
etc.); faire (la couverture d'un lit),
ouvrir (le lit); F refuser (une invitation etc.); ~ in tourner en dedans;
replier (le bord); F quitter (un
emploi); renvoyer; 🚇 garer (des
wagons); fermer (l'eau, le gaz);
~ off (on) fermer, (ouvrir) (un
robinet); ~ out faire sortir; mettre
dehors; vider (les poches etc.);
nettoyer à fond; fabriquer, produire
(des marchandises); éteindre, couper
(le gaz); ~ over renverser; feuilleter,
tourner (les pages); fig. transférer,
remettre; ♪ retourner (le sol); ✝
faire; ~ over a new leaf revenir de
ses erreurs; ~ up retourner (a. des
cartes, a. ♪); relever (un col, un
pantalon); retrousser (les manches);
donner (tout le gaz etc.); remonter
(une mèche); chercher, trouver
(dans le dictionnaire etc.); F ~ one's
nose at faire le dédaigneux devant;
renifler sur; 2. v/i. tourner; se
(re)tourner; se diriger; se transformer (en, into); changer (marée,

temps); tourner (*au froid etc.*); se faire, devenir (*chrétien, soldat, etc.*); se colorer en (*rouge etc.*); prendre une teinte (*bleue etc.*); (*a. ~ sour*) tourner (*lait*); ~ *about* se (re)tourner; ✂ faire demi-tour; ~ *away* se détourner (de, from); ~ *back* rebrousser chemin; regarder en arrière; faire demi-tour; ~ *in* se tourner en dedans; F se coucher; *his toes ~ in* il a les pieds tournés en dedans; ~ *off* prendre (*à gauche, à droite*); bifurquer; faire le coin avec; ~ *on* se retourner contre, attaquer; *see* ~ *upon*; ~ *out* sortir; se tourner en dehors (*pieds*); se mettre en grève; tourner (*mal, bien*); aboutir; devenir; se passer; arriver; se trouver; se mettre (*à la pluie, au beau, etc.*); ✂ sortir; ~ *over* se (re)tourner; *mot. etc.* capoter; se renverser; ~ *round* tourner; tournoyer; ~ *to* se mettre à; tourner à; devenir; F ~ *to* (*adv.*) se mettre au travail; ~ *up* se relever; se retrousser (*nez*); arriver, se présenter; ~ *upon* rouler sur (*a. fig.*); attaquer; **3.** *su.* tour *m* (*de corde, de jeu, de roue; théâ.; a. = promenade, a. = disposition d'esprit; roue*: révolution *f*; changement *m* de direction, *mot.* virage *m*, ⚓ giration *f*; *chemin*: tournant *m*; *typ.* caractère *m* retourné; fin *f* (*du mois*); allure *f*, tournure *f* (*des affaires*); disposition *f* (pour, for); *théâ.* numéro *m*; *fig.* choc *m*, coup *m*; crise *f*; *fig.* service *m*; *fig.* but *m*; *at every ~* à tout propos, à tout moment; *by* (*ou in* ~*s*) à tour de rôle, tour à tour; *in my ~* à mon tour; *it is my ~* c'est à moi (de, to); *take a ~* faire un tour; *take a ~ at s.th.* faire qch. à son tour; *take one's ~* prendre son tour; *take ~s* alterner (pour *inf. at*, *in gér.*); *to a ~* à point; *a friendly ~* un service *m* d'ami; *does it serve your ~?* est-ce que cela fera votre affaire?; '~-**a-bout** demi-tour *m*; '~-**buck-le** ⊕ lanterne *f* de serrage; '~-**coat** renégat *m*; apostat(e *f*) *m*; '~-**down col-lar** col *m* rabattu; 'turn-**er** tourneur *m*; 'turn-**er-y** travail (*pl.* -aux) *m* au tour, tournage *m*; articles *m/pl.* tournés; atelier *m* de tourneur.

turn-ing ['tə:niŋ] action *f* de tour-

ner; giration *f*; changement *m* de direction; *mot.* virage *m*; tournant *m* (*du chemin*); retournage *m* (*d'un vêtement*); *typ.* blocage *m*; ⊕ tournage *m*; '~-**lathe** ⊕ tour *m*; '~-**point** *fig.* moment *m* critique, point *m* décisif.

turn-nip ♃ ['tə:nip] navet *m*.

turn-key   ['tə:nki:]   porte-clefs *m/inv.*; geôlier *m*; *admin.* fontainier *m*; 'turn-**out** tenue *f*, uniforme *m*; équipage *m*; assemblée *f*; grève *f*; ♄ production *f*, produits *m/pl.*; ♒ aiguillage *m*; voie *f* de garage; changement *m* de voie; 'turn-**o-ver** chausson *m* (*aux pommes etc.*); ♄ chiffre *m* d'affaires; ✝ *tax* impôt *m* sur le chiffre d'affaires; 'turn-**pike** (route *f* à) barrière *f* de péage; tourniquet *m* d'entrée; 'turn-**screw** tournevis *m*; 'turn-**spit** tournebroche *m*; 'turn-**stile** tourniquet *m* (*d'entrée*); 'turn-**ta-ble** ✚ plaque *f* tournante; *phonographe*: tourne-disque *m*, plateau *m*; 'turn-**'up 1.** pliant (*lit*); à bords relevés; **2.** *pantalon*: revers *m*; F rixe *f*, bagarre *f*; F affaire *f* de chance.

tur-pen-tine ♠ ['tə:pəntain] térébenthine *f*.

tur-pi-tude ['tə:pitju:d] turpitude *f*.

tur-quoise *min.* ['tə:kwɑ:z] turquoise *f*.

tur-ret ['tʌrit] tourelle *f* (*a.* ✂, ⚓, ⊕); *a.* revolver *m*; ⊕ ~ *lathe* tour *m* à revolver; 'tur-ret-ed surmonté *ou* garni de tourelles; *zo.* turriculé (*conque*).

tur-tle¹ *zo.* ['tə:tl] tortue *f* de mer; *turn ~* chavirer; *canot, mot.*: capoter.

tur-tle² *orn.* [~] (*usu.* ~-*dove*) tourterelle *f*, tourtereau *m*.

Tus-can ['tʌskən] **1.** toscan; **2.** *ling.* toscan *m*; Toscan(e *f*) *m*.

tusk [tʌsk] *éléphant*: défense *f*; ~*s pl.* *sanglier*: broches *f/pl.*

tus-sle ['tʌsl] **1.** mêlée *f*, lutte *f*; *fig.* passe *f* d'armes; **2.** lutter.

tus-sock ['tʌsək] touffe *f* d'herbe.

tut [tʌt] allons donc! zut!

tu-te-lage ['tju:tilidʒ] tutelle *f*.

tu-te-lar-y ['tju:tiləri] tutélaire.

tu-tor ['tju:tə] (*a. private ~*) précepteur (-trice *f*); *école, univ.* directeur (-trice *f*) d'études; *univ. a.* répétiteur (-trice *f*) *m*; *Am. univ.* chargé *m* de cours; ⚖ tuteur (-trice *f*) *m*; **2.** instruire; donner des leçons particulières à; diriger les études de; **tu·to·ri·al** [tju-'tɔ:riəl] **1.** d'instruction; de répétiteur *etc.*; **2.** cours *m* individuel; travaux *m/pl.* pratiques; **tu·tor·ship** ['tju:təʃip] emploi *m* de répétiteur *etc.*; *private* ~ préceptorat *m*.

tux·e·do *Am.* [tʌk'si:dou] smoking *m*.

twad·dle ['twɔdl] **1.** fadaises *f/pl.*, sottises *f/pl.*; **2.** dire des sottises.

twang [twæŋ] **1.** bruit *m* sec; (*usu.* *nasal* ~) accent *m* nasillard; **2.** (faire) résonner; nasiller (*personne*).

tweak [twi:k] pincer.

tweed [twi:d] cheviote *f* écossaise; tweed *m* (= *étoffe de laine*).

'tween [twi:n] *see* between.

tween·y ['twi:ni] (*a.* ~ maid) *see* between-maid.

tweez·ers ['twi:zəz] *pl.*: (*a pair of*) ~ (une) petite pince *f*; (des) pinces *f/pl.* à épiler.

twelfth [twelfθ] douzième (*a.* *su./mf*; *a.* & *su./m*); ♀-cake galette *f* des Rois; '♀-night veille *f* des Rois.

twelve [twelv] douze (*a. su./m*); ~ o'clock midi *m*; minuit *m*; ~fold ['~fould] douze fois autant.

twen·ti·eth ['twentiiθ] vingtième (*a. su./mf*; *a.* & *su./m*).

twen·ty ['twenti] vingt (*a. su./m*); ~fold ['~fould] **1.** *adj.* vingtuple; **2.** *adv.* vingt fois autant.

twerp *sl.* [twə:p] cruche *f* (= *imbécile*).

twice [twais] deux fois; ~ as much deux fois autant; ~ as many books deux fois plus de livres.

twid·dle ['twidl] **1.** jouer (avec); *v/t.* tripoter (*qch.*); **2.** enjolivure *f*; ornement *m*.

twig[1] [twig] brindille *f*; *hydroscopie*: baguette *f* (*de coudrier*).

twig[2] *sl.* [~] observer (*q.*); comprendre, saisir (*qch.*).

twi·light ['twailait] **1.** crépuscule *m* (*a. fig.*); **2.** crépusculaire, du crépuscule; ♂ ~ *sleep* demi-sommeil *m* provoqué.

twin [twin] **1.** jumeau (-elle *f*); jumelé; géminé; **2.** jumeau (-elle *f*) *m*; ~-en·gined ⊁ ['~endʒind] bimoteur; '~jet biréacteur *m*.

twine [twain] **1.** ficelle *f*; fil *m* retors; *fig.* sinuosité *f*, repli *m*; **2.** *v/t.* tordre, tortiller; entrelacer (*les doigts etc.*); *fig.* entourer (de,

with); (en)rouler (autour de *about*, round); *v/i.* (*a.* ~ *o.s.*) se tordre, se tortiller, s'enrouler; serpenter.

twinge [twindʒ] élancement *m*; légère atteinte *f*; *fig.* remords *m* (*de conscience*).

twin·kle ['twiŋkl] **1.** scintiller, étinceler; pétiller (*feu, a. fig.* de, with); **2.** (*a.* 'twin·kling) scintillement *m*, clignotement *m*; *in a* ~ (*ou the twinkling of an eye*) en un clin d'œil.

twirl [twə:l] **1.** tournoiement *m*; *moustache*: tortillement *m*; pirouette *f*; *fumée*: volute *f*; enjolivure *f*; **2.** (faire) tourn(oy)er; 'twirl·ing-stick *cuis.* agitateur *m*.

twist [twist] **1.** (fil *m*) retors *m*; torsion *f*; *chemin*: coude *m*; *soie*: tordage *m*; *cheveux*: torsade *f*; *tabac*: carotte *f*, rouleau *m*; *papier*: papillote *f*; contorsion *f* (*du visage*); *sp.* tour *m* de poignet; *mot. cornet*: spire *f*; *fig.* déformation *f*; *fig.* tournure *f*, prédisposition *f* (*de l'esprit*); *fig.* repli *m* (*du serpent*); F appétit *m*; **2.** *v/t.* tordre (*a. le visage, le bras, etc.*), tortiller; *tex.* retordre; torquer (*le tabac*); entortiller; enrouler; dénaturer, fausser; donner de l'effet à (*une balle*); *v/i.* se tordre, se tortiller; *fig.* tourner, serpenter; 'twist·er tordeur (-euse *f*) *m*; *tex.* retordeur (-euse *f*) *m*; *sp.* balle *f* qui a de l'effet; *sl.* ficelle *f* (= *ricaneur*); *Am.* tornade *f*, ouragan *m*.

twit [twit] *v/o. with s.th.* railler q. de qch.; reprocher qch. à q.

twitch [twitʃ] **1.** *v/t.* tirer brusquement; *v/i.* se crisper, se contracter (de, with); **2.** saccade *f*, coup *m* sec; contraction *f*, tic *m* (*de visage*); *see* twinge; *vét.* serre-nez *m/inv.*

twit·ter ['twitə] **1.** gazouiller; **2.** gazouillement *m*; *be in a* ~ être agité *ou* en émoi.

two [tu:] deux (*a. su./m*); *in* ~ en deux; *fig.* put ~ and ~ together tirer ses conclusions; raisonner juste; *Am.* F ~-bit sans importance, infime; bon marché; *in* ~s deux à deux; par deux; '~-edged à deux tranchants (*a. fig.*); '~-fold double; '~-hand·ed à deux mains; ambidextre; qui se joue à deux; '~-'job man F cumulard *m*; ~pence ['tʌpəns] deux pence *m*; ~pen·ny ['tʌpni] à *ou* de deux pence; *fig.*

de quatre sous; '~-**phase** ⚡ bi-phasé, diphasé; '~-'**pin plug** ⚡ fiche *f* à deux broches; '~-**ply** à deux brins (*cordage*); à deux épaisseurs (*contre-plaqué*); '~-'**seat·er** *mot.* voiture *f* à deux places; '~-'**step** two-step *m* (*danse*); '~-'**sto·rey** à deux étages; '~-'**stroke** *mot.* à deux temps; '~-'**valve** re·ceiv·er *radio*: poste *m* à deux lampes; '~-**way** ⊕ à deux voies; ~ *adapter* bouchon *m* de raccord.

ty·coon *Am.* F [tai'ku:n] chef *m* de l'industrie; baron *m* de l'industrie.

tyke [taik] vilain chien *m*; rustre *m*.

tym·pa·num *anat.*, *a.* △ ['timpə-nəm], *pl.* -na [‿nə] tympan *m*.

type [taip] **1.** type *m*; genre *m*; modèle *m*; *typ.* caractère *m*, type *m*, *coll.* caractères *m/pl.*; *typ.* in ~ composé; ~ *area* surface *f* imprimée; *true to* ~ conforme au type ancestral; *typ.* set in ~ composer; **2.** = ~*write*; '~-**found·er** fondeur *m* typographe; '~-**script** manuscrit *m* dactylographié; '~-**set·ter** *typ.* compositeur *m*; '~-**write** [*irr.* (*write*)] écrire à la machine; F taper (à la machine); '~-**writ·er** machine *f* à écrire; † dactylographe *mf*, F dactylo *mf*; ~ *ribbon* ruban *m* encreur.

ty·phoid 🐍 ['taifɔid] **1.** typhoïde; ~ *fever* = **2.** (fièvre *f*) typhoïde *f*.

ty·phoon *météor.* [tai'fu:n] typhon *m*.

ty·phus 🐍 ['taifəs] typhus *m*.

typ·i·cal □ ['tipikl] typique; caractéristique (de, of); *it's* ~ *of him* c'est bien lui; **typ·i·fy** ['‿fai] être caractéristique de; être le type de (*l'officier militaire*); symboliser; **typ·ist** ['taipist] dactylographe *mf*, F dactylo *mf*; *shorthand* ~ sténodactylographe *mf*, F sténodactylo *mf*.

ty·pog·ra·pher [tai'pɔgrəfə] typographe *m*, F typo *m*; **ty·po·graph·ic**, **ty·po·graph·i·cal** □ [‿pə-'græfik(l)] typographique; **ty·pog·ra·phy** [‿'pɔgrəfi] typographie *f*.

ty·ran·nic, **ty·ran·ni·cal** □ [ti-'rænik(l)] tyrannique; **ty'ran·ni·cide** [‿said] *personne*: tyrannicide *mf*; *crime*: tyrannicide *m*; **tyr·an·nize** ['tirənaiz] faire le tyran; ~ *over* tyranniser (*q.*); '**tyr·an·nous** □ tyrannique; *fig.* violent; '**tyr·an·ny** tyrannie *f*.

ty·rant ['taiərənt] tyran *m* (*a. orn.*).

tyre ['taiə] *see* tire[1].

ty·ro ['taiərou] *see* tiro.

Tyr·o·lese [tirə'li:z] **1.** tyrolien(ne *f*); **2.** Tyrolien(ne *f*) *m*.

Tzar [za:] *see* Tsar.

U

U, u [ju:] U *m*, u *m*.

u·biq·ui·tous □ [ju'bikwitəs] qui se trouve *ou* que l'on rencontre partout; **u'biq·ui·ty** ubiquité *f*.

ud·der ['ʌdə] mamelle *f*.

ugh [uh; ə:h] brrr!

ug·li·fy F ['ʌglifai] enlaidir.

ug·li·ness ['ʌglinis] laideur *f*.

ug·ly □ ['ʌgli] laid; vilain (*blessure*, *aspect*, *etc.*); mauvais (*temps*).

U·krain·i·an [ju:'kreinjən] **1.** ukrainien(ne *f*); **2.** Ukrainien(ne *f*) *m*.

u·ku·le·le ♪ [ju:kə'leili] ukulélé *m*.

ul·cer 🐍 ['ʌlsə] ulcère *m*; **ul·cer·ate** ['‿reit] (s')ulcérer; **ul·cer·'a·tion** ulcération *f*; '**ul·cer·ous** ulcéreux (-euse *f*).

ul·lage † ['ʌlidʒ] coulage *m*; *douanes*: manquant *m*.

ul·na *anat.* ['ʌlnə], *pl.* ~**nae** [‿ni:] cubitus *m*.

ul·ster ['ʌlstə] *manteau*: ulster *m*.

ul·te·ri·or □ [ʌl'tiəriə] ultérieur; *fig.* caché, secret (-ète *f*); ~ *motive* arrière-pensée *f*; motif *m* secret.

ul·ti·mate □ ['ʌltimit] final (-als *m/pl.*); dernier (-ère *f*); fondamental (-aux *m/pl.*); *phys.* ~ *stress* résistance *f* de rupture; ~*ly* en fin de compte, à la fin.

ul·ti·ma·tum [ʌlti'meitəm], *pl. a.* ~**ta** [‿tə] ultimatum *m*. [dernier.\
ui·ti·mo † ['ʌltimou] du mois/
ultra- ['ʌltrə] ultra-; extrêmement; '~'**fash·ion·a·ble** ultra-chic; ~**ma'rine 1.** d'outre-mer; **2.** 🎨, *peint.* (bleu *m* d')outremer *m/inv.*; ~**mon·tane** *eccl.*, *pol.* [‿'mɔntein] ultramontain(e *f*) (*a. su.*); '~-'**red** infrarouge; '~-'**short wave** onde *f* ultracourte; '~-'**vi·o·let** ultraviolet(te *f*).

ul·u·late ['juːljuleit] ululer; hurler.

um·bel ♀ ['ʌmbl] ombelle f.

um·ber min., peint. !['ʌmbə] terre f d'ombre; couleur: ombre f.

um·bil·i·cal ☐ [ʌm'bilikl]; ⚕ ~'laikl] ombilical (-aux m/pl.); ~ cord cordon m ombilical.

um·brage ['ʌmbridʒ] ressentiment m; ombrage m (a. poét.); **um·bra·geous** ☐ [~'breidʒəs] ombragé; ombrageux (-euse f) (a. fig.).

um·brel·la [ʌm'brelə] parapluie m; pol. compromis m; ⚔ protection f; ~-stand porte-parapluies m/inv.

um·pire ['ʌmpaiə] 1. arbitre m; 2. v/t. arbitrer; v/i. servir d'arbitre.

ump·teen ['ʌmtiːn], 'ump·ty F je ne sais combien.

un- [ʌn] non; in-; dé(s)-; ne ... pas; peu; sans.

un·a·bashed ['ʌnə'bæʃt] sans se déconcerter; aucunement ébranlé.

un·a·ble ['ʌn'eibl] incapable (de, to); impuissant (à, to).

un·a·bridged ['ʌnə'bridʒd] non abrégé; intégral (-aux m/pl.).

un·ac·cent·ed ['ʌnæk'sentid] inaccentué; gramm. atone.

un·ac·cept·a·ble ['ʌnək'septəbl] inacceptable.

un·ac·com·mo·dat·ing ['ʌnə'kɔmədeitiŋ] peu commode; peu accommodant (personne).

un·ac·count·a·ble ☐ ['ʌnə'kauntəbl] inexplicable; bizarre.

un·ac·cus·tomed ['ʌnə'kʌstəmd] inaccoutumé (à, to) (a. personne); peu habitué (à, to) (personne).

un·ac·knowl·edged ['ʌnək'nɔlidʒd] non avoué; demeuré sans réponse (lettre).

un·ac·quaint·ed ['ʌnə'kweintid]: be ~ with ne pas connaître (q.); ignorer (qch.).

un·a·dorned ['ʌnədɔːnd] sans ornements, naturel(le f); fig. sans fard.

un·a·dul·ter·at·ed ☐ ['ʌnə'dʌltəreitid] pur, sans mélange.

un·ad·vis·a·ble ☐ ['ʌnəd'vaizəbl] imprudent; peu sage; **'un·ad·'vised** ☐ [adv. ~zidli] imprudent; sans prendre conseil.

un·af·fect·ed ☐ ['ʌnə'fektid] qui n'est pas atteint; fig. sincère; sans affectation ou pose.

un·aid·ed ['ʌn'eidid] sans aide; (tout) seul; inassisté (pauvre); nu (œil).

un·al·loyed ['ʌnə'lɔid] sans alliage; fig. pur, sans mélange.

un·al·ter·a·ble ☐ [ʌn'ɔːltərəbl] invariable, immuable.

un·am·big·u·ous ☐ ['ʌnæm'bigjuəs] non équivoque, sans ambiguïté.

un·am·bi·tious ☐ ['ʌnæm'biʃəs] sans prétention; sans ambition (personne).

un·a·me·na·ble ['ʌnə'miːnəbl] rebelle, réfractaire (à, to).

un·a·mi·a·ble ☐ [ʌn'eimjəbl] peu aimable.

u·na·nim·i·ty [juːnə'nimiti] unanimité f; **u·nan·i·mous** ☐ [juː'næniməs] unanime.

un·an·swer·a·ble [ʌn'ɑːnsərəbl] sans réplique; incontestable.

un·ap·palled ['ʌnə'pɔːld] peu effrayé. [sans appel.)

un·ap·peal·a·ble ⚖ ['ʌnə'piːləbl])

un·ap·peas·a·ble ☐ ['ʌnə'piːzəbl] insatiable; implacable.

un·ap·proach·a·ble ☐ ['ʌnə'proutʃəbl] inaccessible; inabordable (a. personne); fig. incomparable.

un·ap·pro·pri·at·ed ['ʌnə'prouprieitid] disponible; libre.

un·apt ☐ ['ʌn'æpt] peu juste; mal approprié; inapte (à, for), peu disposé (à inf., to inf.); be ~ to (inf.) avoir beaucoup de mal à (inf.).

un·a·shamed ☐ ['ʌnə'ʃeimd]; adv. ~midli] sans honte ou pudeur.

un·asked ['ʌn'ɑːskt] non invité; spontané(ment adv.).

un·as·sail·a·ble ☐ [ʌnə'seiləbl] inattaquable; irréfutable.

un·as·sist·ed ['ʌnə'sistid] tout seul, sans aide.

un·as·sum·ing ['ʌnə'sjuːmiŋ] sans prétentions; modeste.

un·at·tached ['ʌnə'tætʃt] non attaché; indépendant (de, to); univ. qui ne dépend d'aucun collège; ⚔ en disponibilité; isolé; ⚖ sans propriétaire.

un·at·tain·a·ble ☐ ['ʌnə'teinəbl] inaccessible (de, by).

un·at·tend·ed ['ʌnə'tendid] seul; sans escorte; dépourvu (de, by); (usu. ~ to) négligé.

un·at·trac·tive ☐ ['ʌnə'træktiv] peu attrayant; peu sympathique (personne).

un·au·thor·ized ['ʌn'ɔːθəraizd] sans autorisation; illicite; admin. sans mandat.

uncharitable

un·a·vail·a·ble ['ʌnə'veiləbl] non disponible; inutilisable; **un·a·vail·ing** □ vain; inutile.

un·a·void·a·ble □ ['ʌnə'vɔidəbl] inévitable.

un·a·ware ['ʌnə'wɛə] ignorant; *be ~* ignorer (*qch.*, *of s.th.*; *que*, *that*); **'un·a'wares** au dépourvu; sans s'en rendre compte.

un·backed ['ʌn'bækt] *fig.* sans appui; non endossé (*a.* †); *turf*: sur lequel personne n'a parié.

un·bal·ance ['ʌn'bæləns] défaut *m* d'équilibrage; balourd *m*; **'un'bal·anced** mal équilibré (*a. fig.*); ⊕ non compensé; † non soldé; *phys.* en équilibre instable.

un·bap·tized ['ʌnbæp'taizd] non baptisé.

un·bar ['ʌn'bɑː] débarrer, *fig.* ouvrir; dessaisir (*un sabord*).

un·bear·a·ble □ [ʌn'bɛərəbl] insupportable, intolérable.

un·beat·en ['ʌn'biːtn] invaincu; non frayé (*chemin*).

un·be·com·ing □ ['ʌnbi'kʌmiŋ] peu seyant (*robe*); non convenable; déplacé (*chez q. of*, *to*, *for*).

un·be·friend·ed ['ʌnbi'frendid] sans amis; délaissé.

un·be·known ['ʌnbi'noun] **1.** *adj.* inconnu (de, *to*); **2.** *adv.* à l'insu (de *q.*, *to s.o.*).

un·be·lief ['ʌnbi'liːf] incrédulité *f*; *eccl.* incroyance *f*; **un·be'liev·a·ble** □ incroyable; **'un·be'liev·er** incrédule *mf*; *eccl.* incroyant(e *f*) *m*; **'un·be'liev·ing** □ incrédule.

un·be·loved ['ʌnbi'lʌvd] peu aimé.

un·bend ['ʌn'bend] [*irr.* (*bend*)] *v/t.* détendre (*a. fig.*); redresser (*q.*, *a.* ⊕); *v/i.* se détendre; *fig.* se déraidir; se détordre (*ressort*); se redresser; se déplier (*jambe*); **'un'bend·ing** □ inflexible; *fig. a.* raide.

un·bi·as(s)ed □ ['ʌn'baiəst] *fig.* impartial (-aux *m/pl.*), sans parti pris.

un·bid, **un·bid·den** ['ʌn'bid(n)] non invité; spontané.

un·bind ['ʌn'baind] [*irr.* (*bind*)] dénouer (*les cheveux*); délier (*a. fig.*).

un·bleached *tex.* ['ʌn'bliːtʃt] écru.

un·blem·ished [ʌn'blemiʃt] sans tache (*a. fig.*).

un·blush·ing □ [ʌn'blʌʃiŋ] qui ne rougit pas; sans vergogne.

un·bolt ['ʌn'boult] déverrouiller; dévisser (*un rail etc.*); **'un'bolt·ed**

déverrouillé; ⊕ déboulonné; dévissé (*rail*); non bluté (*farine*).

un·born ['ʌn'bɔːn] à naître; qui n'est pas encore né; *fig.* futur.

un·bos·om [ʌn'buzm] révéler; *~ o.s.* ouvrir son cœur (à *q.*, *to s.o.*).

un·bound ['ʌn'baund] délié; dénoué (*cheveux*); broché (*livre*).

un·bound·ed □ [ʌn'baundid] sans bornes; illimité; démesuré (*ambition etc.*).

un·brace ['ʌn'breis] défaire; détendre (*les nerfs*); énerver (*q.*).

un·break·a·ble ['ʌn'breikəbl] incassable.

un·bri·dled [ʌn'braidld] débridé (*a. fig.*); sans bride; *fig.* déchaîné.

un·bro·ken ['ʌn'broukn] intact; non brisé; inviolé; imbattu (*record*); non dressé (*cheval*); *fig.* insoumis.

un·buck·le ['ʌn'bʌkl] déboucler.

un·bur·den ['ʌn'bəːdn] décharger; *fig.* alléger; *~ o.s.* (*ou one's heart*) se délester (le cœur).

un·bur·ied ['ʌn'berid] déterré; sans sépulture.

un·busi·ness·like ['ʌn'biznislaik] peu commerçant; *fig.* irrégulier (-ère *f*).

un·but·ton ['ʌn'bʌtn] déboutonner.

un·called [ʌn'kɔːld] non appelé (*a.* †); **un'called-for** injustifié; déplacé (*remarque*); spontané.

un·can·ny □ [ʌn'kæni] sinistre; mystérieux (-euse *f*).

un·cared-for ['ʌn'kɛədfɔː] mal *ou* peu soigné; abandonné; négligé (*air*).

un·ceas·ing □ [ʌn'siːsiŋ] incessant; continu; soutenu.

un·cer·e·mo·ni·ous □ ['ʌnseri'mounjəs] peu cérémonieux (-euse *f*); sans gêne (*personne*).

un·cer·tain [ʌn'səːtn] incertain; douteux (-euse *f*); irrésolu; peu sûr; *be ~* ne pas savoir au juste (si, *whether*); **un'cer·tain·ty** incertitude *f*.

un·chain ['ʌn'tʃein] déchaîner; *fig.* donner libre cours à.

un·chal·lenge·a·ble ['ʌn'tʃælindʒəbl] incontestable; **'un'chal·lenged** incontesté.

un·change·a·ble □ [ʌn'tʃeindʒəbl], **un'chang·ing** □ immuable, invariable; éternel(le *f*).

un·char·i·ta·ble □ [ʌn'tʃæritəbl] peu charitable.

un·chaste □ ['ʌn'tʃeist] impudique; un·chas·ti·ty ['ʌn'tʃæstiti] impudicité f; infidélité f (*d'une femme*).

un·checked ['ʌn'tʃekt] libre(ment *adv.*); † non vérifié.

un·chris·tian □ ['ʌn'kristjən] peu chrétien(ne f); païen(ne f).

un·civ·il □ ['ʌn'sivl] impoli; 'un·'civ·i·lized [⹀vilaizd] barbare, incivilisé.

un·claimed ['ʌn'kleimd] non réclamé; épave (*chien etc.*); de rebut (*lettre*).

un·clasp ['ʌn'klɑːsp] défaire, dégrafer; (se) desserrer (*poing*); laisser échapper.

un·cle ['ʌŋkl] oncle m; *sl.* at my ⹀'s chez ma tante, au clou.

un·clean □ ['ʌn'kliːn] sale; *fig.*, *eccl.* immonde, impur.

un·clench ['ʌn'klentʃ] (se) desserrer.

un·cloak ['ʌn'klouk] ôter le manteau de; *fig.* dévoiler.

un·close ['ʌn'klouz] (s')ouvrir.

un·clothe ['ʌn'klouð] (se) déshabiller; [nuage; clair (*a. fig.*).]

un·cloud·ed ['ʌn'klaudid] sans]

un·coil ['ʌn'kɔil] (se) dérouler.

un·col·lect·ed ['ʌnkə'lektid] non recueilli; *fig.* confus.

un·col·o·(u)red ['ʌn'kʌləd] non coloré; incolore; *fig.* non influencé.

un·come·ly ['ʌn'kʌmli] peu gracieux (-euse f).

un·com·fort·a·ble □ [ʌn'kʌmfətəbl] peu confortable; désagréable; peu à son aise (*personne*).

un·com·mon □ [ʌn'kɔmən] (*a.* F *adv.*) peu commun; singulier (-ère f); rare.

un·com·mu·ni·ca·tive ['ʌnkə'mjuːnikeitiv] réservé, taciturne; peu communicatif (-ive f).

un·com·plain·ing □ ['ʌnkəm'pleiniŋ] patient; sans plainte; 'un·com·'plain·ing·ness patience f, résignation f.

un·com·pro·mis·ing □ ['ʌn'kɔmprəmaiziŋ] intransigeant; sans compromis; *fig.* raide; absolu.

un·con·cern ['ʌnkən'sɔːn] indifférence f; insouciance f; 'un·con·'cerned □ [*adv.* ⹀idli] insouciant; indifférent (à, *about*); étranger (-ère f) (à *with*, in).

un·con·di·tion·al □ ['ʌnkən'diʃnl] absolu; sans réserve.

un·con·fined □ ['ʌnkən'faind] illimité, sans bornes; libre.

un·con·firmed ['ʌnkən'fɔːmd] non confirmé *ou* avéré; *eccl.* qui n'a pas reçu la confirmation.

un·con·gen·ial ['ʌnkən'dʒiːnjəl] peu agréable; peu favorable; peu sympathique (*personne*).

un·con·nect·ed □ ['ʌnkə'nektid] sans lien *ou* rapport; décousu (*idées*).

un·con·quer·a·ble □ [ʌn'kɔŋkərəbl] invincible; *fig.* insurmontable.

un·con·sci·en·tious □ ['ʌnkɔnʃi'enʃəs] peu consciencieux (-euse f).

un·con·scion·a·ble □ [ʌn'kɔnʃənəbl] peu scrupuleux (-euse f); déraisonnable (*a. fig.*); exorbitant.

un·con·scious □ [ʌn'kɔnʃəs] 1. inconscient; sans connaissance (= *évanoui*); be ⹀ of ne pas avoir conscience de; 2. *psych.* the ⹀ l'inconscient m; un'con·scious·ness inconscience f; évanouissement m.

un·con·sid·ered ['ʌnkən'sidəd] irréfléchi, inconsidéré; sans valeur.

un·con·sti·tu·tion·al □ ['ʌnkɔnsti'tjuːʃənl] in-, anticonstitutionnel(le f).

un·con·strained □ ['ʌnkən'streind] sans contrainte; aisé.

un·con·test·ed □ ['ʌnkən'testid] incontesté; *pol.* qui n'est pas disputé.

un·con·tra·dict·ed ['ʌnkɔntrə'diktid] non contredit.

un·con·trol·la·ble □ [ʌnkən'trouləbl] ingouvernable; irrésistible; absolu.

un·con·ven·tion·al □ ['ʌnkən'venʃnl] qui va à l'encontre des conventions; original (-aux *m/pl.*).

un·con·vert·ed ['ʌnkən'vɔːtid] inconverti (*a. eccl.*); † *a.* non converti.

un·con·vinced ['ʌnkən'vinst] sceptique (à l'égard de, *of*).

un·cork ['ʌn'kɔːk] déboucher.

un·cor·rupt·ed □ ['ʌnkə'rʌptid] intègre; incorrompu.

un·count·a·ble ['ʌn'kauntəbl] incomptable.

un·cou·ple ['ʌn'kʌpl] découpler.

un·couth □ [ʌn'kuːθ] grossier (-ère f), rude; gauche, agreste.

un·cov·er [ʌn'kʌvə] découvrir (✕, *a. une partie du corps*); démasquer.

un·crit·i·cal □ ['ʌn'kritikl] sans discernement; peu difficile.

un·crowned ['ʌn'kraund] non couronné; décourouné.

un·crush·a·ble *tex.* [ʌn'krʌʃəbl] infroissable.

unc·tion ['ʌŋkʃn] onction *f* (*a. fig.*); *poét.* onguent *m*; *eccl.* extreme ~ extrême-onction *f*; **unc·tu·ous** □ ['ʌŋktjuəs] onctueux (-euse *f*) (*a. fig.*); graisseux (-euse *f*); *péj.* patelin.

un·cul·ti·vat·ed ['ʌn'kʌltiveitid] inculte; en friche (*terre*); *fig.* sans culture; ⚘ à l'état sauvage.

un·cured ['ʌn'kjuəd] 🐟 non guéri; *cuis.* frais (*hareng*).

un·curl ['ʌn'kəːl] (se) défriser (*cheveux*); (se) dérouler.

un·cut ['ʌn'kʌt] intact; sur pied (*blé etc.*); non coupé (*haie, livre*); non rogné (*livre*).

un·dam·aged ['ʌn'dæmidʒd] en bon état.

un·damped ['ʌn'dæmpt] sec (*sèche f*); *fig.* non découragé.

un·dat·ed ['ʌn'deitid] sans date.

un·daunt·ed □ [ʌn'dɔːntid] intrépide; non intimidé.

un·de·ceive ['ʌndi'siːv] désabuser (de, *of*); dessiller les yeux à (*q.*).

un·de·cid·ed □ ['ʌndi'saidid] indécis.

un·de·ci·pher·a·ble ['ʌndi'saifərəbl] indéchiffrable.

un·de·fend·ed ['ʌndi'fendid] sans protection.

un·de·filed ['ʌndi'faild] sans tache, pur.

un·de·fined □ ['ʌndi'faind; *adv.* ~nidli] non défini; vague.

un·de·mon·stra·tive □ ['ʌndi'mɔnstrətiv] réservé.

un·de·ni·a·ble □ ['ʌndi'naiəbl] incontestable; qu'on ne peut nier.

un·de·nom·i·na·tion·al □ ['ʌndinɔmi'neiʃənl] non confessionnel(le *f*); laïque (*école*).

un·der ['ʌndə] 1. *adv.* (au-)dessous; en *ou* dans la soumission; 2. *prp.* sous; au-dessous de; *from* ~ de sous; de dessous; ~ *sentence of con-damné* à; 3. *mots composés*: trop peu; insuffisamment; inférieur; sous-; **'~bid** [*irr.* (bid)] demander moins cher que; **'~bred** mal élevé; qui n'a pas de race (*cheval*); **'~brush** broussailles *f/pl.*; sous-bois *m*; **'~car·riage, '~cart** ⚓ train *m* d'atterrissage; **'~cloth·ing**

linge *m* de corps; lingerie *f* (*pour dames*); **'~cur·rent** courant *m* de fond *ou* sous-marin; *fig.* fond *m*; **'~cut** [*irr.* (cut)] vendre moins cher que; **'~de·vel·oped** sous-développé; **'~dog** perdant *m*; *fig.* the ~(s *pl.*) les opprimés *m/pl.*; **'~done** pas assez cuit; saignant (*viande*); **'~dress** (s')habiller trop simplement; **'~es·ti·mate** sous-estimer; **'~ex·pose** sous-exposer; **'~fed** mal nourri; **'~feed·ing** sous-alimentation *f*; **'~felt** assise *f* de feutre; **'~foot** sous les pieds; **'~go** [*irr.* (go)] subir; supporter; **'~grad·u·ate** *univ.* étudiant(e *f*) *m*; **'~ground** 1. souterrain; sous terre; ~ *engineering* construction *f* souterraine; ~ *movement* mouvement *m* clandestin; ⚒ résistance *f*; ⚓ *water* eaux *f/pl.* souterraines; ~ *railway* = 2. Métro *m*; chemin *m* de fer souterrain; **'~growth** broussailles *f/pl.*; **'~hand** clandestin; sournois (*a. personne*); ~ *service* tennis: service *m* par en dessous; **'~hung** 🐟 prognathe; coulissant (*porte*); **'~lay** 1. [ʌndə'lei] [*irr.* (lay)]: ~ *s.th. with s.th.* mettre qch. sous qch.; 2. ['ʌndəlei] assise *f* de feutre; *géol.* inclinaison *f*; **'~let** [*irr.* (let)] sous-louer; louer à trop bas prix; ⚓ sous-fréter; **'~lie** [*irr.* (lie)] être en dessous *ou* au-dessous *ou* *fig.* à la base de; **'~line** 1. [ʌndə'lain] souligner; 2. ['ʌndəlain] légende *f* (*d'une illustration*).

un·der·ling ['ʌndəliŋ] subordonné (-e *f*) *m*; sous-ordre *m*; **un·der·manned** ['ʌndi'mænd] à court de personnel *ou* ⚓ d'équipage; **un·der'mine** miner, saper (*a. fig.*); **'un·der·most** 1. *adj.* le (la) plus bas(se *f*); le plus en dessous; 2. *adv.* en dessous; **un·der·neath** [~'niːθ] 1. *prp.* au-dessous de, sous; 2. *adv.* au-dessous; par-dessous.

under...: **'~nour·ished** mal nourri; **'~pass** *Am.* passage *m* souterrain; **'~pay** [*irr.* (pay)] rétribuer mal; **'~pin** ⊕ étayer (*un mur*); *fig.* soutenir; **'~pin·ning** ⊕ étayage *m*; étais *m/pl.*; soutènement *m*; **'~plot** intrigue *f* secondaire; **'~print** *phot.* tirer (*une épreuve*) trop claire; **'~priv·i·leged** déshérité (*a. su.*); **'~rate** sous-estimer; mésestimer; **'~score** souligner; **'~·sec·re·tar·y**

sous-secrétaire *mf*; '~'**sell** † [*irr.* (*sell*)] vendre moins cher que (*q.*); vendre (*qch.*) au-dessous de sa valeur; '~**shot** en dessous, à aubes (*roue*); '~**signed** soussigné(e *f*) *m*; '~'**sized** trop petit; rabougri; ~'**slung** *mot.* à châssis surbaissé; ~'**staffed** à court de personnel; ~'**stand** [*irr.* (*stand*)] comprendre (*a. fig.*); s'entendre à; se rendre compte de; *gramm.* sous-entendre; *fig. a.* écouter bien; *make o.s. under-stood* se faire comprendre; *it is understood that* il est (bien) entendu que; *that is understood* cela va sans dire; *an understood thing* chose *f* convenue; ~'**stand·a·ble** compréhensible; ~'**stand·ing 1.** entendement *m*, compréhension *f*; entente *f*, accord *m*; *on the* ~ *that* à condition que; **2.** intelligent; '~'**state** rester au-dessous de la vérité; amoindrir (*les faits*); '~'**state·ment** affirmation *f* qui reste au-dessous de la vérité; amoindrissement *m* (*des faits*).

under...: '~**strap·per** *see under-ling*; '~**stud·y** *théâ.* **1.** doublure *f*; **2.** doubler; ~'**take** [*irr.* (*take*)] entreprendre; se charger de; ~**that** F promettre que; '~**tak·er** entrepreneur *m* de pompes funèbres; ~**tak·ing** [ʌndə'teikiŋ] entreprise *f* (*a.* †); promesse *f*; '~**tak·ing** ['ʌndəteikiŋ] entreprise *f* de pompes funèbres; '~**ten·ant** sous-locataire *mf*; '~**tone** *fig.* fond *m*; *in an* ~ à demi-voix, à voix basse; '~**val·ue** sous-estimer; mésestimer; '~**wear** linge *m* de corps; lingerie *f* (*pour dames*); '~**weight** manque *m* de poids; '~**wood** broussailles *f/pl.*; sous-bois *m*; '~**world** *les* enfers *m/pl.*; *les* bas-fonds *m/pl.* de la société; '~**write** † [*irr.* (*write*)] souscrire (*une émission, un risque*); garantir; '~**writ·er** assureur *m*; membre *m* d'un syndicat de garantie.

un·de·served □ ['ʌndi'zə:vd; *adv.* ~vidli] immérité; injuste; '**un·de-'serv·ing** peu méritoire; sans mérite (*personne*).

un·de·signed □ ['ʌndi'zaind; *adv.* ~nidli] imprévu; involontaire.

un·de·sir·a·ble □ ['ʌndi'zaiərəbl] peu désirable; indésirable (*a. su./mf*).

un·de·terred ['ʌndi'tə:d] aucunement découragé.

un·de·vel·oped ['ʌndi'veləpt] non développé; inexploité (*terrain*).

un·de·vi·a·ting □ [ʌn'di:vieitiŋ] constant; droit.

un·di·gest·ed ['ʌndi'dʒestid] mal digéré.

un·dig·ni·fied □ [ʌn'dignifaid] qui manque de dignité; peu digne.

un·dis·cerned □ ['ʌndi'sə:nd] inaperçu; '**un·dis'cern·ing** sans discernement.

un·dis·charged ['ʌndis'tʃɑ:dʒd] inaccompli (*tâche etc.*); inacquitté (*dette*); non réhabilité (*failli*).

un·dis·ci·plined [ʌn'disiplind] indiscipliné.

un·dis·crim·i·nat·ing □ ['ʌndis-'krimineitiŋ] sans discernement.

un·dis·guised □ ['ʌndis'gaizd] non déguisé; franc(he *f*).

un·dis·posed ['ʌndis'pouzd] peu disposé (*à, to*); (*usu.* ~*of*) qui reste; † non vendu.

un·dis·put·ed □ ['ʌndis'pju:tid] incontesté.

un·dis·turbed □ ['ʌndis'tə:bd] tranquille; calme; non dérangé.

un·di·vid·ed □ ['ʌndi'vaidid] indivisé; non partagé; tout.

un·do ['ʌn'du:] [*irr.* (*do*)] défaire (= *ouvrir*); dénouer; annuler; réparer (*un mal*); † ruiner; † tuer; '**un'do·ing** action *f* de défaire *etc.*; ruine *f*, perte *f*; **un·done** ['ʌn'dʌn] défait *etc.*; inachevé; non accompli; *he is* ~ c'en est fait de lui; *come* ~ se défaire.

un·doubt·ed □ [ʌn'dautid] indubitable; incontestable.

un·dreamt-of [ʌn'dremtɔv] inattendu; imaginé.

un·dress ['ʌn'dres] **1.** (se) déshabiller *ou* dévêtir; **2.** déshabillé *m*, négligé *m*; ✗ petite tenue *f*; '**un-'dressed** déshabillé; en déshabillé; brut (*pierre*); inapprêté (*cuir etc.*); non pansé (*blessure*); *cuis.* non garni *ou* habillé.

un·due □ ['ʌn'dju:] (*adv.* **unduly**) inexigible; † non échu; injuste; exagéré; illégitime.

un·du·late ['ʌndjuleit] *vt/i.* onduler; *v/i.* ondoyer; '**un·du·lat·ing** □ ondulé; vallonné (*terrain*); ondoyant (*blé*); **un·du·la·tion** ondulation *f*; pli *m* de terrain; **un·du·la-**

to·ry ['ˌɪˌlətəri] ondulatoire; ondulé.

un·dy·ing □ [ʌnˈdaiiŋ] immortel(le f); éternel(le f).

un·earned ['ʌnˈəːnd] immérité; ~ **income** rente f, -s f/pl.

un·earth ['ʌnˈəːθ] déterrer; *chasse:* faire sortir de son trou; *fig.* découvrir, F dénicher; **un'earth·ly** sublime; surnaturel(le f); F abominable.

un·eas·i·ness [ʌnˈiːzinis] gêne f; inquiétude f; **un'eas·y** □ gêné; mal à l'aise; inquiet (-ète f) (au sujet de, *about*).

un·eat·a·ble ['ʌnˈiːtəbl] immangeable.

un·e·co·nom·ic, un·e·co·nom·i·cal □ ['ʌniːkəˈnɔmik(l)] non économique; non rémunérateur (-trice f) (*travail etc.*).

un·ed·u·cat·ed ['ʌnˈedjukeitid] sans éducation; ignorant; vulgaire (*langage*).

un·em·bar·rassed ['ʌnimˈbærəst] peu gêné, désinvolte.

un·e·mo·tion·al □ ['ʌniˈmouʃnl] peu émotif (-ive f); peu impressionnable.

un·em·ployed ['ʌnimˈplɔid] **1.** désœuvré, inoccupé; sans travail; ✕ en non-activité; ✝ inemployé; **2.:** the ~ *pl.* les chômeurs m/pl.; Welfare Work for the ♀ assistance f sociale contre le chômage; **'un·em'ploy·ment** chômage m; manque m de travail; ~ **benefit** secours m de chômage; allocation f de chômage.

un·end·ing □ ['ʌnˈendiŋ] sans fin; interminable; éternel(le f).

un·en·dur·a·ble ['ʌninˈdjuərəbl] insupportable.

un·en·gaged ['ʌninˈgeidʒd] libre; disponible; non fiancé.

un-English ['ʌnˈiŋgliʃ] peu anglais.

un·en·light·ened *fig.* ['ʌninˈlaitnd] non éclairé.

un·en·ter·pris·ing ['ʌnˈentəpraiziŋ] peu entreprenant.

un·en·vi·a·ble □ ['ʌnˈenviəbl] peu enviable.

un·e·qual □ ['ʌnˈiːkwəl] inégal (-aux m/pl.); irrégulier (-ère f); ~ **to** au-dessous de; **be ~ to** (*inf.*) ne pas être de taille à (*inf.*); **'un·e'qual(l)ed** sans égal (-aux m/pl.); sans pareil(le f).

un·e·qui·vo·cal □ ['ʌniˈkwivəkl] clair; franc(he f); sans équivoque.

un·err·ing □ ['ʌnˈəːriŋ] infaillible.

un·es·sen·tial □ ['ʌniˈsenʃl] non essentiel(le f); accessoire.

un·e·ven □ ['ʌnˈiːvn] inégal (-aux m/pl.) (*a. humeur, souffle*); accidenté (*terrain*); raboteux (-euse f) (*chemin*); rugueux (-euse f); impair (*nombre*); irrégulier (-ère f).

un·e·vent·ful □ ['ʌniˈventful] calme; sans incidents.

un·ex·am·pled ['ʌnigˈzaːmpld] unique; sans pareil(le f).

un·ex·cep·tion·a·ble □ ['ʌnikˈsepʃnəbl] irréprochable; irrécusable (*témoignage*).

un·ex·pect·ed □ ['ʌniksˈpektid] imprévu; inattendu.

un·ex·plored ['ʌniksˈplɔːd] encore inconnu; ♯ insondé.

un·ex·posed *phot.* ['ʌniksˈpouzd] vierge.

un·ex·pressed ['ʌniksˈprest] inexprimé; sousentendu (*a. gramm.*).

un·fad·ing □ [ʌnˈfeidiŋ] bon teint *inv.*; *fig.* impérissable.

un·fail·ing □ [ʌnˈfeiliŋ] sûr, infaillible; qui ne se dément jamais; inépuisable.

un·fair □ ['ʌnˈfeə] inéquitable, injuste, partial (-aux m/pl.) (*personne*); déloyal (-aux m/pl.) (*jeu etc.*); **'un'fair·ness** injustice f; partialité f; déloyauté f.

un·faith·ful □ ['ʌnˈfeiθful] infidèle; inexact; déloyal (-aux m/pl.) (envers, *to*); **'un'faith·ful·ness** infidélité f.

un·fal·ter·ing □ [ʌnˈfɔːltəriŋ] ferme; assuré.

un·fa·mil·iar ['ʌnfəˈmiljə] étranger (-ère f); peu connu *ou* familier (-ère f).

un·fash·ion·a·ble □ ['ʌnˈfæʃnəbl] démodé.

un·fas·ten ['ʌnˈfaːsn] délier; détacher; ouvrir; défaire.

un·fath·om·a·ble □ [ʌnˈfæðəməbl] insondable.

un·fa·vo(u)r·a·ble □ ['ʌnˈfeivərəbl] défavorable.

un·feel·ing □ [ʌnˈfiːliŋ] insensible.

un·feigned □ [ʌnˈfeind]; *adv.* ~nidli] sincère, réel(le f), vrai.

un·felt ['ʌnˈfelt] insensible.

un·fer·ment·ed ['ʌnfəˈmentid] non fermenté.

un·fet·ter [ˈʌnˈfetə] désenchaîner; briser les fers de; *fig.* affranchir.

un·fil·i·al □ [ˈʌnˈfiljəl] indigne d'un fils.

un·fin·ished [ˈʌnˈfiniʃt] inachevé; imparfait; ⊕ brut.

un·fit 1. □ [ˈʌnˈfit] peu propre, qui ne convient pas (à *inf.*, *to inf.*; à qch., *for s.th.*); inapte (à, *for*); **2.** [ˈʌnˈfit] rendre inapte *ou* impropre (à, *for*); **'un'fit·ness** inaptitude *f*; mauvaise santé *f*; **un'fit·ted** (*to, for*) impropre (à); incapable (de); indigne (de).

un·fix [ˈʌnˈfiks] (se) détacher, défaire; **'un'fixed** mobile; instable (*personne*); flottant; *phot.* non fixé.

un·flag·ging □ [ʌnˈflægiŋ] infatigable; soutenu (*intérêt*).

un·flat·ter·ing □ [ˈʌnˈflætəriŋ] peu flatteur (-euse *f*) (pour, *to*).

un·fledged [ˈʌnˈfledʒd] sans plumes; *fig.* sans expérience.

un·flinch·ing □ [ʌnˈflintʃiŋ] ferme, qui ne bronche pas; stoïque; impassible.

un·fold [ˈʌnˈfould] (se) déployer; (se) dérouler; *v/t.* [ˌˈfould] révéler; développer.

un·forced □ [ˈʌnˈfɔːst; *adv.* ˌsidli] libre; volontaire; naturel(le *f*).

un·fore·seen [ˈʌnfɔːˈsiːn] imprévu, inattendu. [inoubliable.]

un·for·get·ta·ble □ [ˈʌnfəˈgetəbl]]

un·for·giv·a·ble [ˈʌnfəˈgivəbl] impardonnable; **'un'for'giv·ing** implacable; rancunier (-ère *f*).

un·for·got·ten [ˈʌnfəˈgɔtn] inoublié.

un·for·ti·fied [ˈʌnˈfɔːtifaid] sans défenses; ouvert (*ville etc.*).

un·for·tu·nate [ʌnˈfɔːtʃənit] **1.** □ malheureux (-euse *f*) (*a. su.*); défavorable; ˌly malheureusement, par malheur.

un·found·ed □ [ˈʌnˈfaundid] sans fondement; gratuit; non fondé.

un·fre·quent·ed [ˈʌnfriˈkwentid] peu fréquenté.

un·friend·ly [ˈʌnˈfrendli] inamical (-aux *m/pl.*); hostile.

un·fruit·ful □ [ˈʌnˈfruːtful] infécond (*arbre*); improductif (-ive *f*).

un·ful·filled [ˈʌnfulˈfild] inaccompli; inassouvi (*désir*); inexaucé (*vœu*).

un·furl [ʌnˈfɔːl] (se) déferler (*voile, drapeau*); (se) dérouler; (se) déplier.

un·fur·nished [ˈʌnˈfɔːniʃt] dégarni; dépourvu (de, *with*); non meublé (*appartement etc.*).

un·gain·li·ness [ʌnˈgeinlinis] gaucherie *f*; air *m* gauche; **un'gain·ly** gauche; dégingandé (*marche*).

un·gear [ˈʌnˈgiə] débrayer.

un·gen·er·ous □ [ˈʌnˈdʒenərəs] peu généreux (-euse *f*); ingrat (*sol*).

un·gen·tle □ [ˈʌnˈdʒentl] rude, dur.

un·gen·tle·man·ly [ʌnˈdʒentlmənli] mal élevé; impoli.

un·glazed [ˈʌnˈgleizd] sans vitres; non glacé (*papier*).

un·gloved [ˈʌnˈglʌvd] déganté.

un·god·li·ness [ʌnˈgɔdlinis] impiété *f*; **un'god·ly** □ impie; F abominable.

un·gov·ern·a·ble □ [ʌnˈgʌvənəbl] irrésistible; effréné; ingouvernable (*enfant, pays*); **'un'gov·erned** effréné; sans gouvernement (*pays, peuple*); désordonné.

un·grace·ful □ [ˈʌnˈgreisful] gauche; disgracieux (-euse *f*).

un·gra·cious □ [ˈʌnˈgreiʃəs] désagréable; peu aimable (*personne*); peu cordial (-aux *m/pl.*) (*accueil etc.*).

un·grate·ful □ [ʌnˈgreitful] ingrat; peu reconnaissant.

un·ground·ed □ [ˈʌnˈgraundid] sans fondement; ⚡ non (relié) à la terre.

un·grudg·ing □ [ˈʌnˈgrʌdʒiŋ] accordé de bon cœur; généreux (-euse *f*).

un·gual *anat.* [ˈʌŋgwəl] unguéal (-aux *m/pl.*); ongulé.

un·guard·ed □ [ˈʌnˈgɑːdid] non gardé; sans garde; sans défense (*ville*); ⊕ sans dispositif protecteur; *fig.* imprudent.

un·guent [ˈʌŋgwənt] onguent *m*.

un·guid·ed □ [ˈʌnˈgaidid] sans guide.

un·gu·late [ˈʌŋgjuleit] (*ou* ˌ *animal*) ongulé *m*.

un·hal·lowed [ʌnˈhæloud] profane; imbéni; *fig.* impie.

un·ham·pered [ˈʌnˈhæmpəd] libre.

un·hand·some □ [ʌnˈhænsəm] laid (*action*); vilain.

un·hand·y □ [ʌnˈhændi] incommode; maladroit, gauche (*personne*).

un·hap·pi·ness [ʌnˈhæpinis] chagrin *m*; inopportunité *f*; **un'hap·py**

□ triste, malheureux (-euse *f*); *fig.* peu heureux (-euse *f*).

un·harmed [ˈʌnˈhɑːmd] sain et sauf (-ve *f*).

un·har·ness [ˈʌnˈhɑːnis] dételer.

un·health·y □ [ʌnˈhelθi] malsain (*a. fig.*); maladif (-ive *f*) (*personne*).

un·heard [ʌnˈhəːd] non entendu; **~of** [ʌnˈhəːdɔv] inouï; inconnu.

un·heed·ed [ʌnˈhiːdid] négligé; inaperçu.

un·hes·i·tat·ing □ [ʌnˈheziteitiŋ] ferme, résolu; prompt.

un·hinge [ʌnˈhindʒ] enlever (*une porte*) de ses gonds; *fig.* déranger, détraquer.

un·his·tor·i·cal □ [ˈʌnhisˈtɔrikl] contraire à l'histoire; légendaire.

un·ho·ly [ʌnˈhouli] profane; impie (*personne*); ⸸ invraisemblable.

un·hon·o(u)red [ʌnˈɔnəd] qui n'est pas honoré; dédaigné; ⸸ impayé (*chèque etc.*).

un·hook [ˈʌnˈhuk] (se) décrocher; (se) dégrafer.

un·hoped-for [ʌnˈhouptfɔː] inespéré; inattendu; **un·hope·ful** [~ful] peu optimiste; désespérant.

un·horse [ˈʌnˈhɔːs] désarçonner; dételer (*une voiture*).

un·house [ˈʌnˈhauz] déloger; laisser sans abri.

un·hurt [ˈʌnˈhəːt] intact; sans blessure (*personne*); indemne.

u·ni·corn [ˈjuːnikɔːn] licorne *f*.

u·ni·fi·ca·tion [juːnifiˈkeiʃn] unification *f*.

u·ni·form [ˈjuːnifɔːm] **1.** □ uniforme; constant; **~ price** prix *m* unique; **2.** uniforme *m*; ✗ *a.* habit *m* d'ordonnance; **3.** vêtir d'un uniforme; **~d** en uniforme; **u·ni·form·i·ty** uniformité *f*; régularité *f*; *eccl.* conformisme *m*.

u·ni·fy [ˈjuːnifai] unifier.

u·ni·lat·er·al [ˈjuːniˈlætərəl] unilatéral (-aux *m/pl.*).

un·im·ag·i·na·ble □ [ʌniˈmædʒinəbl] inconcevable; **un·im·ag·i·na·tive** □ [~nətiv] prosaïque.

un·im·paired [ˈʌnimˈpɛəd] intact; non diminué; non affaibli.

un·im·peach·a·ble □ [ʌnimˈpiːtʃəbl] inattaquable; irréprochable (*conduite*).

un·im·por·tant □ [ˈʌnimˈpɔːtənt] sans importance; insignifiant.

un·im·proved [ˈʌnimˈpruːvd] non amélioré; ⸗, *fig.* inculte.

un·in·flu·enced [ˈʌnˈinfluənst] libre de toute prévention; non influencé.

un·in·formed [ˈʌninˈfɔːmd] ignorant; non averti.

un·in·hab·it·a·ble [ˈʌninˈhæbitəbl] inhabitable; **un·in·hab·it·ed** inhabité; désert.

un·in·jured [ˈʌnˈindʒəd] intact; sain et sauf (-ve *f*) (*personne*); indemne.

un·in·struct·ed [ˈʌninˈstrʌktid] ignorant; sans instruction.

un·in·tel·li·gi·bil·i·ty [ˈʌnintelidʒəˈbiliti] inintelligibilité *f*; **un·in·tel·li·gi·ble** inintelligible.

un·in·ten·tion·al □ [ˈʌninˈtenʃənl] involontaire; non voulu.

un·in·ter·est·ing □ [ˈʌnˈintristiŋ] sans intérêt; peu intéressant.

un·in·ter·rupt·ed □ [ˈʌnintəˈrʌptid] ininterrompu; **~ working-hours** heures *f/pl.* de travail d'affilée.

un·in·vit·ed [ˈʌninˈvaitid] sans être invité; intrus; **un·in·vit·ing** □ peu attrayant.

un·ion [ˈjuːnjən] union *f* (*a.* ⊕, *pol. etc.*); réunion *f*; *pol.* syndicat *m*; association *f*; asile *m* des pauvres; *fig.* concorde *f*; ✂ soudure *f*; ⊕ raccord *m*; ♀ *Jack* pavillon *m* britannique; **~ suit** *Am.* combinaison *f*; **un·ion·ism** *pol. etc.* unionisme *m*; syndicalisme *m*; **un·ion·ist** *pol. etc.* unioniste *m*; syndiqué(e *f*) *m*; syndicaliste *mf*.

u·nique [juːˈniːk] **1.** □ unique; seul en son genre; **2.** chose *f* unique.

u·ni·son ♪, *a. fig.* [ˈjuːnizn] unisson *m*; **in ~** à l'unisson (de, *with*); *fig.* de concert (avec, *with*).

u·nit [ˈjuːnit] unité *f* (*a.* ✗, ⚕, ✝, *mesure*); élément *m*; ⊕ bloc *m*; **U·ni·tar·i·an** [juːniˈtɛəriən] **1.** unita(i)rien(ne *f*) *m*; unitaire *mf*; **2.** = **u·ni·tar·y** [ˈ~təri] unitaire; **u·nite** [juːˈnait] (s')unir; (se)réunir; (se) joindre (à, *with*); **~d Kingdom** Royaume-Uni *m*; **~d Nations** *Organisation* Organisation *f* des Nations Unies; **~d States** *pl.* États-Unis *m/pl.* (d'Amérique); **u·ni·ty** [ˈ~niti] unité *f*.

u·ni·ver·sal □ [juːniˈvəːsəl] universel(le *f*); **~ legatee** légataire *m* universel; ⊕ **~ joint** joint *m* brisé *ou* de cardan; ~ *language* langue *f* universelle; ♀ *Postal Union* Union *f* Postale Universelle; ~ *suffrage m* universel; **u·ni·ver·sal·i·ty** [ˌ~ˈsæliti] universalité *f*; **u·ni·verse** [ˈ~vəːs] univers *m*; **u·ni·ver·si·ty** [ˌ~ˈvəːsiti] université *f*.

un·just □ [ˈʌnˈdʒʌst] injuste (avec, envers, pour *to*); **un·jus·ti·fi·a·ble** □ [ʌnˈdʒʌstifaiəbl] injustifiable; inexcusable.

un·kempt [ˈʌnˈkempt] mal peigné; *fig.* mal *ou* peu soigné; mal tenu.

un·kind □ [ˈʌnˈkaind] dur, cruel (-le *f*); peu aimable.

un·knot [ˈʌnˈnɔt] dénouer.

un·know·ing □ [ˈʌnˈnouiŋ] ignorant; inconscient (de, *of*); **un·known** 1. inconnu (de, à *to*); *adv.* ~ *to* me à mon insu; 2. inconnu *m*; *personne:* inconnu(e *f*) *m*; Ⱥ inconnue *f*.

un·lace [ˈʌnˈleis] délacer, défaire.

un·lade [ˈʌnˈleid] [*irr.* (*lade*)] décharger (*a.* ♺); *fig.* délester.

un·la·dy·like [ˈʌnˈleidilaik] peu distingué; vulgaire.

un·laid [ˈʌnˈleid] détordu (*câble*); non posé (*tapis*); non mis (*couvert, table*). [regretté.⟩

un·la·ment·ed [ˈʌnləˈmentid] non⟩

un·latch [ˈʌnˈlætʃ] lever le loquet de; ouvrir.

un·law·ful □ [ˈʌnˈlɔːful] illégal (-aux *m/pl.*); contraire à la loi; illicite; *p.ext.* illégitime.

un·learn [ˈʌnˈləːn] désapprendre; **un·learn·ed** □ [ˌ~id] ignorant; illettré; peu versé (dans, *in*).

un·leash [ˈʌnˈliːʃ] découpler, lâcher; *fig.* déchaîner; détacher.

un·leav·ened [ˈʌnˈlevnd] sans levain, azyme.

un·less [ənˈles] 1. *cj.* à moins que (*sbj.*); à moins de (*inf.*); si ... ne ... pas; 2. *prp.* sauf, excepté.

un·let·tered [ˈʌnˈletəd] illettré.

un·li·censed [ˈʌnˈlaisənst] non autorisé; sans brevet.

un·like □ [ˈʌnˈlaik] différent (de *q.*, [*to*] *s.o.*); dissemblable; à la différence de; **un·like·li·hood** improbabilité *f*; **un·like·ly** invraisemblable, improbable.

un·lim·it·ed [ʌnˈlimitid] illimité; sans bornes (*a. fig.*).

un·link [ˈʌnˈliŋk] défaire, détacher; ~ *hands* se lâcher.

un·load [ˈʌnˈloud] décharger (*un bateau, une voiture, une cargaison; a. une arme à feu; a. phot.*); ♻ se décharger de; *fig.* ~ *one's heart* épancher son cœur, se soulager.

un·lock [ˈʌnˈlɔk] ouvrir; tourner la clef dans; débloquer (*une roue*); *mot.* déverrouiller (*la direction*).

un·looked-for [ʌnˈluktfɔː] imprévu; inattendu.

un·loose(n) [ˈʌnˈluːs(n)] lâcher; défaire.

un·lov·a·ble □ [ˈʌnˈlʌvəbl] peu aimable *ou* sympathique; **un·love·ly** sans charme; laid; **un·lov·ing** □ froid; peu affectueux (-euse *f*).

un·luck·y □ [ʌnˈlʌki] malheureux (-euse *f*).

un·make [ˈʌnˈmeik] [*irr.* (*make*)] défaire (*qch., un roi, etc.*); perdre (*q.*), causer la ruine de (*q.*).

un·man [ˈʌnˈmæn] amollir (*une nation*); attendrir; *fig.* décourager.

un·man·age·a·ble □ [ʌnˈmænidʒəbl] intraitable; indocile; difficile à manier; difficile à diriger (*entreprise*).

un·man·ly [ˈʌnˈmænli] efféminé; indigne d'un homme.

un·man·ner·ly [ʌnˈmænəli] sans savoir-vivre; impoli, mal élevé.

un·mar·ried [ˈʌnˈmærid] célibataire; non marié.

un·mask [ˈʌnˈmɑːsk] (se) démasquer; *v/t. fig.* dévoiler.

un·matched [ˈʌnˈmætʃt] incomparable; désassorti.

un·mean·ing □ [ʌnˈmiːniŋ] vide de sens; **un·meant** [ˈʌnˈment] involontaire; fait sans intention.

un·meas·ured [ʌnˈmeʒəd] non mesuré; *fig.* infini.

un·men·tion·a·ble [ʌnˈmenʃnəbl] 1. dont il ne faut pas parler; qu'il ne faut pas prononcer; 2. F *the* ~*s pl.* le pantalon *m*.

un·mer·ci·ful □ [ʌnˈməːsiful] impitoyable.

un·mer·it·ed [ˈʌnˈmeritid] immérité.

un·mind·ful □ [ʌnˈmaindful] négligent (*personne*); ~ *of* oublieux (-euse *f*) de; sans penser à.

un·mis·tak·a·ble □ [ˈʌnmisˈteikəbl] clair; qui ne prête à aucune erreur; parfaitement reconnaissable.

un·mit·i·gat·ed [ʌnˈmitigeitid] non mitigé; *fig.* parfait; véritable.

un·mo·lest·ed ['ʌnmo'lestid] sans être molesté; sans empêchement.

un·moor ['ʌn'muə] dé(sa)marrer; désaffourcher.

un·mort·gaged ['ʌn'mɔːgidʒd] libre d'hypothèques.

un·mount·ed ['ʌn'mauntid] non monté; non serti (*pierre précieuse*); non encadré (*photo etc.*); ✕ à pied.

un·moved □ ['ʌn'muːvd] toujours en place; *fig.* impassible.

un·mu·si·cal □ ['ʌn'mjuːzikl] peu mélodieux (-euse *f*); peu musical (-aux *m/pl.*); qui n'aime pas la musique (*personne*).

un·muz·zle ['ʌn'mʌzl] démuseler (*a. fig.*); ~d *a.* sans muselière.

un·named ['ʌn'neimd] anonyme.

un·nat·u·ral □ ['ʌn'nætʃrl] non naturel(le *f*); anormal (-aux *m/pl.*); forcé; dénaturé (*père etc.*).

un·nec·es·sar·y □ [ʌn'nesisəri] superflu.

un·neigh·bo(u)r·ly ['ʌn'neibəli] de mauvais voisin; peu obligeant.

un·nerve ['ʌn'nəːv] effrayer; faire perdre son courage (*etc.*) à (*q.*).

un·no·ticed ['ʌn'noutist] inaperçu.

un·num·bered ['ʌn'nʌmbəd] non numéroté; *poét.* innombrable.

un·ob·jec·tion·a·ble □ ['ʌnəb'dʒekʃnəbl] irréprochable.

un·ob·serv·ant □ ['ʌnəb'zəːvənt] peu observateur (-trice *f*); *be ~ of* ne pas faire attention à; faire peu de cas de; **un·ob·served** □ inaperçu, inobservé.

un·ob·tru·sive □ ['ʌnəb'truːsiv] modeste; discret (-ète *f*).

un·oc·cu·pied ['ʌn'ɔkjupaid] inoccupé; oisif (-ive *f*); inhabité; libre.

un·of·fend·ing ['ʌnə'fendiŋ] innocent.

un·of·fi·cial □ ['ʌnə'fiʃl] officieux (-euse *f*); non confirmé.

un·op·posed ['ʌnə'pouzd] sans opposition; *pol.* unique (*candidat*).

un·os·ten·ta·tious □ ['ʌnɔstən'teiʃəs] simple; modeste; sans faste.

un·pack ['ʌn'pæk] déballer; défaire (*v/i.* sa valise *etc.*).

un·paid ['ʌn'peid] impayé; sans traitement; ✝ non acquitté; non affranchi (*lettre*).

un·pal·at·a·ble [ʌn'pælətəbl] désagréable (*au goût, a. fig.*).

un·par·al·leled [ʌn'pærəleld] incomparable; sans égal (-aux *m/pl.*); sans précédent.

un·par·don·a·ble □ [ʌn'pɑːdnəbl] impardonnable.

un·par·lia·men·ta·ry □ ['ʌnpɑːlə'mentəri] antiparlementaire; F grossier (-ère *f*).

un·pa·tri·ot·ic ['ʌnpætri'ɔtik] (~ally) peu patriotique; peu patriote (*personne*).

un·paved ['ʌn'peivd] non pavé.

un·peo·ple ['ʌn'piːpl] dépeupler.

un·per·ceived □ ['ʌnpə'siːvd] inaperçu; non ressenti.

un·per·formed ['ʌnpə'fɔːmd] inexécuté (*a. ♪*); ♪, *théâ.* non joué.

un·phil·o·soph·i·cal □ ['ʌnfilə'sɔfikl] peu philosophique.

un·picked ['ʌn'pikt] non trié; non cueilli (*fruit*).

un·pin ['ʌn'pin] enlever les épingles de; défaire; ⊕ dégoupiller.

un·pit·ied ['ʌn'pitid] sans être plaint; que personne ne plaint.

un·placed ['ʌn'pleist] sans place; *turf:* non placé; non classé.

un·pleas·ant □ ['ʌn'pleznt] désagréable; fâcheux (-euse *f*); **un·pleas·ant·ness** caractère *m* désagréable; *fig.* ennui *m*.

un·plumbed ['ʌn'plʌmd] insondé.

un·po·et·ic, un·po·et·i·cal □ ['ʌnpou'etik(l)] peu poétique.

un·po·lished ['ʌn'pɔliʃt] non poli; non verni; *fig.* fruste.

un·pol·lut·ed ['ʌnpə'luːtid] impollué; pur.

un·pop·u·lar □ ['ʌn'pɔpjulə] impopulaire; mal vu; **un·pop·u·lar·i·ty** ['~'læriti] impopularité *f*.

un·prac·ti·cal □ ['ʌn'præktikl] impraticable; peu pratique (*personne*); **'un·prac·ticed, 'un·prac·tised** [~tist] (*in*) inexercé (à, dans); peu versé (dans).

un·prec·e·dent·ed □ [ʌn'presidəntid] sans précédent; inouï.

un·prej·u·diced □ ['ʌn'predʒudist] sans préjugé; impartial (-aux *m/pl.*).

un·pre·med·i·tat·ed □ ['ʌnpri'mediteitid] impromptu; spontané; ♯♭ non prémédité.

un·pre·pared □ ['ʌnpri'pɛəd; *adv.* ~ridli] non préparé; au dépourvu; improvisé (*discours*).

un·pre·pos·sess·ing ['ʌnpriːpə'zesiŋ] peu engageant.

un·pre·sent·a·ble [ˈʌnpriˈzentəbl] peu présentable

un·pre·tend·ing ☐ [ˈʌnpriˈtendiŋ], **un·pre'ten·tious** ☐ sans prétention.

un·prin·ci·pled [ˈʌnˈprinsəpld] sans principes; improbe.

un·pro·duc·tive ☐ [ˈʌnprəˈdʌktiv] improductif (-ive f); stérile; ✝ dormant (capital); be ~ of ne pas produire (qch.)

un·pro·fes·sion·al ☐ [ˈʌnprəˈfeʃənl] contraire aux usages du métier; sp. amateur.

un·prof·it·a·ble ☐ [ʌnˈprɔfitəbl] ımprofitable; inutile; ingrat; **un·prof·it·a·ble·ness** inutilité f.

un·prom·is·ing ☐ [ˈʌnˈprɔmisiŋ] qui promet peu; qui s'annonce mal (temps).

un·pro·nounce·a·ble ☐ [ˈʌnprəˈnaunsəbl] imprononçable.

un·pro·pi·tious ☐ [ˈʌnprəˈpiʃəs] impropice; peu favorable (à, to).

un·pro·tect·ed ☐ [ˈʌnprəˈtektid] sans défense; ⊕ exposé.

un·proved [ˈʌnˈpruːvd] non prouvé.

un·pro·vid·ed [ˈʌnprəˈvaidid] non fourni; dépourvu (de, with); '**un·pro'vid·ed-for** imprévu; non prévu; (laissé) sans ressources (personne).

un·pro·voked ☐ [ˈʌnprəˈvoukt] non provoqué; gratuit.

un·pub·lished [ˈʌnˈpʌbliʃt] non publié; inédit.

un·punc·tual ☐ [ˈʌnˈpʌŋktjuəl] inexact; en retard; **un·punc·tu·al·i·ty** [ˈ~ˈæliti] inexactitude f.

un·pun·ished [ˈʌnˈpʌniʃt] impuni; go ~ rester impuni; échapper à la punition (personne).

un·qual·i·fied [ʌnˈkwɔlifaid] incompétent; sans diplôme; fig. absolu, sans réserve; F achevé, fieffé (menteur etc.).

un·quench·a·ble ☐ [ʌnˈkwentʃəbl] inextinguible; fig. inassouvissable.

un·ques·tion·a·ble ☐ [ʌnˈkwestʃənəbl] incontestable; indiscutable; **un'ques·tioned** incontesté; indiscuté; **un'ques·tion·ing** ☐ fig. aveugle.

un·quote [ˈʌnˈkwout] fermer les guillemets; **un'quot·ed** Bourse: non coté.

un·rav·el [ʌnˈrævl] (s')effiler; (se)

défaire; (s')éclaircir; v/t. dénouer (une intrigue).

un·read [ˈʌnˈred] non lu; illettré (personne); **un·read·a·ble** [ˈʌnˈriːdəbl] illisible.

un·read·i·ness [ˈʌnˈredinis] manque m de préparation ou promptitude; '**un'read·y** ☐: be ~ ne pas être prêt ou prompt, être peu disposé (à qch., for s.th.; à inf., to inf.); attr. hésitant.

un·re·al ☐ [ˈʌnˈriəl] irréel(le f); **un·re·al·is·tic** [ˈʌnriəˈlistik] peu réaliste; peu pratique.

un·rea·son [ˈʌnˈriːzn] déraison f; **un'rea·son·a·ble** ☐ déraisonnable; exorbitant; indu; a. exigeant (personne).

un·re·claimed [ˈʌnriˈkleimd] non réformé; indéfriché (terrain).

un·rec·og·niz·a·ble ☐ [ˈʌnˈrekəgnaizəbl] méconnaissable; '**un'rec·og·nized** non reconnu; méconnu (génie etc.). [réconcilié.]

un·rec·on·ciled [ˈʌnˈrekənsaild] ir-]

un·re·cord·ed [ˈʌnriˈkɔːdid] non enregistré (a. ♪).

un·re·deemed ☐ [ˈʌnriˈdiːmd] non racheté ou récompensé (par, by); inaccompli (promesse); ✝ non remboursé ou amorti.

un·re·dressed [ˈʌnriˈdrest] non redressé.

un·reel [ˈʌnˈriːl] (se) découler.

un·re·fined [ˈʌnriˈfaind] non raffiné; brut; fig. grossier (-ère f); fruste.

un·re·formed [ˈʌnriˈfɔːmd] non réformé; qui ne s'est pas corrigé.

un·re·gard·ed [ˈʌnriˈgɑːdid] négligé; '**un're·gard·ful** [ˌfʌl] (of) négligent (de); peu soigneux (-euse f) (de); inattentif (-ive f) (à).

un·reg·is·tered [ʌnˈredʒistəd] non enregistré, non inscrit; non déposé (marque); non recommandé (lettre).

un·re·gret·ted [ˈʌnriˈgretid] (mourir) sans laisser de regrets.

un·re·lat·ed [ˈʌnriˈleitid] sans rapport (avec, to); non apparenté (personne).

un·re·lent·ing ☐ [ˈʌnriˈlentiŋ] implacable; acharné.

un·re·li·a·ble [ˈʌnriˈlaiəbl] sur lequel on ne peut pas compter.

un·re·lieved ☐ [ˈʌnriˈliːvd] non soulagé; sans secours; monotone.

un·re·mit·ting ☐ [ˈʌnriˈmitiŋ] ininterrompu; soutenu.

un·re·mu·ner·a·tive □ [ˈʌnriˈmjuː-nərətiv] peu rémunérateur (-trice f).

un·re·pealed [ˈʌnriˈpiːld] irrévoqué; encore en vigueur; non abrogé.

un·re·pent·ed [ˈʌnriˈpentid] non regretté.

un·re·quit·ed □ [ˈʌnriˈkwaitid] non récompensé; non partagé (senti-ment).

un·re·sent·ed [ˈʌnriˈzentid] dont on ne se froisse pas.

un·re·served □ [ˈʌnriˈzəːvd]; adv. ~vidli] sans réserve; franc(he f); entier (-ère f); non réservé (place).

un·re·sist·ing □ [ˈʌnriˈzistiŋ] do-cile; qui ne résiste pas; mou (mol devant une voyelle ou un h muet; molle f); souple.

un·re·spon·sive [ˈʌnrisˈpɔnsiv] froid; peu sensible (à, to).

un·rest [ˈʌnˈrest] inquiétude f; malaise m; pol. agitation f; pol. etc. mécontentement m.

un·re·strained □ [ˈʌnrisˈtreind] non restreint; effréné; immodéré.

un·re·strict·ed □ [ˈʌnrisˈtriktid] absolu; sans restriction.

un·re·vealed [ˈʌnriˈviːld] non divul-gué; caché.

un·re·ward·ed [ˈʌnriˈwɔːdid] sans récompense; non récompensé.

un·rhymed [ˈʌnˈraimd] sans ri-me(s); ~ verse vers m/pl. blancs.

un·rid·dle [ˈʌnˈridl] résoudre.

un·rig ⚓ [ˈʌnˈrig] dégréer; dé-garnir.

un·right·eous □ [ʌnˈraitʃəs] impie; injuste.

un·rip [ˈʌnˈrip] découdre; ouvrir en déchirant.

un·ripe [ˈʌnˈraip] vert; fig. pas encore mûr.

un·ri·val(l)ed [ʌnˈraivəld] sans pareil(le f); incomparable.

un·roll [ˈʌnˈroul] (se) dérouler.

un·rope alp. [ˈʌnˈroup] détacher la corde.

un·ruf·fled [ˈʌnˈrʌfld] calme (per-sonne, mer); serein (a. personne).

un·ruled [ˈʌnˈruːld] non gouverné; fig. sans frein; sans lignes (papier).

un·rul·y [ʌnˈruːli] indiscipliné, mu-tin; fig. déréglé; fougueux (-euse f) (cheval).

un·sad·dle [ˈʌnˈsædl] desseller (un cheval); désarçonner (un cavalier).

un·safe □ [ˈʌnˈseif] dangereux (-euse f); ✝ véreux (-euse f).

un·said [ˈʌnˈsed] non prononcé; leave ~ passer sous silence.

un·sal(e)·a·ble [ˈʌnˈseiləbl] inven-dable.

un·sanc·tioned [ˈʌnˈsæŋkʃnd] non autorisé; non ratifié.

un·san·i·tar·y [ˈʌnˈsænitəri] non hygiénique; insalubre.

un·sat·is·fac·to·ry □ [ˈʌnsætis-ˈfæktəri], **'un'sat·is·fy·ing** □ [~-faiiŋ] peu satisfaisant; défectueux (-euse f).

un·sa·vo·u)r·y □ [ˈʌnˈseivəri] dés-agréable; fig. répugnant; vilain.

un·say [ˈʌnˈsei] [irr. (say)] rétracter, se dédire de.

un·scathed [ˈʌnˈskeiðd] indemne; sans dommage ou blessure.

un·schooled [ˈʌnˈskuːld] illettré; spontané; peu habitué (à, to).

un·sci·en·tif·ic [ˈʌnsaiənˈtifik] (~-ally) peu ou non scientifique.

un·screw [ˈʌnˈskruː] (se) dévisser.

un·scru·pu·lous [ʌnˈskruːpjuləs] sans scrupules.

un·seal [ˈʌnˈsiːl] décacheter (une lettre); fig. dessiller (les yeux à q., s.o.'s eyes).

un·search·a·ble □ [ʌnˈsəːtʃəbl] inscrutable.

un·sea·son·a·ble □ [ʌnˈsiːznəbl] hors de saison; fig. inopportun; ~ weather temps m qui n'est pas de saison; **'un'sea·soned** vert (bois); cuis. non assaisonné; fig. non acclimaté.

un·seat [ˈʌnˈsiːt] désarçonner (un cavalier); parl. faire perdre son siège à; invalider; **'un'seat·ed** sans chaise; parl. non réélu.

un·sea·wor·thy ⚓ [ˈʌnˈsiːwəːði] in-capable de tenir la mer; ⚓ innavi-gable.

un·seem·li·ness [ʌnˈsiːmlinis] in-convenance f; **un'seem·ly** adj. in-convenant; peu convenable.

un·seen [ˈʌnˈsiːn] 1. inaperçu, invi-sible; 2. l'autre monde m; le sur-naturel m; école: (a. ~ translation) version f à livre ouvert.

un·self·ish □ [ˈʌnˈselfiʃ] sans égoïsme; désintéressé; dévoué.

un·sen·ti·men·tal [ˈʌnsentiˈmentl] peu sentimental (-aux m/pl.).

un·serv·ice·a·ble □ [ˈʌnˈsəːvisəbl] inutilisable; peu pratique.

un·set·tle [ˈʌnˈsetl] déranger; trou-bler le repos de (q.); ébranler (les *convictions*); **'un·set·tled** dérangé; troublé (*pays etc.*); variable (*temps*); incertain; inquiet (-ète *f*) (*esprit*); ✝ non réglé, impayé; indécis (*question, esprit*); sans domicile fixe; non colonisé (*pays*).

un·shack·le ['ʌn'ʃækl] ôter les fers à; ⚓ détalinguer (*l'ancre*).

un·shak·en ['ʌn'ʃeikn] ferme; constant.

un·shape·ly ['ʌn'ʃeipli] difforme; informe.

un·shav·en ['ʌn'ʃeivn] non rasé.

un·sheathe ['ʌn'ʃi:ð] dégainer.

un·ship ['ʌn'ʃip] décharger (*a.* F *fig.*).

un·shod ['ʌn'ʃɔd] nu-pieds *adj./inv.*; sans fers, déferré (*cheval*).

un·shorn ['ʌn'ʃɔ:n] non tondu; *poét.* non coupé, non rasé.

un·shrink·a·ble *tex.* ['ʌn'ʃriŋkəbl] irrétrécissable; **'un'shrink·ing** ☐ qui ne bronche pas.

un·sight·ed ['ʌn'saitid] inaperçu; sans hausse (*arme à feu*); **un'sight·ly** laid.

un·signed ['ʌn'saind] sans signature.

un·sized ['ʌn'saizd] sans colle (*papier*).

un·skil(l)·ful ☐ ['ʌn'skilful] inhabile (à *at, in*); **'un'skilled** inexpérimenté (à, *in*); ⁓ *work* main-d'œuvre (*pl.* mains-d'œuvre) *f* non spécialisée; ⁓ *worker* manœuvre *m*.

un·skimmed ['ʌn'skimd] non écrémé.

un·so·cia·ble [ʌn'souʃəbl] farouche; sauvage; **un'so·cial** [⁓ʃl] insocial (-aux *m/pl.*); *a. see* unsociable.

un·sold ['ʌn'sould] invendu.

un·sol·dier·ly ['ʌn'souldʒəli] *adj.* peu militaire.

un·so·lic·it·ed ['ʌnsə'lisitid] spontané; non sollicité.

un·solv·a·ble ['ʌn'sɔlvəbl] insoluble; **'un'solved** non résolu.

un·so·phis·ti·cat·ed ['ʌnsə'fistikeitid] pur; non adultéré; candide, ingénu (*personne*).

un·sought ['ʌn'sɔ:t] **1.** *adj.* non (re)cherché; **2.** *adv.* spontanément.

un·sound ☐ ['ʌn'saund] peu solide; véreux (-euse *f*); malsain (*personne*); taré (*cheval*); gâté (*pomme etc.*); défectueux (-euse *f*); faux (fausse *f*) (*opinion, doctrine, etc.*); *of* ⁓ *mind* non sain d'esprit.

un·spar·ing ☐ ['ʌn'spɛəriŋ] libéral (-aux *m/pl.*); prodigue (de *of, in*); impitoyable (pour q., *of s.o.*).

un·speak·a·ble ☐ [ʌn'spi:kəbl] indicible; inexprimable; F *fig.* ignoble.

un·spec·i·fied ['ʌn'spesifaid] non spécifié.

un·spent ['ʌn'spent] non dépensé; *fig.* inépuisé.

un·spo·ken ['ʌn'spoukn] non dit; (*a.* **'un'spo·ken-of**) dont on ne fait pas mention.

un·sports·man·like ['ʌn'spɔ:tsmənlaik] indigne d'un sportsman; peu loyal (-aux *m/pl.*).

un·spot·ted ['ʌn'spɔtid] non tacheté; *fig.* sans tache.

un·sta·ble ☐ ['ʌn'steibl] instable; peu sûr; inconstant; ✝ peu solide.

un·stamped ['ʌn'stæmpt] non estampé (*papier*); sans timbre, non affranchi (*lettre*).

un·stead·y ☐ ['ʌn'stedi] peu stable; peu solide; irrésolu; chancelant (*pas*); mal assuré (*voix*); *fig.* déréglé (*personne*); irrégulier (-ère *f*).

un·stint·ed [ʌn'stintid] abondant; à discrétion.

un·stitch ['ʌn'stitʃ] découdre.

un·stop ['ʌn'stɔp] déboucher.

un·strained ['ʌn'streind] non filtré (*liquide*); non tendu (*corde etc.*); *fig.* non forcé, naturel(le *f*).

un·stressed ['ʌn'strest] inaccentué; *gramm.* atone.

un·string ['ʌn'striŋ] [*irr.* (*string*)] déficeler; détraquer (*les nerfs*); dé(sen)filer (*des perles etc.*).

un·stud·ied ['ʌn'stʌdid] naturel(le *f*); ignorant (de, *in*).

un·sub·mis·sive ☐ ['ʌnsəb'misiv] insoumis, indocile.

un·sub·stan·tial ☐ ['ʌnsəb'stænʃl] insubstantiel(le *f*); immatériel(le *f*); sans substance; chimérique.

un·suc·cess·ful ☐ ['ʌnsək'sesful] non réussi; qui n'a pas réussi (*personne*); *pol.* non élu.

un·suit·a·ble ☐ ['ʌn'sju:təbl] impropre (à *for, to*); déplacé; mal assorti (*mariage*); peu fait (pour *for, to*) (*personne*); **'un'suit·ed** (*for, to*) mal adapté (à); peu fait (pour) (*personne*).

un·sul·lied ['ʌn'sʌlid] immaculé.

un·sure ['ʌn'ʃuə] peu sûr; peu solide.

un·sus·pect·ed ['ʌnsəs'pektid] insoupçonné (de, by); non suspect; **'un·sus·pect·ing** qui ne se doute de rien; sans soupçons; sans défiance.

un·sus·pi·cious □ ['ʌnsəs'piʃəs] qui ne suscite pas de soupçons; be ~ of ne pas se douter de.

un·swerv·ing □ ['ʌn'swəːviŋ] constant.

un·sworn ['ʌn'swɔːn] qui n'a pas prêté serment.

un·taint·ed □ ['ʌn'teintid] pur, non corrompu (a. fig.); fig. sans tache (réputation).

un·tam(e)·a·ble ['ʌn'teiməbl] inapprivoisable; fig. indomptable; **'un·'tamed** inapprivoisé; fig. indompté.

un·tar·nished ['ʌn'tɑːniʃt] non terni (a. fig.).

un·tast·ed ['ʌn'teistid] non goûté.

un·taught ['ʌn'tɔːt] illettré (personne); naturel(le f); non enseigné.

un·taxed ['ʌn'tækst] exempt(é) d'impôts ou de taxes.

un·teach·a·ble ['ʌn'tiːtʃəbl] incapable d'apprendre (personne); non enseignable (chose).

un·tem·pered ['ʌn'tempəd] ⊕ détrempé; fig. non adouci (de, with).

un·ten·a·ble ['ʌn'tenəbl] intenable (position); insoutenable (opinion etc.).

un·ten·ant·ed ['ʌn'tenəntid] inoccupé; vide; sans locataire.

un·thank·ful □ ['ʌn'θæŋkfʊl] ingrat.

un·think·a·ble [ʌn'θiŋkəbl] inconcevable; **un·'think·ing** □ irréfléchi; étourdi.

un·thought ['ʌn'θɔːt], **un·'thought-of** oublié; imprévu (événement).

un·thread ['ʌn'θred] dé(sen)filer; fig. trouver la sortie de.

un·thrift·y □ ['ʌn'θrifti] dépensier (-ère f); malvenant (arbre).

un·ti·dy □ [ʌn'taidi] en désordre; négligé; mal peigné (cheveux).

un·tie ['ʌn'tai] dénouer; délier (q., qch., un nœud).

un·til [ən'til] 1. prp. jusqu'à; 2. cj. jusqu'à ce que; jusqu'au moment où.

un·tilled ['ʌn'tild] inculte; en friche.

un·time·ly [ʌn'taimli] prématuré; inopportun; mal à propos.

un·tir·ing □ [ʌn'taiəriŋ] infatigable.

un·to ['ʌntu] see to 1.

un·told ['ʌn'tould] non raconté (incident etc.); non compté; fig. immense.

un·touched ['ʌn'tʌtʃt] non manié; fig. intact; fig. indifférent; phot. non retouché.

un·trained ['ʌn'treind] inexpérimenté; inexpert; non dressé (chien etc.); non formé.

un·trans·fer·a·ble ['ʌntræns'fəːrəbl] intransférable; strictement personnel(le f) (billet); ⚖ inaliénable.

un·trans·lat·a·ble ['ʌntrænsˈleitəbl] intraduisible.

un·trav·el(l)ed ['ʌn'trævld] inexploré; qui n'a jamais voyagé (personne).

un·tried ['ʌn'traid] inessayé; jamais mis à l'épreuve; ⚖ pas encore jugé (cause); pas encore passé en jugement (détenu).

un·trimmed ['ʌn'trimd] non arrangé; non taillé (haie); ⊕, a. cuis. non paré; sans garniture (robe etc.).

un·trod·den ['ʌn'trɔdn] non frayé; inexploré.

un·trou·bled ['ʌn'trʌbld] non troublé; calme.

un·true □ ['ʌn'truː] faux (fausse f); infidèle (personne).

un·trust·wor·thy □ ['ʌn'trʌstwəːði] douteux (-euse f); faux (fausse f).

un·truth ['ʌn'truːθ] fausseté f; mensonge m.

un·tu·tored ['ʌn'tjuːtəd] illettré; naturel(le f).

un·twine ['ʌn'twain], **un·twist** ['ʌn'twist] (se) détordre, détortiller.

un·used ['ʌn'juːzd] inutilisé; neuf (neuve f); ['ʌn'juːst] peu habitué (à, to); **un·u·su·al** □ [ʌn'juːʒuəl] extraordinaire; peu commun.

un·ut·ter·a·ble □ [ʌn'ʌtərəbl] indicible; imprononçable (mot).

un·val·ued ['ʌn'væljuːd] non ou peu estimé (personne).

un·var·ied [ʌn'vɛərid] peu varié; uniforme.

un·var·nished ['ʌn'vɑːniʃt] non verni; fig. simple.

un·var·y·ing □ [ʌn'vɛəriiŋ] invariable.

un·veil [ʌn'veil] (se) dévoiler.

un·versed ['ʌn'vəːst] ignorant (de, in); peu versé (dans, in).

un·voiced ['ʌn'vɔist] non exprimé; gramm. sourd (consonne etc.), muet(te f).

un·vouched ['ʌn'vautʃt], *usu.* un-vouched-for ['ʌn'vautʃtfɔ:] non garanti.

un·want·ed ['ʌn'wɔntid] non voulu; superflu.

un·war·i·ness [ʌn'wɛərinis] imprudence *f*.

un·war·rant·a·ble □ [ʌn'wɔrəntəbl] inexcusable; 'un'war·rant·ed injustifié; sans garantie.

un·war·y □ ['ʌn'wɛəri] imprudent.

un·wa·tered ['ʌn'wɔːtəd] sans eau; non arrosé (*jardin*); non dilué (*capital*). [tant; inébranlable.]

un·wa·ver·ing [ʌn'weivəriŋ] cons-]

un·wea·ry·ing □ [ʌn'wiəriiŋ] infatigable.

un·wel·come [ʌn'welkəm] importun; *fig.* fâcheux (-euse *f*).

un·well ['ʌn'wel] indisposé.

un·whole·some ['ʌn'houlsəm] malsain (*a. fig.*); insalubre.

un·wield·y □ [ʌn'wiːldi] peu maniable; encombrant (*colis*).

un·will·ing □ ['ʌn'wiliŋ] rétif (-ive *f*); fait *etc.* à contre-cœur; be ~ to (*inf.*) ne pas vouloir (*inf.*); be ~ for s.th. to be done ne pas vouloir que qch. soit faite.

un·wind ['ʌn'waind] [*irr.* (wind)] (se) dérouler; ⚓ *vt/i.* dévirer.

un·wis·dom ['ʌn'wizdəm] imprudence *f*; stupidité *f*; un·wise □ ['ʌn'waiz] imprudent; peu sage.

un·wished ['ʌn'wiʃt], *usu.* un-wished-for [ʌn'wiʃtfɔ:] peu désiré.

un·wit·ting □ [ʌn'witiŋ] inconscient.

un·wom·an·ly [ʌn'wumənli] peu digne d'une femme.

un·wont·ed □ [ʌn'wountid] inaccoutumé (à *inf.*, to *inf.*); insolite.

un·work·a·ble ['ʌn'wəːkəbl] impraticable; ⚓ immaniable; ⊕ rebelle; inexploitable.

un·wor·thy □ [ʌn'wəːði] indigne.

un·wound·ed ['ʌn'wuːndid] non blessé; sans blessure.

un·wrap ['ʌn'ræp] enlever l'enveloppe de; défaire (*un paquet*).

un·wrin·kle ['ʌn'riŋkl] (se) dérider.

un·writ·ten ['ʌn'ritn] non écrit; coutumier (-ère *f*), oral (-aux *m/pl.*) (*droit*); blanc(he *f*) (*page*).

un·wrought ['ʌn'rɔːt] non travaillé, brut.

un·yield·ing □ [ʌn'jiːldiŋ] qui ne cède pas; ferme.

un·yoke [ʌn'jouk] dételer; découpler.

up [ʌp] 1. *adv.* vers le haut; en montant; haut; en haut; en dessus; en l'air; debout; levé (*a. soleil etc.*); fini (*temps*); fermé (*fenêtre etc.*); ouvert (*fenêtre à guillotine, stores, etc.*); *Am. baseball*: à la batte; *sl.* be hard ~ être fauché (= *être à court d'argent*); be ~ against a task être aux prises avec une tâche; ~ to jusque, jusqu'à; *see* date² 1; be ~ to s.th. être à la hauteur de qch.; être capable de qch.; être occupé à faire qch.; *it is* ~ *to me* to (*inf.*) c'est à moi de (*inf.*); *see* mark² 1; *what are you* ~ *to there?* qu'est-ce que vous faites *ou* mijotez?; *sl. what's* ~? qu'est-ce qu'il y a?; qu'est-ce qui se passe?; ~ with au niveau de; *it's all* ~ *with him* c'en est fait de lui; *sl.* il est fichu; 2. *int.* en haut!; 3. *prp.* au haut de; sans *ou* vers le haut de; ~ *the hill* en montant *ou* en haut de la colline; 4. *adj.* ~ *train* train *m* en direction de la capitale; F train *m* de retour; 5. *su.*: *Am.* F *on the* ~ *and* ~ sincère; loyal (-aux *m/pl.*); ~s *pl. and downs pl.* ondulations *f/pl.*; *fig.* vicissitudes *f/pl.* (*de la vie*); 6. F *v/i.* se lever; *v/t.* (*a.* ~ *with*) lever.

up-and-com·ing *Am.* F ['ʌpən-'kʌmiŋ] ambitieux (-euse *f*); qui promet; qui a de l'avenir.

up·braid [ʌp'breid] reprocher (qch. à q., s.o. *with or for s.th.*).

up·bring·ing ['ʌpbriŋiŋ] éducation *f*.

up·cast ['ʌpkɑːst] relèvement *m*; ⚒ (*a.* ~ *shaft*) puits *m* de retour.

up·coun·try 1. ['ʌp'kʌntri] *adj.* de l'intérieur du pays; 2. *adv.* [ʌp-'kʌntri] à l'intérieur du pays.

up·cur·rent ⚓ ['ʌpkʌrənt] courant *m* d'air ascendant.

up·grade ['ʌpgreid] montée *f*; *on the* ~ *fig.* en bonne voie; ♰ à la hausse.

up·heav·al [ʌp'hiːvl] *géol.* soulèvement *m*; *fig.* bouleversement *m*, agitation *f*.

up·hill ['ʌp'hil] montant; *fig.* ardu.

up·hold [ʌp'hould] [*irr.* (hold)] soutenir, maintenir; up'hold·er partisan(e *f*) *m*.

up·hol·ster [ʌp'houlstə] tapisser, couvrir (*un meuble*) (de in, with); garnir (*une pièce*); up'hol·ster·er

tapissier *m*; **up'hol·ster·y** tapisserie *f* d'ameublement; *meuble*: capitonnage *m*; *mot.* garniture *f*; *métier*: tapisserie *f*.

up·keep ['ʌpki:p] (frais *m/pl.* d')entretien *m*.

up·land ['ʌplənd] 1. *usu.* ~s *pl.* hautes terres *f/pl.*; 2. des montagnes.

up·lift 1. [ʌp'lift] soulever; élever (*a. fig.*); 2. ['ʌplift] élévation *f* (*a. fig.*); *géol.* soulèvement *m*; ✝ reprise *f*.

up·on [ə'pɔn] *see* on.

up·per ['ʌpə] 1. plus haut; supérieur; the ~ ten (*thousand*) la haute société *f*; 2. *usu.* ~s *pl.* empeignes *f/pl.*; *bottes*: tiges *f/pl.*; '~-cut box. uppercut *m*; '~most le plus haut; principal.

up·pish □ ['ʌpiʃ] arrogant.

up·pi·ty *Am.* F ['ʌpiti] suffisant; arrogant.

up·raise [ʌp'reiz] (sou)lever, élever.

up·rear [ʌp'riə] dresser.

up·right 1. □ ['ʌp'rait] vertical (-aux *m/pl.*); droit (*a. fig.*); debout; *fig.* ['ʌprait] juste, intègre; 2. [~] montant *m*; piano *m* droit; out of ~ hors d'aplomb.

up·ris·ing [ʌp'raiziŋ] lever *m*; insurrection *f*.

up·roar ['ʌprɔ:] *fig.* tapage *m*, vacarme *m*; tumulte *m*; **up'roar·i·ous** □ tumultueux (-euse *f*); tapageur (-euse *f*). (racher.)

up·root [ʌp'ru:t] déraciner; ar-)

up·set [ʌp'set] 1. [*irr.* (set)] renverser; bouleverser (*a. fig.*); déranger; *fig.* mettre (*q.*) en émoi; ⚙ indisposer, déranger; ⊕ refouler; 2.: ~ price mise *f* à prix, prix *m* de départ; 3. renversement *m*; bouleversement *m*; désordre *m*.

up·shot ['ʌpʃɔt] résultat *m*, dénouement *m*; *in the* ~ à la fin.

up·side *adv.* ['ʌpsaid]: ~ down sens dessus dessous; à l'envers; *fig.* en désordre; *turn* ~ down renverser; *fig.* bouleverser.

up·stage F ['ʌp'steidʒ] orgueilleux (-euse *f*), arrogant.

up·stairs ['ʌp'stɛəz] 1. *adv.* en haut; jusqu'en haut; 2. *adj.* d'en haut.

up·start ['ʌpstɑ:t] 1. parvenu(e *f*) *m*; 2. se lever brusquement.

up·state *Am.* ['ʌp'steit] région *f* éloignée; *surt.* État *m* de New-York.

up·stream ['ʌp'stri:m] 1. *adv.* en amont; en remontant le courant; 2. *adj.* d'amont.

up·stroke ['ʌpstrouk] *écriture*: délié *m*.

up·surge ['ʌpsə:dʒ] soulèvement *m*; accès *m* (*de colère etc.*); poussée *f*.

up·swing ['ʌp'swiŋ] essor *m*; montée *f*.

up·take ['ʌpteik] entendement *m*; F *be slow* (*quick*) *in* (*ou on*) *the* ~ avoir la compréhension difficile (facile), saisir mal (vite).

up·throw ['ʌpθrou] rejet *m* en haut.

up·town ['ʌp'taun] 1. *adv. Am.* dans le quartier résidentiel de la ville; 2. *adj.* du quartier bourgeois.

up·turn [ʌp'tə:n] 1. lever; retourner; 2. *Am.* reprise *f* des affaires.

up·ward ['ʌpwəd] 1. *adj.* montant; vers le haut; 2. *adv.* (*ou* **up·wards** ['~z]) de bas en haut; vers le haut; en dessus, au-dessus; ~ of plus de.

u·ra·ni·um ⚛ [juə'reinjəm] uranium *m*.

ur·ban ['ə:bən] urbain; **ur·bane** □ [ə:'bein] courtois, poli; **ur·ban·i·ty** [ə:'bæniti] urbanité *f*; courtoisie *f*; politesse *f*; **ur·ban·i·za·tion** [ə:bənai'zeiʃn] aménagement *m* des agglomérations urbaines; **'ur·ban·ize** urbaniser.

ur·chin ['ə:tʃin] gamin *m*; gosse *mf*.

urge [ə:dʒ] 1. pousser (*q.* à *inf.*, *s.o. to inf.*; *qch.*); (*souv.* ~ on) encourager; hâter; *fig.* insister sur; mettre en avant; recommander (qch. à q., *s.th. on s.o.*); 2. impulsion *f*; forte envie *f*; **ur·gen·cy** ['~ʒnsi] urgence *f*; besoin *m* pressant; **'ur·gent** □ urgent, pressant; *be* ~ *with s.o. to* (*inf.*) insister pour que q. (*sbj.*).

u·ric ⚛ ['juərik] urique.

u·ri·nal ['juərinl] urinoir *m*; ⚙ urinal *m*; **'u·ri·nar·y** urinaire; **u·ri·nate** ['~neit] uriner; **u·rine** ['~rin] urine *f*.

urn [ə:n] urne *f*; (*usu. tea-*~) samovar *m*.

us [ʌs; əs] *accusatif, datif*: nous.

us·a·ble ['ju:zəbl] utilisable.

us·age ['ju:zidʒ] usage *m* (✝ de commerce); coutume *f*; emploi *m*; traitement *m*.

us·ance ✝ ['ju:zəns] usance *f*; *bill at* ~ effet *m* à usance.

use 1. [ju:s] emploi *m* (*a.* ⚙); usage

m; *fig.*, *a.* ⚖️ jouissance *f*; coutume *f*, habitude *f*; utilité *f*; service *m*; be of ~ être utile (à *for*, to); it is (of) no ~ (*gér.*, to *inf.*) il est inutile (que *sbj.*); inutile (de *inf.*); have no ~ for ne savoir que faire de (*qch.*); F ne pas pouvoir voir (*q.*); put s.th. to ~ profiter de qch.; faire bon (mauvais) usage de qch.; 2. [ju:z] employer; se seivir de; ~ up user, épuiser; I ~d ['ju:s(t)] to do je faisais; j'avais l'habitude de faire; **used** ['ju:st] habitué (*a*, to); ['ju:zd] usé, usagé; usité; *a.* sale (*linge*); ~ car auto *f* d'occasion; **useful** □ ['ju:sful] utile (*a.* ⊕); pratique; ~ capacity, ~ efficiency rendement *m ou* effet *m* utile; ~ load charge *f* utile; **'use·less** □ inutile; inefficace; vain; **us·er** ['ju:zə] usager (-ère *f*) *m*.

ush·er ['ʌʃə] 1. huissier *m*; introducteur *m*; ⚖️ audiencier *m*; *péj.* sous-maître *m*; maître *m* d'étude; 2. (*usu.* ~ in) faire entrer, introduire; **ush-er·ette** cin. [ˌˈret] ouvreuse *f*.

u·su·al □ ['ju:ʒuəl] ordinaire; habituel(le *f*); ~ in (the) *trade* d'usage dans le métier.

u·su·fruct ⚖️ ['ju:sjufrʌkt] usufruit *m*; **u·su'fruc·tu·ar·y** [ˌˈjuəri] 1. usufruitier (-ère *f*) *m*; 2. *adj.* usufructuaire (*droit*).

u·su·rer ['ju:ʒərə] usurier *m*; **u·su-ri·ous** □ [ju:'zjuəriəs] usuraire; usurier (-ère *f*) (*personne*).

u·surp [ju:'zə:p] *vt/i.* usurper (sur *from*, on); *v/t.* voler (à, *from*);

u·sur'pa·tion usurpation *f*; **u'surp·ing** □ usurpateur (-trice *f*).

u·su·ry ['ju:ʒuri] usure *f*.

u·ten·sil [ju:'tensl] ustensile *m*; outil *m*; ~s *pl.* articles *m/pl.*, ustensiles *m/pl.*

u·ter·ine ['ju:tərain] utérin; ~ brother frère *m* utérin *ou* de mère; **u·ter·us** *anat.* [ˈ~rəs], *pl.* **u·ter·i** [ˈ~tərai] utérus *m*, matrice *f*.

u·til·i·tar·i·an [ju:tili'tɛəriən] utilitaire (*a. su./mf*); **u'til·i·ty** 1. utilité *f*; public ~ (entreprise *f* de) service *m* public; 2. à toutes fins (*chariot etc.*).

u·ti·li·za·tion [ju:tilai'zeiʃn] utilisation *f*; exploitation *f*; emploi *m*; **'u·ti·lize** utiliser, se servir de; tirer parti de, profiter de.

ut·most ['ʌtmoust] 1. extrême; 2. dernier degré *m*.

U·to·pi·an [ju:'toupjən] 1. d'utopie; 2. utopiste *mf*; idéaliste *mf*.

u·tri·cle *biol.* ['ju:trikl] utricule *m*.

ut·ter ['ʌtə] 1. □ *fig.* absolu; extrême; complet (-ète *f*); 2. dire, exprimer; pousser (*un gémissement etc.*); émettre (*de la monnaie*); **'ut·ter·ance** expression *f*; émission *f*; prononciation *f*; ~s *pl.* propos *m/pl.*; give ~ to exprimer; **'ut·ter·er** diseur (-euse *f*) *m*; débiteur (-euse *f*) *m* (*de nouvelles etc.*); émetteur *m* (*de monnaie*); **ut·ter·most** ['ˌ~moust] extrême; dernier (ˌ~ère *f*).

u·vu·la *anat.* ['ju:vjulə] luette *f*; uvule *f*; **u·vu·lar** [ˌ~] uvulaire; ~ R R *m* vélaire.

V

V, v [vi:] V *m*, v *m*.

va·can·cy ['veikənsi] vide *m*; vacance *f*, poste *m* vacant; espace *m* vide; gaze into ~ regarder dans l'espace; **va·cant** ☐ ['ˈ~kənt] vacant, libre; hébété (*air*); inoccupé (*esprit*).

va·cate [və'keit] quitter (*un emploi, un hôtel, un siège, etc.*); évacuer (*un appartement*); laisser libre; *v/i. Am. sl.* ficher le camp; **va'ca·tion** 1. *école*, *a. Am.*: vacances *f/pl.*; ~ vacations *f/pl.*; 2. *surt. Am.* prendre des *ou* être en vacances; **va'ca·tion·ist** *Am.* vacancier *m*; estivant(e *f*) *m*.

vac·ci·nate ['væksineit] vacciner; **vac·ci'na·tion** vaccination *f*; **'vac·ci·na·tor** vaccinateur *m*; **vac·cine** ['ˌ~si:n] 1. vaccinal (-aux *m/pl.*); ~ matter = 2. vaccin *m*.

vac·il·late ['væsileit] vaciller; hésiter; **vac·il'la·tion** vacillation *f*; hésitation *f*.

va·cu·i·ty [væ'kjuiti] vacuité *f*; vide *m* (*a. fig.*); **vac·u·ous** □ ['ˌ~kjuəs] vide; *fig. usu.* bête; **vac·u·um** ['ˌ~əm] *phys.* 1. vide *m*, vacuum *m*; ~ brake frein *m* à vide; ~ cleaner aspirateur *m*; ~ flask, ~ bottle (bouteille *f*) Thermos *f*; ~ tube

tube *m* à vide; *radio:* audion *m*;
2. F nettoyer à l'aspirateur.

va·de·me·cum ['veidi'mi:kəm]
vade-mecum *m/inv.*

vag·a·bond ['vægəbənd] **1.** vagabond, errant; **2.** chemineau *m*;
vagabond(e *f*) *m*; F vaurien *m*;
vag·a·bond·age ['‿bəndidʒ] vagabondage *m*.

va·gar·y ['veigəri] caprice *m*; fantaisie *f*.

va·gran·cy ['veigrənsi] vie *f* de
vagabond; ‡‡ vagabondage *m*; '**va·
grant 1.** errant, vagabond (*a. fig.*);
2. *see* vagabond 2.

vague □ [veig] vague; imprécis;
estompé; indécis; *be ~* ne rien
préciser (*personne*).

vain □ [vein] vain; fier (-ère *f*) (de,
of); inutile; mensonger (-ère *f*);
vaniteux (-euse *f*); *in ~* en vain;
do s.th. in ~ avoir beau faire qch.;
‿glo·ri·ous □ ['‿glɔ:riəs] vaniteux
(-euse *f*); '**‿glo·ry** vaine gloire *f*.

val·ance ['væləns] frange *f ou* tour
m de lit.

vale [veil] *poét., a. dans les noms
propres:* vallée *f*, vallon *m*.

val·e·dic·tion [væli'dikʃn] adieu *m*,
-x *m/pl.*; **val·e'dic·to·ry** [‿təri]
1. d'adieu; **2.** discours *m* d'adieu.

va·lence ⚗ ['veiləns] valence *f*.

val·en·tine ['væləntain] carte *f* de
salutations (envoyée à la Saint-
valentin) (*le 14 février*); *fig. personne:* valentin(e *f*) *m*, amour *m*.

va·le·ri·an ⚕ [və'liəriən] valériane *f*.

val·et ['vælit] **1.** valet *m* de chambre;
2. servir (*q.*) comme valet de chambre; remettre (*un costume*) en état.

val·e·tu·di·nar·i·an ['vælitju:di-
'nɛəriən] valétudinaire (*a. su./mf.*).

val·iant □ ['væljənt] vaillant.

val·id □ ['vælid] valable, valide;
bon (pour, *for*); irréfutable; **val·i·
date** ['‿deit] rendre valable, valider; **va·lid·i·ty** [və'liditi] validité *f*; justesse *f* (*d'un argument*).

val·ley ['væli] vallée *f*; vallon *m*;
🛆 cornière *f*.

val·or·i·za·tion [vælərai'zeiʃn] valorisation *f*; '**val·or·ize** valoriser.

val·or·ous □ *poét.* ['vælərəs] vaillant.

val·o(u)r *poét.* ['vælə] vaillance *f*.

val·u·a·ble ['væljuəbl] **1.** □ précieux (-euse *f*); **2.** ‿*s pl.* objets
m/pl. de valeur.

val·u·a·tion [vælju'eiʃn] évaluation
f; valeur *f* estimée; inventaire *m*;
'**val·u·a·tor** estimateur *m*.

val·ue ['vælju:] **1.** valeur *f*; prix *m*
(*a. fig.*); ♰ *get good ~ (for one's
money*) en avoir pour son argent;
2. évaluer; estimer; priser (*a. fig.*);
'**val·ue·less** sans valeur.

valve [vælv] soupape *f*; *mot. pneu:*
valve *f*; *anat.* valvule *f*; *radio:*
lampe *f*; *radio:* ~ *amplifier, amplifying* ~ lampe *f* amplificatrice; ~
set poste *m* à lampes.

va·moose *Am. sl.* [və'mu:s] filer;
ficher le camp; décamper.

vamp[1] [væmp] **1.** *souliers:* empeigne
f; ♪ accompagnement *m* improvisé;
2. *v/t.* remonter (*un soulier*); mettre
une empeigne à; *v/i.* ♪ improviser;
tapoter au piano.

vamp[2] F [‿] **1.** vamp *f*; femme *f*
fatale; flirteuse *f*; **2.** *v/t.* ensorceler;
enjôler; *v/i.* flirter.

vam·pire ['væmpaiə] vampire *m*.

van[1] [væn] fourgon *m* (de déménagement *etc.*); 🚃 wagon *m*; fourgon
m à bagages.

van[2] ✗ *ou fig.* [‿] avant-garde *f*.

Van·dal ['vændl] **1.** vandale *m*;
2. (*a.* **Van·dal·ic** [‿'dælik]) van-
dalique; **van·dal·ism** ['‿dəlizm]
vandalisme *m*.

van·dyke [væn'daik] barbe *f* à la
Van Dyck; pointe *f* (*de col à la Van
Dyck*); *attr.* ♀ à la Van Dyck.

vane [vein] (*a. weather-‿, wind-‿*)
girouette *f*; ⊕ ailette *f*; *radio:* lamette *f*; *surv.* viseur *m* (*de compas*).

van·guard ✗ ['vænga:d] (tête *f*
d')avant-garde *f*.

va·nil·la ⚕ [və'nilə] vanille *f*.

van·ish ['væniʃ] disparaître; s'é-
vanouir.

van·i·ty ['væniti] vanité *f*; orgueil
m; ~ *bag* sac(oche *f*) *m* de dame;
~ *case* pochette-poudrier *f*.

van·quish *poét.* ['væŋkwiʃ] vaincre;
triompher de.

van·tage ['va:ntidʒ] *tennis:* avantage
m; '**‿-ground** position *f* avantageuse.   [(*conversation*).\

vap·id □ ['væpid] insipide; fade\

va·po(u)r·ize ['veipəraiz] (se) vaporiser; (se) pulvériser; '**va·po(u)r·
iz·er** ⊕ vaporisateur *m* (*a.* ⚕).

va·por·ous □ ['veipərəs] vaporeux
(-euse *f*) (*a. fig.*); *fig. a.* vague,
nuageux (-euse *f*).

va·po(u)r ['veipə] **1.** vapeur f (a.
fig.); ~ bath bain m de vapeur;
2. s'évaporer; fig. débiter des
fadaises; **'va·po(u)r·y** see vaporous.
var·i·a·bil·i·ty [veəriə'biliti] variabilité f, inconstance f; **'var·i·a·ble**
□ variable, inconstant; **'var·i·ance**
variation f; divergence f; discorde
f; be at ~ être en désaccord; avoir
un différend; set at ~ mettre en
désaccord; **'var·i·ant 1.** différent
(de, from); **2.** variante f; **var·i'a-
tion** variation f (a. ♪); changement
m; différence f, écart m; ⊕ ~ of load
fluctuation f de charge.
var·i·cose ⚕ ['værikous] variqueux
(-euse f); ~ vein varice f.
var·ied □ ['veərid] varié, divers;
var·i·e·gate ['.rigeit] varier; barioler; **'var·i·e·gat·ed** varié; bariolé,
bigarré; ♀ etc. panaché; **var·i·e-
'ga·tion** diversité f de couleurs; ♀
panachure f; **va·ri·e·ty** [və'raiəti]
diversité f; variété f (a. biol.); *
assortiment m; théa. F music-hall
m; ~ show attractions f/pl.; (spectacle m de) music-hall m; ~ theatre
théâtre m de variétés.
va·ri·o·la ⚕ [və'raiələ] variole f.
var·i·ous □ ['veəriəs] varié, divers;
différent; plusieurs.
var·mint ['va:mint] sl. petit polisson m; chasse: renard m; vermine f.
var·nish ['va:niʃ] **1.** vernis m (a.
fig.); vernissage m; **2.** vernir; vernisser; fig. farder, glisser sur.
var·si·ty F ['va:siti] université f.
var·y ['veəri] v/t. (faire) varier;
diversifier; ♪ varier (un air); v/i.
varier, changer; être variable; s'é-
carter (de, from).
vas·cu·lar ♀, anat. ['væskjulə]
vasculaire.
vase [va:z] vase m.
vas·sal ['væsl] vassal (-aux m/pl.)
(a. su.); **'vas·sal·age** vassalité f,
vasselage m; fig. sujétion f.
vast □ [va:st] vaste, immense;
'vast·ness immensité f; vaste
étendue f.
vat [væt] **1.** cuve f; (petit) cuveau m;
bain m; **2.** mettre en cuve; encuver.
vat·ted ['vætid] mis en cuve (vin
etc.); en fût (vin).
vault¹ [vɔ:lt] **1.** voûte f (a. fig.);
banque: souterrain m; cave f (à
vin); tombeau m (de famille etc.);
2. (se) voûter.

vault² [~] **1.** v/i. sauter; v/t. (ou
~ over) sauter (qch.); **2.** saut m.
vault·ing △ ['vɔ:ltiŋ] (construction
f de) voûtes f/pl.
vault·ing-horse ['vɔ:ltiŋhɔ:s] gymn.
cheval m de bois.
vaunt poét. [vɔ:nt] **1.** (se) vanter
(de); **2.** vanterie f; **'vaunt·ing** □
vantard. [de veau.]
veal [vi:l] veau m; roast ~ rôti m|
ve·dette ✕ [vi'det] vedette f.
veer [viə] **1.** (faire) virer; v/i. tourner; **2.** (a. ~ round) changement m
de direction.
veg·e·ta·ble ['vedʒitəbl] **1.** végétal
(-aux m/pl.); **2.** légume m; ♀ végétal (pl. -aux) m; **veg·e·tar·i·an**
[.'teəriən] végétarien(ne f) (a. su.);
veg·e·tate ['.teit] végéter; **veg·e-
'ta·tion** végétation f; **veg·e·ta-
tive** □ ['.tətiv] végétatif (-ive f).
ve·he·mence ['vi:iməns] véhémence
f; impétuosité f; **'ve·he·ment** □
véhément; passionné; violent.
ve·hi·cle ['vi:ikl] voiture f; véhicule
m (a. fig., pharm., peint.); pharm.
excipient m; **ve·hic·u·lar**
[vi'hikjulə] des voitures; véhiculaire (a. langue).
veil [veil] **1.** voile m (a. fig.); phot.
voile m faible; **2.** (se) voiler (a. fig.);
v/t. fig. a. cacher; **'veil·ing** action
f de voiler; phot. voile m faible;
voile m, -s m/pl. (a. ✝).
vein [vein] veine f (a. fig.) (de inf.,
for gér.); ♀ nervure f (a. d'aile);
in the same ~ dans le même esprit;
veined veiné; ♀ nervuré; **'vein-
ing** veinage m; veines f/pl.; ♀
nervures f/pl.
vel·le·i·ty [ve'li:iti] velléité f.
vel·lum ['veləm] vélin m; ~ paper
papier m vélin.
ve·loc·i·ty [vi'lɔsiti] vitesse f.
vel·vet ['velvit] **1.** velours m; bois
de cerf: peau f velue; F fig. on ~ sur
le velours; **2.** de velours; velouté;
vel·vet·een [.'ti:n] velours m de
coton; ~s pl. pantalon m en velours
de chasse; **'vel·vet·y** velouté.
ve·nal ['vi:nl] vénal (-aux m/pl.);
mercenaire; **ve·nal·i·ty** [vi:'næliti]
vénalité f.
vend [vend] vendre; **'vend·er**,
'ven·dor vendeur (-euse f) m;
marchand(e f) m; **'vend·i·ble**
vendable; **'vend·ing ma·chine**
distributeur m (automatique).

ve·neer [vi'niə] **1.** (bois *m* de) placage *m*; F vernis *m*, masque *m*; **2.** plaquer; *fig.* cacher (*qch.*) sous un vernis.

ven·er·a·ble □ ['venərəbl] vénérable; **ven·er·ate** ['‿reit] vénérer; **ven·er·a·tion** vénération *f*; **'ven·er·a·tor** vénérateur (-trice *f*) *m*.

ve·ne·re·al [vi'niəriəl] vénérien(ne *f*); **~ disease** maladie *f* vénérienne.

Ve·ne·tian [vi'ni:ʃn] **1.** de Venise; vénitien(ne *f*); **~ blind** jalousie *f*; **2.** Vénitien(ne *f*) *m*.

venge·ance ['vendʒəns] vengeance *f*; F **with a** (*ou* **for**) **~** pas d'erreur!; pour de bon!; furieusement.

venge·ful □ ['vendʒful] vengeur (-eresse *f*).

ve·ni·al □ ['vi:njəl] pardonnable; véniel(le *f*) (*péché*).

ven·i·son ['venzn] venaison *f*.

ven·om ['venəm] venin *m* (*souv. fig.*); **'ven·om·ous** □ venimeux (-euse *f*) (*animal, a. fig.*); vénéneux (-euse *f*) (*plante*).

ve·nous ['vi:nəs] veineux (-euse *f*).

vent [vent] **1.** trou *m*, orifice *m*, passage *m*; soupirail (-aux *pl.*) *m*; *orn., icht.* ouverture *f* anale; **give ~ to** donner libre cours à (*sa colère etc.*); **find ~** s'échapper (en, *in*); **2.** *fig.* décharger, épancher (sur, *on*).

ven·ti·late ['ventileit] ventiler, aérer; *fig.* faire connaître, agiter (*une question*); **ven·ti·la·tion** aération *f*; ventilation *f*, aérage *m* (*a.* ⚒); *fig.* mise *f* en discussion publique; **'ven·ti·la·tor** ventilateur *m*; soupirail (-aux *pl.*) *m*; *porte, fenêtre:* vasistas *m*.

vent·peg ['ventpeg] fausset *m*.

ven·tral ⚕, *zo.* ['ventrəl] ventral (-aux *m/pl.*).

ven·tri·cle *anat.* ['ventrikl] ventricule *m*.

ven·tril·o·quist [ven'triləkwist] ventriloque *m*; **ven·tril·o·quize** [‿kwaiz] faire de la ventriloquie.

ven·ture ['ventʃə] **1.** risque *m*; aventure *f*; entreprise *f*; † opération *f*, affaire *f*; **at a ~** au hasard; **2.** *v/t.* risquer, hasarder; *v/i.:* **~ to** (*inf.*) se risquer à (*inf.*), oser (*inf.*); **I ~ to say** je me permets de dire; **~ (up)on** s'aventurer dans (*un endroit*); **ven·ture·some** □ ['‿səm], **'ven·tur·ous** □ risqué, hasardeux (-euse *f*); aventureux (-euse *f*) (*personne*).

ven·ue ['venju:] ⚖ lieu *m* du jugement; *fig.* scène *f*; F rendez-vous *m*.

ve·ra·cious □ [və'reiʃəs] véridique; **ve·rac·i·ty** [‿'ræsiti] véracité *f*.

verb *gramm.* [və:b] verbe *m*; **'ver·bal** □ verbal (-aux *m/pl.*); de mots; littéral (-aux *m/pl.*); (*ou* **ver·ba·tim** [‿'beitim]) mot pour mot; **ver·bi·age** ['‿biidʒ] verbiage *m*; **ver·bose** □ [‿'bous] verbeux (-euse *f*), prolixe; **ver·bos·i·ty** [‿'bɔsiti] verbosité *f*, prolixité *f*.

ver·dan·cy ['və:dənsi] verdure *f*; F *fig.* inexpérience *f*; **'ver·dant** □ vert; F *fig.* inexpérimenté.

ver·dict ['və:dikt] ⚖ verdict *m* (*du jury*); *fig.* jugement *m* (sur, *on*); **bring in** (*ou* **return**) **a ~** (*of guilty etc.*) rendre un verdict (de culpabilité *etc.*).

ver·di·gris ['və:digris] vert-de-gris *m*.

ver·dure ['və:dʒə] verdure *f*.

verge[1] [və:dʒ] *eccl.* verge *f*.

verge[2] [‿] **1.** *usu. fig.* bord *m*; seuil *m*; **on the ~** au seuil (de, *of*); **à deux doigts** (de, *of*); sur le point (de *inf.*, *of gér.*); **2.** baisser; approcher (de, *towards*); **~ (up)on** côtoyer (*qch.*); friser; être voisin de, toucher à.

ver·i·fi·a·ble ['verifaiəbl] vérifiable; facile à vérifier; **ver·i·fi·ca·tion** [‿fi'keiʃn] vérification *f*, contrôle *m*; ⚖ confirmation *f*; **ver·i·fy** ['‿fai] prouver; confirmer; contrôler, vérifier; **ver·i·si·mil·i·tude** [‿si'militju:d] vraisemblance *f*; **ver·i·ta·ble** □ véritable; **'ver·i·ty** vérité *f*.

ver·juice *usu. fig.* ['və:dʒu:s] verjus *m*.

ver·mi·cel·li [və:mi'seli] vermicelle *m*; **ver·mi·cide** *pharm.* ['‿said] vermicide *m*; **ver·mic·u·lar** [‿'mikjulə] vermiculaire; vermoulu; **ver·mi·form** ['‿fɔ:m] vermiforme; **ver·mi·fuge** *pharm.* ['‿fju:dʒ] vermifuge *m*.

ver·mil·ion [və'miljən] **1.** vermillon *m*; **2.** vermeil(le *f*); (de) vermillon *adj./inv.*

ver·min ['və:min] vermine *f* (*a. fig.*); *chasse:* bêtes *f/pl.* puantes; **'~-'kill·er** *personne:* preneur *m* de vermine; insecticide *m*; mort-aux-rats *f*; **'ver·min·ous** couvert de vermine; ⚕ vermineux (-euse *f*).

ver·m(o)uth ['və:məθ] vermouth *m*.

ver·nac·u·lar □ [və'nækjulə] **1.** in-

digène; du pays; vulgaire (*langue*);
2. langue *f* du pays; idiome *m*
national; langue *f* vulgaire; langage
m (*d'un métier*).

ver·nal ['vɔːnl] printanier (-ère *f*);
♀, astr. vernal (-aux *m/pl.*).

ver·ni·er ['vɔːnjə] ⚓, surv. vernier
m; ⊕ ~ cal(l)iper jauge *f* micro-
métrique.

ver·sa·tile □ ['vɔːsətail] aux talents
variés; souple; ♀, zo. versatile;
ver·sa·til·i·ty [~'tiliti] souplesse *f*;
♀, zo. versatilité *f*; adaptation *f*.

verse [vɔːs] vers *m*; strophe *f*; coll.
vers *m/pl.*, poésie *f*; ♪ motet: solo
m; **versed** versé (en, dans *in*).

ver·si·fi·ca·tion [vɔːsifi'keiʃn] versification *f*; métrique *f* (*d'un
auteur*); **ver·si·fy** ['~fai] *vt/i.*
versifier; *v/t.* mettre (*qch.*) en vers;
v/i. faire des vers. [tion *f*.\
ver·sion ['vɔːʃn] version *f*; traduc-\
ver·sus surt. ⚖ ['vɔːsəs] contre.

vert F eccl. [vɔːt] se convertir.

ver·te·bra anat. ['vɔːtibrə], *pl.*
-brae [~briː] vertèbre *f*; **ver·te·-
bral** ['~brəl] vertébral (-aux *m/pl.*);
ver·te·brate ['~brit] **1.** vertébré;
~ animal = **2.** vertébré *m*.

ver·tex ['vɔːteks], *pl. usu.* -ti·ces
[~tisiːz] sommet *m*; astr. zénith *m*;
'ver·ti·cal 1. □ vertical (-aux
m/pl.); à pic (*falaise*); ⚓ ~ angles
angles *m/pl.* opposés par le sommet;
2. verticale *f*; astr. vertical *m*.

ver·tig·i·nous □ [vɔː'tidʒinəs] vertigineux (-euse *f*); **ver·ti·go** ['~
tigou] vertige *m*.

verve [veəv] verve *f*.

ver·y ['veri] **1.** adv. très; fort; bien;
the ~ best tout ce qu'il y a de mieux;
2. adj. vrai, véritable, ... même;
the ~ same le (la etc.) ... même(s
pl.); in the ~ act sur le fait; to the ~
bone jusqu'aux os; jusqu'à l'os
même; the ~ thing ce qu'il faut;
the ~ thought la seule pensée; the ~
stones les pierres mêmes; the
veriest baby (même) le plus petit
enfant; the veriest rascal le plus
parfait coquin.

ves·i·ca·to·ry ['vesikeitəri] vésicatoire (a. su./m); **ves·i·cle** ['~kl]
vésicule *f*; géol. vacuole *f*.

ves·pers eccl. ['vespəz] *pl.* vêpres
f/pl.

ves·sel ['vesl] vaisseau *m* (a. ♀, anat.,
fig.); ⚓ a. navire *m*, bâtiment *m*.

vest [vest] **1.** gilet *m*; ✝ gilet *m* de
dessous; sp. maillot *m*; **2.** *v/t. usu.*
fig. revêtir, investir (de, with); assigner (qch. à q., s.th. in s.o.); *v/i.*
être dévolu (à q., in s.o.); ~ed rights
pl. droits *m/pl.* acquis.

ves·ta ['vestə] (a. ~ match, wax ~)
allumette-bougie (*pl.* allumettes-
bougies) *f*; astr. ♀ vesta *f*.

ves·tal ['vestl] **1.** de(s) vestale(s);
2. vestale *f*.

ves·ti·bule ['vestibjuːl] vestibule *m*
(a. anat.); salle *f* des pas perdus; 🚃
surt. Am. soufflet *m* (*entre deux
wagons*); ~ train train *m* à soufflets.

ves·tige ['vestidʒ] vestige *m*, trace *f*;
ves·tig·i·al à l'état rudimentaire.

vest·ment ['vestmənt] vêtement *m*
(a. eccl.). [dimensions.\
vest·pock·et ['vest'pɔkit] de petites\
ves·try ['vestri] eccl. sacristie *f*;
(réunion *f* du) conseil *m* d'administration de la paroisse; salle *f* de
patronage; '~·man marguillier *m*.

ves·ture poét. ['vestʃə] **1.** vêtement
m; **2.** revêtir.

vet [vet] **1.** vétérinaire *m*; Am. ancien
combattant *m*; **2.** traiter (*un
animal*); fig. examiner médicale-
ment; revoir, corriger; fig. mettre
au point.

vetch ♀ [vetʃ] vesce *f*.

vet·er·an ['vetərən] **1.** expérimenté;
ancien(ne *f*); de(s) vétéran(s);
vieux (vieil *devant une voyelle ou
un h muet*; vieille *f*); **2.** vétéran *m*;
ancien *m*; ancien combattant *m*.

vet·er·i·nar·y ['vetərinəri] **1.** vétérinaire; ~ surgeon = **2.** vétérinaire *m*.

ve·to ['viːtou] **1.** *pl.* -toes [~touz]
veto *m*; put a (ou one's) ~ (up)on =
2. mettre son veto à.

vex [veks] vexer (a. ⚖); fâcher,
contrarier; **vex·a·tion** vexation *f*,
tourment *m*; désagrément *m*; dépit
m; **vex·a·tious** □ ennuyeux (-euse
f); fâcheux (-euse *f*); ⚖ vexatoire;
'vexed □ fâché, vexé (de qch., at
s.th.; contre q., with s.o.); ~ question question *f* très débattue; **'vex·
ing** □ agaçant; ennuyeux (-euse *f*).

vi·a ['vaiə] par; poste: voie.

vi·a·ble biol. ['vaiəbl] viable.

vi·a·duct ['vaiədʌkt] viaduc *m*.

vi·al ['vaiəl] fiole *f*.

vi·ands poét. ['vaiəndz] *pl.* aliments
m/pl.

vi·at·i·cum *eccl.* [vai'ætikəm] viatique *m.*

vi·brant ['vaibrənt] vibrant; *fig.* palpitant (de, *with*).

vi·brate [vai'breit] (faire) vibrer *ou* osciller; **vi'bra·tion** vibration *f*; **vi·bra·to·ry** ['‿brətəri] vibratoire.

vi·car *eccl.* ['vikə] curé *m*; ~ **general** vicaire *m* général; **'vic·ar·age** presbytère *m*; cure *f*; **vi·car·i·ous** □ [vai'kɛəriəs] délégué; fait *ou* souffert pour *ou* par un autre.

vice¹ [vais] vice *m*; *fig.* défaut *m.*

vice² ⊕ [‿] étau *m.*

vice³ 1. ['vaisi] *prp.* à la place de; 2. [vais] *adj.* vice-; sous-; '~-**ad·mi·ral** vice-amiral *m*; '~-**'chair·man** vice-président(e *f*) *m*; '~-**'chan·cel·lor** vice-chancelier *m*; *univ.* recteur *m*; '~-**'con·sul** vice-consul *m*; ~**ge·rent** ['‿dʒerənt] représentant *m*; '~-**'pres·i·dent** vice-président(e *f*) *m*; '~-**'re·gal** de *ou* du vice-roi; ~**reine** ['‿rein] vice-reine *f*; ~**roy** ['‿rɔi] vice-roi *m.*

vi·ce ver·sa ['vaisi'və:sə] vice versa, réciproquement.

vic·i·nage ['visinidʒ], **vi'cin·i·ty** environs *m/pl.* (de, *of*); proximité *f* (de *to*, *with*); *in the* ~ *of* 40 environ 40.

vi·cious □ ['viʃəs] vicieux (-euse *f*); dépravé (*a. personne*); *fig.* méchant (*a. cheval*); *phls.* ~ *circle* cercle *m* vicieux; argument *m* circulaire.

vi·cis·si·tude [vi'sisitju:d] *usu.* ~s *pl.* vicissitudes *f/pl.*

vic·tim ['viktim] victime *f*; **'vic·tim·ize** prendre comme victime; ✕, *pol.* exercer des représailles contre; *fig.* duper.

vic·tor ['viktə] vainqueur *m*; **Vic·to·ri·an** *hist.* [vik'tɔ:riən] victorien (-ne *f*) (*a. su.*); **vic'to·ri·ous** □ victorieux (-euse *f*); de victoire; **vic·to·ry** ['‿təri] victoire *f.*

vict·ual ['vitl] 1. (s')approvisionner; ✕, ⚓ (se) ravitailler; *v/i.* F bâfrer (= *manger*); 2. *usu.* ~s *pl.* provisions *f/pl.*; vivres *m/pl.*; **vict·ual·(l)er** ['vitlə] fournisseur *m* de vivres; *licensed* ~ débitant *m* de boissons.

vi·de ['vaidi] voir.

vi·de·li·cet [vi'di:liset] (*abr.* *viz.*) à savoir; c'est-à-dire.

vid·e·o ['vidiou] *radio*: 1. de télévision; 2. *Am.* réception *f* de l'image.

vie [vai] le disputer (à, *with*); rivaliser (avec, *with*).

Vi·en·nese [vie'ni:z] 1. viennois; 2. Viennois(e *f*) *m.*

view [vju:] 1. vue *f*, coup *m* d'œil; regard *m*; scène *f*; perspective *f*; aperçu *m*; *fig.* intention *f*; *fig.* idée *f*, opinion *f*, avis *m*; *field of* ~ champ *m*; *at first* ~ à première vue; *in* ~ en vue, sous les regards; *in* ~ *of* en vue de; *fig.* en raison *ou* considération de; étant donné; *in my* ~ à mon avis; *on* ~ exposé; ouvert au public; *on the long* ~ à la longue, envisageant les choses de loin; *out of* ~ hors de vue; caché aux regards; *with a* ~ *to* (*gér.*), *with the* ~ *of* (*gér.*) dans le but de (*inf.*), en vue de (*inf.*); dans l'intention de (*inf.*); *have in* ~ avoir en vue; *keep in* ~ ne pas perdre de vue; 2. regarder (*a. télév.*); contempler; voir; apercevoir; *fig.* envisager; **'view·er** (*télév.* télé)spectateur (-trice *f*) *m*; **'view-find·er** *phot.* viseur *m*; **'view·point** point *m* de vue; belvédère *m* (*dans le paysage*); **'view·y** □ F visionnaire.

vig·il ['vidʒil] veille *f*; *eccl.* vigile *f*; **'vig·i·lance** vigilance *f*; ~ *committee* *Am.* comité *m* de surveillance (*des mœurs ou de l'ordre*); **'vig·i·lant** □ vigilant, éveillé; **vig·i·lan·te** [‿'lænti] membre *m* du comité de surveillance.

vi·gnette [vi'njet] 1. *typ.* vignette *f*; *phot.* cache *m* dégradé; 2. *phot.* dégrader (*un portrait etc.*).

vig·or·ous □ ['vigərəs] vigoureux (-euse *f*), robuste; *phot.* à contrastes, corsé (*couleur*); **'vig·o(u)r** vigueur *f* (*a. fig.*); énergie *f*; ♪ brio *m.*

vile □ [vail] vil; infâme; F sale.

vil·i·fi·ca·tion [vilifi'keiʃn] dénigrement *m*, détraction *f*; **vil·i·fy** ['‿fai] diffamer, dénigrer; médire de (*q.*).

vil·la ['vilə] villa *f*, maison *f* de campagne.

vil·lage ['vilidʒ] village *m*; **'vil·lag·er** villageois(e *f*) *m.*

vil·lain ['vilən] scélérat *m*; bandit *m*; misérable *m*; F *a. co.* coquin(e *f*) *m*; **'vil·lain·ous** □ infâme, vil;

scélérat; F sale; **'vil·lain·y** infamie f; vilenie f.

vil·lein hist. ['vilin] vilain m; serf m.

vim F [vim] énergie f, vigueur f.

vin·di·cate ['vindikeit] défendre (contre, from); justifier; revendiquer (ses droits); **vin·di·ca·tion** défense f; revendication f; **vin·di·ca·to·ry** ⬚ ['ˌkeitəri] vindicatif (-ive f); vengeur (-eresse f).

vin·dic·tive ⬚ [vin'diktiv] vindicatif (-ive f); a. rancunier (-ère f) (personne).

vine ♀ [vain] vigne f; houblon etc.: sarment m; Am. plante f grimpante; **'ˌvine·dres·ser** vigneron(ne f) m; **vin·e·gar** ['vinigə] **1.** vinaigre m; **2.** vinaigrer; **'vine·grow·er** viticulteur m; vigneron(ne f) m; **'vine·grow·ing** viticulture f; attr. vignoble; **'vine·louse** phylloxéra m; **vine·yard** ['vinjəd] vigne f; clos m de vigne; vignoble m.

vi·nous ['vainəs] vineux (-euse f); F ivrogne.

vin·tage ['vintidʒ] vendange f; cru m; fig. modèle m; ~ year grande année f; **'vin·tag·er** vendangeur (-euse f) m.

vi·o·la¹ ♪ [vi'oulə] alto m.

vi·o·la² ♀ ['vaiələ] pensée f.

vi·o·la·ble ⬚ ['vaiələbl] qui peut être violé.

vi·o·late ['vaiəleit] violer (un serment, une femme); outrager (une femme); profaner (une église); **vi·o·la·tion** violation f; viol m (d'une femme); profanation f; **'vi·o·la·tor** violateur (-trice f) m.

vi·o·lence ['vaiələns] violence f; do (ou offer) ~ to faire violence à; **'vi·o·lent** ⬚ violent; vif (vive f); criard (couleur).

vi·o·let ['vaiəlit] **1.** ♀ violette f; couleur: violet m; **2.** violet(te f).

vi·o·lin ♪ [vaiə'lin] violon m; **'vi·o·lin·ist** violoniste mf.

vi·o·lon·cel·list ♪ [vaiələn'tʃelist] violoncelliste mf; **vi·o·lon·cel·lo** [ˌlou] violoncelle m.

vi·per zo. ['vaipə] vipère f (a. fig.); ⊘ guivre f; **vi·per·ine** ['ˌrain], **vi·per·ous** ⬚ ['ˌrəs] usu. fig. vipérin.

vi·ra·go [vi'rɑːgou] vrai gendarme m; mégère f.

vir·gin ['vəːdʒin] **1.** vierge f;

2. vierge (a. ⊕, a. fig.); = **'vir·gin·al** ⬚ virginal (-aux m/pl.); de vierge; **Vir·gin·ia** [vəˈdʒinjə] (ou ~ tobacco) tabac m de Virginie, virginie f; ~ creeper vigne f vierge; **vir·gin·i·ty** [vəːˈdʒiniti] virginité f.

vir·ile ['virail] viril, mâle; **vi·ril·i·ty** [viˈriliti] virilité f.

vir·tu [vəːˈtuː] goût m des objets d'art; article of ~ objet m d'art; **vir·tu·al** ⬚ ['ˌtjuəl] de fait; véritable; ⊕ virtuel(le f); **vir·tue** ['ˌtjuː] vertu f; fig. qualité f; avantage m; efficacité f; propriété f; in (ou by) ~ of en raison ou vertu de; **vir·tu·os·i·ty** [ˌtjuˈɔsiti] ♪ etc. virtuosité f; **vir·tu·o·so** [ˌouzou] surt. ♪ virtuose mf; amateur m des arts; amateur m de curiosités etc.; **'vir·tu·ous** ⬚ vertueux (-euse f).

vir·u·lence ['viruləns] virulence f; fig. venin m; **'vir·u·lent** ⬚ virulent (a. fig.); fig. a. venimeux (-euse f).

vi·rus 🅶 ['vaiərəs] virus m; fig. poison m.

vi·sa ['viːzə] see visé.

vis·age poét. ['vizidʒ] visage m.

vis·cer·a ['visərə] pl. viscères m/pl.

vis·cid ⬚ ['visid] see viscous.

vis·cose 🅰 ['viskous] viscose f; ~ silk soie f artificielle; **vis·cos·i·ty** [ˌkɔsiti] viscosité f.

vis·count ['vaikaunt] vicomte m; **'vis·count·ess** vicomtesse f.

vis·cous ⬚ ['viskəs] visqueux (-euse f); gluant; pâteux (-euse f).

vi·sé ['viːzei] **1.** visa m; **2.** apposer un visa à (un passeport); viser.

vis·i·bil·i·ty [viziˈbiliti] visibilité f; good ~ vue f dégagée; **vis·i·ble** ⬚ ['vizəbl] visible; fig. évident; be ~ se montrer (chose); être visible (personne).

vi·sion ['viʒn] vision f, vue f; fig. pénétration f; imagination f; fantôme m, apparition f.

vi·sion·ar·y ['viʒnəri] chimérique, rêveur (-euse f) (personne) (a su./mf); visionnaire (a. su./mf).

vis·it ['vizit] **1.** v/t. faire (une visite à, rendre visite à; aller voir; visiter (un endroit); ✝ passer chez; fig. causer avec; ~ s.th. on faire retomber qch. sur (q.); v/i. faire des visites; *Am.* F causer (avec, *with*); **2.** visite *f*; **'vis·it·ant** visiteur (-euse *f*) *m*; apparition *f*; *orn.* oiseau *m* de passage; **vis·it·'a·tion** visite *f*; tournée *f* d'inspection; *fig.* affliction *f*; calamité *f*; apparition *f*; **vis·it·a·to·ri·al** [~tə'tɔːriəl] de visite; d'inspection; **'vis·it·ing** en visite; de visite; ~ **card** carte *f* de visite; **'vis·i·tor** visiteur (-euse *f*) *m* (de, to); *hôtel:* client(e *f*) *m*; *admin.* inspecteur *m*; *they have* ~*s* ils ont du monde; ~*s' book* livre *m ou* registre *m* des voyageurs.

vi·sor ['vaizə] visière *f* (*de casque, Am. de casquette*); *mot.* pare-soleil *m/inv.*

vis·ta ['vistə] perspective *f* (*a. fig.*); *forêt:* éclaircie *f*.

vis·u·al □ ['vizjuəl] visuel(le *f*); *anat.* optique; **'vis·u·al·ize** se représenter (*qch.*), se faire une image de (*qch.*).

vi·tal □ ['vaitl] **1.** vital (-aux *m/pl.*); essentiel(le *f*); mortel(le *f*) (*blessure*); ~ *parts pl.* = **2.** ~*s pl.* organes *m/pl.* vitaux; **vi·tal·i·ty** [~'tæliti] vitalité *f*; vie *f*, vigueur *f*; **vi·tal·ize** ['~təlaiz] vivifier, animer.

vi·ta·min ['vitəmin], **vi·ta·mine** ['~miːn] vitamine *f*; **vi·ta·mi·nized** ['~minaizd] enrichi de vitamines.

vi·ti·ate ['viʃieit] vicier (*a. ⚕️*); corrompre; gâter.

vit·i·cul·ture ['vitikʌltʃə] viticulture *f*.

vit·re·ous □ ['vitriəs] vitreux (-euse *f*); *⚕️, a. anat.* vitré.

vit·ri·fac·tion [vitri'fækʃn] vitrification *f*; **vit·ri·fy** ['~fai] (se) vitrifier.

vit·ri·ol 🜍 ['vitriəl] vitriol *m*.

vi·tu·per·ate [vi'tjuːpəreit] injurier; outrager, insulter, vilipender; **vi·tu·per·'a·tion** injures *f/pl.*; invectives *f/pl.*; **vi·tu·per·a·tive** □ [~reitiv] injurieux (-euse *f*); mal embouché.

Vi·tus ['vaitəs]: *🩺 St.* ~'*s*(*s*) *dance* chorée *f*; danse *f* de Saint-Guy.

vi·va (vo·ce) ['vaivə ('vousi)] **1.** *adv.* de vive voix; **2.** *adj.* oral (-aux *m/pl.*); **3.** *su.* oral *m*.

vi·va·cious □ [vi'veiʃəs] animé, enjoué; vif (vive *f*); **vi·vac·i·ty**

[~'væsiti] vivacité *f*; verve *f*; enjouement *m*.

viv·id □ ['vivid] vif (vive *f*); éclatant, frappant; **'viv·id·ness** éclat *m*.

viv·i·fy ['vivifai] (s')animer; **vi·vip·a·rous** □ [~'vipərəs] vivipare; **viv·i·sec·tion** [~'sekʃn] vivisection *f*.

vix·en ['viksn] renarde *f*; F mégère *f*.

vi·zor ['vaizə] *see* visor.

vo·cab·u·lar·y [və'kæbjuləri] vocabulaire *m*; glossaire *m*.

vo·cal □ ['voukl] vocal (-aux *m/pl.*) (*♪, son, prière*); sonore, bruyant; doué de voix; *gramm.* voisé; sonore; *anat.* ~ *c(h)ords pl.* cordes *ou* bandes *f/pl.* vocales; ~ *part* partie *f* chantée; **'vo·cal·ist** chanteur *m*; cantatrice *f*; **'vo·cal·ize** *v/t.* chanter; *gramm.* voiser, sonoriser; *v/i.* vocaliser; F chanter; **'vo·cal·ly** *adv.* à l'aide du chant; oralement.

vo·ca·tion [vou'keiʃn] vocation *f* (*a. au sacerdoce etc.*); profession *f*, métier *m*; **vo·ca·tion·al** □ professionnel(le *f*); ~ *guidance* orientation *f* professionnelle.

voc·a·tive *gramm.* ['vɔkətiv] (*a.* ~ *case*) vocatif *m*.

vo·cif·er·ate [vou'sifəreit] *vt/i.* vociférer, crier (contre, *against*); **vo·cif·er·'a·tion** (*a.* ~*s pl.*) vociférations *f/pl.*; cri *m*, -s *m/pl.*; **vo·'cif·er·ous** □ vociférant, bruyant.

vogue [voug] vogue *f*, mode *f*.

voice [vɔis] **1.** voix *f*; *gramm.* active ~ actif *m*; passive ~ passif *m*; in (good) ~ en voix; give ~ to exprimer (*qch.*); **2.** exprimer, énoncer; *gramm.* voiser, sonoriser; ♪ harmoniser; **voiced** *gramm.* voisé, sonore; low-~ à voix basse; **'voice·less** □ *surt. gramm.* sans voix, sourd.

void [vɔid] **1.** vide; *🩺* nul(le *f*); ~ *of* dépourvu *ou* libre de, sans; **2.** vide *m*; **3.** *🩺* annuler, résilier; **'void·ness** vide *m*; *🩺* nullité *f*.

vol·a·tile 🜍 ['vɔlətail] volatil; *fig.* gai; *fig.* volage; **vol·a·til·i·ty** [~'tiliti] 🜍 volatilité *f*; *fig.* inconstance *f*; **'vol·a·til·ize** (se) volatiliser.

vol·can·ic [vɔl'kænik] (~ally) volcanique (*a. fig.*); **vol·ca·no** [~'keinou], *pl.* -noes [~nouz] volcan *m*.

vo·li·tion [vou'liʃn] volonté *f*, volition *f*; *on one's own* ~ de son propre gré.

vol·ley ['vɔli] **1.** volée *f*, salve *f* (*a. fig.*); *pierres, coups:* grêle *f*; *tennis:* volée *f*; **2.** *v/t.* lancer une volée *ou* grêle de; (*usu.* ~ *out*) lâcher une bordée de; reprendre (*la balle*) de volée; *v/i.* partir ensemble (*canons*); *fig.* tonner; '**vol·ley-ball** *sp.* volley-ball *m*.

vol·plane ✈ ['vɔl'plein] **1.** vol *m* plané; **2.** planer; descendre en vol plané.

volt ⚡ [voult] volt *m*; '**volt·age** ⚡ voltage *m*, tension *f*; **vol·ta·ic** ⚡ [vɔl'teiik] voltaïque.

volte-face *fig.* ['vɔlt'fɑːs] volte-face *f*/*inv.*; changement *m* d'opinion.

volt·me·ter ⚡ ['voultmiːtə] voltmètre *m*.

vol·u·bil·i·ty [vɔlju'biliti] volubilité *f*; **vol·u·ble** □ ['~bl] facile; grand parleur; coulant.

vol·ume ['vɔljum] livre *m*; volume *m* (*a. phys., voix, fig., etc.*); *fig. a.* ampleur *f*; ~ *of sound radio:* volume *m*; ~ *control*, ~ *regulator* volume-contrôle *m*; **vo·lu·mi·nous** □ [vəl'juːminəs] volumineux (-euse *f*).

vol·un·tar·y □ ['vɔləntəri] **1.** volontaire (*a. physiol.*); spontané; **2.** ♪ prélude *m*; improvisation *f*; **vol·un·teer** [~'tiə] **1.** volontaire *m*; *attr.* de volontaires; **2.** *v/i.* s'offrir; ✗ s'engager comme volontaire; *v/t.* offrir spontanément.

vo·lup·tu·ar·y [və'lʌptjuəri] voluptueux (-euse *f*) *m*; **vo·lup·tu·ous** □ sensuel(le *f*); voluptueux (-euse *f*); **vo·lup·tu·ous·ness** sensualité *f*.

vo·lute △ [və'ljuːt] volute *f*; **vo·lut·ed** voluté; à volutes.

vom·it ['vɔmit] **1.** *vt/i.* vomir (*a. fig.*); *v/t.* rendre; **2.** vomissement *m*; matières *f*/*pl.* vomies.

voo·doo ['vuːduː] **1.** vaudou *m*; **2.** envoûter.

vo·ra·cious □ [və'reiʃəs] vorace, dévorant; **vo·ra·cious·ness**, **vo·rac·i·ty** [vɔ'ræsiti] voracité *f*.

vor·tex ['vɔːteks], *pl. usu.* **-ti·ces** [~tisiːz] tourbillon (*a. fig.*).

vo·ta·ry ['voutəri] dévot(e *f*) *m* (à, of); adorateur (-trice *f*) *m* (de, of); *fig.* suppôt *m* (de, of).

vote [vout] **1.** vote *m*; scrutin *m*;

voix *f*; droit *m* de vote(r), suffrage *m*; *parl.* crédit *m*; résolution *f*; ~ *of (no) confidence* vote *m* de confiance (défiance); *cast a* ~ donner sa voix *ou* son vote; *put to the* ~ procéder au scrutin; mettre (*qch.*) aux voix; *take a* ~ procéder au scrutin; **2.** *v/t.* voter; F déclarer; *v/i.* voter; donner sa voix (pour, for); F être d'avis (de *inf.*, *for ger.*); être en faveur (de qch. *for s.th.*); F ~ *that* proposer que; '**vot·er** votant(e *f*) *m*; électeur (-trice *f*) *m*.

voting ['voutiŋ] vote *m*, scrutin *m*; ~**-booth** ['voutiŋbuːð] bureau *m* de scrutin; '~**-box** urne *f* de scrutin; '~**-pa·per** bulletin *m* de vote; '~**-pow·er** droit *m* de vote.

vo·tive ['voutiv] votif (-ive *f*).

vouch [vautʃ] *v/t.* garantir, affirmer; *v/i.* répondre (de, for); ~ *that* affirmer que; '**vouch·er** pièce *f* justificative; ✝ bon *m*; ✝ fiche *f*; *théâ. etc.* contremarque *f*; *personne:* garant(e *f*) *m*; **vouch'safe** *v/t.* accorder; *v/i.:* ~ *to* (*inf.*) daigner (*inf.*).

vow [vau] **1.** vœu *m*; serment *m*; **2.** *v/t.* vouer, jurer.

vow·el ['vauəl] voyelle *f*.

voy·age ['vɔidʒ] **1.** voyage *m* (sur mer; ✈ *Am.* par air); traversée *f*; **2.** *v/i.* voyager (sur *ou* par mer); *v/t.* parcourir (*la mer*).

vul·can·ite ['vʌlkənait] vulcanite *f*, caoutchouc *m* vulcanisé; **vul·can·i'za·tion** ⊕ vulcanisation *f*; '**vul·can·ize** ⊕ (se) vulcaniser.

vul·gar ['vʌlgə] **1.** □ du peuple; vulgaire (*a. péj.*); commun; ~ *tongue* langue *f* vulgaire; **2.** *the* ~ le vulgaire *m*; le commun *m* des hommes; '**vul·gar·ism** vulgarisme *m*; (*usu.* **vul·gar·i·ty** [~'gæriti]) vulgarité *f*, trivialité *f*; '**vul·gar·ize** vulgariser.

vul·ner·a·bil·i·ty [vʌlnərə'biliti] vulnérabilité *f*; '**vul·ner·a·ble** □ vulnérable; ~ *spot fig.* défaut *m* dans la cuirasse; '**vul·ner·ar·y** vulnéraire (*a. su./m*).

vul·pine ['vʌlpain] de renard; qui a rapport au renard; *fig.* rusé.

vul·ture *orn.* ['vʌltʃə] vautour *m*; **vul·tur·ine** ['~tʃurain] de(s) vautour(s).

vy·ing ['vaiiŋ] **1.** *p.pr. de* vie; **2.** rivalité *f*.

W

W, w ['dʌblju:] W *m*, w *m*.
wab·ble ['wɔbl] *see* wobble.
wack·y *Am. sl.* ['wæki] fou (fol
devant une voyelle ou un h muet;
folle *f*); toqué.
wad [wɔd] **1.** *ouate etc.*: tampon *m*,
pelote *f*; ⚔ *cartouche etc.*: bourre *f*;
surt. Am. F *billets de banque*: liasse *f*;
2. ouater; cotonner; bourrer (*une
arme à feu*); *Am.* rouler en liasse;
'**wad·ding** ouate *f*; bourre *f*;
ouatage *m*.
wad·dle ['wɔdl] se dandiner.
wade [weid] *v/i.* marcher dans l'eau;
fig. (s')avancer péniblement; *v/t.*
(faire) passer à gué; '**wad·er**
(oiseau *m*) échassier *m*; ~s *pl.* grandes bottes *f/pl.* imperméables.
wa·fer [weifə] **1.** gaufrette *f*; pain *m*
à cacheter; *eccl. consecrated* ~
hostie *f*; **2.** apposer un cachet à.
waf·fle ['wɔfl] gaufre *f* (américaine).
waft [wɑːft] **1.** *v/t.* porter; faire
avancer; *v/i.* flotter dans l'air;
2. souffle *m*.
wag[1] [wæg] **1.** agiter, remuer (*le
bras, la queue, etc.*) ~ *one's tongue*
jacasser; *v/i.* agitation *f*; hochement
m (*de la tête*).
wag[2] [~] moqueur (-euse *f*) *m*; blagueur *m*; *sl.* *play* ~ faire l'école buissonnière.
wage [weidʒ] **1.**: ~ *war* faire la guerre
(à on, *against*); **2.** *usu.* **wag·es** ['~iz]
pl. gages *m/pl.*; paye *f*; salaire *m*;
wage-earn·er ['~ːnə] salarié(e *f*)
m; soutien *m* de famille; '**wage-
sheet**, '**wag·es-sheet** feuille *f* des
salaires.
wa·ger *poét.* ['weidʒə] **1.** pari *m*,
gageure *f*; **2.** parier, gager (sur,
on).
wag·ger·y ['wægəri] facétie *f*, ~s
f/pl., plaisanterie *f*; '**wag·gish** □
plaisant, espiègle, blagueur (-euse
f).
wag·gle F ['wægl] *see* wag[1] **1**; '**wag·
gly** F qui branle; serpentant.
wag·(g)on ['wægən] charrette *f*;
camion *m*; ⚔ fourgon *m*; 🚂 wagon
m (*découvert*); *Am.* F *be* (go) *on the*
~ s'abstenir de boissons alcooliques;
'**wag·(g)on·er** roulier *m*; camionneur *m*; **wag·(g)on·ette** [~'net] wa-
gonnette *f*.

wag·tail *orn.* ['wægteil] bergeronnette *f*.
waif [weif] ⚖, *a. fig.* épave *f*; ~*s and
strays* enfants *m/pl.* abandonnés;
épaves *f/pl.*
wail [weil] **1.** plainte *f*; gémissement
m; **2.** *v/t.* lamenter sur, pleurer; *v/i.*
gémir, se lamenter.
wain *poét.* [wein] *see* wag(g)on; *astr.*
Charles's ♒, *the* ♒ le Chariot *m*.
wain·scot ['weinskət] **1.** lambris *m*;
salle: boiserie *f*; **2.** lambrisser,
boiser (de, with).
wain-wright ['weinrait] charron *m*.
waist [weist] taille *f*, ceinture *f*; ⚓
embelle *f*; '**~-belt** ceinturon *m*;
~**-coat** ['weiskout] gilet *m*; '**~-
deep** jusqu'à la ceinture.
wait [weit] **1.** *v/i.* attendre; (*souv.* ~
at table) servir; F ~ *about* faire le
pied de grue; ~ *for* attendre (*qch.*,
q.); ~ (*up*)*on* servir (*q.*); être aux
ordres de (*q.*); être la conséquence
de (*qch.*); *keep s.o.* ~*ing* faire attendre q.; ~ *and see* attendre voir; ~ *in
line* faire la queue; *v/t.* attendre;
différer (*un repas*) (jusqu'à l'arrivée
de q., *for s.o.*); **2.** attente *f*; ~*s pl.*
chanteurs *m/pl.* de noëls; *have a
long* ~ devoir attendre longtemps;
be in ~ être à l'affût (de, for);
'**wait·er** *restaurant*: garçon *m*; *fig.*
plateau *m*.
wait·ing ['weitiŋ] attente *f*; service
m; *in* ~ de service; '**~-maid** femme*f*
de chambre; '**~-room** salle *f* d'attente; antichambre *f*.
wait·ress ['weitris] fille *f* de service;
~! mademoiselle!
waive [weiv] ne pas insister sur, ⚖
renoncer à; '**waiv·er** ⚖ abandon *m*.
wake[1] [weik] ⚓ sillage *m* (*a. fig.*);
fig. suite *f*; ⚔ remous *m* d'air.
wake[2] [~] **1.** [*irr.*] *v/i.* veiller; (*fig.*
~ *up*) se réveiller, s'éveiller; *v/t.* réveiller; ~ *a corpse* veiller un mort;
2. veillée *f* de corps; fête *f* annuelle;
wake·ful □ ['~ful] éveillé; sans
sommeil; '**wak·en** (se) réveiller;
(s')éveiller (*a. fig.*).
wale [weil] marque *f*; ⊕ *drap*: côté
f; *palplanches*: moise *f*; ⚓ plat-
bord (*pl.* plats-bords) *m*.
walk [wɔːk] **1.** *v/i.* marcher, se promener; aller à pied; cheminer; aller

au pas (*cheval*); revenir (*spectre*); ~ *about* se promener, circuler; *sl.* ~ *into* se heurter à (*qch.*); *Am.* ~ *out* se mettre en grève; *Am.* F ~ *out on* laisser *ou* planter là (*q.*); *v/t.* faire marcher; courir (*les rues*); faire (*une distance*); conduire *ou* mettre un cheval au pas; ~ *the hospitals* faire les hôpitaux; assister aux leçons cliniques; ⚔️ ~ *the rounds* faire sa faction; ~ ⚔️ *off* emmener q.(*.*); 2. marche *f*; promenade *f*; tour(née *f*) *m*; allée *f*, avenue *f*; démarche *f*; pas *m*; ~ *of life* position *f* sociale; métier *m*; 'walk·er marcheur (-euse *f*) *m*; piéton *m*; *sp.* amateur *m* du footing; *be a good* ~ être bon marcheur; 'walk·er·'on *sl.* figurant(e *f*) *m*.

walk·ie-talk·ie ⚔️ ['wɔːki'tɔːki] appareil *m* d'émission et réception radiophonique.

walk·ing ['wɔːkiŋ] 1. marche *f*; promenade *f* à pied; *sp.* footing *m*; 2. ambulant; de marche; *Am.* F ~ *papers pl.* congé *m*; ~ *tour* excursion *f* à pied; '~-stick canne *f*.

walk...: '~-out *Am.* grève *f*; '~-o·ver *sp.* walk-over *m*; *fig.* victoire *f* facile; '~-up *Am.* sans ascenseur (*appartement*).

wall [wɔːl] 1. mur *m*; muraille *f*; (*a. side*~) paroi *f* (*a.* ⊕); *give s.o. the* ~ donner à q. le haut du pavé; *fig. go to the* ~ être ruiné *ou* mis à l'écart; 2. entourer de murs; murer; *fig.* emmurer; ~ *up* murer.

wal·la·by *zo.* ['wɔləbi] petit kangourou *m*, wallaby *m*.

wal·let ['wɔlit] portefeuille *m*; sac *m*, sacoche *f*.

wall...: '~-eye *vét.* œil *m* vairon; '~-flow·er ♀ giroflée *f* (jaune); *fig.* be a ~ faire tapisserie; '~-fruit fruit *m* d'espalier; '~-map carte *f* murale.

Wal·loon [wɔ'luːn] 1. wallon(ne *f*); 2. *ling.* wallon *m*; Wallon(ne *f*) *m*.

wal·lop F ['wɔləp] 1. rosser (*q.*), tanner le cuir à (*q.*); 2. gros coup *m*; *sl.* bière *f*; 'wal·lop·ing F énorme.

wal·low ['wɔlou] 1. se vautrer; *fig.* se plonger (dans, *in*), nager (dans, *in*); 2. fange *f*; *chasse:* souille *f*; *have a* ~ se vautrer.

wall...: '~-pa·per papier *m* peint *ou* à tapisser; '~-sock·et ⚡ prise *f* de courant.

wal·nut ♀ ['wɔːlnʌt] noix *f*; *arbre:* noyer *m*; (*bois m de*) noyer *m*.

wal·rus *zo.* ['wɔːlrəs] morse *m*.

waltz [wɔːls] 1. valse *f*; 2. valser.

wan □ [wɔn] blême, pâle; blafard.

wand [wɔnd] baguette *f*; bâton *m* (*de commandement*); verge *f* (*d'huissier*).

wan·der ['wɔndə] errer; (*a.* ~ *about*) se promener au hasard, aller à l'aventure; *fig.* s'écarter (de, *from*); *fig.* divaguer (*personne*); 'wan·der·er vagabond(e *f*) *m*; 'wan·der·ing 1. □ errant; vagabond (*a. fig.*); *fig.* distrait; 2. vagabondage *m*; 🌿 délire *m*; *fig.* rêverie *f*.

wane [wein] 1. décroître (*lune*); *fig.* s'affaiblir; 2. déclin *m*; *on the* ~ sur *ou* à son déclin.

wan·gle *sl.* ['wæŋgl] employer le système D; carotter (*qch.*); 'wan·gler carotteur (-euse *f*) *m*.

wan·ness ['wɔnnis] pâleur *f*.

want [wɔnt] 1. manque *m*, défaut *m* (de, *of*); besoin *m*; gêne *f*; *for* ~ *of* faute de; *Am.* ~ *ad* demande *f* d'emploi (*dans les petites annonces*); 2. *v/i.* be ~*ing* faire défaut, manquer (*chose*); be ~*ing* manquer (de, *in*) (*personne*); be ~*ing to* ne pas être à la hauteur de (*une tâche etc.*); *he does not* ~ *for talent* les talents ne lui font pas défaut; *v/t.* vouloir, désirer; manquer de; avoir besoin de; falloir; *it* ~*s five minutes of eight o'clock* il est huit heures moins cinq; *it* ~*s two days to* il y a encore deux jours à; *he* ~*s energy* il manque d'énergie; *you* ~ *to be careful* il faut faire attention; ~ *s.o. to* (*inf.*) vouloir que q. (*sbj.*); ~*ed* recherché (par la police).

wan·ton ['wɔntən] 1. □ impudique; licencieux (-euse *f*); folâtre; *poét.* luxuriant; gratuit; 2. voluptueux (-euse *f*) *m*; femme *f* impudique; 3. folâtrer; 'wan·ton·ness libertinage *m*; gaieté *f* de cœur.

war [wɔː] 1. guerre *f*; *attr.* de guerre; guerrier (-ère *f*); ~ *of nerves* guerre *f* des nerfs; *at* ~ en guerre (avec, contre with); *make* ~ faire la guerre (à, contre [up]on); 2. *poét.* lutter; mener une campagne; *fig.* faire la guerre (à, *against*).

war·ble ['wɔːbl] 1. *vt/i.* chanter (en gazouillant); *v/i.* gazouiller; 2. gazouillement *m*; *ruisseau:* murmure *m*; 'war·bler oiseau *m* chanteur; fauvette *f*.

wash

war-blind-ed ['wɔ:blaindid] aveugle de guerre.

ward [wɔ:d] **1.** garde *f*; † tutelle *f*; *personne*: pupille *mf*; *escrime*: garde *f*, parade *f*; quartier *m* (*d'une prison*); salle *f* (*d'hôpital*); *admin.* arrondissement *m*; circonscription *f* électorale; ~s *pl.* dents *f/pl.*, bouterolles *f/pl.* (*d'une clef*); *casual* ~ asile *m* de nuit; *in* ~ en tutelle; *sous la tutelle* (de, to); *Am.* F *pol.* ~ *heeler* politicien *m* à la manque; **2.** faire entrer (*à l'hôpital etc.*); ~ *off* écarter; '**ward-en** directeur (-trice *f*) *m*; recteur *m*; '**ward-er** gardien *m* de prison; '**ward-robe** garderobe *f*; *meuble*: armoire *f*; ~ *dealer* marchand(e *f*) *m* de toilette; ~ *trunk* malle-armoire (*pl.* malles-armoires) *f*; '**ward-room** ⚓ carré *m* des officiers; '**ward-ship** tutelle *f*.

ware [wɛə] marchandise *f*; ustensiles *m/pl.*

ware-house 1. ['wɛəhaus] entrepôt *m*; magasin *m*; **2.** ['~hauz] emmagasiner; *douane*: entreposer; ~**man** ['~hausmən] emmagasineur *m*; *douane*: entreposeur *m*; garçon *m* de magasin; *Italian* ~ épicier *m*.

war...: '~**fare** la guerre *f*; '~**grave** sépulture *f* militaire; '~**head** *torpille etc.*: cône *m* (de charge).

war-i-ness ['wɛərinis] circonspection *f*; prudence *f*; défiance *f*.

war...: '~**like** guerrier (-ère *f*); martial (-aux *m/pl.*); '~**loan** emprunt *m* de guerre.

warm [wɔ:m] **1.** ☐ chaud (*a. fig.*); *fig.* chaleureux (-euse *f*), vif (vive *f*); F riche; *be* ~ avoir chaud (*personne*); être chaud (*chose*); **2.** F action *f* de (se) chauffer; **3.** *v/t.* chauffer; *fig.* (r)échauffer; *sl.* flanquer une tripotée à; ~ *up* (ré)chauffer; *v/i.* (*a.* ~ *up*) s'échauffer, se (ré)chauffer; s'animer; ~ *to* se sentir attiré vers (*q.*); '**warm-ing** *sl.* rossée *f*.

war-mon-ger ['wɔ:mʌŋɡə] belliciste *m*; '**war-mon-ger-ing**, '**warmon-ger-y** propagande *f* de guerre.

warmth [wɔ:mθ] chaleur *f*.

warn [wɔ:n] avertir (*de* of, *against*); prévenir (*ou* ~ *off*) détourner; conseiller (*de* inf., *to* inf.); alerter; '**warn-ing** avertissement *m*; avis *m*; *turf*: exécution *f*; congé *m* (*d'un employé etc.*); alerte *f*; *take* ~ *from*

profiter de l'exemple de; tirer une leçon de.

warp [wɔ:p] **1.** *tex.* chaîne *f*; *tapisserie*: lisse *f*; ⚓ amarre *f*; voilure *f* (*d'une planche*); *fig.* perversion *f*; **2.** *v/i.* se voiler (*bois*); ⚓ (*usu.* ~ *out*) déhaler; *v/t.* (faire) voiler, déverser (*du bois etc.*); ✈ gauchir (*les ailes*); *tex.* ourdir (*une étoffe*), empeigner (*un métier*); ⚓ haler, touer; *fig.* fausser (*les sens*); pervertir (*l'esprit*).

war-paint ['wɔ:peint] peinture *f* de guerre (*des Peaux-Rouges*); F *fig.* grande tenue *f*; gros maquillage *m.*

warp-ing ✈ ['wɔ:piŋ] gauchissement *m* des ailes.

war...: '~**plane** avion *m* de guerre; '~**prof-it-eer** mercanti *m* de guerre.

war-rant ['wɔrənt] **1.** garantie *f*; *fig.* garant *m*; justification *f*; ⚖ mandat *m*; pouvoir *m*; ✕ feuille *f* (*de route*); ✕ ordonnance *f* (*de paiement*); ⚓ warrant *m*; ~ (*of apprehension*) mandat *m* d'amener; ~ *of arrest* mandat *m* d'arrêt; **2.** garantir (*a.* ⚓); certifier; attester; répondre de (*qch.*); justifier; '**war-rant-a-ble** ☐ légitime; justifiable; *que l'on peut garantir*; *chasse*: courable; '**war-rant-ed** garanti; **war-ran-tee** ⚖ [~'ti:] receveur (-euse *f*) *m* d'une garantie; '**war-rant-of-fi-cer** ⚓ premier maître *m*; ✕ sous-officier *m* breveté; **war-ran-tor** ⚖ ['~tɔ:] répondant *m*; '**war-ran-ty** garantie *f*; autorisation *f*.

war-ren ['wɔrin] garenne *f*, lapinière *f*.

war-ri-or ['wɔriə] guerrier *m*; *the Unknown* ♀ le Soldat inconnu.

war-ship ['wɔ:ʃip] vaisseau *m* de guerre.

wart [wɔ:t] verrue *f*; ♃ excroissance *f*; '**wart-y** verruqueux (-euse *f*).

war...: '~**time** temps *m* de guerre.

war-y ☐ ['wɛəri] circonspect, prudent; défiant; précautionneux (-euse *f*).

was [wɔz; wəz] *prét. de* be; *he* ~ *to have come* il devait venir.

wash [wɔʃ] **1.** *v/t.* laver; blanchir (*le linge*); *fig.* baigner; ~*ed out* délavé; décoloré; F flapi; ~ *up* faire la vaisselle; ⚓ rejeter sur le rivage; *sl.* ~*ed up* fini, fichu; *v/i.* se laver; ~ *against the cliff* baigner la falaise; ⚓ ~ *over* balayer (*le pont*); **2.** lessive f, blanchissage m; toilette f; remous m; ⚓ sillage m; ⚡ souffle m (de l'hélice); peint. lavis m; (a. colo(u)r ~) badigeon m; péj. lavasse f; ⚕, pharm., vét. lotion f; '**wash·a·ble** lavable; '**wash-ba·sin** cuvette f, lavabo m; '**wash-cloth** torchon m.

wash·er ['wɔʃə] laveur (-euse f) m; machine: laveuse f; ⊕ cylindre m à laver; '~-**wom·an** blanchisseuse f.

wash·i·ness F ['wɔʃinis] fadeur f, insipidité f.

wash·ing ['wɔʃiŋ] **1.** lavage m; ablution f; lessive f, blanchissage m; ⊕ lavée f (de laine, de minerai); ~s pl. produits m/pl. de lavage; ~ chantier m de lavage; **2.** de lessive; ~ machine machine f à laver; ~ powder lessive f; '~-**silk** soie f lavable; '~-'**up** (lavage m de la) vaisselle f; ~ basin cuvette f.

wash...: '~-'**out** sl. fiasco m; '~-**rag** surt. Am. lavette f, gant m de toilette; '~-**stand** lavabo m; '**wash·y** délavé (couleur); fig. fade, insipide.

wasp [wɔsp] guêpe f; '**wasp·ish** □ méchant (a. fig.); acerbe; acariâtre (femme).

wast·age ['weistidʒ] déperdition f, perte f; gaspillage m; coll. déchets m/pl.

waste [weist] **1.** désert, inculte; perdu (temps); ⊕ de rebut; lay ~ dévaster, ravager; ~ paper vieux papiers m/pl.; papier m de rebut; ~ steam vapeur f perdue; ~ water eaux f/pl. ménagères; ⊕ eaux-vannes f/pl.; **2.** perte f; gaspillage m; rebut m; déchet m; région f inculte; go (ou run) to ~ se perdre, se dissiper; s'affricher (terrain); **3.** v/t. user, consumer; gaspiller; perdre (son temps); v/i. se perdre; s'user; maigrir (malade); '**waste·ful** □ ['~ful] gaspilleur (-euse f); prodigue; inutile; ruineux (-euse f); '**waste-pa·per bas·ket** corbeille f à papier; '**waste·pipe** trop-plein m; baignoire: écoulement m; '**wast·er** gaspilleur (-euse f) m; see wastrel.

wast·rel ['weistrəl] vaurien m; mauvais sujet m.

watch [wɔtʃ] **1.** garde f; † veille f; † personne: garde m; ⚓ quart m; montre f; be on the ~ for épier, guetter; être à l'affût de; ♀ Committee comité m municipal qui veille au maintien de l'ordre; **2.** v/i. veiller (sur, over); ~ for attendre (q., qch.); guetter (q.); v/t. veiller sur, regarder; assister à; guetter (l'occasion); '~-**boat** ⚓ (bateau m) patrouilleur m; '~-**brace·let** montre-bracelet (pl. montres-bracelets) f; '~-**case** boîte f de montre; '~-**dog** chien m de garde; '**watch·er** veilleur (-euse f) m; observateur (-trice f) m; '**watch·ful** □ ['~ful] vigilant, attentif (-ive f).

watch...: '~-**mak·er** horloger m; '~-**man** gardien m; veilleur m (de nuit); '~-**tow·er** tour f de guet; '~-**word** pol. etc. mot m d'ordre.

wa·ter ['wɔːtə] **1.** eau f; ~ supply (provision f d')eau f; service m des eaux; high (low) ~ marée f haute (basse); by ~ en bateau, par eau; drink (ou take) the ~s prendre les eaux; of the first ~ de première eau (diamant); fig. de premier ordre; be in hot ~ être dans le pétrin; avoir des ennuis; F be in low ~ être dans la gêne; **2.** v/t. arroser (terre, route, plante, région); abreuver (les bêtes); fig. atténuer, affaiblir; (souv. ~ down) mouiller, diluer; ⊕ alimenter en eau (une machine); tex. moirer; v/i. pleurer (yeux); faire provision d'eau; s'abreuver (bêtes); ⊕, ⚓, mot. faire de l'eau; make s.o.'s mouth ~ faire venir l'eau à la bouche de q.; '~-**blis·ter** ⚕ cloque f; '~-**borne** flottant; transporté par voie d'eau; '~-**cart** arroseuse f (dans les rues); '~-**clos·et** (usu. écrit W.C.) cabinets m/pl., F waters m/pl.; '~-**col·o(u)r** aquarelle f; couleur f à l'eau; '~-**cooled** refroidi à eau; '~-**cool·ing** refroidissement m à eau; '~-**course** cours m d'eau; conduit m; conduite f d'eau; '~-**cress** ♀ cresson m (de fontaine); '~-**fall** chute f d'eau; '~-**fowl** gibier m, coll. -s m/pl. d'eau; '~-**front** surt. Am. quai m, bord m de l'eau; '~-**gauge** ⊕ hydromètre m; (indicateur m de) niveau m d'eau; '~-**hose** tuyau m d'arrosage; qqfois manche f à feu; '**wa·ter·i·ness** aquosité f; ⚕ sérosité f; fig. fadeur f.

wa·ter·ing ['wɔːtəriŋ] arrosage m; irrigation f; abreuvage m (des bêtes); '~-**can**, '~-**pot** arrosoir m; '~-**place**

abreuvoir *m*; ville *f* d'eau; plage *f*, bains *m/pl.* de mer.

wa·ter...: '~**jack·et** ⊕ chemise *f* d'eau; '~**lev·el** niveau *m* d'eau (*a.* ⊕); '~**lil·y** ♀ nénuphar *m*; '~**logged** imbibé d'eau; ⚓ plein d'eau; '~**man** batelier *m*, marinier *m*; '~**mark** niveau *m* des eaux; ⚓ laisse *f*; *papier*: filigrane *m*; '~**part·ing** ligne *f* de partage des eaux; '~**pipe** conduite *f* d'eau; '~**plane** hydravion *m*; '~**po·lo** water-polo *m*; '~**pow·er** force *f ou* énergie *f* hydraulique; ~ station centrale *f* hydraulique; '~**proof** **1.** imperméable (*a. su./m*); **2.** rendre imperméable; caoutchouter; '~**re·pel·lent wool** laine *f* cirée; '~**shed** *see* water-parting; *p.ext.* bassin *m*; ~**'side 1.** riverain; **2.** bord *m* de l'eau; '~**spout** descente *f* d'eau; gouttière *f*; *météor.* trombe *f*; '~**tap** robinet *m*; '~**tight** étanche; *fig.* sans échappatoire; '~**wave 1.** *cheveux*: mise *f* en plis; **2.** mettre (*les cheveux*) en plis; '~**way** voie *f* d'eau; ⚓ gouttière *f*; '~**works** *usu. sg.* usine *f* de distribution d'eau; '**wa·ter·y** aqueux (-euse *f*); larmoyant (*yeux*); *fig.* noyé *ou* plein d'eau; *fig.* peu épais;

watt ⚡ [wɔt] watt *m*.   [(-se *f*).)

wat·tle ['wɔtl] **1.** clayonnage *m*; claie *f*; *dindon*: caroncule *f*; **2.** clayonner; tresser (*l'osier*).

waul [wɔ:l] miauler.

wave [weiv] **1.** vague *f* (*a. fig.*); *phys.* onde *f*; *cheveux*: ondulation *f*; geste *m*, signe *m* (de la main); **2.** *v/t.* agiter; brandir; onduler (*les cheveux*); faire signe de (*la main*); ~ s.o. *aside* écarter q. d'un geste; *v/i.* s'agiter; flotter; onduler; faire signe (à q., *to* s.o.); '~**length** ⚡ *radio*: longueur *f* d'onde; '~**me·ter** ondemètre *m*.

wa·ver ['weivə] hésiter; vaciller (*a. fig.*); ⚔ *etc.* fléchir.

wave...: '~**range** *radio*: gamme *f* de longueur d'onde; '~**trap** *radio*: ondemètre *m* d'absorption.

wav·y ['weivi] onduleux (-euse *f*); ondulé; tremblé (*ligne*).

wax¹ [wæks] **1.** cire *f*; *oreilles*: cérumen *m*; ~ *candle* bougie *f* de cire; *eccl.* cierge *m*; ~ *doll* poupée *f* de cire; **2.** cirer; mettre (*le cuir*) en cire; empoisser (*le fil*).

wax² [~] croître (*lune*); *co. devant adj.*: devenir.

wax·en ['wæksn] de *ou* en cire; *fig. a.* cireux (-euse *f*); '**wax·work** figure *f* de cire; ~s *pl.*, ~ *show* figures *f/pl.* de cire; '**wax·y** ☐ cireux (-euse *f*).

way [wei] **1.** chemin *m*, route *f*, voie *f*; direction *f*, côté *m*; façon *f*, manière *f*; genre *m*; moyen *m*; marche *f*; progrès *m*; état *m*; habitude *f*; idée *f*, guise *f*; ~ *in* entrée *f*; ~ *out* sortie *f*; *admin.* ~s and means voies *f/pl.* et moyens *m/pl.*; *parl.* Committee of ♀s and Means Commission *f* du Budget; *right of* ~ ⚡ servitude *f ou* droit *m* de passage; *surt. mot.* priorité *f* de passage; *this* ~ par ici; *in some* (*ou a*) ~ en quelque sorte; *in no* ~ ne ... aucunement *ou* d'aucune façon; *go a great* (*ou some*) ~ *towards* (*gér.*), *go a long* (*ou some*) ~ *to* (*inf.*) contribuer de beaucoup *ou* quelque peu à (*inf.*); *by* ~ en passant, à propos; *by* ~ *of* par la voie de; en guise de, à titre de; *by* ~ *of excuse* en guise d'excuse; *on the* (*ou one's*) ~ en route (pour, *to*); *chemin faisant*; *out of the* ~ écarté, isolé; *fig.* peu ordinaire; *under* ~ en marche (*a.* ⚓); *give* ~ céder, lâcher pied; faire place; *have one's* ~ agir à sa guise; *if I had my* ~ si on me laissait faire; *have a* ~ *with* se faire bien voir de (*q.*); *lead the* ~ marcher en tête; montrer le chemin; *see make 1*; *pay one's* ~ joindre les deux bouts; se suffire; *see one's* ~ *to* juger possible de; trouver moyen de; *Am.* ~ *station* petite gare *f*; *Am.* ~ *train* train *m* omnibus; **2.** *adv. Am.* loin; là-bas; '~**bill** feuille *f* de route; lettre *f* de voiture; '~**far·er** voyageur (-euse *f*) *m*; ~'**lay** [*irr.* (*lay*)] guetter (au passage); '~**leave** droit *m* de passage *ou* de survol; '~**side 1.** bord *m* de la route; *by the* ~ au bord de la route; **2.** au bord de la route, en bordure de route.

way·ward ☐ ['weiwəd] capricieux (-euse *f*); entêté, rebelle; '**way·ward·ness** entêtement *m*; caractère *m* difficile.

we [wi:; wi] nous (*a. accentué*).

weak ☐ [wi:k] faible; léger (-ère *f*) (*thé*); '**weak·en** (s')affaiblir; '**weak·ling** personne *f* faible; '**weak·ly 1.** *adj.* faible; **2.** *adv.* faiblement; sans résolution; '**weak-'mind·ed** faible d'esprit; qui manque de résolution; '**weak·ness** faiblesse f.

weal[1] [wi:l] 1. bien(-être) m.

weal[2] [~] marque f.

wealth [welθ] richesse f, -s f/pl.; fig. abondance f; '**wealth·y** □ riche, opulent.

wean [wi:n] sevrer (un enfant); fig. détourner (q.) (de from, of).

weap·on ['wepən] arme f; '**weap-on·less** sans armes, désarmé.

wear [wɛə] [irr.] 1. v/t. porter (un vêtement etc.); (a. ~ away, down, off, out) user, effacer; épuiser, lasser (la patience); v/i. faire bon usage; se conserver (bien etc.) (personne); ~ away s'user; s'effacer; passer; ~ off disparaître (a. fig.), s'effacer; ~ on s'écouler (temps); s'avancer; ~ out s'user; s'épuiser; 2. usage m; mode f; vêtements m/pl.; fatigue f; (a. ~ and tear) usure f; gentlemen's ~ vêtements m/pl. pour hommes; for hard ~ d'un bon usage; be the ~ être à la mode ou de mise; the worse for ~ usé; there is plenty of ~ in it yet il est encore portable; '**wear·a·ble** portable (vêtement).

wea·ri·ness ['wiərinis] fatigue f; lassitude f; fig. dégoût m.

wea·ri·some □ ['wiərisəm] ennuyeux (-euse f); fig. ingrat, F assommant; '**wea·ri·some·ness** ennui m.

wea·ry ['wiəri] 1. □ las(se f), fatigué (de, with); fig. dégoûté (de, of); fatigant, fastidieux (-euse f); 2. (se) lasser, fatiguer.

wea·sel zo. ['wi:zl] belette f.

weath·er ['weðə] 1. temps m; see permit 1; 2. météorologique; ⚓ du côté du vent, au vent; 3. v/t. altérer (par les intempéries); ⚓ passer au vent de; doubler (un cap); (a. ~ out) étaler (une tempête etc.), fig. survivre à; ~ed altéré par le temps ou les intempéries; v/i. s'altérer; prendre la patine (cuivre etc.); '~-beat·en battu par les tempêtes; basané (figure etc.); '~-board fenêtre: reverseau m; toit etc.: planche f à recouvrement; '~-board·ing planches f/pl. à recouvrement; '~-bound retenu par le mauvais temps; '~-bu·reau bureau m météorologique; '~-chart carte f météorologique;

'~-cock girouette f; '~-fore·cast bulletin m météorologique; prévisions f/pl. du temps; '~-proof, '~-tight imperméable; étanche; '~-sta·tion station f météorologique; '~-strip bourrelet m étanche; mot. gouttière f d'étanchéité; '~-vane girouette f; '~-worn rongé par les intempéries.

weave [wi:v] 1. [irr.] tisser; fig. tramer; 2. armure f; tissage m; '**weav-er** tisserand(e f) m; '**weav·ing** tissage m; entrelacement m; route: zigzags m/pl.; attr. à tisser.

wea·zen ['wi:zn] ratatiné, desséché.

web [web] tissu m (a. fig.); toile f (d'araignée); orn. plume: lame f; pattes: palmure f; ⊕ rouleau m (d'étoffe, de papier); **webbed** palmé, membrané; '**web·bing** (toile f à) sangles f/pl.; '**web-foot·ed** palmipède, aux pieds palmés.

wed [wed] v/t. épouser, se marier avec (q.); marier (un couple); fig. unir (à to, with); v/i. se marier; '**wed·ded** conjugal (-aux m/pl.); marié; '**wed·ding 1.** mariage m; noce f, -s f/pl.; 2. de noce(s); de mariage; nuptial (-aux m/pl.); ~ ring alliance f.

wedge [wedʒ] 1. coin m; fig. the thin end of the ~ le premier pas, un pied de pris; 2. coincer; (a. ~ in) enclaver, insérer; '~-shaped en forme de coin; cunéiforme (caractères, os).

wed·lock ['wedlɔk] mariage m.

Wednes·day ['wenzdi] mercredi m.

wee écoss., F [wi:] (tout) petit.

weed [wi:d] 1. mauvaise herbe f; F tabac m; F personne f étique; 2. sarcler; (a. ~ up, out) arracher les mauvaises herbes; fig. éliminer; '**weed·er** sarcleur (-euse f) m; outil: sarcloir m; extirpateur m.

weeds [wi:dz] pl. (usu. widow's ~) (vêtements m/pl. de) deuil m.

weed·y ['wi:di] plein de mauvaises herbes; F fig. étique; maigre.

week [wi:k] semaine f; short working ~ semaine f courte; by the ~ à la semaine; this day ~ d'aujourd'hui en huit; '~-day jour m de semaine; jour m ouvrable; '~-'end 1. fin f de semaine; week-end m; ~ ticket billet m valable du samedi au lundi; 2. passer le week-end; '~-'end·er touriste mf de fin de semaine;

wend

'week·ly 1. hebdomadaire; **2.** (a. ~ paper) hebdomadaire m.

weep [wi:p] [irr.] pleurer (de joie etc., for; qch. for, over s.th.); verser des larmes; **'weep·er** pleureur (-euse f) m; ~s pl. manchettes f/pl. de deuil; **'weep·ing 1.** qui pleure; humide; ♀ ~ willow saule m pleureur; **2.** larmes f/pl., pleurs m/pl.

wee·vil ['wi:vil] charançon m (du blé etc.).

weft [weft] tex. trame f; fig. traînée f (d'un nuage etc.).

weigh [wei] **1.** v/t. peser (a. fig. le pour et le contre); fig. (a. ~ up) jauger; ⚓ ~ anchor lever l'ancre; ~ down peser plus que; ~ed down surchargé, fig. accablé (de, with); v/i. peser (a. fig.); fig. avoir du poids (pour, with); ~ (up)on peser (lourd) sur; **2.** ⚓ get under ~ (ou way) se mettre en route; **'weigh·a·ble** pesable; **'weigh·bridge** (pont m à) bascule f; **'weigh·er** peseur (-euse f) m; **'weigh·ing-ma·chine** bascule f; appareil m de pesage.

weight [weit] **1.** poids m; pesanteur f, lourdeur f; force f (d'un coup); fig. importance f; fig. carry great ~ avoir beaucoup d'influence; avoir de l'autorité; sp. putting the ~ lancement m du poids; **2.** alourdir; attacher un poids à; fig. affecter d'un coefficient; **'weight·i·ness** pesanteur f; fig. importance f; **'weight·y** pesant, lourd; grave; sérieux (-euse f).

weir [wiə] barrage m; étang: déversoir m.

weird [wiəd] étrange; mystérieux (-euse f); F singulier (-ère f).

wel·come ['welkəm] **1.** □ bienvenu; agréable; you are ~ to (inf.) libre à vous de (inf.); you are ~ to it c'est à votre service; iro. grand bien vous fasse!; you are ~ ou ~! soyez le bienvenu!; il n'y a pas de quoi!; **2.** bienvenue f; **3.** souhaiter la bienvenue à; accueillir (a. fig.).

weld ⊕ [weld] **1.** (se) souder; (se) corroyer (acier); ~ into fondre en; **2.** (a. ~ing seam) (joint m de) soudure f; **'weld·ing** ⊕ soudage m, soudure f; attr. soudant; à souder.

wel·fare ['welfeə] bien-être m; ~ centre dispensaire m; ~ work assistance f sociale; ~ worker assistant (-e f) m social(e).

well¹ [wel] **1.** puits m; fig. source f; ⊕ haut fourneau: creuset m; (a. ink-~) encrier m; ascenseur: cage f; hôtel: cour f; **2.** jaillir, sourdre.

well² [~] **1.** adv. bien; see as 1; ~ off aisé, riche; bien fourni (de, for); be ~ past fifty avoir largement dépassé la cinquantaine; beat s.o. ~ battre q. à plate couture; **2.** adj. préd. en bonne santé; bon; bien; I am not ~ je ne me porte pas bien; all's well tout va bien; **3.** int. eh bien!; F ça alors!; **'~-'ad·vised** sage; bien avisé (personne); **'~-'be·ing** bien-être m; **'~-'born** de bonne famille; bien né; **'~-'bred** bien élevé; **'~-dis·posed** bien disposé (envers, to[wards]); **'~-'fa·vo(u)red** beau (bel devant une voyelle ou un h muet; belle f); de bonne mine; **'~-in·formed** bien renseigné.

Wel·ling·tons ['weliŋtənz] pl. bottes f/pl. en caoutchouc.

well···: **'~-in·ten·tioned** bien intentionné; **'~-'judged** bien calculé; judicieux (-euse f); **'~-'knit** bien bâti; solide; ~ made de coupe soignée (habit); bien découplé; **'~-'man·nered** bien élevé; **'~-nigh** presque; ~ timed opportun; bien calculé; ~-to-do ['weltə'du:] aisé; prospère; ~ turned fig. bien tourné; **'~-'wish·er** ami(e f) m sincère, partisan m; **'~-'worn** usé; fig. rebattu.

Welsh¹ [welʃ] **1.** gallois; **2.** ling. gallois m; the ~ les Gallois m/pl.

welsh² [~] turf: décamper avec les enjeux des parieurs; **'welsh·er** bookmaker m marron; p.ext. escroc m.

Welsh···: **'~-man** Gallois m; **'~-wom·an** Galloise f.

welt [welt] **1.** ⊕ semelle: trépointe f; chaussette, gant: bordure f; couvre-joint m; **2.** mettre les trépointes à (des souliers); border; F rosser; ~ed à trépointes (soulier).

wel·ter ['weltə] **1.** se rouler, se vautrer; fig. ~ in nager dans (son sang etc.); **2.** désordre m; **'~-weight** box. poids m mi-moyen.

wen ⚕ [wen] kyste m sébacé; F goitre m.

wench [wentʃ] jeune fille f ou femme f.

wend [wend]: ~ one's way (vers, to) diriger ses pas; se diriger.

went [went] *prét. de* go 1.

wept [wept] *prét. et p.p. de* weep.

were [wəː, wə] *prét. pl. et sbj. prét. de* be.

west [west] 1. *su.* ouest *m*; 2. *adj.* de l'ouest; occidental (-aux *m/pl.*); 3. *adv.* à *ou* vers l'ouest; *sl.* go ~ casser sa pipe (= *mourir*).

west·er·ly ['westəli] de *ou* à l'ouest; **west·ern** ['westən] 1. de l'ouest; occidental (-aux *m/pl.*); 2. *see* westerner; *Am.* ♀ film *m ou* roman *m* de cowboys; western *m*; '**west·ern·er** occidental(e *f*) *m*; habitant(e *f*) *m* de l'ouest; '**west·ern·most** le plus à l'ouest.

west·ing ⚓ ['westiŋ] route *f* vers l'ouest; départ *m* pour l'ouest.

west·ward ['westwəd] 1. *adj.* à *ou* de l'ouest; 2. *adv.* (*a.* **west·wards** ['~dz]) vers l'ouest.

wet [wet] 1. mouillé; humide; *Am.* qui permet la vente de l'alcool; *see* blanket 1; ⊕ ~ process voie *f* humide; ~ steam vapeur *f* mouillée; ~ through trempé (jusqu'aux os); F with a ~ finger à souhait; 2. pluie *f*; humidité *f*; 3. [*irr.*] mouiller; tremper; F pleuvoir; F arroser (*une affaire*); ~ through tremper (jusqu'aux os).

wet·back *Am. sl.* ['wetbæk] immigrant *m* mexicain illégal.

weth·er ['weðə] bélier *m* châtré.

wet·nurse ['wetnəːs] nourrice *f*.

whack [wæk] 1. battre; 2. coup *m*; claque *f*; (grand) morceau *m*; have (*ou* take) a ~ at (*gér.*) essayer de (*inf.*); '**whack·er** F chose *f ou* personne *f* énorme; gros mensonge *m*; '**whack·ing** F 1. rossée *f*, fessée *f*; 2. colossal (-aux *m/pl.*).

whale [weil] baleine *f*; F a ~ of a castle un château magnifique; F a ~ at un as à; '**~·bone** baleine *f*; '**~·fish·er**, '**~·man**, *usu.* '**whal·er** baleinier *m*; '**whale-oil** huile *f* de baleine.

whal·ing ['weiliŋ] pêche *f* à la baleine.

whang F [wæŋ] 1. coup *m* retentissant; 2. retentir.

wharf [wɔːf] 1. (*pl. a.* **wharves** [wɔːvz]) quai *m*; entrepôt *m* (*pour marchandises*); 2. débarquer; déposer sur le quai; **wharf·age** ['~idʒ] débarquement *m*; mise *f* en entrepôt; quayage *m*; **wharf·in·ger** ['~indʒə] propriétaire *m* d'un quai.

what [wɔt] 1. *pron. interr.* que, quoi; qu'est-ce qui; qu'est-ce que; ~ about ...? et ...?; ~ about (*gér.*)? que pensez-vous de (*inf.*)?; ~ for? pourquoi donc?; ~ of it? et alors?; ~ if ...? et si ...?; ~ though ...? qu'importe que (*sbj.*)?; F ~-d'ye-call-him (-her, -it, -'em), ~'s-his-name (-her-name, -its-name), *Am.* ~-is-it machin *m*, chose *mf*; ~ next? et ensuite?; *iro.* par exemple?; et quoi encore?; 2. *pron. rel.* ce qui, ce que; know ~'s ~ en savoir long; savoir son monde; and ~ not et ainsi de suite; ~ with ... ~ with ... entre ... et ...; 3. *adj. interr.* quel, quelle, quels, quelles; ~ time is it? quelle heure est-il?; ~ a blessing! quel bonheur!; ~ impudence! quelle audace!, F quel toupet!; (of) ~ use is it? à quoi sert-il (de, *inf.*, to *inf.*)?; 4. *adj. rel.* que, qui; ~ money I had l'argent dont je disposai; ~ not étagère *f*; **what(·so)·ev·er** 1. *pron.* tout ce qui, tout ce que, quoi qui (*sbj.*), quoi que (*sbj.*); 2. *adj.* quelque ... qui *ou* que (*sbj.*); aucun; quelconque.

wheat ⧓ [wiːt] blé *m*; '**wheat·en** de blé, de froment.

whee·dle ['wiːdl] cajoler; ~ s.o. into (*gér.*) amener q. à (*inf.*) à force de cajoleries; ~ money out of s.o. soutirer de l'argent à q.

wheel [wiːl] 1. roue *f*; (*a.* steering-~) volant *m*; *Am.* F bicyclette *f*; ⊕ (*a.* grinding-~) meule *f*; *see* potter²; ⚓ barre *f*; ✕ conversion *f*; 2. *v/t.* rouler, tourner; promener; *v/i.* tourn(oy)er; se retourner (*personne*); ✕ faire une conversion; *Am.* aller à bicyclette; '**~·bar·row** brouette *f*; '**~·base** ⊕ empattement *m*; ~ chair fauteuil *m* roulant; '**wheeled** à roues; roulant; '**wheel·er** cheval *m* de derrière; '**wheel·man** F cycliste *m*; '**wheel-spi·der** ⊕ croisillon *m* (de roue); '**wheel·wright** charron *m*.

wheeze [wiːz] 1. *v/i.* siffler; respirer péniblement; corner (*cheval*); *v/t.* F seriner (*un air*); 2. sifflement *m*, respiration *f* asthmatique; *cheval:* cornage *m*; *théâ. sl.* trouvaille *f*; *sl.* truc *m*; '**wheez·y** □ asthmatique; cornard (*cheval*).

whelp [welp] 1. *see* puppy; petit *m* (*d'un fauve*); 2. mettre bas.

when [wen] **1.** *adv.* quand?; **2.** *cj.* quand, lorsque; et alors; (*le jour*) où; (*un jour*) que.

whence [wens] d'où.

when·so·ev·er [wen(so)'evə] chaque fois que, toutes les fois que; quand.

where [weə] **1.** *adv.* où?; **2.** *cj.* (là) où; **~·a·bout** ['weərə'baut] **1.** où (donc); **2.** (*usu.* '~·a·bouts [~s]): the ~ of le lieu *m* où (*q.*, *qch.*) se trouve; **~'as** puisque, vu que, attendu que; tandis que, alors que; *t*² considérant que; **~'at** sur *ou* à *ou* de quoi; **~'by** par où; par quoi; par lequel (*etc.*); **1.** '~·fore **1.** *adv.* pourquoi?; **2.** *cj.* c'est pourquoi; **~'in** en quoi; où; dans lequel (*etc.*); **~'of** dont, de quoi; duquel *etc.*; **~'on** où; sur lequel (*etc.*); **~'so·ev·er** partout où; **~·up·on** sur quoi; sur lequel (*etc.*); **wher·ev·er** partout où; **where·with·al** [weəwi'ðɔːl] avec quoi; avec lequel (*etc.*); **2.** F [~'~] nécessaire *m*; moyens *m/pl.*; fonds *m/pl.*

wher·ry ['weri] bachot *m*; esquif *m*.

whet [wet] **1.** aiguiser, affiler; *fig.* stimuler; **2.** affilage *m*; *fig.* stimulation *f*; F stimulant *m*; petit verre *m*.

wheth·er ['weðə] si; ~ ... or no que ... (*sbj.*) ou non.

whet·stone ['wetstoun] pierre *f* à aiguiser.   [fichtre!]

whew [hwuː] ouf!; *int. par surprise:*)

whey [wei] petit lait *m*.

which [witʃ] **1.** *pron. interr.* lequel, laquelle, lesquels, lesquelles; **2.** *pron. rel.* qui, que; *all* ~ toutes choses qui *ou* que; *in* (*by*) ~ en (par) quoi; **3.** *adj. interr.* quel, quelle, quels, quelles; **4.** *adj. rel.* lequel, laquelle, lesquels, lesquelles; **~'ev·er 1.** *pron. rel.* celui qui, celui que; n'importe lequel (*etc.*); **2.** *adj.* le ... que, n'importe quel (*etc.*); quelque ... que (*sbj.*).

whiff [wif] **1.** air, fumée, vent: bouffée *f*; petit cigare *m*; ⚓ skiff *m*; **2.** émettre des bouffées (*v/t.* de fumée *etc.*).

whif·fle·tree ⊕ ['wifltriː] palonnier *m*.

Whig *hist. Brit.* [wig] **1.** whig *m* (*membre d'un parti libéral*); **2.** des whigs; whig (*parti*); **'Whig·gism** whiggisme *m*.

while [wail] **1.** temps *m*; espace *m*; *for a* ~ pendant quelque temps; F *be worth* ~ valoir la peine; **2.** (*usu.* ~ *away*) faire passer, tuer (*le temps*); **3.** (*a.* **whilst** [wailst]) pendant que, tandis que, en (*gér.*).

whim [wim] caprice *m*; lubie *f*; ⊕ triqueballe *m*.

whim·per ['wimpə] **1.** *v/i.* pleurnicher; pousser des petits cris plaintifs (*chien*); *v/t.* dire (*qch.*) en pleurnichant; **2.** pleurnicherie *f*; plainte *f*; petit cri *m* plaintif.

whim·si·cal □ ['wimzikl] bizarre; capricieux (-euse *f*) (*personne*); fantasque; **whim·si·cal·i·ty** [~'kæliti], **whim·si·cal·ness** ['~klnis] bizarrerie *f*; caractère *m* fantasque.

whim·s(e)y ['wimzi] caprice *m*; boutade *f*.

whin ♀ [win] ajonc *m*.

whine [wain] **1.** *v/i.* se plaindre; gémir; *v/t.* dire (*qch.*) d'un ton dolent; **2.** plainte *f*; cri *m* dolent.

whin·ny ['wini] hennir.

whip [wip] **1.** *v/t.* fouetter (*q.*, *qch.*, *de la crème*); *fig.* corriger; *fig. pluie*: cingler (*le visage etc.*); *fig. surt. Am.* vaincre; battre (*des œufs*); *cost.* surjeter; ⚓ surlier (*un cordage*); *avec adv. ou prp.*: mouvoir (*qch.*) vivement *ou* brusquement; ~ *away* chasser à coups de fouet; enlever vivement (à, *from*); *parl.* ~ *in* appeler; ~ *off* chasser; enlever (*qch.*) vivement; ~ *on* faire avancer à coups de fouet; *cost.* attacher à points roulés; ~ *up* stimuler; saisir vivement; *parl.* faire passer un appel urgent à (*q.*); *v/i.* fouetter; ~ *round* se retourner vivement; **2.** fouet *m*; cocher *m*; *parl.* chef *m* de file; **'~·cord** mèche *f* de fouet; corde *f* à fouet; **'~·hand** main *f* droite (*du cocher*); *have the* ~ *of* avoir la haute main sur (*q.*).

whip·per ['wipə] fouetteur (-euse *f*) *m*; **'~·in** *chasse:* piqueur *m*; *parl.* chef *m* de file; **'~·snap·per** freluquet *m*; moucheron *m*.

whip·pet *zo.* ['wipit] *lévrier de course:* whippet *m*; ✕ char *m* léger.

whip·ping ['wipiŋ] fouettage *m*; fouettement *m*; fouettée *f*; '~·boy F tête *f* de Turc; '~·top *jouet:* sabot *m*.

whip-saw ⊕ ['wipsɔː] scie f à chantourner, scie f de long.

whirl [wəːl] **1.** (faire) tournoyer; v/i. tourbillonner; **2.** tourbillon(nement) m; **whirl·i·gig** ['ˌɪgɪg] tourniquet m; manège m de chevaux de bois; fig. tourbillon m (d'eau); '**whirl·pool** tourbillon m; gouffre m; **whirl·wind** ['ˌwind] trombe f, tourbillon m (de vent).

whir(r) [wəː] **1.** tourner en ronronnant; vrombir; siffler; **2.** bruissement m (des ailes); ronflement m; vrombissement m; sifflement m.

whisk [wisk] **1.** époussette f; verge(tte) f; cuis. fouet m; **2.** v/t. épousseter; agiter; cuis. fouetter, battre; ~ away enlever d'un geste rapide; v/i. aller comme un trait ou à toute vitesse; '**whisk·er** zo. moustache f; usu. (a pair of) ~s pl. (des) favoris m/pl.

whis·k(e)y ['wiski] whisky m.

whis·per ['wispə] [ˌ] v/t/i. chuchoter; v/i. parler bas; murmurer; susurrer; **2.** chuchotement m; fig. bruit m; '**whis·per·er** chuchoteur (-euse f) m.

whist[1] [wist] chut!

whist[2] [ˌ] jeu de cartes: whist m.

whis·tle ['wisl] **1.** siffler; **2.** sifflement m; sifflet m; F gorge f; '**~-stop** Am. petite station f.

whit[1] poét. [wit] brin m; not a ~ ne ... aucunement.

Whit[2] [ˌ] de la Pentecôte.

white [wait] **1.** blanc(he f); blême, pâle; F pur, innocent; Am. loyal (-aux m/pl.); ⚔ ~ arms pl. armes f/pl. blanches; ⊕ ~ bronze métal m blanc; ~ coffee café m crème ou au lait; ~ heat chaude f ou chaleur f blanche; ~ lead blanc m de plomb; ~ lie mensonge m innocent; ~ sale exposition f de blanc; ~ war guerre f économique; Am. ~ way rue f commerçante éclairée à giorno; **2.** blanc m; couleur f blanche; typ. ligne f de blanc; '~**bait** icht. blanchaille f; ~ **book** pol. livre m blanc; '**white-col·lar** Am. d'employé de bureau; '~-'**hot** chauffé à blanc; '~-'**liv·ered** pusillanime; '**whit·en** v/t. blanchir (a. fig.); blanchir à la chaux; ⊕ étamer (du métal); v/i. blanchir; pâlir (personne); '**whit·en·er** blanchisseur m; '**white·ness** blancheur

f; pâleur f; **whit·en·ing** blanchiment m; cheveux: blanchissement m; métal: étamage m.

white...: '~**smith** ferblantier m; serrurier m; '~**wash 1.** blanc m de chaux; badigeon m blanc; **2.** blanchir à la chaux; fig. blanchir; '~**wash·er** badigeonneur m; fig. apologiste m.

with·er poét. ['wiðə] où.

whit·ing ['waitiŋ] blanc m d'Espagne; icht. merlan m.

whit·ish ['waitiʃ] blanchâtre.

whit·low ✄ ['witlou] panaris m.

Whit·sun ['witsn] de la Pentecôte, ~**day** ['wit'sʌndi] dimanche m de la Pentecôte; ~**tide** ['witsntaid] (fête f de) la Pentecôte f.

whit·tle ['witl] amenuiser; fig. ~ away (ou down) rogner, réduire petit à petit. [brun; fig. terne.]

whit·y-brown ['waiti'braun] gris-∫

whiz(z) [wiz] **1.** siffler; ~ past passer à toute vitesse; **2.** sifflement m.

who [huː] **1.** pron. interr. qui (est-ce qui); quelle personne; lequel, laquelle, lesquels, lesquelles; Who's Who le Bottin mondain (= annuaire des notabilités); **2.** pron. rel. [a. hu] qui; lequel, laquelle, lesquels, lesquelles; celui (celle, ceux pl.) qui.

whoa [wou] ho!

who·dun·(n)it sl. [huː'dʌnit] roman m ou film m policier.

who·ev·er [huː'evə] celui qui; quiconque; qui que (sbj.).

whole [houl] **1.** ☐ entier (-ère f); complet (-ète f); tout (tous m/pl.); Am. F made out of ~ cloth inventé de toutes pièces; Am. sl. go the ~ hog aller jusqu'au bout; pol. ~-hogger jusqu'au-boutiste m; ~ milk lait m entier; **2.** tout m, ensemble m; the ~ of London le tout Londres; (up)on the ~ à tout prendre; somme toute; '~-'**bound** relié pleine peau; '~-'**heart·ed** ☐ sincère, qui vient du cœur; '~-'**length** (a. ~ portrait) portrait m en pied; '~-**meal** complet (-ète f) (pain); '~-**sale 1.** (usu. ~ trade) (vente f en) gros m; **2.** en gros; de gros; F fig. en masse; '~-**sal·er** grossiste mf; **whole·some** ☐ ['~səm] sain, salubre; '**whole-time** de toute la journée; pour toute la semaine.

whol·ly ['houlli] *adv.* tout à fait, complètement; intégralement.

whom [hu:m; hum] *accusatif de* who.

whoop [hu:p] **1.** houp *m/inv.*; cri *m*; ♪♫ quinte *f*; **2.** pousser des houp *ou* cris; *Am. sl.* ~ it up for faire de la réclame pour, louer jusqu'aux astres; **whoop·ee** *Am.* F ['wupi:] bombe *f*, noce *f*; *make* ~ faire la bombe; faire du chahut; **whoop·ing-cough** ♫ ['hu:piŋkɔf] coqueluche *f*.

whop *sl.* [wɔp] rosser; battre; **'whop·per** *sl.* personne *f ou* chose *f* énorme; *surt.* gros mensonge *m*; **'whop·ping** *sl.* colossal (-aux *m/pl.*), énorme.

whore ∨ [hɔ:] prostituée *f*, putain *f*.

whorl [wə:l] ⊕ *fuseau*: volant *m*; ♀ verticille *m*; *zo.* volute *f*.

whor·tle·ber·ry ♀ ['wə:tlberi] airelle *f*; *red* ~ airelle *f* rouge.

whose [hu:z] *génitif de* who; **who·so·ev·er** [hu:sou'evə] celui qui; quiconque; qui que (*sbj.*).

why [wai] **1.** pourquoi?; pour quelle raison?; ~ *so?* pourquoi cela?; **2.** tiens!; eh bien; vraiment.

wick [wik] mèche *f*.

wick·ed □ ['wikid] mauvais, méchant; *co.* fripon(ne *f*); **'wick·ed·ness** méchanceté *f*.

wick·er ['wikə] en *ou* d'osier: ~ *basket* panier *m* d'osier; ~ *chair* fauteuil *m* en osier; ~ *furniture* meubles *m/pl.* en osier; **'~·work 1.** vannerie *f*; **2.** *see* wicker.

wick·et ['wikit] guichet *m* (*a. cricket*); barrière *f* (*d'un jardin*).

wide [waid] **1.** *adj.* (*a.* □) large; étendu, ample, vaste; répandu (*influence*); grand (*différence etc.*); loin (de, of); *cricket*: écarté; *3 feet* ~ large de 3 pieds; **2.** *adv.* loin; à de grands intervalles; largement; ~ *awake* tout éveillé; **'~·an·gle** *phot.*: ~ *lense* (objectif *m*) grand angulaire *m*; **~·a·wake** F **1.** ['waidə'weik] averti, malin (-igne *f*); **2.** ['waidə'weik] chapeau *m* (en feutre) à larges bords; **wid·en** ['waidn] (s')élargir; (s')agrandir; **'wide·ness** largeur *f*; **'wide·'o·pen** grand ouvert; écarté (*jambes*); *Am. sl.* qui manque de discipline *ou* fermeté; **'wide·spread** répandu.

wid·ow ['widou] veuve *f*; **'wid·owed** veuf (veuve *f*); *fig.* privé (de,

of); **'wid·ow·er** veuf *m*; **wid·ow·hood** ['~hud] veuvage *m*.

width [widθ] largeur *f*; ampleur *f*.

wield *poét.* [wi:ld] manier (*l'épée, la plume*); tenir (*le sceptre*); *fig.* exercer (*le contrôle etc.*).

wife [waif] (*pl.* wives) femme *f*; épouse *f*; **'wife·ly** d'épouse.

wig¹ [wig] perruque *f*; postiche *m*; *attr.* à perruque; de perruques.

wig² F ['~] **1.** (*ou* **'wig·ging**) verte semonce *f*; **2.** laver la tête à (*q.*).

wig·gle ['wigl] agiter, remuer.

wight *co.* [wait] personne *f*, individu *m*.

wig·wam ['wigwæm] wigwam *m*.

wild [waild] **1.** □ sauvage; *p.ext.* insensé, fou (fol *devant une voyelle ou un h muet*; folle *f*); orageux (-euse *f*); effaré (*air, yeux*); *run* ~ courir en liberté; vagabonder; se dissiper; ♀ retourner à l'état sauvage; s'étendre de tous côtés; ~ *talk* propos *m/pl.* en l'air; *fig.* ~ *for* (*ou about*) passionné pour (*qch.*); **2.** (*ou* ~s *pl.*) *see* wilderness; **'wild·cat 1.** *zo.* chat *m* sauvage; *Am.* entreprise *f* risquée; *surt. Am.* (*ou* **'wild·cat·ting**) forage *m* dans un champ (*de pétrole*) non encore exploré; **2.** *fig.* risqué; hors horaire (*train*); illégal (-aux *m/pl.*) (*grève*); **wil·der·ness** ['wildənis] désert *m*; pays *m* inculte; **wild·fire** ['waildfaiə]: *like* ~ comme l'éclair; **'wild·goose chase** *fig.* poursuite *f* vaine; **'wild·ing** ♀ plante *f* sauvage; **'wild·ness** état *m* sauvage; férocité *f*; folie *f*; air *m* égaré.

wile [wail] **1.** artifice *m*; *usu.* ~s *pl.* ruses *f/pl.*); **2.** séduire; ~ *away see* while 2.

wil·ful □ ['wilful] obstiné, entêté.

wil·i·ness ['wailinis] astuce *f*.

will [wil] **1.** volonté *f*; gré *m*; testament *m*; *at* ~ à volonté; *at one's own free* ~ selon son bon plaisir; *with a* ~ de bon cœur; **2.** [*irr.*] *v/aux.* (*défectif*) usité pour former le *fut.*; *he* ~ *come* il viendra; il viendra avec plaisir; il veut bien venir; *I* ~ *do it* je le ferai; je veux bien le faire; **3.** *prét. et. p.p.* willed *v/t.* † *Dieu, souverain*: vouloir, ordonner (*qch.*); ⚖ léguer; **willed** disposé (à *inf.*, to *inf.*); *strong-*~ de forte volonté.

will·ing □ ['wiliŋ] de bonne volonté; bien disposé, prêt (à, *to*); *I am ~ to believe* je veux bien croire; *~ly adv.* volontiers; de bon cœur; '**will·ing·ness** bonne volonté *f*; empressement *m*; complaisance *f*.

will-o'-the-wisp ['wiləðwisp] feu *m* follet.

wil·low ['wilou] ♃ saule *m*; F *cricket*: batte *f*; ⊕ effilocheuse *f*; '**~·herb** ♃ épilobe *m* à épi, F osier *m* fleuri; '**wil·low·y** couvert *ou* bordé de saules; *fig.* svelte, souple, élancé.

wil·ly-nil·ly ['wili'nili] bon gré mal gré.

wilt[1] † [wilt] *2me personne du sg. de will* [2].

wilt[2] [~] (se) flétrir; *v/i.* se faner; *fig.* languir; *sl.* se dégonfler.

Wil·ton car·pet ['wiltn'kɑːpit] tapis *m* Wilton (=*tapis de haute laine*).

wily □ ['waili] astucieux (-euse *f*), rusé.

wim·ple ['wimpl] guimpe *f* (*de religieuse*).

win [win] **1.** [*irr.*] *v/t.* gagner; remporter (*un prix, une victoire*); acquérir; ✕ *sl.* récupérer; amener (*q.*) (à *inf.*, *to inf.*); *~ s.o. over* attirer q. à son parti; convertir q.; *v/i.* gagner; remporter la victoire; *~ through* parvenir (à, *to*); **2.** *sp.* victoire *f*.

wince [wins] **1.** faire une grimace de douleur; sourciller; **2.** crispation *f*.

winch [wintʃ] manivelle *f*; treuil *m* (de hissage).

wind[1] [wind, *poét. a.* waind] **1.** vent *m* (*a.* ✍); *fig.* haleine *f*, souffle *m*; ♪ *instruments m/pl.* à vent; *be in the ~* se préparer; *have a long ~* avoir du souffle; *fig. throw to the ~s* abandonner; F *raise the ~* se procurer de l'argent; *sl. get the ~ up* avoir la frousse; *it's an ill ~ that blows nobody good* à quelque chose malheur est bon; **2.** *chasse:* flairer (*le gibier*); faire perdre le souffle à (*q.*); essouffler; *be ~ed* être à bout de souffle; *~* [waind] sonner du cor.

wind[2] [waind] [*irr.*] *v/t.* tourner; enrouler; *~ up* enrouler; remonter (*un horloge, un ressort etc.*); *fig.* terminer, finir; ♣ liquider (*un compte*); *v/i.* tourner (*a. ~ o.s., ~ one's way*) serpenter; *fig. ~ up* se terminer, s'achever.

wind... [wind]: '**~·bag** *péj.* moulin *m*

à paroles; '**~·bound** ♣ retardé par le vent; retenu par le vent; '**~·cheat·er** *cost.* anorak *m*; '**~·fall** fruit *m* abattu par le vent; *fig.* aubaine *f*; '**~·gauge** indicateur *m* de pression du vent; '**wind·i·ness** temps *m* venteux; F verbosité *f*; *sl.* frousse *f*.

wind·ing ['waindiŋ] **1.** mouvement *m* *ou* cours *m* sinueux; replis *m/pl.*; *tex.* bobinage *m*; ⚡ enroulement *m*; ⊕ gauchissement *m*; **2.** □ sinueux (-euse *f*); qui serpente; *~ staircase* (*ou stairs pl.*) escalier *m* tournant; '**~·sheet** linceul *m*; '**~·up** remontage *m*; *fig.* fin *f*; ♣ liquidation *f*.

wind-in·stru·ment ♪ ['windinstru-mənt] instrument *m* à vent.

wind-jam·mer ['winddʒæmə] ♣ *sl.* voilier *m*.

wind·lass ['windləs] ⊕ treuil *m*; ♣ guindeau *m*.

wind·mill ['windmil] moulin *m* à vent; *~ plane* autogire *m*.

win·dow ['windou] fenêtre *f*; ♀ vitrine *f*, devanture *f*; *mot. etc.* glace *f*; *théâ. etc.* guichet *m*; *~ display* étalage *m*; *~ goods* articles *m/pl.* en devanture; *go ~-shopping* faire du lèche-vitrines; '**~·dress·ing** art *m* de l'étalage; arrangement *m* de la vitrine; *fig.* façade *f*, camouflage *m*, trompe-l'œil *m/inv.*, décor *m* de théâtre; '**win·dowed** à fenêtre(s).

win·dow...: *~ en·ve·lope* enveloppe *f* à fenêtre; '**~·frame** châssis *m* de fenêtre; '**~·shade** *Am.* store *m*; '**~·shut·ter** volet *m*; '**~·sill** rebord *m* de fenêtre.

wind... [wind]: '**~·pipe** *anat.* trachée-artère (*pl.* trachées-artères) *f*; '**~·screen**, *Am.* '**~·shield** pare-brise *m/inv.*; *~ wiper* essuie-glace *m*; '**~·tun·nel** ✍ tunnel *m* aérodynamique.

wind·ward ['windwəd] **1.** au vent; **2.** côté *m* au vent.

wind·y □ ['windi] venteux (-euse *f*) (*a.* ✍); exposé au vent; *fig.* vain; *sl.* qui a le trac.

wine [wain] vin *m*; '**~·grow·er** viticulteur *m*; vigneron *m*; '**~·mer·chant** négociant *m* en vins; '**~·press** pressoir *m*; '**~·vault** cave *f*, caveau *m*.

wing [wiŋ] **1.** aile *f* (*a. fig.*, ✕, ♣, ♠, ✍, *mot.*, *sp.*); vol *m*, essor *m*; F

co. bras *m*; *foot.* personne: ailier *m*;
porte: battant *m*; ⊕ oreille *f* (*d'un
écrou*); ~s *pl.* coulisse *f*; *take* ~ s'envoler; prendre son vol; *be on the* ~
voler; *fig.* partir; **2.** *v/t.* empenner;
voler; blesser à l'aile *ou fig.* au
bras; *v/i.* voler; '~-**case**, '~-**sheath**
zo. élytre *m*; '~-**chair** fauteuil *m* à
oreillettes; **winged** [∪d] ailé; blessé
à l'aile *ou fig.* au bras; ~ word parole
f ailée.

wink [wiŋk] **1.** clignement *m* d'œil;
clin *m* d'œil; F *not get a* ~ *of sleep*
ne pas fermer l'œil de toute la nuit;
F *tip s.o. the* ~ faire signe de l'œil
à q., prévenir q.; **2.** *v/i.* cligner les
yeux; clignoter (*lumière*); *v/t.* cligner de (*l'œil*); signifier (*qch.*) par
un clin d'œil; ~ *at* cligner de l'œil
à (*q.*); fermer les yeux sur (*qch.*).

win·ner ['winə] gagnant(e *f*) *m*; *sp.*
vainqueur *m* (=*homme ou femme*).

win·ning ['winiŋ] **1.** ☐ gagnant; *fig.*
engageant; **2.**: ~s *pl.* gains *m/pl.*
(*au jeu etc.*); '~-**post** *sp.* poteau *m*
d'arrivée.

win·now ['winou] vanner (*le grain*);
fig. examiner minutieusement.

win·ter ['wintə] **1.** hiver *m*; ~ *sports
pl.* sports *m/pl.* d'hiver; **2.** hiverner.
win·try ['wintri] d'hiver; *fig.* glacial
(-als *m/pl.*).

wipe [waip] **1.** essuyer; nettoyer; ~
off essuyer, enlever; liquider (*une
dette*); ~ *out* essuyer; *fig.* effacer;
exterminer; **2.** coup *m* de torchon
etc.; F taloche *f* (= *coup*); '**wip·er**
essuyeur (-euse *f*) *m*; torchon *m*.

wire ['waiə] **1.** fil *m* (de fer); *Am.* F
dépêche *f*; *attr.* en *ou* de fil de
fer; **2.** *v/t.* munir d'un fil métallique; ⚡ équiper (*une maison*); (*a.
v/i.*) *tél.* télégraphier; '~-**drawn**
tréfilé (*métal*); trait (*or etc.*); '~-
gauge ⊕ jauge *f* pour fils métalli-
ques; '~-**haired** à poil dur (*chien*);
'**wire-'less** **1.** ☐ sans fil; *fig.* de T.S.F.,
de radio; *on the* ~ à la radio; ~ *control* radioguidage *m*; ~ (*message ou
telegram*) radiogramme *m*; ~ (*telegraphy*) radiotélégraphie *f*; télégraphie *f* sans fil; (*air*) ~ *operator* sans-
filiste *mf*; opérateur *m* de T.S.F.; ~
pirate radio: auditeur *m* illicite; ~
(*set*) poste *m* (de radio); ~ *station*
poste *m* émetteur; **2.** radiotélégraphier; '**wire-'net·ting** treillis *m*
métallique; grillage *m*; '**wire-pull-**

er *fig.* intrigant(e *f*) *m*; '**wire-wove**
vergé (*papier*).

wir·ing ['waiəriŋ] grillage *m* métallique; ⚡ câblage *m*; pose *f* des fils;
radio: montage *m*; ⚡ croisillonnage
m; ⚡ ~ *diagram* plan *m* de pose;
'**wir·y** ☐ raide (*cheveux*); sec
(sèche *f*) et nerveux (-euse *f*) (*personne*).

wis·dom ['wizdəm] sagesse *f*; ~
tooth dent *f* de sagesse.

wise[1] ☐ [waiz] sage; prudent; ~
crack Am. F bon mot *m*, saillie *f*;
Am. sl. ~ *guy* finaud *m*, monsieur *m*
je-sais-tout; *Am. put s.o.* ~ mettre
q. à la page; avertir q. (de *to, on*).
wise[2] † [∪] façon *f*; guise *f*.

wise·a·cre ['waizeikə] prétendu sage
m; pédant(e *f*) *m*; '**wise-crack** *Am.*
F faire de l'esprit.

wish [wiʃ] **1.** vouloir, désirer; souhaiter; ~ *s.o. joy* féliciter q. (de, *of*);
~ *for* désirer, vouloir, souhaiter
(*qch.*); ~ *s.o. well* (*ill*) vouloir du
bien (mal) à q.; **2.** vœu *m*, souhait
m; désir *m*; *good* ~es *pl.* souhaits
m/pl., meilleurs vœux *m/pl.*; **wish-
ful** ☐ ['~ful] désireux (-euse *f*) (de
of, to); '**wish(·ing)-bone** *volaille*:
lunette *f*.

wish-wash F ['wiʃwɔʃ] lavasse *f*;
'**wish·y-wash·y** F fade, insipide.

wisp [wisp] bouchon *m* (de *paille*);
mèche *f* folle (*de cheveux*).

wist·ful ☐ ['wistful] pensif (-ive *f*);
d'envie; désenchanté.

wit [wit] **1.** (*a.* ~s *pl.*) esprit *m*; ~s *pl.*
raison *f*, intelligence *f*; personne:
homme *m ou* femme *f* d'esprit;
be at one's ~*s end* ne plus savoir
que faire; *have one's* ~s *about one*
avoir toute sa présence d'esprit;
live by one's ~s vivre d'expédients
ou d'industrie; *be out of one's* ~s
avoir perdu la raison; **2.**: *to* ~ à
savoir; c'est-à-dire.

witch [witʃ] sorcière *f*; *fig.* jeune
charmeuse *f*; '~-**craft**, '**witch·er·y**
sorcellerie *f*; *fig.* magie *f*; '**witch-
hunt** *pol. Am. fig.* chasse *f* aux sor-
cières.

with [wið] avec; de; à; par; malgré;
sl. ~ *it* dans le vent; *it is just so* ~ *me*
il en va de même pour moi.

with·al † [wi'ðɔ:l] **1.** *adv.* aussi, de
plus; **2.** *prp.* avec *etc.*

with·draw [wið'drɔ:] [*irr.* (*draw*)]
(se) retirer (de, *from*); **with'draw-**

al retraite *f*; rappel *m*; ✕ repli(ement) *m*; retrait *m* (*d'argent*).
withe [wiθ] brin *m ou* branche *f* d'osier.
with·er ['wiðə] (*souv.* ~ *up, away*) (se) flétrir; (se) dessécher; *v/i.* dépérir (*personne*); '**with·er·ing** □ *fig.* foudroyant; écrasant.
with·ers ['wiðəz] *pl.* garrot *m*.
with·hold [wið'hould] [*irr.* (*hold*)] retenir, empêcher (q. *de inf.*, *s.o. from gér.*); cacher, refuser (à q., *from s.o.*); **with'in** *poét.* 1. *adv.* à l'intérieur, au dedans; à la maison; *from* ~ de l'intérieur; 2. *prp.* à l'intérieur de, en dedans de; ~ *doors* à la maison; ~ *10 minutes* en moins de dix minutes; ~ *a mile* à moins d'un mille (de, *of*); dans un rayon d'un mille; ~ *call* (*ou hearing*) à (la) portée de la voix *ou* d'oreille; ~ *sight* en vue; **with'out** 1. *adv. poét.* à l'extérieur, au dehors; *from* ~ de l'extérieur, du dehors; 2. *prp.* sous peu; *poét.* en dehors de; **with'stand** [*irr.* (*stand*)] résister à; supporter.
with·y ['wiði] *see* withe.
wit·less □ ['witlis] sot(te *f*); faible d'esprit; sans intelligence.
wit·ling *péj.* ['witliŋ] petit *ou iro.* bel esprit *m*.
wit·ness ['witnis] 1. témoignage *m*; *personne*: témoin *m*; *bear* ~ témoigner, porter témoignage (*de to, of*); *in* ~ *ou* en témoignage de; 2. *v/t.* être témoin de; assister à; attester (*un acte etc.*); témoigner de; *v/i.* témoigner; ~ *for* (*against*) témoigner en faveur de (contre); '~**box**, *Am.* ~ **stand** barre *f* des témoins.
wit·ted ['witid]: *quick-*~ à l'esprit vif; **wit·ti·cism** ['~tisizm] trait *m* d'esprit, bon mot *m*; '**wit·ti·ness** esprit *m*; '**wit·ting·ly** à dessein, en connaissance de cause; '**wit·ty** □ spirituel(le *f*).
wives [waivz] *pl.* de wife.
wiz *Am. sl.* [wiz], **wiz·ard** ['~əd] 1. sorcier *m*, magicien *m*; 2. *fig. sl.* magnifique.
wiz·en(·ed) ['wizn(d)] ratatiné; parcheminé (*visage etc.*).
wo(a) [wou] ho!
woad ♀, ⊕ [woud] guède *f*.
wob·ble ['wɔbl] ballotter; trembler; chevroter (*voix*); ⊕ branler; *mot. wheel that* ~*s* roue *f* dévoyée.

woe *poét. ou co.* [wou] chagrin *m*; malheur *m*; ~ *is me!* pauvre de moi!; '~**be·gone** triste, désolé; **woe·ful** □ *poét. ou co.* ['~ful] triste, affligé; de malheur; '**woe·ful·ness** tristesse *f*; malheur *m*.
woke [wouk] *prét. et p.p.* de wake² 1.
wold [would] plaine *f* vallonnée.
wolf [wulf] 1. (*pl.* wolves) *zo.* loup *m*; *sl.* coureur *m* de cotillons, tombeur *m* de femmes; *cry* ~ crier au loup; 2. F dévorer; '**wolf·ish** □ de loup; F *fig.* rapace.
wolf·ram *min.* ['wulfrəm] wolfram *m*; tungstène *m*.
wolves [wulvz] *pl.* de wolf 1.
wom·an ['wumən] (*pl.* women) femme *f*; *young* ~ jeune femme *f ou* fille *f*; ~'*s* (*ou* women's) *rights pl.* droits *m/pl.* de la femme; *attr.* femme ...; *de* femme(s); ~ *doctor* femme *f* médecin; ~ *student* étudiante *f*; '~**hat·er** misogyne *m*; **wom·an·hood** ['~hud] état *m* de femme; *coll.* les femmes *f/pl.*; *reach* ~ devenir femme; '**wom·an·ish** □ féminin; efféminé (*homme*); '**wom·an·kind** les femmes *f/pl.*; '**wom·an·like** 1. *adj.* de femme; 2. *adv.* en femme; '**wom·an·ly** féminin.
womb [wu:m] *anat.* matrice *f*; *fig.* sein *m*.
wom·en ['wimin] *pl.* de woman; *votes pl. for* ~ suffrage *m* féminin; ~'*s rights pl.* droits *m/pl.* de la femme; *sp.* ~'*s team* équipe *f* féminine; ~'*s single tennis*: simple *m* dames; **wom·en·folk** ['~fouk] *pl.*, '**wom·en·kind** les femmes *f/pl.* (*surt. d'une famille*).
won [wʌn] *prét. et p.p.* de win 1.
won·der ['wʌndə] 1. merveille *f*, prodige *m*; étonnement *m*; 2. s'étonner, s'émerveiller (de, *at*); se demander (si *whether, if*); **won·der·ful** □ ['~ful] merveilleux (-euse *f*), étonnant; admirable; '**won·der·ing** 1. □ émerveillé, étonné; 2. étonnement *m*; '**won·der·struck** émerveillé; '**won·der·work·er** faiseur (-euse *f*) *m* de prodiges.
won·drous □ *poét.* ['wʌndrəs] merveilleux (-euse *f*), étonnant.
won·ky *sl.* ['wɔŋki] patraque (= *branlant*).
won't [wount] = will not.
wont [wount] 1. *préd.* habitué; *be* ~ *to* (*inf.*) avoir l'habitude de (*inf.*);

2. coutume *f*, habitude *f*; '**wont·ed** accoutumé.

woo [wuː] faire la cour à; courtiser (*a. fig.*); solliciter (de *inf.*, to *inf.*).

wood [wud] bois *m*; fût *m*, tonneau *m*; ♪ bois *m/pl.*; *sp.* ~s *pl.* boules *f/pl.*; F touch ~! touchez du bois!; **2.** *attr. souv.* des bois; ~·**bine**, *a.* ~·**bind** ♀ ['~bain(d)] chèvrefeuille *m* des bois; *Am.* vigne *f* vierge; '~·**carv·ing** sculpture *f* sur bois; '~·**cock** *orn.* (*pl. usu.* ~) bécasse *f*; '~·**craft** connaissance *f* de la chasse à courre *ou* de la forêt; '~·**cut** gravure *f* sur bois; '~·**cut·ter** bûcheron *m*; graveur *m* sur bois; '**wood·ed** boisé; '**wood·en** en bois; de bois (*a. fig.*); *fig.* raide; '**wood·en·grav·er** graveur *m* sur bois; '**wood·en·grav·ing** gravure *f* sur bois (=*objet et art*); '**wood·i·ness** caractère *m* ligneux.

wood...: '~·**land 1.** bois *m*, pays *m* boisé; **2.** sylvestre; des bois; '~·**lark** *orn.* alouette *f* des bois; '~·**louse** *zo.* cloporte *m*; '~·**man** garde *m* forestier; bûcheron *m*; † trappeur *m*; '~·**peck·er** *orn.* pic *m*; '~·**pile** tas *m* de bois; '~·**pulp** pâte *f* de bois; '~·**ruff** ♀ aspérule *f* odorante; '~·**shav·ings** *pl.* copeaux *m/pl.* de bois; '~·**shed** bûcher *m*; ~·**wind** ♪ ['~wind] (*ou* ~ *instruments pl.*) bois *m/pl.*; '~·**work** (*surt.* ▲) boiserie *f*, charpente *f*; menuiserie *f*; travail (*pl.* -aux) *m* du bois; '~·**work·ing ma·chine** machine *f* à bois; '**wood·y** boisé; couvert de bois; des bois; sylvestre; ♀ ligneux (-euse *f*); *fig.* sourd, mat; '**wood·yard** chantier *m* (de bois à brûler).

woo·er ['wuːə] prétendant *m*.

woof [wuːf] *see* weft.

wool [wul] laine *f* (*fig. co.* = *cheveux crépus*); dyed in the ~ teint en laine; *fig.* convaincu; pur sang *adj./inv.*; '~·**gath·er·ing 1.** F rêvasserie *f*; go ~ avoir l'esprit absent, être distrait; **2.** distrait; '**wool·(l)en 1.** de laine; **2.**: ~s *pl.* laines *f/pl.*; draps *m/pl.*; tissus *m/pl.* de laine; '**wool·(l)y 1.** laineux (-euse *f*); de laine; cotonneux (-euse *f*) (*fruit*); *peint.* flou; *fig.* mou (mol *devant une voyelle ou un h muet*; molle *f*); *fig.* imprécis (*idée*); **2.** woollies *pl.* (vêtements *m/pl.* en) tricot *m*; lainages *m/pl.*

wool...: '~·**sack** *parl.* siège *m* du *ou*

dignité *f* de Lord Chancelier; '~·**sta·pler** négociant *m* en laine; '~·**work** tapisserie *f*.

Wop *Am. sl.* [wɔp] immigrant(e *f*) *m* italien(ne); Italien(ne *f*) *m*.

word [wəːd] **1.** *usu.* mot *m*; parole *f* (*a. fig.*); ordre *m*; ✗ mot *m* d'ordre; ~s *pl.* paroles *f/pl.*; *fig.* termes *m/pl.*; *opéra:* livret *m*; *chanson:* paroles *f/pl.*; by ~ of mouth de vive voix; eat one's ~s se rétracter; have ~s se disputer (avec, *with*); leave ~ that faire dire que; send (bring) s.o. ~ of s.th. faire (venir) dire qch. à q.; be as good as one's ~ tenir sa parole; take s.o. at his ~ prendre q. au mot; **2.** rédiger; formuler par écrit; ~ed as follows ainsi conçu; '~·**book** vocabulaire *m*, lexique *m*; '**word·i·ness** verbosité *f*; '**word·ing** rédaction *f*; langage *m*, termes *m/pl.*; '**word·'per·fect** *théâ.* qui connaît parfaitement son rôle (*école:* sa leçon); '**word-split·ting** ergotage *m*.

word·y □ ['wəːdi] verbeux (-euse *f*), diffus.

wore [wɔː] *prét. de* wear 1.

work [wəːk] **1.** travail *m*; tâche *f*, besogne *f*; ouvrage *m* (*a. littérature, couture, etc.*); emploi *m*; œuvre *f*; ⊕ ~s *usu. sg.* usine *f*, atelier *m*; *horloge:* mouvement *m*; *public* ~s *pl.* travaux *m/pl.* publics; ~ of art œuvre *f* d'art; ~s *pl.* of Keats l'œuvre *m* de Keats; at ~ au travail; en marche; *fig.* en jeu; be in ~ avoir du travail; be out of ~ chômer, être sans travail; make sad ~ of s'acquitter peu brillamment de; make short ~ of expédier (*qch.*); put s.o. out of ~ priver q. de travail; set to ~ se mettre au travail; set s.o. to ~ faire travailler q.; ~s council comité *m* de directeurs et de délégués syndicaux; **2.** [*irr.*] *v/i.* travailler; fonctionner, aller (*machine*); *fig.* réussir; se crisper (*bouche*); ~ at travailler (à); ~ out sortir peu à peu; s'élever (à, *at*); aboutir; *v/t.* faire travailler; faire fonctionner *ou* marcher (*une machine*); diriger (*un projet*); opérer, amener; broder (*un dessin etc.*); ouvrer (*du métal*); façonner (*du bois*); faire (*un calcul*); résoudre (*un problème*); exploiter (*une mine*); ~ mischief semer le mal *ou* la discorde; ~ off se dégager de; cuver (*sa colère*); † écouler (*un stock*); ~ one's way se frayer un chemin; ~ out mener à bien; élaborer, développer; résoudre; ~ up développer; se faire (*une clientèle*); exciter, émouvoir; élaborer (*une idée, un sujet*); *phot.* retoucher; préparer.

work·a·ble □ ['wəːkəbl] réalisable (*projet*); ouvrable (*bois etc.*); exploitable (*mine*); '**work·a·day** de tous les jours; *fig.* prosaïque; '**work·day** jour *m* ouvrable; '**work·er** travailleur (-euse *f*) *m*; ouvrier (-ère *f*) *m*; ~s *pl.* classes *f/pl.* laborieuses; ouvriers *m/pl.*; social ~ assistante *f* sociale; '**work·house** hospice *m*, asile *m* des pauvres; *Am.* maison *f* de correction; '**work·ing 1.** fonctionnement *m*; manœuvre *f*; exploitation *f*; **2.** qui travaille; qui fonctionne; de travail; in ~ order en état de service; ~ *association* (*ou* co-operation) groupe *m* de travailleurs; † ~ *capital* capital *m* d'exploitation; ~ *committee* (*ou* party) commission *f* d'enquête; ~ *condition* état *m* de fonctionnement; ~ *day* jour *m* ouvrable; journée *f*; ~ *expenses* pl. frais *m/pl.* généraux; ~ *process* mode *m* d'opération; ~ *student* étudiant *m* qui travaille pour gagner sa vie.

work·man ['wəːkmən] ouvrier *m*, artisan *m*; '~·like bien travaillé, bien fait; compétent; '**work·man·ship** exécution *f*; fini *m*; construction *f*; travail (*pl.* -aux) *m*.

work...: ~·out *Am.* F ['wəːkaut] *usu. sp.* entraînement *m* (préliminaire); '~·shop atelier *m*; ~ *place* établi *m*; '~·shy **1.** qui renâcle à la besogne; paresseux (-euse *f*); **2.** fainéant *m*; '~·wom·an ouvrière *f*.

world [wəːld] monde *m*; *fig.* a ~ of beaucoup de; in the ~ au monde; what in the ~? que diable?; bring (come) into the ~ mettre (venir) au monde; be for all the ~ like avoir exactement l'air de (*qch., inf.*); a ~ too wide de beaucoup trop large; think the ~ of avoir une très haute opinion de; man of the ~ homme *m* qui connaît la vie; mondain *m*; champion of the ~ champion *m* du monde; ~'s championship championnat *m* du monde; ~'s record record *m* mondial; ~ record holder recordman *m* du monde; *Am.* ~('s) series

baseball: matches *m/pl.* entre les champions de deux ligues professionnelles; '**world·li·ness** mondanité *f*; '**world·ling** mondain(e *f*) *m*.

world·ly ['wəːldli] du monde, de ce monde; mondain; ~ *innocence* candeur *f*; naïveté *f*; ~ *wisdom* sagesse *f* du siècle; '~·'**wise** qui connaît la vie.

world...: '~·**pow·er** *pol.* puissance *f* mondiale; '~·'**wide** universel(le *f*); mondial (-aux *m/pl.*).

worm [wəːm] **1.** ver *m* (a. *fig.*); ⊕ *alambic*: serpentin *m*; vis *f* sans fin; ⊕ spirale *f*; **2.** ~ *a secret out of s.o.* tirer un secret de q.; ~ *o.s.* se glisser; *fig.* s'insinuer (dans, *into*); '~·**drive** ⊕ transmission *f* par vis sans fin; '~·**eat·en** rongé des vers; vermoulu (*bois*); '~·**gear** ⊕ engrenage *m* à vis sans fin; (*ou* '~·**wheel**) ⊕ roue *f* hélicoïdale; '~·**wood** armoise *f* amère; *fig.* be ~ *to* n'être qu'absinthe pour (*q.*); '**worm·y** plein de vers.

worn [wəːn] *p.p. de* wear 1; '~·'**out** usé; râpé (*vêtement*); épuisé (*personne*).

wor·ri·ment F ['wʌrimənt] souci *m*; **wor·rit** V ['wʌrit] (se) tourmenter, (se) tracasser; '**wor·ry 1.** *fig.* (se) tourmenter, (se) tracasser, (s')inquiéter; *v/t.* harceler, piller (*des moutons*); **2.** ennui *m*, souci *m*, tracasserie *f*.

worse [wəːs] **1.** *adj.* pire; plus mauvais; ⚕ plus malade; *adv.* pis; plus mal; (all) the ~ *adv.* encore pis; *adj.* (encore) pire; ~ *luck!* tant pis!; he is none the ~ for it il ne s'en trouve pas plus mal; **2.** quelque chose *m* de pire; le pire; from bad to ~ de mal en pis; '**wors·en** empirer; (s')aggraver.

wor·ship ['wəːʃip] **1.** culte *m*, adoration *f*; your ♀ monsieur le maire *ou* juge; place of ~ église *f*; religion *protestante*: temple *m*; **2.** adorer; **wor·ship·ful** □ ['~ful] *titre*: honorable; '**wor·ship·(p)er** adorateur (-trice *f*) *m*; *eccl.* fidèle *mf*.

worst [wəːst] **1.** *adj.* (le) pire; (le) plus mauvais; **2.** *adv.* (le) pis, (le) plus mal; **3.** *su.* le pire *m*; at (the) ~ au pire; in tout cas; do your ~! faites du pis que vous pourrez!; get the ~ of it avoir le dessous; if the ~

comes to the ~ en mettant les choses au pis; **4.** v/t. vaincre, battre.

wor·sted ['wustid] laine f peignée; (a. ~ yarn) laine f à tricoter; tissu m de laine peignée; ~ stockings pl. bas m/pl. en laine peignée.

wort¹ ⚕ [wəːt] plante f, herbe f.

wort² [~] moût m (de bière).

worth [wəːθ] **1.** valant; he is ~ a million £ il est riche d'un million de livres; ~ reading qui mérite d'être lu; **2.** valeur f; mérite m; **'wor·thi·ness** ['~ðinis] mérite m; **worth·less** □ ['~θlis] sans valeur, de nulle valeur; **'worth-'while** F be ~ valoir la peine; **wor·thy** □ ['wəːði] **1.** digne (de, of); de mérite; **2.** personnage m (éminent).

would [wud] prét. de will 2 (a. usité pour former le cond.).

would-be F ['wudbiː] prétendu; soi-disant; affecté; ~ buyer acheteur m éventuel; personne f qui voudrait acheter; ~ painter personne f qui cherche à se faire peindre; ~ poet poète m à la manque; ~ wit prétendu bel esprit m; ~ worker personne f qui voudrait avoir du travail.

wouldn't ['wudnt] = would not.

wound¹ [wuːnd] **1.** blessure f (a. fig.); plaie f; **2.** blesser (a. fig.).

wound² [~] prét. et p.p. de wind².

wove [wouv] prét., **wo·ven** ['~vn] p.p. de weave 1.

wow Am. [wau] théâ. sl. grand succès m; p.ext. chose f épatante.

wrack¹ ⚕ [ræk] varech m.

wrack² [~] see rack³.

wraith [reiθ] apparition f.

wran·gle ['ræŋgl] **1.** se chamailler, se disputer, se quereller; **2.** dispute f, querelle f, chamaille(rie) f.

wrap [ræp] **1.** v/t. (souv. ~ up) envelopper (de, in) (a. fig.); fig. be ~ped up in être plongé dans; v/i. ~ up s'envelopper (dans, in); **2.** couverture f; p.ext. pardessus m, châle m; manteau m; **'wrap·per** couverture f; documents: chemise f; papier m d'emballage; cigare: robe f; cost. robe f de chambre; (ou postal ~) bande f; **'wrap·ping** enveloppe (-ment m) f; (a. ~ paper) papier m d'emballage.

wrath poét. ou co. [rɔːθ] colère f; courroux m; **wrath·ful** □ ['~ful] courroucé; irrité.

wreak [riːk] assouvir (sa haine, sa colère, sa vengeance) (sur, up]on).

wreath [riːθ], pl. **wreaths** [~ðz] fleurs: couronne f, guirlande f; (a. artificial ~) couronne f de perles; spirale f, volute f (de fumée); écoss. amoncellement m (de neige); **wreathe** [riːð] [irr.] v/t. couronner; enguirlander; tresser (des fleurs etc.); v/i. tourbillonner; s'enrouler.

wreck [rek] **1.** ⚓ naufrage m (a. fig.); fig. ruine f; navire m naufragé; **2.** causer le naufrage de; faire dérailler (un train); fig. faire échouer; ⚓ be ~ed faire naufrage; **'wreck·age** épaves f/pl. éparses; fig. naufrage m; **wrecked** naufragé; fig. ruiné; **'wreck·er** pilleur m d'épaves; 🚂 dérailleur m (de trains); fig. saboteur m; 🚂 Am. train m de secours; mot. Am. dépanneur m; **'wreck·ing** pillage m d'épaves; Am. ~ company entreprise f de démolitions; mot. ~ service (service de) dépannage m.

wren orn. [ren] roitelet m.

wrench [rentʃ] **1.** tordre; arracher (violemment) (à, from); forcer (l'épaule, le sens); ~ open forcer (un couvercle etc.); ~ out arracher; **2.** mouvement m ou effort m de torsion; effort m violent; fig. déchirement m de cœur; fig. violente douleur f; ⊕ clef f à écrous.

wrest [rest] arracher (à, from); fausser (le sens); **wres·tle** ['resl] **1.** v/i. lutter; v/t. lutter avec ou contre; **2.** (ou **'wres·tling**) lutte f; **'wres·tler** lutteur m.

wretch [retʃ] malheureux (-euse f) m; infortuné(e f) m; scélérat(e f) m; co. fripon(ne f) m; type m; poor ~ pauvre diable m.

wretch·ed □ ['retʃid] misérable; malheureux (-euse f); lamentable; F diable de ..., sacré; **'wretch·ed·ness** malheur m; misère f.

wrick [rik] **1.** fouler (une cheville); ~ one's neck se donner le torticolis; **2.** ⚕ effort m; ~ in the neck torticolis m.

wrig·gle ['rigl] (se) tortiller, (s')agiter, (se) remuer; ~ out of se tirer de.

wright [rait] mots composés: ouvrier m, artisan m.

wring [riŋ] [irr.] **1.** tordre (les mains, le linge, le cou à une volaille); étreindre (la main de q.); déchirer (le cœur); ~ s.th. from s.o. arracher qch. à q.; ~ing wet mouillé à tordre; trempé jusqu'aux os (personne); **2.** torsion f; **'wring·er, 'wring·ing·ma·chine** essoreuse f.

wrin·kle[1] ['riŋkl] **1.** figure, eau: ride f; robe: pli m; rugosité f; **2.** (se) rider; (se) froisser.

wrin·kle[2] F [~] tuyau m; bonne idée f; ruse f.

wrist [rist] poignet m; ~ watch montre-bracelet (pl. montres-bracelets) f; **'wrist·band** poignet m, manchette f; (ou **wrist·let** ['ristlit]) bracelet m; sp. bracelet m de force; ~s pl. menottes f/pl.; ~ watch see wrist watch.

writ [rit] mandat m, ordonnance f; acte m judiciaire; assignation f; Holy ♀ Écriture f sainte; ~ for an election ordonnance f de procéder à une élection; ⚖ ~ of attachment ordre m de saisie; ~ of execution exécutoire m.

write [rait] (irr.) v/t. écrire; rédiger (un article); ~ down coucher par écrit; noter; inscrire (un nom); ~ off écrire (une lettre etc.) d'un trait; ✝ défalquer (une dette), réduire (un capital); ~ out transcrire; écrire en toutes lettres; remplir (un chèque); ~ up rédiger; écrire; fig. prôner; ajouter à; mettre au courant; v/i. écrire; être écrivain; ~ for faire venir, commander; ~ off to écrire à (q.); F nothing to ~ home about rien d'étonnant; **'~-off** annulation f par écrit.

writ·er ['raitə] écrivain m; auteur m; femme f écrivain ou auteur; écoss. ~ to the signet notaire m; ~'s cramp (ou palsy) crampe f des écrivains.

write-up Am. F ['rait'ʌp] éloge m exagéré; compte m rendu.

writhe [raið] se tordre; se crisper.

writ·ing ['raitiŋ] écriture f; écrit m; ouvrage m littéraire; art m d'écrire; métier m d'écrivain; attr. d'écriture; à écrire; in ~ par écrit; **'~-block** bloc-correspondance (pl. blocs-correspondance) m, bloc-notes (pl. blocs-notes) m; **'~-case** nécessaire m (de bureau); **'~-pa·per** papier m à écrire.

writ·ten ['ritn] **1.** p.p. de write; **2.** (fait par) écrit.

wrong [rɔŋ] **1.** □ mauvais; faux (fausse f); inexact; erroné; be ~ être faux; être mal (de inf., to inf.); ne pas être à l'heure (montre); avoir tort (personne); go ~ se tromper (a. de chemin); fig. tomber dans le vice; ⊕ se détraquer; there is something ~ il y a quelque chose qui ne va pas ou qui cloche; F what's ~ with him? qu'est-ce qu'il a?; on the ~ side of sixty qui a dépassé la soixantaine; **2.** mal m; tort m; ⚖ dommage m; be in the ~ avoir tort, être dans son tort; put s.o. in the ~ mettre q. dans son tort; **3.** faire tort à; être injuste envers; **'~'do·er** méchant m; ⚖ délinquant(e f) m; **'~'do·ing** mal m; méfaits m/pl.; ⚖ infraction f à la loi; **wrong·ful** □ ['~ful] injuste; injustifié; préjudiciable; illégal (-aux m/pl.); **'wrong·'head·ed** (qui a l'esprit) pervers; **'wrong·ness** erreur f; inexactitude f; mal m.

wrote [rout] prét. de write.

wroth poét. [rouθ] courroucé.

wrought [rɔːt] prét. et p.p. de work 2; ~ goods produits m/pl. ouvrés; articles m/pl. apprêtés; ⊕ ~ iron fer m forgé ou ouvré.

wrung [rʌŋ] prét. et p.p. de wring 1.

wry □ [rai] tordu; de travers; pull a ~ face faire la grimace.

X

X, x [eks] X m, x m; Å, a. fig. X X m (= l'inconnue).

X-ray ['eks'rei] **1.:** ~s pl. rayons m/pl. X; **2.** radiologique; **3.** radiographier.

xy·log·ra·pher [zai'lɔgrəfə] xylographe m (= graveur sur

bois); **xy·lo·graph·ic, xy·lo·graph·i·cal** [~lə'græfik(l)] xylographique; **xy·log·ra·phy** [~'lɔgrəfi] xylographie f (= gravure sur bois).

xy·lo·phone ♪ ['zailəfoun] xylophone m.

Y

Y, y [wai] Y *m*, y *m*.

yacht ⚓ [jɒt] **1.** yacht *m*; **2.** faire du yachting; **'yacht·er, yachts·man** ['⁓smən] yachtman (*pl.* yachtmen) *m*; **'yacht·ing** yachting *m*; *attr.* en yacht; de yachtman.

ya·hoo [jəˈhuː] F brute *f*; *Am. sl.* petzouille *m*.

yam ♀ [jæm] igname *f*.

yank[1] [jæŋk] **1.** *v/t.* tirer (d'un coup sec); arracher; *v/i.* se mouvoir brusquement; **2.** coup *m* sec; secousse *f*.

Yank[2] *sl.* [⁓] *see* Yankee.

Yan·kee F ['jæŋki] Yankee *m*; Américain(e *f*) *m* (*des É.-U.*); ⁓ *Doodle* chanson populaire des É.-U.

yap [jæp] **1.** japper; F criailler; **2.** jappement *m*; *sl.* gueule *f*; *sl.* fadaises *f/pl.*; *sl.* rustre *m*.

yard[1] [jɑːd] *mesure:* yard *m* (= 0,914 *m*); ⚓ vergue *f*; ✝ ⁓ *goods pl.* étoffes *f/pl.*, nouveautés *f/pl.*; mercerie *f*.

yard[2] [⁓] cour *f*; chantier *m* (*de travail*); dépôt *m* (*de charbon, a.* 🚂) (*ou railway* ⁓) gare *f* de triage.

yard...: '⁓·arm ⚓ bout *m* de vergue; '⁓·man manœuvre *m* de chantier; garçon *m* d'écurie; 🚂 gareur *m* de trains; '⁓·stick yard *m*; *fig.* étalon *m*; *fig.* aune *f*.

yarn [jɑːn] **1.** *tex.* fil(é) *m*; ⚓ fil *m* de caret; *spin a* ⁓ débiter une histoire *ou* des histoires. [achillée *f.*]

yar·row ♀ ['jærou] mille-feuille *f,*

yaw [jɔː] ⚓ faire des embardées; ✈ faire un mouvement de lacet.

yawl ⚓ [jɔːl] yole *f*.

yawn [jɔːn] **1.** bâiller; **2.** bâillement *m*.

ye † *ou poét. ou co.* [jiː] vous.

yea † *ou prov.* [jei] **1.** oui; voire; **2.** oui *m*.

year [jəː] an *m*; année *f*; ⁓ *of grace* an(née *f*) *m* de grâce; *he bears his* ⁓*s well* il porte bien son âge; **year·ling** ['jəːliŋ] animal *m* d'un an; **'year·ly 1.** *adj.* annuel(le *f*); **2.** *adv.* tous les ans; une fois par an.

yearn [jəːn] languir (pour, *for*; après, *after*); brûler (de *inf.*, *to inf.*); **'yearn·ing 1.** envie *f* (de, *for*); désir *m* ardent; **2.** □ ardent; plein d'envie.

yeast [jiːst] levure *f*; levain *m* (*a. fig.*); **'yeast·y** □ de levure; écumant (*mer etc.*); *fig.* enflé (*style*); emphatique (*personne*).

yegg(·man) *Am. sl.* ['jeg(mən)] cambrioleur *m*.

yell [jel] **1.** *vt/i.* hurler; *v/i.* crier à tue-tête; **2.** hurlement *m*; cri *m* aigu.

yel·low ['jelou] **1.** jaune; F lâche, poltron(ne *f*); F sensationel(le *f*), à sensation, à effet; ⊕ ⁓ *brass* cuivre *m* jaune, laiton *m*; *Am.* ⁓ *dog* roquet *m*; *fig.* sale type *m*; *attr.* contraire aux règlements syndicaux; ⁓ *fever,* F ⁓ *Jack* fièvre *f* jaune; ⁓ *jaundice* jaunisse *f*, ictère *m*; ⁓ *press* presse *f* sensationelle, journaux *m/pl.* à sensation; **2.** jaune *m*; **3.** *vt/i.* jaunir; ⁓*ed* jauni; **'⁓·back** livre *m* broché; roman *m* bon marché; '⁓-(h)am·mer *orn.* bruant *m* jaune; **'yel·low·ish** jaunâtre.

yelp [jelp] **1.** jappement *m*; **2.** japper.

yen *Am. sl.* [jen] désir *m* (ardent).

yeo·man ['jouman] yeoman (*pl.* yeomen) *m*, franc tenancier *m*; petit propriétaire *m*; ⚓ *Am.* sous-officier *m* aux écritures; ✕ ⁓ *of the guard* soldat *m* de la Garde du corps; **'yeo·man·ry** francs tenanciers *m/pl.*; ✕ garde *f* montée.

yep *Am.* F [jep] oui.

yes [jes] **1.** oui; **2.** oui *m*; ⁓·man *sl.* ['⁓mæn] flagorneur *m*; béni-oui-oui *m*.

yes·ter·day ['jestədi] hier (*a. su./m*); **'yes·ter'year** l'an *m* dernier.

yet [jet] **1.** *adv.* encore; jusqu'ici; jusque-là; déjà; malgré tout; *as* ⁓ jusqu'à présent; *not* ⁓ pas encore; **2.** *cj.* (et) cependant; tout de même.

yew ♀ [juː] if *m*; *attr.* en bois d'if.

yield [jiːld] **1.** *v/t.* rendre; donner; produire; céder (*un terrain, une ville, etc.*); rapporter (*a.* ✝ *un profit*); *v/i. surt.* 🌿 rendre; céder (à *to, beneath*); se rendre (*personne*); **2.** rapport *m*; rendement *m*; production *f; planche etc.:* fléchissement *m*; **'yield·ing** □ peu résistant; mou (mol *devant une voyelle ou un h muet*; molle *f*); *fig.* accommodant (*personne*).

yip *Am.* F [jip] aboyer; rouspéter.

yo·del, yo·dle ['joudl] **1.** ioulement *m*; tyrolienne *f*; **2.** iouler; chanter à la tyrolienne.

yo-ho [jou'hou] oh, hisse!

yoicks! [jɔiks] taïaut!

yoke [jouk] **1.** joug *m* (*a. fig.*); couple *f* (*de bœufs*); palanche *f* (*pour seaux*); *cost.* empiècement *m*; **2.** accoupler; atteler; *fig.* unir (à, to); '**~-fel·low** compagnon (compagne *f*) *m* de travail; F époux (-ouse *f*) *m*.

yo·kel F ['joukl] rustre *m*.

yolk [jouk] jaune *m* (d'œuf); suint *m* (*de laines*).

yon † *ou poét.* [jɔn], **yon·der** *poét.* ['~də] **1.** *adj.* ce (cette *f*, ces *pl.*) -là; **2.** *adv.* là-bas.

yore [jɔː]: of ~ (d')autrefois.

you [juː] **1.** tu; *accentué et datif:* toi; *accusatif:* te; *a.* on; **2.** vous.

young [jʌŋ] **1.** jeune; petit (*animal*); fils; *fig.* peu avancé (*nuit etc.*);

2. jeunesse *f*, jeunes gens *m/pl.*; with ~ pleine *f* (*animal*); '**young·ish** assez jeune; **young·ster** F ['jʌŋstə] jeune homme *m*; petit(e *f*) *m*.

your [jɔː; jə] **1.** ton, ta, tes; **2.** votre, vos; **yours 1.** le tien, la tienne, les tiens, les tiennes; à toi; **2.** le (la) vôtre, les vôtres; à vous; **your'self** toi-même; *réfléchi:* te, *accentué:* toi; **your'selves** *pl.* (~'selvz) vous-mêmes; *réfléchi:* vous (*a. accentué*).

youth [juːθ] jeunesse *f*; *coll.* jeunes gens *m/pl.*; (*pl.* **youths** [juːðz]) jeune homme *m*, adolescent *m*; ~ hostel auberge *f* de la jeunesse; **youth·ful** ['~ful] jeune; de jeunesse; '**youth·ful·ness** (air *m* de) jeunesse *f*.

Yu·go·slav ['juːgou'slaːv] **1.** yougoslave; **2.** *ling.* yougoslave *m*; Yougoslave *mf*.

Yule *poét.* [juːl] Noël *usu. f*; ~ log bûche *f* de Noël.

Z

Z, z [zed; *Am.* ziː] Z *m*, z *m*.

zeal [ziːl] zèle *m*; **zeal·ot** ['zelət] zélateur (-trice *f*) *m* (*a. eccl.*) (de, for); '**zeal·ot·ry** fanatisme *m*; *eccl.* zélotisme *m*; '**zeal·ous** □ zélé; zélateur (-trice *f*) (de, for); plein de zèle (pour, for); fanatique.

ze·bra *zo.* ['ziːbrə] zèbre *m*; ~ crossing passage *m* clouté.

ze·bu *zo.* ['ziːbuː] zébu *m*, bœuf *m* à bosse.   [apogée *m*.]

ze·nith ['zeniθ] zénith *m*; *fig. a.*]

zeph·yr ['zefə] zéphyr *m*; † laine *f* zéphire; *sp.* maillot *m*.

ze·ro ['ziərou] zéro *m* (*a. fig.*); *attr.* nul(le *f*); *A* ~ point point *m* zéro, origine *f*; ~ hour ✗ heure *f* H.

zest [zest] **1.** † zeste *m*; saveur *f*, goût *m*; enthousiasme *m* (pour, for); élan *m*; verve *f*; ~ for life entrain *m*; **2.** épicer.

zig·zag ['zigzæg] **1.** zigzag *m*; **2.** en zigzag; en lacets; **3.** zigzaguer, faire des zigzags.

zinc [ziŋk] **1.** *min.* zinc *m*; **2.** zinguer.

zi·on ['zaiən] Sion; '**zi·on·ism** sionisme *m*; '**zi·on·ist** sioniste (*a. su./mf*).

zip [zip] **1.** sifflement *m*; F énergie *f*, allant *m*, vigueur *f*; (*a.* ~-*fastener*)

fermeture *f* éclair *inv. ou* à glissière; **2.** siffler; fermer; '**zip·per 1.** fermeture *f* éclair *inv. ou* à glissière; **2.** fermer (avec une fermeture éclair); '**zip·py** F plein d'allant, vif (vive *f*); dynamique.

zith·er ♪ ['ziθə] cithare *f*.

zo·di·ac *astr.* ['zoudiæk] zodiaque *m*; **zo·di·a·cal** [zou'daiəkl] zodiacal (-aux *m/pl.*).

zon·al □ ['zounl] zonal (-aux *m/pl.*); **zone** [zoun] zone *f*; ⚓ couche *f* (*annuelle*); *fig.* ceinture *f*.

zoo F [zuː] zoo *m* (= *jardin zoologique*).

zo·o·log·i·cal □ [zouə'lɔdʒikl] zoologique; ~ **gar·den(s** *pl.*) [zu-'lɔdʒikl'gaːdn(z)] jardin *m* zoologique, F zoo *m*; **zo·ol·o·gist** [zou-'ɔlədʒist] zoologiste *m*; **zo·ol·o·gy** zoologie *f*.

zoom ✈ *sl.* [zuːm] **1.** monter en chandelle; **2.** (montée *f* en) chandelle *f*.

zoot suit *Am.* ['zuːt 'sjuːt] complet *m* zazou.

Zu·lu ['zuːluː] zoulou *m*; femme *f* zoulou.

zy·mot·ic *biol.* [zai'mɔtik] zymotique.

Proper names with pronunciation and explanation

Noms propres avec leur prononciation et notes explicatives

A

Ab·er·deen [æbə'di:n] *ville d'Écosse.*

Ab·(o)u·kir [æbu:'kiə] Aboukir (*ville de la basse Égypte; victoire navale de Nelson sur Napoléon*).

A·bra·ham ['eibrəhæm] Abraham *m.*

Ab·ys·sin·i·a [æbi'sinjə] l'Abyssinie *f* (*ancien nom d'Éthiopie*).

A·chil·les [ə'kili:z] Achille *m* (*héros grec*).

Ad·am ['ædəm] Adam *m.*

Ad·di·son ['ædisn] *auteur anglais.*

Ad·e·laide ['ædəleid] Adélaïde *f*; ['˷lid] Adélaïde (*ville d'Australie*).

A·den ['eidn] *ville et port d'Arabie.*

Ad·i·ron·dacks [ædi'rɔndæks] *région montagneuse de l'État de New York* (É.-U.).

Ad·olf ['ædɔlf], **A·dol·phus** [ə'dɔlfəs] Adolphe *m.*

A·dri·at·ic (Sea) [eidri'ætik('si:)] *mer f Adriatique.*

Ae·sop ['i:sɔp] Ésope *m* (*fabuliste grec*).

Af·ghan·i·stan [æf'gænistæn] l'Afghanistan *m.*

Af·ri·ca ['æfrikə] l'Afrique *f.*

Ag·a·tha ['ægəθə] Agathe *f.*

Ag·in·court ['ædʒinkɔ:t] Azincourt *m.*

Al·a·bam·a [ælə'ba:mə; *Am.* ælə'bæmə] *État des É.-U.*

A·las·ka [ə'læskə] *État des É.-U.*

Al·ba·ni·a [æl'beinjə] l'Albanie *f.*

Al·ba·ny ['ɔ:lbəni] *capitale de l'État de New York* (É.-U.).

Al·bert ['ælbət] Albert *m.*

Al·ber·ta [æl'bə:tə] *province du Canada.*

Al·bi·on *poét.* ['ælbjən] Albion *f,* la Grande-Bretagne *f.*

Al·der·ney ['ɔ:ldəni] Aurigny *f* (*île Anglo-Normande*).

Al·ex·an·der [ælig'za:ndə] Alexandre *m.*

Al·ex·an·dra [ælig'za:ndrə] Alexandra *f.*

Al·fred ['ælfrid] Alfred *m.*

Al·ge·ri·a [æl'dʒiəriə] l'Algérie *f.*

Al·ger·non ['ældʒənən] *prénom masculin.*

Al·giers [æl'dʒiəz] Alger *m.*

Al·ice ['ælis] Alice *f.*

Al·le·ghe·ny ['æligeini] *chaîne de montagnes des É.-U.; rivière des É.-U.*

Al·len ['ælin] Alain *m.*

A·me·lia [ə'mi:ljə] Amélie *f.*

A·mer·i·ca [ə'merikə] l'Amérique *f.*

A·my ['eimi] Aimée *f.*

An·des ['ændi:z] *pl.* la Cordillère *f* des Andes, les Andes *f|pl.*

An·dor·ra [æn'dɔrə] Andorre *f.*

An·drew ['ændru:] André *m.*

An·gle·sey ['æŋglsi] *comté du Pays de Galles.*

An·nap·o·lis [ə'næpəlis] *capitale du Maryland* (É.-U.), *école navale.*

Ann(e) [æn] Anne *f.*

An·tho·ny ['æntəni] Antoine *m.*

An·til·les [æn'tili:z] *pl.* les Antilles *f|pl.* (*archipel entre l'Amérique du Nord et l'Amérique du Sud*).

An·to·ni·a [æn'tounjə] Antoinette *f.*

An·to·ny ['æntəni] Antoine *m.*

Ap·en·nines ['æpinainz] *pl.* les Apennins *m|pl.*

Ap·pa·lach·i·ans [æpə'leitʃiənz] *pl.* les Appalaches *m|pl.*

Ar·chi·bald ['a:tʃibɔld] Archambaud *m.*

Ar·chi·me·des [ɑ:ki'mi:di:z] Archimède m (*savant grec*).

Ar·den ['ɑ:dn] *nom de famille anglais.*

Ar·gen·ti·na [ɑ:dʒen'ti:nə], **the Ar·gen·tine** [ði'ɑ:dʒəntain] l'Argentine f.

Ar·gyll(·shire) [ɑ:'gail(fiə)] *comté d'Écosse.*

Ar·is·tot·le ['æristɔtl] Aristote m (*philosophe grec*).

Ar·i·zo·na [æri'zounə] *État des É.-U.*

Ar·kan·sas ['ɑ:kənsɔ:] *État des É.-U.*; *fleuve des É.-U.*

Ar·ling·ton ['ɑ:liŋtən] *cimetière national des É.-U. près de Washington.*

Ar·thur ['ɑ:θə] Arthur m; *King ~* le roi Arthur (*ou Artus*).

As·cot ['æskət] *ville et champ de courses d'Angleterre.*

A·sia ['eifə] l'Asie f; *~ Minor* l'Asie f Mineure.

Ath·ens ['æθinz] Athènes f.

At·kins ['ætkinz]: *Tommy ~ sobriquet du soldat britannique.*

At·lan·tic [ət'læntik] (l'océan m) Atlantique m.

Auck·land ['ɔ:klənd] *ville et port de la Nouvelle-Zélande.*

Au·gus·tus [ɔ:'gʌstəs] Auguste m.

Aus·ten ['ɔ:stin] *femme écrivain anglaise.*

Aus·tin [~] *capitale du Texas (É.-U.).*

Aus·tra·lia [ɔ:s'treiljə] l'Australie f.

Aus·tri·a ['ɔ:striə] l'Autriche f.

A·von ['eivən] *rivière d'Angleterre.*

Ax·min·ster ['æksminstə] *ville d'Angleterre.*

Ayr [ɛə] *ville d'Écosse;* a. **Ayr·shire** ['~fiə] *comté d'Écosse.*

A·zores [ə'zɔ:z] *pl. les* Açores f/pl.

B

Bac·chus *myth.* ['bækəs] Bacchus m (*dieu grec du vin*).

Ba·con ['beikən] *homme d'État et philosophe anglais.*

Ba·den-Pow·ell ['beidn'pouel] *fondateur du scoutisme.*

Ba·ha·mas [bə'hɑ:məz] *pl. les* Bahamas f/pl. (*archipel de l'Atlantique*).

Bald·win ['bɔ:ldwin] Baudouin m.

Bal·mor·al [bæl'mɔrəl] *château royal en Écosse.*

Bal·ti·more ['bɔ:ltimɔ:] *ville et port des É.-U.*

Bar·thol·o·mew [bɑ:'θɔləmju:] Barthélemy m.

Bath [bɑ:θ] *station thermale d'Angleterre.*

Ba·ton Rouge ['bætn'ru:ʒ] *capitale de la Louisiane (É.-U.).*

Bea·cons·field ['bi:kənzfi:ld] *titre de noblesse de Disraeli.*

Beck·y ['beki] *diminutif de Rebecca.*

Bed·ford ['bedfəd] *ville d'Angleterre;* a. **Bed·ford·shire** ['~fiə] *comté d'Angleterre.*

Bel·fast ['belfɑ:st] *capitale de l'Irlande du Nord.*

Bel·gium ['beldʒəm] la Belgique f.

Bel·grade [bel'greid] *capitale de la Yougoslavie.*

Bel·gra·vi·a [bel'greivjə] *quartier résidentiel de Londres.*

Ben [ben] *diminutif de Benjamin.*

Ben·e·dict ['benidikt; 'benit] Benoît m.

Ben·gal [beŋ'gɔ:l] le Bengale m.

Ben·ja·min ['bendʒəmin] Benjamin m.

Ben Ne·vis [ben'ni:vis] *point culminant de la Grande-Bretagne.*

Berke·ley ['bɑ:kli] *philosophe irlandais.*

Berk·shire ['bɑ:kfiə] *comté d'Angleterre; ~ Hills* ['bə:kfiə'hilz] *pl. chaîne de montagnes du Massachusetts (É.-U.).*

Ber·lin [bə:'lin] Berlin.

Ber·mu·das [bə:'mju:dəz] *pl. les* Bermudes f/pl. (*archipel de l'Atlantique*).

Ber·nard ['bə:nəd] Bernard m.

Bern(e) [bə:n] Berne.

Ber·tha ['bə:θə] Berthe f.

Ber·trand ['bə:trənd] Bertram m.

Bess, Bes·sy ['bes(i)], **Bet·s(e)y** ['betsi], **Bet·ty** ['beti] Babette f.

Bill, Bil·ly ['bil(i)] *diminutif de* William.

Bir·ken·head ['bə:kənhed] *port et ville industrielle d'Angleterre.*

Bir·ming·ham ['bə:miŋəm] *ville industrielle d'Angleterre;* ['~hæm] *ville des É.-U.*

Blooms·bur·y ['blu:mzbri] *quartier d'artistes de Londres.*

Bob [bɔb] *diminutif de Robert.*

Boi·se ['bɔisi] *capitale de l'Idaho (É.-U).*

Bol·eyn ['bulin]: *Anne ~ Anne*

Boleyn (*femme de Henri VIII d'Angleterre*).

Bo·liv·i·a [bə'liviə] la Bolivie *f.*

Bom·bay [bɔm'bei] *ville et port de l'Inde.*

Bonn [bɔn] *capitale de la République fédérale d'Allemagne.*

Bos·ton ['bɔstən] *capitale du Massachusetts* (*É.-U.*).

Bourne·mouth ['bɔ:nməθ] *station balnéaire d'Angleterre.*

Brad·ford ['brædfəd] *ville industrielle d'Angleterre.*

Bra·zil [brə'zil] le Brésil *m.*

Breck·nock(·shire) ['breknɔk(ʃiə)] *comté du Pays de Galles.*

Bridg·et ['bridʒit] Brigitte *f.*

Brigh·ton ['braitn] *station balnéaire d'Angleterre.*

Bris·tol ['bristl] *ville et port d'Angleterre.*

Bri·tan·ni·a *poét.* [bri'tænjə] la Grande-Bretagne *f.*

Brit·ta·ny ['britəni] la Bretagne *f.*

Brit·ten ['britn] *compositeur anglais.*

Broad·way ['brɔ:dwei] *rue principale de New York* (*É.-U.*).

Brook·lyn ['bruklin] *quartier de New York* (*É.-U.*).

Brus·sels ['brʌslz] Bruxelles.

Bu·cha·rest ['bju:kərest] Bucarest.

Buck [bʌk] *femme écrivain américaine.*

Buck·ing·ham ['bʌkiŋəm] *comté d'Angleterre;* ~ *Palace palais des rois de Grande-Bretagne;* **Buck·ing·ham·shire** ['bʌkiŋəmʃiə] *see* Buckingham.

Bu·da·pest ['bju:də'pest] *capitale de la Hongrie.*

Bud·dha ['budə] Bouddha.

Bul·gar·i·a [bʌl'gɛəriə] la Bulgarie *f.*

Bul·wer ['bulwə] *auteur anglais.*

Bur·ma ['bə:mə] la Birmanie *f.*

Burns [bə:nz] *poète écossais.*

By·ron ['baiərən] *poète anglais.*

C

Cae·sar ['si:zə] (Jules) César *m* (*général et dictateur romain*).

Cai·ro ['kaiərou] Le Caire *m.*

Cal·cut·ta [kæl'kʌtə] *capitale de l'État de Bengale-Occidental.*

Cal·i·for·nia [kæli'fɔ:njə] la Californie *f* (*État des É.-U.*).

Cam·bridge ['keimbridʒ] *ville uni-versitaire anglaise; ville des É.-U.* (*Massachusetts*), *siège de l'uni-versité Harvard; a.* **Cam·bridge·shire** ['~ʃiə] *comté d'Angleterre.*

Can·a·da ['kænədə] le Canada *m.*

Can·ter·bur·y ['kæntəbəri] Cantor-béry *f* (*ville d'Angleterre*).

Car·diff ['ka:dif] *capitale du Pays de Galles.*

Car·di·gan(·shire) ['ka:digən(ʃiə)] *comté du Pays de Galles.*

Car·lyle [ka:'lail] *auteur anglais.*

Car·mar·then(·shire) [kə'ma:ðən (-ʃiə)] *comté du Pays de Galles.*

Car·nar·von(·shire) [kə'na:vən (-ʃiə)] *comté du Pays de Galles.*

Car·neg·ie [ka:'negi] *industriel américain.*

Car·o·li·na [kærə'lainə]: (North ~, South ~) la Caroline *f* (du Nord, du Sud) (*États des É.-U.*).

Car·o·line ['kærəlain] Caroline *f.*

Car·pa·thi·ans [ka:'peiθjənz] *pl.* les Karpates *f/pl.*

Car·rie ['kæri] *diminutif de* Caroline.

Cath·e·rine ['kæθərin] Catherine *f.*

Cau·ca·sus ['kɔ:kəsəs] Caucase *m.*

Cec·il ['sesl; 'sisl] *prénom masculin.*

Ce·cil·i·a [si'siljə], **Cec·i·ly** ['sisili] Cécile *f.*

Cey·lon [si'lɔn] Ceylan *m.*

Cham·ber·lain ['tʃeimbəlin] *nom de plusieurs hommes d'État britanniques.*

Chan·nel ['tʃænl]: the English ~ la Manche *f.*

Char·ing Cross ['tʃæriŋ'krɔs] *carrefour de Londres.*

Charles [tʃɑ:lz] Charles *m.*

Charles·ton ['tʃɑ:lstən] *capitale de la Virginie Occidentale* (*É.-U.*).

Char·lotte ['ʃɑ:lət] Charlotte *f.*

Chat·ham ['tʃætəm] *ville et port d'Angleterre.*

Chau·cer ['tʃɔ:sə] *poète anglais.*

Chel·sea ['tʃelsi] *quartier de Londres.*

Chesh·ire ['tʃeʃə] *comté d'Angleterre.*

Ches·ter·field ['tʃestəfi:ld] *ville industrielle d'Angleterre.*

Chev·i·ot Hills ['tʃeviət'hilz] *pl. chaîne de montagnes qui sépare l'Écosse de l'Angleterre.*

Chi·ca·go [ʃi'ka:gou; *Am. souv.* ʃi'kɔ:gou] *ville des États de la Prairie* (*É.-U.*).

Chil·e, Chil·i ['tʃili] le Chili *m.*

Chi·na ['tʃainə] la Chine *f.*

Chris·ti·na [kris'ti:nə] Christine *f.*

Chris·to·pher ['kristəfə] Christophe *m.*

Chrys·ler ['kraislə] *industriel américain.*

Church·ill ['tʃə:tʃil] *homme d'État britannique.*

Cin·cin·nat·i [sinsi'næti] *ville des É.-U.*

Cis·sie ['sisi] *diminutif de Cecilia.*

Clar·a ['kleərə], **Clare** [kleə] Claire *f.*

Clar·en·don ['klærəndən] *nom de plusieurs hommes d'État britanniques.*

Cle·o·pa·tra [kliə'pa:trə] Cléopâtre *f (reine d'Égypte).*

Cleve·land ['kli:vlənd] *ville industrielle et port des É.-U.*

Clive [klaiv] *général qui fonda la puissance britannique dans l'Inde.*

Clyde [klaid] *fleuve d'Écosse.*

Cole·ridge ['koulridʒ] *poète anglais.*

Co·lom·bi·a [kə'lɔmbiə] la Colombie *f.*

Col·o·ra·do [kɔlə'ra:dou] *État des É.-U.; nom de deux fleuves des É.-U.*

Co·lum·bi·a [kə'lʌmbiə] *fleuve des É.-U.; district fédéral des É.-U. (capitale Washington); capitale de la Caroline du Sud (É.-U.).*

Con·cord ['kɔŋkəd] *capitale du New Hampshire (É.-U.).*

Con·naught ['kɔnɔ:t] *province de la République d'Irlande.*

Con·nect·i·cut [kə'netikət] *fleuve des É.-U.; État des É.-U.*

Con·stance ['kɔnstəns] Constance *mf.*

Coo·per ['ku:pə] *auteur américain.*

Co·pen·ha·gen [koupn'heign] Copenhague.

Cor·dil·le·ras [kɔ:di'ljeərəz] *pl. see Andes.*

Cor·ne·lia [kɔ:'ni:ljə] Cornélie *f.*

Corn·wall ['kɔ:nwəl] la Cornouailles *f (comté d'Angleterre).*

Cos·ta Ri·ca ['kɔstə'ri:kə] le Costa Rica *m.*

Cov·ent Gar·den ['kɔvənt'ga:dn] *l'opéra de Londres.*

Cov·en·try ['kɔvəntri] *ville industrielle d'Angleterre.*

Crete [kri:t] la Crète *f.*

Cri·me·a [krai'miə] la Crimée *f.*

Crom·well ['krɔmwəl] *homme d'État anglais.*

Croy·don ['krɔidn] *ancien aéroport de Londres.*

Cu·ba ['kju:bə] *(île f de) Cuba m.*

Cum·ber·land ['kʌmbələnd] *comté d'Angleterre.*

Cu·pid *myth.* ['kju:pid] Cupidon *m (dieu romain de l'Amour).*

Cy·prus ['saiprəs] Chypre *f.*

Czech·o·Slo·va·ki·a ['tʃekouslou-'vækiə] la Tchécoslovaquie *f.*

D

Da·ko·ta [də'koutə]: *(North ∿, South ∿)* le Dakota *m (du Nord, du Sud) (États des É.-U.).*

Dan·iel ['dænjəl] Daniel *m.*

Dan·ube ['dænju:b] *le Danube m.*

Dar·da·nelles [da:də'nelz] *pl. les Dardanelles f/pl.*

Dar·jee·ling [da:'dʒi:liŋ] *ville de l'Inde.*

Dart·moor ['da:tmuə] *massif cristallin d'Angleterre; prison.*

Dar·win ['da:win] *naturaliste anglais.*

Da·vid ['deivid] David *m.*

Dee [di:] *fleuve d'Angleterre et d'Écosse.*

De·foe [də'fou] *auteur anglais.*

Del·a·ware ['deləweə] *fleuve des É.-U.; État des É.-U.*

Den·bigh(·shire) ['denbi(ʃiə)] *comté du Pays de Galles.*

Den·mark ['denma:k] *le Danemark m.*

Der·by(·shire) ['da:bi(ʃiə)] *comté d'Angleterre.*

Den·ver ['denvə] *capitale du Colorado (É.-U.).*

Des Moines [də'mɔin] *capitale de l'Iowa (É.-U.).*

De·troit [də'trɔit] *ville industrielle des É.-U.*

De Va·le·ra [dəvə'liərə] *homme d'État irlandais.*

Dev·on(·shire) ['devn(ʃiə)] *comté d'Angleterre.*

Dew·ey ['dju:i] *philosophe américain.*

Di·an·a [dai'ænə] Diane *f (déesse romaine de la chasse, a. prénom féminin).*

Dick [dik] *diminutif de Richard.*

Dick·ens ['dikinz] *auteur anglais.*

Dick·in·son ['dikinsn] *femme poète américaine.*

Dis·rae·li [diz'reili] *homme d'État britannique (see Beaconsfield).*

Dol·ly ['dɔli] *diminutif de Dorothy.*

Do·min·i·can Re·pub·lic [də'mini-kən ri'pʌblik] *la* République *f* Dominicaine.

Don·ald ['dɔnld] *prénom masculin.*

Don Quix·ote [dɔn kwiksət] Don Quichotte *m.*

Dor·o·the·a [dɔrə'ɵiə], **Dor·o·thy** ['dɔrəɵi] Dorothée *f.*

Dor·set(·shire) ['dɔ:sit(ʃiə)] *comté d'Angleterre.*

Doug·las ['dʌgləs] *puissante famille écossaise.*

Do·ver ['douvə] Douvres (*port d'Angleterre, sur la Manche*); *capitale du Delaware* (*É.-U.*).

Down·ing Street ['dauniŋ'stri:t] *rue de Londres, résidence officielle du premier ministre.*

Drei·ser ['draisə] *auteur américain.*

Dry·den ['draidn] *poète anglais.*

Dub·lin ['dʌblin] *capitale de la République d'Irlande.*

Dun·kirk [dʌn'kə:k] Dunkerque *m.*

Dur·ham ['dʌrəm] *comté d'Angleterre.*

E

Ec·ua·dor [ekwə'dɔ:] Équateur *m.*

Ed·die ['edi] *diminutif de Edmund, Edward.*

E·den ['i:dn] Eden *m,* le paradis *m* terrestre.

Ed·in·burgh ['edinbərə] Édimbourg.

Ed·i·son ['edisn] *inventeur américain.*

Ed·mund ['edmənd] Edmond *m.*

Ed·ward ['edwəd] Édouard *m.*

E·gypt ['i:dʒipt] l'Égypte *f.*

Ei·leen ['aili:n] *prénom féminin.*

Ei·re ['eərə] *ancien nom de la République d'Irlande.*

Ei·sen·how·er ['aizənhauə] *général et 34ᵉ président des É.-U.*

El·ea·nor ['elinə] Éléonore *f.*

E·li·as ['laiəs] Élie *m.*

El·i·nor ['elinə] Éléonore *f.*

El·i·ot ['eljət] *femme écrivain anglaise; poète anglais, né aux É.-U.*

E·liz·a·beth [i'lizəbəɵ] Élisabeth *f.*

El·lis Is·land ['elis'ailənd] *île de la baie de New York* (*É.-U.*).

El Sal·va·dor [el'sælvədɔ:] El Salvador *m.*

Em·er·son ['eməsn] *philosophe et poète américain.*

Em·i·ly ['emili] Émilie *f.*

Eng·land ['iŋglənd] l'Angleterre *f.*

E·noch ['i:nɔk] Énoch *m.*

Ep·som ['epsəm] *ville d'Angleterre, célèbre course de chevaux.*

E·rie ['iəri]: *Lake ⌐* le lac *m* Érie (*un des cinq grands lacs de l'Amérique du Nord*).

Er·nest ['ə:nist] Ernest *m.*

Es·sex ['esiks] *comté d'Angleterre.*

Eth·el ['eɵl] *prénom féminin.*

E·thi·o·pi·a [i:ɵi'oupjə] l'Éthiopie *f.*

E·ton ['i:tn] *collège et ville d'Angleterre.*

Eu·clid ['ju:klid] Euclide (*mathématicien grec*).

Eu·gene ['ju:dʒi:n] Eugène *m*; **Eu·ge·ni·a** [ju:'dʒi:niə] Eugénie *f.*

Eu·phra·tes [ju:'freiti:z] l'Euphrate *m.*

Eu·rope ['juərəp] l'Europe *f.*

Eus·tace ['ju:stəs] Eustache *m.*

Ev·ans ['evənz] *nom de famille anglais et gallois.*

Eve [i:v] Ève *f.*

Ev·e·lyn ['i:vlin] Éveline *f.*

F

Falk·land Is·lands ['fɔ:klənd'ailəndz] *pl. les* îles *f/pl.* Falkland (*archipel de l'Atlantique*).

Faulk·ner ['fɔ:knə] *auteur américain.*

Fawkes [fɔ:ks] *nom de famille anglais; chef de la Conspiration des Poudres* (*1605*).

Fe·li·ci·a [fi'lisiə] *prénom féminin.*

Fe·lix ['fi:liks] Félix *m.*

Fin·land ['finlənd] la Finlande *f.*

Flan·ders ['flɑ:ndəz] la Flandre *f.*

Flint·shire ['flintʃiə] *comté du Pays de Galles.*

Flor·ence ['flɔrəns] Florence *f* (*prénom*).

Flor·i·da ['flɔridə] la Floride *f* (*État des É.-U.*).

Flush·ing ['flʌʃiŋ] Flessingue.

Folke·stone ['foukstən] *ville et port d'Angleterre sur la Manche.*

Ford [fɔ:d] *industriel américain.*

France [frɑ:ns] la France *f.*

Fran·ces ['frɑ:nsis] Françoise *f.*

Fran·cis [⌐] François *m.*

Frank·fort ['fræŋkfət] *capitale du Kentucky* (*É.-U.*).

Frank·lin ['fræŋklin] *homme d'État et auteur américain.*

Fred(·dy) ['fred(i)] *diminutif de Alfred, Frederic(k).*

Fred·er·ic(k) ['fredrik] Frédéric *m.*
Ful·ton ['fultən] *inventeur américain.*

G

Gains·bor·ough ['geinzbərə] *peintre anglais.*
Gals·wor·thy ['gælzwə:ði] *auteur anglais.*
Gan·ges ['gændʒi:z] *le* Gange *m.*
Gaul [gɔ:l] *la* Gaule *f.*
Ge·ne·va [dʒi'ni:və] Genève.
Geof·frey ['dʒefri] Geoffroi *m.*
George [dʒɔ:dʒ] Georges *m.*
Geor·gia ['dʒɔ:dʒiə] *la* Georgie *f* (*État des É.-U.*).
Ger·ald ['dʒerəld] Gérard *m.*
Ger·al·dine ['dʒerəldi:n] *prénom féminin.*
Ger·ma·ny ['dʒə:məni] *l'*Allemagne *f.*
Gersh·win ['gə:ʃwin] *compositeur américain.*
Ger·trude ['gə:tru:d] Gertrude *f.*
Get·tys·burg ['getizbə:g] *ville des É.-U.*
Gi·bral·tar [dʒi'brɔ:ltə] Gibraltar *m.*
Giles [dʒailz] Gilles *m.*
Gill [gil] Julie *f.*
Glad·stone ['glædstən] *homme d'État britannique.*
Gla·mor·gan(·shire) [glə'mɔ:gən (-ʃiə)] *comté du Pays de Galles.*
Glas·gow ['glɑ:sgou] *ville et port d'Écosse.*
Glouces·ter ['glɔstə] *ville d'Angleterre; a.* **Glouces·ter·shire** ['~ʃiə] *comté d'Angleterre.*
Gold·smith ['gouldsmiθ] *auteur anglais.*
Gor·don ['gɔ:dn] *nom de famille anglais.*
Go·tham ['gɔtəm] *village d'Angleterre.*
Gra·ham ['greiəm] *nom de famille et prénom masculin anglais.*
Grand Can·yon [grænd'kæniən] *nom des gorges du Colorado (É.-U.).*
Great Brit·ain ['greit'britən] *la* Grande-Bretagne *f.*
Great Di·vide ['greitdi'vaid] *les montagnes Rocheuses (É.-U.).*
Greece [gri:s] *la* Grèce *f.*
Greene [gri:n] *auteur anglais.*
Green·land ['gri:nlənd] *le* Groenland *m.*
Green·wich ['grinidʒ] *faubourg de* Londres; ~ Village *quartier d'artistes de New York.*
Greg·o·ry ['gregəri] Grégoire *m.*
Gros·ve·nor ['grouvnə] *place et rue de Londres.*
Gua·te·ma·la [gwæti'mɑ:lə] *le* Guatemala *m.*
Guern·sey ['gə:nzi] Guernesey *f* (*île Anglo-Normande*).
Gui·a·na [gi'ɑ:nə] *la* Guyane *f.*
Guin·ea ['gini] *la* Guinée *f.*
Guin·ness ['ginis; gi'nes] *nom de famille, surt. irlandais.*
Guy [gai] Gui *m*, Guy *m.*
Gwen·do·len, Gwen·do·lyn ['gwendəlin] *prénom féminin.*

H

Hai·ti ['heiti] *la* Haïti *f.*
Hague [heig]: *the* ~ La Haye.
Hal·i·fax ['hælifæks] *ville du Canada et d'Angleterre.*
Ham·il·ton ['hæmiltən] *nom de famille anglais.*
Hamp·shire ['hæmpʃiə] *comté d'Angleterre.*
Hamp·stead ['hæmpstid] *faubourg de Londres.*
Han·o·ver ['hænəvə] Hanovre *m* (*ancien royaume*).
Har·ri·et ['hæriət] Henriette *f.*
Har·ris·burg ['hærisbə:g] *capitale de la Pennsylvanie (É.-U.).*
Har·row ['hærou] *collège et ville d'Angleterre.*
Har·ry ['hæri] *diminutif de* Henry.
Har·vard U·ni·ver·si·ty ['hɑ:vəd ju:ni'və:siti] *université américaine.*
Har·wich ['hæridʒ] *ville et port d'Angleterre.*
Has·tings ['heistiŋz] *ville d'Angleterre; homme d'État, gouverneur de l'Inde anglaise.*
Ha·wai·i [hɑ:'waii] *pl. les* Hawaii *f/pl.* (*archipel de la Polynésie, État des É.-U.*).
Heb·ri·des ['hebridi:z] *pl. les* Hébrides *f/pl.* (*îles d'Écosse*).
Hel·en ['helin] Hélène *f.*
Hel·sin·ki ['helsiŋki] *capitale de la* Finlande.
Hem·ing·way ['hemiŋwei] *auteur américain.*
Hen·ley ['henli] *ville d'Angleterre sur la Tamise; régates célèbres.*
Hen·ry ['henri] Henri *m.*
Her·cu·les ['hə:kjuli:z] Hercule *m.*

Her·e·ford(·shire) ['herifəd(ʃiə)] *comté d'Angleterre.*

Hert·ford(·shire) ['hɑːfəd(ʃiə)] *comté d'Angleterre.*

Hil·a·ry ['hiləri] Hilaire *f.*

Hi·ma·la·ya [himə'leiə] *l'*Himalaya *m.*

Hin·du·stan [hindu'stæn] l'Hindoustan *m.*

Ho·garth ['hougɑːθ] *peintre anglais.*

Hol·born ['houbən] *quartier de Londres.*

Hol·land ['hɔlənd] la Hollande *f.*

Hol·ly·wood ['hɔliwud] *centre de l'industrie cinématographique américaine.*

Ho·mer ['houmə] Homère *m* (*poète grec*).

Hon·du·ras [hɔn'djuərəs] le Honduras *m.*

Ho·no·lu·lu [hɔnə'luːlu] *capitale des Hawaii* (*É.-U.*).

Hoo·ver ['huːvə] *31ᵉ président des É.-U.*

Hud·son ['hʌdsn] *fleuve des É.-U., avec New York à l'embouchure; vaste golfe au nord de l'Amérique.*

Hugh [hjuː] Hugues *m.*

Hull [hʌl] *ville et port d'Angleterre.*

Hume [hjuːm] *philosophe anglais.*

Hun·ga·ry ['hʌŋgəri] la Hongrie *f.*

Hun·ting·don(·shire) ['hʌntiŋdən (-ʃiə)] *comté d'Angleterre.*

Hu·ron ['hjuərən]: *Lake* ~ le lac *m* Huron (*un des cinq grands lacs de l'Amérique du Nord*).

Hux·ley ['hʌksli] *naturaliste anglais; zoologiste anglais; auteur anglais.*

Hyde Park ['haid'pɑːk] *parc de Londres.*

I

Ice·land ['aislənd] l'Islande *f.*

I·da·ho ['aidəhou] *État des É.-U.*

I·dle·wild ['aidlwaild] *ancien nom de* Kennedy Airport.

Il·li·nois [ili'nɔi(z)] *rivière des É.-U.; État des É.-U.*

In·di·a ['indjə] l'Inde *f.*

In·di·an·a [indi'ænə] *État des É.-U.*

In·di·an Ocean ['indjən'ouʃən] *océan m* Indien.

In·dies ['indiz] *pl.:* the (East, West) ~ les Indes *f/pl.* (orientales, occidentales).

In·dus ['indəs] l'Indus *m.*

I·o·wa ['aiouə] *État des É.-U.*

I·rak, I·raq [i'rɑːk] l'Irak *m*, l'Iraq *m.*

I·ran [iə'rɑːn] l'Iran *m.*

Ire·land ['aiələnd] l'Irlande *f.*

I·re·ne [ai'riːni; 'airiːn] Irène *f.*

Ir·ving ['əːviŋ] *auteur américain.*

I·saac ['aizək] Isaac *m.*

Is·a·bel ['izəbəl] Isabelle *f.*

Is·ra·el ['izreiəl] l'Israël *m.*

It·a·ly ['itəli] l'Italie *f.*

J

Jack [dʒæk] Jean(not) *m* (*see* Jack¹ *au dictionnaire*).

Ja·mai·ca [dʒə'meikə] la Jamaïque *f.*

James [dʒeimz] Jacques *m.*

Jane [dʒein] Jeanne *f.*

Ja·net ['dʒænit] Jeanette *f.*

Ja·pan [dʒə'pæn] le Japon *m.*

Jean [dʒiːn] Jeanne *f.*

Jef·fer·son ['dʒefəsn] *3ᵉ président des É.-U., auteur de la Déclaration d'Indépendance;* ~ *City capitale du Missouri* (*É.-U.*).

Jen·ny ['dʒeni] Jeanneton *f,* Jeannette *f.*

Jer·e·my ['dʒerimi] Jérémie *m.*

Jer·sey ['dʒəːzi] *île Anglo-Normande;* ~ *City ville des É.-U.*

Je·ru·sa·lem [dʒə'ruːsələm] Jérusalem.

Je·sus (Christ) ['dʒiːzəs ('kraist)] Jésus(-Christ) *m.*

Jill [dʒil] Julie *f;* Jack and ~ Jeannot et Colette.

Jim(·my) ['dʒim(i)] *diminutif de* James.

Joan [dʒoun] Jeanne *f.*

Joe [dʒou] *diminutif de* Joseph.

John [dʒɔn] Jean *m;* ~ *Lackland* Jean sans Terre (*roi d'Angleterre*).

John·ny ['dʒɔni] Jeannot *m.*

John·son ['dʒɔnsn] *36ᵉ président des É.-U.; auteur anglais.*

Jo·nah ['dʒounə] Jonas *m.*

Jon·a·than ['dʒɔnəθən] Jonathas *m.*

Jor·dan ['dʒɔːdn] la Jordanie *f.*

Jo·seph ['dʒouzif] Joseph *m.*

Josh·u·a ['dʒɔʃwə] Josué *m.*

Ju·go·sla·vi·a ['juːgou'slɑːviə] la Yougoslavie *f.*

Jul·ia ['dʒuːljə], **Ju·li·et** ['~t] Julie(tte) *f.*

Jul·ius ['dʒuːljəs] Jules *m.*

Ju·neau ['dʒuːnou] *capitale de l'Alaska* (*É.-U.*).

K

Kan·sas ['kænzəs] *rivière des É.-U.;
État des É.-U.*

Kash·mir [kæʃ'miə] *le Cachemire m
(ancien État de l'Inde).*

Kate [keit] *diminutif de Catherine,
Katharine, Katherine, Kathleen.*

Kath·a·rine, Kath·er·ine ['kæθə-
rin] *Catherine f.*

Kath·leen ['kæθliːn] *Catherine f.*

Keats [kiːts] *poète anglais.*

Ken·ne·dy ['kenidi] *35ᵉ président des
É.-U.; Cape ~ cap de la côte de
Floride (lancement d'engins téléguidés
et de satellites artificiels; ~ airport
aéroport international de New York.*

Ken·sing·ton ['kenziŋtən] *quartier
de Londres.*

Kent [kent] *comté d'Angleterre.*

Ken·tuck·y [ken'tʌki] *rivière des
É.-U.; État des É.-U.*

Ken·ya ['kiːnjə; 'kenjə] *État de
l'Afrique de l'Est.*

Kip·ling ['kipliŋ] *poète anglais.*

Kit·ty ['kiti] *diminutif de Catherine.*

Klon·dike ['klɔndaik] *rivière et région du Canada.*

Krem·lin ['kremlin] *le Kremlin m.*

Ku·wait [ku'weit] *Koweït m.*

L

Lab·ra·dor ['læbrədɔː] *péninsule de
l'Amérique du Nord.*

Lan·ca·shire ['læŋkəʃiə] *comté
d'Angleterre.*

Lan·cas·ter ['læŋkəstə] *Lancastre f
(ville d'Angleterre; ville des É.-U.);
see Lancashire.*

Lau·rence, Law·rence ['lɔːrəns]
Laurent m.

Leb·a·non ['lebənən] *le Liban m.*

Leeds [liːdz] *ville industrielle
d'Angleterre*

Leg·horn ['leg'hɔːn] *Livourne.*

Leices·ter ['lestə] *ville d'Angleterre;
a. Leices·ter·shire ['~ʃiə] comté
d'Angleterre.*

Leigh [liː; lai] *ville industrielle
d'Angleterre; nom de famille anglais.*

Leon·ard ['lenəd] *Léonard m.*

Les·lie ['lezli] *prénom masculin.*

Lew·is ['luːis] *Louis m; auteur américain; poète anglais.*

Lil·i·an ['liliən] *prénom féminin.*

Lin·coln ['liŋkən] *16ᵉ président des
É.-U.; capitale du Nébraska (É.-U.);*
*ville d'Angleterre; a. Lin·coln-
shire ['~ʃiə] comté d'Angleterre.*

Li·o·nel ['laiənl] *prénom masculin.*

Lis·bon ['lizbən] *Lisbonne.*

Lit·tle Rock ['litl'rɔk] *capitale de
l'Arkansas (É.-U.).*

Liv·er·pool ['livəpuːl] *ville industrielle et port d'Angleterre.*

Liz·zie ['lizi] *Lisette f.*

Lloyd [lɔid] *prénom masculin.*

Lon·don ['lʌndən] *Londres.*

Long·fel·low ['lɔŋfelou] *poète américain.*

Los An·ge·les [lɔs'ændʒiliːz; Am. a.
'æŋgələs] *ville et port des É.-U .*

Lou·i·sa [luː'iːzə] *Louise f.*

Lou·i·si·an·a [luːiːzi'ænə] *la Louisiane f (État des É.-U.).*

Lu·cia ['luːsiə] *Lucie f.*

Lu·cius ['luːsiəs] *Lucien m.*

Lu·cy ['luːsi] *Lucie f.*

Luke [luːk] *Luc m.*

Lux·em·b(o)urg ['lʌksəmbəːg]
Luxembourg m.

Lyd·i·a ['lidiə] *Lydie f.*

M

Mab [mæb] *reine des fées.*

Ma·bel ['meibl] *prénom féminin.*

Ma·cau·lay [mə'kɔːli] *historien et
homme politique anglais; femme écrivain anglaise.*

Mac·Don·ald [mək'dɔnld] *homme
d'État britannique.*

Mac·ken·zie [mə'kenzi] *fleuve du
Canada.*

Ma·dei·ra [mə'diərə] *Madère f.*

Madge [mædʒ] *Margot f.*

Mad·i·son ['mædisn] *4ᵉ président
des É.-U.; capitale du Wisconsin
(É.-U.).*

Ma·dras [mə'drɑːs] *ville et port de
l'Inde.*

Ma·drid [mə'drid] *capitale de l'Espagne.*

Mag·da·len ['mægdəlin] *Madeleine f.*

Mag·gie ['mægi] *Margot f.*

Ma·hom·et [me'hɔmit] *Mahomet m.*

Maine [mein] *État des É.-U.*

Ma·lay·sia [mə'leiʒə] *the Federation of ~ la Fédération f de Malaisie.*

Mal·ta ['mɔːltə] *Malte f.*

Man·ches·ter ['mæntʃistə] *ville
industrielle d'Angleterre.*

Man·hat·tan [mæn'hætn] *île et
quartier de New York (É.-U.).*

Man·i·to·ba [mæni'toubə] *province du Canada.*

Mar·ga·ret ['mɑːgərit] Marguerite *f.*

Mark [mɑːk] Marc *m.*

Marl·bor·ough ['mɔːlbərə] *général anglais.*

Mar·tha ['mɑːθə] Marthe *f.*

Mar·y ['mɛəri] Marie *f.*

Mar·y·land ['mɛərilænd; *Am.* 'merilənd] *État des É.-U.*

Mas·sa·chu·setts [mæsə'tʃuːsets] *État des É.-U.*

Ma(t)·thew ['mæθjuː] Mat(t)hieu *m.*

Maud [mɔːd] Mathilde *f.*

Maugham [mɔːm] *auteur anglais.*

Mau·rice ['mɔris] Maurice *m.*

May [mei] Mariette *f*, Manon *f.*

Mel·bourne ['melbən] *ville et port d'Australie.*

Mel·ville ['melvil] *auteur américain.*

Mer·e·dith ['merədiθ] *auteur anglais.*

Mer·i·on·eth(·shire) [meri'ɔniθ (-ʃiə)] *comté du Pays de Galles.*

Mex·i·co ['meksikou] le Mexique *m.*

Mi·am·i [mai'æmi] *station balnéaire de la Floride (É.-U.).*

Mi·chael ['maikl] Michel *m.*

Mich·i·gan ['miʃigən] *État des É.-U.*; *Lake ~* le lac *m* Michigan (*un des cinq grands lacs de l'Amérique du Nord*).

Mid·dle·sex ['midlseks] *comté d'Angleterre.*

Mid·west ['mid'west] *les États m/pl. de la Prairie (É.-U.).*

Mil·dred ['mildrid] *prénom féminin.*

Mil·li·cent ['milisnt] *prénom féminin.*

Mil·ton ['miltən] *poète anglais.*

Mil·wau·kee [mil'wɔːkiː] *ville des É.-U.*

Min·ne·ap·o·lis [mini'æpəlis] *ville des É.-U.*

Min·ne·so·ta [mini'soutə] *État des É.-U.*

Mis·sis·sip·pi [misi'sipi] *État des É.-U.*; *fleuve des É.-U.*

Mis·sou·ri [mi'suəri; *Am.* mi'zuəri] *rivière des É.-U.*; *État des É.-U.*

Mo·ham·med [mou'hæmed] Mohammed *m*; *islam:* Mahomet *m.*

Moll [mɔl] Mariette *f*, Manon *f.*

Mo·na·co ['mɔnəkou] Monaco *m.*

Mon·mouth(·shire) ['mʌnməθ(ʃiə)] *comté d'Angleterre.*

Mon·roe [mən'rou] *5ᵉ président des É.-U.*

Mon·tan·a [mɔn'tænə] *État des É.-U.*

Mont·gom·er·y [mənt'gʌməri] *maréchal britannique*; *a.* **Mont'gom·er·y·shire** [~ʃiə] *comté du Pays de Galles.*

Mont·re·al [mɔntri'ɔːl] Montréal *m (ville du Canada).*

Mo·roc·co [mə'rɔkou] le Maroc *m.*

Mos·cow ['mɔskou] Moscou.

Mur·ray ['mʌri] *fleuve d'Australie.*

N

Nan·cy ['nænsi] Nanette *f*, Annette *f.*

Na·tal [nə'tæl] le Natal *m.*

Ne·bras·ka [ni'bræskə] *État des É.-U.*

Nell, Nel·ly ['nel(i)] *diminutif de Eleanor, Helen.*

Nel·son ['nelsn] *amiral britannique.*

Ne·pal [ni'pɔːl] le Népal *m.*

Neth·er·lands ['neðələndz] *pl.* les Pays-Bas *m/pl.*

Ne·vad·a [ne'vɑːdə] *État des É.-U.*

New Bruns·wick [njuː'brʌnzwik] *province du Canada.*

New·cas·tle ['njuːkɑːsl] *ville et port d'Angleterre.*

New Del·hi ['njuː'deli] *capitale de l'Inde.*

New Eng·land ['njuː'iŋglənd] la Nouvelle-Angleterre *f (États des É.-U.).*

New·found·land [njuː'faundlənd; *surt.* ⚓ njuːfənd'lænd] Terre-Neuve *f (province du Canada).*

New Hamp·shire [njuː'hæmpʃiə] *État des É.-U.*

New Jer·sey [njuː'dʒəːzi] *État des É.-U.*

New Mex·i·co [njuː'meksikou] le Nouveau-Mexique *m (État des É.-U.).*

New Or·le·ans [njuː'ɔːliənz] la Nouvelle-Orléans *f (ville des É.-U.).*

New·ton ['njuːtn] *physicien et philosophe anglais.*

New York ['njuː'jɔːk] New York *f (ville des É.-U.)*; New York *m (État des É.-U.).*

New Zea·land [njuː'ziːlənd] la Nouvelle-Zélande *f.*

Ni·ag·a·ra [nai'ægərə] *le* Niagara *m (rivière de l'Amérique du Nord, unissant les lacs Erie et Ontario).*

Nich·o·las ['nikələs] Nicolas *m.*

Ni·ger ['naidʒə] le Niger m.

Ni·ge·ri·a [nai'dʒiəriə] État de l'Afrique occidentale.

Nile [nail] le Nil m.

Nor·folk ['nɔːfək] comté d'Angleterre; ville et port des É.-U.

North·amp·ton [nɔː'θæmptən] ville d'Angleterre; a. North'amp·ton·shire [ˌʃiə] comté d'Angleterre.

North Sea ['nɔː'θ'siː] mer f du Nord.

North·um·ber·land [nɔː'θʌmbələnd] comté d'Angleterre.

Nor·way ['nɔːwei] la Norvège f.

Not·ting·ham ['nɔtiŋəm] ville d'Angleterre; a. Not·ting·ham·shire ['ˌʃiə] comté d'Angleterre.

No·va Sco·tia ['nouvə'skouʃə] la Nouvelle-Écosse f (province du Canada).

O

Oak Ridge ['ouk'ridʒ] ville des É.-U.; centre de recherches nucléaires.

O·ce·an·i·a [ouʃi'einiə] l'Océanie f.

O·hi·o [ou'haiou] rivière des É.-U.; État des É.-U.

O·kla·ho·ma [ouklə'houmə] État des É.-U.; ~ City capitale de l'Oklahoma (É.-U.).

Ol·i·ver ['ɔlivə] Olivier m.

O·liv·i·a [o'liviə] Olivia f, Olivie f.

O·ma·ha ['ouməhaː] ville des É.-U.

O'Neill [ou'niːl] auteur américain.

On·tar·i·o [ɔn'teəriou] province du Canada; Lake ~ le lac m Ontario (un des cinq grands lacs de l'Amérique du Nord).

Or·ange ['ɔrindʒ] l'Orange m (fleuve de l'Afrique australe).

Or·e·gon ['ɔrigən] État des É.-U.

Ork·ney Is·lands ['ɔːkni'ailəndz] pl. les Orcades f/pl. (comté d'Écosse).

Os·borne ['ɔzbən] auteur anglais.

Os·lo ['ɔzlou] capitale de la Norvège.

Ost·end [ɔs'tend] Ostende f.

Ot·ta·wa ['ɔtəwə] capitale du Canada.

Ouse [uːz] nom de deux rivières d'Angleterre.

Ox·ford ['ɔksfəd] ville universitaire d'Angleterre; a. Ox·ford·shire ['ˌʃiə] comté d'Angleterre.

O·zark Moun·tains ['ouzaːk'mauntinz] pl. les Ozark m/pl. (massif des É.-U.).

P

Pa·cif·ic [pə'sifik] (océan m) Pacifique m.

Pad·dy ['pædi] diminutif de Patrick; sobriquet de l'Irlandais.

Pak·i·stan [paːkis'taːn] le Pakistan m.

Pall Mall ['pel'mel] rue des Londres.

Palm Beach ['paːm'biːtʃ] station balnéaire de la Floride (É.-U.).

Pan·a·ma [pænə'maː] le Panama m.

Par·a·guay ['pærəgwai] le Paraguay m.

Par·is ['pæris] Paris m.

Pa·tri·cia [pə'triʃə] prénom féminin.

Pat·rick ['pætrik] Patrice m, Patrick m (patron de l'Irlande).

Paul [pɔːl] Paul m.

Pau·line [pɔː'liːn; ~] Pauline f.

Pearl Har·bor ['pəːl'haːbə] port des îles Hawaii.

Peg(·gy) ['peg(i)] Margot f.

Pem·broke(·shire) ['pembruk(ʃiə)] comté du Pays de Galles.

Penn·syl·va·nia [pensil'veinjə] la Pennsylvanie f (État des É.-U.).

Per·cy ['pəːsi] prénom masculin.

Pe·ru [pə'ruː] le Pérou m.

Pe·ter ['piːtə] Pierre m.

Phil·a·del·phi·a [filə'delfjə] Philadelphie f (ville des É.-U.).

Phil·ip ['filip] Philippe m.

Phil·ip·pines ['filipiːnz] pl. archipel de la mer de Chine.

Phoe·nix ['fiːniks] capitale de l'Arizona (É.-U.).

Pic·ca·dil·ly [pikə'dili] rue de Londres.

Pitts·burgh ['pitsbəːg] ville des É.-U.

Pla·to ['pleitou] Platon m (philosophe grec).

Plym·outh ['pliməθ] ville et port d'Angleterre; ville des É.-U.

Poe [pou] auteur américain.

Po·land ['poulənd] la Pologne f.

Poll [pɔl] Mariette f, Manon f.

Port·land ['pɔːtlənd] ville et port des É.-U. (Maine); ville des É.-U. (Oregon).

Ports·mouth ['pɔːtsməθ] ville et port d'Angleterre.

Por·tu·gal ['pɔːtugəl] le Portugal m.

Po·to·mac [pə'toumæk] fleuve des É.-U.

Prague [prɑːg] *capitale de la Tchécoslovaquie.*

Pul·itz·er ['pulitsə] *journaliste américain.*

Pun·jab [pʌn'dʒɑːb] *le Pendjab m.*

Pur·cell ['pəːsl] *compositeur anglais.*

Q

Que·bec [kwi'bek] *Québec m (ville et province du Canada).*

Queens [kwiːnz] *quartier de New York.*

R

Ra·chel ['reitʃəl] *Rachel f.*

Rad·nor(·shire) ['rædnə(ʃiə)] *comté du Pays de Galles.*

Ra·leigh ['rɔːli; 'rɑːli; 'ræli] *navigateur anglais; capitale de la Caroline du Nord (É.-U.).*

Ralph [reif; rælf] *Raoul m.*

Ra·wal·pin·di [rɔːl'pindi] *capitale du Pakistan.*

Ray·mond ['reimənd] *Raymond m.*

Read·ing ['rediŋ] *ville industrielle d'Angleterre; ville des É.-U.*

Re·bec·ca [ri'bekə] *Rébecca f.*

Reg·i·nald ['redʒinld] *Renaud m.*

Rey·kja·vik ['reikjəviːk] *capitale de l'Islande.*

Rhine [rain] *le Rhin m.*

Rhode Is·land [roud'ailənd] *État des É.-U.*

Rhodes [roudz] *Rhodes f.*

Rho·de·sia [rou'diːziə] *la Rhodésie f.*

Rich·ard ['ritʃəd] *Richard m; ~ the Lionhearted* Richard Cœur de Lion.

Rich·mond ['ritʃmənd] *capitale de la Virginie (É.-U.); district de New York; faubourg de Londres.*

Rob·ert ['rɔbət] *Robert m.*

Rob·in ['rɔbin] *diminutif de Robert.*

Rock·e·fel·ler ['rɔkifelə] *industriel américain.*

Rock·y Moun·tains ['rɔki'mauntinz] *pl. les (montagnes f/pl.)* Rocheuses *f/pl.*

Rog·er ['rɔdʒə] *Roger m.*

Rome [roum] *capitale de l'Italie.*

Roo·se·velt [*Am.* 'rouzəvelt; *angl. usu.* 'ruːsvelt] *nom de deux présidents des É.-U.*

Rud·yard ['rʌdjəd] *prénom masculin.*

Rug·by ['rʌgbi] *collège et ville d'Angleterre.*

Ru·ma·ni·a [ruː'meinjə] *la Roumanie f.*

Rus·sia ['rʌʃə] *la Russie f.*

Rut·land(·shire) ['rʌtlənd(ʃiə)] *comté d'Angleterre.*

S

Sac·ra·men·to [sækrə'mentou] *capitale de la Californie (É.-U.).*

Salis·bur·y ['sɔːlzbəri] *ville d'Angleterre.*

Sal·ly ['sæli] *diminutif de Sarah.*

Salt Lake Cit·y ['sɔːlt'leik'siti] *capitale de l'Utah (É.-U.).*

Sam [sæm] *diminutif de Samuel; Uncle ~ les États-Unis; sobriquet de l'Américain.*

Sam·u·el ['sæmjuəl] *Samuel m.*

San Fran·cis·co [sænfrən'siskou] *ville et port des É.-U.*

San Ma·ri·no [sænmə'riːnou] *Saint-Marin m.*

Sar·ah ['sɛərə] *Sarah f.*

Sas·katch·e·wan [səs'kætʃiwən] *rivière et province du Canada.*

Sa·u·di A·ra·bi·a [sɑ'udiə'reibjə] *l'Arabie f Saoudite.*

Say·ers ['seiəz] *femme écrivain anglaise.*

Scan·di·na·vi·a [skændi'neivjə] *la Scandinavie f.*

Sche·nec·ta·dy [ski'nektədi] *ville des É.-U.*

Scot·land ['skɔtlənd] *l'Écosse f; ~ Yard siège de la police londonienne.*

Se·at·tle [si'ætl] *ville et port des É.-U.*

Sev·ern ['sevəːn] *fleuve d'Angleterre.*

Shake·speare ['ʃeikspiə] *poète anglais.*

Shaw [ʃɔː] *auteur anglo-irlandais.*

Shef·field ['ʃefiːld] *ville industrielle d'Angleterre.*

Shel·ley ['ʃeli] *poète anglais.*

Sher·lock ['ʃəːlɔk] *prénom masculin.*

Shet·land Is·lands ['ʃetlənd'ailəndz] *pl. les* îles *f/pl.* (de) Shetland *(comté d'Écosse).*

Shrop·shire ['ʃrɔpʃiə] *comté d'Angleterre.*

Sib·yl ['sibil] *Sibylle f.*

Sid·ney ['sidni] *prénom masculin.*

Sin·clair ['siŋkleə] *auteur américain.*

Sin·ga·pore [siŋgə'pɔː] *Singapour f.*

Sing–Sing ['siŋsiŋ] *prison de l'État de New York (É.-U.).*

Snow·don ['snoudn] *montagne du Pays de Galles.*

So·fia ['soufjə] *capitale de la Bulgarie.*

Sol·o·mon ['sɔləmən] Salomon *m.*

Som·er·set(·shire) ['sʌməsit(ʃiə)] *comté d'Angleterre.*

So·phi·a [so'faiə], **So·phy** ['soufi] Sophie *f.*

Sou·dan [suː'dæn] *see* Sudan.

South·amp·ton [sauˈθæmtən] *ville et port d'Angleterre.*

South·wark ['sʌðək; 'sauθwək] *quartier de Londres.*

Spain [spein] l'Espagne *f.*

Staf·ford(·shire) ['stæfəd(ʃiə)] *comté d'Angleterre.*

Ste·phen, Ste·ven ['stiːvn] Stéphan *m.*

Ste·ven·son ['stiːvnsn] *auteur anglais.*

St. Law·rence [snt'lɔːrəns] *le* Saint-Laurent *m.*

St. Lou·is [snt'luːis] *ville des É.-U.*

Stock·holm ['stɔkhoum] *capitale de la Suède.*

Strat·ford on A·von ['strætfədɔn-'eivən] *patrie de Shakespeare.*

Stu·art ['stjuət] *famille royale d'Écosse et d'Angleterre.*

Su·dan [su(ː)'daːn] *le* Soudan *m.*

Sue [sjuː] Suzanne *f.*

Su·ez ['suːiz] Suez *m.*

Suf·folk ['sʌfək] *comté d'Angleterre.*

Su·pe·ri·or [sjuː'piəriə]: *Lake* ~ *le* lac *m* Supérieur (*un des cinq grands lacs de l'Amérique du Nord*).

Sur·rey ['sʌri] *comté d'Angleterre.*

Su·san ['suːzn] Suzanne *f.*

Sus·que·han·na [sʌskwə'hænə] *fleuve des É.-U.*

Sus·sex ['sʌsiks] *comté d'Angleterre.*

Swan·sea ['swɔnzi] *ville et port du Pays de Galles.*

Swe·den ['swiːdn] la Suède *f.*

Swift [swift] *auteur irlandais.*

Swit·zer·land ['switsələnd] la Suisse *f.*

Syd·ney ['sidni] *capitale de la Nouvelle-Galles du Sud (Australie).*

Syr·i·a ['siriə] la Syrie *f*

T

Tal·la·has·see [tælə'hæsi] *capitale de la Floride (É.-U.).*

Tan·gier [tæn'dʒiə] Tanger *f.*

Tay·lor ['teilə] *auteur anglais.*

Ted(·dy) ['ted(i)] *diminutif de* Edward, Edmund, Theodore.

Ten·nes·see [tene'siː] *rivière des É.-U.; État des É.-U.*

Ten·ny·son ['tenisn] *poète anglais.*

Tex·as ['teksəs] *État des É.-U.*

Thack·er·ay ['θækəri] *auteur anglais.*

Thames [temz] *la* Tamise *f.*

The·o·bald ['θiəbɔːld] Thibault *m.*

The·o·dore ['θiəbɔː] Théodore *m.*

The·re·sa [ti'riːzə] Thérèse *f.*

Thom·as ['tɔməs] Thomas *m.*

Tho·reau ['θɔːrou] *philosophe américain.*

Ti·gris ['taigris] *le* Tigre *m.*

Tim [tim] *diminutif de* Timothy.

Tim·o·thy ['timəθi] Timothée *m.*

Ti·ra·na [ti'raːnə] *capitale de l'Albanie.*

To·bi·as [tə'baiəs] Tobie *m.*

To·by ['toubi] *diminutif de* Tobias.

Tom(·my) ['tɔm(i)] *diminutif de* Thomas.

To·pe·ka [to'piːkə] *capitale du Kansas (É.-U.).*

To·ron·to [tə'rɔntou] *ville du Canada.*

Tow·er ['tauə]: *the* ~ *of* London *la* Tour de Londres.

Tra·fal·gar [trə'fælgə] *cap de la côte d'Espagne.*

Trent [trent] *rivière d'Angleterre.*

Trol·lope ['trɔləp] *auteur anglais.*

Tru·man ['truːmən] *33e président des É.-U.*

Tu·dor ['tjuːdə] *famille royale anglaise.*

Tu·ni·si·a [tjuː'niziə] la Tunisie *f.*

Tur·key ['tɔːki] la Turquie *f.*

Twain [twein] *auteur américain.*

U

Ul·ster ['ʌlstə] l'Ulster *m* (*province d'Irlande*).

U·nit·ed Ar·ab Re·pub·lic [juː-'naitid'ærəbri'pʌblik] République *f* arabe unie.

U·nit·ed States of A·mer·i·ca [juː'naitid'steitsəvə'merikə] *les* États-Unis *m/pl.* d'Amérique.

U·ru·guay ['urugwai] l'Uruguay *m.*

U·tah ['juːtaː] *État des É.-U.*

V

Val·en·tine ['væləntain] Valentin *m*; Valentine *f.*

Van·cou·ver [væn'ku:və] *ville et port du Canada.*

Vat·i·can ['vætikən] *le* Vatican *m.*

Vaux·hall ['vɔks'hɔːl] *district de Londres.*

Ven·e·zue·la [vene'zweilə] *le* Venezuela *m.*

Ver·mont [və:'mɔnt] *État des É.-U.*

Vic·to·ria [vik'tɔːriə] Victoire *f.*

Vi·en·na [vi'enə] Vienne *f.*

Vir·gin·ia [və'dʒinjə] la Virginie *f* (*État des É.-U.*).

Vi·tus ['vaitəs] Guy *m,* Gui *m.*

Viv·i·an ['viviən] Vivien *m;* Vivienne *f.*

W

Wales [weilz] le Pays *m* de Galles.

Wal·lace ['wɔləs] *auteur anglais; auteur américain.*

Wall Street ['wɔːlstriːt] *rue de New York; siège de la Bourse.*

Wal·ter ['wɔːltə] Gauthier *m.*

War·saw ['wɔːsɔː] Varsovie.

War·wick(·shire) ['wɔrik(ʃiə)] *comté d'Angleterre.*

Wash·ing·ton ['wɔʃiŋtən] *1er président des É.-U.; État des É.-U.; capitale et siège du gouvernement des É.-U.*

Wa·ter·loo [wɔːtə'luː] *commune de Belgique.*

Watt [wɔt] *inventeur anglais.*

Wedg·wood ['wedʒwud] *céramiste anglais.*

Wel·ling·ton ['weliŋtən] *général et homme d'État anglais; capitale de la Nouvelle-Zélande.*

Wells [welz] *auteur anglais.*

West·min·ster ['westminstə] *quartier de Londres, siège du parlement britannique.*

West·mor·land ['westmələnd] *comté d'Angleterre.*

West Vir·gin·ia ['westvə'dʒinjə] la Virginie Occidentale *f* (*État des É.-U.*).

White·hall ['wait'hɔːl] *rue de Londres, quartier des Ministères.*

White House ['wait'haus] *la* Maison-Blanche *f* (*résidence du président des É.-U. à Washington*).

Wight [wait]: Isle of ~ *île anglaise de la Manche.*

Wilde [waild] *poète anglais.*

Will [wil], **Wil·liam** ['wiljəm] Guillaume *m.*

Wil·son ['wilsn] *homme politique britannique; 28e président des É.-U.*

Wilt·shire ['wiltʃiə] *comté d'Angleterre.*

Wim·ble·don ['wimbldən] *faubourg de Londres (championnat international de tennis).*

Win·ni·peg ['winipeg] *ville du Canada.*

Win·ston ['winstən] *prénom masculin.*

Wis·con·sin [wis'kɔnsin] *rivière des É.-U.; État des É.-U.*

Wolfe [wulf] *auteur américain.*

Wol·sey ['wulzi] *cardinal et homme d'État anglais.*

Woolf [wulf] *femme écrivain anglaise.*

Worces·ter ['wustə] *ville industrielle d'Angleterre et des É.-U.; a.*

Worces·ter·shire ['~ʃiə] *comté d'Angleterre.*

Words·worth ['wə:dzwə(:)θ] *poète anglais.*

Wren [ren] *architecte anglais.*

Wyc·lif(fe) ['wiklif] *réformateur religieux anglais.*

Wy·o·ming [wai'oumiŋ] *État des É.-U.*

Y

Yale U·ni·ver·si·ty ['jeilju:ni'və:siti] *université américaine.*

Yeats [jeits] *poète irlandais.*

Yel·low·stone ['jeloustoun] *rivière des É.-U.; parc national.*

Yem·en ['jemən] *le* Yémen *m.*

York [jɔːk] *ville d'Angleterre; a.* **York·shire** ['~ʃiə] *comté d'Angleterre.*

Yo·sem·i·te [jou'semiti] *parc national des É.-U.*

Yu·go·sla·vi·a ['ju:gou'sla:viə] la Yougoslavie *f.*

Z

Zach·a·ri·ah [zækə'raiə], **Zach·a·ry** ['zækəri] Zacharie *m.*

Zam·be·zi [zæm'bi:zi] *le* Zambèze *m.*

Common British and American Abbreviations

Abréviations usuelles, britanniques et américaines

A

a. *acre* acre *f*.

A.A. *anti-aircraft* A.A., antiaérien; *Brit. Automobile Association* Automobile Club *m*.

A.A.A. *Brit. Amateur Athletic Association* Association *f* d'athlétisme amateur; *Am. American Automobile Association* Automobile Club *m* américaine.

A.B. *able-bodied seaman* matelot *m* (de deuxième classe); *see* B.A.

A.B.C. *American Broadcasting Company* radiodiffusion-télévision *f* américaine.

a/c *account (current)* C.C., compte *m* (courant).

A.C. *alternating current* C.A., courant *m* alternatif.

acc(t). *account* compte *m*, note *f*.

A.D. *Anno Domini (latin = in the year of our Lord)* après J.-C., en l'an du Seigneur *ou* de grâce.

A.D.A. *Brit. Atom Development Administration* Commission *f* pour le développement de l'énergie atomique.

Adm. *Admiral* amiral *m*; *admiralty* amirauté *f*.

advt. *advertisement* annonce *f*.

AEC *Atomic Energy Commission* CEA, Commission *f* de l'énergie atomique.

A.E.F. *American Expeditionary Forces* corps *m* expéditionnaire américain.

AFL-CIO *American Federation of Labor & Congress of Industrial Organizations (fédération américaine du travail).*

Ala. *Alabama (État des É.-U.).*

Alas. *Alaska (État des É.-U.).*

Am. *America* Amérique *f*; *American* américain.

a.m. *ante meridiem (latin = before noon)* avant midi.

A.M. *see* M.A.

A/P *account purchase* achat *m* porté sur un compte courant.

A.P. *Associated Press (agence d'informations américaine).*

A.P.O. *Am. Army Post Office* poste *f* aux armées.

A.R.C. *American Red Cross* Croix-Rouge *f* américaine.

Ariz. *Arizona (État des É.-U.).*

Ark. *Arkansas (État des É.-U.).*

A.R.P. *air-raid precautions* D.A., défense *f* aérienne.

A/S *account sales* compte *m* de vente.

ASA *American Standards Association* association *f* américaine de normalisation.

av. *average* moyenne *f*; avaries *f/pl*.

avdp. *avoirdupois* poids *m* du commerce.

A.W.O.L. *Am. absent without leave* absent sans permission.

B

b. *born* né(e *f*).

B.A. *Bachelor of Arts (approx.)* L. ès L., licencié(e *f*) *m* ès lettres.

B.A.O.R. *British Army of the Rhine* armée *f* britannique du Rhin.

Bart. *Baronet* Baronet *m* (*titre de noblesse*).

B.B.C. *British Broadcasting Corporation* radiodiffusion-télévision *f* britannique.

bbl. *barrel* tonneau *m*.

B.C. *before Christ* av. J.-C., avant Jésus-Christ.

B.D. *Bachelor of Divinity (approx.)* licencié(e *f*) *m* en théologie.

B.E. *Bachelor of Education (approx.)* licencié(e *f*) *m* en pédagogie;

Bachelor of Engineering (approx.) ingénieur *m* diplômé.

B/E *Bill of Exchange* lettre *f* de change.

B.E.A. *British European Airways (compagnie aérienne britannique).*

Beds. *Bedfordshire (comté d'Angleterre).*

Benelux ['benelʌks] *Belgium, Netherlands, Luxemburg* Bénélux *m*, Belgique-Nederland-Luxembourg.

Berks. *Berkshire (comté d'Angleterre).*

b/f *brought forward* à reporter; report *m*.

B.F.A. *British Football Association* association *f* britannique du football.

bl. *barrel* tonneau *m*.

B.L. *Bachelor of Law (approx.)* bachelier (-ère *f*) *m* en droit.

B/L *bill of lading* connaissement *m* (maritime).

bls. *bales* balles *f/pl.*, *ballots* *m/pl.*; *barrels* tonneaux *m/pl.*

B.M. *Bachelor of Medicine (approx.)* bachelier (-ère *f*) *m* en médecine.

B.M.A. *British Medical Association* association *f* médicale britannique.

B.O.A.C. *British Overseas Airways Corporation (compagnie aérienne britannique).*

bot. *bought* acheté; *bottle* bouteille *f*.

B.O.T. *Brit. Board of Trade* Ministère *m* du Commerce.

B.R. *British Railways (réseau national du chemin de fer britannique).*

B/R *bills receivable* effets *m/pl.* à recevoir.

Br(it). *Britain* la Grande-Bretagne *f*; *British* britannique.

Bros. *brothers* frères *m/pl.* (*dans un nom de société*).

B/S *bill of sale* acte *m* (*ou* contrat *m*) de vente; *Am.* facture *f*; bulletin *m* de livraison.

B.Sc. *Bachelor of Science (approx.)* L. ès Sc., licencié(e *f*) *m* ès sciences naturelles.

B.Sc.Econ. *Bachelor of Economic Science (approx.)* licencié(e *f*) *m* en économie politique.

bsh., bu. *bushel* boisseau *m*.

Bucks. *Buckinghamshire (comté d'Angleterre).*

B.U.P. *British United Press (agence d'informations britannique).*

bus(h). *bushel(s)* boîsseau(x *pl.*) *m*.

C

c. *cent(s)* cent(s *pl.*) *m*; *circa* environ; *cubic* cubique, au cube.

C. *thermomètre*: *Celsius,* centigrade C, Celsius, cgr, centigrade.

C.A. *Brit. chartered accountant* expert *m* comptable.

C/A *current account* C.C., compte *m* courant.

c.a.d. *cash against documents* paiement *m* contre documents.

Cal(if). *California (État des É.-U.).*

Cambs. *Cambridgeshire (comté d'Angleterre).*

Can. *Canada* Canada *m*; *Canadian* canadien.

Capt. *Captain* capitaine *m*.

C.B. (*a.* C/B) *cash book* livre *m* de caisse; *Companion of the Bath* Compagnon *m* de l'ordre du Bain; *Confinement to barracks* consigné au quartier.

C.B.C. *Canadian Broadcasting Corporation* radiodiffusion-télévision *f* canadienne.

C.C. *Brit. County Council* Conseil *m* de Comté; *continuous current* C.C., courant *m* continu.

C.E. *Church of England* Église *f* Anglicane; *Civil Engineer* ingénieur *m* civil.

CET *Central European Time* H.E.C., heure *f* de l'Europe Centrale.

cf. *confer* Cf., conférez.

ch. *chain (approx.)* double décamètre *m*; *chapter* chapitre *m*.

Ches. *Cheshire (comté d'Angleterre).*

CIA *Am. Central Intelligence Agency* S.C.E., service *m* contre-espionnage.

C.I.D. *Brit. Criminal Investigation Department (police judiciaire).*

c.i.f. *cost, insurance, freight* C.A.F., coût, assurance, fret.

C. in C., CINC *Commander-in-Chief* commandant *m* en chef.

cl. *class* classe *f*.

Co. *Company* compagnie *f*, société *f*; *county* comté *m*.

C.O. *Commanding Officer* officier *m* commandant.

c/o *care of* aux bons soins de, chez.

C.O.D. *cash (Am. a. collect) on delivery* RB, (envoi *m*) contre remboursement.

Col. *Colorado (État des É.-U.);* *Colonel* Col., colonel *m*.

Colo. Colorado *(État des É.-U.).*

Conn. Connecticut *(État des É.-U.).*

Cons. Conservative conservateur *m.*

Corn. Cornwall *(comté d'Angleterre).*

Corp. Corporal caporal *m.*

cp. compare comparer.

C.P. Canadian Press *(agence d'informations canadienne).*

C.P.A. *Am.* Certified Public Accountant expert *m* comptable.

ct(s). cent(s) cent(s *pl.*) *m.*

cu(b). cubic cubique, au cube.

Cum(b). Cumberland *(comté d'Angleterre).*

c.w.o. cash with order payable à la commande.

cwt. hundredweight quintal *m.*

D

d. penny, pence *(pièce de monnaie britannique)*; died *m.,* mort.

D.A. deposit account compte *m* de dépôts.

D.A.R. *Am.* Daughters of the American Revolution Filles *f/pl.* de la révolution américaine *(union patriotique féminine).*

D.B. Day Book (livre *m*) journal *m.*

D.C. direct current courant *m* continu; District of Columbia *(district fédéral des É.-U., capitale Washington).*

D.C.L. Doctor of Civil Law Docteur *m* en droit civil.

d-d damned s..., sacré ...!

D.D. Doctor of Divinity Docteur *m* en théologie.

DDT dichloro-diphenyl-trichloro-ethane D.D.T., dichlorodiphényl-trichloréthane *m (insecticide).*

Del. Delaware *(État des É.-U.).*

dept. department dép., département *m.*

dft. draft traite *f.*

disc. discount escompte *m.*

div. dividend div., dividende *m.*

do. ditto do., dito.

doc. document document *m.*

Dors. Dorsetshire *(comté d'Angleterre).*

doz. dozen(s) Dzne, douzaine(s *pl.*) *f.*

d/p documents against payment documents *m/pl.* contre paiement.

dpt. department dép., département *m.*

dr. dra(ch)m *(poids)*; drawer tireur *m.*

Dr. Doctor D^r., docteur *m*; debtor débiteur *m.*

d.s., d/s days after sight traite: jours *m/pl.* de vue.

Dur(h). Durhamshire *(comté d'Angleterre).*

dwt. pennyweight *(poids).*

dz. dozen(s) Dzne, douzaine(s *pl.*) *f.*

E

E. east E., est *m*; eastern (de l')est; English anglais.

E. & O.E. errors and omissions excepted S.E. ou O., sauf erreur ou omission.

E.C. East Central *(district postal de Londres).*

ECE Economic Commission for Europe CEE, Commission *f* économique pour l'Europe.

ECOSOC Economic and Social Council CES, Conseil *m* Économique et Social.

ECSC European Coal and Steel Community CECA, Communauté *f* européenne du charbon et de l'acier.

Ed., ed. edition édition *f*; editor éditeur *m.*

EE., E./E. errors excepted sauf erreur.

EEC European Economic Community CEE, Communauté *f* économique européenne.

EFTA European Free Trade Association AELE, Association *f* européenne de libre échange.

e.g. exempli gratia *(latin = for instance)* p.ex., par exemple.

EMA European Monetary Agreement A.M.E., Accord *m* monétaire européen.

Enc. enclosure(s) pièce(s *pl.*) *f* jointe(s).

Eng(l). England l'Angleterre *f*; English anglais.

EPU European Payments Union UEP, Union *f* européenne de paiements.

Esq. Esquire Monsieur *m (titre de politesse).*

Ess. Essex *(comté d'Angleterre).*

etc., &c. et cetera, and so on etc., et cætera, et ainsi de suite.

EUCOM *Am.* European Command commandement *m* des troupes en Europe.

EURATOM *European Atomic Energy Community* EURATOM, Communauté *f* européenne de l'énergie atomique

exam. *examination* examen *m*.

excl. *exclusive, excluding* non compris.

ex div. *ex dividend* ex D., ex-dividende.

ex int. *ex interest* sans intérêt.

F

f. *farthing (see dictionnaire); fathom* brasse *f*, *feminine* f., feminin; *foot (feet)* pied(s *pl.*) *m*; *following* suivant.

F. *thermomètre Fahrenheit* F, Fahrenheit; *Fellow* agrégé(e *f*) *m*, membre *m* (*d'une société savante*).

F.A. *Football Association* Association *f* du football.

f.a.a. *free of all average* franc de toute avarie.

Fahr. *thermomètre Fahrenheit* F, Fahrenheit.

FAO *Food and Agriculture Organization* OAA, Organisation *f* pour l'alimentation et l'agriculture.

f.a.s. *free alongside ship* F.A.S., franco à quai.

FBI *Federation of British Industries* fédération *f* des industries britanniques; *Federal Bureau of Investigation (service du département de la Justice des É.-U. qui est à la charge de la police fédérale)*.

F.C.C. *Am. Federal Communications Commission* Comité *m* fédéral des communications.

Fla. *Florida (État des É.-U.)*.

fm. *fathom* brasse *f*.

F.O. *Foreign Office* Ministère *m* britannique des Affaires étrangères.

f.o.b. *free on board* F.A.B., franco à bord.

fo(l). *folio* folio *m*, feuillet *m*.

f.o.q. *free on quay* F.O.Q., franco à quai.

f.o.r. *free on rail* F.O.R., franco sur rail.

f.o.t. *free on truck* F.O.T., franco en wagon.

f.o.w. *free on waggon* F.O.W., franco en wagon.

F.P. *fire-plug* bouche *f* d'incendie.

Fr. *France* la France *f*; *French* français.

ft. *foot (feet)* pied(s *pl.*) *m*.

FTC *Am. Federal Trade Commission* commission *f* du commerce fédéral.

fur. *furlong (mesure)*.

G

g. *gauge* mesure-étalon *f*; 🚆 écartement *m*; *gramme* gr., gramme *m*; *guinea* guinée *f* (*unité monétaire anglaise*); *grain* grain *m* (*poids*).

Ga. *Georgia (État des É.-U.)*.

G.A. *General Agent* agent *m* d'affaires; *General Assembly* assemblée *f* générale.

gal. *gallon* gallon *m*.

GATT *General Agreement on Tariffs and Trade* Accord *m* Général sur les Tarifs Douaniers et le Commerce.   [Bretagne *f*.\

G.B. *Great Britain* la Grande-\

G.B.S. *George Bernard Shaw*.

G.C.B. *(Knight) Grand Cross of the Bath* (Chevalier *m*) Grand-croix *f* de l'ordre du Bain.

GDR *German Democratic Republic* RDA, République *f* démocratique allemande.

gen. *generally* généralement.

Gen. *General* Gal, général *m*.

GFR *German Federal Republic* RFA, République *f* fédérale d'Allemagne.

gi. *gill* gill *m*.

G.I. *government issue* fourni par le gouvernement; *fig.* le soldat amé-\

gl. *gill* gill *m*   [ricain.\

G.L.C. *Greater London Council (conseil municipal de Londres)*.

Glos. *Gloucestershire (comté d'Angleterre)*.

G.M.T. *Greenwich mean time* T.U., temps universel.

gns. *guineas* guinées *f/pl.* (*unité monétaire anglaise*).

G.O.P. *Am. Grand Old Party (le parti républicain)*.

G.P. *general practitioner* médecin *m* de médecine générale.

G.P.O. *General Post Office* bureau *m* central des postes.

gr. *grain* grain *m* (*poids*); *gross* brut; grosse *f*.

gr.wt. *gross weight* poids *m* brut.

gs. *guineas* guinées *f/pl.* (*unité monétaire anglaise*)

Gt.Br. *Great Britain* la Grande-Bretagne *f*.

guar. *guaranteed* avec garantie.

H

h. hour(s) h., heure(s pl.) f.

Hants. Hampshire (comté d'Angleterre).

H.B.M. His (Her) Britannic Majesty Sa Majesté f britannique.

H.C. House of Commons Chambre f des Communes.

H.C.J. Brit. High Court of Justice Haute Cour f de Justice.

H.E. high explosive haut explosif; His Excellency Son Excellence f.

Heref. Herefordshire (comté d'Angleterre).

Herts. Hertfordshire (comté d'Angleterre).

hf. half demi.

hhd. hogshead fût m.

H.I. Hawaiian Islands les Hawaii f/pl. (État des É.-U.).

H.L. House of Lords Chambre f des Lords.

H.M. His (Her) Majesty S.M., Sa Majesté f.

H.M.S. His (Her) Majesty's Service service m de Sa Majesté (marque des administrations nationales, surt. pour la franchise postale); His (Her) Majesty's Ship le navire m de guerre ...

H.O. Home Office Ministère m britannique de l'Intérieur.

Hon. Honorary honoraire; Honourable l'honorable (titre de politesse ou de noblesse).

H.P., h.p. horse-power ch, c.v., cheval-vapeur m; high pressure haute pression f; hire purchase vente f à tempérament.

H.Q., Hq. Headquarters quartier m général, état-major m.

H.R. Am. House of Representatives Chambre f des Représentants.

H.R.H. His (Her) Royal Highness S.A.R., Son Altesse f Royale.

hrs. hours heures f/pl.

H.T., h.t. high tension haute tension f.

Hunts. Huntingdonshire (comté d'Angleterre).

I

I. Island, Isle île f; Idaho (État des É.-U.).

Ia. Iowa (État des É.-U.).

IAAF International Amateur Athletic Federation FIAA, Fédération f internationale d'athlétisme amateur.

IATA International Air Transport Association Association f internationale des transports aériens.

I.B. Invoice Book livre m des achats.

ib(id). ibidem (latin = in the same place) ibid., ibidem.

ICAO International Civil Aviation Organization OACI, Organisation f de l'aviation civile internationale.

ICFTU International Confederation of Free Trade Unions CISL, Confédération f internationale des syndicats libres.

ICPO International Criminal Police Organization OIPC, INTERPOL, Organisation f internationale de police criminelle.

ICRC International Committee of the Red Cross CICR, Comité m international de la Croix-Rouge.

id. idem (latin = the same author ou word) id., idem.

I.D. Intelligence Department service m des renseignements.

Id(a). Idaho (État des É.-U.).

i.e. id est (latin = that is to say) c.-à-d., c'est-à-dire.

IFT International Federation of Translators FIT, Fédération f internationale des traducteurs.

I.H.P., i.h.p. indicated horse-power chevaux m/pl. indiqués.

Ill. Illinois (État des É.-U.).

ILO International Labo(u)r Organization OIT, Organisation f internationale du travail.

IMF International Monetary Fund FMI, Fonds m monétaire international.

in. inch(es) pouce(s pl.) m.

Inc. Incorporated associés m/pl. (après un nom de société), Am. S.A., société f anonyme; inclosure pièce f jointe.

incl. inclusive, including inclusivement; y compris; ... compris.

incog. incognito incognito.

Ind. Indiana (État des É.-U.).

I.N.S. International News Service agence f d'informations internationale.

inst. instant c^t, courant, de ce mois.

IOC International Olympic Committee CIO, Comité m international olympique.

I.O.U. *I owe you* reconnaissance *f* de dette.

IPA *International Phonetic Association* API, Association *f* phonétique internationale.

I.Q. *intelligence quotient* quotient *m* intellectuel.

Ir. *Ireland* l'Irlande *f*; *Irish* irlandais.

IRC *International Red Cross* CRI, Croix-Rouge *f* internationale.

IRO *International Refugee Organization* OIR, Organisation *f* internationale pour les réfugiés.

ISO *International Organization for Standardization* OIN, Organisation *f* internationale de normalisation.

ITO *International Trade Organization* OIC, Organisation *f* internationale du commerce.

IUS *International Union of Students* UIE, Union *f* internationale des étudiants.

IUSY *International Union of Socialist Youth* UIJS, Union *f* internationale de la jeunesse socialiste.

IVS *International Voluntary Service* SCI, Service *m* civil international.

I.W.W. *Industrial Workers of the World* Confédération *f* mondiale des ouvriers industriels.

IYHF *International Youth Hostel Federation* FIAJ, Fédération *f* internationale des auberges de la jeunesse.

J

J. *judge* juge *m*; *justice* justice *f*; juge *m*.

J.C. *Jesus Christ* J.-C., Jésus-Christ.

J.P. *Justice of the Peace* juge *m* de paix.

Jr. *junior* (*latin* = *the younger*) cadet; fils; jeune.

Jun(r). *junior* (*latin* = *the younger*) cadet; fils.

K

Kan(s). *Kansas* (*État des É.-U.*).

K.C. *Knight Commander* Chevalier *m* Commandeur; *Brit.* *King's Counsel* conseiller *m* du Roi (*approx. avocat général*).

K.C.B. *Knight Commander of the Bath* Chevalier *m* Commandeur de l'ordre du Bain.

kg. *kilogramme* kg, kilogramme *m*.

K.K.K. *Ku Klux Klan* (*association secrète de l'Amérique du Nord hostile aux Noirs*).

km. *kilometre* km, kilomètre *m*.

k.o., KO *knock(ed) out* K.-O., knock-out.

k.v. *kilovolt* kV, kilovolt *m*.

k.w. *kilowatt* kW, kilowatt *m*.

Ky. *Kentucky* (*État des É.-U.*).

L

l. *left* gauche; *line* ligne *f*; *vers m*; *link* (*mesure*); *litre* l, litre *m*.

£ *pound sterling* livre *f* sterling (*unité monétaire britannique*).

La. *Louisiana* (*État des É.-U.*).

Lancs. *Lancashire* (*comté d'Angleterre*).

lat. *latitude* lat., latitude *f*.

lb. *pound* livre *f* (*poids*).

L.C. *letter of credit* lettre *f* de crédit.

l.c. *loco citato* (*latin* = *at the place cited*) loc. cit., loco citato.

L.C.J. *Lord Chief Justice* président *m* du Tribunal du Banc de la Reine.

Leics. *Leicestershire* (*comté d'Angleterre*).

Lincs. *Lincolnshire* (*comté d'Angleterre*).

ll. *lines* v.v., vers *m/pl.*, ll., lignes *f/pl.*

LL.D. *legum doctor* (*latin* = *Doctor of Laws*) Docteur *m* en Droit.

loc.cit. *loco citato* (*latin* = *at the place cited*) loc. cit., loco citato.

L of N *League of Nations* SDN, Société *f* des Nations.

lon(g). *longitude* longitude *f*.

l.p. *low pressure* BP, basse pression *f*.

L.P. *Labour Party* Parti *m* Travailliste.

LP *long-playing record*, *long-player* (*disque m*) microsillon *m*.

L.S.S. *Life Saving Service* service *m* américain de sauvetage.

Lt. *Lieutenant* Lt, Lieut., lieutenant *m*.

L.T., l.t. *low tension* BT, basse tension *f*.

Lt.-Col. *Lieutenant-Colonel* Lt-Col., lieutenant-colonel *m*.

Ltd. *limited* à responsabilité limitée (*après un nom de société*).

Lt.-Gen. *Lieutenant-General* général *m* de corps d'armée

M

m *minim* (*mesure*).

m. *masculin* m., masculin; *metre* m, mètre *m*; *mile* mille *m*; *minute* mn, minute *f*.

M.A. *Master of Arts* Maître *m* ès Arts; diplômé(e *f*) *m* d'études supérieures.

Maj. *Major* commandant *m*.

Maj.-Gen. *Major-General* général *m* de brigade.

Mass. *Massachusetts* (*État des É.-U.*).

M.C. *Master of Ceremonies* maître *m* des cérémonies; *Am. Member of Congress* membre *m* du Congrès.

MCH *Maternal and Child Health* PMI, Protection *f* maternelle et infantile.

M.D. *medicinae doctor* (*latin = Doctor of Medicine*) Docteur *m* en Médecine.

Md. *Maryland* (*État des É.-U.*).

Me. *Maine* (*État des É.-U.*).

mg. *milligramme* mg, milligramme *m*.

mi. *mile* mille *m*.

Mich. *Michigan* (*État des É.-U.*).

Min. *minute* mn, minute *f*.

Minn. *Minnesota* (*État des É.-U.*).

Miss. *Mississippi* (*État des É.-U.*).

mm. *millimetre* mm, millimètre *m*.

Mo. *Missouri* (*État des É.-U.*).

M.O. *money order* mandat-poste *m*.

Mont. *Montana* (*État des É.-U.*).

MP, M.P. *Member of Parliament* membre *m* de la Chambre des Communes; *Military Police* P.M., police *f* militaire.

m.p.h. *miles per hour* milles *m/pl.* à l'heure (*vitesse horaire*).

Mr. *Mister* M., Monsieur *m*.

Mrs. *Mistress* Mme, Madame *f*.

MS. *manuscript* ms, manuscrit *m*.

M.S. *motorship* M/S, navire *m* à moteur Diesel.

MSA *Mutual Security Agency* organisation *f* américaine de sécurité mutuelle.

MSS *manuscripts* mss, manuscrits *m/pl.*

mt. *megaton* mégatonne *f*.

Mt. *Mount* mont *m*.

Mx. *Middlesex* (*comté d'Angleterre*).

N

N. *north* N., nord *m*; *northern* (du) nord.

N.A.A.F.I. *Navy, Army and Air Force Institutes* (*cantines organisées à l'intention des troupes britanniques*).

NATO *North Atlantic Treaty Organization* OTAN, Organisation *f* du traité de l'Atlantique Nord.

N.B.C. *National Broadcasting Corporation* (*radiodiffusion-télévision américaine*).

N.C. *North Carolina* (*État des É.-U.*).

N.C.B. *Brit. National Coal Board* Office *m* national du charbon.

n.d. *no date* s.d., sans date.

N.D(ak). *North Dakota* (*État des É.-U.*).

N.E. *northeast* N.E., nord-est *m*; *northeastern* (du) nord-est.

Neb(r). *Nebraska* (*État des É.-U.*).

Nev. *Nevada* (*État des É.-U.*).

N.F., n/f. *no funds* défaut *m* de provision.

N.H. *New Hampshire* (*État des É.-U.*).

N.J. *New Jersey* (*État des É.-U.*).

N.M(ex). *New Mexico* (*État des É.-U.*).

No. *numero* N⁰, n⁰, numéro *m*; *number* nombre *m*; *north* N., nord *m*.

Norf. *Norfolk* (*comté d'Angleterre*).

Northants. *Northamptonshire* (*comté d'Angleterre*).

Northumb. *Northumberland* (*comté d'Angleterre*).

Notts. *Nottinghamshire* (*comté d'Angleterre*).

n.p. or d. *no place or date* s.l.n.d., sans lieu ni date.

N.S.P.C.A. *Brit. National Society for the Prevention of Cruelty to animals* S.P.A., Société *f* protectrice des animaux

Nt.wt. *net weight* poids *m* net.

N.U.M. *Brit. National Union of Mineworkers* Syndicat *m* national des mineurs.

N.W. *northwest* N.O., N.W., nord-ouest; *northwestern* (du) nord-ouest.

N.Y. *New York* (*État des É.-U.*).

N.Y.C. *New York City* ville *f* de New York.

N.Z. *New Zealand* la Nouvelle-Zélande *f*.

O

O. Ohio (État des É.-U.); order ordre m.

o/a on account P.C., Pour-compte.

ob. obiit (latin = died) décédé.

OECD Organization for Economic Co-operation and Development OCED, Organisation f de coopération économique et de développement.

EEC Organization for European Economic Cooperation OECE, Organisation f européenne de coopération économique.

O.H. on hand en magasin.

O.H.M.S. On His (Her) Majesty's Service (pour le) service m de Sa Majesté (marque des administrations nationales, surt. pour la franchise postale).

O.K. (peut-être de) all correct très bien, d'accord.

Okla. Oklahoma (État des É.-U.).

o.r. owner's risk aux risques et périls du propriétaire.

Ore(g). Oregon (État des É.-U.).

Oxon. Oxfordshire (comté d'Angleterre).

oz. ounce(s) once(s pl.) f.

P

p. pole, perch perche f.

p.a. per annum (latin = yearly) par an.

Pa. Pennsylvania (État des É.-U.).

P.A.A. Pan American Airways (compagnie aérienne américaine).

par. paragraph paragraphe m, alinéa m.

P.A.Y.E. Brit. pay as you earn impôt m retenu à la source.

P.C. post-card carte f postale; police constable gardien m de la paix, policeman m.

p.c. per cent P.C., pour-cent.

p/c price current P.C., prix m courant.

P.D. Police Department police f; a. p.d. per diem (latin = by the day) par jour.

P.E.N. usu. PEN Club Poets, Playwrights, Editors, Essayists and Novelists Union f internationale PEN (fédération internationale d'écrivains).

Penn(a). Pennsylvania (État des É.-U.).

Per pro(c). per procurationem (latin = by proxy) par procuration.

P.f.c. Am. private first class caporal m.

Ph.D. Philosophiae Doctor (latin = Doctor of Philosophy) Docteur m en Philosophie.

pk. peck (mesure).

P./L. profit and loss profits et pertes.

p.m. post meridiem (latin = after noon) de l'après-midi.

P.O. Post Office bureau m de poste; postal order mandat-poste m.

P.O.B. Post Office Box boîte f postale.

p.o.d. pay on delivery contre remboursement.

P.O.O. Post Office Order mandat-poste m.

P.O.S.B. Post Office Savings Bank caisse f d'épargne postale.

P.O.W. Prisoner of War P.G., prisonnier m de guerre.

p.p. per procurationem (latin = by proxy) par procuration.

Prof. Professor professeur m.

prox. proximo (latin = next month) du mois prochain.

P.S. postscript P.-S., post-scriptum m; Passenger Steamer paquebot m.

pt. pint pinte f.

P.T.A. Parent-Teacher Association Association f professeurs-parents.

Pte. Private soldat m de 1ère ou de 2ème classe.

P.T.O., p.t.o. please turn over T.S.V.P., tournez, s'il vous plaît.

Pvt. Private soltat m de 1ère ou de 2ème classe.

P.W. Prisoner of War P.G., prisonnier m de guerre.

PX Post Exchange (cantines de l'armée américaine).

Q

q. query question f.

Q.C. Brit. Queen's Counsel conseiller m de la Reine (approx. avocat général).

qr. quarter quarter m.

qt. quart (approx.) litre m.

qu. query question f.

quot. quotation cours m.

qy. query question f.

R

R. *River* rivière *f*; fl., fleuve *m*; *Road* r., rue *f*; *thermomètre*: Réaumur R, Réaumur.

r. *right* dr., droit, à droite.

R.A. *Royal Academy* Académie *f* royale.

RADWAR *Am. radiological warfare* guerre *f* atomique.

R.A.F. *Royal Air Force* armée *f* de l'air britannique.

R.C. *Red Cross* C.R., Croix-Rouge *f*.

rd. *rod (mesure)*.

Rd. *Road* r., rue *f*.

recd. *received* reçu.

ref(c). *(In) reference (to)* faisant suite à; mention *f*.

regd. *registered* déposé; *poste*: recommandé.

reg.tn. *register(ed) tonnage* tonnage *m* enregistré.

ret. *retired* retraité, à la retraite.

Rev. *Reverend* Révd., Révérend.

R.I. *Rhode Island (État des É.-U.)*.

R.L.O. *Brit. Returned Letter Office* retour *m* à l'envoyeur.

R.N. *Royal Navy* Marine *f* britannique.

R.P. *reply paid* R.P., réponse *f* payée.

r.p.m. *revolutions per minute* t.p.m., tours *m/pl.* par minute.

R.R. *Am. Railroad* ch.d.f., chemin *m* de fer.

R.S. *Brit. Royal Society* Société *f* royale.

Rt. Hon. *Right Honourable* le très honorable.

Rutl. *Rutlandshire (comté d'Angleterre)*.

Ry. *Brit. Railway* Ch.d.f., chemin *m* de fer.

S

S. *South* S., sud *m*; *Southern* (du) sud.

s. *second* s, seconde *f*; *shilling* shilling *m*.

S.A. *South Africa* l'Afrique *f* du Sud; *South America* l'Amérique *f* du Sud; *Salvation Army* Armée *f* du Salut.

SACEUR *Supreme Allied Commander Europe* Commandant *m* Suprême des Forces Alliées en Europe.

SACLANT *Supreme Allied Commander Atlantic* Commandant *m* Suprême des Forces Alliées de l'Atlantique.

Salop. *Shropshire (comté d'Angleterre)*.

Sask. *Saskatchewan (province du Canada)*.

S.B. *Sales Book* livre *m* de(s) vente(s).

S.C. *South Carolina (État des É.-U.)*; *Security Council* Conseil *m* de Sécurité.

S.D(ak). *South Dakota (État des É.-U.)*.

S.E. *Southeast* S.E., sud-est *m*; *southeastern* (du) sud-est; *Stock Exchange* Bourse *f*.

SEATO *South East Asia (Collective Defense) Treaty Organisation* O.T.A.S.E., Organisation *f* du traité de (défense collective pour) l'Asie du Sud-Est.

sec. *second* s, seconde *f*.

SG *Secretary General* SG, Secrétaire *m* général.   [aîné, père.|

sen(r). *senior (latin = the elder)}*

S(er)gt. *Sergeant* Sgt, sergent *m*.

sh. *shilling* shilling *m*.

SHAPE *Supreme Headquarters Allied Powers Europe* Quartiers *m/pl.* Généraux des Forces Alliées en Europe.

S.M. *Sergeant-Major* Sergent-major *m*.

S.N. *shipping note* note *f* d'expédition.

Soc. *society* société *f*, association *f*.

Som(s). *Somersetshire (comté d'Angleterre)*.

SOS *S.O.S. (signal de détresse)*.

sov. *sovereign* souverain *m (pièce de monnaie britannique)*.

sp.gr. *specific gravity* gravité *f* spécifique.

S.P.Q.R. *small profits, quick returns* à petits bénéfices, vente rapide.

Sq. *Square* place *f*.

sq. *square* ... carré.   [père.|

Sr. *senior (latin = the elder)* aîné,|

S.S. *steamship* S/S, navire *m* à vapeur.

st. *stone (poids)*.

St. *Saint* St(e *f*), saint(e *f*); *Street* r., rue *f*; *Station* gare *f*.

Staffs. *Staffordshire (comté d'Angleterre)*.

S.T.D. *Brit. subscriber trunk dialling service* *m* automatique interurbain.

St. Ex. *Stock Exchange* Bourse *f*.

stg. *sterling* sterling *m (unité monétaire britannique)*.

sub. *substitute* succédané *m*.

Suff. *Suffolk* (*comté d'Angleterre*).
suppl. *supplement* supplément *m.*
Suss. *Sussex* (*comté d'Angleterre*).
S.W. *southwest* S.-O., sud-ouest; *southwestern* (du) sud-ouest.
Sy. *Surrey* (*comté d'Angleterre*).

T

t. *ton* tonne *f.*
TB *tuberculosis* TB, tuberculose *f.*
TC *Trusteeship Council of the United Nations* Conseil *m* de tutelle des Nations Unies.
T.D. *Treasury Department* Ministère *m* américain des Finances.
Tenn. *Tennessee* (*État des É.-U.*).
Tex. *Texas* (*État des É.-U.*).
tgm. *telegram* télégramme *m.*
T.G.W.U. *Brit. Transport General Workers' Union* Confédération *f* des employés d'entreprises de transport.
T.M.O. *telegraph money order* mandat *m* télégraphique.
TNT *trinitrotoluene* trinitrotoluène *m.*
T.O. *Telegraph* (*Telephone*) *Office* bureau *m* télégraphique (téléphonique).
t.o. *turn-over* chiffre *m* d'affaires.
T.P.O. *Travelling Post Office* poste *f* ambulante.
T.U. *Trade*(*s*) *Union*(*s*) syndicat(s *pl.*) *m* ouvrier(s).
T.U.C. *Brit. Trade*(*s*) *Union Congress* (*approx.*) C.G.T., Confédération *f* générale du travail.
TV. *television* T.V., télévision *f.*
T.V.A. *Tennessee Valley Authority* (*organisation pour l'exploitation de la vallée de la rivière Tennessee*).
T.W.A. *Trans World Airlines* (*compagnie aérienne américaine*).

U

U.H.F. *ultra-high frequency* UHF, ultra haute fréquence *f.*
U.K. *United Kingdom* Royaume-Uni *m.*
ult. *ultimo* (*latin = last day of the month*) dernier, du mois dernier.
UMW *Am. United Mine Workers* Syndicat *m* des mineurs.
U.N. *United Nations* O.N.U., Organisation *f* des Nations Unies.
UNESCO *United Nations Educa-*

tional, Scientific, and Cultural Organization UNESCO, Organisation *f* des Nations Unies pour l'Éducation, la Science et la Culture.
UNICEF *United Nations International Children's Emergency Fund* FISE, Fonds *m* International de Secours aux Enfants.
UPI *United Press International* (*agence d'informations américaine*).
U.S.(**A.**) *United States* (*of America*) É.-U., États-Unis *m/pl.* (d'Amérique).
USAF(**E**) *United States Air Force* (*Europe*) armée *f* de l'air des É.-U. (en Europe).
U.S.S.R. *Union of Socialist Soviet Republics* U.R.S.S., Union *f* des Républiques Socialistes Soviétiques.
Ut. *Utah* (*État des É.-U.*).

V

v. *verse* v., vers *m*, verset *m*; *versus* (*latin = against*) contre; *vide* (*latin* = *see*) v., voir, voyez.
V *volt* V, volt *m.*
Va. *Virginia* (*État des É.-U.*).
V.D. *venereal disease* M.V., maladie *f* vénérienne.
VHF *very high frequency* OTC, onde *f* très courte.
V.I.P. *very important person* personnage *m* important.
Vis. *viscount*(*ess*) vicomte(sse *f*) *m.*
viz. *videlicet* (*latin = namely*) à savoir; c.-à-d., c'est-à-dire.
vol. *volume* t., tome *m*, vol., volume *m.*
vols. *volumes* tomes *m/pl.*, volumes *m/pl.*
V.S. *veterinary surgeon* vétérinaire *m.*
Vt. *Vermont* (*État des É.-U.*).
V.T.O.(**L.**) *vertical take-off* (*and landing*) (*aircraft*) A.D.A.V., avion *m* à décollage et atterrissage vertical.
v.v. *vice versa* (*latin = conversely*) vice versa, réciproquement.

W

W *watt* W, watt *m.*
W. *west* O., W., ouest *m*; *western* (de l')ouest.
War. *Warwickshire* (*comté d'Angleterre*).

Wash. Washington (*État des É.-U.*).

W.C. West Central (*district postal de Londres*); water-closet W.-C., water-closet *m*.

WCC World Council of Churches COE, Conseil *m* œcuménique des églises.

WFPA World Federation for the Protection of Animals FMPA, Fédération *f* mondiale pour la protection des animaux.

WFTU World Federation of Trade Unions F.S.M., Fédération *f* syndicale mondiale.

WHO World Health Organization OMS, Organisation *f* mondiale de la Santé.

W. I. West Indies Indes *f*/*pl.* occidentales.

Wilts. Wiltshire (*comté d'Angleterre*).

Wis. Wisconsin (*État des É.-U.*).

W/L., w.l. wave length longueur *f* d'onde.

W.O.M.A.N. World Organization of Mothers of All Nations Organisation *f* mondiale des mères de famille.

Worcs. Worcestershire (*comté d'Angleterre*).

W.S.R. World Students' Relief service *m* international de secours aux étudiants.

W/T wireless telegraphy (telephony) T.S.F., Télégraphie *f* (Téléphonie *f*) sans Fil.

wt. weight poids *m*.

W. Va. West Virginia (*État des É.-U.*).

Wyo. Wyoming (*État des É.-U.*).

X

x.-d. ex dividend ex D., ex-dividende.

Xmas Christmas Noël *f*.

Xt. Christ le Christ, Jésus-Christ *m*.

Y

yd. yard(s) yard (*pl.*) *m*.

YMCA Young Men's Christian Association UCJG, Union *f* chrétienne de jeunes gens.

Yorks. Yorkshire (*comté d'Angleterre*).

YWCA Young Women's Christian Association Union *f* chrétienne féminine.

Numerals
Nombres

Cardinal Numbers — Nombres cardinaux

0	nought, zero, cipher *zéro*	50	fifty *cinquante*
1	one *un, une*	60	sixty *soixante*
2	two *deux*	70	seventy *soixante-dix*
3	three *trois*	71	seventy-one *soixante et onze*
4	four *quatre*	72	seventy-two *soixante-douze*
5	five *cinq*	80	eighty *quatre-vingts*
6	six *six*	81	eighty-one *quatre-vingt-un*
7	seven *sept*	90	ninety *quatre-vingt-dix*
8	eight *huit*	91	ninety-one *quatre-vingt-onze*
9	nine *neuf*	100	a *ou* one hundred *cent*
10	ten *dix*	101	one hundred and one *cent un*
11	eleven *onze*	200	two hundred *deux cents*
12	twelve *douze*	211	two hundred and eleven *deux cent onze*
13	thirteen *treize*		
14	fourteen *quatorze*	1000	a *ou* one thousand *mille*
15	fifteen *quinze*	1001	one thousand and one *mille un*
16	sixteen *seize*	1100	eleven hundred *onze cents*
17	seventeen *dix-sept*	1967	nineteen hundred and sixty-seven *dix-neuf cent soixante-sept*
18	eighteen *dix-huit*		
19	nineteen *dix-neuf*		
20	twenty *vingt*	2000	two thousand *deux mille*
21	twenty-one *vingt et un*	1 000 000	a *ou* one million *un million*
22	twenty-two *vingt-deux*	2 000 000	two million *deux millions*
30	thirty *trente*	1 000 000 000	a *ou* one milliard, *Am.* one billion *un milliard*
40	forty *quarante*		

Ordinal Numbers — Nombres ordinaux

1.	first *le premier, la première*	17.	seventeenth *dix-septième*
2.	second *le ou la deuxième, le second, la seconde*	18.	eighteenth *dix-huitième*
		19.	nineteenth *dix-neuvième*
3.	third *troisième*	20.	twentieth *vingtième*
4.	fourth *quatrième*	21.	twenty-first *vingt et unième*
5.	fifth *cinquième*	22.	twenty-second *vingt-deuxième*
6.	sixth *sixième*	30.	thirtieth *trentième*
7.	seventh *septième*	31.	thirty-first *trente et unième*
8.	eighth *huitième*	40.	fortieth *quarantième*
9.	ninth *neuvième*	41.	forty-first *quarante et unième*
10.	tenth *dixième*	50.	fiftieth *cinquantième*
11.	eleventh *onzième*	51.	fifty-first *cinquante et unième*
12.	twelfth *douzième*	60.	sixtieth *soixantième*
13.	thirteenth *treizième*	61.	sixty-first *soixante et unième*
14.	fourteenth *quatorzième*	70.	seventieth *soixante-dixième*
15.	fifteenth *quinzième*	71.	seventy-first *soixante et onzième*
16.	sixteenth *seizième*		

72. seventy-second *soixante-douzième*	**91.** ninety-first *quatre-vingt-onzième*
80. eightieth *quatre-vingtième*	**100.** (one) hundredth *centième*
81. eighty-first *quatre-vingt-unième*	**101.** hundred and first *cent unième*
90. ninetieth *quatre-vingt-dixième*	**200.** two hundredth *deux centième*
	1000. (one) thousandth *millième*

Fractions — Fractions

$^1/_2$ one half (*un*) *demi*; (the) half *la moitié*

$1^1/_2$ one and a half *un et demi*

$^1/_3$ one third *un tiers*

$^2/_3$ two thirds *deux tiers*

$^1/_4$ one quarter *un quart*

$^3/_4$ three quarters (*les*) *trois quarts*

$^1/_5$ one fifth *un cinquième*

$^5/_8$ five eighths (*les*) *cinq huitièmes*

$^9/_{10}$ nine tenths (*les*) *neuf dixièmes*

0.45 point four five *zéro, virgule, quarante-cinq*

17.38 seventeen point three eight *dix-sept, virgule, trente-huit*

British and American weights and measures

Mesures britanniques et américaines

Linear Measures — Mesures de longueur

1 inch (in.)
= 2,54 cm
1 foot (ft.)
= 12 inches = 30,48 cm
1 yard (yd.)
= 3 feet = 91,44 cm
1 link (l.)
= 7.92 inches = 20,12 cm

1 rod (rd.), pole *ou* **perch (p.)**
= 25 links = 5,03 m
1 chain (ch.)
= 4 rods = 20,12 m
1 furlong (fur.)
= 10 chains = 201,17 m
1 (statute) mile (mi.)
= 8 furlongs = 1609,34 m

Nautical Measures — Mesures nautiques

1 fathom (fm.)
= 6 feet = 1,83 m
1 cable's length
= 100 fathoms = 183 m

Am. 120 fathoms
= 219 m
1 nautical mile (n.m.)
= 10 cables' length = 1852 m

Square Measures — Mesures de surface

1 square inch (sq. in.)
= 6,45 cm^2
1 sqare foot (sq. ft.)
= 144 square inches
= 929,03 cm^2
1 square yard (sq. yd.)
= 9 square feet = 0,836 m^2

1 square rod (sq. rd.)
= 30.25 square yards = 25,29 m^2
1 rood (ro.)
= 40 square rods = 10,12 ares
1 acre (a.)
= 4 rods = 40,47 ares
1 square mile (sq. mi.)
= 640 acres = 2,59 km^2

Cubic Measures — Mesures de volume

1 cubic inch (cu. in.)
= 16,387 cm^3
1 cubic foot (cu. ft.)
= 1728 cubic inches
= 0,028 m^3

1 cubic yard (cu. yd.)
= 27 cubic feet = 0,765 m^3
1 register ton (reg. tn.)
= 100 cubic feet
= 2,832 m^3

British Measures of Capacity — Mesures de capacité britanniques

1 gill (gi., gl.)
= 0,142 l
1 pint (pt.)
= 4 gills = 0,568 l

1 quart (qt.)
= 2 pints = 1,136 l
1 gallon (gal.)
= 4 quarts = 4,546 l

1 peck (pk.)
  = 2 gallons = 9,092 l
1 bushel (bu., bsh.)
  = 4 pecks = 36,36 l

1 quarter (qr.)
  = 8 bushels = 290,94 l
1 barrel (bbl., bl.)
  = 36 gallons = 1,636 hl

U.S. Measures of Capacity — Mesures de capacité américaines

1 dry pint
  = 0,550 l
1 dry quart
  = 2 dry pints = 1,1 l
1 peck
  = 8 dry quarts = 8,81 l
1 bushel
  = 4 pecks = 35,24 l
1 liquid gill
  = 0,118 l

1 liquid pint
  = 4 liquid gills = 0,473 l
1 liquid quart
  = 2 liquid pints = 0,946 l
1 gallon
  = 4 liquid quarts = 3,785 l
1 barrel
  = 31.50 gallons = 119 l
1 barrel petroleum
  = 42 gallons = 158,97 l

Apothecaries' Fluid Measures — Mesures pharmaceutiques

1 minim (min., m.)
  = 0,0006 dl
1 fluid drachm, *Am.* dram
(dr. fl.)
  = 60 minims = 0,0355 dl

1 fluid ounce (oz. fl.)
  = 8 fluid drachms = 0,284 dl
1 pint (pt.)
  Brit. = 20 fluid ounces = 0,586 l
  Am. = 16 fluid ounces = 0,473 l

Avoirdupois Weight — Poids (système avoirdupois)

1 grain (gr.)
  = 0,0684 g
1 drachm, *Am.* dram (dr. av.)
  = 27.34 grains = 1,77 g
1 ounce (oz. av.)
  = 16 drachms = 28,35 g
1 pound (lb. av.)
  = 16 ounces = 0,453 kg
1 stone (st.)
  = 14 pounds = 6,35 kg
1 quarter (qr.)

  Brit. = 28 pounds = 12,70 kg
  Am. = 25 pounds = 11,34 kg
1 hundredweight (cwt.)
  Brit. = 112 pounds = 50,80 kg
  Am. = 100 pounds = 45,36 kg
1 long ton (tn. l.)
  Brit. = 20 hundredweights
  = 1016 kg
1 short ton (tn. sh.)
  Am. = 20 hundredweights
  = 907,18 kg

Troy and Apothecaries' Weight — Poids (système troy) et poids pharmaceutiques

1 grain (gr.)
  =0,0684 g
1 scruple (s. ap.)
  = 20 grains = 1,296 g
1 pennyweight (dwt.)
  = 24 grains = 1,555 g

1 drachm, *Am.* dram (dr. t., dr. ap.)
  = 3 scruples = 3,888 g
1 ounce (oz. ap.)
  = 8 drachms = 31,104 g
1 pound (lb. t., lb. ap.)
  = 12 ounces = 0,373 kg

Conjugations of English verbs

Conjugaisons des verbes anglais

a) Conjugaison régulière faible

L'actif du présent de l'indicatif a la forme de l'infinitif. La 3e personne du singulier se termine par **...s**. Après une consonne sonore, cet **s** se sonorise; p.ex. *he sends* [sendz]; après une consonne sourde, il est sourd; p.ex. *he paints* [peints]; après une sifflante, suivie d'un **e** muet ou non, elle se termine par **...es**, prononcé [iz]; p.ex. *he catches* ['kætʃiz], *wishes* ['wiʃiz], *passes* ['pɑːsiz], *judges* ['dʒʌdʒiz], *rises* ['raiziz]. Les verbes terminés par **...o** précédé d'une consonne la forment en **...es**, prononcé [z]; p.ex. *he goes* [gouz].

Le prétérit et le participe passé se forment en ajoutant **...ed**, ou, après **e**, **...d** seulement, à l'infinitif; p.ex. *fetched* [fetʃt], mais *agreed* [əˈɡriːd], *judged* [dʒʌdʒd]. La terminaison **...ed** se prononce [d] après un radical sonore; p.ex. *arrived* [əˈraivd], *judged* [dʒʌdʒd]. Ajoutée à la fin d'un radical sourd, elle se prononce [t]; p.ex. *liked* [laikt]. Après les verbes se terminant par **...d**, **...de**, **...t** et **...te** cet **...ed** se prononce [id]; p.ex. *mended* ['mendid], *glided* ['glaidid], *painted* ['peintid], *hated* ['heitid].

La terminaison du participe présent et du gérondif se rend par **...ing**. Les verbes terminés par **...ie** les forment en **...ying**; p.ex. *lie* [lai]: *lying* ['laiiŋ].

Les verbes terminés par **...y** précédé d'une consonne transforment cet **y** en **i** et prennent les terminaisons **...es**, **...ed**; devant **...ing**, **y** reste inchangé; p.ex. *try* [trai]: *he tries* [traiz], *he tried* [traid], mais *trying* ['traiiŋ].

Un **e** muet à la fin d'un verbe tombe devant **...ed** ou **...ing**; p.ex. *loved* [lʌvd], *loving* ['lʌviŋ]. Des cas exceptionnels sont *dyeing* ['daiiŋ] de *dye* [dai] et *shoeing* ['ʃuːiŋ] de *shoe* [ʃuː]. Pour des raisons phonétiques *singe* [sindʒ] a *singeing* ['sindʒiŋ] comme participe présent.

Les verbes terminés par une consonne simple précédée d'une seule voyelle accentuée, ou les verbes terminés par **r** simple, précédé d'une seule voyelle longue, redoublent leur consonne finale devant les terminaisons **...ed** et **...ing**; p.ex.

to lob [lɔb]	*lobbed* [lɔbd]	*lobbing* ['lɔbiŋ]
to wed [wed]	*wedded* ['wedid]	*wedding* ['wediŋ]
to beg [beg]	*begged* [begd]	*begging* ['begiŋ]
to step [step]	*stepped* [stept]	*stepping* ['stepiŋ]
to quit [kwit]	*quitted* ['kwitid]	*quitting* ['kwitiŋ]
to compel [kəmˈpel]	*compelled* [kəmˈpeld]	*compelling* [kəmˈpeliŋ]
to bar [bɑː]	*barred* [bɑːd]	*barring* ['bɑːriŋ]
to stir [stəː]	*stirred* [stəːd]	*stirring* ['stəːriŋ]

Dans les verbes terminés par ...l ou ...p, précédé d'une seule voyelle simple, inaccentuée, le redouble- ment se fait si l'on écrit le mot à l'anglaise, et ne se fait pas générale- ment si on l'écrit à l'américaine:

to travel ['trævl]	travelled ['trævld]	travelling ['trævliŋ]
to worship ['wɔːʃip]	worshipped ['wɔːʃipt]	worshipping ['wɔːʃipiŋ]

Les verbes terminés par ...c transforment ce c en ck devant ...ed et ...ing; p.ex. to traffic ['træfik] trafficked ['træfikt] trafficking ['træfikiŋ].

Le subjonctif présent a la même forme que l'indicatif, à l'exception de la 3e personne du singulier qui ne prend pas d's. Au prétérit il correspond à l'indicatif.

Les temps composés se forment à l'aide de l'auxiliaire to have, plus le participe passé.

Le passif se forme à l'aide de l'auxiliaire to be, plus le participe passé.

b) Liste des verbes forts et des verbes faibles irréguliers

La première forme en caractère gras indique le présent (present); après le premier tiret, on trouve le passé simple (preterite), après le deuxième tiret, le participe passé (past participle).

abide - abode - abode

arise - arose - arisen

awake - awoke - awoke, awaked

be (am, is, are) - was (were) - been

bear - bore - borne porté, born né

beat - beat - beaten, beat

become - became - become

beget - begot - begotten

begin - began - begun

belay - belayed, belaid - belayed, belaid

bend - bent - bent

bereave - bereaved, bereft - bereaved, bereft

beseech - besought - besought

bestead - besteaded - bested, bestead

bestrew - bestrewed - bestrewed, bestrewn

bestride - bestrode - bestridden

bet - bet, betted - bet, betted

bid - bade, bid - bidden, bid

bind - bound - bound

bite - bit - bitten

bleed - bled - bled

blow - blew - blown

break - broke - broken

breed - bred - bred

bring - brought - brought

build - built - built

burn - burnt, burned - burnt, burned

burst - burst - burst

buy - bought - bought

can - could

cast - cast - cast

catch - caught - caught

chide - chid - chid, chidden

choose - chose - chosen

cleave - clove, cleft - cloven, cleft

cling - clung - clung

clothe - clothed, poét. clad - clothed, poét. clad

come - came - come

cost - cost - cost

creep - crept - crept

cut - cut - cut

dare - dared, durst - dared

deal - dealt - dealt

dig - dug - dug

do - did - done

draw - drew - drawn

dream - dreamt, dreamed - dreamt, dreamed

drink - drank - drunk

drive - drove - driven

dwell - dwelt - dwelt

eat - ate - eaten
fall - fell - fallen
feed - fed - fed
feel - felt - felt
fight - fought - fought
find - found - found
flee - fled - fled
fling - flung - flung
fly - flew - flown
forbear - forbore - forborne
forbid - forbad(e) - forbidden
forget - forgot - forgotten
forgive - forgave - forgiven
forsake - forsook - forsaken
freeze - froze - frozen

geld - gelded, gelt - gelded, gelt
get - got - got
gild - gilded, gilt - gilded, gilt
gird - girded, girt - girded, girt
give - gave - given
go - went - gone
grave - graved - graved, graven
grind - ground - ground
grow - grew - grown

hang - hung, hanged - hung, hanged
have (has) - had - had
hear - heard - heard
heave - heaved, ⚓ hove - heaved, ⚓ hove
hew - hewed - hewed, hewn
hide - hid - hidden, hid
hit - hit - hit
hold - held - held
hurt - hurt - hurt

keep - kept - kept
kneel - knelt, kneeled - knelt, kneeled
knit - knitted, knit - knitted, knit
know - knew - known

lade - laded - laded, laden
lay - laid - laid
lead - led - led
lean - leaned, leant - leaned, leant
leap - leaped, leapt - leaped, leapt
learn - learned, learnt - learned, learnt
leave - left - left
lend - lent - lent

let - let - let
lie - lay - lain
light - lighted, lit - lighted, lit
lose - lost - lost

make - made - made
may - might
mean - meant - meant
meet - met - met
mow - mowed - mowed, mown
must - must

ought

pay - paid - paid
pen - penned, pent - penned, pent
put - put - put

read - read - read
rend - rent - rent
rid - ridded, rid - rid, ridded
ride - rode - ridden
ring - rang - rung
rise - rose - risen
rive - rived - riven
run - ran - run

saw - sawed - sawn, sawed
say - said - said
see - saw - seen
seek - sought - sought
sell - sold - sold
send - sent - sent
set - set - set
sew - sewed - sewed, sewn
shake - shook - shaken
shall - should
shave - shaved - shaved, shaven
shear - sheared - shorn
shed - shed - shed
shine - shone - shone
shoe - shod - shod
shoot - shot - shot
show - showed - shown
shred - shredded - shredded, shred
shrink - shrank - shrunk
shut - shut - shut
sing - sang - sung
sink - sank - sunk
sit - sat - sat
slay - slew - slain
sleep - slept - slept
slide - slid - slid

sling - slung - slung
slink - slunk - slunk
slit - slit - slit
smell - smelt, smelled - smelt, smelled
smite - smote - smitten
sow - sowed - sown, sowed
speak - spoke - spoken
speed - sped, ⊕ speeded - sped, ⊕ speeded
spell - spelt, spelled - spelt, spelled
spend - spent - spent
spill - spilt, spilled - spilt, spilled
spin - spun, span - spun
spit - spat - spat
split - split - split
spoil - spoiled, spoilt - spoiled, spoilt
spread - spread - spread
spring - sprang - sprung
stand - stood - stood
stave - staved, stove - staved, stove
steal - stole - stolen
stick - stuck - stuck
sting - stung - stung
stink - stunk, stank - stunk
strew - strewed - (have) strewed, (be) strewn
stride - strode - stridden
strike - struck - struck

string - strung - strung
strive - strove - striven
swear - swore - sworn
sweep - swept - swept
swell - swelled - swollen
swim - swam - swum
swing - swung - swung

take - took - taken
teach - taught - taught
tear - tore - torn
tell - told - told
think - thought - thought
thrive - throve - thriven
throw - threw - thrown
thrust - thrust - thrust
tread - trod - trodden

wake - woke, waked - waked, woke(n)
wear - wore - worn
weave - wove - woven
weep - wept - wept
wet - wetted, wet - wetted, wet
will - would
win - won - won
wind - wound - wound
work - worked, surt. ⊕ wrought - worked, surt. ⊕ wrought
wring - wrung - wrung
write - wrote - written

sling – slung – slung
slink – slunk – slunk
slit – slit – slit
smell – smell, smelled – smell, smelled
smelt
smite – smote – smitten
sow – sowed – sown, sowed
speak – spoke – spoken
speed – sped, ⊕ speeded – sped,
⊕ speeded
spell – spelt, spelled – spelt, spelled
spend – spent – spent
spill – spilt, spilled – spilt, spilled
spin – spun – spun
spit – spat – spat
split – split – split
spoil – spoiled, spoilt – spoiled,
spoilt
spread – spread – spread
spring – sprang – sprung
stand – stood – stood
stave – staved, stove – staved, stove
steal – stole – stolen
stick – stuck – stuck
sting – stung – stung
stink – stank, stunk – stunk
strew – strewed – (have) strewed,
(be) strewn
stride – strode – stridden
strike – struck – struck

string – strung – strung
strive – strove – striven
swear – swore – sworn
sweep – swept – swept
swell – swelled – swollen
swim – swam – swum
swing – swung – swung
take – took – taken
teach – taught – taught
tear – tore – torn
tell – told – told
think – thought – thought
thrive – throve – thriven
throw – threw – thrown
thrust – thrust – thrust
tread – trod – trodden
wake – woke, waked – waked,
woke(n)
wear – wore – worn
weave – wove – woven
weep – wept – wept
wet – wetted, wet – wetted, wet
will – would
win – won – won
wind – wound – wound
work – worked, ⊕ wrought – wrought
waked, ⊕ wrought
wring – wrung – wrung
write – wrote – written